	THE		A	
	Sing.	Pl.	Sing	Pl.
Masculine	il	i	un	dei
Masc. St cons	lo	gli	uno	degli
M/F + vowel	l' →		un' →	
Feminine	la	le	una	dello

person					
self	person	to□	self	□	to□
mi	mi	mi	ci	ci	ci
ti	ti	ti	vi	vi	vi
si	lo	gli	si	li	loro
si	la	le	si	le	loro

Subjunctive

After Although or if
  Benché (pres) se (past)
use present subj. endings for pres.
use imper. subj "   "   " past.

After certain verbs + che le
credere, pensare, immaginare,
aver l'impressione

inanzitutto perché - above all because
ma anche perché - but also because

COLLINS
MONDADORI

DIZIONARIO
INGLESE

Questions

che/che cosa?. what?
quale/i? what/which?
chi? who? - only for question
dove? where?
come? how/what like?
perché? why? (come mai = why (on earth)
quando?. when?

Negatives

non mangio niente = I eat nothing/I don't eat anything
non mangio mai = I never eat
non mangio più = I no longer eat/I don't eat any more
non conosco nessuno = I don't know anyone
non conosco che Pietro = I only knew P.

la settimana prossima = next week
l'anno scorso = last year
qualche volta = sometimes
ogni tanto - now and again
spesso = often
pero = however
invece = instead/on the other hand
senza dubbio = without a doubt
nell' insieme = on the whole
non vedo l'ora di IN FIN - I can't wait to
in questo momento   oggidi   adesso
at the moment   nowadays   now

COLLINS
MONDADORI

DIZIONARIO
INGLESE

Italiano-Inglese • English-Italian

HarperCollins*Publishers*

Arnoldo Mondadori Editore

second edition/seconda edizione 1995

© HarperCollins Publishers 1995
© William Collins Sons & Co. Ltd. 1989
latest reprint 1997

HarperCollins Publishers
P.O. Box, Glasgow G4 0NB, Great Britain.
ISBN 0 00 472097-0 (Cased)

Arnoldo Mondadori Editore,
ISBN 88-04-40172-9

Catherine E. Love • Michela Clari

contributors to second edition/hanno collaborato alla seconda edizione
Gabriella Bacchelli • Donatella Boi
Angela Jack • Daphne Day

editorial staff/segreteria di redazione
Megan Thomson
Elspeth Anderson • Anne Convery • Anne Marie Banks

series editor/collana a cura di
Lorna Sinclair Knight
editorial management/coordinamento redazionale
Vivian Marr

Typeset by Morton Word Processing Ltd, Scarborough

Printed and bound in Great Britain by
Caledonian International Book Manufacturing Ltd, Glasgow, G64

INDICE

CONTENTS

I marchi registrati

I termini che a nostro parere costituiscono un marchio registrato sono stati designati come tali. In ogni caso, né la presenza né l'assenza di tale designazione implicano alcuna valutazione del loro reale stato giuridico.

Note on trademarks

Words which we have reason to believe constitute trademarks have been designated as such. However, neither the presence nor the absence of such designation should be regarded as affecting the legal status of any trademark.

INTRODUZIONE

Se desiderate imparare l'inglese o approfondire le conoscenze già acquisite, se volete leggere o redigere dei testi in inglese, oppure conversare con interlocutori di madrelingua inglese, se siete studenti, turisti, uomini o donne d'affari avete scelto il compagno di viaggio ideale per esprimervi e comunicare in inglese sia a voce che per iscritto. Strumento pratico e moderno, il vostro dizionario dà largo spazio al linguaggio quotidiano in campi quali l'attualità, gli affari, la gestione d'ufficio, l'informatica e il turismo. Come in tutti i nostri dizionari, grande importanza è stata data alla lingua contemporanea e alle espressioni idiomatiche.

COME USARE IL DIZIONARIO

Troverete qui di seguito alcune spiegazioni sul modo in cui le informazioni sono state presentate nel testo. L'obiettivo del dizionario è quello di darvi il maggior numero possibile di informazioni senza tuttavia sacrificare la chiarezza all'interno delle voci.

Le voci
Qui di seguito verranno descritti i vari elementi di cui si compone una voce tipo del vostro dizionario.

La trascrizione fonetica
Come regola generale è stata data la pronuncia di tutte le parole inglesi e quella delle parole italiane che potevano presentare qualche difficoltà per il parlante inglese. Nella parte inglese-italiano, tuttavia, per la pronuncia di nomi composti formati da due parole non unite dal trattino si dovrà cercare la trascrizione di ciascuna di queste parole alla rispettiva posizione alfabetica. La pronuncia si trova tra parentesi quadra, subito dopo il lemma. Come nella maggior parte dei dizionari moderni è stato adottato il sistema noto come "alfabeto fonetico internazionale". Troverete qui di seguito, a pagina xiii e xiv, un elenco completo dei caratteri utilizzati in questo sistema.

La categorie grammaticali
Tutte le parole appartengono ad una categoria grammaticale, cioè possono essere sostantivi, verbi, aggettivi, avverbi, pronomi, articoli, congiunzioni o abbreviazioni. I sostantivi possono essere singolari o plurali, sia in italiano che in inglese, e maschili o femminili in italiano. I verbi possono essere transitivi o intransitivi in entrambe le lingue, ma anche riflessivi o impersonali in italiano. La categoria grammaticale è stata introdotta in *corsivo* subito dopo la pronuncia ed eventuali informazioni di tipo morfologico (plurali irregolari ecc.).

Numerose voci sono state suddivise in varie categorie grammaticali. Per esempio la parola italiana **bene** può essere sia un avverbio che un aggettivo o un sostantivo, e la parola inglese **sneeze** può essere sia un sostantivo (starnuto) che un verbo intransitivo (starnutire). Analogamente il verbo italiano **correre** può essere usato sia come verbo intransitivo ("correre alla stazione") che come transitivo ("correre un rischio"). Per presentare la voce con maggiore chiarezza e permettervi di trovare rapidamente la traduzione che cercate, è stato introdotto il simbolo ♦ per contrassegnare il passaggio da una categoria grammaticale ad un'altra.

Suddivisioni semantiche
La maggior parte delle parole ha più di un significato. Per esempio, la parola **fiocco** può essere sia un'annodatura di un nastro che una falda di neve. Molte parole si traducono in modo diverso a seconda del contesto in cui sono usate: per esempio **scala** si tradurrà in inglese con "staircase" o "stairs" se si tratta di una scala con gradini, con "ladder" se è una scala a pioli. Per permettervi di scegliere la traduzione giusta per ciascuno dei contesti in cui la parola si può trovare, le voci sono state suddivise in categorie di significato. Ciascuna suddivisione è introdotta da un "indicatore d'uso" tra parentesi in *corsivo*. Le voci **fiocco** e **scala** compariranno

quindi nel testo nel modo seguente:

fiocco, chi *sm* (*di nastro*) bow; (*di stoffa, lana*) flock; (*di neve*) flake
scala *sf* (*a gradini etc*) staircase, stairs *pl*; (*a pioli, di corda*) ladder

Per segnalare la traduzione appropriata sono stati introdotti anche degli indicatori d'ambito d'uso in CORSIVO MAIUSCOLO tra parentesi, spesso in forma abbreviata, come per esempio nel caso della voce **tromba**:

tromba *sf* (MUS) trumpet; (AUT) horn

Troverete un elenco completo delle abbreviazioni adottate all'interno del dizionario alle pp x, xi, xii.

Le traduzioni

Per la maggior parte delle parole inglesi ed italiane ci sono traduzioni precise a seconda del significato o del contesto, come risulta dagli esempi riportati fin qui. A volte, tuttavia, le parole non hanno un preciso equivalente nella lingua d'arrivo: in questi casi è stato fornito un equivalente approssimativo, preceduto dal segno ≈, come ad esempio per l'abbreviazione **RAC**, per cui è stato dato l'equivalente italiano "A.C.I.", dato che le due associazioni svolgono nei due paesi funzioni analoghe:

RAC *n abbr* (BRIT. = Royal Automobile Club) ≈ A.C.I. *m* (= Automobile Club d' Italia)

A volte è persino impossibile trovare un equivalente approssimativo. Questo è il caso, per esempio, di piatti tipici di un certo paese, come ad esempio **pandoro**:

pandoro *sm type of sponge cake eaten at Christmas*

In questi casi, al posto della traduzione, che non esiste, comparirà una spiegazione: per maggiore chiarezza questa spiegazione o glossa è stata messa in *corsivo*.

Molto spesso la traduzione di una parola può non funzionare all'interno di una data locuzione. Ad esempio alla voce **dare**, verbo spesso tradotto con "to give" in inglese, troviamo varie locuzioni per alcune delle quali la traduzione fornita all'inizio della voce non si può utilizzare: **quanti anni mi dai?** "how old do you think I am?" **danno ancora quel film?** "is that film still showing?", **dare per certo** qc "to consider sth certain", e così via. Ed è proprio in questi casi che potrete verificare l'utilità e la completezza del dizionario, che contiene una ricca gamma di composti, locuzioni e frasi idiomatiche.

Il registro linguistico

In italiano sapete istintivamente scegliere l'espressione corretta da usare a seconda del contesto in cui vi esprimete. Per esempio saprete quando dire **Non me ne importa!** e quando invece potete dire **Chi se ne frega?** Più difficile sarà farlo in inglese, dove avete minore consapevolezza delle sfumature di registro linguistico. Per questo motivo nella parte inglese-italiano le parole ed espressioni inglesi di uso più familiare sono segnalate dall'abbreviazione (*col*), mentre (*col!*) segnala le parole ed espressioni volgari. Nella parte italiano-inglese (*!*) dopo una traduzione segnala che si tratta di una parola od espressione volgare.

Parole chiave

Come vedrete, ad alcune voci è stato riservato un trattamento particolare sia dal punto di vista grafico che da quello linguistico. Si tratta di voci come **essere** o **fare**, o dei loro equivalenti inglesi **be** e **do**, che per la loro importanza e complessità meritano una strutturazione più articolata ed un maggior numero di locuzioni illustrative. Queste voci sono strutturate in diverse categorie di significato contrassegnate da numeri, e le costruzioni sintattiche e locuzioni che illustrano quel particolare significato sono riportate all'interno della relativa categoria.

Informazioni culturali

Le voci che compaiono nel testo delimitate da due linee approfondiscono aspetti della cultura italiana o di quella dei paesi di lingua inglese in argomenti quali la politica, la scuola, i mass media e le festività nazionali.

INTRODUCTION

You may be starting to learn Italian, or you may wish to extend your knowledge of the language. Perhaps you want to read and study Italian books, newspapers and magazines, or perhaps simply have a conversation with Italian speakers. Whatever the reason, whether you're a student, a tourist or want to use Italian for business, this is the ideal book to help you understand and communicate. This modern, user-friendly dictionary gives priority to everyday vocabulary and the language of current affairs, business and tourism. As in all Collins dictionaries, the emphasis is firmly placed on contemporary language and expressions.

HOW TO USE THE DICTIONARY

Below you will find an outline of how information is presented in your dictionary. Our aim is to give you the maximum amount of detail in the clearest and most helpful way.

Entries

A typical entry in your dictionary will be made up of the following elements:

Phonetic transcription

Phonetics appear in square brackets immediately after the headword. They are shown using the International Phonetic Alphabet (IPA), and a complete list of the symbols used in this system can be found on pages xiii and xiv.

Grammatical information

All words belong to one of the following parts of speech: noun, verb, adjective, adverb, pronoun, article, conjunction, preposition, abbreviation. Nouns can be singular or plural and, in Italian, masculine or feminine. Verbs can be transitive, intransitive, reflexive or impersonal. Parts of speech appear in *italics* immediately after the phonetic spelling of the headword.

Often a word can have more than one part of speech. Just as the English word **chemical** can be an adjective or a noun, the Italian word **fondo** can be an adjective ("deep") or a masculine noun ("bottom"). In the same way the verb **to walk** is sometimes transitive, ie it takes an object ("to walk the dog") and sometimes intransitive, ie it doesn't take an object ("to walk to school"). To help you find the meaning you are looking for quickly and for clarity of presentation, the different part of speech categories are separated by a black lozenge ♦.

Meaning divisions

Most words have more than one meaning. Take, for example, **punch** which can be, amongst other things, a blow with the fist or an object used for making holes. Other words are translated differently depending on the context in which they are used. The transitive verb **to roll up**, for example, can be translated by "arrotolare" or "rimboccare" depending on *what* it is you are rolling up. To help you select the most appropriate translation in every context, entries are divided according to meaning. Each different meaning is introduced by an "indicator" in *italics* and in brackets. Thus, the examples given above will be shown as follows:

punch n (*blow*) pugno; (*tool*) punzone m
roll up vt (*carpet, cloth, map*) arrotolare; (*sleeves*) rimboccare

Likewise, some words can have a different meaning when used to talk about a specific subject area or field. For example, **bishop**, which is generally used to mean a high-ranking clergyman, is also the name of a chess piece. To show English speakers which translation to use, we have added "subject field labels" in capitals and in brackets, in this case (*CHESS*):

bishop *n* vescovo; (*CHESS*) alfiere *m*

Field labels are often shortened to save space. You will find a complete list of abbreviations used in the dictionary on pages x, xi, xii.

Translations

Most English words have a direct translation in Italian and vice versa, as shown in the examples given above. Sometimes, however, no exact equivalent exists in the target language. In such cases we have given an approximate equivalent, indicated by the sign ≈. Such is the case of **National Insurance**, the Italian equivalent of which is "Previdenza Sociale". This is not an exact translation since the systems of the two countries in question are quite different:

National Insurance *n* (*BRIT*) ≈ Previdenza Sociale

On occasion it is impossible to find even an approximate equivalent. This may be the case, for example, with the names of types of food:

cottage pie *n piatto a base di carne macinata in sugo e purè di patate*

Here the translation (which doesn't exist) is replaced by an explanation. For increased clarity the explanation, or "gloss", is shown in *italics*.

It is often the case that a word, or a particular meaning of a word, cannot be translated in isolation. The translation of **Dutch**, for example, is "olandese". However, the phrase **to go Dutch** is rendered by "fare alla romana". Even an expression as simple as **washing powder** needs a separate translation since it translates as "detersivo (in polvere)", not "polvere per lavare". This is where your dictionary will prove to be particularly informative and useful since it contains an abundance of compounds, phrases and idiomatic expressions.

Levels of formality and familiarity

In English you instinctively know when to say **I'm broke** *or* **I'm a bit short of cash** and when to say **I don't have any money**. When you are trying to understand someone who is speaking Italian, however, or when you yourself try to speak Italian, it is important to know what is polite and what is less so, and what you can say in a relaxed situation but not in a formal context. To help you with this, on the Italian-English side we have added the label (*fam*) to show that an Italian word or expression is colloquial, while those word or expressions which are vulgar are given an exclamation mark (*fam!*), warning you they can cause serious offence. Note also that on the English-Italian side, translations which are vulgar are followed by an exclamation mark in brackets.

Keywords

Words labelled in the text as *KEYWORDS*, such as **be** and **do** or their Italian equivalents **essere** and **fare**, have been given special treatment because they form the basic elements of the language. This extra help will ensure that you know how to use these complex words with confidence.

Cultural information

Entries which appear separated from the main text by a line above and below them explain aspects of culture in Italy and English-speaking countries. Subject areas covered include politics, education, media and national festivals.

ABBREVIAZIONI

ABBREVIATIONS

abbreviazione	**abbr**	abbreviation
aggettivo	**adj**	adjective
amministrazione	**ADMIN**	administration
avverbio	**adv**	adverb
aeronautica, viaggi aerei	**AER**	flying, air travel
aggettivo	**ag**	adjective
agricoltura	**AGR**	agriculture
amministrazione	**AMM**	administration
anatomia	**ANAT**	anatomy
architettura	**ARCHIT**	architecture
astronomia, astrologia	**ASTR**	astronomy, astrology
l'automobile	**AUT**	the motor car and motoring
verbo ausiliare	**aux vb**	auxiliary verb
avverbio	**av**	adverb
aeronautica, viaggi aerei	**AVIAT**	flying, air travel
biologia	**BIOL**	biology
botanica	**BOT**	botany
inglese della Gran Bretagna	**BRIT**	British English
consonante	**C**	consonant
chimica	**CHIM, CHEM**	chemistry
familiare (! da evitare)	**col(!)**	colloquial usage (! particularly offensive)
commercio, finanza, banca	**COMM**	commerce, finance, banking
informatica	**COMPUT**	computing
congiunzione	**cong**	conjunction
congiunzione	**conj**	conjunction
edilizia	**CONSTR**	building
sostantivo usato come aggettivo, non può essere usato né come attributo, né dopo il sostantivo qualificato	**cpd**	compound element: noun used as adjective and which cannot follow the noun it qualifies
cucina	**CUC, CULIN**	cookery
davanti a	**dav**	before
determinante: articolo, aggettivo dimostrativo o indefinito etc	**det**	determiner: article, demonstrative etc
diritto	**DIR**	law
economia	**ECON**	economics
edilizia	**EDIL**	building
elettricità, elettronica	**ELETTR, ELEC**	electricity, electronics
esclamazione, interiezione	**escl, excl**	exclamation, interjection
specialmente	**esp**	especially
femminile	**f**	feminine
familiare (! da evitare)	**fam(!)**	colloquial usage (! particularly offensive)
ferrovia	**FERR**	railways
figurato	**fig**	figurative use
fisiologia	**FISIOL**	physiology
fotografia	**FOT**	photography
(verbo inglese) la cui particella è inseparabile dal verbo	**fus**	(phrasal verb) where the particle cannot be separated from main verb
nella maggior parte dei sensi; generalmente	**gen**	in most or all senses; generally
geografia, geologia	**GEO**	geography, geology
geometria	**GEOM**	geometry
impersonale	**impers**	impersonal

informatica	*INFORM*	computing
insegnamento, sistema scolastico e universitario	*INS*	schooling, schools and universities
invariabile	*inv*	invariable
irregolare	*irreg*	irregular
grammatica, linguistica	*LING*	grammar, linguistics
maschile	*m*	masculine
matematica	*MAT(H)*	mathematics
termine medico, medicina	*MED*	medical term, medicine
il tempo, meteorologia	*METEOR*	the weather, meteorology
maschile o femminile	*m/f*	either masculine or feminine depending on sex
esercito, linguaggio militare	*MIL*	military matters
musica	*MUS*	music
sostantivo	*n*	noun
nautica	*NAUT*	sailing, navigation
sostantivo che non si usa al plurale	*no pl*	uncountable noun: not used in the plural
numerale (aggettivo, sostantivo)	*num*	numeral adjective or noun
	o.s.	oneself
peggiorativo	*peg, pej*	derogatory, pejorative
fotografia	*PHOT*	photography
fisiologia	*PHYSIOL*	physiology
plurale	*pl*	plural
politica	*POL*	politics
participio passato	*pp*	past participle
preposizione	*prep*	preposition
pronome	*pron*	pronoun
psicologia, psichiatria	*PSIC, PSYCH*	psychology, psychiatry
tempo passato	*pt*	past tense
qualcosa	*qc*	
qualcuno	*qn*	
religione, liturgia	*REL*	religions, church service
sostantivo	*s*	noun
	sb	somebody
insegnamento, sistema scolastico e universitario	*SCOL*	schooling, schools and universities
singolare	*sg*	singular
soggetto (grammaticale)	*sog*	(grammatical) subject
	sth	something
congiuntivo	*sub*	subjunctive
soggetto (grammaticale)	*subj*	(grammatical) subject
termine tecnico, tecnologia	*TECN, TECH*	technical term, technology
telecomunicazioni	*TEL*	telecommunications
tipografia	*TIP*	typography, printing
televisione	*TV*	television
tipografia	*TYP*	typography, printing
inglese degli Stati Uniti	*US*	American English
vocale	*V*	vowel
verbo (ausiliare)	*vb (aus)*	(auxiliary) verb
verbo o gruppo verbale con funzione intransitiva	*vi*	verb or phrasal verb used intransitively
verbo riflessivo	*vr*	reflexive verb
verbo o gruppo verbale con funzione transitiva	*vt*	verb or phrasal verb used transitively
zoologia	*ZOOL*	zoology
marchio registrato	®	registered trademark
introduce un'equivalenza culturale	≈	introduces a cultural equivalent

TRASCRIZIONE FONETICA

Consonanti / Consonants

NB. **p, b, t, d, k, g** sono seguite da un'aspirazione in inglese.

NB. **p, b, t, d, k, g** are not aspirated in Italian.

Italiano		Inglese
padre	p	puppy
bambino	b	baby
tutto	t	tent
dado	d	daddy
cane che	k	cork kiss chord
gola ghiro	g	gag guess
sano	s	so rice kiss
svago esame	z	cousin buzz
scena	ʃ	sheep sugar
	ʒ	pleasure beige
pece lanciare	tʃ	church
giro gioco	dʒ	judge general
afa faro	f	farm raffle
vero bravo	v	very rev
	θ	thin maths
	ð	that other
letto ala	l	little ball
gli	ʎ	
rete arco	r	rat brat
ramo madre	m	mummy comb
no fumante	n	no ran
gnomo	ɲ	
	ŋ	singing bank
	h	hat reheat
buio piacere	j	yet
uomo guaio	w	wall bewail
	x	loch

Varie / Miscellaneous

per l'inglese: la "r" finale viene pronunciata se seguita da una vocale — *

precede la sillaba accentata — ˈ — precedes the stressed syllable

Come regola generale, in tutte le voci la trascrizione fonetica in parentesi quadra segue il termine cui si riferisce. Tuttavia, dalla parte inglese-italiano del dizionario, per la pronuncia di composti che sono formati da più parole non unite da trattino che appaiono comunque nel dizionario, si veda la trascrizione fonetica di ciascuna di queste parole alla rispettiva posizione alfabetica.

PHONETIC TRANSCRIPTION

Vocali		Vowels

NB. La messa in equivalenza di certi suoni indica solo una rassomiglianza approssimativa.

NB. The pairing of some vowel sounds only indicates approximate equivalence.

Italian	IPA	English
vino idea	i iː	heel bead
	ɪ	hit pity
stella edera	e	
epoca eccetto	ɛ	set tent
mamma amore	a æ	apple bat
	ɑː	after car calm
	ʌ	fun cousin
	ə	over above
	əː	urn fern work
rosa occhio	ɔ	wash pot
	ɔː	born cork
ponte ognuno	o	
utile zucca	u	full soot
	uː	boon lewd

Dittonghi / Diphthongs

IPA	English
ɪə	beer tier
ɛə	tear fair there
eɪ	date plaice day
aɪ	life buy cry
au	owl foul now
əu	low no
ɔɪ	boil boy oily
uə	poor tour

In general, we give the pronunciation of each entry in square brackets after the word in question. However, on the English-Italian side, where the entry is composed of two or more unhyphenated words, each of which is given elsewhere in this dictionary, you will find the pronunciation of each word in its alphabetical position.

ITALIAN PRONUNCIATION

Vowels

Where the vowel **e** or the vowel **o** appears in a stressed syllable it can be either open [ɛ], [ɔ] or closed [e], [o]. As the open or closed pronunciation of these vowels is subject to regional variation, the distinction is of little importance to the user of this dictionary. Phonetic transcription for headwords containing these vowels will therefore only appear where other pronunciation difficulties are present.

Consonants

c before "e" or "i" is pronounced *tch*.

ch is pronounced like the "k" in "kit".

g before "e" or "i" is pronounced like the "j" in "jet".

gh is pronounced like the "g" in "get".

gl before "e" or "i" is normally pronounced like the "lli" in "million", and in a few cases only like the "gl" in "glove".

gn is pronounced like the "ny" in "canyon".

sc before "e" or "i" is pronounced *sh*.

z is pronounced like the "ts" in "stetson", or like the "d's" in "bird's-eye".

Headwords containing the above consonants and consonantal groups have been given full phonetic transcription in this dictionary.

NB. All double written consonants in Italian are fully sounded: e.g. the *tt* in "tutto" is pronounced as in "ha*t t*rick".

ITALIAN VERBS

[handwritten annotations above: -ing, Past, Res, Impef, Future]

1 Gerundio **2** Participio passato **3** Presente **4** Imperfetto **5** Passato remoto **6** Futuro
7 Condizionale **8** Congiuntivo presente **9** Congiuntivo passato **10** Imperativo

[handwritten: Conditional present SUBJ. Past SUBJ. commands]

accadere *like* **cadere**
accedere *like* **concedere**
accendere 2 acceso **5** accesi, accendesti
accludere *like* **alludere**
accogliere *like* **cogliere**
accondiscendere *like* **scendere**
accorgersi *like* **scorgere**
accorrere *like* **correre**
accrescere *like* **crescere**
addirsi *like* **dire**
addurre *like* **ridurre**
affiggere 2 affisso **5** affissi, affiggesti
affliggere 2 afflitto **5** afflissi, affliggesti
aggiungere *like* **giungere**
alludere 2 alluso **5** allusi, alludesti
ammettere *like* **mettere**
andare 3 vado, vai, va, andiamo, andate, vanno **6** andrò *etc* **8** vada **10** va'!, vada!, andate!, vadano!
annettere 2 annesso **5** annessi *o* annettei, annettesti
apparire 2 apparso **3** appaio, appari *o* apparisci, appare *o* apparisce, appaiono *o* appariscono **5** apparvi *o* apparsi, apparisti, apparve *o* apparì *o* apparse, apparvero *o* apparirono *o* apparsero **8** appaia *o* apparisca
appartenere *like* **tenere**
appendere 2 appeso **5** appesi, appendesti
apporre *like* **porre**
apprendere *like* **prendere**
aprire 2 aperto **3** apro **5** aprii *o* apersi, apristi **8** apra
ardere 2 arso **5** arsi, ardesti
ascendere *like* **scendere**
aspergere 2 asperso **5** aspersi, aspergesti
assalire *like* **salire**
assistere 2 assistito
assolvere 2 assolto **5** assolsi *o* assolvei *o* assolvetti, assolvesti
assumere 2 assunto **5** assunsi, assumesti
astenersi *like* **tenere**
attendere *like* **tendere**
attingere *like* **tingere**
AVERE 3 ho, hai, ha, abbiamo, avete, hanno **5** ebbi, avesti, ebbe, avemmo, aveste, ebbero **6** avrò *etc* **8** abbia *etc* **10** abbi!, abbia!, abbiate!, abbiano!
avvedersi *like* **vedere**
avvenire *like* **venire**
avvincere *like* **vincere**
avvolgere *like* **volgere**
benedire *like* **dire**
bere 1 bevendo **2** bevuto **3** bevo *etc* **4** bevevo *etc* **5** bevvi *o* bevetti, bevesti **6** berrò

etc **8** beva *etc* **9** bevessi *etc*
cadere 5 caddi, cadesti **6** cadrò *etc*
chiedere 2 chiesto **5** chiesi, chiedesti
chiudere 2 chiuso **5** chiusi, chiudesti
cingere 2 cinto **5** cinsi, cingesti
cogliere 2 colto **3** colgo, colgono **5** colsi, cogliesti **8** colga
coincidere 2 coinciso **5** coincisi, coincidesti
coinvolgere *like* **volgere**
commettere *like* **mettere**
commuovere *like* **muovere**
comparire *like* **apparire**
compiacere *like* **piacere**
compiangere *like* **piangere**
comporre *like* **porre**
comprendere *like* **prendere**
comprimere 2 compresso **5** compressi, comprimesti
compromettere *like* **mettere**
concedere 2 concesso *o* conceduto **5** concessi *o* concedei *o* concedetti, concedesti
concludere *like* **alludere**
concorrere *like* **correre**
condurre *like* **ridurre**
confondere *like* **fondere**
congiungere *like* **giungere**
connettere *like* **annettere**
conoscere 2 conosciuto **5** conobbi, conoscesti
consistere *like* **assistere**
contendere *like* **tendere**
contenere *like* **tenere**
contorcere *like* **torcere**
contraddire *like* **dire**
contraffare *like* **fare**
contrarre *like* **trarre**
convenire *like* **venire**
convincere *like* **vincere**
coprire *like* **aprire**
correggere *like* **reggere**
correre 2 corso **5** corsi, corresti
corrispondere *like* **rispondere**
corrompere *like* **rompere**
costringere *like* **stringere**
costruire 5 costrussi, costruisti
crescere 2 cresciuto **5** crebbi, crescesti
cuocere 2 cotto **3** cuocio, cociamo, cuociono **5** cossi, cocesti
dare 3 do, dai, dà, diamo, date, danno **5** diedi *o* detti, desti **6** darò *etc* **8** dia *etc* **9** dessi *etc* **10** da'!, dai!, diano!
decidere 2 deciso **5** decisi, decidesti
decrescere *like* **crescere**
dedurre *like* **ridurre**

deludere *like* **alludere**
deporre *like* **porre**
deprimere *like* **comprimere**
deridere *like* **ridere**
descrivere *like* **scrivere**
desumere *like* **assumere**
detergere *like* **tergere**
devolvere *2* devoluto
difendere *2* difeso *5* difesi, difendesti
diffondere *like* **fondere**
dipendere *like* **appendere**
dipingere *like* **tingere**
dire *1* dicendo *2* detto *3* dico, dici, dice, diciamo, dite, dicono *4* dicevo *etc 5* dissi, dicesti *6* dirò *etc 8* dica, diciamo, diciate, dicano *9* dicessi *etc 10* di'!, dica!, dite!, dicano!
dirigere *2* diretto *5* diressi, dirigesti
discendere *like* **scendere**
dischiudere *like* **chiudere**
disciogliere *like* **sciogliere**
discorrere *like* **correre**
discutere *2* discusso *5* discussi, discutesti
disfare *like* **fare**
disilludere *like* **alludere**
disperdere *like* **perdere**
dispiacere *like* **piacere**
disporre *like* **porre**
dissolvere *2* dissolto *o* dissoluto *5* dissolsi *o* dissolvetti *o* dissolvei, dissolvesti
dissuadere *like* **persuadere**
distendere *like* **tendere**
distinguere *2* distinto *5* distinsi, distinguesti
distogliere *like* **togliere**
distrarre *like* **trarre**
distruggere *like* **struggere**
divenire *like* **venire**
dividere *2* diviso *5* divisi, dividesti
dolere *3* dolgo, duoli, duole, dolgono *5* dolsi, dolesti *6* dorrò *etc 8* dolga
DORMIRE *1* GERUNDIO dormendo
  2 PARTICIPIO PASSATO dormito
  3 PRESENTE dormo, dormi, dorme, dormiamo, dormite, dormono
  4 IMPERFETTO dormivo, dormivi, dormiva, dormivamo, dormivate, dormivano
  5 PASSATO REMOTO dormii, dormisti, dormì, dormimmo, dormiste, dormirono
  6 FUTURO dormirò, dormirai, dormirà, dormiremo, dormirete, dormiranno
  7 CONDIZIONALE dormirei, dormiresti, dormirebbe, dormiremmo, dormireste, dormirebbero
  8 CONGIUNTIVO PRESENTE dorma, dorma, dorma, dormiamo, dormiate, dormano
  9 CONGIUNTIVO PASSATO dormissi, dormissi, dormisse, dormissimo, dormiste, dormissero
  10 IMPERATIVO dormi!, dorma!, dormite!, dormano!
dovere *3* devo *o* debbo, devi, deve, dobbiamo, dovete, devono *o* debbono *6* dovrò *etc*
8 debba, dobbiamo, dobbiate, devano *o* debbano
eccellere *2* eccelso *5* eccelsi, eccellesti
eludere *like* **alludere**
emergere *2* emerso *5* emersi, emergesti
emettere *like* **mettere**
erigere *like* **dirigere**
escludere *like* **alludere**
esigere *2* esatto
esistere *2* esistito
espellere *2* espulso *5* espulsi, espellesti
esplodere *2* esploso *5* esplosi, esplodesti
esporre *like* **porre**
esprimere *like* **comprimere**
ESSERE *2* stato *3* sono, sei, è, siamo, siete, sono *4* ero, eri, era, eravamo, eravate, erano *5* fui, fosti, fu, fummo, foste, furono *6* sarò *etc 8* sia *etc 9* fossi, fossi, fosse, fossimo, foste, fossero *10* sii!, sia!, siate!, siano!
estendere *like* **tendere**
estinguere *like* **distinguere**
estrarre *like* **trarre**
evadere *2* evaso *5* evasi, evadesti
evolvere *2* evoluto
fare *1* facendo *2* fatto *3* faccio, fai, fa, facciamo, fate, fanno *4* facevo *etc 5* feci, facesti *6* farò *etc 8* faccia *etc 9* facessi *etc 10* fa'!, faccia!, fate!, facciano!
fingere *like* **cingere**
FINIRE *1* GERUNDIO finendo
  2 PARTICIPIO PASSATO finito
  3 PRESENTE finisco, finisci, finisce, finiamo, finite, finiscono
  4 IMPERFETTO finivo, finivi, finiva, finivamo, finivate, finivano
  5 PASSATO REMOTO finii, finisti, finì, finimmo, finiste, finirono
  6 FUTURO finirò, finirai, finirà, finiremo, finirete, finiranno
  7 CONDIZIONALE finirei, finiresti, finirebbe, finiremmo, finireste, finirebbero
  8 CONGIUNTIVO PRESENTE finisca, finisca, finisca, finiamo, finiate, finiscano
  9 CONGIUNTIVO PASSATO finissi, finissi, finisse, finissimo, finiste, finissero
  10 IMPERATIVO finisci!, finisca!, finite!, finiscano!
flettere *2* flesso
fondere *2* fuso *5* fusi, fondesti
friggere *2* fritto *5* frissi, friggesti
fungere *2* funto *5* funsi, fungesti
giacere *3* giaccio, giaci, giace, giac(c)iamo, giacete, giacciono *5* giacqui, giacesti *8* giaccia *etc 10* giaci!, giaccia!, giac(c)iamo!, giacete!, giacciano!
giungere *2* giunto *5* giunsi, giungesti
godere *6* godrò *etc*
illudere *like* **alludere**
immergere *like* **emergere**
immettere *like* **mettere**
imporre *like* **porre**
imprimere *like* **comprimere**

incidere *like* **decidere**
includere *like* **alludere**
incorrere *like* **correre**
incutere *like* **discutere**
indulgere *2* indulto *5* indulsi, indulgesti
indurre *like* **ridurre**
inferire[1] *2* inferto *5* infersi, inferisti
inferire[2] *2* inferito *5* inferii, inferisti
infliggere *like* **affliggere**
infrangere *2* infranto *5* infransi, infrangesti
infondere *like* **fondere**
insistere *like* **assistere**
intendere *like* **tendere**
interdire *like* **dire**
interporre *like* **porre**
interrompere *like* **rompere**
intervenire *like* **venire**
intraprendere *like* **prendere**
introdurre *like* **ridurre**
invadere *like* **evadere**
irrompere *like* **rompere**
iscrivere *like* **scrivere**
istruire *like* **costruire**
ledere *2* leso *5* lesi, ledesti
leggere *2* letto *5* lessi, leggesti
maledire *like* **dire**
mantenere *like* **tenere**
mettere *2* messo *5* misi, mettesti
mordere *2* morso *5* morsi, mordesti
morire *2* morto *3* muoio, muori, muore, moriamo, morite, muoiono *6* morirò *o* morrò *etc* *8* muoia
mungere *2* munto *5* munsi, mungesti
muovere *2* mosso *5* mossi, movesti
nascere *2* nato *5* nacqui, nascesti
nascondere *2* nascosto *5* nascosi, nascondesti
nuocere *2* nuociuto *3* nuoccio, nuoci, nuoce, nociamo *o* nuociamo, nuocete, nuocciono *4* nuocevo *etc* *5* nocqui, nuocesti *6* nuocerò *etc* *7* nuoccia
occorrere *like* **correre**
offendere *like* **difendere**
offrire *2* offerto *3* offro *5* offersi *o* offrii, offristi *8* offra
omettere *like* **mettere**
opporre *like* **porre**
opprimere *like* **comprimere**
ottenere *like* **tenere**
parere *2* parso *3* paio, paiamo, paiono *5* parvi *o* parsi, paresti *6* parrò *etc* *8* paia, paiamo, paiate, paiano
PARLARE *1* GERUNDIO parlando
2 PARTICIPIO PASSATO parlato
3 PRESENTE parlo, parli, parla, parliamo, parlate, parlano
4 IMPERFETTO parlavo, parlavi, parlava, parlavamo, parlavate, parlavano
5 PASSATO REMOTO parlai, parlasti, parlò, parlammo, parlaste, parlarono
6 FUTURO parlerò, parlerai, parlerà, parleremo, parlerete, parleranno
7 CONDIZIONALE parlerei, parleresti, parlerebbe, parleremmo, parlereste, parlerebbero
8 CONGIUNTIVO PRESENTE parli, parli, parli, parliamo, parliate, parlino
9 CONGIUNTIVO PASSATO parlassi, parlassi, parlasse, parlassimo, parlaste, parlassero
10 IMPERATIVO parla!, parli!, parlate!, parlino!
percorrere *like* **correre**
percuotere *2* percosso *5* percossi, percotesti
perdere *2* perso *o* perduto *5* persi *o* perdei *o* perdetti, perdesti
permettere *like* **mettere**
persuadere *2* persuaso *5* persuasi, persuadesti
pervenire *like* **venire**
piacere *2* piaciuto *3* piaccio, piacciamo, piacciono *5* piacqui, piacesti *8* piaccia *etc*
piangere *2* pianto *5* piansi, piangesti
piovere *5* piovve
porgere *2* porto *5* porsi, porgesti
porre *1* ponendo *2* posto *3* pongo, poni, pone, poniamo, ponete, pongono *4* ponevo *etc* *5* posi, ponesti *6* porrò *etc* *8* ponga, poniamo, poniate, pongano *9* ponessi *etc*
posporre *like* **porre**
possedere *like* **sedere**
potere *3* posso, puoi, può, possiamo, potete, possono *6* potrò *etc* *8* possa, possiamo, possiate, possano
prediligere *2* prediletto *5* predilessi, prediligesti
predire *like* **dire**
prefiggersi *like* **affiggere**
preludere *like* **alludere**
prendere *2* preso *5* presi, prendesti
preporre *like* **porre**
prescrivere *like* **scrivere**
presiedere *like* **sedere**
presumere *like* **assumere**
pretendere *like* **tendere**
prevalere *like* **valere**
prevedere *like* **vedere**
prevenire *like* **venire**
produrre *like* **ridurre**
proferire *like* **inferire**[2]
profondere *like* **fondere**
promettere *like* **mettere**
promuovere *like* **muovere**
proporre *like* **porre**
prorompere *like* **rompere**
proscrivere *like* **scrivere**
proteggere *2* protetto *5* protessi, proteggesti
provenire *like* **venire**
provvedere *like* **vedere**
pungere *2* punto *5* punsi, pungesti
racchiudere *like* **chiudere**
raccogliere *like* **cogliere**
radere *2* raso *5* rasi, radesti

raggiungere *like* **giungere**
rapprendere *like* **prendere**
ravvedersi *like* **vedere**
recidere *like* **decidere**
redigere 2 redatto
redimere 2 redento 5 redensi, redimesti
reggere 2 retto 5 ressi, reggesti
rendere 2 reso 5 resi, rendesti
reprimere *like* **comprimere**
rescindere *like* **scindere**
respingere *like* **spingere**
restringere *like* **stringere**
ricadere *like* **cadere**
richiedere *like* **chiedere**
riconoscere *like* **conoscere**
ricoprire *like* **coprire**
ricorrere *like* **correre**
ridere 2 riso 5 risi, ridesti
ridire *like* **dire**
ridurre 1 riducendo 2 ridotto 3 riduco *etc* 4
riducevo *etc* 5 ridussi, riducesti 6 ridur-
rò *etc* 8 riduca *etc* 9 riducessi *etc*
riempire 1 riempiendo 3 riempio, riempi,
riempie, riempiono
rifare *like* **fare**
riflettere 2 riflettuto *o* riflesso
rifrangere *like* **infrangere**
rimanere 2 rimasto 3 rimango, rimangono
5 rimasi, rimanesti 6 rimarrò *etc* 8 rimanga
rimettere *like* **mettere**
rimpiangere *like* **piangere**
rinchiudere *like* **chiudere**
rincrescere *like* **crescere**
rinvenire *like* **venire**
ripercuotere *like* **percuotere**
riporre *like* **porre**
riprendere *like* **prendere**
riprodurre *like* **ridurre**
riscuotere *like* **scuotere**
risolvere *like* **assolvere**
risorgere *like* **sorgere**
rispondere 2 risposto 5 risposi, risponde-
sti
ritenere *like* **tenere**
ritrarre *like* **trarre**
riuscire *like* **uscire**
rivedere *like* **vedere**
rivivere *like* **vivere**
rivolgere *like* **volgere**
rodere 2 roso 5 rosi, rodesti
rompere 2 rotto 5 ruppi, rompesti
salire 3 salgo, sali, salgono 8 salga
sapere 3 so, sai, sa, sappiamo, sapete, sanno
5 seppi, sapesti 6 saprò *etc* 8 sappia *etc* 10
sappi!, sappia!, sappiate!, sappiano!
scadere *like* **cadere**
scegliere 2 scelto 3 scelgo, scegli, sceglie,
scegliamo, scegliete, scelgono 5 scelsi,
scegliesti 8 scelga, scegliamo, scegliate,
scelgano 10 scegli!, scelga!, scegliamo!,
scegliete!, scelgano!
scendere 2 sceso 5 scesi, scendesti

schiudere *like* **chiudere**
scindere 2 scisso 5 scissi, scindesti
sciogliere 2 sciolto 3 sciolgo, sciolgi, scioglie, sciogliamo, sciogliete, sciolgono 5
sciolsi, sciogliesti 8 sciolga, sciogliamo,
sciogliate, sciolgano 10 sciogli!, sciolga!,
sciogliamo!, sciogliete!, sciolgano!
scommettere *like* **mettere**
scomparire *like* **apparire**
scomporre *like* **porre**
sconfiggere 2 sconfitto 5 sconfissi, sconfig-
gesti
sconvolgere *like* **volgere**
scoprire *like* **aprire**
scorgere 2 scorto 5 scorsi, scorgesti
scorrere *like* **correre**
scrivere 2 scritto 5 scrissi, scrivesti
scuotere 2 scosso 3 scuoto, scuoti, scuote,
scotiamo, scotete, scuotono 5 scossi, sco-
testi 6 scoterò *etc* 8 scuota, scotiamo,
scotiate, scuotano 10 scuoti!, scuota!,
scotiamo!, scotete!, scuotano!
sedere 3 siedo, siedi, siede, siedono 8 sieda
seppellire 2 sepolto
smettere *like* **mettere**
smuovere *like* **muovere**
socchiudere *like* **chiudere**
soccorrere *like* **correre**
soddisfare *like* **fare**
soffriggere *like* **friggere**
soffrire 2 sofferto 5 soffersi *o* soffrii, sof-
fristi
soggiungere *like* **giungere**
solere 2 solito 3 soglio, suoli, suole, sogliamo, solete, sogliono 8 soglia, sogliamo,
sogliate, sogliano
sommergere *like* **emergere**
sopprimere *like* **comprimere**
sorgere 2 sorto 3 sorsi, sorgesti
sorprendere *like* **prendere**
sorreggere *like* **reggere**
sorridere *like* **ridere**
sospendere *like* **appendere**
sospingere *like* **spingere**
sostenere *like* **tenere**
sottintendere *like* **tendere**
spandere 2 spanto
spargere 2 sparso 5 sparsi, spargesti
sparire 5 sparii *o* sparvi, sparisti
spegnere 2 spento 3 spengo, spengono 5
spensi, spegnesti 8 spenga
spendere 2 speso 5 spesi, spendesti
spingere 2 spinto 5 spinsi, spingesti
sporgere *like* **porgere**
stare 2 stato 3 sto, stai, sta, stiamo, state,
stanno 5 stetti, stesti 6 starò *etc* 8 stia *etc*
9 stessi *etc* 10 sta'!, stia!, state!, stiano!
stendere *like* **tendere**
storcere *like* **torcere**
stringere 2 stretto 5 strinsi, stringesti
struggere 2 strutto 5 strussi, struggesti
succedere *like* **concedere**

supporre *like* **porre**
svenire *like* **venire**
svolgere *like* **volgere**
tacere *2* taciuto *3* taccio, tacciono *5* tacqui, tacesti *8* taccia
tendere *2* teso *5* tesi, tendesti *etc*
tenere *3* tengo, tieni, tiene, tengono *5* tenni, tenesti *6* terrò *etc* *8* tenga
tingere *2* tinto *5* tinsi, tingesti
togliere *2* tolto *3* tolgo, togli, toglie, togliamo, togliete, tolgono *5* tolsi, togliesti *8* tolga, togliamo, togliate, tolgano *10* togli!, tolga!, togliamo!, togliete!, tolgano!
torcere *2* torto *5* torsi, torcesti
tradurre *like* **ridurre**
trafiggere *like* **sconfiggere**
transigere *like* **esigere**
trarre *1* traendo *2* tratto *3* traggo, trai, trae, traiamo, traete, traggono *4* traevo *etc* *5* trassi, traesti *6* trarrò *etc* *8* tragga *9* traessi *etc*
trascorrere *like* **correre**
trascrivere *like* **scrivere**
trasmettere *like* **mettere**
trasparire *like* **apparire**
trattenere *like* **tenere**
uccidere *2* ucciso *5* uccisi, uccidesti
udire *3* odo, odi, ode, odono *8* oda
ungere *2* unto *5* unsi, ungesti
uscire *3* esco, esci, esce, escono *8* esca
valere *2* valso *3* valgo, valgono *5* valsi, valesti *6* varrò *etc* *8* valga

vedere *2* visto *o* veduto *5* vidi, vedesti *6* vedrò *etc*
VENDERE *1* GERUNDIO vendendo
　2 PARTICIPIO PASSATO venduto
　3 PRESENTE vendo, vendi, vende, vendiamo, vendete, vendono
　4 IMPERFETTO vendevo, vendevi, vendeva, vendevamo, vendevate, vendevano
　5 PASSATO REMOTO vendei *o* vendetti, vendesti, vendé *o* vendette, vendemmo, vendeste, venderono *o* vendettero
　6 FUTURO venderò, venderai, venderà, venderemo, venderete, venderanno
　7 CONDIZIONALE venderei, venderesti, venderebbe, venderemmo, vendereste, venderebbero
　8 CONGIUNTIVO PRESENTE venda, venda, venda, vendiamo, vendiate, vendano
　9 CONGIUNTIVO PASSATO vendessi, vendessi, vendesse, vendessimo, vendeste, vendessero
　10 IMPERATIVO vendi!, venda!, vendete!, vendano!
venire *2* venuto *3* vengo, vieni, viene, vengono *5* venni, venisti *6* verrò *etc* *8* venga
vincere *2* vinto *5* vinsi, vincesti
vivere *2* vissuto *5* vissi, vivesti
volere *3* voglio, vuoi, vuole, vogliamo, volete, vogliono *5* volli, volesti *6* vorrò *etc* *8* voglia *etc* *10* vogli!, voglia!, vogliate!, vogliano!
volgere *2* volto *5* volsi, volgesti

VERBI INGLESI

present	pt	pp	present	pt	pp
arise	arose	arisen	drive	drove	driven
awake	awoke	awoken	dwell	dwelt	dwelt
be (am, is, are; being)	was, were	been	eat	ate	eaten
			fall	fell	fallen
			feed	fed	fed
bear	bore	born(e)	feel	felt	felt
beat	beat	beaten	fight	fought	fought
become	became	become	find	found	found
befall	befell	befallen	flee	fled	fled
begin	began	begun	fling	flung	flung
behold	beheld	beheld	fly	flew	flown
bend	bent	bent	forbid	forbad(e)	forbidden
beset	beset	beset	forecast	forecast	forecast
bet	bet, betted	bet, betted	forget	forgot	forgotten
bid (at auction, cards)	bid	bid	forgive	forgave	forgiven
			forsake	forsook	forsaken
			freeze	froze	frozen
bid (say)	bade	bidden	get	got	got, (US) gotten
bind	bound	bound			
bite	bit	bitten	give	gave	given
bleed	bled	bled	go (goes)	went	gone
blow	blew	blown	grind	ground	ground
break	broke	broken	grow	grew	grown
breed	bred	bred	hang	hung	hung
bring	brought	brought	hang (execute)	hanged	hanged
build	built	built			
burn	burnt, burned	burnt, burned	have	had	had
			hear	heard	heard
burst	burst	burst	hide	hid	hidden
buy	bought	bought	hit	hit	hit
can	could	(been able)	hold	held	held
cast	cast	cast	hurt	hurt	hurt
catch	caught	caught	keep	kept	kept
choose	chose	chosen	kneel	knelt, kneeled	knelt, kneeled
cling	clung	clung			
come	came	come	know	knew	known
cost	cost	cost	lay	laid	laid
cost (work out price of)	costed	costed	lead	led	led
			lean	leant, leaned	leant, leaned
creep	crept	crept	leap	leapt, leaped	leapt, leaped
cut	cut	cut			
deal	dealt	dealt	learn	learnt, learned	learnt, learned
dig	dug	dug			
do (3rd person: he/she/it does)	did	done	leave	left	left
			lend	lent	lent
			let	let	let
			lie (lying)	lay	lain
draw	drew	drawn	light	lit, lighted	lit, lighted
dream	dreamed, dreamt	dreamed, dreamt	lose	lost	lost
			make	made	made
drink	drank	drunk	may	might	—

present	pt	pp	present	pt	pp
mean	meant	meant	speed	sped, speeded	sped, speeded
meet	met	met			
mistake	mistook	mistaken	spell	spelt, spelled	spelt, spelled
mow	mowed	mown, mowed			
			spend	spent	spent
must	(had to)	(had to)	spill	spilt, spilled	spilt, spilled
pay	paid	paid			
put	put	put	spin	spun	spun
quit	quit, quitted	quit, quitted	spit	spat	spat
			spoil	spoiled, spoilt	spoiled, spoilt
read	read	read			
rid	rid	rid	spread	spread	spread
ride	rode	ridden	spring	sprang	sprung
ring	rang	rung	stand	stood	stood
rise	rose	risen	steal	stole	stolen
run	ran	run	stick	stuck	stuck
saw	sawed	sawed, sawn	sting	stung	stung
			stink	stank	stunk
say	said	said	stride	strode	stridden
see	saw	seen	strike	struck	struck
seek	sought	sought	strive	strove	striven
sell	sold	sold	swear	swore	sworn
send	sent	sent	sweep	swept	swept
set	set	set	swell	swelled	swollen, swelled
sew	sewed	sewn			
shake	shook	shaken	swim	swam	swum
shear	sheared	shorn, sheared	swing	swung	swung
			take	took	taken
shed	shed	shed	teach	taught	taught
shine	shone	shone	tear	tore	torn
shoot	shot	shot	tell	told	told
show	showed	shown	think	thought	thought
shrink	shrank	shrunk	throw	threw	thrown
shut	shut	shut	thrust	thrust	thrust
sing	sang	sung	tread	trod	trodden
sink	sank	sunk	wake	woke, waked	woken, waked
sit	sat	sat			
slay	slew	slain	wear	wore	worn
sleep	slept	slept	weave	wove	woven
slide	slid	slid	weave (wind)	weaved	weaved
sling	slung	slung			
slit	slit	slit	wed	wedded, wed	wedded, wed
smell	smelt, smelled	smelt, smelled			
			weep	wept	wept
sow	sowed	sown, sowed	win	won	won
			wind	wound	wound
speak	spoke	spoken	wring	wrung	wrung
			write	wrote	written

I NUMERI

NUMBERS

uno(a)	1	one
due	2	two
tre	3	three
quattro	4	four
cinque	5	five
sei	6	six
sette	7	seven
otto	8	eight
nove	9	nine
dieci	10	ten
undici	11	eleven
dodici	12	twelve
tredici	13	thirteen
quattordici	14	fourteen
quindici	15	fifteen
sedici	16	sixteen
diciassette	17	seventeen
diciotto	18	eighteen
diciannove	19	nineteen
venti	20	twenty
ventuno	21	twenty-one
ventidue	22	twenty-two
ventitré	23	twenty-three
ventotto	28	twenty-eight
trenta	30	thirty
quaranta	40	forty
cinquanta	50	fifty
sessanta	60	sixty
settanta	70	seventy
ottanta	80	eighty
novanta	90	ninety
cento	100	a hundred, one hundred
centouno	101	a hundred and one
duecento	200	two hundred
mille	1 000	a thousand, one thousand
milleduecentodue	1 202	one thousand two hundred and two
cinquemila	5 000	five thousand
un milione	1 000 000	a million, one million

I NUMERI

NUMBERS

primo(a), 1°	first, 1st
secondo(a), 2°	second, 2nd
terzo(a), 3°	third, 3rd
quarto(a)	fourth, 4th
quinto(a)	fifth, 5th
sesto(a)	sixth, 6th
settimo(a)	seventh
ottavo(a)	eighth
nono(a)	ninth
decimo(a)	tenth
undicesimo(a)	eleventh
dodicesimo(a)	twelfth
tredicesimo(a)	thirteenth
quattordicesimo(a)	fourteenth
quindicesimo(a)	fifteenth
sedicesimo(a)	sixteenth
diciassettesimo(a)	seventeenth
diciottesimo(a)	eighteenth
diciannovesimo(a)	nineteenth
ventesimo(a)	twentieth
ventunesimo(a)	twenty-first
ventiduesimo(a)	twenty-second
ventitreesimo(a)	twenty-third
ventottesimo(a)	twenty-eighth
trentesimo(a)	thirtieth
centesimo(a)	hundredth
centunesimo(a)	hundred-and-first
millesimo(a)	thousandth
milionesimo(a)	millionth

L'ORA

che ora è?, che ore sono?
è ..., sono ...

mezzanotte
l'una (del mattino)

l'una e cinque
l'una e dieci
l'una e un quarto, l'una e quindici
l'una e venticinque

l'una e mezzo *o* mezza, l'una e
   trenta
l'una e trentacinque
le due meno venti, l'una e
   quaranta
le due meno un quarto, l'una e
   quarantacinque
le due meno dieci, l'una e
   cinquanta
mezzogiorno
le tre, le quindici

le sette (di sera), le diciannove

a che ora?

a mezzanotte
alle sette

fra venti minuti
venti minuti fa

LA DATA

oggi
domani
dopodomani
ieri
l'altro ieri
il giorno prima
il giorno dopo

THE TIME

what time is it?
it's ...

midnight
one o'clock (in the morning) , one
   (am)
five past one
ten past one
a quarter past one, one fifteen
twenty-five past one, one twenty-
   five
half past one, one thirty

twenty-five to two, one thirty-five
twenty to two, one forty

a quarter to two, one forty-five

ten to two, one fifty

twelve o'clock, midday, noon
three o'clock (in the afternoon),
   three (pm)
seven o'clock (in the evening),
   seven (pm)

at what time?

at midnight
at seven o'clock

in twenty minutes
twenty minutes ago

THE DATE

today
tomorrow
the day after tomorrow
yesterday
the day before yesterday
the day before, the previous day
the next *or* following day

la mattina	morning
la sera	evening
stamattina	this morning
stasera	this evening
questo pomeriggio	this afternoon
ieri mattina	yesterday morning
ieri sera	yesterday evening
domani mattina	tomorrow morning
domani sera	tomorrow evening
nella notte tra sabato e domenica	during Saturday night, during the night of Saturday to Sunday
viene sabato	he's coming on Saturday
il sabato	on Saturdays
tutti i sabati	every Saturday
sabato scorso, lo scorso sabato	last Saturday
il prossimo sabato	next Saturday
fra due sabati	a week on Saturday
fra tre sabati	a fortnight or two weeks on Saturday
da lunedì a sabato	from Monday to Saturday
tutti i giorni	every day
una volta alla settimana	once a week
una volta al mese	once a month
due volte alla settimana	twice a week
una settimana fa	a week ago
quindici giorni fa	a fortnight or two weeks ago
l'anno scorso or passato	last year
fra due giorni	in two days
fra una settimana	in a week
fra quindici giorni	in a fortnight or two weeks
il mese prossimo	next month
l'anno prossimo	next year

che giorno è oggi?	*what day is it?*
il primo/24 ottobre 1996	the 1st/24th of October 1996, October 1st/24th 1996
nel 1996	in 1996
il millenovecentonovantacinque	nineteen ninety-five
44 a.C.	44 BC
14 d.C.	14 AD
nel diciannovesimo secolo, nel XIX secolo, nell'Ottocento	in the nineteenth century
negli anni trenta	in the thirties
c'era una volta ...	once upon a time ...

Italiano-Inglese
Italian-English

Aa

A, a [a] *sf o m inv* (*lettera*) A, a; **A come Ancona** ≈ A for Andrew (*BRIT*), A for Able (*US*); **dalla a alla z** from a to z. **A** *abbr* (= *altezza*) h; (= *area*) A; (= *autostrada*) ≈ M (*BRIT*).

=================================== PAROLA CHIAVE

a (*a* + *il* = **ai**, *a* + *lo* = **allo**, *a* + *l'* = **all'**, *a* + *la* = **alla**, *a* + *i* = **ai**, *a* + *gli* = **agli**, *a* + *le* = **alle**) *prep* **1** (*stato in luogo*) at; (: *in*) in; **essere alla stazione** to be at the station; **essere ~ casa/~ scuola/~ Roma** to be at home/at school/in Rome; **è ~ 10 km da qui** it's 10 km from here, it's 10 km away; **restare ~ cena** to stay for dinner

2 (*moto a luogo*) to; **andare ~ casa/~ scuola/alla stazione** to go home/to school/to the station; **andare ~ Roma/al mare** to go to Rome/to the seaside

3 (*tempo*) at; (*epoca, stagione*) in; **alle cinque** at five (o'clock); **~ mezzanotte/Natale** at midnight/Christmas; **al mattino** in the morning; **~ maggio/primavera** in May/spring; **~ cinquant'anni** at fifty (years of age); **~ domani!** see you tomorrow!; **~ lunedì!** see you on Monday!; **~ giorni** within (a few) days

4 (*complemento di termine*) to; **dare qc ~ qn** to give sb sth, give sth to sb; **l'ho chiesto ~ lui** I asked him

5 (*mezzo, modo*) with, by; **~ piedi/cavallo** on foot/horseback; **viaggiare ~ 100 km all'ora** to travel at 100 km an *o* per hour; **alla televisione/radio** on television/the radio; **fatto ~ mano** made by hand, handmade; **una barca ~ motore** a motorboat; **una stufa ~ gas** a gas heater; **~ uno ~ uno** one by one; **~ fatica** with difficulty; **all'italiana** the Italian way, in the Italian fashion

6 (*rapporto*) a, per; (: *con prezzi*) at; **due volte al giorno/mese** twice a day/month; **prendo 500.000 lire al mese** I get 500,000 lire a *o* per month; **pagato ~ ore** paid by the hour; **vendere qc ~ 500 lire il chilo** to sell sth at 500 lire a *o* per kilo; **cinque ~ zero** (*punteggio*) five nil.

AA *sigla* = Alto Adige.

AAS *sigla f* = Azienda Autonoma di Soggiorno.

AA.VV. *abbr* = autori vari.

ab. *abbr* = abitante.

a'bate *sm* abbot.

abbacchi'ato, a [abbak'kjato] *ag* downhearted, in low spirits.

abbacin'are [abbatʃi'nare] *vt* to dazzle.

abbagli'ante [abbaʎ'ʎante] *ag* dazzling; **~i** *smpl* (*AUT*): **accendere gli ~i** to put one's headlights on full (*BRIT*) *o* high (*US*) beam.

abbagli'are [abbaʎ'ʎare] *vt* to dazzle; (*illudere*) to delude.

ab'baglio [ab'baʎʎo] *sm* blunder; **prendere un ~** to blunder, make a blunder.

abbai'are *vi* to bark.

abba'ino *sm* dormer window; (*soffitta*) attic room.

abbando'nare *vt* to leave, abandon, desert; (*trascurare*) to neglect; (*rinunciare a*) to abandon, give up; **~rsi** *vr* to let o.s. go; **~ il campo** (*MIL*) to retreat; **~ la presa** to let go; **~rsi a** (*ricordi, vizio*) to give o.s. up to.

abbando'nato, a *ag* (*casa*) deserted;

(*miniera*) disused; (*trascurato: terreno, podere*) neglected; (*bambino*) abandoned.

abban'dono *sm* abandoning; neglecting; (*stato*) abandonment; neglect; (*SPORT*) withdrawal; (*fig*) abandon; **in** ~ (*edificio, giardino*) neglected.

abbarbi'carsi *vr*: ~ **(a)** (*anche fig*) to cling (to).

abbassa'mento *sm* lowering; (*di pressione, livello dell'acqua*) fall; (*di prezzi*) reduction; ~ **di temperatura** drop in temperature.

abbas'sare *vt* to lower; (*radio*) to turn down; ~**rsi** *vr* (*chinarsi*) to stoop; (*livello, sole*) to go down; (*fig: umiliarsi*) to demean o.s.; ~ **i fari** (*AUT*) to dip (*BRIT*) o dim (*US*) one's lights; ~ **le armi** (*MIL*) to lay down one's arms.

ab'basso *escl*: ~ **il re!** down with the king!

abbas'tanza [abbas'tantsa] *av* (*a sufficienza*) enough; (*alquanto*) quite, rather, fairly; **non è** ~ **furbo** he's not shrewd enough; **un vino** ~ **dolce** quite a sweet wine, a fairly sweet wine; **averne** ~ **di qn/qc** to have had enough of sb/sth.

ab'battere *vt* (*muro, casa, ostacolo*) to knock down; (*albero*) to fell; (*: sog: vento*) to bring down; (*bestie da macello*) to slaughter; (*cane, cavallo*) to destroy, put down; (*selvaggina, aereo*) to shoot down; (*fig: sog: malattia, disgrazia*) to lay low; ~**rsi** *vr* (*avvilirsi*) to lose heart; ~**rsi a terra** *o* **al suolo** to fall to the ground; ~**rsi su** (*sog: maltempo*) to beat down on; (*: disgrazia*) to hit, strike.

abbatti'mento *sm* knocking down; felling; (*di casa*) demolition; (*prostrazione: fisica*) exhaustion; (*: morale*) despondency.

abbat'tuto, a *ag* despondent, depressed.

abba'zia [abbat'tsia] *sf* abbey.

abbece'dario [abbet ʃe'darjo] *sm* primer.

abbelli'mento *sm* embellishment.

abbel'lire *vt* to make beautiful; (*ornare*) to embellish.

abbeve'rare *vt* to water; ~**rsi** *vr* to drink.

abbevera'toio *sm* drinking trough.

'abbi, 'abbia, abbi'amo, 'abbiano, abbi'ate *vb vedi* **avere**.

abbicci [abbit'tʃi] *sm inv* alphabet; (*sillabario*) primer; (*fig*) rudiments *pl*.

abbi'ente *ag* well-to-do, well-off.

abbi'etto, a *ag* = **abietto**.

abbiezi'one [abbjet'tsjone] *sf* = **abiezione**.

abbiglia'mento [abbiʎʎa'mento] *sm* dress *no pl*; (*indumenti*) clothes *pl*; (*industria*) clothing industry.

abbigli'are [abbiʎ'ʎare] *vt* to dress up.

abbina'mento *sm* combination; linking; matching.

abbi'nare *vt*: ~ **(con** *o* **a)** (*gen*) to combine (with); (*nomi*) to link (with); ~ **qc a qc** (*colori etc*) to match sth with sth.

abbindo'lare *vt* (*fig*) to cheat, trick.

abbocca'mento *sm* (*colloquio*) talks *pl*, meeting; (*TECN: di tubi*) connection.

abboc'care *vt* (*tubi, canali*) to connect, join up ♦ *vi* (*pesce*) to bite; (*tubi*) to join; ~ **(all'amo)** (*fig*) to swallow the bait.

abboc'cato, a *ag* (*vino*) sweetish.

abbona'mento *sm* subscription; (*alle ferrovie etc*) season ticket; **in** ~ for subscribers only; for season ticket holders only; **fare l'**~ **(a)** to take out a subscription (to); to buy a season ticket (for).

abbo'nare *vt* (*cifra*) to deduct; (*fig: perdonare*) to forgive; ~**rsi** *vr*: ~**rsi a un giornale** to take out a subscription to a newspaper; ~**rsi al teatro/alle ferrovie** to take out a season ticket for the theatre/ the train.

abbo'nato, a *sm/f* subscriber; season-ticket holder; **elenco degli** ~**i** telephone directory.

abbon'dante *ag* abundant, plentiful; (*giacca*) roomy.

abbon'danza [abbon'dantsa] *sf* abundance; plenty.

abbon'dare *vi* to abound, be plentiful; ~ **in** *o* **di** to be full of, abound in.

abbor'dabile *ag* (*persona*) approachable; (*prezzo*) reasonable.

abbor'dare *vt* (*nave*) to board; (*persona*) to approach; (*argomento*) to tackle; ~ **una curva** to take a bend.

abbotto'nare *vt* to button up, do up; ~**rsi** *vr* to button (up).

abbotto'nato, a *ag* (*camicia etc*) buttoned (up); (*fig*) reserved.

abbottona'tura *sf* buttons *pl*; **questo cappotto ha l'**~ **da uomo/da donna** this coat buttons on the man's/woman's side.

abboz'zare [abbot'tsare] *vt* to sketch, outline; (*SCULTURA*) to rough-hew; ~ **un sorriso** to give a hint of a smile.

ab'bozzo [ab'bɔttso] *sm* sketch, outline; (*DIR*) draft.

abbracci'are [abbrat'tʃare] *vt* to embrace; (*persona*) to hug, embrace; (*professione*) to take up; (*contenere*) to include; ~**rsi** *vr* to hug *o* embrace (one another).

ab'braccio [ab'brattʃo] *sm* hug, embrace.

abbrevi'are *vt* to shorten; (*parola*) to abbreviate, shorten.

abbreviazi'one [abbrevjat'tsjone] *sf* abbreviation.

abbron'zante [abbron'dzante] *ag* tanning,

sun cpd.

abbron'zare [abbron'dzare] vt (pelle) to tan; (metalli) to bronze; ~**rsi** vr to tan, get a tan.

abbron'zato, a [abbron'dzato] ag (sun)tanned.

abbronza'tura [abbrondza'tura] sf tan, suntan.

abbrusto'lire vt (pane) to toast; (caffè) to roast.

abbruti'mento sm exhaustion; degradation.

abbru'tire vt (snervare, stancare) to exhaust; (degradare) to degrade; **essere abbrutito dall'alcool** to be ruined by drink.

abbuf'farsi vr (fam): ~ **(di qc)** to stuff o.s. (with sth).

abbuf'fata sf (fam) nosh-up; (fig) binge; **farsi un'**~ to stuff o.s.

abbuo'nare vt = **abbonare.**

abbu'ono sm (COMM) allowance, discount; (SPORT) handicap.

abdi'care vi to abdicate; ~ **a** to give up, renounce.

abdicazi'one [abdikat'tsjone] sf abdication.

aberrazi'one [aberrat'tsjone] sf aberration.

abe'taia sf fir wood.

a'bete sm fir (tree); ~ **bianco** silver fir; ~ **rosso** spruce.

abi'etto, a ag despicable, abject.

abiezi'one [abjet'tsjone] sf abjection.

'abile ag (idoneo): ~ **(a qc/a fare qc)** fit (for sth/to do sth); (capace) able; (astuto) clever; (accorto) skilful; ~ **al servizio militare** fit for military service.

abilità sf inv ability; cleverness; skill.

abili'tante ag qualifying; **corsi** ~**i** (INS) ≈ teacher training sg.

abili'tare vt: ~ **qn a qc/a fare qc** to qualify sb for sth/to do sth; **è stato abilitato all'insegnamento** he has qualified as a teacher.

abili'tato, a ag qualified; (TEL) which has an outside line.

abilitazi'one [abilitat'tsjone] sf qualification.

abis'sale ag abysmal; (fig: senza limiti) profound.

abis'sino, a ag, sm/f Abyssinian.

a'bisso sm abyss, gulf.

abitabilità sf: **licenza di** ~ document stating that a property is fit for habitation.

abi'tacolo sm (AER) cockpit; (AUT) inside; (di camion) (driver's) cab.

abi'tante sm/f inhabitant.

abi'tare vt to live in, dwell in ♦ vi: ~ **in**

campagna/a Roma to live in the country/ in Rome.

abi'tato, a ag inhabited; lived in ♦ sm (anche: centro ~) built-up area.

abitazi'one [abitat'tsjone] sf residence; house.

'abito sm dress no pl; (da uomo) suit; (da donna) dress; (abitudine, disposizione, REL) habit; ~**i** smpl (vestiti) clothes; **in** ~ **da cerimonia** in formal dress; **in** ~ **da sera** in evening dress; **"è gradito l'**~ **scuro"** "dress formal"; ~ **mentale** way of thinking.

abitu'ale ag usual, habitual; (cliente) regular.

abitual'mente av usually, normally.

abitu'are vt: ~ **qn a** to get sb used o accustomed to; ~**rsi a** to get used to, accustom o.s. to.

abitudi'nario, a ag of fixed habits ♦ sm/f creature of habit.

abi'tudine sf habit; **aver l'**~ **di fare qc** to be in the habit of doing sth; **d'**~ usually; **per** ~ from o out of habit.

abiu'rare vt to renounce.

abla'tivo sm ablative.

abnegazi'one [abnegat'tsjone] sf (self-) abnegation, self-denial.

ab'norme ag (enorme) extraordinary; (anormale) abnormal.

abo'lire vt to abolish; (DIR) to repeal.

abolizi'one [abolit'tsjone] sf abolition; repeal.

abomi'nevole ag abominable.

abo'rigeno [abo'ridʒeno] sm aborigine.

abor'rire vt to abhor, detest.

abor'tire vi (MED: accidentalmente) to miscarry, have a miscarriage; (: deliberatamente) to have an abortion; (fig) to miscarry, fail.

abor'tista, i, e ag pro-choice, pro-abortion ♦ sm/f pro-choicer.

a'borto sm miscarriage; abortion; (fig) freak; ~ **clandestino** backstreet abortion.

abrasi'one sf abrasion.

abra'sivo, a ag, sm abrasive.

abro'gare vt to repeal, abrogate.

abrogazi'one [abrogat'tsjone] sf repeal.

abruz'zese [abrut'tsese] ag of (o from) the Abruzzi.

A'bruzzo [a'bruttso] sm: **l'**~, **gli** ~**i** the Abruzzi.

'abside sf apse.

'Abu 'Dhabi sf Abu Dhabi.

a'bulico, a, ci, che ag lacking in willpower.

abu'sare vi: ~ **di** to abuse, misuse; (approfittare, violare) to take advantage of;

~ **dell'alcool/dei cibi** to drink/eat to excess.

abusi'vismo *sm* (*anche:* ~ **edilizio**) unlawful building, building without planning permission (*BRIT*).

abu'sivo, a *ag* unauthorized, unlawful; (*occupante*) ~ (*di una casa*) squatter.

a'buso *sm* abuse, misuse; excessive use; **fare** ~ **di** (*stupefacenti, medicine*) to abuse.

a.C. *abbr av* (= *avanti Cristo*) BC.

a'cacia, cie [a'katʃa] *sf* acacia.

'acca *sf* letter H; **non capire un'**~ not to understand a thing.

ac'cadde *vb vedi* **accadere**.

acca'demia *sf* (*società*) learned society; (*scuola: d'arte, militare*) academy; ~ **di Belle Arti** art school.

acca'demico, a, ci, che *ag* academic ♦ *sm* academician.

acca'dere *vi* to happen, occur.

acca'duto *sm* event; **raccontare l'**~ to describe what has happened.

accalappia'cani *sm inv* dog-catcher.

accalappi'are *vt* to catch; (*fig*) to trick, dupe.

accal'care *vt*, ~**rsi** *vr* to crowd, throng.

accal'darsi *vr* to grow hot.

accalo'rarsi *vr* (*fig*) to get excited.

accampa'mento *sm* camp.

accam'pare *vt* to encamp; (*fig*) to put forward, advance; ~**rsi** *vr* to camp; ~ **scuse** to make excuses.

accani'mento *sm* fury; (*tenacia*) tenacity, perseverance.

acca'nirsi *vr* (*infierire*) to rage; (*ostinarsi*) to persist.

accanita'mente *av* fiercely; assiduously.

acca'nito, a *ag* (*odio, gelosia*) fierce, bitter; (*lavoratore*) assiduous; (*giocatore*) inveterate; (*tifoso, sostenitore*) keen; **fumatore** ~ chain smoker.

ac'canto *av* near, nearby; ~ **a** *prep* near, beside, close to; **la casa** ~ the house next door.

accanto'nare *vt* (*problema*) to shelve; (*somma*) to set aside.

accaparra'mento *sm* (*COMM*) cornering, buying up.

accapar'rare *vt* (*COMM*) to corner, buy up; (*versare una caparra*) to pay a deposit on; ~**rsi** *vr*: ~**rsi qc** (*fig: simpatia, voti*) to secure sth (for o.s.).

accapigli'arsi [akkapiʎ'ʎarsi] *vr* to come to blows; (*fig*) to quarrel.

accappa'toio *sm* bathrobe.

accappo'nare *vi*: **far** ~ **la pelle a qn** (*fig*) to bring sb out in goosepimples.

accarez'zare [akkaret'tsare] *vt* to caress, stroke, fondle; (*fig*) to toy with.

accartocci'are [akkartot'tʃare] *vt* (*carta*) to roll up, screw up; ~**rsi** *vr* (*foglie*) to curl up.

acca'sarsi *vr* to set up house; to get married.

accasci'arsi [akkaʃ'ʃarsi] *vr* to collapse; (*fig*) to lose heart.

accatas'tare *vt* to stack, pile.

accatto'naggio [akkatto'naddʒo] *sm* begging.

accat'tone, a *sm/f* beggar.

accaval'lare *vt* (*gambe*) to cross; ~**rsi** *vr* (*sovrapporsi*) to overlap; (*addensarsi*) to gather.

acce'care [attʃe'kare] *vt* to blind ♦ *vi* to go blind.

ac'cedere [at'tʃɛdere] *vi*: ~ **a** to enter; (*richiesta*) to grant, accede to; (*fonte*) to gain access to.

accele'rare [attʃele'rare] *vt* to speed up ♦ *vi* (*AUT*) to accelerate; ~ **il passo** to quicken one's pace.

accele'rato, a [attʃele'rato] *ag* quick, rapid ♦ *sm* (*FERR*) local train, stopping train.

accelera'tore [attʃelera'tore] *sm* (*AUT*) accelerator.

accelerazi'one [attʃelerat'tsjone] *sf* acceleration.

ac'cendere [at'tʃɛndere] *vt* (*fuoco, sigaretta*) to light; (*luce, televisione*) to put *o* switch *o* turn on; (*AUT: motore*) to switch on; (*COMM: conto*) to open; (*: debito*) to contract; (*: ipoteca*) to raise; (*fig: suscitare*) to inflame, stir up; ~**rsi** *vr* (*luce*) to come *o* go on; (*legna*) to catch fire, ignite; (*fig: lotta, conflitto*) to break out.

accen'dino [attʃen'dino], **accendi'sigaro** [attʃendi'sigaro] *sm* (*cigarette*) lighter.

accen'nare [attʃen'nare] *vt* to indicate, point out; (*MUS*) to pick out the notes of; to hum ♦ *vi*: ~ **a** (*fig: alludere a*) to hint at; (*: far atto di*) to make as if; ~ **un saluto** (*con la mano*) to make as if to wave; (*col capo*) to half nod; ~ **un sorriso** to half smile; **accenna a piovere** it looks as if it's going to rain.

ac'cenno [at'tʃenno] *sm* (*cenno*) sign; nod; (*allusione*) hint.

accensi'one [attʃen'sjone] *sf* (*vedi accendere*) lighting; switching on; opening; (*AUT*) ignition.

accen'tare [attʃen'tare] *vt* (*parlando*) to stress; (*scrivendo*) to accent.

accentuazi'one [attʃentuat'tsjone] *sf* accentuation; stressing.

ac'cento [at'tʃɛnto] *sm* accent; (*FONETICA,*

fig) stress; (*inflessione*) tone (of voice).
accentra'mento [attʃentra'mento] *sm* centralization.
accen'trare [attʃen'trare] *vt* to centralize.
accentra'tore, 'trice [attʃentra'tore] *ag* (*persona*) unwilling to delegate; **politica** ~**trice** policy of centralization.
accentu'are [attʃentu'are] *vt* to stress, emphasize; ~**rsi** *vr* to become more noticeable.
accerchi'are [attʃer'kjare] *vt* to surround, encircle.
accerta'mento [attʃerta'mento] *sm* check; assessment.
accer'tare [attʃer'tare] *vt* to ascertain; (*verificare*) to check; (*reddito*) to assess; ~**rsi** *vr*: ~**rsi (di qc/che)** to make sure (of sth/that).
ac'ceso, a [at'tʃeso] *pp di* **accendere** ♦ *ag* lit; on; open; (*colore*) bright; ~ **di** (*ira, entusiasmo etc*) burning with.
acces'sibile [attʃes'sibile] *ag* (*luogo*) accessible; (*persona*) approachable; (*prezzo*) reasonable; (*idea*): ~ **a qn** within the reach of sb.
ac'cesso [at'tʃɛsso] *sm* (*anche INFORM*) access; (*MED*) attack, fit; (*impulso violento*) fit, outburst; **programmi dell'**~ (*TV*) educational programmes; **tempo di** ~ (*INFORM*) access time; ~ **casuale/seriale/ sequenziale** (*INFORM*) random/serial/ sequential access.
accessori'ato, a [attʃesso'rjato] *ag* with accessories.
acces'sorio, a [attʃes'sɔrjo] *ag* secondary, of secondary importance; ~**i** *smpl* accessories.
ac'cetta [at'tʃetta] *sf* hatchet.
accet'tabile [attʃet'tabile] *ag* acceptable.
accet'tare [attʃet'tare] *vt* to accept; ~ **di fare qc** to agree to do sth.
accettazi'one [attʃettat'tsjone] *sf* acceptance; (*locale di servizio pubblico*) reception; ~ **bagagli** (*AER*) check-in (desk); ~ **con riserva** qualified acceptance.
ac'cetto, a [at'tʃɛtto] *ag* (*persona*) welcome; (**ben**) ~ **a tutti** well-liked by everybody.
accezi'one [attʃet'tsjone] *sf* meaning.
acchiap'pare [akkjap'pare] *vt* to catch; (*afferrare*) to seize.
ac'chito [ak'kito] *sm*: **a primo** ~ at first sight.
acciac'cato, a [attʃak'kato] *ag* (*persona*) full of aches and pains; (*abito*) crushed.
acci'acco, chi [at'tʃakko] *sm* ailment; ~**chi** *smpl* aches and pains.

acciaie'ria [attʃaje'ria] *sf* steelworks *sg*.
acci'aio [at'tʃajo] *sm* steel; ~ **inossidabile** stainless steel.
acciden'tale [attʃiden'tale] *ag* accidental.
accidental'mente [attʃidental'mente] *av* (*per caso*) by chance; (*non deliberatamente*) accidentally, by accident.
acciden'tato, a [attʃiden'tato] *ag* (*terreno etc*) uneven.
acci'dente [attʃi'dɛnte] *sm* (*caso imprevisto*) accident; (*disgrazia*) mishap; ~**i!** (*fam: per rabbia*) damn (it)!; (: *per meraviglia*) good heavens!; ~**i a lui!** damn him!; **non vale un** ~ it's not worth a damn; **non capisco un** ~ it's as clear as mud to me; **mandare un** ~ **a qn** to curse sb.
ac'cidia [at'tʃidja] *sf* (*REL*) sloth.
accigli'ato, a [attʃiʎ'ʎato] *ag* frowning.
ac'cingersi [at'tʃindʒersi] *vr*: ~ **a fare** to be about to do.
acciotto'lato [attʃotto'lato] *sm* cobbles *pl*.
acciuf'fare [attʃuf'fare] *vt* to seize, catch.
acci'uga, ghe [at'tʃuga] *sf* anchovy; **magro come un'**~ as thin as a rake.
accla'mare *vt* (*applaudire*) to applaud; (*eleggere*) to acclaim.
acclamazi'one [akklamat'tsjone] *sf* applause; acclamation.
acclima'tare *vt* to acclimatize; ~**rsi** *vr* to become acclimatized.
acclimatazi'one [akklimatat'tsjone] *sf* acclimatization.
ac'cludere *vt* to enclose.
ac'cluso, a *pp di* **accludere** ♦ *ag* enclosed.
accocco'larsi *vr* to crouch.
acco'darsi *vr* to follow, tag on (behind).
accogli'ente [akkoʎ'ʎɛnte] *ag* welcoming, friendly.
accogli'enza [akkoʎ'ʎɛntsa] *sf* reception; welcome; **fare una buona** ~ **a qn** to welcome sb.
ac'cogliere [ak'kɔʎʎere] *vt* (*ricevere*) to receive; (*dare il benvenuto*) to welcome; (*approvare*) to agree to, accept; (*contenere*) to hold, accommodate.
ac'colgo *etc vb vedi* **accogliere**.
accol'lare *vt* (*fig*): ~ **qc a qn** to force sth on sb; ~**rsi** *vr*: ~**rsi qc** to take sth upon o.s., shoulder sth.
accol'lato, a *ag* (*vestito*) high-necked.
ac'colsi *etc vb vedi* **accogliere**.
accoltel'lare *vt* to knife, stab.
ac'colto, a *pp di* **accogliere**.
accoman'dita *sf* (*DIR*) limited partnership.
accomia'tare *vt* to dismiss; ~**rsi** *vr*: ~**rsi (da)** to take one's leave (of).
accomoda'mento *sm* agreement,

settlement.

accomo'dante *ag* accommodating.

accomo'dare *vt* (*aggiustare*) to repair, mend; (*riordinare*) to tidy; (*sistemare: questione, lite*) to settle; ~**rsi** *vr* (*sedersi*) to sit down; (*fig: risolversi: situazione*) to work out; **si accomodi!** (*venga avanti*) come in!; (*si sieda*) take a seat!

accompagna'mento [akkompaɲɲa'mento] *sm* (*MUS*) accompaniment; (*COMM*): **lettera di** ~ accompanying letter.

accompa'gnare [akkompaɲ'ɲare] *vt* to accompany, come *o* go with; (*MUS*) to accompany; (*unire*) to couple; ~**rsi** *vr* (*armonizzarsi*) to go well together; ~ **qn a casa** to see sb home; ~ **qn alla porta** to show sb out; ~ **un regalo con un biglietto** to put in *o* send a card with a present; ~ **qn con lo sguardo** to follow sb with one's eyes; ~ **la porta** to close the door gently; ~**rsi a** (*frequentare*) to frequent; (*colori*) to go with, match; (*cibi*) to go with.

accompagna'tore, 'trice [akkompaɲɲa 'tore] *sm/f* companion, escort; (*guida turistica*) courier; (*MUS*) accompanist; (*SPORT*) team manager.

accomu'nare *vt* to pool, share; (*avvicinare*) to unite.

acconcia'tura [akkontʃa'tura] *sf* hairstyle.

accondiscen'dente [akkondiʃʃen'dɛnte] *ag* affable.

accondi'scendere [akkondiʃ'ʃendere] *vi*: ~ **a** to agree *o* consent to.

accondi'sceso, a [akkondiʃ'ʃeso] *pp di* **accondiscendere**.

acconsen'tire *vi*: ~ **(a)** to agree *o* consent (to); **chi tace acconsente** silence means consent.

acconten'tare *vt* to satisfy; ~**rsi** *vr*: ~**rsi di** to be satisfied with, content o.s. with; **chi si accontenta gode** there's no point in complaining.

ac'conto *sm* part payment; **pagare una somma in** ~ to pay a sum of money as a deposit; ~ **di dividendo** interim dividend.

accoppia'mento *sm* pairing off; mating; (*ELETTR, INFORM*) coupling.

accoppi'are *vt* to couple, pair off; (*BIOL*) to mate; ~**rsi** *vr* to pair off; to mate.

accoppia'tore *sm* (*TECN*) coupler; ~ **acustico** (*INFORM*) acoustic coupler.

acco'rato, a *ag* heartfelt.

accorci'are [akkor'tʃare] *vt* to shorten; ~**rsi** *vr* to become shorter; (*vestiti: nel lavaggio*) to shrink.

accor'dare *vt* to reconcile; (*colori*) to match; (*MUS*) to tune; (*LING*): ~ **qc con qc** to make sth agree with sth; (*DIR*) to

grant; ~**rsi** *vr* to agree, come to an agreement; (*colori*) to match.

ac'cordo *sm* agreement; (*armonia*) harmony; (*MUS*) chord; **essere d'**~ to agree; **andare d'**~ to get on well together; **d'**~**!** all right!, agreed!; **mettersi d'**~ **(con qn)** to agree *o* come to an agreement with sb; **prendere** ~**i con** to reach an agreement with; ~ **commerciale** trade agreement; **A**~ **generale sulle tariffe ed il commercio** General Agreement on Tariffs and Trade, GATT.

ac'corgersi [ak'kɔrdʒersi] *vr*: ~ **di** to notice; (*fig*) to realize.

accorgi'mento [akkordʒi'mento] *sm* shrewdness *no pl*; (*espediente*) trick, device.

ac'correre *vi* to run up.

ac'corsi *vb vedi* **accorgersi**; **accorrere**.

ac'corso, a *pp di* **accorrere**.

accor'tezza [akkor'tettsa] *sf* (*avvedutezza*) good sense; (*astuzia*) shrewdness.

ac'corto, a *pp di* **accorgersi** ♦ *ag* shrewd; **stare** ~ to be on one's guard.

accosta'mento *sm* (*di colori etc*) combination.

accos'tare *vt* (*avvicinarsi a*) to approach; (*socchiudere: imposte*) to half-close; (*: porta*) to leave ajar ♦ *vi*: ~ **(a)** (*NAUT*) to come alongside; (*AUT*) to draw up (at); ~**rsi** *vr*: ~**rsi a** to draw near, approach; (*somigliare*) to be like, resemble; (*fede, religione*) to turn to; (*idee politiche*) to come to agree with; ~ **qc a** (*avvicinare*) to bring sth near to, put sth near to; (*colori, stili*) to match sth with; (*appoggiare: scala etc*) to lean sth against.

accovacci'arsi [akkovat'tʃarsi] *vr* to crouch.

accoz'zaglia [akkot'tsaʎʎa] *sf* (*peg: di idee, oggetti*) jumble, hotchpotch; (*: di persone*) odd assortment.

ac'crebbi *etc vb vedi* **accrescere**.

accredi'tare *vt* (*notizia*) to confirm the truth of; (*COMM*) to credit; (*diplomatico*) to accredit; ~**rsi** *vr* (*fig*) to gain credit.

ac'credito *sm* (*COMM: atto*) crediting; (*: effetto*) credit.

ac'crescere [ak'kreʃʃere] *vt* to increase; ~**rsi** *vr* to increase, grow.

accresci'mento [akkreʃʃi'mento] *sm* increase, growth.

accresci'tivo, a [akkreʃʃi'tivo] *ag, sm* (*LING*) augmentative.

accresci'uto, a [akkreʃ'ʃuto] *pp di* **accrescere**.

accucci'arsi [akkut'tʃarsi] *vr* (*cane*) to lie down; (*persona*) to crouch down.

accu'dire *vi*: ~ **a** *vt* to attend to; to look

after.

acculturazi'one [akkulturat'tsjone] *sf* (*SOCIOLOGIA*) integration.

accumu'lare *vt* to accumulate; **~rsi** *vr* to accumulate; (*FINANZA*) to accrue.

accumula'tore *sm* (*ELETTR*) accumulator.

accumulazi'one [akkumulat'tsjone] *sf* accumulation.

ac'cumulo *sm* accumulation.

accurata'mente *av* carefully.

accura'tezza [akkura'tettsa] *sf* care; accuracy.

accu'rato, a *ag* (*diligente*) careful; (*preciso*) accurate.

ac'cusa *sf* accusation; (*DIR*) charge; **l'~, la pubblica ~** (*DIR*) the prosecution; **mettere qn sotto ~** to indict sb; **in stato di ~** committed for trial.

accu'sare *vt* (*sentire: dolore*) to feel; **~ qn di qc** to accuse sb of sth; (*DIR*) to charge sb with sth; **~ ricevuta di** (*COMM*) to acknowledge receipt of; **~ la fatica** to show signs of exhaustion; **ha accusato il colpo** (*anche fig*) you could see that he had felt the blow.

accusa'tivo *sm* accusative.

accu'sato, a *sm/f* accused.

accusa'tore, 'trice *ag* accusing ♦ *sm/f* accuser ♦ *sm* (*DIR*) prosecutor.

a'cerbo, a [a't ʃɛrbo] *ag* bitter; (*frutta*) sour, unripe; (*persona*) immature.

'acero ['at ʃero] *sm* maple.

a'cerrimo, a [a't ʃɛrrimo] *ag* very fierce.

ace'tato [at ʃe'tato] *sm* acetate.

a'ceto [a't ʃeto] *sm* vinegar; **mettere sotto ~** to pickle.

ace'tone [at ʃe'tone] *sm* nail varnish remover.

'A.C.I. ['at ʃi] *sigla m* (= *Automobile Club d'Italia*) ≈ AA (*BRIT*), AAA (*US*).

acidità [at ʃidi'ta] *sf* acidity; sourness; **~ (di stomaco)** heartburn.

'acido, a ['at ʃido] *ag* (*sapore*) acid, sour; (*CHIM, colore*) acid ♦ *sm* (*CHIM*) acid.

a'cidulo, a [a't ʃidulo] *ag* slightly sour, slightly acid.

'acino ['at ʃino] *sm* berry; **~ d'uva** grape.

'ACLI *sigla fpl* (= *Associazioni Cristiane dei Lavoratori Italiani*) *Christian Trade Union Association.*

'acme *sf* (*fig*) acme, peak; (*MED*) crisis.

'acne *sf* acne.

ACNUR *sigla m* (= *Alto Commissariato delle Nazioni Unite per i Rifugiati*) UNHCR.

'acqua *sf* water; (*pioggia*) rain; **~e** *sfpl* waters; **fare ~** (*NAUT*) to leak, take in water; **essere con** *o* **avere l'~ alla gola** to be in great difficulty; **tirare ~ al proprio**

mulino to feather one's own nest; **navigare in cattive ~e** (*fig*) to be in deep water; **~ in bocca!** mum's the word!; **~ corrente** running water; **~ dolce** fresh water; **~ di mare** sea water; **~ minerale** mineral water; **~ ossigenata** hydrogen peroxide; **~ piovana** rain water; **~ potabile** drinking water; **~ salata** *o* **salmastra** salt water; **~ tonica** tonic water.

acqua'forte, *pl* **acque'forti** *sf* etching.

a'cquaio *sm* sink.

acqua'ragia [akkwa'radʒa] *sf* turpentine.

a'cquario *sm* aquarium; (*dello zodiaco*): **A~** Aquarius; **essere dell'A~** to be Aquarius.

acquartie'rare *vt* (*MIL*) to quarter.

acqua'santa *sf* holy water.

a'cquatico, a, ci, che *ag* aquatic; (*sport, sci*) water *cpd*.

acquat'tarsi *vr* to crouch (down).

acqua'vite *sf* brandy.

acquaz'zone [akkwat'tsone] *sm* cloudburst, heavy shower.

acque'dotto *sm* aqueduct; waterworks *pl*, water system.

'acqueo, a *ag*: **vapore ~** water vapour (*BRIT*) *o* vapor (*US*); **umore ~** aqueous humour (*BRIT*) *o* humor (*US*).

acque'rello *sm* watercolour (*BRIT*), watercolor (*US*).

acque'rugiola [akkwe'rudʒola] *sf* drizzle.

acquie'tare *vt* to appease; (*dolore*) to ease; **~rsi** *vr* to calm down.

acqui'rente *sm/f* purchaser, buyer.

acqui'sire *vt* to acquire.

acquisizi'one [akkwizit'tsjone] *sf* acquisition.

acquis'tare *vt* to purchase, buy; (*fig*) to gain ♦ *vi* to improve; **~ in bellezza** to become more beautiful; **ha acquistato in salute** his health has improved.

a'cquisto *sm* purchase; **fare ~i** to go shopping; **ufficio ~i** (*COMM*) purchasing department; **~ rateale** instalment purchase, hire purchase (*BRIT*).

acqui'trino *sm* bog, marsh.

acquo'lina *sf*: **far venire l'~ in bocca a qn** to make sb's mouth water.

a'cquoso, a *ag* watery.

'acre *ag* acrid, pungent; (*fig*) harsh, biting.

a'credine *sf* (*fig*) bitterness.

a'crilico, a, ci, che *ag, sm* acrylic.

a'critico, a, ci, che *ag* uncritical.

a'crobata, i, e *sm/f* acrobat.

acro'batico, a, ci, che *ag* (*ginnastica*) acrobatic; (*AER*) aerobatic ♦ *sf* acrobatics *sg*.

acroba'zia [akrobat'tsia] *sf* acrobatic feat;

~**e aeree** aerobatics.

a'**cronimo** *sm* acronym.

a'**cropoli** *sf inv:* l'**A**~ the Acropolis.

acu'**ire** *vt* to sharpen; ~**rsi** *vr* (*gen*) to increase; (*crisi*) to worsen.

a'**culeo** *sm* (*ZOOL*) sting; (*BOT*) prickle.

a'**cume** *sm* acumen, perspicacity.

acumi'**nato, a** *ag* sharp.

a'**custico, a, ci, che** *ag* acoustic ♦ *sf* (*scienza*) acoustics *sg*; (*di una sala*) acoustics *pl*; **apparecchio** ~ hearing aid; **cornetto** ~ ear trumpet.

acu'**tezza** [aku'tettsa] *sf* sharpness; shrillness; acuteness; high pitch; intensity; keenness.

acutiz'**zare** [akutid'dzare] *vt* (*fig*) to intensify; ~**rsi** *vr* (*fig: crisi, malattia*) to become worse, worsen.

a'**cuto, a** *ag* (*appuntito*) sharp, pointed; (*suono, voce*) shrill, piercing; (*MAT, LING, MED*) acute; (*MUS*) high-pitched; (*fig: dolore, desiderio*) intense; (*: perspicace*) acute, keen ♦ *sm* (*MUS*) high note.

A.D. *sigla f* (*POL*) = **Alleanza Democratica.**

ad *prep* (*dav V*) = **a.**

adagi'**are** [ada'dʒare] *vt* to lay *o* set down carefully; ~**rsi** *vr* to lie down, stretch out.

a'**dagio** [a'dadʒo] *av* slowly ♦ *sm* (*MUS*) adagio; (*proverbio*) adage, saying.

ada'**mitico, a, ci, che** *ag:* **in costume** ~ in one's birthday suit.

adat'**tabile** *ag* adaptable.

adattabilità *sf* adaptability.

adatta'**mento** *sm* adaptation; **avere spirito di** ~ to be adaptable.

adat'**tare** *vt* to adapt; (*sistemare*) to fit; ~**rsi** *vr:* ~**rsi (a)** (*ambiente, tempi*) to adapt (to); (*essere adatto*) to be suitable (for); (*accontentarsi*): ~**rsi a qc/a fare qc** to make the best of sth/of doing sth.

adatta'**tore** *sm* (*ELETTR*) adapter, adaptor.

a'**datto, a** *ag:* ~ **(a)** suitable (for), right (for).

addebi'**tare** *vt:* ~ **qc a qn** to debit sb with sth; (*fig: incolpare*) to blame sb for sth.

ad'**debito** *sm* (*COMM*) debit.

addensa'**mento** *sm* thickening; gathering.

adden'**sare** *vt* to thicken; ~**rsi** *vr* to thicken; (*nuvole*) to gather.

adden'**tare** *vt* to bite into.

adden'**trarsi** *vr:* ~ **in** to penetrate, go into.

ad'**dentro** *av* (*fig*): **essere molto ~ in qc** to be well-versed in sth.

addestra'**mento** *sm* training; ~ **aziendale** company training.

addes'**trare** *vt,* ~**rsi** *vr* to train; ~**rsi in qc** to practise (*BRIT*) *o* practice (*US*) sth.

ad'**detto, a** *ag:* ~ **a** (*persona*) assigned to; (*oggetto*) intended for ♦ *sm* employee; (*funzionario*) attaché; ~ **commerciale/ stampa** commercial/press attaché; ~ **al telex** telex operator; **gli ~i ai lavori** authorized personnel; (*fig*) those in the know; "**vietato l'ingresso ai non ~i ai lavori**" "authorized personnel only".

addì *av* (*AMM*): ~ **3 luglio 1989** on the 3rd of July 1989 (*BRIT*), on July 3rd 1989 (*US*).

addi'**accio** [ad'djattʃo] *sm* (*MIL*) bivouac; **dormire all'**~ to sleep in the open.

addi'**etro** *av* (*indietro*) behind; (*nel passato, prima*) before, ago.

ad'**dio** *sm, escl* goodbye, farewell.

addirit'**tura** *av* (*veramente*) really, absolutely; (*perfino*) even; (*direttamente*) directly, right away.

ad'**dirsi** *vr:* ~ **a** to suit, be suitable for.

'**Addis A'beba** *sf* Addis Ababa.

addi'**tare** *vt* to point out; (*fig*) to expose.

addi'**tivo** *sm* additive.

addizio'**nale** [addittsjo'nale] *ag* additional ♦ *sf* (*anche:* **imposta** ~) surtax.

addizio'**nare** [addittsjo'nare] *vt* (*MAT*) to add (up).

addizi'**one** [addit'tsjone] *sf* addition.

addob'**bare** *vt* to decorate.

ad'**dobbo** *sm* decoration.

addol'**cire** [addol'tʃire] *vt* (*caffè etc*) to sweeten; (*acqua, fig: carattere*) to soften; ~**rsi** *vr* (*fig*) to mellow, soften; ~ **la pillola** (*fig*) to sugar the pill.

addolo'**rare** *vt* to pain, grieve; ~**rsi** *vr:* ~**rsi (per)** to be distressed (by).

addolo'**rato, a** *ag* distressed, upset; l'**A**~**a** (*REL*) Our Lady of Sorrows.

ad'**dome** *sm* abdomen.

addomesti'**care** *vt* to tame.

addomi'**nale** *ag* abdominal; (**muscoli** *mpl*) ~**i** stomach muscles.

addormen'**tare** *vt* to put to sleep; ~**rsi** *vr* to fall asleep, go to sleep.

addormen'**tato, a** *ag* sleeping, asleep; (*fig: tardo*) stupid, dopey.

addos'**sare** *vt* (*appoggiare*): ~ **qc a qc** to lean sth against sth; (*fig*): ~ **la colpa a qn** to lay the blame on sb; ~**rsi** *vr:* ~**rsi qc** (*responsabilità etc*) to shoulder sth.

ad'**dosso** *av* (*sulla persona*) on; ~ **a** *prep* (*sopra*) on; (*molto vicino*) right next to; **mettersi** ~ **il cappotto** to put one's coat on; **andare** (*o* **venire**) ~ **a** (*AUT: altra macchina*) to run into; (*: pedone*) to run over; **non ho soldi** ~ I don't have any money on me; **stare** ~ **a qn** (*fig*) to breathe down sb's neck; **dare** ~ **a qn** (*fig*) to attack sb; **mettere gli occhi** ~ **a qn/qc** to take quite a fancy to sb/sth; **mettere le**

mani ~ **a qn** (*picchiare*) to hit sb;
(*catturare*) to seize sb; (*molestare: donna*)
to touch sb up.
ad'dotto, a *pp di* **addurre**.
ad'duco *etc vb vedi* **addurre**.
ad'durre *vt* (*DIR*) to produce; (*citare*) to cite.
ad'dussi *etc vb vedi* **addurre**.
adegu'are *vt*: ~ **qc a** to adjust sth to; ~**rsi**
vr to adapt.
adegua'tezza [adegwa'tettsa] *sf* adequacy;
suitability; fairness.
adegu'ato, a *ag* adequate; (*conveniente*)
suitable; (*equo*) fair.
a'dempiere *vt* to fulfil (*BRIT*), fulfill (*US*),
carry out; (*comando*) to carry out.
adempi'mento *sm* fulfilment (*BRIT*),
fulfillment (*US*); carrying out; **nell'**~ **del**
proprio dovere in the performance of
one's duty.
adem'pire *vt* = **adempiere**.
'Aden: il golfo di ~ *sm* the Gulf of Aden.
ade'noidi *sfpl* adenoids.
a'depto *sm* disciple, follower.
ade'rente *ag* adhesive; (*vestito*) close-
fitting ♦ *smlf* follower.
ade'renza [ade'rɛntsa] *sf* adhesion; ~**e** *sfpl*
(*fig*) connections, contacts.
ade'rire *vi* (*stare attaccato*) to adhere, stick;
~ **a** to adhere to, stick to; (*fig: società,*
partito) to join; (*: opinione*) to support;
(*richiesta*) to agree to.
ades'care *vt* (*attirare*) to lure, entice; (*TECN:*
pompa) to prime.
adesi'one *sf* adhesion; (*fig: assenso*)
agreement, acceptance; (*appoggio*)
support.
ade'sivo, a *ag, sm* adhesive.
a'desso *av* (*ora*) now; (*or ora, poco fa*) just
now; (*tra poco*) any moment now; **da** ~ **in**
poi from now on; **per** ~ for the moment,
for now.
adia'cente [adja'tʃɛnte] *ag* adjacent.
adi'bire *vt* (*usare*): ~ **qc a** to turn sth into.
'Adige ['adidʒe] *sm*: **l'**~ the Adige.
'adipe *sm* fat.
adi'poso, a *ag* (*tessuto, zona*) adipose.
adi'rarsi *vr*: ~ **(con** *o* **contro qn per qc)** to
get angry (with sb over sth).
adi'rato, a *ag* angry.
a'dire *vt* (*DIR*): ~ **le vie legali** to take legal
proceedings; ~ **un'eredità** to take legal
possession of an inheritance.
'adito *sm*: **dare** ~ **a** (*sospetti*) to give rise to.
ADN *sigla m* (= *acido deossiribonucleico*)
DNA.
adocchi'are [adok'kjare] *vt* (*scorgere*) to
catch sight of; (*occhieggiare*) to eye.
adole'scente [adoleʃ'ʃɛnte] *ag, smlf*

adolescent.
adole'scenza [adoleʃ'ʃɛntsa] *sf*
adolescence.
adolescenzi'ale [adoleʃʃen'tsjale] *ag*
adolescent.
adom'brarsi *vr* (*cavallo*) to shy; (*persona*)
to grow suspicious; (: *aversene a male*) to
be offended.
adope'rare *vt* to use; ~**rsi** *vr* to strive; ~**rsi**
per qn/qc to do one's best for sb/sth.
ado'rabile *ag* adorable.
ado'rare *vt* to adore; (*REL*) to adore,
worship.
adorazi'one [adorat'tsjone] *sf* adoration;
worship.
ador'nare *vt* to adorn.
a'dorno, a *ag*: ~ (**di**) adorned (with).
adot'tare *vt* to adopt; (*decisione,*
provvedimenti) to pass.
adot'tivo, a *ag* (*genitori*) adoptive; (*figlio,*
patria) adopted.
adozi'one [adot'tsjone] *sf* adoption.
adrena'linico, a, ci, che *ag* (*fig: vivace,*
eccitato) charged-up.
adri'atico, a, ci, che *ag* Adriatic ♦ *sm*:
l'A~, il mare A~ the Adriatic, the
Adriatic Sea.
adu'lare *vt* to flatter.
adula'tore, 'trice *smlf* flatterer.
adula'torio, a *ag* flattering.
adulazi'one [adulat'tsjone] *sf* flattery.
adulte'rare *vt* to adulterate.
adul'terio *sm* adultery.
a'dultero, a *ag* adulterous ♦ *smlf*
adulterer/adulteress.
a'dulto, a *ag* adult; (*fig*) mature ♦ *sm* adult,
grown-up.
adu'nanza [adu'nantsa] *sf* assembly,
meeting.
adu'nare *vt*, ~**rsi** *vr* to assemble, gather.
adu'nata *sf* (*MIL*) parade, muster.
a'dunco, a, chi, che *ag* hooked.
AEDA *sigla mpl* (= *Autori Editori Associati*)
association of authors and publishers.
aerazi'one [aerat'tsjone] *sf* ventilation;
(*TECN*) aeration.
a'ereo, a *ag* air *cpd*; (*radice*) aerial ♦ *sm*
aerial; (*aeroplano*) plane; ~ **da caccia**
fighter (plane); ~ **di linea** airliner; ~ **a**
reazione jet (plane).
ae'robica *sf* aerobics *sg*.
aerodi'namico, a, ci, che *ag*
aerodynamic; (*affusolato*) streamlined ♦ *sf*
aerodynamics *sg*.
aeromo'dello *sm* model aircraft.
aero'nautica *sf* (*scienza*) aeronautics *sg*; ~
militare air force.
aerona'vale *ag* (*forze, manovre*) air and sea

cpd.

aero'plano *sm* (aero)plane (*BRIT*), (air)plane (*US*).

aero'porto *sm* airport.

aeroportu'ale *ag* airport *cpd.*

aeros'calo *sm* airstrip.

aero'sol *sm inv* aerosol.

aerospazi'ale [aerospat'tsjale] *ag* aerospace.

aeros'tatico, a, ci, che *ag* aerostatic; **pallone** ~ air balloon.

ae'rostato *sm* aerostat.

A.F. *abbr* (= *alta frequenza*) HF; (*AMM*) = **assegni familiari**.

'afa *sf* sultriness.

af'fabile *ag* affable.

affabilità *sf* affability.

affaccen'darsi [affattʃen'darsi] *vr:* ~ **intorno a qc** to busy o.s. with sth.

affaccen'dato, a [affattʃen'dato] *ag* busy.

affacci'arsi [affat'tʃarsi] *vr:* ~ **(a)** to appear (at); ~ **alla vita** to come into the world.

affa'mato, a *ag* starving; (*fig*): ~ **(di)** eager (for).

affan'nare *vt* to leave breathless; (*fig*) to worry; ~**rsi** *vr:* ~**rsi per qn/qc** to worry about sb/sth.

af'fanno *sm* breathlessness; (*fig*) anxiety, worry.

affannosa'mente *av* with difficulty; anxiously.

affan'noso, a *ag* (*respiro*) difficult; (*fig*) troubled, anxious.

af'fare *sm* (*faccenda*) matter, affair; (*COMM*) piece of business, (business) deal; (*occasione*) bargain; (*DIR*) case; (*fam: cosa*) thing; ~**i** *smpl* (*COMM*) business *sg*; ~ **fatto!** done!, it's a deal!; **sono** ~**i miei** that's my business; **bada agli** ~**i tuoi!** mind your own business!; **uomo d'**~**i** businessman; **ministro degli A**~**i Esteri** Foreign Secretary (*BRIT*), Secretary of State (*US*).

affa'rista, i *sm* profiteer, unscrupulous businessman.

affasci'nante [affaʃʃi'nante] *ag* fascinating.

affasci'nare [affaʃʃi'nare] *vt* to bewitch; (*fig*) to charm, fascinate.

affatica'mento *sm* tiredness.

affati'care *vt* to tire; ~**rsi** *vr* (*durar fatica*) to tire o.s. out.

af'fatto *av* completely; **non** ... ~ not ... at all; **niente** ~ not at all.

affer'mare *vi* (*dire di sì*) to say yes ♦ *vt* (*dichiarare*) to maintain, affirm; ~**rsi** *vr* to assert o.s., make one's name known.

affermativa'mente *av* in the affirmative, affirmatively.

afferma'tivo, a *ag* affirmative.

affer'mato, a *ag* established, well-known.

affermazi'one [affermat'tsjone] *sf* affirmation, assertion; (*successo*) achievement.

affer'rare *vt* to seize, grasp; (*fig: idea*) to grasp; ~**rsi** *vr:* ~**rsi a** to cling to.

Aff. Est. *abbr* = *Affari Esteri*.

affet'tare *vt* (*tagliare a fette*) to slice; (*ostentare*) to affect.

affet'tato, a *ag* sliced; affected ♦ *sm* sliced cold meat.

affetta'trice [affetta'tritʃe] *sf* meat slicer.

affettazi'one [affettat'tsjone] *sf* affectation.

affet'tivo, a *ag* emotional, affective.

af'fetto, a *ag:* **essere** ~ **da** to suffer from ♦ *sm* affection; **gli** ~**i familiari** one's nearest and dearest.

affettuosa'mente *av* affectionately; (*nelle lettere*): (**ti saluto**) ~, **Maria** love, Maria.

affettuosità *sf inv* affection; ~ *sfpl* (*manifestazioni*) demonstrations of affection.

affettu'oso, a *ag* affectionate.

affezio'narsi [affettsjo'narsi] *vr:* ~ **a** to grow fond of.

affezio'nato, a [affettsjo'nato] *ag:* ~ **a qn/qc** fond of sb/sth; (*attaccato*) attached to sb/sth.

affezi'one [affet'tsjone] *sf* (*affetto*) affection; (*MED*) ailment, disorder.

affian'care *vt* to place side by side; (*MIL*) to flank; (*fig*) to support; ~ **qc a qc** to place sth next to *o* beside sth; ~**rsi** *vr:* ~**rsi a qn** to stand beside sb.

affiata'mento *sm* understanding.

affia'tato, a *ag:* **essere** ~**i** to work well together *o* get on; **formano una squadra** ~**a** they make a good team.

affibbi'are *vt* to buckle, do up; (*fig: dare*) to give.

affi'dabile *ag* reliable.

affidabilità *sf* reliability.

affida'mento *sm* (*DIR: di bambino*) custody; (*fiducia*): **fare** ~ **su qn** to rely on sb; **non dà nessun** ~ he's not to be trusted.

affi'dare *vt:* ~ **qc** *o* **qn a qn** to entrust sth *o* sb to sb; ~**rsi** *vr:* ~**rsi a** to place one's trust in.

affievo'lirsi *vr* to grow weak.

af'figgere [af'fiddʒere] *vt* to stick up, post up.

affi'lare *vt* to sharpen.

affi'lato, a *ag* (*gen*) sharp; (*volto, naso*) thin.

affili'are *vt* to affiliate; ~**rsi** *vr:* ~**rsi a** to become affiliated to.

affi'nare *vt* to sharpen.

affinché [affin'ke] *cong* in order that, so that.

af'fine *ag* similar.

affinità *sf inv* affinity.

affio'rare *vi* to emerge.

af'fissi *etc vb vedi* **affiggere**.

affissi'one *sf* billposting.

af'fisso, a *pp di* **affiggere** ♦ *sm* bill, poster; (*LING*) affix.

affitta'camere *sm/f inv* landlord/landlady.

affit'tare *vt* (*dare in affitto*) to let, rent (out); (*prendere in affitto*) to rent.

af'fitto *sm* rent; (*contratto*) lease; **dare in ~** to rent (out), let; **prendere in ~** to rent.

affittu'ario *sm* lessee.

af'fliggere [af'fliddʒere] *vt* to torment; **~rsi** *vr* to grieve.

af'flissi *etc vb vedi* **affliggere**.

af'flitto, a *pp di* **affliggere**.

afflizi'one [afflit'tsjone] *sf* distress, torment.

afflosci'arsi [affloʃ'ʃarsi] *vr* to go limp; (*frutta*) to go soft.

afflu'ente *sm* tributary.

afflu'enza [afflu'ɛntsa] *sf* flow; (*di persone*) crowd.

afflu'ire *vi* to flow; (*fig: merci, persone*) to pour in.

af'flusso *sm* influx.

affo'gare *vt, vi* to drown; **~rsi** *vr* to drown; (*deliberatamente*) to drown o.s.

affo'gato, a *ag* drowned; (*CUC: uova*) poached.

affolla'mento *sm* crowding; (*folla*) crowd.

affol'lare *vt*, **~rsi** *vr* to crowd.

affol'lato, a *ag* crowded.

affonda'mento *sm* (*di nave*) sinking.

affon'dare *vt* to sink.

affran'care *vt* to free, liberate; (*AMM*) to redeem; (*lettera*) to stamp; (: *meccanicamente*) to frank (*BRIT*), meter (*US*); **~rsi** *vr* to free o.s.

affranca'trice [affranka'tritʃe] *sf* franking machine (*BRIT*), postage meter (*US*).

affranca'tura *sf* (*di francobollo*) stamping; franking (*BRIT*), metering (*US*); (*tassa di spedizione*) postage; **~ a carico del destinatario** postage paid.

af'franto, a *ag* (*esausto*) worn out; (*abbattuto*) overcome.

af'fresco, schi *sm* fresco.

affret'tare *vt* to quicken, speed up; **~rsi** *vr* to hurry; **~rsi a fare qc** to hurry *o* hasten to do sth.

affret'tato, a *ag* (*veloce: passo, ritmo*) quick, fast; (*frettoloso: decisione*) hurried, hasty; (: *lavoro*) rushed.

affron'tare *vt* (*pericolo etc*) to face; (*assalire: nemico*) to confront; **~rsi** *vr* (*reciproco*) to confront each other.

af'fronto *sm* affront, insult; **fare un ~ a qn** to insult sb.

affumi'care *vt* to fill with smoke; to blacken with smoke; (*alimenti*) to smoke.

affuso'lato, a *ag* tapering.

af'gano, a *ag, sm/f* Afghan.

Af'ghanistan [af'ganistan] *sm*: **l'~** Afghanistan.

af'ghano, a *ag, sm/f* = **afgano**.

afo'risma, i *sm* aphorism.

a'foso, a *ag* sultry, close.

'Africa *sf*: **l'~** Africa.

afri'cano, a *ag, sm/f* African.

afroasi'atico, a, ci, che *ag* Afro-Asian.

afrodi'siaco, a, ci, che *ag, sm* aphrodisiac.

AG *sigla* = Agrigento.

a'genda [a'dʒɛnda] *sf* diary; **~ tascabile/da tavolo** pocket/desk diary.

a'gente [a'dʒɛnte] *sm* agent; **~ di cambio** stockbroker; **~ di custodia** prison officer; **~ marittimo** shipping agent; **~ di polizia** police officer; **~ provocatore** agent provocateur; **~ delle tasse** tax inspector; **~ di vendita** sales agent; **resistente agli ~i atmosferici** weather-resistant.

agen'zia [adʒen'tsia] *sf* agency; (*succursale*) branch; **~ di collocamento** employment agency; **~ immobiliare** estate agent's (office) (*BRIT*), real estate office (*US*); **A~ Internazionale per l'Energia Atomica (AIEA)** International Atomic Energy Agency (IAEA); **~ matrimoniale** marriage bureau; **~ pubblicitaria** advertising agency; **~ di stampa** press agency; **~ viaggi** travel agency.

agevo'lare [adʒevo'lare] *vt* to facilitate, make easy.

agevolazi'one [adʒevolat'tsjone] *sf* (*facilitazione economica*) facility; **~ di pagamento** payment on easy terms; **~i creditizie** credit facilities; **~i fiscali** tax concessions.

a'gevole [a'dʒevole] *ag* easy; (*strada*) smooth.

agganci'are [aggan'tʃare] *vt* to hook up; (*FERR*) to couple; **~rsi** *vr*: **~rsi a** to hook up to; (*fig: pretesto*) to seize on.

ag'gancio [ag'gantʃo] *sm* (*TECN*) coupling; (*fig: conoscenza*) contact.

ag'geggio [ad'dʒeddʒo] *sm* gadget, contraption.

agget'tivo [addʒet'tivo] *sm* adjective.

agghiacci'ante [aggjat'tʃante] *ag* (*fig*) chilling.

agghiacci'are [aggjat'tʃare] *vt* to freeze;

(*fig*) to make one's blood run cold; ~**rsi** *vr* to freeze.

agghin'darsi [aggin'darsi] *vr* to deck o.s. out.

aggiorna'mento [addʒorna'mento] *sm* updating; revision; postponement; **corso di** ~ refresher course.

aggior'nare [addʒor'nare] *vt* (*opera, manuale*) to bring up-to-date; (: *rivedere*) to revise; (*listino*) to maintain, up-date; (*seduta etc*) to postpone; ~**rsi** *vr* to bring (*o keep*) o.s. up-to-date.

aggior'nato, a [addʒor'nato] *ag* up-to-date.

aggio'taggio [addʒo'taddʒo] *sm* (*ECON*) rigging the market.

aggi'rare [addʒi'rare] *vt* to go round; (*fig: ingannare*) to trick; ~**rsi** *vr* to wander about; **il prezzo s'aggira sul milione** the price is around the million mark.

aggiudi'care [addʒudi'kare] *vt* to award; (*all'asta*) to knock down; ~**rsi qc** to win sth.

aggi'ungere [ad'dʒundʒere] *vt* to add.

aggi'unsi [ad'dʒunsi] *etc vb vedi* **aggiungere.**

aggi'unto, a [ad'dʒunto] *pp di* **aggiungere** ♦ *ag* assistant *cpd* ♦ *sm* assistant ♦ *sf* addition; **sindaco** ~ deputy mayor; **in** ~**a** ... what's more ....

aggius'tare [addʒus'tare] *vt* (*accomodare*) to mend, repair; (*riassettare*) to adjust; (*fig: lite*) to settle; ~**rsi** *vr* (*arrangiarsi*) to make do; (*con senso reciproco*) to come to an agreement; **ti aggiusto io!** I'll fix you!

agglome'rato *sm* (*di rocce*) conglomerate; (*di legno*) chipboard; ~ **urbano** built-up area.

aggrap'parsi *vr*: ~ **a** to cling to.

aggrava'mento *sm* worsening.

aggra'vante *ag* (*DIR*) aggravating ♦ *sf* aggravation.

aggra'vare *vt* (*aumentare*) to increase; (*appesantire: anche fig*) to weigh down, make heavy; (*fig: pena*) to make worse; ~**rsi** *vr* (*fig*) to worsen, become worse.

ag'gravio *sm*: ~ **di costi** increase in costs.

aggrazi'ato, a [aggrat'tsjato] *ag* graceful.

aggre'dire *vt* to attack, assault.

aggre'gare *vt*: ~ **qn a qc** to admit sb to sth; ~**rsi** *vr* to join; ~**rsi a** to join, become a member of.

aggre'gato, a *ag* associated ♦ *sm* aggregate; (*di case*) ~ **urbano** built-up area.

aggressi'one *sf* aggression; (*atto*) attack; ~ **a mano armata** armed assault.

aggressività *sf* aggressiveness.

aggres'sivo, a *ag* aggressive.

aggres'sore *sm* aggressor, attacker.

aggrot'tare *vt*: ~ **le sopracciglia** to frown.

aggrovigli'are [aggroviʎ'ʎare] *vt* to tangle; ~**rsi** *vr* (*fig*) to become complicated.

agguan'tare *vt* to catch, seize.

aggu'ato *sm* trap; (*imboscata*) ambush; **tendere un** ~ **a qn** to set a trap for sb.

agguer'rito, a *ag* (*sostenitore, nemico*) fierce.

agia'tezza [adʒa'tettsa] *sf* prosperity.

agi'ato, a [a'dʒato] *ag* (*vita*) easy; (*persona*) well-off, well-to-do.

'agile ['adʒile] *ag* agile, nimble.

agilità [adʒili'ta] *sf* agility, nimbleness.

'agio ['adʒo] *sm* ease, comfort; ~**i** *smpl* comforts; **mettersi a proprio** ~ to make o.s. at home *o* comfortable; **dare** ~ **a qn di fare qc** to give sb the chance of doing sth.

a'gire [a'dʒire] *vi* to act; (*esercitare un'azione*) to take effect; (*TECN*) to work, function; ~ **contro qn** (*DIR*) to take action against sb.

agi'tare [adʒi'tare] *vt* (*bottiglia*) to shake; (*mano, fazzoletto*) to wave; (*fig: turbare*) to disturb; (: *incitare*) to stir (up); ~**rsi** *vr* (*mare*) to be rough; (*malato, dormitore*) to toss and turn; (*bambino*) to fidget; (*emozionarsi*) to get upset; (*POL*) to agitate.

agi'tato, a [adʒi'tato] *ag* rough; restless; fidgety; upset, perturbed.

agita'tore, 'trice [adʒita'tore] *sm/f* (*POL*) agitator.

agitazi'one [adʒitat'tsjone] *sf* agitation; (*POL*) unrest, agitation; **mettere in** ~ **qn** to upset *o* distress sb.

'agli ['aʎʎi] *prep* + *det vedi* **a.**

'aglio ['aʎʎo] *sm* garlic.

a'gnello [aɲ'ɲɛllo] *sm* lamb.

a'gnostico, a, ci, che [aɲ'ɲɔstiko] *ag, sm/f* agnostic.

'ago, *pl* **'aghi** *sm* needle; ~ **da calza** knitting needle.

ago. *abbr* (= *agosto*) Aug.

ago'nia *sf* agony.

ago'nistico, a, ci, che *ag* athletic; (*fig*) competitive.

agoniz'zante [agonid'dzante] *ag* dying.

agoniz'zare [agonid'dzare] *vi* to be dying.

agopun'tura *sf* acupuncture.

agorafo'bia *sf* agoraphobia.

a'gosto *sm* August; *per fraseologia vedi* **luglio.**

a'grario, a *ag* agrarian, agricultural; (*riforma*) land *cpd* ♦ *sm* landowner ♦ *sf* agriculture.

a'gricolo, a *ag* agricultural, farm *cpd*.

agricol'tore *sm* farmer.

agricol'tura *sf* agriculture, farming.

agri'foglio [agri'fɔʎʎo] *sm* holly.

agrimen'sore *sm* land surveyor.
agritu'rismo *sm* farm holidays *pl.*
agritu'ristico, a, ci, che *ag* farm holiday *cpd.*
'agro, a *ag* sour, sharp.
agro'dolce [agro'doltʃe] *ag* bittersweet; (*salsa*) sweet and sour.
agrono'mia *sf* agronomy.
a'gronomo *sm* agronomist.
a'grume *sm* (*spesso al pl: pianta*) citrus; (*: frutto*) citrus fruit.
agru'meto *sm* citrus grove.
aguz'zare [agut'tsare] *vt* to sharpen; ~ **gli orecchi** to prick up one's ears; ~ **l'ingegno** to use one's wits.
aguz'zino, a [agud'dzino] *sm/f* jailer; (*fig*) tyrant.
a'guzzo, a [a'guttso] *ag* sharp.
'ahi *escl* (*dolore*) ouch!
ahimè *escl* alas!
'ai *prep + det vedi* **a.**
'Aia *sf*: **L'~** The Hague.
'aia *sf* threshing floor.
AIDDA *sigla f* (= *Associazione Imprenditrici Donne Dirigenti d'Azienda*) *association of women entrepreneurs and managers.*
AIDS ['aids] *abbr m o f* AIDS.
AIE *sigla f* (= *Associazione Italiana degli Editori*) *publishers' association.*
AIEA *sigla f vedi* **Agenzia Internazionale per l'Energia Atomica**.
AIED *sigla f* (= *Associazione Italiana Educazione Demografica*) ≈ FPA (= *Family Planning Association*).
AIG *sigla f* (= *Associazione Italiana Alberghi per la Gioventù*) ≈ YHA (*BRIT*).
ai'ola *sf* = **aiuola**.
AIPI *sigla f* = *Associazione Italiana Protezione Infanzia*.
airbag *sm inv* air bag.
AIRC *abbr f* = *associazione italiana per la ricerca sul cancro*.
ai'rone *sm* heron.
ai'tante *ag* robust.
aiu'ola *sf* flower bed.
aiu'tante *sm/f* assistant ♦ *sm* (*MIL*) adjutant; (*NAUT*) master-at-arms; ~ **di campo** aide-de-camp.
aiu'tare *vt* to help; ~ **qn (a fare)** to help sb (to do).
ai'uto *sm* help, assistance, aid; (*aiutante*) assistant; **venire in ~ di qn** to come to sb's aid; ~ **chirurgo** assistant surgeon.
aiz'zare [ait'tsare] *vt* to incite; ~ **i cani contro qn** to set the dogs on sb.
al *prep + det vedi* **a.**
a.l. *abbr* = **anno luce.**
'ala, *pl* **'ali** *sf* wing; **fare ~** to fall back,

make way; ~ **destra/sinistra** (*SPORT*) right/left wing.
ala'bastro *sm* alabaster.
'alacre *ag* quick, brisk.
alacrità *sf* promptness, speed.
alam'bicco, chi *sm* still (*CHIM*).
a'lano *sm* Great Dane.
a'lare *ag* wing *cpd*; ~**i** *smpl* firedogs.
A'laska *sf*: **l'~** Alaska.
a'lato, a *ag* winged.
'alba *sf* dawn; **all'~** at dawn.
alba'nese *ag, sm/f, sm* Albanian.
Alba'nia *sf*: **l'~** Albania.
'albatro *sm* albatross.
albeggi'are [albed'dʒare] *vi, vb impers* to dawn.
albe'rato, a *ag* (*viale, piazza*) lined with trees, tree-lined.
albera'tura *sf* (*NAUT*) masts *pl.*
alber'gare *vt* (*dare albergo*) to accommodate ♦ *vi* (*poetico*) to dwell.
alberga'tore, 'trice *sm/f* hotelier, hotel owner.
alberghi'ero, a [alber'gjero] *ag* hotel *cpd.*
al'bergo, ghi *sm* hotel; ~ **diurno** *public toilets with washing and shaving facilities etc*; ~ **della gioventù** youth hostel.
'albero *sm* tree; (*NAUT*) mast; (*TECN*) shaft; ~ **a camme** camshaft; ~ **genealogico** family tree; ~ **a gomiti** crankshaft; ~ **maestro** mainmast; ~ **di Natale** Christmas tree; ~ **di trasmissione** transmission shaft.
albi'cocca, che *sf* apricot.
albi'cocco, chi *sm* apricot tree.
al'bino, a *ag, sm/f* albino.
'albo *sm* (*registro*) register, roll; (*AMM*) notice board.
'album *sm* album; ~ **da disegno** sketch book.
al'bume *sm* albumen; (*bianco d'uovo*) egg white.
albu'mina *sf* albumin.
'alce ['altʃe] *sm* elk.
al'chimia [al'kimja] *sf* alchemy.
alchi'mista, i [alki'mista] *sm* alchemist.
'alcol *sm inv* = **alcool.**
alcolicità [alkolit'ʃi'ta] *sf* alcohol(ic) content.
al'colico, a, ci, che *ag* alcoholic ♦ *sm* alcoholic drink.
alco'lismo *sm* alcoholism.
alco'lista, i, e *sm/f* alcoholic.
alcoliz'zato, a [alkolid'dzato] *sm/f* alcoholic.
'alcool *sm inv* alcohol; ~ **denaturato** methylated spirits *pl* (*BRIT*), wood alcohol (*US*); ~ **etilico** ethyl alcohol; ~ **metilico**

methyl alcohol.

alco'olico *etc vedi* **alcolico** *etc.*

alco'test *sm inv* Breathalyser ® (*BRIT*), Breathalyzer ® (*US*).

al'cova *sf* alcove.

al'cuno, a *det* (*dav sm*: **alcun** + *C, V,* **alcuno** + *s impura, gn, pn, ps, x, z; dav sf*: **alcuna** + *C,* **alcun'** + *V*) (*nessuno*): **non** ... ~ no, not any; ~**i(e)** *det pl, pron pl* some, a few; **non c'è** ~**a fretta** there's no hurry, there isn't any hurry; **senza alcun riguardo** without any consideration.

aldilà *sm inv*: **l'**~ the next life, the after-life.

alea'torio, a *ag* (*incerto*) uncertain.

aleggi'are [aled'dʒare] *vi* (*fig: profumo, sospetto*) to be in the air.

Ales'sandria *sf* (*anche*: ~ **d'Egitto**) Alexandria.

a'letta *sf* (*TECN*) fin; tab.

alet'tone *sm* (*AER*) aileron.

Aleu'tine *sfpl*: **le isole** ~ the Aleutian Islands.

alfa'betico, a, ci, che *ag* alphabetical.

alfa'beto *sm* alphabet.

alfanu'merico, a, ci, che *ag* alphanumeric.

alfi'ere *sm* standard-bearer; (*SCACCHI*) bishop.

al'fine *av* finally, in the end.

'alga, ghe *sf* seaweed *no pl*, alga.

'algebra ['aldʒebra] *sf* algebra.

Al'geri [al'dʒeri] *sf* Algiers.

Alge'ria [aldʒe'ria] *sf*: **l'**~ Algeria.

alge'rino, a [aldʒe'rino] *ag, sm/f* Algerian.

algo'ritmo *sm* algorithm.

ALI *sigla f* (= *Associazione Librai Italiani*) booksellers' association.

ali'ante *sm* (*AER*) glider.

'alibi *sm inv* alibi.

a'lice [a'litʃe] *sf* anchovy.

alie'nare *vt* (*DIR*) to transfer; (*rendere ostile*) to alienate; ~**rsi qn** to alienate sb.

alie'nato, a *ag* alienated; transferred; (*fuor di senno*) insane ♦ *sm* lunatic, insane person.

alienazi'one [aljenat'tsjone] *sf* alienation; transfer; insanity.

ali'eno, a *ag* (*avverso*): ~ (**da**) opposed (to), averse (to) ♦ *sm/f* alien.

alimen'tare *vt* to feed; (*TECN*) to feed, supply; (*fig*) to sustain ♦ *ag* food *cpd*; ~**i** *smpl* foodstuffs; (*anche*: **negozio di** ~**i**) grocer's shop; **regime** ~ diet.

alimenta'tore *sm* (*ELETTR*) feeder.

alimentazi'one [alimentat'tsjone] *sf* feeding; (*cibi*) diet; (*INFORM*) sheet feed.

ali'mento *sm* food; ~**i** *smpl* food *sg*; (*DIR*)

alimony.

a'liquota *sf* share; ~ **d'imposta** tax rate; ~ **minima** (*FISCO*) basic rate.

alis'cafo *sm* hydrofoil.

'alito *sm* breath.

all. *abbr* (= *allegato*) enc., encl.

'alla *prep* + *det vedi* **a.**

allaccia'mento [allattʃa'mento] *sm* (*TECN*) connection.

allacci'are [allat'tʃare] *vt* (*scarpe*) to tie, lace (up); (*cintura*) to do up, fasten; (*due località*) to link; (*luce, gas*) to connect; (*amicizia*) to form; ~**rsi** *vr* (*vestito*) to fasten; ~ *o* ~**rsi la cintura** to fasten one's belt.

allaccia'tura [allattʃa'tura] *sf* fastening.

allaga'mento *sm* flooding *no pl*; flood.

alla'gare *vt*, ~**rsi** *vr* to flood.

allampa'nato, a *ag* lanky.

allar'gare *vt* to widen; (*vestito*) to let out; (*aprire*) to open; (*fig: dilatare*) to extend; ~**rsi** *vr* (*gen*) to widen; (*scarpe, pantaloni*) to stretch; (*fig: problema, fenomeno*) to spread.

allar'mare *vt* to alarm; ~**rsi** *vr* to become alarmed.

al'larme *sm* alarm; **mettere qn in** ~ to alarm sb; ~ **aereo** air-raid warning.

allar'mismo *sm* scaremongering.

allar'mista, i, e *sm/f* scaremonger, alarmist.

allat'tare *vt* (*sog: donna*) to (breast-)feed; (: *animale*) to suckle; ~ **artificialmente** to bottle-feed.

'alle *prep* + *det vedi* **a.**

alle'anza [alle'antsa] *sf* alliance; **A**~ **Democratica** (*POL*) *moderate centre-left party*; **A**~ **Nazionale** (*POL*) *party on the far right*.

alle'arsi *vr* to form an alliance.

alle'ato, a *ag* allied ♦ *sm/f* ally.

alleg. *abbr* = **all.**

alle'gare *vt* (*accludere*) to enclose; (*DIR: citare*) to cite, adduce; (*denti*) to set on edge.

alle'gato, a *ag* enclosed ♦ *sm* enclosure; **in** ~ enclosed; **in** ~ **Vi inviamo** ... please find enclosed ....

allegge'rire [alleddʒe'rire] *vt* to lighten, make lighter; (*fig: sofferenza*) to alleviate, lessen; (: *lavoro, tasse*) to reduce.

allego'ria *sf* allegory.

alle'gorico, a, ci, che *ag* allegorical.

alle'gria *sf* gaiety, cheerfulness.

al'legro, a *ag* cheerful, merry; (*un po' brillo*) merry, tipsy; (*vivace: colore*) bright ♦ *sm* (*MUS*) allegro.

allena'mento *sm* training.

alle'nare vt, ~**rsi** vr to train.

allena'tore sm (SPORT) trainer, coach.

allen'tare vt to slacken; (disciplina) to relax; ~**rsi** vr to become slack; (ingranaggio) to work loose.

aller'gia, 'gie [aller'dʒia] sf allergy.

al'lergico, a, ci, che [al'lɛrdʒiko] ag allergic.

allesti'mento sm preparation, setting up; **in** ~ in preparation.

alles'tire vt (cena) to prepare; (esercito, nave) to equip, fit out; (spettacolo) to stage.

allet'tante ag attractive, alluring.

allet'tare vt to lure, entice.

alleva'mento sm breeding, rearing; (luogo) stock farm; **pollo d'**~ battery hen.

alle'vare vt (animale) to breed, rear; (bambino) to bring up.

alleva'tore sm breeder.

allevi'are vt to alleviate.

alli'bire vi to turn pale; (essere turbato) to be disconcerted.

alli'bito, a ag pale; disconcerted.

allibra'tore sm bookmaker.

allie'tare vt to cheer up, gladden.

alli'evo sm pupil; (apprendista) apprentice; ~ **ufficiale** cadet.

alliga'tore sm alligator.

allinea'mento sm alignment.

alline'are vt (persone, cose) to line up; (TIP) to align; (fig: economia, salari) to adjust, align; ~**rsi** vr to line up; (fig: a idee): ~**rsi a** to come into line with.

alline'ato, a ag aligned, in line; **paesi non** ~**i** (POL) non-aligned countries.

'allo prep + det vedi **a**.

allo'care vt to allocate.

al'locco, a, chi, che sm tawny owl ♦ sm/f oaf.

allocuzi'one [allokut'tsjone] sf address, solemn speech.

al'lodola sf (sky)lark.

alloggi'are [allod'dʒare] vt to accommodate ♦ vi to live.

al'loggio [al'lɔddʒo] sm lodging, accommodation (BRIT), accommodations (US); (appartamento) flat (BRIT), apartment (US).

allontana'mento sm removal; dismissal; estrangement.

allonta'nare vt to send away, send off; (impiegato) to dismiss; (pericolo) to avert, remove; (estraniare) to alienate; ~**rsi** vr: ~**rsi (da)** to go away (from); (estraniarsi) to become estranged (from).

al'lora av (in quel momento) then ♦ cong (in questo caso) well then; (dunque) well then, so; **la gente d'**~ people then o in those days; **da** ~ **in poi** from then on; **e** ~**?** (che fare?) what now?; (e con ciò?) so what?

allor'ché [allor'ke] cong (formale) when, as soon as.

al'loro sm laurel; **riposare** o **dormire sugli** ~**i** to rest on one's laurels.

'alluce ['allutʃe] sm big toe.

alluci'nante [allutʃi'nante] ag (scena, spettacolo) awful, terrifying; (fam: incredibile) amazing.

alluci'nato, a [allutʃi'nato] ag terrified; (fuori di sé) bewildered, confused.

allucinazi'one [allutʃinat'tsjone] sf hallucination.

al'ludere vi: ~ **a** to allude to, hint at.

allu'minio sm aluminium (BRIT), aluminum (US).

allu'naggio [allu'naddʒo] sm moon landing.

allu'nare vi to land on the moon.

allun'gare vt to lengthen; (distendere) to prolong, extend; (diluire) to water down; ~**rsi** vr to lengthen; (ragazzo) to stretch, grow taller; (sdraiarsi) to lie down, stretch out; ~ **le mani** (rubare) to pick pockets; **gli allungò uno schiaffo** he took a swipe at him.

al'lusi etc vb vedi **alludere**.

allusi'one sf hint, allusion.

al'luso, a pp di **alludere**.

alluvi'one sf flood.

alma'nacco, chi sm almanac.

al'meno av at least ♦ cong: **(se)** ~ if only; **(se)** ~ **piovesse!** if only it would rain!

a'logeno, a [a'lɔdʒeno] ag: **lampada** ~**a** halogen lamp.

a'lone sm halo.

al'pestre ag (delle alpi) alpine; (montuoso) mountainous.

'Alpi sfpl: **le** ~ the Alps.

alpi'nismo sm mountaineering, climbing.

alpi'nista, i, e sm/f mountaineer, climber.

al'pino, a ag Alpine; mountain cpd; ~**i** smpl (MIL) Italian Alpine troops.

al'quanto av rather, a little; ~, **a** det a certain amount of, some ♦ pron a certain amount, some; ~**i(e)** det pl, pron pl several, quite a few.

Al'sazia [al'sattsja] sf Alsace.

alt escl halt!, stop! ♦ sm: **dare l'**~ to call a halt.

alta'lena sf (a funi) swing; (in bilico, anche fig) seesaw.

alta'mente av extremely, highly.

al'tare sm altar.

alte'rare vt to alter, change; (cibo) to adulterate; (registro) to falsify; (persona) to irritate; **~rsi** *vr* to alter; (*cibo*) to go bad; (*persona*) to lose one's temper.

alterazi'one [alterat'tsjone] *sf* alteration, change; adulteration; falsification; annoyance.

al'terco, chi *sm* altercation, wrangle.

alter'nanza [alter'nantsa] *sf* alternation; (*AGR*) rotation.

alter'nare *vt*, **~rsi** *vr* to alternate.

alterna'tivo, a *ag* alternative ♦ *sf* alternative; **non abbiamo ~e** we have no alternative.

alter'nato, a *ag* alternate; (*ELETTR*) alternating.

alterna'tore *sm* alternator.

al'terno, a *ag* alternate; **a giorni ~i** on alternate days, every other day; **circolazione a targhe ~e** (*AUT*) *system of restricting vehicle use to odd/even registrations on alternate days*.

al'tero, a *ag* proud.

al'tezza [al'tettsa] *sf* (*di edificio, persona*) height; (*di tessuto*) width, breadth; (*di acqua, pozzo*) depth; (*di suono*) pitch; (*GEO*) latitude; (*titolo*) highness; (*fig: nobiltà*) greatness; **essere all'~ di** to be on a level with; (*fig*) to be up to *o* equal to; **all'~ della farmacia** near the chemist's.

altez'zoso, a [altet'tsoso] *ag* haughty.

al'ticcio, a, ci, ce [al'tittʃo] *ag* tipsy.

altipi'ano *sm* = **altopiano**.

altiso'nante *ag* (*fig*) high-sounding, pompous.

alti'tudine *sf* altitude.

'alto, a *ag* high; (*persona*) tall; (*tessuto*) wide, broad; (*sonno, acque*) deep; (*suono*) high(-pitched); (*GEO*) upper; (*: settentrionale*) northern ♦ *sm* top (part) ♦ *av* high; (*parlare*) aloud, loudly; **il palazzo è ~ 20 metri** the building is 20 metres high; **il tessuto è ~ 70 cm** the material is 70 cm wide; **ad ~a voce** aloud; **a notte ~a** in the dead of night; **in ~ upwards**; at the top; **mani in ~!** hands up!; **dall'~ in o al basso** up and down; **degli ~i e bassi** (*fig*) ups and downs; **andare a testa ~a** (*fig*) to carry one's head high; **essere in ~ mare** (*fig*) to be far from a solution; **~a fedeltà** high fidelity, hi-fi; **~a moda** haute couture; **l'A~ Medioevo** the Early Middle Ages; **l'~ Po** the upper reaches of the Po.

altoate'sino, a *ag* of (*o* from) the Alto Adige.

alto'forno *sm* blast furnace.

altolo'cato, a *ag* of high rank, highly placed.

altopar'lante *sm* loudspeaker.

altopi'ano, *pl* **alti'piani** *sm* upland plain, plateau.

'Alto 'Volta *sm*: **l'~** Upper Volta.

altret'tanto, a *ag*, *pron* as much; (*pl*) as many ♦ *av* equally; **tanti auguri! — grazie, ~** all the best! — thank you, the same to you.

'altri *pron inv* (*qualcuno*) somebody; (*: in espressioni negative*) anybody; (*un'altra persona*) another (person).

altri'menti *av* otherwise.

═══════════════ *PAROLA CHIAVE*

'altro, a *det* **1** (*diverso*) other, different; **questa è un'~a cosa** that's another *o* a different thing; **passami l'~a penna** give me the other pen

2 (*supplementare*) other; **prendi un ~ cioccolatino** have another chocolate; **hai avuto ~e notizie?** have you had any more *o* any other news?; **hai ~ pane?** have you got any more bread?

3 (*nel tempo*): **l'~ giorno** the other day; **l'altr'anno** last year; **l'~ ieri** the day before yesterday; **domani l'~** the day after tomorrow; **quest'~ mese** next month

4: **d'~a parte** on the other hand ♦ *pron* **1** (*persona, cosa diversa o supplementare*): **un ~, un'~a** another (one); **lo farà un ~** someone else will do it; **~i, e others**; **gli ~i** (*la gente*) others, other people; **l'uno e l'~** both (of them); **aiutarsi l'un l'~** to help one another; **prendine un ~** have another (one); **da un giorno all'~** from day to day; (*nel giro di 24 ore*) from one day to the next; (*da un momento all'altro*) any day now

2 (*sostantivato: solo maschile*) something else; (*: in espressioni interrogative*) anything else; **non ho ~ da dire** I have nothing else *o* I don't have anything else to say; **desidera ~?** do you want anything else?; **più che ~** above all; **se non ~** if nothing else, at least; **tra l'~** among other things; **ci mancherebbe ~!** that's all we need!; **non faccio ~ che lavorare** I do nothing but work; **contento? — ~ che!** are you pleased? — I certainly am!; *vedi anche* **senza; noialtri; voialtri; tutto.**

altroché [altro'ke] *escl* certainly!, and how!

al'tronde *av*: **d'~** on the other hand.

al'trove *av* elsewhere, somewhere else.

al'trui *ag inv* other people's ♦ *sm*: **l'~** other people's belongings *pl*.

altru'ismo *sm* altruism.

altru'ista, i, e *ag* altruistic ♦ *sm/f* altruist.

al'tura *sf* (*rialto*) height, high ground; (*alto mare*) open sea; **pesca d'~** deep-sea fishing.

a'lunno, a *sm/f* pupil.

alve'are *sm* hive.

'alveo *sm* riverbed.

alzabandi'era [altsaban'djera] *sm inv* (*MIL*): **l'~** the raising of the flag.

al'zare [al'tsare] *vt* to raise, lift; (*issare*) to hoist; (*costruire*) to build, erect; **~rsi** *vr* to rise; (*dal letto*) to get up; (*crescere*) to grow tall (*o taller*); **~ le spalle** to shrug one's shoulders; **~ le carte** to cut the cards; **~ il gomito** to drink too much; **~ le mani su qn** to raise one's hand to sb; **~ i tacchi** to take to one's heels; **~rsi in piedi** to stand up, get to one's feet; **~rsi col piede sbagliato** to get out of bed on the wrong side.

al'zata [al'tsata] *sf* lifting, raising; **un'~ di spalle** a shrug.

A.M. *abbr* = **aeronautica militare**.

a'mabile *ag* lovable; (*vino*) sweet.

'AMAC *sigla f* = *Aeronautica Militare-Aviazione Civile*.

a'maca, che *sf* hammock.

amalga'mare *vt*, **~rsi** *vr* to amalgamate.

a'mante *ag*: **~ di** (*musica etc*) fond of ♦ *sm/f* lover/mistress.

amara'mente *av* bitterly.

ama'ranto *sm* (*BOT*) love-lies-bleeding ♦ *ag inv*: **color ~** reddish purple.

a'mare *vt* to love; (*amico, musica, sport*) to like.

amareggi'are [amared'dʒare] *vt* to sadden, upset; **~rsi** *vr* to get upset; **~rsi la vita** to make one's life a misery.

amareggi'ato, a [amared'dʒato] *ag* upset, saddened.

ama'rena *sf* sour black cherry.

ama'retto *sm* (*dolce*) macaroon; (*liquore*) bitter liqueur made with almonds.

ama'rezza [ama'rettsa] *sf* bitterness.

a'maro, a *ag* bitter ♦ *sm* bitterness; (*liquore*) bitters *pl*.

ama'rognolo, a [ama'roɲɲolo] *ag* slightly bitter.

a'mato, a *ag* beloved, loved, dear ♦ *sm/f* loved one.

ama'tore, 'trice *sm/f* (*amante*) lover; (*intenditore: di vini etc*) connoisseur; (*dilettante*) amateur.

a'mazzone [a'maddzone] *sf* (*MITOLOGIA*) Amazon; (*cavallerizza*) horsewoman; (*abito*) riding habit; **cavalcare all'~** to ride sidesaddle; **il Rio delle A~i** the (river) Amazon.

Amaz'zonia [amad'dzɔnja] *sf* Amazonia.

amaz'zonico, a, ci, che [amad'dzɔniko] *ag* Amazonian; Amazon *cpd*.

ambasce'ria [ambaʃʃe'ria] *sf* embassy.

ambasci'ata [ambaʃ'ʃata] *sf* embassy; (*messaggio*) message.

ambascia'tore, 'trice [ambaʃʃa'tore] *sm/f* ambassador/ambassadress.

ambe'due *ag inv*: **~ i ragazzi** both boys ♦ *pron inv* both.

ambi'destro, a *ag* ambidextrous.

ambien'tale *ag* (*temperatura*) ambient *cpd*; (*problemi, tutela*) environmental.

ambienta'lismo *sm* environmentalism.

ambienta'lista, i, e *ag* environmental ♦ *sm/f* environmentalist.

ambien'tare *vt* to acclimatize; (*romanzo, film*) to set; **~rsi** *vr* to get used to one's surroundings.

ambientazi'one [ambjentat'tsjone] *sf* setting.

ambi'ente *sm* environment; (*fig: insieme di persone*) milieu; (*stanza*) room.

ambiguità *sf inv* ambiguity.

am'biguo, a *ag* ambiguous; (*persona*) shady.

am'bire *vt* (*anche: vi*: **~ a**) to aspire to; **un premio molto ambito** a much sought-after prize.

'ambito *sm* sphere, field.

ambiva'lente *ag* ambivalent; **questo apparecchio è ~** this is a dual-purpose device.

ambizi'one [ambit'tsjone] *sf* ambition.

ambizi'oso, a [ambit'tsjoso] *ag* ambitious.

'ambo *ag inv* both.

'ambra *sf* amber; **~ grigia** ambergris.

ambu'lante *ag* travelling, itinerant.

ambu'lanza [ambu'lantsa] *sf* ambulance.

ambulatori'ale *ag* (*MED*) outpatients *cpd*; **operazione ~** operation as an outpatient; **visita ~** visit to the doctor's surgery (*BRIT*) *o* office (*US*).

ambula'torio *sm* (*studio medico*) surgery (*BRIT*), doctor's office (*US*).

'AMDI *sigla f* = *Associazione Medici Dentisti Italiani*.

'AME *sigla m* = *Accordo Monetario Europeo*.

a'meba *sf* amoeba (*BRIT*), ameba (*US*).

amenità *sf inv* pleasantness *no pl*; (*facezia*) pleasantry.

a'meno, a *ag* pleasant; (*strano*) funny, strange; (*spiritoso*) amusing.

A'merica *sf*: **l'~** America; **l'~ latina** Latin America; **l'~ del sud** South America.

america'nata *sf* (*peg*): **le Olimpiadi sono state una vera ~** the Olympics were a typically vulgar American extravaganza.

america'nismo *sm* Americanism;

(*ammirazione*) love of America.
ameri'cano, a *ag, smlf* American.
ame'tista *sf* amethyst.
ami'anto *sm* asbestos.
a'mica *sf vedi* **amico.**
ami'chevole [ami'kevole] *ag* friendly.
ami'cizia [ami'tʃittsja] *sf* friendship; ~**e** *sfpl*
(*amici*) friends; **fare** ~ **con qn** to make
friends with sb.
a'mico, a, ci, che *smlf* friend; (*amante*)
boyfriend/girlfriend; ~ **del cuore** *o*
intimo bosom friend; ~ **d'infanzia**
childhood friend.
'amido *sm* starch.
ammac'care *vt* (*pentola*) to dent; (*persona*)
to bruise; ~**rsi** *vr* to bruise.
ammacca'tura *sf* dent; bruise.
ammaes'trare *vt* (*animale*) to train;
(*persona*) to teach.
ammai'nare *vt* to lower, haul down.
amma'larsi *vr* to fall ill.
amma'lato, a *ag* ill, sick ♦ *smlf* sick
person; (*paziente*) patient.
ammali'are *vt* (*fig*) to enchant, charm.
ammalia'tore, 'trice *smlf* enchanter/
enchantress.
am'manco, chi *sm* (*ECON*) deficit.
ammanet'tare *vt* to handcuff.
ammani'cato, a, ammanigli'ato, a
[ammaniʎ'ʎato] *ag* (*fig*) with friends in
high places.
amman'sire *vt* (*animale*) to tame; (*fig*:
persona) to calm down, placate.
amman'tarsi *vr*: ~ **di** (*persona*) to wrap o.s.
in; (*fig*: *prato etc*) to be covered in.
amma'raggio [amma'raddʒo] *sm* (sea)
landing; splashdown.
amma'rare *vi* (*AER*) to make a sea landing;
(*astronave*) to splash down.
ammas'sare *vt* (*ammucchiare*) to amass;
(*raccogliere*) to gather together; ~**rsi** *vr* to
pile up; to gather.
am'masso *sm* mass; (*mucchio*) pile, heap;
(*ECON*) stockpile.
ammat'tire *vi* to go mad.
ammaz'zare [ammat'tsare] *vt* to kill; ~**rsi** *vr*
(*uccidersi*) to kill o.s.; (*rimanere ucciso*) to
be killed; ~**rsi di lavoro** to work o.s. to
death.
am'menda *sf* amends *pl*; (*DIR, SPORT*) fine;
fare ~ **di qc** to make amends for sth.
am'messo, a *pp di* **ammettere** ♦ *cong*: ~ **che**
supposing that.
am'mettere *vt* to admit; (*riconoscere: fatto*)
to acknowledge, admit; (*permettere*) to
allow, accept; (*supporre*) to suppose;
ammettiamo che ... let us suppose
that ....

ammez'zato [ammed'dzato] *sm* (*anche*:
piano ~) entresol, mezzanine.
ammic'care *vi*: ~ **(a)** to wink (at).
amminis'trare *vt* to run, manage; (*REL,
DIR*) to administer.
amministra'tivo, a *ag* administrative.
amministra'tore *sm* administrator;
(*COMM*) director; ~ **aggiunto** associate
director; ~ **delegato** managing director;
~ **fiduciario** trustee; ~ **unico** sole
director.
amministrazi'one [amministrat'tsjone] *sf*
management; administration; **consiglio
d'**~ board of directors; **l'**~ **comunale**
local government; ~ **fiduciaria** trust.
ammi'raglia [ammi'raʎʎa] *sf* flagship.
ammiragli'ato [ammiraʎ'ʎato] *sm*
admiralty.
ammi'raglio [ammi'raʎʎo] *sm* admiral.
ammi'rare *vt* to admire.
ammira'tore, 'trice *smlf* admirer.
ammirazi'one [ammirat'tsjone] *sf*
admiration.
am'misi *etc vb vedi* **ammettere.**
ammis'sibile *ag* admissible, acceptable.
ammissi'one *sf* admission; (*approvazione*)
acknowledgment.
Amm.ne *abbr* = **amministrazione.**
ammobili'are *vt* to furnish.
ammobili'ato, a *ag* (*camera, appartamento*)
furnished.
ammoder'nare *vt* to modernize.
am'modo, a 'modo *av* properly ♦ *ag inv*
respectable, nice.
ammogli'are [ammoʎ'ʎare] *vt* to find a wife
for; ~**rsi** *vr* to marry, take a wife.
am'mollo *sm*: **lasciare in** ~ to leave to
soak.
ammo'niaca *sf* ammonia.
ammoni'mento *sm* warning;
admonishment.
ammo'nire *vt* (*avvertire*) to warn;
(*rimproverare*) to admonish; (*DIR*) to
caution.
ammonizi'one [ammonit'tsjone] *sf* (*monito:
anche SPORT*) warning; (*rimprovero*)
reprimand; (*DIR*) caution.
ammon'tare *vi*: ~ **a** to amount to ♦ *sm*
(total) amount.
ammonticchi'are [ammontik'kjare] *vt* to
pile up, heap up.
ammor'bare *vt* (*diffondere malattia*) to
infect; (*sog: odore*) to taint, foul.
ammorbi'dente *sm* fabric softener.
ammorbi'dire *vt* to soften.
ammorta'mento *sm* redemption;
amortization; ~ **fiscale** capital allowance.
ammor'tare *vt* (*FINANZA: debito*) to pay off,

redeem; (: *spese d'impianto*) to write off.

ammortiz'zare [ammortid'dzare] *vt* (*FINANZA*) to pay off, redeem; (: *spese d'impianto*) to write off; (*AUT, TECN*) to absorb, deaden.

ammortizza'tore [ammortiddza'tore] *sm* (*AUT, TECN*) shock absorber.

Amm.re *abbr* = **amministratore**.

ammucchi'are [ammuk'kjare] *vt*, ~**rsi** *vr* to pile up, accumulate.

ammuf'fire *vi* to go mouldy (*BRIT*) *o* moldy (*US*).

ammutina'mento *sm* mutiny.

ammuti'narsi *vr* to mutiny.

ammuti'nato, a *ag* mutinous ♦ *sm* mutineer.

ammuto'lire *vi* to be struck dumb.

amne'sia *sf* amnesia.

amnis'tia *sf* amnesty.

'amo *sm* (*PESCA*) hook; (*fig*) bait.

amo'rale *ag* amoral.

a'more *sm* love; ~**i** *smpl* love affairs; **il tuo bambino è un** ~ your baby's a darling; **fare l'**~ *o* **all'**~ to make love; **andare d'**~ **e d'accordo con qn** to get on like a house on fire with sb; **per** ~ **o per forza** by hook or by crook; **amor proprio** self-esteem, pride.

amoreggi'are [amored'dʒare] *vi* to flirt.

amo'revole *ag* loving, affectionate.

a'morfo, a *ag* amorphous; (*fig: persona*) lifeless.

amo'rino *sm* cupid.

amo'roso, a *ag* (*affettuoso*) loving, affectionate; (*d'amore: sguardo*) amorous; (: *poesia, relazione*) love *cpd*.

am'pere [ã'pɛr] *sm inv* amp(ère).

ampi'ezza [am'pjettsa] *sf* width, breadth; spaciousness; (*fig: importanza*) scale, size; ~ **di vedute** broad-mindedness.

'ampio, a *ag* wide, broad; (*spazioso*) spacious; (*abbondante: vestito*) loose; (: *gonna*) full; (: *spiegazione*) ample, full.

am'plesso *sm* (*sessuale*) intercourse.

amplia'mento *sm* (*di strada*) widening; (*di aeroporto*) expansion; (*fig*) broadening.

ampli'are *vt* (*allargare*) to widen; (*fig: discorso*) to enlarge on; ~**rsi** *vr* to grow, increase; ~ **la propria cultura** to broaden one's mind.

amplifi'care *vt* to amplify; (*magnificare*) to extol.

amplifica'tore *sm* (*TECN, MUS*) amplifier.

amplificazi'one [amplifikat'tsjone] *sf* amplification.

am'polla *sf* (*vasetto*) cruet.

ampol'loso, a *ag* bombastic, pompous.

ampu'tare *vt* (*MED*) to amputate.

amputazi'one [amputat'tsjone] *sf* amputation.

'Amsterdam *sf* Amsterdam.

amu'leto *sm* lucky charm.

AN *sigla* = Ancona.

A.N. *sigla f* (*POL*) = **Alleanza Nazionale**.

'ANA *sigla f* (*MIL*) = *Associazione Nazionale Alpini*.

ANAAO *sigla f* (= *Associazione Nazionale Aiuti e Assistenti Ospedalieri*) *trade union for hospital workers*.

anabbagli'ante [anabbaʎ'ʎante] *ag* (*AUT*) dipped (*BRIT*), dimmed (*US*); ~**i** *smpl* dipped *o* dimmed headlights.

anacro'nismo *sm* anachronism.

a'nagrafe *sf* (*registro*) register of births, marriages and deaths; (*ufficio*) registry office (*BRIT*), office of vital statistics (*US*).

ana'grafico, a, ci, che *ag* (*AMM*): **dati** ~**ci** personal data; **comune di residenza** ~**a** district where resident.

ana'gramma, i *sm* anagram.

anal'colico, a, ci, che *ag* non-alcoholic ♦ *sm* soft drink; **bevanda** ~**a** soft drink.

a'nale *ag* anal.

analfa'beta, i, e *ag*, *smlf* illiterate.

analfabe'tismo *sm* illiteracy.

anal'gesico, a, ci, che [anal'dʒɛziko] *ag, sm* analgesic.

a'nalisi *sf inv* analysis; (*MED: esame*) test; **in ultima** ~ in conclusion, in the final analysis; ~ **grammaticale** parsing; ~ **del sangue** blood test; ~ **dei sistemi/costi** systems/cost analysis.

ana'lista, i, e *smlf* analyst; (*PSIC*) (psycho)analyst; ~ **finanziario** financial analyst; ~ **di sistemi** systems analyst.

ana'litico, a, ci, che *ag* analytic(al).

analiz'zare [analid'dzare] *vt* to analyse (*BRIT*), analyze (*US*); (*MED*) to test.

analo'gia, 'gie [analo'dʒia] *sf* analogy.

ana'logico, a, ci, che [ana'lɔdʒiko] *ag* analogical; (*calcolatore, orologio*) analog(ue).

a'nalogo, a, ghi, ghe *ag* analogous.

'ananas *sm inv* pineapple.

anar'chia [anar'kia] *sf* anarchy.

a'narchico, a, ci, che [a'narkiko] *ag* anarchic(al) ♦ *smlf* anarchist.

'A.N.A.S. *sigla f* (= *Azienda Nazionale Autonoma delle Strade*) *national roads department*.

ana'tema, i *sm* anathema.

anato'mia *sf* anatomy.

ana'tomico, a, ci, che *ag* anatomical; (*sedile*) contoured.

'anatra *sf* duck; ~ **selvatica** mallard.

ana'troccolo *sm* duckling.

'ANCA *sigla f* = *Associazione Nazionale Cooperative Agricole.*

'anca, che *sf* (*ANAT*) hip; (*ZOOL*) haunch.

'ANCAB *sigla f* (= *Associazione Nazionale delle Cooperative di Abitazione*) *national association of housing cooperatives.*

ANCC *sigla f* = *Associazione Nazionale Carabinieri.*

'ANCE ['antʃe] *sigla f* (= *Associazione Nazionale Costruttori Edili*) *national association of builders.*

'anche ['anke] *cong* also; (*perfino*) even; **vengo anch'io!** I'm coming too!; ~ **se** even if; ~ **volendo, non finiremmo in tempo** even if we wanted to, we wouldn't finish in time.

ancheggi'are [anked'dʒare] *vi* to wiggle (one's hips).

anchilo'sato, a [ankilo'zato] *ag* stiff.

'ANCI ['antʃi] *sigla f* (= *Associazione Nazionale dei Comuni Italiani*) *national confederation of local authorities.*

ancone'tano, a *ag* of (*o* from) Ancona.

an'cora *av* still; (*di nuovo*) again; (*di più*) some more; (*persino*): ~ **più forte** even stronger; **non** ~ not yet; ~ **una volta** once more, once again; ~ **un po'** a little more; (*di tempo*) a little longer.

'ancora *sf* anchor; **gettare/levare l'**~ to cast/weigh anchor; ~ **di salvezza** (*fig*) last hope.

anco'raggio [anko'raddʒo] *sm* anchorage.

anco'rare *vt,* ~**rsi** *vr* to anchor.

ANCR *sigla f* (= *Associazione Nazionale Combattenti e Reduci*) *servicemen's and ex-servicemen's association.*

Andalu'sia *sf:* **l'**~ Andalusia.

anda'luso, a *ag, sm/f* Andalusian.

anda'mento *sm* (*di strada, malattia*) course; (*del mercato*) state.

an'dante *ag* (*corrente*) current; (*di poco pregio*) cheap, second-rate ♦ *sm* (*MUS*) andante.

an'dare *sm:* **a lungo** ~ in the long run; **con l'andar del tempo** with the passing of time; **racconta storie a tutto** ~ she's forever talking rubbish ♦ *vi* (*gen*) to go; (*essere adatto*): ~ **a** to suit; (*piacere*): **il suo comportamento non mi va** I don't like the way he behaves; **ti va di** ~ **al cinema?** do you feel like going to the cinema?; ~ **a cavallo** to ride; ~ **in macchina/aereo** to go by car/plane; ~ **a fare qc** to go and do sth; ~ **a pescare/sciare** to go fishing/skiing; **andarsene** to go away; **vado e vengo** I'll be back in a minute; ~ **per i 50** (*età*) to be getting on for 50; ~ **a male** to go bad; ~ **fiero di qc/qn** to be proud of sth/sb; ~

perduto to be lost; **come va?** (*lavoro, progetto*) how are things?; **come va?** — **bene, grazie!** how are you? — fine, thanks!; **va fatto entro oggi** it's got to be done today; **ne va della nostra vita** our lives are at stake; **se non vado errato** if I'm not mistaken; **le mele vanno molto** apples are selling well; **va da sé** (*è naturale*) it goes without saying; **per questa volta vada** let's say no more about it this time.

an'data *sf* (*viaggio*) outward journey; **biglietto di sola** ~ single (*BRIT*) *o* one-way ticket; **biglietto di** ~ **e ritorno** return (*BRIT*) *o* round-trip (*US*) ticket.

anda'tura *sf* (*modo di andare*) walk, gait; (*SPORT*) pace; (*NAUT*) tack.

an'dazzo [an'dattso] *sm* (*peg*): **prendere un brutto** ~ to take a turn for the worse.

'Ande *sfpl:* **le** ~ the Andes.

an'dino, a *ag* Andean.

andirivi'eni *sm inv* coming and going.

'andito *sm* corridor, passage.

An'dorra *sf* Andorra.

andrò *etc vb vedi* **andare.**

an'drone *sm* entrance hall.

ANDS *sigla f* (= *Associazione Nazionale Docenti Subalterni*) *teachers' union.*

'ANDU *sigla f* (= *Associazione Nazionale Docenti Universitari*) *association of university teachers.*

a'neddoto *sm* anecdote.

ane'lare *vi:* ~ **a** (*fig*) to long for, yearn for.

a'nelito *sm* (*fig*): ~ **di** longing *o* yearning for.

a'nello *sm* ring; (*di catena*) link.

ane'mia *sf* anaemia (*BRIT*), anemia (*US*).

a'nemico, a, ci, che *ag* anaemic (*BRIT*), anemic (*US*).

a'nemone *sm* anemone.

aneste'sia *sf* anaesthesia (*BRIT*), anesthesia (*US*).

aneste'sista, i, e *sm/f* anaesthetist (*BRIT*), anesthetist (*US*).

anes'tetico, a, ci, che *ag, sm* anaesthetic (*BRIT*), anesthetic (*US*).

anestetiz'zare [anestetid'dzare] *vt* to anaesthetize (*BRIT*), anesthetize (*US*).

anfeta'mina *sf* amphetamine.

anfeta'minico, a, ci, che *ag* (*fig*) hyper.

an'fibio, a *ag* amphibious ♦ *sm* amphibian; (*AUT*) amphibious vehicle.

anfite'atro *sm* amphitheatre (*BRIT*), amphitheater (*US*).

anfitri'one *sm* host.

'anfora *sf* amphora.

an'fratto *sm* ravine.

an'gelico, a, ci, che [an'dʒɛliko] *ag*

angelic(al).

'angelo ['andʒelo] *sm* angel; ~ **custode** guardian angel; **l'~ del focolare** (*fig*) the perfect housewife.

anghe'ria [ange'ria] *sf* vexation.

an'gina [an'dʒina] *sf* tonsillitis; ~ **pectoris** angina.

angli'cano, a *ag* Anglican.

angli'cismo [angli'tʃizmo] *sm* anglicism.

an'glofilo, a *ag* anglophilic ♦ *sm/f* anglophile.

anglo'sassone *ag* Anglo-Saxon.

An'gola *sf*: **l'~** Angola.

ango'lano, a *ag, sm/f* Angolan.

ango'lare *ag* angular.

angola'tura *sf* angle.

angolazi'one [angolat'tsjone] *sf* (*di angolo*) angulation; (*FOT, CINE, TV, fig*) angle.

'angolo *sm* corner; (*MAT*) angle; ~ **cottura** (*di appartamento etc*) cooking area; **fare ~ con** (*strada*) to run into; **dietro l'~** (*anche fig*) round the corner.

ango'loso, a *ag* (*oggetto*) angular; (*volto, corpo*) angular, bony.

'angora *sf*: **lana d'~** angora.

an'goscia, sce [an'gɔʃʃa] *sf* deep anxiety, anguish *no pl*.

angosci'are [angoʃ'ʃare] *vt* to cause anguish to; ~**rsi** *vr*: ~**rsi (per)** (*preoccuparsi*) to become anxious (about); (*provare angoscia*) to get upset (about *o* over).

angosci'oso, a [angoʃ'ʃoso] *ag* (*d'angoscia*) anguished; (*che dà angoscia*) distressing, painful.

angu'illa *sf* eel.

an'guria *sf* watermelon.

an'gustia *sf* (*ansia*) anguish, distress; (*povertà*) poverty, want.

angusti'are *vt* to distress; ~**rsi** *vr*: ~**rsi (per)** to worry (about).

an'gusto, a *ag* (*stretto*) narrow; (*fig*) mean, petty.

'anice ['anitʃe] *sm* (*CUC*) aniseed; (*BOT*) anise; (*liquore*) anisette.

ani'dride *sf* (*CHIM*): ~ **carbonica/solforosa** carbon/sulphur dioxide.

'anima *sf* soul; (*abitante*) inhabitant; ~ **gemella** soul mate; **un'~ in pena** (*anche fig*) a tormented soul; **non c'era ~ viva** there wasn't a living soul; **volere un bene dell'~ a qn** to be extremely fond of sb; **rompere l'~ a qn** to drive sb mad; **il nonno buon'~** ... Grandfather, God rest his soul ....

ani'male *sm, ag* animal.

anima'lesco, a, schi, sche *ag* (*gesto, atteggiamento*) animal-like.

anima'lista, i, e *ag* animal rights *cpd* ♦ *sm/f* animal rights activist.

ani'mare *vt* to give life to, liven up; (*incoraggiare*) to encourage; ~**rsi** *vr* to become animated, come to life.

ani'mato, a *ag* animate; (*vivace*) lively, animated; (: *strada*) busy.

anima'tore, 'trice *sm/f* guiding spirit; (*CINE*) animator; (*di festa*) life and soul.

animazi'one [animat'tsjone] *sf* liveliness; (*di strada*) bustle; (*CINE*) animation; ~ **teatrale** amateur dramatics.

'animo *sm* (*mente*) mind; (*cuore*) heart; (*coraggio*) courage; (*disposizione*) character, disposition; **avere in ~ di fare qc** to intend *o* have a mind to do sth; **farsi ~** to pluck up courage; **fare qc di buon/mal ~** to do sth willingly/unwillingly; **perdersi d'~** to lose heart.

animosità *sf* animosity.

A'NITA *sigla f* = *Associazione Nazionale dell'Industria dei Trasporti Automobilistici; Associazione Naturista Italiana.*

'anitra *sf* = **anatra.**

'Ankara *sf* Ankara.

ANM *sigla f* (= *Associazione Nazionale dei Magistrati*) *national association of magistrates.*

ANMI *sigla f* (= *Associazione Nazionale Marinai d'Italia*) *national association of seamen.*

ANMIG *sigla f* (= *Associazione Nazionale fra Mutilati e Invalidi di Guerra*) *national association for disabled ex-servicemen.*

anna'cquare *vt* to water down, dilute.

annaffi'are *vt* to water.

annaffia'toio *sm* watering can.

an'nali *smpl* annals.

annas'pare *vi* (*nell'acqua*) to flounder; (*fig: nel buio, nell'incertezza*) to grope.

an'nata *sf* year; (*importo annuo*) annual amount; **vino di ~** vintage wine.

annebbi'are *vt* (*fig*) to cloud; ~**rsi** *vr* to become foggy; (*vista*) to become dim.

annega'mento *sm* drowning.

anne'gare *vt, vi* to drown; ~**rsi** *vr* (*accidentalmente*) to drown; (*deliberatamente*) to drown o.s.

anne'rire *vt* to blacken ♦ *vi* to become black.

annessi'one *sf* (*POL*) annexation.

an'nesso, a *pp di* **annettere** ♦ *ag* attached; (*POL*) annexed; **... e tutti gli ~i e connessi** ... and so on and so forth.

an'nettere *vt* (*POL*) to annex; (*accludere*) to attach.

annichi'lire [anniki'lire] *vt* to annihilate.

anni'darsi *vr* to nest.

annienta'mento *sm* annihilation, destruction.
annien'tare *vt* to annihilate, destroy.
anniver'sario *sm* anniversary.
'anno *sm* year; **quanti ~i hai? — ho 40 ~i** how old are you? — I'm 40 (years old); **gli ~i 20** the 20s; **porta bene gli ~i** she doesn't look her age; **porta male gli ~i** she looks older than she is; **~ commerciale** business year; **~ giudiziario** legal year; **~ luce** light year; **gli ~i di piombo** *the Seventies in Italy, characterized by terrorist attacks and killings*.
anno'dare *vt* to knot, tie; (*fig: rapporto*) to form.
annoi'are *vt* to bore; (*seccare*) to annoy; **~rsi** *vr* to be bored; to be annoyed.
an'noso, a *ag* (*albero*) old; (*fig: problema etc*) age-old.
anno'tare *vt* (*registrare*) to note, note down (*BRIT*); (*commentare*) to annotate.
annotazi'one [annotat'tsjone] *sf* note; annotation.
annove'rare *vt* to number.
annu'ale *ag* annual.
annual'mente *av* annually, yearly.
annu'ario *sm* yearbook.
annu'ire *vi* to nod; (*acconsentire*) to agree.
annulla'mento *sm* annihilation, destruction; cancellation; annulment; quashing.
annul'lare *vt* to annihilate, destroy; (*contratto, francobollo*) to cancel; (*matrimonio*) to annul; (*sentenza*) to quash; (*risultati*) to declare void.
an'nullo *sm* (*AMM*) cancelling.
annunci'are [annun't ʃare] *vt* to announce; (*dar segni rivelatori*) to herald.
annuncia'tore, 'trice [annunt ʃa'tore] *sm/f* (*RADIO, TV*) announcer.
Annunciazi'one [annunt ʃat'tsjone] *sf* (*REL*): **l'~** the Annunciation.
an'nuncio [an'nunt ʃo] *sm* announcement; (*fig*) sign; **~ pubblicitario** advertisement; **~i economici** classified advertisements, small ads; **piccoli ~i** small ads, classified ads; **~i mortuari** (*colonna*) obituary column.
'annuo, a *ag* annual, yearly.
annu'sare *vt* to sniff, smell; **~ tabacco** to take snuff.
annuvola'mento *sm* clouding (over).
annuvo'lare *vt* to cloud; **~rsi** *vr* to become cloudy, cloud over.
'ano *sm* anus.
'anodo *sm* anode.
anoma'lia *sf* anomaly.

a'nomalo, a *ag* anomalous.
anoni'mato *sm* anonymity; **conservare l'~** to remain anonymous.
a'nonimo, a *ag* anonymous ♦ *sm* (*autore*) anonymous writer (*o* painter *etc*); **un tipo ~** (*peg*) a colourless (*BRIT*) *o* colorless (*US*) character.
anores'sia *sf* anorexia; **~ nervosa** anorexia nervosa.
ano'ressico, a, ci, che *ag* anorexic.
anor'male *ag* abnormal ♦ *sm/f* subnormal person; (*eufemismo*) homosexual.
anormalità *sf inv* abnormality.
'ANSA *sigla f* (= *Agenzia Nazionale Stampa Associata*) *national press agency*.
'ansa *sf* (*manico*) handle; (*di fiume*) bend, loop.
an'sante *ag* out of breath, panting.
'ANSEA *sigla f* (= *Associazione delle Nazioni del Sud-Est asiatico*) ASEAN.
'ansia *sf* anxiety; **stare in ~** (*per qn/qc*) to be anxious (about sb/sth).
ansietà *sf* anxiety.
ansi'mare *vi* to pant.
ansi'oso, a *ag* anxious.
'anta *sf* (*di finestra*) shutter; (*di armadio*) door.
antago'nismo *sm* antagonism.
antago'nista, i, e *sm/f* antagonist.
an'tartico, a, ci, che *ag* Antarctic ♦ *sm*: **l'A~** the Antarctic.
An'tartide *sf*: **l'~** Antarctica.
ante'bellico, a, ci, che *ag* prewar *cpd*.
antece'dente [antet ʃe'dɛnte] *ag* preceding, previous.
ante'fatto *sm* previous events *pl*; previous history.
antegu'erra *sm* pre-war period.
ante'nato *sm* ancestor, forefather.
an'tenna *sf* (*RADIO, TV*) aerial; (*ZOOL*) antenna, feeler; **rizzare le ~e** (*fig*) to prick up one's ears; **~ parabolica** (*TV*) satellite dish.
ante'porre *vt*: **~ qc a qc** to place *o* put sth before sth.
ante'posto, a *pp di* **anteporre**.
ante'prima *sf* preview.
anteri'ore *ag* (*ruota, zampa*) front *cpd*; (*fatti*) previous, preceding.
antesi'gnano [antesiɲ'ɲano] *sm* (*STORIA*) standard-bearer; (*fig*) forerunner.
antia'ereo, a *ag* anti-aircraft *cpd*.
antial'lergico, a [antial'lɛrdʒiko] *ag, sm* hypoallergenic.
antia'tomico, a, ci, che *ag* anti-nuclear; **rifugio ~** fallout shelter.
antibi'otico, a, ci, che *ag, sm* antibiotic.
anti'caglia [anti'kaʎʎa] *sf* junk *no pl*.

anti'camera *sf* anteroom; **fare** ~ to be kept waiting; **non mi passerebbe neanche per l'~ del cervello** it wouldn't even cross my mind.

anti'carie *ag inv* which fights tooth decay.

antichità [antiki'ta] *sf inv* antiquity; (*oggetto*) antique.

antici'clone [antitʃi'klone] *sm* anticyclone.

antici'pare [antitʃi'pare] *vt* (*consegna, visita*) to bring forward, anticipate; (*somma di denaro*) to pay in advance; (*notizia*) to disclose ♦ *vi* to be ahead of time.

antici'pato, a [antitʃi'pato] *ag* (*prima del previsto*) early; **pagamento** ~ payment in advance.

anticipazi'one [antiʃipat'tsjone] *sf* anticipation; (*di notizia*) advance information; (*somma di denaro*) advance.

an'ticipo [an'titʃipo] *sm* anticipation; (*di denaro*) advance; **in** ~ early, in advance; **con un sensibile** ~ well in advance.

antic'lan *ag inv* (*magistrato, processo*) anti-Mafia.

an'tico, a, chi, che *ag* (*quadro, mobili*) antique; (*dell'antichità*) ancient; **all'~a** old-fashioned.

anticoncezio'nale [antikontʃettsjo'nale] *sm* contraceptive.

anticonfor'mista, i, e *ag, sm/f* nonconformist.

anticonge'lante [antikondʒe'lante] *ag, sm* antifreeze.

anticongiuntu'rale [antikondʒuntu'rale] *ag* (*ECON*): **misure** ~i measures to remedy the economic situation.

anti'corpo *sm* antibody.

anticostituzio'nale [antikostituttsjo'nale] *ag* unconstitutional.

antidiluvi'ano, a *ag* (*fig: antiquato*) ancient.

anti'doping *sm inv* (*SPORT*) dope test.

an'tidoto *sm* antidote.

anti'droga *ag inv* anti-drugs *cpd*.

antie'stetico, a, ci, che *ag* unsightly.

an'tifona *sf* (*MUS, REL*) antiphon; **capire l'**~ (*fig*) to take the hint.

anti'furto *sm* anti-theft device.

anti'gelo [anti'dʒɛlo] *ag inv* antifreeze *cpd* ♦ *sm* (*per motore*) antifreeze; (*per cristalli*) de-icer.

an'tigene [an'tidʒene] *sm* antigen.

antigi'enico, a, ci, che [anti'dʒɛniko] *ag* unhygienic.

An'tille *sfpl*: **le** ~ the West Indies.

an'tilope *sf* antelope.

anti'mafia *ag inv* anti-mafia *cpd*.

antin'cendio [antin'tʃɛndjo] *ag inv* fire *cpd*; **bombola** ~ fire extinguisher.

anti'nebbia *sm inv* (*anche: faro* ~: *AUT*) fog lamp.

antine'vralgico, a, ci, che [antine'vraldʒiko] *ag* painkilling ♦ *sm* painkiller.

antio'rario *ag*: **in senso** ~ in an anticlockwise (*BRIT*) *o* counterclockwise (*US*) direction, anticlockwise, counterclockwise.

anti'pasto *sm* hors d'œuvre.

antipa'tia *sf* antipathy, dislike.

anti'patico, a, ci, che *ag* unpleasant, disagreeable.

an'tipodi *smpl*: **essere agli** ~ (*fig: di idee opposte*) to be poles apart.

antiquari'ato *sm* antique trade; **un pezzo d'**~ an antique.

anti'quario *sm* antique dealer.

anti'quato, a *ag* antiquated, old-fashioned.

antirici'claggio [antiritʃi'kladdʒo] *ag* (*attività, operazioni*) anti-laundering.

antiri'flesso *ag inv* (*schermo*) non-glare *cpd*.

anti'ruggine [anti'ruddʒine] *ag* anti-rust *cpd* ♦ *sm inv* rust-preventer.

antise'mita, i, e *ag* anti-semitic.

antisemi'tismo *sm* anti-semitism.

anti'settico, a, ci, che *ag, sm* antiseptic.

antista'minico, a, ci, che *ag, sm* antihistamine.

anti'stante *ag* opposite.

antiterro'rismo *sm* anti-terrorist measures *pl*.

an'titesi *sf* antithesis.

antolo'gia, 'gie [antolo'dʒia] *sf* anthology.

antono'masia *sf* antonomasia; **per** ~ par excellence.

antra'cite [antra'tʃite] *sf* anthracite.

'antro *sm* cavern.

antro'pofago, gi *sm* cannibal.

antropolo'gia [antropolo'dʒia] *sf* anthropology.

antropo'logico, a, ci, che [antropo'lɔdʒiko] *ag* anthropological.

antro'pologo, a, gi, ghe *sm/f* anthropologist.

anu'lare *ag* ring *cpd* ♦ *sm* ring finger.

An'versa *sf* Antwerp.

'anzi ['antsi] *av* (*invece*) on the contrary; (*o meglio*) or rather, or better still.

anzianità [antsjani'ta] *sf* old age; (*AMM*) seniority.

anzi'ano, a [an'tsjano] *ag* old; (*AMM*) senior ♦ *sm/f* old person; senior member.

anziché [antsi'ke] *cong* rather than.

anzi'tempo [antsi'tɛmpo] *av* (*in anticipo*) early.

anzi'tutto [antsi'tutto] *av* first of all.

AO *sigla* = *Aosta*.

a'orta *sf* aorta.

aos'tano, a *ag* of (*o* from) Aosta.

AP *sigla* = Ascoli Piceno.

a'partheid [a'partheit] *sm* apartheid.

apar'titico, a, ci, che *ag* (*POL*) non-party *cpd*.

apa'tia *sf* apathy, indifference.

a'patico, a, ci, che *ag* apathetic, indifferent.

a.p.c. *abbr* = **a pronta cassa.**

'ape *sf* bee.

aperi'tivo *sm* apéritif.

aperta'mente *av* openly.

a'perto, a *pp di* aprire ♦ *ag* open ♦ *sm*: **all'**~ in the open (air); **rimanere a bocca** ~**a** (*fig*) to be taken aback.

aper'tura *sf* opening; (*ampiezza*) width, spread; (*POL*) approach; (*FOT*) aperture; ~ **alare** wing span; ~ **mentale** open-mindedness; ~ **di credito** (*COMM*) granting of credit.

API *sigla f* = Associazione Piccole e Medie Industrie.

'apice ['apitʃe] *sm* apex; (*fig*) height.

apicol'tore *sm* beekeeper.

apicol'tura *sf* beekeeping.

ap'nea *sf*: **immergersi in** ~ to dive without breathing apparatus.

apoca'lisse *sf* apocalypse.

apo'geo [apo'dʒɛo] *sm* (*ASTR*) apogee; (*fig*: *culmine*) zenith.

a'polide *ag* stateless.

apo'litico, a, ci, che *ag* (*neutrale*) nonpolitical; (*indifferente*) apolitical.

apolo'gia, gie [apolo'dʒia] *sf* (*difesa*) apologia; (*esaltazione*) praise; ~ **di reato** attempt to defend criminal acts.

apoples'sia *sf* (*MED*) apoplexy.

apop'lettico, a, ci, che *ag* apoplectic; **colpo** ~ apoplectic fit.

a'postolo *sm* apostle.

apostro'fare *vt* (*parola*) to write with an apostrophe; (*persona*) to address.

a'postrofo *sm* apostrophe.

app. *abbr* (= *appendice*) app.

appaga'mento *sm* satisfaction; fulfilment.

appa'gare *vt* to satisfy; (*desiderio*) to fulfil; ~**rsi** *vr*: ~**rsi di** to be satisfied with.

appa'gato, a *ag* satisfied.

appai'are *vt* to couple, pair.

ap'paio *etc vb vedi* **apparire.**

Appa'lachi [appa'laki] *smpl*: **i Monti** ~ the Appalachian Mountains.

appallotto'lare *vt* (*carta, foglio*) to screw into a ball; ~**rsi** *vr* (*gatto*) to roll up into a ball.

appalta'tore *sm* contractor.

ap'palto *sm* (*COMM*) contract; **dare/ prendere in** ~ **un lavoro** to let out/

undertake a job on contract.

appan'naggio [appan'naddʒo] *sm* (*compenso*) annuity; (*fig*) privilege, prerogative.

appan'nare *vt* (*vetro*) to mist; (*metallo*) to tarnish; (*vista*) to dim; ~**rsi** *vr* to mist over; to tarnish; to grow dim.

appa'rato *sm* equipment, machinery; (*ANAT*) apparatus; ~ **scenico** (*TEAT*) props *pl*.

apparecchi'are [apparek'kjare] *vt* to prepare; (*tavola*) to set ♦ *vi* to set the table.

apparecchia'tura [apparekkja'tura] *sf* equipment; (*macchina*) machine, device.

appa'recchio [appa'rekkjo] *sm* piece of apparatus, device; (*aeroplano*) aircraft *inv*; ~**i sanitari** bathroom *o* sanitary appliances; ~ **televisivo/telefonico** television set/telephone.

appa'rente *ag* apparent.

apparente'mente *av* apparently.

appa'renza [appa'rɛntsa] *sf* appearance; **in o all'**~ apparently, to all appearances.

appa'rire *vi* to appear; (*sembrare*) to seem, appear.

appari'scente [appariʃ'ʃɛnte] *ag* (*colore*) garish, gaudy; (*bellezza*) striking.

apparizi'one [apparit'tsjone] *sf* apparition.

ap'parso, a *pp di* **apparire.**

apparta'mento *sm* flat (*BRIT*), apartment (*US*).

appar'tarsi *vr* to withdraw.

appar'tato, a *ag* (*luogo*) secluded.

apparte'nenza [apparte'nɛntsa] *sf*: ~ **(a)** (*gen*) belonging (to); (*a un partito, club*) membership (of).

apparte'nere *vi*: ~ **a** to belong to.

ap'parvi *etc vb vedi* **apparire.**

appassio'nante *ag* thrilling, exciting.

appassio'nare *vt* to thrill; (*commuovere*) to move; ~**rsi** *vr*: ~**rsi a qc** to take a great interest in sth; to be deeply moved by sth.

appassio'nato, a *ag* passionate; (*entusiasta*): ~ **(di)** keen (on).

appas'sire *vi* to wither.

appel'larsi *vr* (*ricorrere*): ~ **a** to appeal to; (*DIR*): ~ **contro** to appeal against.

ap'pello *sm* roll-call; (*implorazione, DIR*) appeal; (*sessione d'esame*) exam session; **fare** ~ **a** to appeal to; **fare l'**~ (*INS*) to call the register *o* roll; (*MIL*) to call the roll.

ap'pena *av* (*a stento*) hardly, scarcely; (*solamente, da poco*) just ♦ *cong* as soon as; **(non)** ~ **furono arrivati ...** as soon as they had arrived ...; ~ **... che** *o* **quando** no sooner ... than.

ap'pendere *vt* to hang (up).

appendi'abiti *sm inv* hook, peg; (*mobile*) hall stand (*BRIT*), hall tree (*US*).

appen'dice [appen'ditʃe] *sf* appendix; **romanzo d'~** popular serial.

appendi'cite [appendi'tʃite] *sf* appendicitis.

appen'dino *sm* (coat) hook.

Appen'nini *smpl*: **gli ~** the Apennines.

appesan'tire *vt* to make heavy; **~rsi** *vr* to grow stout.

ap'peso, a *pp di* **appendere.**

appe'tito *sm* appetite.

appeti'toso, a *ag* appetising; (*fig*) attractive, desirable.

appezza'mento [appettsa'mento] *sm* (*anche*: **~ di terreno**) plot, piece of ground.

appia'nare *vt* to level; (*fig*) to smooth away, iron out; **~rsi** *vr* (*divergenze*) to be ironed out.

appiat'tire *vt* to flatten; **~rsi** *vr* to become flatter; (*farsi piatto*) to flatten o.s.; **~rsi al suolo** to lie flat on the ground.

appic'care *vt*: **~ il fuoco a** to set fire to, set on fire.

appicci'care [appittʃi'kare] *vt* to stick; (*fig*): **~ qc a qn** to palm sth off on sb; **~rsi** *vr* to stick; (*fig: persona*) to cling.

appiccica'ticcio, a, ci, ce [appittʃika'tittʃo] *ag*, **appicci'coso, a** [appittʃi'koso] *ag* sticky; (*fig: persona*): **essere ~** to cling like a leech.

appie'dato, a *ag*: **rimanere ~** to be left without means of transport.

appi'eno *av* fully.

appigli'arsi [appiʎ'ʎarsi] *vr*: **~ a** (*afferrarsi*) to take hold of; (*fig*) to cling to.

ap'piglio [ap'piʎʎo] *sm* hold; (*fig*) pretext.

appiop'pare *vt*: **~ qc a qn** (*nomignolo*) to pin sth on sb; (*compito difficile*) to saddle sb with sth; **gli ha appioppato un pugno sul muso** he punched him in the face.

appiso'larsi *vr* to doze off.

applau'dire *vt, vi* to applaud.

ap'plauso *sm* applause *no pl*.

appli'cabile *ag*: **~ (a)** applicable (to).

appli'care *vt* to apply; (*regolamento*) to enforce; **~rsi** *vr* to apply o.s.

appli'cato, a *ag* (*arte, scienze*) applied ♦ *sm* (*AMM*) clerk.

applica'tore *sm* applicator.

applicazi'one [applikat'tsjone] *sf* application; enforcement; **~i tecniche** (*INS*) practical subjects.

appoggi'are [appod'dʒare] *vt* (*mettere contro*): **~ qc a qc** to lean *o* rest sth against sth; (*fig: sostenere*) to support; **~rsi** *vr*: **~rsi a** to lean against; (*fig*) to rely

upon.

ap'poggio [ap'pɔddʒo] *sm* support.

appollai'arsi *vr* (*anche fig*) to perch.

ap'pongo, ap'poni *etc vb vedi* **apporre.**

ap'porre *vt* to affix.

appor'tare *vt* to bring.

ap'porto *sm* (*gen*, *FINANZA*) contribution.

ap'posi *etc vb vedi* **apporre.**

apposita'mente *av* (*apposta*) on purpose; (*specialmente*) specially.

ap'posito, a *ag* appropriate.

ap'posta *av* on purpose, deliberately; **neanche a farlo ~, ...** by sheer coincidence, ...

appos'tarsi *vr* to lie in wait.

ap'posto, a *pp di* **apporre.**

ap'prendere *vt* (*imparare*) to learn; (*comprendere*) to grasp.

apprendi'mento *sm* learning.

appren'dista, i, e *sm/f* apprentice.

apprendi'stato *sm* apprenticeship.

apprensi'one *sf* apprehension.

appren'sivo, a *ag* apprehensive.

ap'preso, a *pp di* **apprendere.**

ap'presso *av* (*accanto, vicino*) close by, near; (*dietro*) behind; (*dopo, più tardi*) after, later ♦ *ag inv* (*dopo*): **il giorno ~** the next day; **~ a** *prep* (*vicino a*) near, close to.

appres'tare *vt* to prepare, get ready; **~rsi** *vr*: **~rsi a fare qc** to prepare *o* get ready to do sth.

ap'pretto *sm* starch.

apprez'zabile [appret'tsabile] *ag* (*notevole*) noteworthy, significant; (*percepibile*) appreciable.

apprezza'mento [apprettsa'mento] *sm* appreciation; (*giudizio*) opinion; (*commento*) comment.

apprez'zare [appret'tsare] *vt* to appreciate.

ap'proccio [ap'prɔttʃo] *sm* approach.

appro'dare *vi* (*NAUT*) to land; (*fig*): **non ~ a nulla** to come to nothing.

ap'prodo *sm* landing; (*luogo*) landing place.

approfit'tare *vi*: **~ di** (*persona, situazione*) to take advantage of; (*occasione, opportunità*) to make the most of, profit by.

approfon'dire *vt* to deepen; (*fig*) to study in depth; **~rsi** *vr* (*gen, fig*) to deepen; (*peggiorare*) to get worse.

appron'tare *vt* to prepare, get ready.

appropri'arsi *vr*: **~ di qc** to appropriate sth, take possession of sth; **~ indebitamente di** to embezzle.

appropri'ato, a *ag* appropriate.

appropriazi'one [approprjat'tsjone] *sf* appropriation; **~ indebita** (*DIR*) embezzlement.

approssi'mare *vt* (*cifra*): ~ **per eccesso/per difetto** to round up/down; **~rsi** *vr*: **~rsi a** to approach, draw near.

approssima'tivo, a *ag* approximate, rough; (*impreciso*) inexact, imprecise.

approssimazi'one [approssimat'tsjone] *sf* approximation; **per** ~ approximately, roughly.

appro'vare *vt* (*condotta, azione*) to approve of; (*candidato*) to pass; (*progetto di legge*) to approve.

approvazi'one [approvat'tsjone] *sf* approval.

approvvigiona'mento [approvvidʒona 'mento] *sm* supplying; stocking up; **~i** *smpl* (*MIL*) supplies.

approvvigio'nare [approvvidʒo'nare] *vt* to supply; **~rsi** *vr* to lay in provisions, stock up; ~ **qn di qc** to supply sb with sth.

appunta'mento *sm* appointment; (*amoroso*) date; **darsi** ~ to arrange to meet (one another).

appun'tare *vt* (*rendere aguzzo*) to sharpen; (*fissare*) to pin, fix; (*annotare*) to note down.

appun'tato *sm* (*CARABINIERI*) corporal.

appun'tino *av* perfectly.

appun'tire *vt* to sharpen.

ap'punto *sm* note; (*rimprovero*) reproach ♦ *av* (*proprio*) exactly, just; **per l'~!**, **~!** exactly!

appu'rare *vt* to check, verify.

apr. *abbr* (= *aprile*) Apr.

apribot'tiglie [apribot'tiʎʎe] *sm inv* bottleopener.

a'prile *sm* April; **pesce d'~!** April Fool!; *per fraseologia vedi* **luglio**.

a'prire *vt* to open; (*via, cadavere*) to open up; (*gas, luce, acqua*) to turn on ♦ *vi* to open; **~rsi** *vr* to open; ~ **le ostilità** (*MIL*) to start up *o* begin hostilities; ~ **una sessione** (*INFORM*) to log on; **~rsi a qn** to confide in sb, open one's heart to sb; **mi si è aperto lo stomaco** I feel rather peckish; **apriti cielo!** heaven forbid!

apris'catole *sm inv* tin (*BRIT*) *o* can opener.

APT *sigla f* (= *Azienda di Promozione Turistica*) ≈ tourist board.

AQ *sigla* = *L'Aquila*.

a'quario *sm* = **acquario**.

'aquila *sf* (*ZOOL*) eagle; (*fig*) genius.

aqui'lino, a *ag* aquiline.

aqui'lone *sm* (*giocattolo*) kite; (*vento*) North wind.

AR *sigla* = *Arezzo*.

ara'besco *sm* (*decorazione*) arabesque.

A'rabia Sau'dita *sf*: **l'~** Saudi Arabia.

a'rabico, a, ci, che *ag*: **il Deserto** ~ the Arabian Desert.

a'rabile *ag* arable.

'arabo, a *ag*, *sm/f* Arab ♦ *sm* (*LING*) Arabic; **parlare** ~ (*fig*) to speak double Dutch (*BRIT*).

a'rachide [a'rakide] *sf* peanut.

ara'gosta *sf* spiny lobster.

a'raldica *sf* heraldry.

a'raldo *sm* herald.

aran'ceto [aran'tʃeto] *sm* orange grove.

a'rancia, ce [a'rantʃa] *sf* orange.

aranci'ata [aran'tʃata] *sf* orangeade.

a'rancio [a'rantʃo] *sm* (*BOT*) orange tree; (*colore*) orange ♦ *ag inv* (*colore*) orange; **fiori di** ~ orange blossom *sg*.

aranci'one [aran'tʃone] *ag inv*: (color) ~ bright orange.

a'rare *vt* to plough (*BRIT*), plow (*US*).

ara'tore *sm* ploughman (*BRIT*), plowman (*US*).

a'ratro *sm* plough (*BRIT*), plow (*US*).

ara'tura *sf* ploughing (*BRIT*), plowing (*US*).

a'razzo [a'rattso] *sm* tapestry.

arbi'traggio [arbi'traddʒo] *sm* (*SPORT*) refereeing; umpiring; (*DIR*) arbitration; (*COMM*) arbitrage.

arbi'trare *vt* (*SPORT*) to referee; to umpire; (*DIR*) to arbitrate.

arbi'trario, a *ag* arbitrary.

arbi'trato *sm* arbitration.

ar'bitrio *sm* will; (*abuso, sopruso*) arbitrary act.

'arbitro *sm* arbiter, judge; (*DIR*) arbitrator; (*SPORT*) referee; (: *TENNIS, CRICKET*) umpire.

arbo'scello [arboʃ'ʃɛllo] *sm* sapling.

ar'busto *sm* shrub.

'arca, che *sf* (*sarcofago*) sarcophagus; **l'~ di Noè** Noah's ark.

ar'caico, a, ci, che *ag* archaic.

arca'ismo *sm* (*LING*) archaism.

ar'cangelo [ar'kandʒelo] *sm* archangel.

ar'cano, a *ag* arcane, mysterious ♦ *sm* mystery.

ar'cata *sf* (*ARCHIT, ANAT*) arch; (*ordine di archi*) arcade.

archeolo'gia [arkeolo'dʒia] *sf* arch(a)eology.

archeo'logico, a, ci, che [arkeo'lɔdʒiko] *ag* arch(a)eological.

arche'ologo, a, gi, ghe [arke'ɔlogo] *sm/f* arch(a)eologist.

ar'chetipo [ar'kɛtipo] *sm* archetype.

ar'chetto [ar'ketto] *sm* (*MUS*) bow.

archi'tettare [arkitet'tare] *vt* (*fig: ideare*) to devise; (: *macchinare*) to plan, concoct.

archi'tetto [arki'tetto] *sm* architect.

architet'tonico, a, ci, che [arkitet'tɔniko] *ag* architectural.

architet'tura [arkitet'tura] *sf* architecture.

archivi'are [arki'vjare] *vt* (*documenti*) to file; (*DIR*) to dismiss.

archiviazi'one [arkivjat'tsjone] *sf* filing; dismissal.

ar'chivio [ar'kivjo] *sm* archives *pl*; (*INFORM*) file; ~ **principale** (*INFORM*) master file.

archi'vista, i, e [arki'vista] *sm/f* (*AMM*) archivist; (*in ufficio*) filing clerk.

'ARCI ['artʃi] *sigla f* (= *Associazione Ricreativa Culturale Italiana*) cultural society.

arci'duca, chi [artʃi'duka] *sm* archduke.

arci'ere [ar'tʃɛre] *sm* archer.

ar'cigno, a [ar'tʃiɲɲo] *ag* grim, severe.

arci'one [ar'tʃone] *sm* saddlebow.

arci'pelago, ghi [artʃi'pɛlago] *sm* archipelago.

arci'vescovo [artʃi'veskovo] *sm* archbishop.

'arco, chi *sm* (*arma*, *MUS*) bow; (*ARCHIT*) arch; (*MAT*) arc; **nell'~ di 3 settimane** within the space of 3 weeks; ~ **costituzionale** *political parties involved in formulating Italy's post-war constitution*.

arcoba'leno *sm* rainbow.

arcu'ato, a *ag* curved, bent; **dalle gambe ~e** bow-legged.

ar'dente *ag* burning; (*fig*) burning, ardent.

'ardere *vt, vi* to burn; **legna da** ~ firewood.

ar'desia *sf* slate.

ardi'mento *sm* daring.

ar'dire *vi* to dare ♦ *sm* daring.

ar'dito, a *ag* brave, daring, bold; (*sfacciato*) bold.

ar'dore *sm* blazing heat; (*fig*) ardour, fervour.

'arduo, a *ag* arduous, difficult.

'area *sf* area; (*EDIL*) land, ground; **nell'~ dei partiti di sinistra** among the parties of the left; ~ **fabbricabile** building land; ~ **di rigore** (*SPORT*) penalty area; ~ **di servizio** (*AUT*) service area.

a'rena *sf* arena; (*per corride*) bullring; (*sabbia*) sand.

are'naria *sf* sandstone.

are'narsi *vr* to run aground; (*fig: trattative*) to come to a standstill.

areo'plano *sm* = **aeroplano**.

are'tino, a *ag* of (*o* from) Arezzo.

'argano *sm* winch.

argen'tato, a [ardʒen'tato] *ag* silver-plated; (*colore*) silver, silvery; (*capelli*) silver(-grey).

ar'genteo, a [ar'dʒɛnteo] *ag* silver, silvery.

argente'ria [ardʒente'ria] *sf* silverware,

silver.

Argen'tina [ardʒen'tina] *sf*: **l'~** Argentina.

argen'tino, a [ardʒen'tino] *ag, sm/f* (*dell'Argentina*) Argentinian ♦ *sf* crewneck sweater.

ar'gento [ar'dʒɛnto] *sm* silver; ~ **vivo** quicksilver; **avere l'~ (vivo) addosso** (*fig*) to be fidgety.

ar'gilla [ar'dʒilla] *sf* clay.

argil'loso, a [ardʒil'loso] *ag* (*contenente argilla*) clayey; (*simile ad argilla*) clay-like.

argi'nare [ardʒi'nare] *vt* (*fiume, acque*) to embank; (: *con diga*) to dyke up; (*fig: inflazione, corruzione*) to check; (: *spese*) to limit.

'argine ['ardʒine] *sm* embankment, bank; (*diga*) dyke, dike; **far ~ a, porre un ~ a** (*fig*) to check, hold back.

argomen'tare *vi* to argue.

argo'mento *sm* argument; (*materia, tema*) subject; **tornare sull'~** to bring the matter up again.

argu'ire *vt* to deduce.

ar'guto, a *ag* sharp, quick-witted; (*spiritoso*) witty.

ar'guzia [ar'guttsja] *sf* wit; (*battuta*) witty remark.

'aria *sf* air; (*espressione, aspetto*) air, look; (*MUS: melodia*) tune; (: *di opera*) aria; **all'~ aperta** in the open (air); **manca l'~** it's stuffy; **andare all'~** (*piano, progetto*) to come to nothing; **mandare all'~ qc** to ruin *o* upset sth; **darsi delle ~e** to put on airs and graces; **ha la testa per ~** his head is in the clouds; **che ~ tira?** (*fig: atmosfera*) what's the atmosphere like?

aridità *sf* aridity, dryness; (*fig*) lack of feeling.

'arido, a *ag* arid.

arieggi'are [arjed'dʒare] *vt* (*cambiare aria*) to air; (*imitare*) to imitate.

ari'ete *sm* ram; (*MIL*) battering ram; (*dello zodiaco*): **A~** Aries; **essere dell'A~** to be Aries.

a'ringa, ghe *sf* herring *inv*; ~ **affumicata** smoked herring, kipper; ~ **marinata** pickled herring.

ari'oso, a *ag* (*ambiente, stanza*) airy; (*MUS*) ariose.

'arista *sf* (*CUC*) chine of pork.

aristo'cratico, a, ci, che *ag* aristocratic.

aristocra'zia [aristokrat'tsia] *sf* aristocracy.

arit'metica *sf* arithmetic.

arit'metico, a, ci, che *ag* arithmetical.

arlec'chino [arlek'kino] *sm* harlequin.

'arma, i *sf* weapon, arm; (*parte dell'esercito*) arm; **alle ~i!** to arms!; **chiamare alle ~i** to call up (*BRIT*), draft (*US*); **sotto le ~i** in the army (*o* forces); **combattere ad ~i pari** (*anche fig*) to fight on equal terms; **essere alle prime ~i** (*fig*) to be a novice; **passare qn per le ~i** to execute sb; **battersi all'~ bianca** to fight with blades; **~ a doppio taglio** (*anche fig*) double-edged weapon; **~ da fuoco** firearm.

ar'madio *sm* cupboard; (*per abiti*) wardrobe; **~ a muro** built-in cupboard.

armamen'tario *sm* equipment, instruments *pl*.

arma'mento *sm* (*MIL*) armament; (*: materiale*) arms *pl*, weapons *pl*; (*NAUT*) fitting out; manning; **la corsa agli ~i** the arms race.

ar'mare *vt* to arm; (*arma da fuoco*) to cock; (*NAUT: nave*) to rig, fit out; to man; (*EDIL: volta, galleria*) to prop up, shore up; **~rsi** *vr* to arm o.s.; (*MIL*) to take up arms.

ar'mato, a *ag*: **~ (di)** (*anche fig*) armed (with) ♦ *sf* (*MIL*) army; (*NAUT*) fleet; **rapina a mano ~a** armed robbery.

arma'tore *sm* shipowner.

arma'tura *sf* (*struttura di sostegno*) framework; (*impalcatura*) scaffolding; (*STORIA*) armour *no pl* (*BRIT*), armor *no pl* (*US*), suit of armo(u)r.

armeggi'are [armed'dʒare] *vi* (*affaccendarsi*): **~ (intorno a qc)** to mess about (with sth).

Ar'menia *sf*: **l'~** Armenia.

ar'meno, a *ag*, *sm/f*, *sm* Armenian.

arme'ria *sf* (*deposito*) armoury (*BRIT*), armory (*US*); (*collezione*) collection of arms.

armis'tizio [armis'tittsjo] *sm* armistice.

armo'nia *sf* harmony.

ar'monico, a, ci, che *ag* harmonic; (*fig*) harmonious ♦ *sf* (*MUS*) harmonica; **~a a bocca** mouth organ.

armoni'oso, a *ag* harmonious.

armoniz'zare [armonid'dzare] *vt* to harmonize; (*colori, abiti*) to match ♦ *vi* to be in harmony; to match.

ar'nese *sm* tool, implement; (*oggetto indeterminato*) thing, contraption; **male in ~** (*malvestito*) badly dressed; (*di salute malferma*) in poor health; (*di condizioni economiche*) down-at-heel.

'arnia *sf* hive.

a'roma, i *sm* aroma; fragrance; **~i** *smpl* herbs and spices; **~i naturali/artificiali** natural/artificial flavouring *sg* (*BRIT*) *o* flavoring *sg* (*US*).

aromatera'pia *sf* aromatherapy.

aro'matico, a, ci, che *ag* aromatic; (*cibo*) spicy.

aromatiz'zare [aromatid'dzare] *vt* to

season, flavour (*BRIT*), flavor (*US*).

'arpa *sf* (*MUS*) harp.

ar'peggio [ar'peddʒo] *sm* (*MUS*) arpeggio.

ar'pia *sf* (*anche fig*) harpy.

arpi'one *sm* (*gancio*) hook; (*cardine*) hinge; (*PESCA*) harpoon.

arrabat'tarsi *vr* to do all one can, strive.

arrabbi'are *vi* (*cane*) to be affected with rabies; **~rsi** *vr* (*essere preso dall'ira*) to get angry, fly into a rage.

arrabbi'ato, a *ag* (*cane*) rabid, with rabies; (*persona*) furious, angry.

arrabbia'tura *sf*: **prendersi un'~ (per qc)** to become furious (over sth).

arraf'fare *vt* to snatch, seize; (*sottrarre*) to pinch.

arrampi'carsi *vr* to climb (up); **~ sui vetri** *o* **sugli specchi** (*fig*) to clutch at straws.

arrampi'cata *sf* climb.

arrampica'tore, 'trice *sm/f* (*gen, SPORT*) climber; **~ sociale** (*fig*) social climber.

arran'care *vi* to limp, hobble; (*fig*) to struggle along.

arrangia'mento [arrandʒa'mento] *sm* (*MUS*) arrangement.

arran'giare [arran'dʒare] *vt* to arrange; **~rsi** *vr* to manage, do the best one can.

arre'care *vt* to bring; (*causare*) to cause.

arreda'mento *sm* (*studio*) interior design; (*mobili etc*) furnishings *pl*.

arre'dare *vt* to furnish.

arreda'tore, 'trice *sm/f* interior designer.

ar'redo *sm* fittings *pl*, furnishings *pl*; **~ per uffici** office furnishings.

arrem'baggio [arrem'baddʒo] *sm* (*NAUT*) boarding.

ar'rendersi *vr* to surrender; **~ all'evidenza (dei fatti)** to face (the) facts.

arren'devole *ag* (*persona*) yielding, compliant.

arrendevo'lezza [arrendevo'lettsa] *sf* compliancy.

ar'reso, a *pp di* **arrendersi**.

arres'tare *vt* (*fermare*) to stop, halt; (*catturare*) to arrest; **~rsi** *vr* (*fermarsi*) to stop.

arres'tato, a *sm/f* person under arrest.

ar'resto *sm* (*cessazione*) stopping; (*fermata*) stop; (*cattura, MED*) arrest; (*COMM: in produzione*) stoppage; **subire un ~** to come to a stop *o* standstill; **mettere agli ~i** to place under arrest; **~i domiciliari** (*DIR*) house arrest.

arre'trare *vt*, *vi* to withdraw.

arre'trato, a *ag* (*lavoro*) behind schedule; (*paese, bambino*) backward; (*numero di giornale*) back *cpd*; **~i** *smpl* arrears; **gli ~i dello stipendio** back pay *sg*.

arricchi'mento [arrikki'mento] *sm* enrichment.

arric'chire [arrik'kire] *vt* to enrich; **~rsi** *vr* to become rich.

arric'chito, a [arrik'kito] *sm/f* nouveau riche.

arricci'are [arrit'tʃare] *vt* to curl; **~ il naso** to turn up one's nose.

ar'ridere *vi*: **~ a qn** (*fortuna, successo*) to smile on sb.

ar'ringa, ghe *sf* harangue; (*DIR*) address by counsel.

arrischi'are [arris'kjare] *vt* to risk; **~rsi** *vr* to venture, dare.

arrischi'ato, a [arris'kjato] *ag* risky; (*temerario*) reckless, rash.

ar'riso, a *pp di* **arridere**.

arri'vare *vi* to arrive; (*avvicinarsi*) to come; (*accadere*) to happen, occur; **~ a** (*livello, grado etc*) to reach; **lui arriva a Roma alle 7** he gets to *o* arrives at Rome at 7; **~ a fare qc** to manage to do sth, succeed in doing sth; **non ci arrivo** I can't reach it; (*fig: non capisco*) I can't understand it.

arri'vato, a *ag* (*persona: di successo*) successful ♦ *sm/f*: **essere un ~** to have made it; **nuovo ~** newcomer; **ben ~!** welcome!; **non sono l'ultimo ~!** (*fig*) I'm no fool!

arrive'derci [arrive'dertʃi] *escl* goodbye!

arrive'derla *escl* (*forma di cortesia*) goodbye!

arri'vismo *sm* (*ambizione*) ambitiousness; (*sociale*) social climbing.

arri'vista, i, e *sm/f* go-getter.

ar'rivo *sm* arrival; (*SPORT*) finish, finishing line.

arro'gante *ag* arrogant.

arro'ganza [arro'gantsa] *sf* arrogance.

arro'gare *vt*: **~rsi il diritto di fare qc** to assume the right to do sth; **~rsi il merito di qc** to claim credit for sth.

arro'lare *vb* = **arruolare**.

arrossa'mento *sm* reddening.

arros'sare *vt* (*occhi, pelle*) to redden, make red; **~rsi** *vr* to go *o* become red.

arros'sire *vi* (*per vergogna, timidezza*) to blush; (*per gioia*) to flush, blush.

arros'tire *vt* to roast; (*pane*) to toast; (*ai ferri*) to grill.

ar'rosto *sm, ag inv* roast; **~ di manzo** roast beef.

arro'tare *vt* to sharpen; (*investire con un veicolo*) to run over.

arro'tino *sm* knife-grinder.

arroto'lare *vt* to roll up.

arroton'dare *vt* (*forma, oggetto*) to round; (*stipendio*) to add to; (*somma*) to round off.

arrovel'larsi *vr* (*anche*: **~ il cervello**) to rack one's brains.

arroven'tato, a *ag* red-hot.

arruf'fare *vt* to ruffle; (*fili*) to tangle; (*fig: questione*) to confuse.

arruggi'nire [arruddʒi'nire] *vt* to rust; **~rsi** *vr* to rust; (*fig*) to become rusty.

arruola'mento *sm* (*MIL*) enlistment.

arruo'lare *vt* (*MIL*) to enlist; **~rsi** *vr* to enlist, join up.

arse'nale *sm* (*MIL*) arsenal; (*cantiere navale*) dockyard.

ar'senico *sm* arsenic.

'arsi *vb vedi* **ardere**.

'arso, a *pp di* **ardere** ♦ *ag* (*bruciato*) burnt; (*arido*) dry.

ar'sura *sf* (*calore opprimente*) burning heat; (*siccità*) drought.

art. *abbr* (= *articolo*) art.

'arte *sf* art; (*abilità*) skill; **a regola d'~** (*fig*) perfectly; **senz'~ né parte** penniless and out of a job; **~i figurative** visual arts.

arte'fatto, a *ag* (*stile, modi*) affected; (*cibo*) adulterated.

ar'tefice [ar'tefitʃe] *sm/f* craftsman/woman; (*autore*) author.

ar'teria *sf* artery.

arterioscle'rosi *sf* arteriosclerosis, hardening of the arteries.

arteri'oso, a *ag* arterial.

'artico, a, ci, che *ag* Arctic ♦ *sm*: **l'A~** the Arctic; **il Circolo polare ~** the Arctic Circle; **l'Oceano ~** the Arctic Ocean.

artico'lare *ag* (*ANAT*) of the joints, articular ♦ *vt* to articulate; (*suddividere*) to divide, split up; **~rsi** *vr*: **~rsi in** (*discorso, progetto*) to be divided into.

artico'lato, a *ag* (*linguaggio*) articulate; (*AUT*) articulated.

articolazi'one [artikolat'tsjone] *sf* (*ANAT, TECN*) joint; (*di voce, concetto*) articulation.

ar'ticolo *sm* article; **~ di fondo** (*STAMPA*) leader, leading article; **~i di marca** branded goods; **un bell'~** (*fig*) a real character.

'Artide *sm*: **l'~** the Arctic.

artifici'ale [artifi'tʃale] *ag* artificial.

artifici'ere [artifi'tʃɛre] *sm* (*MIL*) artificer; (: *per disinnescare bombe*) bomb-disposal expert.

arti'ficio [arti'fitʃo] *sm* (*espediente*) trick, artifice; (*ricerca di effetto*) artificiality.

artifici'oso, a [artifi'tʃoso] *ag* cunning; (*non spontaneo*) affected.

artigia'nale [artidʒa'nale] *ag* craft *cpd*.

artigia'nato [artidʒa'nato] *sm*

craftsmanship; craftsmen *pl.*

artigi'ano, a [arti'dʒano] *sm/f* craftsman/ woman.

artigli'ere [artiʎ'ʎɛre] *sm* artilleryman.

artiglie'ria [artiʎʎe'ria] *sf* artillery.

ar'tiglio [ar'tiʎʎo] *sm* claw; (*di rapaci*) talon; **sfoderare gli ~i** (*fig*) to show one's claws.

ar'tista, i, e *sm/f* artist; **un lavoro da ~** (*fig*) a professional piece of work.

ar'tistico, a, ci, che *ag* artistic.

'arto *sm* (*ANAT*) limb.

ar'trite *sf* (*MED*) arthritis.

ar'trosi *sf* osteoarthritis.

arzigogo'lato, a [ardzigogo'lato] *ag* tortuous.

arzi'gogolo [ardzi'gɔgolo] *sm* tortuous expression.

ar'zillo, a [ar'dzillo] *ag* lively, sprightly.

a'scella [aʃ'ʃɛlla] *sf* (*ANAT*) armpit.

ascen'dente [aʃʃen'dɛnte] *sm* ancestor; (*fig*) ascendancy; (*ASTR*) ascendant.

a'scendere [aʃ'ʃendere] *vi*: **~ al trono** to ascend the throne.

ascensi'one [aʃʃen'sjone] *sf* (*ALPINISMO*) ascent; (*REL*): **l'A~** the Ascension; **isola dell'A~** Ascension Island.

ascen'sore [aʃʃen'sore] *sm* lift.

a'scesa [aʃ'ʃesa] *sf* ascent; (*al trono*) accession; (*al potere*) rise.

a'scesi [aʃ'ʃɛzi] *sf* asceticism.

a'sceso, a [aʃ'ʃeso] *pp di* **ascendere**.

a'scesso [aʃ'ʃɛsso] *sm* (*MED*) abscess.

a'sceta, i [aʃ'ʃɛta] *sm* ascetic.

'ascia, *pl* **'asce** ['aʃʃa] *sf* axe.

asciugaca'pelli [aʃʃugaka'pelli] *sm* hair dryer.

asciuga'mano [aʃʃuga'mano] *sm* towel.

asciu'gare [aʃʃu'gare] *vt* to dry; **~rsi** *vr* to dry o.s.; (*diventare asciutto*) to dry.

asciuga'trice [aʃʃuga'tritʃe] *sf* spin-dryer.

asciut'tezza [aʃʃut'tettsa] *sf* dryness; leanness; curtness.

asci'utto, a [aʃ'ʃutto] *ag* dry; (*fig: magro*) lean; (*: burbero*) curt ♦ *sm*: **restare all'~** (*fig*) to be left penniless; **restare a bocca ~a** (*fig*) to be disappointed.

asco'lano, a *ag* of (*o* from) Ascoli.

ascol'tare *vt* to listen to; **~ il consiglio di qn** to listen to *o* heed sb's advice.

ascolta'tore, 'trice *sm/f* listener.

as'colto *sm*: **essere** *o* **stare in ~** to be listening; **dare** *o* **prestare ~ (a)** to pay attention (to); **indice di ~** (*TV, RADIO*) audience rating.

AS. COM. *sigla f* = *Associazione Commercianti*.

as'critto, a *pp di* **ascrivere**.

as'crivere *vt* (*attribuire*): **~ qc a qn** to

attribute sth to sb; **~ qc a merito di qn** to give sb credit for sth.

a'settico, a, ci, che *ag* aseptic.

asfal'tare *vt* to asphalt.

as'falto *sm* asphalt.

asfis'sia *sf* asphyxia, asphyxiation.

asfissi'ante *ag* (*gas*) asphyxiating; (*fig: calore, ambiente*) stifling, suffocating; (*: persona*) tiresome.

asfissi'are *vt* to asphyxiate, suffocate; (*fig: opprimere*) to stifle; (*: infastidire*) to get on sb's nerves ♦ *vi* to suffocate, asphyxiate.

'Asia *sf*: **l'~** Asia.

asi'atico, a, ci, che *ag, sm/f* Asiatic, Asian.

a'silo *sm* refuge, sanctuary; **~ (d'infanzia)** nursery(-school); **~ nido** day nursery, crèche (*for children aged 0 to 3*); **~ politico** political asylum.

asim'metrico, a, ci, che *ag* asymmetric(al).

'asino *sm* donkey, ass; **la bellezza dell'~** (*fig: di ragazza*) the beauty of youth; **qui casca l'~!** there's the rub!

'asma *sf* asthma.

as'matico, a, ci, che *ag, sm/f* asthmatic.

asoci'ale [aso'tʃale] *ag* antisocial.

'asola *sf* buttonhole.

as'parago, gi *sm* asparagus *no pl.*

as'pergere [as'pɛrdʒere] *vt*: **~ (di** *o* **con)** to sprinkle (with).

asperità *sf inv* roughness *no pl*; (*fig*) harshness *no pl.*

as'persi *etc vb vedi* **aspergere**.

as'perso, a *pp di* **aspergere**.

aspet'tare *vt* to wait for; (*anche COMM*) to await; (*aspettarsi*) to expect; (*essere in serbo: notizia, evento etc*) to be in store for, lie ahead of ♦ *vi* to wait; **~rsi qc** to expect sth; **~ un bambino** to be expecting (a baby); **questo non me l'aspettavo** I wasn't expecting this; **me l'aspettavo!** I thought as much!

aspetta'tiva *sf* expectation; **inferiore all'~** worse than expected; **essere/mettersi in ~** (*AMM*) to be on/take leave of absence.

as'petto *sm* (*apparenza*) aspect, appearance, look; (*punto di vista*) point of view; **di bell'~** good-looking.

aspi'rante *ag* (*attore etc*) aspiring ♦ *sm/f* candidate, applicant.

aspira'polvere *sm inv* vacuum cleaner.

aspi'rare *vt* (*respirare*) to breathe in, inhale; (*sog: apparecchi*) to suck (up) ♦ *vi*: **~ a** to aspire to.

aspira'tore *sm* extractor fan.

aspirazi'one [aspirat'tsjone] *sf* (*TECN*) suction; (*anelito*) aspiration.

aspi'rina *sf* aspirin.

aspor'tare *vt* (*anche MED*) to remove, take away.

as'prezza [as'prettsa] *sf* sourness, tartness; pungency; harshness; roughness; rugged nature.

'aspro, a *ag* (*sapore*) sour, tart; (*odore*) acrid, pungent; (*voce, clima, fig*) harsh; (*superficie*) rough; (*paesaggio*) rugged.

Ass. *abbr* = **assicurazione; assicurata; assegno.**

assaggi'are [assad'dʒare] *vt* to taste.

assag'gini [assad'dʒini] *smpl* (*CUC*) selection of first courses.

as'saggio [as'saddʒo] *sm* tasting; (*piccola quantità*) taste; (*campione*) sample.

as'sai *av* (*molto*) a lot, much; (: *con ag*) very; (*a sufficienza*) enough ♦ *ag inv* (*quantità*) a lot of, much; (*numero*) a lot of, many; ~ **contento** very pleased.

as'salgo *etc vb vedi* **assalire.**

assa'lire *vt* to attack, assail.

assali'tore, 'trice *sm/f* attacker, assailant.

assal'tare *vt* (*MIL*) to storm; (*banca*) to raid; (*treno, diligenza*) to hold up.

as'salto *sm* attack, assault; **prendere d'~** (*fig: negozio, treno*) to storm; (: *personalità*) to besiege; **d'~** (*editoria, giornalista etc*) aggressive.

assapo'rare *vt* to savour (*BRIT*), savor (*US*).

assassi'nare *vt* to murder; (*POL*) to assassinate; (*fig*) to ruin.

assas'sinio *sm* murder; assassination.

assas'sino, a *ag* murderous ♦ *sm/f* murderer; assassin.

'asse *sm* (*TECN*) axle; (*MAT*) axis ♦ *sf* board; ~ **da stiro** ironing board.

assecon'dare *vt*: ~ **qn (in qc)** to go along with sb (in sth); ~ **i desideri di qn** to go along with sb's wishes; ~ **i capricci di qn** to give in to sb's whims.

assedi'are *vt* to besiege.

as'sedio *sm* siege.

asse'gnare [asseɲ'ɲare] *vt* to assign, allot; (*premio*) to award.

assegna'tario [asseɲɲa'tarjo] *sm* (*DIR*) assignee; (*COMM*) recipient; **l'~ del premio** the person awarded the prize.

assegnazi'one [asseɲɲat'tsjone] *sf* (*di casa, somma*) allocation; (*di carica*) assignment; (*di premio, borsa di studio*) awarding.

as'segno [as'seɲɲo] *sm* allowance; (*anche*: ~ **bancario**) cheque (*BRIT*), check (*US*); **contro** ~ cash on delivery; ~ **circolare** bank draft; ~ **di invalidità** *o* **di malattia** injury *o* sickness benefit; ~ **post-datato** post-dated cheque; ~ **sbarrato** crossed cheque; ~ **non sbarrato** uncrossed cheque; ~ **di studio** study grant; "~ **non**

trasferibile" "account payee only"; ~ **di viaggio** travel(l)er's cheque; ~ **a vuoto** dud cheque; **~i alimentari** alimony *sg*; **~i familiari** ≈ child benefit *sg*.

assem'blaggio [assem'bladdʒo] *sm* (*INDUSTRIA*) assembly.

assem'blare *vt* to assemble.

assem'blea *sf* assembly; (*raduno, adunanza*) meeting.

assembra'mento *sm* public gathering; **divieto di** ~ ban on public meetings.

assen'nato, a *ag* sensible.

as'senso *sm* assent, consent.

assen'tarsi *vr* to go out.

as'sente *ag* absent; (*fig*) faraway, vacant ♦ *sm/f* absentee.

assente'ismo *sm* absenteeism.

assen'tista, i, e *sm/f* (*dal lavoro*) absentee.

assen'tire *vi*: ~ **(a)** to agree (to), assent (to).

as'senza [as'sɛntsa] *sf* absence.

asse'rire *vt* to maintain, assert.

asserragli'arsi [asserraʎ'ʎarsi] *vr*: ~ **(in)** to barricade o.s. (in).

asser'vire *vt* to enslave; (*fig: animo, passioni*) to subdue; **~rsi** *vr*: **~rsi (a)** to submit (to).

asserzi'one [asser'tsjone] *sf* assertion.

assesso'rato *sm* councillorship.

asses'sore *sm* councillor.

assesta'mento *sm* (*sistemazione*) arrangement; (*EDIL, GEO*) settlement.

asses'tare *vt* (*mettere in ordine*) to put in order, arrange; **~rsi** *vr* to settle in; (*GEO*) to settle; ~ **un colpo a qn** to deal sb a blow.

asse'tato, a *ag* thirsty, parched.

as'setto *sm* order, arrangement; (*NAUT, AER*) trim; **in** ~ **di guerra** on a war footing; ~ **territoriale** country planning.

assicu'rare *vt* (*accertare*) to ensure; (*infondere certezza*) to assure; (*fermare, legare*) to make fast, secure; (*fare un contratto di assicurazione*) to insure; **~rsi** *vr* (*accertarsi*): **~rsi (di)** to make sure (of); (*contro il furto etc*): **~rsi (contro)** to insure o.s. (against).

assicu'rato, a *ag* insured ♦ *sf* (*anche*: **lettera ~a**) registered letter.

assicura'tore, 'trice *ag* insurance *cpd* ♦ *sm/f* insurance agent; **società ~trice** insurance company.

assicurazi'one [assikurat'tsjone] *sf* assurance; insurance; ~ **multi-rischio** comprehensive insurance.

assidera'mento *sm* exposure.

asside'rare *vt* to freeze; **~rsi** *vr* to freeze; **morire assiderato** to die of exposure.

as'siduo, a *ag* (*costante*) assiduous; (*regolare*) regular.

assi'eme *av* (*insieme*) together ♦ *prep*: ~ **a** (together) with.

assil'lante *ag* (*dubbio, pensiero*) nagging; (*creditore*) pestering.

assil'lare *vt* to pester, torment.

as'sillo *sm* (*fig*) worrying thought.

assimi'lare *vt* to assimilate.

assimilazi'one [assimilat'tsjone] *sf* assimilation.

assi'oma, i *sm* axiom.

assio'matico, a, ci, che *ag* axiomatic.

as'sise *sfpl* (*DIR*) assizes (*BRIT*); **corte** *f* **d'**~ court of assizes, ≈ crown court (*BRIT*); *vedi anche* **Corte d'Assise.**

assis'tente *sm/f* assistant; ~ **sociale** social worker; ~ **universitario** (assistant) lecturer; ~ **di volo** (*AER*) steward/ stewardess.

assis'tenza [assis'tɛntsa] *sf* assistance; ~ **legale** legal aid; ~ **ospedaliera** free hospital treatment; ~ **sanitaria** health service; ~ **sociale** welfare services *pl*.

assistenzi'ale [assisten'tsjale] *ag* (*ente, organizzazione*) welfare *cpd*; (*opera*) charitable.

assistenzia'lismo [assistentsja'lizmo] *sm* (*peg*) excessive state aid.

as'sistere *vt* (*aiutare*) to assist, help; (*curare*) to treat ♦ *vi*: ~ **(a qc)** (*essere presente*) to be present (at sth), attend (sth).

assis'tito, a *pp di* **assistere.**

'asso *sm* ace; **piantare qn in** ~ to leave sb in the lurch.

associ'are [asso't ʃare] *vt* to associate; (*rendere partecipe*): ~ **qn a** (*affari*) to take sb into partnership in; (*partito*) to make sb a member of; ~**rsi** *vr* to enter into partnership; ~**rsi a** to become a member of, join; (*dolori, gioie*) to share in; ~ **qn alle carceri** to take sb to prison.

associazi'one [assotʃat'tsjone] *sf* association; ~ **di categoria** trade association; ~ **a o per delinquere** (*DIR*) criminal association; **A**~ **Europea di Libero Scambio** European Free Trade Association, EFTA; ~ **in partecipazione** (*COMM*) joint venture.

asso'dare *vt* (*muro, posizione*) to strengthen; (*fatti, verità*) to ascertain.

asso'dato, a *ag* well-founded.

assogget'tare [assoddʒet'tare] *vt* to subject, subjugate; ~**rsi** *vr*: ~**rsi a** to submit to.

asso'lato, a *ag* sunny.

assol'dare *vt* to recruit.

as'solsi *etc vb vedi* **assolvere.**

as'solto, a *pp di* **assolvere.**

assoluta'mente *av* absolutely.

asso'luto, a *ag* absolute.

assoluzi'one [assolut'tsjone] *sf* (*DIR*) acquittal; (*REL*) absolution.

as'solvere *vt* (*DIR*) to acquit; (*REL*) to absolve; (*adempiere*) to carry out, perform.

assomigli'are [assomiʎ'ʎare] *vi*: ~ **a** to resemble, look like.

asson'nato, a *ag* sleepy.

asso'pirsi *vr* to doze off.

assor'bente *ag* absorbent ♦ *sm*: ~ **igienico** sanitary towel; ~ **interno** tampon.

assor'bire *vt* to absorb; (*fig: far proprio*) to assimilate.

assor'dante *ag* (*rumore, musica*) deafening.

assor'dare *vt* to deafen.

assorti'mento *sm* assortment.

assor'tire *vt* (*disporre*) to arrange.

assor'tito, a *ag* assorted; (*colori*) matched, matching.

as'sorto, a *ag* absorbed, engrossed.

assottigli'are [assottiʎ'ʎare] *vt* to make thin, thin; (*aguzzare*) to sharpen; (*ridurre*) to reduce; ~**rsi** *vr* to grow thin; (*fig: ridursi*) to be reduced.

A.S.S.T. *sigla f* (= *Azienda di Stato per i Servizi Telefonici*) *state-run telecommunications company.*

assue'fare *vt* to accustom; ~**rsi** *vr*: ~**rsi a** to get used to, accustom o.s. to.

assue'fatto, a *pp di* **assuefare.**

assuefazi'one [assuefat'tsjone] *sf* (*MED*) addiction.

as'sumere *vt* (*impiegato*) to take on, engage; (*responsabilità*) to assume, take upon o.s.; (*contegno, espressione*) to assume, put on; (*droga*) to consume.

as'sunsi *etc vb vedi* **assumere.**

as'sunto, a *pp di* **assumere** ♦ *sm* (*tesi*) proposition.

assunzi'one [assun'tsjone] *sf* (*di impiegati*) employment, engagement; (*REL*): **l'A**~ the Assumption.

assurdità *sf inv* absurdity; **dire delle** ~ to talk nonsense.

as'surdo, a *ag* absurd.

'asta *sf* pole; (*modo di vendita*) auction.

as'tante *sm* bystander.

astan'te'ria *sf* casualty department.

as'temio, a *ag* teetotal ♦ *sm/f* teetotaller.

aste'nersi *vr*: ~ **(da)** to abstain (from), refrain (from); (*POL*) to abstain (from).

astensi'one *sf* abstention.

astensio'nista, i, e *sm/f* (*POL*) abstentionist.

aste'risco, schi *sm* asterisk.

aste'roide *sm* asteroid.

'astice ['astitʃe] *sm* lobster.

astigi'ano, a [asti'dʒano] *ag* of (*o* from) Asti.

astig'matico, a, ci, che *ag* astigmatic.

asti'nenza [asti'nɛntsa] *sf* abstinence; **essere in crisi di** ~ to suffer from withdrawal symptoms.

'astio *sm* rancour, resentment.

asti'oso, a *ag* resentful.

astrat'tismo *sm* (*ARTE*) abstract art.

as'tratto, a *ag* abstract.

astrin'gente [astrin'dʒɛnte] *ag, sm* astringent.

'astro *sm* star.

astrolo'gia [astrolo'dʒia] *sf* astrology.

astro'logico, a, ci, che [astro'lɔdʒiko] *ag* astrological.

as'trologo, a, ghi, ghe *sm/f* astrologer.

astro'nauta, i, e *sm/f* astronaut.

astro'nautica *sf* astronautics *sg*.

astro'nave *sf* space ship.

astrono'mia *sf* astronomy.

astro'nomico, a, ci, che *ag* astronomic(al).

as'tronomo *sm* astronomer.

as'truso, a *ag* (*discorso, ragionamento*) abstruse.

as'tuccio [as'tuttʃo] *sm* case, box, holder.

as'tuto, a *ag* astute, cunning, shrewd.

as'tuzia [as'tuttsja] *sf* astuteness, shrewdness; (*azione*) trick.

AT *sigla* = *Asti*.

A.T. *abbr* (= *alta tensione*) HT.

ATA *sigla f* = *Associazione Turistica Albergatori*.

a'tavico, a, ci, che *ag* atavistic.

ate'ismo *sm* atheism.

atelier [atə'lje] *sm inv* (*laboratorio*) workshop; (*studio*) studio; (*sartoria*) fashion house.

A'tene *sf* Athens.

ate'neo *sm* university.

ateni'ese *ag, sm/f* Athenian.

'ateo, a *ag, sm/f* atheist.

a'tipico, a, ci, che *ag* atypical.

at'lante *sm* atlas; **i Monti dell'A**~ the Atlas Mountains.

at'lantico, a, ci, che *ag* Atlantic ♦ *sm*: **l'A**~, **l'Oceano A**~ the Atlantic, the Atlantic Ocean.

at'leta, i, e *sm/f* athlete.

at'letica *sf* athletics *sg*; ~ **leggera** track and field events *pl*; ~ **pesante** weightlifting and wrestling.

ATM *sigla f* = *Azienda Tranviaria Municipale*.

atmos'fera *sf* atmosphere.

atmos'ferico, a, ci, che *ag* atmospheric.

a'tollo *sm* atoll.

a'tomico, a, ci, che *ag* atomic; (*nucleare*) atomic, atom *cpd*, nuclear.

atomizza'tore [atomiddza'tore] *sm* (*di acqua, lacca*) spray; (*di profumo*) atomizer.

'atomo *sm* atom.

'atono, a *ag* (*FONETICA*) unstressed.

'atrio *sm* entrance hall, lobby.

a'troce [a'trotʃe] *ag* (*che provoca orrore*) dreadful; (*terribile*) atrocious.

atrocità [atrotʃi'ta] *sf inv* atrocity.

atro'fia *sf* atrophy.

attacca'brighe [attakka'brige] *sm/f inv* quarrelsome person.

attacca'mento *sm* (*fig*) attachment, affection.

attacca'panni *sm* hook, peg; (*mobile*) hall stand.

attac'care *vt* (*unire*) to attach; (*cucendo*) to sew on; (*far aderire*) to stick (on); (*appendere*) to hang (up); (*assalire: anche fig*) to attack; (*iniziare*) to begin, start; (*fig: contagiare*) to pass on ♦ *vi* to stick, adhere; ~**rsi** *vr* to stick, adhere; (*trasmettersi per contagio*) to be contagious; (*afferrarsi*): ~**rsi (a)** to cling (to); (*fig: affezionarsi*): ~**rsi (a)** to become attached (to); ~ **discorso** to start a conversation; **con me non attacca!** that won't work with me!

attacca'ticcio, a, ci, ce [attakka'tittʃo] *ag* sticky.

attacca'tura *sf* (*di manica*) join; ~ **(dei capelli)** hairline.

at'tacco, chi *sm* (*azione offensiva: anche fig*) attack; (*MED*) attack, fit; (*SCI*) binding; (*ELETTR*) socket.

attanagli'are [attanaʎ'ʎare] *vt* (*anche fig*) to grip.

attar'darsi *vr*: ~ **a fare qc** (*fermarsi*) to stop to do sth; (*stare più a lungo*) to stay behind to do sth.

attec'chire [attek'kire] *vi* (*pianta*) to take root; (*fig*) to catch on.

atteggia'mento [atteddʒa'mento] *sm* attitude.

atteggi'arsi [atted'dʒarsi] *vr*: ~ **a** to pose as.

attem'pato, a *ag* elderly.

atten'dente *sm* (*MIL*) orderly, batman.

at'tendere *vt* to wait for, await ♦ *vi*: ~ **a** to attend to.

atten'dibile *ag* (*scusa, storia*) credible; (*fonte, testimone, notizia*) reliable; (*persona*) trustworthy.

atte'nersi *vr*: ~ **a** to keep *o* stick to.

atten'tare *vi*: ~ **a** to make an attempt on.

atten'tato *sm* attack; ~ **alla vita di qn** attempt on sb's life.

at'tento, a *ag* attentive; (*accurato*) careful,

thorough ♦ *escl* be careful!; **stare** ~ **a qc** to pay attention to sth; ~**i!** (*MIL*) attention!; ~**i al cane** beware of the dog.

attenu'ante *sf* (*DIR*) extenuating circumstance.

attenu'are *vt* to alleviate, ease; (*diminuire*) to reduce; ~**rsi** *vr* to ease, abate.

attenuazi'one [attenuat'tsjone] *sf* alleviation; easing; reduction.

attenzi'one [atten'tsjone] *sf* attention ♦ *escl* watch out!, be careful!; **coprire qn di** ~**i** to lavish attention on sb.

atter'raggio [atter'raddʒo] *sm* landing; ~ **di fortuna** emergency landing.

atter'rare *vt* to bring down ♦ *vi* to land.

atter'rire *vt* to terrify.

at'tesa *sf vedi* **atteso**.

at'tesi *etc vb vedi* **attendere**.

at'teso, a *pp di* **attendere** ♦ *sf* waiting; (*tempo trascorso aspettando*) wait; **essere in** ~**a di qc** to be waiting for sth; **in** ~**a di una vostra risposta** (*COMM*) awaiting your reply; **restiamo in** ~**a di Vostre ulteriori notizie** (*COMM*) we look forward to hearing (further) from you.

attes'tare *vt*: ~ **qc/che** to testify to sth/(to the fact) that.

attes'tato *sm* certificate.

attestazi'one [attestat'tsjone] *sf* (*certificato*) certificate; (*dichiarazione*) statement.

'attico, ci *sm* attic.

at'tiguo, a *ag* adjacent, adjoining.

attil'lato, a *ag* (*vestito*) close-fitting, tight; (*persona*) dressed up.

'attimo *sm* moment; **in un** ~ in a moment.

atti'nente *ag*: ~ **a** relating to, concerning.

atti'nenza [atti'nɛntsa] *sf* connection.

at'tingere [at'tindʒere] *vt*: ~ **a o da** (*acqua*) to draw from; (*denaro, notizie*) to obtain from.

at'tinto, a *pp di* **attingere**.

atti'rare *vt* to attract; ~**rsi delle critiche** to incur criticism.

atti'tudine *sf* (*disposizione*) aptitude; (*atteggiamento*) attitude.

atti'vare *vt* to activate; (*far funzionare*) to set going, start.

atti'vista, i, e *sm/f* activist.

attività *sf inv* activity; (*COMM*) assets *pl*; ~ **liquide** (*COMM*) liquid assets.

at'tivo, a *ag* active; (*COMM*) profit-making ♦ *sm* (*COMM*) assets *pl*; **in** ~ in credit; **chiudere in** ~ to show a profit; **avere qc al proprio** ~ (*fig*) to have sth to one's credit.

attiz'zare [attit'tsare] *vt* (*fuoco*) to poke; (*fig*) to stir up.

attizza'toio [attittsa'tojo] *sm* poker.

'atto, a *ag*: ~ **a** fit for, capable of ♦ *sm* act;

(*azione, gesto*) action, act, deed; (*DIR: documento*) deed, document; ~**i** *smpl* (*di congressi etc*) proceedings; **essere in** ~ to be under way; **mettere in** ~ to put into action; **fare** ~ **di fare qc** to make as if to do sth; **all'**~ **pratico** in practice; **dare** ~ **a qn di qc** to give sb credit for sth; ~ **di nascita/morte** birth/death certificate; ~ **di proprietà** title deed; ~ **pubblico** official document; ~ **di vendita** bill of sale; ~**i osceni (in luogo pubblico)** (*DIR*) indecent exposure; ~**i verbali** transactions.

at'tonito, a *ag* dumbfounded, astonished.

attorcigli'are [attortʃiʎ'ʎare] *vt*, ~**rsi** *vr* to twist.

at'tore, 'trice *sm/f* actor/actress.

attorni'are *vt* (*circondare*) to surround; ~**rsi** *vr*: ~**rsi di** to surround o.s. with.

at'torno *av*, ~ **a** *prep* round, around, about.

attrac'care *vt, vi* (*NAUT*) to dock, berth.

at'tracco, chi *sm* (*NAUT: manovra*) docking, berthing; (*luogo*) berth.

at'trae *etc vb vedi* **attrarre**.

attra'ente *ag* attractive.

at'traggo *etc vb vedi* **attrarre**.

at'trarre *vt* to attract.

at'trassi *etc vb vedi* **attrarre**.

attrat'tiva *sf* attraction, charm.

at'tratto, a *pp di* **attrarre**.

attraversa'mento *sm* crossing; ~ **pedonale** pedestrian crossing.

attraver'sare *vt* to cross; (*città, bosco, fig: periodo*) to go through; (*sog: fiume*) to run through.

attra'verso *prep* through; (*da una parte all'altra*) across.

attrazi'one [attrat'tsjone] *sf* attraction.

attrez'zare [attret'tsare] *vt* to equip; (*NAUT*) to rig.

attrezza'tura [attrettsa'tura] *sf* equipment *no pl*; rigging; ~**e per uffici** office equipment.

at'trezzo [at'trettso] *sm* tool, instrument; (*SPORT*) piece of equipment.

attribu'ire *vt*: ~ **qc a qn** (*assegnare*) to give *o* award sth to sb; (*quadro etc*) to attribute sth to sb.

attri'buto *sm* attribute.

at'trice [at'tritʃe] *sf vedi* **attore**.

at'trito *sm* (*anche fig*) friction.

attu'abile *ag* feasible.

attuabilità *sf* feasibility.

attu'ale *ag* (*presente*) present; (*di attualità*) topical; (*che è in atto*) actual.

attualità *sf inv* topicality; (*avvenimento*) current event; **notizie d'**~ (*TV*) the news *sg*.

attualiz'zare [attualid'dzare] *vt* to update,

bring up to date.

attual'mente *av* at the moment, at present.

attu'are *vt* to carry out; **~rsi** *vr* to be realized.

attuazi'one [attuat'tsjone] *sf* carrying out.

attu'tire *vt* to deaden, reduce; **~rsi** *vr* to die down.

A.U. *abbr* = **allievo ufficiale.**

au'dace [au'datʃe] *ag* audacious, daring, bold; (*provocante*) provocative; (*sfacciato*) impudent, bold.

au'dacia [au'datʃa] *sf* audacity, daring; boldness; provocativeness; impudence.

'audio *sm* (*TV, RADIO, CINE*) sound.

audiocas'setta *sf* (audio) cassette.

audio'leso, a *smlf* person who is hard of hearing.

audiovi'sivo, a *ag* audiovisual.

audi'torio *sm*, **audi'torium** *sm inv* auditorium.

audizi'one [audit'tsjone] *sf* hearing; (*MUS*) audition.

'auge ['audʒe] *sf* (*della gloria, carriera*) height, peak; **essere in ~** to be at the top.

augu'rale *ag*: **messaggio ~** greeting; **biglietto ~** greetings card.

augu'rare *vt* to wish; **~rsi qc** to hope for sth.

au'gurio *sm* (*presagio*) omen; (*voto di benessere etc*) (good) wish; **essere di buon/cattivo ~** to be of good omen/be ominous; **fare gli ~i a qn** to give sb one's best wishes; **tanti ~i!** all the best!

'aula *sf* (*scolastica*) classroom; (*universitaria*) lecture theatre; (*di edificio pubblico*) hall; **~ magna** main hall; **~ del tribunale** courtroom.

aumen'tare *vt, vi* to increase; **~ di peso** (*persona*) to put on weight; **la produzione è aumentata del 50%** production has increased by 50%.

au'mento *sm* increase.

'aureo, a *ag* (*di oro*) gold *cpd*; (*fig: colore, periodo*) golden.

au'reola *sf* halo.

au'rora *sf* dawn.

ausili'are *ag, sm, smlf* auxiliary.

au'silio *sm* aid.

auspi'cabile *ag* desirable.

auspi'care *vt* to call for, express a desire for.

aus'picio [aus'pitʃo] *sm* omen; (*protezione*) patronage; **sotto gli ~i di** under the auspices of; **è di buon ~** it augurs well.

austerità *sf inv* austerity.

aus'tero, a *ag* austere.

aus'trale *ag* southern.

Aus'tralia *sf*: **l'~** Australia.

australi'ano, a *ag, smlf* Australian.

'Austria *sf*: **l'~** Austria.

aus'triaco, a, ci, che *ag, smlf* Austrian.

au'tarchico, a, ci, che [au'tarkiko] *ag* (*sistema*) self-sufficient, autarkic; (*prodotto*) home *cpd*, home-produced.

'aut 'aut *sm inv* ultimatum.

autenti'care *vt* to authenticate.

autenticità [autentitʃi'ta] *sf* authenticity.

au'tentico, a, ci, che *ag* (*quadro, firma*) authentic, genuine; (*fatto*) true, genuine.

au'tista, i *sm* driver; (*personale*) chauffeur.

'auto *sf inv* car; **~ blu** official car.

autoade'sivo, a *ag* self-adhesive ♦ *sm* sticker.

autoartico'lato *sm* articulated lorry (*BRIT*), semi (trailer) (*US*).

autobiogra'fia *sf* autobiography.

autobio'grafico, a, ci, che *ag* autobiographic(al).

auto'blinda *sf* armoured (*BRIT*) o armored (*US*) car.

auto'bomba *sf inv* car carrying a bomb; **l'~ si trovava a pochi metri** the car bomb was a few metres away.

auto'botte *sf* tanker.

'autobus *sm inv* bus.

auto'carro *sm* lorry (*BRIT*), truck.

autocertificazi'one [autotʃertifikat'tsjone] *sf* self-declaration.

autocis'terna [autotʃis'tɛrna] *sf* tanker.

autoco'lonna *sf* convoy.

autocon'trollo *sm* self-control.

autocopia'tivo, a *ag*: **carta ~a** carbonless paper.

autocorri'era *sf* coach, bus.

auto'cratico, a, ci, che *ag* autocratic.

auto'critica, che *sf* self-criticism.

au'toctono, a *ag, smlf* native.

autodemolizi'one [autodemolit'tsjone] *sf* breaker's yard (*BRIT*).

autodi'datta, i, e *smlf* autodidact, self-taught person.

autodi'fesa *sf* self-defence.

autoferrotranvi'ario, a *ag* public transport *cpd*.

autogesti'one [autodʒes'tjone] *sf* worker management.

autoges'tito, a [autodʒes'tito] *ag* under worker management.

au'tografo, a *ag, sm* autograph.

auto'grill *sm inv* motorway café (*BRIT*), roadside restaurant (*US*).

autoim'mune *ag* autoimmune.

autolesio'nismo *sm* (*fig*) self-destruction.

auto'linea *sf* bus route.

au'toma, i *sm* automaton.

auto'matico, a, ci, che *ag* automatic ♦ *sm* (*bottone*) snap fastener; (*fucile*) automatic; **selezione** ~**a** (*TEL*) direct dialling.

automazi'one [automat'tsjone] *sf*: ~ **delle procedure d'ufficio** office automation.

automedicazi'one [automedikat'tsjone] *sf* (*medicine, farmaci*): **medicinale di** ~ self-medication.

auto'mezzo [auto'mɛddzo] *sm* motor vehicle.

auto'mobile *sf* (motor) car; ~ **da corsa** racing car (*BRIT*), race car (*US*).

automobi'lismo *sm* (*gen*) motoring; (*SPORT*) motor racing.

automobi'lista, i, e *sm/f* motorist.

automobi'listico, a, ci, che *ag* car *cpd* (*BRIT*), automobile *cpd* (*US*); (*sport*) motor *cpd*.

autono'leggio [autono'leddʒo] *sm* car hire (*BRIT*), car rental.

autono'mia *sf* autonomy; (*di volo*) range.

au'tonomo, a *ag* autonomous; (*sindacato, pensiero*) independent.

auto'parco, chi *sm* (*parcheggio*) car park (*BRIT*), parking lot (*US*); (*insieme di automezzi*) transport fleet.

auto'pompa *sf* fire engine.

autop'sia *sf* post-mortem (examination), autopsy.

auto'radio *sf inv* (*apparecchio*) car radio; (*autoveicolo*) radio car.

au'tore, 'trice *sm/f* author; **l'**~ **del furto** the person who committed the robbery; **diritti d'**~ copyright *sg*; (*compenso*) royalties.

autoregolamentazi'one [autoregolamentat'tsjone] *sf* self-regulation.

auto'revole *ag* authoritative; (*persona*) influential.

autori'messa *sf* garage.

autorità *sf inv* authority.

autori'tratto *sm* self-portrait.

autoriz'zare [autorid'dzare] *vt* to authorize, give permission for.

autorizzazi'one [autoriddzat'tsjone] *sf* authorization; ~ **a procedere** (*DIR*) authorization to proceed.

autos'catto *sm* (*FOT*) timer.

autos'contro *sm* dodgem car (*BRIT*), bumper car (*US*).

autoscu'ola *sf* driving school.

autosno'dato *sm* articulated vehicle.

autos'top *sm* hitchhiking.

autostop'pista, i, e *sm/f* hitchhiker.

autos'trada *sf* motorway (*BRIT*), highway (*US*).

autosuffici'ente [autosuffi'tʃɛnte] *ag* self-sufficient.

autosuffici'enza [autosuffi'tʃɛntsa] *sf* self-sufficiency.

autotassazi'one [autotassat'tsjone] *sf system of taxation where individual himself assesses and pays tax due.*

auto'treno *sm* articulated lorry (*BRIT*), semi (trailer) (*US*).

autove'icolo *sm* motor vehicle.

autovet'tura *sf* (motor) car.

autun'nale *ag* (*di autunno*) autumn *cpd*; (*da autunno*) autumnal.

au'tunno *sm* autumn.

AV *sigla* = *Avellino.*

a/v *abbr* = **a vista.**

aval'lare *vt* (*FINANZA*) to guarantee; (*fig: sostenere*) to back; (*: confermare*) to confirm.

a'vallo *sm* (*FINANZA*) guarantee.

avam'braccio, ** *pl(f)* **-cia [avam'brattʃo] *sm* forearm.

avam'posto *sm* (*MIL*) outpost.

A'vana *sf*: **l'**~ Havana.

a'vana *sm inv* (*sigaro*) Havana (cigar); (*colore*) Havana brown.

avangu'ardia *sf* vanguard; (*ARTE*) avant-garde.

avansco'perta *sf* (*MIL*) reconnaissance; **andare in** ~ to reconnoitre.

a'vanti *av* (*stato in luogo*) in front; (*moto: andare, venire*) forward; (*tempo: prima*) before ♦ *prep* (*luogo*): ~ **a** before, in front of; (*tempo*): ~ **Cristo** before Christ ♦ *escl* (*entrate*) come (*o* go) in!; (*MIL*) forward!; (*coraggio*) come on! ♦ *sm inv* (*SPORT*) forward; **il giorno** ~ the day before; ~ **e indietro** backwards and forwards; **andare** ~ to go forward; (*continuare*) to go on; (*precedere*) to go (on) ahead; (*orologio*) to be fast; **essere** ~ **negli studi** to be well advanced with one's studies; **mandare** ~ **la famiglia** to provide for one's family; **mandare** ~ **un'azienda** to run a business; ~ **il prossimo!** next please!

avan'treno *sm* (*AUT*) front chassis.

avanza'mento [avantsa'mento] *sm* (*gen*) advance; (*fig*) progress; promotion.

avan'zare [avan'tsare] *vt* (*spostare in avanti*) to move forward, advance; (*domanda*) to put forward; (*promuovere*) to promote; (*essere creditore*): ~ **qc da qn** to be owed sth by sb ♦ *vi* (*andare avanti*) to move forward, advance; (*fig: progredire*) to make progress; (*essere d'avanzo*) to be left, remain; **basta e avanza** that's more than enough.

avan'zato, a [avan'tsato] *ag* (*teoria, tecnica*)

advanced ♦ *sf* (*MIL*) advance; **in età ~a** advanced in years, up in years.

a'vanzo [a'vantso] *sm* (*residuo*) remains *pl*, left-overs *pl*; (*MAT*) remainder; (*COMM*) surplus; (*eccedenza di bilancio*) profit carried forward; **averne d'~ di qc** to have more than enough of sth; **~ di cassa** cash in hand; **~ di galera** (*fig*) jailbird.

ava'ria *sf* (*guasto*) damage; (: *meccanico*) breakdown.

avari'ato, a *ag* (*merce*) damaged; (*cibo*) off.

ava'rizia [ava'rittsja] *sf* avarice; **crepi l'~!** to hang with the expense!

a'varo, a *ag* avaricious, miserly ♦ *sm* miser.

a'vena *sf* oats *pl*.

=========== *PAROLA CHIAVE*

a'vere *sm* (*COMM*) credit; **gli ~i** (*ricchezze*) wealth *sg*, possessions

♦ *vt* **1** (*possedere*) to have; **ha due bambini/una bella casa** she has (got) two children/a lovely house; **ha i capelli lunghi** he has (got) long hair; **non ho da mangiare/bere** I've (got) nothing to eat/ drink, I don't have anything to eat/drink

2 (*indossare*) to wear, have on; **aveva una maglietta rossa** he was wearing *o* he had on a red T-shirt; **ha gli occhiali** he wears *o* has glasses

3 (*ricevere*) to get; **hai avuto l'assegno?** did you get *o* have you had the cheque?

4 (*età, dimensione*) to be; **ha 9 anni** he is 9 (years old); **la stanza ha 3 metri di lunghezza** the room is 3 metres in length; *vedi* **fame; paura; sonno** *etc*

5 (*tempo*): **quanti ne abbiamo oggi?** what's the date today?; **ne hai per molto?** will you be long?

6 (*fraseologia*): **avercela con qn** to be angry with sb; **cos'hai?** what's wrong *o* what's the matter (with you)?; **non ha niente a che vedere** *o* **fare con me** it's got nothing to do with me

♦ *vb aus* **1** to have; **aver bevuto/mangiato** to have drunk/eaten; **l'ho già visto** I have seen it already; **l'ho visto ieri** I saw it yesterday; **ci ha creduto?** did he believe it?

2 (+ *da* + *infinito*): **~ da fare qc** to have to do sth; **non ho niente da dire** I have nothing to say; **non hai che da chiederlo** you only have to ask him.

avia'tore, 'trice *sm/f* aviator, pilot.

aviazi'one [avjat'tsjone] *sf* aviation; (*MIL*) air force; **~ civile** civil aviation.

avicol'tura *sf* bird breeding; (*di pollame*)

poultry farming.

avidità *sf* eagerness; greed.

'avido, a *ag* eager; (*peg*) greedy.

avi'ere *sm* (*MIL*) airman.

avitami'nosi *sf* vitamin deficiency.

'avo *sm* (*antenato*) ancestor; **i nostri ~i** our ancestors.

avo'cado *sm* avocado.

a'vorio *sm* ivory.

a'vulso, a *ag*: **parole ~e dal contesto** words out of context; **~ dalla società** (*fig*) cut off from society.

Avv. *abbr* = **avvocato**.

avva'lersi *vr*: **~ di** to avail o.s. of.

avvalla'mento *sm* sinking *no pl*; (*effetto*) depression.

avvalo'rare *vt* to confirm.

avvantaggi'are [avvantad'dʒare] *vt* to favour (*BRIT*), favor (*US*); **~rsi** *vr* (*trarre vantaggio*): **~rsi di** to take advantage of; (*prevalere*): **~rsi negli affari/sui concorrenti** to get ahead in business/of one's competitors.

avve'dersi *vr*: **~ di qn/qc** to notice sb/sth.

avve'duto, a *ag* (*accorto*) prudent; (*scaltro*) astute.

avvelena'mento *sm* poisoning.

avvele'nare *vt* to poison.

avve'nente *ag* attractive, charming.

avve'nenza [avve'nɛntsa] *sf* good looks *pl*.

av'vengo *etc vb vedi* **avvenire**.

avveni'mento *sm* event.

avve'nire *vi, vb impers* to happen, occur ♦ *sm* future.

av'venni *etc vb vedi* **avvenire**.

avven'tarsi *vr*: **~ su** *o* **contro qn/qc** to hurl o.s. *o* rush at sb/sth.

avven'tato, a *ag* rash, reckless.

avven'tizio, a [avven'tittsjo] *ag* (*impiegato*) temporary; (*guadagno*) casual.

av'vento *sm* advent, coming; (*REL*): **l'A~** Advent.

avven'tore *sm* customer.

avven'tura *sf* adventure; (*amorosa*) affair; **avere spirito d'~** to be adventurous.

avventu'rarsi *vr* to venture.

avventuri'ero, a *sm/f* adventurer/ adventuress.

avventu'roso, a *ag* adventurous.

avve'nuto, a *pp di* **avvenire**.

avve'rarsi *vr* to come true.

av'verbio *sm* adverb.

avverrò *etc vb vedi* **avvenire**.

avver'sare *vt* to oppose.

avver'sario, a *ag* opposing ♦ *sm* opponent, adversary.

avversi'one *sf* aversion.

avversità *sf inv* adversity, misfortune.

av'verso, a *ag* (*contrario*) contrary; (*sfavorevole*) unfavourable (*BRIT*), unfavorable (*US*).

avver'tenza [avver'tɛntsa] *sf* (*ammonimento*) warning; (*cautela*) care; (*premessa*) foreword; ~**e** *sfpl* (*istruzioni per l'uso*) instructions.

avverti'mento *sm* warning.

avver'tire *vt* (*avvisare*) to warn; (*rendere consapevole*) to inform, notify; (*percepire*) to feel.

av'vezzo, a [av'vettso] *ag*: ~ **a** used to.

avvia'mento *sm* (*atto*) starting; (*effetto*) start; (*AUT*) starting; (*: dispositivo*) starter; (*COMM*) goodwill.

avvi'are *vt* (*mettere sul cammino*) to direct; (*impresa, trattative*) to begin, start; (*motore*) to start; ~**rsi** *vr* to set off, set out.

avvicenda'mento [avvitʃenda'mento] *sm* alternation; (*AGR*) rotation; **c'è molto** ~ **di personale** there is a high turnover of staff.

avvicen'dare [avvitʃen'dare] *vt*, ~**rsi** *vr* to alternate.

avvicina'mento [avvitʃina'mento] *sm* approach.

avvici'nare [avvitʃi'nare] *vt* to bring near; (*trattare con: persona*) to approach; ~**rsi** *vr*: ~**rsi (a qn/qc)** to approach (sb/sth), draw near (to sb/sth); (*somigliare*) to be similar (to sb/sth), be close (to sb/sth).

avvi'lente *ag* (*umiliante*) humiliating; (*scoraggiante*) discouraging, disheartening.

avvili'mento *sm* humiliation; disgrace; discouragement.

avvi'lire *vt* (*umiliare*) to humiliate; (*degradare*) to disgrace; (*scoraggiare*) to dishearten, discourage; ~**rsi** *vr* (*abbattersi*) to lose heart.

avvilup'pare *vt* (*avvolgere*) to wrap up; (*ingarbugliare*) to entangle.

avvinaz'zato, a [avvinat'tsato] *ag* drunk.

avvin'cente [avvin'tʃɛnte] *ag* (*film, racconto*) enthralling.

av'vincere [av'vintʃere] *vt* to charm, enthral.

avvinghi'are [avvin'gjare] *vt* to clasp; ~**rsi** *vr*: ~**rsi a** to cling to.

av'vinsi *etc vb vedi* **avvincere**.

av'vinto, a *pp di* **avvincere**.

av'vio *sm* start, beginning; **dare l'**~ **a qc** to start sth off; **prendere l'**~ to get going, get under way.

avvi'saglia [avvi'zaʎʎa] *sf* (*sintomo: di temporale etc*) sign; (*di malattia*) manifestation, sign, symptom; (*scaramuccia*) skirmish.

avvi'sare *vt* (*far sapere*) to inform; (*mettere in guardia*) to warn.

avvisa'tore *sm* (*apparecchio d'allarme*) alarm; ~ **acustico** horn; ~ **d'incendio** fire alarm.

av'viso *sm* warning; (*annuncio*) announcement; (*affisso*) notice; (*inserzione pubblicitaria*) advertisement; **a mio** ~ in my opinion; **mettere qn sull'**~ to put sb on their guard; **fino a nuovo** ~ until further notice; ~ **di consegna/spedizione** (*COMM*) delivery/consignment note; ~ **di garanzia** (*DIR*) notification (*of impending investigation and of the right to name a defence laywer*); ~ **di pagamento** (*COMM*) payment advice.

avvista'mento *sm* sighting.

avvis'tare *vt* to sight.

avvi'tare *vt* to screw down (*o* in).

avviz'zire [avvit'tsire] *vi* to wither.

avvo'cato, 'essa *smlf* (*DIR*) barrister (*BRIT*), lawyer; (*fig*) defender, advocate; ~ **del diavolo: fare l'**~ **del diavolo** to play devil's advocate; ~ **difensore** counsel for the defence; ~ **di parte civile** counsel for the plaintiff.

av'volgere [av'vɔldʒere] *vt* to roll up; (*bobina*) to wind up; (*avviluppare*) to wrap up; ~**rsi** *vr* (*avvilupparsi*) to wrap o.s. up.

avvol'gibile [avvol'dʒibile] *sm* roller blind (*BRIT*), blind.

avvolgi'mento [avvoldʒi'mento] *sm* winding.

av'volsi *etc vb vedi* **avvolgere**.

av'volto, a *pp di* **avvolgere**.

avvol'toio *sm* vulture.

aza'lea [addza'lɛa] *sf* azalea.

Azerbaigi'an [addzɛrbai'dʒan] *sm* Azerbaijan.

azerbaig'iano, a [addzɛrbai'dʒano] *ag* Azerbaijani ♦ *smlf* (*abitante*) Azerbaijani ♦ *sm* (*LING*) Azerbaijani.

a'zero, a [ad'dzɛro] *smlf* Azeri.

azi'enda [ad'dzjɛnda] *sf* business, firm, concern; ~ **agricola** farm; ~ **(autonoma) di soggiorno** tourist board; ~ **a partecipazione statale** *business in which the State has a financial interest*; ~**e pubbliche** public corporations.

azien'dale [addzjen'dale] *ag* company *cpd*; **organizzazione** ~ business administration.

azio'nare [attsjo'nare] *vt* to activate.

azio'nario, a [attsjo'narjo] *ag* share *cpd*; **capitale** ~ share capital; **mercato** ~ stock market.

azi'one [at'tsjone] *sf* action; (*COMM*) share;

~ **sindacale** industrial action; **~i preferenziali** preference shares (*BRIT*), preferred stock *sg* (*US*).

azio'nista, i, e [attsjo'nista] *smlf* (*COMM*) shareholder.

a'zoto [ad'dzɔto] *sm* nitrogen.

az'teco, a, ci, che [as'tɛko] *ag, smlf* Aztec.

azzan'nare [attsan'nare] *vt* to sink one's teeth into.

azzar'dare [addzar'dare] *vt* (*soldi, vita*) to risk, hazard; (*domanda, ipotesi*) to hazard, venture; **~rsi** *vr*: **~rsi a fare** to dare (to) do.

azzar'dato, a [addzar'dato] *ag* (*impresa*) risky; (*risposta*) rash.

az'zardo [ad'dzardo] *sm* risk; **gioco d'~** game of chance.

azzec'care [attsek'kare] *vt* (*bersaglio*) to hit, strike; (*risposta, pronostico*) to get right; (*fig: indovinare*) to guess.

azzera'mento [addzera'mento] *sm* (*INFORM*) reset.

azze'rare [addze'rare] *vt* (*MAT, FISICA*) to make equal to zero, reduce to zero; (*TECN: strumento*) to (re)set to zero.

'azzimo, a ['addzimo] *ag* unleavened ♦ *sm* unleavened bread.

azzop'pare [attsop'pare] *vt* to lame, make lame.

Az'zorre [ad'dzorre] *sfpl*: **le ~** the Azores.

azzuf'farsi [attsuf'farsi] *vr* to come to blows.

az'zurro, a [ad'dzurro] *ag* blue ♦ *sm* (*colore*) blue; **gli ~i** (*SPORT*) the Italian national team.

azzur'rognolo, a [addzur'roɲɲolo] *ag* bluish.

B b

B, b [bi] *sf o m inv* (*lettera*) B, b; **~ come Bologna** ≈ B for Benjamin (*BRIT*), B for Baker (*US*).

BA *sigla* = *Bari.*

ba'bau *sm inv* ogre, bogey man.

bab'beo *sm* simpleton.

'babbo *sm* (*fam*) dad, daddy; **B~ Natale** Father Christmas.

bab'buccia, ce [bab'buttʃa] *sf* slipper; (*per neonati*) bootee.

babbu'ino *sm* baboon.

babilo'nese *ag, smlf* Babylonian.

Babi'lonia *sf* Babylonia.

ba'bordo *sm* (*NAUT*) port side.

baby'sitter ['beɪbɪsɪtə*] *smlf inv* baby-sitter.

ba'cato, a *ag* worm-eaten, rotten; (*fig: mente*) diseased; (: *persona*) corrupt.

'bacca, che *sf* berry.

baccalà *sm* dried salted cod; (*fig: peg*) dummy.

bac'cano *sm* din, clamour (*BRIT*), clamor (*US*).

bac'cello [bat'tʃɛllo] *sm* pod.

bac'chetta [bak'ketta] *sf* (*verga*) stick, rod; (*di direttore d'orchestra*) baton; (*di tamburo*) drumstick; **comandare a ~** to rule with a rod of iron; **~ magica** magic wand.

ba'checa, che [ba'kɛka] *sf* (*mobile*) showcase, display case; (*UNIVERSITÀ, in ufficio*) notice board (*BRIT*), bulletin board (*US*).

bacia'mano [batʃa'mano] *sm*: **fare il ~ a qn** to kiss sb's hand.

baci'are [ba'tʃare] *vt* to kiss; **~rsi** *vr* to kiss (one another).

ba'cillo [ba'tʃillo] *sm* bacillus, germ.

baci'nella [batʃi'nɛlla] *sf* basin.

ba'cino [ba'tʃino] *sm* basin; (*MINERALOGIA*) field, bed; (*ANAT*) pelvis; (*NAUT*) dock; **~ carbonifero** coalfield; **~ di carenaggio** dry dock; **~ petrolifero** oilfield.

'bacio ['batʃo] *sm* kiss.

'baco, chi *sm* worm; **~ da seta** silkworm.

'bada *sf*: **tenere qn a ~** (*tener d'occhio*) to keep an eye on sb; (*tenere a distanza*) to hold sb at bay.

ba'dare *vi* (*fare attenzione*) to take care, be careful; **~ a** (*occuparsi di*) to look after, take care of; (*dar ascolto*) to pay attention to; **è un tipo che non bada a spese** money is no object to him; **bada ai fatti tuoi!** mind your own business!

ba'dia *sf* abbey.

ba'dile *sm* shovel.

'baffi *smpl* moustache *sg*, mustache *sg* (*US*); (*di animale*) whiskers; **leccarsi i ~** to lick one's lips; **ridere sotto i ~** to laugh up one's sleeve.

bagagli'aio [bagaʎ'ʎajo] *sm* luggage van (*BRIT*) o car (*US*); (*AUT*) boot (*BRIT*), trunk (*US*).

ba'gaglio [ba'gaʎʎo] *sm* luggage *no pl*, baggage *no pl*; **fare/disfare i ~i** to pack/unpack; **~ a mano** hand luggage.

bagat'tella *sf* trifle, trifling matter.

Bag'dad *sf* Baghdad.

baggia'nata [baddʒa'nata] *sf* foolish action; **dire ~e** to talk nonsense.

bagli'ore [baʎ'ʎore] *sm* flash, dazzling light;

un ~ **di speranza** a sudden ray of hope.

ba'gnante [baɲ'ɲante] *smlf* bather.

ba'gnare [baɲ'ɲare] *vt* to wet; (*inzuppare*) to soak; (*innaffiare*) to water; (*sog: fiume*) to flow through; (*: mare*) to wash, bathe; (*brindare*) to drink to, toast; ~**rsi** *vr* (*al mare*) to go swimming *o* bathing; (*in vasca*) to have a bath.

ba'gnato, a [baɲ'ɲato] *ag* wet; **era come un pulcino** ~ he looked like a drowned rat.

ba'gnino [baɲ'ɲino] *sm* lifeguard.

'bagno ['baɲɲo] *sm* bath; (*locale*) bathroom; ~**i** *smpl* (*stabilimento*) baths; **fare il** ~ to have a bath; (*nel mare*) to go swimming *o* bathing; **fare il** ~ **a qn** to give sb a bath; **mettere a** ~ to soak.

bagnoma'ria [baɲɲoma'ria] *sm*: **cuocere a** ~ to cook in a double saucepan (*BRIT*) *o* double boiler (*US*).

bagnoschi'uma [baɲɲoskj'uma] *sm inv* bubble bath.

Ba'hama [ba'ama] *sfpl*: **le** ~ the Bahamas.

Bah'rein [ba'rein] *sm*: **il** ~ Bahrain *o* Bahrein.

'baia *sf* bay.

baio'netta *sf* bayonet.

'baita *sf* mountain hut.

balaus'trata *sf* balustrade.

balbet'tare *vi* to stutter, stammer; (*bimbo*) to babble ♦ *vt* to stammer out.

bal'buzie [bal'buttsje] *sf* stammer.

balbuzi'ente [balbut'tsjɛnte] *ag* stuttering, stammering.

Bal'cani *smpl*: **i** ~ the Balkans.

bal'canico, a, ci, che *ag* Balkan.

bal'cone *sm* balcony.

baldac'chino [baldak'kino] *sm* canopy; **letto a** ~ four-poster (bed).

bal'danza [bal'dantsa] *sf* self-confidence; boldness.

'baldo, a *ag* bold, daring.

bal'doria *sf*: **fare** ~ to have a riotous time.

Bale'ari *sfpl*: **le isole** ~ the Balearic Islands.

ba'lena *sf* whale.

bale'nare *vb impers*: **balena** there's lightning ♦ *vi* to flash; **mi balenò un'idea** an idea flashed through my mind.

baleni'era *sf* (*per la caccia*) whaler, whaling ship.

ba'leno *sm* flash of lightning; **in un** ~ in a flash.

ba'lera *sf* (*locale*) dance hall; (*pista*) dance floor.

ba'lestra *sf* crossbow.

'balia *sf* wet-nurse; ~ **asciutta** nanny.

ba'lia *sf*: **in** ~ **di** at the mercy of; **essere lasciato in** ~ **di se stesso** to be left to

one's own devices.

ba'lilla *sm inv* (*STORIA*) member of Fascist youth group.

ba'listico, a, ci, che *ag* ballistic ♦ *sf* ballistics *sg*; **perito** ~ ballistics expert.

'balla *sf* (*di merci*) bale; (*fandonia*) (tall) story.

bal'labile *sm* dance number, dance tune.

bal'lare *vt, vi* to dance.

bal'lata *sf* ballad.

balla'toio *sm* (*terrazzina*) gallery.

balle'rina *sf* dancer; ballet dancer; (*scarpa*) pump; ~ **di rivista** chorus girl.

balle'rino *sm* dancer; ballet dancer.

bal'letto *sm* ballet.

'ballo *sm* dance; (*azione*) dancing *no pl*; ~ **in maschera** *o* **mascherato** fancy-dress ball; **essere in** ~ (*fig: persona*) to be involved; (*: cosa*) to be at stake; **tirare in** ~ **qc** to bring sth up, raise sth.

ballot'taggio [ballot'taddʒo] *sm* (*POL*) second ballot.

balne'are *ag* seaside *cpd*; (*stagione*) bathing.

ba'locco, chi *sm* toy.

ba'lordo, a *ag* stupid, senseless.

bal'samico, a, ci, che *ag* (*aria, brezza*) balmy; **pomata** ~**a** balsam.

'balsamo *sm* (*aroma*) balsam; (*lenimento, fig*) balm; (*per capelli*) (hair) conditioner.

'baltico, a, ci, che *ag* Baltic; **il (mar) B**~ the Baltic (Sea).

balu'ardo *sm* bulwark.

'balza ['baltsa] *sf* (*dirupo*) crag; (*di stoffa*) frill.

bal'zano, a [bal'tsano] *ag* (*persona, idea*) queer, odd.

bal'zare [bal'tsare] *vi* to bounce; (*lanciarsi*) to jump, leap; **la verità balza agli occhi** the truth of the matter is obvious.

'balzo ['baltso] *sm* bounce; jump, leap; (*del terreno*) crag; **prendere la palla al** ~ (*fig*) to seize one's opportunity.

bam'bagia [bam'badʒa] *sf* (*ovatta*) cotton wool (*BRIT*), absorbent cotton (*US*); (*cascame*) cotton waste; **tenere qn nella** ~ (*fig*) to mollycoddle sb.

bam'bina *sf vedi* **bambino**.

bambi'naia *sf* nanny, nurse(maid).

bam'bino, a *smlf* child; **fare il** ~ to behave childishly.

bam'boccio [bam'bɔttʃo] *sm* plump child; (*pupazzo*) rag doll.

'bambola *sf* doll.

bambo'lotto *sm* male doll.

bambù *sm* bamboo.

ba'nale *ag* banal, commonplace.

banalità *sf inv* banality.

ba'nana *sf* banana.

ba'nano *sm* banana tree.

'banca, che *sf* bank; ~ d'affari merchant bank; ~ (di) dati data bank.

banca'rella *sf* stall.

ban'cario, a *ag* banking, bank *cpd* ♦ *sm* bank clerk.

banca'rotta *sf* bankruptcy; fare ~ to go bankrupt.

bancarotti'ere *sm* bankrupt.

ban'chetto [ban'ketto] *sm* banquet.

banchi'ere [ban'kjɛre] *sm* banker.

ban'china [ban'kina] *sf* (*di porto*) quay; (*per pedoni, ciclisti*) path; (*di stazione*) platform; ~ cedevole (*AUT*) soft verge (*BRIT*) o shoulder (*US*); ~ spartitraffico (*AUT*) central reservation (*BRIT*), median (strip) (*US*).

ban'chisa [ban'kiza] *sf* pack ice.

'banco, chi *sm* bench; (*di negozio*) counter; (*di mercato*) stall; (*di officina*) (work)bench; (*GEO, banca*) bank; sotto ~ (*fig*) under the counter; tenere il ~ (*nei giochi*) to be (the) banker; tener ~ (*fig*) to monopolize the conversation; medicinali da ~ over-the-counter medicines; ~ di chiesa pew; ~ di corallo coral reef; ~ degli imputati dock; ~ del Lotto lottery-ticket office;~ di prova (*fig*) testing ground; ~ dei testimoni witness box (*BRIT*) o stand (*US*).

banco'giro [banko'dʒiro] *sm* credit transfer.

'Bancomat ® *sm inv* automated banking; (*tessera*) cash card.

banco'nota *sf* banknote.

'banda *sf* band; (*di stoffa*) band, stripe; (*lato, parte*) side; (*di calcolatore*) tape; ~ perforata punch tape.

banderu'ola *sf* (*METEOR*) weathercock, weathervane; essere una ~ (*fig*) to be fickle.

bandi'era *sf* flag, banner; battere ~ italiana (*nave etc*) to fly the Italian flag; cambiare ~ (*fig*) to change sides; ~ di comodo flag of convenience.

ban'dire *vt* to proclaim; (*esiliare*) to exile; (*fig*) to dispense with.

ban'dito *sm* outlaw, bandit.

bandi'tore *sm* (*di aste*) auctioneer.

'bando *sm* proclamation; (*esilio*) exile, banishment; mettere al ~ qn to exile sb; (*fig*) to freeze sb out; ~ alle ciance! that's enough talk!

'bandolo *sm* (*di matassa*) end; trovare il ~ della matassa (*fig*) to find the key to the problem.

Bang'kok [ban'kɔk] *sf* Bangkok.

Bangla'desh [bangla'dɛʃ] *sm*: il ~ Bangladesh.

bar *sm inv* bar.

'bara *sf* coffin.

ba'racca, che *sf* shed, hut; (*peg*) hovel; mandare avanti la ~ to keep things going; piantare ~ e burattini to throw everything up.

barac'cato, a *sm/f person living in temporary camp.*

barac'chino [barak'kino] *sm* (*chiosco*) stall; (*apparecchio*) CB radio.

barac'cone *sm* booth, stall; ~i *smpl* (*luna park*) funfair *sg* (*BRIT*), amusement park; fenomeno da ~ circus freak.

barac'copoli *sf inv* shanty town.

bara'onda *sf* hubbub, bustle.

ba'rare *vi* to cheat.

'baratro *sm* abyss.

barat'tare *vt*: ~ qc con to barter sth for, swap sth for.

ba'ratto *sm* barter.

ba'rattolo *sm* (*di latta*) tin; (*di vetro*) jar; (*di coccio*) pot.

'barba *sf* beard; farsi la ~ to shave; farla in ~ a qn (*fig*) to fool sb; servire qn di ~ e capelli (*fig*) to teach sb a lesson; che ~! what a bore!

barbabi'etola *sf* beetroot (*BRIT*), beet (*US*); ~ da zucchero sugar beet.

Bar'bados *sfsg* Barbados.

bar'barico, a, ci, che *ag* (*invasione*) barbarian; (*usanze, metodi*) barbaric.

bar'barie *sf* barbarity.

'barbaro, a *ag* barbarous ♦ *sm* barbarian; i B~ the Barbarians.

'barbecue ['baːbikjuː] *sm inv* barbecue.

barbi'ere *sm* barber.

barbi'turico, a, ci, che *ag* barbituric ♦ *sm* barbiturate.

bar'bone *sm* (*cane*) poodle; (*vagabondo*) tramp.

bar'buto, a *ag* bearded.

'barca, che *sf* boat; una ~ di (*fig*) heaps of, tons of; mandare avanti la ~ (*fig*) to keep things going; ~ a remi rowing boat (*BRIT*), rowboat (*US*); ~ a vela sailing boat (*BRIT*), sailboat (*US*).

barcai'olo *sm* boatman.

barcame'narsi *vr* (*nel lavoro*) to get by; (*a parole*) to beat about the bush.

Barcel'lona [bartʃel'lona] *sf* Barcelona.

barcol'lare *vi* to stagger.

bar'cone *sm* (*per ponti di barche*) pontoon.

ba'rella *sf* (*lettiga*) stretcher.

'Barents: il mar di ~ *sm* the Barents Sea.

ba'rese *ag* of (o from) Bari.

bari'centro [bari'tʃɛntro] *sm* centre (*BRIT*) o

center (*US*) of gravity.

ba'rile *sm* barrel, cask.

ba'rista, i, e *smlf* barman/barmaid; bar owner.

ba'ritono *sm* baritone.

bar'lume *sm* glimmer, gleam.

'baro *sm* (*CARTE*) cardsharp.

ba'rocco, a, chi, che *ag, sm* baroque.

ba'rometro *sm* barometer.

ba'rone *sm* baron; **i ~i della medicina** (*fig peg*) the top brass in the medical faculty.

baro'nessa *sf* baroness.

'barra *sf* bar; (*NAUT*) helm; (*segno grafico*) stroke.

bar'rare *vt* to bar.

barri'care *vt* to barricade.

barri'cata *sf* barricade; **essere dall'altra parte della ~** (*fig*) to be on the other side of the fence.

barri'era *sf* barrier; (*GEO*) reef; **la Grande B~ Corallina** the Great Barrier Reef.

bar'roccio [bar'rɔttʃo] *sm* cart.

ba'ruffa *sf* scuffle; **fare ~** to squabble.

barzel'letta [bardzel'letta] *sf* joke, funny story.

basa'mento *sm* (*parte inferiore, piedestallo*) base; (*TECN*) bed, base plate.

ba'sare *vt* to base, found; **~rsi** *vr*: **~rsi su** (*sog: fatti, prove*) to be based *o* founded on; (*: persona*) to base one's arguments on.

'basco, a, schi, sche *ag* Basque ♦ *smlf* Basque ♦ *sm* (*lingua*) Basque; (*copricapo*) beret.

bas'culla *sf* weighing machine, weighbridge.

'base *sf* base; (*fig: fondamento*) basis; (*POL*) rank and file; **di ~** basic; **in ~ a** on the basis of, according to; **in ~ a ciò ...** on that basis ...; **a ~ di caffè** coffee-based; **essere alla ~ di qc** to be at the root of sth; **gettare le ~i per qc** to lay the basis *o* foundations for sth; **avere buone ~i** (*INS*) to have a sound educational background.

'baseball ['beisbɔːl] *sm* baseball.

ba'setta *sf* sideburn.

basi'lare *ag* basic, fundamental.

Basi'lea *sf* Basle.

ba'silica, che *sf* basilica.

ba'silico *sm* basil.

bas'sezza [bas'settsa] *sf* (*d'animo, di sentimenti*) baseness; (*azione*) base action.

'basso, a *ag* low; (*di statura*) short; (*meridionale*) southern ♦ *sm* bottom, lower part; (*MUS*) bass; **a occhi ~i** with eyes lowered; **a ~ prezzo** cheap; **scendere da ~** to go downstairs; **cadere in ~** (*fig*) to come down in the world; **la ~a Italia**

southern Italy; **il ~ Medioevo** the late Middle Ages.

basso'fondo, *pl* **bassi'fondi** *sm* (*GEO*) shallows *pl*; **i bassifondi** (**della città**) the seediest parts of the town.

bassorili'evo *sm* bas-relief.

bas'sotto, a *ag* squat ♦ *sm* (*cane*) dachshund.

bas'tardo, a *ag* (*animale, pianta*) hybrid, crossbreed; (*persona*) illegitimate, bastard (*peg*) ♦ *smlf* illegitimate child, bastard (*peg*); (*cane*) mongrel.

bas'tare *vi, vb impers* to be enough, be sufficient; **~ a qn** to be enough for sb; **~ a se stesso** to be self-sufficient; **basta chiedere *o* che chieda a un vigile** you have only to *o* need only ask a policeman; **basti dire che ...** suffice it to say that ...; **basta! that's enough!, that will do!; basta così?** (*al bar etc*) will that be all?; **punto e basta!** and that's that!

basti'an *sm*: **~ contrario** awkward customer.

basti'mento *sm* ship, vessel.

basti'one *sm* bastion.

basto'nare *vt* to beat, thrash; **avere l'aria di un cane bastonato** to look crestfallen.

basto'nata *sf* blow (with a stick); **prendere qn a ~e** to give sb a good beating.

baston'cino [baston'tʃino] *sm* (*piccolo bastone*) small stick; (*TECN*) rod; (*SCI*) ski pole; **~i di pesce** (*CUC*) fish fingers (*BRIT*), fish sticks (*US*).

bas'tone *sm* stick; **~i** *smpl* (*CARTE*) suit in Neapolitan pack of cards; **~ da passeggio** walking stick; **mettere i ~i fra le ruote a qn** to put a spoke in sb's wheel.

bat'tage [ba'taʒ] *sm inv*: **~ promozionale *o* pubblicitario** publicity campaign.

bat'taglia [bat'taʎʎa] *sf* battle.

bat'taglio [bat'taʎʎo] *sm* (*di campana*) clapper; (*di porta*) knocker.

battagli'one [battaʎ'ʎone] *sm* battalion.

bat'tello *sm* boat.

bat'tente *sm* (*imposta: di porta*) wing, flap; (*: di finestra*) shutter; (*per bussare*) knocker; (*di orologio*) hammer; **chiudere i ~i** (*fig*) to shut up shop.

'battere *vt* to beat; (*grano*) to thresh; (*percorrere*) to scour; (*rintoccare: le ore*) to strike ♦ *vi* (*bussare*) to knock; (*urtare*): **~ contro** to hit *o* strike against; (*pioggia, sole*) to beat down; (*cuore*) to beat; (*TENNIS*) to serve; **~rsi** *vr* to fight; **~ le mani** to clap; **~ i piedi** to stamp one's feet; **~ su un argomento** to hammer home an argument; **~ a macchina** to type; **~ il marciapiede** (*peg*) to walk the streets, be on the game; ~ **un rigore** (*CALCIO*) to take a penalty; ~ **in testa** (*AUT*) to knock; **in un batter d'occhio** in the twinkling of an eye; **senza** ~ **ciglio** without batting an eyelid; **battersela** to run off.

batte'ria *sf* battery; (*MUS*) drums *pl*; ~ **da cucina** pots and pans *pl*.

bat'terio *sm* bacterium; ~**i** *smpl* bacteria.

batteriolo'gia [batterjolo'dʒia] *sf* bacteriology.

bat'tesimo *sm* (*sacramento*) baptism; (*rito*) baptism, christening; **tenere qn a** ~ to be godfather (*o* godmother) to sb.

battez'zare [batted'dzare] *vt* to baptize; to christen.

battiba'leno *sm*: **in un** ~ in a flash.

batti'becco, chi *sm* squabble.

batticu'ore *sm* palpitations *pl*; **avere il** ~ to be frightened to death.

bat'tigia [bat'tidʒa] *sf* water's edge.

batti'mano *sm* applause.

batti'panni *sm inv* carpet-beater.

battis'tero *sm* baptistry.

battis'trada *sm inv* (*di pneumatico*) tread; (*di gara*) pacemaker.

battitap'peto *sm inv* upright vacuum cleaner.

'battito *sm* beat, throb; ~ **cardiaco** heartbeat; ~ **della pioggia/dell'orologio** beating of the rain/ticking of the clock.

batti'tore *sm* (*CRICKET*) batsman; (*BASEBALL*) batter; (*CACCIA*) beater.

batti'tura *sf* (*anche*: ~ **a macchina**) typing; (*del grano*) threshing.

bat'tuta *sf* blow; (*di macchina da scrivere*) stroke; (*MUS*) bar; beat; (*TEAT*) cue; (*di caccia*) beating; (*POLIZIA*) combing, scouring; (*TENNIS*) service; **fare una** ~ to crack a joke, make a witty remark; **aver la** ~ **pronta** (*fig*) to have a ready answer; **è ancora alle prime** ~**e** it's just started.

ba'tuffolo *sm* wad.

ba'ule *sm* trunk; (*AUT*) boot (*BRIT*), trunk (*US*).

bau'xite [bauk'site] *sf* bauxite.

'bava *sf* (*di animale*) slaver, slobber; (*di lumaca*) slime; (*di vento*) breath.

bava'glino [bavaʎ'ʎino] *sm* bib.

ba'vaglio [ba'vaʎʎo] *sm* gag.

bava'rese *ag, smf* Bavarian.

'bavero *sm* collar.

Bavi'era *sf* Bavaria.

ba'zar [bad'dzar] *sm inv* bazaar.

baz'zecola [bad'dzekola] *sf* trifle.

bazzi'care [battsi'kare] *vt* (*persona*) to hang about with; (*posto*) to hang about ♦ *vi*: ~ **in/con** to hang about/hang about with.

be'arsi *vr*: ~ **di qc/a fare qc** to delight in sth/in doing sth; ~ **alla vista di** to enjoy looking at.

beati'tudine *sf* bliss.

be'ato, a *ag* blessed; (*fig*) happy; ~ **te!** lucky you!

bebè *sm inv* baby.

bec'caccia, ce [bek'kattʃa] *sf* woodcock.

bec'care *vt* to peck; (*fig: raffreddore*) to pick up, catch; ~**rsi** *vr* (*fig*) to squabble.

bec'cata *sf* peck.

beccheggi'are [bekked'dʒare] *vi* to pitch.

beccherò *etc* [bekke'rɔ] *vb vedi* **beccare**.

bec'chime [bek'kime] *sm* birdseed.

bec'chino [bek'kino] *sm* gravedigger.

'becco, chi *sm* beak, bill; (*di caffettiera etc*) spout; lip; (*fig fam*) cuckold; **mettere** ~ (*fam*) to butt in; **chiudi il** ~! (*fam*) shut your mouth!, shut your trap!; **non ho il** ~ **di un quattrino** (*fam*) I'm broke.

Be'fana *sf* old woman who, according to legend, brings children their presents at the Epiphany; (*Epifania*) Epiphany; (*donna brutta*): **b**~ hag, witch.

The **Befana** *is a national holiday, falling on the feast of the Epiphany (Jan. 6th), which marks the end of the Christmas period. It takes its name from an imaginary old woman,* **la Befana**, *who comes down the chimney during the night, bringing gifts to children who have been good and leaving coal for those who have not.*

'beffa *sf* practical joke; **farsi** ~ *o* ~**e di qn** to make a fool of sb.

bef'fardo, a *ag* scornful, mocking.

bef'fare *vt* (*anche*: ~**rsi di**) to make a fool of, mock.

'bega, ghe *sf* quarrel.

'begli ['beʎʎi], **'bei** *ag vedi* **bello**.

beige [bɛʒ] *ag inv* beige.

Bei'rut *sf* Beirut.

bel *ag vedi* **bello**.

be'lare *vi* to bleat.

be'lato *sm* bleating.

'belga, gi, ghe *ag, smf* Belgian.

'Belgio ['bɛldʒo] *sm*: **il** ~ Belgium.

Bel'grado *sf* Belgrade.

'bella *sf vedi* **bello**.

bel'lezza [bel'lettsa] *sf* beauty; **chiudere** *o* **finire qc in** ~ to finish sth with a flourish; **che** ~! fantastic!; **ho pagato la** ~ **di 60.000 lire** I paid 60,000 lire, no less.

belli'coso, a *ag* warlike.

bellige'rante [bellidʒe'rante] *ag* belligerent.

bellim'busto *sm* dandy.

═══════════ *PAROLA CHIAVE*

'**bello, a** (*ag: dav sm* **bel** + *C*, **bell'** + *V*, **bello** + *s impura, gn, pn, ps, x, z, pl* **bei** + *C*, **begli** + *s impura etc o V*) *ag* **1** (*oggetto, donna, paesaggio*) beautiful; (*uomo*) handsome; (*tempo*) beautiful, fine, lovely; **farsi ~ di qc** to show off about sth; **fare la ~a vita** to have an easy life; **le ~e arti** fine arts

2 (*quantità*): **una ~a cifra** a considerable sum of money; **un bel niente** absolutely nothing

3 (*rafforzativo*): **è una truffa ~a e buona!** it's a real fraud!; **oh ~a!, anche questa è ~a!** (*ironico*) that's nice!; **è bell'e finito** it's already finished

♦ *sm/f* (*innamorato*) sweetheart

♦ *sm* **1** (*bellezza*) beauty; (*tempo*) fine weather

2: **adesso viene il ~** now comes the best bit; **sul più ~** at the crucial point; **cosa fai di ~?** are you doing anything interesting?

♦ *sf* (*anche:* **~a copia**) fair copy; (*SPORT, CARTE*) decider

♦ *av*: **fa ~** the weather is fine, it's fine; **alla bell'e meglio** somehow or other.

─────────────

bellu'nese *ag* of (*o* from) Belluno.
'**belva** *sf* wild animal.
belve'dere *sm inv* panoramic viewpoint.
benché [ben'ke] *cong* although.
'**benda** *sf* bandage; (*per gli occhi*) blindfold.
ben'dare *vt* to bandage; to blindfold.
bendis'posto, a *ag*: **~ a qn/qc** well disposed towards sb/sth.
'**bene** *av* well; (*completamente, affatto*): **è ben difficile** it's very difficult ♦ *ag inv*: **gente ~** well-to-do people ♦ *sm* good; (*COMM*) asset; **~i** *smpl* (*averi*) property *sg*, estate *sg*; **io sto ~/poco ~** I'm well/not very well; **va ~** all right; **ben più lungo/caro** much longer/more expensive; **lo spero ~** I certainly hope so; **volere un ~ dell'anima a qn** to love sb very much; **un uomo per ~** a respectable man; **fare ~ to** do the right thing; **fare ~ a** (*salute*) to be good for; **fare del ~ a qn** to do sb a good turn; **di ~ in meglio** better and better; **~i ambientali** environmental assets; **~i di consumo** consumer goods; **~i di consumo durevole** consumer durables; **~i culturali** cultural heritage; **~i immateriali** immaterial *o* intangible assets; **~i patrimoniali** fixed assets; **~i privati** private property *sg*; **~i pubblici** public property *sg*; **~i reali** tangible assets.
bene'detto, a *pp di* **benedire** ♦ *ag* blessed,

holy.
bene'dire *vt* to bless; to consecrate; **l'ho mandato a farsi ~** (*fig*) I told him to go to hell.
benedizi'one [benedit'tsjone] *sf* blessing.
benedu'cato, a *ag* well-mannered.
benefat'tore, 'trice *sm/f* benefactor/benefactress.
benefi'cenza [benefi't∫ɛntsa] *sf* charity.
benefici'are [benefi't∫are] *vi*: **~ di** to benefit by, benefit from.
benefici'ario, a [benefi't∫arjo] *ag, sm/f* beneficiary.
bene'ficio [bene'fit∫o] *sm* benefit; **con ~ d'inventario** (*fig*) with reservations.
be'nefico, a, ci, che *ag* beneficial; charitable.
'**Benelux** *sm*: **il ~** Benelux, the Benelux countries.
beneme'renza [beneme'rɛntsa] *sf* merit.
bene'merito, a *ag* meritorious.
bene'placito [bene'plat∫ito] *sm* (*approvazione*) approval; (*permesso*) permission.
be'nessere *sm* well-being.
benes'tante *ag* well-to-do.
benes'tare *sm* consent, approval.
benevo'lenza [benevo'lɛntsa] *sf* benevolence.
be'nevolo, a *ag* benevolent.
ben'godi *sm* land of plenty.
benia'mino, a *sm/f* favourite (*BRIT*), favorite (*US*).
be'nigno, a [be'niɲɲo] *ag* kind, kindly; (*critica etc*) favourable (*BRIT*), favorable (*US*); (*MED*) benign.
benintenzio'nato, a [benintentsjo'nato] *ag* well-meaning.
benin'teso *av* of course; **~ che** *cong* provided that.
benpen'sante *sm/f* conformist.
benser'vito *sm*: **dare il ~ a qn** (*sul lavoro*) to give sb the sack, fire sb; (*fig*) to send sb packing.
bensì *cong* but (rather).
benve'nuto, a *ag, sm* welcome; **dare il ~ a qn** to welcome sb.
ben'visto, a *ag*: **essere ~ (da)** to be well thought of (by).
benvo'lere *vt*: **farsi ~ da tutti** to win everybody's affection; **prendere a ~ qn/qc** to take a liking to sb/sth.
ben'zina [ben'dzina] *sf* petrol (*BRIT*), gas (*US*); **fare ~** to get petrol *o* gas; **rimanere senza ~** to run out of petrol *o* gas; **~ verde** unleaded petrol, lead-free petrol.
benzi'naio [bendzi'najo] *sm* petrol (*BRIT*) *o* gas (*US*) pump attendant.

be'one *sm* heavy drinker.

'bere *vt* to drink; (*assorbire*) to soak up; **questa volta non me la dai a** ~! I won't be taken in this time!

berga'masco, a, schi, sche *ag* of (*o* from) Bergamo.

'Bering ['beriŋ]: **il mar di** ~ *sm* the Bering Sea.

ber'lina *sf* (*AUT*) saloon (car) (*BRIT*), sedan (*US*); **mettere alla** ~ (*fig*) to hold up to ridicule.

Ber'lino *sf* Berlin; ~ **est/ovest** East/West Berlin.

Ber'muda *sfpl*: **le** ~ Bermuda *sg*.

ber'muda *smpl* (*calzoncini*) Bermuda shorts.

'Berna *sf* Bern.

ber'noccolo *sm* bump; (*inclinazione*) flair.

ber'retto *sm* cap.

berrò *etc vb vedi* **bere**.

bersagli'are [bersaʎ'ʎare] *vt* to shoot at; (*colpire ripetutamente, fig*) to bombard; **bersagliato dalla sfortuna** dogged by ill fortune.

bersagli'ere [bersaʎ'ʎɛre] *sm member of rifle regiment in Italian army*.

ber'saglio [ber'saʎʎo] *sm* target.

bes'temmia *sf* curse; (*REL*) blasphemy.

bestemmi'are *vi* to curse, swear; to blaspheme ♦ *vt* to curse, swear at; to blaspheme; ~ **come un turco** to swear like a trooper.

'bestia *sf* animal; **lavorare come una** ~ to work like a dog; **andare in** ~ (*fig*) to fly into a rage; (*fig: persona*) an oddball; ~ **da soma** beast of burden.

besti'ale *ag* bestial, brutish; (*fam*): **fa un caldo** ~ it's terribly hot; **fa un freddo** ~ it's bitterly cold.

bestialità *sf inv* (*qualità*) bestiality; **dire/fare una** ~ **dopo l'altra** to say/do one idiotic thing after another.

besti'ame *sm* livestock; (*bovino*) cattle *pl*.

Bet'lemme *sf* Bethlehem.

betoni'era *sf* cement mixer.

'bettola *sf* (*peg*) dive.

be'tulla *sf* birch.

be'vanda *sf* drink, beverage.

bevi'tore, 'trice *sm/f* drinker.

'bevo *etc vb vedi* **bere**.

be'vuto, a *pp di* **bere** ♦ *sf* drink.

'bevvi *etc vb vedi* **bere**.

BG *sigla* = Bergamo.

BI *sigla f* = Banca d'Italia ♦ *sigla* = Biella.

bi'ada *sf* fodder.

bianche'ria [bjanke'ria] *sf* linen; ~ **intima** underwear; ~ **da donna** ladies' underwear, lingerie.

bi'anco, a, chi, che *ag* white; (*non scritto*) blank ♦ *sm* white; (*intonaco*) whitewash ♦ *sm/f* white, white man/woman; **in** ~ (*foglio, assegno*) blank; **in** ~ **e nero** (*TV, FOT*) black and white; **mangiare in** ~ to follow a bland diet; **pesce in** ~ boiled fish; **andare in** ~ (*non riuscire*) to fail; (*in amore*) to be rejected; **notte** ~**a** *o* **in** ~ sleepless night; **voce** ~**a** (*MUS*) treble (voice); **votare scheda** ~**a** to return a blank voting slip; ~ **dell'uovo** egg-white.

bianco'segno [bjanko'seɲɲo] *sm* signature to a blank document.

biancos'pino *sm* hawthorn.

biasci'care [bjaʃʃi'kare] *vt* to mumble.

biasi'mare *vt* to disapprove of, censure.

bi'asimo *sm* disapproval, censure.

'bibbia *sf* bible.

bibe'ron *sm inv* feeding bottle.

'bibita *sf* (soft) drink.

bibliogra'fia *sf* bibliography.

biblio'teca, che *sf* library; (*mobile*) bookcase.

bibliote'cario, a *sm/f* librarian.

bicame'rale *ag* (*POL*) two-chamber *cpd*.

bicarbo'nato *sm*: ~ **(di sodio)** bicarbonate (of soda).

bicchi'ere [bik'kjɛre] *sm* glass; **è (facile) come bere un bicchier d'acqua** it's as easy as pie.

bici'cletta [bitʃi'kletta] *sf* bicycle; **andare in** ~ to cycle.

bi'cipite [bi'tʃipite] *sm* bicep.

bidè *sm inv* bidet.

bi'dello, a *sm/f* (*INS*) janitor.

bi'det *sm inv* = **bidè**.

bidirezio'nale [bidirettsjo'nale] *ag* bidirectional.

bido'nare *vt* (*fam: piantare in asso*) to let down; (: *imbrogliare*) to cheat, swindle.

bido'nata *sf* (*fam*) swindle.

bi'done *sm* drum, can; (*anche:* ~ **dell'immondizia**) (dust)bin; (*fam: truffa*) swindle; **fare un** ~ **a qn** (*fam*) to let sb down; to cheat sb.

bidon'ville [bidõ'vil] *sf inv* shanty town.

bi'eco, a, chi, che *ag* sinister.

bi'ella *sf* (*TECN*) connecting rod.

Bielo'russia *sf* Belarus, Belorussia.

bielo'russo, a *ag, sm/f* Belarussian, Belorussian.

bien'nale *ag* biennial ♦ *sf*: **la B**~ **di Venezia** the Venice Arts Festival.

---

*The **Biennale di Venezia** is an international contemporary art festival. It takes place every two years, at Giardini, and first began in 1895. In its current form it includes*

National Pavilions, with exhibits organized by the various countries taking part, an exhibition on a particular theme and a section for young artists.

bi'ennio *sm* period of two years.
bi'erre *sm/f member of the Red Brigades.*
bi'etola *sf* beet.
bifo'cale *ag* bifocal.
bi'folco, a, chi, che *sm/f (peg)* bumpkin, yokel.
'bifora *sf (ARCHIT)* mullioned window.
bifor'carsi *vr* to fork.
biforcazi'one [biforkat'tsjone] *sf* fork.
bifor'cuto, a *ag (anche fig)* forked.
biga'mia *sf* bigamy.
'bigamo, a *ag* bigamous ♦ *sm/f* bigamist.
bighello'nare [bigello'nare] *vi* to loaf (about).
bighel'lone, a [bigel'lone] *sm/f* loafer.
bigiotte'ria [bidʒotte'ria] *sf* costume jewellery (*BRIT*) *o* jewelry (*US*); (*negozio*) jeweller's (shop) (*BRIT*) *o* jewelry store (*US*) (*selling only costume jewellery*).
bigli'ardo [biʎ'ʎardo] *sm* = **biliardo.**
bigliet'taio, a [biʎʎet'tajo] *sm/f (nei treni)* ticket inspector; (*in autobus etc*) conductor/conductress; (*CINE, TEAT*) box-office attendant.
bigliette'ria [biʎʎette'ria] *sf (di stazione)* ticket office; booking office; (*di teatro*) box office.
bigli'etto [biʎ'ʎetto] *sm (per viaggi, spettacoli etc)* ticket; (*cartoncino*) card; (*anche:* ~ **di banca**) (bank)note; ~ **d'auguri/da visita** greetings/visiting card; ~ **d'andata e ritorno** return (*BRIT*) *o* round-trip (*US*) ticket; ~ **omaggio** complimentary ticket.
bignè [biɲ'ɲɛ] *sm inv* cream puff.
bigo'dino *sm* roller, curler.
bi'gotto, a *ag* over-pious ♦ *sm/f* church fiend.
bi'kini *sm inv* bikini.
bi'lancia, ce [bi'lantʃa] *sf (pesa)* scales *pl*; (*: di precisione*) balance; (*dello zodiaco*): **B~** Libra; **essere della B~** to be Libra; ~ **commerciale/dei pagamenti** balance of trade/payments.
bilanci'are [bilan'tʃare] *vt (pesare)* to weigh; (*: fig*) to weigh up; ~ **le uscite e le entrate** (*COMM*) to balance expenditure and revenue.
bi'lancio [bi'lantʃo] *sm (COMM)* balance (sheet); (*statale*) budget; **far quadrare il** ~ to balance the books; **chiudere il** ~ **in attivo/passivo** to make a profit/loss; **fare il** ~ **di** (*fig*) to assess; ~ **consolidato**

consolidated balance; ~ **consuntivo** (final) balance; ~ **preventivo** budget; ~ **pubblico** national budget; ~ **di verifica** trial balance.
bilate'rale *ag* bilateral.
'bile *sf* bile; (*fig*) rage, anger.
bili'ardo *sm* billiards *sg*; (*tavolo*) billiard table.
'bilico, chi *sm*: **essere in** ~ to be balanced; (*fig*) to be undecided; **tenere qn in** ~ to keep sb in suspense.
bi'lingue *ag* bilingual.
bili'one *sm (mille milioni)* thousand million, billion (*US*); (*milione di milioni*) billion (*BRIT*), trillion (*US*).
'bimbo, a *sm/f* little boy/girl.
bimen'sile *ag* fortnightly.
bimes'trale *ag* two-monthly, bimonthly.
bi'mestre *sm* two-month period; **ogni** ~ every two months.
bi'nario, a *ag* binary ♦ *sm* (railway) track *o* line; (*piattaforma*) platform; ~ **morto** dead-end track.
bi'nocolo *sm* binoculars *pl*.
bio... *prefisso* bio....
bio'chimica [bio'kimika] *sf* biochemistry.
biodegra'dabile *ag* biodegradable.
biodiversità *sf* biodiversity.
bio'etica *sf* bioethics *sg*.
bio'etico, a, ci, che *ag* bioethical.
bio'fabbrica *sf factory producing biological control agents.*
bio'fisica *sf* biophysics *sg*.
biogra'fia *sf* biography.
bio'grafico, a, ci, che *ag* biographical.
bi'ografo, a *sm/f* biographer.
biolo'gia [biolo'dʒia] *sf* biology.
bio'logico, a, ci, che [bio'lɔdʒiko] *ag* biological.
bi'ologo, a, ghi, ghe *sm/f* biologist.
bi'ondo, a *ag* blond, fair.
bi'onico, a, ci, che *ag* bionic.
biop'sia *sf* biopsy.
bio'ritmo *sm* biorhythm.
bios'fera *sf* biosphere.
bipar'tito, a *ag (POL)* two-party *cpd* ♦ *sm* (*POL*) two-party alliance.
'birba *sf* rascal, rogue.
bir'bante *sm* rascal, rogue.
birbo'nata *sf* naughty trick.
bir'bone, a *ag (bambino)* naughty ♦ *sm/f* little rascal.
biri'chino, a [biri'kino] *ag* mischievous ♦ *sm/f* scamp, little rascal.
bi'rillo *sm* skittle (*BRIT*), pin (*US*); ~**i** *smpl* (*gioco*) skittles *sg (BRIT)*, bowling *no pl (US)*.
Bir'mania *sf*: **la** ~ Burma.
bir'mano, a *ag, sm/f* Burmese (*inv*).

'**biro** ® *sf inv* biro ®.
'**birra** *sf* beer; ~ **scura** stout; **a tutta** ~ (*fig*) at top speed.
birre'ria *sf* (*locale*) ≈ bierkeller; (*fabbrica*) brewery.
bis *escl, sm inv* encore ♦ *ag inv* (*treno, autobus*) relief *cpd* (*BRIT*), additional; (*numero*): **12** ~ 12a.
bi'saccia, ce [bi'zattʃa] *sf* knapsack.
Bi'sanzio [bi'zantsjo] *sf* Byzantium.
bis'betico, a, ci, che *ag* ill-tempered, crabby.
bisbigli'are [bizbiʎ'ʎare] *vt, vi* to whisper.
bis'biglio [biz'biʎʎo] *sm* whisper; (*notizia*) rumour (*BRIT*), rumor (*US*).
bisbi'glio [bizbiʎ'ʎio] *sm* whispering.
bis'boccia, ce [biz'bɔttʃa] *sf* binge, spree; **fare** ~ to have a binge.
'**bisca, sche** *sf* gambling house.
Bis'caglia [bis'kaʎʎa] *sf*: **il golfo di** ~ the Bay of Biscay.
'**bischero** ['biskero] *sm* (*MUS*) peg; (*fam: toscano*) fool, idiot.
'**biscia, sce** ['biʃʃa] *sf* snake; ~ **d'acqua** water snake.
biscot'tato, a *ag* crisp; **fette** ~**e** rusks.
bis'cotto *sm* biscuit.
bisessu'ale *ag, sm/f* bisexual.
bises'tile *ag*: **anno** ~ leap year.
bisezi'one [biset'tsjone] *sf* dichotomy.
bis'lacco, a, chi, che *ag* odd, weird.
bis'lungo, a, ghi, ghe *ag* oblong.
biso'gnare [bizoɲ'ɲare] *vb impers*: **bisogna che tu parta/lo faccia** you'll have to go/do it; **bisogna parlargli** we'll (*o* I'll) have to talk to him ♦ *vi* (*esser utile*) to be necessary.
bi'sogno [bi'zoɲɲo] *sm* need; ~**i** *smpl* (*necessità corporali*): **fare i propri** ~**i** to relieve o.s.; **avere** ~ **di qc/di fare qc** to need sth/to do sth; **al** ~, **in caso di** ~ if need be.
biso'gnoso, a [bizoɲ'ɲoso] *ag* needy, poor; ~ **di** in need of, needing.
bi'sonte *sm* (*ZOOL*) bison.
bis'tecca *sf* steak, beefsteak; ~ **al sangue/ai ferri** rare/grilled steak.
bisticci'are [bistit'tʃare] *vi*, ~**rsi** *vr* to quarrel, bicker.
bis'ticcio [bis'tittʃo] *sm* quarrel, squabble; (*gioco di parole*) pun.
bistrat'tare *vt* to maltreat.
'**bisturi** *sm inv* scalpel.
bi'sunto, a *ag* very greasy.
bi'torzolo [bi'tortsolo] *sm* (*sulla testa*) bump; (*sul corpo*) lump.
'**bitter** *sm inv* bitters *pl*.
bi'tume *sm* bitumen.

bivac'care *vi* (*MIL*) to bivouac; (*fig*) to bed down.
bi'vacco, chi *sm* bivouac.
'**bivio** *sm* fork; (*fig*) dilemma.
bizan'tino, a [biddzan'tino] *ag* Byzantine.
'**bizza** ['biddza] *sf* tantrum; **fare le** ~**e** to throw a tantrum.
biz'zarro, a [bid'dzarro] *ag* bizarre, strange.
biz'zeffe [bid'dzɛffe]: **a** ~ *av* in plenty, galore.
BL *sigla* = *Belluno*.
blan'dire *vt* to soothe; to flatter.
'**blando, a** *ag* mild, gentle.
blas'femo, a *ag* blasphemous ♦ *sm/f* blasphemer.
bla'sone *sm* coat of arms.
blate'rare *vi* to chatter.
'**blatta** *sf* cockroach.
blin'dare *vt* to armour (*BRIT*), armor (*US*).
blin'data *sf* (*macchina*) armoured car *o* limousine.
blin'dato, a *ag* armoured (*BRIT*), armored (*US*); **camera** ~**a** strongroom; **mezzo** ~ armoured vehicle; **porta** ~**a** reinforced door; **vita** ~**a** a life amid maximum security; **vetro** ~ bulletproof glass.
bloc'care *vt* to block; (*isolare*) to isolate, cut off; (*porto*) to blockade; (*prezzi, beni*) to freeze; (*meccanismo*) to jam; ~**rsi** *vr* (*motore*) to stall; (*freni, porta*) to jam, stick; (*ascensore*) to get stuck, stop; **ha bloccato la macchina** (*AUT*) he jammed on the brakes.
bloccas'terzo [blokkas'tɛrtso] *sm* (*AUT*) steering lock.
bloccherò *etc* [blokke'rɔ] *vb vedi* **bloccare**.
bloc'chetto [blok'ketto] *sm* notebook.
'**blocco, chi** *sm* block; (*MIL*) blockade; (*dei fitti*) restriction; (*quadernetto*) pad; (*fig: unione*) coalition; (*il bloccare*) blocking; isolating, cutting-off; blockading; freezing; jamming; **in** ~ (*nell'insieme*) as a whole; (*COMM*) in bulk; ~ **cardiaco** cardiac arrest.
bloc-'notes [blɔk'nɔt] *sm inv* notebook, notepad.
blu *ag inv, sm inv* dark blue.
bluff [blɛf] *sm inv* bluff.
bluf'fare *vi* (*anche fig*) to bluff.
'**blusa** *sf* (*camiciotto*) smock; (*camicetta*) blouse.
BMT *sigla m* = **bollettino meteorologico**.
BN *sigla* = *Benevento*.
BO *sigla* = *Bologna*.
'**boa** *sm inv* (*ZOOL*) boa constrictor; (*sciarpa*) feather boa ♦ *sf* buoy.
bo'ato *sm* rumble, roar.

bob [bɔb] *sm inv* bobsleigh.

bo'bina *sf* reel, spool; (*di pellicola*) spool; (*di film*) reel; (*ELETTR*) coil.

'bocca, che *sf* mouth; **essere di buona ~** to be a hearty eater; (*fig*) to be easily satisfied; **essere sulla ~ di tutti** (*persona, notizia*) to be the talk of the town; **rimanere a ~ asciutta** to have nothing to eat; (*fig*) to be disappointed; **in ~ al lupo!** good luck!; **~ di leone** (*BOT*) snapdragon.

boc'caccia, ce [bok'kattʃa] *sf* (*malalingua*) gossip; (*smorfia*): **fare le ~ce** to pull faces.

boc'caglio [bok'kaʎʎo] *sm* (*TECN*) nozzle; (*di respiratore*) mouthpiece.

boc'cale *sm* jug; **~ da birra** tankard.

bocca'scena [bokkaʃ'ʃɛna] *sm inv* proscenium.

boc'cata *sf* mouthful; (*di fumo*) puff; **prendere una ~ d'aria** to go out for a breath of (fresh) air.

boc'cetta [bot'tʃetta] *sf* small bottle.

boccheggi'are [bokked'dʒare] *vi* to gasp.

boc'chino [bok'kino] *sm* (*di sigaretta, sigaro: cannella*) cigarette-holder; cigar-holder; (*di pipa, strumenti musicali*) mouthpiece.

'boccia, ce ['bottʃa] *sf* bottle; (*da vino*) decanter, carafe; (*palla di legno, metallo*) bowl; **gioco delle ~ce** bowls *sg*.

bocci'are [bot'tʃare] *vt* (*proposta, progetto*) to reject; (*INS*) to fail; (*BOCCE*) to hit.

boccia'tura [bottʃa'tura] *sf* failure.

bocci'olo [bot'tʃɔlo] *sm* bud.

'boccolo *sm* curl.

boccon'cino [bokkon'tʃino] *sm* (*pietanza deliziosa*) delicacy.

boc'cone *sm* mouthful, morsel; **mangiare un ~** to have a bite to eat.

boc'coni *av* face downwards.

Bo'emia *sf* Bohemia.

bo'emo, a *ag, sm/f* Bohemian.

bofonchi'are [bofon'kjare] *vi* to grumble.

Bogotá *sf* Bogotá.

'boia *sm inv* executioner; hangman; **fa un freddo ~** (*fam*) it's cold as hell; **mondo ~!, ~ d'un mondo ladro!** (*fam*) damn!, blast!

boi'ata *sf* botch.

boicot'taggio [boikot'taddʒo] *sm* boycott.

boicot'tare *vt* to boycott.

'bolgia, ge ['bɔldʒa] *sf* (*fig*): **c'era una tale ~ al cinema** the cinema was absolutely mobbed.

'bolide *sm* (*ASTR*) meteor; (*macchina: da corsa*) racing car (*BRIT*), race car (*US*); (*: elaborata*) performance car; **come un ~** like a flash, at top speed; **entrare/uscire come un ~** to charge in/out.

Bo'livia *sf*: **la ~** Bolivia.

bolivi'ano, a *ag, sm/f* Bolivian.

'bolla *sf* bubble; (*MED*) blister; (*COMM*) bill, receipt; **finire in una ~ di sapone** (*fig*) to come to nothing; **~ di accompagnamento** waybill; **~ di consegna** delivery note; **~ papale** papal bull.

bol'lare *vt* to stamp; (*fig*) to brand.

bol'lente *ag* boiling; boiling hot; **calmare i ~i spiriti** to sober up, calm down.

bol'letta *sf* bill; (*ricevuta*) receipt; **essere in ~** to be hard up; **~ di consegna** delivery note; **~ doganale** clearance certificate; **~ di trasporto aereo** air waybill.

bollet'tino *sm* bulletin; (*COMM*) note; **~ meteorologico** weather forecast; **~ di ordinazione** order form; **~ di spedizione** consignment note.

bol'lire *vt, vi* to boil; **qualcosa bolle in pentola** (*fig*) there's something brewing.

bol'lito *sm* (*CUC*) boiled meat.

bolli'tore *sm* (*TECN*) boiler; (*CUC: per acqua*) kettle; (*: per latte*) milk pan.

bolli'tura *sf* boiling.

'bollo *sm* stamp; **imposta di ~** stamp duty; **~ auto** road tax; **~ per patente** driving licence tax; **~ postale** postmark.

bol'lore *sm*: **dare un ~ a qc** to bring sth to the boil (*BRIT*) *o* a boil (*US*); **i ~i della gioventù** youthful enthusiasm *sg*.

Bo'logna [bo'loɲɲa] *sf* Bologna.

bolo'gnese [boloɲ'ɲese] *ag* Bolognese; **spaghetti alla ~** spaghetti bolognese.

'bomba *sf* bomb; **tornare a ~** (*fig*) to get back to the point; **sei stato una ~!** you were tremendous!; **~ atomica** atom bomb; **~ a mano** hand grenade; **~ ad orologeria** time bomb.

bombarda'mento *sm* bombardment; bombing.

bombar'dare *vt* to bombard; (*da aereo*) to bomb.

bombardi'ere *sm* bomber.

bom'betta *sf* bowler (hat) (*BRIT*), derby (*US*).

'bombola *sf* cylinder; **~ del gas** gas cylinder.

bomboni'era *sf* box of sweets (*as souvenir at weddings, first communions etc*).

bo'naccia, ce [bo'nattʃa] *sf* dead calm.

bonacci'one, a [bonat'tʃone] *ag* good-natured, easy-going ♦ *sm/f* good-natured sort.

bo'nario, a *ag* good-natured, kind.

bo'nifica, che *sf* reclamation; reclaimed land.

bo'nifico, ci *sm* (*riduzione, abbuono*) discount; (*versamento a terzi*) credit transfer.

Bonn *sf* Bonn.
bontà *sf* goodness; (*cortesia*) kindness; **aver la ~ di fare qc** to be good *o* kind enough to do sth.
'bonus-'malus *sm inv* ≈ no-claims bonus.
bor'bonico, a, ci, che *ag* Bourbon; (*fig*) backward, out of date.
borbot'tare *vi* to mumble; (*stomaco*) to rumble.
borbot'tio, ii *sm* mumbling; rumbling.
'borchia ['borkja] *sf* stud.
borda'tura *sf* (*SARTORIA*) border, trim.
bor'deaux [bor'dɔ] *sm* (*colore*) burgundy, maroon; (*vino*) Bordeaux.
bor'dello *sm* brothel.
'bordo *sm* (*NAUT*) ship's side; (*orlo*) edge; (*striscia di guarnizione*) border, trim; **a ~ di** (*nave, aereo*) aboard, on board; (*macchina*) in; **sul ~ della strada** at the roadside; **persona d'alto ~** (*fig*) VIP.
bor'dura *sf* border.
bor'gata *sf* hamlet; (*a Roma*) working-class suburb.
bor'ghese [bor'geze] *ag* (*spesso peg*) middle-class; bourgeois; **abito ~** civilian dress; **poliziotto in ~** plainclothes policeman.
borghe'sia [borge'zia] *sf* middle classes *pl*; bourgeoisie.
'borgo, ghi *sm* (*paesino*) village; (*quartiere*) district; (*sobborgo*) suburb.
'boria *sf* self-conceit, arrogance.
bori'oso, a *ag* arrogant.
bor'lotto *sm* kidney bean.
'Borneo *sm*: **il ~** Borneo.
boro'talco *sm* talcum powder.
bor'raccia, ce [bor'rattʃa] *sf* canteen, water-bottle.
'borsa *sf* bag; (*anche*: **~ da signora**) handbag; (*ECON*): **la B~** (*valori*) the Stock Exchange; **~ dell'acqua calda** hot-water bottle; **B~ merci** commodity exchange; **~ nera** black market; **~ della spesa** shopping bag; **~ di studio** grant.
borsai'olo *sm* pickpocket.
bor'seggio [bor'seddʒo] *sm* pickpocketing.
borsel'lino *sm* purse.
bor'sello *sm* gent's handbag.
bor'setta *sf* handbag.
bor'sista, i, e *sm/f* (*ECON*) speculator; (*INS*) grant-holder.
bos'caglia [bos'kaʎʎa] *sf* woodlands *pl*.
boscai'olo, boscaiu'olo *sm* woodcutter; forester.
bos'chetto [bos'ketto] *sm* copse, grove.
'bosco, schi *sm* wood.
bos'coso, a *ag* wooded.
bos'niaco, a, ci, che *ag, sm/f* Bosnian.

'Bosnia-Erze'govina ['bɔsnja erdze'govina] *sf*: **la ~** Bosnia-Herzegovina.
'bossolo *sm* cartridge case.
Bot, bot *sigla m inv vedi* **buono ordinario del Tesoro**.
bo'tanico, a, ci, che *ag* botanical ♦ *sm* botanist ♦ *sf* botany.
'botola *sf* trap door.
Bots'wana [bots'vana] *sm*: **il ~** Botswana.
'botta *sf* blow; (*rumore*) bang; **dare (un sacco di) ~e a qn** to give sb a good thrashing; **~ e risposta** (*fig*) cut and thrust.
'botte *sf* barrel, cask; **essere in una ~ di ferro** (*fig*) to be as safe as houses; **volere la ~ piena e la moglie ubriaca** to want to have one's cake and eat it.
bot'tega, ghe *sf* shop; (*officina*) workshop; **stare a ~ (da qn)** to serve one's apprenticeship (with sb); **le B~ghe Oscure** *headquarters of the P.D.S.*
botte'gaio, a *sm/f* shopkeeper.
botte'ghino [botte'gino] *sm* ticket office; (*del lotto*) public lottery office.
bot'tiglia [bot'tiʎʎa] *sf* bottle.
bottiglie'ria [bottiʎʎe'ria] *sf* wine shop.
bot'tino *sm* (*di guerra*) booty; (*di rapina, furto*) loot; **fare ~ di qc** (*anche fig*) to make off with sth.
'botto *sm* bang; crash; **di ~** suddenly; **d'un ~** (*fam*) in a flash.
bot'tone *sm* button; (*BOT*) bud; **stanza dei ~i** control room; (*fig*) nerve centre; **attaccare (un) ~ a *o* con qn** to buttonhole sb; **botton d'oro** buttercup.
bo'vino, a *ag* bovine; **~i** *smpl* cattle.
box [bɔks] *sm inv* (*per cavalli*) horsebox; (*per macchina*) lock-up; (*per macchina da corsa*) pit; (*per bambini*) playpen.
boxe [bɔks] *sf* boxing.
'boxer ['bɔkser] *sm inv* (*cane*) boxer ♦ *smpl* (*mutande*): **un paio di ~** a pair of boxer shorts.
'bozza ['bɔttsa] *sf* draft; (*TIP*) proof; **~ di stampa/impaginata** galley/page proof.
boz'zetto [bot'tsetto] *sm* sketch.
'bozzolo ['bɔttsolo] *sm* cocoon.
BR *sigla fpl* = **Brigate Rosse** ♦ *sigla* = Brindisi.
'braca, che *sf* (*gamba di pantalone*) trouser leg; **~che** *sfpl* (*fam*) trousers, pants (*US*); (*mutandoni*) drawers; **calare le ~che** (*fig fam*) to chicken out.
brac'care *vt* to hunt.
brac'cetto [brat'tʃetto] *sm*: **a ~** arm in arm.
braccherò *etc* [brakke'rɔ] *vb vedi* **braccare**.
bracci'ale [brat'tʃale] *sm* bracelet; (*distintivo*) armband.
braccia'letto [brattʃa'letto] *sm* bracelet,

bangle.

bracci'ante [brat't∫ante] *sm* (*AGR*) day labourer.

bracci'ata [brat't∫ata] *sf* armful; (*nel nuoto*) stroke.

'braccio ['bratt∫o] *sm* (*pl(f)* **braccia**: *ANAT*) arm; (*pl(m)* **bracci**: *di gru, fiume*) arm; (*: di edificio*) wing; **camminare sotto** ~ to walk arm in arm; **è il suo** ~ **destro** he's his right-hand man; ~ **di ferro** (*anche fig*) trial of strength; ~ **di mare** sound.

bracci'olo [brat't∫ɔlo] *sm* (*appoggio*) arm.

'bracco, chi *sm* hound.

bracconi'ere *sm* poacher.

'brace ['brat∫e] *sf* embers *pl*.

braci'ere [bra't∫ɛre] *sm* brazier.

braci'ola [bra't∫ɔla] *sf* (*CUC*) chop.

'bradipo *sm* (*ZOOL*) sloth.

'brado, a *ag*: **allo stato** ~ in the wild *o* natural state.

'brama *sf*: ~ (**di/di fare**) longing (for/to do), yearning (for/to do).

bra'mare *vt*: ~ (**qc/di fare qc**) to long (for sth/to do sth), yearn (for sth/to do sth).

bramo'sia *sf*: ~ (**di**) longing (for), yearning (for).

'branca, che *sf* branch.

'branchia ['brankja] *sf* (*ZOOL*) gill.

'branco, chi *sm* (*di cani, lupi*) pack; (*di uccelli, pecore*) flock; (*peg: di persone*) gang, pack.

branco'lare *vi* to grope, feel one's way.

'branda *sf* camp bed.

bran'dello *sm* scrap, shred; **a** ~**i** in tatters, in rags; **fare a** ~**i** to tear to shreds.

bran'dina *sf* camp bed (*BRIT*), cot (*US*).

bran'dire *vt* to brandish.

'brano *sm* piece; (*di libro*) passage.

bra'sare *vt* to braise.

bra'sato *sm* braised beef.

Bra'sile *sm*: **il** ~ Brazil.

Bra'silia *sf* Brasilia.

brasili'ano, a *ag, sm/f* Brazilian.

bra'vata *sf* (*azione spavalda*) act of bravado.

'bravo, a *ag* (*abile*) clever, capable, skilful; (*buono*) good, honest; (*: bambino*) good; (*coraggioso*) brave; ~! well done!; (*al teatro*) bravo!; **su da** ~! (*fam*) there's a good boy!; **mi sono fatto le mie** ~**e 8 ore di lavoro** I put in a full 8 hours' work.

bra'vura *sf* cleverness, skill.

'breccia, ce ['brett∫a] *sf* breach; **essere sulla** ~ (*fig*) to be going strong; **fare** ~ **nell'animo** *o* **nel cuore di qn** to find the way to sb's heart.

'Brema *sf* Bremen.

bre'saola *sf* kind of dried salted beef.

bresci'ano, a [bre∫'∫ano] *ag* of (*o* from) Brescia.

Bre'tagna [bre'taɲɲa] *sf*: **la** ~ Brittany.

bre'tella *sf* (*AUT*) link; ~**e** *sfpl* braces.

'bret(t)one *ag, sm/f* Breton.

'breve *ag* brief, short; **in** ~ in short; **per farla** ~ to cut a long story short; **a** ~ (*COMM*) short-term.

brevet'tare *vt* to patent.

bre'vetto *sm* patent; ~ **di pilotaggio** pilot's licence (*BRIT*) *o* license (*US*).

brevità *sf* brevity.

'brezza ['breddza] *sf* breeze.

'bricco, chi *sm* jug; ~ **del caffè** coffeepot.

bricco'nata *sf* mischievous trick.

bric'cone, a *sm/f* rogue, rascal.

'briciola ['brit∫ola] *sf* crumb.

'briciolo ['brit∫olo] *sm* (*specie fig*) bit.

bridge [bridʒ] *sm* bridge.

'briga, ghe *sf* (*fastidio*) trouble, bother; **attaccar** ~ to start a quarrel; **pigliarsi la** ~ **di fare qc** to take the trouble to do sth.

brigadi'ere *sm* (*dei carabinieri etc*) ≈ sergeant.

bri'gante *sm* bandit.

bri'gata *sf* (*MIL*) brigade; (*gruppo*) group, party; **le B**~**e Rosse** (*POL*) the Red Brigades.

briga'tismo *sm* phenomenon of the Red Brigades.

briga'tista, i, e *sm/f* (*POL*) member of the Red Brigades.

'briglia ['briʎʎa] *sf* rein; **a** ~ **sciolta** at full gallop; (*fig*) at full speed.

bril'lante *ag* bright; (*anche fig*) brilliant; (*che luccica*) shining ♦ *sm* diamond.

brillan'tina *sf* brilliantine.

bril'lare *vi* to shine; (*mina*) to blow up ♦ *vt* (*mina*) to set off.

'brillo, a *ag* merry, tipsy.

'brina *sf* hoarfrost.

brin'dare *vi*: ~ **a qn/qc** to drink to *o* toast sb/sth.

'brindisi *sm inv* toast.

'brio *sm* liveliness, go.

bri'oche [bri'ɔ∫] *sf inv* brioche (bun).

bri'oso, a *ag* lively.

'briscola *sf* type of card game; (*seme vincente*) trump(s); (*carta*) trump card.

bri'tannico, a, ci, che *ag* British ♦ *sm/f* Briton; **i B**~**ci** the British *pl*.

'brivido *sm* shiver; (*di ribrezzo*) shudder; (*fig*) thrill; **racconti del** ~ suspense stories.

brizzo'lato, a [brittso'lato] *ag* (*persona*) going grey; (*barba, capelli*) greying.

'brocca, che *sf* jug.

broc'cato *sm* brocade.

'**broccolo** sm broccoli no pl.

bro'daglia [bro'daʎʎa] sf (peg) dishwater.

'**brodo** sm broth; (per cucinare) stock; ~
ristretto consommé; **lasciare (cuocere) qn
nel suo** ~ to let sb stew (in his own
juice); **tutto fa** ~ every little bit helps.

'**broglio** ['brɔʎʎo] sm: ~ **elettorale**
gerrymandering; ~**i** smpl (DIR)
malpractices.

'**bromo** sm (CHIM) bromine.

bron'chite [bron'kite] sf (MED) bronchitis.

'**broncio** ['brontʃo] sm sulky expression;
tenere il ~ to sulk.

'**bronco, chi** sm bronchial tube.

bronto'lare vi to grumble; (tuono, stomaco)
to rumble.

bronto'lio sm grumbling, mumbling.

bronto'lone, a ag grumbling ♦ sm/f
grumbler.

bron'zina [bron'dzina] sf (TECN) bush.

'**bronzo** ['brondzo] sm bronze; **che faccia di**
~**!** what a brass neck!

bross. abbr = **in brossura**.

bros'sura sf: **in** ~ (libro) limpback.

bru'care vt to browse on, nibble at.

brucherà etc [bruke'ra] vb vedi **brucare**.

bruciacchi'are [brutʃak'kjare] vt to singe,
scorch; ~**rsi** vr to become singed o
scorched.

brucia'pelo [brutʃa'pelo]: **a** ~ av point-
blank.

bruci'are [bru'tʃare] vt to burn; (scottare) to
scald ♦ vi to burn; ~ **gli avversari** (SPORT, fig)
to leave the rest of the field behind; ~ **le
tappe** o **i tempi** (SPORT, fig) to shoot ahead;
~**rsi la carriera** to put an end to one's career.

brucia'tore [brutʃa'tore] sm burner.

brucia'tura [brutʃa'tura] sf (atto) burning no
pl; (segno) burn; (scottatura) scald.

bruci'ore [bru'tʃore] sm burning o smarting
sensation.

'**bruco, chi** sm grub; (di farfalla) caterpillar.

'**brufolo** sm pimple, spot.

brughi'era [bru'gjɛra] sf heath, moor.

bruli'care vi to swarm.

bruli'chio, ii [bruli'kio] sm swarming.

'**brullo, a** ag bare, bleak.

'**bruma** sf mist.

'**bruno, a** ag brown, dark; (persona) dark(-
haired).

brusca'mente av (frenare, fermarsi)
suddenly; (rispondere, reagire) sharply.

'**brusco, a, schi, sche** ag (sapore) sharp;
(modi, persona) brusque, abrupt;
(movimento) abrupt, sudden.

bru'sio sm buzz, buzzing.

bru'tale ag brutal.

brutalità sf inv brutality.

'**bruto, a** ag (forza) brute cpd ♦ sm brute.

'**brutta** sf vedi **brutto**.

brut'tezza [brut'tettsa] sf ugliness.

'**brutto, a** ag ugly; (cattivo) bad; (malattia,
strada, affare) nasty, bad ♦ sm: **guardare qn
di** ~ to give sb a nasty look ♦ sf rough
copy, first draft; ~ **tempo** bad weather;
passare un ~ **quarto d'ora** to have a nasty
time of it; **vedersela** ~**a** (per un attimo) to
have a nasty moment; (per un periodo) to
have a bad time of it.

brut'tura sf (cosa brutta) ugly thing;
(sudiciume) filth; (azione meschina) mean
action.

Bru'xelles [bry'sɛl] sf Brussels.

BS sigla = Brescia.

B.T. abbr (= bassa tensione) LT ♦ sigla m inv
= **buono del Tesoro**.

btg abbr = **battaglione**.

Btp sigla m (= buono del Tesoro poliennale,
vedi **buono**.

bub'bone sm swelling.

'**buca, che** sf hole; (avvallamento) hollow; ~
delle lettere letterbox.

buca'neve sm inv snowdrop.

bu'care vt (forare) to make a hole (o holes)
in; (pungere) to pierce; (biglietto) to
punch; ~**rsi** vr (con eroina) to mainline; ~
una gomma to have a puncture; **avere le
mani bucate** (fig) to be a spendthrift.

'**Bucarest** sf Bucharest.

bu'cato sm (operazione) washing; (panni)
wash, washing.

'**buccia, ce** ['buttʃa] sf skin, peel; (corteccia)
bark.

bucherel'lare [bukerel'lare] vt to riddle
with holes.

bucherò etc [buke'rɔ] vb vedi **bucare**.

'**buco, chi** sm hole; **fare un** ~ **nell'acqua** to
fail, draw a blank; **farsi un** ~ (fam:
drogarsi) to have a fix; ~ **nero** (anche fig)
black hole.

'**Budapest** sf Budapest.

'**Budda** sm inv Buddha.

bud'dismo sm Buddhism.

bu'dello sm intestine; (fig: tubo) tube;
(vicolo) alley; ~**a** sfpl bowels, guts.

bu'dino sm pudding.

'**bue**, pl **bu'oi** sm ox; (anche: **carne di** ~)
beef; **uovo all'occhio di** ~ fried egg.

Bu'enos 'Aires sf Buenos Aires.

'**bufalo** sm buffalo.

bu'fera sf storm.

buf'fetto sm flick.

'**buffo, a** ag funny; (TEAT) comic.

buffo'nata sf (azione) prank, jest; (parola)
jest.

buf'fone sm buffoon.

bugge'rare [budd3e'rare] *vt* to swindle, cheat.

bu'gia, 'gie [bu'd3ia] *sf* lie; (*candeliere*) candleholder.

bugi'ardo, a [bu'd3ardo] *ag* lying, deceitful ♦ *sm/f* liar.

bugi'gattolo [bud3i'gattolo] *sm* poky little room.

'buio, a *ag* dark ♦ *sm* dark, darkness; **fa ~ pesto** it's pitch-dark.

'bulbo *sm* (*BOT*) bulb; **~ oculare** eyeball.

Bulga'ria *sf*: **la ~** Bulgaria.

'bulgaro, a *ag, sm/f, sm* Bulgarian.

buli'mia *sf* bulimia.

'bullo *sm* (*persona*) tough.

bul'lone *sm* bolt.

bu'oi *smpl di* **bue.**

buona'fede *sf* good faith.

buon'anima *sf* = **buon'anima**; *vedi* **anima.**

buona'notte *escl* good night! ♦ *sf*: **dare la ~ a** to say good night to.

buona'sera *escl* good evening!

buoncos'tume *sm* public morality; **la (squadra del) ~** (*POLIZIA*) the vice squad.

buondì *escl* hello!

buongi'orno [bwon'd3orno] *escl* good morning (*o* afternoon)!

buon'grado *av*: **di ~** willingly.

buongus'taio, a *sm/f* gourmet.

buon'gusto *sm* good taste.

═══════════════ *PAROLA CHIAVE*

bu'ono, a (*ag: dav sm* **buon** + *C o V,* **buono** + *s impura, gn, pn, ps, x, z; dav sf* **buon'** + *V*) *ag* **1** (*gen*) good; **un buon pranzo/ ristorante** a good lunch/restaurant; (*stai*) ~! behave!; **che ~!** (*cibo*) this is nice!

2 (*benevolo*): **~ (con)** good (to), kind (to)

3 (*giusto, valido*) right; **al momento ~** at the right moment

4 (*adatto*): **~ a/da** fit for/to; **essere ~ a nulla** to be no good *o* use at anything

5 (*auguri*): **buon compleanno!** happy birthday!; **buon divertimento!** have a nice time!; **~a fortuna!** good luck!; **buon riposo!** sleep well!; **buon viaggio!** have a good trip!

6: ad ogni buon conto in any case; **tante ~e cose!** all the best!; **di buon cuore** (*persona*) goodhearted; **di buon grado** willingly; **le ~e maniere** good manners; **di buon mattino** early in the morning; **a buon mercato** cheap; **di buon'ora** early; **mettere una ~a parola** to put in a good word; **di buon passo** at a good pace; **buon pro ti faccia!** much good may it do you!; **buon senso** common sense; **la ~a società** the upper classes; **una ~a volta** once and for all; **alla ~a** *ag* simple ♦ *av* in a simple way, without any fuss; **un tipo alla ~a** an easy-going sort ♦ *sm/f*: **essere un ~/una ~a** to be a good person; **~ a nulla** good for nothing; **i ~i e i cattivi** (*in storia, film*) the goodies and the baddies; **accetterà con le ~e o con le cattive** one way or another he's going to agree to it

♦ *sm* **1** (*bontà*) goodness, good

2 (*COMM*) voucher, coupon; **~ d'acquisto** credit note; **~ di cassa** cash voucher; **~ di consegna** delivery note; **~ fruttifero** interest-bearing bond; **~ ordinario del Tesoro** short-term Treasury bond; **~ postale fruttifero** interest-bearing bond (*issued by Italian Post Office*); **~ del Tesoro** Treasury bill.

buon'senso *sm* = **buon senso.**

buontem'pone, a *sm/f* jovial person.

buonu'scita [bwonuʃ'ʃita] *sf* (*INDUSTRIA*) golden handshake; (*di affitti*) *sum paid for the relinquishing of tenancy rights.*

buratti'naio *sm* puppeteer, puppet master.

burat'tino *sm* puppet.

'burbero, a *ag* surly, gruff.

'burla *sf* prank, trick.

bur'lare *vt*: **~ qc/qn, ~rsi di qc/qn** to make fun of sth/sb.

bu'rocrate *sm* bureaucrat.

buro'cratico, a, ci, che *ag* bureaucratic.

burocra'zia [burokrat'tsia] *sf* bureaucracy.

bur'rasca, sche *sf* storm.

burras'coso, a *ag* stormy.

'burro *sm* butter.

bur'rone *sm* ravine.

bus'care *vt* (*anche*: **~rsi**: *raffreddore*) to get, catch; **buscarle** (*fam*) to get a hiding.

buscherò *etc* [buske'rɔ] *vb vedi* **buscare.**

bus'sare *vi* to knock; **~ a quattrini** (*fig*) to ask for money.

'bussola *sf* compass; **perdere la ~** (*fig*) to lose one's bearings.

'busta *sf* (*da lettera*) envelope; (*astuccio*) case; **in ~ aperta/chiusa** in an unsealed/ sealed envelope; **~ paga** pay packet.

busta'rella *sf* bribe, backhander.

bus'tina *sf* (*piccola busta*) envelope; (*di cibi, farmaci*) sachet; (*MIL*) forage cap; **~ di tè** tea bag.

'busto *sm* bust; (*indumento*) corset, girdle; **a mezzo ~** (*fotografia, ritratto*) half-length.

bu'tano *sm* butane.

but'tare *vt* to throw; (*anche*: **~ via**) to throw away; **~rsi** *vr* (*saltare*) to jump; **~ giù** (*scritto*) to scribble down, dash off;

(*cibo*) to gulp down; (*edificio*) to pull down, demolish; (*pasta, verdura*) to put into boiling water; **ho buttato là una frase** I mentioned it in passing; **buttiamoci!** (*saltiamo*) let's jump!; (*rischiamo*) let's have a go!; ~**rsi dalla finestra** to jump out of the window.

'**buzzo** ['buddzo] *sm* (*fam: pancia*) belly, paunch; **di** ~ **buono** (*con impegno*) with a will.

C c

C, c [tʃi] *sf o m inv* (*lettera*) C, c ♦ *abbr* (*GEO*) = **capo**; (= *Celsius, centigrado*) C; (= *conto*) a/c; ~ **come Como** ≈ C for Charlie.

CA *sigla* = Cagliari.

c.a. *abbr* (*ELETTR*) *vedi* **corrente alternata**; (*COMM*) = corrente anno.

cab. *abbr* = cablogramma.

caba'ret [kaba'rɛ] *sm inv* cabaret.

ca'bina *sf* (*di nave*) cabin; (*da spiaggia*) beach hut; (*di autocarro, treno*) cab; (*di aereo*) cockpit; (*di ascensore*) cage; ~ **di proiezione** (*CINE*) projection booth; ~ **di registrazione** recording booth; ~ **telefonica** callbox, (tele)phone box *o* booth.

cabi'nato *sm* cabin cruiser.

ca'blaggio [ka'bladdʒo] *sm* wiring.

cablo'gramma *sm* cable(gram).

ca'cao *sm* cocoa.

'**cacca** *sf* (*fam: anche fig*) shit (*!*).

'**caccia** ['kattʃa] *sf* hunting; (*con fucile*) shooting; (*inseguimento*) chase; (*cacciagione*) game ♦ *sm inv* (*aereo*) fighter; (*nave*) destroyer; **andare a** ~ to go hunting; **andare a** ~ **di guai** to be asking for trouble; ~ **grossa** big-game hunting; ~ **all'uomo** manhunt.

cacciabombardi'ere [kattʃabombar'djɛre] *sm* fighter-bomber.

cacciagi'one [kattʃa'dʒone] *sf* game.

cacci'are [kat'tʃare] *vt* to hunt; (*mandar via*) to chase away; (*ficcare*) to shove, stick ♦ *vi* to hunt; ~**rsi** *vr* (*fam: mettersi*): ~**rsi tra la folla** to plunge into the crowd; **dove s'è cacciata la mia borsa?** where has my bag got to?; ~**rsi nei guai** to get into trouble; ~ **fuori qc** to whip *o* pull sth out; ~ **un**

urlo to let out a yell.

caccia'tora [kattʃa'tora] *sf* (*giacca*) hunting jacket; (*CUC*): **pollo** *etc* **alla** ~ chicken *etc* chasseur.

caccia'tore [kattʃa'tore] *sm* hunter; ~ **di frodo** poacher; ~ **di dote** fortune-hunter.

cacciatorpedini'ere [kattʃatorpedi'njɛre] *sm* destroyer.

caccia'vite [kattʃa'vite] *sm inv* screwdriver.

cache'mire [kaʃ'mir] *sm inv* cashmere.

ca'chet [ka'ʃɛ] *sm* (*MED*) capsule; (*: compressa*) tablet; (*compenso*) fee; (*colorante per capelli*) rinse.

'**cachi** ['kaki] *sm inv* (*albero, frutto*) persimmon; (*colore*) khaki ♦ *ag inv* khaki.

'**cacio** ['katʃo] *sm* cheese; **essere come il** ~ **sui maccheroni** (*fig*) to turn up at the right moment.

'**cactus** *sm inv* cactus.

ca'davere *sm* (dead) body, corpse.

cada'verico, a, ci, che *ag* (*fig*) deathly pale.

'**caddi** *etc vb vedi* **cadere**.

ca'dente *ag* falling; (*casa*) tumbledown; (*persona*) decrepit.

ca'denza [ka'dɛntsa] *sf* cadence; (*andamento ritmico*) rhythm; (*MUS*) cadenza.

ca'dere *vi* to fall; (*denti, capelli*) to fall out; (*tetto*) to fall in; **questa skirt hangs well; lasciar** ~ (*anche fig*) to drop; ~ **dal sonno** to be falling asleep on one's feet; ~ **ammalato** to fall ill; ~ **dalle nuvole** (*fig*) to be taken aback.

ca'detto *sm* cadet.

cadrò *etc vb vedi* **cadere**.

ca'duto, a *ag* (*morto*) dead ♦ *sm* dead soldier ♦ *sf* fall; **monumento ai** ~**i** war memorial; ~**a di temperatura** drop in temperature; **la** ~**a dei capelli** hair loss; ~**a del sistema** (*INFORM*) system failure.

caffè *sm inv* coffee; (*locale*) café; ~ **corretto** coffee with liqueur; ~ **in grani** coffee beans; ~ **macchiato** coffee with a dash of milk; ~ **macinato** ground coffee.

caffe'ina *sf* caffeine.

caffel'latte *sm inv* white coffee.

caffette'ria *sf* coffee shop.

caffetti'era *sf* coffeepot.

ca'fone *sm* (*contadino*) peasant; (*peg*) boor.

cagio'nare [kadʒo'nare] *vt* to cause, be the cause of.

cagio'nevole [kadʒo'nevole] *ag* delicate, weak.

cagli'are [kaʎ'ʎare] *vi* to curdle.

cagliari'tano, a [kaʎʎari'tano] *ag* of (*o* from) Cagliari.

'**cagna** ['kaɲɲa] *sf* (*ZOOL, peg*) bitch.

ca'gnara [kaɲ'ɲara] *sf* (*fig*) uproar.

ca'gnesco, a, schi, sche [kaɲ'ɲesko] *ag*
(*fig*): guardare qn in ~ to scowl at sb.

CAI *sigla m* = *Club Alpino Italiano*.

'Cairo *sm*: il ~ Cairo.

cala'brese *ag, sm/f* Calabrian.

cala'brone *sm* hornet.

Cala'hari [kala'ari]: il Deserto di ~ *sm* the
Kalahari Desert.

cala'maio *sm* inkpot; inkwell.

cala'maro *sm* squid.

cala'mita *sf* magnet.

calamità *sf inv* calamity, disaster; ~
naturale natural disaster.

ca'lare *vt* (*far discendere*) to lower; (*MAGLIA*)
to decrease ♦ *vi* (*discendere*) to go (*o*
come) down; (*tramontare*) to set, go down;
~ di peso to lose weight.

ca'lata *sf* (*invasione*) invasion.

'calca *sf* throng, press.

cal'cagno [kal'kaɲɲo] *sm* heel.

cal'care *sm* limestone ♦ *vt* (*premere coi
piedi*) to tread, press down; (*premere con
forza*) to press down; (*mettere in rilievo*) to
stress; ~ la mano to overdo it,
exaggerate; ~ le scene (*fig*) to be on the
stage; ~ le orme di qn (*fig*) to follow in
sb's footsteps.

'calce ['kaltʃe] *sm*: in ~ at the foot of the
page ♦ *sf* lime; ~ viva quicklime.

calces'truzzo [kaltʃes'truttso] *sm* concrete.

calcherò *etc* [kalke'rɔ] *vb vedi* calcare.

calci'are [kal'tʃare] *vt, vi* to kick.

calcia'tore [kaltʃa'tore] *sm* footballer
(*BRIT*), (football) player.

cal'cina [kal'tʃina] *sf* (lime) mortar.

calci'naccio [kaltʃi'nattʃo] *sm* flake of
plaster.

'calcio ['kaltʃo] *sm* (*pedata*) kick; (*sport*)
football, soccer; (*di pistola, fucile*) butt;
(*CHIM*) calcium; ~ d'angolo (*SPORT*)
corner (kick); ~ di punizione (*SPORT*)
free kick.

'calco, chi *sm* (*ARTE*) casting, moulding
(*BRIT*), molding (*US*); cast, mo(u)ld.

calco'lare *vt* to calculate, work out,
reckon; (*ponderare*) to weigh (up).

calcola'tore, 'trice *ag* calculating ♦ *sm*
calculator; (*fig*) calculating person ♦ *sf*
(*anche*: macchina calcolatrice) calculator;
~ digitale digital computer; ~ elettronico
computer; ~ da tavolo desktop
computer.

'calcolo *sm* (*anche MAT*) calculation;
(*infinitesimale etc*) calculus; (*MED*) stone;
fare il ~ di qc to work sth out; fare i propri
~i (*fig*) to weigh the pros and cons; per ~
out of self-interest.

cal'daia *sf* boiler.

caldar'rosta *sf* roast chestnut.

caldeggi'are [kalded'dʒare] *vt* to support.

'caldo, a *ag* warm; (*molto* ~) hot; (*fig:
appassionato*) keen ♦ *sm* heat; ho ~ I'm
warm; I'm hot; fa ~ it's warm; it's hot;
non mi fa né ~ né freddo I couldn't care
less; a ~ (*fig*) in the heat of the moment.

caleidos'copio *sm* kaleidoscope.

calen'dario *sm* calendar.

ca'lende *sfpl* calends; rimandare qc alle ~
greche to put sth off indefinitely.

ca'lesse *sm* gig.

'calibro *sm* (*di arma*) calibre, bore; (*TECN*)
callipers *pl*; (*fig*) calibre; di grosso ~ (*fig*)
prominent.

'calice ['kalitʃe] *sm* goblet; (*REL*) chalice.

Cali'fornia *sf* California.

californi'ano, a *ag* Californian.

ca'ligine [ka'lidʒine] *sf* fog; (*mista con fumo*)
smog.

calligra'fia *sf* (*scrittura*) handwriting; (*arte*)
calligraphy.

'callo *sm* callus; (*ai piedi*) corn; fare il ~ a qc
to get used to sth.

'calma *sf* calm; faccia con ~ take your
time.

cal'mante *sm* sedative, tranquillizer.

cal'mare *vt* to calm; (*lenire*) to soothe; ~rsi
vr to grow calm, calm down; (*vento*) to
abate; (*dolori*) to ease.

calmi'ere *sm* controlled price.

'calmo, a *ag* calm, quiet.

'calo *sm* (*COMM: di prezzi*) fall; (*: di volume*)
shrinkage; (*: di peso*) loss.

ca'lore *sm* warmth; (*intenso, FISICA*) heat;
essere in ~ (*ZOOL*) to be on heat.

calo'ria *sf* calorie.

calo'rifero *sm* radiator.

calo'roso, a *ag* warm; essere ~ not to feel
the cold.

calpes'tare *vt* to tread on, trample on; "è
vietato ~ l'erba" "keep off the grass".

ca'lunnia *sf* slander; (*scritta*) libel.

calunni'are *vt* to slander.

cal'vario *sm* (*fig*) affliction, cross.

cal'vizie [kal'vittsje] *sf* baldness.

'calvo, a *ag* bald.

'calza ['kaltsa] *sf* (*da donna*) stocking; (*da
uomo*) sock; fare la ~ to knit; ~e di nailon
nylons, (nylon) stockings.

calza'maglia [kaltsa'maʎʎa] *sf* tights *pl*; (*per
danza, ginnastica*) leotard.

cal'zare [kal'tsare] *vt* (*scarpe, guanti:
mettersi*) to put on; (*: portare*) to wear ♦ *vi*
to fit; ~ a pennello to fit like a glove.

calza'tura [kaltsa'tura] *sf* footwear.

calzaturi'ficio [kaltsaturi'fitʃo] *sm* shoe *o*
footwear factory.

cal'zetta [kal'tsetta] *sf* ankle sock; **una mezza ~** (*fig*) a nobody.

calzet'tone [kaltset'tone] *sm* heavy knee-length sock.

cal'zino [kal'tsino] *sm* sock.

calzo'laio [kaltso'lajo] *sm* shoemaker; (*che ripara scarpe*) cobbler.

calzole'ria [kaltsole'ria] *sf* (*negozio*) shoe shop; (*arte*) shoemaking.

calzon'cini [kaltson'tʃini] *smpl* shorts; **~ da bagno** (swimming) trunks.

cal'zone [kal'tsone] *sm* trouser leg; (*CUC*) savoury turnover made with pizza dough; **~i** *smpl* trousers (*BRIT*), pants (*US*).

camale'onte *sm* chameleon.

cambi'ale *sf* bill (of exchange); (*pagherò cambiario*) promissory note; **~ di comodo** *o* **di favore** accommodation bill.

cambia'mento *sm* change.

cambi'are *vt* to change; (*modificare*) to alter, change; (*barattare*): **~ (qc con qn/ qc)** to exchange (sth with sb/for sth) ♦ *vi* to change, alter; **~rsi** *vr* (*variare abito*) to change; **~ casa** to move (house); **~ idea** to change one's mind; **~ treno** to change trains; **~ le carte in tavola** (*fig*) to change one's tune; **~ (l')aria in una stanza** to air a room; **è ora di ~ aria** (*andarsene*) it's time to move on.

cambiava'lute *sm inv* exchange office.

'cambio *sm* change; (*modifica*) alteration, change; (*scambio, COMM*) exchange; (*corso dei cambi*) rate (of exchange); (*TECN, AUT*) gears *pl*; **in ~ di** in exchange for; **dare il ~ a qn** to take over from sb; **fare il** *o* **un ~** to change (over); **~ a termine** (*COMM*) forward exchange.

'Cambital *sigla m* = *Ufficio Italiano dei Cambi*.

Cam'bogia [kam'bɔdʒa] *sf*: **la ~** Cambodia.

cambogi'ano, a [kambo'dʒano] *ag, sm/f* Cambodian.

cam'busa *sf* storeroom.

'camera *sf* room; (*anche*: **~ da letto**) bedroom; (*POL*) chamber, house; **~ ardente** mortuary chapel; **~ d'aria** inner tube; (*di pallone*) bladder; **~ blindata** strongroom; **C~ di Commercio** Chamber of Commerce; **C~ dei Deputati** Chamber of Deputies, ≈ House of Commons (*BRIT*), ≈ House of Representatives (*US*); **~ a gas** gas chamber; **~ del lavoro** trades union centre (*BRIT*), labor union center (*US*); **~ a un letto/a due letti/ matrimoniale** single/twin-bedded/double room; **~ oscura** (*FOT*) dark room; **~ da pranzo** dining room.

The **Camera dei deputati** is *the lower chamber of the Italian parliament. It has legislative power and is presided over by* the **Presidente della Camera** *who is elected by the 630* **deputati**. *Elections are normally held every 5 years. The electoral reform of 1993 has meant that candidates are now elected by a combination of a first-past-the-post system and proportional representation. See also* **Parlamento**.

---

came'rata, i, e *sm/f* companion, mate ♦ *sf* dormitory.

camera'tismo *sm* comradeship.

cameri'era *sf* (*domestica*) maid; (*che serve a tavola*) waitress; (*che fa le camere*) chambermaid.

cameri'ere *sm* (man)servant; (*di ristorante*) waiter.

came'rino *sm* (*TEAT*) dressing room.

'Camerun *sm*: **il ~** Cameroon.

'camice ['kamitʃe] *sm* (*REL*) alb; (*per medici etc*) white coat.

cami'cetta [kami'tʃetta] *sf* blouse.

ca'micia, cie [ka'mitʃa] *sf* (*da uomo*) shirt; (*da donna*) blouse; **nascere con la ~** (*fig*) to be born lucky; **sudare sette ~cie** (*fig*) to have a hell of a time; **~ di forza** straitjacket; **~ da notte** (*da donna*) nightdress; (*da uomo*) nightshirt; **C~ nera** (*fascista*) Blackshirt.

camici'aio, a [kami'tʃajo] *sm/f* (*sarto*) shirtmaker; (*che vende camicie*) shirtseller.

camici'ola [kami'tʃɔla] *sf* vest.

camici'otto [kami'tʃɔtto] *sm* casual shirt; (*per operai*) smock.

cami'netto *sm* hearth, fireplace.

ca'mino *sm* chimney; (*focolare*) fireplace, hearth.

'camion *sm inv* lorry (*BRIT*), truck (*US*).

camion'cino [kamjon'tʃino] *sm* van.

camio'netta *sf* jeep.

camio'nista, i *sm* lorry driver (*BRIT*), truck driver (*US*).

'camma *sf* cam; **albero a ~e** camshaft.

cam'mello *sm* (*ZOOL*) camel; (*tessuto*) camel hair.

cam'meo *sm* cameo.

cammi'nare *vi* to walk; (*funzionare*) to work, go; **~ a carponi** *o* **a quattro zampe** to go on all fours.

cammi'nata *sf* walk; **fare una ~** to go for a walk.

cam'mino *sm* walk; (*sentiero*) path; (*itinerario, direzione, tragitto*) way; **mettersi in ~** to set *o* start off; **cammin facendo** on the way; **riprendere il** ~ to continue on one's way.

camo'milla *sf* camomile; (*infuso*) camomile tea.

ca'morra *sf* Camorra; (*fig*) racket.

camor'rista, i, e *smlf* member of the Camorra; (*fig*) racketeer.

ca'moscio [ka'moʃʃo] *sm* chamois.

cam'pagna [kam'paɲɲa] *sf* country, countryside; (*POL, COMM, MIL*) campaign; **in** ~ in the country; **andare in** ~ to go to the country; **fare una** ~ to campaign; ~ **promozionale vendite** sales campaign.

campa'gnolo, a [kampaɲ'ɲɔlo] *ag* country *cpd* ♦ *sf* (*AUT*) cross-country vehicle.

cam'pale *ag* field *cpd*; (*fig*): **una giornata** ~ a hard day.

cam'pana *sf* bell; (*anche:* ~ **di vetro**) bell jar; **sordo come una** ~ as deaf as a doorpost; **sentire l'altra** ~ (*fig*) to hear the other side of the story.

campa'nella *sf* small bell; (*di tenda*) curtain ring.

campa'nello *sm* (*all'uscio, da tavola*) bell.

campa'nile *sm* bell tower, belfry.

campani'lismo *sm* parochialism.

cam'pano, a *ag* of (*o* from) Campania.

cam'pare *vi* to live; (*tirare avanti*) to get by, manage; ~ **alla giornata** to live from day to day.

cam'pato, a *ag*: ~ **in aria** unsound, unfounded.

campeggi'are [kamped'dʒare] *vi* to camp; (*risaltare*) to stand out.

campeggia'tore, 'trice [kampeddʒa'tore] *smlf* camper.

cam'peggio [kam'peddʒo] *sm* camping; (*terreno*) camp site; **fare (del)** ~ to go camping.

cam'pestre *ag* country *cpd*, rural; **corsa** ~ cross-country race.

Campi'doglio [kampi'dɔʎʎo] *sm*: **il** ~ the Capitol.

---

*The **Campidoglio**, one of the Seven Hills of Rome, is the site of the Comune di Roma.*

'camping ['kæmpiŋ] *sm inv* camp site.

campiona'mento *sm* sampling.

campio'nario, a *ag*: **fiera** ~**a** trade fair ♦ *sm* collection of samples.

campio'nato *sm* championship.

campiona'tura *sf* (*COMM*) production of samples; (*STATISTICA*) sampling.

campi'one, 'essa *smlf* (*SPORT*) champion ♦ *sm* (*COMM*) sample; ~ **gratuito** free sample; **prelievi di** ~ product samples.

'campo *sm* (*gen*) field; (*MIL*) field;

(*: accampamento*) camp; (*spazio delimitato: sportivo etc*) ground; field; (*di quadro*) background; **i** ~**i** (*campagna*) the countryside; **padrone del** ~ (*fig*) victor; ~ **da aviazione** airfield; ~ **di concentramento** concentration camp; ~ **di golf** golf course; ~ **lungo** (*CINE, TV, FOT*) long shot; ~ **da tennis** tennis court; ~ **visivo** field of vision.

campobas'sano, a *ag* of (*o* from) Campobasso.

campo'santo, *pl* **campi'santi** *sm* cemetery.

camuf'fare *vt* to disguise; ~**rsi** *vr*: ~**rsi (da)** to disguise o.s. (as); (*per ballo in maschera*) to dress up (as).

CAN *abbr* (= *Costo, Assicurazione e Nolo*) CIF.

Can. *abbr* (*GEO*) = **canale**.

'Canada *sm*: **il** ~ Canada.

cana'dese *ag, smlf* Canadian ♦ *sf* (*anche:* **tenda** ~) ridge tent.

ca'naglia [ka'naʎʎa] *sf* rabble, mob; (*persona*) scoundrel, rogue.

ca'nale *sm* (*anche fig*) channel; (*artificiale*) canal.

'canapa *sf* hemp; ~ **indiana** cannabis.

Ca'narie *sfpl*: **le (isole)** ~ the Canary Islands, the Canaries.

cana'rino *sm* canary.

Can'berra *sf* Canberra.

cancel'lare [kantʃel'lare] *vt* (*con la gomma*) to rub out, erase; (*con la penna*) to strike out; (*annullare*) to annul, cancel; (*disdire*) to cancel.

cancel'lata [kantʃel'lata] *sf* railing(s) (*pl*).

cancelle'ria [kantʃelle'ria] *sf* chancery; (*quanto necessario per scrivere*) stationery.

cancelli'ere [kantʃel'ljɛre] *sm* chancellor; (*di tribunale*) clerk of the court.

can'cello [kan'tʃɛllo] *sm* gate.

cance'rogeno [kantʃe'rɔdʒeno] *ag* carcinogenic ♦ *sm* carcinogen.

cance'rologo, a, gi, ghe [kantʃe'rɔlogo] *smlf* cancer specialist.

cance'roso, a [kantʃe'roso] *ag* cancerous ♦ *smlf* cancer patient.

can'crena *sf* gangrene.

'cancro *sm* (*MED*) cancer; (*dello zodiaco*): **C**~ Cancer; **essere del C**~ to be Cancer.

candeggi'are [kanded'dʒare] *vt* to bleach.

candeg'gina [kanded'dʒina] *sf* bleach.

can'deggio [kan'deddʒo] *sm* bleaching.

can'dela *sf* candle; ~ **(di accensione)** (*AUT*) spark(ing) plug; **una lampadina da 100** ~**e** (*ELETTR*) a 100 watt bulb; **a lume di** ~ by candlelight; **tenere la** ~ (*fig*) to play gooseberry (*BRIT*), act as chaperone.

cande'labro *sm* candelabra.
candeli'ere *sm* candlestick.
cande'lotto *sm* candle; ~ **di dinamite** stick of dynamite; ~ **lacrimogeno** tear gas grenade.
candi'dare *vt* to present as candidate; ~**rsi** *vr* to present o.s. as candidate.
candi'dato, a *sm/f* candidate; (*aspirante a una carica*) applicant.
candida'tura *sf* candidature; application.
'candido, a *ag* white as snow; (*puro*) pure; (*sincero*) sincere, candid.
can'dito, a *ag* candied.
can'dore *sm* brilliant white; purity; sincerity, candour (*BRIT*), candor (*US*).
'cane *sm* dog; (*di pistola, fucile*) cock; **fa un freddo** ~ it's bitterly cold; **non c'era un** ~ there wasn't a soul; **quell'attore è un** ~ he's a rotten actor; ~ **da caccia** hunting dog; ~ **da guardia** guard dog; ~ **lupo** alsatian; ~ **da salotto** lap dog; ~ **da slitta** husky.
ca'nestro *sm* basket; **fare un** ~ (*SPORT*) to shoot a basket.
'canfora *sf* camphor.
cangi'ante [kan'dʒante] *ag* iridescent; **seta** ~ shot silk.
can'guro *sm* kangaroo.
ca'nicola *sf* scorching heat.
ca'nile *sm* kennel; (*di allevamento*) kennels *pl*; ~ **municipale** dog pound.
ca'nino, a *ag, sm* canine.
'canna *sf* (*pianta*) reed; (: *indica, da zucchero*) cane; (*bastone*) stick, cane; (*di fucile*) barrel; (*di organo*) pipe; (*DROGA: gergo*) joint; ~ **fumaria** chimney flue; ~ **da pesca** (fishing) rod; ~ **da zucchero** sugar cane.
can'nella *sf* (*CUC*) cinnamon; (*di conduttura, botte*) tap.
cannel'loni *smpl pasta tubes stuffed with sauce and baked.*
can'neto *sm* bed of reeds.
can'nibale *sm* cannibal.
cannocchi'ale [kannok'kjale] *sm* telescope.
canno'nata *sf*: **è una vera** ~! (*fig*) it's (*o* he's *etc*) fantastic!
can'none *sm* (*MIL*) gun; (: *STORIA*) cannon; (*tubo*) pipe, tube; (*piega*) box pleat; (*fig*) ace; **donna** ~ fat woman.
cannoni'ere *sm* (*NAUT*) gunner; (*CALCIO*) goal scorer.
can'nuccia, ce [kan'nuttʃa] *sf* (drinking) straw.
'canone *sm* canon, criterion; (*mensile, annuo*) rent; fee; **legge dell'equo** ~ fair rent act.
ca'nonica, che *sf* presbytery.

ca'nonico, ci *sm* (*REL*) canon.
canoniz'zare [kanonid'dzare] *vt* to canonize.
ca'noro, a *ag* (*uccello*) singing, song *cpd*.
ca'notta *sf* vest.
canot'taggio [kanot'taddʒo] *sm* rowing.
canotti'era *sf* vest (*BRIT*), undershirt (*US*).
ca'notto *sm* small boat, dinghy; canoe.
cano'vaccio [kano'vattʃo] *sm* (*tela*) canvas; (*strofinaccio*) duster; (*trama*) plot.
can'tante *sm/f* singer.
can'tare *vt, vi* to sing; ~ **vittoria** to crow; **fare** ~ **qn** (*fig*) to make sb talk.
cantas'torie *sm/f inv* storyteller.
cantau'tore, 'trice *sm/f* singer-composer.
canterel'lare *vt, vi* to hum, sing to o.s.
canticchi'are [kantik'kjare] *vt, vi* to hum, sing to o.s.
canti'ere *sm* (*EDIL*) (building) site; (*anche:* ~ **navale**) shipyard.
canti'lena *sf* (*filastrocca*) lullaby; (*fig*) singsong voice.
can'tina *sf* (*locale*) cellar; (*bottega*) wine shop.
'canto *sm* song; (*arte*) singing; (*REL*) chant; chanting; (*POESIA*) poem, lyric; (*parte di una poesia*) canto; (*parte, lato*): **da un** ~ on the one hand; **d'altro** ~ on the other hand.
canto'nata *sf* (*di edificio*) corner; **prendere una** ~ (*fig*) to blunder.
can'tone *sm* (*in Svizzera*) canton.
cantoni'era *ag*: (**casa**) ~ road inspector's house.
can'tuccio [kan'tuttʃo] *sm* corner, nook.
ca'nuto, a *ag* white, whitehaired.
canzo'nare [kantso'nare] *vt* to tease.
canzona'tura [kantsona'tura] *sf* teasing; (*beffa*) joke.
can'zone [kan'tsone] *sf* song; (*POESIA*) canzone.
canzoni'ere [kantso'njɛre] *sm* (*MUS*) songbook; (*LETTERATURA*) collection of poems.
'caos *sm inv* chaos.
ca'otico, a, ci, che *ag* chaotic.
CAP *sigla m vedi* **codice di avviamento postale.**
cap. *abbr* (= *capitolo*) ch.
ca'pace [ka'patʃe] *ag* able, capable; (*ampio, vasto*) large, capacious; **sei** ~ **di farlo?** can you *o* are you able to do it?; ~ **d'intendere e di volere** (*DIR*) in full possession of one's faculties.
capacità [kapatʃi'ta] *sf inv* ability; (*DIR, di recipiente*) capacity; ~ **produttiva** production capacity.
capaci'tarsi [kapatʃi'tarsi] *vr*: ~ **di** to make out, understand.

ca'panna *sf* hut.

capan'nello *sm* knot (of people).

ca'panno *sm* (*di cacciatori*) hide; (*da spiaggia*) bathing hut.

capan'none *sm* (*AGR*) barn; (*fabbricato industriale*) (factory) shed.

caparbietà *sf* stubbornness.

ca'parbio, a *ag* stubborn.

ca'parra *sf* deposit, down payment.

capa'tina *sf*: **fare una ~ da qn/in centro** to pop in on sb/into town.

capeggi'are [kaped'dʒare] *vt* (*rivolta etc*) to head, lead.

ca'pello *sm* hair; **~i** *smpl* (*capigliatura*) hair *sg*; **averne fin sopra i ~i di qc/qn** to be fed up to the (back) teeth with sth/sb; **mi ci hanno tirato per i ~i** (*fig*) they dragged me into it; **tirato per i ~i** (*spiegazione*) far-fetched.

capel'lone, a *sm/f* hippie.

capel'luto, a *ag*: **cuoio ~** scalp.

capez'zale [kapet'tsale] *sm* bolster; (*fig*) bedside.

ca'pezzolo [ka'pettsolo] *sm* nipple.

capi'ente *ag* capacious.

capi'enza [ka'pjɛntsa] *sf* capacity.

capiglia'tura [kapiʎʎa'tura] *sf* hair.

capil'lare *ag* (*fig*) detailed ♦ *sm* (*ANAT: anche: vaso ~*) capillary.

ca'pire *vt* to understand; **~ al volo** to catch on straight away; **si capisce!** (*certamente!*) of course!, certainly!

capi'tale *ag* (*mortale*) capital; (*fondamentale*) main *cpd*, chief *cpd* ♦ *sf* (*città*) capital ♦ *sm* (*ECON*) capital; **~ azionario** equity capital, share capital; **~ d'esercizio** working capital; **~ fisso** capital assets, fixed capital; **~ immobile** real estate; **~ liquido** cash assets *pl*; **~ mobile** movables *pl*; **~ di rischio** risk capital; **~ sociale** (*di società*) authorized capital; (*di club*) funds *pl*; **~ di ventura** venture capital, risk capital.

capita'lismo *sm* capitalism.

capita'lista, i, e *ag, sm/f* capitalist.

capitaliz'zare [kapitalid'dzare] *vt* to capitalize.

capitalizzazi'one [kapitaliddzat'tsjone] *sf* capitalization.

capita'nare *vt* to lead; (*CALCIO*) to captain.

capitane'ria *sf*: **~ (di porto)** port authorities *pl*.

capi'tano *sm* captain; **~ di lungo corso** master mariner; **~ di ventura** (*STORIA*) mercenary leader.

capi'tare *vi* (*giungere casualmente*) to happen to go, find o.s.; (*accadere*) to happen; (*presentarsi: cosa*) to turn up,

present itself ♦ *vb impers* to happen; **~ a proposito/bene/male** to turn up at the right moment/at a good time/at a bad time; **mi è capitato un guaio** I've had a spot of trouble.

capi'tello *sm* (*ARCHIT*) capital.

capito'lare *vi* to capitulate.

capitolazi'one [kapitolat'tsjone] *sf* capitulation.

ca'pitolo *sm* chapter; **~i** *smpl* (*COMM*) items; **non ho voce in ~** (*fig*) I have no say in the matter.

capi'tombolo *sm* headlong fall, tumble.

'capo *sm* (*ANAT*) head; (*persona*) head, leader; (: *in ufficio*) head, boss; (: *in tribù*) chief; (*estremità: di tavolo, scale*) head, top; (: *di filo*) end; (*GEO*) cape; **andare a ~** to start a new paragraph; **"punto a ~"** "full stop — new paragraph"; **da ~** over again; **in ~ a** (*tempo*) within; **da un ~ all'altro** from one end to the other; **fra ~ e collo** (*all'improvviso*) out of the blue; **un discorso senza né ~ né coda** a senseless *o* meaningless speech; **~ d'accusa** (*DIR*) charge; **~ di bestiame** head *inv* of cattle; **C~ di Buona Speranza** Cape of Good Hope; **~ di vestiario** item of clothing.

capo'banda, *pl* **capi'banda** *sm* (*MUS*) bandmaster; (*di malviventi, fig*) gang leader.

ca'poccia [ka'pottʃa] *sm inv* (*di lavoranti*) overseer; (*peg: capobanda*) boss.

capo'classe, *pl(m)* **capi'classe,** *pl(f) inv sm/f* (*INS*) ≈ form captain (*BRIT*), class president (*US*).

capocu'oco, chi *sm* head cook.

Capo'danno *sm* New Year.

capofa'miglia, *pl(m)* **capifa'miglia,** *pl(f) inv* [kapofa'miʎʎa] *sm/f* head of the family.

capo'fitto: a ~ *av* headfirst, headlong.

capo'giro [kapo'dʒiro] *sm* dizziness *no pl*; **da ~** (*fig*) astonishing, staggering.

capo'gruppo, *pl(m)* **capi'gruppo,** *pl(f) inv sm/f* group leader.

capola'voro, i *sm* masterpiece.

capo'linea, *pl* **capi'linea** *sm* terminus; (*fig*) end of the line.

capo'lino *sm*: **far ~** to peep out (*o* in *etc*).

capo'lista, *pl(m)* **capi'lista,** *pl(f) inv sm/f* (*POL*) top candidate on electoral list.

capolu'ogo, *pl* **ghi** *o* **capilu'oghi** *sm* chief town, administrative centre (*BRIT*) *o* center (*US*).

capo'mastro, *pl* **i** *o* **capi'mastri** *sm* master builder.

capo'rale *sm* (*MIL*) lance corporal (*BRIT*), private first class (*US*).

capore'parto, *pl(m)* **capire'parto,** *pl(f) inv*

smlf (*di operai*) foreman; (*di ufficio, negozio*) head of department.

capo'sala *sf inv* (*MED*) ward sister.

capo'saldo, *pl* **capi'saldi** *sm* stronghold; (*fig: fondamento*) basis, cornerstone.

capo'squadra, *pl* **capi'squadra** *sm* (*di operai*) foreman, ganger; (*MIL*) squad leader; (*SPORT*) team captain.

capostazi'one, *pl* **capistazi'one** [kapostat'tsjone] *sm* station master.

capos'tipite *sm* progenitor; (*fig*) earliest example.

capo'tavola, *pl*(*m*) **capi'tavola,** *pl*(*f*) *inv smlf* (*persona*) head of the table; **sedere a ~** to sit at the head of the table.

ca'pote [ka'pɔt] *sf inv* (*AUT*) hood (*BRIT*), soft top.

capo'treno, *pl* **capi'treno** *o* **capo'treni** *sm* guard.

capouf'ficio, *pl*(*m*) **capiuf'ficio,** *pl*(*f*) *inv* [kapouf'fitʃo] *smlf* head clerk.

'Capo 'Verde *sm*: **il ~** Cape Verde.

capo'verso *sm* (*di verso, periodo*) first line; (*TIP*) indent; (*paragrafo*) paragraph; (*DIR*: *comma*) section.

capo'volgere [kapo'vɔldʒere] *vt* to overturn; (*fig*) to reverse; **~rsi** *vr* to overturn; (*barca*) to capsize; (*fig*) to be reversed.

capovolgi'mento [kapovoldʒi'mento] *sm* (*fig*) reversal, complete change.

capo'volto, a *pp di* **capovolgere** ♦ *ag* upside down; (*barca*) capsized.

'cappa *sf* (*mantello*) cape, cloak; (*del camino*) hood.

cap'pella *sf* (*REL*) chapel.

cappel'lano *sm* chaplain.

cap'pello *sm* hat; **ti faccio tanto di ~!** (*fig*) I take my hat off to you!; **~ a bombetta** bowler (hat), derby (*US*); **~ a cilindro** top hat.

'cappero *sm* caper.

cap'pone *sm* capon.

cappot'tare *vi* (*AUT*) to overturn.

cap'potto *sm* (over)coat.

cappuc'cino [kapput'tʃino] *sm* (*frate*) Capuchin monk; (*bevanda*) frothy white coffee.

cap'puccio [kap'puttʃo] *sm* (*copricapo*) hood; (*della biro*) cap.

'capra *sf* (she-)goat.

ca'prese *ag* from (*o* of) Capri.

ca'pretto *sm* kid.

ca'priccio [ka'prittʃo] *sm* caprice, whim; (*bizza*) tantrum; **fare i ~i** to be very naughty; **~ della sorte** quirk of fate.

capricci'oso, a [kaprit'tʃoso] *ag* capricious, whimsical; naughty.

Capri'corno *sm* Capricorn; **essere del ~** (*dello zodiaco*) to be Capricorn.

capri'foglio [kapri'fɔʎʎo] *sm* honeysuckle.

capri'ola *sf* somersault.

capri'olo *sm* roe deer.

'capro *sm* billy-goat; **~ espiatorio** (*fig*) scapegoat.

ca'prone *sm* billy-goat.

'capsula *sf* capsule; (*di arma, per bottiglie*) cap.

cap'tare *vt* (*RADIO, TV*) to pick up; (*cattivarsi*) to gain, win.

CAR *sigla m = Centro Addestramento Reclute.*

cara'bina *sf* rifle.

carabini'ere *sm member of Italian military police force.*

Originally part of the armed forces, the **Carabinieri** *are police who now perform both military and civil duties such as maintaining public order. They consist of, among other things, paratroop units and mounted divisions and come under the control of either the Minister of the Interior or the Minister of Defence, depending on the function they are performing.*

Ca'racas *sf* Caracas.

ca'raffa *sf* carafe.

Ca'raibi *smpl*: **il mar dei ~** the Caribbean (Sea).

cara'ibico, a, ci, che *ag* Caribbean.

cara'mella *sf* sweet.

cara'mello *sm* caramel.

ca'rato *sm* (*di oro, diamante etc*) carat.

ca'rattere *sm* character; (*caratteristica*) characteristic, trait; **avere un buon ~** to be good-natured; **informazione di ~ tecnico/confidenziale** information of a technical/confidential nature; **essere in ~ con qc** (*intonarsi*) to be in harmony with sth.

caratte'rino *sm* difficult nature *o* character.

caratte'ristico, a, ci, che *ag* characteristic ♦ *sf* characteristic, feature; **segni ~ci** (*su passaporto etc*) distinguishing marks.

caratteriz'zare [karatterid'dzare] *vt* to characterize, distinguish.

carboi'drato *sm* carbohydrate.

carbo'naio *sm* (*chi fa carbone*) charcoal-burner; (*commerciante*) coalman, coal merchant.

car'bone *sm* coal; **~ fossile** (pit) coal; **essere** *o* **stare sui ~i ardenti** to be like a cat on hot bricks.

car'bonio *sm* (*CHIM*) carbon.

carboniz'zare [karbonid'dzare] *vt* (*legna*) to carbonize; (: *parzialmente*) to char; **morire carbonizzato** to be burned to death.

carbu'rante *sm* (motor) fuel.

carbura'tore *sm* carburettor.

car'cassa *sf* carcass; (*fig: peg: macchina etc*) (old) wreck.

carce'rato, a [kartʃe'rato] *sm/f* prisoner.

'carcere ['kartʃere] *sm* prison; (*pena*) imprisonment; ~ **di massima sicurezza** top-security prison.

carceri'ere, a [kartʃe'rjɛre] *sm/f* (*anche fig*) jailer.

carci'ofo [kar'tʃɔfo] *sm* artichoke.

cardel'lino *sm* goldfinch.

car'diaco, a, ci, che *ag* cardiac, heart *cpd.*

cardi'nale *ag, sm* cardinal.

'cardine *sm* hinge.

cardiolo'gia [kardjolo'dʒia] *sf* cardiology.

cardi'ologo, gi *sm* heart specialist, cardiologist.

'cardo *sm* thistle.

ca'rente *ag*: ~ **di** lacking in.

ca'renza [ka'rɛntsa] *sf* lack, scarcity; (*vitaminica*) deficiency.

cares'tia *sf* famine; (*penuria*) scarcity, dearth.

ca'rezza [ka'rettsa] *sf* caress; **dare** *o* **fare una** ~ **a** (*persona*) to caress; (*animale*) to stroke, pat.

carez'zare [karet'tsare] *vt* to caress, stroke, fondle.

carez'zevole [karet'tsevole] *ag* sweet, endearing.

'cargo, ghi *sm* (*nave*) cargo boat, freighter; (*aereo*) freighter.

cari'are *vt*, **~rsi** *vr* (*denti*) to decay.

'carica *sf vedi* **carico**.

caricabatte'rie *sm inv* (*ELETTR*) battery charger.

cari'care *vt* to load; (*aggravare: anche fig*) to weigh down; (*orologio*) to wind up; (*batteria, MIL*) to charge; (*INFORM*) to load; **~rsi** *vr*: **~rsi di** to burden *o* load o.s. with; (*fig: di responsabilità, impegni*) to burden o.s. with.

carica'tura *sf* caricature.

'carico, a, chi, che *ag* (*che porta un peso*): ~ **di** loaded *o* laden with; (*fucile*) loaded; (*orologio*) wound up; (*batteria*) charged; (*colore*) deep; (*caffè, tè*) strong ♦ *sm* (*il caricare*) loading; (*ciò che si carica*) load; (*COMM*) shipment; (*fig: peso*) burden, weight ♦ *sf* (*mansione ufficiale*) office, position; (*MIL, TECN, ELETTR*) charge; ~ **di debiti** up to one's ears in debt; **persona a** ~ dependent; **essere a** ~ **di qn** (*spese etc*) to be charged to sb; (*accusa, prova*) to be

against sb; **testimone a** ~ witness for the prosecution; **farsi** ~ **di** (*problema, responsabilità*) to take on; **a** ~ **del cliente** at the customer's expense; ~ **utile** payload; **capacità di** ~ cargo capacity; **entrare/ essere in** ~a to come into/be in office; **ricoprire** *o* **rivestire una** ~a to hold a position; **uscire di** ~a to leave office; **dare la** ~a a (*orologio*) to wind up; (*fig: persona*) to back up; **tornare alla** ~a (*fig*) to insist, persist; **ha una forte** ~a **di simpatia** he's very likeable.

'carie *sf* (*dentaria*) decay.

ca'rino, a *ag* lovely, pretty, nice; (*simpatico*) nice.

ca'risma [ka'rizma] *sm* charisma.

caris'matico, a, ci, che *ag* charismatic.

carità *sf* charity; **per** ~! (*escl di rifiuto*) good heavens, no!

carita'tevole *ag* charitable.

carnagi'one [karna'dʒone] *sf* complexion.

car'nale *ag* (*amore*) carnal; (*fratello*) blood *cpd.*

'carne *sf* flesh; (*bovina, ovina etc*) meat; **in** ~ **e ossa** in the flesh, in person; **essere (bene) in** ~ to be well padded, be plump; **non essere né** ~ **né pesce** (*fig*) to be neither fish nor fowl; ~ **di manzo/ maiale/pecora** beef/pork/mutton; ~ **in scatola** tinned *o* canned meat; ~ **tritata** mince (*BRIT*), hamburger meat (*US*); minced (*BRIT*) *o* ground (*US*) meat.

car'nefice [kar'nefitʃe] *sm* executioner; hangman.

carnefi'cina [karnefi'tʃina] *sf* carnage; (*fig*) disaster.

carne'vale *sm* carnival.

Carnevale *is the period between Epiphany (Jan. 6th) and the beginning of Lent when many festivities take place. It is marked by parties, processions of floats, bonfires in the piazze and people dressing up and wearing masks. It reaches its peak in the period immediately before Lent, culminating in the festivities of* **Martedì grasso** *(Shrove Tuesday).*

---

car'nivoro, a *ag* carnivorous.

car'noso, a *ag* fleshy; (*pianta, frutto, radice*) pulpy; (*labbra*) full.

'caro, a *ag* (*amato*) dear; (*costoso*) dear, expensive; **se ti è** ~**a la vita** if you value your life.

ca'rogna [ka'roɲɲa] *sf* carrion; (*fig fam*) swine.

caro'sello *sm* merry-go-round.

ca'rota *sf* carrot.
caro'vana *sf* caravan.
caro'vita *sm* high cost of living.
'carpa *sf* carp.
Car'pazi [kar'patsi] *smpl*: **i** ~ the Carpathian Mountains.
carpente'ria *sf* carpentry.
carpenti'ere *sm* carpenter.
car'pire *vt*: ~ **qc a qn** (*segreto etc*) to get sth out of sb.
car'poni *av* on all fours.
car'rabile *ag* suitable for vehicles; "**passo** ~" "keep clear".
car'raio, a *ag*: **passo** ~ vehicle entrance.
carré *sm* (*acconciatura*) bob.
carreggi'ata [karred'dʒata] *sf* carriageway (*BRIT*), roadway; **rimettersi in** ~ (*fig: recuperare*) to catch up; **tenersi in** ~ (*fig*) to keep to the right path.
carrel'lata *sf* (*CINE, TV: tecnica*) tracking; (: *scena*) running shot; ~ **di successi** medley of hit tunes.
car'rello *sm* trolley; (*AER*) undercarriage; (*CINE*) dolly; (*di macchina da scrivere*) carriage.
car'retta *sf*: **tirare la** ~ (*fig*) to plod along.
car'retto *sm* handcart.
carri'era *sf* career; **fare** ~ to get on; **ufficiale di** ~ (*MIL*) regular officer; **a gran** ~ at full speed.
carri'ola *sf* wheelbarrow.
'carro *sm* cart, wagon; **il Gran/Piccolo C**~ (*ASTR*) the Great/Little Bear; **mettere il** ~ **avanti ai buoi** (*fig*) to put the cart before the horse; ~ **armato** tank; ~ **attrezzi** (*AUT*) breakdown van (*BRIT*), tow truck (*US*); ~ **funebre** hearse; ~ **merci/bestiame** (*FERR*) goods/animal wagon.
car'roccio [kar'rɔtʃo] *sm* (*POL*): **il C**~ symbol *of Lega Nord.*
car'rozza [kar'rɔttsa] *sf* carriage, coach; ~ **letto** (*FERR*) sleeper; ~ **ristorante** (*FERR*) dining car.
carroz'zella [karrot'tsɛlla] *sf* (*per bambini*) pram (*BRIT*), baby carriage (*US*); (*per invalidi*) wheelchair.
carrozze'ria [karrottse'ria] *sf* body, coachwork (*BRIT*); (*officina*) coachbuilder's workshop (*BRIT*), body shop.
carrozzi'ere [karrot'tsjere] *sm* (*AUT: progettista*) car designer; (: *meccanico*) coachbuilder.
carroz'zina [karrot'tsina] *sf* pram (*BRIT*), baby carriage (*US*).
carroz'zone [karrot'tsone] *sm* (*da circo, di zingari*) caravan.
car'rucola *sf* pulley.

'carta *sf* paper; (*al ristorante*) menu; (*GEO*) map; plan; (*documento, da gioco*) card; (*costituzione*) charter; ~**e** *sfpl* (*documenti*) papers, documents; **alla** ~ (*al ristorante*) à la carte; **cambiare le** ~**e in tavola** (*fig*) to shift one's ground; **fare** ~**e false** (*fig*) to go to great lengths; ~ **assegni** bank card; ~ **assorbente** blotting paper; ~ **bollata** *o* **da bollo** (*AMM*) official stamped paper; ~ **di credito** credit card; ~ **di debito** cash card; ~ (**geografica**) map; ~ **d'identità** identity card; ~ **igienica** toilet paper; ~ **d'imbarco** (*AER, NAUT*) boarding card, boarding pass; ~ **da lettere** writing paper; ~ **libera** (*AMM*) unstamped paper; ~ **millimetrata** graph paper; ~ **oleata** waxed paper; ~ **da pacchi,** ~ **da imballo** wrapping paper, brown paper; ~ **da parati** wallpaper; ~ **verde** (*AUT*) green card; ~ **vetrata** sandpaper; ~ **da visita** visiting card.
cartacar'bone, *pl* **cartecar'bone** *sf* carbon paper.
car'taccia, ce [kar'tattʃa] *sf* waste paper.
cartamo'dello *sm* (*CUCITO*) paper pattern.
cartamo'neta *sf* paper money.
carta'pecora *sf* parchment.
carta'pesta *sf* papier-mâché.
cartas'traccia [kartas'trattʃa] *sf* waste paper.
car'teggio [kar'teddʒo] *sm* correspondence.
car'tella *sf* (*scheda*) card; (*custodia: di cartone*) folder; (: *di uomo d'affari etc*) briefcase; (: *di scolaro*) schoolbag, satchel; ~ **clinica** (*MED*) case sheet.
cartel'lino *sm* (*etichetta*) label; (*su porta*) notice; (*scheda*) card; **timbrare il** ~ (*all'entrata*) to clock in; (*all'uscita*) to clock out; ~ **di presenza** clock card, timecard.
car'tello *sm* sign; (*pubblicitario*) poster; (*stradale*) sign, signpost; (*in dimostrazioni*) placard; (*ECON*) cartel.
cartel'lone *sm* (*pubblicitario*) advertising poster; (*della tombola*) scoring frame; (*TEAT*) playbill; **tenere il** ~ (*spettacolo*) to have a long run.
carti'era *sf* paper mill.
carti'lagine [karti'ladʒine] *sf* cartilage.
car'tina *sf* (*AUT, GEO*) map.
car'toccio [kar'tɔttʃo] *sm* paper bag; **cuocere al** ~ (*CUC*) to bake in tinfoil.
cartogra'fia *sf* cartography.
carto'laio, a *sm/f* stationer.
cartole'ria *sf* stationer's (shop) (*BRIT*).
carto'lina *sf* postcard; ~ **di auguri** greetings card; ~ **precetto** *o* **rosa** (*MIL*) call-up card.
carto'mante *sm/f* fortune-teller (*using*

cards).

carton'cino [karton'tʃino] *sm* (*materiale*) thin cardboard; (*biglietto*) card; ~ **della società** compliments slip.

car'tone *sm* cardboard; (*del latte, dell'aranciata*) carton; (*ARTE*) cartoon; ~**i animati** (*CINE*) cartoons.

car'tuccia, ce [kar'tuttʃa] *sf* cartridge; ~ **a salve** blank cartridge; **mezza** ~ (*fig: persona*) good-for-nothing.

'**casa** *sf* house; (*specialmente la propria* ~) home; (*COMM*) firm, house; **essere a** ~ to be at home; **vado a** ~ **mia/tua** I'm going home/to your house; ~ **di correzione** ≈ community home (*BRIT*), reformatory (*US*); ~ **di cura** nursing home; ~ **editrice** publishing house; ~ **dello studente** student hostel; ~ **di tolleranza,** ~ **d'appuntamenti** brothel; ~**e popolari** ≈ council houses (*o* flats) (*BRIT*), ≈ public housing units (*US*).

Casa'blanca *sf* Casablanca.

ca'sacca, che *sf* military coat; (*di fantino*) blouse.

ca'sale *sm* (*gruppo di case*) hamlet; (*casa di campagna*) farmhouse.

casa'lingo, a, ghi, ghe *ag* household, domestic; (*fatto a casa*) home-made; (*semplice*) homely; (*amante della casa*) home-loving ♦ *sf* housewife; ~**ghi** *smpl* (*oggetti*) household articles; **cucina** ~**a** plain home cooking.

ca'sata *sf* family lineage.

ca'sato *sm* family name.

Casc. *abbr* (*GEO*) = **cascata**.

casca'morto *sm* woman-chaser; **fare il** ~ to chase women.

cas'care *vi* to fall; ~ **bene/male** (*fig*) to land lucky/unlucky; ~ **dalle nuvole** (*fig*) to be taken aback; ~ **dal sonno** to be falling asleep on one's feet; **caschi il mondo** no matter what; **non cascherà il mondo se** ... it won't be the end of the world if ....

cas'cata *sf* fall; (*d'acqua*) cascade, waterfall.

cascherò *etc* [kaske'rɔ] *vb vedi* **cascare**.

ca'scina [kaʃ'ʃina] *sf* farmstead.

casci'nale [kaʃʃi'nale] *sm* (*casolare*) farmhouse; (*cascina*) farmstead.

'**casco, schi** *sm* helmet; (*del parrucchiere*) hair-dryer; (*di banane*) bunch; ~ **blu** (*MIL*) blue helmet (*UN soldier*).

caseggi'ato [kased'dʒato] *sm* (*edificio*) large block of flats (*BRIT*) *o* apartment building (*US*); (*gruppo di case*) group of houses.

casei'ficio [kazei'fitʃo] *sm* creamery.

ca'sella *sf* pigeonhole; ~ **postale (C.P.)** post

office box (P.O. box).

casel'lario *sm* (*mobile*) filing cabinet; (*raccolta di pratiche*) files *pl*; ~ **giudiziale** court records *pl*; ~ **penale** police files *pl*.

ca'sello *sm* (*di autostrada*) tollgate.

case'reccio, a, ci, ce [kase'rettʃo] *ag* home-made.

ca'serma *sf* barracks *pl*.

caser'tano, a *ag* of (*o* from) Caserta.

ca'sino *sm* (*confusione*) row, racket; (*casa di prostituzione*) brothel.

casinò *sm inv* casino.

ca'sistica *sf* (*MED*) record of cases; **secondo la** ~ **degli incidenti stradali** according to road accident data.

'**caso** *sm* chance; (*fatto, vicenda*) event, incident; (*possibilità*) possibility; (*MED, LING*) case; **a** ~ at random; **per** ~ by chance, by accident; **in ogni** ~, **in tutti i** ~**i** in any case, at any rate; **in** ~ **contrario** otherwise; **al** ~ should the opportunity arise; **nel** ~ **che** in case; ~ **mai** if by chance; **far** ~ **a qc/qn** to pay attention to sth/sb; **fare** *o* **porre** *o* **mettere il** ~ **che** to suppose that; **fa proprio al** ~ **nostro** it's just what we need; **guarda** ~ ... strangely enough ...; **è il** ~ **che ce ne andiamo** we'd better go; ~ **limite** borderline case.

caso'lare *sm* cottage.

'**Caspio** *sm*: **il mar** ~ the Caspian Sea.

'**caspita** *escl* (*di sorpresa*) good heavens!; (*di impazienza*) for goodness' sake!

'**cassa** *sf* case, crate, box; (*bara*) coffin; (*mobile*) chest; (*involucro: di orologio etc*) case; (*macchina*) cash register; (*luogo di pagamento*) cash desk, checkout (counter); (*fondo*) fund; (*istituto bancario*) bank; **battere** ~ (*fig*) to come looking for money; ~ **automatica prelievi** automatic telling machine, cash dispenser; ~ **continua** night safe; **mettere in** ~ **integrazione** ≈ to lay off; **C**~ **del Mezzogiorno** *development fund for the South of Italy*; ~ **mutua** *o* **malattia** health insurance scheme; ~ **di risonanza** (*MUS*) soundbox; (*fig*) platform; ~ **di risparmio** savings bank; ~ **rurale e artigiana** credit institution (*serving farmers and craftsmen*); ~ **toracica** (*ANAT*) chest.

cassa'forte, *pl* **casse'forti** *sf* safe.

cassa'panca, *pl* **cassa'panche** *o* **casse'panche** *sf* settle.

casseru'ola, casse'rola *sf* saucepan.

cas'setta *sf* box; (*per registratore*) cassette; (*CINE, TEAT*) box-office takings *pl*; **pane a** *o* **in** ~ toasting loaf; **film di** ~ (*commerciale*) box-office draw; **far** ~ to be a box-office success; ~ **delle lettere** letterbox; ~ **di**

sicurezza strongbox.
cas'setto sm drawer.
casset'tone sm chest of drawers.
cassi'ere, a sm/f cashier; (di banca) teller.
cassinte'grato, a sm/f person who has been laid off.
cas'sone sm (cassa) large case, large chest.
'casta sf caste.
cas'tagna [kas'taɲɲa] sf chestnut; **prendere qn in ~** (fig) to catch sb in the act.
cas'tagno [kas'taɲɲo] sm chestnut (tree).
cas'tano, a ag chestnut (brown).
cas'tello sm castle; (TECN) scaffolding.
casti'gare vt to punish.
casti'gato, a ag (casto, modesto) pure, chaste; (emendato: prosa, versione) expurgated, amended.
cas'tigo, ghi sm punishment.
castità sf chastity.
'casto, a ag chaste, pure.
cas'toro sm beaver.
cas'trante ag frustrating.
cas'trare vt to castrate; to geld; to doctor (BRIT), fix (US); (fig: iniziativa) to frustrate.
castrone'ria sf (fam): **dire ~e** to talk rubbish.
casu'ale ag chance cpd.
ca'supola sf simple little cottage.
catac'lisma, i sm (fig) catastrophe.
cata'comba sf catacomb.
cata'fascio [kata'faʃʃo] sm: **andare a ~ to** collapse; **mandare a ~** to wreck.
cata'litico, a, ci, che ag: **marmitta ~a** (AUT) catalytic converter.
cataliz'zare [katalid'dzare] vt (fig) to act as a catalyst (up)on.
cataliz'zato, a [katalid'dzato] ag (AUT) with catalytic converter.
catalizza'tore [kataliddza'tore] sm (anche fig) catalyst; (AUT) catalytic converter.
Cata'logna [kata'loɲɲa] sf: **la ~** Catalonia.
ca'talogo, ghi sm catalogue; **~ dei prezzi** price list.
cata'nese ag of (o from) Catania.
catanza'rese [katandza'rese] ag of (o from) Catanzaro.
cata'pecchia [kata'pekkja] sf hovel.
cata'pulta sf catapult.
catarifran'gente [katarifran'dʒɛnte] sm (AUT) reflector.
ca'tarro sm catarrh.
ca'tarsi sf inv catharsis.
ca'tasta sf stack, pile.
ca'tasto sm land register; land registry office.
ca'tastrofe sf catastrophe, disaster.
catas'trofico, a, ci, che ag (evento)

catastrophic; (persona, previsione) pessimistic.
cate'chismo [kate'kizmo] sm catechism.
catego'ria sf category; (di albergo) class.
cate'gorico, a, ci, che ag categorical.
ca'tena sf chain; **reazione a ~** chain reaction; **susseguirsi a ~** to happen in quick succession; **~ alimentare** food chain; **~ di montaggio** assembly line; **~ montuosa** mountain range; **~e da neve** (AUT) snow chains.
cate'naccio [kate'nattʃo] sm bolt.
cate'nella sf (ornamento) chain; (di orologio) watch chain; (di porta) door chain.
cate'ratta sf cataract; (chiusa) sluice gate.
ca'terva sf (di cose) loads pl, heaps pl; (di persone) horde.
cate'tere sm (MED) catheter.
cati'nella sf: **piovere a ~e** to pour, rain cats and dogs.
ca'tino sm basin.
ca'todico, a, ci, che ag: **tubo a raggi ~ci** cathode-ray tube.
ca'torcio [ka'tɔrtʃo] sm (peg) old wreck.
ca'trame sm tar.
'cattedra sf teacher's desk; (di università) chair; **salire o montare in ~** (fig) to pontificate.
catte'drale sf cathedral.
catte'dratico, a, ci, che ag (insegnamento) university cpd; (ironico) pedantic ♦ sm/f professor.
catti'veria sf (qualità) wickedness; (di bambino) naughtiness; (azione) wicked action; **fare una ~** to do something wicked; to be naughty.
cattività sf captivity.
cat'tivo, a ag bad; (malvagio) bad, wicked; (turbolento: bambino) bad, naughty; (: mare) rough; (odore, sapore) nasty, bad ♦ sm/f bad o wicked person; **farsi ~ sangue** to worry, get in a state; **farsi un ~ nome** to earn o.s. a bad reputation; **i ~i** (nei film) the baddies (BRIT), the bad guys (US).
cattocomu'nista, i, e ag combining Catholic and communist ideas.
cattoli'cesimo [kattoli'tʃezimo] sm Catholicism.
cat'tolico, a, ci, che ag, sm/f (Roman) Catholic.
cat'tura sf capture.
cattu'rare vt to capture.
cau'casico, a, ci, che ag, sm/f Caucasian.
'Caucaso sm: **il ~** the Caucasus.
cauc'ciù [kaut'tʃu] sm rubber.
'causa sf cause; (DIR) lawsuit, case, action;

a ~ **di** because of; **per** ~ **sua** because of him; **fare** o **muovere** ~ **a qn** to take legal action against sb; **parte in** ~ litigant.

cau'sale *ag* (*LING*) causal ♦ *sf* cause, reason.

cau'sare *vt* to cause.

'caustico, a, ci, che *ag* caustic.

cau'tela *sf* caution, prudence.

caute'lare *vt* to protect; ~**rsi** *vr*: ~**rsi (da** o **contro)** to take precautions (against).

'cauto, a *ag* cautious, prudent.

cauzio'nare [kauttsjo'nare] *vt* to guarantee.

cauzi'one [kaut'tsjone] *sf* security; (*DIR*) bail; **rilasciare dietro** ~ to release on bail.

cav. *abbr* = **cavaliere.**

'cava *sf* quarry.

caval'care *vt* (*cavallo*) to ride; (*muro*) to sit astride; (*sog: ponte*) to span.

caval'cata *sf* ride; (*gruppo di persone*) riding party.

cavalca'via *sm inv* flyover.

cavalci'oni [kaval't∫oni]: **a** ~ **di** *prep* astride.

cavali'ere *sm* rider; (*feudale, titolo*) knight; (*soldato*) cavalryman; (*al ballo*) partner.

cavalleg'gero [kavalled'dʒɛro] *sm* (*MIL*) light cavalryman.

cavalle'resco, a, schi, sche *ag* chivalrous.

cavalle'ria *sf* chivalry; (*milizia a cavallo*) cavalry.

cavalle'rizzo, a [kavalle'rittso] *sm/f* riding instructor; circus rider.

caval'letta *sf* grasshopper; (*dannosa*) locust.

caval'letto *sm* (*FOT*) tripod; (*da pittore*) easel.

caval'lina *sf* (*GINNASTICA*) horse; (*gioco*) leap-frog; **correre la** ~ (*fig*) to sow one's wild oats.

ca'vallo *sm* horse; (*SCACCHI*) knight; (*AUT: anche:* ~ **vapore**) horsepower; (*dei pantaloni*) crotch; **a** ~ on horseback; **a** ~ **di** astride, straddling; **siamo a** ~ (*fig*) we've made it; **da** ~ (*fig: dose*) drastic; (: *febbre*) raging; **vivere a** ~ **tra due periodi** to straddle two periods; ~ **di battaglia** (*TEAT*) tour de force; (*fig*) hobbyhorse; ~ **da corsa** racehorse; ~ **a dondolo** rocking horse; ~ **da sella** saddle horse; ~ **da soma** packhorse.

ca'vare *vt* (*togliere*) to draw out, extract, take out; (: *giacca, scarpe*) to take off; (: *fame, sete, voglia*) to satisfy; ~**rsi** *vr*: ~**rsi da** (*guai, problemi*) to get out of; **cavarsela** to get away with it; to manage, get on all right; **non ci caverà un bel nulla** you'll get nothing out of it (o him *etc*).

cava'tappi *sm inv* corkscrew.

ca'verna *sf* cave.

caver'noso, a *ag* (*luogo*) cavernous; (*fig: voce*) deep; (: *tosse*) raucous.

ca'vezza [ka'vettsa] *sf* halter.

'cavia *sf* guinea pig.

cavi'ale *sm* caviar.

ca'viglia [ka'viʎʎa] *sf* ankle.

cavil'lare *vi* to quibble.

ca'villo *sm* quibble.

cavil'loso, a *ag* quibbling, hair-splitting.

cavità *sf inv* cavity.

'cavo, a *ag* hollow ♦ *sm* (*ANAT*) cavity; (*grossa corda*) rope, cable; (*ELETTR, TEL*) cable.

cavo'lata *sf* (*fam*) stupid thing, foolish thing.

cavolfi'ore *sm* cauliflower.

'cavolo *sm* cabbage; **non m'importa un** ~ (*fam*) I don't give a hoot; **che** ~ **vuoi?** (*fam*) what the heck do you want?; ~ **di Bruxelles** Brussels sprout.

caz'zata [kat'tsata] *sf* (*fam!: stupidaggine*) stupid thing, something stupid.

'cazzo ['kattso] *sm* (*fam!: pene*) prick (*!*); **non gliene importa un** ~ (*fig fam!*) he doesn't give a damn about it; **fatti i** ~**i tuoi** (*fig fam!*) mind your own damn business.

caz'zotto [kat'tsotto] *sm* punch; **fare a** ~**i** to have a punch-up.

cazzu'ola [kat'tswola] *sf* trowel.

CB *sigla* = Campobasso.

CC *abbr* = Carabinieri.

cc *abbr* (= *centimetro cubico*) cc.

C.C. *abbr* = **codice civile.**

c.c. *abbr* (= *conto corrente*) c/a, a/c; (*ELETTR*) *vedi* **corrente continua.**

c/c *abbr* (= *conto corrente*) c/a, a/c.

C.C.D. *sigla m* (*POL* = *Centro Cristiano Democratico*) *party originating from Democrazia Cristiana.*

CCI *sigla f* (= *Camera di Commercio Internazionale*) ICC (= *International Chamber of Commerce*).

CCIAA *abbr* = *Camera di Commercio Industria, Agricoltura e Artigianato.*

CCT *sigla m vedi* **certificato di credito del Tesoro.**

C.D. *abbr* (= *Corpo Diplomatico*) CD ♦ *sm inv* (= *compact disc*) CD.

c.d. *abbr* = *cosiddetto.*

c.d.d. *abbr* (= *come dovevasi dimostrare*) QED (= *quod erat demonstrandum*).

C.d.M. *abbr* = *Cassa del Mezzogiorno.*

CD-Rom [t∫idi'rom] *sigla m inv* (= *Compact Disc Read Only Memory*) CD-Rom.

CE *sigla* = Caserta.

ce [t∫e] *pron, av vedi* **ci.**

C.E. *sigla* = **Consiglio d'Europa.**

CECA *sigla f* (= *Comunità Europea del Carbone e dell'Acciaio*) ECSC (= *European Coal and Steel Community*).

cec'chino [tʃek'kino] *sm* sniper; (*POL*) *member of parliament who votes against his own party.*

'cece ['tʃetʃe] *sm* chickpea, garbanzo (*US*).

cecità [tʃetʃi'ta] *sf* blindness.

'ceco, a, chi, che ['tʃɛko] *ag, sm/f, sm* Czech; **la Repubblica C~a** the Czech Republic.

Cecoslo'vacchia [tʃekozlo'vakkja] *sf*: **la ~** Czechoslovakia.

cecoslo'vacco, a, chi, che [tʃekozlo'vakko] *ag, sm/f* Czechoslovakian.

CED [tʃɛd] *sigla m* = **centro elaborazione dati**.

'cedere ['tʃɛdere] *vt* (*concedere: posto*) to give up; (*DIR*) to transfer, make over ♦ *vi* (*cadere*) to give way, subside; **~ (a)** to surrender (to), yield (to), give in (to); **~ il passo (a qn)** to let (sb) pass in front; **~ il passo a qc** (*fig*) to give way to sth; **~ la parola (a qn)** to hand over (to sb).

ce'devole [tʃe'devole] *ag* (*terreno*) soft; (*fig*) yielding.

'cedola ['tʃɛdola] *sf* (*COMM*) coupon; voucher.

ce'drata [tʃe'drata] *sf* citron juice.

'cedro ['tʃɛdro] *sm* cedar; (*albero da frutto, frutto*) citron.

'CEE ['tʃɛe] *sigla f vedi* **Comunità Economica Europea.**

'ceffo ['tʃeffo] *sm* (*peg*) ugly mug.

cef'fone [tʃef'fone] *sm* slap, smack.

'ceko, a ['tʃɛko] *ag, sm/f, sm* = **ceco**.

ce'lare [tʃe'lare] *vt* to conceal; **~rsi** *vr* to hide.

cele'brare [tʃele'brare] *vt* to celebrate; (*cerimonia*) to hold; **~ le lodi di qc/qn** to sing the praises of sth/sb.

celebrazi'one [tʃelebrat'tsjone] *sf* celebration.

'celebre ['tʃelebre] *ag* famous, celebrated.

celebrità [tʃelebri'ta] *sf inv* fame; (*persona*) celebrity.

'celere ['tʃelere] *ag* fast, swift; (*corso*) crash *cpd* ♦ *sf* (*POLIZIA*) riot police.

ce'leste [tʃe'lɛste] *ag* celestial; heavenly; (*colore*) sky-blue.

'celia ['tʃɛlja] *sf* joke; **per ~** for a joke.

celi'bato [tʃeli'bato] *sm* celibacy.

'celibe ['tʃɛlibe] *ag* single, unmarried ♦ *sm* bachelor.

'cella ['tʃɛlla] *sf* cell; **~ di rigore** punishment cell.

cello'phane ® [sɛlo'fan] *sm* cellophane ®.

'cellula ['tʃɛllula] *sf* (*BIOL, ELETTR, POL*) cell.

cellu'lare [tʃellu'lare] *ag* cellular ♦ *sm*

(*furgone*) police van; (*telefono*) cellphone; **segregazione ~** (*DIR*) solitary confinement.

cellu'lite [tʃellu'lite] *sf* cellulitis.

'celta ['tʃɛlta] *sm/f* Celt.

'celtico, a, ci, che ['tʃɛltiko] *ag, sm* Celtic.

'cembalo ['tʃembalo] *sm* (*MUS*) harpsichord.

cemen'tare [tʃemen'tare] *vt* (*anche fig*) to cement.

ce'mento [tʃe'mento] *sm* cement; **~ armato** reinforced concrete.

'cena ['tʃena] *sf* dinner; (*leggera*) supper.

ce'nacolo [tʃe'nakolo] *sm* (*circolo*) coterie, circle; (*REL, dipinto*) Last Supper.

ce'nare [tʃe'nare] *vi* to dine, have dinner.

'cencio ['tʃentʃo] *sm* piece of cloth, rag; (*per spolverare*) duster; **essere bianco come un ~** to be as white as a sheet.

'cenere ['tʃenere] *sf* ash.

Cene'rentola [tʃene'rɛntola] *sf* (*anche fig*) Cinderella.

'cenno ['tʃenno] *sm* (*segno*) sign, signal; (*gesto*) gesture; (*col capo*) nod; (*con la mano*) wave; (*allusione*) hint, mention; (*breve esposizione*) short account; **far ~ di sì/no** to nod (one's head)/shake one's head; **~ d'intesa** sign of agreement; **~i di storia dell'arte** an outline of the history of art.

censi'mento [tʃensi'mento] *sm* census.

cen'sire [tʃen'sire] *vt* to take a census of.

'CENSIS ['tʃensis] *sigla m* (= *Centro Studi Investimenti Sociali*) *independent institute carrying out research on Italy's social and cultural welfare.*

cen'sore [tʃen'sore] *sm* censor.

cen'sura [tʃen'sura] *sf* censorship; censor's office; (*fig*) censure.

censu'rare [tʃensu'rare] *vt* to censor; to censure.

cent. *abbr* = **centesimo**.

centelli'nare [tʃentelli'nare] *vt* to sip; (*fig*) to savour (*BRIT*), savor (*US*).

cente'nario, a [tʃente'narjo] *ag* (*che ha cento anni*) hundred-year-old; (*che ricorre ogni cento anni*) centennial, centenary *cpd* ♦ *sm/f* centenarian ♦ *sm* centenary.

cen'tesimo, a [tʃen'tɛzimo] *ag, sm* hundredth; **essere senza un ~** to be penniless.

cen'tigrado, a [tʃen'tigrado] *ag* centigrade; **20 gradi ~i** 20 degrees centigrade.

cen'tilitro [tʃen'tilitro] *sm* centilitre.

cen'timetro [tʃen'timetro] *sm* centimetre (*BRIT*), centimeter (*US*); (*nastro*) measuring tape (*in centimetres*).

centi'naio, *pl(f)* **-aia** [tʃenti'najo] *sm*: **un ~**

(di) a hundred; about a hundred.

'cento ['tʃɛnto] *num* a hundred, one hundred; **per** ~ per cent; **al** ~ **per** ~ a hundred per cent; ~ **di questi giorni!** many happy returns (of the day)!

centodi'eci [tʃɛnto'djɛtʃi] *num* one hundred and ten; ~ **e lode** (*UNIVERSITÀ*) ≈ first-class honours.

cento'mila [tʃɛnto'mila] *num* a o one hundred thousand; **te l'ho detto** ~ **volte** (*fig*) I've told you a thousand times.

Cen'trafrica [tʃen'trafrika] *sm*: **il** ~ the Central African Republic.

cen'trale [tʃen'trale] *ag* central ♦ *sf*: ~ **elettrica** electric power station; ~ **del latte** dairy; ~ **di polizia** police headquarters *pl*; ~ **telefonica** (telephone) exchange; **sede** ~ head office.

centrali'nista [tʃentrali'nista] *sm/f* operator.

centra'lino [tʃentra'lino] *sm* (telephone) exchange; (*di albergo etc*) switchboard.

centraliz'zare [tʃentralid'dzare] *vt* to centralize.

cen'trare [tʃen'trare] *vt* to hit the centre (*BRIT*) o center (*US*) of; (*TECN*) to centre; ~ **una risposta** to get the right answer; **ha centrato il problema** you've hit the nail on the head.

centra'vanti [tʃentra'vanti] *sm inv* centre forward.

cen'trifuga [tʃen'trifuga] *sf* spin-dryer.

centrifu'gare [tʃentrifu'gare] *vt* (*TECN*) to centrifuge; (*biancheria*) to spin-dry.

'centro ['tʃɛntro] *sm* centre (*BRIT*), center (*US*); **fare** ~ to hit the bull's eye; (*CALCIO*) to score; (*fig*) to hit the nail on the head; ~ **balneare** seaside resort; ~ **commerciale** shopping centre; (*città*) commercial centre; ~ **di costo** cost centre; ~ **elaborazione dati** data-processing unit; ~ **ospedaliero** hospital complex; ~ **sociale** community centre; ~**i vitali** (*anche fig*) vital organs.

centromedi'ano [tʃentrome'djano] *sm* (*CALCIO*) centre half.

'ceppo ['tʃeppo] *sm* (*di albero*) stump; (*pezzo di legno*) log.

'cera ['tʃera] *sf* wax; (*aspetto*) appearance, look; ~ **per pavimenti** floor polish.

cera'lacca [tʃera'lakka] *sf* sealing wax.

ce'ramica, che [tʃe'ramika] *sf* ceramic; (*ARTE*) ceramics *sg*.

cerbi'atto [tʃer'bjatto] *sm* fawn.

'cerca ['tʃerka] *sf*: **in** o **alla** ~ **di** in search of.

cercaper'sone [tʃerkaper'sone] *sm inv* bleeper.

cer'care [tʃer'kare] *vt* to look for, search for ♦ *vi*: ~ **di fare qc** to try to do sth.

cercherò *etc* [tʃerke'rɔ] *vb vedi* **cercare.**

'cerchia ['tʃerkja] *sf* circle.

cerchi'ato, a [tʃer'kjato] *ag*: **occhiali** ~**i d'osso** horn-rimmed spectacles; **avere gli occhi** ~**i** to have dark rings under one's eyes.

'cerchio ['tʃerkjo] *sm* circle; (*giocattolo, di botte*) hoop; **dare un colpo al** ~ **e uno alla botte** (*fig*) to keep two things going at the same time.

cerchi'one [tʃer'kjone] *sm* (wheel)rim.

cere'ale [tʃere'ale] *sm* cereal.

cere'brale [tʃere'brale] *ag* cerebral.

ceri'monia [tʃeri'mɔnja] *sf* ceremony; **senza tante** ~**e** (*senza formalità*) informally; (*bruscamente*) unceremoniously, without so much as a by-your-leave.

cerimoni'ale [tʃerimo'njale] *sm* etiquette; ceremonial.

cerimoni'ere [tʃerimo'njɛre] *sm* master of ceremonies.

cerimoni'oso, a [tʃerimo'njoso] *ag* formal, ceremonious.

ce'rino [tʃe'rino] *sm* wax match.

CERN [tʃɛrn] *sigla m* (= *Comitato Europeo di Ricerche Nucleari*) CERN.

'cernia ['tʃɛrnja] *sf* (*ZOOL*) stone bass.

cerni'era [tʃer'njɛra] *sf* hinge; ~ **lampo** zip (fastener) (*BRIT*), zipper (*US*).

'cernita ['tʃɛrnita] *sf* selection; **fare una** ~ **di** to select.

'cero ['tʃero] *sm* (church) candle.

ce'rone [tʃe'rone] *sm* (*trucco*) greasepaint.

ce'rotto [tʃe'rɔtto] *sm* sticking plaster.

certa'mente [tʃerta'mente] *av* certainly, surely.

cer'tezza [tʃer'tettsa] *sf* certainty.

certifi'care [tʃertifi'kare] *vt* to certify.

certifi'cato [tʃertifi'kato] *sm* certificate; ~ **medico/di nascita** medical/birth certificate; ~ **di credito del Tesoro (CCT)** treasury bill.

certificazi'one [tʃertifikat'tsjone] *sf* certification; ~ **di bilancio** (*COMM*) external audit.

════════════════════════ *PAROLA CHIAVE*

'certo, a ['tʃɛrto] *ag* (*sicuro*): ~ **(di/che)** certain o sure (of/that)
♦ *det* **1** (*tale*) certain; **un** ~ **signor Smith** a (certain) Mr Smith
2 (*qualche; con valore intensivo*) some; **dopo un** ~ **tempo** after some time; **un fatto di una** ~**a importanza** a matter of some importance; **di una** ~**a età** past one's prime, not so young
♦ *pron*: ~**i, e** *pl* some

♦ *av* (*certamente*) certainly; (*senz'altro*) of course; **di** ~ certainly; **no** (**di**) ~**!**, ~ **che no!** certainly not!; **sì** ~ yes indeed, certainly.

certo'sino [tʃerto'zino] *sm* Carthusian monk; (*liquore*) chartreuse; **è un lavoro da** ~ it's a pernickety job.

cer'tuni [tʃer'tuni] *pron pl* some (people).

ce'rume [tʃe'rume] *sm* (ear) wax.

'cerva ['tʃerva] *sf* (female) deer, doe.

cer'vello, *pl* **i** (*anche*: *pl*(*f*) **a** *o* **e**) [tʃer'vɛllo] *sm* brain; ~ **elettronico** computer; **avere il** *o* **essere un** ~ **fino** to be sharp-witted; **è uscito di** ~, **gli è dato di volta il** ~ he's gone off his head.

cervi'cale [tʃervi'kale] *ag* cervical.

'cervo, a ['tʃervo] *sm/f* stag/hind ♦ *sm* deer; ~ **volante** stag beetle.

cesel'lare [tʃezel'lare] *vt* to chisel; (*incidere*) to engrave.

ce'sello [tʃe'zɛllo] *sm* chisel.

'CESIS ['tʃesis] *sigla m* (= *Comitato Esecutivo per i Servizi di Informazione e di Sicurezza*) *committee on intelligence and security matters, reporting to the Prime Minister.*

ce'soie [tʃe'zoje] *sfpl* shears.

ces'puglio [tʃes'puʎʎo] *sm* bush.

ces'sare [tʃes'sare] *vi*, *vt* to stop, cease; ~ **di fare qc** to stop doing sth; **"cessato allarme"** "all clear".

ces'sate il fu'oco [tʃes'sate-] *sm* ceasefire.

cessazi'one [tʃessat'tsjone] *sf* cessation; (*interruzione*) suspension.

cessi'one [tʃes'sjone] *sf* transfer.

'cesso ['tʃɛsso] *sm* (*fam*: *gabinetto*) bog.

'cesta ['tʃesta] *sf* (large) basket.

ces'tello [tʃes'tɛllo] *sm* (*per bottiglie*) crate; (*di lavatrice*) drum.

cesti'nare [tʃesti'nare] *vt* to throw away; (*fig*: *proposta*) to turn down; (: *romanzo*) to reject.

ces'tino [tʃes'tino] *sm* basket; (*per la carta straccia*) wastepaper basket; ~ **da viaggio** (*FERR*) packed lunch (*o* dinner).

'cesto ['tʃesto] *sm* basket.

ce'sura [tʃe'zura] *sf* caesura.

ce'taceo [tʃe'tatʃeo] *sm* sea mammal.

'ceto ['tʃɛto] *sm* (social) class.

'cetra ['tʃetra] *sf* zither; (*fig*: *di poeta*) lyre.

cetrio'lino [tʃetrio'lino] *sm* gherkin.

cetri'olo [tʃetri'ɔlo] *sm* cucumber.

Cf., Cfr. *abbr* (= *confronta*) cf.

CFC [tʃieffe'tʃi] *abbr mpl* (= *clorofluorocarburi*) CFC.

CFS *sigla m* (= *Corpo Forestale dello Stato*) *body responsible for the planting and management of forests.*

cg *abbr* (= *centigrammo*) cg.

C.G.I.L. [tʃidʒi'elle] *sigla f* (= *Confederazione Generale Italiana del Lavoro*) *trades union organization.*

CH *sigla* = *Chieti.*

cha'let [ʃa'lɛ] *sm inv* chalet.

cham'pagne [ʃã'paɲ] *sm inv* champagne.

chance [ʃãs] *sf inv* chance.

charme [ʃarm] *sm* charm.

'charter ['tʃaːtər] *ag inv* (*volo*) charter *cpd*; (*aereo*) chartered ♦ *sm inv* chartered plane.

══════════════ *PAROLA CHIAVE*

che [ke] *pron* **1** (*relativo: persona: soggetto*) who; (: *oggetto*) whom, that; (: *cosa, animale*) which, that; **il ragazzo** ~ **è venuto** the boy who came; **l'uomo** ~ **io vedo** the man (whom) I see; **il libro** ~ **è sul tavolo** the book which *o* that is on the table; **il libro** ~ **vedi** the book (which *o* that) you see; **la sera** ~ **ti ho visto** the evening I saw you

2 (*interrogativo, esclamativo*) what; ~ **(cosa) fai?** what are you doing?; **a** ~ **(cosa) pensi?** what are you thinking about?; **non sa** ~ **fare** he doesn't know what to do; **sai di** ~ **si tratta?** do you know what it's about?; ~ **(cosa) succede?** what's happening?; **ma** ~ **dici!** what are you saying!

3 (*indefinito*): **quell'uomo ha un** ~ **di losco** there's something suspicious about that man; **un certo non so** ~ an indefinable something; **non è un gran** ~ it's nothing much

♦ *det* **1** (*interrogativo: tra tanti*) what; (: *tra pochi*) which; ~ **tipo di film preferisci?** what sort of film do you prefer?; ~ **vestito ti vuoi mettere?** what (*o* which) dress do you want to put on?

2 (*esclamativo: seguito da aggettivo*) how; (: *seguito da sostantivo*) what; ~ **buono!** how delicious!; ~ **bel vestito!** what a lovely dress!; ~ **macchina!** what a car!

♦ *cong* **1** (*con proposizioni subordinate*) that; **credo** ~ **verrà** I think he'll come; **voglio** ~ **tu studi** I want you to study; **so** ~ **tu c'eri** I know (that) you were there; **non** ~ **sia sbagliato, ma ...** not that it's wrong, but ...

2 (*finale*) so that; **vieni qua,** ~ **ti veda** come here, so (that) I can see you; **stai attento** ~ **non cada** mind it doesn't fall

3 (*temporale*): **arrivai** ~ **eri già partito** you had already left when I arrived; **sono anni** ~ **non lo vedo** I haven't seen him for years

4 (*in frasi imperative, concessive*): ~ **venga**

pure! let him come by all means!; ~ **tu sia benedetto!** may God bless you!; ~ **tu venga o no partiamo lo stesso** we're going whether you come or not
5 (*comparativo: con più, meno*) than; **è più lungo ~ largo** it's longer than it's wide; **più bella ~ mai** more beautiful than ever; *vedi anche* **più; meno; così** etc.

'checca, che ['kekka] *sf* (*fam: omosessuale*) fairy.

chef [ʃɛf] *sm inv* chef.

chemiotera'pia [kemjotera'pia] *sf* chemotherapy.

chero'sene [kero'zɛne] *sm* kerosene.

cheru'bino [keru'bino] *sm* cherub.

che'tare [ke'tare] *vt* to hush, silence; **~rsi** *vr* to quieten down, fall silent.

cheti'chella [keti'kɛlla] **alla ~** *av* stealthily, unobtrusively; **andarsene alla ~** to slip away.

'cheto, a ['keto] *ag* quiet, silent.

================= *PAROLA CHIAVE*

chi [ki] *pron* **1** (*interrogativo: soggetto*) who; (: *oggetto*) who, whom; **~ è?** who is it?; **di ~ è questo libro?** whose book is this?, whose is this book?; **con ~ parli?** who are you talking to?; **a ~ pensi?** who are you thinking about?; **~ di voi?** which of you?; **non so a ~ rivolgermi** I don't know who to ask
2 (*relativo*) whoever, anyone who; **dillo a ~ vuoi** tell whoever you like; **portate ~ volete** bring anyone you like; **so io di ~ parlo** I know who I'm talking about; **lo riferirò a ~ di dovere** I'll pass it on to the relevant person
3 (*indefinito*): **~ ... ~ ...** some ... others ...; **~ dice una cosa, ~ dice un'altra** some say one thing, others say another.

chiacchie'rare [kjakkje'rare] *vi* to chat; (*discorrere futilmente*) to chatter; (*far pettegolezzi*) to gossip.

chiacchie'rata [kjakkje'rata] *sf* chat; **farsi una ~** to have a chat.

chi'acchiere ['kjakkjere] *sfpl* chatter *no pl*; gossip *no pl*; **fare due** *o* **quattro ~** to have a chat; **perdersi in ~** to waste time talking.

chiacchie'rone, a [kjakkje'rone] *ag* talkative, chatty; gossipy ♦ *sm/f* chatterbox; gossip.

chia'mare [kja'mare] *vt* to call; (*rivolgersi a qn*) to call (in), send for; **~rsi** *vr* (*aver nome*) to be called; **mi chiamo Paolo** my name is Paolo, I'm called Paolo; **mandare**

a ~ qn to send for sb, call sb in; **~ alle armi** to call up; **~ in giudizio** to summon; **~ qn da parte** to take sb aside.

chia'mata [kja'mata] *sf* (*TEL*) call; (*MIL*) call-up; **~ interurbana** long-distance call; **~ con preavviso** person-to-person call; **~ alle urne** (*POL*) election.

chi'appa ['kjappa] *sf* (*fam: natica*) cheek; **~e** *sfpl* bottom *sg.*

chi'ara ['kjara] *sf* egg white.

chia'rezza [kja'rettsa] *sf* clearness; clarity.

chiarifi'care [kjarifi'kare] *vt* (*anche fig*) to clarify.

chiarificazi'one [kjarifikat'tsjone] *sf* clarification.

chiari'mento [kjari'mento] *sm* clarification *no pl*, explanation.

chia'rire [kja'rire] *vt* to make clear; (*fig: spiegare*) to clear up, explain; **~rsi** *vr* to become clear; **si sono chiariti** they've sorted things out.

chi'aro, a ['kjaro] *ag* clear; (*luminoso*) clear, bright; (*colore*) pale, light ♦ *av* (*parlare, vedere*) clearly; **si sta facendo ~** the day is dawning; **sia ~a una cosa** let's get one thing straight; **mettere in ~ qc** (*fig*) to clear sth up; **parliamoci ~** let's be frank; **trasmissione in ~** (*TV*) uncoded broadcast.

chia'rore [kja'rore] *sm* (*diffuse*) light.

chiaroveg'gente [kjaroved'dʒɛnte] *sm/f* clairvoyant.

chi'asso ['kjasso] *sm* uproar, row; **far ~** to make a din; (*fig*) to make a fuss; (: *scalpore*) to cause a stir.

chias'soso, a [kjas'soso] *ag* noisy, rowdy; (*vistoso*) showy, gaudy.

'chiatta ['kjatta] *sf* barge.

chi'ave ['kjave] *sf* key ♦ *ag inv* key *cpd*; **chiudere a ~** to lock; **~ d'accensione** (*AUT*) ignition key; **~ a forcella** fork spanner; **~ inglese** monkey wrench; **in ~ politica** in political terms; **~ di volta** (*anche fig*) keystone; **~i in mano** (*contratto*) turn-key *cpd*; **prezzo ~i in mano** (*di macchina*) on-the-road price.

chiavis'tello [kjavis'tɛllo] *sm* bolt.

chi'azza ['kjattsa] *sf* stain, splash.

chiaz'zare [kjat'tsare] *vt* to stain, splash.

chic [ʃik] *ag inv* chic, elegant.

chicches'sia [kikkes'sia] *pron* anyone, anybody.

'chicco, chi ['kikko] *sm* (*di cereale, riso*) grain; (*di caffè*) bean; **~ di grandine** hailstone; **~ d'uva** grape.

chi'edere ['kjɛdere] *vt* (*per sapere*) to ask; (*per avere*) to ask for ♦ *vi*: **~ di qn** to ask after sb; (*al telefono*) to ask for *o* want sb;

~**rsi** *vr:* ~**rsi (se)** to wonder (whether); ~ **qc a qn** to ask sb sth; to ask sb for sth; ~ **scusa a qn** to apologize to sb; ~ **l'elemosina** to beg; **non chiedo altro** that's all I want.

chieri'chetto [kjeri'ketto] *sm* altar boy.

chi'erico, ci ['kjɛriko] *sm* cleric; altar boy.

chi'esa ['kjɛza] *sf* church.

chi'esi *etc* ['kjɛzi] *vb vedi* **chiedere**.

chi'esto, a ['kjɛsto] *pp di* **chiedere**.

'Chigi ['kidʒi]: **palazzo** ~ *sm* (POL) *offices of the Italian Prime Minister.*

'chiglia ['kiʎʎa] *sf* keel.

'chilo ['kilo] *sm* kilo.

chilo'grammo [kilo'grammo] *sm* kilogram(me).

chilome'traggio [kilome'traddʒo] *sm* (AUT) ≈ mileage.

chilo'metrico, a, ci, che [kilo'mɛtriko] *ag* kilometric; (*fig*) endless.

chi'lometro [ki'lɔmetro] *sm* kilometre (BRIT), kilometer (US).

'chimico, a, ci, che ['kimiko] *ag* chemical ♦ *sm/f* chemist ♦ *sf* chemistry.

chi'mono [ki'mɔno] *sm inv* kimono.

'china ['kina] *sf* (*pendio*) slope, descent; (BOT) cinchona; (**inchiostro di**) ~ Indian ink; **risalire la** ~ (*fig*) to be on the road to recovery.

chi'nare [ki'nare] *vt* to lower, bend; ~**rsi** *vr* to stoop, bend.

chincaglie'ria [kinkaʎʎe'ria] *sf* fancy-goods shop; ~**e** *sfpl* fancy goods, knick-knacks.

chi'nino [ki'nino] *sm* quinine.

'chino, a ['kino] *ag:* **a capo** ~, **a testa** ~ a head bent *o* bowed.

chi'occia, ce ['kjɔttʃa] *sf* brooding hen.

chi'occio, a, ci, ce ['kjɔttʃo] *ag* (*voce*) clucking.

chi'occiola ['kjɔttʃola] *sf* snail; **scala a** ~ spiral staircase.

chi'odo ['kjɔdo] *sm* nail; (*fig*) obsession; ~ **scaccia** ~ (*proverbio*) one problem drives away another; **roba da** ~**i!** it's unbelievable!; ~ **di garofano** (CUC) clove.

chi'oma ['kjɔma] *sf* (*capelli*) head of hair; (*di albero*) foliage.

chi'osco, schi ['kjɔsko] *sm* kiosk, stall.

chi'ostro ['kjɔstro] *sm* cloister.

chiro'mante [kiro'mante] *sm/f* palmist; (*indovino*) fortune-teller.

chirur'gia [kirur'dʒia] *sf* surgery.

chi'rurgico, a, ci, che [ki'rurdʒiko] *ag* (*anche fig*) surgical.

chi'rurgo, ghi *o* **gi** [ki'rurgo] *sm* surgeon.

chissà [kis'sa] *av* who knows, I wonder.

chi'tarra [ki'tarra] *sf* guitar.

chitar'rista, i, e [kitar'rista] *sm/f* guitarist, guitar player.

chi'udere ['kjudere] *vt* to close, shut; (*luce, acqua*) to put off, turn off; (*definitivamente: fabbrica*) to close down, shut down; (*strada*) to close; (*recingere*) to enclose; (*porre termine*) to end ♦ *vi* to close, shut; to close down, shut down; to end; ~**rsi** *vr* to shut, close; (*ritirarsi: anche fig*) to shut o.s. away; (*ferita*) to close up; ~ **un occhio su** (*fig*) to turn a blind eye to; **chiudi la bocca!** *o* **il becco!** (*fam*) shut up!

chi'unque [ki'unkwe] *pron* (*relativo*) whoever; (*indefinito*) anyone, anybody; ~ **sia** whoever it is.

'chiusi *etc* ['kjusi] *vb vedi* **chiudere**.

chi'uso, a ['kjuso] *pp di* **chiudere** ♦ *ag* (*porta*) shut, closed; (: *a chiave*) locked; (*senza uscita: strada etc*) blocked off; (*rubinetto*) off; (*persona*) uncommunicative; (*ambiente, club*) exclusive ♦ *sm:* **stare al** ~ (*fig*) to be shut up ♦ *sf* (*di corso d'acqua*) sluice, lock; (*recinto*) enclosure; (*di discorso etc*) conclusion, ending; *"*~*"* (*negozio etc*) "closed"; *"*~ **al pubblico"** "no admittance to the public".

chiu'sura [kju'sura] *sf* closing; shutting; closing *o* shutting down; enclosing; putting *o* turning off; ending; (*dispositivo*) catch; fastening; fastener; **orario di** ~ closing time; ~ **lampo** ® zip (fastener) (BRIT), zipper (US).

══════════════════════ *PAROLA CHIAVE*

ci [tʃi] (*dav lo, la, li, le, ne diventa* **ce**) *pron* **1** (*personale: complemento oggetto*) us; (: *a noi: complemento di termine*) (to) us; (: *riflessivo*) ourselves; (: *reciproco*) each other, one another; (*impersonale*): ~ **si veste** we get dressed; ~ **ha visti** he's seen us; **non** ~ **ha dato niente** he gave us nothing; ~ **vestiamo** we get dressed; ~ **amiamo** we love one another *o* each other; ~ **siamo divertiti** we had a good time

2 (*dimostrativo: di ciò, su ciò, in ciò etc*) about (*o* on *o* of) it; **non** ~ **capisco nulla** I can't make head nor tail of it; **non so cosa far**~ I don't know what to do about it; **che** ~ **posso fare?** what can I do about it?; **che c'entro io?** what have I got to do with it?; ~ **puoi giurare** you can bet on it; ~ **puoi contare** you can depend on it; ~ **sei?** (*sei pronto?*) are you ready?; (*hai capito?*) are you with me?

♦ *av* (*qui*) here; (*lì*) there; (*moto attraverso*

luogo): ~ **passa sopra un ponte** a bridge passes over it; **non** ~ **passa più nessuno** nobody comes this way any more; **qui** ~ **abito da un anno** I've been living here for a year; **esser**~ *vedi* **essere**.

CIA ['tʃia] *sigla f* (= *Central Intelligence Agency*) CIA.

C.ia *abbr* (= *compagnia*) Co.

cia'batta [tʃa'batta] *sf* mule, slipper.

ciabat'tino [tʃabat'tino] *sm* cobbler.

ciac [tʃak] *sm* (*CINE*) clapper board; ~, **si gira! action!**

Ci'ad [tʃad] *sm*: **il** ~ Chad.

ci'alda ['tʃalda] *sf* (*CUC*) wafer.

cial'trone [tʃal'trone] *sm* good-for-nothing.

ciam'bella [tʃam'bɛlla] *sf* (*CUC*) ring-shaped cake; (*salvagente*) rubber ring.

ci'ancia, ce ['tʃantʃa] *sf* gossip *no pl*, tittle-tattle *no pl*.

cianfru'saglie [tʃanfru'zaʎʎe] *sfpl* bits and pieces.

cia'nuro [tʃa'nuro] *sm* cyanide.

ci'ao ['tʃao] *escl* (*all'arrivo*) hello!; (*alla partenza*) cheerio! (*BRIT*), bye!

ciar'lare [tʃar'lare] *vi* to chatter; (*peg*) to gossip.

ciarla'tano [tʃarla'tano] *sm* charlatan.

cias'cuno, a [tʃas'kuno] (*dav sm*: **ciascun** + *C, V*, **ciascuno** + *s impura, gn, pn, ps, x, z*; *dav sf*: **ciascuna** + *C*, **ciascun'** + *V*) *det, pron* each.

ci'bare [tʃi'bare] *vt* to feed; ~**rsi** *vr*: ~**rsi di** to eat.

ci'barie [tʃi'barje] *sfpl* foodstuffs.

ciber'netica [tʃiber'nɛtika] *sf* cybernetics *sg*.

'cibo ['tʃibo] *sm* food.

ci'cala [tʃi'kala] *sf* cicada.

cica'trice [tʃika'tritʃe] *sf* scar.

cicatriz'zarsi [tʃikatrid'dzarsi] *vr* to form a scar, heal (up).

'cicca, che ['tʃikka] *sf* cigarette end; (*fam*: *sigaretta*) fag; **non vale una** ~ (*fig*) it's worthless.

'ciccia ['tʃittʃa] *sf* (*fam*: *carne*) meat; (: *grasso umano*) fat, flesh.

cicci'one, a [tʃit'tʃone] *sm/f* (*fam*) fatty.

cice'rone [tʃitʃe'rone] *sm* guide.

cicla'mino [tʃikla'mino] *sm* cyclamen.

ci'clismo [tʃi'klizmo] *sm* cycling.

ci'clista, i, e [tʃi'klista] *sm/f* cyclist.

'ciclo ['tʃiklo] *sm* cycle; (*di malattia*) course.

ciclomo'tore [tʃiklomo'tore] *sm* moped.

ci'clone [tʃi'klone] *sm* cyclone.

ciclos'tile [tʃiklos'tile] *sm* cyclostyle (*BRIT*).

ci'cogna [tʃi'koɲɲa] *sf* stork.

ci'coria [tʃi'kɔrja] *sf* chicory.

'CIDA ['tʃida] *sigla f* = *Confederazione Italiana Dirigenti d'Azienda*.

ci'eco, a, chi, che ['tʃɛko] *ag* blind ♦ *sm/f* blind man/woman; **alla** ~**a** (*anche fig*) blindly.

ciel'lino, a [tʃiel'lino] *sm/f* (*POL*) member of CL movement.

ci'elo ['tʃɛlo] *sm* sky; (*REL*) heaven; **toccare il** ~ **con un dito** (*fig*) to walk on air; **per amor del** ~! for heavens' sake!

'cifra ['tʃifra] *sf* (*numero*) figure, numeral; (*somma di denaro*) sum, figure; (*monogramma*) monogram, initials *pl*; (*codice*) code, cipher.

ci'frare [tʃi'frare] *vt* (*messaggio*) to code; (*lenzuola etc*) to embroider with a monogram.

'ciglio ['tʃiʎʎo] *sm* (*margine*) edge, verge; (*pl(f)* **ciglia**: *delle palpebre*) (eye)lash; (*sopracciglio*) eyebrow; **non ha battuto** ~ (*fig*) he didn't bat an eyelid.

'cigno ['tʃiɲɲo] *sm* swan.

cigo'lante [tʃigo'lante] *ag* squeaking, creaking.

cigo'lare [tʃigo'lare] *vi* to squeak, creak.

CIIS *sigla m* (= *Comitato Interparlamentare per l'Informazione e la Sicurezza*) all-party committee on intelligence and security.

'Cile ['tʃile] *sm*: **il** ~ Chile.

ci'lecca [tʃi'lekka] *sf*: **far** ~ to fail.

ci'leno, a [tʃi'lɛno] *ag, sm/f* Chilean.

cili'egia, gie o **ge** [tʃi'ljedʒa] *sf* cherry.

cilie'gina [tʃilje'dʒina] *sf* glacé cherry; **la** ~ **sulla torta** (*fig*) the icing o cherry on the cake.

cili'egio [tʃi'ljedʒo] *sm* cherry tree.

cilin'drata [tʃilin'drata] *sf* (*AUT*) (cubic) capacity; **una macchina di grossa** ~ a big-engined car.

ci'lindro [tʃi'lindro] *sm* cylinder; (*cappello*) top hat.

CIM [tʃim] *sigla m* = *centro d'igiene mentale*.

'cima ['tʃima] *sf* (*sommità*) top; (*di monte*) top, summit; (*estremità*) end; (*fig: persona*) genius; **in** ~ **a** at the top of; **da** ~ **a fondo** from top to bottom; (*fig*) from beginning to end.

ci'melio [tʃi'mɛljo] *sm* relic.

cimen'tarsi [tʃimen'tarsi] *vr*: ~**rsi in** (*atleta, concorrente*) to try one's hand at.

'cimice ['tʃimitʃe] *sf* (*ZOOL*) bug; (*puntina*) drawing pin (*BRIT*), thumbtack (*US*).

cimini'era [tʃimi'njɛra] *sf* chimney; (*di nave*) funnel.

cimi'tero [tʃimi'tɛro] *sm* cemetery.

ci'murro [tʃi'murro] *sm* (*di cani*) distemper.

'Cina ['tʃina] *sf*: **la** ~ China.

cin'cin, cin cin [tʃin'tʃin] *escl* cheers!
cincischi'are [tʃintʃis'kjare] *vi* to mess about, fiddle about.
'cine ['tʃine] *sm inv* (*fam*) cinema.
cine'asta, i, e [tʃine'asta] *sm/f* person in the film industry; film-maker.
cinegior'nale [tʃinedʒor'nale] *sm* newsreel.
'cinema ['tʃinema] *sm inv* cinema; ~ muto silent films; ~ d'essai (*locale*) avant-garde cinema, experimental cinema.
cinemato'grafico, a, ci, che [tʃinemato'grafiko] *ag* (*attore, critica*) movie *cpd*, film *cpd*; (*festival*) film *cpd*; sala ~a cinema; successo ~ box-office success.
cinema'tografo [tʃinema'tɔgrafo] *sm* cinema.
cine'presa [tʃine'presa] *sf* cine-camera.
ci'nese [tʃi'nese] *ag, sm/f, sm* Chinese *inv.*
cine'teca, che [tʃine'tɛka] *sf* (*collezione*) film collection, film library; (*locale*) film library.
ci'netico, a, ci, che [tʃi'nɛtiko] *ag* kinetic.
'cingere ['tʃindʒere] *vt* (*attorniare*) to surround, encircle; ~ la vita con una cintura to put a belt round one's waist; ~ d'assedio to besiege, lay siege to.
'cinghia ['tʃingja] *sf* strap; (*cintura, TECN*) belt; tirare la ~ (*fig*) to tighten one's belt.
cinghi'ale [tʃin'gjale] *sm* wild boar.
cinguet'tare [tʃingwet'tare] *vi* to twitter.
'cinico, a, ci, che ['tʃiniko] *ag* cynical ♦ *sm/f* cynic.
ci'nismo [tʃi'nizmo] *sm* cynicism.
cin'quanta [tʃin'kwanta] *num* fifty.
cinquante'nario [tʃinkwante'narjo] *sm* fiftieth anniversary.
cinquan'tenne [tʃinkwan'tɛnne] *sm/f* fifty-year-old man/woman.
cinquan'tesimo, a [tʃinkwan'tɛzimo] *num* fiftieth.
cinquan'tina [tʃinkwan'tina] *sf* (*serie*): una ~ (di) about fifty; (*età*): essere sulla ~ to be about fifty.
'cinque ['tʃinkwe] *num* five; avere ~ anni to be five (years old); il ~ dicembre 1988 the fifth of December 1988; alle ~ (*ora*) at five (o'clock); siamo in ~ there are five of us.
cinquecen'tesco, a, schi, sche [tʃinkwetʃen'tesko] *ag* sixteenth-century.
cinque'cento [tʃinkwe'tʃento] *num* five hundred ♦ *sm*: il C~ the sixteenth century.
cinque'mila [tʃinkwe'mila] *num* five thousand.
'cinsi *etc* ['tʃinsi] *vb vedi* cingere.
'cinta ['tʃinta] *sf* (*anche*: ~ muraria) city walls *pl*; muro di ~ (*di giardino etc*)

surrounding wall.
cin'tare [tʃin'tare] *vt* to enclose.
'cinto, a ['tʃinto] *pp di* cingere.
'cintola ['tʃintola] *sf* (*cintura*) belt; (*vita*) waist.
cin'tura [tʃin'tura] *sf* belt; ~ di salvataggio lifebelt (*BRIT*), life preserver (*US*); ~ di sicurezza (*AUT, AER*) safety o seat belt.
cintu'rino [tʃintu'rino] *sm* strap; ~ dell'orologio watch strap.
CIO *sigla m* (= *Comitato Internazionale Olimpico*) IOC (= *International Olympic Committee*).
ciò [tʃɔ] *pron* this; that; ~ che what; ~ nonostante o nondimeno nevertheless, in spite of that; con tutto ~ for all that, in spite of everything.
ci'occa, che ['tʃɔkka] *sf* (*di capelli*) lock.
ciocco'lata [tʃokko'lata] *sf* chocolate; (*bevanda*) (hot) chocolate; ~ al latte/fondente milk/plain chocolate.
cioccola'tino [tʃokkola'tino] *sm* chocolate.
ciocco'lato [tʃokko'lato] *sm* chocolate.
cio'è [tʃo'ɛ] *av* that is (to say).
ciondo'lare [tʃondo'lare] *vt* (*far dondolare*) to dangle, swing ♦ *vi* to dangle; (*fig*) to loaf (about).
ci'ondolo ['tʃondolo] *sm* pendant; ~ portafortuna charm.
ciondo'loni [tʃondo'loni] *av*: con le braccia/gambe ~ with arms/legs dangling.
ciononos'tante [tʃononos'tante] *av* nonetheless, nevertheless.
ci'otola ['tʃɔtola] *sf* bowl.
ci'ottolo ['tʃɔttolo] *sm* pebble; (*di strada*) cobble(stone).
C.I.P. [tʃip] *sigla m* (= *comitato interministeriale prezzi*) *vedi* comitato.
Cipe ['tʃipe] *sigla m* (= *comitato interministeriale per la programmazione economica*) *vedi* comitato.
'Cipi ['tʃipi] *sigla m* (= *comitato interministeriale per lo sviluppo industriale*) *vedi* comitato.
ci'piglio [tʃi'piʎʎo] *sm* frown.
ci'polla [tʃi'polla] *sf* onion; (*di tulipano etc*) bulb.
ci'presso [tʃi'presso] *sm* cypress (tree).
'cipria ['tʃiprja] *sf* (face) powder.
cipri'ota, i, e [tʃipri'ɔta] *ag, sm/f* Cypriot.
'Cipro ['tʃipro] *sm* Cyprus.
'circa ['tʃirka] *av* about, roughly ♦ *prep* about, concerning; a mezzogiorno ~ about midday.
'circo, chi ['tʃirko] *sm* circus.
circo'lare [tʃirko'lare] *vi* to circulate; (*AUT*) to drive (along), move (along) ♦ *ag* circular ♦ *sf* (*AMM*) circular; (*di autobus*) circle (line); circola voce che ... there is a

rumour going about that ...; **assegno** ~ banker's draft.

circolazi'one [tʃirkolat'tsjone] *sf* circulation; (*AUT*): **la** ~ (the) traffic; **libretto di** ~ log book, registration book; **tassa di** ~ road tax.

> Circolazione a targhe alterne *is a practice introduced by some town councils to combat the increase in traffic and pollution in town centres. It stipulates that on days with an even date, only cars whose numberplate ends in an even number or a zero may be on the road, while on days with an odd date, only cars whose numberplate ends in an odd number may be on the road. Generally, public holidays are not affected by this bylaw, but may be included at the council's discretion.*

'circolo ['tʃirkolo] *sm* circle; **entrare in** ~ (*ANAT*) to enter the bloodstream.

circoncisi'one [tʃirkontʃi'zjone] *sf* circumcision.

circon'dare [tʃirkon'dare] *vt* to surround.

circondari'ale [tʃirkonda'rjale] *ag*: **casa di pena** ~ district prison.

circon'dario [tʃirkon'darjo] *sm* (*DIR*) administrative district; (*zona circostante*) neighbourhood (*BRIT*), neighborhood (*US*).

circonfe'renza [tʃirkonfe'rɛntsa] *sf* circumference.

circonvallazi'one [tʃirkonvallat'tsjone] *sf* ring road (*BRIT*), beltway (*US*); (*per evitare una città*) by-pass.

circos'critto, a [tʃirkos'kritto] *pp di* **circoscrivere**.

circos'crivere [tʃirkos'krivere] *vt* to circumscribe; (*fig*) to limit, restrict.

circoscrizi'one [tʃirkoskrit'tsjone] *sf* (*AMM*) district, area; ~ **elettorale** constituency.

circos'petto, a [tʃirkos'pɛtto] *ag* circumspect, cautious.

circos'tante [tʃirkos'tante] *ag* surrounding, neighbouring (*BRIT*), neighboring (*US*).

circos'tanza [tʃirkos'tantsa] *sf* circumstance; (*occasione*) occasion; **parole di** ~ words suited to the occasion.

circu'ire [tʃirku'ire] *vt* (*fig*) to fool, take in.

cir'cuito [tʃir'kuito] *sm* circuit; **andare in** *o* **fare corto** ~ to short-circuit; ~ **integrato** integrated circuit.

ci'rillico, a, ci, che [tʃi'rilliko] *ag* Cyrillic.

cir'rosi [tʃir'rɔzi] *sf*: ~ **epatica** cirrhosis (of the liver).

'C.I.S.A.L. ['tʃizal] *sigla f* (= *Confederazione Italiana Sindacati Autonomi dei Lavoratori*) trades union organization.

C.I.S.L. [tʃizl] *sigla f* (= *Confederazione Italiana Sindacati Lavoratori*) trades union organization.

'C.I.S.N.A.L. ['tʃiznal] *sigla f* (= *Confederazione Italiana Sindacati Nazionali dei Lavoratori*) trades union organization.

'ciste ['tʃiste] *sf* = **cisti**.

cis'terna [tʃis'tɛrna] *sf* tank, cistern.

'cisti ['tʃisti] *sf inv* cyst.

cis'tite [tʃis'tite] *sf* cystitis.

C.I.T. [tʃit] *sigla f* = *Compagnia Italiana Turismo*.

cit. *abbr* (= *citato, citata*) cit.

ci'tare [tʃi'tare] *vt* (*DIR*) to summon; (*autore*) to quote; (*a esempio, modello*) to cite; ~ **qn per danni** to sue sb.

citazi'one [tʃitat'tsjone] *sf* summons *sg*; quotation; (*di persona*) mention.

ci'tofono [tʃi'tɔfono] *sm* entry phone; (*in uffici*) intercom.

cito'logico, a, ci, che [tʃito'lɔdʒiko] *ag*: **esame** ~ test for detection of cancerous cells.

'citrico, a, ci, che ['tʃitriko] *ag* citric.

città [tʃit'ta] *sf inv* town; (*importante*) city; ~ **giardino** garden city; ~ **mercato** shopping centre, mall; ~ **universitaria** university campus; **C**~ **del Capo** Cape Town.

citta'della [tʃitta'dɛlla] *sf* citadel, stronghold.

cittadi'nanza [tʃittadi'nantsa] *sf* citizens *pl*, inhabitants *pl* of a town (*o* city); (*DIR*) citizenship.

citta'dino, a [tʃitta'dino] *ag* town *cpd*; city *cpd* ♦ *sm/f* (*di uno Stato*) citizen; (*abitante di città*) town dweller, city dweller.

ci'uccio [tʃut'tʃo] *sm* (*fam*) comforter, dummy (*BRIT*), pacifier (*US*).

ci'uco, a, chi, che ['tʃuko] *sm/f* ass.

ci'uffo ['tʃuffo] *sm* tuft.

ci'urma ['tʃurma] *sf* (*di nave*) crew.

ci'vetta [tʃi'vetta] *sf* (*ZOOL*) owl; (*fig: donna*) coquette, flirt ♦ *ag inv*: **auto/nave** ~ decoy car/ship; **fare la** ~ **con qn** to flirt with sb.

civet'tare [tʃivet'tare] *vi* to flirt.

civette'ria [tʃivette'ria] *sf* coquetry, coquettishness.

civettu'olo, a [tʃivet'twɔlo] *ag* flirtatious.

'civico, a, ci, che ['tʃiviko] *ag* civic; (*museo*) municipal, town *cpd*; **guardia** ~**a** town policeman; **senso** ~ public spirit.

ci'vile [tʃi'vile] *ag* civil; (*non militare*) civilian; (*nazione*) civilized ♦ *sm* civilian; **stato** ~ marital status; **abiti** ~**i** civvies.

civi'lista, i, e [tʃivi'lista] *sm/f* (*avvocato*) civil lawyer; (*studioso*) expert in civil law.

civiliz'zare [tʃivilid'dzare] *vt* to civilize.
civilizzazi'one [tʃiviliddzat'tsjone] *sf*
civilization.
civiltà [tʃivil'ta] *sf* civilization; (*cortesia*)
civility.
ci'vismo [tʃi'vizmo] *sm* public spirit.
CL [tʃi'elle] *sigla f* (*POL*: = *Comunione e
Liberazione*) *Catholic youth movement*
♦ *sigla* = *Caltanissetta*.
cl *abbr* (= *centilitro*) cl.
'clacson *sm inv* (*AUT*) horn.
cla'more *sm* (*frastuono*) din, uproar,
clamour (*BRIT*), clamor (*US*); (*fig*) outcry.
clamo'roso, a *ag* noisy; (*fig*) sensational.
clan *sm inv* clan.
clandestinità *sf* (*di attività*) secret nature;
vivere nella ~ to live in hiding; (*ricercato
politico*) to live underground.
clandes'tino, a *ag* clandestine; (*POL*)
underground, clandestine ♦ *sm/f*
stowaway.
clari'netto *sm* clarinet.
'classe *sf* class; **di** ~ (*fig*) with class; of
excellent quality; ~ **turistica** (*AER*)
economy class.
classi'cismo [klassi'tʃizmo] *sm* classicism.
'classico, a, ci, che *ag* classical;
(*tradizionale: moda*) classic(al) ♦ *sm*
classic; classical author; (*anche:* **liceo** ~)
*secondary school with emphasis on the
humanities.*
clas'sifica, che *sf* classification; (*SPORT*)
placings *pl*; (*di dischi*) charts *pl*, hit
parade.
classifi'care *vt* to classify; (*candidato,
compito*) to grade; ~**rsi** *vr* to be placed.
classifica'tore *sm* filing cabinet.
classificazi'one [klassifikat'tsjone] *sf*
classification; grading.
clas'sista, i, e *ag* class-conscious ♦ *sm/f*
class-conscious person.
claudi'cante *ag* (*zoppo*) lame; (*fig: prosa*)
halting.
'clausola *sf* (*DIR*) clause.
claustro'fobico, a, ci, che *ag*
claustrophobic.
clau'sura *sf* (*REL*): **monaca di** ~ nun
belonging to an enclosed order; **fare una
vita di** ~ (*fig*) to lead a cloistered life.
'clava *sf* club.
clavi'cembalo [klavi'tʃembalo] *sm*
harpsichord.
cla'vicola *sf* (*ANAT*) collarbone.
cle'mente *ag* merciful; (*clima*) mild.
cle'menza [kle'mɛntsa] *sf* mercy,
clemency; mildness.
clep'tomane *sm/f* kleptomaniac.
cleri'cale *ag* clerical.

'clero *sm* clergy.
cles'sidra *sf* (*a sabbia*) hourglass; (*ad
acqua*) water clock.
cliché [kli'ʃe] *sm inv* (*TIP*) plate; (*fig*) cliché.
cli'ente *sm/f* customer, client.
clien'tela *sf* customers *pl*, clientèle.
cliente'lismo *sm:* ~ **politico** political
nepotism.
'clima, i *sm* climate.
cli'matico, a, ci, che *ag* climatic; **stazione**
~**a** health resort.
climatizzazi'one [klimatiddzat'tsjone] *sf* air
conditioning.
'clinico, a, ci, che *ag* clinical ♦ *sm* (*medico*)
clinician ♦ *sf* (*scienza*) clinical medicine;
(*casa di cura*) clinic, nursing home;
(*settore d'ospedale*) clinic; **quadro** ~
anamnesis; **avere l'occhio** ~ (*fig*) to have
an expert eye.
clis'tere *sm* (*MED*) enema; (: *apparecchio*)
device used to give an enema.
clo'aca, che *sf* sewer.
cloche [klɔʃ] *sf inv* (*AER*) control stick,
joystick; **cambio a** ~ (*AUT*) floor-mounted
gear lever.
'cloro *sm* chlorine.
cloro'filla *sf* chlorophyll.
cloro'formio *sm* chloroform.
club *sm inv* club.
cm *abbr* (= *centimetro*) cm.
c.m. *abbr* (= *corrente mese*) inst.
CN *sigla* = *Cuneo*.
c/n *abbr* = *conto nuovo*.
CNEN *sigla m* (= *Comitato Nazionale per
l'Energia Nucleare*) ≈ AEA (*BRIT*), AEC
(*US*).
CNIOP *sigla m* = *Centro Nazionale per
l'Istruzione e l'Orientamento Professionale.*
CNR *sigla m* (= *Consiglio Nazionale delle
Ricerche*) science research council.
CNRN *sigla m* = *Comitato Nazionale Ricerche
Nucleari.*
CO *sigla* = *Como.*
Co. *abbr* (= *compagnia*) Co.
c/o *abbr* (= *care of*) c/o.
coabi'tare *vi* to live together, live under
the same roof.
coagu'lare *vt* to coagulate ♦ *vi*, ~**rsi** *vr* to
coagulate; (*latte*) to curdle.
coalizi'one [koalit'tsjone] *sf* coalition.
co'atto, a *ag* (*DIR*) compulsory, forced;
condannare al domicilio ~ to place under
house arrest.
'COBAS *sigla mpl* (= *Comitati di base*)
independent trades unions.
'cobra *sm inv* cobra.
'coca 'cola ® *sf* coca cola ®.
coca'ina *sf* cocaine.

coc'carda sf cockade.

cocchi'ere [kok'kjɛre] sm coachman.

'cocchio ['kɔkkjo] sm (carrozza) coach; (biga) chariot.

cocci'nella [kottʃi'nɛlla] sf ladybird (BRIT), ladybug (US).

'coccio ['kɔttʃo] sm earthenware; (vaso) earthenware pot; ~i smpl fragments (of pottery).

cocciu'taggine [kottʃu'taddʒine] sf stubbornness, pig-headedness.

cocci'uto, a [kot'tʃuto] ag stubborn, pigheaded.

'cocco, chi sm (pianta) coconut palm; (frutto): noce di ~ coconut ♦ sm/f (fam) darling; è il ~ della mamma he's mummy's darling.

cocco'drillo sm crocodile.

cocco'lare vt to cuddle, fondle.

co'cente [ko'tʃɛnte] ag (anche fig) burning.

cocerò etc [kotʃe'rɔ] vb vedi cuocere.

co'comero sm watermelon.

co'cuzzolo [ko'kuttsolo] sm top; (di capo, cappello) crown.

cod. abbr = codice.

'coda sf tail; (fila di persone, auto) queue (BRIT), line (US); (di abiti) train; con la ~ dell'occhio out of the corner of one's eye; mettersi in ~ to queue (up) (BRIT), line up (US); to join the queue o line; ~ di cavallo (acconciatura) ponytail; avere la ~ di paglia (fig) to have a guilty conscience; ~ di rospo (CUC) frogfish tail.

codar'dia sf cowardice.

co'dardo, a ag cowardly ♦ sm/f coward.

co'desto, a ag, pron (poetico) this; that.

'codice ['kɔditʃe] sm code; (manoscritto antico) codex; ~ di avviamento postale (CAP) postcode (BRIT), zip code (US); ~ a barre bar code; ~ civile civil code; ~ fiscale tax code; ~ penale penal code; ~ segreto (di tessera magnetica) PIN (number); ~ della strada highway code.

co'difica sf codification; (INFORM: di programma) coding.

codifi'care vt (DIR) to codify; (cifrare) to code.

codificazi'one [kodifikat'tsjone] sf coding.

coercizi'one [koert'sit'tsjone] sf coercion.

coe'rente ag coherent.

coe'renza [koe'rɛntsa] sf coherence.

coesi'one sf cohesion.

coe'sistere vi to coexist.

coe'taneo, a ag, sm/f contemporary; essere ~ di qn to be the same age as sb.

cofa'netto sm casket; ~ dei gioielli jewel case.

'cofano sm (AUT) bonnet (BRIT), hood (US);

(forziere) chest.

'coffa sf (NAUT) top.

'cogli ['koʎʎi] prep + det vedi con.

'cogliere ['kɔʎʎere] vt (fiore, frutto) to pick, gather; (sorprendere) to catch, surprise; (bersaglio) to hit; (fig: momento opportuno etc) to grasp, seize, take; (: capire) to grasp; ~ l'occasione (per fare) to take the opportunity (to do); ~ sul fatto o in flagrante/alla sprovvista to catch red-handed/unprepared; ~ nel segno (fig) to hit the nail on the head.

cogli'one [koʎ'ʎone] sm (fam!: testicolo): ~i balls (!); (: fig: persona sciocca) jerk; rompere i ~i a qn to get on sb's tits (!).

co'gnac [kɔ'ɲak] sm inv cognac.

co'gnato, a [koɲ'ɲato] sm/f brother-/sister-in-law.

cognizi'one [koɲɲit'tsjone] sf knowledge; con ~ di causa with full knowledge of the facts.

co'gnome [koɲ'ɲome] sm surname.

'coi prep + det vedi con.

coi'bente ag insulating.

coinci'denza [kointʃi'dɛntsa] sf coincidence; (FERR, AER, di autobus) connection.

coin'cidere [koin'tʃidere] vi to coincide.

coin'ciso, a [koin'tʃizo] pp di coincidere.

coinqui'lino sm fellow tenant.

cointeres'senza [kointeres'sɛntsa] sf (COMM): avere una ~ in qc to own shares in sth; ~ dei lavoratori profit-sharing.

coin'volgere [koin'vɔldʒere] vt: ~ in to involve in.

coinvolgi'mento [koinvoldʒi'mento] sm involvement.

coin'volto, a pp di coinvolgere.

col prep + det vedi con.

Col. abbr (= colonnello) Col.

colà av there.

cola'brodo sm inv strainer.

cola'pasta sm inv colander.

co'lare vt (liquido) to strain; (pasta) to drain; (oro fuso) to pour ♦ vi (sudore) to drip; (botte) to leak; (cera) to melt; ~ a picco vt, vi (nave) to sink.

co'lata sf (di lava) flow; (FONDERIA) casting.

colazi'one [kolat'tsjone] sf (anche: prima ~) breakfast; (anche: seconda ~) lunch; fare ~ to have breakfast (o lunch); ~ di lavoro working lunch.

Coldi'retti abbr f (= Confederazione nazionale coltivatori diretti) federation of Italian farmers.

co'lei pron vedi colui.

co'lera sm (MED) cholera.

coleste'rolo sm cholesterol.

colf *abbr f* = **collaboratrice familiare**.
'colgo *etc vb vedi* **cogliere**.
colibrì *sm* hummingbird.
'colica *sf (MED)* colic.
co'lino *sm* strainer.
'colla *prep* + *det vedi* **con ♦** *sf* glue; *(di farina)* paste.
collabo'rare *vi* to collaborate; *(con la polizia)* to co-operate; ~ **a** to collaborate on; *(giornale)* to contribute to.
collabora'tore, 'trice *sm/f* collaborator; *(di giornale, rivista)* contributor; ~ **esterno** freelance; **~trice familiare** home help; ~ **di giustizia** = **pentito, a**.
collaborazi'one [kollaborat'tsjone] *sf* collaboration; contribution.
col'lana *sf* necklace; *(collezione)* collection, series.
col'lant [kɔ'lã] *sm inv* tights *pl*.
col'lare *sm* collar.
col'lasso *sm (MED)* collapse.
collate'rale *ag* collateral; **effetti ~i** side effects.
col'laudo *sm* testing *no pl*; test.
'colle *prep* + *det vedi* **con ♦** *sm* hill.
col'lega, ghi, ghe *sm/f* colleague.
collega'mento *sm* connection; *(MIL)* liaison; *(RADIO)* link(-up); **ufficiale di** ~ liaison officer.
colle'gare *vt* to connect, join, link; **~rsi** *vr (RADIO, TV)* to link up; **~rsi con** *(TEL)* to get through to.
collegi'ale [kolle'dʒale] *ag (riunione, decisione)* collective; *(INS)* boarding school *cpd ♦* *sm/f* boarder; *(fig: persona timida e inesperta)* schoolboy/girl.
col'legio [kol'lɛdʒo] *sm* college; *(convitto)* boarding school; ~ **elettorale** *(POL)* constituency.
'collera *sf* anger; **andare in** ~ to get angry.
col'lerico, a, ci, che *ag* quick-tempered, irascible.
col'letta *sf* collection.
collettività *sf* community.
collet'tivo, a *ag* collective; *(interesse)* general, everybody's; *(biglietto, visita etc)* group *cpd ♦ sm (POL)* (political) group; **società in nome** ~ *(COMM)* partnership.
col'letto *sm* collar; **~i bianchi** *(fig)* white-collar workers.
collezio'nare [kollettsjo'nare] *vt* to collect.
collezi'one [kollet'tsjone] *sf* collection.
collezio'nista [kollettsjo'nista] *sm/f* collector.
colli'mare *vi* to correspond, coincide.
col'lina *sf* hill.
colli'nare *ag* hill *cpd*.
col'lirio *sm* eyewash.

collisi'one *sf* collision.
'collo *prep* + *det vedi* **con ♦** *sm* neck; *(di abito)* neck, collar; *(pacco)* parcel; ~ **del piede** instep.
colloca'mento *sm (impiego)* employment; *(disposizione)* placing, arrangement; **ufficio di** ~ ≈ Jobcentre *(BRIT)*, state *(o* federal) employment agency *(US)*; ~ **a riposo** retirement.
collo'care *vt (libri, mobili)* to place; *(persona: trovare un lavoro per)* to find a job for, place; *(COMM: merce)* to find a market for; ~ **qn a riposo** to retire sb.
collocazi'one [kollokat'tsjone] *sf* placing; *(di libro)* classification.
colloqui'ale *ag (termine etc)* colloquial; *(tono)* informal.
col'loquio *sm* conversation, talk; *(ufficiale, per un lavoro)* interview; *(INS)* preliminary oral exam; **avviare un** ~ **con qn** *(POL etc)* to start talks with sb.
col'loso, a *ag* sticky.
col'lottola *sf* nape *o* scruff of the neck; **afferrare qn per la** ~ to grab sb by the scruff of the neck.
collusi'one *sf (DIR)* collusion.
colluttazi'one [kolluttat'tsjone] *sf* scuffle.
col'mare *vt*: ~ **di** *(anche fig)* to fill with; *(dare in abbondanza)* to load *o* overwhelm with; ~ **un divario** *(fig)* to bridge a gap.
'colmo, a *ag*: ~ **(di)** full (of) **♦** *sm* summit, top; *(fig)* height; **al** ~ **della disperazione** in the depths of despair; **è il** ~**!** it's the last straw!; **e per** ~ **di sfortuna** ... and to cap it all ....
co'lomba *sf vedi* **colombo**.
Co'lombia *sf*: **la** ~ Colombia.
colombi'ano, a *ag, sm/f* Colombian.
co'lombo, a *sm/f* dove; pigeon; **~i** *(fig fam)* lovebirds.
Co'lonia *sf* Cologne.
co'lonia *sf* colony; *(per bambini)* holiday camp; **(acqua di)** ~ (eau de) cologne.
coloni'ale *ag* colonial **♦** *sm/f* colonist, settler.
co'lonico, a, ci, che *ag*: **casa ~a** farmhouse.
coloniz'zare [kolonid'dzare] *vt* to colonize.
co'lonna *sf* column; ~ **sonora** *(CINE)* sound track; ~ **vertebrale** spine, spinal column.
colon'nello *sm* colonel.
co'lono *sm (coltivatore)* tenant farmer.
colo'rante *sm* colouring *(BRIT)*, coloring *(US)*.
colo'rare *vt* to colour *(BRIT)*, color *(US)*; *(disegno)* to colo(u)r in.
co'lore *sm* colour *(BRIT)*, color *(US)*; *(CARTE)* suit; **a ~i** in colo(u)r, colo(u)r *cpd*; **la**

gente di ~ colo(u)red people; **diventare di tutti i** ~**i** to turn scarlet; **farne di tutti i** ~**i** to get up to all sorts of mischief; **passarne di tutti i** ~**i** to go through all sorts of problems.

colo'rito, a *ag* coloured (*BRIT*), colored (*US*); (*viso*) rosy, pink; (*linguaggio*) colourful (*BRIT*), colorful (*US*) ♦ *sm* (*tinta*) colour (*BRIT*), color (*US*); (*carnagione*) complexion.

co'loro *pron pl vedi* **colui.**

colos'sale *ag* colossal, enormous.

co'losso *sm* colossus.

'colpa *sf* fault; (*biasimo*) blame; (*colpevolezza*) guilt; (*azione colpevole*) offence; (*peccato*) sin; **di chi è la** ~**?** whose fault is it?; **è** ~ **sua** it's his fault; **per** ~ **di** through, owing to; **senso di** ~ sense of guilt; **dare la** ~ **a qn di qc** to blame sb for sth.

col'pevole *ag* guilty.

colpevoliz'zare [kolpevolid'dzare] *vt:* ~ **qn** to make sb feel guilty.

col'pire *vt* to hit, strike; (*fig*) to strike; **rimanere colpito da qc** to be amazed *o* struck by sth; **è stato colpito da ordine di cattura** there is a warrant out for his arrest; ~ **nel segno** (*fig*) to hit the nail on the head, be spot on (*BRIT*).

'colpo *sm* (*urto*) knock; (*fig: affettivo*) blow, shock; (: *aggressivo*) blow; (*di pistola*) shot; (*MED*) stroke; (*furto*) raid; **di** ~, **tutto d'un** ~ suddenly; **fare** ~ to make a strong impression; **il motore perde** ~**i** (*AUT*) the engine is misfiring; **è morto sul** ~ he died instantly; **mi hai fatto venire un** ~**!** what a fright you gave me!; **ti venisse un** ~**!** (*fam*) drop dead!; ~ **d'aria** chill; ~ **in banca** bank job *o* raid; ~ **basso** (*PUGILATO, fig*) punch below the belt; ~ **di fulmine** love at first sight; ~ **di grazia** coup de grâce; (*fig*) finishing blow; **a** ~ **d'occhio** at a glance; ~ **di scena** (*TEAT*) coup de théâtre; (*fig*) dramatic turn of events; ~ **di sole** sunstroke; ~**i di sole** (*nei capelli*) highlights; ~ **di Stato** coup d'état; ~ **di telefono** phone call; ~ **di testa** (sudden) impulse *o* whim; ~ **di vento** gust (of wind).

col'poso, a *ag:* **omicidio** ~ manslaughter.

'colsi *etc vb vedi* **cogliere.**

coltel'lata *sf* stab.

col'tello *sm* knife; **avere il** ~ **dalla parte del manico** (*fig*) to have the whip hand; ~ **a serramanico** clasp knife.

colti'vare *vt* to cultivate; (*verdura*) to grow, cultivate.

coltiva'tore *sm* farmer; ~ **diretto** small

independent farmer.

coltivazi'one [koltivat'tsjone] *sf* cultivation; growing; ~ **intensiva** intensive farming.

'colto, a *pp di* **cogliere** ♦ *ag* (*istruito*) cultured, educated.

'coltre *sf* blanket.

col'tura *sf* cultivation; ~ **alternata** crop rotation.

co'lui, co'lei, *pl* **co'loro** *pron* the one; ~ **che parla** the one *o* the man *o* the person who is speaking; **colei che amo** the one *o* the woman *o* the person (whom) I love.

com. *abbr* = **comunale; commissione.**

'coma *sm inv* coma.

comanda'mento *sm* (*REL*) commandment.

coman'dante *sm* (*MIL*) commander, commandant; (*di reggimento*) commanding officer; (*NAUT, AER*) captain.

coman'dare *vi* to be in command ♦ *vt* to command; (*imporre*) to order, command; ~ **a qn di fare** to order sb to do.

co'mando *sm* (*ingiunzione*) order, command; (*autorità*) command; (*TECN*) control; ~ **generale** general headquarters *pl*; ~ **a distanza** remote control.

co'mare *sf* (*madrina*) godmother; (*donna pettegola*) gossip.

co'masco, a, schi, sche *ag* of (*o* from) Como.

combaci'are [komba't∫are] *vi* to meet; (*fig: coincidere*) to coincide, correspond.

combat'tente *ag* fighting ♦ *sm* combatant; **ex-**~ ex-serviceman.

com'battere *vt* to fight; (*fig*) to combat, fight against ♦ *vi* to fight.

combatti'mento *sm* fight; fighting *no pl*; (*di pugilato*) match; **mettere fuori** ~ to knock out.

combat'tivo, a *ag* pugnacious.

combat'tuto, a *ag* (*incerto: persona*) uncertain, undecided; (*gara, partita*) hard fought.

combi'nare *vt* to combine; (*organizzare*) to arrange; (*fam: fare*) to make, cause ♦ *vi* (*corrispondere*): ~ **(con)** to correspond (with).

combinazi'one [kombinat'tsjone] *sf* combination; (*caso fortuito*) coincidence; **per** ~ by chance.

com'briccola *sf* (*gruppo*) party; (*banda*) gang.

combus'tibile *ag* combustible ♦ *sm* fuel.

combusti'one *sf* combustion.

com'butta *sf* (*peg*) gang; **in** ~ in league.

================== *PAROLA CHIAVE*

'come *av* **1** (*alla maniera di*) like; **ti comporti**
~ **lui** you behave like him *o* like he does;
bianco ~ **la neve** (as) white as snow; ~ **se**
as if, as though; **com'è vero Dio!** as God
is my witness!
2 (*in qualità di*) as a; **lavora** ~ **autista** he
works as a driver
3 (*interrogativo*) how; ~ **ti chiami?** what's
your name?; ~ **sta?** how are you?; **com'è**
il tuo amico? what is your friend like?;
~**?** (*prego?*) pardon?, sorry?; ~ **mai?** how
come?; ~ **mai non ci hai avvertiti?** how
come you didn't warn us?
4 (*esclamativo*): ~ **sei bravo!** how clever
you are!; ~ **mi dispiace!** I'm terribly
sorry!
♦ *cong* **1** (*in che modo*) how; **mi ha spiegato**
~ **l'ha conosciuto** he told me how he met
him; **non so** ~ **sia successo** I don't know
how it happened; **attento a** ~ **parli!** watch
your mouth!
2 (*correlativo*) as; (*con comparativi di*
maggioranza) than; **non è bravo** ~
pensavo he isn't as clever as I thought; **è**
meglio di ~ **pensassi** it's better than I
thought
3 (*quasi se*) as; **è** ~ **se fosse ancora qui**
it's as if he was still here; ~ **se niente**
fosse as if nothing had happened; ~ **non**
detto! let's forget it!
4 (*appena che, quando*) as soon as; ~
arrivò, iniziò a lavorare as soon as he
arrived, he set to work; *vedi anche* **così;**
oggi; ora.

'COMECON *abbr m* (= *Consiglio di Mutua*
Assistenza Economica) COMECON.
come'done *sm* blackhead.
co'meta *sf* comet.
'comico, a, ci, che *ag* (*TEAT*) comic; (*buffo*)
comical ♦ *sm* (*attore*) comedian, comic
actor; (*comicità*) comic spirit, comedy.
co'mignolo [ko'miɲɲolo] *sm* chimney top.
cominci'are [komin'tʃare] *vt, vi* to begin,
start; ~ **a fare/col fare** to begin to do/by
doing; **cominciamo bene!** (*ironico*) we're
off to a fine start!
comi'tato *sm* committee; ~ **direttivo**
steering committee; ~ **di gestione** works
council; ~ **interministeriale prezzi**
interdepartmental committee on prices;
~ **interministeriale per la**
programmazione economica
interdepartmental committee for
economic planning; ~ **interministeriale**
per lo sviluppo industriale

interdepartmental committee for
industrial development.
comi'tiva *sf* party, group.
co'mizio [ko'mittsjo] *sm* (*POL*) meeting,
assembly; ~ **elettorale** election rally.
'comma, i *sm* (*DIR*) subsection.
com'mando *sm inv* commando (squad).
com'media *sf* comedy; (*opera teatrale*)
play; (*: che fa ridere*) comedy; (*fig*)
playacting *no pl*.
commedi'ante *sm/f* (*peg*) third-rate actor/
actress; (*: fig*) sham.
commedi'ografo, a *sm/f* (*autore*) comedy
writer.
commemo'rare *vt* to commemorate.
commemorazi'one [kommemorat'tsjone]
sf commemoration.
commenda'tore *sm official title awarded*
for services to one's country.
commen'sale *sm/f* table companion.
commen'tare *vt* to comment on; (*testo*) to
annotate; (*RADIO, TV*) to give a
commentary on.
commenta'tore, 'trice *sm/f* commentator.
com'mento *sm* comment; (*a un testo,*
RADIO, TV) commentary; ~ **musicale** (*CINE*)
background music.
commerci'ale [kommer'tʃale] *ag*
commercial, trading; (*peg*) commercial.
commercia'lista, i, e [kommertʃa'lista] *sm/f*
(*laureato*) graduate in economics and
commerce; (*consulente*) business
consultant.
commercial'izzare [kommertʃalid'dzare] *vt*
to market.
commercializzazi'one [kommertʃaliddzat
'tsjone] *sf* marketing.
commerci'ante [kommer'tʃante] *sm/f*
trader, dealer; (*negoziante*) shopkeeper;
~ **all'ingrosso** wholesaler; ~ **in proprio**
sole trader.
commerci'are [kommer'tʃare] *vi*: ~ **in** *vt* to
deal *o* trade in.
com'mercio [kom'mertʃo] *sm* trade,
commerce; **essere in** ~ (*prodotto*) to be on
the market *o* on sale; **essere nel** ~
(*persona*) to be in business; ~
all'ingrosso/al minuto wholesale/retail
trade.
com'messo, a *pp di* **commettere** ♦ *sm/f*
shop assistant (*BRIT*), sales clerk (*US*)
♦ *sm* (*impiegato*) clerk ♦ *sf* (*COMM*) order;
~ **viaggiatore** commercial traveller.
commes'tibile *ag* edible; ~**i** *smpl*
foodstuffs.
com'mettere *vt* to commit; (*ordinare*) to
commission, order.
commi'ato *sm* leave-taking; **prendere** ~ **da**

qn to take one's leave of sb.
commi'nare vt (DIR) to make provision for.
commise'rare vt to sympathize with, commiserate with.
commiserazi'one [kommizerat'tsjone] sf commiseration.
com'misi etc vb vedi **commettere**.
commissaria'mento sm temporary receivership.
commissari'are vt to put under temporary receivership.
commissari'ato sm (AMM) commissionership; (: sede) commissioner's office; (: di polizia) police station.
commis'sario sm commissioner; (di pubblica sicurezza) ≈ (police) superintendent (BRIT), (police) captain (US); (SPORT) steward; (membro di commissione) member of a committee o board; **alto** ~ high commissioner; ~ **di bordo** (NAUT) purser; ~ **d'esame** member of an examining board; ~ **di gara** race official; ~ **tecnico** (SPORT) national coach.
commissio'nare vt to order, place an order for.
commissio'nario sm (COMM) agent, broker.
commissi'one sf (incarico) errand; (comitato, percentuale) commission; (COMM: ordinazione) order; ~**i** sfpl (acquisti) shopping sg; ~ **d'esame** examining board; ~ **d'inchiesta** committee of enquiry; ~ **permanente** standing committee; ~**i bancarie** bank charges.
commit'tente smlf (COMM) purchaser, customer.
com'mosso, a pp di **commuovere**.
commo'vente ag moving.
commozi'one [kommot'tsjone] sf emotion, deep feeling; ~ **cerebrale** (MED) concussion.
commu'overe vt to move, affect; ~**rsi** vr to be moved.
commu'tare vt (pena) to commute; (ELETTR) to change o switch over.
commutazi'one [kommutat'tsjone] sf (DIR, ELETTR) commutation.
comò sm inv chest of drawers.
como'dino sm bedside table.
comodità sf inv comfort; convenience.
'comodo, a ag comfortable; (facile) easy; (conveniente) convenient; (utile) useful, handy ♦ sm comfort; convenience; **con** ~ at one's convenience o leisure; **fare il proprio** ~ to do as one pleases; **far** ~ to be useful o handy; **stia** ~! don't bother to

get up!
'compact disc sm inv compact disc.
compae'sano, a smlf fellow-countryman/woman; person from the same town.
com'pagine [kom'padʒine] sf (squadra) team.
compa'gnia [kompaɲ'ɲia] sf company; (gruppo) gathering; **fare** ~ **a qn** to keep sb company; **essere di** ~ to be sociable.
com'pagno, a [kom'paɲɲo] smlf (di classe, gioco) companion; (POL) comrade; ~ **di lavoro** workmate; ~ **di scuola** schoolfriend; ~ **di viaggio** fellow traveller.
com'paio etc vb vedi **comparire**.
compa'rare vt to compare.
compara'tivo, a ag, sm comparative.
comparazi'one [komparat'tsjone] sf comparison.
com'pare sm (padrino) godfather; (complice) accomplice; (fam: amico) old pal, old mate.
compa'rire vi to appear; ~ **in giudizio** (DIR) to appear before the court.
comparizi'one [komparit'tsjone] sf (DIR) appearance; **mandato di** ~ summons sg.
com'parso, a pp di **comparire** ♦ sf appearance; (TEAT) walk-on; (CINE) extra.
comparteci'pare [kompartetʃi'pare] vi (COMM): ~ **a** to have a share in.
compartecipazi'one [kompartetʃipat'tsjone] sf sharing; (quota) share; ~ **agli utili** profit-sharing; **in** ~ jointly.
comparti'mento sm compartment; (AMM) district.
com'parvi etc vb vedi **comparire**.
compas'sato, a ag (persona) composed; **freddo e** ~ cool and collected.
compassi'one sf compassion, pity; **avere** ~ **di qn** to feel sorry for sb, pity sb; **fare** ~ to arouse pity.
compassio'nevole ag compassionate.
com'passo sm (pair of) compasses pl; callipers pl.
compa'tibile ag (scusabile) excusable; (conciliabile, INFORM) compatible.
compati'mento sm compassion; indulgence; **con aria di** ~ with a condescending air.
compa'tire vt (aver compassione di) to sympathize with, feel sorry for; (scusare) to make allowances for.
compatri'ota, i, e smlf compatriot.
compat'tezza [kompat'tettsa] sf (solidità) compactness; (fig: unità) solidarity.
com'patto, a ag compact; (roccia) solid; (folla) dense; (fig: gruppo, partito) united, close-knit.

com'pendio *sm* summary; (*libro*) compendium.

compen'sare *vt* (*equilibrare*) to compensate for, make up for; ~**rsi** *vr* (*reciproco*) to balance each other out; ~ **qn di** (*rimunerare*) to pay o remunerate sb for; (*risarcire*) to pay compensation to sb for; (*fig: fatiche, dolori*) to reward sb for.

compen'sato *sm* (*anche*: **legno** ~) plywood.

com'penso *sm* compensation; payment, remuneration; reward; **in** ~ (*d'altra parte*) on the other hand.

'compera *sf* purchase; **fare le** ~**e** to do the shopping.

compe'rare *vt* = **comprare**.

compe'tente *ag* competent; (*mancia*) apt, suitable; (*capace*) qualified; **rivolgersi all'ufficio** ~ to apply to the office concerned.

compe'tenza [kompe'tɛntsa] *sf* competence; (*DIR: autorità*) jurisdiction; (*TECN, COMM*) expertise; ~**e** *sfpl* (*onorari*) fees; **definire le** ~**e** to establish responsibilities.

com'petere *vi* to compete, vie; (*DIR: spettare*): ~ **a** to lie within the competence of.

competitività *sf inv* competitiveness.

competi'tivo, a *ag* competitive.

competi'tore, 'trice *sm/f* competitor.

competizi'one [kompetit'tsjone] *sf* competition; **spirito di** ~ competitive spirit.

compia'cente [kompja'tʃɛnte] *ag* courteous, obliging.

compia'cenza [kompja'tʃɛntsa] *sf* courtesy.

compia'cere [kompja'tʃere] *vi*: ~ **a** to gratify, please ♦ *vt* to please; ~**rsi** *vr* (*provare soddisfazione*): ~**rsi di** o **per qc** to be delighted at sth; (*rallegrarsi*): ~**rsi con qn** to congratulate sb; (*degnarsi*): ~**rsi di fare** to be so good as to do.

compiaci'mento [kompjatʃi'mento] *sm* satisfaction.

compiaci'uto, a [kompja'tʃuto] *pp di* **compiacere**.

compi'angere [kom'pjandʒere] *vt* to sympathize with, feel sorry for.

compi'anto, a *pp di* **compiangere** ♦ *ag*: **il** ~ **presidente** the late lamented president ♦ *sm* mourning, grief.

'compiere *vt* (*concludere*) to finish, complete; (*adempiere*) to carry out, fulfil; ~**rsi** *vr* (*avverarsi*) to be fulfilled, come true; ~ **gli anni** to have one's birthday.

compi'lare *vt* to compile; (*modulo*) to complete, fill in (*BRIT*), fill out (*US*).

compila'tore, 'trice *sm/f* compiler.

compilazi'one [kompilat'tsjone] *sf* compilation; completion.

compi'mento *sm* (*termine, conclusione*) completion, fulfilment; **portare a** ~ **qc** to conclude sth, bring sth to a conclusion.

com'pire *vb* = **compiere**.

'compito *sm* (*incarico*) task, duty; (*dovere*) duty; (*INS*) exercise; (: *a casa*) piece of homework; **fare i** ~**i** to do one's homework.

com'pito, a *ag* well-mannered, polite.

compiu'tezza [kompju'tettsa] *sf* (*completezza*) completeness; (*perfezione*) perfection.

compi'uto, a *pp di* **compiere** ♦ *ag*: **a 20 anni** ~**i** at 20 years of age, at age 20; **un fatto** ~ a fait accompli.

comple'anno *sm* birthday.

complemen'tare *ag* complementary; (*INS: materia*) subsidiary.

comple'mento *sm* complement; (*MIL*) reserve (troops); ~ **oggetto** (*LING*) direct object.

comples'sato, a *ag, sm/f*: **essere (un)** ~ to be full of complexes o hang-ups (*fam*).

complessità *sf* complexity.

complessiva'mente *av* (*nell'insieme*) on the whole; (*in tutto*) altogether.

comples'sivo, a *ag* (*globale*) comprehensive, overall; (*totale: cifra*) total; **visione** ~**a** overview.

com'plesso, a *ag* complex ♦ *sm* (*PSIC, EDIL*) complex; (*MUS: corale*) ensemble; (: *orchestrina*) band; (: *di musica pop*) group; **in** o **nel** ~ on the whole.

completa'mento *sm* completion.

comple'tare *vt* to complete.

com'pleto, a *ag* complete; (*teatro, autobus*) full ♦ *sm* suit; **al** ~ full; (*tutti presenti*) all present; **essere al** ~ (*teatro*) to be sold out; ~ **da sci** ski suit.

compli'care *vt* to complicate; ~**rsi** *vr* to become complicated.

complicazi'one [komplikat'tsjone] *sf* complication; **salvo** ~**i** unless any difficulties arise.

'complice ['komplitʃe] *sm/f* accomplice.

complicità [komplitʃi'ta] *sf inv* complicity; **un sorriso/uno sguardo di** ~ a knowing smile/look.

complimen'tarsi *vr*: ~ **con** to congratulate.

compli'mento *sm* compliment; ~**i** *smpl* (*cortesia eccessiva*) ceremony *sg*; ~**i!** congratulations!; **senza** ~**i!** don't stand on ceremony!; make yourself at home!;

help yourself!

complot'tare *vi* to plot, conspire.

com'plotto *sm* plot, conspiracy.

com'pone *etc vb vedi* **comporre**.

compo'nente *sm/f* member ♦ *sm* component.

com'pongo *etc vb vedi* **comporre**.

compo'nibile *ag* (*mobili, cucina*) fitted.

componi'mento *sm* (*DIR*) settlement; (*INS*) composition; (*poetico, teatrale*) work.

com'porre *vt* (*musica, testo*) to compose; (*mettere in ordine*) to arrange; (*DIR: lite*) to settle; (*TIP*) to set; (*TEL*) to dial; **comporsi** *vr*: **comporsi di** to consist of, be composed of.

comportamen'tale *ag* behavioural (*BRIT*), behavioral (*US*).

comporta'mento *sm* behaviour (*BRIT*), behavior (*US*); (*di prodotto*) performance.

compor'tare *vt* (*implicare*) to involve, entail; (*consentire*) to permit, allow (of); ~**rsi** *vr* (*condursi*) to behave.

com'posi *etc vb vedi* **comporre**.

composi'tore, 'trice *sm/f* composer; (*TIP*) compositor, typesetter.

composizi'one [kompozit'tsjone] *sf* composition; (*DIR*) settlement.

com'posta *sf vedi* **composto**.

compos'tezza [kompos'tettsa] *sf* composure; decorum.

com'posto, a *pp di* **comporre** ♦ *ag* (*persona*) composed, self-possessed; (*: decoroso*) dignified; (*formato da più elementi*) compound *cpd* ♦ *sm* compound; (*CUC etc*) mixture ♦ *sf* (*CUC*) stewed fruit *no pl*; (*AGR*) compost.

com'prare *vt* to buy; (*corrompere*) to bribe.

compra'tore, 'trice *sm/f* buyer, purchaser.

compra'vendita *sf* (*COMM*) (contract of) sale; **un atto di** ~ a deed of sale.

com'prendere *vt* (*contenere*) to comprise, consist of; (*capire*) to understand.

compren'donio *sm*: **essere duro di** ~ to be slow on the uptake.

compren'sibile *ag* understandable.

comprensi'one *sf* understanding.

compren'sivo, a *ag* (*prezzo*): ~ **di** inclusive of; (*indulgente*) understanding.

compren'sorio *sm* area, territory; (*AMM*) district.

com'preso, a *pp di* **comprendere** ♦ *ag* (*incluso*) included; **tutto** ~ all included, all-in (*BRIT*).

com'pressa *sf vedi* **compresso**.

compressi'one *sf* compression.

com'presso, a *pp di* **comprimere** ♦ *ag* (*vedi comprimere*) pressed; compressed; repressed ♦ *sf* (*MED: garza*) compress;

(*: pastiglia*) tablet.

compres'sore *sm* compressor; (*anche*: **rullo** ~) steamroller.

compri'mario, a *sm/f* (*TEAT*) supporting actor/actress.

com'primere *vt* (*premere*) to press; (*FISICA*) to compress; (*fig*) to repress.

compro'messo, a *pp di* **compromettere** ♦ *sm* compromise.

compro'mettere *vt* to compromise; ~**rsi** *vr* to compromise o.s.

compropri'età *sf* (*DIR*) joint ownership.

compro'vare *vt* to confirm.

com'punto, a *ag* contrite; **con fare** ~ with a solemn air.

compunzi'one [kompun'tsjone] *sf* contrition; solemnity.

compu'tare *vt* to calculate; (*addebitare*): ~ **qc a qn** to debit sb with sth.

com'puter [kəm'pjuːtər] *sm inv* computer.

computeriz'zato, a [komputerid'dzato] *ag* computerized.

computerizzazi'one [komputeriddzat 'tsjone] *sf* computerization.

computiste'ria *sf* accounting, book-keeping.

'computo *sm* calculation; **fare il** ~ **di** to count.

comu'nale *ag* municipal, town *cpd*; **consiglio/palazzo** ~ town council/hall; **è un impiegato** ~ he works for the local council.

Co'mune *sm* (*AMM*) town council; (*sede*) town hall.

> The **Comune** is the smallest autonomous political and administrative unit. Records of births, marriages and deaths are kept by the Comune, which has the power to impose taxes and approve plans for public works and town planning. It is run by a Giunta comunale which is elected by the **Consiglio Comunale**. Both groups are headed by the **Sindaco** (mayor). See also **Provincia** and **Regione**.

co'mune *ag* common; (*consueto*) common, everyday; (*di livello medio*) average; (*ordinario*) ordinary ♦ *sf* (*di persone*) commune; **fuori del** ~ out of the ordinary; **avere in** ~ to have in common, share; **mettere in** ~ to share; **un nostro** ~ **amico** a mutual friend of ours; **fare cassa** ~ to pool one's money.

comuni'care *vt* (*notizia*) to pass on, convey; (*malattia*) to pass on; (*ansia etc*) to communicate; (*trasmettere: calore etc*) to transmit, communicate; (*REL*) to administer communion to ♦ *vi* to communicate; **~rsi** *vr* (*propagarsi*): **~rsi a** to spread to; (*REL*) to receive communion.

comunica'tivo, a *ag* (*sentimento*) infectious; (*persona*) communicative ♦ *sf* communicativeness.

comuni'cato *sm* communiqué; ~ **stampa** press release.

comunicazi'one [komunikat'tsjone] *sf* communication; (*annuncio*) announcement; (*TEL*): ~ **(telefonica)** (telephone) call; **dare la** ~ **a qn** to put sb through; **ottenere la** ~ to get through; **salvo ~i contrarie da parte Vostra** unless we hear from you to the contrary.

comuni'one *sf* communion; ~ **dei beni** (*DIR*: *tra coniugi*) joint ownership of property.

comu'nismo *sm* communism.

comu'nista, i, e *ag, smlf* communist.

comunità *sf inv* community; **C~ Economica Europea (CEE)** European Economic Community (EEC); ~ **terapeutica** *rehabilitation centre run by voluntary organizations for people with drug, alcohol etc dependency.*

comuni'tario, a *ag* community *cpd.*

co'munque *cong* however, no matter how ♦ *av* (*in ogni modo*) in any case; (*tuttavia*) however, nevertheless.

con *prep* (*nei seguenti casi* **con** *può fondersi con l'articolo definito:* **con** + **il** = **col,** **con** + **la** = **colla,** **con** + **gli** = **cogli,** **con** + **i** = **coi,** **con** + **le** = **colle**) with; **partire col treno** to leave by train; ~ **mio grande stupore** to my great astonishment; ~ **la forza** by force; ~ **questo freddo** in this cold weather; ~ **il 1° di ottobre** as of October 1st; ~ **tutto ciò** in spite of that, for all that; ~ **tutto che era arrabbiato** even though he was angry, in spite of the fact that he was angry; **e ~ questo?** so what?

co'nato *sm*: ~ **di vomito** retching.

'conca, che *sf* (*GEO*) valley.

concate'nare *vt* to link up, connect; **~rsi** *vr* to be connected.

'concavo, a *ag* concave.

con'cedere [kon'tʃɛdere] *vt* (*accordare*) to grant; (*ammettere*) to admit, concede; **~rsi qc** to treat o.s. to sth, allow o.s. sth.

concentra'mento [kontʃentra'mento] *sm* concentration.

concen'trare [kontʃen'trare] *vt*, **~rsi** *vr* to concentrate.

concen'trato [kontʃen'trato] *sm* concentrate; ~ **di pomodoro** tomato purée.

concentrazi'one [kontʃentrat'tsjone] *sf* concentration; ~ **orizzontale/verticale** (*ECON*) horizontal/vertical integration.

con'centrico, a, ci, che [kon'tʃɛntriko] *ag* concentric.

conce'pibile [kontʃe'pibile] *ag* conceivable.

concepi'mento [kontʃepi'mento] *sm* conception.

conce'pire [kontʃe'pire] *vt* (*bambino*) to conceive; (*progetto, idea*) to conceive (of); (*metodo, piano*) to devise; (*situazione*) to imagine, understand.

con'cernere [kon'tʃɛrnere] *vt* to concern; **per quanto mi concerne** as far as I'm concerned.

concer'tare [kontʃer'tare] *vt* (*MUS*) to harmonize; (*ordire*) to devise, plan; **~rsi** *vr* to agree.

concer'tista, i, e [kontʃer'tista] *sm/f* (*MUS*) concert performer.

con'certo [kon'tʃɛrto] *sm* (*MUS*) concert; (: *componimento*) concerto.

con'cessi *etc* [kon'tʃɛssi] *vb vedi* **concedere.**

concessio'nario [kontʃessjo'narjo] *sm* (*COMM*) agent, dealer; ~ **esclusivo (di)** sole agent (for).

concessi'one [kontʃes'sjone] *sf* concession.

con'cesso, a [kon'tʃɛsso] *pp di* **concedere.**

con'cetto [kon'tʃɛtto] *sm* (*pensiero, idea*) concept; (*opinione*) opinion; **è un impiegato di** ~ ≈ he's a white-collar worker.

concezi'one [kontʃet'tsjone] *sf* conception; (*idea*) view, idea.

con'chiglia [kon'kiʎʎa] *sf* shell.

'concia ['kontʃa] *sf* (*di pelli*) tanning; (*di tabacco*) curing; (*sostanza*) tannin.

conci'are [kon'tʃare] *vt* (*pelli*) to tan; (*tabacco*) to cure; (*fig: ridurre in cattivo stato*) to beat up; **~rsi** *vr* (*sporcarsi*) to get in a mess; (*vestirsi male*) to dress badly; **ti hanno conciato male o per le feste!** they've really beaten you up!

concili'abile [kontʃi'ljabile] *ag* compatible.

concili'abolo [kontʃi'ljabolo] *sm* secret meeting.

concili'ante [kontʃi'ljante] *ag* conciliatory.

concili'are [kontʃi'ljare] *vt* to reconcile; (*contravvenzione*) to pay on the spot; (*favorire: sonno*) to be conducive to, induce; (*procurare: simpatia*) to gain; **~rsi qc** to gain *o* win sth (for o.s.); **~rsi qn** to win sb over; **~rsi con** to be reconciled with.

conciliazi'one [kontʃiljat'tsjone] *sf* reconciliation; (*DIR*) settlement; **la C~** (*STORIA*) the Lateran Pact.

con'cilio [kon'tʃiljo] *sm* (*REL*) council.

conci'mare [kontʃi'mare] *vt* to fertilize; (*con letame*) to manure.

con'cime [kon'tʃime] *sm* manure; (*chimico*) fertilizer.

concisi'one [kontʃi'zjone] *sf* concision, conciseness.

con'ciso, a [kon'tʃizo] *ag* concise, succinct.

conci'tato, a [kontʃi'tato] *ag* excited, emotional.

concitta'dino, a [kontʃitta'dino] *sm/f* fellow citizen.

con'clave *sm* conclave.

con'cludere *vt* to conclude; (*portare a compimento*) to conclude, finish, bring to an end; (*operare positivamente*) to achieve ♦ *vi* (*essere convincente*) to be conclusive; ~**rsi** *vr* to come to an end, close.

conclusi'one *sf* conclusion; (*risultato*) result.

conclu'sivo, a *ag* conclusive; (*finale*) final.

con'cluso, a *pp di* **concludere.**

concomi'tanza [konkomi'tantsa] *sf* (*di circostanze, fatti*) combination.

concor'danza [konkor'dantsa] *sf* (*anche LING*) agreement.

concor'dare *vt* (*prezzo*) to agree on; (*LING*) to make agree ♦ *vi* to agree; ~ **una tregua** to agree to a truce.

concor'dato *sm* agreement; (*REL*) concordat.

con'corde *ag* (*d'accordo*) in agreement; (*simultaneo*) simultaneous.

con'cordia *sf* harmony, concord.

concor'rente *ag* competing; (*MAT*) concurrent ♦ *sm/f* (*SPORT, COMM*) competitor; (*a un concorso di bellezza*) contestant.

concor'renza [konkor'rentsa] *sf* competition; ~ **sleale** unfair competition; **a prezzi di** ~ at competitive prices.

concorrenzi'ale [konkorren'tsjale] *ag* competitive.

con'correre *vi*: ~ (**in**) (*MAT*) to converge *o* meet (in); ~ (**a**) (*competere*) to compete (for); (: *INS: a una cattedra*) to apply (for); (*partecipare: a un'impresa*) to take part (in), contribute (to).

con'corso, a *pp di* **concorrere** ♦ *sm* competition; (*esame*) competitive examination; ~ **di bellezza** beauty contest; ~ **di circostanze** combination of circumstances; ~ **di colpa** (*DIR*) contributory negligence; **un** ~ **ippico** a showjumping event; ~ **in reato** (*DIR*) complicity in a crime; ~ **per titoli** competitive examination for qualified candidates.

con'creto, a *ag* concrete ♦ *sm*: **in** ~ in reality.

concu'bina *sf* concubine ♦ *sm*: **sono** ~**i** they are living together.

concussi'one *sf* (*DIR*) extortion.

con'danna *sf* condemnation; sentence; conviction; ~ **a morte** death sentence.

condan'nare *vt* (*disapprovare*) to condemn; (*DIR*): ~ **a** to sentence to; ~ **per** to convict of.

condan'nato, a *sm/f* convict.

con'densa *sf* condensation.

conden'sare *vt*, ~**rsi** *vr* to condense.

condensa'tore *sm* capacitor.

condensazi'one [kondensat'tsjone] *sf* condensation.

condi'mento *sm* seasoning; dressing.

con'dire *vt* to season; (*insalata*) to dress.

condiscen'dente [kondiʃʃen'dɛnte] *ag* obliging; compliant.

condiscen'denza [kondiʃʃen'dɛntsa] *sf* (*disponibilità*) obligingness; (*arrendevolezza*) compliance.

condi'scendere [kondiʃ'ʃendere] *vi*: ~ **a** to agree to.

condi'sceso, a [kondiʃ'ʃeso] *pp di* **condiscendere.**

condi'videre *vt* to share.

condi'viso, a *pp di* **condividere.**

condizio'nale [kondittsjo'nale] *ag* conditional ♦ *sm* (*LING*) conditional ♦ *sf* (*DIR*) suspended sentence.

condiziona'mento [kondittsjona'mento] *sm* conditioning; ~ **d'aria** air conditioning.

condizio'nare [kondittsjo'nare] *vt* to condition; **ad aria condizionata** air-conditioned.

condiziona'tore [kondittsjona'tore] *sm* air conditioner.

condizi'one [kondit'tsjone] *sf* condition; ~**i** *sfpl* (*di pagamento etc*) terms, conditions; **a** ~ **che** on condition that, provided that; **a nessuna** ~ on no account; ~**i a convenirsi** terms to be arranged; ~**i di lavoro** working conditions; ~**i di vendita** sales terms.

condogli'anze [kondoʎ'ʎantse] *sfpl* condolences.

condomini'ale *ag*: **riunione** ~ residents' meeting; **spese** ~**i** common charges.

condo'minio *sm* joint ownership; (*edificio*) jointly-owned building.

con'domino *sm* joint owner.

condo'nare *vt* (*DIR*) to remit.

con'dono *sm* remission; ~ **fiscale** *conditional amnesty for people evading tax.*

con'dotta *sf* vedi **condotto.**

con'dotto, a *pp di* **condurre** ♦ *ag*: **medico** ~

local authority doctor (*in country district*)
♦ *sm* (*canale, tubo*) pipe, conduit; (*ANAT*)
duct ♦ *sf* (*modo di comportarsi*) conduct,
behaviour (*BRIT*), behavior (*US*); (*di un
affare etc*) handling; (*di acqua*) piping;
(*incarico sanitario*) country medical
practice controlled by a local authority.

condu'cente [kondu'tʃɛnte] *sm* driver.

con'duco *etc vb vedi* **condurre.**

con'durre *vt* to conduct; (*azienda*) to
manage; (*accompagnare: bambino*) to take;
(*automobile*) to drive; (*trasportare: acqua,
gas*) to convey, conduct; (*fig*) to lead ♦ *vi*
to lead; **condursi** *vr* to behave, conduct
o.s.; ~ **a termine** to conclude.

con'dussi *etc vb vedi* **condurre.**

condut'tore, 'trice *ag*: **filo** ~ (*fig*) thread;
motivo ~ leitmotiv ♦ *sm* (*di mezzi pubblici*)
driver; (*FISICA*) conductor.

condut'tura *sf* (*gen*) pipe; (*di acqua, gas*)
main.

conduzi'one [kondut'tsjone] *sf* (*di affari,
ditta*) management; (*DIR: locazione*) lease;
(*FISICA*) conduction.

confabu'lare *vi* to confab.

confa'cente [konfa'tʃɛnte] *ag*: ~ **a qn/qc**
suitable for sb/sth; **clima** ~ **alla salute**
healthy climate.

CONFAGRICOL'TURA *abbr f*
(= *Confederazione generale dell'Agricoltura
Italiana*) confederation of Italian farmers.

CON'FAPI *sigla f* = *Confederazione Nazionale
della Piccola Industria.*

con'farsi *vr*: ~ **a** to suit, agree with.

CONFARTIGIA'NATO [konfartidʒa'nato]
abbr f = *Confederazione Generale
dell'Artigianato Italiano.*

con'fatto, a *pp di* **confarsi.**

CONFCOM'MERCIO [konfkom'mɛrtʃo]
abbr f = *Confederazione Generale del
Commercio.*

confederazi'one [konfederat'tsjone] *sf*
confederation; ~ **imprenditoriale**
employers' association.

confe'renza [konfe'rɛntsa] *sf* (*discorso*)
lecture; (*riunione*) conference; ~ **stampa**
press conference.

conferenzi'ere, a [konferen'tsjɛre] *sm/f*
lecturer.

conferi'mento *sm* conferring, awarding.

confe'rire *vt*: ~ **qc a qn** to give sth to sb,
confer sth on sb ♦ *vi* to confer.

con'ferma *sf* confirmation.

confer'mare *vt* to confirm.

confes'sare *vt*, ~**rsi** *vr* to confess; **andare a
~rsi** (*REL*) to go to confession.

confessio'nale *ag, sm* confessional.

confessi'one *sf* confession; (*setta religiosa*)

denomination.

con'fesso, a *ag*: **essere reo** ~ to have
pleaded guilty.

confes'sore *sm* confessor.

con'fetto *sm* sugared almond; (*MED*) pill.

confet'tura *sf* (*gen*) jam; (*di arance*)
marmalade.

confezio'nare [konfettsjo'nare] *vt* (*vestito*)
to make (up); (*merci, pacchi*) to package.

confezi'one [konfet'tsjone] *sf* (*di abiti: da
uomo*) tailoring; (*: da donna*)
dressmaking; (*imballaggio*) packaging; ~
regalo gift pack; ~ **risparmio** economy
size; ~ **da viaggio** travel pack; ~**i per
signora** ladies' wear *no pl*; ~**i da uomo**
menswear *no pl.*

confic'care *vt*: ~ **qc in** to hammer *o* drive
sth into; ~**rsi** *vr* to stick.

confi'dare *vi*: ~ **in** to confide in, rely on
♦ *vt* to confide; ~**rsi con qn** to confide in
sb.

confi'dente *sm/f* (*persona amica*) confidant/
confidante; (*informatore*) informer.

confi'denza [konfi'dɛntsa] *sf* (*familiarità*)
intimacy, familiarity; (*fiducia*) trust,
confidence; (*rivelazione*) confidence;
prendersi (troppe) ~**e** to take liberties;
fare una ~ **a qn** to confide something to
sb.

confidenzi'ale [konfiden'tsjale] *ag* familiar,
friendly; (*segreto*) confidential; **in via** ~
confidentially.

configu'rare *vt* (*INFORM*) to set; ~**rsi** *vr*: ~ **a**
to assume the shape *o* form of.

configurazi'one [konfigurat'tsjone] *sf*
configuration; (*INFORM*) setting.

confi'nante *ag* neighbouring (*BRIT*),
neighboring (*US*).

confi'nare *vi*: ~ **con** to border on ♦ *vt* (*POL*)
to intern; (*fig*) to confine; ~**rsi** *vr* (*isolarsi*):
~**rsi in** to shut o.s. up in.

confi'nato, a *ag* interned ♦ *sm/f* internee.

CONFIN'DUSTRIA *sigla f* (= *Confederazione
Generale dell'Industria Italiana*) employers'
association, ≈ CBI (*BRIT*).

con'fine *sm* boundary; (*di paese*) border,
frontier; **territorio di** ~ border zone.

con'fino *sm* internment.

con'fisca *sf* confiscation.

confis'care *vt* to confiscate.

conflagrazi'one [konflagrat'tsjone] *sf*
conflagration.

con'flitto *sm* conflict; **essere in** ~ **con qc** to
clash with sth; **essere in** ~ **con qn** to be at
loggerheads with sb.

conflittu'ale *ag*: **rapporto** ~ relationship
based on conflict.

conflittualità *sf* conflicts *pl.*

conflu'enza [konflu'ɛntsa] *sf (di fiumi)* confluence; *(di strade)* junction.

conflu'ire *vi (fiumi)* to flow into each other, meet; *(strade)* to meet.

con'fondere *vt* to mix up, confuse; *(imbarazzare)* to embarrass; ~**rsi** *vr (mescolarsi)* to mingle; *(turbarsi)* to be confused; *(sbagliare)* to get mixed up; ~ **le idee a qn** to mix sb up, confuse sb.

confor'mare *vt (adeguare)*: ~ **a** to adapt *o* conform to; ~**rsi** *vr*: ~**rsi (a)** to conform (to).

con'forme *ag*: ~ **a** *(simile)* similar to; *(corrispondente)* in keeping with.

conforme'mente *av* accordingly; ~ **a** in accordance with.

confor'mismo *sm* conformity.

confor'mista, i, e *sm/f* conformist.

conformità *sf* conformity; **in** ~ **a** in conformity with.

confor'tare *vt* to comfort, console.

confor'tevole *ag (consolante)* comforting; *(comodo)* comfortable.

con'forto *sm (consolazione, sollievo)* comfort, consolation; *(conferma)* support; **a** ~ **di qc** in support of sth; **i** ~**i (religiosi)** the last sacraments.

confra'ternita *sf* brotherhood.

confron'tare *vt* to compare; ~**rsi** *vr (scontrarsi)* to have a confrontation.

con'fronto *sm* comparison; *(DIR, MIL, POL)* confrontation; **in** *o* **a** ~ **di** in comparison with, compared to; **nei miei** *(o* **tuoi** *etc)* ~**i** towards me *(o* you *etc)*.

con'fusi *etc vb vedi* **confondere**.

confusi'one *sf* confusion; *(imbarazzo)* embarrassment; **far** ~ *(disordine)* to make a mess; *(chiasso)* to make a racket; *(confondere)* to confuse things.

con'fuso, a *pp di* **confondere** ♦ *ag (vedi confondere)* confused; embarrassed.

confu'tare *vt* to refute.

conge'dare [kondʒe'dare] *vt* to dismiss; *(MIL)* to demobilize; ~**rsi** *vr* to take one's leave.

con'gedo [kon'dʒedo] *sm (anche MIL)* leave; **prendere** ~ **da qn** to take one's leave of sb; ~ **assoluto** *(MIL)* discharge.

conge'gnare [kondʒeɲ'ɲare] *vt* to construct, put together.

con'gegno [kon'dʒeɲɲo] *sm* device, mechanism.

congela'mento [kondʒela'mento] *sm (gen)* freezing; *(MED)* frostbite; ~ **salariale** wage freeze.

conge'lare [kondʒe'lare] *vt,* ~**rsi** *vr* to freeze.

congela'tore [kondʒela'tore] *sm* freezer.

con'genito, a [kon'dʒɛnito] *ag* congenital.

con'gerie [kon'dʒɛrje] *sf inv (di oggetti)* heap; *(di idee)* muddle, jumble.

congestio'nare [kondʒestjo'nare] *vt* to congest; **essere congestionato** *(persona, viso)* to be flushed; *(zona: per traffico)* to be congested.

congesti'one [kondʒes'tjone] *sf* congestion.

conget'tura [kondʒet'tura] *sf* conjecture, supposition.

con'giungere [kon'dʒundʒere] *vt,* ~**rsi** *vr* to join (together).

congiunti'vite [kondʒunti'vite] *sf* conjunctivitis.

congiun'tivo [kondʒun'tivo] *sm (LING)* subjunctive.

congi'unto, a [kon'dʒunto] *pp di* **congiungere** ♦ *ag (unito)* joined ♦ *sm/f (parente)* relative.

congiun'tura [kondʒun'tura] *sf (giuntura)* junction, join; *(ANAT)* joint; *(circostanza)* juncture; *(ECON)* economic situation.

congiuntu'rale [kondʒuntu'rale] *ag* of the economic situation; **crisi** ~ economic crisis.

congiunzi'one [kondʒun'tsjone] *sf (LING)* conjunction.

congi'ura [kon'dʒura] *sf* conspiracy.

congiu'rare [kondʒu'rare] *vi* to conspire.

conglome'rato *sm (GEO)* conglomerate; *(fig)* conglomeration; *(EDIL)* concrete.

'Congo *sm*: **il** ~ the Congo.

congo'lese *ag, sm/f* Congolese *inv*.

congratu'larsi *vr*: ~ **con qn per qc** to congratulate sb on sth.

congratulazi'oni [kongratulat'tsjoni] *sfpl* congratulations.

con'grega, ghe *sf* band, bunch.

congregazi'one [kongregat'tsjone] *sf* congregation.

congres'sista, i, e *sm/f* participant at a congress.

con'gresso *sm* congress.

'congruo, a *ag (prezzo, compenso)* adequate, fair; *(ragionamento)* coherent, consistent.

conguagli'are [kongwaʎ'ʎare] *vt* to balance; *(stipendio)* to adjust.

congu'aglio [kon'gwaʎʎo] *sm* balancing; adjusting; *(somma di denaro)* balance; **fare il** ~ **di** to balance; to adjust.

coni'are *vt* to mint, coin; *(fig)* to coin.

coniazi'one [konjat'tsjone] *sf* mintage.

'conico, a, ci, che *ag* conical.

co'nifere *sfpl* conifers.

conigli'era [koniʎ'ʎɛra] *sf (gabbia)* rabbit hutch; *(più grande)* rabbit run.

conigli'etta [koniʎ'ʎetta] *sf* bunny girl.
conigli'etto [koniʎ'ʎetto] *sm* bunny.
co'niglio [ko'niʎʎo] *sm* rabbit; **sei un** ~!
(*fig*) you're chicken!
coniu'gale *ag* (*amore, diritti*) conjugal; (*vita*)
married, conjugal.
coniu'gare *vt* to combine; (*LING*) to
conjugate; ~**rsi** *vr* to get married.
coniu'gato, a *ag* (*AMM*) married.
coniugazi'one [konjugat'tsjone] *sf* (*LING*)
conjugation.
'coniuge ['kɔnjudʒe] *sm/f* spouse.
connatu'rato, a *ag* inborn.
connazio'nale [konnattsjo'nale] *sm/f*
fellow-countryman/woman.
connessi'one *sf* connection.
con'nesso, a *pp di* **connettere.**
con'nettere *vt* to connect, join ♦ *vi* (*fig*) to
think straight.
connet'tore *sm* (*ELETTR*) connector.
conni'vente *ag* conniving.
conno'tati *smpl* distinguishing marks;
rispondere ai ~**i** to fit the description;
cambiare i ~**i a qn** (*fam*) to beat sb up.
con'nubio *sm* (*matrimonio*) marriage; (*fig*)
union.
'cono *sm* cone; ~ **gelato** ice-cream cone.
co'nobbi *etc vb vedi* **conoscere.**
cono'scente [konoʃ'ʃɛnte] *sm/f*
acquaintance.
cono'scenza [konoʃ'ʃɛntsa] *sf* (*il sapere*)
knowledge *no pl*; (*persona*) acquaintance;
(*facoltà sensoriale*) consciousness *no pl*;
essere a ~ **di qc** to know sth; **portare qn a**
~ **di qc** to inform sb of sth; **per vostra** ~
for your information; **fare la** ~ **di qn** to
make sb's acquaintance; **perdere** ~ to
lose consciousness; ~ **tecnica** know-how.
co'noscere [ko'noʃʃere] *vt* to know; **ci**
siamo conosciuti a Firenze we (first) met
in Florence; ~ **qn di vista** to know sb by
sight; **farsi** ~ (*fig*) to make a name for o.s.
conosci'tore, 'trice [konoʃʃi'tore] *sm/f*
connoisseur.
conosci'uto, a [konoʃ'ʃuto] *pp di* **conoscere**
♦ *ag* well-known.
con'quista *sf* conquest.
conquis'tare *vt* to conquer; (*fig*) to gain,
win.
conquista'tore, 'trice *sm/f* (*in guerra*)
conqueror ♦ *sm* (*seduttore*) lady-killer.
cons. *abbr* = **consiglio.**
consa'crare *vt* (*REL*) to consecrate;
(: *sacerdote*) to ordain; (*dedicare*) to
dedicate; (*fig: uso etc*) to sanction; ~**rsi a**
to dedicate o.s. to.
consangu'ineo, a *sm/f* blood relation.
consa'pevole *ag*: ~ **di** aware *o* conscious

of.
consapevo'lezza [konsapevo'lettsa] *sf*
awareness, consciousness.
conscia'mente [konʃa'mente] *av*
consciously.
'conscio, a, sci, sce ['kɔnʃo] *ag*: ~ **di**
aware *o* conscious of.
consecu'tivo, a *ag* consecutive;
(*successivo: giorno*) following, next.
con'segna [kon'seɲɲa] *sf* delivery; (*merce*
consegnata) consignment; (*custodia*) care,
custody; (*MIL: ordine*) orders *pl*;
(: *punizione*) confinement to barracks; **alla**
~ on delivery; **dare qc in** ~ **a qn** to
entrust sth to sb; **passare le** ~**e a qn** to
hand over to sb; ~ **a domicilio** home
delivery; ~ **in contrassegno, pagamento**
alla ~ cash on delivery; ~ **sollecita**
prompt delivery.
conse'gnare [konseɲ'ɲare] *vt* to deliver;
(*affidare*) to entrust, hand over; (*MIL*) to
confine to barracks.
consegna'tario [konseɲɲa'tarjo] *sm*
consignee.
consegu'ente *ag* consequent.
conseguente'mente *av* consequently.
consegu'enza [konse'gwɛntsa] *sf*
consequence; **per** *o* **di** ~ consequently.
consegui'mento *sm* (*di scopo, risultato etc*)
achievement, attainment; **al** ~ **della**
laurea on graduation.
consegu'ire *vt* to achieve ♦ *vi* to follow,
result; ~ **la laurea** to graduate, obtain
one's degree.
con'senso *sm* approval, consent.
consensu'ale *ag* (*DIR*) by mutual consent.
consen'tire *vi*: ~ **a** to consent *o* agree to
♦ *vt* to allow, permit; **mi si consenta di**
ringraziare ... I would like to thank ....
consenzi'ente [konsen'tsjɛnte] *ag* (*gen, DIR*)
consenting.
con'serto, a *ag*: **a braccia** ~**e** with one's
arms folded.
con'serva *sf* (*CUC*) preserve; ~ **di frutta**
jam; ~ **di pomodoro** tomato purée; ~**e**
alimentari tinned (*o* canned *o* bottled)
foods.
conser'vare *vt* (*CUC*) to preserve;
(*custodire*) to keep; (: *dalla distruzione etc*)
to preserve, conserve; ~**rsi** *vr* to keep.
conserva'tore, 'trice *ag, sm/f* (*POL*)
conservative.
conserva'torio *sm* (*di musica*)
conservatory.
conservato'rismo *sm* (*POL*) conservatism.
conservazi'one [konservat'tsjone] *sf*
preservation; conservation; **istinto di** ~
instinct for self-preservation; **a lunga** ~

(*latte, panna*) long-life *cpd.*
con'sesso *sm* (*assemblea*) assembly; (*riunione*) meeting.
conside'rabile *ag* worthy of consideration.
conside'rare *vt* to consider; (*reputare*) to consider, regard; ~ **molto qn** to think highly of sb.
conside'rato, a *ag* (*prudente*) cautious, careful; (*stimato*) highly thought of, esteemed.
considerazi'one [konsiderat'tsjone] *sf* (*esame, riflessione*) consideration; (*stima*) regard, esteem; (*pensiero, osservazione*) observation; **prendere in** ~ to take into consideration.
conside'revole *ag* considerable.
consigli'abile [konsiʎ'ʎabile] *ag* advisable.
consigli'are [konsiʎ'ʎare] *vt* (*persona*) to advise; (*metodo, azione*) to recommend, advise, suggest; ~**rsi** *vr*: ~**rsi con qn** to ask sb for advice.
consigli'ere, a [konsiʎ'ʎɛre] *sm/f* adviser ♦ *sm*: ~ **d'amministrazione** board member; ~ **comunale** town councillor; ~ **delegato** (*COMM*) managing director.
con'siglio [kon'siʎʎo] *sm* (*suggerimento*) advice *no pl*, piece of advice; (*assemblea*) council; ~ **d'amministrazione** board; **C**~ **d'Europa** Council of Europe; ~ **di fabbrica** works council; **il C**~ **dei Ministri** (*POL*) ≈ the Cabinet; **C**~ **di stato** *advisory body to the Italian government on administrative matters and their legal implications*; **C**~ **superiore della magistratura** *state body responsible for judicial appointments and regulations*; *vedi anche* **Comune; Provincia; Regione.**

┌─────────────────────────────────────┐
The **Consiglio dei Ministri**, *the Italian Cabinet, is headed by the* **Presidente del Consiglio**, *the Italian prime minister, and is made up of government ministers. See also* **Presidente del Consiglio** *and* **Presidente della Repubblica.**
The **Consiglio superiore della Magistratura**, *the magistrates' governing body, ensures their continued autonomy and independence as enshrined in the constitution. It deals principally with appointments and transfers of magistrates, and disciplinary action against individual members where required. The Consiglio has a total of 32 members and is chaired by the Presidente della Repubblica. Of the 30 magistrates elected to the Consiglio for a period of 4 years, 20 are elected by their fellow magistrates and 10 by Parliament. The remaining two are the Presidente della*
└─────────────────────────────────────┘

┌─────────────────────────────────────┐
Repubblica and the Vicepresidente who are ex officio members.
└─────────────────────────────────────┘

con'simile *ag* similar.
consis'tente *ag* solid; (*fig*) sound, valid.
consis'tenza [konsis'tɛntsa] *sf* (*di impasto*) consistency; (*di stoffa*) texture; **senza** ~ (*sospetti, voci*) ill-founded, groundless; ~ **di cassa/di magazzino** cash/stock in hand; ~ **patrimoniale** financial solidity.
con'sistere *vi*: ~ **in** to consist of.
consis'tito, a *pp di* **consistere.**
'CONSOB *sigla f* (= *Commissione nazionale per le società e la borsa*) *regulatory body for the Italian Stock Exchange.*
consoci'arsi [konso't ʃarsi] *vr* to go into partnership.
consociati'vismo [konsot ʃati'vizmo] *sm* (*POL*) pact-building.
consocia'tivo, a [konsot ʃa'tivo] *ag* (*POL*: *democrazia*) based on pacts.
consoci'ato, a [konso't ʃato] *ag* associated ♦ *sm/f* associate.
conso'lante *ag* consoling, comforting.
conso'lare *ag* consular ♦ *vt* (*confortare*) to console, comfort; (*rallegrare*) to cheer up; ~**rsi** *vr* to be comforted; to cheer up.
conso'lato *sm* consulate.
consolazi'one [konsolat'tsjone] *sf* consolation, comfort.
'console *sm* consul ♦ *sf* [kɔ'sɔl] (*quadro di comando*) console.
consolida'mento *sm* strengthening; consolidation.
consoli'dare *vt* to strengthen, reinforce; (*MIL, terreno*) to consolidate; ~**rsi** *vr* to consolidate.
consolidazi'one [konsolidat'tsjone] *sf* strengthening; consolidation.
consommé [kɔsɔ'me] *sm inv* consommé.
conso'nante *sf* consonant.
conso'nanza [konso'nantsa] *sf* consonance.
'consono, a *ag*: ~ **a** consistent with, consonant with.
con'sorte *sm/f* consort.
con'sorzio [kon'sɔrtsjo] *sm* consortium; ~ **agrario** farmers' cooperative; ~ **di garanzia** (*COMM*) underwriting syndicate.
con'stare *vi*: ~ **di** to consist of ♦ *vb impers*: **mi consta che** it has come to my knowledge that, it appears that; **a quanto mi consta** as far as I know.
consta'tare *vt* to establish, verify; (*notare*) to notice, observe.
constatazi'one [konstatat'tsjone] *sf* observation; ~ **amichevole** (*in incidenti*) *jointly-agreed statement for insurance purposes.*

consu'eto, a *ag* habitual, usual ♦ *sm*: **come di** ~ as usual.

consuetudi'nario, a *ag*: **diritto** ~ (*DIR*) common law.

consue'tudine *sf* habit; (*usanza*) custom.

consu'lente *sm/f* consultant; ~ **aziendale/ tecnico** management/technical consultant.

consu'lenza [konsu'lɛntsa] *sf* consultancy; ~ **medica/legale** medical/legal advice; **ufficio di** ~ **fiscale** tax consultancy office; ~ **tecnica** technical consultancy *o* advice.

consul'tare *vt* to consult; ~**rsi** *vr*: ~**rsi con qn** to seek the advice of sb.

consultazi'one [konsultat'tsjone] *sf* consultation; ~**i** *sfpl* (*POL*) talks, consultations; **libro di** ~ reference book.

consul'tivo, a *ag* consultative.

consul'torio *sm*: ~ **familiare** *o* **matrimoniale** marriage guidance centre; ~ **pediatrico** children's clinic.

consu'mare *vt* (*logorare: abiti, scarpe*) to wear out; (*usare*) to consume, use up; (*mangiare, bere*) to consume; (*DIR*) to consummate; ~**rsi** *vr* to wear out; to be used up; (*anche fig*) to be consumed; (*combustibile*) to burn out.

consu'mato, a *ag* (*vestiti, scarpe, tappeto*) worn; (*persona: esperto*) accomplished.

consuma'tore *sm* consumer.

consumazi'one [konsumat'tsjone] *sf* (*bibita*) drink; (*spuntino*) snack; (*DIR*) consummation.

consu'mismo *sm* consumerism.

con'sumo *sm* consumption; wear; use; **generi** *o* **beni di** ~ consumer goods; **beni di largo** ~ basic commodities; **imposta sui** ~**i** tax on consumer goods.

consun'tivo *sm* (*ECON*) final balance.

con'sunto, a *ag* worn-out; (*viso*) wasted.

'conta *sf* (*nei giochi*): **fare la** ~ to see who is going to be "it".

con'tabile *ag* accounts *cpd*, accounting ♦ *sm/f* accountant.

contabilità *sf* (*attività, tecnica*) accounting, accountancy; (*insieme dei libri etc*) books *pl*, accounts *pl*; (*ufficio*) ~ accounts department; ~ **finanziaria** financial accounting; ~ **di gestione** management accounting.

contachi'lometri [kontaki'lɔmetri] *sm inv* ≈ mileometer.

conta'dino, a *sm/f* countryman/woman; farm worker; (*peg*) peasant.

contagi'are [konta'dʒare] *vt* to infect.

con'tagio [kon'tadʒo] *sm* infection; (*per contatto diretto*) contagion; (*epidemia*) epidemic.

contagi'oso, a [konta'dʒoso] *ag* infectious; contagious.

conta'giri [konta'dʒiri] *sm inv* (*AUT*) rev counter.

conta'gocce [konta'gottʃe] *sm inv* dropper.

contami'nare *vt* to contaminate.

contaminazi'one [kontaminat'tsjone] *sf* contamination.

con'tante *sm* cash; **pagare in** ~**i** to pay cash.

con'tare *vt* to count; (*considerare*) to consider ♦ *vi* to count, be of importance; ~ **su qn** to count *o* rely on sb; ~ **di fare qc** to intend to do sth; **ha i giorni contati, ha le ore contate** his days are numbered; **la gente che conta** people who matter.

contas'catti *sm inv* telephone meter.

conta'tore *sm* meter.

contat'tare *vt* to contact.

con'tatto *sm* contact; **essere in** ~ **con qn** to be in touch with sb; **fare** ~ (*ELETTR: fili*) to touch.

'conte *sm* count.

con'tea *sf* (*STORIA*) earldom; (*AMM*) county.

conteggi'are [konted'dʒare] *vt* to charge, put on the bill.

con'teggio [kon'teddʒo] *sm* calculation.

con'tegno [kon'teɲɲo] *sm* (*comportamento*) behaviour (*BRIT*), behavior (*US*); (*atteggiamento*) attitude; **darsi un** ~ (*ostentare disinvoltura*) to act nonchalant; (*ricomporsi*) to pull o.s. together.

conte'gnoso, a [konteɲ'ɲoso] *ag* reserved, dignified.

contem'plare *vt* to contemplate, gaze at; (*DIR*) to make provision for.

contempla'tivo, a *ag* contemplative.

contemplazi'one [kontemplat'tsjone] *sf* contemplation.

con'tempo *sm*: **nel** ~ meanwhile, in the meantime.

contemporanea'mente *av* simultaneously; at the same time.

contempo'raneo, a *ag, sm/f* contemporary.

conten'dente *sm/f* opponent, adversary.

con'tendere *vi* (*competere*) to compete; (*litigare*) to quarrel ♦ *vt*: ~ **qc a qn** to contend with *o* be in competition with sb for sth.

conte'nere *vt* to contain; ~**rsi** *vr* to contain o.s.

conteni'tore *sm* container.

conten'tabile *ag*: **difficilmente** ~ difficult to please.

conten'tare *vt* to please, satisfy; ~**rsi** *vr*: ~**rsi di** to be satisfied with, content o.s. with; **si contenta di poco** he is easily satisfied.

conten'tezza [konten'tettsa] *sf* contentment.

conten'tino *sm* sop.

con'tento, a *ag* pleased, glad; ~ **di** pleased with.

conte'nuto *ag* (*ira, entusiasmo*) restrained, suppressed; (*forza*) contained ♦ *sm* contents *pl*; (*argomento*) content.

contenzi'oso, a [konten'tsjɔso] *ag* (*DIR*) contentious ♦ *sm* (*AMM: ufficio*) legal department.

con'teso, a *pp di* **contendere** ♦ *sf* dispute, argument.

con'tessa *sf* countess.

contes'tare *vt* (*DIR*) to notify; (*fig*) to dispute; ~ **il sistema** to protest against the system.

contesta'tore, 'trice *ag* anti-establishment ♦ *sm/f* protester.

contestazi'one [kontestat'tsjone] *sf* (*DIR: disputa*) dispute; (: *notifica*) notification; (*POL*) anti-establishment activity; **in caso di** ~ if there are any objections.

con'testo *sm* context.

con'tiguo, a *ag*: ~ (**a**) adjacent (to).

continen'tale *ag* continental.

conti'nente *ag* continent ♦ *sm* (*GEO*) continent; (: *terra ferma*) mainland.

conti'nenza [konti'nɛntsa] *sf* continence.

contin'gente [kontin'dʒɛnte] *ag* contingent ♦ *sm* (*COMM*) quota; (*MIL*) contingent.

contin'genza [kontin'dʒɛntsa] *sf* circumstance; (**indennità di**) ~ cost-of-living allowance.

continua'mente *av* (*senza interruzione*) continuously, nonstop; (*ripetutamente*) continually.

continu'are *vt* to continue (with), go on with ♦ *vi* to continue, go on; ~ **a fare qc** to go on *o* continue doing sth; **continua a nevicare/a fare freddo** it's still snowing/cold.

continua'tivo, a *ag* (*occupazione*) permanent; (*periodo*) consecutive.

continuazi'one [kontinuat'tsjone] *sf* continuation.

continuità *sf* continuity.

con'tinuo, a *ag* (*numerazione*) continuous; (*pioggia*) continual, constant; (*ELETTR: corrente*) direct; **di** ~ continually.

'conto *sm* (*calcolo*) calculation; (*COMM, ECON*) account; (*di ristorante, albergo*) bill; (*fig: stima*) consideration, esteem; **avere un** ~ **in sospeso (con qn)** to have an outstanding account (with sb); (*fig*) to have a score to settle (with sb); **fare i** ~**i con qn** to settle one's account with sb;

fare ~ **su qn** to count *o* rely on sb; **fare** ~ **che** (*supporre*) to suppose that; **rendere** ~ **a qn di qc** to be accountable to sb for sth; **rendersi** ~ **di qc/che** to realize sth/that; **tener** ~ **di qn/qc** to take sb/sth into account; **tenere qc da** ~ to take great care of sth; **ad ogni buon** ~ in any case; **di poco/nessun** ~ of little/no importance; **per** ~ **di** on behalf of; **per** ~ **mio** as far as I'm concerned; (*da solo*) on my own; **a** ~**i fatti, in fin dei** ~**i** all things considered; **mi hanno detto strane cose sul suo** ~ I've heard some strange things about him; ~ **capitale** capital account; ~ **cifrato** numbered account; ~ **corrente** current account (*BRIT*), checking account (*US*); ~ **corrente postale** Post Office account; ~ **economico** profit and loss account; ~ **in partecipazione** joint account; ~ **passivo** account payable; ~ **profitti e perdite** profit and loss account; ~ **alla rovescia** countdown; ~ **valutario** foreign currency account.

con'torcere [kon'tɔrtʃere] *vt* to twist; (*panni*) to wring (out); ~**rsi** *vr* to twist, writhe.

contor'nare *vt* to surround; ~**rsi** *vr*: ~**rsi di** to surround o.s. with.

con'torno *sm* (*linea*) outline, contour; (*ornamento*) border; (*CUC*) vegetables *pl*; **fare da** ~ **a** to surround.

contorsi'one *sf* contortion.

con'torto, a *pp di* **contorcere**.

contrabban'dare *vt* to smuggle.

contrabbandi'ere, a *sm/f* smuggler.

contrab'bando *sm* smuggling, contraband; **merce di** ~ contraband, smuggled goods *pl*.

contrab'basso *sm* (*MUS*) (double) bass.

contraccambi'are *vt* (*favore etc*) to return; **vorrei** ~ I'd like to show my appreciation.

contraccet'tivo, a [kontratt'ʃet'tivo] *ag, sm* contraceptive.

contrac'colpo *sm* rebound; (*di arma da fuoco*) recoil; (*fig*) repercussion.

con'trada *sf* street; district; *vedi anche* **Palio**.

contrad'detto, a *pp di* **contraddire**.

contrad'dire *vt* to contradict; ~**rsi** *vr* to contradict o.s.; (*uso reciproco: persone*) to contradict each other *o* one another; (: *testimonianze etc*) to be contradictory.

contraddis'tinguere *vt* (*merce*) to mark; (*fig: atteggiamento, persona*) to distinguish.

contraddis'tinto, a *pp di* **contraddistinguere**.

contraddit'torio, a *ag* contradictory; (*sentimenti*) conflicting ♦ *sm* (*DIR*) cross-examination.

contraddizi'one [kontraddit'tsjone] *sf*
contradiction; **cadere in** ~ to contradict
o.s.; **essere in** ~ (*tesi, affermazioni*) to
contradict one another; **spirito di** ~
argumentativeness.

con'trae *etc vb vedi* **contrarre**.

contra'ente *sm* contractor.

contra'erea *sf* (*MIL*) anti-aircraft artillery.

contra'ereo, a *ag* anti-aircraft.

contraf'fare *vt* (*persona*) to mimic; (*voce*)
to disguise; (*firma*) to forge, counterfeit.

contraf'fatto, a *pp di* **contraffare** ♦ *ag*
counterfeit.

contraffazi'one [kontraffat'tsjone] *sf*
mimicking *no pl*; disguising *no pl*; forging
no pl; (*cosa contraffatta*) forgery.

contraf'forte *sm* (*ARCHIT*) buttress; (*GEO*)
spur.

con'traggo *etc vb vedi* **contrarre**.

con'tralto *sm* (*MUS*) contralto.

contrap'pello *sm* (*MIL*) second roll call.

contrappe'sare *vt* to counterbalance; (*fig:
decisione*) to weigh up.

contrap'peso *sm* counterbalance,
counterweight.

contrap'porre *vt:* ~ **qc a qc** to counter sth
with sth; (*paragonare*) to compare sth
with sth; **contrapporsi** *vr:* **contrapporsi a
qc** to contrast with sth, be opposed to
sth.

contrap'posto, a *pp di* **contrapporre**.

contraria'mente *av:* ~ **a** contrary to.

contrari'are *vt* (*contrastare*) to thwart,
oppose; (*irritare*) to annoy, bother; ~**rsi** *vr*
to get annoyed.

contrari'ato, a *ag* annoyed.

contrarietà *sf* adversity; (*fig*) aversion.

con'trario, a *ag* opposite; (*sfavorevole*)
unfavourable (*BRIT*), unfavorable (*US*)
♦ *sm* opposite; **essere** ~ **a qc** (*persona*) to
be against sth; **al** ~ on the contrary; **in
caso** ~ otherwise; **avere qualcosa in** ~ to
have some objection; **non ho niente in** ~
I have no objection.

con'trarre *vt* (*malattia, debito*) to contract;
(*muscoli*) to tense; (*abitudine, vizio*) to pick
up; (*accordo, patto*) to enter into; **contrarsi**
vr to contract; ~ **matrimonio** to marry.

contrasse'gnare [kontrassen'nare] *vt* to
mark.

contras'segno [kontras'senno] *sm*
(*distintivo*) distinguishing mark; **spedire
in** ~ (*COMM*) to send COD.

con'trassi *etc vb vedi* **contrarre**.

contras'tante *ag* contrasting.

contras'tare *vt* (*avversare*) to oppose;
(*impedire*) to bar; (*negare: diritto*) to

contest, dispute ♦ *vi:* ~ (**con**) (*essere in
disaccordo*) to contrast (with); (*lottare*) to
struggle (with).

con'trasto *sm* contrast; (*conflitto*) conflict;
(*litigio*) dispute.

contrat'tacco *sm* counterattack; **passare
al** ~ (*fig*) to fight back.

contrat'tare *vt, vi* to negotiate.

contrat'tempo *sm* hitch.

con'tratto, a *pp di* **contrarre** ♦ *sm* contract;
~ **di acquisto** purchase agreement; ~ **di
affitto,** ~ **di locazione** lease; ~ **collettivo
di lavoro** collective agreement; ~ **di
lavoro** contract of employment; ~ **a
termine** forward contract.

contrattu'ale *ag* contractual; **forza** ~ (*di
sindacato*) bargaining power.

contravve'nire *vi:* ~ **a** (*legge*) to
contravene; (*obbligo*) to fail to meet.

contravven'tore, 'trice *sm/f* offender.

contravve'nuto, a *pp di* **contravvenire**.

contravvenzi'one [kontravven'tsjone] *sf*
contravention; (*ammenda*) fine.

contrazi'one [kontrat'tsjone] *sf*
contraction; (*di prezzi etc*) reduction.

contribu'ente *sm/f* taxpayer; ratepayer
(*BRIT*), property tax payer (*US*).

contribu'ire *vi* to contribute.

contribu'tivo, a *ag* contributory.

contri'buto *sm* contribution; (*sovvenzione*)
subsidy, contribution; (*tassa*) tax; ~**i
previdenziali** ≈ national insurance (*BRIT*)
o welfare (*US*) contributions; ~**i sindacali**
trade union dues.

con'trito, a *ag* contrite, penitent.

'contro *prep* against; ~ **di me/lui** against
me/him; **pastiglie** ~ **la tosse** throat
lozenges; ~ **pagamento** (*COMM*) on
payment; ~ **ogni mia aspettativa**
contrary to my expectations; **per** ~ on
the other hand.

contro'battere *vt* (*fig: a parole*) to answer
back; (: *confutare*) to refute.

controbilanci'are [kontrobilan'tʃare] *vt* to
counterbalance.

controcor'rente *av:* **andare** ~ (*anche fig*) to
swim against the tide.

controcul'tura *sf* counterculture.

contro'esodo *sm* return from holiday.

contro'fax *sm inv* reply to a fax.

controffen'siva *sf* counteroffensive.

controfi'gura *sf* (*CINE*) double.

controfir'mare *vt* to countersign.

control'lare *vt* (*accertare*) to check;
(*sorvegliare*) to watch, control; (*tenere nel
proprio potere, fig: dominare*) to control;
~**rsi** *vr* to control o.s.

control'lato, a *ag* (*persona*) self-possessed;

(*reazioni*) controlled ♦ *sf* (*COMM: società*) associated company.

con'trollo *sm* check; watch; control; **base di ~** (*AER*) ground control; **telefono sotto ~** tapped telephone; **visita di ~** (*MED*) checkup; **~ doganale** customs inspection; **~ di gestione** management control; **~ delle nascite** birth control; **~ di qualità** quality control.

control'lore *sm* (*FERR, AUTOBUS*) (ticket) inspector; **~ di volo** *o* **del traffico aereo** air traffic controller.

contro'luce [kontro'lutʃe] *sf inv* (*FOT*) backlit shot ♦ *av:* (**in**) **~** against the light; (*fotografare*) into the light.

contro'mano *av:* **guidare ~** to drive on the wrong side of the road; (*in un senso unico*) to drive the wrong way up a one-way street.

contropar'tita *sf* (*fig: compenso*): **come ~** in return.

contropi'ede *sm* (*SPORT*): **azione di ~** sudden counter-attack; **prendere qn in ~** (*fig*) to catch sb off his (*o* her) guard.

controprodu'cente [kontroprodu'tʃɛnte] *ag* counterproductive.

con'trordine *sm* counter-order; **salvo ~** unless I (*o* you *etc*) hear to the contrary.

contro'senso *sm* (*contraddizione*) contradiction in terms; (*assurdità*) nonsense.

controspio'naggio [kontrospio'naddʒo] *sm* counterespionage.

controva'lore *sm* equivalent (value).

contro'vento *av* against the wind; **navigare ~** (*NAUT*) to sail to windward.

contro'versia *sf* controversy; (*DIR*) dispute; **~ sindacale** industrial dispute.

contro'verso, a *ag* controversial.

contro'voglia [kontro'vɔʎʎa] *av* unwillingly.

contu'mace [kontu'matʃe] *ag* (*DIR*): **rendersi ~** to default, fail to appear in court ♦ *smf* (*DIR*) defaulter.

contu'macia [kontu'matʃa] *sf* (*DIR*) default.

contun'dente *ag:* **corpo ~** blunt instrument.

contur'bante *ag* (*sguardo, bellezza*) disturbing.

contur'bare *vt* to disturb, upset.

contusi'one *sf* (*MED*) bruise.

convale'scente [konvaleʃ'ʃɛnte] *ag, smf* convalescent.

convale'scenza [konvaleʃ'ʃɛntsa] *sf* convalescence.

con'valida *sf* (*DIR*) confirmation; (*di biglietto*) stamping.

convali'dare *vt* (*AMM*) to validate; (*fig:*

sospetto, dubbio) to confirm.

con'vegno [kon'veɲɲo] *sm* (*incontro*) meeting; (*congresso*) convention, congress; (*luogo*) meeting place.

conve'nevoli *smpl* civilities.

conveni'ente *ag* suitable; (*vantaggioso*) profitable; (*: prezzo*) cheap.

conveni'enza [konve'njɛntsa] *sf* suitability; advantage; cheapness; **~e** *sfpl* social conventions.

conve'nire *vi* to agree upon ♦ *vi* (*riunirsi*) to gather, assemble; (*concordare*) to agree; (*tornare utile*) to be worthwhile ♦ *vb impers:* **conviene fare questo** it is advisable to do this; **conviene andarsene** we should go; **ne convengo** I agree; **come convenuto** as agreed; **in data da ~** on a date to be agreed; **come (si) conviene ad una signorina** as befits a young lady.

conven'ticola *sf* (*cricca*) clique; (*riunione*) secret meeting.

con'vento *sm* (*di frati*) monastery; (*di suore*) convent.

conve'nuto, a *pp di* **convenire** ♦ *sm* (*cosa pattuita*) agreement ♦ *smf* (*DIR*) defendant; **i ~i** (*i presenti*) those present.

convenzio'nale [konvɛntsjo'nale] *ag* conventional.

convenzio'nato, a [konvɛntsjo'nato] *ag* (*ospedale, clinica*) providing free health care, ≈ National Health Service *cpd* (*BRIT*).

convenzi'one [konvɛn'tsjone] *sf* (*DIR*) agreement; (*nella società*) convention; **le ~i (sociali)** social conventions.

conver'gente [konver'dʒɛnte] *ag* convergent.

conver'genza [konver'dʒɛntsa] *sf* convergence.

con'vergere [kon'vɛrdʒere] *vi* to converge.

con'versa *sf* (*REL*) lay sister.

conver'sare *vi* to have a conversation, converse.

conversazi'one [konversat'tsjone] *sf* conversation; **fare ~** (*chiacchierare*) to chat, have a chat.

conversi'one *sf* conversion; **~ ad U** (*AUT*) U-turn.

con'verso, a *pp di* **convergere; per ~** *av* conversely.

conver'tire *vt* (*trasformare*) to change; (*INFORM, POL, REL*) to convert; **~rsi** *vr:* **~rsi (a)** to be converted (to).

conver'tito, a *smf* convert.

converti'tore *sm* (*ELETTR*) converter.

con'vesso, a *ag* convex.

convin'cente [konvin'tʃɛnte] *ag* convincing.

con'vincere [kon'vintʃere] *vt* to convince; ~ **qn di qc** to convince sb of sth; (*DIR*) to prove sb guilty of sth; ~ **qn a fare qc** to persuade sb to do sth.

con'vinto, a *pp di* **convincere** ♦ *ag*: **reo** ~ (*DIR*) convicted criminal.

convinzi'one [konvin'tsjone] *sf* conviction, firm belief.

convis'suto, a *pp di* **convivere**.

convi'tato, a *sm/f* guest.

con'vitto *sm* (*INS*) boarding school.

convi'venza [konvi'vɛntsa] *sf* living together; (*DIR*) cohabitation.

con'vivere *vi* to live together.

convivi'ale *ag* convivial.

convo'care *vt* to call, convene; (*DIR*) to summon.

convocazi'one [konvokat'tsjone] *sf* meeting; summons *sg*; **lettera di** ~ (letter of) notification to appear *o* attend.

convogli'are [konvoʎ'ʎare] *vt* to convey; (*dirigere*) to direct, send.

con'voglio [kon'vɔʎʎo] *sm* (*di veicoli*) convoy; (*FERR*) train; ~ **funebre** funeral procession.

convo'lare *vi*: ~ **a (giuste) nozze** (*scherzoso*) to tie the knot.

convulsi'one *sf* convulsion.

con'vulso, a *ag* (*pianto*) violent, convulsive; (*attività*) feverish.

COOP *abbr f* = **cooperativa**.

coope'rare *vi*: ~ **(a)** to cooperate (in).

coopera'tiva *sf* cooperative.

cooperazi'one [kooperat'tsjone] *sf* cooperation.

coordina'mento *sm* coordination.

coordi'nare *vt* to coordinate.

coordi'nato, a *ag* (*movimenti*) coordinated ♦ *sf* (*LING, GEO, MAT*) coordinate ♦ *smpl*: ~**i** (*MODA*) coordinates.

coordinazi'one [koordinat'tsjone] *sf* coordination.

co'perchio [ko'pɛrkjo] *sm* cover; (*di pentola*) lid.

co'perta *sf* cover; (*di lana*) blanket; (*da viaggio*) rug; (*NAUT*) deck.

coper'tina *sf* (*STAMPA*) cover, jacket.

co'perto, a *pp di* **coprire** ♦ *ag* covered; (*cielo*) overcast ♦ *sm* place setting; (*posto a tavola*) place; (*al ristorante*) cover charge; ~ **di** covered in *o* with.

coper'tone *sm* (*telo impermeabile*) tarpaulin; (*AUT*) rubber tyre.

coper'tura *sf* (*anche ECON, MIL*) cover; (*di edificio*) roofing; **fare un gioco di** ~ (*SPORT*) to play a defensive game; ~ **assicurativa** insurance cover.

'copia *sf* copy; (*FOT*) print; **brutta/bella** ~ rough/final copy; ~ **conforme** (*DIR*) certified copy; ~ **omaggio** presentation copy.

copi'are *vt* to copy.

copia'trice [kopja'tritʃe] *sf* copier, copying machine.

copi'one *sm* (*CINE, TEAT*) script.

'coppa *sf* (*bicchiere*) goblet; (*per frutta, gelato*) dish; (*trofeo*) cup, trophy; ~**e** *sfpl* (*CARTE*) suit in Neapolitan pack of cards; ~ **dell'olio** oil sump (*BRIT*) *o* pan (*US*).

'coppia *sf* (*di persone*) couple; (*di animali, SPORT*) pair.

cop'rente *ag* (*colore, cosmetico*) covering; (*calze*) opaque.

copri'capo *sm* headgear; (*cappello*) hat.

coprifu'oco, chi *sm* curfew.

copri'letto *sm* bedspread.

co'prire *vt* to cover; (*occupare: carica, posto*) to hold; ~**rsi** *vr* (*cielo*) to cloud over; (*vestirsi*) to wrap up, cover up; (*ECON*) to cover o.s.; ~**rsi di** (*macchie, muffa*) to become covered in; ~ **qn di baci** to smother sb with kisses; ~ **le spese** to break even; ~**rsi le spalle** (*fig*) to cover o.s.

coque [kɔk] *sf*: **uovo alla** ~ boiled egg.

co'raggio [ko'raddʒo] *sm* courage, bravery; ~! (*forza!*) come on!; (*animo!*) cheer up!; **farsi** ~ to pluck up courage; **hai un bel** ~! (*sfacciataggine*) you've got a nerve *o* a cheek!

coraggi'oso, a [korad'dʒoso] *ag* courageous, brave.

co'rale *ag* choral; (*approvazione*) unanimous.

co'rallo *sm* coral; **il mar dei C**~**i** the Coral Sea.

co'rano *sm* (*REL*) Koran.

co'razza [ko'rattsa] *sf* armour (*BRIT*), armor (*US*); (*di animali*) carapace, shell; (*MIL*) armo(u)r(-plating).

coraz'zato, a [korat'tsato] *ag* (*MIL*) armoured (*BRIT*), armored (*US*) ♦ *sf* battleship.

corazzi'ere [korat'tsjɛre] *sm* (*STORIA*) cuirassier; (*guardia presidenziale*) carabiniere of the President's guard.

corbelle'ria *sf* stupid remark; ~**e** *sfpl* (*sciocchezze*) nonsense *no pl*.

'corda *sf* cord; (*fune*) rope; (*spago, MUS*) string; **dare** ~ **a qn** (*fig*) to let sb have his (*o* her) way; **tenere sulla** ~ **qn** (*fig*) to keep sb on tenterhooks; **tagliare la** ~ (*fig*) to slip away, sneak off; **essere giù di** ~ to feel down; ~**e vocali** vocal cords.

cor'data *sf* (*ALPINISMO*) roped party; (*fig*) *alliance system in financial and business* *world*.

cordi'ale *ag* cordial, warm ♦ *sm* (*bevanda*) cordial.

cordialità *sf inv* warmth, cordiality; ~ *sfpl* (*saluti*) best wishes.

cor'doglio [kor'dɔʎʎo] *sm* grief; (*lutto*) mourning.

cor'done *sm* cord, string; (*linea: di polizia*) cordon; ~ **ombelicale** umbilical cord; ~ **sanitario** quarantine line.

Co'rea *sf*: **la** ~ Korea; **la** ~ **del Nord/Sud** North/South Korea.

core'ano, a *ag*, *sm/f* Korean.

coreogra'fia *sf* choreography.

core'ografo, a *sm/f* choreographer.

cori'aceo, a [ko'rjatʃeo] *ag* (*BOT, ZOOL*) coriaceous; (*fig*) tough.

cori'andolo *sm* (*BOT*) coriander; ~**i** *smpl* (*per carnevale etc*) confetti *no pl*.

cori'care *vt* to put to bed; ~**rsi** *vr* to go to bed.

coricherò *etc* [korike'rɔ] *vb vedi* **coricare**.

Co'rinto *sf* Corinth.

co'rista, i, e *sm/f* (*REL*) choir member, chorister; (*TEAT*) member of the chorus.

'corna *sfpl vedi* **corno**.

cor'nacchia [kor'nakkja] *sf* crow.

corna'musa *sf* bagpipes *pl*.

'cornea *sf* (*ANAT*) cornea.

'corner *sm inv* (*CALCIO*) corner (kick); **salvarsi in** ~ (*fig: in gara, esame etc*) to get through by the skin of one's teeth.

cor'netta *sf* (*MUS*) cornet; (*TEL*) receiver.

cor'netto *sm* (*CUC*) croissant; ~ **acustico** ear trumpet.

cor'nice [kor'nitʃe] *sf* frame; (*fig*) background, setting.

cornici'one [korni'tʃone] *sm* (*di edificio*) ledge; (*ARCHIT*) cornice.

'corno *sm* (*ZOOL: pl(f)* ~**a**, *MUS*) horn; (*fam*): **fare le** ~**a a qn** to be unfaithful to sb; **dire peste e** ~**a di qn** to call sb every name under the sun; **un** ~! not on your life!

Corno'vaglia [korno'vaʎʎa] *sf*: **la** ~ Cornwall.

cor'nuto, a *ag* (*con corna*) horned; (*fam!: marito*) cuckolded ♦ *sm* (*fam!*) cuckold; (*: insulto*) bastard (*!*).

'coro *sm* chorus; (*REL*) choir.

corol'lario *sm* corollary.

co'rona *sf* crown; (*di fiori*) wreath.

corona'mento *sm* (*di impresa*) completion; (*di carriera*) crowning achievement; **il** ~ **dei propri sogni** the fulfilment of one's dreams.

coro'nare *vt* to crown.

coro'naria *sf* coronary artery.

'corpo *sm* body; (*cadavere*) (dead) body;

(*militare, diplomatico*) corps *inv*; (*di opere*) corpus; **prendere** ~ to take shape; **darsi anima e** ~ **a** to give o.s. heart and soul to; **a** ~ **a** ~ hand-to-hand; ~ **d'armata** army corps; ~ **di ballo** corps de ballet; ~ **dei carabinieri** ≈ police force; ~ **celeste** heavenly body; ~ **di guardia** (*soldati*) guard; (*locale*) guardroom; ~ **insegnante** teaching staff; ~ **del reato** material evidence.

corpo'rale *ag* bodily; (*punizione*) corporal.

corpora'tura *sf* build, physique.

corporazi'one [korporat'tsjone] *sf* corporation.

cor'poreo, a *ag* bodily, physical.

cor'poso, a *ag* (*vino*) full-bodied.

corpu'lento, a *ag* stout, corpulent.

corpu'lenza [korpu'lɛntsa] *sf* stoutness, corpulence.

cor'puscolo *sm* corpuscle.

corre'dare *vt*: ~ **di** to provide *o* furnish with; **domanda corredata dai seguenti documenti** application accompanied by the following documents.

cor'redo *sm* equipment; (*di sposa*) trousseau.

cor'reggere [kor'rɛddʒere] *vt* to correct; (*compiti*) to correct, mark.

cor'rente *ag* (*fiume*) flowing; (*acqua del rubinetto*) running; (*moneta, prezzo*) current; (*comune*) everyday ♦ *sm*: **essere al** ~ **(di)** to be well-informed (about) ♦ *sf* (*movimento di liquido*) current, stream; (*spiffero*) draught; (*ELETTR, METEOR*) current; (*fig*) trend, tendency; **mettere al** ~ **(di)** to inform (of); **la vostra lettera del 5** ~ **mese** (*in lettere commerciali*) in your letter of the 5th inst.; **articoli di qualità** ~ average-quality products; ~ **alternata** (**c.a.**) alternating current (AC); ~ **continua** (**c.c.**) direct current (DC).

corrente'mente *av* (*comunemente*) commonly; **parlare una lingua** ~ to speak a language fluently.

corren'tista, i, e *sm/f* (current (*BRIT*) *o* checking (*US*)) account holder.

cor'reo, a *sm/f* (*DIR*) accomplice.

'correre *vi* to run; (*precipitarsi*) to rush; (*partecipare a una gara*) to race, run; (*fig: diffondersi*) to go round ♦ *vt* (*SPORT: gara*) to compete in; (*rischio*) to run; (*pericolo*) to face; ~ **dietro a qn** to run after sb; **corre voce che** ... it is rumoured that ....

corresponsabilità *sf* joint responsibility; (*DIR*) joint liability.

corresponsi'one *sf* payment.

cor'ressi *etc vb vedi* **correggere**.

corret'tezza [korret'tettsa] *sf* (*di*

comportamento) correctness; (*SPORT*) fair play.

cor'retto, , a *pp di* **correggere** ♦ *ag* (*comportamento*) correct, proper; **caffè ~ al cognac** coffee laced with brandy.

corret'tore, 'trice *sm/f*: **~ di bozze** proofreader ♦ *sm*: (**liquido**) **~ correction** fluid.

correzi'one [korret'tsjone] *sf* correction; marking; **~ di bozze** proofreading.

cor'rida *sf* bullfight.

corri'doio *sm* corridor; **manovre di ~** (*POL*) lobbying *sg*.

corri'dore *sm* (*SPORT*) runner; (*: su veicolo*) racer.

corri'era *sf* coach (*BRIT*), bus.

corri'ere *sm* (*diplomatico, di guerra*) courier; (*posta*) mail, post; (*spedizioniere*) carrier.

corri'mano *sm* handrail.

corrispet'tivo *sm* amount due; **versare a qn il ~ di una prestazione** to pay sb the amount due for his (*o* her) services.

corrispon'dente *ag* corresponding ♦ *sm/f* correspondent.

corrispon'denza [korrispon'dentsa] *sf* correspondence; **~ in arrivo/partenza** incoming/outgoing mail.

corris'pondere *vi* (*equivalere*): **~ (a)** to correspond (to); (*per lettera*): **~ con** to correspond with ♦ *vt* (*stipendio*) to pay; (*fig: amore*) to return.

corris'posto, a *pp di* **corrispondere**.

corrobo'rare *vt* to strengthen, fortify; (*fig*) to corroborate, bear out.

cor'rodere *vt*, **~rsi** *vr* to corrode.

cor'rompere *vt* to corrupt; (*comprare*) to bribe.

corrosi'one *sf* corrosion.

corro'sivo, a *ag* corrosive.

cor'roso, a *pp di* **corrodere**.

cor'rotto, a *pp di* **corrompere** ♦ *ag* corrupt.

corrucci'arsi [korrut't∫arsi] *vr* to grow angry *o* vexed.

corru'gare *vt* to wrinkle; **~ la fronte** to knit one's brows.

cor'ruppi *etc vb vedi* **corrompere**.

corrut'tela *sf* corruption, depravity.

corruzi'one [korrut'tsjone] *sf* corruption; bribery; **~ di minorenne** (*DIR*) corruption of a minor.

'**corsa** *sf* running *no pl*; (*gara*) race; (*di autobus, taxi*) journey, trip; **fare una ~ to** run, dash; (*SPORT*) to run a race; **andare *o* essere di ~** to be in a hurry; **~ ad ostacoli** (*IPPICA*) steeplechase; (*ATLETICA*) hurdles race.

cor'saro, a *ag*: **nave ~a** privateer ♦ *sm* privateer.

'**corsi** *etc vb vedi* **correre**.

cor'sia *sf* (*AUT, SPORT*) lane; (*di ospedale*) ward; **~ preferenziale** ≈ bus lane; (*fig*) fast track; **~ di sorpasso** (*AUT*) overtaking lane.

'**Corsica** *sf*: **la ~** Corsica.

cor'sivo *sm* cursive (writing); (*TIP*) italics *pl*.

'**corso, a** *pp di* **correre** ♦ *ag, sm/f* Corsican ♦ *sm* course; (*strada cittadina*) main street; (*di unità monetaria*) circulation; (*di titoli, valori*) rate, price; **dar libero ~ a** to give free expression to; **in ~** in progress, under way; (*annata*) current; **~ d'acqua** river; stream; (*artificiale*) waterway; **~ serale** evening class; **aver ~ legale** to be legal tender.

'**corte** *sf* (court)yard; (*DIR, regale*) court; **fare la ~ a qn** to court sb; **~ d'appello** court of appeal; **~ di cassazione** final court of appeal; **C~ dei Conti** *State audit court*; **C~ Costituzionale** *special court dealing with constitutional and ministerial matters*; **~ marziale** court-martial.

Various **Corti** *exist to deal with different types of offence. The* **Corte d'Appello** *hears appeals against sentences passed by courts dealing with civil and criminal prosecutions and is empowered to modify sentences where justification is shown. The* **Corte d'Assise** *tries serious crimes such as manslaughter and murder and its judges comprise both legal professionals and members of the public. The* **Corte d'Assise d'Appello** *is structured in a similar way to the* **Corte d'Assise** *and hears appeals against sentences imposed by this court and by the* **Corte d'Appello**. *The* **Corte di Cassazione** *is the highest judicial authority in the country, dealing solely with the legitimacy of judicial decisions. It ensures that the law is correctly applied by the other courts and may call for a re-trial where it deems a violation to have taken place. The* **Corte Costituzionale** *is a politically independent body which ensures that laws comply with the principles of the constitution. It has the power to impeach the Presidente della Repubblica. The* **Corte dei Conti** *ensures the government's compliance with the law and the constitution. Reporting directly to Parliament, it oversees the management of the state budget and the finances of nationalized industries.*

cor'teccia, , ce [kor'tettʃa] *sf* bark.
corteggia'mento [korteddʒa'mento] *sm* courtship.
corteggi'are [korted'dʒare] *vt* to court.
corteggia'tore [korteddʒa'tore] *sm* suitor.
cor'teo *sm* procession; ~ funebre funeral cortège.
cor'tese *ag* courteous.
corte'sia *sf* courtesy; fare una ~ a qn to do sb a favour; per ~, dov'è ...? excuse me, please, where is ...?
cortigi'ano, a [korti'dʒano] *smlf* courtier ♦ *sf* courtesan.
cor'tile *sm* (court)yard.
cor'tina *sf* curtain; (*anche fig*) screen.
corti'sone *sm* cortisone.
'corto, a *ag* short ♦ *av*: tagliare ~ to come straight to the point; essere a ~ di qc to be short of sth; essere a ~ di parole to be at a loss for words; la settimana ~a the 5-day week; ~ circuito short-circuit.
cortocir'cuito [kortotʃir'kuito] *sm* = corto circuito.
cortome'traggio [kortome'traddʒo] *sm* short (feature film).
cor'vino, a *ag* (*capelli*) jet-black.
'corvo *sm* raven.
'cosa *sf* thing; (*faccenda*) affair, matter, business *no pl*; (che) ~? what?; (che) cos'è? what is it?; a ~ pensi? what are you thinking about?; tante belle ~e! all the best!; ormai è ~ fatta! (*positivo*) it's in the bag!; (*negativo*) it's done now!; a ~e fatte when it's all over.
'Cosa 'Nostra *sf* Cosa Nostra.
'cosca, sche *sf* (*di mafiosi*) clan.
'coscia, sce ['kɔʃʃa] *sf* thigh; ~ di pollo (*CUC*) chicken leg.
cosci'ente [koʃ'ʃɛnte] *ag* conscious; ~ di conscious *o* aware of.
cosci'enza [koʃ'ʃɛntsa] *sf* conscience; (*consapevolezza*) consciousness; ~ politica political awareness.
coscienzi'oso, a [koʃʃen'tsjoso] *ag* conscientious.
cosci'otto [koʃ'ʃɔtto] *sm* (*CUC*) leg.
cos'critto *sm* (*MIL*) conscript.
coscrizi'one [koskrit'tsjone] *sf* conscription.

============= *PAROLA CHIAVE*

così *av* 1 (*in questo modo*) like this, (in) this way; (*in tal modo*) so; le cose stanno ~ this is the way things stand; non ho detto ~! I didn't say that!; come stai? — (e) ~ how are you? — so-so; e ~ via and so on; per ~ dire so to speak; ~ sia amen
2 (*tanto*) so; ~ lontano so far away; un

ragazzo ~ intelligente such an intelligent boy
♦ *ag inv* (*tale*): non ho mai visto un film ~ I've never seen such a film
♦ *cong* 1 (*perciò*) so, therefore; e ~ ho deciso di lasciarlo so I decided to leave him
2: ~ ... come as ... as; non è ~ bravo come te he's not as good as you; ~ ... che so ... that.

cosicché [kosik'ke] *cong* so (that).
cosid'detto, a *ag* so-called.
cos'mesi *sf* (*scienza*) cosmetics *sg*; (*prodotti*) cosmetics *pl*; (*trattamento*) beauty treatment.
cos'metico, a, ci, che *ag, sm* cosmetic.
'cosmico, a, ci, che *ag* cosmic.
'cosmo *sm* cosmos.
cosmo'nauta, i, e *smlf* cosmonaut.
cosmopo'lita, i, e *ag* cosmopolitan.
'coso *sm* (*fam: oggetto*) thing, thingumajig; (: *aggeggio*) contraption; (: *persona*) what's his name, thingumajig.
cos'pargere [kos'pardʒere] *vt*: ~ di to sprinkle with.
cos'parso, a *pp di* cospargere.
cos'petto *sm*: al ~ di in front of; in the presence of.
cospicuità *sf* vast quantity.
cos'picuo, a *ag* considerable, large.
cospi'rare *vi* to conspire.
cospira'tore, 'trice *smlf* conspirator.
cospirazi'one [kospirat'tsjone] *sf* conspiracy.
'cossi *etc vb vedi* cuocere.
Cost. *abbr* = costituzione.
'costa *sf* (*tra terra e mare*) coast(line); (*litorale*) shore; (*pendio*) slope; (*ANAT*) rib; navigare sotto ~ to hug the coast; la C~ Azzurra the French Riviera; la C~ d'Avorio the Ivory Coast; velluto a ~e corduroy.
costà *av* there.
cos'tante *ag* constant; (*persona*) steadfast ♦ *sf* constant.
cos'tanza [kos'tantsa] *sf* (*gen*) constancy; (*fermezza*) constancy, steadfastness; il Lago di C~ Lake Constance.
cos'tare *vi, vt* to cost; ~ caro to be expensive, cost a lot; ~ un occhio della testa to cost a fortune; costi quel che costi no matter what.
'Costa 'Rica *sf*: la ~ Costa Rica.
cos'tata *sf* (*CUC: di manzo*) large chop.
cos'tato *sm* (*ANAT*) ribs *pl*.
costeggi'are [kosted'dʒare] *vt* to be close to; to run alongside.

cos'tei *pron vedi* **costui.**

costellazi'one [kostellat'tsjone] *sf* constellation.

coster'nare *vt* to dismay.

coster'nato, a *ag* dismayed.

costernazi'one [kosternat'tsjone] *sf* dismay, consternation.

costi'ero, a *ag* coastal, coast *cpd* ♦ *sf* stretch of coast.

costi'pato, a *ag* (*stitico*) constipated.

costitu'ire *vt* (*comitato, gruppo*) to set up, form; (*collezione*) to put together, build up; (*sog: elementi, parti: comporre*) to make up, constitute; (*rappresentare*) to constitute; (*DIR*) to appoint; ~**rsi** *vr:* ~**rsi (alla polizia)** to give o.s. up (to the police); ~**rsi parte civile** (*DIR*) *to associate in an action with the public prosecutor for damages*; **il fatto non costituisce reato** this is not a crime.

costitu'tivo, a *ag* constituent, component; **atto** ~ (*DIR: di società*) memorandum of association.

costituzio'nale [kostituttsjo'nale] *ag* constitutional.

costituzi'one [kostitut'tsjone] *sf* setting up; building up; constitution.

'costo *sm* cost; **sotto** ~ for less than cost price; **a ogni o qualunque** ~**, a tutti i** ~**i** at all costs; ~**i di esercizio** running costs; ~**i fissi** fixed costs; ~**i di gestione** operating costs; ~**i di produzione** production costs.

'costola *sf* (*ANAT*) rib; **ha la polizia alle** ~**e** the police are hard on his heels.

costo'letta *sf* (*CUC*) cutlet.

cos'toro *pron pl vedi* **costui.**

cos'toso, a *ag* expensive, costly.

cos'tretto, a *pp di* **costringere.**

cos'tringere [kos'trindʒere] *vt:* ~ **qn a fare qc** to force sb to do sth.

costrit'tivo, a *ag* coercive.

costrizi'one [kostrit'tsjone] *sf* coercion.

costru'ire *vt* to construct, build.

costrut'tivo, a *ag* (*EDIL*) building *cpd*; (*fig*) constructive.

costruzi'one [kostrut'tsjone] *sf* construction, building; **di** ~ **inglese** British-made.

cos'tui, cos'tei, *pl* **cos'toro** *pron* (*soggetto*) he/she; *pl* they; (*complemento*) him/her; *pl* them; **si può sapere chi è** ~**?** (*peg*) just who is that fellow?

cos'tume *sm* (*uso*) custom; (*foggia di vestire, indumento*) costume; **il buon** ~ public morality; **donna di facili** ~**i** woman of easy morals; ~ **da bagno** bathing *o* swimming costume (*BRIT*), swimsuit; (*da uomo*) bathing *o* swimming trunks *pl*.

costu'mista, i, e *sm/f* costume maker, costume designer.

co'tenna *sf* bacon rind.

co'togna [ko'toɲɲa] *sf* quince.

coto'letta *sf* (*di maiale, montone*) chop; (*di vitello, agnello*) cutlet.

coto'nare *vt* (*capelli*) to backcomb.

co'tone *sm* cotton; ~ **idrofilo** cotton wool (*BRIT*), absorbent cotton (*US*).

cotoni'ficio [kotoni'fitʃo] *sm* cotton mill.

'cotta *sf* (*REL*) surplice; (*fam: innamoramento*) crush.

'cottimo *sm:* **lavorare a** ~ to do piecework.

'cotto, a *pp di* **cuocere** ♦ *ag* cooked; (*fam: innamorato*) head-over-heels in love ♦ *sm* brickwork; ~ **a puntino** cooked to perfection; **dirne di** ~**e e di crude a qn** to call sb every name under the sun; **farne di** ~**e e di crude** to get up to all kinds of mischief; **mattone di** ~ fired brick; **pavimento in** ~ tile floor.

cot'tura *sf* cooking; (*in forno*) baking; (*in umido*) stewing; ~ **a fuoco lento** simmering; **angolo (di)** ~ cooking area.

co'vare *vt* to hatch; (*fig: malattia*) to be sickening for; (*: odio, rancore*) to nurse ♦ *vi* (*fuoco, fig*) to smoulder (*BRIT*), smolder (*US*).

co'vata *sf* (*anche fig*) brood.

'covo *sm* den; ~ **di terroristi** terrorist base.

co'vone *sm* sheaf.

'cozza ['kɔttsa] *sf* mussel.

coz'zare [kot'tsare] *vi:* ~ **contro** to bang into, collide with.

'cozzo ['kɔttso] *sm* collision.

C.P. *abbr* (= *cartolina postale*) pc; (*POSTA*) *vedi* **casella postale;** (*NAUT*) = **capitaneria (di porto);** (*DIR*) = **codice penale.**

crack *sm inv* (*droga*) crack.

Cra'covia *sf* Cracow.

'crampo *sm* cramp.

'cranio *sm* skull.

cra'tere *sm* crater.

cra'vatta *sf* tie; ~ **a farfalla** bow tie.

cravat'tino *sm* bow tie.

cre'anza [kre'antsa] *sf* manners *pl;* **per buona** ~ out of politeness.

cre'are *vt* to create.

creatività *sf* creativity.

cre'ato *sm* creation.

crea'tore, 'trice *ag* creative ♦ *sm/f* creator; **un** ~ **di alta moda** fashion designer; **andare al C**~ to go to meet one's maker.

crea'tura *sf* creature; (*bimbo*) baby, infant.

creazi'one [kreat'tsjone] *sf* creation; (*fondazione*) foundation, establishment.

'crebbi *etc vb vedi* **crescere.**

cre'dente *sm/f* (*REL*) believer.

cre'denza [kre'dɛntsa] *sf* belief; (*armadio*) sideboard.
credenzi'ali [kreden'tsjali] *sfpl* credentials.
'credere *vt* to believe ♦ *vi*: ~ **in**, ~ **a** to believe in; ~ **qn onesto** to believe sb (to be) honest; ~ **che** to believe *o* think that; **~rsi furbo** to think one is clever; **lo credo bene!** I can well believe it!; **fai quello che credi** *o* **come credi** do as you please.
cre'dibile *ag* credible, believable.
credibilità *sf* credibility.
credi'tizio, a [kredi'tittsjo] *ag* credit.
'credito *sm* (*anche COMM*) credit; (*reputazione*) esteem, repute; **comprare a** ~ to buy on credit; ~ **agevolato** easy credit terms; ~ **d'imposta** tax credit.
credi'tore, 'trice *sm/f* creditor.
'credo *sm inv* creed.
'credulo, a *ag* credulous.
credu'lone, a *sm/f* simpleton, sucker (*fam*).
'crema *sf* cream; (*con uova, zucchero etc*) custard; ~ **idratante** moisturizing cream; ~ **pasticciera** confectioner's custard; ~ **solare** sun cream.
cre'mare *vt* to cremate.
crema'torio *sm* crematorium.
cremazi'one [kremat'tsjone] *sf* cremation.
'cremisi *ag inv*, *sm inv* crimson.
Crem'lino *sm*: **il** ~ the Kremlin.
cremo'nese *ag* of (*o* from) Cremona.
cre'moso, a *ag* creamy.
'crepa *sf* crack.
cre'paccio [kre'pattʃo] *sm* large crack, fissure; (*di ghiacciaio*) crevasse.
crepacu'ore *sm* broken heart.
crepa'pelle *av*: **ridere a** ~ to split one's sides laughing.
cre'pare *vi* (*fam: morire*) to snuff it (*BRIT*), kick the bucket; ~ **dalle risa** to split one's sides laughing; ~ **dall'invidia** to be green with envy.
crepi'tare *vi* (*fuoco*) to crackle; (*pioggia*) to patter.
crepi'tio, ii *sm* crackling; pattering.
cre'puscolo *sm* twilight, dusk.
cre'scendo [kreʃ'ʃendo] *sm* (*MUS*) crescendo.
cre'scente [kreʃ'ʃente] *ag* (*gen*) growing, increasing; (*luna*) waxing.
'crescere ['kreʃʃere] *vi* to grow ♦ *vt* (*figli*) to raise.
cre'scione [kreʃ'ʃone] *sm* watercress.
'crescita ['kreʃʃita] *sf* growth.
cresci'uto, a [kreʃ'ʃuto] *pp di* **crescere**.
'cresima *sf* (*REL*) confirmation.
cresi'mare *vt* to confirm.
'crespo, a *ag* (*capelli*) frizzy; (*tessuto*) puckered ♦ *sm* crêpe.

'cresta *sf* crest; (*di polli, uccelli*) crest, comb; **alzare la** ~ (*fig*) to become cocky; **abbassare la** ~ (*fig*) to climb down; **essere sulla** ~ **dell'onda** (*fig*) to be riding high.
'Creta *sf* Crete.
'creta *sf* (*gesso*) chalk; (*argilla*) clay.
cre'tese *ag*, *sm/f* Cretan.
creti'nata *sf* (*fam*): **dire/fare una** ~ to say/ do a stupid thing.
cre'tino, a *ag* stupid ♦ *sm/f* idiot, fool.
CRI *sigla f* = *Croce Rossa Italiana*.
cric *sm inv* (*TECN*) jack.
'cricca, che *sf* clique.
'cricco, chi *sm* = **cric**.
cri'ceto [kri'tʃeto] *sm* hamster.
crimi'nale *ag*, *sm/f* criminal.
criminalità *sf* crime; ~ **organizzata** organized crime.
'Criminalpol *abbr* = *polizia criminale*.
'crimine *sm* (*DIR*) crime.
criminolo'gia [kriminolo'dʒia] *sf* criminology.
crimi'noso, a *ag* criminal.
cri'nale *sm* ridge.
'crine *sm* horsehair.
crini'era *sf* mane.
'cripta *sf* crypt.
crip'tare *vt* (*TV: programma*) to encrypt.
crip'tato, a *ag* (*programma, messaggio*) encrypted.
crisan'temo *sm* chrysanthemum; *vedi anche* **Giorno dei Morti**.
'crisi *sf inv* crisis; (*MED*) attack, fit; **essere in** ~ (*partito, impresa etc*) to be in a state of crisis; ~ **energetica** energy crisis; ~ **di nervi** attack *o* fit of nerves.
cristalle'ria *sf* (*fabbrica*) crystal glassworks *sg*; (*oggetti*) crystalware.
cristal'lino, a *ag* (*MINERALOGIA*) crystalline; (*fig: suono, acque*) crystal clear ♦ *sm* (*ANAT*) crystalline lens.
cristalliz'zare [kristallid'dzare] *vi*, **~rsi** *vr* to crystallize; (*fig*) to become fossilized.
cris'tallo *sm* crystal.
cristia'nesimo *sm* Christianity.
cristianità *sf* Christianity; (*i cristiani*) Christendom.
cristi'ano, a *ag*, *sm/f* Christian; **un povero** ~ (*fig*) a poor soul *o* beggar; **comportarsi da** ~ (*fig*) to behave in a civilized manner.
'cristo *sm*: **C~** Christ; **(un) povero** ~ (a) poor beggar.
cri'terio *sm* criterion; (*buon senso*) (common) sense.
'critica, che *sf vedi* **critico**.
criti'care *vt* to criticize.
'critico, a, ci, che *ag* critical ♦ *sm* critic ♦ *sf*

criticism; **la** ~**a** (*attività*) criticism;
(*persone*) the critics *pl*.
criti'cone, a *sm/f* faultfinder.
crivel'lare *vt*: ~ **(di)** to riddle (with).
cri'vello *sm* riddle.
cro'ato, a *ag, sm/f* Croatian, Croat.
Cro'azia [kro'attsja] *sf*: **la** ~ Croatia.
croc'cante *ag* crisp, crunchy ♦ *sm* (*CUC*)
almond crunch.
'crocchia ['krɔkkja] *sf* chignon, bun.
'crocchio ['krɔkkjo] *sm* (*di persone*) small
group, cluster.
'croce ['krotʃe] *sf* cross; **in** ~ (*di traverso*)
crosswise; (*fig*) on tenterhooks; **mettere
in** ~ (*anche fig: criticare*) to crucify;
(: *tormentare*) to nag to death; **la C**~ **Rossa**
the Red Cross; ~ **uncinata** swastika.
croce'figgere *etc* [krotʃe'fiddʒere]
= **crocifiggere** *etc*.
croceros'sina [krotʃeros'sina] *sf* Red Cross
nurse.
croce'via [krotʃe'via] *sm inv* crossroads *sg*.
croci'ato, a [kro'tʃato] *ag* cross-shaped
♦ *sm* (*anche fig*) crusader ♦ *sf* crusade.
cro'cicchio [kro'tʃikkjo] *sm* crossroads *sg*.
croci'era [kro'tʃɛra] *sf* (*viaggio*) cruise;
(*ARCHIT*) transept; **altezza di** ~ (*AER*)
cruising height; **velocità di** ~ (*AER, NAUT*)
cruising speed.
croci'figgere [krotʃi'fiddʒere] *vt* to crucify.
crocifissi'one [krotʃifis'sjone] *sf*
crucifixion.
croci'fisso, a [krotʃi'fisso] *pp di* **crocifiggere**
♦ *sm* crucifix.
crogio'larsi [krodʒo'larsi] *vr*: ~ **al sole** to
bask in the sun.
crogi'olo [kro'dʒɔlo], **crogiu'olo**
[kro'dʒwɔlo] *sm* crucible; (*fig*) melting pot.
crol'lare *vi* to collapse.
'crollo *sm* collapse; (*di prezzi*) slump,
sudden fall.
'croma *sf* (*MUS*) quaver (*BRIT*), eighth note
(*US*).
cro'mato, a *ag* chromium-plated.
'cromo *sm* chrome, chromium.
cromo'soma, i *sm* chromosome.
'cronaca, che *sf* chronicle; (*STAMPA*) news
sg; (: *rubrica*) column; (*TV, RADIO*)
commentary; **fatto o episodio di** ~ news
item; ~ **nera** crime news *sg*; crime
column.
'cronico, a, ci, che *ag* chronic.
cro'nista, i *sm* (*STAMPA*) reporter,
columnist.
cronis'toria *sf* chronicle; (*fig: ironico*)
blow-by-blow account.
cro'nografo *sm* (*strumento*) chronograph.
cronolo'gia [kronolo'dʒia] *sf* chronology.

cronome'trare *vt* to time.
cro'nometro *sm* chronometer; (*a scatto*)
stopwatch.
'crosta *sf* crust; (*MED*) scab; (*ZOOL*) shell;
(*di ghiaccio*) layer; (*fig peg: quadro*) daub.
cros'tacei [kros'tatʃei] *smpl* shellfish.
cros'tata *sf* (*CUC*) tart.
cros'tino *sm* (*CUC*) croûton; (: *da antipasto*)
canapé.
crucci'are [krut'tʃare] *vt* to torment, worry;
~**rsi** *vr*: ~**rsi per** to torment o.s. over.
'cruccio ['kruttʃo] *sm* worry, torment.
cruci'ale [kru'tʃale] *ag* crucial.
cruci'verba [krutʃi'vɛrba] *sm inv* crossword
(puzzle).
cru'dele *ag* cruel.
crudeltà *sf* cruelty.
'crudo, a *ag* (*non cotto*) raw; (*aspro*) harsh,
severe.
cru'ento, a *ag* bloody.
cru'miro *sm* (*peg*) blackleg (*BRIT*), scab.
'cruna *sf* eye (of a needle).
'crusca *sf* bran.
crus'cotto *sm* (*AUT*) dashboard.
CS *sigla* = Cosenza.
C.S. *sigla* (*MIL*) = comando supremo; (*AUT*)
= codice della strada.
c.s. *abbr* = come sopra.
Csce [tʃi'esse'tʃie] *sigla f* (= Conferenza sulla
sicurezza e la cooperazione in Europa) CSCE.
CSI [tʃi'esse'i] *sigla f* (= Comunità di Stati
Indipendenti) CIS.
CSM [tʃiesse'ɛmme] *sigla m* (= consiglio
superiore della magistratura) Magistrates'
Board of Supervisors.
CT *sigla* = Catania.
c.t. *abbr* = commissario tecnico.
'Cuba *sf* Cuba.
cu'bano, a *ag, sm/f* Cuban.
cu'betto *sm* (small) cube; ~ **di ghiaccio** ice
cube.
'cubico, a, ci, che *ag* cubic.
'cubo, a *ag* cubic ♦ *sm* cube; **elevare al** ~
(*MAT*) to cube.
cuc'cagna [kuk'kaɲɲa] *sf*: **paese della** ~
land of plenty; **albero della** ~ greasy pole
(*fig*).
cuc'cetta [kut'tʃetta] *sf* (*FERR*) couchette;
(*NAUT*) berth.
cucchiai'ata [kukkja'jata] *sf* spoonful;
tablespoonful.
cucchia'ino [kukkja'ino] *sm* teaspoon;
coffee spoon.
cucchi'aio [kuk'kjajo] *sm* spoon; (*da tavola*)
tablespoon; (*cucchiaiata*) spoonful;
tablespoonful.
'cuccia, ce ['kuttʃa] *sf* dog's bed; **a** ~!
down!

cuccio'lata [kuttʃo'lata] _sf_ litter.

'cucciolo ['kuttʃolo] _sm_ cub; (_di cane_) puppy.

cu'cina [ku'tʃina] _sf_ (_locale_) kitchen; (_arte culinaria_) cooking, cookery; (_le vivande_) food, cooking; (_apparecchio_) cooker; **di ~** (_libro, lezione_) cookery _cpd_; **~ componibile** fitted kitchen; **~ economica** kitchen range.

cuci'nare [kutʃi'nare] _vt_ to cook.

cuci'nino [kutʃi'nino] _sm_ kitchenette.

cu'cire [ku'tʃire] _vt_ to sew, stitch; **~ la bocca a qn** (_fig_) to shut sb up.

cu'cito, a [ku'tʃito] _sm_ sewing; (_INS_) sewing, needlework.

cuci'trice [kutʃi'tritʃe] _sf_ (_TIP: per libri_) stitching machine; (_per fogli_) stapler.

cuci'tura [kutʃi'tura] _sf_ sewing, stitching; (_costura_) seam.

cucù _sm inv_, **cu'culo** _sm_ cuckoo.

'cuffia _sf_ bonnet, cap; (_da infermiera_) cap; (_da bagno_) (bathing) cap; (_per ascoltare_) headphones _pl_, headset.

cu'gino, a [ku'dʒino] _sm/f_ cousin.

═══════════════ **PAROLA CHIAVE**

'cui _pron_ **1** (_nei complementi indiretti: persona_) whom; (: _oggetto, animale_) which; **la persona/le persone a ~ accennavi** the person/people you were referring _o_ to whom you were referring; **la penna con ~ scrivo** the pen I'm writing with; **il paese da ~ viene** the country he comes from; **i libri di ~ parlavo** the books I was talking about _o_ about which I was talking; **parla varie lingue, fra ~ l'inglese** he speaks several languages, including English; **il quartiere in ~ abito** the district where I live; **visto il modo in ~ ti ha trattato** ... considering how he treated you ...; **la ragione per ~** the reason why; **per ~ non so più che fare** that's why I don't know what to do
2 (_inserito tra articolo e sostantivo_) whose; **la donna i ~ figli sono scomparsi** the woman whose children have disappeared; **il signore, dal ~ figlio ho avuto il libro** the man from whose son I got the book.

culi'naria _sf_ cookery.

culi'nario, a _ag_ culinary.

'culla _sf_ cradle.

cul'lare _vt_ to rock; (_fig: idea, speranza_) to cherish; **~rsi** _vr_ (_gen_) to sway; **~rsi in vane speranze** (_fig_) to cherish fond hopes; **~rsi nel dolce far niente** (_fig_) to sit back and relax.

culmi'nante _ag_: **posizione ~** (_ASTR_) highest point; **punto _o_ momento ~** (_fig_) climax.

culmi'nare _vi_: **~ in _o_ con** to culminate in.

'culmine _sm_ top, summit.

'culo _sm_ (_fam!_) arse (_BRIT!_), ass (_US!_); (: _fig: fortuna_): **aver ~** to have the luck of the devil; **prendere qn per il ~** to take the piss out of sb (_!_).

'culto _sm_ (_religione_) religion; (_adorazione_) worship, adoration; (_venerazione: anche fig_) cult.

cul'tura _sf_ (_gen_) culture; (_conoscenza_) education, learning; **di ~** (_persona_) cultured; (_istituto_) cultural, of culture; **~ generale** general knowledge; **~ di massa** mass culture.

cultu'rale _ag_ cultural.

cultu'rismo _sm_ body-building.

cumu'lare _vt_ to accumulate, amass.

cumula'tivo, a _ag_ cumulative; (_prezzo_) inclusive; (_biglietto_) group _cpd_.

'cumulo _sm_ (_mucchio_) pile, heap; (_METEOR_) cumulus; **~ dei redditi** (_FISCO_) combined incomes; **~ delle pene** (_DIR_) consecutive sentences.

'cuneo _sm_ wedge.

cu'netta _sf_ (_di strada etc_) bump; (_scolo: nelle strade di città_) gutter; (: _di campagna_) ditch.

cu'nicolo _sm_ (_galleria_) tunnel; (_di miniera_) pit, shaft; (_di talpa_) hole.

cu'oca _sf vedi_ **cuoco.**

cu'ocere ['kwɔtʃere] _vt_ (_alimenti_) to cook; (_mattoni etc_) to fire ♦ _vi_ to cook; **~ in umido/a vapore/in padella** to stew/steam/fry; **~ al forno** (_pane_) to bake; (_arrosto_) to roast.

cu'oco, a, chi, che _sm/f_ cook; (_di ristorante_) chef.

cuoi'ame _sm_ leather goods _pl_.

cu'oio _sm_ leather; **~ capelluto** scalp; **tirare le ~a** (_fam_) to kick the bucket.

cu'ore _sm_ heart; **~i** _smpl_ (_CARTE_) hearts; **avere buon ~** to be kind-hearted; **stare a ~ a qn** to be important to sb; **un grazie di ~** heartfelt thanks; **ringraziare di ~** to thank sincerely; **nel profondo del ~** in one's heart of hearts; **avere la morte nel ~** to be sick at heart; **club dei ~i solitari** lonely hearts club.

cupi'digia [kupi'didʒa] _sf_ greed, covetousness.

'cupo, a _ag_ dark; (_suono_) dull; (_fig_) gloomy, dismal.

'cupola _sf_ dome; (_più piccola_) cupola; (_fig_) Mafia high command.

'cura _sf_ care; (_MED: trattamento_) (course of)

treatment; **aver** ~ **di** (*occuparsi di*) to look after; **a** ~ **di** (*libro*) edited by; **fare una** ~ to follow a course of treatment; ~ **dimagrante** diet.

cu'rabile *ag* curable.

cu'rante *ag*: **medico** ~ doctor (in charge of a patient).

cu'rare *vt* (*malato, malattia*) to treat; (*: guarire*) to cure; (*aver cura di*) to take care of; (*testo*) to edit; ~**rsi** *vr* to take care of o.s.; (*MED*) to follow a course of treatment; ~**rsi di** to pay attention to; (*occuparsi di*) to look after.

cu'rato *sm* parish priest; (*protestante*) vicar, minister.

cura'tore, 'trice *sm/f* (*DIR*) trustee; (*di antologia etc*) editor; ~ **fallimentare** (official) receiver.

'curdo, a *ag* Kurdish ♦ *sm/f* Kurd.

'curia *sf* (*REL*): **la** ~ **romana** the Roman curia; ~ **notarile** notaries' association *o* guild.

curio'saggine [kurjo'saddʒine] *sf* nosiness.

curio'sare *vi* to look round, wander round; (*tra libri*) to browse; ~ **nei negozi** to look *o* wander round the shops; ~ **nelle faccende altrui** to poke one's nose into other people's affairs.

curiosità *sf inv* curiosity; (*cosa rara*) curio, curiosity.

curi'oso, a *ag* (*che vuol sapere*) curious, inquiring; (*ficcanaso*) curious, inquisitive; (*bizzarro*) strange, curious ♦ *sm/f* busybody, nosy parker; **essere** ~ **di** to be curious about; **una folla di** ~**i** a crowd of onlookers.

cur'riculum *sm inv*: ~ (**vitae**) curriculum vitae.

cur'sore *sm* (*INFORM*) cursor.

'curva *sf* curve; (*stradale*) bend, curve.

cur'vare *vt* to bend ♦ *vi* (*veicolo*) to take a bend; (*strada*) to bend, curve; ~**rsi** *vr* to bend; (*legno*) to warp.

'curvo, a *ag* curved; (*piegato*) bent.

CUS *sigla m* = *Centro Universitario Sportivo*.

cusci'netto [kuʃʃi'netto] *sm* pad; (*TECN*) bearing ♦ *ag inv*: **stato** ~ buffer state; ~ **a sfere** ball bearing.

cu'scino [kuʃ'ʃino] *sm* cushion; (*guanciale*) pillow.

'cuspide *sf* (*ARCHIT*) spire.

cus'tode *sm/f* (*di museo*) keeper, custodian; (*di parco*) warden; (*di casa*) concierge; (*di fabbrica, carcere*) guard.

cus'todia *sf* care; (*DIR*) custody; (*astuccio*) case, holder; **avere qc in** ~ to look after sth; **dare qc in** ~ **a qn** to entrust sth to sb's care; **agente di** ~ prison warder; ~

delle carceri prison security; ~ **cautelare** (*DIR*) remand.

custo'dire *vt* (*conservare*) to keep; (*assistere*) to look after, take care of; (*fare la guardia*) to guard.

'cute *sf* (*ANAT*) skin.

cu'ticola *sf* cuticle.

C.V. *abbr* = *cavallo vapore*.

c.v.d. *abbr* (= *come volevasi dimostrare*) QED (= *quod erat demonstrandum*).

c.vo *abbr* = *corsivo*.

cy'clette ® [si'klɛt] *sf inv* exercise bike.

CZ *sigla* = *Catanzaro*.

Dd

D, d [di] *sf o m inv* (*lettera*) D, d; **D come Domodossola** ≈ D for David (*BRIT*), D for Dog (*US*).

D *abbr* (= *destra*) R; (*FERR*) = *diretto*.

═════════════════ *PAROLA CHIAVE*

da (*da* + *il* = **dal**, *da* + *lo* = **dallo**, *da* + *l'* = **dall'**, *da* + *la* = **dalla**, *da* + *i* = **dai**, *da* + *gli* = **dagli**, *da* + *le* = **dalle**) *prep* **1** (*agente*) by; **dipinto** ~ **un grande artista** painted by a great artist

2 (*causa*) with; **tremare dalla paura** to tremble with fear

3 (*stato in luogo*) at; **abito** ~ **lui** I'm living at his house *o* with him; **sono dal giornalaio** I'm at the newsagent's; **era** ~ **Francesco** she was at Francesco's (house)

4 (*moto a luogo*) to; (*moto per luogo*) through; **vado** ~ **Pietro/dal giornalaio** I'm going to Pietro's (house)/to the newsagent's; **sono passati dalla finestra** they came in through the window

5 (*provenienza, allontanamento*) from; ~ ... **a** from ... to; **arrivare/partire** ~ **Milano** to arrive/depart from Milan; **scendere dal treno/dalla macchina** to get off the train/out of the car; **viene** ~ **una famiglia povera** he comes from a poor background; **viene dalla Scozia** he comes from Scotland; **ti chiamo** ~ **una cabina** I'm phoning from a call box; **si trova a 5 km** ~ **qui** it's 5 km from here

6 (*tempo: durata*) for; (*: a partire da: nel passato*) since; (*: nel futuro*) from; **vivo qui** ~ **un anno** I've been living here for a year; **è dalle 3 che ti aspetto** I've been waiting for you since 3 (o'clock); ~ **mattina a sera** from morning till night; ~ **oggi in poi** from today onwards; ~ **bambino** as a child, when I (*o he etc*) was a child

7 (*modo, maniera*) like; **comportarsi ~ uomo** to behave like a man; **l'ho fatto ~ me** I did it (by) myself; **non è ~ lui** it's not like him

8 (*descrittivo*): **una macchina ~ corsa** a racing car; **è una cosa ~ poco** it's nothing special; **una ragazza dai capelli biondi** a girl with blonde hair; **sordo ~ un orecchio** deaf in one ear; **abbigliamento ~ uomo** menswear; **un vestito ~ 100.000 lire** a 100,000 lire dress; **qualcosa ~ bere/mangiare** something to drink/eat.

dà *vb vedi* **dare**.
dab'bene *ag inv* honest, decent.
'Dacca *sf* Dacca.
dac'capo, da 'capo *av* (*di nuovo*) (once) again; (*dal principio*) all over again, from the beginning.
dacché [dak'ke] *cong* since.
'dado *sm* (*da gioco*) dice *o* die (*pl* dice); (*CUC*) stock cube (*BRIT*), bouillon cube (*US*); (*TECN*) (screw) nut; **~i** *smpl* (game of) dice.
daf'fare, da 'fare *sm* work, toil; **avere un gran ~** to be very busy.
'dagli ['daʎʎi], **'dai** *prep + det vedi* **da**.
'daino *sm* (fallow) deer *inv*; (*pelle*) buckskin.
Da'kar *sf* Dakar.
dal *prep + det vedi* **da**.
dal. *abbr* (= *decalitro*) dal.
dall', 'dalla, 'dalle, 'dallo *prep + det vedi* **da**.
dal'tonico, a, ci, che *ag* colour-blind (*BRIT*), colorblind (*US*).
dam. *abbr* (= *decametro*) dam.
'dama *sf* lady; (*nei balli*) partner; (*gioco*) draughts *sg* (*BRIT*), checkers *sg* (*US*); **far ~** (*nel gioco*) to make a crown; **~ di compagnia** lady's companion; **~ di corte** lady-in-waiting.
Da'masco *sf* Damascus.
dami'gella [dami'dʒɛlla] *sf* (*STORIA*) damsel; (: *titolo*) mistress; **~ d'onore** (*di sposa*) bridesmaid.
damigi'ana [dami'dʒana] *sf* demijohn.
dam'meno *ag inv*: **per non essere ~ di qn** so as not to be outdone by sb.
DAMS *sigla m* (= *Disciplina delle Arti, della Musica, dello Spettacolo*) study of the performing arts.

da'naro *sm* = **denaro**.
dana'roso, a *ag* wealthy.
da'nese *ag* Danish ♦ *smlf* Dane ♦ *sm* (*LING*) Danish.
Dani'marca *sf*: **la ~** Denmark.
dan'nare *vt* (*REL*) to damn; **~rsi** *vr*: **~rsi (per)** (*fig: tormentarsi*) to be worried to death (by); **far ~ qn** to drive sb mad; **~rsi l'anima per qc** (*affannarsi*) to work o.s. to death for sth; (*tormentarsi*) to worry o.s. to death over sth.
dan'nato, a *ag* damned.
dannazi'one [dannat'tsjone] *sf* damnation.
danneggi'are [danned'dʒare] *vt* to damage; (*rovinare*) to spoil; (*nuocere*) to harm; **la parte danneggiata** (*DIR*) the injured party.
'danno *vb vedi* **dare** ♦ *sm* damage; (*a persona*) harm, injury; **~i** *smpl* (*DIR*) damages; **a ~ di qn** to sb's detriment; **chiedere/risarcire i ~i** to sue for/pay damages.
dan'noso, a *ag*: **~ (a o per)** harmful (to), bad (for).
dan'tesco, a schi, sche *ag* Dantesque; **l'opera ~a** Dante's work.
Da'nubio *sm*: **il ~** the Danube.
'danza ['dantsa] *sf*: **la ~** dancing; **una ~** a dance.
dan'zante [dan'tsante] *ag* dancing; **serata ~** dance.
dan'zare [dan'tsare] *vt, vi* to dance.
danza'tore, 'trice [dantsa'tore] *sm/f* dancer.
dapper'tutto *av* everywhere.
dap'poco *ag inv* inept; worthless.
dap'prima *av* at first.
Darda'nelli *smpl*: **i ~** the Dardanelles.
'dardo *sm* dart.
'dare *sm* (*COMM*) debit ♦ *vt* to give; (*produrre: frutti, suono*) to produce ♦ *vi* (*guardare*): **~ su** to look (out) onto; **~rsi** *vr*: **~rsi a** to dedicate o.s. to; **quanti anni mi dai?** how old do you think I am?; **danno ancora quel film?** is that film still showing?; **~ da mangiare a qn** to give sb something to eat; **~ per certo qc** to consider sth certain; **~ ad intendere a qn che ...** to lead sb to believe that ...; **~ per morto qn** to give sb up for dead; **~ qc per scontato** to take sth for granted; **~rsi ammalato** to report sick; **~rsi alla bella vita** to have a good time; **~rsi al bere** to take to drink; **~rsi al commercio** to go into business; **~rsi da fare per fare qc** to go to a lot of bother to do sth; **~rsi per vinto** to give in; **può ~rsi** maybe, perhaps; **si dà il caso che ...** it so happens that ...; **darsela a gambe** to take to one's

heels; **il** ~ **e l'avere** (*ECON*) debits and credits *pl*.

Dar-es-Sa'laam *sf* Dar-es-Salaam.

'darsena *sf* dock.

'data *sf* date; **in** ~ **da destinarsi** on a date still to be announced; **in** ~ **odierna** as of today; **amicizia di lunga** *o* **vecchia** ~ long-standing friendship; ~ **di emissione** date of issue; ~ **di nascita** date of birth; ~ **di scadenza** expiry date.

da'tare *vt* to date ♦ *vi*: ~ **da** to date from.

da'tato, a *ag* dated.

da'tivo *sm* dative.

'dato, a *ag* (*stabilito*) given ♦ *sm* datum; ~**i** *smpl* data *pl*; ~ **che** given that; **in** ~**i casi** in certain cases; **è un** ~ **di fatto** it's a fact.

da'tore, 'trice *sm/f*: ~ **di lavoro** employer.

'dattero *sm* date (*BOT*).

dattilogra'fare *vt* to type.

dattilogra'fia *sf* typing.

datti'lografo, a *sm/f* typist.

dattilos'critto *sm* typescript.

da'vanti *av* in front; (*dirimpetto*) opposite ♦ *ag inv* front ♦ *sm* front; ~ **a** *prep* in front of; (*dirimpetto a*) facing, opposite; (*in presenza di*) before, in front of.

davan'zale [davan'tsale] *sm* windowsill.

da'vanzo, d'a'vanzo [da'vantso] *av* more than enough.

dav'vero *av* really, indeed; **dico** ~ I mean it.

dazi'ario, a [dat'tsjarjo] *ag* excise *cpd*.

'dazio ['dattsjo] *sm* (*somma*) duty; (*luogo*) customs *pl*; ~ **d'importazione** import duty.

db *abbr* (= *decibel*) dB.

DC *sigla f* = **Democrazia Cristiana** (*former political party*).

d.C. *av abbr* (= *dopo Cristo*) A.D.

D.D.T. *abbr m* (= *dicloro-difenil-tricloroetano*) D.D.T.

'dea *sf* goddess.

'debbo *etc vb vedi* **dovere**.

debel'lare *vt* to overcome, conquer.

debili'tare *vt* to debilitate.

debita'mente *av* duly, properly.

'debito, a *ag* due, proper ♦ *sm* debt; (*COMM: dare*) debit; **a tempo** ~ at the right time; **portare a** ~ **di qn** to debit sb with; ~ **consolidato** consolidated debt; ~ **d'imposta** tax liability; ~ **pubblico** national debt.

debi'tore, 'trice *sm/f* debtor.

'debole *ag* weak, feeble; (*suono*) faint; (*luce*) dim ♦ *sm* weakness.

debo'lezza [debo'lettsa] *sf* weakness.

debut'tante *sm/f* (*gen*) beginner, novice; (*TEAT*) actor/actress at the beginning of his (*o* her) career.

debut'tare *vi* to make one's début.

de'butto *sm* début.

'decade *sf* period of ten days.

deca'dente *ag* decadent.

deca'denza [deka'dɛntsa] *sf* decline; (*DIR*) loss, forfeiture.

deca'dere *vi* to decline.

deca'duto, a *ag* (*persona*) impoverished; (*norma*) lapsed.

decaffei'nato, a *ag* decaffeinated.

de'calogo *sm* (*fig*) rulebook.

de'cano *sm* (*REL*) dean.

decan'tare *vt* (*virtù, bravura etc*) to praise; (*persona*) to sing the praises of.

decapi'tare *vt* to decapitate, behead.

decappot'tabile *ag, sf* convertible.

dece'duto, a [detʃe'duto] *ag* deceased.

decele'rare [detʃele'rare] *vt, vi* to decelerate, slow down.

decen'nale [detʃen'nale] *ag* (*che dura 10 anni*) ten-year *cpd*; (*che ricorre ogni 10 anni*) ten-yearly, every ten years ♦ *sm* (*ricorrenza*) tenth anniversary.

de'cenne [de'tʃɛnne] *ag*: **un bambino** ~ a ten-year-old child, a child of ten.

de'cennio [de'tʃɛnnjo] *sm* decade.

de'cente [de'tʃɛnte] *ag* decent, respectable, proper; (*accettabile*) satisfactory, decent.

decentraliz'zare [detʃentralid'dzare] *vt* (*AMM*) to decentralize.

decentra'mento [detʃentra'mento] *sm* decentralization.

decen'trare [detʃen'trare] *vt* to decentralize, move out of *o* away from the centre.

de'cenza [de'tʃɛntsa] *sf* decency, propriety.

de'cesso [de'tʃɛsso] *sm* death; **atto di** ~ death certificate.

de'cidere [de'tʃidere] *vi* to decide, make up one's mind ♦ *vt*: ~ **qc** to decide on sth; (*questione, lite*) to settle sth; ~**rsi** *vr*: ~**rsi (a fare)** to decide (to do), make up one's mind (to do); ~ **di fare/che** to decide to do/that; ~ **di qc** (*sog: cosa*) to determine sth.

deci'frare [detʃi'frare] *vt* to decode; (*fig*) to decipher, make out.

de'cilitro [de'tʃilitro] *sm* decilitre (*BRIT*), deciliter (*US*).

deci'male [detʃi'male] *ag* decimal.

deci'mare [detʃi'mare] *vt* to decimate.

de'cimetro [de'tʃimetro] *sm* decimetre.

'decimo, a ['dɛtʃimo] *num* tenth.

de'cina [de'tʃina] *sf* ten; (*circa dieci*): **una** ~ **(di)** about ten.

de'cisi [de'tʃizi] *etc vb vedi* **decidere**.

decisio'nale [detʃizjo'nale] *ag* decision-making *cpd*.

decisi'one [detʃi'zjone] *sf* decision; **prendere una** ~ to make a decision; **con** ~ decisively, resolutely.

deci'sivo, a [detʃi'zivo] *ag* (*gen*) decisive; (*fattore*) deciding.

de'ciso, a [de'tʃizo] *pp di* **decidere** ♦ *ag* (*persona, carattere*) determined; (*tono*) firm, resolute.

declas'sare *vt* to downgrade; to lower in status; **1ª declassata** (*FERR*) *first-class carriage which may be used by second-class passengers.*

decli'nare *vi* (*pendio*) to slope down; (*fig: diminuire*) to decline; (*tramontare*) to set, go down ♦ *vt* to decline; ~ **le proprie generalità** (*fig*) to give one's particulars; ~ **ogni responsabilità** to disclaim all responsibility.

declinazi'one [deklinat'tsjone] *sf* (*LING*) declension.

de'clino *sm* decline.

de'clivio *sm* (downward) slope.

decodifi'care *vt* to decode.

decodifica'tore *sm* decoder.

decol'lare *vi* (*AER*) to take off.

décolleté [dekol'te] *ag inv* (*abito*) low-necked, low-cut ♦ *sm* (*di abito*) low neckline; (*di donna*) cleavage.

de'collo *sm* take-off.

decolo'rare *vt* to bleach.

decom'porre *vt*, **decomporsi** *vr* to decompose.

decomposizi'one [dekompozit'tsjone] *sf* decomposition.

decom'posto, a *pp di* **decomporre**.

decompressi'one *sf* decompression.

deconge'lare [dekondʒe'lare] *vt* to defrost.

decongestio'nare [dekondʒestjo'nare] *vt* (*MED, traffico*) to relieve congestion in.

deco'rare *vt* to decorate.

decora'tivo, a *ag* decorative.

decora'tore, 'trice *sm/f* (interior) decorator.

decorazi'one [dekorat'tsjone] *sf* decoration.

de'coro *sm* decorum.

deco'roso, a *ag* decorous, dignified.

decor'renza [dekor'rɛntsa] *sf*: **con** ~ **da** (as) from.

de'correre *vi* to pass, elapse; (*avere effetto*) to run, have effect.

de'corso, a *pp di* **decorrere** ♦ *sm* (*evoluzione: anche MED*) course.

de'crebbi *etc vb vedi* **decrescere**.

de'crepito, a *ag* decrepit.

de'crescere [de'kreʃʃere] *vi* (*diminuire*) to

decrease, diminish; (*acque*) to subside, go down; (*prezzi*) to go down.

decresci'uto, a [dekreʃ'ʃuto] *pp di* **decrescere**.

decre'tare *vt* (*norma*) to decree; (*mobilitazione*) to order; ~ **lo stato d'emergenza** to declare a state of emergency; ~ **la nomina di qn** to decide on the appointment of sb.

de'creto *sm* decree; ~ **legge** *decree with the force of law*; ~ **di sfratto** eviction order.

decur'tare *vt* (*debito, somma*) to reduce.

decurtazi'one [dekurtat'tsjone] *sf* reduction.

'dedalo *sm* maze, labyrinth.

'dedica, che *sf* dedication.

dedi'care *vt* to dedicate; ~**rsi** *vr*: ~**rsi a** (*votarsi*) to devote o.s. to.

dedicherò *etc* [dedike'rɔ] *vb vedi* **dedicare**.

'dedito, a *ag*: ~ **a** (*studio etc*) dedicated *o* devoted to; (*vizio*) addicted to.

de'dotto, a *pp di* **dedurre**.

de'duco *etc vb vedi* **dedurre**.

de'durre *vt* (*concludere*) to deduce; (*defalcare*) to deduct.

de'dussi *etc vb vedi* **dedurre**.

deduzi'one [dedut'tsjone] *sf* deduction.

defal'care *vt* to deduct.

defenes'trare *vt* to throw out of the window; (*fig*) to remove from office.

defe'rente *ag* respectful, deferential.

defe'rire *vt* (*DIR*): ~ **a** to refer to.

defezi'one [defet'tsjone] *sf* defection, desertion.

defici'ente [defi'tʃɛnte] *ag* (*mancante*): ~ **di** deficient in; (*insufficiente*) insufficient ♦ *sm/f* mental defective; (*peg: cretino*) idiot.

defici'enza [defi'tʃɛntsa] *sf* deficiency; (*carenza*) shortage; (*fig: lacuna*) weakness.

'deficit ['dɛfitʃit] *sm inv* (*ECON*) deficit.

defi'nire *vt* to define; (*risolvere*) to settle; (*questione*) to finalize.

defini'tivo, a *ag* definitive, final ♦ *sf*: **in** ~**a** (*dopotutto*) when all is said and done; (*dunque*) well then.

defi'nito, a *ag* definite; **ben** ~ clear, clear cut.

definizi'one [definit'tsjone] *sf* (*gen*) definition; (*di disputa, vertenza*) settlement; (*di tempi, obiettivi*) establishment.

deflagrazi'one [deflagrat'tsjone] *sf* explosion.

deflazi'one [deflat'tsjone] *sf* (*ECON*) deflation.

deflet'tore *sm* (*AUT*) quarterlight (*BRIT*),

deflector (US).

deflu'ire vi: ~ **da** (liquido) to flow away from; (fig: capitali) to flow out of.

de'flusso sm (della marea) ebb.

defor'mare vt (alterare) to put out of shape; (corpo) to deform; (pensiero, fatto) to distort; ~**rsi** vr to lose its shape.

deformazi'one [deformat'tsjone] sf (MED) deformation; **questa è ~ professionale!** that's force of habit because of your (o his etc) job!

de'forme ag deformed; disfigured.

deformità sf inv deformity.

defrau'dare vt: ~ **qn di qc** to defraud sb of sth, cheat sb out of sth.

de'funto, a ag late cpd ♦ sm/f deceased.

degene'rare [dedʒene'rare] vi to degenerate.

degenerazi'one [dedʒenerat'tsjone] sf degeneration.

de'genere [de'dʒɛnere] ag degenerate.

de'gente [de'dʒɛnte] sm/f bedridden person; (ricoverato in ospedale) in-patient.

de'genza [de'dʒɛntsa] sf confinement to bed; ~ **ospedaliera** period in hospital.

'degli ['deʎʎi] prep + det vedi **di**.

deglu'tire vt to swallow.

de'gnare [deɲ'ɲare] vt: ~ **qn della propria presenza** to honour sb with one's presence; ~**rsi** vr: ~**rsi di fare qc** to deign o condescend to do sth; **non mi ha degnato di uno sguardo** he wouldn't even look at me.

'degno, a ['deɲɲo] ag dignified; ~ **di** worthy of; ~ **di lode** praiseworthy.

degra'dare vt (MIL) to demote; (privare della dignità) to degrade; ~**rsi** vr to demean o.s.

de'grado sm: ~ **urbano** urban decline.

degus'tare vt to sample, taste.

degustazi'one [degustat'tsjone] sf sampling, tasting; ~ **di vini** (locale) specialist wine bar; ~ **di caffè** (locale) specialist coffee shop.

'dei smpl di **dio** ♦ prep + det vedi **di**.

del prep + det vedi **di**.

dela'tore, 'trice sm/f police informer.

delazi'one [delat'tsjone] sf informing.

'delega, ghe sf (procura) proxy; **per ~ notarile** ≈ through a solicitor (BRIT) o lawyer.

dele'gare vt to delegate.

dele'gato sm delegate.

delegazi'one [delegat'tsjone] sf delegation.

delegherò etc [delege'rɔ] vb vedi **delegare**.

dele'terio, a ag deleterious, noxious.

del'fino sm (ZOOL) dolphin; (STORIA) dauphin; (fig) probable successor.

'Delhi ['dɛli] sf Delhi.

de'libera sf decision.

delibe'rare vt to come to a decision on ♦ vi (DIR): ~ **(su qc)** to rule (on sth).

delica'tezza [delika'tettsa] sf delicacy; frailty; thoughtfulness; tactfulness.

deli'cato, a ag delicate; (salute) delicate, frail; (fig: gentile) thoughtful, considerate; (: che dimostra tatto) tactful.

delimi'tare vt (anche fig) to delimit.

deline'are vt to outline; ~**rsi** vr to be outlined; (fig) to emerge.

delin'quente sm/f criminal, delinquent.

delin'quenza [delin'kwɛntsa] sf criminality, delinquency; ~ **minorile** juvenile delinquency.

de'liquio sm (MED) swoon; **cadere in ~** to swoon.

deli'rante ag (MED) delirious; (fig: folla) frenzied; (: discorso, mente) insane.

deli'rare vi to be delirious, rave; (fig) to rave.

de'lirio sm delirium; (ragionamento insensato) raving; (fig): **andare/mandare in ~** to go/send into a frenzy.

de'litto sm crime; ~ **d'onore** crime committed to avenge one's honour.

delittu'oso, a ag criminal.

de'lizia [de'littsja] sf delight.

delizi'are [delit'tsjare] vt to delight; ~**rsi** vr: ~**rsi di qc/a fare qc** to take delight in sth/in doing sth.

delizi'oso, a [delit'tsjoso] ag delightful; (cibi) delicious.

dell', 'della, 'delle, 'dello prep + det vedi **di**.

'delta sm inv delta.

delta'plano sm hang-glider; **volo col ~** hang-gliding.

delucidazi'one [delutʃidat'tsjone] sf clarification no pl.

delu'dente ag disappointing.

de'ludere vt to disappoint.

delusi'one sf disappointment.

de'luso, a pp di **deludere** ♦ ag disappointed.

dema'gogico, a, ci, che [dema'gɔdʒiko] ag popularity-seeking, demagogic.

dema'gogo, ghi sm demagogue.

de'manio sm state property.

de'mente ag (MED) demented, mentally deranged; (fig) crazy, mad.

de'menza [de'mɛntsa] sf dementia; madness; ~ **senile** senile dementia.

demenzi'ale [demen'tsjale] ag (fig) off-the-wall.

'demmo vb vedi **dare**.

demo'cratico, a, ci, che ag democratic.

democra'zia [demokrat'tsia] sf democracy; **la D~ Cristiana** the Christian Democrat Party.

democristi'ano, a *ag, sm/f* Christian
Democrat.
demogra'fia *sf* demography.
demo'grafico, a, ci, che *ag* demographic;
incremento ~ increase in population.
demo'lire *vt* to demolish.
demolizi'one [demolit'tsjone] *sf*
demolition.
'demone *sm* demon.
de'monio *sm* demon, devil; **il D**~ the
Devil.
demoniz'zare [demonid'dzare] *vt* to make a
monster of.
demonizzazi'one [demoniddzat'tsjone] *sf*
demonizing, demonization.
demoraliz'zare [demoralid'dzare] *vt* to
demoralize; ~**rsi** *vr* to become
demoralized.
de'mordere *vi:* **non** ~ **(da)** to refuse to
give up.
demoti'vare *vt:* ~ **qn** to take away sb's
motivation.
demoti'vato, a *ag* unmotivated, lacking
motivation.
de'naro *sm* money; ~**i** *smpl (CARTE) suit in
Neapolitan pack of cards.*
denatu'rato, a *ag vedi* **alcool.**
deni'grare *vt* to denigrate, run down.
denomi'nare *vt* to name; ~**rsi** *vr* to be
named *o* called.
denomina'tore *sm (MAT)* denominator.
denominazi'one [denominat'tsjone] *sf*
name; denomination; ~ **di origine
controllata (D.O.C.)** *label guaranteeing
the quality and origin of a wine.*
deno'tare *vt* to denote, indicate.
densità *sf inv* density; *(di nebbia)* thickness,
denseness; **ad alta/bassa** ~ **di
popolazione** densely/sparsely populated.
'denso, a *ag* thick, dense.
den'tale *ag* dental.
den'tario, a *ag* dental.
denta'tura *sf* set of teeth, teeth *pl;* (*TECN: di
ruota)* serration.
'dente *sm* tooth; *(di forchetta)* prong; *(GEO:
cima)* jagged peak; **al** ~ *(CUC: pasta)*
cooked so as to be firm when eaten;
mettere i ~**i** to teethe; **mettere qc sotto i**
~**i** to have a bite to eat; **avere il** ~
avvelenato contro *o* **con qn** to bear sb a
grudge; ~ **di leone** *(BOT)* dandelion; ~**i
del giudizio** wisdom teeth.
'dentice ['dentitʃe] *sm (ZOOL)* sea bream.
denti'era *sf* (set of) false teeth *pl.*
denti'fricio [denti'fritʃo] *sm* toothpaste.
den'tista, i, e *sm/f* dentist.
'dentro *av* inside; *(in casa)* indoors; *(fig:
nell'intimo)* inwardly ♦ *prep:* ~ **(a)** in;

piegato in ~ folded over; **qui/là** ~ in
here/there; ~ **di sé** *(pensare, brontolare)* to
oneself; **tenere tutto** ~ to keep
everything bottled up (inside o.s.); **darci**
~ *(fig fam)* to slog away, work hard.
denucleariz'zato, a [denuklearid'dzato] *ag*
denuclearized, nuclear-free.
denu'dare *vt (persona)* to strip; *(parte del
corpo)* to bare; ~**rsi** *vr* to strip.
de'nuncia, ce *o* **cie** [de'nuntʃa], **de'nunzia**
[de'nuntsja] *sf* denunciation; declaration;
fare una ~ *o* **sporgere** ~ **contro qn** *(DIR)* to
report sb to the police; ~ **del reddito**
(income) tax return.
denunci'are [denun'tʃare], **denunzi'are**
[denun'tsjare] *vt* to denounce; *(dichiarare)*
to declare; ~ **qn/qc (alla polizia)** to report
sb/sth to the police.
denu'trito, a *ag* undernourished.
denutrizi'one [denutrit'tsjone] *sf*
malnutrition.
deodo'rante *sm* deodorant.
deontolo'gia [deontolo'dʒia] *sf*
(professionale) professional code of
conduct.
depenalizzazi'one [depenaliddzat'tsjone] *sf*
decriminalization.
dépen'dance [depã'dãs] *sf inv* outbuilding.
depe'ribile *ag* perishable; **merce** ~
perishables *pl,* perishable goods *pl.*
deperi'mento *sm (di persona)* wasting
away; *(di merci)* deterioration.
depe'rire *vi* to waste away.
depi'lare *vt* to depilate.
depila'torio, a *ag* hair-removing,
depilatory ♦ *sm* hair remover, depilatory.
depilazi'one [depilat'tsjone] *sf* hair
removal, depilation.
depis'taggio [depis'taddʒo] *sm* diversion.
depis'tare *vt* to set on the wrong track.
dépli'ant [depli'ã] *sm inv* leaflet; *(opuscolo)*
brochure.
deplo'rare *vt* to deplore; to lament.
deplo'revole *ag* deplorable.
de'pone, de'pongo *etc vb vedi* **deporre.**
de'porre *vt (depositare)* to put down;
(rimuovere: da una carica) to remove; *(: re)*
to depose; *(DIR)* to testify; ~ **le armi** *(MIL)*
to lay down arms; ~ **le uova** to lay eggs.
depor'tare *vt* to deport.
depor'tato, a *sm/f* deportee.
deportazi'one [deportat'tsjone] *sf*
deportation.
de'posi *etc vb vedi* **deporre.**
deposi'tante *sm (COMM)* depositor.
deposi'tare *vt (gen, GEO, ECON)* to deposit;
(lasciare) to leave; *(merci)* to store; ~**rsi** *vr*
(sabbia, polvere) to settle.

deposi'tario *sm* (*COMM*) depository.
de'posito *sm* deposit; (*luogo*) warehouse; depot; (: *MIL*) depot; ~ **bagagli** left-luggage office; ~ **di munizioni** ammunition dump.
deposizi'one [depozit'tsjone] *sf* deposition; (*da una carica*) removal; **rendere una falsa** ~ to perjure o.s.
de'posto, a *pp di* **deporre**.
depra'vare *vt* to corrupt, pervert.
depra'vato, a *ag* depraved ♦ *sm/f* degenerate.
depre'care *vt* to deprecate, deplore.
depre'dare *vt* to rob, plunder.
depressi'one *sf* depression; **area** *o* **zona di** ~ (*METEOR*) area of low pressure; (*ECON*) depressed area.
de'presso, a *pp di* **deprimere** ♦ *ag* depressed.
deprezza'mento [deprettsa'mento] *sm* depreciation.
deprez'zare [depret'tsare] *vt* (*ECON*) to depreciate.
depri'mente *ag* depressing.
de'primere *vt* to depress.
depu'rare *vt* to purify.
depura'tore *sm*: ~ **d'acqua** water purifier; ~ **di gas** scrubber.
depu'tato, a *sm/f* (*POL*) deputy, ≈ Member of Parliament (*BRIT*), ≈ Congressman/woman (*US*); *vedi anche* **Camera dei Deputati**.
deputazi'one [deputat'tsjone] *sf* deputation; (*POL*) position of deputy, ≈ parliamentary seat (*BRIT*), ≈ seat in Congress (*US*).
deraglia'mento [deraʎʎa'mento] *sm* derailment.
deragli'are [deraʎ'ʎare] *vi* to be derailed; **far** ~ to derail.
dera'pare *vi* (*veicolo*) to skid; (*SCI*) to sideslip.
derattizzazi'one [derattiddzat'tsjone] *sf* rodent control.
deregolamen'tare *vt* to deregulate.
deregolamentazi'one [deregolamentat'tsjone] *sf* deregulation.
dere'litto, a *ag* derelict.
dere'tano *sm* (*fam*) bottom, buttocks *pl*.
de'ridere *vt* to mock, deride.
de'risi *etc vb vedi* **deridere**.
derisi'one *sf* derision, mockery.
de'riso, a *pp di* **deridere**.
deri'sorio, a *ag* (*gesto, tono*) mocking.
de'riva *sf* (*NAUT, AER*) drift; (*dispositivo*: *AER*) fin; (: *NAUT*) centre-board (*BRIT*), centerboard (*US*); **andare alla** ~ (*anche fig*) to drift.

deri'vare *vi*: ~ **da** to derive from ♦ *vt* to derive; (*corso d'acqua*) to divert.
deri'vato, a *ag* derived ♦ *sm* (*CHIM, LING*) derivative; (*prodotto*) by-product.
derivazi'one [derivat'tsjone] *sf* derivation; diversion.
derma'tite *sf* dermatitis.
dermatolo'gia [dermatolo'dʒia] *sf* dermatology.
derma'tologo, a, gi, ghe *sm/f* dermatologist.
dermoprotet'tivo, a *ag* (*crema, azione*) protecting the skin.
'deroga, ghe *sf* (special) dispensation; **in** ~ **a** as a (special) dispensation to.
dero'gare *vi*: ~ **a** (*DIR*) to repeal in part.
der'rate *sfpl* commodities; ~ **alimentari** foodstuffs.
deru'bare *vt* to rob.
des'critto, a *pp di* **descrivere**.
des'crivere *vt* to describe.
descrizi'one [deskrit'tsjone] *sf* description.
de'serto, a *ag* deserted ♦ *sm* (*GEO*) desert; **isola** ~**a** desert island.
deside'rabile *ag* desirable.
deside'rare *vt* to want, wish for; (*sessualmente*) to desire; ~ **fare/che qn faccia** to want *o* wish to do/sb to do; **desidera fare una passeggiata?** would you like to go for a walk?; **farsi** ~ (*fare il prezioso*) to play hard to get; (*farsi aspettare*) to take one's time; **lascia molto a** ~ it leaves a lot to be desired.
desi'derio *sm* wish; (*più intenso, carnale*) desire.
deside'roso, a *ag*: ~ **di** longing *o* eager for.
desi'gnare [desiɲ'ɲare] *vt* to designate, appoint; (*data*) to fix; **la vittima designata** the intended victim.
designazi'one [desiɲɲat'tsjone] *sf* designation, appointment.
desi'nare *vi* to dine, have dinner ♦ *sm* dinner.
desi'nenza [dezi'nɛntsa] *sf* (*LING*) ending, inflexion.
de'sistere *vi*: ~ **da** to give up, desist from.
desis'tito, a *pp di* **desistere**.
deso'lante *ag* distressing.
deso'lato, a *ag* (*paesaggio*) desolate; (*persona: spiacente*) sorry.
desolazi'one [dezolat'tsjone] *sf* desolation.
'despota, i *sm* despot.
'dessi *etc vb vedi* **dare**.
destabiliz'zare [destabilid'dzare] *vt* to destabilize.
des'tare *vt* to wake (up); (*fig*) to awaken, arouse; ~**rsi** *vr* to wake (up).

'**deste** *etc vb vedi* **dare**.

desti'nare *vt* to destine; (*assegnare*) to appoint, assign; (*indirizzare*) to address; ~ **qc a qn** to intend to give sth to sb, intend sb to have sth.

destina'tario, a *sm/f* (*di lettera*) addressee; (*di merce*) consignee; (*di mandato*) payee.

destinazi'one [destinat'tsjone] *sf* destination; (*uso*) purpose.

des'tino *sm* destiny, fate.

destitu'ire *vt* to dismiss, remove.

destituzi'one [destitut'tsjone] *sf* dismissal, removal.

'**desto, a** *ag* (wide) awake.

'**destra** *sf vedi* **destro**.

destreggi'arsi [destred'dʒarsi] *vr* to manoeuvre (*BRIT*), maneuver (*US*).

des'trezza [des'trettsa] *sf* skill, dexterity.

'**destro, a** *ag* right, right-hand; (*abile*) skilful (*BRIT*), skillful (*US*), adroit ♦ *sf* (*mano*) right hand; (*parte*) right (side); (*POL*): **la** ~**a** the right ♦ *sm* (*BOXE*) right; **a** ~**a** (*essere*) on the right; (*andare*) to the right; **tenere la** ~**a** to keep to the right.

de'sumere *vt* (*dedurre*) to infer, deduce; (*trarre: informazioni*) to obtain.

de'sunto, a *pp di* **desumere**.

detas'sare *vt* to remove the duty (*o* tax) from.

dete'nere *vt* (*incarico, primato*) to hold; (*proprietà*) to have, possess; (*in prigione*) to detain, hold.

de'tengo, de'tenni *etc vb vedi* **detenere**.

deten'tivo, a *ag*: **mandato** ~ imprisonment order; **pena** ~**a** prison sentence.

deten'tore, 'trice *sm/f* (*di titolo, primato etc*) holder.

dete'nuto, a *sm/f* prisoner.

detenzi'one [deten'tsjone] *sf* holding; possession; detention.

deter'gente [deter'dʒɛnte] *ag* detergent; (*crema, latte*) cleansing ♦ *sm* detergent.

de'tergere [de'tɛrdʒere] *vt* (*gen*) to clean; (*pelle, viso*) to cleanse; (*sudore*) to wipe (away).

deteriora'mento *sm*: ~ (**di**) deterioration (in).

deterio'rare *vt* to damage; ~**rsi** *vr* to deteriorate.

deteri'ore *ag* (*merce*) second-rate; (*significato*) pejorative; (*tradizione letteraria*) lesser, minor.

determi'nante *ag* decisive, determining.

determi'nare *vt* to determine.

determina'tivo, a *ag* determining; **articolo** ~ (*LING*) definite article.

determi'nato, a *ag* (*gen*) certain;

(*particolare*) specific; (*risoluto*) determined, resolute.

determinazi'one [determinat'tsjone] *sf* determination; (*decisione*) decision.

deter'rente *ag, sm* deterrent.

deterrò *etc vb vedi* **detenere**.

deter'sivo *sm* detergent; (*per bucato: in polvere*) washing powder (*BRIT*), soap powder.

de'terso, a *pp di* **detergere**.

detes'tare *vt* to detest, hate.

deti'ene *etc vb vedi* **detenere**.

deto'nare *vi* to detonate.

detona'tore *sm* detonator.

detonazi'one [detonat'tsjone] *sf* (*di esplosivo*) detonation, explosion; (*di arma*) bang; (*di motore*) pinking (*BRIT*), knocking.

de'trae, de'traggo *etc vb vedi* **detrarre**.

de'trarre *vt*: ~ (**da**) to deduct (from), take away (from).

de'trassi *etc vb vedi* **detrarre**.

de'tratto, a *pp di* **detrarre**.

detrazi'one [detrat'tsjone] *sf* deduction; ~ **d'imposta** tax allowance.

detri'mento *sm* detriment, harm; **a** ~ **di** to the detriment of.

de'trito *sm* (*GEO*) detritus.

detroniz'zare [detronid'dzare] *vt* to dethrone.

'**detta** *sf*: **a** ~ **di** according to.

dettagli'ante [dettaʎ'ʎante] *sm/f* (*COMM*) retailer.

dettagli'are [dettaʎ'ʎare] *vt* to detail, give full details of.

dettagliata'mente [dettaʎʎata'mente] *av* in detail.

det'taglio [det'taʎʎo] *sm* detail; (*COMM*): **il** ~ retail; **al** ~ (*COMM*) retail; separately.

det'tame *sm* dictate, precept.

det'tare *vt* to dictate; ~ **legge** (*fig*) to lay down the law.

det'tato *sm* dictation.

detta'tura *sf* dictation.

'**detto, a** *pp di* **dire** ♦ *ag* (*soprannominato*) called, known as; (*già nominato*) above-mentioned ♦ *sm* saying; ~ **fatto** no sooner said than done; **presto** ~! it's easier said than done!

detur'pare *vt* to disfigure; (*moralmente*) to sully.

devas'tante *ag* (*anche fig*) devastating.

devas'tare *vt* to devastate; (*fig*) to ravage.

devastazi'one [devastat'tsjone] *sf* devastation, destruction.

devi'are *vi*: ~ (**da**) to turn off (from) ♦ *vt* to divert.

devi'ato, a *ag* (*fig: persona, organizzazione*)

corrupt, bent (col).

deviazi'one [devjat'tsjone] sf (anche AUT) diversion; **fare una** ~ to make a detour.

'**devo** etc vb vedi **dovere.**

devo'luto, a pp di **devolvere.**

devoluzi'one [devolut'tsjone] sf (DIR) devolution, transfer.

de'volvere vt (DIR) to transfer, devolve; ~ **qc in beneficenza** to give sth to charity.

de'voto, a ag (REL) devout, pious; (affezionato) devoted.

devozi'one [devot'tsjone] sf devoutness; (anche REL) devotion.

dg abbr (= decigrammo) dg.

━━━━━━━━━━━ PAROLA CHIAVE

di (di + il = **del,** di + lo = **dello,** di + l' = **dell',** di + la = **della,** di + i = **dei,** di + gli = **degli,** di + le = **delle**) prep **1** (possesso, specificazione) of; (composto da, scritto da) by; **la macchina** ~ **Paolo/**~ **mio fratello** Paolo's/my brother's car; **un amico** ~ **mio fratello** a friend of my brother's, one of my brother's friends; **la grandezza della casa** the size of the house; **le foto delle vacanze** the holiday photos; **la città** ~ **Firenze** the city of Florence; **il nome** ~ **Maria** the name Mary; **un quadro** ~ **Botticelli** a painting by Botticelli

2 (caratterizzazione, misura) of; **una casa** ~ **mattoni** a brick house, a house made of bricks; **un orologio d'oro** a gold watch; **un bimbo** ~ **3 anni** a child of 3, a 3-year-old child; **una trota** ~ **un chilo** a trout weighing a kilo; **una strada** ~ **10km** a road 10km long; **un quadro** ~ **valore** a valuable picture

3 (causa, mezzo, modo) with; **tremare** ~ **paura** to tremble with fear; **morire** ~ **cancro** to die of cancer; **spalmare** ~ **burro** to spread with butter

4 (argomento) about, of; **discutere** ~ **sport** to talk about sport; **parlare** ~ **politica/lavoro** to talk about politics/work

5 (luogo: provenienza) from; out of; **essere** ~ **Roma** to be from Rome; **uscire** ~ **casa** to come out of o leave the house

6 (tempo) in; **d'estate/d'inverno** in (the) summer/winter; ~ **notte** by night, at night; ~ **mattina/sera** in the morning/evening; ~ **lunedì** on Mondays; ~ **ora in ora** by the hour

7 (partitivo) of; **alcuni** ~ **voi/noi** some of you/us; **il più bravo** ~ **tutti** the best of all; **il migliore del mondo** the best in the world; **non c'è niente** ~ **peggio** there's nothing worse

8 (paragone) than; **più veloce** ~ **me** faster

than me; **guadagna meno** ~ **me** he earns less than me

♦ det (una certa quantità di) some; (: negativo) any; (: interrogativo) any, some; **del pane** (some) bread; **delle caramelle** (some) sweets; **degli amici miei** some friends of mine; **vuoi del vino?** do you want some o any wine?

━━━━━━━━━━━━━━━━━━━━━━

dì sm day; **buon** ~! hallo!; **a** ~ = **addì.**

DIA sigla f = Direzione investigativa antimafia.

dia'bete sm diabetes sg.

dia'betico, a, ci, che ag, sm/f diabetic.

dia'bolico, a, ci, che ag diabolical.

di'acono sm (REL) deacon.

dia'dema, i sm diadem; (di donna) tiara.

di'afano, a ag (trasparente) diaphanous; (pelle) transparent.

dia'framma, i sm (divisione) screen; (ANAT, FOT, contraccettivo) diaphragm.

di'agnosi [di'aɲɲozi] sf diagnosis sg.

diagnosti'care [diaɲɲosti'kare] vt to diagnose.

dia'gnostico, a, ci, che [diaɲ'ɲɔstiko] ag diagnostic; **aiuti** ~**ci** (INFORM) debugging aids.

diago'nale ag, sf diagonal.

dia'gramma, i sm diagram; ~ **a barre** bar chart; ~ **di flusso** flow chart.

dialet'tale ag dialectal; **poesia** ~ poetry in dialect.

dia'letto sm dialect.

di'alisi sf dialysis.

dialo'gante ag: **unità** ~ (INFORM) interactive terminal.

dialo'gare vi: ~ (**con**) to have a dialogue (with); (conversare) to converse (with) ♦ vt (scena) to write the dialogue for.

di'alogo, ghi sm dialogue.

dia'mante sm diamond.

di'ametro sm diameter.

di'amine escl: **che** ~ ...? what on earth ...?

diaposi'tiva sf transparency, slide.

di'aria sf daily (expense) allowance.

di'ario sm diary; ~ **di bordo** (NAUT) log(book); ~ **di classe** (INS) class register; ~ **degli esami** (INS) exam timetable.

diar'rea sf diarrhoea.

dia'triba sf diatribe.

diavole'ria sf (azione) act of mischief; (aggeggio) weird contraption.

di'avolo sm devil; **è un buon** ~ he's a good sort; **avere un** ~ **per capello** to be in a foul temper; **avere una fame/un freddo del** ~ to be ravenously hungry/frozen stiff; **mandare qn al** ~ (fam) to tell sb to go to hell; **fare il** ~ **a quattro** to kick up a fuss.

di'battere *vt* to debate, discuss; **~rsi** *vr* to struggle.

dibatti'mento *sm* (*dibattito*) debate, discussion; (*DIR*) hearing.

di'battito *sm* debate, discussion.

dic. *abbr* (= *dicembre*) Dec.

dicas'tero *sm* ministry.

'dice ['ditʃe] *vb vedi* **dire**.

di'cembre [di'tʃembre] *sm* December; *per fraseologia vedi* **luglio**.

dice'ria [ditʃe'ria] *sf* rumour (*BRIT*), rumor (*US*), piece of gossip.

dichia'rare [dikja'rare] *vt* to declare; **~rsi** *vr* to declare o.s.; (*innamorato*) to declare one's love; **si dichiara che** ... it is hereby declared that ...; **~rsi vinto** to acknowledge defeat.

dichia'rato, a [dikja'rato] *ag* (*nemico, ateo*) avowed.

dichiarazi'one [dikjarat'tsjone] *sf* declaration; **~ dei redditi** statement of income; (*modulo*) tax return.

dician'nove [ditʃan'nɔve] *num* nineteen.

dicianno'venne [ditʃanno'vɛnne] *ag, sm/f* nineteen-year-old.

dicias'sette [ditʃas'sɛtte] *num* seventeen.

diciasset'tenne [ditʃasset'tɛnne] *ag, sm/f* seventeen-year-old.

diciot'tenne [ditʃot'tɛnne] *ag, sm/f* eighteen-year-old.

dici'otto [di'tʃɔtto] *num* eighteen ♦ *sm inv* (*INS*) *minimum satisfactory mark awarded in Italian universities*.

dici'tura [ditʃi'tura] *sf* words *pl*, wording.

'dico *etc vb vedi* **dire**.

didasca'lia *sf* (*di illustrazione*) caption; (*CINE*) subtitle; (*TEAT*) stage directions *pl*.

di'dattico, a, ci, che *ag* didactic; (*metodo, programma*) teaching; (*libro*) educational ♦ *sf* didactics *sg*; teaching methodology.

di'dentro *av* inside, indoors.

didi'etro *av* behind ♦ *ag inv* (*ruota, giardino*) back, rear *cpd* ♦ *sm* (*di casa*) rear; (*fam: sedere*) backside.

di'eci ['djɛtʃi] *num* ten.

dieci'mila [djɛtʃi'mila] *num* ten thousand.

die'cina [dje'tʃina] *sf* = **decina**.

di'edi *etc vb vedi* **dare**.

di'eresi *sf* dieresis *sg*.

'diesel ['di:zəl] *sm inv* diesel engine.

di'eta *sf* diet; **essere a ~** to be on a diet.

die'tetica *sf* dietetics *sg*.

die'tologo, a, gi, ghe *sm/f* dietician.

di'etro *av* behind; (*in fondo*) at the back ♦ *prep* behind; (*tempo: dopo*) after ♦ *sm* (*di foglio, giacca*) back; (*di casa*) back, rear ♦ *ag inv* back *cpd*; **le zampe di ~** the hind

legs; **~ ricevuta** against receipt; **~ richiesta** on demand; (*scritta*) on application; **andare ~ a** (*anche fig*) to follow; **stare ~ a qn** (*sorvegliare*) to keep an eye on sb; (*corteggiare*) to hang around sb; **portarsi ~ qn/qc** to bring sb/sth with one, bring sb/sth along; **gli hanno riso/parlato ~** they laughed at/talked about him behind his back.

di'etro 'front *escl* about turn! (*BRIT*), about face! (*US*) ♦ *sm* (*MIL*) about-turn, about-face; (*fig*) volte-face, about-turn, about-face; **fare ~** (*MIL, fig*) to about-turn, about-face; (*tornare indietro*) to turn round.

di'fatti *cong* in fact, as a matter of fact.

di'fendere *vt* to defend; **~rsi** *vr* (*cavarsela*) to get by; **~rsi da/contro** to defend o.s. from/against; **~rsi dal freddo** to protect o.s. from the cold; **sapersi ~** to know how to look after o.s.

difen'sivo, a *ag* defensive ♦ *sf*: **stare sulla ~a** (*anche fig*) to be on the defensive.

difen'sore, a *sm/f* defender; **avvocato ~** counsel for the defence (*BRIT*) o defense (*US*).

di'fesa *sf vedi* **difeso**.

di'fesi *etc vb vedi* **difendere**.

di'feso, a *pp di* **difendere** ♦ *sf* defence (*BRIT*), defense (*US*); **prendere le ~e di qn** to defend sb, take sb's part.

difet'tare *vi* to be defective; **~ di** to be lacking in, lack.

difet'tivo, a *ag* defective.

di'fetto *sm* (*mancanza*): **~ di** lack of; (*di fabbricazione*) fault, flaw, defect; (*morale*) fault, failing, defect; (*fisico*) defect; **far ~** to be lacking; **in ~** at fault; **in the wrong**.

difet'toso, a *ag* defective, faulty.

diffa'mare *vt* (*a parole*) to slander; (*per iscritto*) to libel.

diffama'torio, a *ag* slanderous; libellous.

diffamazi'one [diffamat'tsjone] *sf* slander; libel.

diffe'rente *ag* different.

diffe'renza [diffe'rɛntsa] *sf* difference; **a ~ di** unlike; **non fare ~ (tra)** to make no distinction (between).

differenzi'ale [differen'tsjale] *ag, sm* differential; **classi ~i** (*INS*) special classes (*for backward children*).

differenzi'are [differen'tsjare] *vt* to differentiate; **~rsi da** to differentiate o.s. from; to differ from.

diffe'rire *vt* to postpone, defer ♦ *vi* to be different.

diffe'rita *sf*: **in ~** (*trasmettere*) prerecorded.

dif'ficile [dif'fitʃile] *ag* difficult; (*persona*)

hard to please, difficult (to please); (*poco probabile*): **è ~ che sia libero** it is unlikely that he'll be free ♦ *sm/f*: **fare il(la) ~** to be difficult, be awkward ♦ *sm* difficult part; difficulty; **essere ~ nel mangiare** to be fussy about one's food.

diffi'cilmente [diffit∫il'mente] *av* (*con difficoltà*) with difficulty; **~ verrà** he's unlikely to come.

difficoltà *sf inv* difficulty.

diffi'coltoso, a *ag* (*compito*) difficult, hard; (*persona*) difficult, hard to please; **digestione ~a** poor digestion.

dif'fida *sf* (*DIR*) warning, notice.

diffi'dare *vi*: **~ di** to be suspicious *o* distrustful of ♦ *vt* (*DIR*) to warn; **~ qn dal fare qc** to warn sb not to do sth, caution sb against doing sth.

diffi'dente *ag* suspicious, distrustful.

diffi'denza [diffi'dɛntsa] *sf* suspicion, distrust.

dif'fondere *vt* (*luce, calore*) to diffuse; (*notizie*) to spread, circulate; **~rsi** *vr* to spread.

dif'fusi *etc* *vb vedi* **diffondere**.

diffusi'one *sf* diffusion; spread; (*anche di giornale*) circulation; (*FISICA*) scattering.

dif'fuso, a *pp di* **diffondere** ♦ *ag* (*FISICA*) diffuse; (*notizia, malattia etc*) widespread; **è opinione ~a che** ... it's widely held that ....

difi'lato *av* (*direttamente*) straight, directly; (*subito*) straight away.

difte'rite *sf* diphtheria.

'diga, ghe *sf* dam; (*portuale*) breakwater.

dige'rente [didʒe'rɛnte] *ag* (*apparato*) digestive.

dige'rire [didʒe'rire] *vt* to digest.

digesti'one [didʒes'tjone] *sf* digestion.

diges'tivo, a [didʒes'tivo] *ag* digestive ♦ *sm* (after-dinner) liqueur.

Digi'one [di'dʒone] *sf* Dijon.

digi'tale [didʒi'tale] *ag* digital; (*delle dita*) finger *cpd*, digital ♦ *sf* (*BOT*) foxglove.

digi'tare [didʒi'tare] *vt* (*dati*) to key (in); (*tasto*) to press.

digiu'nare [didʒu'nare] *vi* to starve o.s.; (*REL*) to fast.

digi'uno, a [di'dʒuno] *ag*: **essere ~** not to have eaten ♦ *sm* fast; **a ~** on an empty stomach.

dignità [diɲɲi'ta] *sf inv* dignity.

digni'tario [diɲɲi'tarjo] *sm* dignitary.

digni'toso, a [diɲɲi'toso] *ag* dignified.

'DIGOS *sigla f* (= *Divisione Investigazioni Generali e Operazioni Speciali*) *police department dealing with political security.*

digressi'one *sf* digression.

digri'gnare [digriɲ'ɲare] *vt*: **~ i denti** to grind one's teeth.

dila'gare *vi* to flood; (*fig*) to spread.

dilani'are *vt* to tear to pieces.

dilapi'dare *vt* to squander, waste.

dila'tare *vt* to dilate; (*gas*) to cause to expand; (*passaggio, cavità*) to open (up); **~rsi** *vr* to dilate; (*FISICA*) to expand.

dilatazi'one [dilatat'tsjone] *sf* (*ANAT*) dilation; (*di gas, metallo*) expansion.

dilazio'nare [dilattsjo'nare] *vt* to delay, defer.

dilazi'one [dilat'tsjone] *sf* deferment.

dileggi'are [diled'dʒare] *vt* to mock, deride.

dilegu'are *vi*, **~rsi** *vr* to vanish, disappear.

di'lemma, i *sm* dilemma.

dilet'tante *sm/f* dilettante; (*anche SPORT*) amateur.

dilet'tare *vt* to give pleasure to, delight; **~rsi** *vr*: **~rsi di** to take pleasure in, enjoy.

dilet'tevole *ag* delightful.

di'letto, a *ag* dear, beloved ♦ *sm* pleasure, delight.

dili'gente [dili'dʒɛnte] *ag* (*scrupoloso*) diligent; (*accurato*) careful, accurate.

dili'genza [dili'dʒɛntsa] *sf* diligence; care; (*carrozza*) stagecoach.

dilu'ire *vt* to dilute.

dilun'garsi *vr* (*fig*): **~ su** to talk at length on *o* about.

diluvi'are *vb impers* to pour (down).

di'luvio *sm* downpour; (*inondazione, fig*) flood; **il ~ universale** the Flood.

dima'grante *ag* slimming *cpd*.

dima'grire *vi* to get thinner, lose weight.

dime'nare *vt* to wave, shake; **~rsi** *vr* to toss and turn; (*fig*) to struggle; **~ la coda** (*sog: cane*) to wag its tail.

dimensi'one *sf* dimension; (*grandezza*) size; **considerare un discorso nella sua ~ politica** to look at a speech in terms of its political significance.

dimenti'canza [dimenti'kantsa] *sf* forgetfulness; (*errore*) oversight, slip; **per ~** inadvertently.

dimenti'care *vt* to forget; **~rsi** *vr*: **~rsi di qc** to forget sth.

dimentica'toio *sm* (*scherzoso*): **cadere/ mettere nel ~** to sink into/consign to oblivion.

di'mentico, a, chi, che *ag*: **~ di** (*che non ricorda*) forgetful of; (*incurante*) oblivious of, unmindful of.

di'messo, a *pp di* **dimettere** ♦ *ag* (*voce*) subdued; (*uomo, abito*) modest, humble.

dimesti'chezza [dimesti'kettsa] *sf* familiarity.

di'mettere *vt*: ~ qn da to dismiss sb from; (*dall'ospedale*) to discharge sb from; ~**rsi** *vr*: ~rsi (da) to resign (from).

dimez'zare [dimed'dzare] *vt* to halve.

diminu'ire *vt* to reduce, diminish; (*prezzi*) to bring down, reduce ♦ *vi* to decrease, diminish; (*rumore*) to die down, die away; (*prezzi*) to fall, go down.

diminu'tivo, a *ag, sm* diminutive.

diminuzi'one [diminut'tsjone] *sf* decreasing, diminishing; **in** ~ on the decrease; ~ **della produttività** fall in productivity.

di'misi *etc vb vedi* **dimettere**.

dimissio'nario, a *ag* outgoing, resigning.

dimissi'oni *sfpl* resignation *sg*; **dare** *o* **presentare le** ~ to resign, hand in one's resignation.

di'mora *sf* residence; **senza fissa** ~ of no fixed address *o* abode.

dimo'rare *vi* to reside.

dimos'trante *sm/f* (*POL*) demonstrator.

dimos'trare *vt* to demonstrate, show; (*provare*) to prove, demonstrate; ~**rsi** *vr*: ~rsi **molto abile** to show o.s. *o* prove to be very clever; **non dimostra la sua età** he doesn't look his age; **dimostra 30 anni** he looks about 30 (years old).

dimostra'tivo, a *ag* (*anche LING*) demonstrative.

dimostrazi'one [dimostrat'tsjone] *sf* demonstration; proof.

di'namico, a, ci, che *ag* dynamic ♦ *sf* dynamics *sg*.

dina'mismo *sm* dynamism.

dinami'tardo, a *ag*: **attentato** ~ dynamite attack ♦ *sm/f* dynamiter.

dina'mite *sf* dynamite.

'dinamo *sf inv* dynamo.

di'nanzi [di'nantsi]: ~ **a** *prep* in front of.

dinas'tia *sf* dynasty.

dini'ego, ghi *sm* (*rifiuto*) refusal; (*negazione*) denial.

dinocco'lato, a *ag* lanky; **camminare** ~ to walk with a slouch.

dino'sauro *sm* dinosaur.

din'torno *av* round, (round) about; ~**i** *smpl* outskirts; **nei** ~**i di** in the vicinity *o* neighbourhood of.

'dio, *pl* **'dei** *sm* god; **D**~ God; **gli dei** the gods; **si crede un** ~ he thinks he's wonderful; **D**~ **mio!** my God!; **D**~ **ce la mandi buona** let's hope for the best; **D**~ **ce ne scampi e liberi!** God forbid!

di'ocesi [di'ɔtʃezi] *sf inv* diocese.

dios'sina *sf* dioxin.

dipa'nare *vt* (*lana*) to wind into a ball; (*fig*) to disentangle, sort out.

diparti'mento *sm* department.

dipen'dente *ag* dependent ♦ *sm/f* employee.

dipen'denza [dipen'dɛntsa] *sf* dependence; **essere alle** ~**e di qn** to be employed by sb *o* in sb's employ.

di'pendere *vi*: ~ **da** to depend on; (*finanziariamente*) to be dependent on; (*derivare*) to come from, be due to.

di'pesi *etc vb vedi* **dipendere**.

di'peso, a *pp di* **dipendere**.

di'pingere [di'pindʒere] *vt* to paint.

di'pinsi *etc vb vedi* **dipingere**.

di'pinto, a *pp di* **dipingere** ♦ *sm* painting.

di'ploma, i *sm* diploma.

diplo'mare *vt* to award a diploma to, graduate (*US*) ♦ *vi* to obtain a diploma, graduate (*US*).

diplo'matico, a, ci, che *ag* diplomatic ♦ *sm* diplomat.

diplo'mato, a *ag* qualified ♦ *sm/f* qualified person, holder of a diploma.

diploma'zia [diplomat'tsia] *sf* diplomacy.

di'porto *sm*: **imbarcazione** *f* **da** ~ pleasure craft.

dira'dare *vt* to thin (out); (*visite*) to reduce, make less frequent; ~**rsi** *vr* to disperse; (*nebbia*) to clear (up).

dira'mare *vt* to issue ♦ *vi*, ~**rsi** *vr* (*strade*) to branch.

'dire *vt* to say; (*segreto, fatto*) to tell; ~ **qc a qn** to tell sb sth; ~ **a qn di fare qc** to tell sb to do sth; ~ **di sì/no** to say yes/no; **si dice che ...** they say that ...; **mi si dice che ...** I am told that ...; **si direbbe che ...** it looks (*o* sounds) as though ...; **dica, signora?** (*in un negozio*) yes, Madam, can I help you?; **sa quello che dice** he knows what he's talking about; **lascialo** ~ (*esprimersi*) let him have his say; (*ignoralo*) just ignore him; **come sarebbe a** ~**?** what do you mean?; **che ne diresti di andarcene?** how about leaving?; **chi l'avrebbe mai detto!** who would have thought it!; **si dicono esperti** they say they are experts; **per così** ~ so to speak; **a dir poco** to say the least; **non c'è che** ~ there's no doubt about it; **non dico di no** I can't deny it; **il che è tutto** ~ need I say more?

di'ressi *etc vb vedi* **dirigere**.

di'retta *sf vedi* **diretto**.

diretta'mente *av* (*immediatamente*) directly, straight; (*personalmente*) directly; (*senza intermediari*) direct, straight.

diret'tissima *sf* (*tragitto*) most direct route; (*DIR*): **processo per** ~ summary trial.

diret'tissimo *sm* (*FERR*) fast (through) train.

diret'tivo, a *ag* (*POL, AMM*) executive; (*COMM*) managerial, executive ♦ *sm* leadership, leaders *pl* ♦ *sf* directive, instruction.

di'retto, a *pp di* **dirigere** ♦ *ag* direct ♦ *sm* (*FERR*) through train ♦ *sf*: **in (linea)** ~**a** (*RADIO, TV*) live; **il mio** ~ **superiore** my immediate superior.

diret'tore, 'trice *sm/f* (*di azienda*) director; manager/ess; (*di scuola elementare*) head (teacher) (*BRIT*), principal (*US*); ~ **amministrativo** company secretary (*BRIT*), corporate executive secretary (*US*); ~ **del carcere** prison governor (*BRIT*) *o* warden (*US*); ~ **di filiale** branch manager; ~ **d'orchestra** conductor; ~ **di produzione** (*CINE*) producer; ~ **sportivo** team manager; ~ **tecnico** (*SPORT*) trainer, coach.

direzi'one [diret'tsjone] *sf* (*senso: anche fig*) direction; (*conduzione: gen*) running; (: *di partito*) leadership; (: *di società*) management; (: *di giornale*) editorship; (*direttori*) management; **in** ~ **di** in the direction of, towards.

diri'gente [diri'dʒɛnte] *ag* managerial ♦ *sm/f* executive; (*POL*) leader; **classe** ~ ruling class.

diri'genza [diri'dʒɛntsa] *sf* management; (*POL*) leadership.

dirigenzi'ale [diridʒen'tsjale] *ag* managerial.

di'rigere [di'ridʒere] *vt* to direct; (*impresa*) to run, manage; (*MUS*) to conduct; ~**rsi** *vr*: ~**rsi verso** *o* **a** to make *o* head for; ~ **i propri passi verso** to make one's way towards; **il treno era diretto a Pavia** the train was heading for Pavia.

diri'gibile [diri'dʒibile] *sm* airship.

dirim'petto *av* opposite; ~ **a** *prep* opposite, facing.

di'ritto, a *ag* straight; (*onesto*) straight, upright ♦ *av* straight, directly ♦ *sm* right side; (*TENNIS*) forehand; (*MAGLIA*) plain stitch, knit stitch; (*prerogativa*) right; (*leggi, scienza*): **il** ~ law; **stare** ~ to stand up straight; **aver** ~ **a qc** to be entitled to sth; **punto** ~ plain (stitch); **andare** ~ to go straight on; **a buon** ~ quite rightly; ~**i** (**d'autore**) royalties; ~ **di successione** right of succession.

dirit'tura *sf* (*SPORT*) straight; (*fig*) rectitude.

diroc'cato, a *ag* tumbledown, in ruins.

dirom'pente *ag* (*anche fig*) explosive.

dirotta'mento *sm*: ~ (**aereo**) hijack.

dirot'tare *vt* (*nave, aereo*) to change the course of; (*aereo: sotto minaccia*) to hijack; (*traffico*) to divert ♦ *vi* (*nave, aereo*) to change course.

dirotta'tore, 'trice *sm/f* hijacker.

di'rotto, a *ag* (*pioggia*) torrential; (*pianto*) unrestrained; **piovere a** ~ to pour, rain cats and dogs; **piangere a** ~ to cry one's heart out.

di'rupo *sm* crag, precipice.

disabi'tato, a *ag* uninhabited.

disabitu'arsi *vr*: ~ **a** to get out of the habit of.

disac'cordo *sm* disagreement.

disadat'tato, a *ag* (*PSIC*) maladjusted.

disa'dorno, a *ag* plain, unadorned.

disaffezi'one [dizaffet'tsjone] *sf* disaffection.

disa'gevole [disa'dʒevole] *ag* (*scomodo*) uncomfortable; (*difficile*) difficult.

disagi'ato, a [diza'dʒato] *ag* poor, needy; (*vita*) hard.

di'sagio [di'zadʒo] *sm* discomfort; (*disturbo*) inconvenience; (*fig: imbarazzo*) embarrassment; ~**i** *smpl* hardship *sg*, poverty *sg*; **essere a** ~ to be ill at ease.

di'samina *sf* close examination.

disappro'vare *vt* to disapprove of.

disapprovazi'one [dizapprovat'tsjone] *sf* disapproval.

disap'punto *sm* disappointment.

disarcio'nare [dizartʃo'nare] *vt* to unhorse.

disar'mante *ag* (*fig*) disarming.

disar'mare *vt, vi* to disarm.

di'sarmo *sm* (*MIL*) disarmament.

di'sastro *sm* disaster.

disas'troso, a *ag* disastrous.

disat'tento, a *ag* inattentive.

disattenzi'one [dizatten'tsjone] *sf* carelessness, lack of attention.

disatti'vare *vt* (*bomba*) to de-activate, defuse.

disa'vanzo [diza'vantso] *sm* (*ECON*) deficit.

disavven'tura *sf* misadventure, mishap.

dis'brigo, ghi *sm* (*prompt*) clearing up *o* settlement.

dis'capito *sm*: **a** ~ **di** to the detriment of.

dis'carica, che *sf* (*di rifiuti*) rubbish tip *o* dump.

discen'dente [diʃʃen'dɛnte] *ag* descending ♦ *sm/f* descendant.

di'scendere [diʃ'ʃɛndere] *vt* to go down (*o* come) down ♦ *vi* to go (*o* come) down; (*smontare*) to get off; ~ **da** (*famiglia*) to be descended from; ~ **dalla macchina/dal treno** to get out of the car/out of *o* off the train; ~ **da cavallo** to dismount, get off one's horse.

di'scepolo, a [diʃ'ʃepolo] *sm/f* disciple.
di'scernere [diʃ'ʃɛrnere] *vt* to discern.
discerni'mento [diʃʃerni'mento] *sm* discernment.
disce'sista [diʃʃe'sista] *sm/f* downhill skier.
di'sceso, a [diʃ'ʃeso] *pp di* discendere ♦ *sf* descent; (*pendio*) slope; in ~a (*strada*) downhill *cpd*, sloping; ~a libera (*SCI*) downhill race.
dischi'udere [dis'kjudere] *vt* (*aprire*) to open; (*fig: rivelare*) to disclose, reveal.
dischi'usi *etc* [dis'kjusi] *vb vedi* dischiudere.
dischi'uso, a [dis'kjuso] *pp di* dischiudere.
di'scinto, a [diʃ'ʃinto] *ag* (*anche*: in abiti ~i) half-undressed.
disci'ogliere [diʃ'ʃɔʎʎere] *vt*, ~rsi *vr* to dissolve; (*fondere*) to melt.
disci'plina [diʃʃi'plina] *sf* discipline.
discipli'nare [diʃʃipli'nare] *ag* disciplinary ♦ *vt* to discipline.
'disco, schi *sm* disc, disk; (*SPORT*) discus; (*fonografico*) record; (*INFORM*) disk; ~ magnetico (*INFORM*) magnetic disk; ~ orario (*AUT*) parking disc; ~ rigido (*INFORM*) hard disk; ~ volante flying saucer.
discogra'fia *sf* (*tecnica*) recording, record-making; (*industria*) record industry.
disco'grafico, a, ci, che *ag* record *cpd*, recording *cpd* ♦ *sm* record producer; casa ~a record(ing) company.
'discolo, a *ag* (*bambino*) undisciplined, unruly ♦ *sm/f* rascal.
discol'pare *vt* to clear of blame; ~rsi *vr* to clear o.s., prove one's innocence; (*giustificarsi*) to excuse o.s.
disco'noscere [disko'noʃʃere] *vt* (*figlio*) to disown; (*meriti*) to ignore, disregard.
disconosci'uto, a [diskonoʃ'ʃuto] *pp di* disconoscere.
discon'tinuo, a *ag* (*linea*) broken; (*rendimento, stile*) irregular; (*interesse*) sporadic.
dis'corde *ag* conflicting, clashing.
dis'cordia *sf* discord; (*dissidio*) disagreement, clash.
dis'correre *vi*: ~ (di) to talk (about).
dis'corso, a *pp di* discorrere ♦ *sm* speech; (*conversazione*) conversation, talk.
dis'costo, a *ag* faraway, distant ♦ *av* far away; ~ da *prep* far from.
disco'teca, che *sf* (*raccolta*) record library; (*luogo di ballo*) disco(theque).
discre'panza [diskre'pantsa] *sf* discrepancy.
dis'creto, a *ag* discreet; (*abbastanza buono*) reasonable, fair.
discrezi'one [diskret'tsjone] *sf* discretion;

(*giudizio*) judgment, discernment; a ~ di at the discretion of.
discrimi'nante *ag* (*fattore, elemento*) decisive ♦ *sf* (*DIR*) extenuating circumstance.
discrimi'nare *vt* to discrimate.
discriminazi'one [diskriminat'tsjone] *sf* discrimination.
dis'cussi *etc vb vedi* discutere.
discussi'one *sf* discussion; (*litigio*) argument; mettere in ~ to bring into question; fuori ~ out of the question.
dis'cusso, a *pp di* discutere.
dis'cutere *vt* to discuss, debate; (*contestare*) to question, dispute ♦ *vi* (*conversare*): ~ (di) to discuss; (*litigare*) to argue.
discu'tibile *ag* questionable.
disde'gnare [dizde'nnare] *vt* to scorn.
dis'degno [diz'denno] *sm* scorn, disdain.
disde'gnoso, a [dizde'nnoso] *ag* disdainful, scornful.
dis'detto, a *pp di* disdire ♦ *sf* cancellation; (*sfortuna*) bad luck.
disdi'cevole [dizdi't ʃevole] *ag* improper, unseemly.
dis'dire *vt* (*prenotazione*) to cancel; ~ un contratto d'affitto (*DIR*) to give notice (to quit).
dise'gnare [disen'nare] *vt* to draw; (*progettare*) to design; (*fig*) to outline.
disegna'tore, 'trice [disenna'tore] *sm/f* designer.
di'segno [di'zenno] *sm* drawing; (*su stoffa etc*) design; (*fig: schema*) outline; ~ industriale industriale design; ~ di legge (*DIR*) bill.
diser'bante *sm* weedkiller.
disere'dare *vt* to disinherit.
diser'tare *vt*, *vi* to desert.
diser'tore *sm* (*MIL*) deserter.
diserzi'one [dizer'tsjone] *sf* (*MIL*) desertion.
disfaci'mento [disfat ʃi'mento] *sm* (*di cadavere*) decay; (*fig: di istituzione, impero, società*) decline, decay; in ~ in decay.
dis'fare *vt* to undo; (*valigie*) to unpack; (*meccanismo*) to take to pieces; (*lavoro, paese*) to destroy; (*neve*) to melt; ~ il letto to strip the bed; ~rsi di qn (*liberarsi*) to get rid of sb.
dis'fatta *sf vedi* disfatto.
disfat'tista, i, e *sm/f* defeatist.
dis'fatto, a *pp di* disfare ♦ *ag* (*gen*) undone, untied; (*letto*) unmade; (*persona: sfinito*) exhausted, worn-out; (: *addolorato*) grief-stricken ♦ *sf* (*sconfitta*) rout.
disfunzi'one [disfun'tsjone] *sf* (*MED*)

dysfunction; ~ **cardiaca** heart trouble.
disge'lare [dizdʒe'lare] vt, vi, ~**rsi** vr to thaw.
dis'gelo [diz'dʒɛlo] sm thaw.
dis'grazia [diz'grattsja] sf (sventura) misfortune; (incidente) accident, mishap.
disgrazi'ato, a [dizgrat'tsjato] ag unfortunate ♦ sm/f wretch.
disgre'gare vt, ~**rsi** vr to break up.
disgu'ido sm hitch; ~ **postale** error in postal delivery.
disgus'tare vt to disgust; ~**rsi** vr: ~**rsi di** to be disgusted by.
dis'gusto sm disgust.
disgus'toso, a ag disgusting.
disidra'tare vt to dehydrate.
disidra'tato, a ag dehydrated.
disil'ludere vt to disillusion, disenchant.
disillusi'one sf disillusion, disenchantment.
disimpa'rare vt to forget.
disimpe'gnare [dizimpeɲ'ɲare] vt (persona: da obblighi): ~ **da** to release from; (oggetto dato in pegno) to redeem, get out of pawn; ~**rsi** vr: ~**rsi da** (obblighi) to release o.s. from, free o.s. from.
disincagli'are [dizinkaʎ'ʎare] vt (barca) to refloat; ~**rsi** vr to get afloat again.
disincan'tato, a ag disenchanted, disillusioned.
disincenti'vare [dizintʃenti'vare] vt to discourage.
disinfes'tare vt to disinfest.
disinfestazi'one [dizinfestat'tsjone] sf disinfestation.
disinfet'tante ag, sm disinfectant.
disinfet'tare vt to disinfect.
disinfezi'one [dizinfet'tsjone] sf disinfection.
disingan'nare vt to disillusion.
disin'ganno sm disillusion.
disini'bito, a ag uninhibited.
disinnes'care vt to defuse.
disinnes'tare vt (marcia) to disengage.
disinqui'nare vt to free from pollution.
disinte'grare vt, vi to disintegrate.
disinteres'sarsi vr: ~ **di** to take no interest in.
disinte'resse sm indifference; (generosità) unselfishness.
disintossi'care vt (alcolizzato, drogato) to treat for alcoholism (o drug addiction); ~**rsi** vr to clear out one's system; (alcolizzato, drogato) to be treated for alcoholism (o drug addiction).
disintossicazi'one [dizintossikat'tsjone] sf treatment for alcoholism (o drug addiction).

disin'volto, a ag casual, free and easy.
disinvol'tura sf casualness, ease.
disles'sia sf dyslexia.
disli'vello sm difference in height; (fig) gap.
dislo'care vt to station, position.
dismi'sura sf excess; **a** ~ to excess, excessively.
disobbe'dire etc = **disubbidire** etc.
disoccu'pato, a ag unemployed ♦ sm/f unemployed person.
disoccupazi'one [dizokkupat'tsjone] sf unemployment.
disonestà sf dishonesty.
diso'nesto, a ag dishonest.
disono'rare vt to dishonour (BRIT), dishonor (US), bring disgrace upon.
diso'nore sm dishonour (BRIT), dishonor (US), disgrace.
di'sopra av (con contatto) on top; (senza contatto) above; (al piano superiore) upstairs ♦ ag inv (superiore) upper ♦ sm inv top, upper part; **la gente** ~ the people upstairs; **il piano** ~ the floor above.
disordi'nare vt to mess up, disarrange; (MIL) to throw into disorder.
disordi'nato, a ag untidy; (privo di misura) irregular, wild.
di'sordine sm (confusione) disorder, confusion; (sregolatezza) debauchery; ~**i** smpl (POL etc) disorder sg; (tumulti) riots.
disor'ganico, a, ci, che ag incoherent, disorganized.
disorganiz'zato, a [dizorganid'dzato] ag disorganized.
disorienta'mento sm (fig) confusion, bewilderment.
disorien'tare vt to disorientate; ~**rsi** vr (fig) to get confused, lose one's bearings.
disorien'tato, a ag disorientated.
disos'sare vt (CUC) to bone.
di'sotto av below, underneath; (in fondo) at the bottom; (al piano inferiore) downstairs ♦ ag inv (inferiore) lower; bottom cpd ♦ sm inv (parte inferiore) lower part; bottom; **la gente** ~ the people downstairs; **il piano** ~ the floor below.
dis'paccio [dis'pattʃo] sm dispatch.
dispa'rato, a ag disparate.
'dispari ag inv odd, uneven.
disparità sf inv disparity.
dis'parte : **in** ~ av (da lato) aside, apart; **tenersi** o **starsene in** ~ to keep to o.s., hold aloof.
dis'pendio sm (di denaro, energie) expenditure; (: spreco) waste.
dispendi'oso, a ag expensive.
dis'pensa sf pantry, larder; (mobile)

sideboard; (*DIR*) exemption; (*REL*) dispensation; (*fascicolo*) number, issue.

dispen'sare *vt* (*elemosine, favori*) to distribute; (*esonerare*) to exempt.

dispe'rare *vi*: ~ **(di)** to despair (of); ~**rsi** *vr* to despair.

dispe'rato, a *ag* (*persona*) in despair; (*caso, tentativo*) desperate.

disperazi'one [disperat'tsjone] *sf* despair.

dis'perdere *vt* (*disseminare*) to disperse; (*MIL*) to scatter, rout; (*fig: consumare*) to waste, squander; ~**rsi** *vr* to disperse; to scatter.

dispersi'one *sf* dispersion, dispersal; (*FISICA, CHIM*) dispersion.

disper'sivo, a *ag* (*lavoro etc*) disorganized.

dis'perso, a *pp di* **disperdere** ♦ *sm/f* missing person; (*MIL*) missing soldier.

dis'petto *sm* spite *no pl*, spitefulness *no pl*; **fare un** ~ **a qn** to play a (nasty) trick on sb; **a** ~ **di** in spite of; **con suo grande** ~ much to his annoyance.

dispet'toso, a *ag* spiteful.

dispia'cere [dispja'tʃere] *sm* (*rammarico*) regret, sorrow; (*dolore*) grief ♦ *vi*: ~ **a** to displease ♦ *vb impers*: **mi dispiace (che)** I am sorry (that); ~**i** *smpl* (*preoccupazioni*) troubles, worries; **se non le dispiace, me ne vado adesso** if you don't mind, I'll go now.

dispiaci'uto, a [dispja'tʃuto] *pp di* **dispiacere** ♦ *ag* sorry.

dis'pone, dis'pongo *etc vb vedi* **disporre**.

dispo'nibile *ag* available; (*persona: solerte, gentile*) helpful.

disponibilità *sf inv* availability; (*solerzia, gentilezza*) helpfulness; **disponibilità** *sfpl* (*economiche*) resources.

dis'porre *vt* (*sistemare*) to arrange; (*preparare*) to prepare; (*DIR*) to order; (*persuadere*): ~ **qn a** to incline *o* dispose sb towards ♦ *vi* (*decidere*) to decide; (*usufruire*): ~ **di** to use, have at one's disposal; (*essere dotato*): ~ **di** to have; **disporsi** *vr* (*ordinarsi*) to place o.s., arrange o.s.; **disporsi a fare** to get ready to do; **disporsi all'attacco** to prepare for an attack; **disporsi in cerchio** to form a circle.

dis'posi *etc vb vedi* **disporre**.

disposi'tivo *sm* (*meccanismo*) device; (*DIR*) pronouncement; ~ **di controllo** *o* **di comando** control device; ~ **di sicurezza** (*gen*) safety device; (*di arma da fuoco*) safety catch.

disposizi'one [dispozit'tsjone] *sf* arrangement, layout; (*stato d'animo*) mood; (*tendenza*) bent, inclination;

(*comando*) order; (*DIR*) provision, regulation; **a** ~ **di qn** at sb's disposal; **per** ~ **di legge** by law; ~ **testamentaria** provisions of a will.

dis'posto, a *pp di* **disporre** ♦ *ag* (*incline*): ~ **a fare** disposed *o* prepared to do.

dis'potico, a, ci, che *ag* despotic.

dispo'tismo *sm* despotism.

disprez'zare [dispret'tsare] *vt* to despise.

dis'prezzo [dis'prettso] *sm* contempt; **con** ~ **del pericolo** with a total disregard for the danger involved.

'disputa *sf* dispute, quarrel.

dispu'tare *vt* (*contendere*) to dispute, contest; (*SPORT: partita*) to play; (: *gara*) to take part in ♦ *vi* to quarrel; ~ **di** to discuss; ~**rsi qc** to fight for sth.

disqui'sire *vi* to discourse on.

disquisizi'one [diskwizit'tsjone] *sf* detailed analysis.

dissa'crare *vt* to desecrate.

dissangua'mento *sm* loss of blood.

dissangu'are *vt* (*fig: persona*) to bleed white; (: *patrimonio*) to suck dry; ~**rsi** *vr* (*MED*) to lose blood; (*fig*) to ruin o.s.; **morire dissanguato** to bleed to death.

dissa'pore *sm* slight disagreement.

'disse *vb vedi* **dire**.

disse'care *vt* to dissect.

dissec'care *vt*, ~**rsi** *vr* to dry up.

dissemi'nare *vt* to scatter; (*fig: notizie*) to spread.

dissenna'tezza [dissenna'tettsa] *sf* foolishness.

dis'senso *sm* dissent; (*disapprovazione*) disapproval.

dissente'ria *sf* dysentery.

dissen'tire *vi*: ~ **(da)** to disagree (with).

disseppel'lire *vt* (*esumare: cadavere*) to disinter, exhume; (*dissotterrare: anche fig*) to dig up, unearth; (: *rancori*) to resurrect.

dissertazi'one [dissertat'tsjone] *sf* dissertation.

disser'vizio [disser'vittsjo] *sm* inefficiency.

disses'tare *vt* (*ECON*) to ruin.

disses'tato, a *ag* (*fondo stradale*) uneven; (*economia, finanze*) shaky; **"strada ~a"** (*per lavori in corso*) "road up" (*BRIT*), "road out" (*US*).

dis'sesto *sm* (financial) ruin.

disse'tante *ag* refreshing.

disse'tare *vt* to quench the thirst of; ~**rsi** *vr* to quench one's thirst.

dissezi'one [disset'tsjone] *sf* dissection.

'dissi *vb vedi* **dire**.

dissi'dente *ag*, *sm/f* dissident.

dis'sidio *sm* disagreement.

dis'simile *ag* different, dissimilar.

dissimu'lare *vt* (*fingere*) to dissemble; (*nascondere*) to conceal.

dissimula'tore, 'trice *smf* dissembler.

dissimulazi'one [dissimulat'tsjone] *sf* dissembling; concealment.

dissi'pare *vt* to dissipate; (*scialacquare*) to squander, waste.

dissipa'tezza [dissipa'tettsa] *sf* dissipation.

dissi'pato, a *ag* dissolute, dissipated.

dissipazi'one [dissipat'tsjone] *sf* squandering.

dissoci'are [disso'tʃare] *vt* to dissociate.

dis'solto, a *pp di* **dissolvere.**

disso'lubile *ag* soluble.

dissolu'tezza [dissolu'tettsa] *sf* dissoluteness.

dissolu'tivo, a *ag* (*forza*) divisive; **processo** ~ (*anche fig*) process of dissolution.

disso'luto, a *pp di* **dissolvere** ♦ *ag* dissolute, licentious.

dissol'venza [dissol'vɛntsa] *sf* (*CINE*) fading.

dis'solvere *vt* to dissolve; (*neve*) to melt; (*fumo*) to disperse; ~**rsi** *vr* to dissolve; to melt; to disperse.

disso'nante *ag* discordant.

disso'nanza [disso'nantsa] *sf* (*fig: di opinioni*) clash.

dissotter'rare *vt* (*cadavere*) to disinter, exhume; (*tesori, rovine*) to dig up, unearth; (*fig: sentimenti, odio*) to bring up again, resurrect.

dissu'adere *vt*: ~ **qn da** to dissuade sb from.

dissuasi'one *sf* dissuasion.

dissu'aso, a *pp di* **dissuadere.**

distacca'mento *sm* (*MIL*) detachment.

distac'care *vt* to detach, separate; (*SPORT*) to leave behind; ~**rsi** *vr* to be detached; (*fig*) to stand out; ~**rsi da** (*fig: allontanarsi*) to grow away from.

dis'tacco, chi *sm* (*separazione*) separation; (*fig: indifferenza*) detachment; (*SPORT*): **vincere con un** ~ **di** ... to win by a distance of ....

dis'tante *av* far away ♦ *ag* distant, far away; **essere** ~ (**da**) to be a long way (from); **è** ~ **da qui?** is it far from here?; **essere** ~ **nel tempo** to be in the distant past.

dis'tanza [dis'tantsa] *sf* distance; **comando a** ~ remote control; **a** ~ **di 2 giorni** 2 days later; **tener qn a** ~ to keep sb at arm's length; **prendere le** ~**e da qc/qn** to dissociate o.s. from sth/sb; **tenere** *o* **mantenere le** ~**e** to keep one's distance; ~ **focale** focal length; ~ **di sicurezza** safe distance; (*AUT*) braking distance; ~ **di**

tiro range; ~ **di visibilità** visibility.

distanzi'are [distan'tsjare] *vt* to space out, place at intervals; (*SPORT*) to outdistance; (*fig: superare*) to outstrip, surpass.

dis'tare *vi*: **distiamo pochi chilometri da Roma** we are only a few kilometres (away) from Rome; **dista molto da qui?** is it far (away) from here?; **non dista molto** it's not far (away).

dis'tendere *vt* (*coperta*) to spread out; (*gambe*) to stretch (out); (*mettere a giacere*) to lay; (*rilassare: muscoli, nervi*) to relax; ~**rsi** *vr* (*rilassarsi*) to relax; (*sdraiarsi*) to lie down.

distensi'one *sf* stretching; relaxation; (*POL*) détente.

disten'sivo, a *ag* (*gen*) relaxing, restful; (*farmaco*) tranquillizing; (*POL*) conciliatory.

dis'teso, a *pp di* **distendere** ♦ *ag* (*allungato: persona, gamba*) stretched out; (*rilassato: persona, atmosfera*) relaxed ♦ *sf* expanse, stretch; **avere un volto** ~ to look relaxed.

distil'lare *vt* to distil.

distil'lato *sm* distillate.

distillazi'one [distillat'tsjone] *sf* distillation.

distille'ria *sf* distillery.

dis'tinguere *vt* to distinguish; ~**rsi** *vr* (*essere riconoscibile*) to be distinguished; (*emergere*) to stand out, be conspicuous, distinguish o.s.; **un vino che si distingue per il suo aroma** a wine with a distinctive bouquet.

dis'tinguo *sm inv* distinction.

dis'tinta *sf* (*nota*) note; (*elenco*) list; ~ **di pagamento** receipt; ~ **di versamento** pay-in slip.

distin'tivo, a *ag* distinctive; distinguishing ♦ *sm* badge.

dis'tinto, a *pp di* **distinguere** ♦ *ag* (*dignitoso ed elegante*) distinguished; ~**i saluti** (*in lettera*) yours faithfully.

distinzi'one [distin'tsjone] *sf* distinction; **non faccio** ~**i** (*tra persone*) I don't discriminate; (*tra cose*) it's all one to me; **senza** ~ **di razza/religione** ... no matter what one's race/creed ....

dis'togliere [dis'tɔʎʎere] *vt*: ~ **da** to take away from; (*fig*) to dissuade from.

dis'tolto, a *pp di* **distogliere.**

dis'torcere [dis'tɔrtʃere] *vt* to twist; (*fig*) to twist, distort; ~**rsi** *vr* (*contorcersi*) to twist.

distorsi'one *sf* (*MED*) sprain; (*FISICA, OTTICA*) distortion.

dis'torto, a *pp di* **distorcere.**

dis'trarre *vt* to distract; (*divertire*) to entertain, amuse; **distrarsi** *vr* (*non fare* *attenzione*) to be distracted, let one's mind wander; (*svagarsi*) to amuse o enjoy o.s.; ~ **lo sguardo** to look away; **non distrarti!** pay attention!

distratta'mente *av* absent-mindedly, without thinking.

dis'tratto, a *pp di* **distrarre ♦** *ag* absent-minded; (*disattento*) inattentive.

distrazi'one [distrat'tsjone] *sf* absent-mindedness; inattention; (*svago*) distraction, entertainment; **errori di** ~ careless mistakes.

dis'tretto *sm* district.

distribu'ire *vt* to distribute; (*CARTE*) to deal (out); (*consegnare: posta*) to deliver; (*lavoro*) to allocate, assign; (*ripartire*) to share out.

distribu'tore *sm* (*di benzina*) petrol (*BRIT*) o gas (*US*) pump; (*AUT, ELETTR*) distributor; (*automatico*) vending machine.

distribuzi'one [distribut'tsjone] *sf* distribution; delivery; allocation, assignment; sharing out.

distri'care *vt* to disentangle, unravel; ~**rsi** *vr* (*tirarsi fuori*): ~**rsi da** to get out of, disentangle o.s. from; (*fig: cavarsela*) to manage, get by.

dis'truggere [dis'truddʒere] *vt* to destroy.

distrut'tivo, a *ag* destructive.

dis'trutto, a *pp di* **distruggere.**

distruzi'one [distrut'tsjone] *sf* destruction.

distur'bare *vt* to disturb, trouble; (*sonno, lezioni*) to disturb, interrupt; ~**rsi** *vr* to put o.s. out; **non si disturbi** please don't bother.

dis'turbo *sm* trouble, bother, inconvenience; (*indisposizione*) (slight) disorder, ailment; ~**i** *smpl* (*RADIO, TV*) static *sg*; ~ **della quiete pubblica** (*DIR*) disturbance of the peace; ~**i di stomaco** stomach trouble *sg*.

disubbidi'ente *ag* disobedient.

disubbidi'enza [dizubbi'djɛntsa] *sf* disobedience; ~ **civile** civil disobedience.

disubbi'dire *vi:* ~ **(a qn)** to disobey (sb).

disuguagli'anza [dizugwaʎ'ʎantsa] *sf* inequality.

disugu'ale *ag* unequal; (*diverso*) different; (*irregolare*) uneven.

disumanità *sf* inhumanity.

disu'mano, a *ag* inhuman; **un grido** ~ a terrible cry.

disuni'one *sf* disunity.

disu'nire *vt* to divide, disunite.

di'suso *sm:* **andare** o **cadere in** ~ to fall into disuse.

'dita *sfpl di* **dito.**

di'tale *sm* thimble.

di'tata *sf* (*colpo*) jab (with one's finger); (*segno*) fingermark.

'dito, *pl(f)* **'dita** *sm* finger; (*misura*) finger, finger's breadth; ~ **(del piede)** toe; **mettersi le** ~**a nel naso** to pick one's nose; **mettere il** ~ **sulla piaga** (*fig*) to touch a sore spot; **non ha mosso un** ~ **(per aiutarmi)** he didn't lift a finger (to help me); **ormai è segnato a** ~ everyone knows about him now.

'ditta *sf* firm, business; **macchina della** ~ company car.

dit'tafono *sm* Dictaphone ®.

ditta'tore *sm* dictator.

ditta'tura *sf* dictatorship.

dit'tongo, ghi *sm* diphthong.

di'urno, a *ag* day *cpd*, daytime *cpd*; **ore** ~**e** daytime *sg*; **spettacolo** ~ matinee; **turno** ~ day shift; *vedi anche* **albergo.**

'diva *sf vedi* **divo.**

diva'gare *vi* to digress.

divagazi'one [divagat'tsjone] *sf* digression; ~**i sul tema** variations on a theme.

divam'pare *vi* to flare up, blaze up.

di'vano *sm* sofa; (*senza schienale*) divan; ~ **letto** bed settee, sofa bed.

divari'care *vt* to open wide.

di'vario *sm* difference.

di'vengo *etc vb vedi* **divenire.**

dive'nire *vi* = **diventare.**

di'venni *etc vb vedi* **divenire.**

diven'tare *vi* to become; ~ **famoso/ professore** to become famous/a teacher; ~ **vecchio** to grow old; **c'è da** ~ **matti** it's enough to drive you mad.

dive'nuto, a *pp di* **divenire.**

di'verbio *sm* altercation.

diver'gente [diver'dʒente] *ag* divergent.

diver'genza [diver'dʒentsa] *sf* divergence; ~ **d'opinioni** difference of opinion.

di'vergere [di'vɛrdʒere] *vi* to diverge.

diverrò *etc vb vedi* **divenire.**

diversa'mente *av* (*in modo differente*) differently; (*altrimenti*) otherwise; ~ **da quanto stabilito** contrary to what had been decided.

diversifi'care *vt* to diversify, vary; ~**rsi** *vr:* ~**rsi (per)** to differ (in).

diversificazi'one [diversifikat'tsjone] *sf* diversification; difference.

diversi'one *sf* diversion.

diversità *sf inv* difference, diversity; (*varietà*) variety.

diver'sivo, a *ag* diversionary ♦ *sm* diversion, distraction; **fare un'azione** ~**a** to create a diversion.

di'verso, a *ag* (*differente*): ~ **(da)** different (from) ♦ *sm* (*omosessuale*) homosexual;

~i, e *det pl* several, various; (*COMM*) sundry ♦ *pron pl* several (people), many (people).

diver'tente *ag* amusing.

diverti'mento *sm* amusement, pleasure; (*passatempo*) pastime, recreation; buon ~! enjoy yourself!, have a nice time!

diver'tire *vt* to amuse, entertain; ~rsi *vr* to amuse *o* enjoy o.s.; divertiti! enjoy yourself, have a good time!; ~rsi alle spalle di qn to have a laugh at sb's expense.

diver'tito, a *ag* amused.

divez'zare [divet'tsare] *vt* (*anche fig*): ~ (da) to wean (from).

divi'dendo *sm* dividend.

di'videre *vt* (*anche MAT*) to divide; (*distribuire, ripartire*) to divide (up), split (up); ~rsi *vr* (*persone*) to separate, part; (*coppia*) to separate; ~rsi (in) (*scindersi*) to divide (into), split up (into); (*ramificarsi*) to fork; è diviso dalla moglie he's separated from his wife; si divide tra casa e lavoro he divides his time between home and work.

divi'eto *sm* prohibition; "~ di accesso" "no entry"; "~ di caccia" "no hunting"; "~ di parcheggio" "no parking"; "~ di sosta" (*AUT*) "no waiting".

divinco'larsi *vr* to wriggle, writhe.

divinità *sf inv* divinity.

di'vino, a *ag* divine.

di'visa *sf* (*MIL etc*) uniform; (*COMM*) foreign currency.

di'visi *etc vb vedi* dividere.

divisi'one *sf* division; ~ in sillabe syllable division; (*a fine riga*) hyphenation.

di'vismo *sm* (*esibizionismo*) playing to the crowd.

di'viso, a *pp di* dividere.

divi'sorio, a *ag* (*siepe, muro esterno*) dividing; (*muro interno*) dividing, partition *cpd* ♦ *sm* (*in una stanza*) partition.

'divo, a *sm/f* star; come una ~a like a prima donna.

divo'rare *vt* to devour; ~ qc con gli occhi to eye sth greedily.

divorzi'are [divor'tsjare] *vi*: ~ (da qn) to divorce (sb).

divorzi'ato, a [divor'tsjato] *ag* divorced ♦ *sm/f* divorcee.

di'vorzio [di'vɔrtsjo] *sm* divorce.

divul'gare *vt* to divulge, disclose; (*rendere comprensibile*) to popularize; ~rsi *vr* to spread.

divulgazi'one [divulgat'tsjone] *sf* (*vedi vb*) disclosure; popularization; spread.

dizio'nario [dittsjo'narjo] *sm* dictionary.

dizi'one [dit'tsjone] *sf* diction; pronunciation.

Dja'karta [dʒa'karta] *sf* Djakarta.

dl *abbr* (= *decilitro*) dl.

dm *abbr* (= *decimetro*) dm.

DNA [di'ennea] *sigla m* (*BIOL*): = *acido deossiribonucleico*) DNA ♦ *sigla f* = *direzione nazionale antimafia*.

do *sm* (*MUS*) C; (: *solfeggiando la scala*) do(h).

dobbi'amo *vb vedi* dovere.

D.O.C. [dɔk] *sigla vedi* denominazione di origine controllata.

doc. *abbr* = documento.

'doccia, ce ['dottʃa] *sf* (*bagno*) shower; (*condotto*) pipe; fare la ~ to have a shower; ~ fredda (*fig*) slap in the face.

do'cente [do'tʃɛnte] *ag* teaching ♦ *sm/f* teacher; (*di università*) lecturer; personale non ~ non-teaching staff.

do'cenza [do'tʃɛntsa] *sf* university teaching *o* lecturing; ottenere la libera ~ to become a lecturer.

D.O.C.G. *sigla* (= *denominazione di origine controllata e garantita*) *label guaranteeing the quality and origin of a wine.*

'docile ['dɔtʃile] *ag* docile.

docilità [dotʃili'ta] *sf* docility.

documen'tare *vt* to document; ~rsi *vr*: ~rsi (su) to gather information *o* material (about).

documen'tario, a *ag*, *sm* documentary.

documentazi'one [dokumentat'tsjone] *sf* documentation.

docu'mento *sm* document; ~i *smpl* (*d'identità etc*) papers.

Dodecan'neso *sm*: le Isole del ~ the Dodecanese Islands.

dodi'cenne [dodi'tʃenne] *ag*, *sm/f* twelve-year-old.

dodi'cesimo, a [dodi'tʃezimo] *num* twelfth.

'dodici ['doditʃi] *num* twelve.

do'gana *sf* (*ufficio*) customs *pl*; (*tassa*) (customs) duty; passare la ~ to go through customs.

doga'nale *ag* customs *cpd*.

dogani'ere *sm* customs officer.

'doglie ['dɔʎʎe] *sfpl* (*MED*) labour *sg* (*BRIT*), labor *sg* (*US*), labo(u)r pains.

'dogma, i *sm* dogma.

dog'matico, a, ci, che *ag* dogmatic.

'dolce ['doltʃe] *ag* sweet; (*colore*) soft; (*carattere, persona*) gentle, mild; (*fig: mite: clima*) mild; (*non ripido: pendio*) gentle ♦ *sm* (*sapore ~*) sweetness, sweet taste; (*CUC: portata*) sweet, dessert; (: *torta*) cake; il ~ far niente sweet idleness.

dol'cezza [dol'tʃettsa] *sf* sweetness;

softness; mildness; gentleness.

dolci'ario, a [dol'tʃarjo] *ag* confectionery *cpd*.

dolci'astro, a [dol'tʃastro] *ag* (*sapore*) sweetish.

dolcifi'cante [doltʃifi'kante] *ag* sweetening ♦ *sm* sweetener.

dolci'umi [dol'tʃumi] *smpl* sweets.

do'lente *ag* sorrowful, sad.

do'lere *vi* to be sore, hurt, ache; ~**rsi** *vr* to complain; (*essere spiacente*): ~**rsi di** to be sorry for; **mi duole la testa** my head aches, I've got a headache.

'dolgo *etc vb vedi* **dolere**.

'dollaro *sm* dollar.

'dolo *sm* (*DIR*) malice; (*frode*) fraud, deceit.

Dolo'miti *sfpl*: **le** ~ the Dolomites.

dolo'rante *ag* aching, sore.

do'lore *sm* (*fisico*) pain; (*morale*) sorrow, grief; **se lo scoprono sono** ~**i!** if they find out there'll be trouble!

dolo'roso, a *ag* painful; sorrowful, sad.

do'loso, a *ag* (*DIR*) malicious; **incendio** ~ arson.

'dolsi *etc vb vedi* **dolere**.

dom. *abbr* (= **domenica**) Sun.

do'manda *sf* (*interrogazione*) question; (*richiesta*) demand; (: *cortese*) request; (*DIR: richiesta scritta*) application; (*ECON*): **la** ~ demand; **fare una** ~ **a qn** to ask sb a question; **fare** ~ (**per un lavoro**) to apply (for a job); **far regolare** ~ (**di qc**) to apply through the proper channels (for sth); **fare** ~ **all'autorità giudiziaria** to apply to the courts; ~ **di divorzio** divorce petition; ~ **di matrimonio** proposal.

doman'dare *vt* (*per avere*) to ask for; (*per sapere*) to ask; (*esigere*) to demand; ~**rsi** *vr* to wonder, ask o.s.; ~ **qc a qn** to ask sb for sth; to ask sb sth.

do'mani *av* tomorrow ♦ *sm* (*l'indomani*) next day, following day; **il** ~ (*il futuro*) the future; (*il giorno successivo*) the next day; **un** ~ some day; ~ **l'altro** the day after tomorrow; ~ (**a**) **otto** tomorrow week, a week tomorrow; **a** ~**!** see you tomorrow!

do'mare *vt* to tame.

doma'tore, 'trice *sm/f* (*gen*) tamer; ~ **di cavalli** horsebreaker; ~ **di leoni** lion tamer.

domat'tina *av* tomorrow morning.

do'menica, che *sf* Sunday; *per fraseologia vedi* **martedì**.

domeni'cale *ag* Sunday *cpd*.

domeni'cano, a *ag, sm/f* Dominican.

do'mestica, che *sf vedi* **domestico**.

do'mestico, a, ci, che *ag* domestic ♦ *sm/f* servant, domestic; **le pareti** ~**che** one's

own four walls; **animale** *m* ~ pet; **una** ~**a a ore** a daily (woman).

domicili'are [domitʃi'ljare] *ag vedi* **arresto**.

domicili'arsi [domitʃi'ljarsi] *vr* to take up residence.

domi'cilio [domi'tʃiljo] *sm* (*DIR*) domicile, place of residence; **visita a** ~ (*MED*) house call; **"recapito a** ~**"** "deliveries"; **violazione di** ~ (*DIR*) breaking and entering.

domi'nante *ag* (*colore, nota*) dominant; (*opinione*) prevailing; (*idea*) main *cpd*, chief *cpd*; (*posizione*) dominating *cpd*; (*classe, partito*) ruling *cpd*.

domi'nare *vt* to dominate; (: *fig: sentimenti*) to control, master ♦ *vi* to be in the dominant position; ~**rsi** *vr* (*controllarsi*) to control o.s.; ~ **su** (*fig*) to surpass, outclass.

domina'tore, 'trice *ag* ruling *cpd* ♦ *sm/f* ruler.

dominazi'one [dominat'tsjone] *sf* domination.

domini'cano, a *ag*: **la Repubblica D~a** the Dominican Republic.

do'minio *sm* dominion; (*fig: campo*) field, domain; ~**i coloniali** colonies; **essere di** ~ **pubblico** (*notizia etc*) to be common knowledge.

don *sm* (*REL*) Father.

do'nare *vt* to give, present; (*per beneficenza etc*) to donate ♦ *vi* (*fig*): ~ **a** to suit, become; ~ **sangue** to give blood.

dona'tore, 'trice *sm/f* donor; ~ **di sangue/ di organi** blood/organ donor.

donazi'one [donat'tsjone] *sf* donation; **atto di** ~ (*DIR*) deed of gift.

'donde *av* (*poetico*) whence.

dondo'lare *vt* (*cullare*) to rock; ~**rsi** *vr* to swing, sway.

'dondolo *sm*: **sedia/cavallo a** ~ rocking chair/horse.

dongio'vanni [dondʒo'vanni] *sm* Don Juan, ladies' man.

'donna *sf* woman; (*titolo*) Donna; (*CARTE*) queen; **figlio di buona** ~**!** (*fam*) son of a bitch!; ~ **di casa** housewife; ~ **a ore** daily (help *o* woman); ~ **delle pulizie** cleaning lady, cleaner; ~ **di servizio** maid; ~ **di vita** *o* **di strada** prostitute, streetwalker.

donnai'olo *sm* ladykiller.

'donnola *sf* weasel.

'dono *sm* gift.

'dopo *av* (*tempo*) afterwards; (: *più tardi*) later; (*luogo*) after, next ♦ *prep* after ♦ *cong* (*temporale*): ~ **aver studiato** after having studied ♦ *ag inv*: **il giorno** ~ the following day; ~ **mangiato va a dormire**

after having eaten *o* after a meal he goes for a sleep; **un anno** ~ a year later; ~ **di me/lui** after me/him; ~ **che** = **dopoché**.
dopo'barba *sm inv* after-shave.
dopoché [dopo'ke] *cong* after, when.
dopodiché [dopodi'ke] *av* after which.
dopodo'mani *av* the day after tomorrow.
dopogu'erra *sm* postwar years *pl*.
dopola'voro *sm* recreational club.
dopo'pranzo [dopo'prandzo] *av* after lunch (*o* dinner).
doposcì [dopoʃ'ʃi] *sm inv* après-ski outfit.
doposcu'ola *sm inv* school club offering extra tuition and recreational facilities.
dopo'tutto *av* after all.
doppi'aggio [dop'pjaddʒo] *sm* (*CINE*) dubbing.
doppi'are *vt* (*NAUT*) to round; (*SPORT*) to lap; (*CINE*) to dub.
doppia'tore, 'trice *sm/f* dubber.
doppi'etta *sf* (*fucile*) double-barrelled (*BRIT*) *o* double-barreled (*US*) shotgun; (*sparo*) shot from both barrels; (*CALCIO*) double; (*PUGILATO*) one-two; (*AUT*) double-declutch (*BRIT*), double-clutch (*US*).
doppi'ezza [dop'pjettsa] *sf* (*fig: di persona*) duplicity, double-dealing.
'doppio, a *ag* double; (*fig: falso*) double-dealing, deceitful ♦ *sm* (*quantità*): **il** ~ **(di)** twice as much (*o* many), double the amount (*o* number) of; (*SPORT*) doubles *pl* ♦ *av* double; **battere una lettera in** ~ **a copia** to type a letter with a carbon copy; **fare il** ~ **gioco** (*fig*) to play a double game; **chiudere a** ~ **a mandata** to double-lock; **senso** double entendre; **frase a** ~ **senso** sentence with a double meaning; **un utensile a** ~ **uso** a dual-purpose utensil.
doppio'fondo *sm* (*di valigia*) false bottom; (*NAUT*) double hull.
doppi'one *sm* duplicate (copy).
doppio'petto *sm* double-breasted jacket.
dop'pista *sm/f* (*TENNIS*) doubles player.
do'rare *vt* to gild; (*CUC*) to brown; ~ **la pillola** (*fig*) to sugar the pill.
do'rato, a *ag* golden; (*ricoperto d'oro*) gilt, gilded.
dora'tura *sf* gilding.
dormicchi'are [dormik'kjare] *vi* to doze.
dormi'ente *ag* sleeping ♦ *sm/f* sleeper.
dormigli'one, a [dormiʎ'ʎone] *sm/f* sleepyhead.
dor'mire *vi* to sleep; (*essere addormentato*) to be asleep, be sleeping; **il caffè non mi fa** ~ coffee keeps me awake; ~ **come un ghiro** to sleep like a log; ~ **della grossa** to sleep soundly, be dead to the world; ~ **in**

piedi (*essere stanco*) to be asleep on one's feet.
dor'mita *sf*: **farsi una** ~ to have a good sleep.
dormi'torio *sm* dormitory; ~ **pubblico** doss house (*BRIT*) *o* flophouse (*US*) (*run by local authority*).
dormi'veglia [dormi'veʎʎa] *sm* drowsiness.
dorrò *etc vb vedi* **dolere**.
dor'sale *ag*: **spina** ~ backbone, spine.
'dorso *sm* back; (*di montagna*) ridge, crest; (*di libro*) spine; (*NUOTO*) backstroke; **a** ~ **di cavallo** on horseback.
do'saggio [do'zaddʒo] *sm* (*atto*) measuring out; **sbagliare il** ~ to get the proportions wrong.
do'sare *vt* to measure out; (*MED*) to dose.
'dose *sf* quantity, amount; (*MED*) dose.
dossi'er [do'sje] *sm inv* dossier, file.
'dosso *sm* (*rilievo*) rise; (: *di strada*) bump; (*dorso*): **levarsi di** ~ **i vestiti** to take one's clothes off; **levarsi un peso di** ~ (*fig*) to take a weight off one's mind.
do'tare *vt*: ~ **di** to provide *o* supply with; (*fig*) to endow with.
do'tato, a *ag*: ~ **di** (*attrezzature*) equipped with; (*bellezza, intelligenza*) endowed with; **un uomo** ~ a gifted man.
dotazi'one [dotat'tsjone] *sf* (*insieme di beni*) endowment; (*di macchine etc*) equipment; **dare qc in** ~ **a qn** to issue sb with sth, issue sth to sb; **i macchinari in** ~ **alla fabbrica** the machinery in use in the factory.
'dote *sf* (*di sposa*) dowry; (*assegnata a un ente*) endowment; (*fig*) gift, talent.
Dott. *abbr* (= *dottore*) Dr.
'dotto, a *ag* (*colto*) learned ♦ *sm* (*sapiente*) scholar; (*ANAT*) duct.
dotto'rato *sm* degree; ~ **di ricerca** doctorate, doctor's degree.
dot'tore, 'essa *sm/f* doctor.
dot'trina *sf* doctrine.
Dott.ssa *abbr* (= *dottoressa*) Dr.
double-'face [dubl'fas] *ag inv* reversible.
'dove *av* where; (*in cui*) where, in which; (*dovunque*) wherever ♦ *sm*: **per ogni** ~ everywhere; **di dov'è?** where are you from?; **da** ~ **abito vedo tutta la città** I can see the whole city from where I live; **per** ~ **si passa?** which way should we go?; **le dò una mano fin** ~ **posso** I'll help you as much as I can.
do'vere *sm* (*obbligo*) duty ♦ *vt* (*essere debitore*): ~ **qc (a qn)** to owe (sb) sth ♦ *vi* (*seguito dall'infinito: obbligo*) to have to; **lui deve farlo** he has to do it, he must do it; **è dovuto partire** he had to leave; **ha dovuto**

pagare he had to pay; (: *intenzione*): **devo partire domani** I'm (due) to leave tomorrow; (: *probabilità*) **dev'essere tardi** it must be late; **doveva accadere** it was bound to happen; **avere il senso del** ~ to have a sense of duty; **rivolgersi a chi di** ~ to apply to the appropriate authority *o* person; **a** ~ (*bene*) properly; (*debitamente*) as he (*o* she *etc*) deserves; **come si deve** (*bene*) properly; (*meritatamente*) properly, as he (*o* she *etc*) deserves; **una persona come si deve** a respectable person.

dove'roso, a *ag* (right and) proper.

do'vizia [do'vittsja] *sf* abundance.

dovrò *etc vb vedi* **dovere**.

do'vunque *av* (*in qualunque luogo*) wherever; (*dappertutto*) everywhere; ~ **io vada** wherever I go.

dovuta'mente *av* (*debitamente: redigere, compilare*) correctly; (: *rimproverare*) as he (*o* she *etc*) deserves.

do'vuto, a *ag* (*causato*): ~ **a** due to ♦ *sm* due; **nel modo** ~ in the proper way; **ho lavorato più del** ~ I worked more than was necessary.

doz'zina [dod'dzina] *sf* dozen; **una** ~ **di uova** a dozen eggs; **di** *o* **da** ~ (*scrittore, spettacolo*) second-rate.

dozzi'nale [doddzi'nale] *ag* cheap, second-rate.

DP *sigla f* (= *Democrazia Proletaria*) *political party*.

'draga, ghe *sf* dredger.

dra'gare *vt* to dredge.

dragherò *etc* [drage'rɔ] *vb vedi* **dragare**.

'drago, ghi *sm* dragon; (*fig fam*) genius.

'dramma, i *sm* drama; **fare un** ~ **di qc** to make a drama out of sth.

dram'matico, a, ci, che *ag* dramatic.

drammatiz'zare [drammatid'dzare] *vt* to dramatize.

dramma'turgo, ghi *sm* playwright, dramatist.

drappeggi'are [drapped'dʒare] *vt* to drape.

drap'peggio [drap'peddʒo] *sm* (*tessuto*) drapery; (*di abito*) folds.

drap'pello *sm* (*MIL*) squad; (*gruppo*) band, group.

'drappo *sm* cloth.

'drastico, a, ci, che *ag* drastic.

dre'naggio [dre'naddʒo] *sm* drainage.

dre'nare *vt* to drain.

'Dresda *sf* Dresden.

drib'blare *vi* (*CALCIO*) to dribble ♦ *vt* (*avversario*) to dodge, avoid.

'dritto, a *ag, av* = **diritto** ♦ *sm/f* (*fam: furbo*): **è un** ~ he's a crafty *o* sly one ♦ *sf* (*destra*) right, right hand; (*NAUT*) starboard; **a** ~**a e a manca** (*fig*) on all sides, right, left and centre.

driz'zare [drit'tsare] *vt* (*far tornare diritto*) to straighten; (*volgere: sguardo, occhi*) to turn, direct; (*innalzare: antenna, muro*) to erect; ~**rsi** *vr* to stand up; ~ **le orecchie** to prick up one's ears; ~**rsi in piedi** to rise to one's feet; ~**rsi a sedere** to sit up.

'droga, ghe *sf* (*sostanza aromatica*) spice; (*stupefacente*) drug; ~**ghe pesanti/leggere** hard/soft drugs.

dro'gare *vt* to season, spice; to drug, dope; ~**rsi** *vr* to take drugs.

dro'gato, a *sm/f* drug addict.

droghe'ria [droge'ria] *sf* grocer's (shop) (*BRIT*), grocery (store) (*US*).

drogherò *etc* [droge'rɔ] *vb vedi* **drogare**.

droghi'ere, a [dro'gjɛre] *sm/f* grocer.

drome'dario *sm* dromedary.

D.T. *abbr* = **direttore tecnico**.

'dubbio, a *ag* (*incerto*) doubtful, dubious; (*ambiguo*) dubious ♦ *sm* (*incertezza*) doubt; **avere il** ~ **che** to be afraid that, suspect that; **essere in** ~ **fra** to hesitate between; **mettere in** ~ **qc** to question sth; **nutrire seri** ~**i su qc** to have grave doubts about sth; **senza** ~ doubtless, no doubt.

dubbi'oso, a *ag* doubtful, dubious.

dubi'tare *vi*: ~ **di** (*onestà*) to doubt; (*risultato*) to be doubtful of; ~ **di qn** to mistrust sb; ~ **di sé** to be unsure of o.s.

Du'blino *sf* Dublin.

'duca, chi *sm* duke.

'duce [ˈdutʃe] *sm* (*STORIA*) captain; (: *del fascismo*) duce.

du'chessa [du'kessa] *sf* duchess.

'due *num* two; **a** ~ **a** ~ two at a time, two by two; **dire** ~ **parole** to say a few words; **ci metto** ~ **minuti** I'll have it done in a tick (*BRIT*) *o* jiffy.

duecen'tesco, a, schi, sche [duetʃen'tesko] *ag* thirteenth-century.

due'cento [due'tʃɛnto] *num* two hundred ♦ *sm*: **il D**~ the thirteenth century.

duel'lare *vi* to fight a duel.

du'ello *sm* duel.

due'mila *num* two thousand ♦ *sm inv*: **il** ~ the year two thousand.

due'pezzi [due'pɛttsi] *sm* (*costume da bagno*) two-piece swimsuit; (*abito femminile*) two-piece suit.

du'etto *sm* duet.

'dulcis in 'fundo ['dultʃisin'fundo] *av* to cap it all.

'duna *sf* dune.

'dunque *cong* (*perciò*) so, therefore; (*riprendendo il discorso*) well (then) ♦ *sm*

inv: **venire al** ~ to come to the point.
'duo *sm inv* (*MUS*) duet; (*TEAT, CINE, fig*) duo.
du'ole *etc etc vb vedi* **dolere**.
du'omo *sm* cathedral.
'duplex *sm inv* (*TEL*) party line.
dupli'cato *sm* duplicate.
'duplice ['duplitʃe] *ag* double, twofold; **in** ~ **copia** in duplicate.
duplicità [duplitʃi'ta] *sf* (*fig*) duplicity.
du'rante *prep* during; **vita natural** ~ for life.
du'rare *vi* to last; **non può** ~! this can't go on any longer!; ~ **fatica a** to have difficulty in; ~ **in carica** to remain in office.
du'rata *sf* length (of time); duration; **per tutta la** ~ **di** throughout; ~ **media della vita** life expectancy.
dura'turo, a *ag,* **du'revole** *ag* (*ricordo*) lasting; (*materiale*) durable.
du'rezza [du'rettsa] *sf* hardness; stubbornness; harshness; toughness.
'duro, a *ag* (*pietra, lavoro, materasso, problema*) hard; (*persona: ostinato*) stubborn, obstinate; (*: severo*) harsh, hard; (*voce*) harsh; (*carne*) tough ♦ *sm/f* (*persona*) tough one ♦ *av*: **tener** ~ (*resistere*) to stand firm, hold out; **avere la pelle** ~**a** (*fig: persona*) to be tough; **fare il** ~ to act tough; ~ **di comprendonio** slow-witted; ~ **d'orecchi** hard of hearing.
du'rone *sm* hard skin.
'duttile *ag* (*sostanza*) malleable; (*fig: carattere*) docile, biddable; (*: stile*) adaptable.

E e

E, e [e] *sf o m inv* (*lettera*) E, e; **E come Empoli** ≈ E for Edward (*BRIT*), E for Easy (*US*).
E *abbr* (= *est*) E; (*AUT*) = *itinerario europeo*.
e, *dav V spesso* **ed** *cong* and; (*avversativo*) but; (*eppure*) and yet; ~ **lui?** what about him?; ~ **compralo!** well buy it then!
è *vb vedi* **essere**.
E.A. *abbr* = *ente autonomo*.
E.A.D. *sigla f vedi* **elaborazione automatica dei dati**.
ebaniste'ria *sf* cabinet-making; (*negozio*) cabinet-maker's shop.
'ebano *sm* ebony.

eb'bene *cong* well (then).
'ebbi *etc vb vedi* **avere**.
eb'brezza [eb'brettsa] *sf* intoxication.
'ebbro, a *ag* drunk; ~ **di** (*gioia etc*) beside o.s. *o* wild with.
'ebete *ag* stupid, idiotic.
ebe'tismo *sm* stupidity.
ebollizi'one [ebollit'tsjone] *sf* boiling; **punto di** ~ boiling point.
e'braico, a, ci, che *ag* Hebrew, Hebraic ♦ *sm* (*LING*) Hebrew.
e'breo, a *ag* Jewish ♦ *sm/f* Jew/Jewess.
'Ebridi *sfpl*: **le (isole)** ~ the Hebrides.
e'burneo, a *ag* ivory *cpd*.
E/C *abbr* = **estratto conto**.
eca'tombe *sf* (*strage*) slaughter, massacre.
ecc *abbr av* (= *eccetera*) etc.
ecce'dente [ettʃe'dɛnte] *sm* surplus.
ecce'denza [ettʃe'dɛntsa] *sf* excess, surplus; (*INFORM*) overflow.
ec'cedere [et'tʃedere] *vt* to exceed ♦ *vi* to go too far; ~ **nel bere/mangiare** to indulge in drink/food to excess.
eccel'lente [ettʃel'lɛnte] *ag* excellent; (*cadavere, arresto*) of a prominent person.
eccel'lenza [ettʃe'lɛntsa] *sf* excellence; (*titolo*): **Sua E**~ His Excellency.
ec'cellere [et'tʃellere] *vi*: ~ **(in)** to excel (at); ~ **su tutti** to surpass everyone.
ec'celso, a [et'tʃɛlso] *pp di* **eccellere** ♦ *ag* (*cima, montagna*) high; (*fig: ingegno*) great, exceptional.
ec'centrico, a, ci, che [et'tʃɛntriko] *ag* eccentric.
ecces'sivo, a [ettʃes'sivo] *ag* excessive.
ec'cesso [et'tʃɛsso] *sm* excess; **all'**~ (*gentile, generoso*) to excess, excessively; **dare in** ~**i** to fly into a rage; ~ **di velocità** (*AUT*) speeding; ~ **di zelo** overzealousness.
ec'cetera [et'tʃɛtera] *av* et cetera, and so on.
ec'cetto [et'tʃɛtto] *prep* except, with the exception of; ~ **che** *cong* except, other than; ~ **che (non)** unless.
eccettu'are [ettʃettu'are] *vt* to except; **eccettuati i presenti** present company excepted.
eccezio'nale [ettʃettsjo'nale] *ag* exceptional; **in via del tutto** ~ in this instance, exceptionally.
eccezi'one [ettʃet'tsjone] *sf* exception; (*DIR*) objection; **a** ~ **di** with the exception of, except for; **d'**~ exceptional; **fare un'**~ **alla regola** to make an exception to the rule.
ec'chimosi [ek'kimozi] *sf inv* bruise.
ec'cidio [et'tʃidjo] *sm* massacre.

ecci'tante [ettʃi'tante] *ag* (*gen*) exciting; (*sostanza*) stimulating ♦ *sm* stimulant.

ecci'tare [ettʃi'tare] *vt* (*curiosità, interesse*) to excite, arouse; (*folla*) to incite; **~rsi** *vr* to get excited; (*sessualmente*) to become aroused.

eccitazi'one [ettʃitat'tsjone] *sf* excitement.

ecclesi'astico, a, ci, che *ag* ecclesiastical, church *cpd*; clerical ♦ *sm* ecclesiastic.

'ecco *av* (*per dimostrare*): **~ il treno!** here's o here comes the train!; (*dav pronome*): **~mi!** here I am!; **~ne uno!** here's one (of them)!; (*dav pp*): **~ fatto!** there, that's it done!

ec'come *av* rather; **ti piace? — ~!** do you like it? — I'll say! o and how! o rather! (*BRIT*).

ECG *sigla m* = **elettrocardiogramma**.

echeggi'are [eked'dʒare] *vi* to echo.

e'clettico, a, ci, che *ag, sm/f* eclectic.

eclet'tismo *sm* eclecticism.

eclis'sare *vt* to eclipse; (*fig*) to eclipse, overshadow; **~rsi** *vr* (*persona: scherzoso*) to slip away.

e'clissi *sf* eclipse.

'eco, *pl(m)* **'echi** *sm o f* echo; **suscitò** o **ebbe una profonda ~** it caused quite a stir.

ecogra'fia *sf* (*MED*) ultrasound.

ecolo'gia [ekolo'dʒia] *sf* ecology.

eco'logico, a, ci, che [eko'lɔdʒiko] *ag* ecological.

ecolo'gista, i, e [ekolo'dʒista] *ag* ecological ♦ *sm/f* ecologist, environmentalist.

e'cologo, a, gi, ghe *sm/f* ecologist.

econo'mato *sm* (*INS*) bursar's office.

econo'mia *sf* economy; (*scienza*) economics *sg*; (*risparmio: azione*) saving; **fare ~** to economize, make economies; **l'~ sommersa** the black (*BRIT*) o underground (*US*) economy; **~ di mercato** market economy; **~ pianificata** planned economy.

eco'nomico, a, ci, che *ag* economic; (*poco costoso*) economical; **edizione ~a** economy edition.

econo'mista, i *sm* economist.

economiz'zare [ekonomid'dzare] *vt, vi* to save.

e'conomo, a *ag* thrifty ♦ *sm/f* (*INS*) bursar.

ecosis'tema, i *sm* ecosystem.

'ECU, 'ecu *abbr m inv* (= *European Currency Unit*) ECU, ecu.

'Ecuador *sm*: **l'~** Ecuador.

ecu'menico, a, ci, che *ag* ecumenical.

ec'zema [ek'dzɛma] *sm* eczema.

ed *cong* vedi **e**.

Ed. *abbr* = **editore**.

ed. *abbr* = **edizione**.

'edera *sf* ivy.

e'dicola *sf* newspaper kiosk o stand (*US*).

edico'lante *sm/f* news vendor (*in kiosk*).

edifi'cante *ag* edifying.

edifi'care *vt* to build; (*fig: teoria, azienda*) to establish; (*indurre al bene*) to edify.

edi'ficio [edi'fitʃo] *sm* building; (*fig*) structure.

e'dile *ag* building *cpd*.

edi'lizio, a [edi'littsjo] *ag* building *cpd* ♦ *sf* building, building trade.

Edim'burgo *sf* Edinburgh.

'edito, a *ag* published.

edi'tore, 'trice *ag* publishing *cpd* ♦ *sm/f* publisher; (*curatore*) editor.

edito'ria *sf* publishing.

editori'ale *ag* publishing *cpd* ♦ *sm* (*articolo di fondo*) editorial, leader.

e'ditto *sm* edict.

edizi'one [edit'tsjone] *sf* edition; (*tiratura*) printing; **~ a tiratura limitata** limited edition.

edo'nismo *sm* hedonism.

e'dotto, a *ag* informed; **rendere qn ~ su qc** to inform sb about sth.

edu'canda *sf* boarder.

edu'care *vt* to educate; (*gusto, mente*) to train; **~ qn a fare** to train sb to do.

educa'tivo, a *ag* educational.

edu'cato, a *ag* polite, well-mannered.

educazi'one [edukat'tsjone] *sf* education; (*familiare*) upbringing; (*comportamento*) (good) manners *pl*; **per ~** out of politeness; **questa è pura mancanza d'~!** this is sheer bad manners!; **~ fisica** (*INS*) physical training o education.

educherò *etc* [eduke'rɔ] *vb vedi* **educare**.

E.E.D. *sigla f vedi* **elaborazione elettronica dei dati**.

EEG *sigla m* = **elettroencefalogramma**.

e'felide *sf* freckle.

effemi'nato, a *ag* effeminate.

effe'rato, a *ag* brutal, savage.

efferve'scente [effer veʃ'ʃɛnte] *ag* effervescent.

effettiva'mente *av* (*in effetti*) in fact; (*a dire il vero*) really, actually.

effet'tivo, a *ag* (*reale*) real, actual; (*impiegato, professore*) permanent; (*MIL*) regular ♦ *sm* (*MIL*) strength; (*di patrimonio etc*) sum total.

ef'fetto *sm* effect; (*COMM: cambiale*) bill; (*fig: impressione*) impression; **far ~** (*medicina*) to take effect, (start to) work; **cercare l'~** to seek attention; **in ~i** in fact; **~i attivi** (*COMM*) bills receivable; **~i passivi** (*COMM*) bills payable; **~i personali** personal effects, personal belongings; **~**

serra greenhouse effect; ~**i speciali** (*CINE*) special effects.
effettu'are *vt* to effect, carry out.
effi'cace [effi'katʃe] *ag* effective.
effi'cacia [effi'katʃa] *sf* effectiveness.
effici'ente [effi'tʃɛnte] *ag* efficient.
efficien'tismo [effitʃen'tizmo] *sm* maximum efficiency.
effici'enza [effi'tʃɛntsa] *sf* efficiency.
effigi'are [effi'dʒare] *vt* to represent, portray.
ef'figie [ef'fidʒe] *sf inv* effigy.
ef'fimero, a *ag* ephemeral.
ef'fluvio *sm* (*anche peg, ironico*) scent, perfume.
effusi'one *sf* effusion.
e.g. *abbr* (= *exempli gratia*) e.g.
egemo'nia [edʒemo'nia] *sf* hegemony.
E'geo [e'dʒɛo] *sm*: **l'~, il mare** ~ the Aegean (Sea).
'egida ['ɛdʒida] *sf*: **sotto l'~ di** under the aegis of.
E'gitto [e'dʒitto] *sm*: **l'~** Egypt.
egizi'ano, a [edʒit'tsjano] *ag, sm/f* Egyptian.
e'gizio, a [e'dʒittsjo] *ag, sm/f* (ancient) Egyptian.
'egli ['eʎʎi] *pron* he; ~ **stesso** he himself.
'ego *sm inv* (*PSIC*) ego.
ego'centrico, a, ci, che [ego'tʃɛntriko] *ag* egocentric(al) ♦ *sm/f* self-centred (*BRIT*) *o* self-centered (*US*) person.
egocen'trismo [egotʃen'trizmo] *sm* egocentricity.
ego'ismo *sm* selfishness, egoism.
ego'ista, i, e *ag* selfish, egoistic ♦ *sm/f* egoist.
ego'istico, a, ci, che *ag* egoistic, selfish.
ego'tismo *sm* egotism.
ego'tista, i, e *ag* egotistic ♦ *sm/f* egotist.
Egr. *abbr* = **Egregio.**
e'gregio, a, gi, gie [e'grɛdʒo] *ag* distinguished; (*nelle lettere*): **E~ Signore** Dear Sir.
eguagli'anza *etc* [egwaʎ'ʎantsa] *vedi* **uguaglianza** *etc*.
eguali'tario, a *ag, sm/f* egalitarian.
E.I. *abbr* = *Esercito Italiano*.
eiaculazi'one [ejakulat'tsjone] *sf* ejaculation; ~ **precoce** premature ejaculation.
elabo'rare *vt* (*progetto*) to work out, elaborate; (*dati*) to process; (*digerire*) to digest.
elabora'tore *sm* (*INFORM*): ~ **elettronico** computer.
elaborazi'one [elaborat'tsjone] *sf* elaboration; processing; digestion; ~ **automatica dei dati (E.A.D.)** (*INFORM*)

automatic data processing (A.D.P.); ~ **elettronica dei dati (E.E.D.)** (*INFORM*) electronic data processing (E.D.P.); ~ **testi** (*INFORM*) text processing.
elar'gire [elar'dʒire] *vt* to hand out.
elargizi'one [elardʒit'tsjone] *sf* donation.
elasticiz'zato, a [elastitʃid'dzato] *ag* (*tessuto*) stretch *cpd*.
e'lastico, a, ci, che *ag* elastic; (*fig: andatura*) springy; (: *decisione, vedute*) flexible ♦ *sm* (*gommino*) rubber band; (*per il cucito*) elastic *no pl*.
ele'fante *sm* elephant.
ele'gante *ag* elegant.
ele'ganza [ele'gantsa] *sf* elegance.
e'leggere [e'lɛddʒere] *vt* to elect.
elemen'tare *ag* elementary; **le (scuole)** ~**i** *vedi* **scuola elementare; prima** ~ first year of primary school, ≈ infants' class (*BRIT*), ≈ 1st grade (*US*).
ele'mento *sm* element; (*parte componente*) element, component, part; ~**i** *smpl* (*della scienza etc*) elements, rudiments.
ele'mosina *sf* charity, alms *pl*; **chiedere l'~** to beg.
elemosi'nare *vt* to beg for, ask for ♦ *vi* to beg.
elen'care *vt* to list.
elencherò *etc* [elenke'rɔ] *vb vedi* **elencare**.
e'lenco, chi *sm* list; ~ **nominativo** list of names; ~ **telefonico** telephone directory.
e'lessi *etc vb vedi* **eleggere**.
elet'tivo, a *ag* (*carica etc*) elected.
e'letto, a *pp di* **eleggere** ♦ *sm/f* (*nominato*) elected member.
eletto'rale *ag* electoral, election *cpd*.
eletto'rato *sm* electorate.
elet'tore, 'trice *sm/f* voter, elector.
elet'trauto *sm inv* workshop for car electrical repairs; (*tecnico*) car electrician.
elettri'cista, i [elettri'tʃista] *sm* electrician.
elettricità [elettritʃi'ta] *sf* electricity.
e'lettrico, a, ci, che *ag* electric(al).
elettrifi'care *vt* to electrify.
elettriz'zante [elettrid'dzante] *ag* (*fig*) electrifying, thrilling.
elettriz'zare [elettrid'dzare] *vt* to electrify; ~**rsi** *vr* to become charged with electricity; (*fig: persona*) to be thrilled.
e'lettro... *prefisso* electro....
elettrocardio'gramma, i *sm* electrocardiogram.
e'lettrodo *sm* electrode.
elettrodo'mestico, a, ci, che *ag*: **apparecchi** ~**ci** domestic (electrical) appliances.
elettroencefalo'gramma, i

[elettroentʃefalo'gramma] *sm* electroencephalogram.

elet'trogeno, a [elet'trɔdʒeno] *ag*: **gruppo** ~ **generator**.

elet'trolisi *sf* electrolysis.

elettroma'gnetico, a, ci, che [elettromaɲ'ɲɛtiko] *ag* electromagnetic.

elettromo'trice [elettromo'tritʃe] *sf* electric train.

elet'trone *sm* electron.

elet'tronico, a, ci, che *ag* electronic ♦ *sf* electronics *sg*.

elettro'shock [elettroʃ'ʃɔk] *sm inv* (electro)shock treatment.

elettro'tecnico, a, ci, che *ag* electrotechnical ♦ *sm* electrical engineer.

ele'vare *vt* to raise; (*edificio*) to erect; (*multa*) to impose; ~ **un numero al quadrato** to square a number.

eleva'tezza [eleva'tettsa] *sf* (*altezza*) elevation; (*di animo, pensiero*) loftiness.

ele'vato, a *ag* (*gen*) high; (*cime*) high, lofty; (*fig: stile, sentimenti*) lofty.

elevazi'one [elevat'tsjone] *sf* elevation; (*l'elevare*) raising.

elezi'one [elet'tsjone] *sf* election; ~**i** *sfpl* (*POL*) election(s); **patria d'**~ chosen country.

'elica, che *sf* propeller.

eli'cottero *sm* helicopter.

e'lidere *vt* (*FONETICA*) to elide; ~**rsi** *vr* (*forze*) to cancel each other out, neutralize each other.

elimi'nare *vt* to eliminate.

elimina'toria *sf* eliminating round.

eliminazi'one [eliminat'tsjone] *sf* elimination.

'elio *sm* helium.

eli'porto *sm* heliport.

elisabetti'ano, a *ag* Elizabethan.

eli'sir *sm inv* elixir.

e'liso, a *pp di* **elidere**.

eli'tario, a *ag* elitist.

é'lite [e'lit] *sf inv* élite.

'ella *pron* she; (*forma di cortesia*) you; ~ **stessa** she herself; you yourself.

el'lisse *sf* ellipse.

el'littico, a, ci, che *ag* elliptic(al).

el'metto *sm* helmet.

'elmo *sm* helmet.

elogi'are [elo'dʒare] *vt* to praise.

elogia'tivo, a [elodʒa'tivo] *ag* laudatory.

e'logio [e'lɔdʒo] *sm* (*discorso, scritto*) eulogy; (*lode*) praise; ~ **funebre** funeral oration.

elo'quente *ag* eloquent; **questi dati sono** ~**i** these facts speak for themselves.

elo'quenza [elo'kwɛntsa] *sf* eloquence.

e'loquio *sm* speech, language.

elucu'brare *vt* (*piano*) to ponder about, ponder over.

elucubrazi'oni [elukubrat'tsjoni] *sfpl* (*anche ironico*) cogitations, ponderings.

e'ludere *vt* to evade.

e'lusi *etc vb vedi* **eludere**.

elusi'one *sf*: ~ **d'imposta** tax evasion.

elu'sivo, a *ag* evasive.

e'luso, a *pp di* **eludere**.

el'vetico, a, ci, che *ag* Swiss.

emaci'ato, a [ema'tʃato] *ag* emaciated.

ema'nare *vt* to send out, give off; (*fig: leggi*) to promulgate; (: *decreti*) to issue ♦ *vi*: ~ **da** to come from.

emanazi'one [emanat'tsjone] *sf* (*di raggi, calore*) emanation; (*di odori*) exhalation; (*di legge*) promulgation; (*di ordine, circolare*) issuing.

emanci'pare [emantʃi'pare] *vt* to emancipate; ~**rsi** *vr* (*fig*) to become liberated *o* emancipated.

emancipazi'one [emantʃipat'tsjone] *sf* emancipation.

emargi'nare [emardʒi'nare] *vt* (*fig: socialmente*) to cast out.

emargi'nato, a [emardʒi'nato] *sm/f* outcast.

ematolo'gia [ematolo'dʒia] *sf* haematology (*BRIT*), hematology (*US*).

ema'toma, i *sm* haematoma (*BRIT*), hematoma (*US*).

em'blema, i *sm* emblem.

emble'matico, a, ci, che *ag* emblematic; (*fig: atteggiamento, parole*) symbolic.

embo'lia *sf* embolism.

embrio'nale, i, e *ag* embryonic, embryo *cpd*; **allo stadio** ~ at the embryo stage.

embri'one *sm* embryo.

emenda'mento *sm* amendment.

emen'dare *vt* to amend.

emer'gente [emer'dʒɛnte] *ag* emerging.

emer'genza [emer'dʒɛntsa] *sf* emergency; **in caso di** ~ in an emergency.

e'mergere [e'mɛrdʒere] *vi* to emerge; (*sommergibile*) to surface; (*fig: distinguersi*) to stand out.

e'merito, a *ag* (*insigne*) distinguished; **è un** ~ **cretino!** he's a complete idiot!

e'mersi *etc vb vedi* **emergere**.

e'merso, a *pp di* **emergere** ♦ *ag* (*GEO*): **terre** ~**e** lands above sea level.

e'messo, a *pp di* **emettere**.

e'mettere *vt* (*suono, luce*) to give out, emit; (*onde radio*) to send out; (*assegno, francobollo, ordine*) to issue; (*fig: giudizio*) to express, voice; ~ **la sentenza** (*DIR*) to pass sentence.

emi'crania *sf* migraine.

emi'grante *ag, smlf* emigrant.
emi'grare *vi* to emigrate.
emi'grato, a *ag* emigrant ♦ *smlf* emigrant; (*STORIA*) émigré.
emigrazi'one [emigrat'tsjone] *sf* emigration.
emili'ano, a *ag* of (o from) Emilia.
emi'nente *ag* eminent, distinguished.
emi'nenza [emi'nɛntsa] *sf* eminence; ~ **grigia** (*fig*) éminence grise.
emi'rato *sm* emirate; **gli E~i Arabi Uniti** the United Arab Emirates.
e'miro *sm* emir.
emis'fero *sm* hemisphere; ~ **boreale/ australe** northern/southern hemisphere.
e'misi *etc vb vedi* **emettere**.
emis'sario *sm* (*GEO*) outlet, effluent; (*inviato*) emissary.
emissi'one *sf* (*vedi* emettere) emission; sending out; issue; (*RADIO*) broadcast.
emit'tente *ag* (*banca*) issuing; (*RADIO*) broadcasting, transmitting ♦ *sf* (*RADIO*) transmitter.
emofi'lia *sf* haemophilia (*BRIT*), hemophilia (*US*).
emofi'liaco, a, ci, che *ag, smlf* haemophiliac (*BRIT*), hemophiliac (*US*).
emoglo'bina *sf* haemoglobin (*BRIT*), hemoglobin (*US*).
emolli'ente *ag* soothing.
emorra'gia, 'gie [emorra'dʒia] *sf* haemorrhage (*BRIT*), hemorrhage (*US*).
emor'roidi *sfpl* haemorrhoids (*BRIT*), hemorrhoids (*US*).
emos'tatico, a, ci, che *ag* haemostatic (*BRIT*), hemostatic (*US*); **laccio ~** tourniquet; **matita ~a** styptic pencil.
emotività *sf* emotionalism.
emo'tivo, a *ag* emotional.
emozio'nante [emottsjo'nante] *ag* exciting, thrilling.
emozio'nare [emottsjo'nare] *vt* (*appassionare*) to thrill, excite; (*commuovere*) to move; (*innervosire*) to upset; **~rsi** *vr* to be excited; to be moved; to be upset.
emozi'one [emot'tsjone] *sf* emotion; (*agitazione*) excitement.
'empio, a *ag* (*sacrilego*) impious; (*spietato*) cruel, pitiless; (*malvagio*) wicked, evil.
em'pirico, a, ci, che *ag* empirical.
em'porio *sm* general store.
emu'lare *vt* to emulate.
'emulo, a *smlf* imitator.
emulsi'one *sf* emulsion.
EN *sigla* = Enna.
en'ciclica, che [en'tʃiklika] *sf* (*REL*) encyclical.
enciclope'dia [entʃiklope'dia] *sf* encyclop(a)edia.
encomi'abile *ag* commendable, praiseworthy.
encomi'are *vt* to commend, praise.
en'comio *sm* commendation; ~ **solenne** (*MIL*) mention in dispatches.
endove'noso, a *ag* (*MED*) intravenous ♦ *sf* intravenous injection.
E'NEA *sigla f* = *Comitato nazionale per la ricerca e lo sviluppo dell'Energia Nucleare e delle Energie Alternative*.
'E.N.E.L. *sigla m* (= *Ente Nazionale per l'Energia Elettrica*) national electricity company.
ener'getico, a, ci, che [ener'dʒɛtiko] *ag* (*risorse, crisi*) energy *cpd*; (*sostanza, alimento*) energy-giving.
ener'gia, 'gie [ener'dʒia] *sf* (*FISICA*) energy; (*fig*) energy, strength, vigour (*BRIT*), vigor (*US*).
e'nergico, a, ci, che [e'nɛrdʒiko] *ag* energetic, vigorous.
'enfasi *sf* emphasis; (*peg*) bombast, pomposity.
en'fatico, a, ci, che *ag* emphatic; pompous.
enfatiz'zare [enfatid'dzare] *vt* to emphasize, stress.
enfi'sema *sm* emphysema.
'ENI *sigla m* = *Ente Nazionale Idrocarburi*.
e'nigma, i *sm* enigma.
enig'matico, a, ci, che *ag* enigmatic.
'ENIT *sigla m* (= *Ente Nazionale Italiano per il Turismo*) *Italian tourist authority*.
en'nesimo, a *ag* (*MAT, fig*) nth; **per l'~a volta** for the umpteenth time.
enolo'gia [enolo'dʒia] *sf* oenology (*BRIT*), enology (*US*).
e'nologo, gi *sm* wine expert.
e'norme *ag* enormous, huge.
enormità *sf inv* enormity, huge size; (*assurdità*) absurdity; **non dire ~!** don't talk nonsense!
eno'teca, che *sf* (*negozio*) wine bar.
'E.N.P.A. *sigla m* (= *Ente Nazionale Protezione Animali*) ≈ RSPCA (*BRIT*), ≈ SPCA (*US*).
'E.N.P.A.S. *sigla m* (= *Ente Nazionale di Previdenza e Assistenza per i Dipendenti Statali*) *welfare organization for State employees*.
'ente *sm* (*istituzione*) body, board, corporation; (*FILOSOFIA*) being; ~ **locale** local authority (*BRIT*), local government (*US*); ~ **pubblico** public body; ~ **di ricerca** research organization.
ente'rite *sf* enteritis.

entità *sf* (*FILOSOFIA*) entity; (*di perdita, danni, investimenti*) extent; (*di popolazione*) size; **di molta/poca** ~ (*avvenimento, incidente*) of great/little importance.

en'trambi, e *pron pl* both (of them) ♦ *ag pl*: ~ **i ragazzi** both boys, both of the boys.

en'trante *ag* (*prossimo*: *mese, anno*) next, coming.

en'trare *vi* to enter, go (*o come*) in; ~ **in** (*luogo*) to enter, go (*o come*) into; (*trovar posto, poter stare*) to fit into; (*essere ammesso a: club etc*) to join, become a member of; ~ **in automobile** to get into the car; **far** ~ **qn** (*visitatore etc*) to show sb in; ~ **in società/in commercio con qn** to go into partnership/business with sb; **questo non c'entra** (*fig*) that's got nothing to do with it.

en'trata *sf* entrance, entry; ~**e** *sfpl* (*COMM*) receipts, takings; (*ECON*) income *sg*; "~ **libera**" "admission free"; **con l'**~ **in vigore dei nuovi provvedimenti** ... once the new measures come into effect ...; ~**e tributarie** tax revenue *sg*.

'entro *prep* (*temporale*) within; ~ **domani** by tomorrow; ~ **e non oltre il 25 aprile** no later than 25th April.

entro'terra *sm inv* hinterland.

entusias'mante *ag* exciting.

entusias'mare *vt* to excite, fill with enthusiasm; ~**rsi** *vr*: ~**rsi (per qc/qn)** to become enthusiastic (about sth/sb).

entusi'asmo *sm* enthusiasm.

entusi'asta, i, e *ag* enthusiastic ♦ *sm/f* enthusiast.

entusi'astico, a, ci, che *ag* enthusiastic.

enucle'are *vt* (*formale*: *chiarire*) to explain.

enume'rare *vt* to enumerate, list.

enunci'are [enun'tʃare] *vt* (*teoria*) to enunciate, set out.

en'zima, i *sm* enzyme.

e'patico, a, ci, che *ag* hepatic; **cirrosi** ~**a** cirrhosis of the liver.

epa'tite *sf* hepatitis.

'epico, a, ci, che *ag* epic.

epide'mia *sf* epidemic.

epi'dermico, a, ci, che *ag* (*ANAT*) skin *cpd*; (*fig*: *interesse, impressioni*) superficial.

epi'dermide *sf* skin, epidermis.

Epifa'nia *sf* Epiphany.

e'pigono *sm* imitator.

e'pigrafe *sf* epigraph; (*su libro*) dedication.

epiles'sia *sf* epilepsy.

epi'lettico, a, ci, che *ag*, *sm/f* epileptic.

e'pilogo, ghi *sm* conclusion.

epi'sodico, a, ci, che *ag* (*romanzo, narrazione*) episodic; (*fig*: *occasionale*) occasional.

epi'sodio *sm* episode; **sceneggiato a** ~**i** serial.

e'pistola *sf* epistle.

episto'lare *ag* epistolary; **essere in rapporto** *o* **relazione** ~ **con qn** to correspond *o* be in correspondence with sb.

e'piteto *sm* epithet.

'epoca, che *sf* (*periodo storico*) age, era; (*tempo*) time; (*GEO*) age; **mobili d'**~ period furniture; **fare** ~ (*scandalo*) to cause a stir; (*cantante, moda*) to mark a new era.

epo'pea *sf* (*anche fig*) epic.

ep'pure *cong* and yet, nevertheless.

EPT *sigla m* (= *Ente Provinciale per il Turismo*) *district tourist bureau.*

epu'rare *vt* (*POL*) to purge.

equ'anime *ag* (*imparziale*) fair, impartial.

equa'tore *sm* equator.

equazi'one [ekwat'tsjone] *sf* (*MAT*) equation.

e'questre *ag* equestrian.

equi'latero, a *ag* equilateral.

equili'brare *vt* to balance.

equili'brato, a *ag* (*carico, fig*: *giudizio*) balanced; (*vita*) well-regulated; (*persona*) stable, well-balanced.

equi'librio *sm* balance, equilibrium; **perdere l'**~ to lose one's balance; **stare in** ~ **su** (*persona*) to balance on; (*oggetto*) to be balanced on.

equili'brismo *sm* tightrope walking; (*fig*) juggling.

e'quino, a *ag* horse *cpd*, equine.

equi'nozio [ekwi'nɔttsjo] *sm* equinox.

equipaggia'mento [ekwipaddʒa'mento] *sm* (*operazione*: *di nave*) equipping, fitting out; (: *di spedizione, esercito*) equipping, kitting out; (*attrezzatura*) equipment.

equipaggi'are [ekwipad'dʒare] *vt* to equip; ~**rsi** *vr* to equip o.s.

equi'paggio [ekwi'paddʒo] *sm* crew.

equipa'rare *vt* to make equal.

é'quipe [e'kip] *sf* (*SPORT, gen*) team.

equità *sf* equity, fairness.

equitazi'one [ekwitat'tsjone] *sf* (horse-) riding.

equiva'lente *ag*, *sm* equivalent.

equiva'lenza [ekwiva'lɛntsa] *sf* equivalence.

equiva'lere *vi*: ~ **a** to be equivalent to; ~**rsi** *vr* (*forze etc*) to counterbalance each other; (*soluzioni*) to amount to the same thing; **equivale a dire che** ... that is the same as saying that ....

equi'valso, a *pp di* **equivalere**.

equivo'care *vi* to misunderstand.

e'**quivoco, a, ci, che** *ag* equivocal, ambiguous; (*sospetto*) dubious ♦ *sm* misunderstanding; **a scanso di ~ci** to avoid any misunderstanding; **giocare sull'~** to equivocate.

'**equo, a** *ag* fair, just.

'**era** *sf* era.

'**era** *etc vb vedi* **essere.**

erari'**ale** *ag*: **ufficio ~ ≈** tax office; **imposte ~i** revenue taxes; **spese ~i** public expenditure *sg.*

e'**rario** *sm*: **l'~ ≈** the Treasury.

'**erba** *sf* grass; (*aromatica, medicinale*) herb; **in ~** (*fig*) budding; **fare di ogni ~ un fascio** (*fig*) to lump everything (*o* everybody) together.

er'**baccia, ce** [er'battʃa] *sf* weed.

er'**bivoro, a** *ag* herbivorous ♦ *sm/f* herbivore.

erbo'**rista, i, e** *sm/f* herbalist.

erboriste'**ria** *sf* (*scienza*) study of medicinal herbs; (*negozio*) herbalist's (shop).

er'**boso, a** *ag* grassy.

e'**rede** *sm/f* heir; **~ legittimo** heir-at-law.

eredità *sf* (*DIR*) inheritance; (*BIOL*) heredity; **lasciare qc in ~ a qn** to leave *o* bequeath sth to sb.

eredi'**tare** *vt* to inherit.

eredi'**tario, a** *ag* hereditary.

erediti'**era** *sf* heiress.

ere'**mita, i** *sm* hermit.

eremi'**taggio** [eremi'taddʒo] *sm* hermitage.

'**eremo** *sm* hermitage; (*fig*) retreat.

ere'**sia** *sf* heresy.

e'**ressi** *etc vb vedi* **erigere.**

e'**retico, a, ci, che** *ag* heretical ♦ *sm/f* heretic.

e'**retto, a** *pp di* **erigere** ♦ *ag* erect, upright.

erezi'**one** [eret'tsjone] *sf* (*FISIOL*) erection.

ergasto'**lano, a** *sm/f* prisoner serving a life sentence, lifer (*fam*).

er'**gastolo** *sm* (*DIR*: *pena*) life imprisonment; (: *luogo di pena*) prison (*for those serving life sentences*).

ergono'**mia** *sf* ergonomics *sg.*

ergo'**nomico, a, ci, che** *ag* ergonomic(al).

'**erica** *sf* heather.

e'**rigere** [e'ridʒere] *vt* to erect, raise; (*fig*: *fondare*) to found.

eri'**tema** *sm* (*MED*) inflammation, erythema; **~ solare** sunburn.

Eri'**trea** *sf* Eritrea.

ermel'**lino** *sm* ermine.

er'**metico, a, ci, che** *ag* hermetic.

'**ernia** *sf* (*MED*) hernia; **~ del disco** slipped disc.

'**ero** *vb vedi* **essere.**

e'**rodere** *vt* to erode.

e'**roe** *sm* hero.

ero'**gare** *vt* (*somme*) to distribute; (*gas, servizi*) to supply.

erogazi'**one** [erogat'tsjone] *sf* distribution; supply.

e'**roico, a, ci, che** *ag* heroic.

ero'**ina** *sf* heroine; (*droga*) heroin.

ero'**ismo** *sm* heroism.

'**eros** *sm* Eros.

erosi'**one** *sf* erosion.

e'**roso, a** *pp di* **erodere.**

e'**rotico, a, ci, che** *ag* erotic.

ero'**tismo** *sm* eroticism.

'**erpete** *sm* herpes *sg.*

'**erpice** ['erpitʃe] *sm* (*AGR*) harrow.

er'**rare** *vi* (*vagare*) to wander, roam; (*sbagliare*) to be mistaken.

er'**roneo, a** *ag* erroneous, wrong.

er'**rore** *sm* error, mistake; (*morale*) error; **per ~** by mistake; **~ giudiziario** miscarriage of justice.

'**erto, a** *ag* (very) steep ♦ *sf* steep slope; **stare all'~a** to be on the alert.

eru'**dire** *vt* to teach, educate.

eru'**dito, a** *ag* learned, erudite.

erut'**tare** *vt* (*sog*: *vulcano*) to throw out, belch.

eruzi'**one** [erut'tsjone] *sf* eruption; (*MED*) rash.

es. *abbr* (= *esempio*) e.g.

E.S. *sigla m* (= *elettroshock*) ECT.

E.S.A. ['eza] *sigla m* (= *European Space Agency*) ESA.

esacer'**bare** [ezatʃer'bare] *vt* to exacerbate.

esage'**rare** [ezadʒe'rare] *vt* to exaggerate ♦ *vi* to exaggerate; (*eccedere*) to go too far; **senza ~** without exaggeration.

esage'**rato, a** [ezadʒe'rato] *ag* (*notizia, proporzioni*) exaggerated; (*curiosità, pignoleria*) excessive; (*prezzo*) exorbitant ♦ *sm/f*: **sei il solito ~** you are exaggerating as usual.

esagerazi'**one** [esadʒerat'tsjone] *sf* exaggeration.

esago'**nale** *ag* hexagonal.

e'**sagono** *sm* hexagon.

esa'**lare** *vt* (*odori*) to give off ♦ *vi*: **~ (da)** to emanate (from); **~ l'ultimo respiro** (*fig*) to breathe one's last.

esalazi'**one** [ezalat'tsjone] *sf* (*emissione*) exhalation; (*odore*) fumes *pl.*

esal'**tante** *ag* exciting.

esal'**tare** *vt* to exalt; (*entusiasmare*) to excite, stir; **~rsi** *vr*: **~rsi (per qc)** to grow excited (about sth).

esal'**tato, a** *sm/f* fanatic.

esaltazi'**one** [ezaltat'tsjone] *sf* (*elogio*)

extolling, exalting; (*nervosa*) intense excitement; (*mistica*) exaltation.

e'same *sm* examination; (*INS*) exam, examination; **fare** *o* **dare un** ~ to sit *o* take an exam; **fare un** ~ **di coscienza** to search one's conscience; ~ **di guida** driving test; ~ **del sangue** blood test.

esami'nare *vt* to examine.

e'sangue *ag* bloodless; (*fig*: *pallido*) pale, wan; (: *privo di vigore*) lifeless.

e'sanime *ag* lifeless.

esaspe'rare *vt* to exasperate; (*situazione*) to exacerbate; ~**rsi** *vr* to become annoyed *o* exasperated.

esasperazi'one [ezasperat'tsjone] *sf* exasperation.

esatta'mente *av* exactly; accurately, precisely.

esat'tezza [ezat'tettsa] *sf* exactitude, accuracy, precision; **per l'**~ to be precise.

e'satto, a *pp di* **esigere** ♦ *ag* (*calcolo, ora*) correct, right, exact; (*preciso*) accurate, precise; (*puntuale*) punctual.

esat'tore *sm* (*di imposte etc*) collector.

esatto'ria *sf*: ~ **comunale** district rates office (*BRIT*) *o* assessor's office (*US*).

esau'dire *vt* to grant, fulfil (*BRIT*), fulfill (*US*).

esauri'ente *ag* exhaustive.

esauri'mento *sm* exhaustion; ~ **nervoso** nervous breakdown; **svendita (fino) ad** ~ **della merce** clearance sale.

esau'rire *vt* (*stancare*) to exhaust, wear out; (*provviste, miniera*) to exhaust; ~**rsi** *vr* to exhaust o.s., wear o.s. out; (*provviste*) to run out.

esau'rito, a *ag* exhausted; (*merci*) sold out; (*libri*) out of print; **essere** ~ (*persona*) to be run down; **registrare il tutto** ~ (*TEAT*) to have a full house.

e'sausto, a *ag* exhausted.

esauto'rare *vt* (*dirigente, funzionario*) to deprive of authority.

esazi'one [ezat'tsjone] *sf* collection (of taxes).

'esca, *pl* **'esche** *sf* bait.

escamo'tage [ɛskamɔ'taʒ] *sm* subterfuge.

escande'scenza [eskandeʃ'ʃɛntsa] *sf*: **dare in** ~**e** to lose one's temper, fly into a rage.

'esce ['ɛʃʃe] *vb vedi* **uscire**.

eschi'mese [eski'mese] *ag, sm/f, sm* Eskimo.

'esci ['ɛʃʃi] *vb vedi* **uscire**.

escl. *abbr* (= *escluso*) excl.

escla'mare *vi* to exclaim, cry out.

esclama'tivo, a *ag*: **punto** ~ exclamation mark.

esclamazi'one [esklamat'tsjone] *sf* exclamation.

es'cludere *vt* to exclude.

es'clusi *etc vb vedi* **escludere**.

esclusi'one *sf* exclusion; **a** ~ **di, fatta** ~ **per** except (for), apart from; **senza** ~ **(alcuna)** without exception; **procedere per** ~ to follow a process of elimination; **senza** ~ **di colpi** (*fig*) with no holds barred.

esclu'siva *sf vedi* **esclusivo**.

esclusiva'mente *av* exclusively, solely.

esclu'sivo, a *ag* exclusive ♦ *sf* (*DIR, COMM*) exclusive *o* sole rights *pl*.

es'cluso, a *pp di* **escludere** ♦ *ag*: **nessuno** ~ without exception; **IVA** ~**a** excluding VAT, exclusive of VAT.

'esco *vb vedi* **uscire**.

escogi'tare [eskodʒi'tare] *vt* to devise, think up.

'escono *vb vedi* **uscire**.

escoriazi'one [eskorjat'tsjone] *sf* abrasion, graze.

escre'menti *smpl* excrement *sg*, faeces.

es'cudo *sm* (*pl* ~**s**) escudo.

escursi'one *sf* (*gita*) excursion, trip; (: *a piedi*) hike, walk; (*METEOR*): ~ **termica** temperature range.

escursio'nista, i, e *sm/f* (*gitante*) (day) tripper; (: *a piedi*) hiker, walker.

ese'crare *vt* to loathe, abhor.

esecu'tivo, a *ag, sm* executive.

esecu'tore, 'trice *sm/f* (*MUS*) performer; (*DIR*) executor.

esecuzi'one [ezekut'tsjone] *sf* execution, carrying out; (*MUS*) performance; ~ **capitale** execution.

ese'geta, i [eze'dʒɛta] *sm* commentator.

esegu'ire *vt* to carry out, execute; (*MUS*) to perform, execute.

e'sempio *sm* example; **per** ~ for example, for instance; **fare un** ~ to give an example.

esem'plare *ag* exemplary ♦ *sm* example; (*copia*) copy; (*BOT, ZOOL, GEO*) specimen.

esemplifi'care *vt* to exemplify.

esen'tare *vt*: ~ **qn/qc da** to exempt sb/sth from.

esen'tasse *ag inv* tax-free.

e'sente *ag*: ~ **da** (*dispensato da*) exempt from; (*privo di*) free from.

esenzi'one [ezen'tsjone] *sf* exemption.

e'sequie *sfpl* funeral rites; funeral service *sg*.

eser'cente [ezer'tʃɛnte] *sm/f* trader, dealer; shopkeeper.

eserci'tare [ezertʃi'tare] *vt* (*professione*) to practise (*BRIT*), practice (*US*); (*allenare*:

corpo, mente) to exercise, train; (*diritto*) to exercise; (*influenza, pressione*) to exert; ~**rsi** *vr* to practise; ~**rsi nella guida** to practise one's driving.

esercitazi'one [ezertʃitat'tsjone] *sf* (*scolastica, militare*) exercise; ~**i di tiro** target practice *sg*.

e'sercito [e'zɛrtʃito] *sm* army.

eser'cizio [ezer'tʃittsjo] *sm* practice; (*compito, movimento*) exercise; (*azienda*) business, concern; (*ECON*): ~ **finanziario** financial year; **in** ~ (*medico etc*) practising (*BRIT*), practicing (*US*); **nell'**~ **delle proprie funzioni** in the execution of one's duties.

esfoli'ante *sm* exfoliator.

esi'bire *vt* to exhibit, display; (*documenti*) to produce, present; ~**rsi** *vr* (*attore*) to perform; (*fig*) to show off.

esibizi'one [ezibit'tsjone] *sf* exhibition; (*di documento*) presentation; (*spettacolo*) show, performance.

esibizio'nista, i, e [ezibittsjo'nista] *sm/f* exhibitionist.

esi'gente [ezi'dʒɛnte] *ag* demanding.

esi'genza [ezi'dʒɛntsa] *sf* demand, requirement.

e'sigere [e'zidʒere] *vt* (*pretendere*) to demand; (*richiedere*) to demand, require; (*imposte*) to collect.

esi'gibile [ezi'dʒibile] *ag* payable.

e'siguo, a *ag* small, slight.

esila'rante *ag* hilarious; **gas** ~ laughing gas.

'esile *ag* (*persona*) slender, slim; (*stelo*) thin; (*voce*) faint.

esili'are *vt* to exile.

esili'ato, a *ag* exiled ♦ *sm/f* exile.

e'silio *sm* exile.

e'simere *vt*: ~ **qn/qc da** to exempt sb/sth from; ~**rsi** *vr*: ~**rsi da** to get out of.

esis'tente *ag* existing; (*attuale*) present, current.

esis'tenza [ezis'tɛntsa] *sf* existence.

esistenzia'lismo [ezistentsja'lizmo] *sm* existentialism.

e'sistere *vi* to exist; **esiste più di una versione dell'opera** there is more than one version of the work; **non esiste!** (*fam*) no way!

esis'tito, a *pp di* **esistere**.

esi'tante *ag* hesitant; (*voce*) faltering.

esi'tare *vi* to hesitate.

esitazi'one [ezitat'tsjone] *sf* hesitation.

'esito *sm* result, outcome.

'eskimo *sm* (*giaccone*) parka.

'esodo *sm* exodus.

e'sofago, gi *sm* oesophagus (*BRIT*),

esophagus (*US*).

eso'nerare *vt*: ~ **qn da** to exempt sb from.

esorbi'tante *ag* exorbitant, excessive.

esor'cismo [ezor'tʃizmo] *sm* exorcism.

esor'cista, i [ezor'tʃista] *sm* exorcist.

esorciz'zare [ezortʃid'dzare] *vt* to exorcize.

esordi'ente *sm/f* beginner.

e'sordio *sm* debut.

esor'dire *vi* (*nel teatro*) to make one's debut; (*fig*) to start out, begin (one's career); **esordì dicendo che** ... he began by saying (that) ....

esor'tare *vt*: ~ **qn a fare** to urge sb to do.

esortazi'one [ezortat'tsjone] *sf* exhortation.

e'soso, a *ag* (*prezzo*) exorbitant; (*persona: avido*) grasping.

eso'terico, a, ci, che *ag* esoteric.

e'sotico, a, ci, che *ag* exotic.

es'pandere *vt* to expand; (*confini*) to extend; (*influenza*) to extend, spread; ~**rsi** *vr* to expand.

espansi'one *sf* expansion.

espansività *sf* expansiveness.

espan'sivo, a *ag* expansive, communicative.

es'panso, a *pp di* **espandere**.

espatri'are *vi* to leave one's country.

es'patrio *sm* expatriation; **permesso di** ~ authorization to leave the country.

espedi'ente *sm* expedient; **vivere di** ~**i** to live by one's wits.

es'pellere *vt* to expel.

esperi'enza [espe'rjɛntsa] *sf* experience; (*SCIENZA: prova*) experiment; **parlare per** ~ to speak from experience.

esperi'mento *sm* experiment; **fare un** ~ to carry out *o* do an experiment.

es'perto, a *ag*, *sm/f* expert.

espi'anto *sm* (*MED*) removal.

espi'are *vt* to atone for.

espiazi'one [espiat'tsjone] *sf*: ~ (**di**) expiation (of), atonement (for).

espi'rare *vt*, *vi* to breathe out.

espleta'mento *sm* (*AMM*) carrying out.

esple'tare *vt* (*AMM*) to carry out.

espli'care *vt* (*attività*) to carry out, perform.

esplica'tivo, a *ag* explanatory.

es'plicito, a [es'plitʃito] *ag* explicit.

es'plodere *vi* (*anche fig*) to explode ♦ *vt* to fire.

esplo'rare *vt* to explore.

esplora'tore, 'trice *sm/f* explorer; (*anche: giovane* ~) (boy) scout/(girl) guide (*BRIT*) *o* scout (*US*) ♦ *sm* (*NAUT*) scout (ship).

esplorazi'one [esplorat'tsjone] *sf* exploration; **mandare qn in** ~ (*MIL*) to send sb to scout ahead.

esplosi'one _sf (anche fig)_ explosion.

esplo'sivo, a _ag, sm_ explosive.

es'ploso, a _pp di_ **esplodere.**

es'pone _etc vb vedi_ **esporre.**

espo'nente _smlf (rappresentante)_ representative.

esponenzi'ale [esponen'tsjale] _ag (MAT)_ exponential.

es'pongo, es'poni _etc vb vedi_ **esporre.**

es'porre _vt (merci)_ to display; _(quadro)_ to exhibit, show; _(fatti, idee)_ to explain, set out; _(porre in pericolo, FOT)_ to expose; **esporsi** _vr:_ **esporsi a** _(sole, pericolo)_ to expose o.s. to; _(critiche)_ to lay o.s. open to.

espor'tare _vt_ to export.

esporta'tore, 'trice _ag_ exporting ♦ _sm_ exporter.

esportazi'one [esportat'tsjone] _sf (azione)_ exportation, export; _(insieme di prodotti)_ exports _pl._

es'pose _etc vb vedi_ **esporre.**

espo'simetro _sm_ exposure meter.

esposizi'one [espozit'tsjone] _sf_ displaying; exhibiting; setting out; _(anche FOT)_ exposure; _(mostra)_ exhibition; _(narrazione)_ explanation, exposition.

es'posto, a _pp di_ **esporre** ♦ _ag:_ ~ **a nord** facing north, north-facing ♦ _sm (AMM)_ statement, account; _(: petizione)_ petition.

espressi'one _sf_ expression.

espres'sivo, a _ag_ expressive.

es'presso, a _pp di_ **esprimere** ♦ _ag_ express ♦ _sm (lettera)_ express letter; _(anche:_ **treno** ~) express train; _(anche:_ **caffè** ~) espresso.

es'primere _vt_ to express; ~**rsi** _vr_ to express o.s.

espropri'are _vt (terreni, edifici)_ to place a compulsory purchase order on; _(persona)_ to dispossess.

espropriazi'one [esproprjat'tsjone] _sf,_ **es'proprio** _sm_ expropriation; ~ **per pubblica utilità** compulsory purchase.

espu'gnare [espuɲ'ɲare] _vt_ to take by force, storm.

es'pulsi _etc vb vedi_ **espellere.**

espulsi'one _sf_ expulsion.

es'pulso, a _pp di_ **espellere.**

'essa _pron f,_ **'esse** _pron fpl vedi_ **esso.**

es'senza [es'sɛntsa] _sf_ essence.

essenzi'ale [essen'tsjale] _ag_ essential; _(stile, linea)_ simple ♦ _sm:_ **l'**~ the main _o_ most important thing.

═══════════ PAROLA CHIAVE

'essere _sm_ being; ~ **umano** human being

♦ _vb copulativo_ **1** _(con attributo, sostantivo)_ to be; **sei giovane/simpatico** you are _o_ you're young/nice; **è medico** he is _o_ he's a doctor

2 _(+ di: appartenere)_ to be; **di chi è la penna?** whose pen is it?; **è di Carla** it is _o_ it's Carla's, it belongs to Carla

3 _(+ di: provenire)_ to be; **è di Venezia** he is _o_ he's from Venice

4 _(data, ora):_ **è il 15 agosto** it is _o_ it's the 15th of August; **è lunedì** it is _o_ it's Monday; **che ora è?, che ore sono?** what time is it?; **è l'una** it is _o_ it's one o'clock; **sono le due** it is _o_ it's two o'clock

5 _(costare):_ **quant'è?** how much is it?; **sono 20.000 lire** it's 20,000 lire

♦ _vb aus_ **1** _(attivo):_ ~ **arrivato/venuto** to have arrived/come; **è già partita** she has already left

2 _(passivo)_ to be; ~ **fatto da** to be made by; **è stata uccisa** she has been killed

3 _(riflessivo):_ **si sono lavati** they washed, they got washed

4 _(+ da + infinito):_ **è da farsi subito** it must be done _o_ is to be done immediately

♦ _vi_ **1** _(esistere, trovarsi)_ to be; **sono a casa** I'm at home; ~ **in piedi/seduto** to be standing/sitting

2 _(succedere):_ **sarà quel che sarà** what will be will be; **sia quel che sia, io me ne vado** come what may, I'm going now

3: **esserci: c'è** there is; **ci sono** there are; **che c'è?** what's the matter?, what is it?; **non c'è niente da fare** there's nothing we can do; **c'è da sperare che** ... one can only hope that ...; **ci sono!** _(sono pronto)_ I'm ready; _(ho capito)_ I get it!; _vedi anche_ **ci**

♦ _vb impers:_ **è tardi/Pasqua** it's late/Easter; **è mezzanotte** it's midnight; **è bello/ caldo/freddo** it's nice/hot/cold; **è possibile che venga** he may come; **è così** that's the way it is.

'essi _pron mpl vedi_ **esso.**

essic'care _vt (gen)_ to dry; _(legname)_ to season; _(cibi)_ to desiccate; _(bacino, palude)_ to drain; ~**rsi** _vr (fiume, pozzo)_ to dry up; _(vernice)_ to dry (out).

'esso, a _pron_ it; _(riferito a persona: soggetto)_ he/she; _(: complemento)_ him/her; ~**i, e** _pron pl_ they; _(complemento)_ them.

est _sm_ east; **i paesi dell'E**~ the Eastern bloc _sg._

'estasi _sf_ ecstasy.

estasi'are *vt* to send into raptures; ~**rsi** *vr*: ~**rsi (davanti a)** to go into ecstasies (over), go into raptures (over).

es'tate *sf* summer.

es'tatico, a, ci, che *ag* ecstatic.

estempo'raneo, a *ag* (*discorso*) extempore, impromptu; (*brano musicale*) impromptu.

es'tendere *vt* to extend; ~**rsi** *vr* (*diffondersi*) to spread; (*territorio, confini*) to extend.

estensi'one *sf* extension; (*di superficie*) expanse; (*di voce*) range.

estenu'ante *ag* wearing, tiring.

estenu'are *vt* (*stancare*) to wear out, tire out.

esteri'ore *ag* outward, external.

esteriorità *sf inv* outward appearance.

esterioriz'zare [esterjorid'dzare] *vt* (*gioia etc*) to show.

ester'nare *vt* to express; ~ **un sospetto** to voice a suspicion.

es'terno, a *ag* (*porta, muro*) outer, outside; (*scala*) outside; (*alunno, impressione*) external ♦ *sm* outside, exterior ♦ *sm/f* (*allievo*) day pupil; "**per uso ~**" "for external use only"; **gli ~i sono stati girati a Glasgow** (CINE) the location shots were taken in Glasgow.

'estero, a *ag* foreign ♦ *sm*: **all'~** abroad; **Ministero degli E~i, gli E~i** Ministry for Foreign Affairs, ≈ Foreign Office (BRIT), ≈ State Department (US).

esterofi'lia *sf* excessive love of foreign things.

esterre'fatto, a *ag* (*costernato*) horrified; (*sbalordito*) astounded.

es'tesi *etc vb vedi* **estendere.**

es'teso, a *pp di* **estendere** ♦ *ag* extensive, large; **scrivere per ~** to write in full.

estetica'mente *av* aesthetically.

es'tetico, a, ci, che *ag* aesthetic ♦ *sf* (*disciplina*) aesthetics *sg*; (*bellezza*) attractiveness; **chirurgia ~a** cosmetic surgery; **cura ~a** beauty treatment.

este'tista, i, e *sm/f* beautician.

'estimo *sm* valuation; (*disciplina*) surveying.

es'tinguere *vt* to extinguish, put out; (*debito*) to pay off; (*conto*) to close; ~**rsi** *vr* to go out; (*specie*) to become extinct.

es'tinsi *etc vb vedi* **estinguere.**

es'tinto, a *pp di* **estinguere.**

estin'tore *sm* (*fire*) extinguisher.

estinzi'one [estin'tsjone] *sf* putting out; (*di specie*) extinction; (*di debito*) payment; (*di conto*) closing.

estir'pare *vt* (*pianta*) to uproot, pull up; (*dente*) to extract; (*tumore*) to remove;

(*fig: vizio*) to eradicate.

es'tivo, a *ag* summer *cpd*.

'estone *ag, sm/f, sm* Estonian.

Es'tonia *sf*: **l'~** Estonia.

es'torcere [es'tortʃere] *vt*: ~ **qc (a qn)** to extort sth (from sb).

estorsi'one *sf* extortion.

es'torto, a *pp di* **estorcere.**

estra'dare *vt* to extradite.

estradizi'one [estradit'tsjone] *sf* extradition.

es'trae, es'traggo *etc vb vedi* **estrarre.**

es'traneo, a *ag* foreign; (*discorso*) extraneous, unrelated ♦ *sm/f* stranger; **rimanere ~ a qc** to take no part in sth; **sentirsi ~ a** (*famiglia, società*) to feel alienated from; "**ingresso vietato agli ~i**" "no admittance to unauthorized personnel".

estrani'arsi *vr*: ~ **(da)** to cut o.s. off (from).

es'trarre *vt* to extract; (*minerali*) to mine; (*sorteggiare*) to draw; ~ **a sorte** to draw lots.

es'trassi *etc vb vedi* **estrarre.**

es'tratto, a *pp di* **estrarre** ♦ *sm* extract; (*di documento*) abstract; ~ **conto** (bank) statement; ~ **di nascita** birth certificate.

estrazi'one [estrat'tsjone] *sf* extraction; mining; drawing *no pl*; draw.

estrema'mente *av* extremely.

estre'mismo *sm* extremism.

estre'mista, i, e *sm/f* extremist.

estremità *sf inv* extremity, end ♦ *sfpl* (ANAT) extremities.

es'tremo, a *ag* extreme; (*ultimo: ora, tentativo*) final, last ♦ *sm* extreme; (*di pazienza, forza*) limit, end; ~**i** *smpl* (DIR) essential elements; (AMM: *dati essenziali*) details, particulars; **l'E~ Oriente** the Far East.

estrinse'care *vt* to express, show.

'estro *sm* (*capriccio*) whim, fancy; (*ispirazione creativa*) inspiration.

estro'messo, a *pp di* **estromettere.**

estro'mettere *vt*: ~ **(da)** (*partito, club etc*) to expel (from); (*discussione*) to exclude (from).

estromissi'one *sf* expulsion.

es'troso, a *ag* whimsical, capricious; inspired.

estro'verso, a *ag, sm* extrovert.

estu'ario *sm* estuary.

esube'rante *ag* exuberant; (COMM) redundant (BRIT).

esube'ranza [ezube'rantsa] *sf* (*di persona*) exuberance; ~ **di personale** (COMM) overmanning (BRIT), over-staffing (US).

e'subero *sm*: ~ **di personale** surplus staff; **in** ~ redundant, due to be laid off.

esu'lare *vi*: ~ **da** (*competenza*) to be beyond; (*compiti*) not to be part of.

'esule *smf* exile.

esul'tanza [ezul'tantsa] *sf* exultation.

esul'tare *vi* to exult.

esu'mare *vt* (*salma*) to exhume, disinter; (*fig*) to unearth.

età *sf inv* age; **all'**~ **di 8 anni** at the age of 8, at 8 years of age; **ha la mia** ~ he (*o* she) is the same age as me *o* as I am; **di mezza** ~ middle-aged; **raggiungere la maggiore** ~ to come of age; **essere in** ~ **minore** to be under age; **in** ~ **avanzata** advanced in years.

eta'nolo *sm* ethanol.

etc. *abbr* etc.

'etere *sm* ether; **via** ~ on the airwaves.

e'tereo, a *ag* ethereal.

eternità *sf* eternity.

e'terno, a *ag* eternal; (*interminabile: lamenti, attesa*) never-ending; **in** ~ for ever, eternally.

etero'geneo, a [etero'dʒɛneo] *ag* heterogeneous.

eterosessu'ale *ag, smf* heterosexual.

'etica *sf vedi* **etico.**

eti'chetta [eti'ketta] *sf* label; (*cerimoniale*): **l'**~ etiquette.

'etico, a, ci, che *ag* ethical ♦ *sf* ethics *sg*.

eti'lometro *sm* Breathalyzer ®.

etimolo'gia, 'gie [etimolo'dʒia] *sf* etymology.

etimo'logico, a, ci, che [etimo'lɔdʒiko] *ag* etymological.

e'tiope *ag, smf* Ethiopian.

Eti'opia *sf*: **l'**~ Ethiopia.

eti'opico, a, ci, che *ag, sm* (*LING*) Ethiopian.

'Etna *sm*: **l'**~ Etna.

'etnico, a, ci, che *ag* ethnic.

e'trusco, a, schi, sche *ag, smf* Etruscan.

'ettaro *sm* hectare (= *10,000 m²*).

'etto *sm abbr* = **ettogrammo.**

etto'grammo *sm* hectogram(me) (= *100 grams*).

et'tolitro *sm* hectolitre (*BRIT*), hectoliter (*US*).

et'tometro *sm* hectometre.

EU *abbr* = **Europa.**

euca'lipto *sm* eucalyptus.

Eucaris'tia *sf*: **l'**~ the Eucharist.

eufe'mismo *sm* euphemism.

eufe'mistico, a, ci, che *ag* euphemistic.

eufo'ria *sf* euphoria.

eu'forico, a, ci, che *ag* euphoric.

Eu'rasia *sf* Eurasia.

eurasi'atico, a, ci, che *ag, smf* Eurasian.

Eura'tom *sigla f* (= *Comunità Europea dell'Energia Atomica*) Euratom.

euro'corpo *sm* European force.

eurodepu'tato *sm* Euro MP.

eurodi'visa *sf* Eurocurrency.

euro'dollaro *sm* Eurodollar.

euromer'cato *sm* Euromarket.

euro'missile *sm* Euro-missile.

Eu'ropa *sf*: **l'**~ Europe.

euro'peo, a *ag, smf* European.

euro'scettico, a, ci, che [euroʃ'ʃɛttiko] *smf* Euro-sceptic.

eutana'sia *sf* euthanasia.

E.V. *abbr* = *Eccellenza Vostra*.

evacu'are *vt* to evacuate.

evacuazi'one [evakuat'tsjone] *sf* evacuation.

e'vadere *vi* (*fuggire*): ~ **da** to escape from ♦ *vt* (*sbrigare*) to deal with, dispatch; (*tasse*) to evade.

evan'gelico, a, ci, che [evan'dʒɛliko] *ag* evangelical.

evange'lista, i [evandʒe'lista] *sm* evangelist.

evapo'rare *vi* to evaporate.

evaporazi'one [evaporat'tsjone] *sf* evaporation.

e'vasi *etc vb vedi* **evadere.**

evasi'one *sf* (*vedi* evadere) escape; dispatch; **dare** ~ **ad un ordine** to carry out *o* execute an order; **letteratura d'**~ escapist literature; ~ **fiscale** tax evasion.

eva'sivo, a *ag* evasive.

e'vaso, a *pp di* **evadere** ♦ *sm* escapee.

eva'sore *sm*: ~ (**fiscale**) tax evader.

eveni'enza [eve'njɛntsa] *sf*: **nell'**~ **che ciò succeda** should that happen; **essere pronto ad ogni** ~ to be ready for anything *o* any eventuality.

e'vento *sm* event.

eventu'ale *ag* possible.

eventualità *sf inv* eventuality, possibility; **nell'**~ **di** in the event of.

eventual'mente *av* if need be, if necessary.

'Everest *sm*: **l'**~, **il Monte** ~ (Mount) Everest.

eversi'one *sf* subversion.

ever'sivo, a *ag* subversive.

evi'dente *ag* evident, obvious.

evidente'mente *av* evidently; (*palesemente*) obviously, evidently.

evi'denza [evi'dɛntsa] *sf* obviousness; **mettere in** ~ to point out, highlight; **tenere in** ~ **qc** to bear sth in mind.

evidenzi'are [eviden'tsjare] *vt* (*sottolineare*) to emphasize, highlight; (*con

evidenziatore) to highlight.
evidenzia'tore [evidentsja'tore] *sm (penna)* highlighter.
evi'rare *vt* to castrate.
evi'tabile *ag* avoidable.
evi'tare *vt* to avoid; ~ **di fare** to avoid doing; ~ **qc a qn** to spare sb sth.
'evo *sm* age, epoch.
evo'care *vt* to evoke.
evoca'tivo, a *ag* evocative.
evocherò *etc* [evoke'rɔ] *vb vedi* **evocare**.
evolu'tivo, a *ag (gen, BIOL)* evolutionary; *(MED)* progressive.
evo'luto, a *pp di* **evolversi** ♦ *ag (popolo, civiltà)* (highly) developed, advanced; *(persona: emancipato)* independent; *(: senza pregiudizi)* broad-minded.
evoluzi'one [evolut'tsjone] *sf* evolution.
e'volversi *vr* to evolve; **con l'~ della situazione** as the situation develops.
ev'viva *escl* hurrah!; ~ **il re!** long live the king!, hurrah for the king!
ex *prefisso* ex-, former ♦ *sm/f inv* ex-boyfriend/girlfriend.
ex 'aequo [ɛg'zɛkwo] *av:* **classificarsi primo** ~ to come joint first, come equal first.
'extra *ag inv, sm inv* extra.
extracomuni'tario, a *ag* non-EEC ♦ *sm/f* non-EEC national *(often referring to non-European immigrant)*.
extraconiu'gale *ag* extramarital.
extraparlamen'tare *ag* extraparliamentary.
extrasensori'ale *ag:* **percezione** *f* ~ extrasensory perception.
extrater'restre *ag, sm/f* extraterrestrial.
extraur'bano, a *ag* suburban.

Ff

F, f ['effe] *sf o m inv (lettera)* F, f; **F come Firenze** ≈ F for Frederick *(BRIT)*, F for Fox *(US)*.
F *abbr (= Fahrenheit)* F.
F. *abbr (= fiume)* R.
fa *vb vedi* **fare** ♦ *sm inv (MUS)* F; *(: solfeggiando la scala)* fa ♦ *av:* **10 anni** ~ 10 years ago.
fabbi'sogno [fabbi'zoɲɲo] *sm* needs *pl*, requirements *pl*; **il** ~ **nazionale di petrolio** the country's oil requirements; ~ **del**

settore pubblico public sector borrowing requirement *(BRIT)*, government debt borrowing *(US)*.
'fabbrica *sf* factory.
fabbri'cante *sm* manufacturer, maker.
fabbri'care *vt* to build; *(produrre)* to manufacture, make; *(fig)* to fabricate, invent.
fabbri'cato *sm* building.
fabbricazi'one [fabbrikat'tsjone] *sf* building, fabrication; making; manufacture, manufacturing.
'fabbro *sm* (black)smith.
fac'cenda [fat'tʃɛnda] *sf* matter, affair; *(cosa da fare)* task, chore; **le** ~**e domestiche** the housework *sg.*
faccendi'ere [fattʃen'djɛre] *sm* wheeler-dealer, (shady) operator.
fac'cetta [fat'tʃetta] *sf (di pietra preziosa)* facet.
fac'chino [fak'kino] *sm* porter.
'faccia, ce ['fattʃa] *sf (di moneta, medaglia)* side; ~ **a** ~ face to face; **di** ~ **a** opposite, facing; **avere la** ~ **(tosta) di dire/fare qc** to have the cheek *o* nerve to say/do sth; **fare qc alla** ~ **di qn** to do sth to spite sb; **leggere qc in** ~ **a qn** to see sth written all over sb's face.
facci'ata [fat'tʃata] *sf* façade; *(di pagina)* side.
'faccio *etc* ['fattʃo] *vb vedi* **fare**.
fa'cente [fa'tʃente]: ~ **funzione** *sm (AMM)* deputy.
fa'cessi *etc* [fa'tʃessi] *vb vedi* **fare**.
fa'ceto, a [fa'tʃeto] *ag* witty, humorous.
fa'cevo *etc* [fa'tʃevo] *vb vedi* **fare**.
fa'cezia [fa'tʃettsja] *sf* witticism, witty remark.
fa'chiro [fa'kiro] *sm* fakir.
'facile ['fatʃile] *ag* easy; *(affabile)* easy-going; *(disposto):* ~ **a** inclined to, prone to; *(probabile):* **è** ~ **che piova** it's likely to rain; **donna di** ~**i costumi** woman of easy virtue, loose woman.
facilità [fatʃili'ta] *sf* easiness; *(disposizione, dono)* aptitude.
facili'tare [fatʃili'tare] *vt* to make easier.
facilitazi'one [fatʃilitat'tsjone] *sf (gen)* facilities *pl*; ~**i di pagamento** easy terms, credit facilities.
facil'mente [fatʃil'mente] *av (gen)* easily; *(probabilmente)* probably.
faci'lone, a [fatʃi'lone] *sm/f (peg)* happy-go-lucky person.
facino'roso, a [fatʃino'roso] *ag* violent.
facoltà *sf inv* faculty; *(CHIM)* property; *(autorità)* power.
facolta'tivo, a *ag* optional; *(fermata*

d'autobus) request *cpd*.

facol'toso, a *ag* wealthy, rich.

fac'simile *sm* facsimile.

'faggio ['faddʒo] *sm* beech.

fagi'ano [fa'dʒano] *sm* pheasant.

fagio'lino [fadʒo'lino] *sm* French (*BRIT*) *o* string bean.

fagi'olo [fa'dʒɔlo] *sm* bean; **capitare a** ~ to come at the right time.

fagoci'tare [fagotʃi'tare] *vt* (*fig: industria etc*) to absorb, swallow up; (*scherzoso: cibo*) to devour.

fa'gotto *sm* bundle; (*MUS*) bassoon; **far** ~ (*fig*) to pack up and go.

'fai *vb vedi* **fare**.

'faida *sf* feud.

'fai-da-'te *sm inv* DIY, do-it-yourself.

fa'ina *sf* (*ZOOL*) stone marten.

'Fahrenheit ['faːrənheit] *sm* Fahrenheit.

fa'lange [fa'landʒe] *sf* (*ANAT, MIL*) phalanx.

fal'cata *sf* stride.

'falce ['faltʃe] *sf* scythe; ~ **e martello** (*POL*) hammer and sickle.

fal'cetto [fal'tʃetto] *sm* sickle.

falci'are [fal'tʃare] *vt* to cut; (*fig*) to mow down.

falcia'trice [faltʃa'tritʃe] *sf* (*per fieno*) reaping machine; (*per erba*) mowing machine.

'falco, chi *sm* (*anche fig*) hawk.

fal'cone *sm* falcon.

'falda *sf* (*GEO*) layer, stratum; (*di cappello*) brim; (*di cappotto*) tails *pl*; (*di monte*) lower slope; (*di tetto*) pitch; (*di neve*) flake; **abito a** ~**e** tails *pl*.

fale'gname [falɛɲ'ɲame] *sm* joiner.

fa'lena *sf* (*ZOOL*) moth.

'Falkland ['fɔːlklənd] *sfpl*: **le isole** ~ the Falkland Islands.

fal'lace [fal'latʃe] *ag* misleading, deceptive.

'fallico, a, ci, che *ag* phallic.

fallimen'tare *ag* (*COMM*) bankruptcy *cpd*; **bilancio** ~ negative balance, deficit; **diritto** ~ bankruptcy law.

falli'mento *sm* failure; bankruptcy.

fal'lire *vi* (*non riuscire*): ~ (**in**) to fail (in); (*DIR*) to go bankrupt ♦ *vt* (*colpo, bersaglio*) to miss.

fal'lito, a *ag* unsuccessful; bankrupt ♦ *sm/f* bankrupt.

'fallo *sm* error, mistake; (*imperfezione*) defect, flaw; (*SPORT*) foul; fault; (*ANAT*) phallus; **senza** ~ without fail; **cogliere qn in** ~ to catch sb out; **mettere il piede in** ~ to slip.

fal'locrate *sm* male chauvinist.

falò *sm inv* bonfire.

fal'sare *vt* to distort, misrepresent.

falsa'riga, ghe *sf* lined page, ruled page; **sulla** ~ **di** ... (*fig*) along the lines of ....

fal'sario *sm* forger; counterfeiter.

falsifi'care *vt* to forge; (*monete*) to forge, counterfeit.

falsità *sf inv* (*di persona, notizia*) falseness; (*bugia*) falsehood, lie.

'falso, a *ag* false; (*errato*) wrong; (*falsificato*) forged; fake; (: *oro, gioielli*) imitation *cpd* ♦ *sm* forgery; **essere un** ~ **magro** to be heavier than one looks; **giurare il** ~ to commit perjury; ~ **in atto pubblico** forgery (of a legal document).

'fama *sf* fame; (*reputazione*) reputation, name.

'fame *sf* hunger; **aver** ~ to be hungry; **fare la** ~ (*fig*) to starve, exist at subsistence level.

fa'melico, a, ci, che *ag* ravenous.

famige'rato, a [famidʒe'rato] *ag* notorious, ill-famed.

fa'miglia [fa'miʎʎa] *sf* family.

famili'are *ag* (*della famiglia*) family *cpd*; (*ben noto*) familiar; (*rapporti, atmosfera*) friendly; (*LING*) informal, colloquial ♦ *sm/f* relative, relation; **una vettura** ~ a family car.

familiarità *sf* familiarity; friendliness; informality.

familiariz'zare [familjarid'dzare] *vi*: ~ **con qn** to get to know sb; **abbiamo familiarizzato subito** we got on well together from the start.

fa'moso, a *ag* famous, well-known.

fa'nale *sm* (*AUT*) light, lamp (*BRIT*); (*luce stradale, NAUT*) light; (*di faro*) beacon.

fa'natico, a, ci, che *ag* fanatical; (*del teatro, calcio etc*): ~ **di** *o* **per** mad *o* crazy about ♦ *sm/f* fanatic; (*tifoso*) fan.

fana'tismo *sm* fanaticism.

fanciul'lezza [fantʃul'lettsa] *sf* childhood.

fanci'ullo, a [fan'tʃullo] *sm/f* child.

fan'donia *sf* tall story; ~**e** *sfpl* nonsense *sg*.

fan'fara *sf* brass band; (*musica*) fanfare.

fanfa'rone *sm* braggart.

fan'ghiglia [fan'giʎʎa] *sf* mire, mud.

'fango, ghi *sm* mud; **fare i** ~**ghi** (*MED*) to take a course of mud baths.

fan'goso, a *ag* muddy.

'fanno *vb vedi* **fare**.

fannul'lone, a *sm/f* idler, loafer.

fantasci'enza [fantaʃ'ʃɛntsa] *sf* science fiction.

fanta'sia *sf* fantasy, imagination; (*capriccio*) whim, caprice ♦ *ag inv*: **vestito** ~ patterned dress.

fantasi'oso, a *ag* (*dotato di fantasia*) imaginative; (*bizzarro*) fanciful, strange.

fan'tasma, i *sm* ghost, phantom.
fantasti'care *vi* to daydream.
fantastiche'ria [fantastike'ria] *sf* daydream.
fan'tastico, a, ci, che *ag* fantastic; (*potenza, ingegno*) imaginative.
'fante *sm* infantryman; (*CARTE*) jack, knave (*BRIT*).
fante'ria *sf* infantry.
fan'tino *sm* jockey.
fan'toccio [fan'tɔttʃo] *sm* puppet.
fanto'matico, a, ci, che *ag* (*nave, esercito*) phantom *cpd*; (*personaggio*) mysterious.
FAO *sigla f* FAO (= *Food and Agriculture Organization*).
fara'butto *sm* crook.
fara'ona *sf* guinea fowl.
fara'one *sm* (*STORIA*) Pharaoh.
fara'onico, a, ci, che *ag* of the Pharaohs; (*fig*) enormous, huge.
far'cire [far'tʃire] *vt* (*carni, peperoni etc*) to stuff; (*torte*) to fill.
fard [far] *sm inv* blusher.
far'dello *sm* bundle; (*fig*) burden.

=============== *PAROLA CHIAVE*

'fare *sm* 1 (*modo di fare*): con ~ distratto absent-mindedly; ha un ~ simpatico he has a pleasant manner
2: sul far del giorno/della notte at daybreak/nightfall
♦ *vt* 1 (*fabbricare, creare*) to make; (: *casa*) to build; (: *assegno*) to make out; ~ una promessa/un film to make a promise/a film; ~ rumore to make a noise
2 (*effettuare: lavoro, attività, studi*) to do; (: *sport*) to play; cosa fa? (*adesso*) what are you doing?; (*di professione*) what do you do?; ~ psicologia/italiano to do psychology/Italian; ~ tennis to play tennis; ~ un viaggio to go on a trip *o* journey; ~ una passeggiata to go for a walk; ~ la spesa to do the shopping
3 (*funzione*) to be; (*TEAT*) to play; ~ il medico to be a doctor; ~ il malato (*fingere*) to act the invalid
4 (*suscitare: sentimenti*): ~ paura a qn to frighten sb; mi fa rabbia it makes me angry; (non) fa niente (*non importa*) it doesn't matter
5 (*ammontare*): 3 più 3 fa 6 3 and 3 are *o* make 6; fanno 6.000 lire that's 6,000 lire; Roma fa oltre 2.000.000 di abitanti Rome has over 2,000,000 inhabitants; che ora fai? what time do you make it?
6 (+ *infinito*): far ~ qc a qn (*obbligare*) to make sb do sth; (*permettere*) to let sb do sth; ~ piangere/ridere qn to make sb

cry/laugh; ~ venire qn to send for sb; fammi vedere let me see; far partire il motore to start (up) the engine; far riparare la macchina/costruire una casa to get *o* have the car repaired/a house built
7: ~rsi: ~rsi una gonna to make o.s. a skirt; ~rsi un nome to make a name for o.s.; ~rsi la permanente to get a perm; ~rsi notare to get o.s. noticed; ~rsi tagliare i capelli to get one's hair cut; ~rsi operare to have an operation
8 (*fraseologia*): farcela to succeed, manage; non ce la faccio più I can't go on; ce la faremo we'll make it; me l'hanno fatta! I've been done!; lo facevo più giovane I thought he was younger; fare sì/no con la testa to nod/shake one's head
♦ *vi* 1 (*agire*) to act, do; fate come volete do as you like; ~ presto to be quick; ~ da to act as; non c'è niente da ~ it's no use; saperci ~ con qn/qc to know how to deal with sb/sth; ci sa ~ she's very good at it; faccia pure! go ahead!
2 (*dire*) to say; "davvero?" fece "really?" he said
3: ~ per (*essere adatto*) to be suitable for; ~ per ~ qc to be about to do sth; fece per andarsene he made as if to leave
4: ~rsi: si fa così you do it like this, this is the way it's done; non si fa così! (*rimprovero*) that's no way to behave!; la festa non si fa the party is off
5: ~ a gara con qn to compete with sb; ~ a pugni to come to blows; ~ in tempo a ~ to be in time to do
♦ *vb impers*: fa bel tempo the weather is fine; fa caldo/freddo it's hot/cold; fa notte it's getting dark
♦ *vr*: ~rsi 1 (*diventare*) to become; ~rsi prete to become a priest; ~rsi grande/vecchio to grow tall/old
2 (*spostarsi*): ~rsi avanti/indietro to move forward/back; fatti più in là move along a bit
3 (*fam: drogarsi*) to be a junkie.

fa'retra *sf* quiver.
far'falla *sf* butterfly.
farfugli'are [farfuʎ'ʎare] *vt, vi* to mumble, mutter.
fa'rina *sf* flour; ~ gialla maize (*BRIT*) *o* corn (*US*) flour; ~ integrale wholemeal (*BRIT*) *o* whole-wheat (*US*) flour; questa non è ~ del tuo sacco (*fig*) this isn't your own idea (*o* work).
fari'nacei [fari'natʃei] *smpl* starches.
fa'ringe [fa'rindʒe] *sf* (*ANAT*) pharynx.
farin'gite [farin'dʒite] *sf* pharyngitis.

fari'noso, a *ag (patate)* floury; *(neve, mela)* powdery.

farma'ceutico, a, ci, che [farma'tʃeutiko] *ag* pharmaceutical.

farma'cia, 'cie [farma'tʃia] *sf* pharmacy; *(negozio)* chemist's (shop) *(BRIT)*, pharmacy.

farma'cista, i, e [farma'tʃista] *sm/f* chemist *(BRIT)*, pharmacist.

'farmaco, ci *o* **chi** *sm* drug, medicine.

farneti'care *vi* to rave, be delirious.

'faro *sm (NAUT)* lighthouse; *(AER)* beacon; *(AUT)* headlight, headlamp *(BRIT)*.

farragi'noso, a [farradʒi'noso] *ag (stile)* muddled, confused.

'farsa *sf* farce.

far'sesco, a, schi, sche *ag* farcical,

fasc. *abbr* = **fascicolo**.

'fascia, sce ['faʃʃa] *sf* band, strip; *(MED)* bandage; *(di sindaco, ufficiale)* sash; *(parte di territorio)* strip, belt; *(di contribuenti etc)* group, band; **essere in ~sce** *(anche fig)* to be in one's infancy; **~ oraria** time band.

fasci'are [faʃ'ʃare] *vt* to bind; *(MED)* to bandage; *(bambino)* to put a nappy *(BRIT)* *o* diaper *(US)* on.

fascia'tura [faʃʃa'tura] *sf (azione)* bandaging; *(fascia)* bandage.

fa'scicolo [faʃ'ʃikolo] *sm (di documenti)* file, dossier; *(di rivista)* issue, number; *(opuscolo)* booklet, pamphlet.

'fascino ['faʃʃino] *sm* charm, fascination.

'fascio ['faʃʃo] *sm* bundle, sheaf; *(di fiori)* bunch; *(di luce)* beam; *(POL)* **il F~** the Fascist Party.

fa'scismo [faʃ'ʃizmo] *sm* fascism.

fa'scista, i, e [faʃ'ʃista] *ag, sm/f* fascist.

'fase *sf* phase; *(TECN)* stroke; **in ~ di espansione** in a period of expansion; **essere fuori ~** *(motore)* to be rough *(BRIT)*, run roughly; *(fig)* to feel rough *(BRIT)* *o* rotten.

fas'tidio *sm* bother, trouble; **dare ~ a qn** to bother *o* annoy sb; **sento ~ allo stomaco** my stomach's upset; **avere ~i con la polizia** to have trouble *o* bother with the police.

fastidi'oso, a *ag* annoying, tiresome; *(schifiltoso)* fastidious.

'fasto *sm* pomp, splendour *(BRIT)*, splendor *(US)*.

fas'toso, a *ag* sumptuous, lavish.

fa'sullo, a *ag (gen)* fake; *(dichiarazione, persona)* false; *(pretesto)* bogus.

'fata *sf* fairy.

fa'tale *ag* fatal; *(inevitabile)* inevitable; *(fig)* irresistible.

fata'lismo *sm* fatalism.

fatalità *sf inv* inevitability; *(avversità)* misfortune; *(fato)* fate, destiny.

fa'tato, a *ag (spada, chiave)* magic; *(castello)* enchanted.

fa'tica, che *sf* hard work, toil; *(sforzo)* effort; *(di metalli)* fatigue; **a ~ with** difficulty; **respirare a ~** to have difficulty (in) breathing; **fare ~ a fare qc** to find it difficult to do sth; **animale da ~** beast of burden.

fati'caccia, ce [fati'kattʃa] *sf*: **fu una ~** it was hard work, it was a hell of a job *(fam)*.

fati'care *vi* to toil; **~ a fare qc** to have difficulty doing sth.

fati'cata *sf* hard work.

fa'tichi *etc* [fa'tiki] *vb vedi* **faticare**.

fati'coso, a *ag (viaggio, camminata)* tiring, exhausting; *(lavoro)* laborious.

fa'tidico, a, ci, che *ag* fateful.

'fato *sm* fate, destiny.

Fatt. *abbr* (= *fattura*) inv.

fat'taccio [fat'tattʃo] *sm* foul deed.

fat'tezze [fat'tettse] *sfpl* features.

fat'tibile *ag* feasible, possible.

fattis'pecie [fattis'petʃe] *sf*: **nella** *o* **in ~** in this case *o* instance.

'fatto, a *pp di* **fare ♦** *ag*: **un uomo ~** a grown man **♦** *sm* fact; *(azione)* deed; *(avvenimento)* event, occurrence; *(di romanzo, film)* action, story; **~ a mano/in casa** hand-/home-made; **è ben ~a** she has a nice figure; **cogliere qn sul ~** to catch sb red-handed; **il ~ sta** *o* **è che** the fact remains *o* is that; **in ~ di** as for, as far as ... is concerned; **fare i ~i propri** to mind one's own business; **è uno che sa il ~ suo** he knows what he's about; **gli ho detto il ~ suo** I told him what I thought of him; **porre qn di fronte al ~ compiuto** to present sb with a fait accompli.

fat'tore *sm (AGR)* farm manager; *(MAT: elemento costitutivo)* factor.

fatto'ria *sf* farm; *(casa)* farmhouse.

fatto'rino *sm* errand boy; *(di ufficio)* office boy; *(d'albergo)* porter.

fattucchi'era [fattuk'kjɛra] *sf* witch.

fat'tura *sf (COMM)* invoice; *(di abito)* tailoring; *(malia)* spell; **pagamento contro presentazione ~** payment on invoice.

fattu'rare *vt (COMM)* to invoice; *(prodotto)* to produce; *(vino)* to adulterate.

fattu'rato *sm (COMM)* turnover.

fatturazi'one [fatturat'tsjone] *sf* billing, invoicing.

'fatuo, a *ag* vain, fatuous; **fuoco ~** *(anche fig)* will-o'-the-wisp.

'fauci ['fautʃi] *sfpl (di leone etc)* jaws; *(di vulcano)* mouth *sg*.

'fauna *sf* fauna.
'fausto, a *ag (formale)* happy; **un ~ presagio** a good omen.
fau'tore, 'trice *sm/f* advocate, supporter.
'fava *sf* broad bean.
fa'vella *sf* speech.
fa'villa *sf* spark.
'favo *sm (di api)* honeycomb.
'favola *sf (fiaba)* fairy tale; *(d'intento morale)* fable; *(fandonia)* yarn; **essere la ~ del paese** *(oggetto di critica)* to be the talk of the town; *(zimbello)* to be a laughing stock.
favo'loso, a *ag* fabulous; *(incredibile)* incredible.
fa'vore *sm* favour *(BRIT)*, favor *(US)*; **per ~** please; **prezzo/trattamento di ~** preferential price/treatment; **condizioni di ~** *(COMM)* favo(u)rable terms; **fare un ~ a qn** to do sb a favo(u)r; **col ~ delle tenebre** under cover of darkness.
favoreggia'mento [favoreddʒa'mento] *sm (DIR)* aiding and abetting.
favo'revole *ag* favourable *(BRIT)*, favorable *(US)*.
favo'rire *vt* to favour *(BRIT)*, favor *(US)*; *(il commercio, l'industria, le arti)* to promote, encourage; **vuole ~?** won't you help yourself?; **favorisca in salotto** please come into the sitting room; **mi favorisca i documenti** please may I see your papers?
favori'tismo *sm* favouritism *(BRIT)*, favoritism *(US)*.
favo'rito, a *ag, sm/f* favourite *(BRIT)*, favorite *(US)*.
fax *sm inv* fax; **mandare qc via ~** to fax sth.
fa'xare *vt* to fax.
fazi'one [fat'tsjone] *sf* faction.
faziosità [fattsjosi'ta] *sf* sectarianism.
fazzo'letto [fattso'letto] *sm* handkerchief; *(per la testa)* (head)scarf.
F.B.I. *sigla f* (= *Federal Bureau of Investigation*) FBI.
F.C. *abbr* = **fuoricorso**.
f.co *abbr* = **franco**.
FE *sigla* = **Ferrara**.
febb. *abbr* (= *febbraio*) Feb.
feb'braio *sm* February; *per fraseologia vedi* **luglio**.
'febbre *sf* fever; **aver la ~** to have a high temperature; **~ da fieno** hay fever.
feb'brile *ag (anche fig)* feverish.
'feccia, ce [fettʃa] *sf* dregs *pl*.
'feci [fetʃi] *sfpl* faeces, excrement *sg*.
'feci *etc* [fetʃi] *vb vedi* **fare**.
'fecola *sf* potato flour.
fecon'dare *vt* to fertilize.

fecondazi'one [fekondat'tsjone] *sf* fertilization; **~ artificiale** artificial insemination.
fecondità *sf* fertility.
fe'condo, a *ag* fertile.
'Fedcom *sigla m* = *Fondo Europeo di Cooperazione Monetaria.*
'fede *sf (credenza)* belief, faith; *(REL)* faith; *(fiducia)* faith, trust; *(fedeltà)* loyalty; *(anello)* wedding ring; *(attestato)* certificate; **aver ~ in qn** to have faith in sb; **tener ~ a** *(ideale)* to remain loyal to; *(giuramento, promessa)* to keep; **in buona/ cattiva ~** in good/bad faith; **"in ~"** *(DIR)* "in witness whereof".
fe'dele *ag (leale)*: **~ (a)** faithful (to); *(veritiero)* true, accurate ♦ *sm/f* follower; **i ~i** *(REL)* the faithful.
fedeltà *sf* faithfulness; *(coniugale)* fidelity; *(esattezza: di copia, traduzione)* accuracy; **alta ~** *(RADIO)* high fidelity.
'federa *sf* pillowslip, pillowcase.
fede'rale *ag* federal.
federa'lismo *sm (POL)* federalism.
federa'lista, i, e *ag, sm/f (POL)* federalist.
federazi'one [federat'tsjone] *sf* federation.
Feder'caccia [feder'kattʃa] *abbr f* (= *Federazione Italiana della Caccia*) *hunting federation.*
Feder'calcio [feder'kaltʃo] *abbr m* (= *Federazione Italiana Gioco Calcio*) *Italian football association.*
Federcon'sorzi [federkon'sortsi] *abbr f* (= *Federazione Italiana dei Consorzi Agrari*) *federation of farmers' cooperatives.*
fe'difrago, a, ghi, ghe *ag* faithless, perfidious.
fe'dina *sf (DIR)*: **~ (penale)** record; **avere la ~ penale sporca** to have a police record.
'fegato *sm* liver; *(fig)* guts *pl*, nerve; **mangiarsi o rodersi il ~** to be consumed with rage.
'felce ['feltʃe] *sf* fern.
fe'lice [fe'litʃe] *ag* happy; *(fortunato)* lucky.
felicità [felitʃi'ta] *sf* happiness.
felici'tarsi [felitʃi'tarsi] *vr (congratularsi)*: **~ con qn per qc** to congratulate sb on sth.
felicitazi'oni [felitʃitat'tsjoni] *sfpl* congratulations.
fe'lino, a *ag, sm* feline.
'felpa *sf* sweatshirt.
fel'pato, a *ag (tessuto)* brushed; *(passo)* stealthy; **con passo ~** stealthily.
'feltro *sm* felt.
'femmina *sf (ZOOL, TECN)* female; *(figlia)* girl, daughter; *(spesso peg)* woman.
femmi'nile *ag* feminine; *(sesso)* female; *(lavoro, giornale)* woman's, women's;

(*moda*) women's ♦ *sm* (*LING*) feminine.
femminilità *sf* femininity.
femmi'nismo *sm* feminism.
femmi'nista, i, e *ag, sm/f* feminist.
'**femore** *sm* thighbone, femur.
'**fendere** *vt* to cut through.
fendi'nebbia *sm* (*AUT*) fog lamp.
fendi'tura *sf* (*gen*) crack; (*di roccia*) cleft, crack.
fenome'nale *ag* phenomenal.
fe'nomeno *sm* phenomenon.
'**feretro** *sm* coffin.
feri'ale *ag*: **giorno** ~ weekday, working day.
'**ferie** *sfpl* holidays (*BRIT*), vacation *sg* (*US*); **andare in** ~ to go on holiday *o* vacation; **25 giorni di** ~ **pagate** 25 days' holiday *o* vacation with pay.
feri'mento *sm* wounding.
fe'rire *vt* to injure; (*deliberatamente*: *MIL etc*) to wound; (*colpire*) to hurt; ~**rsi** *vr* to hurt o.s., injure o.s.
fe'rito, a *sm/f* wounded *o* injured man/woman ♦ *sf* injury; wound.
feri'toia *sf* slit.
'**ferma** *sf* (*MIL*) (period of) service; (*CACCIA*): **cane da** ~ pointer.
ferma'carte *sm inv* paperweight.
fermacra'vatta *sm inv* tiepin (*BRIT*), tie tack (*US*).
fer'maglio [fer'maʎʎo] *sm* clasp; (*gioiello*) brooch; (*per documenti*) clip.
ferma'mente *av* firmly.
fer'mare *vt* to stop, halt; (*POLIZIA*) to detain, hold; (*bottone etc*) to fasten, fix ♦ *vi* to stop; ~**rsi** *vr* to stop, halt; ~**rsi a fare qc** to stop to do sth.
fer'mata *sf* stop; ~ **dell'autobus** bus stop.
fermen'tare *vi* to ferment; (*fig*) to be in a ferment.
fermentazi'one [fermentat'tsjone] *sf* fermentation.
fer'mento *sm* (*anche fig*) ferment; (*lievito*) yeast.
fer'mezza [fer'mettsa] *sf* (*fig*) firmness, steadfastness.
'**fermo, a** *ag* still, motionless; (*veicolo*) stationary; (*orologio*) not working; (*saldo*: *anche fig*) firm; (*voce, mano*) steady ♦ *escl* stop!; keep still! ♦ *sm* (*chiusura*) catch, lock; (*DIR*): ~ **di polizia** police detention; ~ **restando che** ... it being understood that ....
'**fermo 'posta** *av, sm inv* poste restante (*BRIT*), general delivery (*US*).
fe'roce [fe'rɔtʃe] *ag* (*animale*) wild, fierce, ferocious; (*persona*) cruel, fierce; (*fame, dolore*) raging.

fe'rocia, cie [fe'rɔtʃa] *sf* ferocity.
Ferr. *abbr* = **ferrovia**.
fer'raglia [fer'raʎʎa] *sf* scrap iron.
ferra'gosto *sm* (*festa*) feast of the Assumption; (*periodo*) August holidays *pl* (*BRIT*) *o* vacation (*US*).

> **Ferragosto** *is a national holiday which falls on August 15th. Its origins are religious, marking the feast of the Assumption on that date. However, in recent years it has simply become the most important public holiday of the summer season. Most people now extend the holiday by taking the days around the 15th off too and head out of the towns and cities to the holiday resorts. Consequently, during this period, most of industry and commerce is at a standstill.*

ferra'menta *sfpl* ironmongery *sg* (*BRIT*), hardware *sg*; **negozio di** ~ ironmonger's (*BRIT*), hardware shop *o* store (*US*).
fer'rare *vt* (*cavallo*) to shoe.
fer'rato, a *ag* (*FERR*): **strada** ~**a** railway line (*BRIT*), railroad line (*US*); (*fig*): **essere** ~ **in** (*materia*) to be well up in.
ferra'vecchio [ferra'vɛkkjo] *sm* scrap merchant.
'**ferreo, a** *ag* iron *cpd*.
ferri'era *sf* ironworks *sg o pl*.
'**ferro** *sm* iron; **una bistecca ai** ~**i** a grilled steak; **mettere a** ~ **e fuoco** to put to the sword; **essere ai** ~**i corti** (*fig*) to be at daggers drawn; **tocca** ~! touch wood!; ~ **battuto** wrought iron; ~ **di cavallo** horseshoe; ~ **da stiro** iron; ~**i da calza** knitting needles; **i** ~**i del mestiere** the tools of the trade.
ferrotranvi'ario, a *ag* public transport *cpd*.
Ferrotranvi'eri *abbr f* (= *Federazione Nazionale Lavoratori Autoferrotranvieri e Internavigatori*) *transport workers' union*.
ferro'vecchio [ferro'vɛkkjo] *sm* = **ferravecchio**.
ferro'via *sf* railway (*BRIT*), railroad (*US*).
ferrovi'ario, a *ag* railway *cpd* (*BRIT*), railroad *cpd* (*US*).
ferrovi'ere *sm* railwayman (*BRIT*), railroad man (*US*).
'**fertile** *ag* fertile.
fertilità *sf* fertility.
fertiliz'zante [fertilid'dzante] *sm* fertilizer.
fertiliz'zare [fertilid'dzare] *vt* to fertilize.
fer'vente *ag* fervent, ardent.
'**fervere** *vi*: **fervono i preparativi per** ... they are making feverish preparations for ....
'**fervido, a** *ag* fervent, ardent.
fer'vore *sm* fervour (*BRIT*), fervor (*US*),

ardour (*BRIT*), ardor (*US*); (*punto culminante*) height.

'fesa *sf* (*CUC*) rump of veal.

fesse'ria *sf* stupidity; **dire** ~**e** to talk nonsense.

'fesso, a *pp di* **fendere** ♦ *ag* (*fam: sciocco*) crazy, cracked.

fes'sura *sf* crack, split; (*per gettone, moneta*) slot.

'festa *sf* (*religiosa*) feast; (*pubblica*) holiday; (*compleanno*) birthday; (*onomastico*) name day; (*ricevimento*) celebration, party; **far** ~ to have a holiday; (*far baldoria*) to live it up; **far** ~ **a qn** to give sb a warm welcome; **essere vestito a** ~ to be dressed up to the nines; ~ **comandata** (*REL*) holiday of obligation; **la** ~ **della mamma/del papà** Mother's/Father's Day.

> The **Festa della Repubblica**, *which takes place on June 2nd, celebrates the founding of the Italian Republic after the fall of the monarchy and the subsequent referendum in 1946. It is marked by military parades and political speeches.*

festeggia'menti [festeddʒa'menti] *smpl* celebrations.

festeggi'are [fested'dʒare] *vt* to celebrate; (*persona*) to have a celebration for.

fes'tino *sm* party; (*con balli*) ball.

fes'tivo, a *ag* (*atmosfera*) festive; **giorno** ~ holiday.

fes'toso, a *ag* merry, joyful.

fe'tente *ag* (*puzzolente*) fetid; (*comportamento*) disgusting ♦ *sm/f* (*fam*) stinker, rotter (*BRIT*).

fe'ticcio [fe'tittʃo] *sm* fetish.

'feto *sm* foetus (*BRIT*), fetus (*US*).

fe'tore *sm* stench, stink.

'fetta *sf* slice.

fet'tuccia, ce [fet'tuttʃa] *sf* tape, ribbon.

fettuc'cine [fettut'tʃine] *sfpl* (*CUC*) ribbon-shaped pasta.

feu'dale *ag* feudal.

'feudo *sm* (*STORIA*) fief; (*fig*) stronghold.

ff *abbr* (*AMM*) = **facente funzione**; (= *fogli*) pp.

FF.AA *abbr* = **forze armate**.

FF.SS. *abbr* (= *Ferrovie dello Stato*) *Italian railways.*

FG *sigla* = *Foggia*.

FI *sigla* = *Firenze*.

fi'aba *sf* fairy tale.

fia'besco, a, schi, sche *ag* fairy-tale *cpd*.

fi'acca *sf* weariness; (*svogliatezza*) listlessness; **battere la** ~ to shirk.

fiac'care *vt* to weaken.

fiaccherò *etc* [fjakke'rɔ] *vb vedi* **fiaccare**.

fi'acco, a, chi, che *ag* (*stanco*) tired, weary; (*svogliato*) listless; (*debole*) weak; (*mercato*) slack.

fi'accola *sf* torch.

fiacco'lata *sf* torchlight procession.

fi'ala *sf* phial.

fi'amma *sf* flame; (*NAUT*) pennant.

fiam'mante *ag* (*colore*) flaming; **nuovo** ~ brand new.

fiam'mata *sf* blaze.

fiammeggi'are [fjammed'dʒare] *vi* to blaze.

fiam'mifero *sm* match.

fiam'mingo, a, ghi, ghe *ag* Flemish ♦ *sm/f* Fleming ♦ *sm* (*LING*) Flemish; (*ZOOL*) flamingo; **i F~ghi** the Flemish.

fian'cata *sf* (*di nave etc*) side; (*NAUT*) broadside.

fiancheggi'are [fjanked'dʒare] *vt* to border; (*fig*) to support, back (up); (*MIL*) to flank.

fi'anco, chi *sm* side; (*di persona*) hip; (*MIL*) flank; **di** ~ sideways, from the side; **a** ~ **a** ~ side by side; **prestare il proprio** ~ **alle critiche** to leave o.s. open to criticism; ~ **destr/sinistr!** (*MIL*) right/left turn!

Fi'andre *sfpl*: **le** ~ Flanders *sg*.

fiaschette'ria [fjaskette'ria] *sf* wine shop.

fi'asco, schi *sm* flask; (*fig*) fiasco; **fare** ~ to be a fiasco.

fia'tare *vi* (*fig: parlare*): **senza** ~ without saying a word.

fi'ato *sm* breath; (*resistenza*) stamina; ~**i** *smpl* (*MUS*) wind instruments; **avere il** ~ **grosso** to be out of breath; **prendere** ~ to catch one's breath; **bere qc tutto d'un** ~ to drink sth in one go *o* gulp.

'fibbia *sf* buckle.

'fibra *sf* fibre, fiber (*US*); (*fig*) constitution; ~ **ottica** optical fibre; ~ **di vetro** fibreglass (*BRIT*), fiberglass (*US*).

ficca'naso, *pl(m)* ~**i**, *pl(f) inv sm/f* busybody, nos(e)y parker.

fic'care *vt* to push, thrust, drive; ~**rsi** *vr* (*andare a finire*) to get to; ~ **il naso negli affari altrui** (*fig*) to poke *o* stick one's nose into other people's business; ~**rsi nei pasticci** *o* **nei guai** to get into hot water *o* a fix.

ficcherò *etc* [fikke'rɔ] *vb vedi* **ficcare**.

fiche [fiʃ] *sf inv* (*nei giochi d'azzardo*) chip.

'fico, chi *sm* (*pianta*) fig tree; (*frutto*) fig; ~ **d'India** prickly pear; ~ **secco** dried fig.

fidanza'mento [fidantsa'mento] *sm* engagement.

fidan'zarsi [fidan'tsarsi] *vr* to get engaged.

fidan'zato, a [fidan'tsato] *sm/f* fiancé/fiancée.

fi'darsi *vr*: ~ **di** to trust; ~**rsi è bene non**

~**rsi è meglio** (*proverbio*) better safe than sorry.

fi'dato, a *ag* reliable, trustworthy.

fide'ismo *sm* unquestioning belief.

fide'istico, a, ci, che *ag* (*atteggiamento, posizione*) totally uncritical.

fideius'sore *sm* (*DIR*) guarantor.

'fido, a *ag* faithful, loyal ♦ *sm* (*COMM*) credit.

fi'ducia [fi'dutʃa] *sf* confidence, trust; **incarico di** ~ position of trust, responsible position; **persona di** ~ reliable person; **è il mio uomo di** ~ he is my right-hand man; **porre la questione di** ~ (*POL*) to ask for a vote of confidence.

fiduci'oso, a [fidu'tʃoso] *ag* trusting.

fi'ele *sm* (*MED*) bile; (*fig*) bitterness.

fie'nile *sm* hayloft.

fi'eno *sm* hay.

fi'era *sf* fair; (*animale*) wild beast; ~ **di beneficenza** charity bazaar; ~ **campionaria** trade fair.

fie'rezza [fje'rettsa] *sf* pride.

fi'ero, a *ag* proud; (*crudele*) fierce, cruel; (*audace*) bold.

fi'evole *ag* (*luce*) dim; (*suono*) weak.

F.I.F.A. *sigla f* (= *Fédération Internationale de Football Association*) FIFA.

'fifa *sf* (*fam*): **aver** ~ to have the jitters.

fi'fone, a *sm/f* (*fam, scherzoso*) coward.

fig. *abbr* (= *figura*) fig.

FIGC *sigla f* (= *Federazione Italiana Gioco Calcio*) *Italian football association*.

'Figi ['fidʒi] *sfpl*: **le isole** ~ Fiji, the Fiji Islands.

'figlia ['fiʎʎa] *sf* daughter; (*COMM*) counterfoil (*BRIT*), stub.

figli'are [fiʎ'ʎare] *vi* to give birth.

figli'astro, a [fiʎ'ʎastro] *sm/f* stepson/daughter.

'figlio ['fiʎʎo] *sm* son; (*senza distinzione di sesso*) child; ~ **d'arte: essere** ~ **d'arte** to come from a theatrical (*o* musical *etc*) family; ~ **di puttana** (*fam!*) son of a bitch (*!*); ~ **unico** only child.

figli'occio, a, ci, ce [fiʎ'ʎottʃo] *sm/f* godchild, godson/daughter.

figli'ola [fiʎ'ʎola] *sf* daughter; (*fig: ragazza*) girl.

figli'olo [fiʎ'ʎolo] *sm* (*anche fig: ragazzo*) son.

fi'gura *sf* figure; (*forma, aspetto esterno*) form, shape; (*illustrazione*) picture, illustration; **far** ~ to look smart; **fare una brutta** ~ to make a bad impression; **che** ~! how embarrassing!

figu'raccia, ce [figu'rattʃa] *sf*: **fare una** ~ to create a bad impression.

figu'rare *vi* to appear ♦ *vt*: ~**rsi qc** to

imagine sth; ~**rsi** *vr*: **figurati!** imagine that!; **ti do noia?** — **ma figurati!** am I disturbing you? — not at all!

figura'tivo, a *ag* figurative.

figu'rina *sf* (*statuetta*) figurine; (*cartoncino*) picture card.

figuri'nista, i, e *sm/f* dress designer.

figu'rino *sm* fashion sketch.

fi'guro *sm*: **un losco** ~ a suspicious character.

figu'rone *sm*: **fare un** ~ (*persona, oggetto*) to look terrific; (*persona: con un discorso etc*) to make an excellent impression.

'fila *sf* row, line; (*coda*) queue; (*serie*) series, string; **di** ~ in succession; **fare la** ~ to queue; **in** ~ **indiana** in single file.

fila'mento *sm* filament.

fi'lanca ® *sf* stretch material.

fi'landa *sf* spinning mill.

fi'lante *ag*: **stella** ~ (*stella cadente*) shooting star; (*striscia di carta*) streamer.

filantro'pia *sf* philanthropy.

filan'tropico, a, ci, che *ag* philanthropic(al).

fi'lantropo *sm* philanthropist.

fi'lare *vt* to spin; (*NAUT*) to pay out ♦ *vi* (*baco, ragno*) to spin; (*formaggio fuso*) to go stringy; (*liquido*) to trickle; (*discorso*) to hang together; (*fam: amoreggiare*) to go steady; (*muoversi a forte velocità*) to go at full speed; (*andarsene lentamente*) to make o.s. scarce ♦ *sm* (*di alberi etc*) row, line; ~ **diritto** (*fig*) to toe the line.

filar'monico, a, ci, che *ag* philharmonic.

filas'trocca, che *sf* nursery rhyme.

fila'telia *sf* philately, stamp collecting.

fi'lato, a *ag* spun ♦ *sm* yarn ♦ *av*: **vai dritto** ~ **a casa** go straight home; **3 giorni** ~**i** 3 days running *o* on end.

fila'tura *sf* spinning; (*luogo*) spinning mill.

fi'letto *sm* (*ornamento*) braid, trimming; (*di vite*) thread; (*di carne*) fillet.

fili'ale *ag* filial ♦ *sf* (*di impresa*) branch.

filibusti'ere *sm* pirate; (*fig*) adventurer.

fili'grana *sf* (*in oreficeria*) filigree; (*su carta*) watermark.

fi'lippica *sf* invective.

Filip'pine *sfpl*: **le** ~ the Philippines.

filip'pino, a *ag*, *sm/f* Filipino.

film *sm inv* film.

fil'mare *vt* to film.

fil'mato *sm* short film.

fil'mina *sf* filmstrip.

'filo *sm* (*anche fig*) thread; (*filato*) yarn; (*metallico*) wire; (*di lama, rasoio*) edge; **con un** ~ **di voce** in a whisper; **un** ~ **d'aria** (*fig*) a breath of air; **dare del** ~ **da torcere a qn** to create difficulties for sb, make

life difficult for sb; **fare il ~ a qn**
(*corteggiare*) to be after sb, chase sb; **per
~ e per segno** in detail; **~ d'erba** blade of
grass; **~ interdentale** dental floss; **~ di
perle** string of pearls; **~ di Scozia** fine
cotton yarn; **~ spinato** barbed wire.
filoameri'cano, a *ag* pro-American.
'filobus *sm inv* trolley bus.
filodiffusi'one *sf* rediffusion.
filodram'matico, a, ci, che *ag*:
(compagnia) ~a amateur dramatic
society ♦ *sm/f* amateur actor/actress.
filon'cino [filon'tʃino] *sm* ≈ French stick.
fi'lone *sm* (*di minerali*) seam, vein; (*pane*) ≈
Vienna loaf; (*fig*) trend.
filoso'fia *sf* philosophy.
filo'sofico, a, ci, che *ag* philosophical.
fi'losofo, a *sm/f* philosopher.
filosovi'etico, a, ci, che *ag* pro-Soviet.
filo'via *sf* (*linea*) trolley line; (*bus*) trolley
bus.
fil'trare *vt, vi* to filter.
'filtro *sm* filter; (*pozione*) potion; **~ dell'olio**
(*AUT*) oil filter.
'filza ['filtsa] *sf* (*anche fig*) string.
FIN *sigla f* = Federazione Italiana Nuoto.
fin *av, prep* = **fino.**
fi'nale *ag* final ♦ *sm* (*di libro, film*) end,
ending; (*MUS*) finale ♦ *sf* (*SPORT*) final.
fina'lista, i, e *sm/f* finalist.
finalità *sf* (*scopo*) aim, purpose.
finaliz'zare [finalid'dzare] *vt*: **~ a** to direct
towards.
final'mente *av* finally, at last.
fi'nanza [fi'nantsa] *sf* finance; **~e** *sfpl* (*di
individuo, Stato*) finances; **(Guardia di) ~**
(*di frontiera*) ≈ Customs and Excise (*BRIT*),
≈ Customs Service (*US*); **(Intendenza di)
~** ≈ Inland Revenue (*BRIT*), ≈ Internal
Revenue Service (*US*); **Ministro delle ~e**
Minister of Finance, ≈ Chancellor of the
Exchequer (*BRIT*), ≈ Secretary of the
Treasury (*US*).
finanzia'mento [finantsja'mento] *sm*
(*azione*) financing; (*denaro fornito*) funds
pl.
finanzi'are [finan'tsjare] *vt* to finance, fund.
finanzi'ario, a [finan'tsjarjo] *ag* financial
♦ *sf* (*anche*: **società ~a**) investment
company; (*anche*: **legge ~a**) finance act,
≈ budget (*BRIT*).
finanzia'tore, 'trice *ag*: **ente ~, società
~trice** backer ♦ *sm/f* backer.
finanzi'ere [finan'tsjɛre] *sm* financier;
(*guardia di finanza: doganale*) customs
officer; (*: tributaria*) Inland Revenue
official (*BRIT*), Internal Revenue official
(*US*).

finché [fin'ke] *cong* (*per tutto il tempo che*) as
long as; (*fino al momento in cui*) until; **~
vorrai** as long as you like; **aspetta ~ non
esca** wait until he goes (*o* comes) out.
'fine *ag* (*lamina, carta*) thin; (*capelli, polvere*)
fine; (*vista, udito*) keen, sharp; (*persona*:
raffinata) refined, distinguished;
(*osservazione*) subtle ♦ *sf* end ♦ *sm* aim,
purpose; (*esito*) result, outcome; **in o alla
~** in the end, finally; **alla fin ~** at the end
of the day, in the end; **che ~ ha fatto?**
what became of him?; **buona ~ e buon
principio!** (*augurio*) happy New Year!; **a
fin di bene** with the best of intentions; **al
~ di fare qc** (in order) to do sth; **condurre
qc a buon ~** to bring sth to a successful
conclusion; **secondo ~** ulterior motive.
'fine setti'mana *sm o f inv* weekend.
fi'nestra *sf* window.
fines'trino *sm* (*di treno, auto*) window.
fi'nezza [fi'nettsa] *sf* thinness; fineness;
keenness, sharpness; refinement;
subtlety.
'fingere ['findʒere] *vt* to feign; (*supporre*) to
imagine, suppose; **~rsi** *vr*: **~rsi ubriaco/
pazzo** to pretend to be drunk/crazy; **~ di
fare** to pretend to do.
fini'menti *smpl* (*di cavallo etc*) harness *sg.*
fini'mondo *sm* pandemonium.
fi'nire *vt* to finish ♦ *vi* to finish, end ♦ *sm*: **sul
~ della festa** towards the end of the
party; **~ di fare** (*compiere*) to finish doing;
(*smettere*) to stop doing; **~ in galera** to
end up *o* finish up in prison; **farla finita**
(*con la vita*) to put an end to one's life;
farla finita con qc to have done with sth;
com'è andata a ~? what happened in the
end?; **finiscila!** stop it!
fini'tura *sf* finish.
finlan'dese *ag* Finnish ♦ *sm/f* Finn ♦ *sm*
(*LING*) Finnish.
Fin'landia *sf*: **la ~** Finland.
'fino, a *ag* (*capelli, seta*) fine; (*oro*) pure; (*fig*:
acuto) shrewd ♦ *av* (*spesso troncato in* **fin**:
pure, anche) even ♦ *prep* (*spesso troncato in*
fin: *tempo*): **fin quando?** till when?;
(*: luogo*): **fin qui** as far as here; **~ a**
(*tempo*) until, till; (*luogo*) as far as, (up)
to; **fin da domani** from tomorrow
onwards; **fin da ieri** since yesterday; **fin
dalla nascita** from *o* since birth.
fi'nocchio [fi'nɔkkjo] *sm* fennel; (*fam peg*:
pederasta) queer.
fi'nora *av* up till now.
'finsi *etc vb vedi* **fingere.**
'finto, a *pp di* **fingere** ♦ *ag* (*capelli, dente*)
false; (*fiori*) artificial; (*cuoio, pelle*)
imitation *cpd*; (*fig*: *simulato*: *pazzia etc*)

feigned, sham ♦ *sf* pretence (*BRIT*), pretense (*US*), sham; (*SPORT*) feint; **far ~a (di fare)** to pretend (to do); **l'ho detto per ~a** I was only pretending; (*per scherzo*) I was only kidding.

finzi'one [fin'tsjone] *sf* pretence (*BRIT*), pretense (*US*), sham.

fioc'care *vi* (*neve*) to fall; (*fig: insulti etc*) to fall thick and fast.

fi'occo, chi *sm* (*di nastro*) bow; (*di stoffa, lana*) flock; (*di neve*) flake; (*NAUT*) jib; **coi ~chi** (*fig*) first-rate; **~chi di granoturco** cornflakes.

fi'ocina ['fjɔtʃina] *sf* harpoon.

fi'oco, a, chi, che *ag* faint, dim.

fi'onda *sf* catapult.

fio'raio, a *sm/f* florist.

fiorda'liso *sm* (*BOT*) cornflower.

fi'ordo *sm* fjord.

fi'ore *sm* flower; **~i** *smpl* (*CARTE*) clubs; **nel ~ degli anni** in one's prime; **a fior d'acqua** on the surface of the water; **a fior di labbra** in a whisper; **aver i nervi a fior di pelle** to be on edge; **fior di latte** cream; **è costato fior di soldi** it cost a pretty penny; **il fior ~ della società** the cream of society; **~ all'occhiello** feather in the cap; **~i di campo** wild flowers.

fio'rente *ag* (*industria, paese*) flourishing; (*salute*) blooming; (*petto*) ample.

fioren'tino, a *ag, sm/f* Florentine ♦ *sf* (*CUC*) T-bone steak.

fio'retto *sm* (*SCHERMA*) foil.

fio'rino *sm* florin.

fio'rire *vi* (*rosa*) to flower; (*albero*) to blossom; (*fig*) to flourish.

fio'rista, i, e *sm/f* florist.

fiori'tura *sf* (*di pianta*) flowering, blooming; (*di albero*) blossoming; (*fig: di commercio, arte*) flourishing; (*insieme dei fiori*) flowers *pl*; (*MUS*) fioritura.

fi'otto *sm* (*di lacrime*) flow, flood; (*di sangue*) gush, spurt.

'FIPE *sigla f* = *Federazione Italiana Pubblici Esercizi*.

Fi'renze [fi'rɛntse] *sf* Florence.

'firma *sf* signature; (*reputazione*) name.

firma'mento *sm* firmament.

fir'mare *vt* to sign.

firma'tario, a *sm/f* signatory.

fisar'monica, che *sf* accordion.

fis'cale *ag* fiscal, tax *cpd*; (*meticoloso*) punctilious; **medico ~** *doctor employed by Social Security to verify cases of sick leave.*

fisca'lista, i, e *sm/f* tax consultant.

fiscaliz'zare [fiskalid'dzare] *vt* to exempt from taxes.

fischi'are [fis'kjare] *vi* to whistle ♦ *vt* to whistle; (*attore*) to boo, hiss; **mi fischian le orecchie** my ears are singing; (*fig*) my ears are burning.

fischiet'tare [fiskjet'tare] *vi, vt* to whistle.

fischi'etto [fis'kjetto] *sm* (*strumento*) whistle.

'fischio ['fiskjo] *sm* whistle; **prendere ~i per fiaschi** to get hold of the wrong end of the stick.

'fisco *sm* tax authorities *pl*, ≈ Inland Revenue (*BRIT*), ≈ Internal Revenue Service (*US*).

'fisica *sf vedi* **fisico.**

fisica'mente *av* physically.

'fisico, a, ci, che *ag* physical ♦ *sm/f* physicist ♦ *sm* physique ♦ *sf* physics *sg*.

'fisima *sf* fixation.

fisiolo'gia [fizjolo'dʒia] *sf* physiology.

fisiono'mia *sf* face, physiognomy.

fisiotera'pia *sf* physiotherapy.

fisiotera'pista *sm/f* physiotherapist.

fis'saggio [fis'saddʒo] *sm* (*FOT*) fixing.

fis'sante *ag* (*spray, lozione*) holding.

fis'sare *vt* to fix, fasten; (*guardare intensamente*) to stare at; (*data, condizioni*) to fix, establish, set; (*prenotare*) to book; **~rsi** *vr*: **~rsi su** (*sog: sguardo, attenzione*) to focus on; (*fig: idea*) to become obsessed with.

fissazi'one [fissat'tsjone] *sf* (*PSIC*) fixation.

fissi'one *sf* fission.

'fisso, a *ag* fixed; (*stipendio, impiego*) regular ♦ *av*: **guardar ~ qn/qc** to stare at sb/sth; **avere un ragazzo ~** to have a steady boyfriend; **senza ~a dimora** of no fixed abode.

fitoterma'lismo *sm* herbal hydrotherapy.

'fitta *sf vedi* **fitto.**

fit'tavolo *sm* tenant.

fit'tizio, a [fit'tittsjo] *ag* fictitious, imaginary.

'fitto, a *ag* thick, dense; (*pioggia*) heavy ♦ *sm* (*affitto, pigione*) rent ♦ *sf* sharp pain; **una ~a al cuore** (*fig*) a pang of grief; **nel ~ del bosco** in the heart *o* depths of the wood.

fiu'mana *sf* torrent; (*fig*) stream, flood.

fi'ume *sm* river ♦ *ag inv*: **processo ~** long-running trial; **scorrere a ~i** (*acqua, sangue*) to flow in torrents.

fiu'tare *vt* to smell, sniff; (*sog: animale*) to scent; (*fig: inganno*) to get wind of, smell; **~ tabacco** to take snuff; **~ cocaina** to snort cocaine.

fi'uto *sm* (sense of) smell; (*fig*) nose.

'flaccido, a ['flattʃido] *ag* flabby.

fla'cone *sm* bottle.

flagel'lare [fladʒel'lare] *vt* to flog, scourge; (*sog: onde*) to beat against.

fla'gello [fla'dʒɛllo] *sm* scourge.

fla'grante *ag* flagrant; **cogliere qn in ~** to catch sb red-handed.

fla'nella *sf* flannel.

flash [flaʃ] *sm inv* (*FOT*) flash; (*giornalistico*) newsflash.

flau'tista, i *sm/f* flautist.

'flauto *sm* flute.

'flebile *ag* faint, feeble.

fle'bite *sf* phlebitis.

'flemma *sf* (*calma*) coolness, phlegm; (*MED*) phlegm.

flem'matico, a, ci, che *ag* phlegmatic, cool.

fles'sibile *ag* pliable; (*fig: che si adatta*) flexible.

flessi'one *sf* (*gen*) bending; (*GINNASTICA: a terra*) sit-up; (: *in piedi*) forward bend; (: *sulle gambe*) knee-bend; (*diminuzione*) slight drop, slight fall; (*LING*) inflection; **fare una ~** to bend; **una ~ economica** a downward trend in the economy.

'flesso, a *pp di* **flettere.**

flessu'oso, a *ag* supple, lithe; (*andatura*) flowing, graceful.

'flettere *vt* to bend.

'flipper ['flipper] *sm inv* pinball machine.

flirt [fləːt] *sm inv* brief romance, flirtation.

flir'tare *vi* to flirt.

F.lli *abbr* (= *fratelli*) Bros.

'flora *sf* flora.

'florido, a *ag* flourishing; (*fig*) glowing with health.

'floscio, a, sci, sce ['floʃʃo] *ag* (*cappello*) floppy, soft; (*muscoli*) flabby.

'flotta *sf* fleet.

flot'tante *sm* (*ECON*): **titoli a largo ~** blue chips, stocks on the market.

'fluido, a *ag*, *sm* fluid.

flu'ire *vi* to flow.

fluore'scente [fluoreʃ'ʃɛnte] *ag* fluorescent.

flu'oro *sm* fluorine.

fluo'ruro *sm* fluoride.

'flusso *sm* flow; (*FISICA, MED*) flux; **~ e riflusso** ebb and flow; **~ di cassa** (*COMM*) cash flow.

'flutti *smpl* waves.

fluttu'are *vi* to rise and fall; (*ECON*) to fluctuate.

fluvi'ale *ag* river *cpd*, fluvial.

FM *abbr vedi* **modulazione di frequenza.**

FMI *sigla m vedi* **Fondo Monetario Internazionale.**

FO *sigla* = **Forlì.**

fo'bia *sf* phobia.

'foca, che *sf* (*ZOOL*) seal.

fo'caccia, ce [fo'kattʃa] *sf* kind of pizza; (*dolce*) bun; **rendere pan per ~** to get one's own back, give tit for tat.

fo'cale *ag* focal.

focaliz'zare [fokalid'dzare] *vt* (*FOT: immagine*) to get into focus; (*fig: situazione*) to get into perspective; **~ l'attenzione su** to focus one's attention on.

'foce ['fotʃe] *sf* (*GEO*) mouth.

fo'chista, i [fo'kista] *sm* (*FERR*) stoker, fireman.

foco'laio *sm* (*MED*) centre (*BRIT*) o center (*US*) of infection; (*fig*) hotbed.

foco'lare *sm* hearth, fireside; (*TECN*) furnace.

fo'coso, a *ag* fiery; (*cavallo*) mettlesome, fiery.

'fodera *sf* (*di vestito*) lining; (*di libro, poltrona*) cover.

fode'rare *vt* to line; to cover.

'fodero *sm* (*di spada*) scabbard; (*di pugnale*) sheath; (*di pistola*) holster.

'foga *sf* enthusiasm, ardour (*BRIT*), ardor (*US*).

'foggia, ge ['fɔddʒa] *sf* (*maniera*) style; (*aspetto*) form, shape; (*moda*) fashion, style.

foggi'are [fod'dʒare] *vt* to shape; to style.

'foglia ['fɔʎʎa] *sf* leaf; **ha mangiato la ~** (*fig*) he's caught on; **~ d'argento/d'oro** silver/gold leaf.

fogli'ame [foʎ'ʎame] *sm* foliage, leaves *pl*.

fogli'etto [foʎ'ʎetto] *sm* (*piccolo foglio*) slip of paper, piece of paper; (*manifestino*) leaflet, handout.

'foglio ['fɔʎʎo] *sm* (*di carta*) sheet (of paper); (*di metallo*) sheet; (*documento*) document; (*banconota*) (bank)note; **~ rosa** (*AUT*) provisional licence; **~ di via** (*DIR*) expulsion order; **~ volante** pamphlet.

'fogna ['foɲɲa] *sf* drain, sewer.

fogna'tura [foɲɲa'tura] *sf* drainage, sewerage.

föhn [føːn] *sm inv* hair-dryer.

fo'lata *sf* gust.

fol'clore *sm* folklore.

folclo'ristico, a, ci, che *ag* folk *cpd*.

folgo'rare *vt* (*sog: fulmine*) to strike down; (: *alta tensione*) to electrocute.

folgorazi'one [folgorat'tsjone] *sf* electrocution; **ebbe una ~** (*fig: idea*) he had a brainwave.

'folgore *sf* thunderbolt.

'folla *sf* crowd, throng.

'folle *ag* mad, insane; (*TECN*) idle; **in ~** (*AUT*) in neutral.

folleggi'are [folled'dʒare] *vi* (*divertirsi*) to

paint the town red.

fol'letto *sm* elf.

fol'lia *sf* folly, foolishness; foolish act; (*pazzia*) madness, lunacy; **amare qn alla ~** to love sb to distraction; **costare una ~ to** cost the earth.

'**folto, a** *ag* thick.

fomen'tare *vt* to stir up, foment.

fon *sm inv* = **föhn**.

fon'dale *sm* (*del mare*) bottom; (*TEAT*) backdrop; **il ~ marino** the sea bed.

fondamen'tale *ag* fundamental, basic.

fondamenta'lista, i, e *ag, sm/f* (*REL*) fundamentalist.

fonda'mento *sm* foundation; **~a** *sfpl* (*EDIL*) foundations.

fon'dare *vt* to found; (*fig: dar base*): **~ qc su** to base sth on; **~rsi su** (*teorie*): **~rsi (su)** to be based (on).

fonda'tezza [fonda'tettsa] *sf* (*di ragioni*) soundness; (*di dubbio, sospetto*) basis in fact.

fon'dato, a *ag* (*ragioni*) sound; (*dubbio, sospetto*) well-founded.

fondazi'one [fondat'tsjone] *sf* foundation.

'**fondere** *vt* (*neve*) to melt; (*metallo*) to fuse, melt; (*fig: colori*) to merge, blend; (: *imprese, gruppi*) to merge ♦ *vi* to melt; **~rsi** *vr* to melt; (*fig: partiti, correnti*) to unite, merge.

fonde'ria *sf* foundry.

fondi'ario, a *ag* land *cpd*.

fon'dina *sf* (*piatto fondo*) soup plate; (*portapistola*) holster.

'**fondo, a** *ag* deep ♦ *sm* (*di recipiente, pozzo*) bottom; (*di stanza*) back; (*quantità di liquido che resta, deposito*) dregs *pl*; (*sfondo*) background; (*unità immobiliare*) property, estate; (*somma di denaro*) fund; (*SPORT*) long-distance race; **~i** *smpl* (*denaro*) funds; **a notte ~a** at dead of night; **in ~ a** at the bottom of; at the back of; (*strada*) at the end of; **laggiù in ~** (*lontano*) over there; (*in profondità*) down there; **in ~** (*fig*) after all, all things considered; **andare fino in ~ a** (*fig*) to examine thoroughly; **andare a ~** (*nave*) to sink; **conoscere a ~** to know inside out; **dar ~ a** (*fig: provvisti, soldi*) to use up; **toccare il ~** (*fig*) to plumb the depths; **a ~ perduto** (*COMM*) without security; **~ comune di investimento** investment trust; **F~ Monetario Internazionale (FMI)** International Monetary Fund (IMF); **~ di previdenza** social insurance fund; **~ di riserva** reserve fund; **~ urbano** town property; **~i di caffè** coffee grounds; **~i d'esercizio** working capital *sg*; **~i liquidi**

ready money *sg*, liquid assets; **~i di magazzino** old *o* unsold stock *sg*; **~i neri** slush fund *sg*.

fondo'tinta *sm inv* (*cosmetico*) foundation.

fo'nema *sm* phoneme.

fo'netica *sf* phonetics *sg*.

fo'netico, a, ci, che *ag* phonetic.

fon'tana *sf* fountain.

fonta'nella *sf* drinking fountain.

'**fonte** *sf* spring, source; (*fig*) source ♦ *sm*: **~ battesimale** (*REL*) font.

fon'tina *sm full fat hard, sweet cheese from Valle d'Aosta.*

'**footing** ['futiŋ] *sm* jogging.

forag'giare [forad'dʒare] *vt* (*cavalli*) to fodder; (*fig: partito etc*) to bankroll.

fo'raggio [fo'raddʒo] *sm* fodder, forage.

fo'rare *vt* to pierce, make a hole in; (*pallone*) to burst; (*pneumatico*) to puncture; (*biglietto*) to punch; **~rsi** *vr* (*gen*) to develop a hole; (*AUT, pallone, timpano*) to burst; **~ una gomma** to burst a tyre (*BRIT*) *o* tire (*US*).

fora'tura *sf* piercing; bursting; puncturing; punching.

'**forbici** ['fɔrbitʃi] *sfpl* scissors.

forbi'cina [forbi'tʃina] *sf* earwig.

for'bito, a *ag* (*stile, modi*) polished.

'**forca, che** *sf* (*AGR*) fork, pitchfork; (*patibolo*) gallows *sg*.

for'cella [for'tʃella] *sf* (*TECN*) fork; (*di monte*) pass.

for'chetta [for'ketta] *sf* fork; **essere una buona ~** to enjoy one's food.

for'cina [for'tʃina] *sf* hairpin.

'**forcipe** ['fɔrtʃipe] *sm* forceps *pl*.

for'cone *sm* pitchfork.

fo'rense *ag* (*linguaggio*) legal; **avvocato ~** barrister (*BRIT*), lawyer.

fo'resta *sf* forest; **la F~ Nera** the Black Forest.

fores'tale *ag* forest *cpd*; **guardia ~** forester.

foreste'ria *sf* (*di convento, palazzo etc*) guest rooms *pl*, guest quarters *pl*.

foresti'ero, a *ag* foreign ♦ *sm/f* foreigner.

for'fait [fɔr'fɛ] *sm inv*: (**prezzo a**) **~** fixed price, set price; **dichiarare ~** (*SPORT*) to withdraw; (*fig*) to give up.

forfe'tario, a *ag*: **prezzo ~** (*da pagare*) fixed *o* set price; (*da ricevere*) lump sum.

'**forfora** *sf* dandruff.

'**forgia, ge** ['fɔrdʒa] *sf* forge.

forgi'are [for'dʒare] *vt* to forge.

'**forma** *sf* form; (*aspetto esteriore*) form, shape; (*DIR: procedura*) procedure; (*per calzature*) last; (*stampo da cucina*) mould (*BRIT*), mold (*US*); **~e** *sfpl* (*del corpo*) figure, shape; **le ~e** (*convenzioni*) appearances; **errori di** ~ stylistic errors; **essere in** ~ to be in good shape; **tenersi in** ~ to keep fit; **in** ~ **ufficiale/privata** officially/privately; **una** ~ **di formaggio** a (whole) cheese.

formag'gino [formad'dʒino] *sm* processed cheese.

for'maggio [for'maddʒo] *sm* cheese.

for'male *ag* formal.

formalità *sf inv* formality.

formaliz'zare [formalid'dzare] *vt* to formalize.

for'mare *vt* to form, shape, make; (*numero di telefono*) to dial; (*fig: carattere*) to form, mould (*BRIT*), mold (*US*); ~**rsi** *vr* to form, take shape; **il treno si forma a Milano** the train starts from Milan.

for'mato *sm* format, size.

format'tare *vt* (*INFORM*) to format.

formattazi'one [formattat'tsjone] *sf* (*INFORM*) formatting.

formazi'one [format'tsjone] *sf* formation; (*fig: educazione*) training; ~ **professionale** vocational training.

for'mica, che *sf* ant.

formi'caio *sm* anthill.

formico'lare *vi* (*gamba, braccio*) to tingle; (*brulicare: anche fig*): ~ **di** to be swarming with; **mi formicola la gamba** I've got pins and needles in my leg, my leg's tingling.

formico'lio *sm* pins and needles *pl*; swarming.

formi'dabile *ag* powerful, formidable; (*straordinario*) remarkable.

for'moso, a *ag* shapely.

'formula *sf* formula; ~ **di cortesia** (*nelle lettere*) letter ending.

formu'lare *vt* to formulate.

for'nace [for'natʃe] *sf* (*per laterizi etc*) kiln; (*per metalli*) furnace.

for'naio *sm* baker.

for'nello *sm* (*elettrico, a gas*) ring; (*di pipa*) bowl.

for'nire *vt*: ~ **qn di qc**, ~ **qc a qn** to provide *o* supply sb with sth, supply sth to sb; ~**rsi** *vr*: ~**rsi di** (*procurarsi*) to provide o.s. with.

for'nito, a *ag*: **ben** ~ (*negozio*) well-stocked.

forni'tore, 'trice *ag*: **ditta** ~**trice di** ... company supplying ... ♦ *sm/f* supplier.

forni'tura *sf* supply.

'forno *sm* (*di cucina*) oven; (*panetteria*) bakery; (*TECN: per calce etc*) kiln; (: *per metalli*) furnace; **fare i** ~**i** (*MED*) to undergo heat treatment.

'foro *sm* (*buco*) hole; (*STORIA*) forum; (*tribunale*) (law) court.

'forse *av* perhaps, maybe; (*circa*) about; **essere in** ~ to be in doubt.

forsen'nato, a *ag* mad, crazy, insane.

'forte *ag* strong; (*suono*) loud; (*spesa*) considerable, great ♦ *av* strongly; (*velocemente*) fast; (*a voce alta*) loud(ly); (*violentemente*) hard ♦ *sm* (*edificio*) fort; (*specialità*) forte, strong point; **piatto** ~ (*CUC*) main dish; **avere un** ~ **mal di testa/raffreddore** to have a bad headache/cold; **essere** ~ **in qc** to be good at sth; **farsi** ~ **di qc** to make use of *o* avail o.s. of sth; **dare man** ~ **a qn** to back sb up, support sb; **usare le maniere** ~**i** to use strong-arm tactics.

for'tezza [for'tettsa] *sf* (*morale*) strength; (*luogo fortificato*) fortress.

fortifi'care *vt* to fortify, strengthen.

for'tuito, a *ag* fortuitous, chance *cpd*.

for'tuna *sf* (*destino*) fortune, luck; (*buona sorte*) success, fortune; (*eredità, averi*) fortune; **per** ~ luckily, fortunately; **di** ~ makeshift, improvised; **atterraggio di** ~ emergency landing.

fortu'nale *sm* storm.

fortunata'mente *av* luckily, fortunately.

fortu'nato, a *ag* lucky, fortunate; (*coronato da successo*) successful.

fortu'noso, a *ag* (*vita*) eventful; (*avvenimento*) unlucky.

fo'runcolo *sm* (*MED*) boil.

forvi'are *vt, vi* = **fuorviare.**

'forza ['fɔrtsa] *sf* strength; (*potere*) power; (*FISICA*) force ♦ *escl* come on!; ~**e** *sfpl* (*fisiche*) strength *sg*; (*MIL*) forces; **per** ~ against one's will; (*naturalmente*) of course; **per** ~ **di cose** by force of circumstances; **a viva** ~ by force; **a** ~ **di** by dint of; **farsi** ~ (*coraggio*) to pluck up one's courage; **bella** ~! (*ironico*) how clever of you (*o* him *etc*)!; ~ **lavoro** work force, manpower; **per causa di** ~ **maggiore** (*DIR*) by reason of an act of God; (*per estensione*) due to circumstances beyond one's control; **la** ~ **pubblica** the police *pl*; ~ **di vendita** (*COMM*) sales force; ~ **di volontà** willpower; **le** ~**e armate** the armed forces; **F**~ **Italia** (*POL*) *moderate right-wing party*.

for'zare [for'tsare] *vt* to force; (*cassaforte, porta*) to force (open); (*voce*) to strain; ~ **qn a fare** to force sb to do.

for'zato, a [for'tsato] *ag* forced ♦ *sm* (*DIR*) prisoner sentenced to hard labour (*BRIT*) *o* labor (*US*).

forzi'ere [for'tsjɛre] *sm* strongbox; (*di pirati*) treasure chest.

for'zista, i, e [for'tsista] *ag* of Forza Italia
♦ *smf* member (*o* supporter) of Forza
Italia.

for'zuto, a [for'tsuto] *ag* big and strong.

fos'chia [fos'kia] *sf* mist, haze.

'fosco, a, schi, sche *ag* dark, gloomy;
dipingere qc a tinte ~sche (*fig*) to paint a
gloomy picture of sth.

fos'fato *sm* phosphate.

fosfore'scente [fosforeʃ'ʃɛnte] *ag*
phosphorescent; (*lancetta dell'orologio
etc*) luminous.

'fosforo *sm* phosphorous.

'fossa *sf* pit; (*di cimitero*) grave; **~ biologica**
septic tank; **~ comune** mass grave.

fos'sato *sm* ditch; (*di fortezza*) moat.

fos'setta *sf* dimple.

'fossi *etc vb vedi* **essere.**

'fossile *ag*, *sm* fossil (*cpd*).

'fosso *sm* ditch; (*MIL*) trench.

'foste *etc vb vedi* **essere.**

'foto *sf inv* photo; **~ ricordo** souvenir photo;
~ tessera passport(-type) photo.

foto... *prefisso* photo....

fotocomposi'tore *sm* filmsetter.

fotocomposizi'one [fotokompozit'tsjone]
sf film setting.

foto'copia *sf* photocopy.

fotocopi'are *vt* to photocopy.

foto'genico, a, ci, che [foto'dʒɛniko] *ag*
photogenic.

fotogra'fare *vt* to photograph.

fotogra'fia *sf* (*procedimento*) photography;
(*immagine*) photograph; **fare una ~** to
take a photograph; **una ~ a colori/in
bianco e nero** a colour/black and white
photograph.

foto'grafico, a, ci, che *ag* photographic;
macchina ~a camera.

fo'tografo, a *smf* photographer.

foto'gramma, i *sm* (*CINE*) frame.

fotomo'dello, a *smf* fashion model.

fotomon'taggio [fotomon'taddʒo] *sm*
photomontage.

fotore'porter *smf inv* newspaper (*o*
magazine) photographer.

fotoro'manzo [fotoro'mandzo] *sm*
romantic picture story.

foto'sintesi *sf* photosynthesis.

'fottere *vt* (*fam!: avere rapporti sessuali*) to
fuck (!), screw (!); (: *rubare*) to pinch,
swipe; (: *fregare*): **mi hanno fottuto** they
played a dirty trick on me; **vai a farti ~!**
fuck off! (!).

fot'tuto, a *ag* (*fam!*) bloody, fucking (!).

fou'lard [fu'lar] *sm inv* scarf.

FR *sigla* = Frosinone.

fr. *abbr* (*COMM*) = **franco.**

fra *prep* = **tra.**

fracas'sare *vt* to shatter, smash; **~rsi** *vr* to
shatter, smash; (*veicolo*) to crash.

fra'casso *sm* smash; crash; (*baccano*) din,
racket.

'fradicio, a, ci, ce ['fraditʃo] *ag* (*guasto*)
rotten; (*molto bagnato*) soaking (wet);
ubriaco ~ blind drunk.

'fragile ['fradʒile] *ag* fragile; (*salute*)
delicate; (*nervi, vetro*) brittle.

fragilità [fradʒili'ta] *sf* (*vedi ag*) fragility;
delicacy; brittleness.

'fragola *sf* strawberry.

fra'gore *sm* (*di cascate, carro armato*) roar;
(*di tuono*) rumble.

frago'roso, a *ag* deafening; **ridere in modo
~** to roar with laughter.

fra'grante *ag* fragrant.

fraintendi'mento *sm* misunderstanding.

frain'tendere *vt* to misunderstand.

frain'teso, a *pp di* **fraintendere.**

fram'mento *sm* fragment.

fram'misto, a *ag*: **~ a** interspersed with,
mixed with.

'frana *sf* landslide; (*fig: persona*): **essere una
~** to be useless, be a walking disaster
area.

fra'nare *vi* to slip, slide down.

franca'mente *av* frankly.

fran'cese [fran'tʃeze] *ag* French ♦ *smf*
Frenchman/woman ♦ *sm* (*LING*) French; **i
F~i** the French.

fran'chezza [fran'kettsa] *sf* frankness,
openness.

fran'chigia, gie [fran'kidʒa] *sf* (*AMM*)
exemption; (*DIR*) franchise; (*NAUT*) shore
leave; **~ doganale** exemption from
customs duty.

'Francia ['frantʃa] *sf*: **la ~** France.

'franco, a, chi, che *ag* (*COMM*) free;
(*sincero*) frank, open, sincere ♦ *sm*
(*moneta*) franc; **farla ~a** (*fig*) to get off
scot-free; **~ a bordo** free on board; **~ di
dogana** duty-free; **~ a domicilio**
delivered free of charge; **~ fabbrica** ex
factory, ex works; **prezzo ~ fabbrica** ex-
works price; **~ magazzino** ex warehouse;
~ di porto carriage free; **~ vagone** free
on rail; **~ tiratore** sniper; (*POL*)
*member of parliament who votes against
his own party.*

franco'bollo *sm* (postage) stamp.

franco-cana'dese *ag*, *smf* French
Canadian.

Franco'forte *sf* Frankfurt.

fran'gente [fran'dʒɛnte] *sm* (*onda*) breaker;
(*scoglio emergente*) reef; (*circostanza*)
situation, circumstance.

'frangia, ge ['frandʒa] *sf* fringe.
frangi'flutti [frandʒi'flutti] *sm inv*
breakwater.
frangi'vento [frandʒi'vɛnto] *sm* windbreak.
fran'toio *sm* (*AGR*) olive press; (*TECN*)
crusher.
frantu'mare *vt*, **~rsi** *vr* to break into
pieces, shatter.
fran'tumi *smpl* pieces, bits; (*schegge*)
splinters; **andare in ~**, **mandare in ~** to
shatter, smash to pieces *o* smithereens.
frappé *sm* (*CUC*) milk shake.
fra'sario *sm* (*gergo*) vocabulary, language.
'frasca, sche *sf* (leafy) branch; **saltare di
palo in ~** to jump from one subject to
another.
'frase *sf* (*LING*) sentence; (*locuzione,
espressione, MUS*) phrase; **~ fatta** set
phrase.
fraseolo'gia [frazeolo'dʒia] *sf* phraseology.
'frassino *sm* ash (tree).
frastagli'ato, a [frastaʎ'ʎato] *ag* (*costa*)
indented, jagged.
frastor'nare *vt* (*intontire*) to daze;
(*confondere*) to bewilder, befuddle.
frastor'nato, a *ag* dazed; bewildered.
frastu'ono *sm* hubbub, din.
'frate *sm* friar, monk.
fratel'lanza [fratel'lantsa] *sf* brotherhood;
(*associazione*) fraternity.
fratel'lastro *sm* stepbrother.
fra'tello *sm* brother; **~i** *smpl* brothers; (*nel
senso di fratelli e sorelle*) brothers and
sisters.
fra'terno, a *ag* fraternal, brotherly.
fratri'cida, i, e [fratri'tʃida] *ag* fratricidal
♦ *sm/f* fratricide; **guerra ~** civil war.
frat'taglie [frat'taʎʎe] *sfpl* (*CUC: gen*) offal
sg; (: *di pollo*) giblets.
frat'tanto *av* in the meantime, meanwhile.
frat'tempo *sm*: **nel ~** in the meantime,
meanwhile.
frat'tura *sf* fracture; (*fig*) split, break.
frattu'rare *vt* to fracture.
fraudo'lento, a *ag* fraudulent.
fraziona'mento [frattsjona'mento] *sm*
division, splitting up.
frazio'nare [frattsjo'nare] *vt* to divide, split
up.
frazi'one [frat'tsjone] *sf* fraction; (*borgata*):
~ di comune hamlet.
'freccia, ce ['frettʃa] *sf* arrow; **~ di
direzione** (*AUT*) indicator.
frec'ciata [fret'tʃata] *sf*: **lanciare una ~** to
make a cutting remark.
fred'dare *vt* to shoot dead.
fred'dezza [fred'dettsa] *sf* coldness.
'freddo, a *ag, sm* cold; **fa ~** it's cold; **aver ~**

to be cold; **soffrire il ~** to feel the cold; **a
~** (*fig*) deliberately.
freddo'loso, a *ag* sensitive to the cold.
fred'dura *sf* pun.
'freezer ['frizer] *sm inv* fridge-freezer.
fre'gare *vt* to rub; (*fam: truffare*) to take in,
cheat; (: *rubare*) to swipe, pinch;
fregarsene (*fam!*): **chi se ne frega?** who
gives a damn (about it)?
fre'gata *sf* rub; (*fam*) swindle; (*NAUT*)
frigate.
frega'tura *sf* (*fam: imbroglio*) rip-off;
(: *delusione*) let-down.
fregherò etc [frege'rɔ] *vb vedi* **fregare**.
'fregio ['fredʒo] *sm* (*ARCHIT*) frieze;
(*ornamento*) decoration.
'fremere *vi*: **~ di** to tremble *o* quiver with;
~ d'impazienza to be champing at the bit.
'fremito *sm* tremor, quiver.
fre'nare *vt* (*veicolo*) to slow down; (*cavallo*)
to rein in; (*lacrime*) to restrain, hold back
♦ *vi* to brake; **~rsi** *vr* (*fig*) to restrain o.s.,
control o.s.
fre'nata *sf*: **fare una ~** to brake.
frene'sia *sf* frenzy.
fre'netico, a, ci, che *ag* frenetic.
'freno *sm* brake; (*morso*) bit; **tenere a ~**
(*passioni etc*) to restrain; **tenere a ~ la
lingua** to hold one's tongue; **~ a disco**
disc brake; **~ a mano** handbrake.
'freon ® *sm inv* (*CHIM*) Freon ®.
frequen'tare *vt* (*scuola, corso*) to attend;
(*locale, bar*) to go to, frequent; (*persone*)
to see (often).
frequen'tato, a *ag* (*locale*) busy.
fre'quente *ag* frequent; **di ~** frequently.
fre'quenza [fre'kwɛntsa] *sf* frequency; (*INS*)
attendance.
fre'sare *vt* (*TECN*) to mill.
fres'chezza [fres'kettsa] *sf* freshness.
'fresco, a, schi, sche *ag* fresh;
(*temperatura*) cool; (*notizia*) recent, fresh
♦ *sm*: **godere il ~** to enjoy the cool air;
~ di bucato straight from the wash,
newly washed; **stare ~** (*fig*) to be in for it;
mettere al ~ to put in a cool place; (*fig: in
prigione*) to put inside *o* in the cooler.
fres'cura *sf* cool.
'fresia *sf* freesia.
'fretta *sf* hurry, haste; **in ~** in a hurry; **in ~
e furia** in a mad rush; **aver ~** to be in a
hurry; **far ~ a qn** to hurry sb.
frettolosa'mente *av* hurriedly, in a rush.
fretto'loso, a *ag* (*persona*) in a hurry;
(*lavoro etc*) hurried, rushed.
fri'abile *ag* (*terreno*) friable; (*pasta*)
crumbly.
'friggere ['friddʒere] *vt* to fry ♦ *vi* (*olio etc*)

to sizzle; **vai a farti** ~! (*fam*) get lost!

frigidità [fridʒidi'ta] *sf* frigidity.

'**frigido, a** ['fridʒido] *ag* (*MED*) frigid.

fri'gnare [frip'pare] *vi* to whine, snivel.

fri'gnone, a [frip'pone] *sm/f* whiner, sniveller.

'**frigo, ghi** *sm* fridge.

frigo'rifero, a *ag* refrigerating ♦ *sm* refrigerator; **cella** ~**a** cold store.

fringu'ello *sm* chaffinch.

'**frissi** *etc vb vedi* **friggere**.

frit'tata *sf* omelet(te); **fare una** ~ (*fig*) to make a mess of things.

frit'tella *sf* (*CUC*) pancake; (: *ripiena*) fritter.

'**fritto, a** *pp di* **friggere** ♦ *ag* fried ♦ *sm* fried food; **ormai siamo** ~**i**! (*fig fam*) now we've had it!; **è un argomento** ~ **e rifritto** that's old hat; ~ **misto** mixed fry.

frit'tura *sf* (*cibo*) fried food; ~ **di pesce** mixed fried fish.

friu'lano, a *ag* of (*o* from) Friuli.

frivo'lezza [frivo'lettsa] *sf* frivolity.

'**frivolo, a** *ag* frivolous.

frizi'one [frit'tsjone] *sf* friction; (*di pelle*) rub, rub-down; (*AUT*) clutch.

friz'zante [frid'dzante] *ag* (*anche fig*) sparkling.

'**frizzo** ['friddzo] *sm* witticism.

fro'dare *vt* to defraud, cheat.

'**frode** *sf* fraud; ~ **fiscale** tax evasion.

'**frodo** *sm*: **di** ~ illegal, contraband; **pescatore di** ~, **cacciatore di** ~ poacher.

'**frogia, gie** ['frɔdʒa] *sf* (*di cavallo etc*) nostril.

'**frollo, a** *ag* (*carne*) tender; (: *di selvaggina*) high; (*fig: persona*) soft; **pasta** ~**a** short(crust) pastry.

'**fronda** *sf* (leafy) branch; (*di partito politico*) internal opposition; ~**e** *sfpl* (*di albero*) foliage *sg*.

fron'tale *ag* frontal; (*scontro*) head-on.

'**fronte** *sf* (*ANAT*) forehead; (*di edificio*) front, façade ♦ *sm* (*MIL, POL, METEOR*) front; **a** ~, **di** ~ facing, opposite; **di** ~ **a** (*posizione*) opposite, facing, in front of; (*a paragone di*) compared with; **far** ~ **a** (*nemico, problema*) to confront; (*responsabilità*) to face up to; (*spese*) to cope with.

fronteggi'are [fronted'dʒare] *vt* (*avversari, difficoltà*) to face, stand up to; (*spese*) to cope with.

frontes'pizio [frontes'pittsjo] *sm* (*ARCHIT*) frontispiece; (*di libro*) title page.

fronti'era *sf* border, frontier.

fron'tone *sm* pediment.

'**fronzolo** ['frondzolo] *sm* frill.

'**frotta** *sf* crowd; **in** ~, **a** ~**e** in their

hundreds, in droves.

'**frottola** *sf* fib; **raccontare un sacco di** ~**e** to tell a pack of lies.

fru'gale *ag* frugal.

fru'gare *vi* to rummage ♦ *vt* to search.

frugherò *etc* [fruge'rɔ] *vb vedi* **frugare**.

frui'tore *sm* user.

fruizi'one [fruit'tsjone] *sf* use.

frul'lare *vt* (*CUC*) to whisk ♦ *vi* (*uccelli*) to flutter; **cosa ti frulla in mente?** what is going on in that mind of yours?

frul'lato *sm* (*CUC*) milk shake; (: *con solo frutta*) fruit drink.

frulla'tore *sm* electric mixer.

frul'lino *sm* whisk.

fru'mento *sm* wheat.

frusci'are [fruʃ'ʃare] *vi* to rustle.

fru'scio [fruʃ'ʃio] *sm* rustle; rustling.

'**frusta** *sf* whip; (*CUC*) whisk.

frus'tare *vt* to whip.

frus'tata *sf* lash.

frus'tino *sm* riding crop.

frus'trare *vt* to frustrate.

frus'trato, a *ag* frustrated.

frustrazi'one [frustrat'tsjone] *sf* frustration.

'**frutta** *sf* fruit; (*portata*) dessert; ~ **candita/secca** candied/dried fruit.

frut'tare *vi* (*investimenti, deposito*) to bear dividends, give a return; **il mio deposito in banca (mi) frutta il 10%** my bank deposits bring (me) in 10%; **quella gara gli fruttò la medaglia d'oro** he won the gold medal in that competition.

frut'teto *sm* orchard.

frutticol'tura *sf* fruit growing.

frut'tifero, a *ag* (*albero etc*) fruit-bearing; (*fig: che frutta*) fruitful, profitable; **deposito** ~ interest-bearing deposit.

frutti'vendolo, a *sm/f* greengrocer (*BRIT*), produce dealer (*US*).

'**frutto** *sm* fruit; (*fig: risultato*) result(s); (*ECON: interesse*) interest; (: *reddito*) income; **è** ~ **della tua immaginazione** it's a figment of your imagination; ~**i di mare** seafood *sg*.

fruttu'oso, a *ag* fruitful, profitable.

FS *abbr* (= *Ferrovie dello Stato*) *Italian railways*.

f.t. *abbr* = **fuori testo**.

f.to *abbr* (= *firmato*) signed.

fu *vb vedi* **essere** ♦ *ag inv*: **il** ~ **Paolo Bianchi** the late Paolo Bianchi.

fuci'lare [futʃi'lare] *vt* to shoot.

fuci'lata [futʃi'lata] *sf* rifle shot.

fucilazi'one [futʃilat'tsjone] *sf* execution (by firing squad).

fu'cile [fu'tʃile] *sm* rifle, gun; (*da caccia*)

fucina – fuori

shotgun, gun; ~ **a canne mozze** sawn-off shotgun.

fu'cina [fu'tʃina] *sf* forge.

'fuco, chi *sm* drone.

'fucsia *sf* fuchsia.

'fuga, ghe *sf* escape, flight; (*di gas, liquidi*) leak; (*MUS*) fugue; **mettere qn in** ~ to put sb to flight; ~ **di cervelli** brain drain.

fu'gace [fu'gatʃe] *ag* fleeting, transient.

fu'gare *vt* (*dubbi, incertezze*) to dispel, drive out.

fug'gevole [fud'dʒevole] *ag* fleeting.

fuggi'asco, a, schi, sche [fud'dʒasko] *ag, sm/f* fugitive.

fuggi'fuggi [fuddʒi'fuddʒi] *sm* scramble, stampede.

fug'gire [fud'dʒire] *vi* to flee, run away; (*fig: passar veloce*) to fly ♦ *vt* to avoid.

fuggi'tivo, a [fuddʒi'tivo] *sm/f* fugitive, runaway.

'fui *vb vedi* **essere.**

'fulcro *sm* (*FISICA*) fulcrum; (*fig: di teoria, questione*) central *o* key point.

ful'gore *sm* brilliance, splendour (*BRIT*), splendor (*US*).

fu'liggine [fu'liddʒine] *sf* soot.

fulmi'nare *vt* (*sog: elettricità*) to electrocute; (*con arma da fuoco*) to shoot dead; ~**rsi** *vr* (*lampadina*) to go, blow; (*fig: con lo sguardo*): **mi fulminò (con uno sguardo)** he looked daggers at me.

'fulmine *sm* bolt of lightning; ~**i** *smpl* lightning *sg*; ~ **a ciel sereno** bolt from the blue.

ful'mineo, a *ag* (*fig: scatto*) rapid; (: *minaccioso*) threatening.

'fulvo, a *ag* tawny.

fumai'olo *sm* (*di nave*) funnel; (*di fabbrica*) chimney.

fu'mante *ag* (*piatto etc*) steaming.

fu'mare *vi* to smoke; (*emettere vapore*) to steam ♦ *vt* to smoke.

fu'mario, a *ag*: **canna** ~**a** flue.

fu'mata *sf* (*segnale*) smoke signal; **farsi una** ~ to have a smoke; ~ **bianca/nera** (*in Vaticano*) signal that a new pope has/has not been elected.

fuma'tore, 'trice *sm/f* smoker.

fu'metto *sm* comic strip; **giornale** *m* **a** ~**i** comic.

'fummo *vb vedi* **essere.**

'fumo *sm* smoke; (*vapore*) steam; (*il fumare tabacco*) smoking; ~**i** *smpl* (*industriali etc*) fumes; **vendere** ~ to deceive, cheat; **è tutto** ~ **e niente arrosto** it has no substance to it; **i** ~**i dell'alcool** (*fig*) the after-effects of drink; ~ **passivo** passive smoking.

fu'mogeno, a [fu'mɔdʒeno] *ag* (*candelotto*) smoke *cpd* ♦ *sm* smoke bomb; **cortina** ~**a** smoke screen.

fu'moso, a *ag* smoky; (*fig*) muddled.

fu'nambolo, a *sm/f* tightrope walker.

'fune *sf* rope, cord; (*più grossa*) cable.

'funebre *ag* (*rito*) funeral; (*aspetto*) gloomy, funereal.

fune'rale *sm* funeral.

fu'nesto, a *ag* (*incidente*) fatal; (*errore, decisione*) fatal, disastrous; (*atmosfera*) gloomy, dismal.

'fungere ['fundʒere] *vi*: ~ **da** to act as.

'fungo, ghi *sm* fungus; (*commestibile*) mushroom; ~ **velenoso** toadstool; **crescere come i** ~**ghi** (*fig*) to spring up overnight.

funico'lare *sf* funicular railway.

funi'via *sf* cable railway.

'funsi *etc vb vedi* **fungere.**

'funto, a *pp di* **fungere.**

funzio'nare [funtsjo'nare] *vi* to work, function; (*fungere*): ~ **da** to act as.

funzio'nario [funtsjo'narjo] *sm* official; ~ **statale** civil servant.

funzi'one [fun'tsjone] *sf* function; (*carica*) post, position; (*REL*) service; **in** ~ (*meccanismo*) in operation; **in** ~ **di** (*come*) as; **vive in** ~ **dei figli** he lives for his children; **far** ~ **di** to act as; **fare la** ~ **di qn** (*farne le veci*) to take sb's place.

fu'oco, chi *sm* fire; (*fornello*) ring; (*FOT, FISICA*) focus; **dare** ~ **a qc** to set fire to sth; **far** ~ (*sparare*) to fire; **prendere** ~ to catch fire; ~ **d'artificio** firework; ~ **di paglia** flash in the pan; ~ **sacro** *o* **di Sant'Antonio** (*MED fam*) shingles *sg*.

fuorché [fwor'ke] *cong, prep* except.

FU'ORI *sigla m* (= *Fronte Unitario Omosessuale Rivoluzionario Italiano*) *gay liberation movement.*

fu'ori *av* outside; (*all'aperto*) outdoors, outside; (~ *di casa, SPORT*) out; (*esclamativo*) get out! ♦ *prep*: ~ **(di)** out of, outside ♦ *sm* outside; **essere in** ~ (*sporgere*) to stick out; **lasciar** ~ **qc/qn** to leave sth/sb out; **far** ~ (*fam: soldi*) to spend; (: *cioccolatini*) to eat up; (: *rubare*) to nick; **far** ~ **qn** (*fam*) to kill sb, do sb in; **essere tagliato** ~ (*da un gruppo, ambiente*) to be excluded; **essere** ~ **di sé** to be beside oneself; ~ **luogo** (*inopportuno*) out of place, uncalled for; ~ **mano** out of the way, remote; ~ **pasto** between meals; ~ **pericolo** out of danger; ~ **dai piedi!** get out of the way!; ~ **servizio** out of order; ~ **stagione** out of season; **illustrazione** ~ **testo** (*STAMPA*) plate; ~ **uso** out of use.

fuori'bordo *sm inv* speedboat (with outboard motor); outboard motor.

fuori'busta *sm inv* unofficial payment.

fuori'classe *sm/f inv* (undisputed) champion.

fuori'corso *ag inv* (*moneta*) no longer in circulation; (*INS*): **(studente)** ~ *undergraduate who has not completed a course in due time.*

fuorigi'oco [fwori'dʒɔko] *sm* offside.

fuori'legge [fwori'leddʒe] *sm/f inv* outlaw.

fuoriprog'ramma *sm inv* (*TV*, *RADIO*) unscheduled programme; (*fig*) change of plan *o* programme.

fuori'serie *ag inv* (*auto etc*) custom-built ♦ *sf* custom-built car.

fuoris'trada *sm* (*AUT*) cross-country vehicle.

fuoru'scito, a, fuoriu'scito, a [fwor(i)uʃ'ʃito] *sm/f* exile ♦ *sf* (*di gas*) leakage, escape; (*di sangue, linfa*) seepage.

fuorvi'are *vt* to mislead; (*fig*) to lead astray ♦ *vi* to go astray.

furbacchi'one, a [furbak'kjone] *sm/f* cunning old devil.

fur'bizia [fur'bittsja] *sf* (*vedi ag*) cleverness; cunning; **una** ~ a cunning trick.

'furbo, a *ag* clever, smart; (*peg*) cunning ♦ *sm/f*: **fare il** ~ to (try to) be clever *o* smart; **fatti** ~! show a bit of sense!

fu'rente *ag*: ~ **(contro)** furious (with).

fure'ria *sf* (*MIL*) orderly room.

fu'retto *sm* ferret.

fur'fante *sm* rascal, scoundrel.

furgon'cino [furgon'tʃino] *sm* small van.

fur'gone *sm* van.

'furia *sf* (*ira*) fury, rage; (*fig: impeto*) fury, violence; (*fretta*) rush; **a** ~ **di** by dint of; **andare su tutte le** ~**e** to fly into a rage.

furi'bondo, a *ag* furious.

furi'ere *sm* quartermaster.

furi'oso, a *ag* furious; (*mare, vento*) raging.

'furono *vb vedi* **essere**.

fu'rore *sm* fury; (*esaltazione*) frenzy; **far** ~ to be all the rage.

furtiva'mente *av* furtively.

fur'tivo, a *ag* furtive.

'furto *sm* theft; ~ **con scasso** burglary.

'fusa *sfpl*: **fare le** ~ to purr.

fu'scello [fuʃ'ʃello] *sm* twig.

fu'seaux *smpl inv* leggings.

'fusi *etc vb vedi* **fondere**.

fu'sibile *sm* (*ELETTR*) fuse.

fusi'one *sf* (*di metalli*) fusion, melting; (*colata*) casting; (*COMM*) merger; (*fig*) merging.

'fuso, a *pp di* **fondere** ♦ *sm* (*FILATURA*)

spindle; **diritto come un** ~ as stiff as a ramrod; ~ **orario** time zone.

fusoli'era *sf* (*AER*) fusillage.

fus'tagno [fus'taɲɲo] *sm* corduroy.

fus'tella *sf* (*su scatola di medicinali*) tear-off tab.

fusti'gare *vt* (*frustare*) to flog; (*fig: costumi*) to censure, denounce.

fus'tino *sm* (*di detersivo*) tub.

'fusto *sm* stem; (*ANAT, di albero*) trunk; (*recipiente*) drum, can; (*fam*) he-man.

'futile *ag* vain, futile.

futilità *sf inv* futility.

futu'rismo *sm* futurism.

Gg

G, g [dʒi] *sf o m inv* (*lettera*) G, g; **G come Genova** ≈ G for George.

g. *abbr* (= *grammo*) g.

G7 [dʒi'sɛtte] *smpl* G7 (*Group of Seven*).

gabar'dine [gabar'din] *sm* (*tessuto*) gabardine; (*soprabito*) gabardine raincoat.

gab'bare *vt* to take in, dupe; ~**rsi** *vr*: ~**rsi di qn** to make fun of sb.

'gabbia *sf* cage; (*DIR*) dock; (*da imballaggio*) crate; **la** ~ **degli accusati** (*DIR*) the dock; ~ **dell'ascensore** lift (*BRIT*) *o* elevator (*US*) shaft; ~ **toracica** (*ANAT*) rib cage.

gabbi'ano *sm* (sea)gull.

gabi'netto *sm* (*MED etc*) consulting room; (*POL*) ministry; (*di decenza*) toilet, lavatory; (*INS: di fisica etc*) laboratory.

Ga'bon *sm*: **il** ~ Gabon.

ga'elico, a, ci, che *ag, sm* Gaelic.

gaffe [gaf] *sf inv* blunder, boob (*fam*).

gagli'ardo, a [gaʎ'ʎardo] *ag* strong, vigorous.

gai'ezza [ga'jettsa] *sf* gaiety, cheerfulness.

'gaio, a *ag* cheerful.

'gala *sf* (*sfarzo*) pomp; (*festa*) gala.

ga'lante *ag* gallant, courteous; (*avventura, poesia*) amorous.

galante'ria *sf* gallantry.

galantu'omo, pl galantu'omini *sm* gentleman.

Ga'lapagos *sfpl*: **le (isole)** ~ the Galapagos Islands.

ga'lassia *sf* galaxy.

gala'teo *sm* (good) manners *pl*, etiquette.

gale'otto *sm* (*rematore*) galley slave; (*carcerato*) convict.

ga'lera *sf* (*NAUT*) galley; (*prigione*) prison.

'galla *sf*: **a ~** afloat; **venire a ~** to surface, come to the surface; (*fig: verità*) to come out.

galleggia'mento [galleddʒa'mento] *sm* floating; **linea di ~** (*di nave*) waterline.

galleggi'ante [galled'dʒante] *ag* floating ♦ *sm* (*natante*) barge; (*di pescatore, lenza, TECN*) float.

galleggi'are [galled'dʒare] *vi* to float.

galle'ria *sf* (*traforo*) tunnel; (*ARCHIT, d'arte*) gallery; (*TEAT*) circle; (*strada coperta con negozi*) arcade; **~ del vento** *o* **aerodinamica** (*AER*) wind tunnel.

'Galles *sm*: **il ~** Wales.

gal'lese *ag* Welsh ♦ *smf* Welshman/woman ♦ *sm* (*LING*) Welsh; **i G~i** the Welsh.

gal'letta *sf* cracker; (*NAUT*) ship's biscuit.

gal'letto *sm* young cock, cockerel; (*fig*) cocky young man; **fare il ~** to play the gallant.

'Gallia *sf*: **la ~** Gaul.

gal'lina *sf* hen; **andare a letto con le ~e** to go to bed early.

gal'lismo *sm* machismo.

'gallo *sm* cock; **al canto del ~** at daybreak, at cockcrow; **fare il ~** to play the gallant.

gal'lone *sm* piece of braid; (*MIL*) stripe; (*unità di misura*) gallon.

galop'pare *vi* to gallop.

galop'pino *sm* errand boy; (*POL*) canvasser.

ga'loppo *sm* gallop; **al** *o* **di ~** at a gallop.

galvaniz'zare [galvanid'dzare] *vt* to galvanize.

'gamba *sf* leg; (*asta: di lettera*) stem; **in ~** (*in buona salute*) well; (*bravo, sveglio*) bright, smart; **prendere qc sotto ~** (*fig*) to treat sth too lightly; **scappare a ~e levate** to take to one's heels; **~e!** scatter!

gam'bale *sm* legging.

gambe'retto *sm* shrimp.

'gambero *sm* (*di acqua dolce*) crayfish; (*di mare*) prawn.

'Gambia *sf*: **la ~** the Gambia.

gambiz'zare [gambid'dzare] *vt* to kneecap.

'gambo *sm* stem; (*di frutta*) stalk.

ga'mella *sf* mess tin.

'gamma *sf* (*MUS*) scale; (*di colori, fig*) range; **~ di prodotti** product range.

ga'nascia, sce [ga'naʃʃa] *sf* jaw; **~sce del freno** (*AUT*) brake shoes.

'gancio [ˈgantʃo] *sm* hook.

'Gange [ˈgandʒe] *sm*: **il ~** the Ganges.

'gangheri [ˈgangeri] *smpl*: **uscire dai ~** (*fig*) to fly into a temper.

gan'grena *sf* = **cancrena**.

'gara *sf* competition; (*SPORT*) competition; contest; match; (: *corsa*) race; **fare a ~** to compete, vie; **~ d'appalto** (*COMM*) tender.

ga'rage [ga'raʒ] *sm inv* garage.

ga'rante *smf* guarantor.

garan'tire *vt* to guarantee; (*debito*) to stand surety for; (*dare per certo*) to assure.

garan'tismo *sm* protection of civil liberties.

garan'tista, i, e *ag* concerned with civil liberties.

garan'zia [garan'tsia] *sf* guarantee; (*pegno*) security; **in ~** under guarantee.

gar'bare *vi*: **non mi garba** I don't like it (*o* him *etc*).

garba'tezza [garba'tettsa] *sf* courtesy, politeness.

gar'bato, a *ag* courteous, polite.

'garbo *sm* (*buone maniere*) politeness, courtesy; (*di vestito etc*) grace, style.

gar'buglio [gar'buʎʎo] *sm* tangle; (*fig*) muddle, mess.

gareggi'are [gared'dʒare] *vi* to compete.

garga'nella *sf*: **a ~** from the bottle.

garga'rismo *sm* gargle; **fare i ~i** to gargle.

ga'ritta *sf* (*di caserma*) sentry box.

ga'rofano *sm* carnation; **chiodo di ~** clove.

gar'retto *sm* hock.

gar'rire *vi* to chirp.

'garrulo, a *ag* (*uccello*) chirping; (*persona: loquace*) garrulous, talkative.

'garza [ˈgardza] *sf* (*per bende*) gauze.

gar'zone [gar'dzone] *sm* (*di negozio*) boy.

gas *sm inv* gas; **a tutto ~** at full speed; **dare ~** (*AUT*) to accelerate; **~ lacrimogeno** tear gas; **~ naturale** natural gas.

ga'sare *etc* = **gassare** *etc*.

ga'sato, a *smf* (*fam: persona*) freak.

gas'dotto *sm* gas pipeline.

ga'solio *sm* diesel (oil).

ga's(s)are *vt* to aerate, carbonate; (*asfissiare*) to gas; **~rsi** *vr* (*fam*) to get excited.

ga's(s)ato, a *ag* (*bibita*) aerated, fizzy.

gas'soso, a *ag* gaseous; gassy ♦ *sf* fizzy drink.

'gastrico, a, ci, che *ag* gastric.

gast'rite *sf* gastritis.

gastroente'rite *sf* gastroenteritis.

gastrono'mia *sf* gastronomy.

gas'tronomo, a *smf* gourmet, gastronome.

G.A.T.T. *sigla m* (= *General Agreement on Tariffs and Trade*) GATT.

'gatta *sf* cat, she-cat; **una ~ da pelare** (*fam*) a thankless task; **qui ~ ci cova!** I smell a rat!, there's something fishy going on

here!
gatta'buia *sf (fam scherzoso: prigione)* clink.
gat'tino *sm* kitten.
'gatto *sm* cat, tomcat; ~ **delle nevi** (*AUT, SCI*) snowcat; ~ **a nove code** cat-o'-nine-tails; ~ **selvatico** wildcat.
gatto'pardo *sm:* ~ **africano** serval; ~ **americano** ocelot.
gat'tuccio [gat'tuttʃo] *sm* dogfish.
gau'dente *smf* pleasure-seeker.
'gaudio *sm* joy, happiness.
ga'vetta *sf* (*MIL*) mess tin; **venire dalla ~** (*MIL, fig*) to rise from the ranks.
'gazza ['gaddza] *sf* magpie.
gaz'zarra [gad'dzarra] *sf* racket, din.
gaz'zella [gad'dzɛlla] *sf* gazelle; (*dei carabinieri*) (high-speed) police car.
gaz'zetta [gad'dzetta] *sf* news sheet; **G~ Ufficiale** *official publication containing details of new laws.*
gaz'zoso, a [gad'dzoso] *ag* = **gassoso**.
Gazz. Uff. *abbr* = **Gazzetta Ufficiale**.
GB *sigla* (= *Gran Bretagna*) GB.
G.C. *abbr* = **genio civile**.
G.d.F. *abbr* = **guardia di finanza**.
GE *sigla* = Genova.
gel [dʒɛl] *sm inv* gel.
ge'lare [dʒe'lare] *vt, vi, vb impers* to freeze; **mi ha gelato il sangue** (*fig*) it made my blood run cold.
ge'lata [dʒe'lata] *sf* frost.
gela'taio, a [dʒela'tajo] *smf* ice-cream vendor.
gelate'ria [dʒelate'ria] *sf* ice-cream shop.
gela'tina [dʒela'tina] *sf* gelatine; ~ **esplosiva** gelignite; ~ **di frutta** fruit jelly.
gelati'noso, a [dʒelati'noso] *ag* gelatinous, jelly-like.
ge'lato, a [dʒe'lato] *ag* frozen ♦ *sm* ice cream.
'gelido, a ['dʒɛlido] *ag* icy, ice-cold.
'gelo ['dʒɛlo] *sm* (*temperatura*) intense cold; (*brina*) frost; (*fig*) chill.
ge'lone [dʒe'lone] *sm* chilblain.
gelo'sia [dʒelo'sia] *sf* jealousy.
ge'loso, a [dʒe'loso] *ag* jealous.
'gelso ['dʒɛlso] *sm* mulberry (tree).
gelso'mino [dʒelso'mino] *sm* jasmine.
gemel'laggio [dʒemel'laddʒo] *sm* twinning.
gemel'lare [dʒemel'lare] *ag* twin *cpd* ♦ *vt* (*città*) to twin.
ge'mello, a [dʒe'mɛllo] *ag, smf* twin; ~**i** *smpl* (*di camicia*) cufflinks; (*dello zodiaco*): **G~i** Gemini *sg*; **essere dei G~i** to be Gemini.
'gemere ['dʒɛmere] *vi* to moan, groan; (*cigolare*) to creak; (*gocciolare*) to drip, ooze.

'gemito ['dʒɛmito] *sm* moan, groan.
'gemma ['dʒɛmma] *sf* (*BOT*) bud; (*pietra preziosa*) gem.
Gen *abbr* (*MIL:* = *generale*) Gen.
gen. *abbr* (= *generale, generalmente*) gen.
gen'darme [dʒen'darme] *sm* policeman; (*fig*) martinet.
'gene ['dʒɛne] *sm* gene.
genealo'gia, 'gie [dʒenealo'dʒia] *sf* genealogy.
genea'logico, a, ci, che [dʒenea'lɔdʒiko] *ag* genealogical; **albero ~** family tree.
gene'rale [dʒene'rale] *ag, sm* general; **in ~** (*per sommi capi*) in general terms; (*di solito*) usually, in general; **a ~ richiesta** by popular request.
generalità [dʒenerali'ta] *sfpl* (*dati d'identità*) particulars.
generaliz'zare [dʒeneralid'dzare] *vt, vi* to generalize.
generalizzazi'one [dʒeneraliddzat'tsjone] *sf* generalization.
general'mente [dʒeneral'mente] *av* generally.
gene'rare [dʒene'rare] *vt* (*dar vita*) to give birth to; (*produrre*) to produce; (*causare*) to arouse; (*TECN*) to produce, generate.
genera'tore [dʒenera'tore] *sm* (*TECN*) generator.
generazi'one [dʒenerat'tsjone] *sf* generation.
'genere ['dʒɛnere] *sm* kind, type, sort; (*BIOL*) genus; (*merce*) article, product; (*LING*) gender; (*ARTE, LETTERATURA*) genre; **in ~** generally, as a rule; **cose del** *o* **di questo ~** such things; **il ~ umano** mankind; ~**i alimentari** foodstuffs; ~**i di consumo** consumer goods; ~**i di prima necessità** basic essentials.
ge'nerico, a, ci, che [dʒe'nɛriko] *ag* generic; (*vago*) vague, imprecise; **medico ~** general practitioner.
'genero ['dʒɛnero] *sm* son-in-law.
generosità [dʒenerosi'ta] *sf* generosity.
gene'roso, a [dʒene'roso] *ag* generous.
'genesi ['dʒɛnezi] *sf* genesis.
ge'netico, a, ci, che [dʒe'nɛtiko] *ag* genetic ♦ *sf* genetics *sg*.
gen'giva [dʒen'dʒiva] *sf* (*ANAT*) gum.
ge'nia [dʒe'nia] *sf* (*peg*) mob, gang.
geni'ale [dʒe'njale] *ag* (*persona*) of genius; (*idea*) ingenious, brilliant.
'genio ['dʒɛnjo] *sm* genius; (*attitudine, talento*) talent, flair, genius; **andare a ~ a qn** to be to sb's liking, appeal to sb; ~ **civile** civil engineers *pl*; **il ~ (militare)** the Engineers.
geni'tale [dʒeni'tale] *ag* genital; ~**i** *smpl*

genitals.

geni'tore [dʒeni'tore] *sm* parent, father *o* mother; **~i** *smpl* parents.

genn. *abbr* (= *gennaio*) Jan.

gen'naio [dʒen'najo] *sm* January; *per fraseologia vedi* **luglio.**

geno'cidio [dʒeno'tʃidjo] *sm* genocide.

'Genova ['dʒenova] *sf* Genoa.

geno'vese [dʒeno'vese] *ag, sm/f* Genoese (*pl inv*).

gen'taglia [dʒen'taʎʎa] *sf* (*peg*) rabble.

'gente ['dʒɛnte] *sf* people *pl*.

gentil'donna [dʒentil'dɔnna] *sf* lady.

gen'tile [dʒen'tile] *ag* (*persona, atto*) kind; (: *garbato*) courteous, polite; (*nelle lettere*): **G~ Signore** Dear Sir; (: *sulla busta*): **G~ Signor Fernando Villa** Mr Fernando Villa.

genti'lezza [dʒenti'lettsa] *sf* kindness; courtesy, politeness; **per ~** (*per favore*) please.

gentilu'omo, *pl* **gentilu'omini** [dʒenti'lwɔmo] *sm* gentleman.

genuflessi'one [dʒenufles'sjone] *sf* genuflection.

genu'ino, a [dʒenu'ino] *ag* (*prodotto*) natural; (*persona, sentimento*) genuine, sincere.

geogra'fia [dʒeogra'fia] *sf* geography.

geo'grafico, a, ci, che [dʒeo'grafiko] *ag* geographical.

ge'ografo, a [dʒe'ɔgrafo] *sm/f* geographer.

geolo'gia [dʒeolo'dʒia] *sf* geology.

geo'logico, a, ci, che [dʒeolo'lɔdʒiko] *ag* geological.

ge'ometra, i, e [dʒe'ɔmetra] *sm/f* (*professionista*) surveyor.

geome'tria [dʒeome'tria] *sf* geometry.

geo'metrico, a, ci, che [dʒeo'mɛtriko] *ag* geometric(al).

geopo'litico, a, ci, che [dʒeopo'litiko] *ag* geopolitical.

Ge'orgia [dʒe'ɔrdʒa] *sf* Georgia.

geor'giano, a [dʒeor'dʒano] *ag, sm/f* Georgian.

ge'ranio [dʒe'ranjo] *sm* geranium.

ge'rarca, chi [dʒe'rarka] *sm* (*STORIA: nel fascismo*) party official.

gerar'chia [dʒerar'kia] *sf* hierarchy.

ge'rarchico, a, ci, che [dʒe'rarkiko] *ag* hierarchical.

ge'rente [dʒe'rɛnte] *sm/f* manager/ manageress.

ge'renza [dʒe'rɛntsa] *sf* management.

ger'gale [dʒer'gale] *ag* slang *cpd*.

'gergo, ghi ['dʒɛrgo] *sm* jargon; slang.

geria'tria [dʒerja'tria] *sf* geriatrics *sg*.

geri'atrico, a, ci, che [dʒe'rjatriko] *ag* geriatric.

'gerla ['dʒɛrla] *sf* conical wicker basket.

Ger'mania [dʒer'manja] *sf*: **la ~** Germany; **la ~ occidentale/orientale** West/East Germany.

'germe ['dʒɛrme] *sm* germ; (*fig*) seed.

germinazi'one [dʒerminat'tsjone] *sf* germination.

germogli'are [dʒermoʎ'ʎare] *vi* (*emettere germogli*) to sprout; (*germinare*) to germinate.

ger'moglio [dʒer'moʎʎo] *sm* shoot; (*gemma*) bud.

gero'glifico, ci [dʒero'glifiko] *sm* hieroglyphic.

geron'tologo, a, gi, ghe [dʒeron'tɔlogo] *sm/f* specialist in geriatrics.

ge'rundio [dʒe'rundjo] *sm* gerund.

Gerusa'lemme [dʒeruza'lɛmme] *sf* Jerusalem.

'gesso ['dʒɛsso] *sm* chalk; (*SCULTURA, MED, EDIL*) plaster; (*statua*) plaster figure; (*minerale*) gypsum.

'gesta ['dʒɛsta] *sfpl* (*letterario*) deeds, feats.

ges'tante [dʒes'tante] *sf* expectant mother.

gestazi'one [dʒestat'tsjone] *sf* gestation.

gestico'lare [dʒestiko'lare] *vi* to gesticulate.

gestio'nale [dʒestjo'nale] *ag* administrative, management *cpd*.

gesti'one [dʒes'tjone] *sf* management; **~ di magazzino** stock control; **~ patrimoniale** investment management.

ges'tire [dʒes'tire] *vt* to run, manage.

'gesto ['dʒɛsto] *sm* gesture.

ges'tore [dʒes'tore] *sm* manager.

Gesù [dʒe'zu] *sm* Jesus; **~ bambino** the Christ Child.

gesu'ita, i [dʒezu'ita] *sm* Jesuit.

get'tare [dʒet'tare] *vt* to throw; (*anche*: **~ via**) to throw away *o* out; (*SCULTURA*) to cast; (*EDIL*) to lay; (*acqua*) to spout; (*grido*) to utter; **~rsi** *vr*: **~rsi in** (*impresa*) to throw o.s. into; (*mischia*) to hurl o.s. into; (*sog: fiume*) to flow into; **~ uno sguardo su** to take a quick look at.

get'tata [dʒet'tata] *sf* (*di cemento, gesso, metalli*) cast; (*diga*) jetty.

'gettito ['dʒɛttito] *sm* revenue.

'getto ['dʒɛtto] *sm* (*di gas, liquido, AER*) jet; (*BOT*) shoot; **a ~ continuo** uninterruptedly; **di ~** (*fig*) straight off, in one go.

get'tone [dʒet'tone] *sm* token; (*per giochi*) counter; (: *roulette etc*) chip; **~ di presenza** attendance fee; **~ telefonico** telephone token.

gettoni'era [dʒetto'njɛra] *sf* telephone-token dispenser.

'**geyser** ['gaizə] *sm inv* geyser.

'**Ghana** ['gana] *sm*: **il** ~ Ghana.

'**ghenga, ghe** ['gɛnga] *sf (fam)* gang, crowd.

ghe'pardo [ge'pardo] *sm* cheetah.

gher'mire [ger'mire] *vt* to grasp, clasp, clutch.

'**ghetta** ['getta] *sf (gambale)* gaiter.

ghettiz'zare [gettid'dzare] *vt* to segregate.

'**ghetto** ['getto] *sm* ghetto.

ghiacci'aia [gjat't∫aja] *sf (anche fig)* icebox.

ghiacci'aio [gjat't∫ajo] *sm* glacier.

ghiacci'are [gjat't∫are] *vt* to freeze; *(fig)*: ~ **qn** to make sb's blood run cold ♦ *vi* to freeze, ice over.

ghiacci'ato, a [gjat't∫ato] *ag* frozen; *(bevanda)* ice-cold.

ghi'accio ['gjatt∫o] *sm* ice.

ghiacci'olo [gjat't∫olo] *sm* icicle; *(tipo di gelato)* ice lolly *(BRIT)*, popsicle *(US)*.

ghi'aia ['gjaja] *sf* gravel.

ghi'anda ['gjanda] *sf (BOT)* acorn.

ghi'andola ['gjandola] *sf* gland.

ghiando'lare [gjando'lare] *ag* glandular.

ghigliot'tina [giʎʎot'tina] *sf* guillotine.

ghi'gnare [giɲ'ɲare] *vi* to sneer.

'**ghigno** ['giɲɲo] *sm (espressione)* sneer; *(risata)* mocking laugh.

'**ghingheri** ['gingeri] *smpl*: **in** ~ all dolled up; **mettersi in** ~ to put on one's Sunday best.

ghi'otto, a ['gjotto] *ag* greedy; *(cibo)* delicious, appetizing.

ghiot'tone, a [gjot'tone] *sm/f* glutton.

ghiottone'ria [gjottone'ria] *sf* greed, gluttony; *(cibo)* delicacy, titbit *(BRIT)*, tidbit *(US)*.

ghiri'goro [giri'goro] *sm* scribble, squiggle.

ghir'landa [gir'landa] *sf* garland, wreath.

'**ghiro** ['giro] *sm* dormouse.

'**ghisa** ['giza] *sf* cast iron.

G.I. *abbr* = **giudice istruttore**.

già [dʒa] *av* already; *(ex, in precedenza)* formerly ♦ *escl* of course!, yes indeed!; ~ **che ci sei** ... while you are at it ....

gi'acca, che ['dʒakka] *sf* jacket; ~ **a vento** windcheater *(BRIT)*, windbreaker *(US)*.

giacché [dʒak'ke] *cong* since, as.

giac'chetta [dʒak'ketta] *sf* (light) jacket.

'**giaccio** *etc* ['dʒatt∫o] *vb vedi* **giacere**.

giac'cone [dʒak'kone] *sm* heavy jacket.

gia'cenza [dʒa't∫entsa] *sf*: **merce in** ~ goods in stock; **capitale in** ~ uninvested capital; ~**e di magazzino** unsold stock.

gia'cere [dʒa't∫ere] *vi* to lie.

giaci'mento [dʒat∫i'mento] *sm* deposit.

gia'cinto [dʒa't∫into] *sm* hyacinth.

giaci'uto, a [dʒa't∫uto] *pp di* **giacere**.

gi'acqui *etc* ['dʒakkwi] *vb vedi* **giacere**.

gi'ada ['dʒada] *sf* jade.

giaggi'olo [dʒad'dʒolo] *sm* iris.

giagu'aro [dʒa'gwaro] *sm* jaguar.

gial'lastro, a [dʒal'lastro] *ag* yellowish; *(carnagione)* sallow.

gi'allo ['dʒallo] *ag* yellow; *(carnagione)* sallow ♦ *sm* yellow; *(anche:* **romanzo** ~) detective novel; *(anche:* **film** ~) detective film; ~ **dell'uovo** yolk; **il mar G**~ the Yellow Sea.

gial'lognolo, a [dʒal'loɲɲolo] *ag* yellowish, dirty yellow.

Gia'maica [dʒa'maika] *sf*: **la** ~ Jamaica.

giamai'cano, a [dʒamai'kano] *ag, sm/f* Jamaican.

giam'mai [dʒam'mai] *av* never.

Giap'pone [dʒap'pone] *sm*: **il** ~ Japan.

giappo'nese [dʒappo'nese] *ag, sm/f, sm* Japanese *inv*.

gi'ara ['dʒara] *sf* jar.

giardi'naggio [dʒardi'nadd30] *sm* gardening.

giardi'netta [dʒardi'netta] *sf* estate car *(BRIT)*, station wagon *(US)*.

giardini'ere, a [dʒardi'njɛre] *sm/f* gardener ♦ *sf (misto di sottaceti)* mixed pickles *pl*; *(automobile)* = **giardinetta**.

giar'dino [dʒar'dino] *sm* garden; ~ **d'infanzia** nursery school; ~ **pubblico** public gardens *pl*, (public) park; ~ **zoologico** zoo.

giarretti'era [dʒarret'tjɛra] *sf* garter.

Gi'ava ['dʒava] *sf* Java.

giavel'lotto [dʒavel'lɔtto] *sm* javelin.

gib'boso, a [dʒib'boso] *ag (superficie)* bumpy; *(naso)* crooked.

Gibil'terra [dʒibil'tɛrra] *sf* Gibraltar.

gi'gante, 'essa [dʒi'gante] *sm/f* giant ♦ *ag* giant, gigantic; *(COMM)* giant-size.

gigan'tesco, a, schi, sche [dʒigan'tesko] *ag* gigantic.

gigantogra'fia [dʒigantogra'fia] *sf (FOT)* blow-up.

'**giglio** ['dʒiʎʎo] *sm* lily.

gilè [dʒi'lɛ] *sm inv* waistcoat.

gin [dʒin] *sm inv* gin.

gin'cana [dʒin'kana] *sf* gymkhana.

ginecolo'gia [dʒinekolo'dʒia] *sf* gynaecology *(BRIT)*, gynecology *(US)*.

gine'cologo, a, gi, ghe [dʒine'kɔlogo] *sm/f* gynaecologist *(BRIT)*, gynecologist *(US)*.

gi'nepro [dʒi'nepro] *sm* juniper.

gi'nestra [dʒi'nɛstra] *sf (BOT)* broom.

Gi'nevra [dʒi'nevra] *sf* Geneva; **il Lago di** ~ Lake Geneva.

gingil'larsi [dʒindʒil'larsi] *vr* to fritter away one's time; *(giocare)*: ~ **con** to fiddle with.

gin'gillo [dʒin'dʒillo] *sm* plaything.

gin'nasio [dʒin'nazjo] *sm the 4th and 5th year of secondary school in Italy.*

gin'nasta, i, e [dʒin'nasta] *sm/f* gymnast.

gin'nastica [dʒin'nastika] *sf* gymnastics *sg*; (*esercizio fisico*) keep-fit exercises *pl*; (*INS*) physical education.

'ginnico, a, ci, che ['dʒinnko] *ag* gymnastic.

gi'nocchio [dʒi'nɔkkjo], *pl(m)* **gi'nocchi** *o pl(f)* **gi'nocchia** *sm* knee; **stare in** ~ to kneel, be on one's knees; **mettersi in** ~ to kneel (down).

ginocchi'oni [dʒinok'kjoni] *av* on one's knees.

gio'care [dʒo'kare] *vt* to play; (*scommettere*) to stake, wager, bet; (*ingannare*) to take in ♦ *vi* to play; (*a roulette etc*) to gamble; (*fig*) to play a part, be important; (*TECN: meccanismo*) to be loose; ~ **a** (*gioco, sport*) to play; (*cavalli*) to bet on; ~ **d'astuzia** to be crafty; ~**rsi la carriera** to put one's career at risk; ~**rsi tutto** to risk everything; **a che gioco giochiamo?** what are you playing at?

gioca'tore, 'trice [dʒoka'tore] *sm/f* player; gambler.

gio'cattolo [dʒo'kattolo] *sm* toy.

giocherel'lare [dʒokerel'lare] *vi:* ~ **con** (*giocattolo*) to play with; (*distrattamente*) to fiddle with.

giocherò *etc* [dʒoke'rɔ] *vb vedi* **giocare.**

gio'chetto [dʒo'ketto] *sm* (*gioco*) game; (*tranello*) trick; (*fig*): **è un** ~ it's child's play.

gi'oco, chi ['dʒɔko] *sm* game; (*divertimento, TECN*) play; (*al casinò*) gambling; (*CARTE*) hand; (*insieme di pezzi etc necessari per un gioco*) set; **per** ~ for fun; **fare il doppio** ~ **con qn** to double-cross sb; **prendersi** ~ **di qn** to pull sb's leg; **stare al** ~ **di qn** to play along with sb; **è in** ~ **la mia reputazione** my reputation is at stake; ~ **d'azzardo** game of chance; ~ **della palla** ball game; ~ **degli scacchi** chess set; **i G**~**chi Olimpici** the Olympic Games.

gioco'forza [dʒoko'fɔrtsa] *sm:* **essere** ~ to be inevitable.

giocoli'ere [dʒoko'ljɛre] *sm* juggler.

gio'coso, a [dʒo'koso] *ag* playful, jesting.

gio'gaia [dʒo'gaja] *sf* (*GEO*) range of mountains.

gi'ogo, ghi ['dʒogo] *sm* yoke.

gi'oia ['dʒɔja] *sf* joy, delight; (*pietra preziosa*) jewel, precious stone.

gioielle'ria [dʒojelle'ria] *sf* jeweller's (*BRIT*) *o* jeweler's (*US*) craft; (*negozio*) jewel(l)er's (shop).

gioielli'ere, a [dʒojel'ljɛre] *sm/f* jeweller (*BRIT*), jeweler (*US*).

gioi'ello [dʒo'jɛllo] *sm* jewel, piece of jewellery (*BRIT*) *o* jewelry (*US*); ~**i** *smpl* (*gioie*) jewel(l)ery *sg*.

gioi'oso, a [dʒo'joso] *ag* joyful.

Gior'dania [dʒor'danja] *sf:* **la** ~ Jordan.

Gior'dano [dʒor'dano] *sm:* **il** ~ the Jordan.

gior'dano, a [dʒor'dano] *ag, sm/f* Jordanian.

giorna'laio, a [dʒorna'lajo] *sm/f* newsagent (*BRIT*), newsdealer (*US*).

gior'nale [dʒor'nale] *sm* (news)paper; (*diario*) journal, diary; (*COMM*) journal; ~ **di bordo** (*NAUT*) ship's log; ~ **radio** radio news *sg*.

giorna'letto [dʒorna'letto] *sm* (children's) comic.

giornali'ero, a [dʒorna'ljero] *ag* daily; (*che varia: umore*) changeable ♦ *sm* day labourer (*BRIT*) *o* laborer (*US*).

giorna'lino [dʒorna'lino] *sm* children's comic.

giorna'lismo [dʒorna'lizmo] *sm* journalism.

giorna'lista, i, e [dʒorna'lista] *sm/f* journalist.

giorna'listico, a, ci, che [dʒorna'listiko] *ag* journalistic; **stile** ~ journalese.

giornal'mente [dʒornal'mente] *av* daily.

gior'nata [dʒor'nata] *sf* day; (*paga*) day's wages, day's pay; **durante la** ~ **di ieri** yesterday; **fresco di** ~ (*uovo*) freshly laid; **vivere alla** ~ to live from day to day; ~ **lavorativa** working day.

gi'orno ['dʒorno] *sm* day; (*opposto alla notte*) day, daytime; (*luce del* ~) daylight; **al** ~ per day; **di** ~ by day; ~ **per** ~ day by day; **al** ~ **d'oggi** nowadays; **tutto il santo** ~ all day long.

> **Il Giorno dei Morti**, All Souls' Day, falls on November 2nd. On that day, relatives make a special visit to the graves of loved ones to lay flowers.

gi'ostra ['dʒɔstra] *sf* (*per bimbi*) merry-go-round; (*torneo storico*) joust.

gios'trare [dʒos'trare] *vi* (*STORIA*) to joust, tilt; ~**rsi** *vr* to manage.

giov. *abbr* (= *giovedì*) Thur(s).

giova'mento [dʒova'mento] *sm* benefit, help.

gi'ovane ['dʒovane] *ag* young; (*aspetto*) youthful ♦ *sm/f* youth/girl, young man/woman; **i** ~**i** young people; **è** ~ **del mestiere** he's new to the job.

giova'netto, a [dʒova'netto] *sm/f* young man/woman.

giova'nile [dʒova'nile] *ag* youthful; (*scritti*)

early; (*errore*) of youth.
giova'notto [dʒova'nɔtto] *sm* young man.
gio'vare [dʒo'vare] *vi*: ~ **a** (*essere utile*) to
be useful to; (*far bene*) to be good for ♦ *vb
impers* (*essere bene, utile*) to be useful; **~rsi**
vr: **~rsi di qc** to make use of sth; **a che
giova prendersela?** what's the point of
getting upset?
Gi'ove ['dʒɔve] *sm* (*MITOLOGIA*) Jove; (*ASTR*)
Jupiter.
giovedì [dʒove'di] *sm inv* Thursday; *per
fraseologia vedi* **martedì**.
gio'venca, che [dʒo'vɛnka] *sf* heifer.
gioventù [dʒoven'tu] *sf* (*periodo*) youth; (*i
giovani*) young people *pl*, youth.
giovi'ale [dʒo'vjale] *ag* jovial, jolly.
giovi'nastro [dʒovi'nastro] *sm* young thug.
giovin'cello [dʒovin'tʃɛllo] *sm* young lad.
giovi'nezza [dʒovi'nettsa] *sf* youth.
gip [dʒip] *sigla m inv* (= *giudice per le indagini
preliminari*) judge for preliminary
enquiries.
gira'dischi [dʒira'diski] *sm inv* record
player.
gi'raffa [dʒi'raffa] *sf* giraffe; (*TV, CINE,
RADIO*) boom.
gira'mento [dʒira'mento] *sm*: ~ **di testa** fit
of dizziness.
gira'mondo [dʒira'mondo] *sm/f inv*
globetrotter.
gi'randola [dʒi'randola] *sf* (*fuoco d'artificio*)
Catherine wheel; (*giocattolo*) toy
windmill; (*banderuola*) weather vane,
weathercock.
gi'rante [dʒi'rante] *sm/f* (*di assegno*)
endorser.
gi'rare [dʒi'rare] *vt* (*far ruotare*) to turn;
(*percorrere, visitare*) to go round; (*CINE*) to
shoot; (: *film: come regista*) to make;
(*COMM*) to endorse ♦ *vi* to turn; (*più
veloce*) to spin; (*andare in giro*) to wander,
go around; **~rsi** *vr* to turn; ~ **attorno a** to
go round; to revolve round; **si girava e
rigirava nel letto** he tossed and turned in
bed; **far ~ la testa a qn** to make sb dizzy;
(*fig*) to turn sb's head; **gira al largo** keep
your distance; **girala come ti pare** (*fig*)
look at it whichever way you like; **gira e
rigira** ... after a lot of driving (*o* walking)
about ...; (*fig*) whichever way you look at
it; **cosa ti gira?** (*fam*) what's got into you?;
mi ha fatto ~ le scatole (*fam*) he drove
me crazy.
girar'rosto [dʒirar'rɔsto] *sm* (*CUC*) spit.
gira'sole [dʒira'sole] *sm* sunflower.
gi'rata [dʒi'rata] *sf* (*passeggiata*) stroll; (*con
veicolo*) drive; (*COMM*) endorsement.
gira'tario, a [dʒira'tarjo] *sm/f* endorsee.

gira'volta [dʒira'vɔlta] *sf* twirl, turn; (*curva*)
sharp bend; (*fig*) about-turn.
gi'rello [dʒi'rɛllo] *sm* (*di bambino*)
Babywalker ® (*BRIT*), go-cart (*US*); (*taglio
di carne*) topside (*BRIT*), top round (*US*).
gi'retto [dʒi'retto] *sm* (*passeggiata*) walk,
stroll; (: *in macchina*) drive, spin; (: *in
bicicletta*) ride.
gi'revole [dʒi'revole] *ag* revolving, turning.
gi'rino [dʒi'rino] *sm* tadpole.
'giro ['dʒiro] *sm* (*circuito, cerchio*) circle; (*di
chiave, manovella*) turn; (*viaggio*) tour,
excursion; (*passeggiata*) stroll, walk; (*in
macchina*) drive; (*in bicicletta*) ride;
(*SPORT: della pista*) lap; (*di denaro*)
circulation; (*CARTE*) hand; (*TECN*)
revolution; **fare un** ~ to go for a walk (*o* a
drive *o* a ride); **fare il** ~ **di** (*parco, città*) to
go round; **andare in** ~ (*a piedi*) to go
about, walk around; **guardarsi in** ~ to
look around; **prendere in** ~ **qn** (*fig*) to
take sb for a ride; **a stretto** ~ **di posta** by
return of post; **nel** ~ **di un mese** in a
month's time; **essere nel** ~ (*fig*) to belong
to a circle (of friends); ~ **d'affari** (*viaggio*)
business tour; (*COMM*) turnover; ~ **di
parole** circumlocution; ~ **di prova** (*AUT*)
test drive; ~ **turistico** sightseeing tour; ~
vita waist measurement.
giro'collo [dʒiro'kɔllo] *sm*: **a** ~ crewneck
cpd.
giro'conto [dʒiro'konto] *sm* (*ECON*) credit
transfer.
gi'rone [dʒi'rone] *sm* (*SPORT*) series of
games; ~ **di andata/ritorno** (*CALCIO*) first/
second half of the season.
gironzo'lare [dʒirondzo'lare] *vi* to stroll
about.
giro'tondo [dʒiro'tondo] *sm* ring-a-ring-
o'roses (*BRIT*), ring-around-the-rosey
(*US*); **in** ~ in a circle.
girova'gare [dʒirova'gare] *vi* to wander
about.
gi'rovago, a, ghi, ghe [dʒi'rɔvago] *sm/f*
(*vagabondo*) tramp; (*venditore*) peddler;
una compagnia di ~**ghi** (*attori*) a company
of strolling actors.
'gita ['dʒita] *sf* excursion, trip; **fare una** ~
to go for a trip, go on an outing.
gi'tano, a [dʒi'tano] *sm/f* gipsy.
gi'tante [dʒi'tante] *sm/f* member of a tour.
giù [dʒu] *av* down; (*dabbasso*) downstairs; **in**
~ downwards, down; **la mia casa è un po'
più in** ~ my house is a bit further on; ~
di lì (*pressappoco*) thereabouts; **bambini
dai 6 anni in** ~ children aged 6 and
under; **cadere** ~ **per le scale** to fall down
the stairs; ~ **le mani!** hands off!; **essere**

~ (*fig: di salute*) to be run down;
(: *di spirito*) to be depressed; **quel tipo non mi va** ~ I can't stand that guy.
gi'ubba ['dʒubba] *sf* jacket.
giub'botto [dʒub'bɔtto] *sm* jerkin; ~ **antiproiettile** bulletproof vest.
giubi'lare [dʒubi'lare] *vi* to rejoice.
gi'ubilo ['dʒubilo] *sm* rejoicing.
giudi'care [dʒudi'kare] *vt* to judge; (*accusato*) to try; (*lite*) to arbitrate in; ~ **qn/qc bello** to consider sb/sth (to be) beautiful.
giudi'cato [dʒudi'kato] *sm* (*DIR*): **passare in** ~ to pass final judgment.
gi'udice ['dʒuditʃe] *sm* judge; ~ **collegiale** member of the court; ~ **conciliatore** justice of the peace; ~ **istruttore** examining (*BRIT*) *o* committing (*US*) magistrate; ~ **popolare** member of a jury.
giudizi'ale [dʒudit'tsjale] *ag* judicial.
giudizi'ario, a [dʒudit'tsjarjo] *ag* legal, judicial.
giu'dizio [dʒu'dittsjo] *sm* judgment; (*opinione*) opinion; (*DIR*) judgment, sentence; (: *processo*) trial; (: *verdetto*) verdict; **aver** ~ to be wise *o* prudent; **essere in attesa di** ~ to be awaiting trial; **citare in** ~ to summons; **l'imputato è stato rinviato a** ~ the accused has been committed for trial.
giudizi'oso, a [dʒudit'tsjoso] *ag* prudent, judicious.
gi'uggiola ['dʒuddʒola] *sf*: **andare in brodo di** ~**e** (*fam*) to be over the moon.
gi'ugno ['dʒuɲɲo] *sm* June; *per fraseologia vedi* **luglio**.
giu'livo, a [dʒu'livo] *ag* merry.
giul'lare [dʒul'lare] *sm* jester.
giu'menta [dʒu'menta] *sf* mare.
gi'unco, chi ['dʒunko] *sm* (*BOT*) rush.
gi'ungere ['dʒundʒere] *vi* to arrive ♦ *vt* (*mani etc*) to join; ~ **a** to arrive at, reach; ~ **nuovo a qn** to come as news to sb; ~ **in porto** to reach harbour; (*fig*) to be brought to a successful outcome.
gi'ungla ['dʒungla] *sf* jungle.
gi'unsi etc ['dʒunsi] *vb vedi* **giungere**.
gi'unto, a ['dʒunto] *pp di* **giungere** ♦ *sm* (*TECN*) coupling, joint ♦ *sf* addition; (*organo esecutivo, amministrativo*) council, board; **per** ~**a** into the bargain, in addition; ~**a militare** military junta; *vedi anche* **Comune; Provincia; Regione.**
giun'tura [dʒun'tura] *sf* joint.
giuo'care [dʒwo'kare] *vt, vi* = **giocare**.
giu'oco ['dʒwɔko] *sm* = **gioco**.
giura'mento [dʒura'mento] *sm* oath; ~ **falso**

perjury.
giu'rare [dʒu'rare] *vt* to swear ♦ *vi* to swear, take an oath; **gliel'ho giurata** I swore I would get even with him.
giu'rato, a [dʒu'rato] *ag*: **nemico** ~ sworn enemy ♦ *sm/f* juror, juryman/woman.
giu'ria [dʒu'ria] *sf* jury.
giu'ridico, a, ci, che [dʒu'ridiko] *ag* legal.
giurisdizi'one [dʒurizdit'tsjone] *sf* jurisdiction.
giurispru'denza [dʒurispru'dɛntsa] *sf* jurisprudence.
giu'rista, i, e [dʒu'rista] *sm/f* jurist.
giustap'porre [dʒustap'porre] *vt* to juxtapose.
giustapposizi'one [dʒustappozit'tsjone] *sf* juxtaposition.
giustap'posto, a [dʒustap'posto] *pp di* **giustappore.**
giustifi'care [dʒustifi'kare] *vt* to justify; ~**rsi** *vr*: ~**rsi di** *o* **per qc** to justify *o* excuse o.s. for sth.
giustifica'tivo, a [dʒustifika'tivo] *ag* (*AMM*): **nota** *o* **pezza** ~**a** receipt.
giustificazi'one [dʒustifikat'tsjone] *sf* justification; (*INS*) (note of) excuse.
gius'tizia [dʒus'tittsja] *sf* justice; **farsi** ~ (**da sé**) (*vendicarsi*) to take the law into one's own hands.
giustizi'are [dʒustit'tsjare] *vt* to execute, put to death.
giustizi'ere [dʒustit'tsjɛre] *sm* executioner.
gi'usto, a ['dʒusto] *ag* (*equo*) fair, just; (*vero*) true, correct; (*adatto*) right, suitable; (*preciso*) exact, correct ♦ *av* (*esattamente*) exactly, precisely; (*per l'appunto, appena*) just; **arrivare** ~ to arrive just in time; **ho** ~ **bisogno di te** you're just the person I need.
'glabro, a *ag* hairless.
glaci'ale [gla'tʃale] *ag* glacial.
gla'diolo *sm* gladiolus.
'glandola *sf* = **ghiandola.**
'glassa *sf* (*CUC*) icing.
glau'coma *sm* glaucoma.
gli [ʎi] *det mpl* (*dav V, s impura, gn, pn, ps, x, z*) the ♦ *pron* (*a lui*) to him; (*a esso*) to it; (*in coppia con lo, la, li, le, ne: a lui, a lei, a loro etc*): **gliele do** I'm giving them to him (*o* her *o* them); **gliene ho parlato** I spoke to him (*o* her *o* them) about it; *vedi anche* **il.**
glice'mia [glitʃe'mia] *sf* glycaemia.
glice'rina [glitʃe'rina] *sf* glycerine.
'glicine ['glitʃine] *sm* wistaria.
gli'ela etc ['ʎela] *vedi* **gli.**
glo'bale *ag* overall; (*vista*) global.
'globo *sm* globe.
'globulo *sm* (*ANAT*): ~ **rosso/bianco** red/

white corpuscle.

'gloria *sf* glory; **farsi ~ di qc** to pride o.s. on sth, take pride in sth.

glori'arsi *vr*: **~ di qc** to pride o.s. on sth, glory *o* take pride in sth.

glorifi'care *vt* to glorify.

glori'oso, a *ag* glorious.

glos'sario *sm* glossary.

glu'cosio *sm* glucose.

'gluteo *sm* gluteus; **~i** *smpl* buttocks.

GM *abbr* = **genio militare**.

G.N. *abbr* = **gas naturale**.

'gnocchi ['ɲɔkki] *smpl* (*CUC*) *small dumplings made of semolina pasta or potato*.

'gnomo ['ɲɔmo] *sm* gnome.

'gnorri ['ɲɔrri] *sm/f inv*: **non fare lo ~!** stop acting as if you didn't know anything about it!

GO *sigla* = **Gorizia**.

'goal ['goul] *sm inv* (*SPORT*) goal.

gobba *sf* (*ANAT*) hump; (*protuberanza*) bump.

'gobbo, a *ag* hunchbacked; (*ricurvo*) round-shouldered ♦ *sm/f* hunchback.

'Gobi *smpl*: **il Deserto dei ~** the Gobi Desert.

'goccia, ce ['gottʃa] *sf* drop; **~ di rugiada** dewdrop; **somigliarsi come due ~ce d'acqua** to be as like as two peas in a pod; **è la ~ che fa traboccare il vaso!** it's the last straw!

'goccio ['gottʃo] *sm* drop, spot.

goccio'lare [gottʃo'lare] *vi, vt* to drip.

goccio'lio [gottʃo'lio] *sm* dripping.

go'dere *vi* (*compiacersi*): **~ (di)** to be delighted (at), rejoice (at); (*trarre vantaggio*): **~ di** to enjoy, benefit from ♦ *vt* to enjoy; **~rsi la vita** to enjoy life; **godersela** to have a good time, enjoy o.s.

godi'mento *sm* enjoyment.

godrò *etc vb vedi* **godere**.

gof'faggine [gof'faddʒine] *sf* clumsiness.

'goffo, a *ag* clumsy, awkward.

'gogna ['goɲɲa] *sf* pillory.

gol *sm inv* = **goal**.

'gola *sf* (*ANAT*) throat; (*golosità*) gluttony, greed; (*di camino*) flue; (*di monte*) gorge; **fare ~** (*anche fig*) to tempt; **ricacciare il pianto** *o* **le lacrime in ~** to swallow one's tears.

go'letta *sf* (*NAUT*) schooner.

golf *sm inv* (*SPORT*) golf; (*maglia*) cardigan.

'golfo *sm* gulf.

goli'ardico, a, ci, che *ag* (*canto, vita*) student *cpd*.

go'loso, a *ag* greedy.

'golpe *sm inv* (*POL*) coup.

gomi'tata *sf*: **dare una ~ a qn** to elbow sb; **farsi avanti a (forza** *o* **furia di) ~e** to elbow one's way through; **fare a ~e per qc** to fight to get sth.

'gomito *sm* elbow; (*di strada etc*) sharp bend.

go'mitolo *sm* ball.

'gomma *sf* rubber; (*colla*) gum; (*per cancellare*) rubber, eraser; (*di veicolo*) tyre (*BRIT*), tire (*US*); **~ da masticare** chewing gum; **~ a terra** flat tyre.

gommapi'uma ® *sf* foam rubber.

gom'mino *sm* rubber tip; (*rondella*) rubber washer.

gom'mista, i, e *sm/f* tyre (*BRIT*) *o* tire (*US*) specialist; (*rivenditore*) tyre *o* tire merchant.

gom'mone *sm* rubber dinghy.

gom'moso, a *ag* rubbery.

'gondola *sf* gondola.

gondoli'ere *sm* gondolier.

gonfa'lone *sm* banner.

gonfi'are *vt* (*pallone*) to blow up, inflate; (*dilatare, ingrossare*) to swell; (*fig: notizia*) to exaggerate; **~rsi** *vr* to swell; (*fiume*) to rise.

'gonfio, a *ag* swollen; (*stomaco*) bloated; (*palloncino, gomme*) inflated, blown up; (*con pompa*) pumped up; (*vela*) full; **occhi ~i di pianto** eyes swollen with tears; **~ di orgoglio** (*persona*) puffed up (with pride); **avere il portafoglio ~** to have a bulging wallet.

gonfi'ore *sm* swelling.

gongo'lare *vi* to look pleased with o.s.; **~ di gioia** to be overjoyed.

'gonna *sf* skirt; **~ pantalone** culottes *pl*.

'gonzo ['gondzo] *sm* simpleton, fool.

gorgheggi'are [gorged'dʒare] *vi* to warble; to trill.

gor'gheggio [gor'geddʒo] *sm* (*MUS, di uccello*) trill.

'gorgo, ghi *sm* whirlpool.

gorgogli'are [gorgoʎ'ʎare] *vi* to gurgle.

gorgo'glio [gorgoʎ'ʎio] *sm* gurgling.

go'rilla *sm inv* gorilla; (*guardia del corpo*) bodyguard.

'Gotha *sm inv* (*del cinema, letteratura, industria*) leading lights *pl*.

'gotico, a, ci, che *ag, sm* Gothic.

'gotta *sf* gout.

gover'nante *sm/f* ruler ♦ *sf* (*di bambini*) governess; (*donna di servizio*) housekeeper.

gover'nare *vt* (*stato*) to govern, rule; (*pilotare, guidare*) to steer; (*bestiame*) to tend, look after.

governa'tivo, a *ag* (*politica, decreto*)

government *cpd*, governmental; (*stampa*) pro-government.

governa'tore *sm* governor.

go'verno *sm* government; ~ **ombra** shadow cabinet.

'gozzo ['gottso] *sm* (*ZOOL*) crop; (*MED*) goitre; (*fig fam*) throat.

gozzovigli'are [gottsoviʎ'ʎare] *vi* to make merry, carouse.

gpm *abbr* (= *giri per minuto*) rpm.

GR [dzi'erre] *sigla* = *Grosseto* ♦ *sigla m* (= *giornale radio*) radio news.

gracchi'are [grak'kjare] *vi* to caw.

graci'dare [gratʃi'dare] *vi* to croak.

graci'dio, ii [gratʃi'dio] *sm* croaking.

'gracile ['gratʃile] *ag* frail, delicate.

gra'dasso *sm* boaster.

gradata'mente *av* gradually, by degrees.

gradazi'one [gradat'tsjone] *sf* (*sfumatura*) gradation; ~ **alcolica** alcoholic content, strength.

gra'devole *ag* pleasant, agreeable.

gradi'mento *sm* pleasure, satisfaction; **essere di mio** (*o tuo etc*) ~ to be to my (*o* your *etc*) liking.

gradi'nata *sf* flight of steps; (*in teatro, stadio*) tiers *pl*.

gra'dino *sm* step; (*ALPINISMO*) foothold.

gra'dire *vt* (*accettare con piacere*) to accept; (*desiderare*) to wish, like; **gradisce una tazza di tè?** would you like a cup of tea?

gra'dito, a *ag* welcome.

'grado *sm* (*MAT, FISICA etc*) degree; (*stadio*) degree, level; (*MIL, sociale*) rank; **essere in** ~ **di fare** to be in a position to do; **di buon** ~ willingly; **per** ~**i** by degrees; **un cugino di primo/secondo** ~ a first/second cousin; **subire il terzo** ~ (*anche fig*) to be given the third degree.

gradu'ale *ag* gradual.

gradu'are *vt* to grade.

gradu'ato, a *ag* (*esercizi*) graded; (*scala, termometro*) graduated ♦ *sm* (*MIL*) non-commissioned officer.

gradua'toria *sf* (*di concorso*) list; (*per la promozione*) order of seniority.

'graffa *sf* (*gancio*) clip; (*segno grafico*) brace.

graf'fetta *sf* paper clip.

graffi'are *vt* to scratch.

graffia'tura *sf* scratch.

'graffio *sm* scratch.

graf'fiti *smpl* graffiti.

gra'fia *sf* spelling; (*scrittura*) handwriting.

'grafico, a, ci, che *ag* graphic ♦ *sm* graph; (*persona*) graphic designer ♦ *sf* graphic arts *pl*; ~ **a torta** pie chart.

gra'migna [gra'miɲɲa] *sf* weed; couch

grass.

gram'matica, che *sf* grammar.

grammati'cale *ag* grammatical.

'grammo *sm* gram(me).

gram'mofono *sm* gramophone.

'gramo, a *ag* (*vita*) wretched.

gran *ag vedi* **grande**.

'grana *sf* (*granello, di minerali, corpi spezzati*) grain; (*fam: seccatura*) trouble; (: *soldi*) cash ♦ *sm inv* cheese similar to Parmesan.

gra'naglie [gra'naʎʎe] *sfpl* corn *sg*, seed *sg*.

gra'naio *sm* granary, barn.

gra'nata *sf* (*frutto*) pomegranate; (*pietra preziosa*) garnet; (*proiettile*) grenade.

granati'ere *sm* (*MIL*) grenadier; (*fig*) fine figure of a man.

Gran Bre'tagna [granbre'taɲɲa] *sf*: **la** ~ Great Britain.

gran'cassa *sf* (*MUS*) bass drum.

'granchio ['grankjo] *sm* crab; (*fig*) blunder; **prendere un** ~ (*fig*) to blunder.

grandango'lare *sm* wide-angle lens *sg*.

gran'dangolo *sm* (*FOT*) wide-angle lens *sg*.

'grande *ag* (*qualche volta gran* +*C*, **grand'** + *V*) (*grosso, largo, vasto*) big, large; (*alto*) tall; (*lungo*) long; (*in sensi astratti*) great ♦ *sm/f* (*persona adulta*) adult, grown-up; (*chi ha ingegno e potenza*) great man/woman; **mio fratello più** ~ my big *o* older brother; **il gran pubblico** the general public; **di gran classe** (*prodotto*) high-class; **cosa farai da** ~? what will you be *o* do when you grow up?; **fare le cose in** ~ to do things in style; **fare il** ~ (*strafare*) to act big; **una gran bella donna** a very beautiful woman; **non è una gran cosa** *o* **un gran che** it's nothing special; **non ne so gran che** I don't know very much about it.

grandeggi'are [granded'dʒare] *vi* (*emergere per grandezza*): ~ **su** to tower over; (*darsi arie*) to put on airs.

gran'dezza [gran'dettsa] *sf* (*dimensione*) size; (*fig*) greatness; **in** ~ **naturale** lifesize; **manie di** ~ delusions of grandeur.

grandi'nare *vb impers* to hail.

'grandine *sf* hail.

grandi'oso, a *ag* grand, grandiose.

gran'duca, chi *sm* grand duke.

grandu'cato *sm* grand duchy.

grandu'chessa [grandu'kessa] *sf* grand duchess.

gra'nello *sm* (*di cereali, uva*) seed; (*di frutta*) pip; (*di sabbia, sale etc*) grain.

gra'nita *sf* kind of water ice.

gra'nito *sm* granite.

'grano *sm* (*in quasi tutti i sensi*) grain;

(*frumento*) wheat; (*di rosario, collana*) bead;
~ **di pepe** peppercorn.

gran'turco *sm* maize.

'granulo *sm* granule; (*MED*) pellet.

'grappa *sf* rough, strong brandy.

'grappolo *sm* bunch, cluster.

'graspo *sm* bunch (of grapes).

gras'setto *sm* (*TIP*) bold (type) (*BRIT*), bold
face.

'grasso, a *ag* fat; (*cibo*) fatty; (*pelle*)
greasy; (*terreno*) rich; (*fig*: *guadagno,
annata*) plentiful; (: *volgare*) coarse, lewd
♦ *sm* (*di persona, animale*) fat; (*sostanza che
unge*) grease.

gras'soccio, a, ci, ce [gras'sottʃo] *ag*
plump.

gras'sone, a *sm/f* (*fam*: *persona*) dumpling.

'grata *sf* grating.

gra'ticcio [gra'tittʃo] *sm* trellis; (*stuoia*)
mat.

gra'ticola *sf* grill.

gra'tifica, che *sf* bonus; ~ **natalizia**
Christmas bonus.

gratificazi'one [gratifikat'tsjone] *sf*
(*soddisfazione*) satisfaction, reward.

grati'nare *vt* (*CUC*) to cook au gratin.

'gratis *av* free, for nothing.

grati'tudine *sf* gratitude.

'grato, a *ag* grateful.

gratta'capo *sm* worry, headache.

grattaci'elo [gratta'tʃɛlo] *sm* skyscraper.

grat'tare *vt* (*pelle*) to scratch; (*raschiare*) to
scrape; (*pane, formaggio, carote*) to grate;
(*fam*: *rubare*) to pinch ♦ *vi* (*stridere*) to
grate; (*AUT*) to grind; ~**rsi** *vr* to scratch
o.s.; ~**rsi la pancia** (*fig*) to twiddle one's
thumbs.

grat'tata *sf* scratch; **fare una** ~ (*AUT*: *fam*)
to grind the gears.

grat'tugia, gie [grat'tudʒa] *sf* grater.

grattugi'are [grattu'dʒare] *vt* to grate; **pane**
m **grattugiato** breadcrumbs *pl*.

gratuità *sf* (*fig*) gratuitousness.

gra'tuito, a *ag* free; (*fig*) gratuitous.

gra'vame *sm* tax; (*fig*) burden, weight.

gra'vare *vt* to burden ♦ *vi*: ~ **su** to weigh
on.

'grave *ag* (*danno, pericolo, peccato etc*)
grave, serious; (*responsabilità*) heavy,
grave; (*contegno*) grave, solemn; (*voce,
suono*) deep, low-pitched; (*LING*): **accento**
~ **grave** accent ♦ *sm* (*FISICA*) (heavy)
body; **un malato** ~ a person who is
seriously ill.

grave'mente *av* (*ammalato, ferito*)
seriously.

gravi'danza [gravi'dantsa] *sf* pregnancy.

'gravido, a *ag* pregnant.

gravità *sf* seriousness; (*anche FISICA*)
gravity.

gravi'tare *vi* (*FISICA*): ~ **intorno a** to
gravitate round.

gra'voso, a *ag* heavy, onerous.

'grazia ['grattsja] *sf* grace; (*favore*) favour
(*BRIT*), favor (*US*); (*DIR*) pardon; **di** ~
(*ironico*) if you please; **troppa** ~! (*ironico*)
you're too generous!; **quanta** ~ **di Dio!**
what abundance!; **entrare nelle** ~**e di qn**
to win sb's favour; **Ministero di G**~ **e
Giustizia** Ministry of Justice, ≈ Lord
Chancellor's Office (*BRIT*), ≈ Department
of Justice (*US*).

grazi'are [grat'tsjare] *vt* (*DIR*) to pardon.

'grazie ['grattsje] *escl* thank you!; ~ **mille!** *o*
tante! *o* **infinite!** thank you very much!;
~ **a** thanks to.

grazi'oso, a [grat'tsjoso] *ag* charming,
delightful; (*gentile*) gracious.

'Grecia ['grɛtʃa] *sf*: **la** ~ Greece.

'greco, a, ci, che *ag*, *sm/f*, *sm* Greek.

gre'gario *sm* (*CICLISMO*) supporting rider.

'gregge, pl(f) i ['greddʒe] *sm* flock.

'greggio, a, gi, ge ['greddʒo] *ag* raw,
unrefined; (*diamante*) rough, uncut;
(*tessuto*) unbleached ♦ *sm* (*anche*: **petrolio**
~) crude (oil).

grembi'ule *sm* apron; (*sopravveste*) overall.

'grembo *sm* lap; (*ventre della madre*) womb.

gre'mito, a *ag*: ~ (**di**) packed *o* crowded
(with).

'greto *sm* (exposed) gravel bed of a river.

'gretto, a *ag* mean, stingy; (*fig*) narrow-
minded.

'greve *ag* heavy.

'grezzo, a ['greddzo] *ag* = **greggio**.

gri'dare *vi* (*per chiamare*) to shout, cry
(out); (*strillare*) to scream, yell ♦ *vt* to
shout (out), yell (out); ~ **aiuto** to cry *o*
shout for help.

'grido, pl(m) i *o* **pl(f) a** *sm* shout, cry;
scream, yell; (*di animale*) cry; **di** ~
famous; **all'ultimo** ~ in the latest style.

'grigio, a, gi, gie ['gridʒo] *ag*, *sm* grey
(*BRIT*), gray (*US*).

'griglia ['griʎʎa] *sf* (*per arrostire*) grill;
(*ELETTR*) grid; (*inferriata*) grating; **alla** ~
(*CUC*) grilled.

grigli'ata [griʎ'ʎata] *sf* (*CUC*) grill.

gril'letto *sm* trigger.

'grillo *sm* (*ZOOL*) cricket; (*fig*) whim; **ha dei**
~**i per la testa** his head is full of
nonsense.

grimal'dello *sm* picklock.

'grinfia *sf*: **cadere nelle** ~**e di qn** (*fig*) to fall
into sb's clutches.

'grinta *sf* grim expression; (*SPORT*) fighting

spirit; **avere molta ~** to be very determined.

grintoso, a *ag* forceful.

'grinza ['grintsa] *sf* crease, wrinkle; (*ruga*) wrinkle; **il tuo ragionamento non fa una ~** your argument is faultless.

grin'zoso, a [grin'tsoso] *ag* wrinkled; creased.

grip'pare *vi* (*TECN*) to seize.

gris'sino *sm* bread-stick.

groenlan'dese *ag* Greenland *cpd* ♦ *sm/f* Greenlander.

Groen'landia *sf*: **la ~** Greenland.

'gronda *sf* eaves *pl*.

gron'daia *sf* gutter.

gron'dante *ag* dripping.

gron'dare *vi* to pour; (*essere bagnato*): **~ di** to be dripping with ♦ *vt* to drip with.

'groppa *sf* (*di animale*) back, rump; (*fam: dell'uomo*) back, shoulders *pl*.

'groppo *sm* tangle; **avere un ~ alla gola** (*fig*) to have a lump in one's throat.

'grossa *sf* (*unità di misura*) gross.

gros'sezza [gros'settsa] *sf* size; thickness.

gros'sista, i, e *sm/f* (*COMM*) wholesaler.

'grosso, a *ag* big, large; (*di spessore*) thick; (*grossolano: anche fig*) coarse; (*grave, insopportabile*) serious, great; (*tempo, mare*) rough ♦ *sm*: **il ~ di** the bulk of; **un pezzo ~** (*fig*) a VIP, a bigwig; **farla ~a** to do something very stupid; **dirle ~e** to tell tall stories (*BRIT*) *o* tales (*US*); **questa è ~a!** that's a good one!; **sbagliarsi di ~** to be completely wrong; **dormire della ~a** to sleep like a log.

grossolanità *sf* coarseness.

grosso'lano, a *ag* rough, coarse; (*fig*) coarse, crude; (: *errore*) stupid.

grosso'modo *av* roughly.

'grotta *sf* cave; grotto.

grot'tesco, a, schi, sche *ag* grotesque.

grovi'era *sm o f* gruyère (cheese).

gro'viglio [gro'viʎʎo] *sm* tangle; (*fig*) muddle.

gru *sf inv* crane.

'gruccia, ce ['gruttʃa] *sf* (*per camminare*) crutch; (*per abiti*) coat-hanger.

gru'gnire [gruɲ'ɲire] *vi* to grunt.

gru'gnito [gruɲ'ɲito] *sm* grunt.

'grugno ['gruɲɲo] *sm* snout; (*fam: faccia*) mug.

'grullo, a *ag* silly, stupid.

'grumo *sm* (*di sangue*) clot; (*di farina etc*) lump.

gru'moso, a *ag* lumpy.

'gruppo *sm* group; **~ sanguigno** blood group.

gruvi'era *sm o f* = **groviera**.

'gruzzolo ['gruttsolo] *sm* (*di denaro*) hoard.

GT *abbr* (*AUT*: = *gran turismo*) GT.

G.U. *abbr* = **Gazzetta Ufficiale**.

guada'gnare [gwadaɲ'ɲare] *vt* (*ottenere*) to gain; (*soldi, stipendio*) to earn; (*vincere*) to win; (*raggiungere*) to reach; **tanto di guadagnato!** so much the better!

gua'dagno [gwa'daɲɲo] *sm* earnings *pl*; (*COMM*) profit; (*vantaggio, utile*) advantage, gain; **~ di capitale** capital gains *pl*; **~ lordo/netto** gross/net earnings *pl*.

gu'ado *sm* ford; **passare a ~** to ford.

gu'ai *escl*: **~ a te** (*o lui etc*)! woe betide you (*o him etc*)!

gua'ina *sf* (*fodero*) sheath; (*indumento per donna*) girdle.

gu'aio *sm* trouble, mishap; (*inconveniente*) trouble, snag.

gua'ire *vi* to whine, yelp.

gua'ito *sm* (*di cane*) yelp, whine; (*il guaire*) yelping, whining.

gu'ancia, ce ['gwantʃa] *sf* cheek.

guanci'ale [gwan'tʃale] *sm* pillow; **dormire fra due ~i** (*fig*) to sleep easy, have no worries.

gu'anto *sm* glove; **trattare qn con i ~i** (*fig*) to handle sb with kid gloves; **gettare/ raccogliere il ~** (*fig*) to throw down/take up the gauntlet.

guan'tone *sm* boxing glove.

guarda'boschi [gwarda'bɔski] *sm inv* forester.

guarda'caccia [gwarda'kattʃa] *sm inv* gamekeeper.

guarda'coste *sm inv* coastguard; (*nave*) coastguard patrol vessel.

guarda'linee *sm inv* (*SPORT*) linesman.

guarda'macchine [gwarda'makkine] *sm/f inv* car-park (*BRIT*) *o* parking lot (*US*) attendant.

guar'dare *vt* (*con lo sguardo: osservare*) to look at; (*film, televisione*) to watch; (*custodire*) to look after, take care of ♦ *vi* to look; (*badare*): **~ a** to pay attention to; (*luoghi: esser orientato*): **~ a** to face; **~rsi** *vr* to look at o.s; **~ di** to try to; **~rsi da** (*astenersi*) to refrain from; (*stare in guardia*) to beware of; **~rsi dal fare** to take care not to do; **ma guarda un po'**! good heavens!; **e guarda caso** ... as if by coincidence ...; **~ qn dall'alto in basso** to look down on sb; **non ~ in faccia a nessuno** (*fig*) to have no regard for anybody; **~ di traverso** to scowl *o* frown at; **~ a vista qn** to keep a close watch on sb.

guarda'roba *sm inv* wardrobe; (*locale*)

cloakroom.

guardarobi'ere, a *sm/f* cloakroom attendant.

guardasi'gilli [gwardasi'dʒilli] *sm inv* ≈ Lord Chancellor (*BRIT*), ≈ Attorney General (*US*).

gu'ardia *sf* (*individuo, corpo*) guard; (*sorveglianza*) watch; **fare la ~ a qc/qn** to guard sth/sb; **stare in ~** (*fig*) to be on one's guard; **il medico di ~** the doctor on call; **il fiume ha raggiunto il livello di ~** the river has reached the high-water mark; **~ carceraria** (prison) warder (*BRIT*) *o* guard (*US*); **~ del corpo** bodyguard; **~ di finanza** (*corpo*) customs *pl*; (*persona*) customs officer; **~ forestale** forest ranger; **~ giurata** security guard; **~ medica** emergency doctor service; **~ municipale** town policeman; **~ notturna** night security guard; **~ di pubblica sicurezza** policeman.

The **Guardia di Finanza** *is a military body which deals with infringements of the laws governing income tax and monopolies. In its various duties it reports to the Ministers of Finance, Justice or Agriculture.*

---

guardia'caccia [gwardja'kattʃa] *sm inv* = **guardacaccia**.

guardi'ano, a *sm/f* (*di carcere*) warder (*BRIT*), guard (*US*); (*di villa etc*) caretaker; (*di museo*) custodian; (*di zoo*) keeper; **~ notturno** night watchman.

guar'dina *sf* cell.

guar'dingo, a, ghi, ghe *ag* wary, cautious.

guardi'ola *sf* porter's lodge; (*MIL*) look-out tower.

guarigi'one [gwari'dʒone] *sf* recovery.

gua'rire *vt* (*persona, malattia*) to cure; (*ferita*) to heal ♦ *vi* to recover, be cured; to heal (up).

guarnigi'one [gwarni'dʒone] *sf* garrison.

guar'nire *vt* (*ornare: abiti*) to trim; (*CUC*) to garnish.

guarnizi'one [gwarnit'tsjone] *sf* trimming; garnish; (*TECN*) gasket.

guasta'feste *sm/f inv* spoilsport.

guas'tare *vt* to spoil, ruin; (*meccanismo*) to break; **~rsi** *vr* (*cibo*) to go bad; (*meccanismo*) to break down; (*tempo*) to change for the worse; (*amici*) to quarrel, fall out.

gu'asto, a *ag* (*non funzionante*) broken; (: *telefono etc*) out of order; (*andato a male*) bad, rotten; (: *dente*) decayed, bad; (*fig: corrotto*) depraved ♦ *sm* breakdown;

(*avaria*) failure; **~ al motore** engine failure.

Guate'mala *sm*: **il ~** Guatemala.

guatemal'teco, a, ci, che *ag, sm/f* Guatemalan.

guazza'buglio [gwattsa'buʎʎo] *sm* muddle.

gu'ercio, a, ci, ce ['gwertʃo] *ag* cross-eyed.

gu'erra *sf* war; (*tecnica: atomica, chimica etc*) warfare; **fare la ~ (a)** to wage war (against); **la ~ fredda** the Cold War; **~ mondiale** world war; **la prima/seconda ~ mondiale** the First/Second World War.

guerrafon'daio *sm* warmonger.

guerreggi'are [gwerred'dʒare] *vi* to wage war.

guer'resco, a, schi, sche *ag* (*di guerra*) war *cpd*; (*incline alla guerra*) warlike.

guerri'ero, a *ag* warlike ♦ *sm* warrior.

guer'riglia [gwer'riʎʎa] *sf* guerrilla warfare.

guerrigli'ero [gwerriʎ'ʎero] *sm* guerrilla.

'gufo *sm* owl.

'guglia ['guʎʎa] *sf* (*ARCHIT*) spire; (*di roccia*) needle.

Gui'ana *sf*: **la ~ francese** French Guiana.

gu'ida *sf* (*persona*) guide; (*libro*) guide(book); (*comando, direzione*) guidance, direction; (*AUT*) driving; (: *sterzo*) steering; (*tappeto, di tenda, cassetto*) runner; **~ a destra/sinistra** (*AUT*) right-/left-hand drive; **essere alla ~ di** (*governo*) to head; (*spedizione, paese*) to lead; **far da ~ a qn** (*mostrare la strada*) to show sb the way; (*in una città*) to show sb (a)round; **~ telefonica** telephone directory.

gui'dare *vt* to guide; (*condurre a capo*) to lead; (*auto*) to drive; (*aereo, nave*) to pilot; **sa ~?** can you drive?

guida'tore, 'trice *sm/f* (*conducente*) driver.

Gui'nea *sf*: **la Repubblica di ~** the Republic of Guinea; **la ~ Equatoriale** Equatorial Guinea.

guin'zaglio [gwin'tsaʎʎo] *sm* leash, lead.

gu'isa *sf*: **a ~ di** like, in the manner of.

guiz'zare [gwit'tsare] *vi* to dart; to flicker; to leap; **~ via** (*fuggire*) to slip away.

gu'izzo ['gwittso] *sm* (*di animali*) dart; (*di fulmine*) flash.

'guru *sm inv* (*REL, anche fig*) guru.

'guscio ['guʃʃo] *sm* shell.

gus'tare *vt* (*cibi*) to taste; (: *assaporare con piacere*) to enjoy, savour (*BRIT*), savor (*US*); (*fig*) to enjoy, appreciate ♦ *vi*: **~ a** to please; **non mi gusta affatto** I don't like it at all.

gusta'tivo, a *ag*: **papille** *fpl* **~e** taste buds.

'gusto *sm* (*senso*) taste; (*sapore*) taste, flavour (*BRIT*), flavor (*US*); (*godimento*) enjoyment; **al ~ di fragola** strawberry-flavo(u)red; **di ~ barocco** in the baroque style; **mangiare di ~** to eat heartily; **prenderci ~: ci ha preso ~** he's acquired a taste for it, he's got to like it.

gus'toso, a *ag* tasty; (*fig*) agreeable.

guttu'rale *ag* guttural.

Gu'yana [guˈjana] *sf:* **la ~** Guyana.

H h

H, h [ˈakka] *sf o m inv* (*lettera*) H, h ♦ *abbr* (= *ora*) hr; (= *etto, altezza*) h; **H come hotel** ≈ H for Harry (*BRIT*), H for How (*US*).

ha¹, 'hai [a, ai] *vb vedi* **avere.**

ha² *abbr* (= *ettaro*) ha.

Ha'iti [aˈiti] *sf* Haiti.

haiti'ano, a [aiˈtjano] *ag, sm/f* Haitian.

hall [hɔːl] *sf inv* hall, foyer.

'handicap [ˈhandikap] *sm inv* handicap.

handicap'pato, a [andikapˈpato] *ag* handicapped ♦ *sm/f* handicapped person, disabled person.

'hanno [ˈanno] *vb vedi* **avere.**

ha'scisc [aʃˈʃiʃ] *sm* hashish.

hawai'ano, a [avaˈjano] *ag, sm/f* Hawaiian.

Ha'waii [aˈvai] *sfpl:* **le ~** Hawaii *sg.*

'Helsinki [ˈɛlsinki] *sf* Helsinki.

'herpes [ˈɛrpes] *sm* (*MED*) herpes *sg*; **~ zoster** shingles *sg.*

hg *abbr* (= *ettogrammo*) hg.

'hi-fi [ˈhaifai] *sf inv, ag inv* hi-fi.

Hima'laia [imaˈlaja] *sm:* **l'~** the Himalayas *pl.*

hl *abbr* (= *ettolitro*) hl.

ho [ɔ] *vb vedi* **avere.**

'hobby [ˈhɔbi] *sm inv* hobby.

'hockey [ˈhɔki] *sm* hockey; **~ su ghiaccio** ice hockey.

'holding [ˈhouldiŋ] *sf inv* holding company.

Hon'duras [onˈduras] *sm* Honduras.

'Hong Kong [ˈɔkɔg] *sf* Hong Kong.

Hono'lulu [onoˈlulu] *sf* Honolulu.

'hostess [ˈhoustis] *sf inv* air hostess (*BRIT*) *o* stewardess.

ho'tel [oˈtɛl] *sm inv* hotel.

Hz *abbr* (= *hertz*) Hz.

I i

I, i [i] *sf o m inv* (*lettera*) I, i; **I come Imola** ≈ I for Isaac (*BRIT*), I for Item (*US*).

i *det mpl* the; *vedi anche* **il.**

IACP *sigla m* (= *Istituto Autonomo per le Case Popolari*) public housing association.

i'ato *sm* hiatus.

i'berico, a, ci, che *ag* Iberian; **la Penisola I~a** the Iberian Peninsula.

iber'nare *vi* to hibernate ♦ *vt* (*MED*) to induce hypothermia in.

ibernazi'one [ibernatˈtsjone] *sf* hibernation.

ibid. *abbr* (= *ibidem*) ib(id).

'ibrido, a *ag, sm* hybrid.

'ICE [ˈitʃe] *sigla m* (= *Istituto nazionale per il Commercio Estero*) overseas trade board.

i'cona *sf* icon.

id *abbr* (= *idem*) do.

Id'dio *sm* God.

i'dea *sf* idea; (*opinione*) opinion, view; (*ideale*) ideal; **avere le ~e chiare** to know one's mind; **cambiare ~** to change one's mind; **dare l'~ di** to seem, look like; **neanche** *o* **neppure per ~!** certainly not!, no way!; **~ fissa** obsession.

ide'ale *ag, sm* ideal.

idea'lismo *sm* idealism.

idea'lista, i, e *sm/f* idealist.

idea'listico, a, ci, che *ag* idealistic.

idealiz'zare [idealidˈdzare] *vt* to idealize.

ide'are *vt* (*immaginare*) to think up, conceive; (*progettare*) to plan.

idea'tore, 'trice *sm/f* author.

i'dentico, a, ci, che *ag* identical.

identifi'care *vt* to identify.

identificazi'one [identifikatˈtsjone] *sf* identification.

identità *sf inv* identity.

ideolo'gia, 'gie [ideoloˈdʒia] *sf* ideology.

ideo'logico, a, ci, che [ideoˈlɔdʒiko] *ag* ideological.

idil'liaco, a, ci, che *ag* = **idillico.**

i'dillico, a, ci, che *ag* idyllic.

i'dillio *sm* idyll; **tra di loro è nato un ~** they have fallen in love.

idi'oma, i *sm* idiom, language.

idio'matico, a, ci, che *ag* idiomatic; **frase** *f* **~a** idiom.

idiosincra'sia *sf* idiosyncrasy.
idi'ota, i, e *ag* idiotic ♦ *smf* idiot.
idio'zia [idjot'tsia] *sf* idiocy; (*atto, discorso*) idiotic thing to do (*o* say).
ido'latra, i, e *ag* idolatrous ♦ *smf* idolater.
idola'trare *vt* to worship; (*fig*) to idolize.
idola'tria *sf* idolatry.
'idolo *sm* idol.
idoneità *sf* suitability; **esame** *m* **di** ~ qualifying examination.
i'doneo, a *ag*: ~ **a** suitable for, fit for; (*MIL*) fit for; (*qualificato*) qualified for.
i'drante *sm* hydrant.
idra'tante *ag* (*crema*) moisturizing ♦ *sm* moisturizer.
idra'tare *vt* (*pelle*) to moisturize.
idratazi'one [idratat'tsjone] *sf* moisturizing.
i'draulico, a, ci, che *ag* hydraulic ♦ *sm* plumber ♦ *sf* hydraulics *sg*.
'idrico, a, ci, che *ag* water *cpd*.
idrocar'buro *sm* hydrocarbon.
idroe'lettrico, a, ci, che *ag* hydroelectric.
i'drofilo, a *ag*: **cotone** *m* ~ cotton wool (*BRIT*), absorbent cotton (*US*).
idrofo'bia *sf* rabies *sg*.
i'drofobo, a *ag* rabid; (*fig*) furious.
i'drogeno [i'drɔdʒeno] *sm* hydrogen.
idroli'pidico, a, ci, che *ag* hydrolipid.
idro'porto *sm* (*AER*) seaplane base.
idrorepel'lente *ag* water-repellent.
idros'calo *sm* = idroporto.
idrovo'lante *sm* seaplane.
i'ella *sf* bad luck.
iel'lato, a *ag* plagued by bad luck.
i'ena *sf* hyena.
ie'ratico, a, ci, che *ag* (*REL: scrittura*) hieratic; (*fig: atteggiamento*) solemn.
i'eri *av, sm* yesterday; **il giornale di** ~ yesterday's paper; ~ **l'altro** the day before yesterday; ~ **sera** yesterday evening.
ietta'tore, 'trice *smf* jinx.
igi'ene [i'dʒɛne] *sf* hygiene; **norme d'**~ sanitary regulations; **ufficio d'**~ public health office; ~ **mentale** mental health; ~ **pubblica** public health.
igi'enico, a, ci, che [i'dʒɛniko] *ag* hygienic; (*salubre*) healthy.
IGM *sigla m* (= *Ispettorato Generale della Motorizzazione*) road traffic inspectorate.
i'gnaro, a [iɲ'ɲaro] *ag*: ~ **di** unaware of, ignorant of.
i'gnifugo, a, ghi, ghe [iɲ'ɲifugo] *ag* flame-resistant, fireproof.
i'gnobile [iɲ'ɲɔbile] *ag* despicable, vile.
igno'minia [iɲɲo'minja] *sf* ignominy.
igno'rante [iɲɲo'rante] *ag* ignorant.

igno'ranza [iɲɲo'rantsa] *sf* ignorance.
igno'rare [iɲɲo'rare] *vt* (*non sapere, conoscere*) to be ignorant *o* unaware of, not to know; (*fingere di non vedere, sentire*) to ignore.
i'gnoto, a [iɲ'ɲɔto] *ag* unknown ♦ *smf*: **figlio di** ~**i** child of unknown parentage; **il Milite** l~ the Unknown Soldier.

================= PAROLA CHIAVE

il (*pl* (*m*) i; *diventa* **lo** (*pl* **gli**) *davanti a s impura, gn, pn, ps, x, z, f* **la** (*pl* **le**)) *det m* **1** the; ~ **libro/lo studente/l'acqua** the book/ the student/the water; **gli scolari** the pupils
2 (*astrazione*): ~ **coraggio/l'amore/la giovinezza** courage/love/youth
3 (*tempo*): ~ **mattino/la sera** in the morning/evening; ~ **venerdì** (*abitualmente*) on Fridays; (*quel giorno*) on (the) Friday; **la settimana prossima** next week
4 (*distributivo*) a, an; **2.500 lire** ~ **chilo/ paio** 2,500 lire a *o* per kilo/pair
5 (*partitivo*) some, any; **hai messo lo zucchero?** have you added sugar?; **hai comprato** ~ **latte?** did you buy (some *o* any) milk?
6 (*possesso*): **aprire gli occhi** to open one's eyes; **rompersi la gamba** to break one's leg; **avere i capelli neri/**~ **naso rosso** to have dark hair/a red nose; **mettiti le scarpe** put your shoes on
7 (*con nomi propri*): ~ **Petrarca** Petrarch; ~ **Presidente Clinton** President Clinton; **dov'è la Francesca?** where's Francesca?
8 (*con nomi geografici*): ~ **Tevere** the Tiber; **l'Italia** Italy; ~ **Regno Unito** the United Kingdom; **l'Everest** Everest.

'ilare *ag* cheerful.
ilarità *sf* hilarity, mirth.
ill. *abbr* (= *illustrazione*; *illustrato*) ill.
illangui'dire *vi* to grow weak *o* feeble.
illazi'one [illat'tsjone] *sf* inference, deduction.
il'lecito, a [il'letʃito] *ag* illicit.
ille'gale *ag* illegal.
illegalità *sf* illegality.
illeg'gibile [illed'dʒibile] *ag* illegible.
illegittimità [illedʒittimi'ta] *sf* illegitimacy.
ille'gittimo, a [ille'dʒittimo] *ag* illegitimate.
il'leso, a *ag* unhurt, unharmed.
illette'rato, a *ag* illiterate.
illiba'tezza [illiba'tettsa] *sf* (*di donna*) virginity.
illi'bato, a *ag*: **donna** ~**a** virgin.
illimi'tato, a *ag* boundless; unlimited.

illivi'dire vi (volto, mani) to turn livid; (cielo) to grow leaden.

ill.mo abbr = **illustrissimo**.

il'logico, a, ci, che [il'lɔdʒiko] ag illogical.

il'ludere vt to deceive, delude; ~**rsi** vr to deceive o.s., delude o.s.

illumi'nare vt to light up, illuminate; (fig) to enlighten; ~**rsi** vr to light up; ~ **a giorno** (con riflettori) to floodlight.

illumi'nato, a ag (fig: sovrano, spirito) enlightened.

illuminazi'one [illuminat'tsjone] sf lighting; illumination; floodlighting; (fig) flash of inspiration.

illumi'nismo sm (STORIA): **l'l**~ the Enlightenment.

il'lusi etc vb vedi **illudere**.

illusi'one sf illusion; **farsi delle** ~**i** to delude o.s.

illusio'nismo sm conjuring.

illusio'nista, i, e smf conjurer.

il'luso, a pp di **illudere**.

illu'sorio, a ag illusory.

illus'trare vt to illustrate.

illustra'tivo, a ag illustrative.

illustrazi'one [illustrat'tsjone] sf illustration.

il'lustre ag eminent, renowned.

illus'trissimo, a ag (negli indirizzi) very revered.

'ILOR sigla f vedi **imposta locale sui redditi**.

IM sigla = Imperia.

imbacuc'care vt, ~**rsi** vr to wrap up.

imbaldan'zire [imbaldan'tsire] vt to give confidence to; ~**rsi** vr to grow bold.

imbal'laggio [imbal'laddʒo] sm packing no pl.

imbal'lare vt to pack; (AUT) to race; ~**rsi** vr (AUT) to race.

imbalsa'mare vt to embalm.

imbalsa'mato, a ag embalmed.

imbambo'lato, a ag (sguardo, espressione) vacant, blank.

imban'dire vt: ~ **un banchetto** to prepare a lavish feast.

imban'dito, a ag: **tavola** ~**a** lavishly o sumptuously decked table.

imbaraz'zante [imbarat'tsante] ag embarrassing, awkward.

imbaraz'zare [imbarat'tsare] vt (mettere a disagio) to embarrass; (ostacolare: movimenti) to hamper; (: stomaco) to lie heavily on; ~**rsi** vr to become embarrassed.

imbaraz'zato, a [imbarat'tsato] ag embarrassed; **avere lo stomaco** ~ to have an upset stomach.

imba'razzo [imba'rattso] sm (disagio)

embarrassment; (perplessità) puzzlement, bewilderment; **essere o trovarsi in** ~ to be in an awkward situation o predicament; **mettere in** ~ to embarrass; ~ **di stomaco** indigestion.

imbarbari'mento sm (di civiltà, costumi) barbarization.

imbarca'dero sm landing stage.

imbar'care vt (passeggeri) to embark; (merci) to load; ~**rsi** vr: ~**rsi su** to board; ~**rsi per l'America** to sail for America; ~**rsi in** (fig: affare) to embark on.

imbarcazi'one [imbarkat'tsjone] sf (small) boat, (small) craft inv; ~ **di salvataggio** lifeboat.

im'barco, chi sm embarkation; loading; boarding; (banchina) landing stage; **carta d'**~ boarding pass (BRIT), boarding card.

imbastar'dire vt to bastardize, debase; ~**rsi** vr to degenerate, become debased.

imbas'tire vt (cucire) to tack; (fig: abbozzare) to sketch, outline.

im'battersi vr: ~ **in** (incontrare) to bump o run into.

imbat'tibile ag unbeatable, invincible.

imbavagli'are [imbavaʎ'ʎare] vt to gag.

imbec'care vt (uccelli) to feed; (fig) to prompt, put words into sb's mouth.

imbec'cata sf (TEAT) prompt; **dare l'**~ **a qn** to prompt sb; (fig) to give sb their cue.

imbe'cille [imbe't fille] ag idiotic ♦ smf idiot; (MED) imbecile.

imbecillità [imbetʃilli'ta] sf inv (MED, fig) imbecility, idiocy; **dire** ~ to talk nonsense.

imbellet'tare vt (viso) to make up, put make-up on; ~**rsi** vr to make o.s. up, put on one's make-up.

imbel'lire vt to adorn, embellish ♦ vi to grow more beautiful.

im'berbe ag beardless; **un giovanotto** ~ a callow youth.

imbestia'lire vt to infuriate; ~**rsi** vr to become infuriated, fly into a rage.

im'bevere vt to soak; ~**rsi** vr: ~**rsi di** to soak up, absorb.

imbe'vuto, a ag: ~ **(di)** soaked (in).

imbian'care vt to whiten; (muro) to whitewash ♦ vi to become o turn white.

imbianca'tura sf (di muro: con bianco di calce) whitewashing; (: con altre pitture) painting.

imbian'chino [imbjan'kino] sm (house) painter, painter and decorator.

imbion'dire vt (capelli) to lighten; (CUC: cipolla) to brown; ~**rsi** vr (capelli) to lighten, go blonde, go fair; (messi) to turn golden, ripen.

imbizzar'rirsi [imbiddzar'rirsi] *vr* (*cavallo*) to become frisky.

imboc'care *vt* (*bambino*) to feed; (*entrare: strada*) to enter, turn into ♦ *vi*: ~ **in** (*sog: strada*) to lead into; (: *fiume*) to flow into.

imbocca'tura *sf* mouth; (*di strada, porto*) entrance; (*MUS, del morso*) mouthpiece.

im'bocco, chi *sm* entrance.

imboni'tore *sm* (*di spettacolo, circo*) barker.

imborghe'sire [imborge'zire] *vi*, ~**rsi** *vr* to become bourgeois.

imbos'care *vt* to hide; ~**rsi** *vr* (*MIL*) to evade military service.

imbos'cata *sf* ambush.

imbos'cato *sm* draft dodger (*US*).

imboschi'mento [imboski'mento] *sm* afforestation.

imbottigli'are [imbottiʎ'ʎare] *vt* to bottle; (*NAUT*) to blockade; (*MIL*) to hem in; ~**rsi** *vr* to be stuck in a traffic jam.

imbot'tire *vt* to stuff; (*giacca*) to pad; ~**rsi** *vr*: ~**rsi di** (*rimpinzarsi*) to stuff o.s. with.

imbot'tito, a *ag* (*sedia*) upholstered; (*giacca*) padded ♦ *sf* quilt.

imbotti'tura *sf* stuffing; padding.

imbracci'are [imbrat'tʃare] *vt* (*fucile*) to shoulder; (*scudo*) to grasp.

imbra'nato, a *ag* clumsy, awkward ♦ *sm/f* clumsy person.

imbratta'carte *sm/f* (*peg*) scribbler.

imbrat'tare *vt* to dirty, smear, daub; ~**rsi** *vr*: ~**rsi (di)** to dirty o.s. (with).

imbratta'tele *sm/f* (*peg*) dauber.

imbrigli'are [imbriʎ'ʎare] *vt* to bridle.

imbroc'care *vt* (*fig*) to guess correctly.

imbrogli'are [imbroʎ'ʎare] *vt* to mix up; (*fig: raggirare*) to deceive, cheat; (: *confondere*) to confuse, mix up; ~**rsi** *vr* to get tangled; (*fig*) to become confused.

im'broglio [im'brɔʎʎo] *sm* (*groviglio*) tangle; (*situazione confusa*) mess; (*truffa*) swindle, trick.

imbrogli'one, a [imbroʎ'ʎone] *sm/f* cheat, swindler.

imbronci'ato, a [imbron'tʃato] *ag* (*persona*) sulky; (*cielo*) cloudy, threatening.

imbru'nire *vi*, *vb impers* to grow dark; **all'**~ at dusk.

imbrut'tire *vt* to make ugly ♦ *vi* to become ugly.

imbu'care *vt* to post.

imbur'rare *vt* to butter.

imbuti'forme *ag* funnel-shaped.

im'buto *sm* funnel.

I.M.C.T.C. *sigla* (= *Ispettorato Generale della Motorizzazione Civile e dei Trasporti in Concessione*) ≈ DVLA.

i'mene *sm* hymen.

imi'tare *vt* to imitate; (*riprodurre*) to copy; (*assomigliare*) to look like.

imita'tore, 'trice *sm/f* (*gen*) imitator; (*TEAT*) impersonator, impressionist.

imitazi'one [imitat'tsjone] *sf* imitation.

immaco'lato, a *ag* spotless; immaculate.

immagazzi'nare [immagaddzi'nare] *vt* to store.

immagi'nabile [immadʒi'nabile] *ag* imaginable.

immagi'nare [immadʒi'nare] *vt* to imagine; (*supporre*) to suppose; (*inventare*) to invent; **s'immagini!** don't mention it!, not at all!

immagi'nario, a [immadʒi'narjo] *ag* imaginary.

immagina'tiva [immadʒina'tiva] *sf* imagination.

immaginazi'one [immadʒinat'tsjone] *sf* imagination; (*cosa immaginata*) fancy.

im'magine [im'madʒine] *sf* image; (*rappresentazione grafica, mentale*) picture.

immagi'noso, a [immadʒi'noso] *ag* (*linguaggio, stile*) fantastic.

immalinco'nire *vt* to sadden, depress; ~**rsi** *vr* to become depressed, become melancholy.

imman'cabile *ag* unfailing.

immancabil'mente *av* without fail, unfailingly.

im'mane *ag* (*smisurato*) huge; (*spaventoso, inumano*) terrible.

imma'nente *ag* (*FILOSOFIA*) inherent, immanent.

immangi'abile [imman'dʒabile] *ag* inedible.

immatrico'lare *vt* to register; ~**rsi** *vr* (*INS*) to matriculate, enrol.

immatricolazi'one [immatrikolat'tsjone] *sf* registration; matriculation, enrolment.

immaturità *sf* immaturity.

imma'turo, a *ag* (*frutto*) unripe; (*persona*) immature; (*prematuro*) premature.

immedesi'marsi *vr*: ~ **in** to identify with.

immediata'mente *av* immediately, at once.

immedia'tezza [immedja'tettsa] *sf* immediacy.

immedi'ato, a *ag* immediate.

immemo'rabile *ag* immemorial; **da tempo** ~ from time immemorial.

im'memore *ag*: ~ **di** forgetful of.

immensità *sf* immensity.

im'menso, a *ag* immense.

im'mergere [im'mɛrdʒere] *vt* to immerse, plunge; ~**rsi** *vr* to plunge; (*sommergibile*) to dive, submerge; (*dedicarsi a*): ~**rsi in** to immerse o.s. in.

immeri'tato, a *ag* undeserved.

immeri'tevole *ag* undeserving, unworthy.
immersi'one *sf* immersion; *(di sommergibile)* submersion, dive; *(di palombaro)* dive; **linea di ~** *(NAUT)* water line.
im'merso, a *pp di* **immergere**.
im'messo, a *pp di* **immettere**.
im'mettere *vt*: **~ (in)** to introduce (into); **~ dati in un computer** to enter data on a computer.
immi'grante *ag, sm/f* immigrant.
immi'grare *vi* to immigrate.
immi'grato, a *sm/f* immigrant.
immigrazi'one [immigrat'tsjone] *sf* immigration.
immi'nente *ag* imminent.
immi'nenza [immi'nɛntsa] *sf* imminence.
immischi'are [immis'kjare] *vt*: **~ qn in** to involve sb in; **~rsi** *vr*: **~rsi in** to interfere *o* meddle in.
immiseri'mento *sm* impoverishment.
immise'rire *vt* to impoverish.
immis'sario *sm* *(GEO)* affluent, tributary.
immissi'one *sf (gen)* introduction; *(di aria, gas)* intake; **~ di dati** *(INFORM)* data entry.
im'mobile *ag* motionless, still; **(beni) ~i** *smpl* real estate *sg*.
immobili'are *ag* *(DIR)* property *cpd*; **patrimonio ~** real estate; **società ~** property company.
immobi'lismo *sm* inertia.
immobilità *sf* immobility.
immobiliz'zare [immobilid'dzare] *vt* to immobilize; *(ECON)* to lock up.
immobi'lizzo [immobi'liddzo] *sm*: **spese d'~** capital expenditure.
immo'destia *sf* immodesty.
immo'desto, a *ag* immodest.
immo'lare *vt* to sacrifice.
immondez'zaio [immondet'tsajo] *sm* rubbish dump.
immon'dizia [immon'dittsja] *sf* dirt, filth; *(spesso al pl: spazzatura, rifiuti)* rubbish *no pl*, refuse *no pl*.
immo'rale *ag* immoral.
immoralità *sf* immorality.
immorta'lare *vt* to immortalize.
immor'tale *ag* immortal.
immortalità *sf* immortality.
im'mune *ag (esente)* exempt; *(MED, DIR)* immune.
immunità *sf* immunity; **~ diplomatica** diplomatic immunity; **~ parlamentare** parliamentary privilege.
immuniz'zare [immunid'dzare] *vt (MED)* to immunize.
immunizzazi'one [immuniddzat'tsjone] *sf* immunization.

immunodefi'cienza [immunodefi'tʃɛntsa] *sf*: **~ acquisita** acquired immunodeficiency.
immuno'logico, a, ci, che [immuno'lɔdʒiko] *ag* immunological.
immu'tabile *ag* immutable; unchanging.
impac'care *vt* to pack.
impacchet'tare [impakket'tare] *vt* to pack up.
impacci'are [impat'tʃare] *vt* to hinder, hamper.
impacci'ato, a [impat'tʃato] *ag* awkward, clumsy; *(imbarazzato)* embarrassed.
im'paccio [im'pattʃo] *sm* obstacle; *(imbarazzo)* embarrassment; *(situazione imbarazzante)* awkward situation.
im'pacco, chi *sm (MED)* compress.
impadro'nirsi *vr*: **~ di** to seize, take possession of; *(fig: apprendere a fondo)* to master.
impa'gabile *ag* priceless.
impagi'nare [impadʒi'nare] *vt (TIP)* to paginate, page (up).
impaginazi'one [impadʒinat'tsjone] *sf* pagination.
impagli'are [impaʎ'ʎare] *vt* to stuff (with straw).
impa'lato, a *ag (fig)* stiff as a board.
impalca'tura *sf* scaffolding; *(anche fig)* framework.
impalli'dire *vi* to turn pale; *(fig)* to fade.
impalli'nare *vt* to riddle with shot.
impal'pabile *ag* impalpable.
impa'nare *vt (CUC)* to dip *(o* roll) in breadcrumbs, bread *(US)*.
impanta'narsi *vr* to sink (in the mud); *(fig)* to get bogged down.
impape'rarsi *vr* to stumble over a word.
impappi'narsi *vr* to stammer, falter.
impa'rare *vt* to learn; **così impari!** that'll teach you!
impara'ticcio [impara'tittʃo] *sm* half-baked notions *pl*.
impareggi'abile [impared'dʒabile] *ag* incomparable.
imparen'tarsi *vr*: **~ con** *(famiglia)* to marry into.
'impari *ag inv (disuguale)* unequal; *(dispari)* odd.
impar'tire *vt* to bestow, give.
imparzi'ale [impar'tsjale] *ag* impartial, unbiased.
imparzialità [impartsjali'ta] *sf* impartiality.
impas'sibile *ag* impassive.
impas'tare *vt (pasta)* to knead; *(colori)* to mix.
impastic'carsi *vr* to pop pills.
im'pasto *sm (l'impastare: di pane)* kneading;

(: *di cemento*) mixing; (*pasta*) dough; (*anche fig*) mixture.

im'patto *sm* impact; ~ **ambientale** impact on the environment.

impau'rire *vt* to scare, frighten ♦ *vi* (*anche:* ~**rsi**) to become scared *o* frightened.

im'pavido, a *ag* intrepid, fearless.

impazi'ente [impat'tsjɛnte] *ag* impatient.

impazi'enza [impat'tsjɛntsa] *sf* impatience.

impaz'zata [impat'tsata] *sf*: **all'**~ (*precipitosamente*) at breakneck speed; (*colpire*) wildly.

impaz'zire [impat'tsire] *vi* to go mad; ~ **per qn/qc** to be crazy about sb/sth.

impec'cabile *ag* impeccable.

impedi'mento *sm* obstacle, hindrance.

impe'dire *vt* (*vietare*): ~ **a qn di fare** to prevent sb from doing; (*ostruire*) to obstruct; (*impacciare*) to hamper, hinder.

impe'gnare [impeɲ'ɲare] *vt* (*dare in pegno*) to pawn; (*onore etc*) to pledge; (*prenotare*) to book, reserve; (*obbligare*) to oblige; (*occupare*) to keep busy; (*MIL: nemico*) to engage; ~**rsi** *vr* (*vincolarsi*): ~**rsi a fare** to undertake to do; (*mettersi risolutamente*): ~**rsi in qc** to devote o.s. to sth; ~**rsi con qn** (*accordarsi*) to come to an agreement with sb.

impegna'tivo, a [impeɲɲa'tivo] *ag* binding; (*lavoro*) demanding, exacting.

impe'gnato, a [impeɲ'ɲato] *ag* (*occupato*) busy; (*fig: romanzo, autore*) committed, engagé.

im'pegno [im'peɲɲo] *sm* (*obbligo*) obligation; (*promessa*) promise, pledge; (*zelo*) diligence, zeal; (*compito, d'autore*) commitment; ~**i di lavoro** business commitments.

impego'larsi *vr* (*fig*): ~ **in** to get heavily involved in.

impela'garsi *vr* = **impegolarsi**.

impel'lente *ag* pressing, urgent.

impene'trabile *ag* impenetrable.

impen'narsi *vr* (*cavallo*) to rear up; (*AER*) to go into a climb; (*fig*) to bridle.

impen'nata *sf* (*di cavallo*) rearing up; (*di aereo*) climb, nose-up; (*fig: scatto d'ira*) burst of anger; (: *di prezzi etc*) sudden increase.

impen'sabile *ag* (*inaccettabile*) unthinkable; (*difficile da concepire*) inconceivable.

impen'sato, a *ag* unforeseen, unexpected.

impensie'rire *vt*, ~**rsi** *vr* to worry.

impe'rante *ag* prevailing.

impe'rare *vi* (*anche fig*) to reign, rule.

impera'tivo, a *ag, sm* imperative.

impera'tore, 'trice *sm/f* emperor/empress.

impercet'tibile [impertʃet'tibile] *ag* imperceptible.

imperdo'nabile *ag* unforgivable, unpardonable.

imper'fetto, a *ag* imperfect ♦ *sm* (*LING*) imperfect (tense).

imperfezi'one [imperfet'tsjone] *sf* imperfection.

imperi'ale *ag* imperial.

imperia'lismo *sm* imperialism.

imperia'lista, i, e *ag* imperialist.

imperi'oso, a *ag* (*persona*) imperious; (*motivo, esigenza*) urgent, pressing.

imperi'turo, a *ag* everlasting.

impe'rizia [impe'rittsja] *sf* lack of experience.

imperma'lirsi *vr* to take offence.

imperme'abile *ag* waterproof ♦ *sm* raincoat.

imperni'are *vt*: ~ **qc su** to hinge sth on; (*fig: discorso, relazione etc*) to base sth on; ~**rsi** *vr* (*fig*): ~**rsi su** to be based on.

im'pero *sm* empire; (*forza, autorità*) rule, control.

imperscru'tabile *ag* inscrutable.

imperso'nale *ag* impersonal.

imperso'nare *vt* to personify; (*TEAT*) to play, act (the part of); ~**rsi** *vr*: ~**rsi in un ruolo** to get into a part, live a part.

imper'territo, a *ag* unperturbed.

imperti'nente *ag* impertinent.

imperti'nenza [imperti'nɛntsa] *sf* impertinence.

impertur'babile *ag* imperturbable.

imperver'sare *vi* to rage.

im'pervio, a *ag* (*luogo*) inaccessible; (*strada*) impassable.

'impeto *sm* (*moto, forza*) force, impetus; (*assalto*) onslaught; (*fig: impulso*) impulse; (: *slancio*) transport; **con** ~ (*parlare*) forcefully, energetically.

impet'tito, a *ag* stiff, erect; **camminare** ~ to strut.

impetu'oso, a *ag* (*vento*) strong, raging; (*persona*) impetuous.

impian'tare *vt* (*motore*) to install; (*azienda, discussione*) to establish, start.

impian'tistica *sf* plant design and installation.

impi'anto *sm* (*installazione*) installation; (*apparecchiature*) plant; (*sistema*) system; ~ **elettrico** wiring; ~ **sportivo** sports complex; ~**i di risalita** (*SCI*) ski lifts.

impias'trare, impiastricci'are [impjastrit'tʃare] *vt* to smear, dirty.

impi'astro *sm* poultice; (*fig fam: persona*) nuisance.

impiccagi'one [impikka'dʒone] *sf* hanging.

impic'care *vt* to hang; ~**rsi** *vr* to hang o.s.

impicci'are [impit't∫are] *vt* to hinder, hamper; ~**rsi** *vr* to meddle, interfere; **impicciati degli affari tuoi!** mind your own business!

im'piccio [im'pitt∫o] *sm* (*ostacolo*) hindrance; (*seccatura*) trouble, bother; (*affare imbrogliato*) mess; **essere d'**~ to be in the way; **cavare** *o* **togliere qn dagli** ~**i** to get sb out of trouble.

impicci'one, a [impit't∫one] *sm/f* busybody.

impie'gare *vt* (*usare*) to use, employ; (*assumere*) to employ, take on; (*spendere: denaro, tempo*) to spend; (*investire*) to invest; ~**rsi** *vr* to get a job, obtain employment; **impiego un quarto d'ora per andare a casa** it takes me *o* I take a quarter of an hour to get home.

impiega'tizio, a [impjega'tittsjo] *ag* clerical, white-collar *cpd*; **lavoro/ceto** ~ clerical *o* white-collar work/workers *pl*.

impie'gato, a *sm/f* employee; ~ **statale** state employee.

impi'ego, ghi *sm* (*uso*) use; (*occupazione*) employment; (*posto di lavoro*) (regular) job, post; (*ECON*) investment; ~ **pubblico** job in the public sector.

impieto'sire *vt* to move to pity; ~**rsi** *vr* to be moved to pity.

impie'toso, a *ag* pitiless, cruel.

impie'trire *vt* (*anche fig*) to petrify.

impigli'are [impiʎ'ʎare] *vt* to catch, entangle; ~**rsi** *vr* to get caught up *o* entangled.

impi'grire *vt* to make lazy ♦ *vi* (*anche:* ~**rsi**) to grow lazy.

impingu'are *vt* (*maiale etc*) to fatten; (*fig: tasche, casse dello Stato*) to stuff with money.

impiom'bare *vt* (*pacco*) to seal (with lead); (*dente*) to fill.

impla'cabile *ag* implacable.

implemen'tare *vt* to implement.

impli'care *vt* to imply; (*coinvolgere*) to involve; ~**rsi** *vr*: ~**rsi (in)** to become involved (in).

implicazi'one [implikat'tsjone] *sf* implication.

im'plicito, a [im'plit∫ito] *ag* implicit.

implo'rare *vt* to implore.

implorazi'one [implorat'tsjone] *sf* plea, entreaty.

impolli'nare *vt* to pollinate.

impollinazi'one [impollinat'tsjone] *sf* pollination.

impolve'rare *vt* to cover with dust; ~**rsi** *vr* to get dusty.

impoma'tare *vt* (*pelle*) to put ointment on;

(*capelli*) to pomade; (*baffi*) to wax; ~**rsi** *vr* (*fam*) to get spruced up.

imponde'rabile *ag* imponderable.

im'pone *etc vb vedi* **imporre**.

impo'nente *ag* imposing, impressive.

im'pongo *etc vb vedi* **imporre**.

impo'nibile *ag* taxable ♦ *sm* taxable income.

impopo'lare *ag* unpopular.

impopolarità *sf* unpopularity.

im'porre *vt* to impose; (*costringere*) to force, make; (*far valere*) to impose, enforce; **imporsi** *vr* (*persona*) to assert o.s.; (*cosa: rendersi necessario*) to become necessary; (*aver successo: moda, attore*) to become popular; ~ **a qn di fare** to force sb to do, make sb do.

impor'tante *ag* important.

impor'tanza [impor'tantsa] *sf* importance; **dare** ~ **a qc** to attach importance to sth; **darsi** ~ to give o.s. airs.

impor'tare *vt* (*introdurre dall'estero*) to import ♦ *vi* to matter, be important ♦ *vb impers* (*essere necessario*) to be necessary; (*interessare*) to matter; **non importa!** it doesn't matter!; **non me ne importa!** I don't care!

importa'tore, 'trice *ag* importing ♦ *sm/f* importer.

importazi'one [importat'tsjone] *sf* importation; (*merci importate*) imports *pl*.

im'porto *sm* (total) amount.

importu'nare *vt* to bother.

impor'tuno, a *ag* irksome, annoying.

im'posi *etc vb vedi* **imporre**.

imposizi'one [impozit'tsjone] *sf* imposition; (*ordine*) order, command; (*onere, imposta*) tax.

imposses'sarsi *vr*: ~ **di** to seize, take possession of.

impos'sibile *ag* impossible; **fare l'**~ to do one's utmost, do all one can.

impossibilità *sf* impossibility; **essere nell'**~ **di fare qc** to be unable to do sth.

impossibili'tato, a *ag*: **essere** ~ **a fare qc** to be unable to do sth.

im'posta *sf* (*di finestra*) shutter; (*tassa*) tax; ~ **indiretta sui consumi** excise duty *o* tax; ~ **locale sui redditi (ILOR)** tax on unearned income; ~ **patrimoniale** property tax; ~ **sul reddito** income tax; ~ **sul reddito delle persone fisiche (IRPEF)** personal income tax; ~ **di successione** capital transfer tax (*BRIT*), inheritance tax (*US*); ~ **sugli utili** tax on profits; ~ **sul valore aggiunto (I.V.A.)** value added tax (VAT) (*BRIT*), sales tax (*US*).

impos'tare *vt* (*imbucare*) to post; (*servizio,*

organizzazione) to set up; (*lavoro*) to organize, plan; (*resoconto, rapporto*) to plan; (*problema*) to set out, formulate; (*TIP: pagina*) to lay out; ~ **la voce** (*MUS*) to pitch one's voice.

impostazi'one [impostat'tsjone] *sf* (*di lettera*) posting (*BRIT*), mailing (*US*); (*di problema, questione*) formulation, statement; (*di lavoro*) organization, planning; (*di attività*) setting up; (*MUS: di voce*) pitch.

im'posto, a *pp di* **imporre**.

impos'tore, a *sm/f* impostor.

impo'tente *ag* weak, powerless; (*anche MED*) impotent.

impo'tenza [impo'tɛntsa] *sf* weakness, powerlessness; impotence.

impove'rire *vt* to impoverish ♦ *vi* (*anche:* ~**rsi**) to become poor.

imprati'cabile *ag* (*strada*) impassable; (*campo da gioco*) unplayable.

imprati'chire [imprati'kire] *vt* to train; ~**rsi** *vr:* ~**rsi in qc** to practise (*BRIT*) *o* practice (*US*) sth.

impre'care *vi* to curse, swear; ~ **contro** to hurl abuse at.

imprecazi'one [imprekat'tsjone] *sf* abuse, curse.

impreci'sato, a [impretʃi'zato] *ag* (*non preciso: quantità, numero*) indeterminate.

imprecisi'one [impretʃi'zjone] *sf* imprecision; inaccuracy.

impre'ciso, a [impre'tʃizo] *ag* imprecise, vague; (*calcolo*) inaccurate.

impre'gnare [impreɲ'ɲare] *vt:* ~ (**di**) (*imbevere*) to soak *o* impregnate (with); (*riempire: anche fig*) to fill (with).

imprendi'tore *sm* (*industriale*) entrepreneur; (*appaltatore*) contractor; **piccolo** ~ small businessman.

imprendito'ria *sf* enterprise; (*imprenditori*) entrepreneurs *pl*.

imprenditori'ale *ag* (*ceto, classe*) entrepreneurial.

imprepa'rato, a *ag:* ~ (**a**) (*gen*) unprepared (for); (*lavoratore*) untrained (for); **cogliere qn** ~ to catch sb unawares.

impreparazi'one [imprepa rat'tsjone] *sf* lack of preparation.

im'presa *sf* (*iniziativa*) enterprise; (*azione*) exploit; (*azienda*) firm, concern; ~ **familiare** family firm; ~ **pubblica** state-owned enterprise.

impre'sario *sm* (*TEAT*) manager, impresario; ~ **di pompe funebri** funeral director.

imprescin'dibile [impreʃʃin'dibile] *ag* not to be ignored.

im'pressi *etc vb vedi* **imprimere**.

impressio'nante *ag* impressive; upsetting.

impressio'nare *vt* to impress; (*turbare*) to upset; (*FOT*) to expose; ~**rsi** *vr* to be easily upset.

impressi'one *sf* impression; (*fig: sensazione*) sensation, feeling; (*stampa*) printing; **fare** ~ (*colpire*) to impress; (*turbare*) to frighten, upset; **fare buona/ cattiva** ~ **a** to make a good/bad impression on.

im'presso, a *pp di* **imprimere**.

impres'tare *vt:* ~ **qc a qn** to lend sth to sb.

impreve'dibile *ag* unforeseeable; (*persona*) unpredictable.

imprevi'dente *ag* lacking in foresight.

imprevi'denza [imprevi'dɛntsa] *sf* lack of foresight.

impre'visto, a *ag* unexpected, unforeseen ♦ *sm* unforeseen event; **salvo** ~**i** unless anything unexpected happens.

imprezio'sire [imprettsjo'sire] *vt:* ~ **di** to embellish with.

imprigiona'mento [impridʒona'mento] *sm* imprisonment.

imprigio'nare [impridʒo'nare] *vt* to imprison.

im'primere *vt* (*anche fig*) to impress, stamp; (*comunicare: movimento*) to transmit, give.

impro'babile *ag* improbable, unlikely.

'improbo, a *ag* (*fatica, lavoro*) hard, laborious.

improdut'tivo, a *ag* (*investimento*) unprofitable; (*terreno*) unfruitful; (*fig: sforzo*) fruitless.

im'pronta *sf* imprint, impression, sign; (*di piede, mano*) print; (*fig*) mark, stamp; ~ **digitale** fingerprint; **rilevamento delle** ~**e genetiche** genetic fingerprinting.

impro'perio *sm* insult.

impropo'nibile *ag* which cannot be proposed *o* suggested.

im'proprio, a *ag* improper; **arma** ~**a** offensive weapon.

improro'gabile *ag* (*termine*) that cannot be extended.

improvvisa'mente *av* suddenly; unexpectedly.

improvvi'sare *vt* to improvise; ~**rsi** *vr:* ~**rsi cuoco** to (decide to) act as cook.

improvvi'sata *sf* (pleasant) surprise.

improvvisazi'one [improvvizat'tsjone] *sf* improvisation; **spirito d'**~ spirit of invention.

improv'viso, a *ag* (*imprevisto*) unexpected;

(*subitaneo*) sudden; **all'**~ unexpectedly; suddenly.
impru'dente *ag* foolish, imprudent; (*osservazione*) unwise.
impru'denza [impru'dɛntsa] *sf* foolishness, imprudence; **è stata un'**~ that was a foolish *o* an imprudent thing to do.
impu'dente *ag* impudent.
impu'denza [impu'dɛntsa] *sf* impudence.
impudi'cizia [impudi'tʃittsja] *sf* immodesty.
impu'dico, a, chi, che *ag* immodest.
impu'gnare [impuɲ'ɲare] *vt* to grasp, grip; (*DIR*) to contest.
impugna'tura [impuɲɲa'tura] *sf* grip, grasp; (*manico*) handle; (: *di spada*) hilt.
impulsività *sf* impulsiveness.
impul'sivo, a *ag* impulsive.
im'pulso *sm* impulse; **dare un** ~ **alle vendite** to boost sales.
impune'mente *av* with impunity.
impunità *sf* impunity.
impun'tarsi *vr* to stop dead, refuse to budge; (*fig*) to be obstinate.
impun'tura *sf* stitching.
impurità *sf inv* impurity.
im'puro, a *ag* impure.
impu'tare *vt* (*ascrivere*): ~ **qc a** to attribute sth to; (*DIR: accusare*): ~ **qn di** to charge sb with, accuse sb of.
impu'tato, a *sm/f* (*DIR*) accused, defendant.
imputazi'one [imputat'tsjone] *sf* (*DIR*) charge; (*di spese*) allocation.
imputri'dire *vi* to rot.

================ *PAROLA CHIAVE*

in (*in + il = nel, in + lo = nello, in + l' = nell', in + la = nella, in + i = nei, in + gli = negli, in + le = nelle*) *prep* **1** (*stato in luogo*) in; **vivere** ~ **Italia/città** to live in Italy/town; **essere** ~ **casa/ufficio** to be at home/the office; **è nel cassetto/**~ **salotto** it's in the drawer/in the sitting room; **se fossi** ~ **te** if I were you
2 (*moto a luogo*) to; (: *dentro*) into; **andare** ~ **Germania/città** to go to Germany/town; **andare** ~ **ufficio** to go to the office; **entrare** ~ **macchina/casa** to get into the car/go into the house
3 (*tempo*) in; **nel 1989** in 1989; ~ **giugno/estate** in June/summer; **l'ha fatto** ~ **sei mesi** he did it in six months; ~ **gioventù, io ... when** I was young, I ...
4 (*modo, maniera*) in; ~ **silenzio** in silence; **parlare** ~ **tedesco** to speak (in) German; ~ **abito da sera** in evening dress; ~ **guerra** at war; ~ **vacanza** on holiday; **Maria Bianchi** ~ **Rossi** Maria

Rossi née Bianchi
5 (*mezzo*) by; **viaggiare** ~ **autobus/treno** to travel by bus/train
6 (*materia*) made of; ~ **marmo** made of marble, marble *cpd*; **una collana** ~ **oro** a gold necklace
7 (*misura*) in; **siamo** ~ **quattro** there are four of us; ~ **tutto** in all
8 (*fine*): **dare** ~ **dono** to give as a gift; **spende tutto** ~ **alcool** he spends all his money on drink; ~ **onore di** in honour of.

i'nabile *ag*: ~ **a** incapable of; (*fisicamente, MIL*) unfit for.
inabilità *sf*: ~ **(a)** unfitness (for).
inabis'sare *vt* (*nave*) to sink; ~**rsi** *vr* to go down.
inabi'tabile *ag* uninhabitable.
inabi'tato, a *ag* uninhabited.
inacces'sibile [inattʃes'sibile] *ag* (*luogo*) inaccessible; (*persona*) unapproachable; (*mistero*) unfathomable.
inaccet'tabile [inattʃet'tabile] *ag* unacceptable.
inacer'bire [inatʃer'bire] *vt* to exacerbate; ~**rsi** *vr* (*persona*) to become embittered.
inaci'dire [inatʃi'dire] *vt* (*persona, carattere*) to embitter; ~**rsi** *vr* (*latte*) to go sour; (*fig: persona, carattere*) to become sour, become embittered.
ina'datto, a *ag*: ~ **(a)** unsuitable *o* unfit (for).
inadegu'ato, a *ag* inadequate.
inadempi'ente *ag* defaulting ♦ *sm/f* defaulter.
inadempi'enza [inadem'pjɛntsa] *sf*: ~ **a un contratto** non-fulfilment of a contract; **dovuto alle** ~**e dei funzionari** due to negligence on the part of the officials.
inadempi'mento *sm* non-fulfilment.
inaffer'rabile *ag* elusive; (*concetto, senso*) difficult to grasp.
'INAIL *sigla m* (= *Istituto Nazionale per l'Assicurazione contro gli Infortuni sul Lavoro*) *state body providing sickness benefit in the event of accidents at work.*
ina'lare *vt* to inhale.
inala'tore *sm* inhaler.
inalazi'one [inalat'tsjone] *sf* inhalation.
inalbe'rare *vt* (*NAUT*) to hoist, raise; ~**rsi** *vr* (*fig*) to flare up, fly off the handle.
inalte'rabile *ag* unchangeable; (*colore*) fast, permanent; (*affetto*) constant.
inalte'rato, a *ag* unchanged.
inami'dare *vt* to starch.
inami'dato, a *ag* starched.
inammis'sibile *ag* inadmissible.
inani'mato, a *ag* inanimate; (*senza vita*:

corpo) lifeless.

inappa'gabile *ag* insatiable.

inappel'labile *ag (decisione)* final, irrevocable; *(DIR)* final, not open to appeal.

inappe'tenza [inappe'tɛntsa] *sf (MED)* lack of appetite.

inappun'tabile *ag* irreproachable, flawless.

inar'care *vt (schiena)* to arch; *(sopracciglia)* to raise; ~**rsi** *vr* to arch.

inaridi'mento *sm (anche fig)* drying up.

inari'dire *vt* to make arid, dry up ♦ *vi (anche:* ~**rsi)** to dry up, become arid.

inarres'tabile *ag (processo)* irreversible; *(emorragia)* that cannot be stemmed; *(corsa del tempo)* relentless.

inascol'tato, a *ag* unheeded, unheard.

inaspettata'mente *av* unexpectedly.

inaspet'tato, a *ag* unexpected.

inas'prire *vt (disciplina)* to tighten up, make harsher; *(carattere)* to embitter; *(rapporti)* to make worse; ~**rsi** *vr* to become harsher; to become bitter; to become worse.

inattac'cabile *ag (anche fig)* unassailable; *(alibi)* cast-iron.

inatten'dibile *ag* unreliable.

inat'teso, a *ag* unexpected.

inat'tivo, a *ag* inactive, idle; *(CHIM)* inactive.

inattu'abile *ag* impracticable.

inau'dito, a *ag* unheard of.

inaugu'rale *ag* inaugural.

inaugu'rare *vt* to inaugurate, open; *(monumento)* to unveil.

inaugurazi'one [inaugurat'tsjone] *sf* inauguration; unveiling.

inavve'duto, a *ag* careless, inadvertent.

inavver'tenza [inavver'tɛntsa] *sf* carelessness, inadvertence.

inavvertita'mente *av* inadvertently, unintentionally.

inavvici'nabile [inavvitʃi'nabile] *ag* unapproachable.

'Inca *ag inv, sm/f inv* Inca.

incagli'are [inkaʎ'ʎare] *vi (NAUT: anche:* ~**rsi)** to run aground.

incalco'labile *ag* incalculable.

incal'lito, a *ag* calloused; *(fig)* hardened, inveterate; *(: insensibile)* hard.

incal'zante [inkal'tsante] *ag* urgent, insistent; *(crisi)* imminent.

incal'zare [inkal'tsare] *vt* to follow o pursue closely; *(fig)* to press ♦ *vi (urgere)* to be pressing; *(essere imminente)* to be imminent.

iname'rare *vt (DIR)* to expropriate.

incammi'nare *vt (fig: avviare)* to start up; ~**rsi** *vr* to set off.

incana'lare *vt (anche fig)* to channel; ~**rsi** *vr (folla):* ~**rsi verso** to converge on.

incancre'nire *vi,* **incancre'nirsi** *vi* to become gangrenous.

incande'scente [inkandeʃ'ʃɛnte] *ag* incandescent, white-hot.

incan'tare *vt* to enchant, bewitch; ~**rsi** *vr (rimanere intontito)* to be spellbound; to be in a daze; *(meccanismo: bloccarsi)* to jam.

incanta'tore, 'trice *ag* enchanting, bewitching ♦ *sm/f* enchanter/enchantress.

incan'tesimo *sm* spell, charm.

incan'tevole *ag* charming, enchanting.

in'canto *sm* spell, charm, enchantment; *(asta)* auction; **come per** ~ as if by magic; **ti sta d'**~**!** *(vestito etc)* it really suits you!; **mettere all'**~ to put up for auction.

incanu'tire *vi* to go white.

inca'pace [inka'patʃe] *ag* incapable.

incapacità [inkapatʃi'ta] *sf* inability; *(DIR)* incapacity; ~ **d'intendere e di volere** diminished responsibility.

incapo'nirsi *vr* to be stubborn, be determined.

incap'pare *vi:* ~ **in qc/qn** *(anche fig)* to run into sth/sb.

incappucci'are [inkapput'tʃare] *vt* to put a hood on; ~**rsi** *vr (persona)* to put on a hood.

incapricci'arsi [inkaprit'tʃarsi] *vr:* ~ **di** to take a fancy to o for.

incapsu'lare *vt (dente)* to crown.

incarce'rare [inkartʃe'rare] *vt* to imprison.

incari'care *vt:* ~ **qn di fare** to give sb the responsibility of doing; ~**rsi** *vr:* ~**rsi di** to take care o charge of.

incari'cato, a *ag:* ~ **(di)** in charge (of), responsible (for) ♦ *sm/f* delegate, representative; **docente** ~ *(di università)* lecturer without tenure; ~ **d'affari** *(POL)* chargé d'affaires.

in'carico, chi *sm* task, job; *(INS)* temporary post.

incar'nare *vt* to embody; ~**rsi** *vr* to be embodied; *(REL)* to become incarnate.

incarnazi'one [inkarnat'tsjone] *sf* incarnation; *(fig)* embodiment.

incarta'mento *sm* dossier, file.

incartapeco'rito, a *ag (pelle)* wizened, shrivelled *(BRIT)*, shriveled *(US)*.

incar'tare *vt* to wrap (in paper).

incasel'lare *vt (posta)* to sort; *(fig: nozioni)* to pigeonhole.

incas'sare *vt (merce)* to pack (in cases); *(gemma: incastonare)* to set; *(ECON: riscuotere)* to collect; *(PUGILATO: colpi)* to take, stand up to.

in'casso *sm* cashing, encashment; (*introito*) takings *pl*.

incasto'nare *vt* to set.

incastona'tura *sf* setting.

incas'trare *vt* to fit in, insert; (*fig: intrappolare*) to catch; **~rsi** *vr* (*combaciare*) to fit together; (*restare bloccato*) to become stuck.

in'castro *sm* slot, groove; (*punto di unione*) joint; **gioco a** ~ interlocking puzzle.

incate'nare *vt* to chain up.

incatra'mare *vt* to tar.

incatti'vire *vt* to make wicked; **~rsi** *vr* to turn nasty.

in'cauto, a *ag* imprudent, rash.

inca'vare *vt* to hollow out.

inca'vato, a *ag* hollow; (*occhi*) sunken.

in'cavo *sm* hollow; (*solco*) groove.

incavo'larsi *vr* (*fam*) to lose one's temper, get annoyed.

incaz'zarsi [inkat'tsarsi] *vr* (*fam!*) to get steamed up.

in'cedere [in'tʃɛdere] *vi* (*poetico*) to advance solemnly ♦ *sm* solemn gait.

incendi'are [intʃen'djare] *vt* to set fire to; **~rsi** *vr* to catch fire, burst into flames.

incendi'ario, a [intʃen'djarjo] *ag* incendiary ♦ *sm/f* arsonist.

in'cendio [in'tʃendjo] *sm* fire.

incene'rire [intʃene'rire] *vt* to burn to ashes, incinerate; (*cadavere*) to cremate; **~rsi** *vr* to be burnt to ashes.

inceneri'tore [intʃeneri'tore] *sm* incinerator.

in'censo [in'tʃɛnso] *sm* incense.

incensu'rato, a [intʃensu'rato] *ag* (*DIR*): **essere** ~ to have a clean record.

incenti'vare [intʃenti'vare] *vt* (*produzione, vendite*) to boost; (*persona*) to motivate.

incen'tivo [intʃen'tivo] *sm* incentive.

incen'trarsi [intʃen'trarsi] *vr*: ~ **su** (*fig*) to centre (*BRIT*) o center (*US*) on.

incep'pare [intʃep'pare] *vt* to obstruct, hamper; **~rsi** *vr* to jam.

ince'rata [intʃe'rata] *sf* (*tela*) tarpaulin; (*impermeabile*) oilskins *pl*.

incer'tezza [intʃer'tettsa] *sf* uncertainty.

in'certo, a [in'tʃɛrto] *ag* uncertain; (*irresoluto*) undecided, hesitating ♦ *sm* uncertainty; **gli ~i del mestiere** the risks of the job.

incespi'care [intʃespi'kare] *vi*: ~ (**in qc**) to trip (over sth).

inces'sante [intʃes'sante] *ag* incessant.

in'cesto [in'tʃɛsto] *sm* incest.

incestu'oso, a [intʃestu'oso] *ag* incestuous.

in'cetta [in'tʃetta] *sf* buying up; **fare** ~ **di qc**

to buy up sth.

inchi'esta [in'kjɛsta] *sf* investigation, inquiry.

inchi'nare [inki'nare] *vt* to bow; **~rsi** *vr* to bend down; (*per riverenza*) to bow; (*: donna*) to curtsy.

in'chino [in'kino] *sm* bow; curtsy.

inchio'dare [inkjo'dare] *vt* to nail (down); ~ **la macchina** (*AUT*) to jam on the brakes.

inchi'ostro [in'kjɔstro] *sm* ink; ~ **simpatico** invisible ink.

inciam'pare [intʃam'pare] *vi* to trip, stumble.

inci'ampo [in'tʃampo] *sm* obstacle; **essere d'~ a qn** (*fig*) to be in sb's way.

inciden'tale [intʃiden'tale] *ag* incidental.

incidental'mente [intʃidental'mente] *av* (*per caso*) by chance; (*per inciso*) incidentally, by the way.

inci'dente [intʃi'dɛnte] *sm* accident; (*episodio*) incident; **e con questo l'~ è chiuso** and that is the end of the matter; ~ **d'auto** car accident; ~ **diplomatico** diplomatic incident.

inci'denza [intʃi'dɛntsa] *sf* incidence; **avere una forte** ~ **su qc** to affect sth greatly.

in'cidere [in'tʃidere] *vi*: ~ **su** to bear upon, affect ♦ *vt* (*tagliare incavando*) to cut into; (*ARTE*) to engrave; to etch; (*canzone*) to record.

in'cinta [in'tʃinta] *ag f* pregnant.

incipi'ente [intʃi'pjɛnte] *ag* incipient.

incipri'are [intʃi'prjare] *vt* to powder.

in'circa [in'tʃirka] *av*: **all'~** more or less, very nearly.

in'cisi *etc* [in'tʃizi] *vb vedi* **incidere**.

incisi'one [intʃi'zjone] *sf* cut; (*disegno*) engraving; etching; (*registrazione*) recording; (*MED*) incision.

inci'sivo, a [intʃi'zivo] *ag* incisive; (*ANAT*): (**dente**) ~ incisor.

in'ciso, a [in'tʃizo] *pp di* **incidere** ♦ *sm*: **per** ~ incidentally, by the way.

inci'sore [intʃi'zore] *sm* (*ARTE*) engraver.

incita'mento [intʃita'mento] *sm* incitement.

inci'tare [intʃi'tare] *vt* to incite.

inci'vile [intʃi'vile] *ag* uncivilized; (*villano*) impolite.

incivi'lire [intʃivi'lire] *vt* to civilize.

inciviltà [intʃivil'ta] *sf* (*di popolazione*) barbarism; (*fig: di trattamento*) barbarity; (*: maleducazione*) incivility, rudeness.

incl. *abbr* (= *incluso*) encl.

incle'mente *ag* (*giudice, sentenza*) severe, harsh; (*fig: clima*) harsh; (*: tempo*) inclement.

incle'menza [inkle'mɛntsa] *sf* severity; harshness; inclemency.

incli'nabile *ag* (*schienale*) reclinable.
incli'nare *vt* to tilt ♦ *vi* (*fig*): ~ **a qc/a fare** to incline towards sth/doing; to tend towards sth/to do; ~**rsi** *vr* (*barca*) to list; (*aereo*) to bank.
incli'nato, a *ag* sloping.
inclinazi'one [inklinat'tsjone] *sf* slope; (*fig*) inclination, tendency.
in'cline *ag*: ~ **a** inclined to.
in'cludere *vt* to include; (*accludere*) to enclose.
inclusi'one *sf* inclusion.
inclu'sivo, a *ag*: ~ **di** inclusive of.
in'cluso, a *pp di* **includere** ♦ *ag* included; enclosed.
incoe'rente *ag* incoherent; (*contraddittorio*) inconsistent.
incoe'renza [inkoe'rɛntsa] *sf* incoherence; inconsistency.
in'cognito, a [in'kɔɲɲito] *ag* unknown ♦ *sm*: **in** ~ incognito ♦ *sf* (*MAT, fig*) unknown quantity.
incol'lare *vt* to glue, gum; (*unire con colla*) to stick together; ~ **gli occhi addosso a qn** (*fig*) to fix one's eyes on sb.
incolla'tura *sf* (*IPPICA*): **vincere/perdere di un'**~ to win/lose by a head.
incolon'nare *vt* to draw up in columns.
inco'lore *ag* colourless (*BRIT*), colorless (*US*).
incol'pare *vt*: ~ **qn di** to charge sb with.
in'colto, a *ag* (*terreno*) uncultivated; (*trascurato: capelli*) neglected; (*persona*) uneducated.
in'colume *ag* safe and sound, unhurt.
incolumità *sf* safety.
incom'bente *ag* (*pericolo*) imminent, impending.
incom'benza [inkom'bɛntsa] *sf* duty, task.
in'combere *vi* (*sovrastare minacciando*): ~ **su** to threaten, hang over.
incominci'are [inkomin't ʃare] *vi, vt* to begin, start.
incomo'dare *vt* to trouble, inconvenience; ~**rsi** *vr* to put o.s. out.
in'comodo, a *ag* uncomfortable; (*inopportuno*) inconvenient ♦ *sm* inconvenience, bother.
incompa'rabile *ag* incomparable.
incompa'tibile *ag* incompatible.
incompatibilità *sf* incompatibility; ~ **di carattere** (mutual) incompatibility.
incompe'tente *ag* incompetent.
incompe'tenza [inkompe'tɛntsa] *sf* incompetence.
incompi'uto, a *ag* unfinished, incomplete.
incom'pleto, a *ag* incomplete.
incompren'sibile *ag* incomprehensible.

incomprensi'one *sf* incomprehension.
incom'preso, a *ag* not understood; misunderstood.
inconce'pibile [inkontʃe'pibile] *ag* inconceivable.
inconcili'abile [inkontʃi'ljabile] *ag* irreconcilable.
inconclu'dente *ag* inconclusive; (*persona*) ineffectual.
incondizio'nato, a [inkondittsjo'nato] *ag* unconditional.
inconfes'sabile *ag* (*pensiero, peccato*) unmentionable.
inconfon'dibile *ag* unmistakable.
inconfu'tabile *ag* irrefutable.
incongru'ente *ag* inconsistent.
incongru'enza [inkongru'ɛntsa] *sf* inconsistency.
in'congruo, a *ag* incongruous.
inconsa'pevole *ag*: ~ **di** unaware of, ignorant of.
inconsapevo'lezza [inkonsapevo'lettsa] *sf* ignorance, lack of awareness.
in'conscio, a, sci, sce [in'kɔnʃo] *ag* unconscious ♦ *sm* (*PSIC*): **l'**~ the unconscious.
inconsis'tente *ag* (*patrimonio*) insubstantial; (*dubbio*) unfounded; (*ragionamento, prove*) tenuous, flimsy.
inconsis'tenza [inkonsis'tɛntsa] *sf* insubstantial nature; lack of foundation; flimsiness.
inconso'labile *ag* inconsolable.
inconsu'eto, a *ag* unusual.
incon'sulto, a *ag* rash.
inconte'nibile *ag* (*rabbia*) uncontrollable; (*entusiasmo*) irrepressible.
inconten'tabile *ag* (*desiderio, avidità*) insatiable; (*persona: capriccioso*) hard to please, very demanding.
incontes'tabile *ag* incontrovertible, indisputable.
incontes'tato, a *ag* undisputed.
inconti'nenza [inkonti'nɛntsa] *sf* incontinence.
incon'trare *vt* to meet; (*difficoltà*) to meet with; ~**rsi** *vr* to meet.
incon'trario *av*: **all'**~ (*sottosopra*) upside down; (*alla rovescia*) back to front; (*all'indietro*) backwards; (*nel senso contrario*) the other way round.
incontras'tabile *ag* incontrovertible, indisputable.
incontras'tato, a *ag* (*successo, vittoria, verità*) uncontested, undisputed.
in'contro *av*: ~ **a** (*verso*) towards ♦ *sm* meeting; (*SPORT*) match; meeting; (*fortuito*) encounter; **venire** ~ **a** (*richieste,*

esigenze) to comply with; ~ **di calcio** football match (*BRIT*), soccer game (*US*).

incontrol'labile *ag* uncontrollable.

inconveni'ente *sm* drawback, snag.

incoraggia'mento [inkoraddʒa'mento] *sm* encouragement; **premio d'**~ consolation prize.

incoraggi'are [inkorad'dʒare] *vt* to encourage.

incor'nare *vt* to gore.

incornici'are [inkorni'tʃare] *vt* to frame.

incoro'nare *vt* to crown.

incoronazi'one [inkoronat'tsjone] *sf* coronation.

incorpo'rare *vt* to incorporate; (*fig: annettere*) to annex.

incorreg'gibile [inkorred'dʒibile] *ag* incorrigible.

in'correre *vi:* ~ **in** to meet with, run into.

incorrut'tibile *ag* incorruptible.

in'corso, a *pp di* **incorrere.**

incosci'ente [inkoʃ'ʃɛnte] *ag* (*inconscio*) unconscious; (*irresponsabile*) reckless, thoughtless.

incosci'enza [inkoʃ'ʃɛntsa] *sf* unconsciousness; recklessness, thoughtlessness.

incos'tante *ag* (*studente, impiegato*) inconsistent; (*carattere*) fickle, inconstant; (*rendimento*) sporadic.

incos'tanza [inkos'tantsa] *sf* inconstancy, fickleness.

incostituzio'nale [inkostituttsjo'nale] *ag* unconstitutional.

incre'dibile *ag* incredible, unbelievable.

incredulità *sf* incredulity.

in'credulo, a *ag* incredulous, disbelieving.

incremen'tare *vt* to increase; (*dar sviluppo a*) to promote.

incre'mento *sm* (*sviluppo*) development; (*aumento numerico*) increase, growth.

incresci'oso, a [inkreʃ'ʃoso] *ag* (*spiacevole*) unpleasant; regrettable.

incres'pare *vt* (*capelli*) to curl; (*acque*) to ripple; ~**rsi** *vr* (*vedi vt*) to curl; to ripple.

incrimi'nare *vt* (*DIR*) to charge.

incriminazi'one [inkriminat'tsjone] *sf* (*atto d'accusa*) indictment, charge.

incri'nare *vt* to crack; (*fig: rapporti, amicizia*) to cause to deteriorate; ~**rsi** *vr* to crack; to deteriorate.

incrina'tura *sf* crack; (*fig*) rift.

incroci'are [inkro'tʃare] *vt* to cross; (*incontrare*) to meet ♦ *vi* (*NAUT, AER*) to cruise; ~**rsi** *vr* (*strade*) to cross, intersect; (*persone, veicoli*) to pass each other; ~ **le braccia/le gambe** to fold one's arms/cross one's legs.

incrocia'tore [inkrotʃa'tore] *sm* cruiser.

in'crocio [in'krotʃo] *sm* (*anche FERR*) crossing; (*di strade*) crossroads.

incrol'labile *ag* (*fede*) unshakeable, firm.

incros'tare *vt* to encrust; ~**rsi** *vr:* ~**rsi di** to become encrusted with.

incrostazi'one [inkrostat'tsjone] *sf* encrustation; (*di calcare*) scale; (*nelle tubature*) fur (*BRIT*), scale.

incru'ento, a *ag* (*battaglia*) without bloodshed, bloodless.

incuba'trice [inkuba'tritʃe] *sf* incubator.

incubazi'one [inkubat'tsjone] *sf* incubation.

'incubo *sm* nightmare.

in'cudine *sf* anvil; **trovarsi** *o* **essere tra l'**~ **e il martello** (*fig*) to be between the devil and the deep blue sea.

incul'care *vt:* ~ **qc in** to inculcate sth into, instill sth into.

incune'are *vt* to wedge.

incu'pire *vt* (*rendere scuro*) to darken; (*fig: intristire*) to fill with gloom ♦ *vi* (*vedi vt*) to darken; to become gloomy.

incu'rabile *ag* incurable.

incu'rante *ag:* ~ **(di)** heedless (of), careless (of).

in'curia *sf* negligence.

incurio'sire *vt* to make curious; ~**rsi** *vr* to become curious.

incursi'one *sf* raid.

incur'vare *vt,* ~**rsi** *vr* to bend, curve.

in'cusso, a *pp di* **incutere.**

incusto'dito, a *ag* unguarded, unattended; **passaggio a livello** ~ unmanned level crossing.

in'cutere *vt* to arouse; ~ **timore/rispetto a qn** to strike fear into sb/command sb's respect.

'indaco *sm* indigo.

indaffa'rato, a *ag* busy.

inda'gare *vt* to investigate.

indaga'tore, 'trice *ag* (*sguardo, domanda*) searching; (*mente*) inquiring.

in'dagine [in'dadʒine] *sf* investigation, inquiry; (*ricerca*) research, study; ~ **di mercato** market survey.

indebita'mente *av* (*immeritatamente*) undeservedly; (*erroneamente*) wrongfully.

indebi'tare *vt:* ~ **qn** to get sb into debt; ~**rsi** *vr* to run *o* get into debt.

in'debito, a *ag* undeserved; wrongful.

indeboli'mento *sm* weakening; (*debolezza*) weakness.

indebo'lire *vt, vi* (*anche:* ~**rsi**) to weaken.

inde'cente [inde'tʃɛnte] *ag* indecent.

inde'cenza [inde'tʃɛntsa] *sf* indecency; **è un'**~! (*vergogna*) it's scandalous!, it's a disgrace!

indeci'frabile [indetʃi'frabile] *ag* indecipherable.

indecisi'one [indetʃi'zjone] *sf* indecisiveness; indecision.

inde'ciso, a [inde'tʃizo] *ag* indecisive; (*irresoluto*) undecided.

indeco'roso, a *ag* (*comportamento*) indecorous, unseemly.

inde'fesso, a *ag* untiring, indefatigable.

indefi'nibile *ag* indefinable.

indefi'nito, a *ag* (*anche LING*) indefinite; (*impreciso, non determinato*) undefined.

indefor'mabile *ag* crushproof.

in'degno, a [in'deɲɲo] *ag* (*atto*) shameful; (*persona*) unworthy.

inde'lebile *ag* indelible.

indelica'tezza [indelika'tettsa] *sf* tactlessness.

indeli'cato, a *ag* (*domanda*) indiscreet, tactless.

indemoni'ato, a *ag* possessed (by the devil).

in'denne *ag* unhurt, uninjured.

indennità *sf inv* (*rimborso: di spese*) allowance; (*: di perdita*) compensation, indemnity; ~ **di contingenza** cost-of-living allowance; ~ **di fine rapporto** severance payment (*on retirement, redundancy or when taking up other employment*); ~ **di trasferta** travel expenses *pl*.

indenniz'zare [indennid'dzare] *vt* to compensate.

inden'nizzo [inden'niddzo] *sm* (*somma*) compensation, indemnity.

indero'gabile *ag* binding.

indescri'vibile *ag* indescribable.

indeside'rabile *ag* undesirable.

indeside'rato, a *ag* unwanted.

indetermina'tezza [indetermina'tettsa] *sf* vagueness.

indetermina'tivo, a *ag* (*LING*) indefinite.

indetermi'nato, a *ag* indefinite, indeterminate.

in'detto, a *pp di* **indire**.

'India *sf*: **l'**~ India; **le** ~**e occidentali** the West Indies.

indi'ano, a *ag* Indian ♦ *smlf* (*d'India*) Indian; (*d'America*) Red Indian; **l'Oceano I**~ the Indian Ocean.

indiavo'lato, a *ag* possessed (by the devil); (*vivace, violento*) wild.

indi'care *vt* (*mostrare*) to show, indicate; (*: col dito*) to point to, point out; (*consigliare*) to suggest, recommend.

indica'tivo, a *ag* indicative ♦ *sm* (*LING*) indicative (mood).

indi'cato, a *ag* (*consigliato*) advisable; (*adatto*): ~ **per** suitable for, appropriate for.

indica'tore, 'trice *ag* indicating ♦ *sm* (*elenco*) guide; directory; (*TECN*) gauge; indicator; **cartello** ~ sign; ~ **della benzina** petrol (*BRIT*) *o* gas (*US*) gauge, fuel gauge; ~ **di velocità** (*AUT*) speedometer; (*AER*) airspeed indicator.

indicazi'one [indikat'tsjone] *sf* indication; (*informazione*) piece of information; ~**i per l'uso** instructions for use.

'indice ['inditʃe] *sm* (*ANAT: dito*) index finger, forefinger; (*lancetta*) needle, pointer; (*fig: indizio*) sign; (*TECN, MAT, nei libri*) index; ~ **azionario** share index; ~ **di gradimento** (*RADIO, TV*) popularity rating; ~ **dei prezzi al consumo** ≈ retail price index.

indicherò *etc* [indike'rɔ] *vb vedi* **indicare**.

indi'cibile [indi'tʃibile] *ag* inexpressible.

indiciz'zare [inditʃid'dzare] *vt*: ~ **al costo della vita** to index-link (*BRIT*), index (*US*).

indiciz'zato, a [inditʃid'dzato] *ag* (*polizza, salario etc*) index-linked (*BRIT*), indexed (*US*).

indicizzazi'one [inditʃiddzat'tsjone] *sf* indexing.

indietreggi'are [indjetred'dʒare] *vi* to draw back, retreat.

indi'etro *av* back; (*guardare*) behind, back; (*andare, cadere: anche:* **all'**~) backwards; **rimanere** ~ to be left behind; **essere** ~ (*col lavoro*) to be behind; (*orologio*) to be slow; **rimandare qc** ~ to send sth back; **non vado né avanti né** ~ (*fig*) I'm not getting anywhere, I'm getting nowhere.

indi'feso, a *ag* (*città, confine*) undefended; (*persona*) defenceless (*BRIT*), defenseless (*US*), helpless.

indiffe'rente *ag* indifferent ♦ *sm*: **fare l'**~ to pretend to be indifferent, be *o* act casual; (*fingere di non vedere o sentire*) to pretend not to notice.

indiffe'renza [indiffe'rɛntsa] *sf* indifference.

in'digeno, a [in'didʒeno] *ag* indigenous, native ♦ *smlf* native.

indi'gente [indi'dʒɛnte] *ag* poverty-stricken, destitute.

indi'genza [indi'dʒɛntsa] *sf* extreme poverty.

indigesti'one [indidʒes'tjone] *sf* indigestion.

indi'gesto, a [indi'dʒɛsto] *ag* indigestible.

indi'gnare [indiɲ'ɲare] *vt* to fill with indignation; ~**rsi** *vr* to be (*o* get) indignant.

indignazi'one [indiɲɲat'tsjone] *sf* indignation.

indimenti'cabile *ag* unforgettable.

'**indio, a** *ag, sm/f* (South American) Indian.

indipen'dente *ag* independent.

indipendente'mente *av* independently; ~ dal fatto che gli piaccia o meno, verrà! he's coming, whether he likes it or not!

indipen'denza [indipen'dɛntsa] *sf* independence.

in'dire *vt* (*concorso*) to announce; (*elezioni*) to call.

indi'retto, a *ag* indirect.

indiriz'zare [indirit'tsare] *vt* (*dirigere*) to direct; (*mandare*) to send; (*lettera*) to address; ~ la parola a qn to address sb.

indiriz'zario [indirit'tsarjo] *sm* mailing list.

indi'rizzo [indi'rittso] *sm* address; (*direzione*) direction; (*avvio*) trend, course; ~ assoluto (*INFORM*) absolute address.

indisci'plina [indiʃʃi'plina] *sf* indiscipline.

indiscipli'nato, a [indiʃʃipli'nato] *ag* undisciplined, unruly.

indis'creto, a *ag* indiscreet.

indiscrezi'one [indiskret'tsjone] *sf* indiscretion.

indiscrimi'nato, a *ag* indiscriminate.

indis'cusso, a *ag* unquestioned.

indiscu'tibile *ag* indisputable, unquestionable.

indispen'sabile *ag* indispensable, essential.

indispet'tire *vt* to irritate, annoy ♦ *vi* (*anche*: ~rsi) to get irritated *o* annoyed.

indispo'nente *ag* irritating, annoying.

indis'porre *vt* to antagonize.

indisposizi'one [indispozit'tsjone] *sf* (slight) indisposition.

indis'posto, a *pp di* **indisporre** ♦ *ag* indisposed, unwell.

indisso'lubile *ag* indissoluble.

indissolubil'mente *av* indissolubly.

indistinta'mente *av* (*senza distinzioni*) indiscriminately, without exception; (*in modo indefinito*: *vedere, sentire*) vaguely, faintly.

indis'tinto, a *ag* indistinct.

indistrut'tibile *ag* indestructible.

in'divia *sf* endive.

individu'ale *ag* individual.

individua'lismo *sm* individualism.

individua'lista, i, e *sm/f* individualist.

individualità *sf* individuality.

individual'mente *av* individually.

individu'are *vt* (*dar forma distinta a*) to characterize; (*determinare*) to locate; (*riconoscere*) to single out.

indi'viduo *sm* individual.

indivi'sibile *ag* indivisible; quei due sono ~i (*fig*) those two are inseparable.

indizi'are [indit'tsjare] *vt*: ~ qn di qc to cast suspicion on sb for sth.

indizi'ato, a [indit'tsjato] *ag* suspected ♦ *sm/f* suspect.

in'dizio [in'dittsjo] *sm* (*segno*) sign, indication; (*POLIZIA*) clue; (*DIR*) piece of evidence.

Indo'cina [indo'tʃina] *sf*: l'~ Indochina.

'**indole** *sf* nature, character.

indo'lente *ag* indolent.

indo'lenza [indo'lɛntsa] *sf* indolence.

indolen'zire [indolen'tsire] *vt* (*gambe, braccia etc*) to make stiff, cause to ache; (: *intorpidire*) to numb; ~rsi *vr* to become stiff; to go numb.

indolen'zito, a [indolen'tsito] *ag* stiff, aching; (*intorpidito*) numb.

indo'lore *ag* (*anche fig*) painless.

indo'mani *sm*: l'~ the next day, the following day.

Indo'nesia [indo'nɛzja] *sf*: l'~ Indonesia.

indonesi'ano, a *ag, sm/f, sm* Indonesian.

indo'rare *vt* (*rivestire in oro*) to gild; (*CUC*) to dip in egg yolk; ~ la pillola (*fig*) to sugar the pill.

indos'sare *vt* (*mettere indosso*) to put on; (*avere indosso*) to have on.

indossa'tore, 'trice *sm/f* model.

in'dotto, a *pp di* **indurre**.

indottri'nare *vt* to indoctrinate.

indovi'nare *vt* (*scoprire*) to guess; (*immaginare*) to imagine, guess; (*il futuro*) to foretell; tirare a ~ to make a shot in the dark.

indovi'nato, a *ag* successful; (*scelta*) inspired.

indovi'nello *sm* riddle.

indo'vino, a *sm/f* fortuneteller.

indù *ag, sm/f* Hindu.

indubbia'mente *av* undoubtedly.

in'dubbio, a *ag* certain, undoubted.

in'duco *etc vb vedi* **indurre**.

indugi'are [indu'dʒare] *vi* to take one's time, delay.

in'dugio [in'dudʒo] *sm* (*ritardo*) delay; senza ~ without delay.

indul'gente [indul'dʒɛnte] *ag* indulgent; (*giudice*) lenient.

indul'genza [indul'dʒɛntsa] *sf* indulgence; leniency.

in'dulgere [in'duldʒere] *vi*: ~ a (*accondiscendere*) to comply with; (*abbandonarsi*) to indulge in.

in'dulto, a *pp di* **indulgere** ♦ *sm* (*DIR*) pardon.

indu'mento *sm* article of clothing, garment; ~**i** *smpl* (*vestiti*) clothes; ~**i intimi** underwear *sg*.

induri'mento *sm* hardening.

indu'rire *vt* to harden ♦ *vi* (*anche:* ~**rsi**) to harden, become hard.

in'durre *vt*: ~ **qn a fare qc** to induce *o* persuade sb to do sth; ~ **qn in errore** to mislead sb; ~ **in tentazione** to lead into temptation.

in'dussi *etc vb vedi* **indurre**.

in'dustria *sf* industry; **la piccola/grande** ~ small/big business.

industri'ale *ag* industrial ♦ *sm* industrialist.

industrializ'zare [industrjalid'dzare] *vt* to industrialize.

industrializzazi'one [industrjaliddzat'tsjone] *sf* industrialization.

industri'arsi *vr* to do one's best, try hard.

industri'oso, a *ag* industrious, hard-working.

induzi'one [indut'tsjone] *sf* induction.

inebe'tito, a *ag* dazed, stunned.

inebri'are *vt* (*anche fig*) to intoxicate; ~**rsi** *vr* to become intoxicated.

inecce'pibile [inett∫e'pibile] *ag* unexceptionable.

i'nedia *sf* starvation.

i'nedito, a *ag* unpublished.

inef'fabile *ag* ineffable.

ineffi'cace [ineffi'kat∫e] *ag* ineffective.

ineffi'cacia [ineffi'kat∫a] *sf* inefficacy, ineffectiveness.

ineffici'ente [ineffi't∫εnte] *ag* inefficient.

ineffici'enza [ineffi't∫εntsa] *sf* inefficiency.

ineguagli'abile [inegwaʎ'ʎabile] *ag* incomparable, matchless.

ineguagli'anza [inegwaʎ'ʎantsa] *sf* (*sociale*) inequality; (*di superficie, livello*) unevenness.

inegu'ale *ag* unequal; (*irregolare*) uneven.

inelut'tabile *ag* inescapable.

ineluttabilità *sf* inescapability.

inenar'rabile *ag* unutterable.

inequivo'cabile *ag* unequivocal.

ine'rente *ag*: ~ **a** concerning, regarding.

i'nerme *ag* unarmed, defenceless (*BRIT*), defenseless (*US*).

inerpi'carsi *vr*: ~ (**su**) to clamber (up).

i'nerte *ag* inert; (*inattivo*) indolent, sluggish.

i'nerzia [i'nεrtsja] *sf* inertia; indolence, sluggishness.

inesat'tezza [inezat'tettsa] *sf* inaccuracy.

ine'satto, a *ag* (*impreciso*) inaccurate, inexact; (*erroneo*) incorrect; (*AMM: non*

riscosso) uncollected.

inesau'ribile *ag* inexhaustible.

inesis'tente *ag* non-existent.

ineso'rabile *ag* inexorable, relentless.

inesorabil'mente *av* inexorably.

inesperi'enza [inespe'rjεntsa] *sf* inexperience.

ines'perto, a *ag* inexperienced.

inespli'cabile *ag* inexplicable.

inesplo'rato, a *ag* unexplored.

ines'ploso, a *ag* unexploded.

inespres'sivo, a *ag* (*viso*) expressionless, inexpressive.

ines'presso, a *ag* unexpressed.

inespri'mibile *ag* inexpressible.

inespu'gnabile [inespuɲ'ɲabile] *ag* (*fortezza, torre etc*) impregnable.

ineste'tismo *sm* beauty problem.

inesti'mabile *ag* inestimable; (*valore*) incalculable.

inestir'pabile *ag* ineradicable.

inestri'cabile *ag* (*anche fig*) impenetrable.

inetti'tudine *sf* ineptitude.

i'netto, a *ag* (*incapace*) inept; (*che non ha attitudine*): ~ (**a**) unsuited (to).

ine'vaso, a *ag* (*ordine, corrispondenza*) outstanding.

inevi'tabile *ag* inevitable.

inevitabil'mente *av* inevitably.

i'nezia [i'nεttsja] *sf* trifle, thing of no importance.

infagot'tare *vt* to bundle up, wrap up; ~**rsi** *vr* to wrap up.

infal'libile *ag* infallible.

infallibilità *sf* infallibility.

infa'mante *ag* (*accusa*) defamatory, slanderous.

infa'mare *vt* to defame.

in'fame *ag* infamous; (*fig: cosa, compito*) awful, dreadful.

in'famia *sf* infamy.

infan'gare *vt* (*sporcare*) to cover with mud; (*nome, reputazione*) to sully; ~**rsi** *vr* to get covered in mud; to be sullied.

infan'tile *ag* child *cpd*; childlike; (*adulto, azione*) childish; **letteratura** ~ children's books *pl*.

in'fanzia [in'fantsja] *sf* childhood; (*bambini*) children *pl*; **prima** ~ babyhood, infancy.

infari'nare *vt* to cover with (*o* sprinkle with *o* dip in) flour; ~ **di zucchero** to sprinkle with sugar.

infarina'tura *sf* (*fig*) smattering.

in'farto *sm* (*MED*): ~ (**cardiaco**) coronary.

infasti'dire *vt* to annoy, irritate; ~**rsi** *vr* to get annoyed *o* irritated.

infati'cabile *ag* tireless, untiring.

in'fatti *cong* as a matter of fact, in fact,

actually.

infatu'arsi *vr*: ~ **di** *o* **per** to become infatuated with, fall for.

infatuazi'one [infatuat'tsjone] *sf* infatuation.

in'fausto, a *ag* unpropitious, unfavourable (*BRIT*), unfavorable (*US*).

infecondità *sf* infertility.

infe'condo, a *ag* infertile.

infe'dele *ag* unfaithful.

infedeltà *sf* infidelity.

infe'lice [infe'litʃe] *ag* unhappy; (*sfortunato*) unlucky, unfortunate; (*inopportuno*) inopportune, ill-timed; (*mal riuscito: lavoro*) bad, poor.

infelicità [infelitʃi'ta] *sf* unhappiness.

infel'trire *vi*, ~**rsi** *vr* (*lana*) to become matted.

infe'renza [infe'rɛntsa] *sf* inference.

inferi'ore *ag* lower; (*per intelligenza, qualità*) inferior ♦ *sm/f* inferior; ~ **a** (*numero, quantità*) less *o* smaller than; (*meno buono*) inferior to; ~ **alla media** below average.

inferiorità *sf* inferiority.

infe'rire *vt* (*dedurre*) to infer, deduce.

inferme'ria *sf* infirmary; (*di scuola, nave*) sick bay.

infermi'ere, a *sm/f* nurse.

infermità *sf inv* illness; infirmity; ~ **di mente** mental illness.

in'fermo, a *ag* (*ammalato*) ill; (*debole*) infirm; ~ **di mente** mentally ill.

infer'nale *ag* infernal; (*proposito, complotto*) diabolical; **un tempo** ~ (*fam*) hellish weather.

in'ferno *sm* hell; **soffrire le pene dell'**~ (*fig*) to go through hell.

infero'cire [infero'tʃire] *vt* to make fierce ♦ *vi*, ~**rsi** *vr* to become fierce.

inferri'ata *sf* grating.

infervo'rare *vt* to arouse enthusiasm in; ~**rsi** *vr* to get excited, get carried away.

infes'tare *vt* to infest.

infet'tare *vt* to infect; ~**rsi** *vr* to become infected.

infet'tivo, a *ag* infectious.

in'fetto, a *ag* infected; (*acque*) polluted, contaminated.

infezi'one [infet'tsjone] *sf* infection.

infiac'chire [infjak'kire] *vt* to weaken ♦ *vi* (*anche*: ~**rsi**) to grow weak.

infiam'mabile *ag* inflammable.

infiam'mare *vt* to set alight; (*fig, MED*) to inflame; ~**rsi** *vr* to catch fire; (*MED*) to become inflamed; (*fig*): ~**rsi di** to be fired with.

infiammazi'one [infjammat'tsjone] *sf*

(*MED*) inflammation.

infias'care *vt* to bottle.

infici'are [infi'tʃare] *vt* (*DIR*: *atto, dichiarazione*) to challenge.

in'fido, a *ag* unreliable, treacherous.

infie'rire *vi*: ~ **su** (*fisicamente*) to attack furiously; (*verbalmente*) to rage at; (*epidemia*) to rage over.

in'figgere [in'fiddʒere] *vt*: ~ **qc in** to thrust *o* drive sth into.

infi'lare *vt* (*ago*) to thread; (*mettere: chiave*) to insert; (*: vestito*) to slip *o* put on; (*strada*) to turn into, take; ~**rsi** *vr*: ~**rsi in** to slip into; (*indossare*) to slip on; ~ **un anello al dito** to slip a ring on one's finger; ~ **l'uscio** to slip in; to slip out; ~**rsi la giacca** to put on one's jacket.

infil'trarsi *vr* to penetrate, seep through; (*MIL*) to infiltrate.

infil'trato, a *sm/f* infiltrator.

infiltrazi'one [infiltrat'tsjone] *sf* infiltration.

infil'zare [infil'tsare] *vt* (*infilare*) to string together; (*trafiggere*) to pierce.

'infimo, a *ag* lowest; **un albergo di** ~ **ordine** a third-rate hotel.

in'fine *av* finally; (*insomma*) in short.

infin'gardo, a *ag* lazy ♦ *sm/f* slacker.

infinità *sf* infinity; (*in quantità*): **un'**~ **di** an infinite number of.

infinitesi'male *ag* infinitesimal.

infi'nito, a *ag* infinite; (*LING*) infinitive ♦ *sm* infinity; (*LING*) infinitive; **all'**~ (*senza fine*) endlessly; (*LING*) in the infinitive.

infinocchi'are [infinok'kjare] *vt* (*fam*) to hoodwink.

infiore'scenza [infjoreʃ'ʃɛntsa] *sf* inflorescence.

infir'mare *vt* (*DIR*) to invalidate.

infischi'arsi [infis'kjarsi] *vr*: ~ **di** not to care about.

in'fisso, a *pp di* **infiggere** ♦ *sm* fixture; (*di porta, finestra*) frame.

infit'tire *vt*, *vi* (*anche*: ~**rsi**) to thicken.

inflazio'nare [inflattsjo'nare] *vt* to inflate.

inflazi'one [inflat'tsjone] *sf* inflation.

inflazio'nistico, a, ci, che [inflattsjo'nistiko] *ag* inflationary.

infles'sibile *ag* inflexible; (*ferreo*) unyielding.

inflessi'one *sf* inflexion.

in'fliggere [in'fliddʒere] *vt* to inflict.

in'flissi *etc vb vedi* **infliggere.**

in'flitto, a *pp di* **infliggere.**

influ'ente *ag* influential.

influ'enza [influ'ɛntsa] *sf* influence; (*MED*) influenza, flu.

influen'zare [influen'tsare] *vt* to influence, have an influence on.

influ'ire *vi:* ~ **su** to influence.
in'flusso *sm* influence.
INFN *sigla m* = *Istituto Nazionale di Fisica Nucleare.*
info'cato, a *ag* = **infuocato.**
info'gnarsi [infoɲ'ɲarsi] *vr (fam)* to get into a mess; ~ **in un mare di debiti** to be up to one's *o* the eyes in debt.
infol'tire *vt, vi* to thicken.
infon'dato, a *ag* unfounded, groundless.
in'fondere *vt:* ~ **qc in qn** to instill sth in sb; ~ **fiducia in qn** to inspire sb with confidence.
infor'care *vt* to fork (up); *(bicicletta, cavallo)* to get on; *(occhiali)* to put on.
infor'male *ag* informal.
infor'mare *vt* to inform, tell; ~**rsi** *vr:* ~**rsi** (**di** *o* **su**) to inquire (about); **tenere informato qn** to keep sb informed.
infor'matico, a, ci, che *ag (settore)* computer *cpd* ♦ *sf* computer science.
informa'tivo, a *ag* informative; **a titolo** ~ for information only.
informatiz'zare [informatid'dzare] *vt* to computerize.
infor'mato, a *ag* informed; **tenersi** ~ to keep o.s. (well-)informed.
informa'tore *sm* informer.
informazi'one [informat'tsjone] *sf* piece of information; ~**i** *sfpl* information *sg*; **chiedere un'**~ to ask for (some) information; ~ **di garanzia** (*DIR*) = **avviso di garanzia.**
in'forme *ag* shapeless.
informico'larsi *vr*, **informico'lirsi** *vr:* **mi si è informicolata una gamba** I've got pins and needles in my leg.
infor'nare *vt* to put in the oven.
infor'nata *sf (anche fig)* batch.
infortu'narsi *vr* to injure o.s., have an accident.
infortu'nato, a *ag* injured, hurt ♦ *sm/f* injured person.
infor'tunio *sm* accident; ~ **sul lavoro** industrial accident, accident at work.
infortu'nistica *sf* study of (industrial) accidents.
infos'sarsi *vr (terreno)* to sink; *(guance)* to become hollow.
infos'sato, a *ag* hollow; *(occhi)* deep-set; *(: per malattia)* sunken.
infradici'are [infradi'tʃare] *vt (inzuppare)* to soak, drench; *(marcire)* to rot; ~**rsi** *vr* to get soaked, get drenched; to rot.
in'frangere [in'frandʒere] *vt* to smash; *(fig: legge, patti)* to break; ~**rsi** *vr* to smash, break.
infran'gibile [infran'dʒibile] *ag*

unbreakable.
in'franto, a *pp di* **infrangere** ♦ *ag* broken.
infra'rosso, a *ag, sm* infrared.
infrasettima'nale *ag* midweek *cpd.*
infrastrut'tura *sf* infrastructure.
infrazi'one [infrat'tsjone] *sf:* ~ **a** breaking of, violation of.
infredda'tura *sf* slight cold.
infreddo'lito, a *ag* cold, chilled.
infre'quente *ag* infrequent, rare.
infrol'lire *vi*, ~**rsi** *vr (selvaggina)* to become high.
infruttu'oso, a *ag* fruitless.
infuo'cato, a *ag (metallo)* red-hot; *(sabbia)* burning; *(fig: discorso)* heated, passionate.
infu'ori *av* out; **all'**~ outwards; **all'**~ **di** *(eccetto)* except, with the exception of.
infuri'are *vi* to rage; ~**rsi** *vr* to fly into a rage.
infusi'one *sf* infusion.
in'fuso, a *pp di* **infondere** ♦ *ag:* **scienza** ~**a** *(anche ironico)* innate knowledge ♦ *sm* infusion; ~ **di camomilla** camomile tea.
Ing. *abbr* = **ingegnere.**
ingabbi'are *vt* to (put in a) cage.
ingaggi'are [ingad'dʒare] *vt (assumere con compenso)* to take on, hire; *(SPORT)* to sign on; *(MIL)* to engage.
in'gaggio [in'gaddʒo] *sm* hiring; signing on.
ingagliar'dire [ingaʎʎar'dire] *vt* to strengthen, invigorate ♦ *vi (anche:* ~**rsi)** to grow stronger.
ingan'nare *vt* to deceive; *(coniuge)* to be unfaithful to; *(fisco)* to cheat; *(eludere)* to dodge, elude; *(fig: tempo)* to while away ♦ *vi (apparenza)* to be deceptive; ~**rsi** *vr* to be mistaken, be wrong.
inganna'tore, 'trice *ag* deceptive; *(persona)* deceitful.
ingan'nevole *ag* deceptive.
in'ganno *sm* deceit, deception; *(azione)* trick; *(menzogna, frode)* cheat, swindle; *(illusione)* illusion.
ingarbugli'are [ingarbuʎ'ʎare] *vt* to tangle; *(fig)* to confuse, muddle; ~**rsi** *vr* to become confused *o* muddled.
ingarbu'gliato, a [ingarbuʎ'ʎato] *ag* tangled; confused, muddled.
inge'gnarsi [indʒeɲ'ɲarsi] *vr* to do one's best, try hard; ~ **per vivere** to live by one's wits; **basta** ~ **un po'** you just need a bit of ingenuity.
inge'gnere [indʒeɲ'ɲere] *sm* engineer; ~ **civile/navale** civil/naval engineer.
ingegne'ria [indʒeɲɲe'ria] *sf* engineering.
in'gegno [in'dʒeɲɲo] *sm (intelligenza)* intelligence, brains *pl*; *(capacità creativa)*

ingenuity; (*disposizione*) talent.
ingegnosità [indʒeɲɲosi'ta] *sf* ingenuity.
inge'gnoso, a [indʒeɲ'ɲoso] *ag* ingenious, clever.
ingelo'sire [indʒelo'sire] *vt* to make jealous ♦ *vi* (*anche:* ~**rsi**) to become jealous.
in'gente [in'dʒɛnte] *ag* huge, enormous.
ingenti'lire [indʒenti'lire] *vt* to refine, civilize; ~**rsi** *vr* to become more refined, become more civilized.
ingenuità [indʒenui'ta] *sf* ingenuousness.
in'genuo, a [in'dʒɛnuo] *ag* ingenuous, naïve.
inge'renza [indʒe'rɛntsa] *sf* interference.
inge'rire [indʒe'rire] *vt* to ingest.
inges'sare [indʒes'sare] *vt* (*MED*) to put in plaster.
ingessa'tura [indʒessa'tura] *sf* plaster.
Inghil'terra [ingil'tɛrra] *sf*: **l'**~ England.
inghiot'tire [ingjot'tire] *vt* to swallow.
in'ghippo [in'gippo] *sm* trick.
ingial'lire [indʒal'lire] *vi* to go yellow.
ingigan'tire [indʒigan'tire] *vt* to enlarge, magnify ♦ *vi* to become gigantic *o* enormous.
inginocchi'arsi [indʒinok'kjarsi] *vr* to kneel (down).
inginocchia'toio [indʒinokkja'tojo] *sm* prie-dieu.
ingioiel'lare [indʒojel'lare] *vt* to bejewel, adorn with jewels.
ingiù [in'dʒu] *av* down, downwards.
ingi'ungere [in'dʒundʒere] *vt*: ~ **a qn di fare qc** to enjoin *o* order sb to do sth.
ingi'unto, a [in'dʒunto] *pp di* **ingiungere**.
ingiunzi'one [indʒun'tsjone] *sf* injunction, command; ~ **di pagamento** final demand.
ingi'uria [in'dʒurja] *sf* insult; (*fig: danno*) damage.
ingiuri'are [indʒu'rjare] *vt* to insult, abuse.
ingiuri'oso, a [indʒu'rjoso] *ag* insulting, abusive.
ingiusta'mente [indʒusta'mente] *av* unjustly.
ingiustifi'cabile [indʒustifi'kabile] *ag* unjustifiable.
ingiustifi'cato, a [indʒustifi'kato] *ag* unjustified.
ingius'tizia [indʒus'tittsja] *sf* injustice.
ingi'usto, a [in'dʒusto] *ag* unjust, unfair.
in'glese *ag* English ♦ *sm/f* Englishman/woman ♦ *sm* (*LING*) English; **gli l**~**i** the English; **andarsene** *o* **filare all'**~ to take French leave.
inglori'oso, a *ag* inglorious.
ingob'bire *vi*, ~**rsi** *vr* to become stooped.
ingoi'are *vt* to gulp (down); (*fig*) to swallow (up); **ha dovuto** ~ **il rospo** (*fig*) he had to

accept the situation.
ingol'fare *vt*, ~**rsi** *vr* (*motore*) to flood.
ingolo'sire *vt*: ~ **qn** to make sb's mouth water; (*fig*) to attract sb ♦ *vi* (*anche:* ~**rsi**): ~ **(di)** (*anche fig*) to become greedy (for).
ingom'brante *ag* cumbersome.
ingom'brare *vt* (*strada*) to block; (*stanza*) to clutter up.
in'gombro, a *ag*: ~ **di** (*strada*) blocked by; (*stanza*) cluttered up with ♦ *sm* obstacle; **essere d'**~ to be in the way; **per ragioni di** ~ for reasons of space.
ingor'digia [ingor'didʒa] *sf*: ~ **(di)** greed (for); avidity (for).
in'gordo, a *ag*: ~ **di** greedy for; (*fig*) greedy *o* avid for ♦ *sm/f* glutton.
ingor'gare *vt* to block; ~**rsi** *vr* to be blocked up, be choked up.
in'gorgo, ghi *sm* blockage, obstruction; (*anche:* ~ **stradale**) traffic jam.
ingoz'zare [ingot'tsare] *vt* (*animali*) to fatten; (*fig: persona*) to stuff; ~**rsi** *vr*: ~**rsi (di)** to stuff o.s. (with).
ingra'naggio [ingra'naddʒo] *sm* (*TECN*) gear; (*di orologio*) mechanism; **gli** ~**i della burocrazia** the bureaucratic machinery.
ingra'nare *vi* to mesh, engage ♦ *vt* to engage; ~ **la marcia** to get into gear.
ingrandi'mento *sm* enlargement; extension; magnification; growth; expansion.
ingran'dire *vt* (*anche FOT*) to enlarge; (*estendere*) to extend; (*OTTICA, fig*) to magnify ♦ *vi* (*anche:* ~**rsi**) to become larger *o* bigger; (*aumentare*) to grow, increase; (*espandersi*) to expand.
ingrandi'tore *sm* (*FOT*) enlarger.
ingras'saggio [ingras'saddʒo] *sm* greasing.
ingras'sare *vt* to make fat; (*animali*) to fatten; (*AGR: terreno*) to manure; (*lubrificare*) to grease ♦ *vi* (*anche:* ~**rsi**) to get fat, put on weight.
ingrati'tudine *sf* ingratitude.
in'grato, a *ag* ungrateful; (*lavoro*) thankless, unrewarding.
ingrazi'are [ingrat'tsjare] *vt*: ~**rsi qn** to ingratiate o.s. with sb.
ingredi'ente *sm* ingredient.
in'gresso *sm* (*porta*) entrance; (*atrio*) hall; (*l'entrare*) entrance, entry; (*facoltà di entrare*) admission; "~ **libero**" "admission free"; ~ **principale** main entrance; ~ **di servizio** tradesmen's entrance.
ingros'sare *vt* to increase; (*folla, livello*) to swell ♦ *vi* (*anche:* ~**rsi**) to increase; to swell.
in'grosso *av*: **all'**~ (*COMM*) wholesale; (*all'incirca*) roughly, about.

ingru'gnato, a [ingruɲ'ɲato] *ag* grumpy.
inguai'arsi *vr* to get into trouble.
inguai'nare *vt* to sheathe.
ingual'cibile [ingwal'tʃibile] *ag* crease-resistant.
ingua'ribile *ag* incurable.
'inguine *sm* (*ANAT*) groin.
ingurgi'tare [ingurdʒi'tare] *vt* to gulp down.
ini'bire *vt* to forbid, prohibit; (*PSIC*) to inhibit.
ini'bito, a *ag* inhibited ♦ *sm/f* inhibited person.
inibi'torio, a *ag* (*PSIC*) inhibitory, inhibitive; (*provvedimento, misure*) restrictive.
inibizi'one [inibit'tsjone] *sf* prohibition; inhibition.
iniet'tare *vt* to inject; ~**rsi** *vr*: ~**rsi di sangue** (*occhi*) to become bloodshot.
iniet'tore *sm* injector.
iniezi'one [injet'tsjone] *sf* injection.
inimi'care *vt* to alienate, make hostile; ~**rsi** *vr*: ~**rsi con qn** to fall out with sb; **si è inimicato gli amici di un tempo** he has alienated his old friends.
inimi'cizia [inimi'tʃittsja] *sf* animosity.
inimi'tabile *ag* inimitable.
inimmagi'nabile [inimmadʒi'nabile] *ag* unimaginable.
ininfiam'mabile *ag* non-flammable.
inintelli'gibile [inintelli'dʒibile] *ag* unintelligible.
ininterrotta'mente *av* non-stop, continuously.
ininter'rotto, a *ag* (*fila*) unbroken; (*rumore*) uninterrupted.
iniquità *sf inv* iniquity; (*atto*) wicked action.
i'niquo, a *ag* iniquitous.
inizi'ale [init'tsjale] *ag, sf* initial.
inizializ'zare [inittsjalid'dzare] *vt* (*INFORM*) to boot.
inizial'mente [inittsjal'mente] *av* initially, at first.
inizi'are [init'tsjare] *vi, vt* to begin, start; ~ **qn a** to initiate sb into; (*pittura etc*) to introduce sb to; ~ **a fare qc** to start doing sth.
inizia'tiva [inittsja'tiva] *sf* initiative; ~ **privata** private enterprise.
inizia'tore, 'trice [inittsja'tore] *sm/f* initiator.
i'nizio [i'nittsjo] *sm* beginning; **all'**~ at the beginning, at the start; **dare** ~ **a qc** to start sth, get sth going; **essere agli** ~**i** (*progetto, lavoro etc*) to be in the initial stages.
innaffi'are *etc* = **annaffiare** *etc*.
innal'zare [innal'tsare] *vt* (*sollevare, alzare*)

to raise; (*rizzare*) to erect; ~**rsi** *vr* to rise.
innamora'mento *sm* falling in love.
innamo'rare *vt* to enchant, charm; ~**rsi** *vr*: ~**rsi (di qn)** to fall in love (with sb).
innamo'rato, a *ag* (*che nutre amore*): ~ **(di)** in love (with); (*appassionato*): ~ **di** very fond of ♦ *sm/f* lover; (*anche scherzoso*) sweetheart.
in'nanzi [in'nantsi] *av* (*stato in luogo*) in front, ahead; (*moto a luogo*) forward, on; (*tempo: prima*) before ♦ *prep* (*prima*) before; ~ **a** in front of; **d'ora** ~ from now on; **farsi** ~ to step forward; ~ **tempo** ahead of time.
innanzi'tutto [innantsi'tutto] *av* above all; (*per prima cosa*) first of all.
in'nato, a *ag* innate.
innatu'rale *ag* unnatural.
inne'gabile *ag* undeniable.
inneggi'are [inned'dʒare] *vi*: ~ **a** to sing hymns to; (*fig*) to sing the praises of.
innervo'sire *vt*: ~ **qn** to get on sb's nerves; ~**rsi** *vr* to get irritated *o* upset.
innes'care *vt* to prime.
in'nesco, schi *sm* primer.
innes'tare *vt* (*BOT, MED*) to graft; (*TECN*) to engage; (*inserire: presa*) to insert.
in'nesto *sm* graft; grafting *no pl*; (*TECN*) clutch; (*ELETTR*) connection.
'inno *sm* hymn; ~ **nazionale** national anthem.
inno'cente [inno'tʃɛnte] *ag* innocent.
inno'cenza [inno'tʃɛntsa] *sf* innocence.
in'nocuo, a *ag* innocuous, harmless.
innomi'nato, a *ag* unnamed.
inno'vare *vt* to change, make innovations in.
innova'tivo, a *ag* innovative.
innovazi'one [innovat'tsjone] *sf* innovation.
innume'revole *ag* innumerable.
inocu'lare *vt* (*MED*) to inoculate.
ino'doro, a *ag* odourless (*BRIT*), odorless (*US*).
inoffen'sivo, a *ag* harmless.
inol'trare *vt* (*AMM*) to pass on, forward; ~**rsi** *vr* (*addentrarsi*) to advance, go forward.
inol'trato, a *ag*: **a notte** ~**a** late at night; **a primavera** ~**a** late in the spring.
i'noltre *av* besides, moreover.
i'noltro *sm* (*AMM*) forwarding.
inon'dare *vt* to flood.
inondazi'one [inondat'tsjone] *sf* flooding *no pl*; flood.
inope'roso, a *ag* inactive, idle.
inopi'nato, a *ag* unexpected.
inoppor'tuno, a *ag* untimely, ill-timed; (*poco adatto*) inappropriate; (*momento*)

inopportune.

inoppu'gnabile [inoppuɲ'ɲabile] *ag* incontrovertible.

inor'ganico, a, ci, che *ag* inorganic.

inorgo'glire [inorgoʎ'ʎire] *vt* to make proud ♦ *vi* (*anche:* ~**rsi**) to become proud; ~**rsi di qc** to pride o.s. on sth.

inorri'dire *vt* to horrify ♦ *vi* to be horrified.

inospi'tale *ag* inhospitable.

inosser'vante *ag:* **essere** ~ **di** to fail to comply with.

inosser'vato, a *ag* (*non notato*) unobserved; (*non rispettato*) not observed, not kept; **passare** ~ to go unobserved, escape notice.

inossi'dabile *ag* stainless.

INPS *sigla m* (= *Istituto Nazionale Previdenza Sociale*) social security service.

inqua'drare *vt* (*foto, immagine*) to frame; (*fig*) to situate, set.

inquadra'tura *sf* (*CINE, FOT: atto*) framing; (: *immagine*) shot; (: *sequenza*) sequence.

inqualifi'cabile *ag* unspeakable.

inquie'tante *ag* disturbing, worrying.

inquie'tare *vt* (*turbare*) to disturb, worry; ~**rsi** *vr* to worry, become anxious; (*impazientirsi*) to get upset.

inqui'eto, a *ag* restless; (*preoccupato*) worried, anxious.

inquie'tudine *sf* anxiety, worry.

inqui'lino, a *sm/f* tenant.

inquina'mento *sm* pollution.

inqui'nare *vt* to pollute.

inqui'rente *ag* (*DIR*): **magistrato** ~ examining (*BRIT*) o committing (*US*) magistrate; **commissione** ~ commission of inquiry.

inqui'sire *vt, vi* to investigate.

inqui'sito, a *ag* (*persona*) under investigation.

inquisi'tore, 'trice *ag* (*sguardo*) inquiring.

inquisizi'one [inkwizit'tsjone] *sf* inquisition.

insabbia'mento *sm* (*fig*) shelving.

insabbi'are *vt* (*fig: pratica*) to shelve; ~**rsi** *vr* (*barca*) to run aground; (*fig: pratica*) to be shelved.

insac'care *vt* (*grano, farina etc*) to bag, put into sacks; (*carne*) to put into sausage skins.

insac'cati *smpl* (*CUC*) sausages.

insa'lata *sf* salad; (*pianta*) lettuce; ~ **mista** mixed salad.

insalati'era *sf* salad bowl.

insa'lubre *ag* unhealthy.

insa'nabile *ag* (*piaga*) which cannot be healed; (*situazione*) irremediable; (*odio*) implacable.

insangui'nare *vt* to stain with blood.

in'sania *sf* insanity.

in'sano, a *ag* (*pazzo, folle*) insane.

insapo'nare *vt* to soap; ~**rsi le mani** to soap one's hands.

insapo'nata *sf:* **dare un'**~ **a qc** to give sth a (quick) soaping.

insapo'rire *vt* to flavour (*BRIT*), flavor (*US*); (*con spezie*) to season; ~**rsi** *vr* to acquire flavo(u)r.

insa'poro, a *ag* tasteless, insipid.

insa'puta *sf:* **all'**~ **di qn** without sb knowing.

insazi'abile [insat'tsjabile] *ag* insatiable.

inscato'lare *vt* (*frutta, carne*) to can.

insce'nare [inʃe'nare] *vt* (*TEAT*) to stage, put on; (*fig*) to stage.

inscin'dibile [inʃin'dibile] *ag* (*fattori*) inseparable; (*legame*) indissoluble.

insec'chire [insek'kire] *vt* (*seccare*) to dry up; (: *piante*) to wither ♦ *vi* to dry up, become dry; to wither.

insedia'mento *sm* (*AMM: in carica, ufficio*) installation; (*villaggio, colonia*) settlement.

insedi'are *vt* (*AMM*) to install; ~**rsi** *vr* (*AMM*) to take up office; (*colonia, profughi etc*) to settle; (*MIL*) to take up positions.

in'segna [in'seɲɲa] *sf* sign; (*emblema*) sign, emblem; (*bandiera*) flag, banner; ~**e** *sfpl* (*decorazioni*) insignia *pl*.

insegna'mento [inseɲɲa'mento] *sm* teaching; **trarre** ~ **da un'esperienza** to learn from an experience, draw a lesson from an experience; **che ti serva da** ~ let this be a lesson to you.

inse'gnante [inseɲ'ɲante] *ag* teaching ♦ *sm/f* teacher.

inse'gnare [inseɲ'ɲare] *vt, vi* to teach; ~ **a qn qc** to teach sb sth; ~ **a qn a fare qc** to teach sb (how) to do sth; **come lei ben m'insegna ...** (*ironico*) as you will doubtless be aware ....

insegui'mento *sm* pursuit, chase; **darsi all'**~ **di qn** to give chase to sb.

insegu'ire *vt* to pursue, chase.

insegui'tore, 'trice *sm/f* pursuer.

insel'lare *vt* to saddle.

inselvati'chire [inselvati'kire] *vt* (*persona*) to make unsociable ♦ *vi* (*anche:* ~**rsi**) to grow wild; (*persona*) to become unsociable.

inseminazi'one [inseminat'tsjone] *sf* insemination.

insena'tura *sf* inlet, creek.

insen'sato, a *ag* senseless, stupid.

insen'sibile *ag* (*anche fig*) insensitive.

insensibilità *sf* insensitivity, insensibility.

insepa'rabile *ag* inseparable.

inse'polto, a *ag* unburied.

inseri'mento *sm* (*gen*) insertion; **problemi di** ~ (*di persona*) adjustment problems.

inse'rire *vt* to insert; (*ELETTR*) to connect; (*allegare*) to enclose; ~**rsi** *vr* (*fig*): ~**rsi in** to become part of; ~ **un annuncio sul giornale** to put *o* place an advertisement in the newspaper.

in'serto *sm* (*pubblicazione*) insert; ~ **filmato** (*film*) clip.

inser'vibile *ag* useless.

inservi'ente *sm/f* attendant.

inserzi'one [inser'tsjone] *sf* insertion; (*avviso*) advertisement; **fare un'**~ **sul giornale** to put an advertisement in the newspaper.

inserzio'nista, i, e [insertsjo'nista] *sm/f* advertiser.

insetti'cida, i [insetti'tʃida] *sm* insecticide.

in'setto *sm* insect.

insicu'rezza [insiku'rettsa] *sf* insecurity.

insi'curo, a *ag* insecure.

in'sidia *sf* snare, trap; (*pericolo*) hidden danger; **tendere un'**~ **a qn** to lay *o* set a trap for sb.

insidi'are *vt* (*MIL*) to harass; ~ **la vita di qn** to make an attempt on sb's life.

insidi'oso, a *ag* insidious.

insi'eme *av* together; (*contemporaneamente*) at the same time ♦ *prep*: ~ **a** *o* **con** together with ♦ *sm* whole; (*MAT, servizio, assortimento*) set; (*MODA*) ensemble, outfit; **tutti** ~ all together; **tutto** ~ all together; (*in una volta*) at one go; **nell'**~ on the whole; **d'**~ (*veduta etc*) overall.

in'signe [in'siɲɲe] *ag* (*persona*) famous, distinguished, eminent; (*città, monumento*) notable.

insignifi'cante [insiɲɲifi'kante] *ag* insignificant.

insi'gnire [insiɲ'ɲire] *vt*: ~ **qn di** to honour (*BRIT*) *o* honor (*US*) sb with, decorate sb with.

insin'cero, a [insin'tʃero] *ag* insincere.

insinda'cabile *ag* unquestionable.

insinu'ante *ag* (*osservazione, sguardo*) insinuating; (*maniere*) ingratiating.

insinu'are *vt* (*introdurre*): ~ **qc in** to slip *o* slide sth into; (*fig*) to insinuate, imply; ~**rsi** *vr*: ~**rsi in** to seep into; (*fig*) to creep into; to worm one's way into.

insinuazi'one [insinuat'tsjone] *sf* (*fig*) insinuation.

in'sipido, a *ag* insipid.

insis'tente *ag* insistent; (*pioggia, dolore*) persistent.

insistente'mente *av* repeatedly.

insis'tenza [insis'tɛntsa] *sf* insistence; persistence.

in'sistere *vi*: ~ **su qc** to insist on sth; ~ **in qc/a fare** (*perseverare*) to persist in sth/in doing.

insis'tito, a *pp di* **insistere**.

'insito, a *ag*: ~ (**in**) inherent (in).

insoddis'fatto, a *ag* dissatisfied.

insoddisfazi'one [insoddisfat'tsjone] *sf* dissatisfaction.

insoffe'rente *ag* intolerant.

insoffe'renza [insoffe'rɛntsa] *sf* impatience.

insolazi'one [insolat'tsjone] *sf* (*MED*) sunstroke.

inso'lente *ag* insolent.

insolen'tire *vi* to grow insolent ♦ *vt* to insult, be rude to.

inso'lenza [inso'lɛntsa] *sf* insolence.

in'solito, a *ag* unusual, out of the ordinary.

inso'lubile *ag* insoluble.

inso'luto, a *ag* (*non risolto*) unsolved; (*non pagato*) unpaid, outstanding.

insol'vente *ag* (*DIR*) insolvent.

insol'venza [insol'vɛntsa] *sf* (*DIR*) insolvency.

insol'vibile *ag* insolvent.

in'somma *av* (*in breve, in conclusione*) in short; (*dunque*) well ♦ *escl* for heaven's sake!

inson'dabile *ag* unfathomable.

in'sonne *ag* sleepless.

in'sonnia *sf* insomnia, sleeplessness.

insonno'lito, a *ag* sleepy, drowsy.

insonorizzazi'one [insonoriddzat'tsjone] *sf* soundproofing.

insoppor'tabile *ag* unbearable.

insoppri'mibile *ag* insuppressible.

insor'genza [insor'dʒɛntsa] *sf* (*di malattia*) onset.

in'sorgere [in'sordʒere] *vi* (*ribellarsi*) to rise up, rebel; (*apparire*) to come up, arise.

insormon'tabile *ag* (*ostacolo*) insurmountable, insuperable.

in'sorsi *etc vb vedi* **insorgere**.

in'sorto, a *pp di* **insorgere** ♦ *sm/f* rebel, insurgent.

insospet'tabile *ag* (*al di sopra di ogni sospetto*) above suspicion; (*inatteso*) unsuspected.

insospet'tire *vt* to make suspicious ♦ *vi* (*anche:* ~**rsi**) to become suspicious.

insoste'nibile *ag* (*posizione, teoria*) untenable; (*dolore, situazione*) intolerable, unbearable; **le spese di manutenzione sono** ~**i** the maintenance costs are excessive.

insostitu'ibile *ag* (*persona*) irreplaceable; (*aiuto, presenza*) invaluable.

insoz'zare [insot'tsare] *vt (pavimento)* to make dirty; *(fig: reputazione, memoria)* to tarnish, sully; ~**rsi** *vr* to get dirty.

inspe'rabile *ag*: **la guarigione/salvezza era** ~ there was no hope of a cure/of rescue; **abbiamo ottenuto risultati** ~**i** the results we achieved were far better than we had hoped.

inspe'rato, a *ag* unhoped-for.

inspie'gabile *ag* inexplicable.

inspi'rare *vt* to breathe in, inhale.

in'stabile *ag (carico, indole)* unstable; *(tempo)* unsettled; *(equilibrio)* unsteady.

instabilità *sf* instability; *(di tempo)* changeability.

instal'lare *vt* to install; ~**rsi** *vr (sistemarsi)*: ~**rsi in** to settle in.

installazi'one [installat'tsjone] *sf* installation.

instan'cabile *ag* untiring, indefatigable.

instau'rare *vt* to establish.

instaurazi'one [instaurat'tsjone] *sf* establishment.

instil'lare *vt* to instil.

instra'dare *vt* = **istradare**.

insù *av* up, upwards; **guardare all'**~ to look up *o* upwards; **naso all'**~ turned-up nose.

insubordinazi'one [insubordinat'tsjone] *sf* insubordination.

insuc'cesso [insut'tʃesso] *sm* failure, flop.

insudici'are [insudi'tʃare] *vt* to dirty; ~**rsi** *vr* to get dirty.

insuffici'ente [insuffi'tʃɛnte] *ag* insufficient; *(compito, allievo)* inadequate.

insuffici'enza [insuffi'tʃɛntsa] *sf* insufficiency; inadequacy; *(INS)* fail; ~ **di prove** *(DIR)* lack of evidence.

insu'lare *ag* insular.

insu'lina *sf* insulin.

in'sulso, a *ag (sciocco)* inane, silly; *(persona)* dull, insipid.

insul'tare *vt* to insult, affront.

in'sulto *sm* insult, affront.

insupe'rabile *ag (ostacolo, difficoltà)* insuperable, insurmountable; *(eccellente: qualità, prodotto)* unbeatable; *(: persona, interpretazione)* unequalled.

insuper'bire *vt* to make proud, make arrogant; ~**rsi** *vr* to become arrogant.

insurrezi'one [insurret'tsjone] *sf* revolt, insurrection.

insussis'tente *ag* non-existent.

intac'care *vt (fare tacche)* to cut into; *(corrodere)* to corrode; *(fig: cominciare ad usare: risparmi)* to break into; *(: ledere)* to damage.

intagli'are [intaʎ'ʎare] *vt* to carve.

intaglia'tore, 'trice [intaʎʎa'tore] *sm/f* engraver.

in'taglio [in'taʎʎo] *sm* carving.

intan'gibile [intan'dʒibile] *ag (bene, patrimonio)* untouchable; *(fig: diritto)* inviolable.

in'tanto *av (nel frattempo)* meanwhile, in the meantime; *(per cominciare)* just to begin with; ~ **che** *cong* while.

intarsi'are *vt* to inlay.

in'tarsio *sm* inlaying *no pl*, marquetry *no pl*; inlay.

intasa'mento *sm (ostruzione)* blockage, obstruction; *(AUT: ingorgo)* traffic jam.

inta'sare *vt* to choke (up), block (up); *(AUT)* to obstruct, block; ~**rsi** *vr* to become choked *o* blocked.

intas'care *vt* to pocket.

in'tatto, a *ag* intact; *(puro)* unsullied.

intavo'lare *vt* to start, enter into.

inte'gerrimo, a [inte'dʒɛrrimo] *ag* honest, upright.

inte'grale *ag* complete; *(pane, farina)* wholemeal *(BRIT)*, wholewheat *(US)*; **film in versione** ~ uncut version of a film; **calcolo** ~ *(MAT)* integral calculus; **edizione** ~ unabridged edition.

inte'grante *ag*: **parte** *f* ~ integral part.

inte'grare *vt* to complete; *(MAT)* to integrate; ~**rsi** *vr (persona)* to become integrated.

integra'tivo, a *ag (assegno)* supplementary; *(INS)*: **esame** ~ assessment test sat when changing schools.

integra'tore *sm*: ~**i alimentari** nutritional supplements.

integrazi'one [integrat'tsjone] *sf* integration.

integrità *sf* integrity.

'integro, a *ag (intatto, intero)* complete, whole; *(retto)* upright.

intelaia'tura *sf* frame; *(fig)* structure, framework.

intel'letto *sm* intellect.

intellettu'ale *ag, sm/f* intellectual.

intellettua'loide *(peg) ag* pseudo-intellectual ♦ *sm/f* pseudo-intellectual, would-be intellectual.

intelli'gente [intelli'dʒɛnte] *ag* intelligent.

intelli'genza [intelli'dʒɛntsa] *sf* intelligence.

intelli'ghenzia [intelli'gɛntsja] *sf* intelligentsia.

intelli'gibile [intelli'dʒibile] *ag* intelligible.

inteme'rato, a *ag (persona, vita)* blameless, irreproachable; *(coscienza)* clear; *(fama)* unblemished.

intempe'rante *ag* intemperate,

immoderate.

intempe'ranza [intempe'rantsa] *sf*
intemperance; **~e** *sfpl* (*eccessi*) excesses.

intem'perie *sfpl* bad weather *sg*.

intempes'tivo, a *ag* untimely.

inten'dente *sm*: **~ di Finanza** inland (*BRIT*)
o internal (*US*) revenue officer.

inten'denza [inten'dɛntsa] *sf*: **~ di Finanza**
inland (*BRIT*) *o* internal (*US*) revenue
office.

in'tendere *vt* (*avere intenzione*): **~ fare qc** to
intend *o* mean to do sth; (*comprendere*) to
understand; (*udire*) to hear; (*significare*) to
mean; **~rsi** *vr* (*conoscere*): **~rsi di** to know
a lot about, be a connoisseur of;
(*accordarsi*) to get on (well); **~rsi con qn
su qc** to come to an agreement with sb
about sth; **intendersela con qn** (*avere una
relazione amorosa*) to have an affair with
sb; **mi ha dato a ~ che ...** he led me to
believe that ...; **non vuole ~ ragione** he
won't listen to reason; **s'intende!**
naturally!, of course!; **intendiamoci** let's
get it quite clear; **ci siamo intesi?** is that
clear?, is that understood?

intendi'mento *sm* (*intelligenza*)
understanding; (*proposito*) intention.

intendi'tore, 'trice *sm/f* connoisseur,
expert; **a buon intenditor poche parole**
(*proverbio*) a word is enough to the wise.

intene'rire *vt* (*fig*) to move (to pity); **~rsi** *vr*
(*fig*) to be moved.

intensifi'care *vt*, **~rsi** *vr* to intensify.

intensità *sf* intensity; (*del vento*) force,
strength.

inten'sivo, a *ag* intensive.

in'tenso, a *ag* (*luce, profumo*) strong;
(*colore*) intense, deep.

inten'tare *vt* (*DIR*): **~ causa contro qn** to
start *o* institute proceedings against sb.

inten'tato, a *ag*: **non lasciare nulla d'~** to
leave no stone unturned, try everything.

in'tento, a *ag* (*teso, assorto*): **~ (a)** intent
(on), absorbed (in) ♦ *sm* aim, purpose;
fare qc con l'~ di to do sth with the
intention of; **riuscire nell'~** to achieve
one's aim.

intenzio'nale [intentsjo'nale] *ag*
intentional; (*DIR: omicidio*) premeditated;
fallo ~ (*SPORT*) deliberate foul.

intenzio'nato, a [intentsjo'nato] *ag*: **essere
~ a fare qc** to intend to do sth, have the
intention of doing sth; **ben ~** well-
meaning, well-intentioned; **mal ~** ill-
intentioned.

intenzi'one [inten'tsjone] *sf* intention; (*DIR*)
intent; **avere ~ di fare qc** to intend to do
sth, have the intention of doing sth.

intera'gire [intera'dʒire] *vi* to interact.

intera'mente *av* entirely, completely.

interat'tivo, a *ag* interactive.

interazi'one [interat'tsjone] *sf* interaction.

interca'lare *sm* pet phrase, stock phrase
♦ *vt* to insert.

interca'pedine *sf* gap, cavity.

inter'cedere [inter'tʃedere] *vi* to intercede.

intercessi'one [intertʃes'sjone] *sf*
intercession.

intercetta'mento [intertʃetta'mento] *sm*
= **intercettazione**.

intercet'tare [intertʃet'tare] *vt* to intercept.

intercettazi'one [intertʃettat'tsjone] *sf*: **~
telefonica** telephone tapping.

intercity [inter'siti] *sm inv* (*FERR*) ≈ intercity
(train).

intercon'nettere *vt* to interconnect.

inter'correre *vi* (*esserci*) to exist; (*passare:
tempo*) to elapse.

inter'corso, a *pp di* **intercorrere**.

inter'detto, a *pp di* **interdire** ♦ *ag* forbidden,
prohibited; (*sconcertato*) dumbfounded
♦ *sm* (*REL*) interdict; **rimanere ~** to be
taken aback.

inter'dire *vt* to forbid, prohibit, ban; (*REL*)
to interdict; (*DIR*) to deprive of civil
rights.

interdizi'one [interdit'tsjone] *sf*
prohibition, ban.

interessa'mento *sm* interest; (*intervento*)
intervention, good offices *pl*.

interes'sante *ag* interesting; **essere in
stato ~** to be expecting (a baby).

interes'sare *vt* to interest; (*concernere*) to
concern, be of interest to; (*far intervenire*):
~ qn a to draw sb's attention to ♦ *vi*: **~ a**
to interest, matter to; **~rsi** *vr* (*mostrare
interesse*): **~rsi a** to take an interest in, be
interested in; (*occuparsi*): **~rsi di** to take
care of; **precipitazioni che interessano le
regioni settentrionali** rainfall affecting
the north; **si è interessato di farmi avere
quei biglietti** he took the trouble to get
me those tickets.

interes'sato, a *ag* (*coinvolto*) interested,
involved; (*peg*): **essere ~** to act out of
pure self-interest ♦ *sm/f* (*coinvolto*) person
concerned; **a tutti gli ~i** to all those
concerned, to all interested parties.

inte'resse *sm* (*anche COMM*) interest;
(*tornaconto*): **fare qc per ~** to do sth out of
self-interest; **~ maturato** (*ECON*) accrued
interest; **~ privato in atti di ufficio** (*AMM*)
abuse of public office.

interes'senza [interes'sɛntsa] *sf* (*ECON*)
profit-sharing.

inter'faccia, ce [inter'fattʃa] *sf* (*INFORM*)

interface; ~ **utente** user interface.
interfacci'are [interfat'tʃare] *vt* (*INFORM*) to interface.
interfe'renza [interfe'rɛntsa] *sf* interference.
interfe'rire *vi* to interfere.
inter'fono *sm* intercom; (*apparecchio*) internal phone.
interiezi'one [interjet'tsjone] *sf* exclamation, interjection.
'interim *sm inv* (*periodo*) interim, interval; **ministro ad** ~ acting *o* interim minister; (*incarico*) temporary appointment.
interi'ora *sfpl* entrails.
interi'ore *ag* inner *cpd*; **parte** *f* ~ inside.
interiorità *sf* inner being.
interioriz'zare [interjorid'dzare] *vt* to internalize.
inter'linea *sf* (*DATTILOGRAFIA*) spacing; (*TIP*) leading; **doppia** ~ double spacing.
interlocu'tore, 'trice *sm/f* speaker.
interlocu'torio, a *ag* interlocutory.
inter'ludio *sm* (*MUS*) interlude.
intermedi'ario, a *ag, sm/f* intermediary.
intermediazi'one [intermedjat'tsjone] *sf* mediation.
inter'medio, a *ag* intermediate.
inter'mezzo [inter'mɛddzo] *sm* (*intervallo*) interval; (*breve spettacolo*) intermezzo.
intermi'nabile *ag* interminable, endless.
intermit'tente *ag* intermittent.
intermit'tenza [intermit'tɛntsa] *sf*: **ad** ~ intermittent.
interna'mento *sm* internment; confinement (to a mental hospital).
inter'nare *vt* (*arrestare*) to intern; (*MED*) to confine to a mental hospital.
inter'nato, a *ag* interned; confined (to a mental hospital) ♦ *sm/f* internee; inmate (of a mental hospital) ♦ *sm* (*collegio*) boarding school; (*MED*) period as a houseman (*BRIT*) *o* an intern (*US*).
internazio'nale [internattsjo'nale] *ag* international.
inter'nista, i, e *sm/f* specialist in internal medicine.
in'terno, a *ag* (*di dentro*) internal, interior, inner; (: *mare*) inland; (*nazionale*) domestic; (*allievo*) boarding ♦ *sm* inside, interior; (*di paese*) interior; (*fodera*) lining; (*di appartamento*) flat (*BRIT*) *o* apartment (*US*) (number); (*TEL*) extension ♦ *sm/f* (*INS*) boarder; ~**i** *smpl* (*CINE*) interior shots; **commissione** ~**a** (*INS*) internal examination board; **"per uso** ~**"** (*MED*) "to be taken internally"; **all'**~ inside; **Ministero degli I**~**i** Ministry of the Interior, ≈ Home Office (*BRIT*), ≈

Department of the Interior (*US*); **notizie dall'**~ (*STAMPA*) home news.
in'tero, a *ag* (*integro, intatto*) whole, entire; (*completo, totale*) complete; (*numero*) whole; (*non ridotto: biglietto*) full.
interpel'lanza [interpel'lantsa] *sf*: **presentare un'**~ (*POL*) to ask a (parliamentary) question; ~ **parlamentare** interpellation.
interpel'lare *vt* to consult; (*POL*) to question.
INTER'POL *sigla f* (= *International Criminal Police Organization*) INTERPOL.
inter'porre *vt* (*ostacolo*): ~ **qc a qc** to put sth in the way of sth; (*influenza*) to use; **interporsi** *vr* to intervene; ~ **appello** (*DIR*) to appeal; **interporsi fra** (*mettersi in mezzo*) to come between.
inter'posto, a *pp di* **interporre**.
interpre'tare *vt* (*spiegare, tradurre*) to interpret; (*MUS, TEAT*) to perform; (*personaggio, sonata*) to play; (*canzone*) to sing.
interpretari'ato *sm* interpreting.
interpretazi'one [interpretat'tsjone] *sf* interpretation.
in'terprete *sm/f* interpreter; (*TEAT*) actor/ actress, performer; (*MUS*) performer; **farsi** ~ **di** to act as a spokesman for.
interpunzi'one [interpun'tsjone] *sf* punctuation; **segni di** ~ punctuation marks.
inter'rare *vt* (*seme, pianta*) to plant; (*tubature etc*) to lay underground; (*MIL: pezzo d'artiglieria*) to dig in; (*riempire di terra: canale*) to fill in.
interro'gare *vt* to question; (*INS*) to test.
interroga'tivo, a *ag* (*occhi, sguardo*) questioning, inquiring; (*LING*) interrogative ♦ *sm* question; (*fig*) mystery.
interroga'torio, a *ag* interrogatory, questioning ♦ *sm* (*DIR*) questioning *no pl*.
interrogazi'one [interrogat'tsjone] *sf* questioning *no pl*; (*INS*) oral test; (*POL*): ~ (**parlamentare**) question.
inter'rompere *vt* to interrupt; (*studi, trattative*) to break off, interrupt; ~**rsi** *vr* to break off, stop.
inter'rotto, a *pp di* **interrompere**.
interrut'tore *sm* switch.
interruzi'one [interrut'tsjone] *sf* (*vedi interrompere*) interruption; break; ~ **di gravidanza** termination of pregnancy.
interse'care *vt*, ~**rsi** *vr* to intersect.
inter'stizio [inter'stittsjo] *sm* interstice, crack.
interur'bano, a *ag* inter-city; (*TEL*:

chiamata) trunk *cpd* (*BRIT*), long-distance; (: *telefono*) long-distance ♦ *sf* trunk call (*BRIT*), long-distance call.

inter'vallo *sm* interval; (*spazio*) space, gap; ~ **pubblicitario** (*TV*) commercial break.

interve'nire *vi* (*partecipare*): ~ **a** to take part in; (*intromettersi: anche POL*) to intervene; (*MED: operare*) to operate.

interven'tista, i, e *ag, sm/f* interventionist.

inter'vento *sm* participation; (*intromissione*) intervention; (*MED*) operation; (*breve discorso*) speech; **fare un** ~ **nel corso di** (*dibattito, programma*) to take part in.

interve'nuto, a *pp di* **intervenire** ♦ *sm*: **gli ~i** those present.

inter'vista *sf* interview.

intervis'tare *vt* to interview.

intervista'tore, 'trice *sm/f* interviewer.

in'teso, a *pp di* **intendere** ♦ *ag* agreed ♦ *sf* understanding; (*accordo*) agreement, understanding; **resta ~ che ...** it is understood that ...; **non darsi per ~ di qc** to take no notice of sth; **uno sguardo d'~a** a knowing look.

in'tessere *vt* to weave together; (*fig: trama, storia*) to weave.

intes'tare *vt* (*lettera*) to address; (*proprietà*): ~ **a** to register in the name of; ~ **un assegno a qn** to make out a cheque to sb.

intesta'tario, a *sm/f* holder.

intestato, a *ag* (*proprietà, casa, conto*) in the name of; (*assegno*) made out to; **carta ~a** headed paper.

intestazi'one [intestat'tsjone] *sf* heading; (*su carta da lettere*) letterhead; (*registrazione*) registration.

intesti'nale *ag* intestinal.

intes'tino, a *ag* (*lotte*) internal, civil ♦ *sm* (*ANAT*) intestine.

intiepi'dire *vt* (*riscaldare*) to warm (up); (*raffreddare*) to cool (down); (*fig: amicizia etc*) to cool; **~rsi** *vr* to warm (up); to cool (down); to cool.

Inti'fada *sf* Intifada.

intima'mente *av* intimately; **sono ~ convinto che ...** I'm firmly *o* deeply convinced that ...; **i due fatti sono ~ connessi** the two events are closely connected.

inti'mare *vt* to order, command; ~ **la resa a qn** (*MIL*) to call upon sb to surrender.

intimazi'one [intimat'tsjone] *sf* order, command.

intimida'torio, a *ag* threatening.

intimidazi'one [intimidat'tsjone] *sf* intimidation.

intimi'dire *vt* to intimidate ♦ *vi* (*anche:*

~**rsi**) to grow shy.

intimità *sf* intimacy; privacy; (*familiarità*) familiarity.

'intimo, a *ag* intimate; (*affetti, vita*) private; (*fig: profondo*) inmost ♦ *sm* (*persona*) intimate *o* close friend; (*dell'animo*) bottom, depths *pl*; **parti ~e** (*ANAT*) private parts; **rapporti ~i** (*sessuali*) intimate relations.

intimo'rire *vt* to frighten; **~rsi** *vr* to become frightened.

in'tingere [in'tindʒere] *vt* to dip.

in'tingolo *sm* sauce; (*pietanza*) stew.

in'tinto, a *pp di* **intingere**.

intiriz'zire [intirid'dzire] *vt* to numb ♦ *vi* (*anche:* ~**rsi**) to go numb.

intiriz'zito, a [intirid'dzito] *ag* numb (with cold).

intito'lare *vt* to give a title to; (*dedicare*) to dedicate; **~rsi** *vr* (*libro, film*) to be called.

intolle'rabile *ag* intolerable.

intolle'rante *ag* intolerant.

intolle'ranza [intolle'rantsa] *sf* intolerance.

intona'care *vt* to plaster.

in'tonaco, ci *o* **chi** *sm* plaster.

into'nare *vt* (*canto*) to start to sing; (*armonizzare*) to match; **~rsi** *vr* (*colori*) to go together; **~rsi a** (*carnagione*) to suit; (*abito*) to go with, match.

intonazi'one [intonat'tsjone] *sf* intonation.

inton'tire *vt* to stun, daze ♦ *vi*, **~rsi** *vr* to be stunned *o* dazed.

inton'tito, a *ag* stunned, dazed; ~ **dal sonno** stupid with sleep.

in'toppo *sm* stumbling block, obstacle.

intorbi'dire *vt* (*liquido*) to make turbid; (*mente*) to cloud; ~ **le acque** (*fig*) to muddy the waters.

in'torno *av* around; ~ **a** *prep* (*attorno a*) around; (*riguardo, circa*) about.

intorpi'dire *vt* to numb; (*fig*) to make sluggish ♦ *vi* (*anche:* ~**rsi**) to grow numb; (*fig*) to become sluggish.

intossi'care *vt* to poison.

intossicazi'one [intossikat'tsjone] *sf* poisoning.

intradu'cibile [intradu'tʃibile] *ag* untranslatable.

intralci'are [intral'tʃare] *vt* to hamper, hold up.

in'tralcio [in'traltʃo] *sm* hitch.

intrallaz'zare [intrallat'tsare] *vi* to intrigue, scheme.

intral'lazzo [intral'lattso] *sm* (*POL*) intrigue, manoeuvre (*BRIT*), maneuver (*US*); (*traffico losco*) racket.

intramon'tabile *ag* timeless.

intramusco'lare *ag* intramuscular.

intransi'gente [intransi'dʒɛnte] *ag* intransigent, uncompromising.

intransi'genza [intransi'dʒɛntsa] *sf* intransigence.

intransi'tivo, a *ag, sm* intransitive.

intrappo'lare *vt* to trap; **rimanere intrappolato** to be trapped; **farsi** ~ to get caught.

intrapren'dente *ag* enterprising, go-ahead; (*con le donne*) forward, bold.

intrapren'denza [intrapren'dentsa] *sf* audacity, initiative; (*con le donne*) boldness.

intra'prendere *vt* to undertake; (*carriera*) to embark (up)on.

intra'preso, a *pp di* **intraprendere**.

intrat'tabile *ag* intractable.

intratte'nere *vt* (*divertire*) to entertain; (*chiacchierando*) to engage in conversation; (*rapporti*) to have, maintain; **~rsi** *vr* to linger; **~rsi su qc** to dwell on sth.

intratteni'mento *sm* entertainment.

intrave'dere *vt* to catch a glimpse of; (*fig*) to foresee.

intrecci'are [intret'tʃare] *vt* (*capelli*) to plait, braid; (*intessere: anche fig*) to weave, interweave, intertwine; **~rsi** *vr* to intertwine, become interwoven; ~ **le mani** to clasp one's hands; ~ **una relazione amorosa** (*fig*) to begin an affair.

in'treccio [in'trettʃo] *sm* (*fig: trama*) plot, story.

in'trepido, a *ag* fearless, intrepid.

intri'care *vt* (*fili*) to tangle; (*fig: faccenda*) to complicate; **~rsi** *vr* to become tangled; to become complicated.

in'trico, chi *sm* (*anche fig*) tangle.

intri'gante *ag* scheming ◆ *smf* schemer, intriguer.

intri'gare *vi* to manoeuvre (*BRIT*), maneuver (*US*), scheme.

in'trigo, ghi *sm* plot, intrigue.

in'trinseco, a, ci, che *ag* intrinsic.

in'triso, a *ag*: ~ (**di**) soaked (in).

intris'tire *vi* (*persona: diventare triste*) to grow sad; (*pianta*) to wilt.

intro'dotto, a *pp di* **introdurre**.

intro'durre *vt* to introduce; (*chiave etc*): ~ **qc in** to insert sth into; (*persona: far entrare*) to show in; **introdursi** *vr* (*moda, tecniche*) to be introduced; **introdursi in** (*persona: penetrare*) to enter; (: *entrare furtivamente*) to steal *o* slip into.

in'troito *sm* income, revenue.

intro'messo, a *pp di* **intromettersi**.

intro'mettersi *vr* to interfere, meddle; (*interporsi*) to intervene.

intromissi'one *sf* interference, meddling; intervention.

introspezi'one [introspet'tsjone] *sf* introspection.

intro'vabile *ag* (*persona, oggetto*) who (*o* which) cannot be found; (*libro etc*) unobtainable.

intro'verso, a *ag* introverted ◆ *smf* introvert.

intrufo'larsi *vr*: ~ (**in**) (*stanza*) to sneak in(to), slip in(to); (*conversazione*) to butt in (on).

in'truglio [in'truʎʎo] *sm* concoction.

intrusi'one *sf* intrusion; interference.

in'truso, a *smf* intruder.

intu'ire *vt* to perceive by intuition; (*rendersi conto*) to realize.

in'tuito *sm* intuition; (*perspicacia*) perspicacity.

intuizi'one [intuit'tsjone] *sf* intuition.

inturgi'dire [inturdʒi'dire] *vi*, **~rsi** *vr* to swell.

inumanità *sf inv* inhumanity.

inu'mano, a *ag* inhuman.

inu'mare *vt* (*seppellire*) to bury, inter.

inumazi'one [inumat'tsjone] *sf* burial, interment.

inumi'dire *vt* to dampen, moisten; **~rsi** *vr* to become damp *o* wet.

inurba'mento *sm* urbanization.

inusi'tato, a *ag* unusual.

i'nutile *ag* useless; (*superfluo*) pointless, unnecessary; **è stato tutto ~!** it was all in vain!

inutilità *sf* uselessness; pointlessness.

inutiliz'zabile [inutilid'dzabile] *ag* unusable.

inutil'mente *av* (*senza risultato*) fruitlessly; (*senza utilità, scopo*) unnecessarily, needlessly; **l'ho cercato** ~ I looked for him in vain; **ti preoccupi** ~ there's nothing for you to worry about, there's no need for you to worry.

inva'dente *ag* (*fig*) intrusive.

inva'denza [inva'dentsa] *sf* intrusiveness.

in'vadere *vt* to invade; (*affollare*) to swarm into, overrun; (*sog: acque*) to flood.

invadi'trice [invadi'tritʃe] *ag f vedi* **invasore**.

inva'ghirsi [inva'girsi] *vr*: ~ **di** to take a fancy to.

invali'cabile *ag* (*montagna*) impassable.

invali'dare *vt* to invalidate.

invalidità *sf* infirmity; disability; (*DIR*) invalidity.

in'valido, a *ag* (*infermo*) infirm; (*al lavoro*) disabled; (*DIR: nullo*) invalid ◆ *smf* invalid; disabled person; ~ **di guerra** disabled ex-serviceman; ~ **del lavoro** industrially disabled person.

in'valso, a *ag* (*diffuso*) established.
in'vano *av* in vain.
invari'abile *ag* invariable.
invari'ato, a *ag* unchanged.
inva'sare *vt* (*pianta*) to pot.
inva'sato, a *ag* possessed (by the devil) ♦ *sm/f* person possessed by the devil; **urlare come un** ~ to shout like a madman.
invasi'one *sf* invasion.
in'vaso, a *pp di* **invadere**.
inva'sore, invadi'trice [invadi'tritʃe] *ag* invading ♦ *sm* invader.
invecchia'mento [invekkja'mento] *sm* growing old; ageing; **questo whisky ha un** ~ **di 12 anni** this whisky has been matured for 12 years.
invecchi'are [invek'kjare] *vi* (*persona*) to grow old; (*vino, popolazione*) to age; (*moda*) to become dated ♦ *vt* to age; (*far apparire più vecchio*) to make look older; **lo trovo invecchiato** I find he has aged.
in'vece [in'vetʃe] *av* instead; (*al contrario*) on the contrary; ~ **di** *prep* instead of.
inve'ire *vi*: ~ **contro** to rail against.
invele'nire *vt* to embitter; ~**rsi** *vr* to become bitter.
inven'duto, a *ag* unsold.
inven'tare *vt* to invent; (*pericoli, pettegolezzi*) to make up, invent.
inventari'are *vt* to make an inventory of, inventory.
inven'tario *sm* inventory; (*COMM*) stocktaking *no pl*.
inven'tivo, a *ag* inventive ♦ *sf* inventiveness.
inven'tore, 'trice *sm/f* inventor.
invenzi'one [inven'tsjone] *sf* invention; (*bugia*) lie, story.
invere'condia *sf* shamelessness, immodesty.
inver'nale *ag* winter *cpd*; (*simile all'inverno*) wintry.
in'verno *sm* winter; **d'**~ in (the) winter.
invero'simile *ag* unlikely ♦ *sm*: **ha dell'**~ it's hard to believe, it's incredible.
inversi'one *sf* inversion; "**divieto d'**~" (*AUT*) "no U-turns".
in'verso, a *ag* opposite; (*MAT*) inverse ♦ *sm* contrary, opposite; **in senso** ~ in the opposite direction; **in ordine** ~ in reverse order.
inverte'brato, a *ag, sm* invertebrate.
inver'tire *vt* to invert; (*disposizione, posti*) to change; (*ruoli*) to exchange; ~ **la marcia** (*AUT*) to do a U-turn; ~ **la rotta** (*NAUT*) to go about; (*fig*) to do a U-turn.
inver'tito, a *sm/f* homosexual.

investi'gare *vt, vi* to investigate.
investiga'tivo, a *ag*: **squadra** ~**a** detective squad.
investiga'tore, 'trice *sm/f* investigator, detective.
investigazi'one [investigat'tsjone] *sf* investigation, inquiry.
investi'mento *sm* (*ECON*) investment; (*di veicolo*) crash, collision; (*di pedone*) knocking down.
inves'tire *vt* (*denaro*) to invest; (*sog: veicolo: pedone*) to knock down; (*: altro veicolo*) to crash into; (*apostrofare*) to assail; (*incaricare*): ~ **qn di** to invest sb with; ~**rsi** *vr* (*fig*): ~**rsi di una parte** to enter thoroughly into a role.
investi'tore, 'trice *sm/f* driver responsible for an accident.
investi'tura *sf* investiture.
invete'rato, a *ag* inveterate.
invet'tiva *sf* invective.
invi'are *vt* to send.
invi'ato, a *sm/f* envoy; (*STAMPA*) correspondent.
in'vidia *sf* envy; **fare** ~ **a qn** to make sb envious.
invidi'abile *ag* enviable.
invidi'are *vt*: ~ **qn (per qc)** to envy sb (for sth); ~ **qc a qn** to envy sb sth; **non aver nulla da** ~ **a nessuno** to be as good as the next one.
invidi'oso, a *ag* envious.
invin'cibile [invin'tʃibile] *ag* invincible.
in'vio, 'vii *sm* sending; (*insieme di merci*) consignment.
invio'labile *ag* inviolable.
invio'lato, a *ag* (*diritto, segreto*) inviolate; (*foresta*) virgin *cpd*; (*montagna, vetta*) unscaled.
invipe'rire *vi*, ~**rsi** *vr* to become furious, fly into a temper.
invipe'rito, a *ag* furious.
invis'chiare [invis'kjare] *vt* (*fig*): ~ **qn in qc** to involve sb in sth, mix sb up in sth; ~**rsi** *vr*: ~**rsi (con qn/in qc)** to get mixed up *o* involved (with sb/in sth).
invi'sibile *ag* invisible.
in'viso, a *ag*: ~ **a** unpopular with.
invi'tante *ag* (*proposta, odorino*) inviting; (*sorriso*) appealing, attractive.
invi'tare *vt* to invite; ~ **qn a fare** to invite sb to do.
invi'tato, a *sm/f* guest.
in'vito *sm* invitation; **dietro** ~ **del sig. Rossi** at Mr Rossi's invitation.
invo'care *vt* (*chiedere: aiuto, pace*) to cry out for; (*appellarsi: la legge, Dio*) to appeal to, invoke.

invogli'are [invoʎ'ʎare] *vt*: ~ **qn a fare** to tempt sb to do, induce sb to do.

involon'tario, a *ag* (*errore*) unintentional; (*gesto*) involuntary.

invol'tino *sm* (*CUC*) roulade.

in'volto *sm* (*pacco*) parcel; (*fagotto*) bundle.

in'volucro *sm* cover, wrapping.

involu'tivo, a *ag*: **subire un processo** ~ to regress.

invo'luto, a *ag* involved, intricate.

involuzi'one [involut'tsjone] *sf* (*di stile*) convolutedness; (*regresso*): **subire un'**~ to regress.

invulne'rabile *ag* invulnerable.

inzacche'rare [intsakke'rare] *vt* to spatter with mud; ~**rsi** *vr* to get muddy.

inzup'pare [intsup'pare] *vt* to soak; ~**rsi** *vr* to get soaked; **inzuppò i biscotti nel latte** he dipped the biscuits in the milk.

'io *pron* I **♦** *sm inv*: **l'**~ the ego, the self; ~ **stesso(a)** I myself; **sono** ~ it's me.

i'odio *sm* iodine.

i'ogurt *sm inv* = **yoghurt**.

i'one *sm* ion.

l'onio *sm*: **lo** ~, **il mar** ~ the Ionian (Sea).

ionizza'tore [joniddza'tore] *sm* ioniser.

'iosa: a ~ *av* in abundance, in great quantity.

'IPAB *sigla fpl* (= *Istituzioni pubbliche di Assistenza e Beneficenza*) *charitable institutions*.

i'perbole *sf* (*LETTERATURA*) hyperbole; (*MAT*) hyperbola.

iper'bolico, a, ci, che *ag* (*LETTERATURA, MAT*) hyperbolic(al); (*fig: esagerato*) exaggerated.

ipermer'cato *sm* hypermarket.

ipersen'sibile *ag* (*persona*) hypersensitive; (*FOT: lastra, pellicola*) hypersensitized.

ipertecno'logico, a, ci, che [ipertekno'lɔdʒiko] *ag* hi-tech.

ipertensi'one *sf* high blood pressure, hypertension.

ip'nosi *sf* hypnosis.

ip'notico, a, ci, che *ag* hypnotic.

ipno'tismo *sm* hypnotism.

ipnotiz'zare [ipnotid'dzare] *vt* to hypnotize.

ipoaller'genico, a, ci, che [ipoaller'dʒɛniko] *ag* hypoallergenic.

ipocon'dria *sf* hypochondria.

ipocon'driaco, a, ci, che *ag, sm/f* hypochondriac.

ipocri'sia *sf* hypocrisy.

i'pocrita, i, e *ag* hypocritical **♦** *sm/f* hypocrite.

ipo'sodico, a, ci, che *ag* low sodium *cpd*.

ipo'teca, che *sf* mortgage.

ipote'care *vt* to mortgage.

ipote'nusa *sf* hypotenuse.

i'potesi *sf inv* hypothesis; **facciamo l'**~ **che ..., ammettiamo per** ~ **che ...** let's suppose *o* assume that ...; **nella peggiore/migliore delle** ~**i** at worst/best; **nell'**~ **che venga** should he come, if he comes; **se per** ~ **io partissi ...** just supposing I were to leave ....

ipo'tetico, a, ci, che *ag* hypothetical.

ipotiz'zare [ipotid'dzare] *vt*: ~ **che** to form the hypothesis that.

'ippico, a, ci, che *ag* horse *cpd* **♦** *sf* horse-racing.

ippocas'tano *sm* horse chestnut.

ip'podromo *sm* racecourse.

ippo'potamo *sm* hippopotamus.

'ipsilon *sf o m inv* (*lettera*) Y, y; (: *dell'alfabeto greco*) epsilon.

IP'SOA *sigla m* (= *Istituto Post-Universitario per lo Studio dell'Organizzazione Aziendale*) *postgraduate institute of business administration*.

IRA *sigla f* (= *Irish Republican Army*) IRA.

'ira *sf* anger, wrath.

ira'cheno, a [ira'kɛno] *ag, sm/f* Iraqi.

l'ran *sm*: **l'**~ Iran.

irani'ano, a *ag, sm/f* Iranian.

l'raq *sm*: **l'**~ Iraq.

iras'cibile [iraʃ'ʃibile] *ag* irascible, quick-tempered.

'IRCE ['irtʃe] *sigla m* = *Istituto per le relazioni culturali con l'Estero*.

'IRI *sigla m* (= *Istituto per la Ricostruzione Industriale*) *state-controlled industrial investment office*.

'iride *sf* (*arcobaleno*) rainbow; (*ANAT, BOT*) iris.

Ir'landa *sf*: **l'**~ Ireland; **l'**~ **del Nord** Northern Ireland, Ulster; **la Repubblica d'**~ Eire, the Republic of Ireland; **il mar d'**~ the Irish Sea.

irlan'dese *ag* Irish **♦** *sm/f* Irishman/woman; **gli I**~**i** the Irish.

iro'nia *sf* irony.

i'ronico, a, ci, che *ag* ironic(al).

ironiz'zare [ironid'dzare] *vt, vi*: ~ **su** to be ironical about.

i'roso, a *ag* (*sguardo, tono*) angry, wrathful; (*persona*) irascible.

'IRPEF *sigla f vedi* **imposta sul reddito delle persone fisiche**.

ir'pino, a *ag* of (*o* from) Irpinia.

irradi'are *vt* to radiate; (*sog: raggi di luce: illuminare*) to shine on **♦** *vi* (*diffondersi: anche*: ~**rsi**) to radiate.

irradiazi'one [irradjat'tsjone] *sf* radiation.

irraggiun'gibile [irraddʒun'dʒibile] *ag* unreachable; (*fig: meta*) unattainable.

irragio'nevole [irradʒo'nevole] *ag* (*privo di ragione*) irrational; (*fig: persona, pretese, prezzo*) unreasonable.

irrazio'nale [irrattsjo'nale] *ag* irrational.

irre'ale *ag* unreal.

irrealiz'zabile [irrealid'dzabile] *ag* (*sogno, desiderio*) unattainable, unrealizable; (*progetto*) unworkable, impracticable.

irrealtà *sf* unreality.

irrecupe'rabile *ag* (*gen*) irretrievable; (*fig: persona*) irredeemable.

irrecu'sabile *ag* (*offerta*) not to be refused; (*prova*) irrefutable.

irreden'tista, i, e *ag*, *sm/f* (*STORIA*) Irredentist.

irrefre'nabile *ag* uncontrollable.

irrefu'tabile *ag* irrefutable.

irrego'lare *ag* irregular; (*terreno*) uneven.

irregolarità *sf inv* irregularity; unevenness *no pl*.

irremo'vibile *ag* (*fig*) unshakeable, unyielding.

irrepa'rabile *ag* irreparable; (*fig*) inevitable.

irrepe'ribile *ag* nowhere to be found.

irrepren'sibile *ag* irreproachable.

irrequi'eto, a *ag* restless.

irresis'tibile *ag* irresistible.

irreso'luto, a *ag* irresolute.

irrespi'rabile *ag* (*aria*) unbreathable; (*fig: opprimente*) stifling, oppressive; (: *malsano*) unhealthy.

irrespon'sabile *ag* irresponsible.

irrestrin'gibile [irrestrin'dʒibile] *ag* unshrinkable, non-shrink (*BRIT*).

irre'tire *vt* to seduce.

irrever'sibile *ag* irreversible.

irrevo'cabile *ag* irrevocable.

irricono'scibile [irrikonoʃ'ʃibile] *ag* unrecognizable.

irridu'cibile [irridu'tʃibile] *ag* irreducible; (*fig*) unshakeable.

irrifles'sivo, a *ag* thoughtless.

irri'gare *vt* (*annaffiare*) to irrigate; (*sog: fiume etc*) to flow through.

irrigazi'one [irrigat'tsjone] *sf* irrigation.

irrigidi'mento [irridʒidi'mento] *sm* stiffening; hardening; tightening.

irrigi'dire [irridʒi'dire] *vt* to stiffen; (*disciplina*) to tighten; ~**rsi** *vr* to stiffen; (*posizione, atteggiamento*) to harden.

irriguar'doso, a *ag* disrespectful.

irrile'vante *ag* (*trascurabile*) insignificant.

irrimedi'abile *ag*: **un errore** ~ a mistake which cannot be rectified; **non è** ~! we can do something about it!

irrinunci'abile [irrinun'tʃabile] *ag* vital; which cannot be abandoned.

irripe'tibile *ag* unrepeatable.

irri'solto, a *ag* (*problema*) unresolved.

irri'sorio, a *ag* derisory.

irrispet'toso, a *ag* disrespectful.

irri'tabile *ag* irritable.

irri'tante *ag* (*atteggiamento*) irritating, annoying; (*MED*) irritant.

irri'tare *vt* (*mettere di malumore*) to irritate, annoy; (*MED*) to irritate; ~**rsi** *vr* (*stizzirsi*) to become irritated *o* annoyed; (*MED*) to become irritated.

irritazi'one [irritat'tsjone] *sf* irritation; annoyance.

irrive'rente *ag* irreverent.

irrobus'tire *vt* (*persona*) to make stronger, make more robust; (*muscoli*) to strengthen; ~**rsi** *vr* to become stronger.

ir'rompere *vi*: ~ **in** to burst into.

irro'rare *vt* to sprinkle; (*AGR*) to spray.

ir'rotto, a *pp di* **irrompere**.

irru'ente *ag* (*fig*) impetuous, violent.

irru'enza [irru'entsa] *sf* impetuousness; **con** ~ impetuously.

ir'ruppi *etc vb vedi* **irrompere**.

irruvi'dire *vt* to roughen ♦ *vi* (*anche*: ~**rsi**) to become rough.

irruzi'one [irrut'tsjone] *sf*: **fare** ~ **in** to burst into; (*sog: polizia*) to raid.

ir'suto, a *ag* (*petto*) hairy; (*barba*) bristly.

'irto, a *ag* bristly; ~ **di** bristling with.

Is. *abbr* (= *isola*) I.

ISBN *abbr* (= *International Standard Book Number*) ISBN.

is'crissi *etc vb vedi* **iscrivere**.

is'critto, a *pp di* **iscrivere** ♦ *sm/f* member; **gli** ~**i alla gara** the competitors; **per** *o* **in** ~ in writing.

is'crivere *vt* to register, enter; (*persona*): ~ **(a)** to register (in), enrol (in); ~**rsi** *vr*: ~**rsi (a)** (*club, partito*) to join; (*università*) to register *o* enrol (at); (*esame, concorso*) to register *o* enter (for).

iscrizi'one [iskrit'tsjone] *sf* (*epigrafe etc*) inscription; (*a scuola, società etc*) enrolment; registration.

'ISEF *sigla m* = *Istituto Superiore di Educazione Fisica*.

Is'lam *sm*: **l'**~ Islam.

is'lamico, a, ci, che *ag* Islamic.

Is'landa *sf*: **l'**~ Iceland.

islan'dese *ag* Icelandic ♦ *sm/f* Icelander ♦ *sm* (*LING*) Icelandic.

'isola *sf* island; ~ **pedonale** (*AUT*) pedestrian precinct.

isola'mento *sm* isolation; (*TECN*) insulation; **essere in cella di** ~ to be in solitary confinement; ~ **acustico** soundproofing; ~ **termico** thermal

insulation.
iso'lano, a *ag* island *cpd* ♦ *sm/f* islander.
iso'lante *ag* insulating ♦ *sm* insulator.
iso'lare *vt* to isolate; (*TECN*) to insulate;
(*: acusticamente*) to soundproof.
iso'lato, a *ag* isolated; insulated ♦ *sm*
(*edificio*) block.
isolazio'nismo [isolattsjo'nismo] *sm*
isolationism.
i'sotopo *sm* isotope.
ispessi'mento *sm* thickening.
ispes'sire *vt* to thicken; **~rsi** *vr* to get
thicker, thicken.
ispetto'rato *sm* inspectorate.
ispet'tore, 'trice *sm/f* inspector; (*COMM*)
supervisor; **~ di zona** (*COMM*) area
supervisor *o* manager; **~ di reparto** shop
walker (*BRIT*), floor walker (*US*).
ispezio'nare [ispettsjo'nare] *vt* to inspect.
ispezi'one [ispet'tsjone] *sf* inspection.
'ispido, a *ag* bristly, shaggy.
ispi'rare *vt* to inspire; **~rsi** *vr*: **~rsi a** to
draw one's inspiration from;
(*conformarsi*) to be based on; **l'idea
m'ispira** the idea appeals to me.
ispira'tore, 'trice *ag* inspiring ♦ *sm/f*
inspirer; (*di ribellione*) instigator.
ispirazi'one [ispirat'tsjone] *sf* inspiration;
secondo l'~ del momento according to
the mood of the moment.
israeli'ano, a *ag*, *sm/f* Israeli.
israe'lita, i, e *sm/f* Jew/Jewess; (*STORIA*)
Israelite.
israe'litico, a, ci, che *ag* Jewish.
is'sare *vt* to hoist; **~ l'ancora** to weigh
anchor.
'Istanbul *sf* Istanbul.
istan'taneo, a *ag* instantaneous ♦ *sf* (*FOT*)
snapshot.
is'tante *sm* instant, moment; **all'~, sull'~**
instantly, immediately.
is'tanza [is'tantsa] *sf* petition, request;
giudice di prima ~ (*DIR*) judge of the
court of first instance; **giudizio di
seconda ~** judgment on appeal; **in ultima
~** (*fig*) finally; **~ di divorzio** petition for
divorce.
'ISTAT *sigla m* = *Istituto Centrale di Statistica*.
'ISTEL *sigla f* = *Indagine sull'ascolto delle
televisioni in Italia*.
is'terico, a, ci, che *ag* hysterical.
isteri'lire *vt* (*terreno*) to render infertile;
(*fig: fantasia*) to dry up; **~rsi** *vr* to become
infertile; to dry up.
iste'rismo *sm* hysteria.
isti'gare *vt* to incite.
istigazi'one [istigat'tsjone] *sf* instigation; **~
a delinquere** (*DIR*) incitement to crime.

istin'tivo, a *ag* instinctive.
is'tinto *sm* instinct.
istitu'ire *vt* (*fondare*) to institute, found;
(*porre: confronto*) to establish;
(*intraprendere: inchiesta*) to set up.
isti'tuto *sm* institute; (*di università*)
department; (*ente, DIR*) institution; **~ di
bellezza** beauty salon; **~ di credito** bank,
banking institution; **~ tecnico
commerciale** ≈ commercial college; **~
tecnico industriale statale** ≈ technical
college.
istitu'tore, 'trice *sm/f* (*fondatore*) founder;
(*precettore*) tutor/governess.
istituzi'one [istitut'tsjone] *sf* institution; **~i**
sfpl (*DIR*) institutes; **lotta alle ~i** struggle
against the Establishment.
'istmo *sm* (*GEO*) isthmus.
isto'gramma, i *sm* histogram.
istra'dare *vt* (*fig: persona*): **~ (a/verso)** to
direct (to/towards).
istri'ano, a *ag*, *sm/f* Istrian.
'istrice ['istritʃe] *sm* porcupine.
istri'one *sm* (*peg*) ham (actor).
istru'ire *vt* (*insegnare*) to teach;
(*ammaestrare*) to train; (*informare*) to
instruct, inform; (*DIR*) to prepare.
istru'ito, a *ag* educated.
istrut'tivo, a *ag* instructive.
istrut'tore, 'trice *sm/f* instructor ♦ *ag*:
giudice ~ examining (*BRIT*) *o* committing
(*US*) magistrate.
istrut'toria *sf* (*DIR*) (preliminary)
investigation and hearing; **formalizzare
un'~** to proceed to a formal hearing.
istruzi'one [istrut'tsjone] *sf* (*gen*) training;
(*INS, cultura*) education; (*direttiva*)
instruction; (*DIR*) = **istruttoria; Ministero
della Pubblica I~** Ministry of Education;
~i di spedizione forwarding instructions;
~i per l'uso instructions (for use).
istupi'dire *vt* (*sog: colpo*) to stun, daze;
(*: droga, stanchezza*) to stupefy; **~rsi** *vr* to
become stupid.
'ISVE *sigla m* (= *Istituto di Studi per lo
Sviluppo Economico*) *institute for research
into economic development*.
l'talia *sf*: **l'~** Italy.
itali'ano, a *ag* Italian ♦ *sm/f* Italian ♦ *sm*
(*LING*) Italian; **gli I~i** the Italians.
ITC *sigla m* = **istituto tecnico commerciale**.
'iter *sm* passage, course; **l'~ burocratico**
the bureaucratic process.
itine'rante *ag* wandering, itinerant;
mostra ~ touring exhibition; **spettacolo
~** travelling (*BRIT*) *o* traveling (*US*) show,
touring show.
itine'rario *sm* itinerary.

'ITIS *sigla m* = **istituto tecnico industriale statale.**

itte'rizia [itte'rittsja] *sf (MED)* jaundice.

'ittico, a, ci, che *ag* fish *cpd*; fishing *cpd*.

IUD *sigla m inv (= intra-uterine device)* IUD.

lugos'lavia *sf* = Jugoslavia.

iugos'lavo, a *ag, sm/f* = jugoslavo, a.

i'uta *sf* jute.

'I.V.A. *sigla f vedi* imposta sul valore aggiunto.

'ivi *av (formale, poetico)* therein; *(nelle citazioni)* ibid.

======== *Jj*

J, j [i'lunga] *sm o f inv (lettera)* J, j; ~ come Jersey ≈ J for Jack *(BRIT)*, J for Jig *(US)*.

jazz [dʒaz] *sm* jazz.

jaz'zista, i [dʒad'dzista] *sm* jazz player.

jeans [dʒinz] *smpl* jeans.

jeep [dʒip] *sm inv* jeep.

'jersey ['dʒɛrzi] *sm inv* jersey (cloth).

'jockey ['dʒɔki] *sm inv (CARTE)* jack; *(fantino)* jockey.

'jogging ['dʒɔgiŋ] *sm* jogging; fare ~ to go jogging.

'jolly ['dʒɔli] *sm inv* joker.

jr. *abbr (= junior)* Jr., jr.

ju'do [dʒu'dɔ] *sm* judo.

Jugos'lavia [jugoz'lavja] *sf:* la ~ Yugoslavia.

jugos'lavo, a *ag, sm/f* Yugoslav(ian).

'juke 'box ['dʒuk'bɔks] *sm inv* jukebox.

======== *Kk*

K, k ['kappa] *sf o m inv (lettera)* K, k ♦ *abbr (= kilo-, chilo-)* k; *(INFORM)* K; K come Kursaal ≈ K for King.

Kam'pala *sf* Kampala.

kara'kiri *sm* harakiri.

karatè [kara'tɛ] *sm* karate.

'Kashmir ['kaʃmir] *sm:* il ~ Kashmir.

ka'yak [ka'jak] *sm inv* kayak.

'Kenia ['kenja] *sm:* il ~ Kenya.

keni'ano, a, keni'ota, i, e *ag, sm/f* Kenyan.

'Kenya ['kenja] *sm:* il ~ Kenya.

kero'sene [kero'zɛne] *sm* = cherosene.

kg *abbr (= chilogrammo)* kg.

kib'butz [kib'buts] *sm inv* kibbutz.

Kilimangi'aro [kiliman'dʒaro] *sm:* il ~ Kilimanjaro.

'killer ['killer] *sm inv* gunman, hired gun.

'kilo *etc* = chilo *etc*.

kilt [kilt] *sm inv* kilt.

ki'mono [ki'mɔno] *sm* = chimono.

kitsch [kitʃ] *sm* kitsch.

'kiwi ['kiwi] *sm inv* kiwi (fruit).

km *abbr (= chilometro)* km.

kmq *abbr (= chilometro quadrato)* km².

ko'ala [ko'ala] *sm inv* koala (bear).

KR *sigla* = Crotone.

'krapfen ['krapfən] *sm inv* doughnut.

Ku'ala Lum'par *sf* Kuala Lumpur.

Ku'wait [ku'vait] *sm:* il ~ Kuwait.

kW *abbr (= kilowatt, chilowatt)* kW.

kWh *abbr (= kilowattora)* kW/h.

======== *Ll*

L, l ['ɛlle] *sf o m inv (lettera)* L, l ♦ *abbr (= lira)* L; L come Livorno ≈ L for Lucy *(BRIT)*, L for Love *(US)*.

l *abbr (= litro)* l.

l' *det vedi* la, lo.

la *det f (dav V l')* the ♦ *pron (dav V l') (oggetto: persona)* her; *(: cosa)* it; *(: forma di cortesia)* you ♦ *sm inv (MUS)* A; *(: solfeggiando la scala)* la; *vedi anche* il.

là *av* there; di ~ *(da quel luogo)* from there; *(in quel luogo)* in there; *(dall'altra parte)* over there; di ~ di beyond; per di ~ that way; più in ~ further on; *(tempo)* later on; ~ dentro/sopra/sotto in/up *(o* on)/ under there; ~ per ~ *(sul momento)* there and then; essere in ~ con gli anni to be getting on (in years); essere più di ~ che di qua to be more dead than alive; va' ~! come off it!; stavolta è andato troppo in ~ this time he's gone too far; *vedi anche* quello.

'labbro *sm (pl(f):* labbra: *solo nel senso ANAT)* lip.

'labile *ag* fleeting, ephemeral.

labi'rinto *sm* labyrinth, maze.

labora'torio *sm* (*di ricerca*) laboratory; (*di arti, mestieri*) workshop; ~ **linguistico** language laboratory.

labori'oso, a *ag* (*faticoso*) laborious; (*attivo*) hard-working.

labu'rista, i, e *ag* Labour *cpd* (*BRIT*) ♦ *sm/f* Labour Party member (*BRIT*).

'lacca, che *sf* lacquer; (*per unghie*) nail varnish (*BRIT*), nail polish.

lac'care *vt* (*mobili*) to varnish, lacquer.

'laccio ['lattʃo] *sm* noose; (*legaccio, tirante*) lasso; (*di scarpa*) lace; ~ **emostatico** (*MED*) tourniquet.

lace'rante [latʃe'rante] *ag* (*suono*) piercing, shrill.

lace'rare [latʃe'rare] *vt* to tear to shreds, lacerate; ~**rsi** *vr* to tear.

lacerazi'one [latʃerat'tsjone] *sf* (*anche MED*) tear.

'lacero, a ['latʃero] *ag* (*logoro*) torn, tattered; (*MED*) lacerated; **ferita ~- contusa** injury with lacerations and bruising.

la'conico, a, ci, che *ag* laconic, brief.

'lacrima *sf* tear; (*goccia*) drop; **in ~e** in tears.

lacri'mare *vi* to water.

lacri'mevole *ag* heartrending, pitiful.

lacri'mogeno, a [lakri'mɔdʒeno] *ag*: **gas ~** tear gas.

lacri'moso, a *ag* tearful.

la'cuna *sf* (*fig*) gap.

la'custre *ag* lake *cpd*.

lad'dove *cong* whereas.

'ladro *sm* thief; **al ~!** stop thief!

ladro'cinio [ladro'tʃinjo] *sm* theft, robbery.

la'druncolo, a *sm/f* petty thief.

laggiù [lad'dʒu] *av* down there; (*di là*) over there.

'lagna ['laɲɲa] *sf* (*fam: persona, cosa*) drag, bore; **fare la ~** to whine, moan.

la'gnanza [laɲ'ɲantsa] *sf* complaint.

la'gnarsi [laɲ'ɲarsi] *vr*: ~ **(di)** to complain (about).

'lago, ghi *sm* lake.

'Lagos ['lagos] *sf* Lagos.

'lagrima *etc* = **lacrima** *etc*.

la'guna *sf* lagoon.

lagu'nare *ag* lagoon *cpd*.

'laico, a, ci, che *ag* (*apostolato*) lay; (*vita*) secular; (*scuola*) non-denominational ♦ *sm/f* layman/woman ♦ *sm* lay brother.

'laido, a *ag* filthy, foul; (*fig: osceno*) obscene, filthy.

'lama *sf* blade ♦ *sm inv* (*ZOOL*) llama; (*REL*) lama.

lambic'care *vt* to distil; ~**rsi il cervello** to rack one's brains.

lam'bire *vt* (*fig: sog: fiamme*) to lick; (: *acqua*) to lap.

lam'bretta ® *sf* scooter.

la'mella *sf* (*di metallo etc*) thin sheet, thin strip; (*di fungo*) gill.

lamen'tare *vt* to lament; ~**rsi** *vr* (*emettere lamenti*) to moan, groan; (*rammaricarsi*): ~**rsi (di)** to complain (about).

lamen'tela *sf* complaining *no pl*.

lamen'tevole *ag* (*voce*) complaining, plaintive; (*stato*) lamentable, pitiful.

la'mento *sm* moan, groan; (*per la morte di qn*) lament.

lamen'toso, a *ag* plaintive.

la'metta *sf* razor blade.

lami'era *sf* sheet metal.

'lamina *sf* (*lastra sottile*) thin sheet (*o* layer *o* plate); ~ **d'oro** gold leaf; gold foil.

lami'nare *vt* to laminate.

lami'nato, a *ag* laminated; (*tessuto*) lamé ♦ *sm* laminate.

'lampada *sf* lamp; ~ **a petrolio/a gas** oil/gas lamp; ~ **a spirito** blowlamp (*BRIT*), blowtorch; ~ **a stelo** standard lamp (*BRIT*), floor lamp; ~ **da tavolo** table lamp.

lampa'dario *sm* chandelier.

lampa'dina *sf* light bulb; ~ **tascabile** pocket torch (*BRIT*), flashlight (*US*).

lam'pante *ag* (*fig: evidente*) crystal clear, evident.

lam'para *sf* fishing lamp; (*barca*) boat for fishing by lamplight (*in Mediterranean*).

lampeggi'are [lamped'dʒare] *vi* (*luce, fari*) to flash ♦ *vb impers*: **lampeggia** there's lightning.

lampeggia'tore [lampeddʒa'tore] *sm* (*AUT*) indicator.

lampi'one *sm* street light *o* lamp (*BRIT*).

'lampo *sm* (*METEOR*) flash of lightning; (*di luce, fig*) flash ♦ *ag inv*: **cerniera ~** zip (fastener) (*BRIT*), zipper (*US*); **guerra ~** blitzkrieg; ~**i** *smpl* (*METEOR*) lightning *no pl*; **passare come un ~** to flash past *o* by.

lam'pone *sm* raspberry.

'lana *sf* wool; ~ **d'acciaio** steel wool; **pura ~ vergine** pure new wool; ~ **di vetro** glass wool.

lan'cetta [lan'tʃetta] *sf* (*indice*) pointer, needle; (*di orologio*) hand.

'lancia, ce ['lantʃa] *sf* (*arma*) lance; (: *picca*) spear; (*di pompa antincendio*) nozzle; (*imbarcazione*) launch; **partire ~ in resta** (*fig*) to set off ready for battle; **spezzare una ~ in favore di qn** (*fig*) to come to sb's defence; ~ **di salvataggio** lifeboat.

lancia'bombe [lantʃa'bombe] *sm inv* (*MIL*) mortar.

lanciafi'amme [lantʃa'fjamme] *sm inv*

flamethrower.

lancia'missili [lantʃa'missili] *ag inv* missile-launching ♦ *sm inv* missile launcher.

lancia'razzi [lantʃa'raddzi] *ag inv* rocket-launching ♦ *sm inv* rocket launcher.

lanci'are [lan'tʃare] *vt* to throw, hurl, fling; (*SPORT*) to throw; (*far partire: automobile*) to get up to full speed; (*bombe*) to drop; (*razzo, prodotto, moda*) to launch; (*emettere: grido*) to give out; ~**rsi** *vr*: ~**rsi contro/su** to throw *o* hurl *o* fling o.s. against/on; ~**rsi in** (*fig*) to embark on; ~ **un cavallo** to give a horse his head; ~ **il disco** (*SPORT*) to throw the discus; ~ **il peso** (*SPORT*) to put the shot; ~**rsi all'inseguimento di qn** to set off in pursuit of sb; ~**rsi col paracadute** to parachute.

lanciasi'luri [lantʃasi'luri] *sm inv* torpedo tube.

lanci'ato, a [lan'tʃato] *ag* (*affermato: attore, prodotto*) well-known, famous; (*veicolo*) speeding along, racing along.

lanci'nante [lantʃi'nante] *ag* (*dolore*) shooting, throbbing; (*grido*) piercing.

'lancio ['lantʃo] *sm* throwing *no pl*; throw; dropping *no pl*; drop; launching *no pl*; launch; ~ **del disco** (*SPORT*) throwing the discus; ~ **del peso** (*SPORT*) putting the shot.

'landa *sf* (*GEO*) moor.

'languido, a *ag* (*fiacco*) languid, weak; (*tenero, malinconico*) languishing.

langu'ire *vi* to languish; (*conversazione*) to flag.

langu'ore *sm* weakness, languor.

lani'ero, a *ag* wool *cpd*, woollen (*BRIT*), woolen (*US*).

lani'ficio [lani'fitʃo] *sm* woollen (*BRIT*) *o* woolen (*US*) mill.

lano'lina *sf* lanolin(e).

la'noso, a *ag* woolly.

lan'terna *sf* lantern; (*faro*) lighthouse.

lanter'nino *sm*: **cercarsele col** ~ to be asking for trouble.

la'nugine [la'nudʒine] *sf* down.

'Laos *sm* Laos.

lapalissi'ano, a *ag* self-evident.

La 'Paz [la'pas] *sf* La Paz.

lapi'dare *vt* to stone.

lapi'dario, a *ag* (*fig*) terse.

'lapide *sf* (*di sepolcro*) tombstone; (*commemorativa*) plaque.

la'pin [la'pɛ̃] *sm inv* coney.

'lapis *sm inv* pencil.

'lappone *ag*, *sm/f*, *sm* Lapp.

Lap'ponia *sf*: **la** ~ Lapland.

'lapsus *sm inv* slip.

laptop ['læp tɔp] *sm inv* laptop (computer).

'lardo *sm* bacon fat, lard.

lar'ghezza [lar'gettsa] *sf* width; breadth; looseness; generosity; ~ **di vedute** broad-mindedness.

lar'gire [lar'dʒire] *vt* to give generously.

'largo, a, ghi, ghe *ag* wide, broad; (*maniche*) wide; (*abito: troppo ampio*) loose; (*fig*) generous ♦ *sm* width; breadth; (*mare aperto*): **il** ~ the open sea ♦ *sf*: **stare** *o* **tenersi alla** ~**a** (**da qn/qc**) to keep one's distance (from sb/sth), keep away (from sb/sth); ~ **due metri** two metres wide; ~ **di spalle** broad-shouldered; **di** ~**ghe vedute** broad-minded; **in** ~**a misura** to a great *o* large extent; **su** ~**a scala** on a large scale; **di manica** ~**a** generous, open-handed; **al** ~ **di Genova** off (the coast of) Genoa; **farsi** ~ **tra la folla** to push one's way through the crowd.

'larice ['laritʃe] *sm* (*BOT*) larch.

la'ringe [la'rindʒe] *sf* larynx.

larin'gite [larin'dʒite] *sf* laryngitis.

laringoi'atra, i, e *sm/f* (*medico*) throat specialist.

'larva *sf* larva; (*fig*) shadow.

la'sagne [la'zaɲɲe] *sfpl* lasagna *sg*.

lasciapas'sare [laʃʃapas'sare] *sm inv* pass, permit.

lasci'are [laʃ'ʃare] *vt* to leave; (*abbandonare*) to leave, abandon, give up; (*cessare di tenere*) to let go of ♦ *vb aux*: ~ **qn fare qc** to let sb do sth ♦ *vi*: ~ **di fare** (*smettere*) to stop doing; ~**rsi andare/truffare** to let o.s. go/be cheated; ~ **andare** *o* **correre** *o* **perdere** to let things go their own way; ~ **stare qc/qn** to leave sth/sb alone; ~ **qn erede** to make sb one's heir; ~ **la presa** to lose one's grip; ~ **il segno (su qc)** to leave a mark (on sth); (*fig*) to leave one's mark (on sth); ~ (**molto**) **a desiderare** to leave much to be desired; **ci ha lasciato la vita** it cost him his life.

'lascito ['laʃʃito] *sm* (*DIR*) legacy.

la'scivia [laʃ'ʃivja] *sf* lust, lasciviousness.

la'scivo, a [laʃ'ʃivo] *ag* lascivious.

'laser ['lazer] *ag*, *sm inv*: (**raggio**) ~ laser (beam).

lassa'tivo, a *ag*, *sm* laxative.

las'sismo *sm* laxity.

'lasso *sm*: ~ **di tempo** interval, lapse of time.

lassù *av* up there.

'lastra *sf* (*di pietra*) slab; (*di metallo, FOT*) plate; (*di ghiaccio, vetro*) sheet; (*radiografica*) X-ray (plate).

lastri'care *vt* to pave.

lastri'cato *sm* paving.

'**lastrico, ci** *o* **chi** *sm* paving; **essere sul** ~ (*fig*) to be penniless; **gettare qn sul** ~ (*fig*) to leave sb destitute.

las'trone *sm* (*ALPINISMO*) sheer rock face.

la'tente *ag* latent.

late'rale *ag* lateral, side *cpd*; (*uscita, ingresso etc*) side *cpd* ♦ *sm* (*CALCIO*) half-back.

lateral'mente *av* sideways.

late'rizio [late'rittsjo] *sm* (perforated) brick.

latifon'dista, i, e *sm/f* large agricultural landowner.

lati'fondo *sm* large estate.

la'tino, a *ag, sm* Latin.

la'tinoameri'cano, a *ag, sm/f* Latin-American.

lati'tante *ag*: **essere** ~ to be on the run ♦ *sm/f* fugitive (from justice).

lati'tanza [lati'tantsa] *sf*: **darsi alla** ~ to go into hiding.

lati'tudine *sf* latitude.

'**lato, a** *ag*: **in senso** ~ broadly speaking ♦ *sm* side; (*fig*) aspect, point of view; **d'altro** ~ (*d'altra parte*) on the other hand.

la'trare *vi* to bark.

lat'rato *sm* howling.

la'trina *sf* public lavatory.

latro'cinio [latro'tʃinjo] *sm* = **ladrocinio**.

'**latta** *sf* tin (plate); (*recipiente*) tin, can.

lat'taio, a *sm/f* (*distributore*) milkman/woman; (*commerciante*) dairyman/woman.

lat'tante *ag* unweaned ♦ *sm/f* breast-fed baby.

'**latte** *sm* milk; **fratello di** ~ foster brother; **avere ancora il** ~ **alla bocca** (*fig*) to be still wet behind the ears; **tutto** ~ **e miele** (*fig*) all smiles; ~ **detergente** cleansing milk *o* lotion; ~ **intero** full-cream milk; ~ **magro** *o* **scremato** skimmed milk; ~ **secco** *o* **in polvere** dried *o* powdered milk.

'**latteo, a** *ag* milky; (*dieta, prodotto*) milk *cpd*.

latte'ria *sf* dairy.

latti'cini [latti'tʃini] *smpl* dairy products.

lat'tina *sf* (*di birra etc*) can.

lat'tuga, ghe *sf* lettuce.

'**laurea** *sf* ≈ degree; ~ **breve** *university degree awarded at the end of a three-year course*; **avere una** ~ **in chimica** to have a degree in chemistry *o* a chemistry degree.

The **Laurea** *is awarded to students upon successful completion of their degree courses. Courses take from 4 to 6 years and a major part of the final examinations is the*

---

presentation and discussion of a dissertation. A shorter, more vocational course of study, taking from 2 to 3 years, has been introduced at the end of which the **Laurea breve**, *a diploma, is awarded.*

---

laure'ando, a *sm/f* final-year student.

laure'are *vt* to confer a degree on; ~**rsi** *vr* to graduate.

laure'ato, a *ag, sm/f* graduate.

'**lauro** *sm* laurel.

'**lauto, a** *ag* (*pranzo, mancia*) lavish; ~**i guadagni** handsome profits.

'**lava** *sf* lava.

lavabianche'ria [lavabjanke'ria] *sf inv* washing machine.

la'vabo *sm* washbasin.

la'vaggio [la'vaddʒo] *sm* washing *no pl*; ~ **del cervello** brainwashing *no pl*.

la'vagna [la'vaɲɲa] *sf* (*GEO*) slate; (*di scuola*) blackboard; ~ **luminosa** overhead projector.

la'vanda *sf* (*anche MED*) wash; (*BOT*) lavender; **fare una** ~ **gastrica a qn** to pump sb's stomach.

lavan'daia *sf* washerwoman.

lavande'ria *sf* (*di ospedale, caserma etc*) laundry; ~ **automatica** launderette; ~ **a secco** dry-cleaner's.

lavan'dino *sm* sink; (*del bagno*) washbasin.

lavapi'atti *sm/f* dishwasher.

la'vare *vt* to wash; ~**rsi** *vr* to wash, have a wash; ~ **a secco** to dry-clean; ~ **i panni sporchi in pubblico** (*fig*) to wash one's dirty linen in public; ~**rsi le mani/i denti** to wash one's hands/clean one's teeth.

lava'secco *sm o f inv* dry-cleaner's.

lavasto'viglie [lavasto'viʎʎe] *sm o f inv* (*macchina*) dishwasher.

la'vata *sf* wash; (*fig*): **dare una** ~ **di capo a qn** to give sb a good telling-off.

lava'tivo *sm* (*clistere*) enema; (*buono a nulla*) good-for-nothing, idler.

lava'toio *sm* (public) washhouse.

lava'trice [lava'tritʃe] *sf* washing machine.

lava'tura *sf* washing *no pl*; ~ **di piatti** dishwater.

la'vello *sm* (kitchen) sink.

la'vina *sf* snowslide.

lavo'rante *sm/f* worker.

lavo'rare *vi* to work; (*fig: bar, studio etc*) to do good business ♦ *vt* to work; ~ **a** to work on; ~ **a maglia** to knit; ~ **di fantasia** (*suggestionarsi*) to imagine things; (*fantasticare*) to let one's imagination run free; ~**rsi qn** (*fig: convincere*) to work on sb.

lavora'tivo, a *ag* working.

lavora'tore, 'trice *sm/f* worker ♦ *ag* working.
lavorazi'one [lavorat'tsjone] *sf* (*gen*) working; (*di legno, pietra*) carving; (*di film*) making; (*di prodotto*) manufacture; (*modo di esecuzione*) workmanship.
lavo'rio *sm* intense activity.
la'voro *sm* work; (*occupazione*) job, work *no pl*; (*opera*) piece of work, job; (*ECON*) labour (*BRIT*), labor (*US*); **Ministero del L~** Department of Employment (*BRIT*), Department of Labor (*US*); (**fare**) **i ~i di casa** (to do) the housework *sg*; **~i forzati** hard labour *sg*; **i ~i del parlamento** the parliamentary session *sg*; **~i pubblici** public works.
lazi'ale [lat'tsjale] *ag* of (*o* from) Lazio.
lazza'retto [laddza'retto] *sm* leper hospital.
lazza'rone [laddza'rone] *sm* scoundrel.
'lazzo ['laddzo] *sm* jest.
LC *sigla* = Lecco.
LE *sigla* = Lecce.
le *det fpl* the ♦ *pron* (*oggetto*) them; (: *a lei, a essa*) (to) her; (: *forma di cortesia*) (to) you; *vedi anche* **il.**
le'ale *ag* loyal; (*sincero*) sincere; (*onesto*) fair.
lea'lista, i, e *sm/f* loyalist.
lealtà *sf* loyalty; sincerity; fairness.
'leasing ['li:ziŋ] *sm* leasing; lease.
'lebbra *sf* leprosy.
'lecca 'lecca *sm inv* lollipop.
leccapi'edi *sm/f inv* (*peg*) toady, bootlicker.
lec'care *vt* to lick; (*sog: gatto: latte etc*) to lick *o* lap up; (*fig*) to flatter; **~rsi** *vr* (*fig*) to preen o.s.; **~rsi i baffi** to lick one's lips.
lec'cato, a *ag* affected ♦ *sf* lick.
leccherò *etc* [lekke'rɔ] *vb vedi* **leccare.**
'leccio ['lettʃo] *sm* holm oak, ilex.
leccor'nia *sf* titbit, delicacy.
'lecito, a ['letʃito] *ag* permitted, allowed; **se mi è ~** if I may; **mi sia ~ far presente che** ... may I point out that ....
'ledere *vt* to damage, injure; **~ gli interessi di qn** to be prejudicial to sb's interests.
'lega, ghe *sf* (*anche POL*) league; (*di metalli*) alloy; **metallo di bassa ~** base metal; **gente di bassa ~** common *o* vulgar people; **L~ Nord** (*POL*) *federalist party*.
le'gaccio [le'gattʃo] *sm* string, lace.
le'gale *ag* legal ♦ *sm* lawyer; **corso ~ delle monete** official exchange rate; **medicina ~** forensic medicine; **studio ~** lawyer's office.
legalità *sf* legality, lawfulness.
legaliz'zare [legalid'dzare] *vt* to legalize; (*documento*) to authenticate.
legalizzazi'one [legaliddzat'tsjone] *sf* (*vedi*

vt) legalization; authentication.
le'game *sm* (*corda, fig: affettivo*) tie, bond; (*nesso logico*) link, connection; **~ di sangue** *o* **di parentela** family tie.
lega'mento *sm* (*ANAT*) ligament.
le'gare *vt* (*prigioniero, capelli, cane*) to tie (up); (*libro*) to bind; (*CHIM*) to alloy; (*fig: collegare*) to bind, join ♦ *vi* (*far lega*) to unite; (*fig*) to get on well; **è pazzo da ~** (*fam*) he should be locked up.
lega'tario, a *sm/f* (*DIR*) legatee.
le'gato *sm* (*REL*) legate; (*DIR*) legacy, bequest.
legato'ria *sf* (*attività*) bookbinding; (*negozio*) bookbinder's.
lega'tura *sf* (*di libro*) binding; (*MUS*) ligature.
legazi'one [legat'tsjone] *sf* legation.
le'genda [le'dʒɛnda] *sf* (*di carta geografica etc*) = **leggenda.**
'legge ['leddʒe] *sf* law; **~ procedurale** procedural law.
leg'genda [led'dʒɛnda] *sf* (*narrazione*) legend; (*di carta geografica etc*) key, legend.
leggen'dario, a [leddʒen'darjo] *ag* legendary.
'leggere ['lɛddʒere] *vt, vi* to read; **~ il pensiero di qn** to read sb's mind *o* thoughts.
legge'rezza [leddʒe'rettsa] *sf* lightness; thoughtlessness; fickleness.
leg'gero, a [led'dʒero] *ag* light; (*agile, snello*) nimble, agile, light; (*tè, caffè*) weak; (*fig: non grave, piccolo*) slight; (: *spensierato*) thoughtless; (: *incostante*) fickle; free and easy; **una ragazza ~a** (*fig*) a flighty girl; **alla ~a** thoughtlessly.
leggi'adro, a [led'dʒadro] *ag* pretty, lovely; (*movimenti*) graceful.
leg'gibile [led'dʒibile] *ag* legible; (*libro*) readable, worth reading.
leg'gio, 'gii [led'dʒio] *sm* lectern; (*MUS*) music stand.
legherò *etc* [lege'rɔ] *vb vedi* **legare.**
le'ghismo [le'gismo] *sm* political movement with federalist tendencies.
le'ghista, i, e [le'gista] (*POL*) *ag* of a "lega" (*especially Lega Nord*) ♦ *sm/f* member (*o* supporter) of a "lega" (*especially Lega Nord*).
legife'rare [ledʒife'rare] *vi* to legislate.
legio'nario [ledʒo'narjo] *sm* (*romano*) legionary; (*volontario*) legionnaire.
legi'one [le'dʒone] *sf* legion; **~ straniera** foreign legion.
legisla'tivo, a [ledʒizla'tivo] *ag* legislative.
legisla'tore [ledʒizla'tore] *sm* legislator.

legisla'tura [ledʒizla'tura] sf legislature.
legislazi'one [ledʒizlat'tsjone] sf legislation.
legitti'mare [ledʒitti'mare] vt (figlio) to legitimize; (comportamento etc) to justify.
legittimità [ledʒittimi'ta] sf legitimacy.
le'gittimo, a [le'dʒittimo] ag legitimate; (fig: giustificato, lecito) justified, legitimate; ~**a difesa** (DIR) self-defence (BRIT), self-defense (US).
'legna ['leɲɲa] sf firewood.
le'gnaia [leɲ'ɲaja] sf woodshed.
legnai'olo [leɲɲa'jɔlo] sm woodcutter.
le'gname [leɲ'ɲame] sm wood, timber.
le'gnata [leɲ'ɲata] sf blow with a stick; **dare a qn un sacco di** ~**e** to give sb a good hiding.
'legno ['leɲɲo] sm wood; (pezzo di ~) piece of wood; **di** ~ wooden; ~ **compensato** plywood.
le'gnoso, a [leɲ'ɲoso] ag (di legno) wooden; (come il legno) woody; (carne) tough.
le'gume sm (BOT) pulse; ~**i** smpl (fagioli, piselli etc) pulses.
'lei pron (soggetto) she; (oggetto: per dare rilievo, con preposizione) her; (forma di cortesia: anche: **L~**) you ♦ sf inv: **la mia** ~ my beloved ♦ sm: **dare del** ~ **a qn** to address sb as "lei"; ~ **stessa** she herself; you yourself; **è** ~ it's her.
'lembo sm (di abito, strada) edge; (striscia sottile: di terra) strip.
'lemma, i sm headword.
'lemme 'lemme av (very) very slowly.
'lena sf (fig) energy, stamina; **di buona** ~ (lavorare, camminare) at a good pace.
Lenin'grado sf Leningrad.
le'nire vt to soothe.
'lente sf (OTTICA) lens sg; ~ **d'ingrandimento** magnifying glass; ~**i a contatto,** ~**i corneali** contact lenses; ~**i (a contatto) morbide** soft lenses; ~**i (a contatto) rigide** hard lenses.
len'tezza [len'tettsa] sf slowness.
len'ticchia [len'tikkja] sf (BOT) lentil.
len'tiggine [len'tiddʒine] sf freckle.
'lento, a ag slow; (molle: fune) slack; (non stretto: vite, abito) loose ♦ sm (ballo) slow dance.
'lenza ['lɛntsa] sf fishing line.
lenzu'olo [len'tswɔlo] sm sheet; ~**a** sfpl pair of sheets; ~ **funebre** shroud.
leon'cino [leon'tʃino] sm lion cub.
le'one sm lion; (dello zodiaco): **L~** Leo; **essere del L~** to be Leo.
leo'pardo sm leopard.
lepo'rino, a ag: **labbro** ~ harelip.
'lepre sf hare.

'lercio, a, ci, ce ['lɛrtʃo] ag filthy.
lerci'ume [ler'tʃume] sm filth.
'lesbico, a, ci, che ag, sf lesbian.
'lesi etc vb vedi **ledere**.
lesi'nare vt to be stingy with ♦ vi: ~ **(su)** to skimp (on), be stingy (with).
lesi'one sf (MED) lesion; (DIR) injury, damage; (EDIL) crack.
le'sivo, a ag: ~ **(di)** damaging (to), detrimental (to).
'leso, a pp di **ledere** ♦ ag (offeso) injured; **parte** ~**a** (DIR) injured party; ~**a maestà** lese-majesty.
Le'sotho [le'soto] sm Lesotho.
les'sare vt (CUC) to boil.
'lessi etc vb vedi **leggere**.
lessi'cale ag lexical.
'lessico, ci sm vocabulary; (dizionario) lexicon.
lessicogra'fia sf lexicography.
lessi'cografo, a sm/f lexicographer.
'lesso, a ag boiled ♦ sm boiled meat.
'lesto, a ag quick; (agile) nimble; ~ **di mano** (per rubare) light-fingered; (per picchiare) free with one's fists.
lesto'fante sm swindler, con man.
le'tale ag lethal, deadly.
leta'maio sm dunghill.
le'tame sm manure, dung.
le'targo, ghi sm lethargy; (ZOOL) hibernation.
le'tizia [le'tittsja] sf joy, happiness.
'letta sf: **dare una** ~ **a qc** to glance o look through sth.
'lettera sf letter; ~**e** sfpl (letteratura) literature sg; (studi umanistici) arts (subjects); **alla** ~ literally; **in** ~**e** in words, in full; **diventar** ~ **morta** (legge) to become a dead letter; **restar** ~ **morta** (consiglio, invito) to go unheeded; ~ **di accompagnamento** accompanying letter; ~ **assicurata** registered letter; ~ **di cambio** (COMM) bill of exchange; ~ **di credito** (COMM) letter of credit; ~ **di intenti** letter of intent; ~ **di presentazione** o **raccomandazione** letter of introduction; ~ **raccomandata** recorded delivery (BRIT) o certified (US) letter; ~ **di trasporto aereo** (COMM) air waybill.
lette'rale ag literal.
lettteral'mente av literally.
lette'rario, a ag literary.
lette'rato, a ag well-read, scholarly.
lettera'tura sf literature.
let'tiga, ghe sf (portantina) litter; (barella) stretcher.
let'tino sm cot (BRIT), crib (US).
'letto, a pp di **leggere** ♦ sm bed; **andare a** ~

to go to bed; ~ **a castello** bunk beds *pl;* ~ **a una piazza/a due piazze** o **matrimoniale** single/double bed.

'**lettone** *ag, smf* Latvian ♦ *sm (LING)* Latvian, Lettish.

Let'tonia *sf:* **la** ~ Latvia.

lettorato *sm (INS)* lectorship, assistantship; *(REL)* lectorate.

let'tore, '**trice** *smf* reader; *(INS)* (foreign language) assistant *(BRIT),* (foreign) teaching assistant *(US)* ♦ *sm:* ~ **ottico (di caratteri)** optical character reader; ~ **CD** CD player.

let'tura *sf* reading.

leuce'mia [leutʃe'mia] *sf* leukaemia.

'**leva** *sf* lever; *(MIL)* conscription; **far** ~ **su qn** to work on sb; **essere di** ~ to be due for call-up; ~ **del cambio** *(AUT)* gear lever.

le'vante *sm* east; *(vento)* East wind; **il L**~ the Levant.

le'vare *vt (occhi, braccio)* to raise; *(sollevare, togliere: tassa, divieto)* to lift; *(: indumenti)* to take off, remove; *(rimuovere)* to take away; *(: dal di sopra)* to take off; *(: dal di dentro)* to take out; ~**rsi** *vr* to get up; *(sole)* to rise; ~ **le tende** *(fig)* to pack up and leave; ~**rsi il pensiero** to put one's mind at rest; **levati di mezzo** o **di lì** o **di torno!** get out of my way!

le'vata *sf (di posta)* collection.

leva'taccia, ce [leva'tattʃa] *sf* early rise.

leva'toio, a *ag:* **ponte** ~ drawbridge.

leva'trice [leva'tritʃe] *sf* midwife.

leva'tura *sf* intelligence, mental capacity.

levi'gare *vt* to smooth; *(con carta vetrata)* to sand.

levi'gato, a *ag (superficie)* smooth; *(fig: stile)* polished; *(: viso)* flawless.

levità *sf* lightness.

levri'ere *sm* greyhound.

lezi'one [let'tsjone] *sf* lesson; *(all'università, sgridata)* lecture; **fare** ~ to teach; to lecture.

lezi'oso, a [let'tsjoso] *ag* affected; simpering.

'**lezzo** ['leddzo] *sm* stench, stink.

lg *abbr (= lira sterlina)* £.

LI *sigla =* Livorno.

li *pron pl (oggetto)* them.

lì *av* there; **di** o **da** ~ from there; **per di** ~ that way; **di** ~ **a pochi giorni** a few days later; ~ **per** ~ there and then; at first; **essere** ~ (~) **per fare** to be on the point of doing, be about to do; ~ **dentro** in there; ~ **sotto** under there; ~ **sopra** on there; up there; **tutto** ~ that's all; *vedi anche* **quello**.

libagi'one [liba'dʒone] *sf* libation.

liba'nese *ag, smf* Lebanese *inv.*

Li'bano *sm:* **il** ~ the Lebanon.

'**libbra** *sf (peso)* pound.

li'beccio [li'bettʃo] *sm* south-west wind.

li'bello *sm* libel.

li'bellula *sf* dragonfly.

libe'rale *ag, smf* liberal.

liberaliz'zare [liberalid'dzare] *vt* to liberalize.

libe'rare *vt (rendere libero: prigioniero)* to release; *(: popolo)* to free, liberate; *(sgombrare: passaggio)* to clear; *(: stanza)* to vacate; *(produrre: energia)* to release; ~**rsi** *vr:* ~**rsi di qc/qn** to get rid of sth/sb.

libera'tore, '**trice** *ag* liberating ♦ *smf* liberator.

liberazi'one [liberat'tsjone] *sf (di prigioniero)* release; *(di popolo)* liberation; **che** ~! what a relief!

The **Liberazione** *is a national holiday which falls on April 25th. It commemorates the liberation of Italy in 1945 from German forces and Mussolini's government and marks the end of the war on Italian soil.*

---

li'bercolo *sm (peg)* worthless book.

Li'beria *sf:* **la** ~ Liberia.

liberi'ano, a *ag, smf* Liberian.

libe'rismo *sm (ECON)* laissez-faire.

'**libero, a** *ag* free; *(strada)* clear; *(non occupato: posto etc)* vacant, free; *(TEL)* not engaged; ~ **di fare qc** free to do sth; ~ **da** free from; **una donna dai** ~**i costumi** a woman of loose morals; **avere via** ~**a** to have a free hand; **dare via** ~**a a qn** to give sb the go-ahead; **via** ~**a!** all clear!; ~ **arbitrio** free will; ~ **professionista** self-employed professional person; ~ **scambio** free trade; ~**a uscita** *(MIL)* leave.

liberoscam'bismo *sm (ECON)* free trade.

libertà *sf inv* freedom; *(tempo disponibile)* free time ♦ *sfpl (licenza)* liberties; **essere in** ~ **provvisoria/vigilata** to be released without bail/be on probation; ~ **di riunione** right to hold meetings.

liber'tario, a *ag* libertarian.

liber'tino, a *ag, smf* libertine.

'**liberty** ['liberti] *ag inv, sm* art nouveau.

'**Libia** *sf:* **la** ~ Libya.

'**libico, a, ci, che** *ag, smf* Libyan.

li'bidine *sf* lust.

libidi'noso, a *ag* lustful, libidinous.

li'bido *sf* libido.

li'braio *sm* bookseller.

li'brario, a *ag* book *cpd.*

li'brarsi *vr* to hover.

libre'ria *sf (bottega)* bookshop; *(stanza)*

library; (*mobile*) bookcase.

li'bretto *sm* booklet; (*taccuino*) notebook; (*MUS*) libretto; ~ **degli assegni** chequebook (*BRIT*), checkbook (*US*); ~ **di circolazione** (*AUT*) logbook; ~ **di deposito** (bank) deposit book; ~ **di risparmio** (savings) bankbook, passbook; ~ **universitario** student's report book.

'libro *sm* book; ~ **bianco** (*POL*) white paper; ~ **di cassa** cash book; ~ **di consultazione** reference book; ~ **mastro** ledger; ~ **paga** payroll; ~ **tascabile** paperback; ~ **di testo** textbook; ~**i contabili** (account) books; ~**i sociali** company records.

li'cantropo *sm* werewolf.

lice'ale [litʃe'ale] *ag* secondary school *cpd* (*BRIT*), high school *cpd* (*US*) ♦ *sm/f* secondary school *o* high school pupil.

li'cenza [li'tʃɛntsa] *sf* (*permesso*) permission, leave; (*di pesca, caccia, circolazione*) permit, licence (*BRIT*), license (*US*); (*MIL*) leave; (*INS*) school-leaving certificate; (*libertà*) liberty; (*sfrenatezza*) licentiousness; **andare in** ~ (*MIL*) to go on leave; **su** ~ **di** ... (*COMM*) under licence from ...; ~ **di esportazione** export licence; ~ **di fabbricazione** manufacturer's licence; ~ **poetica** poetic licence.

licenzia'mento [litʃentsja'mento] *sm* dismissal.

licenzi'are [litʃen'tsjare] *vt* (*impiegato*) to dismiss; (*INS*) to award a certificate to; ~**rsi** *vr* (*impiegato*) to resign, hand in one's notice; (*INS*) to obtain one's school-leaving certificate.

licenziosità [litʃentsjosi'ta] *sf* licentiousness.

licenzi'oso, a [litʃen'tsjoso] *ag* licentious.

li'ceo [li'tʃɛo] *sm* (*INS*) secondary (*BRIT*) *o* high (*US*) school (*for 14 to 19-year-olds*); ~ **classico/scientifico** *secondary or high school specializing in classics/scientific subjects.*

li'chene [li'kɛne] *sm* (*BOT*) lichen.

'lido *sm* beach, shore.

'Liechtenstein ['liktənstain] *sm*: **il** ~ Liechtenstein.

li'eto, a *ag* happy, glad; "**molto** ~" (*nelle presentazioni*) "pleased to meet you"; **a** ~ **fine** with a happy ending.

li'eve *ag* light; (*di poco conto*) slight; (*sommesso: voce*) faint, soft.

lievi'tare *vi* (*anche fig*) to rise ♦ *vt* to leaven.

li'evito *sm* yeast; ~ **di birra** brewer's yeast.

'ligio, a, gi, gie ['lidʒo] *ag* faithful, loyal.

li'gnaggio [liɲ'ɲaddʒo] *sm* descent, lineage.

'ligure *ag* Ligurian; **la Riviera L**~ the Italian Riviera.

Li'kud [li'kud] *sm* Likud.

'lilla, lillà *sm inv* lilac.

'Lima *sf* Lima.

'lima *sf* file; ~ **da unghie** nail file.

limacci'oso, a [limat'tʃoso] *ag* muddy.

li'mare *vt* to file (down); (*fig*) to polish.

'limbo *sm* (*REL*) limbo.

li'metta *sf* nail file.

limi'tare *vt* to limit, restrict; (*circoscrivere*) to bound, surround.

limitata'mente *av* to a limited extent; ~ **alle mie possibilità** in so far as I am able.

limi'tato, a *ag* limited, restricted.

limitazi'one [limitat'tsjone] *sf* limitation, restriction.

'limite *sm* limit; (*confine*) border, boundary ♦ *ag inv*: **caso** ~ extreme case; **al** ~ if the worst comes to the worst (*BRIT*), if worst comes to worst (*US*); ~ **di velocità** speed limit.

li'mitrofo, a *ag* neighbouring (*BRIT*), neighboring (*US*).

'limo *sm* mud, slime; (*GEO*) silt.

limo'nata *sf* lemonade (*BRIT*), (lemon) soda (*US*); (*spremuta*) lemon squash (*BRIT*), lemonade (*US*).

li'mone *sm* (*pianta*) lemon tree; (*frutto*) lemon.

limpi'dezza [limpi'dettsa] *sf* clearness; (*di discorso*) clarity.

'limpido, a *ag* (*acqua*) limpid, clear; (*cielo*) clear; (*fig: discorso*) clear, lucid.

'lince ['lintʃe] *sf* lynx.

linci'aggio [lin'tʃaddʒo] *sm* lynching.

linci'are [lin'tʃare] *vt* to lynch.

'lindo, a *ag* tidy, spick and span; (*biancheria*) clean.

'linea *sf* (*gen*) line; (*di mezzi pubblici di trasporto: itinerario*) route; (*: servizio*) service; (*di prodotto: collezione*) collection; (*: stile*) style; **a grandi** ~**e** in outline; **mantenere la** ~ to look after one's figure; **è caduta la** ~ (*TEL*) I (*o* you *etc*) have been cut off; **di** ~: **aereo di** ~ airliner; **nave di** ~ liner; **volo di** ~ scheduled flight; **in** ~ **diretta da** (*TV, RADIO*) coming to you direct from; ~ **aerea** airline; ~ **continua** solid line; ~ **di partenza/d'arrivo** (*SPORT*) starting/finishing line; ~ **punteggiata** dotted line; ~ **di tiro** line of fire.

linea'menti *smpl* features; (*fig*) outlines.

line'are *ag* linear; (*fig*) coherent, logical.

line'etta *sf* (*trattino*) dash; (*d'unione*) hyphen.

'linfa *sf* (*BOT*) sap; (*ANAT*) lymph; ~ **vitale**

(*fig*) lifeblood.

lin'gotto *sm* ingot, bar.

'lingua *sf* (*ANAT, CUC*) tongue; (*idioma*) language; **mostrare la** ~ to stick out one's tongue; **di** ~ **italiana** Italian-speaking; ~ **madre** mother tongue; **una** ~ **di terra** a spit of land.

lingu'accia [lin'gwattʃa] *sf* (*fig*) spiteful gossip.

linguacci'uto, a [lingwat'tʃuto] *ag* gossipy.

lingu'aggio [lin'gwaddʒo] *sm* language; ~ **giuridico** legal language; ~ **macchina** (*INFORM*) machine language; ~ **di programmazione** (*INFORM*) programming language.

lingu'etta *sf* (*di strumento*) reed; (*di scarpa, TECN*) tongue; (*di busta*) flap.

lingu'ista, i, e *sm/f* linguist.

lingu'istico, a, ci, che *ag* linguistic ♦ *sf* linguistics *sg*.

lini'mento *sm* liniment.

'lino *sm* (*pianta*) flax; (*tessuto*) linen.

li'noleum *sm inv* linoleum, lino.

liofiliz'zare [liofilid'dzare] *vt* to freeze-dry.

liofiliz'zati [liofilid'dzati] *smpl* freeze-dried foods.

Li'one *sf* Lyons.

liposuzi'one [liposut'tsjone] *sf* liposuction.

'LIPU *sigla f* (= *Lega Italiana Protezione Uccelli*) *society for the protection of birds.*

liqu'ame *sm* liquid sewage.

lique'fare *vt* (*render liquido*) to liquefy; (*fondere*) to melt; ~**rsi** *vr* to liquefy; to melt.

lique'fatto, a *pp di* **liquefare**.

liqui'dare *vt* (*società, beni, persona*: *uccidere*) to liquidate; (*persona*: *sbarazzarsene*) to get rid of; (*conto, problema*) to settle; (*COMM: merce*) to sell off, clear.

liquidazi'one [likwidat'tsjone] *sf* (*di società, persona*) liquidation; (*di conto*) settlement; (*di problema*) settling; (*COMM: di merce*) clearance sale; (*AMM*) severance pay (*on retirement, redundancy, or when taking up other employment*).

liquidità *sf* liquidity.

'liquido, a *ag, sm* liquid; **denaro** ~ cash, ready money; ~ **per freni** brake fluid.

liqui'gas ® *sm inv* Calor gas ® (*BRIT*), butane.

liqui'rizia [likwi'rittsja] *sf* liquorice.

li'quore *sm* liqueur.

liquo'roso, a *ag*: **vino** ~ dessert wine.

'lira *sf* (*unità monetaria*) lira; (*MUS*) lyre; ~ **sterlina** pound sterling.

'lirico, a, ci, che *ag* lyric(al); (*MUS*) lyric ♦ *sf* (*poesia*) lyric poetry; (*componimento*

poetico) lyric; (*MUS*) opera; **cantante/ teatro** ~ opera singer/house.

li'rismo *sm* lyricism.

Lis'bona *sf* Lisbon.

'lisca, sche *sf* (*di pesce*) fishbone.

lisci'are [liʃ'ʃare] *vt* to smooth; (*fig*) to flatter; ~**rsi i capelli** to straighten one's hair.

'liscio, a, sci, sce ['liʃʃo] *ag* smooth; (*capelli*) straight; (*mobile*) plain; (*bevanda alcolica*) neat; (*fig*) straightforward, simple ♦ *av*: **andare** ~ to go smoothly; **passarla** ~**a** to get away with it.

'liso, a *ag* worn out, threadbare.

'lista *sf* (*striscia*) strip; (*elenco*) list; ~ **elettorale** electoral roll; ~ **delle vivande** menu.

lis'tare *vt*: ~ (**di**) to edge (with), border (with).

lis'tato *sm* (*INFORM*) list, listing.

lis'tino *sm* list; ~ **di borsa** the Stock Exchange list; ~ **dei cambi** (foreign) exchange rate; ~ **dei prezzi** price list.

lita'nia *sf* litany.

'lite *sf* quarrel, argument; (*DIR*) lawsuit.

liti'gare *vi* to quarrel; (*DIR*) to litigate.

li'tigio [li'tidʒo] *sm* quarrel.

litigi'oso, a [liti'dʒoso] *ag* quarrelsome; (*DIR*) litigious.

litogra'fia *sf* (*sistema*) lithography; (*stampa*) lithograph.

lito'grafico, a, ci, che *ag* lithographic.

lito'rale *ag* coastal, coast *cpd* ♦ *sm* coast.

lito'raneo, a *ag* coastal.

'litro *sm* litre (*BRIT*), liter (*US*).

lit'torio, a *ag* (*STORIA*) lictorial; **fascio** ~ fasces *pl*.

Litu'ania *sf*: **la** ~ Lithuania.

litu'ano, a *ag, sm/f, sm* Lithuanian.

litur'gia, 'gie [litur'dʒia] *sf* liturgy.

li'uto *sm* lute.

li'vella *sf* level; ~ **a bolla d'aria** spirit level.

livel'lare *vt* to level, make level; ~**rsi** *vr* to become level; (*fig*) to level out, balance out.

livella'trice [livella'tritʃe] *sf* steamroller.

li'vello *sm* level; (*fig*) level, standard; **ad alto** ~ (*fig*) high-level; **a** ~ **mondiale** world-wide; **a** ~ **di confidenza** confidentially; ~ **di magazzino** stock level; ~ **del mare** sea level; **sul** ~ **del mare** above sea level; ~ **occupazionale** level of employment; ~ **retributivo** salary level.

'livido, a *ag* livid; (*per percosse*) bruised, black and blue; (*cielo*) leaden ♦ *sm* bruise.

li'vore *sm* malice, spite.

Li'vorno *sf* Livorno, Leghorn.

li'vrea *sf* livery.

'lizza ['littsa] *sf* lists *pl*; **essere in** ~ **per** (*fig*) to compete for; **scendere in** ~ (*anche fig*) to enter the lists.

LO *sigla* = *Lodi*.

lo *det m* (*dav s impura, gn, pn, ps, x, z, dav V* **l'**) the ♦ *pron* (*dav V* **l'**) (*oggetto: persona*) him; (: *cosa*) it; ~ **sapevo** I knew it; ~ **so** I know; **sii buono, anche se lui non** ~ **è** be good, even if he isn't; *vedi anche* **il.**

lob'bista, i, e *smlf* lobbyist.

'lobby *sf inv* lobby.

'lobo *sm* lobe; ~ **dell'orecchio** ear lobe.

lo'cale *ag* local ♦ *sm* room; (*luogo pubblico*) premises *pl*; ~ **notturno** nightclub.

località *sf inv* locality.

localiz'zare [lokalid'dzare] *vt* (*circoscrivere*) to confine, localize; (*accertare*) to locate, place.

lo'canda *sf* inn.

locandi'ere, a *smlf* innkeeper.

locan'dina *sf* (*TEAT*) poster.

lo'care *vt* (*casa*) to rent out, let; (*macchina*) to hire out (*BRIT*), rent (out).

loca'tario, a *smlf* tenant.

loca'tivo, a *ag* (*DIR*) rentable.

loca'tore, 'trice *smlf* landlord/lady.

locazi'one [lokat'tsjone] *sf* (*da parte del locatario*) renting *no pl*; (*da parte del locatore*) renting out *no pl*, letting *no pl*; (**contratto di**) ~ lease; (**canone di**) ~ rent; **dare in** ~ to rent out, let.

locomo'tiva *sf* locomotive.

locomo'tore *sm* electric locomotive.

locomot'rice [lokomo'tritʃe] *sf* = **locomotore.**

locomozi'one [lokomot'tsjone] *sf* locomotion; **mezzi di** ~ vehicles, means of transport.

'loculo *sm* burial recess.

lo'custa *sf* locust.

locuzi'one [lokut'tsjone] *sf* phrase, expression.

lo'dare *vt* to praise.

'lode *sf* praise; (*INS*): **laurearsi con 110 e** ~ ≈ to graduate with first-class honours (*BRIT*), ≈ to graduate summa cum laude (*US*).

'loden *sm inv* (*stoffa*) loden; (*cappotto*) loden overcoat.

lo'devole *ag* praiseworthy.

loga'ritmo *sm* logarithm.

'loggia, ge ['lɔddʒa] *sf* (*ARCHIT*) loggia; (*circolo massonico*) lodge.

loggi'one [lod'dʒone] *sm* (*di teatro*): **il** ~ the Gods *sg*.

logica'mente [lodʒika'mente] *av* naturally, obviously.

logicità [lodʒitʃi'ta] *sf* logicality.

'logico, a, ci, che ['lɔdʒiko] *ag* logical ♦ *sf* logic.

lo'gistica [lo'dʒistika] *sf* logistics *sg*.

'logo *sm inv* logo.

logora'mento *sm* (*di vestiti etc*) wear.

logo'rante *ag* exhausting.

logo'rare *vt* to wear out; (*sciupare*) to waste; ~**rsi** *vr* to wear out; (*fig*) to wear o.s. out.

logo'rio *sm* wear and tear; (*fig*) strain.

'logoro, a *ag* (*stoffa*) worn out, threadbare; (*persona*) worn out.

'Loira *sf*: **la** ~ the Loire.

lom'baggine [lom'baddʒine] *sf* lumbago.

Lombar'dia *sf*: **la** ~ Lombardy.

lom'bardo, a *ag, smlf* Lombard.

lom'bare *ag* (*ANAT, MED*) lumbar.

lom'bata *sf* (*taglio di carne*) loin.

'lombo *sm* (*ANAT*) loin.

lom'brico, chi *sm* earthworm.

londi'nese *ag* London *cpd* ♦ *smlf* Londoner.

'Londra *sf* London.

lon'ganime *ag* forbearing.

longevità [londʒevi'ta] *sf* longevity.

lon'gevo, a [lon'dʒevo] *ag* long-lived.

longi'lineo, a [londʒi'lineo] *ag* long-limbed.

longi'tudine [londʒi'tudine] *sf* longitude.

lontana'mente *av* remotely; **non ci pensavo neppure** ~ it didn't even occur to me.

lonta'nanza [lonta'nantsa] *sf* distance; absence.

lon'tano, a *ag* (*distante*) distant, faraway; (*assente*) absent; (*vago: sospetto*) slight, remote; (*tempo: remoto*) far-off, distant; (*parente*) distant, remote ♦ *av* far; **è** ~**a la casa?** is it far to the house?, is the house far from here?; **è** ~ **un chilometro** it's a kilometre away *o* a kilometre from here; **più** ~ farther; **da** *o* **di** ~ from a distance; ~ **da** a long way from; **alla** ~**a** slightly, vaguely.

'lontra *sf* otter.

lo'quace [lo'kwatʃe] *ag* talkative, loquacious; (*fig: gesto etc*) eloquent.

loquacità [lokwatʃi'ta] *sf* talkativeness, loquacity.

'lordo, a *ag* dirty, filthy; (*peso, stipendio*) gross; ~ **d'imposta** pre-tax.

Lo'rena *sf* (*GEO*) Lorraine.

'loro *pron pl* (*oggetto, con preposizione*) them; (*complemento di termine*) to them; (*soggetto*) they; (*forma di cortesia: anche:* **L**~) you; to you; **il(la)** ~, **i(le)** ~ *det* their; (*forma di cortesia: anche:* **L**~) your ♦ *pron* theirs; (*forma di cortesia: anche:* **L**~) yours ♦ *sm inv*: **il** ~ their (*o* your) money ♦ *sf inv*:

la ~ (*opinione*) their (*o* your) view; **i** ~ (*famiglia*) their (*o* your) family; (*amici etc*) their (*o* your) own people; **un** ~ **amico** a friend of theirs; **è dalla** ~ he's on their (*o* your) side; **ne hanno fatto un'altra delle** ~ they've (*o* you've) done it again; ~ **stessi(e)** they themselves; you yourselves.

lo'sanga, ghe *sf* diamond, lozenge.

Lo'sanna *sf* Lausanne.

'losco, a, schi, sche *ag* (*fig*) shady, suspicious.

'lotta *sf* struggle, fight; (*SPORT*) wrestling; **essere in** ~ **(con)** to be in conflict (with); **fare la** ~ **(con)** to wrestle (with); ~ **armata** armed struggle; ~ **di classe** (*POL*) class struggle; ~ **libera** (*SPORT*) all-in wrestling (*BRIT*), freestyle.

lot'tare *vi* to fight, struggle; to wrestle.

lotta'tore, 'trice *sm/f* wrestler.

lotte'ria *sf* lottery; (*di gara ippica*) sweepstake.

lottiz'zare [lottid'dzare] *vt* to divide into plots; (*fig*) to share out.

lottizzazi'one [lottiddzat'tsjone] *sf* division into plots; (*fig*) share-out.

'lotto *sm* (*gioco*) (state) lottery; (*parte*) lot; (*EDIL*) site; **vincere un terno al** ~ (*anche fig*) to hit the jackpot.

lozi'one [lot'tsjone] *sf* lotion.

L.st. *abbr* (= *lire sterline*) £.

LT *sigla* = *Latina*.

LU *sigla* = *Lucca*.

lubrifi'cante *sm* lubricant.

lubrifi'care *vt* to lubricate.

lu'cano, a *ag of* (*o* from) Lucania.

luc'chetto [luk'ketto] *sm* padlock.

lucci'care [luttʃi'kare] *vi* to sparkle; (*oro*) to glitter; (*stella*) to twinkle; (*occhi*) to glisten.

lucci'chio [luttʃi'kio] *sm* sparkling; glittering; twinkling; glistening.

lucci'cone [luttʃi'kone] *sm*: **avere i** ~**i agli occhi** to have tears in one's eyes.

'luccio ['luttʃo] *sm* (*ZOOL*) pike.

'lucciola ['luttʃola] *sf* (*ZOOL*) firefly; glow-worm; (*fam, fig: prostituta*) girl (*o* woman) on the game.

'luce ['lutʃe] *sf* light; (*finestra*) window; **alla** ~ **di** by the light of; **fare qc alla** ~ **del sole** (*fig*) to do sth in the open; **dare alla** ~ (*bambino*) to give birth to; **fare** ~ **su qc** (*fig*) to shed *o* throw light on sth; ~ **del sole/della luna** sun/moonlight.

lu'cente [lu'tʃente] *ag* shining.

lucen'tezza [lutʃen'tettsa] *sf* shine.

lu'cerna [lu'tʃerna] *sf* oil lamp.

lucer'nario [lutʃer'narjo] *sm* skylight.

lu'certola [lu'tʃertola] *sf* lizard.

luci'dare [lutʃi'dare] *vt* to polish; (*ricalcare*) to trace.

lucida'trice [lutʃida'tritʃe] *sf* floor polisher.

lucidità [lutʃidi'ta] *sf* lucidity.

'lucido, a ['lutʃido] *ag* shining, bright; (*lucidato*) polished; (*fig*) lucid ♦ *sm* shine, lustre (*BRIT*), luster (*US*); (*per scarpe etc*) polish; (*disegno*) tracing.

lu'cignolo [lu'tʃiɲɲolo] *sm* wick.

luc'rare *vt* to make money out of.

lucra'tivo, a *ag* lucrative; **a scopo** ~ for gain.

'lucro *sm* profit, gain; **a scopo di** ~ for gain; **organizzazione senza scopo di** ~ non-profit-making (*BRIT*) *o* non-profit (*US*) organization.

lu'croso, a *ag* lucrative, profitable.

luculli'ano, a *ag* (*pasto*) sumptuous.

lu'dibrio *sm* mockery *no pl*; (*oggetto di scherno*) laughing stock.

'lue *sf* syphilis.

'luglio ['luʎʎo] *sm* July; **nel mese di** ~ in July, in the month of July; **il primo** ~ the first of July; **arrivare il 2** ~ to arrive on the 2nd of July; **all'inizio/alla fine di** ~ at the beginning/at the end of July; **durante il mese di** ~ during July; **a** ~ **del prossimo anno** in July of next year; **ogni anno a** ~ every July; **che fai a** ~**?** what are you doing in July?; **ha piovuto molto a** ~ **quest'anno** July was very wet this year.

'lugubre *ag* gloomy.

'lui *pron* (*soggetto*) he; (*oggetto: per dare rilievo, con preposizione*) him ♦ *sm inv*: **il mio** ~ my beloved; ~ **stesso** he himself; **è** ~ it's him.

lu'maca, che *sf* slug; (*chiocciola*) snail.

luma'cone *sm* (*large*) slug; (*fig*) slowcoach (*BRIT*), slowpoke (*US*).

'lume *sm* light; (*lampada*) lamp; ~ **a olio** oil lamp; **chiedere** ~**i a qn** (*fig*) to ask sb for advice; **a** ~ **di naso** (*fig*) by rule of thumb.

lumi'cino [lumi'tʃino] *sm* small *o* faint light; **essere (ridotto) al** ~ (*fig*) to be at death's door.

lumi'era *sf* chandelier.

lumi'nare *sm* luminary.

lumi'naria *sf* (*per feste*) illuminations *pl*.

lumine'scente [lumineʃ'ʃente] *ag* luminescent.

lu'mino *sm* small light; ~ **da notte** night-light; ~ **per i morti** candle for the dead.

luminosità *sf* brightness; (*fig: di sorriso, volto*) radiance.

lumi'noso, a *ag* (*che emette luce*) luminous; (*cielo, colore, stanza*) bright; (*sorgente*) of light, light *cpd*; (*fig: sorriso*) bright, radiant; **insegna** ~**a** neon sign.

lun. *abbr* (= *lunedì*) Mon.

'**luna** *sf* moon; ~ **nuova/piena** new/full moon; **avere la** ~ to be in a bad mood; ~ **di miele** honeymoon.

'**luna park** *sm inv* amusement park, funfair.

lu'nare *ag* lunar, moon *cpd*.

lu'nario *sm* almanac; **sbarcare il** ~ to make ends meet.

lu'natico, a, ci, che *ag* whimsical, temperamental.

lunedì *sm inv* Monday; *per fraseologia vedi* **martedì**.

lun'gaggine [lun'gaddʒine] *sf* slowness; ~**i della burocrazia** red tape.

lunga'mente *av* (*a lungo*) for a long time; (*estesamente*) at length.

lun'garno *sm* embankment along the Arno.

lun'ghezza [lun'gettsa] *sf* length; ~ **d'onda** (*FISICA*) wavelength.

'**lungi** ['lundʒi] *av*: ~ **da** *prep* far from.

lungimi'rante [lundʒimi'rante] *ag* far-sighted.

'**lungo, a, ghi, ghe** *ag* long; (*lento: persona*) slow; (*diluito: caffè, brodo*) weak, watery, thin ♦ *sm* length ♦ *prep* along; ~ **3 metri** 3 metres long; **avere la barba** ~**a** to be unshaven; **a** ~ for a long time; **a** ~ **andare** in the long run; **di gran** ~**a** (*molto*) by far; **andare in** ~ *o* **per le lunghe** to drag on; **saperla** ~**a** to know what's what; **in** ~ **e in largo** far and wide, all over; ~ **il corso dei secoli** throughout the centuries; **navigazione di** ~ **corso** ocean-going navigation.

lungofi'ume *sm* embankment.

lungo'lago *sm* road round a lake.

lungo'mare *sm* promenade.

lungome'traggio [lungome'traddʒo] *sm* (*CINE*) feature film.

lungo'tevere *sm* embankment along the Tiber.

lu'notto *sm* (*AUT*) rear *o* back window; ~ **termico** heated rear window.

lu'ogo, ghi *sm* place; (*posto: di incidente etc*) scene, site; (*punto, passo di libro*) passage; **in** ~ **di** instead of; **in primo** ~ in the first place; **aver** ~ to take place; **dar** ~ **a** to give rise to; ~ **comune** commonplace; ~ **del delitto** scene of the crime; ~ **geometrico** locus; ~ **di nascita** birthplace; (*AMM*) place of birth; ~ **di pena** prison, penitentiary; ~ **di provenienza** place of origin.

luogote'nente *sm* (*MIL*) lieutenant.

lupacchi'otto [lupak'kjɔtto] *sm* (*ZOOL*) (wolf) cub.

lu'para *sf* sawn-off shotgun.

lu'petto *sm* (*ZOOL*) (wolf) cub; (*negli scouts*) cub scout.

'**lupo, a** *sm/f* wolf/she-wolf; **cane** ~ alsatian (dog) (*BRIT*), German shepherd (dog); **tempo da** ~**i** filthy weather.

'**luppolo** *sm* (*BOT*) hop.

'**lurido, a** *ag* filthy.

luri'dume *sm* filth.

lu'singa, ghe *sf* (*spesso al pl*) flattery *no pl*.

lusin'gare *vt* to flatter.

lusinghi'ero, a [luzin'gjɛro] *ag* flattering, gratifying.

lus'sare *vt* (*MED*) to dislocate.

lussazi'one [lussat'tsjone] *sf* (*MED*) dislocation.

lussembur'ghese [lussembur'gese] *ag* of (*o* from) Luxembourg ♦ *sm/f* native (*o* inhabitant) of Luxembourg.

Lussem'burgo *sm* (*stato*): **il** ~ Luxembourg ♦ *sf* (*città*) Luxembourg.

'**lusso** *sm* luxury; **di** ~ luxury *cpd*.

lussu'oso, a *ag* luxurious.

lussureggi'are [lussured'dʒare] *vi* to be luxuriant.

lus'suria *sf* lust.

lussuri'oso, a *ag* lascivious, lustful.

lus'trare *vt* to polish, shine.

lustras'carpe *sm/f inv* shoeshine.

lus'trino *sm* sequin.

'**lustro, a** *ag* shiny; (*pelliccia*) glossy ♦ *sm* shine, gloss; (*fig*) prestige, glory; (*quinquennio*) five-year period.

lute'rano, a *ag, sm/f*, Lutheran.

'**lutto** *sm* mourning; **essere in/portare il** ~ to be in/wear mourning.

M m

M, m ['ɛmme] *sf o m inv* (*lettera*) M, m; **M come Milano** ≈ M for Mary (*BRIT*), M for Mike (*US*).

m. *abbr* = **mese; metro; miglia; monte.**

ma *cong* but; ~ **insomma!** for goodness sake!; ~ **no!** of course not!

'**macabro, a** *ag* gruesome, macabre.

ma'caco, chi *sm* (*ZOOL*) macaque.

macché [mak'ke] *escl* not at all!, certainly not!

macche'roni [makke'roni] *smpl* macaroni *sg.*

'macchia ['makkja] *sf* stain, spot; (*chiazza di diverso colore*) spot; splash, patch; (*tipo di boscaglia*) scrub; ~ **d'inchiostro** ink stain; **estendersi a** ~ **d'olio** (*fig*) to spread rapidly; **darsi/vivere alla** ~ (*fig*) to go into/live in hiding.

macchi'are [mak'kjare] *vt* (*sporcare*) to stain, mark; ~**rsi** *vr* (*persona*) to get o.s. dirty; (*stoffa*) to stain; to get stained *o* marked; ~**rsi di un delitto** to be guilty of a crime.

macchi'ato, a [mak'kjato] *ag* (*pelle, pelo*) spotted; ~ **di** stained with; **caffè** ~ coffee with a dash of milk.

macchi'etta [mak'kjetta] *sf* (*disegno*) sketch, caricature; (*TEAT*) caricature; (*fig: persona*) character.

'macchina ['makkina] *sf* machine; (*motore, locomotiva*) engine; (*automobile*) car; (*fig: meccanismo*) machinery; **andare in** ~ (*AUT*) to go by car; (*STAMPA*) to go to press; **salire in** ~ to get into the car; **venire in** ~ to come by car; **sala** ~**e** (*NAUT*) engine room; ~ **da cucire** sewing machine; ~ **fotografica** camera; ~ **da presa** cine *o* movie camera; ~ **da scrivere** typewriter; ~ **utensile** machine tool; ~ **a vapore** steam engine.

macchinal'mente [makkinal'mente] *av* mechanically.

macchi'nare [makki'nare] *vt* to plot.

macchi'nario [makki'narjo] *sm* machinery.

macchinazi'one [makkinat'tsjone] *sf* plot, machination.

macchi'netta [makki'netta] *sf* (*fam: caffettiera*) percolator; (*: accendino*) lighter.

macchi'nista, i [makki'nista] *sm* (*di treno*) engine-driver; (*di nave*) engineer; (*TEAT, TV*) stagehand.

macchi'noso, a [makki'noso] *ag* complex, complicated.

mace'donia [matʃe'dɔnja] *sf* fruit salad.

macel'laio [matʃel'lajo] *sm* butcher.

macel'lare [matʃel'lare] *vt* to slaughter, butcher.

macellazi'one [matʃellat'tsjone] *sf* slaughtering, butchering.

macelle'ria [matʃelle'ria] *sf* butcher's (shop).

ma'cello [ma'tʃɛllo] *sm* (*mattatoio*) slaughterhouse, abattoir (*BRIT*); (*fig*) slaughter, massacre; (*: disastro*) shambles *sg.*

mace'rare [matʃe'rare] *vt* to macerate; (*CUC*) to marinate; ~**rsi** *vr* to waste away; (*fig*): ~**rsi in** to be consumed with.

macerazi'one [matʃerat'tsjone] *sf* maceration.

ma'cerie [ma'tʃɛrje] *sfpl* rubble *sg*, debris *sg.*

'macero ['matʃero] *sm* (*operazione*) pulping; (*stabilimento*) pulping mill; **carta da** ~ paper for pulping.

machia'vellico, a, ci, che [makja'vɛlliko] *ag* (*anche fig*) Machiavellian.

ma'cigno [ma'tʃiɲɲo] *sm* (*masso*) rock, boulder.

maci'lento, a [matʃi'lɛnto] *ag* emaciated.

'macina ['matʃina] *sf* (*pietra*) millstone; (*macchina*) grinder.

macinacaffè [matʃinakaf'fɛ] *sm inv* coffee grinder.

macina'pepe [matʃina'pepe] *sm inv* peppermill.

maci'nare [matʃi'nare] *vt* to grind; (*carne*) to mince (*BRIT*), grind (*US*).

maci'nato [matʃi'nato] *sm* meal, flour; (*carne*) minced (*BRIT*) *o* ground (*US*) meat.

maci'nino [matʃi'nino] *sm* (*per caffè*) coffee grinder; (*per pepe*) peppermill; (*scherzoso: macchina*) old banger (*BRIT*), clunker (*US*).

maciul'lare [matʃul'lare] *vt* (*canapa, lino*) to brake; (*fig: braccio etc*) to crush.

'macro ... *prefisso* macro....

macrobi'otico, a *ag* macrobiotic ♦ *sf* macrobiotics *sg.*

macu'lato, a *ag* (*pelo*) spotted.

Ma'dama: palazzo ~ *sm* (*POL*) *seat of the Italian Chamber of Senators.*

made in Italy [meɪdɪ'nɪtəlɪ] *sm*: **il** ~ Italian exports *pl* (*especially fashion goods*).

Ma'dera *sf* (*GEO*) Madeira ♦ *sm inv* (*vino*) Madeira.

'madido, a *ag*: ~ (**di**) wet *o* moist (with).

Ma'donna *sf* (*REL*) Our Lady.

mador'nale *ag* enormous, huge.

'madre *sf* mother; (*matrice di bolletta*) counterfoil ♦ *ag inv* mother *cpd*; **ragazza** ~ unmarried mother; **scena** ~ (*TEAT*) principal scene; (*fig*) terrible scene.

madre'lingua *sf* mother tongue, native language.

madre'patria *sf* mother country, native land.

madre'perla *sf* mother-of-pearl.

Ma'drid *sf* Madrid.

madri'gale *sm* madrigal.

madri'leno, a *ag* of (*o* from) Madrid ♦ *sm/f* person from Madrid.

ma'drina *sf* godmother.

maestà *sf inv* majesty; **Sua M**~ **la Regina** Her Majesty the Queen.

maestosità *sf* majesty.

maes'toso, a *ag* majestic.

ma'estra *sf vedi* **maestro**.

maes'trale *sm* north-west wind.

maes'tranze [maes'trantse] *sfpl* workforce *sg*.

maes'tria *sf* mastery, skill.

ma'estro, a *sm/f (INS: anche:* ~ **di scuola** *o* **elementare**) primary (*BRIT*) *o* grade school (*US*) teacher; (*esperto*) expert ♦ *sm* (*artigiano, fig: guida*) master; (*MUS*) maestro ♦ *ag* (*principale*) main; (*di grande abilità*) masterly, skilful (*BRIT*), skillful (*US*); **un colpo da** ~ (*fig*) a masterly move; **muro** ~ main wall; **strada** ~**a** main road; ~**a d'asilo** nursery teacher; ~ **di ballo** dancing master; ~ **di cerimonie** master of ceremonies; ~ **d'orchestra** conductor, director (*US*); ~ **di scherma** fencing master; ~ **di sci** ski instructor.

'mafia *sf* Mafia.

mafi'oso *sm* member of the Mafia.

'maga, ghe *sf* sorceress.

ma'gagna [ma'gaɲɲa] *sf* defect, flaw, blemish; (*noia, guaio*) problem.

ma'gari *escl* (*esprime desiderio*): ~ **fosse vero!** if only it were true!; **ti piacerebbe andare in Scozia?** — ~! would you like to go to Scotland? — I certainly would! ♦ *av* (*anche*) even; (*forse*) perhaps.

magazzi'naggio [magaddzi'naddʒo] *sm*: (**spese di**) ~ storage charges *pl*, warehousing charges *pl*.

magazzini'ere [magaddzi'njɛre] *sm* warehouseman.

magaz'zino [magad'dzino] *sm* warehouse; **grande** ~ department store; ~ **doganale** bonded warehouse.

'maggio ['maddʒo] *sm* May; *per fraseologia vedi* **luglio**.

maggio'rana [maddʒo'rana] *sf* (*BOT*) (sweet) marjoram.

maggio'ranza [maddʒo'rantsa] *sf* majority; **nella** ~ **dei casi** in most cases.

maggio'rare [maddʒo'rare] *vt* to increase, raise.

maggiorazi'one [maddʒorat'tsjone] *sf* (*COMM*) rise, increase.

maggior'domo [maddʒor'dɔmo] *sm* butler.

maggi'ore [mad'dʒore] *ag* (*comparativo: più grande*) bigger, larger; taller; greater; (*: più vecchio: sorella, fratello*) older, elder; (*: di grado superiore*) senior; (*: più importante, MIL, MUS*) major; (*superlativo*) biggest, largest; tallest; greatest; oldest, eldest ♦ *sm/f (di grado*) superior; (*di età*) elder; (*MIL*) major; (*: AER*) squadron leader; **la maggior parte** the majority; **andare per la** ~ (*cantante, attore etc*) to be

very popular, be "in".

maggio'renne [maddʒo'rɛnne] *ag* of age ♦ *sm/f* person who has come of age.

maggiori'tario, a [maddʒori'tarjo] *ag* majority *cpd* ♦ (*POL: anche*: **sistema** ~) first-past-the-post system.

maggior'mente [maddʒor'mente] *av* much more; (*con senso superlativo*) most.

ma'gia [ma'dʒia] *sf* magic.

'magico, a, ci, che ['madʒiko] *ag* magic; (*fig*) fascinating, charming, magical.

'magio ['madʒo] *sm* (*REL*): **i re Magi** the Magi, the Three Wise Men.

magis'tero [madʒis'tɛro] *sm* teaching; (*fig: maestria*) skill; (*INS*): **Facoltà di M~** ≈ teachers' training college.

magis'trale [madʒis'trale] *ag* primary (*BRIT*) *o* grade school (*US*) teachers', primary *o* grade school teaching *cpd*; (*abile*) skilful (*BRIT*), skillful (*US*); **istituto** ~ *secondary school for the training of primary teachers*.

magis'trato [madʒis'trato] *sm* magistrate.

magistra'tura [madʒistra'tura] *sf* magistrature; (*magistrati*): **la** ~ the Bench.

'maglia ['maʎʎa] *sf* stitch; (*lavoro ai ferri*) knitting *no pl*; (*tessuto, SPORT*) jersey; (*maglione*) jersey, sweater; (*di catena*) link; (*di rete*) mesh; **avviare/diminuire le** ~**e** to cast on/cast off; **lavorare a** ~, **fare la** ~ to knit; ~ **diritta/rovescia** plain/purl.

magli'aia [maʎ'ʎaja] *sf* knitter.

maglie'ria [maʎʎe'ria] *sf* knitwear; (*negozio*) knitwear shop; **macchina per** ~ knitting machine.

magli'etta [maʎ'ʎetta] *sf* (*canottiera*) vest; (*tipo camicia*) T-shirt.

magli'ficio [maʎʎi'fitʃo] *sm* knitwear factory.

ma'glina [maʎ'ʎina] *sf* (*tessuto*) jersey.

'maglio ['maʎʎo] *sm* mallet; (*macchina*) power hammer.

magli'one [maʎ'ʎone] *sm* jersey, sweater.

'magma *sm* magma; (*fig*) mass.

ma'gnaccia [maɲ'nattʃa] *sm inv* (*peg*) pimp.

magnanimità [maɲɲanimi'ta] *sf* magnanimity.

ma'gnanimo, a [maɲ'ɲanimo] *ag* magnanimous.

ma'gnate [maɲ'ɲate] *sm* tycoon, magnate.

ma'gnesia [maɲ'ɲɛzja] *sf* (*CHIM*) magnesia.

ma'gnesio [maɲ'ɲɛzjo] *sm* (*CHIM*) magnesium; **al** ~ (*lampada, flash*) magnesium *cpd*.

ma'gnete [maɲ'ɲete] *sm* magnet.

ma'gnetico, a, ci, che [maɲ'ɲɛtiko] *ag* magnetic.

magne'tismo [maɲɲe'tizmo] *sm*
magnetism.

magnetiz'zare [maɲɲetid'dzare] *vt* (*FISICA*)
to magnetize; (*fig*) to mesmerize.

magne'tofono [maɲɲe'tɔfono] *sm* tape
recorder.

magnifica'mente [maɲɲifika'mente] *av*
magnificently, extremely well.

magnifi'cenza [maɲɲifi'tʃɛntsa] *sf*
magnificence, splendour (*BRIT*), splendor
(*US*).

ma'gnifico, a, ci, che [maɲ'ɲifiko] *ag*
magnificent, splendid; (*ospite*) generous.

'magno, a ['maɲɲo] *ag*: **aula ~a** main hall.

ma'gnolia [maɲ'ɲɔlja] *sf* magnolia.

'mago, ghi *sm* (*stregone*) magician,
wizard; (*illusionista*) magician.

ma'grezza [ma'grettsa] *sf* thinness.

'magro, a *ag* (*very*) thin, skinny; (*carne*)
lean; (*formaggio*) low-fat; (*fig: scarso,
misero*) meagre (*BRIT*), meager (*US*), poor;
(*: meschino: scusa*) poor, lame; **mangiare
di ~** not to eat meat.

'mai *av* (*nessuna volta*) never; (*talvolta*)
ever; **non ... ~** never; **~ più** never again;
come ~? why (*o* how) on earth?; **chi/
dove/quando ~?** whoever/wherever/
whenever?

mai'ale *sm* (*ZOOL*) pig; (*carne*) pork.

mai'olica *sf* majolica.

maio'nese *sf* mayonnaise.

Mai'orca *sf* Majorca.

'mais *sm* maize (*BRIT*), corn (*US*).

mai'uscolo, a *ag* (*lettera*) capital ♦ *sf*
capital letter ♦ *sm* capital letters *pl*; (*TIP*)
upper case; **scrivere tutto (in) ~** to write
everything in capitals *o* in capital
letters.

mal *av, sm vedi* **male**.

'mala *sf* (*gergo*) underworld.

malac'corto, a *ag* rash, careless.

mala'fede *sf* bad faith.

malaf'fare: di ~ *ag* (*gente*) shady,
dishonest; **donna di ~** prostitute.

mala'gevole [mala'dʒevole] *ag* difficult,
hard.

mala'grazia [mala'grattsja] *sf*: **con ~** with
bad grace, impolitely.

mala'lingua, *pl* **male'lingue** *sf* gossip
(*person*).

mala'mente *av* badly; (*sgarbatamente*)
rudely.

malan'dato, a *ag* (*persona: di salute*) in
poor health; (*: di condizioni finanziarie*)
badly off; (*trascurato*) shabby.

ma'lanimo *sm* ill will, malevolence; **di ~**
unwillingly.

ma'lanno *sm* (*disgrazia*) misfortune;

(*malattia*) ailment.

mala'pena *sf*: **a ~** hardly, scarcely.

ma'laria *sf* malaria.

ma'larico, a, ci, che *ag* malarial.

mala'sorte *sf* bad luck.

mala'ticcio, a [mala'tittʃo] *ag* sickly.

ma'lato, a *ag* ill, sick; (*gamba*) bad; (*pianta*)
diseased ♦ *sm/f* sick person; (*in ospedale*)
patient; **darsi ~** (*sul lavoro etc*) to go sick.

malat'tia *sf* (*infettiva etc*) illness, disease;
(*cattiva salute*) illness, sickness; (*di pianta*)
disease; **mettersi in ~** to go on sick leave;
fare una ~ di qc (*fig: disperarsi*) to get in a
state about sth.

malaugu'rato, a *ag* ill-fated, unlucky.

malau'gurio *sm* bad *o* ill omen; **uccello del
~** bird of ill omen.

mala'vita *sf* underworld.

malavi'toso, a *sm/f* gangster.

mala'voglia [mala'vɔʎʎa]: **di ~** *av*
unwillingly, reluctantly.

Ma'lawi [ma'lavi] *sm*: **il ~** Malawi.

Mala'ysia *sf* Malaysia.

malaysi'ano, a *ag, sm/f* Malaysian.

malcapi'tato, a *ag* unlucky, unfortunate
♦ *sm/f* unfortunate person.

mal'concio, a, ci, ce [mal'kontʃo] *ag* in a
sorry state.

malcon'tento *sm* discontent.

malcos'tume *sm* immorality.

mal'destro, a *ag* (*inabile*) inexpert,
inexperienced; (*goffo*) awkward.

maldi'cente [maldi'tʃɛnte] *ag* slanderous.

maldi'cenza [maldi'tʃɛntsa] *sf* malicious
gossip.

maldis'posto, a *ag*: **~ (verso)** ill-disposed
(towards).

Mal'dive *sfpl*: **le ~** the Maldives.

'male *av* badly ♦ *sm* (*ciò che è ingiusto,
disonesto*) evil; (*danno, svantaggio*) harm;
(*sventura*) misfortune; (*dolore fisico,
morale*) pain, ache; **sentirsi ~** to feel ill;
aver mal di cuore/fegato to have a heart/
liver complaint; **aver mal di denti/
d'orecchi/di testa** to have toothache/
earache/a headache; **aver ~ di gola** to
have a sore throat; **aver ~ ai piedi** to have
sore feet; **far ~** (*dolere*) to hurt; **far ~ alla
salute** to be bad for one's health; **far del
~ a qn** to hurt *o* harm sb; **parlar ~ di qn**
to speak ill of sb; **restare** *o* **rimanere ~** to
be sorry; to be disappointed; to be hurt;
trattar ~ qn to ill-treat sb; **andare a ~** to
go off *o* bad; **come va? — non c'è ~** how
are you? — not bad; **di ~ in peggio** from
bad to worse; **per ~ che vada** however
badly things go; **non avertene a ~, non
prendertela a ~** don't take it to heart; **mal**

comune mezzo gaudio (*proverbio*) a trouble shared is a trouble halved; **mal d'auto** carsickness; **mal di mare** seasickness.
male'detto, a *pp di* **maledire ♦** *ag* cursed, damned; (*fig fam*) damned, blasted.
male'dire *vt* to curse.
maledizi'one [maledit'tsjone] *sf* curse; ~! damn it!
maledu'cato, a *ag* rude, ill-mannered.
maleducazi'one [maledukat'tsjone] *sf* rudeness.
male'fatta *sf* misdeed.
male'ficio [male'fitʃo] *sm* witchcraft.
ma'lefico, a, ci, che *ag* (*aria, cibo*) harmful, bad; (*influsso, azione*) evil.
ma'lese *ag, sm/f* Malay(an) **♦** *sm* (*LING*) Malay.
Ma'lesia *sf* Malaya.
ma'lessere *sm* indisposition, slight illness; (*fig*) uneasiness.
malevo'lenza [malevo'lɛntsa] *sf* malevolence.
ma'levolo, a *ag* malevolent.
malfa'mato, a *ag* notorious.
mal'fatto, a *ag* (*persona*) deformed; (*oggetto*) badly made; (*lavoro*) badly done.
malfat'tore, 'trice *sm/f* wrongdoer.
mal'fermo, a *ag* unsteady, shaky; (*salute*) poor, delicate.
malformazi'one [malformat'tsjone] *sf* malformation.
'malga, ghe *sf* Alpine hut.
malgo'verno *sm* maladministration.
mal'grado *prep* in spite of, despite **♦** *cong* although; **mio** (*o* **tuo** *etc*) ~ against my (*o* your *etc*) will.
ma'lia *sf* spell; (*fig: fascino*) charm.
mali'ardo, a *ag* (*occhi, sorriso*) bewitching **♦** *sf* enchantress.
maligna'mente [maliɲɲa'mente] *av* maliciously.
mali'gnare [maliɲ'ɲare] *vi:* ~ **su** to malign, speak ill of.
malignità [maliɲɲi'ta] *sf inv* (*qualità*) malice, spite; (*osservazione*) spiteful remark; **con** ~ spitefully, maliciously.
ma'ligno, a [ma'liɲɲo] *ag* (*malvagio*) malicious, malignant; (*MED*) malignant.
malinco'nia *sf* melancholy, gloom.
malin'conico, a, ci, che *ag* melancholy.
malincu'ore : **a** ~ *av* reluctantly, unwillingly.
malinfor'mato, a *ag* misinformed.
malintenzio'nato, a [malintentsjo'nato] *ag* ill-intentioned.
malin'teso, a *ag* misunderstood; (*riguardo, senso del dovere*) mistaken, wrong **♦** *sm* misunderstanding.
ma'lizia [ma'littsja] *sf* (*malignità*) malice; (*furbizia*) cunning; (*espediente*) trick.
malizi'oso, a [malit'tsjoso] *ag* malicious; cunning; (*vivace, birichino*) mischievous.
malle'abile *ag* malleable.
mal'loppo *sm* (*fam: refurtiva*) loot.
malme'nare *vt* to beat up; (*fig*) to ill-treat.
mal'messo, a *ag* shabby.
malnu'trito, a *ag* undernourished.
malnutrizi'one [malnutrit'tsjone] *sf* malnutrition.
'malo, a *ag:* **in** ~ **modo** badly.
ma'locchio [ma'lɔkkjo] *sm* evil eye.
ma'lora *sf* (*fam*): **andare in** ~ to go to the dogs; **va in** ~! go to hell!
ma'lore *sm* (sudden) illness.
malri'dotto, a *ag* (*abiti, scarpe, persona*) in a sorry state; (*casa, macchina*) dilapidated, in a poor state of repair.
mal'sano, a *ag* unhealthy.
malsi'curo, a *ag* unsafe.
'Malta *sf* Malta.
'malta *sf* (*EDIL*) mortar.
mal'tempo *sm* bad weather.
'malto *sm* malt.
mal'tolto *sm* ill-gotten gains *pl.*
maltratta'mento *sm* ill treatment.
maltrat'tare *vt* to ill-treat.
malu'more *sm* bad mood; (*irritabilità*) bad temper; (*discordia*) ill feeling; **di** ~ in a bad mood.
'malva *sf* (*BOT*) mallow **♦** *ag, sm inv* mauve.
mal'vagio, a, gi, gie [mal'vadʒo] *ag* wicked, evil.
malvagità [malvadʒi'ta] *sf inv* (*qualità*) wickedness; (*azione*) wicked deed.
malva'sia *sf* Italian dessert wine.
malversazi'one [malversat'tsjone] *sf* (*DIR*) embezzlement.
malves'tito, a *ag* badly dressed, ill-clad.
mal'visto, a *ag:* ~ (**da**) disliked (by), unpopular (with).
malvi'vente *sm* criminal.
malvolenti'eri *av* unwillingly, reluctantly.
malvo'lere *vt*: **farsi** ~ **da qn** to make o.s. unpopular with sb **♦** *sm*: **prendere qn a** ~ to take a dislike to sb.
'mamma *sf* mum(my) (*BRIT*), mom (*US*); ~ **mia!** my goodness!
mam'mario, a *ag* (*ANAT*) mammary.
mam'mella *sf* (*ANAT*) breast; (*di vacca, capra etc*) udder.
mam'mifero *sm* mammal.
mam'mismo *sm* excessive attachment to one's mother.
'mammola *sf* (*BOT*) violet.
'manager ['mænidʒə] *sm inv* manager.

manageri'ale [manadʒe'rjale] *ag* managerial.

ma'nata *sf (colpo)* slap; *(quantità)* handful.

'manca *sf* left (hand); **a destra e a ~** left, right and centre, on all sides.

manca'mento *sm (di forze)* (feeling of) faintness, weakness.

man'canza [man'kantsa] *sf* lack; *(carenza)* shortage, scarcity; *(fallo)* fault; *(imperfezione)* failing, shortcoming; **per ~ di tempo** through lack of time; **in ~ di meglio** for lack of anything better; **sentire la ~ di qc/qn** to miss sth/sb.

man'care *vi (essere insufficiente)* to be lacking; *(venir meno)* to fail; *(sbagliare)* to be wrong, make a mistake; *(non esserci)* to be missing, not to be there; *(essere lontano)*: **~ (da)** to be away (from) ♦ *vt* to miss; **~ di** to lack; **~ a** *(promessa)* to fail to keep; **tu mi manchi** I miss you; **mancò poco che morisse** he very nearly died; **mancano ancora 10 sterline** we're still £10 short; **manca un quarto alle 6** it's a quarter to 6; **non mancherò** I won't forget, I'll make sure I do; **ci mancherebbe altro!** of course I *(o you etc)* will!; **~ da casa** to be away from home; **~ di rispetto a** *o* **verso qn** to be lacking in respect towards sb, be disrespectful towards sb; **~ di parola** not to keep one's word, go back on one's word; **sentirsi ~** to feel faint.

man'cato, a *ag (tentativo)* unsuccessful; *(artista)* failed.

manche [mãʃ] *sf inv (SPORT)* heat.

mancherò *etc* [manke'rɔ] *vb vedi* **mancare.**

man'chevole [man'kevole] *ag (insufficiente)* inadequate, insufficient.

manchevo'lezza [mankevo'lettsa] *sf (scorrettezza)* fault, shortcoming.

'mancia, ce ['mantʃa] *sf* tip; **~ competente** reward.

manci'ata [man'tʃata] *sf* handful.

man'cino, a [man'tʃino] *ag (braccio)* left; *(persona)* left-handed; *(fig)* underhand.

'manco *av (nemmeno)*: **~ per sogno** *o* **per idea!** not on your life!

man'dante *sm/f (DIR)* principal; *(istigatore)* instigator.

manda'rancio [manda'rantʃo] *sm* clementine.

man'dare *vt* to send; *(far funzionare: macchina)* to drive; *(emettere)* to send out; *(: grido)* to give, utter, let out; **~ avanti** *(persona)* to send ahead; *(fig: famiglia)* to provide for; *(: ditta)* to look after, run; *(: pratica)* to attend to; **~ a chiamare qn** to send for sb; **~ giù** to send down; *(anche*

fig) to swallow; **~ in onda** *(RADIO, TV)* to broadcast; **~ in rovina** to ruin; **~ via** to send away; *(licenziare)* to fire.

manda'rino *sm* mandarin (orange); *(cinese)* mandarin.

man'data *sf (quantità)* lot, batch; *(di chiave)* turn; **chiudere a doppia ~** to double-lock.

manda'tario *sm (DIR)* representative, agent.

man'dato *sm (incarico)* commission; *(DIR: provvedimento)* warrant; *(di deputato etc)* mandate; *(ordine di pagamento)* postal *o* money order; **~ d'arresto, ~ di cattura** warrant for arrest; **~ di comparizione** summons *sg*; **~ di perquisizione** search warrant.

man'dibola *sf* mandible, jaw.

mando'lino *sm* mandolin(e).

'mandorla *sf* almond.

mandor'lato *sm* nut brittle.

'mandorlo *sm* almond tree.

'mandria *sf* herd.

mandri'ano *sm* cowherd, herdsman.

man'drino *sm (TECN)* mandrel.

maneg'gevole [maned'dʒevole] *ag* easy to handle.

maneggi'are [maned'dʒare] *vt (creta, cera)* to mould *(BRIT)*, mold *(US)*, work, fashion; *(arnesi, utensili)* to handle; *(: adoperare)* to use; *(fig: persone, denaro)* to handle, deal with.

ma'neggio [ma'neddʒo] *sm* moulding *(BRIT)*, molding *(US)*; handling; use; *(intrigo)* plot, scheme; *(per cavalli)* riding school.

ma'nesco, a, schi, sche *ag* free with one's fists.

ma'nette *sfpl* handcuffs.

manga'nello *sm* club.

manga'nese *sm* manganese.

mange'reccio, a, ci, ce [mandʒe'rettʃo] *ag* edible.

mangi'abile [man'dʒabile] *ag* edible, eatable.

mangia'dischi [mandʒa'diski] *sm inv* record player.

mangia'nastri [mandʒa'nastri] *sm inv* cassette-recorder.

mangi'are [man'dʒare] *vt* to eat; *(intaccare)* to eat into *o* away; *(CARTE, SCACCHI etc)* to take ♦ *vi* to eat ♦ *sm* eating; *(cibo)* food; *(cucina)* cooking; **fare da ~** to do the cooking; **~rsi le parole** to mumble; **~rsi le unghie** to bite one's nails.

mangia'soldi [mandʒa'sɔldi] *ag inv (fam)*: **macchinetta ~** one-armed bandit.

mangia'toia [mandʒa'toja] *sf* feeding-trough.

man'gime [man'dʒime] *sm* fodder.
mangiucchi'are [mandʒuk'kjare] *vt* to nibble.
'mango, ghi *sm* mango.
ma'nia *sf* (*PSIC*) mania; (*fig*) obsession, craze; avere la ~ di fare qc to have a habit of doing sth; ~ di persecuzione persecution complex *o* mania.
mania'cale *ag* (*PSIC*) maniacal; (*fanatico*) fanatical.
ma'niaco, a, ci, che *ag* suffering from a mania; ~ (di) obsessed (by), crazy (about).
'manica, che *sf* sleeve; (*fig: gruppo*) gang, bunch; (*GEO*): la M~, il Canale della M~ the (English) Channel; senza ~che sleeveless; essere in ~che di camicia to be in one's shirt sleeves; essere di ~ larga/stretta to be easy-going/strict; ~ a vento (*AER*) wind sock.
manica'retto *sm* titbit (*BRIT*), tidbit (*US*).
mani'chetta [mani'ketta] *sf* (*TECN*) hose.
mani'chino [mani'kino] *sm* (*di sarto, vetrina*) dummy.
'manico, ci *sm* handle; (*MUS*) neck; ~ di scopa broomstick.
mani'comio *sm* mental hospital; (*fig*) madhouse.
mani'cotto *sm* muff; (*TECN*) coupling, sleeve.
mani'cure *sm o f inv* manicure ♦ *sf inv* manicurist.
mani'era *sf* way, manner; (*stile*) style, manner; ~e *sfpl* manners; in ~ che so that; in ~ da so as to; alla ~ di in *o* after the style of; in una ~ o nell'altra one way or another; in tutte le ~e at all costs; usare buone ~e con qn to be polite to sb; usare le ~e forti to use strong-arm tactics.
manie'rato, a *ag* affected.
mani'ero *sm* manor.
manifat'tura *sf* (*lavorazione*) manufacture; (*stabilimento*) factory.
manifatturi'ero, a *ag* manufacturing.
manifes'tante *sm/f* demonstrator.
manifes'tare *vt* to show, display; (*esprimere*) to express; (*rivelare*) to reveal, disclose ♦ *vi* to demonstrate; ~rsi *vr* to show o.s.; ~rsi amico to prove o.s. (to be) a friend.
manifestazi'one [manifestat'tsjone] *sf* show, display; expression; (*sintomo*) sign, symptom; (*dimostrazione pubblica*) demonstration; (*cerimonia*) event.
manifes'tino *sm* leaflet.
mani'festo, a *ag* obvious, evident ♦ *sm* poster, bill; (*scritto ideologico*) manifesto.

ma'niglia [ma'niʎʎa] *sf* handle; (*sostegno: negli autobus etc*) strap.
Ma'nila *sf* Manila.
manipo'lare *vt* to manipulate; (*alterare: vino*) to adulterate.
manipolazi'one [manipolat'tsjone] *sf* manipulation; adulteration.
ma'nipolo *sm* (*drappello*) handful.

Mani pulite *is a term used to describe the judicial operation which identified, gathered evidence against, and brought to trial a number of politicians and industrialists implicated in bribery and corruption scandals. See also* **Tangentopoli**.

---

manis'calco, chi *sm* blacksmith, farrier (*BRIT*).
'manna *sf* (*REL*) manna.
man'naia *sf* (*del boia*) (executioner's) axe *o* ax (*US*); (*per carni*) cleaver.
man'naro, a *ag*: lupo ~ werewolf.
'mano, i *sf* hand; (*strato: di vernice etc*) coat; a ~ by hand; cucito a ~ hand-sewn; fatto a ~ handmade; alla ~ (*persona*) easy-going; fuori ~ out of the way; di prima ~ (*notizia*) first-hand; di seconda ~ second-hand; man ~ little by little, gradually; man ~ che as; a piene ~i (*fig*) generously; avere le ~i bucate to spend money like water; aver le ~i in pasta to be in the know; avere qc per le ~i (*progetto, lavoro*) to have sth in hand; dare una ~ a qn to lend sb a hand; dare una ~ di vernice a qc to give sth a coat of paint; darsi *o* stringersi la ~ to shake hands; forzare la ~ to go too far; mettere ~ a qc to have a hand in sth; mettere le ~i avanti (*fig*) to safeguard o.s.; restare a ~i vuote to be left empty-handed; venire alle ~i to come to blows; ~i in alto! hands up!
mano'dopera *sf* labour (*BRIT*), labor (*US*).
mano'messo, a *pp di* manomettere.
ma'nometro *sm* gauge, manometer.
mano'mettere *vt* (*alterare*) to tamper with; (*aprire indebitamente*) to break open illegally.
manomissi'one *sf* (*di prove etc*) tampering; (*di lettera*) opening.
ma'nopola *sf* (*dell'armatura*) gauntlet; (*guanto*) mitt; (*di impugnatura*) hand-grip; (*pomello*) knob.
manos'critto, a *ag* handwritten ♦ *sm* manuscript.
manova'lanza [manova'lantsa] *sf* unskilled workers *pl*.
mano'vale *sm* labourer (*BRIT*), laborer (*US*).

mano'vella _sf_ handle; (_TECN_) crank.

ma'novra _sf_ manoeuvre (_BRIT_), maneuver (_US_); (_FERR_) shunting; ~**e di corridoio** palace intrigues.

mano'vrare _vt_ (_veicolo_) to manoeuvre (_BRIT_), maneuver (_US_); (_macchina, congegno_) to operate; (_fig: persona_) to manipulate ♦ _vi_ to manoeuvre.

manro'vescio [manro'veʃʃo] _sm_ slap (_with back of hand_).

man'sarda _sf_ attic.

mansi'one _sf_ task, duty, job.

mansu'eto, a _ag_ (_animale_) tame; (_persona_) gentle, docile.

mansue'tudine _sf_ tameness; gentleness, docility.

man'tello _sm_ cloak; (_fig: di neve etc_) blanket, mantle; (_TECN: involucro_) casing, shell; (_ZOOL_) coat.

mante'nere _vt_ to maintain; (_adempiere: promesse_) to keep, abide by; (_provvedere a_) to support, maintain; ~**rsi** _vr_: ~**rsi calmo/giovane** to stay calm/young; ~ **i contatti con qn** to keep in touch with sb.

manteni'mento _sm_ maintenance.

mante'nuto, a _sm/f_ gigolo/kept woman.

'mantice ['mantitʃe] _sm_ bellows _pl_; (_di carrozza, automobile_) hood.

'manto _sm_ cloak; ~ **stradale** road surface.

'Mantova _sf_ Mantua.

manto'vano, a _ag_ of (_o from_) Mantua.

manu'ale _ag_ manual ♦ _sm_ (_testo_) manual, handbook.

manua'listico, a, ci, che _ag_ textbook _cpd_.

manual'mente _av_ manually, by hand.

ma'nubrio _sm_ handle; (_di bicicletta etc_) handlebars _pl_; (_SPORT_) dumbbell.

manu'fatto _sm_ manufactured article; ~**i** _smpl_ manufactured goods.

manutenzi'one [manuten'tsjone] _sf_ maintenance, upkeep; (_d'impianti_) maintenance, servicing.

'manzo ['mandzo] _sm_ (_ZOOL_) steer; (_carne_) beef.

Mao'metto _sm_ Mohammed.

'mappa _sf_ (_GEO_) map.

mappa'mondo _sm_ map of the world; (_globo girevole_) globe.

ma'rasma, i _sm_ (_fig_) decay, decline.

mara'tona _sf_ marathon.

'marca, che _sf_ mark; (_bollo_) stamp; (_COMM: di prodotti_) brand; (_contrassegno, scontrino_) ticket, check; **prodotti di (gran)** ~ high-class products; ~ **da bollo** official stamp.

mar'care _vt_ (_munire di contrassegno_) to mark; (_a fuoco_) to brand; (_SPORT: gol_) to score; (_: avversario_) to mark; (_accentuare_) to stress; ~ **visita** (_MIL_) to report sick.

mar'cato, a _ag_ (_lineamenti, accento etc_) pronounced.

'Marche ['marke] _sfpl_: **le** ~ the Marches (_region of central Italy_).

marcherò _etc_ [marke'rɔ] _vb vedi_ **marcare**.

mar'chese, a [mar'keze] _sm/f_ marquis _o_ marquess/marchioness.

marchi'ano, a [mar'kjano] _ag_ (_errore_) glaring, gross.

marchi'are [mar'kjare] _vt_ to brand.

marchigi'ano, a [marki'dʒano] _ag_ of (_o from_) the Marches.

'marchio ['markjo] _sm_ (_di bestiame, COMM, fig_) brand; ~ **depositato** registered trademark; ~ **di fabbrica** trademark.

'marcia, ce ['martʃa] _sf_ (_anche MUS, MIL_) march; (_funzionamento_) running; (_il camminare_) walking; (_AUT_) gear; **mettere in** ~ to start; **mettersi in** ~ to get moving; **far** ~ **indietro** (_AUT_) to reverse; (_fig_) to back-pedal; ~ **forzata** forced march; ~ **funebre** funeral march.

marciapi'ede [martʃa'pjɛde] _sm_ (_di strada_) pavement (_BRIT_), sidewalk (_US_); (_FERR_) platform.

marci'are [mar'tʃare] _vi_ to march; (_andare: treno, macchina_) to go; (_funzionare_) to run, work.

'marcio, a, ci, ce ['martʃo] _ag_ (_frutta, legno_) rotten, bad; (_MED_) festering; (_fig_) corrupt, rotten ♦ _sm_: **c'è del** ~ **in questa storia** (_fig_) there's something fishy about this business; **avere torto** ~ to be utterly wrong.

mar'cire [mar'tʃire] _vi_ (_andare a male_) to go bad, rot; (_suppurare_) to fester; (_fig_) to rot.

marci'ume [mar'tʃume] _sm_ (_parte guasta: di cibi etc_) rotten part, bad part; (_di radice, pianta_) rot; (_fig: corruzione_) rottenness, corruption.

'marco, chi _sm_ (_unità monetaria_) mark.

'mare _sm_ sea; **di** ~ (_brezza, acqua, uccelli, pesce_) sea _cpd_; **in** ~ at sea; **per** ~ by sea; **sul** ~ (_barca_) on the sea; (_villaggio, località_) by _o_ beside the sea; **andare al** ~ (_in vacanza etc_) to go to the seaside; **il mar Caspio** the Caspian Sea; **il mar Morto** the Dead Sea; **il mar Nero** the Black Sea; **il** ~ **del Nord** the North Sea; **il mar Rosso** the Red Sea; **il mar dei Sargassi** the Sargasso Sea; **i** ~**i del Sud** the South Seas.

ma'rea _sf_ tide; **alta/bassa** ~ high/low tide.

mareggi'ata [mared'dʒata] _sf_ heavy sea.

ma'remma _sf_ (_GEO_) maremma, swampy coastal area.

marem'mano, a _ag_ (_zona, macchia_) swampy; (_della Maremma_) of (_o from_) the Maremma.

mare'moto *sm* seaquake.
maresci'allo [mareʃˈʃallo] *sm* (*MIL*) marshal; (: *sottufficiale*) warrant officer.
marez'zato, a [maredˈdzato] *ag* (*seta etc*) watered, moiré; (*legno*) veined; (*carta*) marbled.
marga'rina *sf* margarine.
marghe'rita [margeˈrita] *sf* (ox-eye) daisy, marguerite; (*di stampante*) daisy wheel.
margheri'tina [margeriˈtina] *sf* daisy.
margi'nale [mardʒiˈnale] *ag* marginal.
'margine [ˈmardʒine] *sm* margin; (*di bosco, via*) edge, border; **avere un buon ~ di tempo/denaro** to have plenty of time/money; **~ di guadagno** *o* **di utile** profit margin; **~ di sicurezza** safety margin.
mariju'ana [mæriˈwaːna] *sf* marijuana.
ma'rina *sf* navy; (*costa*) coast; (*quadro*) seascape; **~ mercantile** merchant navy (*BRIT*) *o* marine (*US*); **~ militare (M.M.)** ≈ Royal Navy (RN) (*BRIT*), Navy (*US*).
mari'naio *sm* sailor.
mari'nare *vt* (*CUC*) to marinate; **~ la scuola** to play truant.
mari'naro, a *ag* (*tradizione, popolo*) seafaring; (*CUC*) with seafood; **alla ~a** (*vestito, cappello*) sailor *cpd*; **borgo ~** district where fishing folk live.
mari'nata *sf* marinade.
ma'rino, a *ag* sea *cpd*, marine.
mario'netta *sf* puppet.
mari'tare *vt* to marry; **~rsi** *vr*: **~rsi a** *o* **con qn** to marry sb, get married to sb.
mari'tato, a *ag* married.
ma'rito *sm* husband; **prendere ~** to get married; **ragazza (in età) da ~** girl of marriageable age.
ma'rittimo, a *ag* maritime, sea *cpd.*
mar'maglia [marˈmaʎʎa] *sf* mob, riff-raff.
marmel'lata *sf* jam; (*di agrumi*) marmalade.
mar'mitta *sf* (*recipiente*) pot; (*AUT*) silencer; **~ catalitica** catalytic converter.
'marmo *sm* marble.
mar'mocchio [marˈmɔkkjo] *sm* (*fam*) (little) kid.
mar'motta *sf* (*ZOOL*) marmot.
maroc'chino, a [marokˈkino] *ag, sm/f* Moroccan.
Ma'rocco *sm*: **il ~** Morocco.
ma'roso *sm* breaker.
'marra *sf* hoe.
Marra'kesh [marraˈkeʃ] *sf* Marrakesh.
mar'rone *ag inv* brown ♦ *sm* (*BOT*) chestnut.
mar'sala *sm inv* (*vino*) Marsala (wine).
Mar'siglia [marˈsiʎʎa] *sf* Marseilles.
mar'sina *sf* tails *pl*, tail coat.
mar'supio *sm* (*ZOOL*) pouch, marsupium.

mart. *abbr* (= *martedì*) Tue(s).
'Marte *sm* (*ASTR, MITOLOGIA*) Mars.
martedì *sm inv* Tuesday; **di** *o* **il ~ on** Tuesdays; **oggi è ~ 3 aprile** (the date) today is Tuesday 3rd April; **~ stavo male** I wasn't well on Tuesday; **il giornale di ~** Tuesday's newspaper; **~ grasso** Shrove Tuesday.
martel'lante *ag* (*fig: dolore*) throbbing.
martel'lare *vt* to hammer ♦ *vi* (*pulsare*) to throb; (: *cuore*) to thump.
martel'letto *sm* (*di pianoforte*) hammer; (*di macchina da scrivere*) typebar; (*di giudice, nelle vendite all'asta*) gavel; (*MED*) percussion hammer.
mar'tello *sm* hammer; (*di uscio*) knocker; **suonare a ~** (*fig: campane*) to sound the tocsin; **~ pneumatico** pneumatic drill.
marti'netto *sm* (*TECN*) jack.
martin'gala *sf* (*di giacca*) half-belt; (*di cavallo*) martingale.
'martire *sm/f* martyr.
mar'tirio *sm* martyrdom; (*fig*) agony, torture.
martori'are *vt* to torment, torture.
mar'xismo *sm* Marxism.
mar'xista, i, e *ag, sm/f* Marxist.
marza'pane [martsaˈpane] *sm* marzipan.
marzi'ale [marˈtsjale] *ag* martial.
'marzo [ˈmartso] *sm* March; *per fraseologia vedi* **luglio.**
marzo'lino, a [martsoˈlino] *ag* March *cpd.*
mascalzo'nata [maskaltsoˈnata] *sf* dirty trick.
mascal'zone [maskalˈtsone] *sm* rascal, scoundrel.
mas'cara *sm inv* mascara.
mascar'pone *sm* *soft cream cheese often used in desserts.*
ma'scella [maʃˈʃella] *sf* (*ANAT*) jaw.
'maschera [ˈmaskera] *sf* mask; (*travestimento*) disguise; (: *per un ballo etc*) fancy dress; (*TEAT, CINE*) usher/usherette; (*personaggio del teatro*) stock character; **in ~** (*mascherato*) masked; **ballo in ~** fancy-dress ball; **gettare la ~** (*fig*) to reveal o.s.; **~ antigas/subacquea** gas/diving mask; **~ di bellezza** face pack.
masche'rare *vt* to mask; (*travestire*) to disguise; to dress up; (*fig: celare*) to hide, conceal; (*MIL*) to camouflage; **~rsi** *vr*: **~rsi da** to disguise o.s. as; to dress up as; (*fig*) to masquerade as.
masche'rina [maskeˈrina] *sf* (*piccola maschera*) mask; (*di animale*) patch; (*di scarpe*) toe-cap; (*AUT*) radiator grill.
mas'chile [masˈkile] *ag* masculine; (*sesso,*

popolazione) male; (*abiti*) men's; (*per ragazzi: scuola*) boys'.

'**maschio, a** ['maskjo] *ag* (*BIOL*) male; (*virile*) manly ♦ *sm* (*anche ZOOL, TECN*) male; (*uomo*) man; (*ragazzo*) boy; (*figlio*) son.

masco'lino, a *ag* masculine.

mas'cotte [mas'kɔt] *sf inv* mascot.

maso'chismo [mazo'kizmo] *sm* masochism.

maso'chista, i, e [mazo'kista] *ag* masochistic ♦ *sm/f* masochist.

'**massa** *sf* mass; (*di errori etc*): **una ~ di** heaps of, masses of; (*di gente*) mass, multitude; (*ELETTR*) earth; **in ~** (*COMM*) in bulk; (*tutti insieme*) en masse; **adunata in ~** mass meeting; **manifestazione/cultura di ~** mass demonstration/culture; **produrre in ~** to mass-produce; **la ~ (del popolo)** the masses *pl*.

massa'crante *ag* exhausting, gruelling.

massa'crare *vt* to massacre, slaughter.

mas'sacro *sm* massacre, slaughter; (*fig*) mess, disaster.

massaggi'are [massad'dʒare] *vt* to massage.

massaggia'tore, 'trice [massadd ʒa'tore] *sm/f* masseur/masseuse.

mas'saggio [mas'saddʒo] *sm* massage.

mas'saia *sf* housewife.

masse'ria *sf* large farm.

masse'rizie [masse'rittsje] *sfpl* (household) furnishings.

massicci'ata [massit'tʃata] *sf* (*di strada, ferrovia*) ballast.

mas'siccio, a, ci, ce [mas'sittʃo] *ag* (*oro, legno*) solid; (*palazzo*) massive; (*corporatura*) stout ♦ *sm* (*GEO*) massif.

'**massima** *sf vedi* **massimo**.

massi'male *sm* maximum; (*COMM*) ceiling, limit.

'**massimo, a** *ag, sm* maximum ♦ *sf* (*sentenza, regola*) maxim; (*METEOR*) maximum temperature; **in linea di ~a** generally speaking; **arrivare entro il tempo ~** to arrive within the time limit; **al ~** at (the) most; **sfruttare qc al ~** to make full use of sth; **arriverò al ~ alle 5** I'll arrive at 5 at the latest; **erano presenti le ~e autorità** all the most important dignitaries were there; **il ~ della pena** (*DIR*) the maximum penalty.

mas'sivo, a *ag* (*intervento*) en masse; (*emigrazione*) mass; (*emorragia*) massive.

'**masso** *sm* rock, boulder.

mas'sone *sm* freemason.

massone'ria *sf* freemasonry.

mas'sonico, a, ci, che *ag* masonic.

mas'tello *sm* tub.

masti'care *vt* to chew.

'**mastice** ['mastitʃe] *sm* mastic; (*per vetri*) putty.

mas'tino *sm* mastiff.

masto'dontico, a, ci, che *ag* gigantic, colossal.

mastur'barsi *vr* to masturbate.

masturbazi'one [masturbat'tsjone] *sf* masturbation.

ma'tassa *sf* skein.

mate'matico, a, ci, che *ag* mathematical ♦ *sm/f* mathematician ♦ *sf* mathematics *sg*.

materas'sino *sm* mat; **~ gonfiabile** air bed.

mate'rasso *sm* mattress; **~ a molle** spring *o* interior-sprung mattress.

ma'teria *sf* (*FISICA*) matter; (*TECN, COMM*) material, matter *no pl*; (*disciplina*) subject; (*argomento*) subject matter, material; **prima di entrare in ~ ...** before discussing the matter in hand ...; **un esperto in ~ (di musica etc)** an expert on the subject (of music etc); **sono ignorante in ~** I know nothing about it; **~ cerebrale** cerebral matter; **~ grassa** fat; **~ grigia** (*anche fig*) grey matter; **~e plastiche** plastics; **~e prime** raw materials.

materi'ale *ag* material; (*fig: grossolano*) rough, rude ♦ *sm* material; (*insieme di strumenti etc*) equipment *no pl*, materials *pl*; **~ da costruzione** building materials *pl*.

materia'lista, i, e *ag* materialistic ♦ *sm/f* materialist.

materializ'zarsi [materjalid'dzarsi] *vr* to materialize.

material'mente *av* (*fisicamente*) materially; (*economicamente*) financially.

maternità *sf* motherhood, maternity; (*clinica*) maternity hospital; **in (congedo di) ~** on maternity leave.

ma'terno, a *ag* (*amore, cura etc*) maternal, motherly; (*nonno*) maternal; (*lingua, terra*) mother *cpd*; *vedi anche* **scuola**.

ma'tita *sf* pencil; **~e colorate** crayons; **~ per gli occhi** eyeliner (pencil).

ma'trice [ma'tritʃe] *sf* matrix; (*COMM*) counterfoil; (*fig: origine*) background.

ma'tricola *sf* (*registro*) register; (*numero*) registration number; (*nell'università*) freshman, fresher (*BRIT fam*).

ma'trigna [ma'trinɲa] *sf* stepmother.

matrimoni'ale *ag* matrimonial, marriage *cpd*; **camera/letto ~** double room/bed.

matri'monio *sm* marriage, matrimony; (*durata*) marriage, married life; (*cerimonia*) wedding.

ma'trona *sf* (*fig*) matronly woman.

matta'toio *sm* abattoir (*BRIT*), slaughterhouse.

mat'tina *sf* morning; **la** *o* **alla** *o* di ~ in the morning; **di prima** ~, **la** ~ **presto** early in the morning; **dalla** ~ **alla sera** (*continuamente*) from morning to night; (*improvvisamente: cambiare*) overnight.

matti'nata *sf* morning; (*spettacolo*) matinée, afternoon performance; **in** ~ in the course of the morning; **nella** ~ in the morning; **nella tarda** ~ at the end of the morning; **nella tarda** ~ **di sabato** late on Saturday morning.

mattini'ero, a *ag*: **essere** ~ to be an early riser.

mat'tino *sm* morning; **di buon** ~ early in the morning.

'matto, a *ag* mad, crazy; (*fig: falso*) false, imitation; (: *opaco*) matt, dull ♦ *sm/f* madman/woman; **avere una voglia** ~**a di qc** to be dying for sth; **far diventare** ~ **qn** to drive sb mad *o* crazy; **una gabbia di** ~**i** (*fig*) a madhouse.

mat'tone *sm* brick; (*fig*): **questo libro/film è un** ~ this book/film is heavy going.

matto'nella *sf* tile.

mattu'tino, a *ag* morning *cpd*.

matu'rare *vi* (*anche:* ~**rsi**) (*frutta, grano*) to ripen; (*ascesso*) to come to a head; (*fig: persona, idea,* ECON) to mature ♦ *vt* to ripen; to (make) mature; ~ **una decisione** to come to a decision.

maturità *sf* maturity; (*di frutta*) ripeness, maturity; (*INS*) school-leaving examination, ≈ GCE A-levels (*BRIT*).

ma'turo, a *ag* mature; (*frutto*) ripe, mature.

ma'tusa *sm/f inv* (*scherzoso*) old fogey.

Mauri'tania *sf*: **la** ~ Mauritania.

Mau'rizio [mau'rittsjo] *sf*: **(l'isola di)** ~ Mauritius.

mauso'leo *sm* mausoleum.

max. *abbr* (= *massimo*) max.

'maxi... *prefisso* maxi....

---

maxiprocesso *is a criminal trial characterized by the large number of co-accused involved. These are usually members of terrorist or criminal organizations. The trials are often lengthy and many witnesses may be called to give evidence.*

'mazza ['mattsa] *sf* (*bastone*) club; (*martello*) sledge-hammer; (*SPORT: da golf*) club; (: *da baseball, cricket*) bat.

maz'zata [mat'tsata] *sf* (*anche fig*) heavy blow.

maz'zetta [mat'tsetta] *sf* (*di banconote etc*) bundle; (*fig*) rake-off.

'mazzo ['mattso] *sm* (*di fiori, chiavi etc*) bunch; (*di carte da gioco*) pack.

MC *sigla* = *Macerata*.

m.c.d. *abbr* (= *minimo comune denominatore*) lcd.

m.c.m. *abbr* (= *minimo comune multiplo*) lcm.

ME *sigla* = *Messina*.

me *pron* me; **sei bravo quanto** ~ you are as clever as I (am) *o* as me.

me'andro *sm* meander.

M.E.C. [mɛk] *abbr m* = **Mercato Comune Europeo**.

'Mecca *sf* (*anche fig*): **La** ~ Mecca.

meccanica'mente *av* mechanically.

mec'canico, a, ci, che *ag* mechanical ♦ *sm* mechanic ♦ *sf* mechanics *sg*; (*attività tecnologica*) mechanical engineering; (*meccanismo*) mechanism; **officina** ~**a** garage.

mecca'nismo *sm* mechanism.

meccaniz'zare [mekkanid'dzare] *vt* to mechanize.

meccanizzazi'one [mekkaniddzat'tsjone] *sf* mechanization.

meccanogra'fia *sf* (mechanical) data processing.

meccano'grafico, a, ci, che *ag*: **centro** ~ data processing department.

mece'nate [metʃe'nate] *sm* patron.

mèche [mɛʃ] *sf inv* streak; **farsi le** ~ to have one's hair streaked.

me'daglia [me'daʎʎa] *sf* medal; ~ **d'oro** (*oggetto*) gold medal; (*persona*) gold medallist (*BRIT*) *o* medalist (*US*).

medagli'one [medaʎ'ʎone] *sm* (*ARCHIT*) medallion; (*gioiello*) locket.

me'desimo, a *ag* same; (*in persona*): **io** ~ I myself.

'media *sf* *vedi* **medio**.

media'mente *av* on average.

medi'ano, a *ag* median; (*valore*) mean ♦ *sm* (*CALCIO*) half-back.

medi'ante *prep* by means of.

medi'are *vt* (*fare da mediatore*) to act as mediator in; (*MAT*) to average.

medi'ato, a *ag* indirect.

media'tore, 'trice *sm/f* mediator; (*COMM*) middle man, agent; **fare da** ~ **fra** to mediate between.

mediazi'one [medjat'tsjone] *sf* mediation; (*COMM: azione, compenso*) brokerage.

medica'mento *sm* medicine, drug.

medi'care *vt* to treat; (*ferita*) to dress.

medi'cato, a *ag* (*garza, shampoo*) medicated.

medicazi'one [medikat'tsjone] *sf* treatment, medication; dressing; **fare una**

~ **a qn** to dress sb's wounds.

medi'cina [medi'tʃina] *sf* medicine; ~ **legale** forensic medicine.

medici'nale [meditʃi'nale] *ag* medicinal ♦ *sm* drug, medicine.

'**medico, a, ci, che** *ag* medical ♦ *sm* doctor; ~ **di bordo** ship's doctor; ~ **di famiglia** family doctor; ~ **fiscale** *doctor who examines patients signed off sick for a lengthy period by their private doctor*; ~ **generico** general practitioner, GP.

medie'vale *ag* medieval.

'**medio, a** *ag* average; (*punto, ceto*) middle; (*altezza, statura*) medium ♦ *sm* (*dito*) middle finger ♦ *sf* average; (*MAT*) mean; (*INS: voto*) end-of-term average; ~**e** *sfpl vedi* **scuola media inferiore; licenza** ~**a** *leaving certificate awarded at the end of 3 years of secondary education*; **in** ~**a** on average; **al di sopra/sotto della** ~**a** above/below average; **viaggiare ad una** ~**a di ...** to travel at an average speed of ...; **il M**~ **Oriente** the Middle East.

medi'ocre *ag* (*gen*) mediocre; (*qualità, stipendio*) poor.

mediocrità *sf* mediocrity; poorness.

medioe'vale *ag* = **medievale**.

Medio'evo *sm* Middle Ages *pl*.

medita'bondo, a *ag* thoughtful.

medi'tare *vt* to ponder over, meditate on; (*progettare*) to plan, think out ♦ *vi* to meditate.

medi'tato, a *ag* (*gen*) meditated; (*parole*) carefully-weighed; (*vendetta*) premeditated; **ben** ~ (*piano*) well worked-out, neat.

meditazi'one [meditat'tsjone] *sf* meditation.

mediter'raneo, a *ag* Mediterranean; **il** (*mare*) **M**~ the Mediterranean (Sea).

'**medium** *sm/f inv* medium.

me'dusa *sf* (*ZOOL*) jellyfish.

me'gafono *sm* megaphone.

mega'lomane *ag, sm/f* megalomaniac.

me'gera [me'dʒɛra] *sf* (*peg: donna*) shrew.

'**meglio** ['mɛʎʎo] *av, ag inv* better; (*con senso superlativo*) best ♦ *sm* (*la cosa migliore*): **il** ~ the best (thing); **faresti** ~ **ad andartene** you had better leave; **alla** ~ as best one can; **andar di bene in** ~ to get better and better; **fare del proprio** ~ to do one's best; **per il** ~ for the best; **aver la** ~ **su qn** to get the better of sb.

'**mela** *sf* apple; ~ **cotogna** quince.

mela'grana *sf* pomegranate.

melan'zana [melan'dzana] *sf* aubergine (*BRIT*), eggplant (*US*).

me'lassa *sf* molasses *sg*, treacle.

me'lenso, a *ag* dull, stupid.

me'lissa *sf* (*BOT*) balm.

mel'lifluo, a *ag* (*peg*) sugary, honeyed.

'**melma** *sf* mud, mire.

'**melo** *sm* apple tree.

melo'dia *sf* melody.

me'lodico, a, ci, che *ag* melodic.

melodi'oso, a *ag* melodious.

melo'dramma, i *sm* melodrama.

me'lone *sm* (*musk*) melon.

'**membra** *sfpl vedi* **membro**.

mem'brana *sf* membrane.

'**membro** *sm* member; (*pl(f)* ~**a**: *arto*) limb.

memo'rabile *ag* memorable.

memo'randum *sm inv* memorandum.

'**memore** *ag*: ~ **di** (*ricordando*) mindful of; (*riconoscente*) grateful for.

me'moria *sf* (*anche INFORM*) memory; ~**e** *sfpl* (*opera autobiografica*) memoirs; **a** ~ (*imparare, sapere*) by heart; **a** ~ **d'uomo** within living memory; ~ **di sola lettura** (*INFORM*) read-only memory; ~ **tampone** (*INFORM*) buffer.

memori'ale *sm* (*raccolta di memorie*) memoirs *pl*; (*DIR*) memorial.

memoriz'zare [memorid'dzare] *vt* (*gen*) to memorize; (*INFORM*) to store.

memorizzazi'one [memoriddzat'tsjone] *sf* memorization; storage.

'**mena** *sf* scheme.

mena'dito: a ~ *av* perfectly, thoroughly; **sapere qc a** ~ to have sth at one's fingertips.

mena'gramo *sm/f inv* jinx, Jonah.

me'nare *vt* to lead; (*picchiare*) to hit, beat; (*dare: colpi*) to deal; ~ **la coda** (*cane*) to wag its tail; ~ **qc per le lunghe** to drag sth out; ~ **il can per l'aia** (*fig*) to beat about (*BRIT*) *o* around (*US*) the bush.

mendi'cante *sm/f* beggar.

mendi'care *vt* to beg for ♦ *vi* to beg.

menefre'ghismo [menefre'gizmo] *sm* (*fam*) couldn't-care-less attitude.

me'ninge [me'nindʒe] *sf* (*MED*) meninx; **spremersi le** ~**i** to rack one's brains.

menin'gite [menin'dʒite] *sf* meningitis.

me'nisco *sm* (*ANAT, MAT, FISICA*) meniscus.

━━━━━━━━━━━━━━ *PAROLA CHIAVE*

'**meno** *av* **1** (*in minore misura*) less; **dovresti mangiare** ~ you should eat less, you shouldn't eat so much; **è sempre** ~ **facile** it's getting less and less easy; **ne voglio di** ~ I don't want so much

2 (*comparativo*): ~ **... di** not as ... as, less ... than; **sono** ~ **alto di te** I'm not as tall as you (are), I'm less tall than you (are); ~ **... che** not as ... as, less ... than; ~ **che mai**

less than ever; **è ~ intelligente che ricco** he's more rich than intelligent; **~ fumo più mangio** the less I smoke the more I eat; **~ di quanto pensassi** less than I thought

3 (*superlativo*) least; **il ~ dotato degli studenti** the least gifted of the students; **è quello che compro ~ spesso** it's the one I buy least often

4 (*MAT*) minus; **8 ~ 5** 8 minus 5, 8 take away 5; **sono le 8 ~ un quarto** it's a quarter to 8; **~ 5 gradi** 5 degrees below zero, minus 5 degrees; **mille lire in ~** a thousand lire less; **ha preso 6 ~** (*a scuola*) he scraped a pass; **centomila lire ~ le spese** a hundred thousand lire minus *o* less expenses

5 (*fraseologia*): **quanto ~ poteva telefonare** he could at least have phoned; **non so se accettare o ~** I don't know whether to accept or not; **non essere da ~ di** not to be outdone by; **fare a ~ di qc/qn** to do without sth/sb; **non potevo fare a ~ di ridere** I couldn't help laughing; **~ male!** thank goodness!; **~ male che sei arrivato** it's a good job that you've come ♦ *ag inv* (*tempo, denaro*) less; (*errori, persone*) fewer; **ha fatto ~ errori di tutti** he made fewer mistakes than anyone, he made the fewest mistakes of all ♦ *sm inv* **1: il ~** (*il minimo*) the least; **parlare del più e del ~** to talk about this and that; **era il ~ che ti potesse succedere** it was the least you could have expected **2** (*MAT*) minus ♦ *prep* (*eccetto*) except (for), apart from; **tutti ~ lui** everybody apart from *o* except him; **a ~ che, a ~ di** unless; **a ~ che non piova** unless it rains; **non posso, a ~ di prendere ferie** I can't, unless I take some leave; *vedi anche* **più.**

meno'mare *vt* (*danneggiare*) to maim, disable.

meno'mato, a *ag* (*persona*) disabled ♦ *sm/f* disabled person.

menomazi'one [menomat'tsjone] *sf* disablement.

meno'pausa *sf* menopause.

'mensa *sf* (*locale*) canteen; (: *MIL*) mess; (: *nelle università*) refectory.

men'sile *ag* monthly ♦ *sm* (*periodico*) monthly (magazine); (*stipendio*) monthly salary.

mensil'mente *av* (*ogni mese*) every month; (*una volta al mese*) monthly.

'mensola *sf* bracket; (*ripiano*) shelf; (*ARCHIT*) corbel.

'menta *sf* mint; (*anche*: **~ piperita**) peppermint; (*bibita*) peppermint cordial; (*caramella*) mint, peppermint.

men'tale *ag* mental.

mentalità *sf inv* mentality.

mental'mente *av* mentally.

'mente *sf* mind; **imparare/sapere qc a ~** to learn/know sth by heart; **avere in ~ qc** to have sth in mind; **avere in ~ di fare qc** to intend to do sth; **fare venire in ~ qc a qn** to remind sb of sth; **mettersi in ~ di fare qc** to make up one's mind to do sth; **passare di ~ a qn** to slip sb's mind; **tenere a ~ qc** to bear sth in mind; **a ~ fredda** objectively; **lasciami fare ~ locale** let me think.

mente'catto, a *ag* half-witted ♦ *sm/f* halfwit, imbecile.

men'tire *vi* to lie.

men'tito, a *ag*: **sotto ~e spoglie** under false pretences (*BRIT*) *o* pretenses (*US*).

'mento *sm* chin; **doppio ~** double chin.

men'tolo *sm* menthol.

'mentre *cong* (*temporale*) while; (*avversativo*) whereas ♦ *sm*: **in quel ~** at that very moment.

menù *sm inv* (set) menu; **~ turistico** standard *o* tourists' menu.

menzio'nare [mentsjo'nare] *vt* to mention.

menzi'one [men'tsjone] *sf* mention; **fare ~ di** to mention.

men'zogna [men'tsɔɲɲa] *sf* lie.

menzo'gnero, a [mentsoɲ'ɲɛro] *ag* false, untrue.

mera'viglia [mera'viʎʎa] *sf* amazement, wonder; (*persona, cosa*) marvel, wonder; **a ~** perfectly, wonderfully.

meravigli'are [meraviʎ'ʎare] *vt* to amaze, astonish; **~rsi** *vr*: **~rsi (di)** to marvel (at); (*stupirsi*) to be amazed (at), be astonished (at); **mi meraviglio di te!** I'm surprised at you!; **non c'è da ~rsi** it's not surprising.

meravigli'oso, a [meraviʎ'ʎoso] *ag* wonderful, marvellous (*BRIT*), marvelous (*US*).

merc. *abbr* (= *mercoledì*) Wed.

mer'cante *sm* merchant; **~ d'arte** art dealer; **~ di cavalli** horse dealer.

mercanteggi'are [merkanted'dʒare] *vt* (*onore, voto*) to sell ♦ *vi* to bargain, haggle.

mercan'tile *ag* commercial, mercantile; (*nave, marina*) merchant *cpd* ♦ *sm* (*nave*) merchantman.

mercan'zia [merkan'tsia] *sf* merchandise, goods *pl*.

merca'tino *sm* (*rionale*) local street market; (*ECON*) unofficial stock market.

mer'cato *sm* market; **di** ~ (*economia, prezzo, ricerche*) market *cpd*; **mettere** *o* **lanciare qc sul** ~ to launch sth on the market; **a buon** ~ *ag, av* cheap; ~ **dei cambi** exchange market; **M~ Comune (Europeo)** (European) Common Market; ~ **del lavoro** labour market, job market; ~ **nero** black market; ~ **al rialzo/al ribasso** (*BORSA*) sellers'/buyers' market; ~ **a termine** forward market, futures market.

'merce ['mɛrtʃe] *sf* goods *pl*, merchandise; ~ **deperibile** perishable goods *pl*.

mercé [mer'tʃe] *sf* mercy; **essere alla** ~ **di qn** to be at sb's mercy.

merce'nario, a [mertʃe'narjo] *ag, sm* mercenary.

merce'ria [mertʃe'ria] *sf* (*articoli*) haberdashery (*BRIT*), notions *pl* (*US*); (*bottega*) haberdasher's shop (*BRIT*), notions store (*US*).

mercoledì *sm inv* Wednesday; ~ **delle Ceneri** Ash Wednesday; *per fraseologia vedi* **martedì**.

Mercoledì delle Ceneri, *in the Catholic church, marks the beginning of Lent. On that day, people go to church and are marked on the forehead with ash from the burning of the blessed olive branch. Ash Wednesday is a day of fasting, abstinence and penitence.*

---

mer'curio *sm* mercury.

'merda *sf* (*fam!*) shit (*!*).

me'renda *sf* afternoon snack.

meridi'ano, a *ag* (*di mezzogiorno*) midday *cpd*, noonday ♦ *sm* meridian ♦ *sf* (*orologio*) sundial.

meridio'nale *ag* southern ♦ *sm/f* southerner.

meridi'one *sm* south.

me'ringa, ghe *sf* (*CUC*) meringue.

meri'tare *vt* to deserve, merit ♦ *vb impers* (*valere la pena*): **merita andare** it is worth going; **non merita neanche parlarne** it's not worth talking about; **per quel che merita** for what it's worth.

meri'tevole *ag* worthy.

'merito *sm* merit; (*valore*) worth; **dare** ~ **a qn di** to give sb credit for; **finire a pari** ~ to finish joint first (*o* second *etc*); to tie; **in** ~ **a** as regards, with regard to; **entrare nel** ~ **di una questione** to go into a matter; **non so niente in** ~ I don't know anything about it.

meritocra'zia [meritokrat'tsia] *sf* meritocracy.

meri'torio, a *ag* praiseworthy.

mer'letto *sm* lace.

'merlo *sm* (*ZOOL*) blackbird; (*ARCHIT*) battlement.

mer'luzzo [mer'luttso] *sm* (*ZOOL*) cod.

'mescere ['meʃʃere] *vt* to pour (out).

meschinità [meskini'ta] *sf* wretchedness; meagreness; meanness; narrow-mindedness.

mes'chino, a [mes'kino] *ag* wretched; (*scarso*) meagre (*BRIT*), meager (*US*); (*persona*: *gretta*) mean; (: *limitata*) narrow-minded, petty; **fare una figura** ~**a** to cut a poor figure.

'mescita ['meʃʃita] *sf* wine shop.

mesci'uto, a [meʃ'ʃuto] *pp di* **mescere**.

mesco'lanza [mesko'lantsa] *sf* mixture.

mesco'lare *vt* to mix; (*vini, colori*) to blend; (*mettere in disordine*) to mix up, muddle up; (*carte*) to shuffle; ~**rsi** *vr* to mix; to blend; to get mixed up; (*fig*): ~**rsi in** to get mixed up in, meddle in.

'mese *sm* month; **il** ~ **scorso** last month; **il corrente** ~ this month.

'messa *sf* (*REL*) mass; (*il mettere*): ~ **a fuoco** focusing; ~ **in moto** starting; ~ **in piega** (*acconciatura*) set; ~ **a punto** (*TECN*) adjustment; (*AUT*) tuning; (*fig*) clarification; ~ **in scena** = **messinscena**.

messagge'rie [messaddʒe'rie] *sfpl* (*ditta*: *di distribuzione*) distributors; (: *di trasporto*) freight company.

messag'gero [messad'dʒɛro] *sm* messenger.

mes'saggio [mes'saddʒo] *sm* message.

mes'sale *sm* (*REL*) missal.

'messe *sf* harvest.

Mes'sia *sm inv* (*REL*): **il** ~ the Messiah.

messi'cano, a *ag, sm/f* Mexican.

'Messico *sm*: **il** ~ Mexico; **Città del** ~ Mexico City.

messin'scena [messin'ʃena] *sf* (*TEAT*) production.

'messo, a *pp di* **mettere** ♦ *sm* messenger.

mestie'rante *sm/f* (*peg*) money-grubber; (: *scrittore*) hack.

mesti'ere *sm* (*professione*) job; (: *manuale*) trade; (: *artigianale*) craft; (*fig*: *abilità nel lavoro*) skill, technique; **di** ~ by *o* to trade; **essere del** ~ to know the tricks of the trade.

mes'tizia [mes'tittsja] *sf* sadness, melancholy.

'mesto, a *ag* sad, melancholy.

'mestola *sf* (*CUC*) ladle; (*EDIL*) trowel.

'mestolo *sm* (*CUC*) ladle.

mestru'ale *ag* menstrual.

mestruazi'one [mestruat'tsjone] *sf*

menstruation; **avere le** ~**i** to have one's period.

'**meta** *sf* destination; (*fig*) aim, goal.

metà *sf inv* half; (*punto di mezzo*) middle; **dividere qc a** *o* **per** ~ to divide sth in half, halve sth; **fare a** ~ (**di qc con qn**) to go halves (with sb in sth); **a** ~ **prezzo** at half price; **a** ~ **settimana** midweek; **a** ~ **strada** halfway; **verso la** ~ **del mese** halfway through the month, towards the middle of the month; **dire le cose a** ~ to leave some things unsaid; **fare le cose a** ~ to leave things half-done; **la mia dolce** ~ (*fam scherzoso*) my better half.

metabo'lismo *sm* metabolism.

meta'done *sm* methadone.

meta'fisica *sf* metaphysics *sg*.

me'tafora *sf* metaphor.

meta'forico, a, ci, che *ag* metaphorical.

me'tallico, a, ci, che *ag* (*di metallo*) metal *cpd*; (*splendore, rumore etc*) metallic.

metalliz'zato, a [metallid'dzato] *ag* (*verniciatura*) metallic.

me'tallo *sm* metal; **di** ~ metal *cpd*.

metallur'gia [metallur'dʒia] *sf* metallurgy.

metalmec'canico, a, ci, che *ag* engineering *cpd* ♦ *sm* engineering worker.

meta'morfosi *sf* metamorphosis.

me'tano *sm* methane.

me'teora *sf* meteor.

meteo'rite *sm* meteorite.

meteorolo'gia [meteorolo'dʒia] *sf* meteorology.

meteoro'logico, a, ci, che [meteoro'lɔdʒiko] *ag* meteorological, weather *cpd*.

meteo'rologo, a, ghi, ghe *sm/f* meteorologist.

me'ticcio, a, ci, ce [me'tittʃo] *sm/f* half-caste, half-breed.

meticolosità *sf* meticulousness.

metico'loso, a *ag* meticulous.

me'todico, a, ci, che *ag* methodical.

'**metodo** *sm* method; (*manuale*) manual (*BRIT*), manual; **far qc con/senza** ~ to do sth methodically/unmethodically.

me'traggio [me'traddʒo] *sm* (*SARTORIA*) length; (*CINE*) footage; **film a lungo** ~ feature film; **film a corto** ~ short film.

metra'tura *sf* length.

'**metrico, a, ci, che** *ag* metric; (*POESIA*) metrical ♦ *sf* metrics *sg*.

'**metro** *sm* metre (*BRIT*), meter (*US*); (*nastro*) tape measure; (*asta*) (metre) rule.

metrò *sm inv* underground (*BRIT*), subway (*US*).

metro'notte *sm inv* night security guard.

me'tropoli *sf* metropolis.

metropoli'tano, a *ag* metropolitan ♦ *sf* underground (*BRIT*), subway (*US*); ~**a leggera** metro (*mainly on the surface*).

'**mettere** *vt* to put; (*abito*) to put on; (: *portare*) to wear; (*installare: telefono*) to put in; (*fig: provocare*): ~ **fame/allegria a qn** to make sb hungry/happy; (*supporre*): **mettiamo che ...** let's suppose *o* say that ...; ~**rsi** *vr* (*persona*) to put o.s.; (*oggetto*) to go; (*disporsi: faccenda*) to turn out; ~**rsi a piangere/ridere** to start crying/laughing, start *o* begin to cry/laugh; ~**rsi a sedere** to sit down; ~**rsi al lavoro** to set to work; ~**rsi a letto** to get into bed; (*per malattia*) to take to one's bed; ~**rsi il cappello** to put on one's hat; ~**rsi sotto** to get down to things; ~**rsi in società** to set up in business; **si sono messi insieme** (*coppia*) they've started going out together (*BRIT*) *o* dating (*US*); ~**rci**: ~**rci molta cura/molto tempo** to take a lot of care/a lot of time; **mettercela tutta** to do one's best; **ci ho messo 3 ore per venire** it's taken me 3 hours to get here; ~ **un annuncio sul giornale** to place an advertisement in the paper; ~ **a confronto** to compare; ~ **in conto** (*somma etc*) to put on account; ~ **in luce** (*problemi, errori*) to stress, highlight; ~ **a tacere qn/qc** to keep sb/sth quiet; ~ **su casa** to set up house; ~ **su un negozio** to start a shop; ~ **su peso** to put on weight; ~ **via** to put away.

mez'zadro [med'dzadro] *sm* (*AGR*) sharecropper.

mezza'luna [meddza'luna], *pl* **mezze'lune** *sf* half-moon; (*dell'islamismo*) crescent; (*coltello*) (semicircular) chopping knife.

mezza'nino [meddza'nino] *sm* mezzanine (floor).

mez'zano, a [med'dzano] *ag* (*medio*) average, medium; (*figlio*) middle *cpd* ♦ *sm/f* (*intermediario*) go-between; (*ruffiano*) pimp.

mezza'notte [meddza'nɔtte] *sf* midnight.

'**mezzo, a** ['mɛddzo] *ag* half; **un** ~ **litro/panino** half a litre/roll ♦ *av* half-; ~ **morto** half-dead ♦ *sm* (*metà*) half; (*parte centrale: di strada etc*) middle; (*per raggiungere un fine*) means *sg*; (*veicolo*) vehicle; (*nell'indicare l'ora*): **le nove e** ~ half past nine; **mezzogiorno e** ~ half past twelve ♦ *sf*: **la** ~**a** half-past twelve (in the afternoon); ~**i** *smpl* (*possibilità economiche*) means; **di** ~**a età** middle-aged; **aver una** ~**a idea di fare qc** to have half a mind to do sth; **è stato un** ~ **scandalo** it almost caused a scandal; **un soprabito di** ~**a stagione** a spring (*o* autumn) coat; **a** ~**a**

voce in an undertone; **una volta e ~ più grande** one and a half times bigger; **di ~** middle, in the middle; **andarci di ~** (*patir danno*) to suffer; **esserci di ~** (*ostacolo*) to be in the way; **levarsi** *o* **togliersi di ~** to get out of the way; **mettersi di ~** to interfere; **togliere di ~** (*persona, cosa*) to get rid of; (*fam: uccidere*) to bump off; **non c'è una via di ~** there's no middle course; **in ~ a** in the middle of; **nel bel ~ (di)** right in the middle (of); **per** *o* **a ~ di** by means of; **a ~ corriere** by carrier; **~i di comunicazione di massa** mass media *pl*; **~i pubblici** public transport *sg*; **~i di trasporto** means of transport.

mezzogi'orno [meddzo'dʒorno] *sm* midday, noon; (*GEO*) south; **a ~ at** 12 (o'clock) *o* midday *o* noon; **il ~ d'Italia** southern Italy.

mez'z'ora, mez'zora [med'dzora] *sf* half-hour, half an hour.

MI *sigla* = *Milano*.

mi *pron* (*dav lo, la, li, le, ne diventa* **me**) (*oggetto*) me; (*complemento di termine*) (to) me; (*riflessivo*) myself ♦ *sm* (*MUS*) E; (*: solfeggiando la scala*) mi; **~ aiuti?** will you help me?; **me ne ha parlato** he spoke to me about it, he told me about it; **~ servo da solo** I'll help myself.

'mia *vedi* **mio**.

miago'lare *vi* to miaow, mew.

Mib *sigla m*, *ag* (= *indice borsa Milano*) Milan Stock Exchange Index.

'mica *sf* (*CHIM*) mica ♦ *av* (*fam*): **non ... ~** not ... at all; **non sono ~ stanco** I'm not a bit tired; **non sarà ~ partito?** he wouldn't have left, would he?; **~ male** not bad.

'miccia, ce ['mittʃa] *sf* fuse.

micidi'ale [mitʃi'djale] *ag* fatal; (*dannosissimo*) deadly.

'micio, a, ci, cie ['mitʃo] *sm/f* pussy (cat).

microbiolo'gia [mikrobiolo'dʒia] *sf* microbiology.

'microbo *sm* microbe.

microcir'cuito [mikrotʃir'kuito] *sm* microcircuit.

micro'film *sm inv* microfilm.

mi'crofono *sm* microphone.

microinfor'matica *sf* microcomputing.

micro'onda *sf* microwave.

microproces'sore [mikroprotʃes'sore] *sm* microprocessor.

micros'copico, a, ci, che *ag* microscopic.

micros'copio *sm* microscope.

micro'solco, chi *sm* (*solco*) microgroove; (*disco: a 33 giri*) long-playing record, LP; (*: a 45 giri*) extended-play record, EP.

micros'pia *sf* hidden microphone, bug

(*fam*).

mi'dollo, *pl(f)* **~a** *sm* (*ANAT*) marrow; **~ spinale** spinal cord.

'mie, mi'ei *vedi* **mio**.

mi'ele *sm* honey.

mi'etere *vt* (*AGR*) to reap, harvest; (*fig: vite*) to take, claim.

mietitrebbia'trice [mjetitrebbja'tritʃe] *sf* combine harvester.

mieti'trice [mjeti'tritʃe] *sf* (*macchina*) harvester.

mieti'tura *sf* (*raccolto*) harvest; (*lavoro*) harvesting; (*tempo*) harvest-time.

'miglia ['miʎʎa] *sfpl di* **miglio**.

migli'aio [miʎ'ʎajo] *pl(f)* **~a** *sm* thousand; **un ~ (di)** about a thousand; **a ~a** by the thousand, in thousands.

'miglio ['miʎʎo] *sm* (*BOT*) millet; (*pl(f)* **~a:** *unità di misura*) mile; **~ marino** *o* **nautico** nautical mile.

migliora'mento [miʎʎora'mento] *sm* improvement.

miglio'rare [miʎʎo'rare] *vt*, *vi* to improve.

migli'ore [miʎ'ʎore] *ag* (*comparativo*) better; (*superlativo*) best ♦ *sm*: **il ~** the best (thing) ♦ *sm/f*: **il(la) ~** the best (person); **il miglior vino di questa regione** the best wine in this area; **i ~i auguri** best wishes.

miglio'ria [miʎʎo'ria] *sf* improvement.

'mignolo ['miɲɲolo] *sm* (*ANAT*) little finger, pinkie; (*: dito del piede*) little toe.

mi'grare *vi* to migrate.

migrazi'one [migrat'tsjone] *sf* migration.

'mila *pl di* **mille**.

mila'nese *ag* Milanese ♦ *sm/f* person from Milan; **i ~i** the Milanese; **cotoletta alla ~** (*CUC*) Wiener schnitzel; **risotto alla ~** (*CUC*) risotto with saffron.

Mi'lano *sf* Milan.

miliar'dario, a *ag, sm/f* millionaire.

mili'ardo *sm* thousand million (*BRIT*), billion (*US*).

mili'are *ag*: **pietra ~** milestone.

milio'nario, a *ag, sm/f* millionaire.

mili'one *sm* million; **un ~ di lire** a million lire.

mili'tante *ag, sm/f* militant.

mili'tanza [mili'tantsa] *sf* militancy.

mili'tare *vi* (*MIL*) to be a soldier, serve; (*fig: in un partito*) to be a militant ♦ *ag* military ♦ *sm* serviceman; **fare il ~** to do one's military service; **~ di carriera** regular (soldier).

milita'resco, a, schi, sche *ag* (*portamento*) military *cpd*.

'milite *sm* soldier.

mi'lizia [mi'littsja] *sf* (*corpo armato*) militia.

milizi'ano [milit'tsjano] *sm* militiaman.
millanta'tore, 'trice *sm/f* boaster.
millante'ria *sf* (*qualità*) boastfulness.
'mille *num* (*pl* **mila**) a *o* one thousand;
  diecimila ten thousand.
mille'foglie [mille'fɔʎʎe] *sm inv* (*CUC*) cream
  o vanilla slice.
mil'lennio *sm* millennium.
millepi'edi *sm inv* centipede.
mil'lesimo, a *ag, sm* thousandth.
milli'grammo *sm* milligram(me).
mil'lilitro *sm* millilitre (*BRIT*), milliliter
  (*US*).
mil'limetro *sm* millimetre (*BRIT*),
  millimeter (*US*).
'milza ['miltsa] *sf* (*ANAT*) spleen.
mi'metico, a, ci, che *ag* (*arte*) mimetic;
  tuta ~**a** (*MIL*) camouflage.
mime'tismo *sm* camouflage.
mimetiz'zare [mimetid'dzare] *vt* to
  camouflage; ~**rsi** *vr* to camouflage o.s.
'mimica *sf* (*arte*) mime.
'mimo *sm* (*attore, componimento*) mime.
mi'mosa *sf* mimosa.
min. *abbr* (= *minuto, minimo*) min.
'mina *sf* (*esplosiva*) mine; (*di matita*) lead.
mi'naccia, ce [mi'nattʃa] *sf* threat; **sotto la**
  ~ **di** under threat of.
minacci'are [minat'tʃare] *vt* to threaten; ~
  qn di morte to threaten to kill sb; ~ **di**
  fare qc to threaten to do sth; **minaccia di**
  piovere it looks like rain.
minacci'oso, a [minat'tʃoso] *ag*
  threatening.
mi'nare *vt* (*MIL*) to mine; (*fig*) to
  undermine.
mina'tore *sm* miner.
mina'torio, a *ag* threatening.
minchi'one, a [min'kjone] (*fam*) *ag* idiotic
  ♦ *sm/f* idiot.
mine'rale *ag, sm* mineral.
mineralo'gia [mineralo'dʒia] *sf* mineralogy.
mine'rario, a *ag* (*delle miniere*) mining; (*dei*
  minerali) ore *cpd*.
mi'nestra *sf* soup; ~ **in brodo** noodle soup;
  ~ **di verdura** vegetable soup.
mines'trone *sm* thick vegetable and pasta
  soup.
mingher'lino, a [minger'lino] *ag* thin,
  slender.
'mini *ag inv* mini ♦ *sf inv* miniskirt.
minia'tura *sf* miniature.
minielabora'tore *sm* minicomputer.
mini'era *sf* mine; ~ **di carbone** coalmine;
  (*impresa*) colliery (*BRIT*), coalmine.
mini'gonna *sf* miniskirt.
minima'lista, i, e *ag, sm/f* minimalist.
minimiz'zare [minimid'dzare] *vt* to

minimize.
'minimo, a *ag* minimum, least, slightest;
  (*piccolissimo*) very small, slight; (*il più*
  basso) lowest, minimum ♦ *sm* minimum;
  al ~ at least; **girare al** ~ (*AUT*) to idle; **il** ~
  indispensabile the bare minimum; **il** ~
  della pena the minimum sentence.
minis'tero *sm* (*POL, REL*) ministry;
  (*governo*) government; (*DIR*): **Pubblico M**~
  State Prosecutor; **M**~ **delle Finanze**
  Ministry of Finance, ≈ Treasury.
mi'nistro *sm* (*POL, REL*) minister; **M**~ **delle**
  Finanze Minister of Finance, ≈
  Chancellor of the Exchequer (*BRIT*).
mino'ranza [mino'rantsa] *sf* minority;
  essere in ~ to be in the minority.
mino'rato, a *ag* handicapped ♦ *sm/f*
  physically (*o* mentally) handicapped
  person.
minorazi'one [minorat'tsjone] *sf* handicap.
Mi'norca *sf* Minorca.
mi'nore *ag* (*comparativo*) less; (: *più piccolo*)
  smaller; (: *numero*) lower; (: *inferiore*)
  lower, inferior; (: *meno importante*)
  minor; (: *più giovane*) younger;
  (*superlativo*) least; smallest; lowest; least
  important; youngest ♦ *sm/f* (*minorenne*)
  minor, person under age; **in misura** ~ to
  a lesser extent; **questo è il male** ~ this is
  the lesser evil.
mino'renne *ag* under age ♦ *sm/f* minor,
  person under age.
mino'rile *ag* juvenile; **carcere** ~ young
  offenders' institution; **delinquenza** ~
  juvenile delinquency.
minori'tario, a *ag* minority *cpd*.
mi'nuscolo, a *ag* (*scrittura, carattere*) small;
  (*piccolissimo*) tiny ♦ *sf* small letter ♦ *sm*
  small letters *pl*; (*TIP*) lower case; **scrivere**
  tutto (in) ~ to write everything in small
  letters.
mi'nuta *sf* rough copy, draft.
mi'nuto, a *ag* tiny, minute; (*pioggia*) fine;
  (*corporatura*) delicate, fine; (*lavoro*)
  detailed ♦ *sm* (*unità di misura*) minute; **al** ~
  (*COMM*) retail; **avere i** ~**i contati** to have
  very little time.
mi'nuzia [mi'nuttsja] *sf* (*cura*)
  meticulousness; (*particolare*) detail.
minuziosa'mente [minuttsjosa'mente] *av*
  meticulously; in minute detail.
minuzi'oso, a [minut'tsjoso] *ag* (*persona,*
  descrizione) meticulous; (*esame*) minute.
'mio, 'mia, mi'ei, 'mie *det*: **il** ~, **la mia** *etc*
  my ♦ *pronome*: **il** ~, **la mia** *etc* mine ♦ *sm*:
  ho speso del ~ I spent my own money
  ♦ *sf*: **la mia** (*opinione*) my view; **i miei** my
  family; **un** ~ **amico** a friend of mine; **per**

amor ~ for my sake; **è dalla mia** he is on my side; **anch'io ho avuto le mie** (*disavventure*) I've had my problems too; **ne ho fatta una delle mie!** (*sciocchezze*) I've done it again!; **cerco di stare sulle mie** I try to keep myself to myself.

'**miope** *ag* short-sighted.

mio'pia *sf* short-sightedness, myopia; (*fig*) short-sightedness.

'**mira** *sf* (*anche fig*) aim; **avere una buona/ cattiva** ~ to be a good/bad shot; **prendere la** ~ to take aim; **prendere di** ~ **qn** (*fig*) to pick on sb.

mi'rabile *ag* admirable, wonderful.

mi'racolo *sm* miracle.

miraco'loso, a *ag* miraculous.

mi'raggio [mi'raddʒo] *sm* mirage.

mi'rare *vi*: ~ **a** to aim at.

mi'riade *sf* myriad.

mi'rino *sm* (*TECN*) sight; (*FOT*) viewer, viewfinder.

mir'tillo *sm* bilberry (*BRIT*), blueberry (*US*), whortleberry.

'**mirto** *sm* myrtle.

mi'santropo, a *sm/f* misanthropist.

mi'scela [miʃ'ʃɛla] *sf* mixture; (*di caffè*) blend.

miscel'lanea [miʃʃel'lanea] *sf* miscellany.

'**mischia** ['miskja] *sf* scuffle; (*RUGBY*) scrum, scrummage.

mischi'are [mis'kjare] *vt*, ~**rsi** *vr* to mix, blend.

misco'noscere [misko'noʃʃere] *vt* (*qualità, coraggio etc*) to fail to appreciate.

miscre'dente *ag* (*REL*) misbelieving; (: *incredulo*) unbelieving ♦ *sm/f* misbeliever; unbeliever.

mis'cuglio [mis'kuʎʎo] *sm* mixture, hotchpotch, jumble.

'**mise** *vb vedi* **mettere**.

mise'rabile *ag* (*infelice*) miserable, wretched; (*povero*) poverty-stricken; (*di scarso valore*) miserable.

mi'seria *sf* extreme poverty; (*infelicità*) misery; ~**e** *sfpl* (*del mondo etc*) misfortunes, troubles; **costare una** ~ to cost next to nothing; **piangere** ~ to plead poverty; **ridursi in** ~ to be reduced to poverty; **porca** ~! (*fam*) (bloody) hell!

miseri'cordia *sf* mercy, pity.

misericordi'oso, a *ag* merciful.

'**misero, a** *ag* miserable, wretched; (*povero*) poverty-stricken; (*insufficiente*) miserable.

mis'fatto *sm* misdeed, crime.

'**misi** *vb vedi* **mettere**.

mi'sogino [mi'zɔdʒino] *sm* misogynist.

'**missile** *sm* missile; ~ **cruise** *o* **di crociera**

cruise missile; ~ **terra-aria** surface-to-air missile.

missio'nario, a *ag, sm/f* missionary.

missi'one *sf* mission.

misteri'oso, a *ag* mysterious.

mis'tero *sm* mystery; **fare** ~ **di qc** to make a mystery out of sth; **quanti** ~**i!** why all the mystery?

'**mistico, a, ci, che** *ag* mystic(al) ♦ *sm* mystic.

mistifi'care *vt* to fool, bamboozle.

'**misto, a** *ag* mixed; (*scuola*) mixed, coeducational ♦ *sm* mixture; **un tessuto in** ~ **lino** a linen mix.

mis'tura *sf* mixture.

mi'sura *sf* measure; (*misurazione, dimensione*) measurement; (*taglia*) size; (*provvedimento*) measure, step; (*moderazione*) moderation; (*MUS*) time; (: *divisione*) bar; (*fig: limite*) bounds *pl*, limit; **in** ~ **di** in accordance with, according to; **nella** ~ **in cui** inasmuch as, insofar as; **in giusta** ~ moderately; **oltre** ~ beyond measure; **su** ~ made to measure; **in ugual** ~ equally, in the same way; **a** ~ **d'uomo** on a human scale; **passare la** ~ to overstep the mark, go too far; **prendere le** ~**e a qn** to take sb's measurements, measure sb; **prendere le** ~**e di qc** to measure sth; **ho preso le mie** ~**e** I've taken the necessary steps; **non ha il senso della** ~ he doesn't know when to stop; ~ **di lunghezza/capacità** measure of length/capacity; ~**e di sicurezza/ prevenzione** safety/precautionary measures.

misu'rare *vt* (*ambiente, stoffa*) to measure; (*terreno*) to survey; (*abito*) to try on; (*pesare*) to weigh; (*fig: parole etc*) to weigh up; (: *spese, cibo*) to limit ♦ *vi* to measure; ~**rsi** *vr*: ~**rsi con qn** to have a confrontation with sb; (*competere*) to compete with sb.

misu'rato, a *ag* (*ponderato*) measured; (*prudente*) cautious; (*moderato*) moderate.

misurazi'one [mizurat'tsjone] *sf* measuring; (*di terreni*) surveying.

'**mite** *ag* mild; (*prezzo*) moderate, reasonable.

'**mitico, a, ci, che** *ag* mythical.

miti'gare *vt* to mitigate, lessen; (*lenire*) to soothe, relieve; ~**rsi** *vr* (*odio*) to subside; (*tempo*) to become milder.

'**mitilo** *sm* mussel.

'**mito** *sm* myth.

mitolo'gia, 'gie [mitolo'dʒia] *sf* mythology.

mito'logico, a, ci, che [mito'lɔdʒiko] *ag* mythological.

'**mitra** *sf* (*REL*) mitre (*BRIT*), miter (*US*) ♦ *sm inv* (*arma*) sub-machine gun.

mitragli'are [mitraʎ'ʎare] *vt* to machine-gun.

mitraglia'tore, 'trice [mitraʎʎa'tore] *ag*: **fucile** *m* ~ sub-machine gun ♦ *sf* machine gun.

mitteleuro'peo, a *ag* Central European.

mit'tente *sm/f* sender.

ml *abbr* (= *millilitro*) ml.

MLD *sigla m vedi* **Movimento per la Liberazione della Donna**.

MM *abbr* = *Metropolitana Milanese*.

mm *abbr* (= *millimetro*) mm.

M.M. *abbr vedi* **marina militare**.

MN *sigla* = *Mantova*.

M/N, m/n *abbr* (= *motonave*) MV.

MO *sigla* = *Modena*.

M.O. *abbr* = **Medio Oriente**.

mo' *sm*: **a** ~ **di** *prep* like; **a** ~ **di esempio** by way of example.

'**mobile** *ag* mobile; (*parte di macchina*) moving; (*DIR: bene*) movable, personal ♦ *sm* (*arredamento*) piece of furniture; ~**i** *smpl* furniture *sg*.

mo'bilia *sf* furniture.

mobili'are *ag* (*DIR*) personal, movable.

mo'bilio *sm* = **mobilia**.

mobilità *sf* mobility.

mobili'tare *vt* to mobilize; ~ **l'opinione pubblica** to rouse public opinion.

mobilitazi'one [mobilitat'tsjone] *sf* mobilization.

mocas'sino *sm* moccasin.

mocci'oso, a [mot'tʃoso] *sm/f* (*bambino piccolo*) little kid; (*peg*) snotty-nosed kid.

'**moccolo** *sm* (*di candela*) candle end; (*fam: bestemmia*) oath; (: *moccio*) snot; **reggere il** ~ to play gooseberry (*BRIT*), act as chaperon(e).

'**moda** *sf* fashion; **alla** ~, **di** ~ fashionable, in fashion.

modalità *sf inv* formality; **seguire attentamente le** ~ **d'uso** to follow the instructions carefully; ~ **giuridiche** legal procedures; ~ **di pagamento** method of payment.

mo'della *sf* model.

model'lare *vt* (*creta*) to model, shape; ~**rsi** *vr*: ~**rsi su** to model o.s. on.

mo'dello *sm* model; (*stampo*) mould (*BRIT*), mold (*US*) ♦ *ag inv* model *cpd*.

'**modem** *sm inv* modem.

mode'nese *ag* of (*o* from) Modena.

mode'rare *vt* to moderate; ~**rsi** *vr* to restrain o.s.; ~ **la velocità** to reduce speed; ~ **i termini** to weigh one's words.

mode'rato, a *ag* moderate.

modera'tore, 'trice *sm/f* moderator.

moderazi'one [moderat'tsjone] *sf* moderation.

moderniz'zare [modernid'dzare] *vt* to bring up to date, modernize; ~**rsi** *vr* to get up to date.

mo'derno, a *ag* modern.

mo'destia *sf* modesty; ~ **a parte** ... in all modesty ..., though I say it myself ....

mo'desto, a *ag* modest.

'**modico, a, ci, che** *ag* reasonable, moderate.

mo'difica, che *sf* modification; **subire delle** ~**che** to undergo some modifications.

modifi'cabile *ag* modifiable.

modifi'care *vt* to modify, alter; ~**rsi** *vr* to alter, change.

mo'dista *sf* milliner.

'**modo** *sm* way, manner; (*mezzo*) means, way; (*occasione*) opportunity; (*LING*) mood; (*MUS*) mode; ~**i** *smpl* (*maniere*) manners; **a suo** ~, **a** ~ **suo** in his own way; **ad** *o* **in ogni** ~ anyway; **di** *o* **in** ~ **che** so that; **in** ~ **da** so as to; **in tutti i** ~**i** at all costs; (*comunque sia*) anyway; (*in ogni caso*) in any case; **in un certo qual** ~ in a way, in some ways; **in qualche** ~ somehow or other; **oltre** ~ extremely; ~ **di dire** turn of phrase; **per** ~ **di dire** so to speak; **fare a** ~ **proprio** to do as one likes; **fare le cose a** ~ to do things properly; **una persona a** ~ a well-mannered person; **c'è** ~ **e** ~ **di farlo** there's a right way and a wrong way of doing it.

modu'lare *vt* to modulate ♦ *ag* modular.

modulazi'one [modulat'tsjone] *sf* modulation; ~ **di frequenza** (**FM**) frequency modulation (FM).

'**modulo** *sm* (*modello*) form; (*ARCHIT, lunare, di comando*) module; ~ **di domanda** application form; ~ **d'iscrizione** enrolment form; ~ **di versamento** deposit slip.

Moga'discio [moga'diʃʃo] *sm* Mogadishu.

'**mogano** *sm* mahogany.

'**mogio, a, gi, gie** ['mɔdʒo] *ag* down in the dumps, dejected.

'**moglie** ['moʎʎe] *sf* wife.

mo'hair [mɔ'ɛr] *sm* mohair.

mo'ine *sfpl* cajolery *sg*; (*leziosità*) affectation *sg*; **fare le** ~ **a qn** to cajole sb.

'**mola** *sf* millstone; (*utensile abrasivo*) grindstone.

mo'lare *vt* to grind ♦ *ag* (*pietra*) mill *cpd* ♦ *sm* (*dente*) molar.

'**mole** *sf* mass; (*dimensioni*) size; (*edificio grandioso*) massive structure; **una** ~ **di lavoro** masses (*BRIT*) *o* loads of work.

mo'lecola *sf* molecule.

moles'tare *vt* to bother, annoy.

mo'lestia *sf* annoyance, bother; **recar ~ a qn** to bother sb; **~e sessuali** sexual harassment *sg*.

mo'lesto, a *ag* annoying.

moli'sano, a *ag* of (*o* from) Molise.

'molla *sf* spring; **~e** *sfpl* (*per camino*) tongs; **prendere qn con le ~e** to treat sb with kid gloves.

mol'lare *vt* to release, let go; (*NAUT*) to ease; (*fig: ceffone*) to give ♦ *vi* (*cedere*) to give in; **~ gli ormeggi** (*NAUT*) to cast off; **~ la presa** to let go.

'molle *ag* soft; (*muscoli*) flabby; (*fig: debole*) weak, feeble.

molleggi'ato, a [molled'dʒato] *ag* (*letto*) sprung; (*auto*) with good suspension.

mol'leggio [mol'leddʒo] *sm* (*per veicoli*) suspension; (*elasticità*) springiness; (*GINNASTICA*) knee-bends *pl*.

mol'letta *sf* (*per capelli*) hairgrip; (*per panni stesi*) clothes peg (*BRIT*) *o* pin (*US*); **~e** *sfpl* (*per zucchero*) tongs.

mol'lezza [mol'lettsa] *sf* softness; flabbiness; weakness, feebleness; **~e** *sfpl*: **vivere nelle ~e** to live in the lap of luxury.

mol'lica, che *sf* crumb, soft part.

mol'liccio, a, ci, ce [mol'littʃo] *ag* (*terreno, impasto*) soggy; (*frutta*) soft; (*floscio: mano*) limp; (: *muscolo*) flabby.

mol'lusco, schi *sm* mollusc.

'molo *sm* jetty, pier.

mol'teplice [mol'teplitʃe] *ag* (*formato di più elementi*) complex; **~i** *pl* (*svariati: interessi, attività*) numerous, various.

molteplicità [molteplitʃi'ta] *sf* multiplicity.

moltipli'care *vt* to multiply; **~rsi** *vr* to multiply; (*richieste*) to increase in number.

moltiplicazi'one [moltiplikat'tsjone] *sf* multiplication.

molti'tudine *sf* multitude; **una ~ di** a vast number *o* a multitude of.

═══════════════ *PAROLA CHIAVE*

'molto, a *det* (*quantità*) a lot of, much; (*numero*) a lot of, many; **~ pane/carbone** a lot of bread/coal; **~a gente** a lot of people, many people; **~i libri** a lot of books, many books; **non ho ~ tempo** I haven't got much time; **per ~ (tempo)** for a long time; **ci vuole ~ (tempo)?** will it take long?; **arriverà fra non ~** he'll arrive soon; **ne hai per ~?** will you be long?

♦ *av* **1** a lot, (very) much; **viaggia ~** he travels a lot; **non viaggia ~** he doesn't

travel much *o* a lot

2 (*intensivo: con aggettivi, avverbi*) very; (: *con participio passato*) (very) much; **~ buono** very good; **~ migliore**, **~ meglio** much *o* a lot better

♦ *pron* much, a lot; **~i, e** *pron pl* many, a lot; **~i pensano che ...** many (people) think that ...; **~e sono rimaste a casa** a lot of them stayed at home; **c'era gente, ma non ~a** there were people there, but not many.

momentanea'mente *av* at the moment, at present.

momen'taneo, a *ag* momentary, fleeting.

mo'mento *sm* moment; **da un ~ all'altro** at any moment; (*all'improvviso*) suddenly; **al ~ di fare** just as I was (*o* you were *o* he was *etc*) doing; **a ~i** (*da un ~ all'altro*) any time *o* moment now; (*quasi*) nearly; **per il ~** for the time being; **dal ~ che** ever since; (*dato che*) since; **~ culminante** climax.

'monaca, che *sf* nun.

'Monaco *sf* Monaco; **~ (di Baviera)** Munich.

'monaco, ci *sm* monk.

mo'narca, chi *sm* monarch.

monar'chia [monar'kia] *sf* monarchy.

mo'narchico, a, ci, che [mo'narkiko] *ag* (*stato, autorità*) monarchic; (*partito, fede*) monarchist ♦ *sm/f* monarchist.

monas'tero *sm* (*di monaci*) monastery; (*di monache*) convent.

mo'nastico, a, ci, che *ag* monastic.

'monco, a, chi, che *ag* maimed; (*fig*) incomplete; **~ d'un braccio** one-armed.

mon'cone *sm* stump.

mon'dana *sf* prostitute.

mondanità *sf* (*frivolezza*) worldliness; **le ~** (*piaceri*) the pleasures of the world.

mon'dano, a *ag* (*anche fig*) worldly; (*dell'alta società*) society *cpd*; fashionable.

mon'dare *vt* (*frutta, patate*) to peel; (*piselli*) to shell; (*pulire*) to clean.

mondez'zaio [mondet'tsajo] *sm* rubbish (*BRIT*) *o* garbage (*US*) dump.

mondi'ale *ag* (*campionato, popolazione*) world *cpd*; (*influenza*) world-wide; **di fama ~** world famous.

'mondo *sm* world; (*grande quantità*): **un ~ di** lots of, a host of; **il gran** *o* **bel ~** high society; **per niente al ~, per nessuna cosa al ~** not for all the world; **da che ~ è ~** since time *o* the world began; **mandare qn all'altro ~** to kill sb; **mettere/venire al ~** to bring/come into the world; **vivere fuori dal ~** to be out of touch with the real world; **(sono) cose dell'altro** ~! it's incredible!; **com'è piccolo il** ~! it's a small world!

mone'gasco, a, schi, sche *ag, sm/f* Monegasque.

monelle'ria *sf* prank, naughty trick.

mo'nello, a *sm/f* street urchin; (*ragazzo vivace*) scamp, imp.

mo'neta *sf* coin; (*ECON: valuta*) currency; (*denaro spicciolo*) (small) change; ~ **estera** foreign currency; ~ **legale** legal tender.

mone'tario, a *ag* monetary.

Mon'golia *sf:* **la** ~ Mongolia.

mon'golico, a, ci, che *ag* Mongolian.

mongo'lismo *sm* mongolism, Down's syndrome.

'mongolo, a *ag* Mongolian ♦ *sm/f, sm* Mongol, Mongolian.

mongo'loide *ag, sm/f* (*MED*) mongol.

'monito *sm* warning.

'monitor *sm inv* (*TECN, TV*) monitor.

monito'raggio [monito'raddʒo] *sm* monitoring.

monito'rare *vt* to monitor.

mo'nocolo *sm* (*lente*) monocle, eyeglass.

monoco'lore *ag* (*POL*): **governo** ~ one-party government.

monoga'mia *sf* monogamy.

mo'nogamo, a *ag* monogamous ♦ *sm* monogamist.

monogra'fia *sf* monograph.

mono'gramma, i *sm* monogram.

mono'lingue *ag* monolingual.

monolo'cale *sm* ≈ studio flat.

mo'nologo, ghi *sm* monologue.

mono'pattino *sm* scooter.

mono'polio *sm* monopoly; ~ **di stato** government monopoly.

monopoliz'zare [monopolid'dzare] *vt* to monopolize.

mono'sillabo, a *ag* monosyllabic ♦ *sm* monosyllable.

monoto'nia *sf* monotony.

mo'notono, a *ag* monotonous.

mono'uso *ag inv* disposable.

Mons. *abbr* (= *Monsignore*) Mgr.

monsi'gnore [monsiɲ'ɲore] *sm* (*REL: titolo*) Your (*o* His) Grace.

mon'sone *sm* monsoon.

monta'carichi [monta'kariki] *sm inv* hoist, goods lift.

mon'taggio [mon'taddʒo] *sm* (*TECN*) assembly; (*CINE*) editing.

mon'tagna [mon'taɲɲa] *sf* mountain; (*zona montuosa*): **la** ~ the mountains *pl*; **andare in** ~ to go to the mountains; **aria/strada di** ~ mountain air/road; **casa di** ~ house in the mountains; **~e russe** roller coaster *sg*,

big dipper *sg* (*BRIT*).

monta'gnoso, a [montaɲ'ɲoso] *ag* mountainous.

monta'naro, a *ag* mountain *cpd* ♦ *sm/f* mountain dweller.

mon'tano, a *ag* mountain *cpd*.

mon'tante *sm* (*di porta*) jamb; (*di finestra*) upright; (*CALCIO: palo*) post; (*PUGILATO*) upper cut; (*COMM*) total amount.

mon'tare *vt* to go (*o* come) up; (*cavallo*) to ride; (*apparecchiatura*) to set up, assemble; (*CUC*) to whip; (*ZOOL*) to cover; (*incastonare*) to mount, set; (*CINE*) to edit; (*FOT*) to mount ♦ *vi* to go (*o* come) up; (*a cavallo*): ~ **bene/male** to ride well/badly; (*aumentare di livello, volume*) to rise; **~rsi** *vr* to become big-headed; ~ **qc** to exaggerate sth; ~ **qn** *o* **la testa a qn** to turn sb's head; **~rsi la testa** to become big-headed; ~ **in bicicletta/macchina/treno** to get on a bicycle/ into a car/on a train; ~ **a cavallo** to get on *o* mount a horse; ~ **la guardia** (*MIL*) to mount guard.

monta'tura *sf* assembling *no pl*; (*di occhiali*) frames *pl*; (*di gioiello*) mounting, setting; (*fig*): ~ **pubblicitaria** publicity stunt.

montavi'vande *sm inv* dumbwaiter.

'monte *sm* mountain; **a** ~ upstream; **andare a** ~ (*fig*) to come to nothing; **mandare a** ~ **qc** (*fig*) to upset sth, cause sth to fail; **il M**~ **Bianco** Mont Blanc; **il M**~ **Everest** Mount Everest; ~ **di pietà** pawnshop; ~ **premi** prize.

Monteci'torio [montetʃi'torjo] *sm:* **palazzo** ~ (*POL*) *seat of the Italian Chamber of Deputies.*

mont'gomery [mənt'gʌməri] *sm inv* duffel coat.

mon'tone *sm* (*ZOOL*) ram; (*anche:* **giacca di** ~) sheepskin (jacket); **carne di** ~ mutton.

montuosità *sf* mountainous nature.

montu'oso, a *ag* mountainous.

monu'mento *sm* monument.

mo'quette [mɔ'kɛt] *sf* fitted carpet.

'mora *sf* (*del rovo*) blackberry; (*del gelso*) mulberry; (*DIR*) delay; (: *somma*) arrears *pl.*

mo'rale *ag* moral ♦ *sf* (*scienza*) ethics *sg*, moral philosophy; (*complesso di norme*) moral standards *pl*, morality; (*condotta*) morals *pl*; (*insegnamento morale*) moral ♦ *sm* morale; **la** ~ **della favola** the moral of the tale; **essere giù di** ~ to be feeling down; **aver il** ~ **alto/a terra** to be in good/ low spirits.

mora'lista, i, e *ag* moralistic ♦ *sm/f* moralist.

moralità *sf* morality; (*condotta*) morals *pl.*

moraliz'zare [moralid'dzare] vt (*costumi, vita pubblica*) to set moral standards for.

moralizzazi'one [moraliddzat'tsjone] sf setting of moral standards.

mora'toria sf (*DIR*) moratorium.

morbi'dezza [morbi'dettsa] sf softness; smoothness; tenderness.

'morbido, a ag soft; (*pelle*) soft, smooth; (*carne*) tender.

mor'billo sm (*MED*) measles sg.

'morbo sm disease.

mor'boso, a ag (*fig*) morbid.

'morchia ['mɔrkja] sf (*residuo grasso*) dregs pl; oily deposit.

mor'dente sm (*fig: di satira, critica*) bite; (: *di persona*) drive.

'mordere vt to bite; (*addentare*) to bite into; (*corrodere*) to eat into.

mordicchi'are [mordik'kjare] vt (*gen*) to chew at.

mo'rente ag dying ♦ smf dying man/woman.

mor'fina sf morphine.

mo'ria sf high mortality.

mori'bondo, a ag dying, moribund.

morige'rato, a [moridʒe'rato] ag of good morals.

mo'rire vi to die; (*abitudine, civiltà*) to die out; ~ **di dolore** to die of a broken heart; ~ **di fame** to die of hunger; (*fig*) to be starving; ~ **di freddo** to freeze to death; (*fig*) to be frozen; ~ **d'invidia** to be green with envy; ~ **di noia/paura** to be bored/scared to death; ~ **dalla voglia di fare qc** to be dying to do sth; **fa un caldo da** ~ it's terribly hot.

mormo'rare vi to murmur; (*brontolare*) to grumble; **si mormora che ...** it's rumoured (*BRIT*) o rumored (*US*) that ...; **la gente mormora** people are talking.

mormo'rio sm murmuring; grumbling.

'moro, a ag dark(-haired); dark(-complexioned); **i M~i** smpl (*STORIA*) the Moors.

mo'roso, a ag in arrears ♦ smf (*fam: innamorato*) sweetheart.

'morsa sf (*TECN*) vice (*BRIT*), vise (*US*); (*fig: stretta*) grip.

mor'setto sm (*TECN*) clamp; (*ELETTR*) terminal.

morsi'care vt to nibble (at), gnaw (at); (*sog: insetto*) to bite.

'morso, a pp di **mordere** ♦ sm bite; (*di insetto*) sting; (*parte della briglia*) bit; **dare un** ~ **a qc/qn** to bite sth/sb; **i ~i della fame** pangs of hunger.

morta'della sf (*CUC*) mortadella (*type of salted pork meat*).

mor'taio sm mortar.

mor'tale ag, sm mortal.

mortalità sf mortality; (*STATISTICA*) mortality, death rate.

'morte sf death; **in punto di** ~ at death's door; **ferito a** ~ (*soldato*) mortally wounded; (*in incidente*) fatally injured; **essere annoiato a** ~ to be bored to death o to tears; **avercela a** ~ **con qn** to be bitterly resentful of sb; **avere la** ~ **nel cuore** to have a heavy heart.

mortifi'care vt to mortify.

'morto, a pp di **morire** ♦ ag dead ♦ smf dead man/woman; **i** ~**i** the dead; **fare il** ~ (*nell'acqua*) to float on one's back; **un** ~ **di fame** (*fig peg*) a down-and-out; **le campane suonavano a** ~ the funeral bells were tolling; *vedi anche* **Giorno dei Morti**.

mor'torio sm (*anche fig*) funeral.

mo'saico, ci sm mosaic; **l'ultimo tassello del** ~ (*fig*) the last piece of the puzzle.

'Mosca sf Moscow.

'mosca, sche sf fly; **rimanere** o **restare con un pugno di** ~**sche** (*fig*) to be left empty-handed; **non si sentiva una** ~ (*fig*) you could have heard a pin drop; ~ **cieca** blind-man's buff.

mos'cato sm muscatel (wine).

mosce'rino [moʃʃe'rino] sm midge, gnat.

mos'chea [mos'kɛa] sf mosque.

mos'chetto [mos'ketto] sm musket.

moschet'tone [mosket'tone] sm (*gancia*) spring clip; (*ALPINISMO*) karabiner, snaplink.

moschi'cida, i, e [moski'tʃida] ag fly cpd; **carta** ~ flypaper.

'moscio, a, sci, sce ['moʃʃo] ag (*fig*) lifeless; **ha la "r"** ~**a** he can't roll his "r"s.

mos'cone sm (*ZOOL*) bluebottle; (*barca*) pedalo; (: *a remi*) kind of pedalo with oars.

mosco'vita, i, e ag, smf Muscovite.

'mossa sf movement; (*nel gioco*) move; **darsi una** ~ (*fig*) to give o.s. a shake; **prendere le** ~**e da qc** to come about as the result of sth.

'mossi etc vb vedi **muovere**.

'mosso, a pp di **muovere** ♦ ag (*mare*) rough; (*capelli*) wavy; (*FOT*) blurred; (*ritmo, prosa*) animated.

mos'tarda sf mustard.

'mosto sm must.

'mostra sf exhibition, show; (*ostentazione*) show; **in** ~ on show; **far** ~ **di** (*fingere*) to pretend; **far** ~ **di sé** to show off; **mettersi in** ~ to draw attention to o.s.

mos'trare vt to show ♦ vi: ~ **di fare** to pretend to do; ~**rsi** vr to appear; ~ **la**

lingua to stick out one's tongue.
'**mostro** sm monster.
mostru'oso, a ag monstrous.
mo'tel sm inv motel.
moti'vare vt (causare) to cause; (giustificare) to justify, account for.
motivazi'one [motivat'tsjone] sf justification; (PSIC) motivation.
mo'tivo sm (causa) reason, cause; (movente) motive; (letterario) (central) theme; (disegno) motif, design, pattern; (MUS) motif; **per quale ~?** why?, for what reason?; **per ~i di salute** for health reasons, on health grounds; **~i personali** personal reasons.
'**moto** sm (anche FISICA) motion; (movimento, gesto) movement; (esercizio fisico) exercise; (sommossa) rising, revolt; (commozione) feeling, impulse ♦ sf inv (motocicletta) motorbike; **fare del ~** to take some exercise; **un ~ d'impazienza** an impatient gesture; **mettere in ~** to set in motion; (AUT) to start up.
moto'carro sm three-wheeler van.
motoci'cletta [mototʃi'kletta] sf motorcycle.
motoci'clismo [mototʃi'klizmo] sm motorcycling, motorcycle racing.
motoci'clista, i, e [mototʃi'klista] sm/f motorcyclist.
moto'nave sf motor vessel.
motopesche'reccio [motopeske'rettʃo] sm motor fishing vessel.
mo'tore, 'trice ag motor; (TECN) driving ♦ sm engine, motor ♦ sf (TECN) engine, motor; **albero ~** drive shaft; **forza ~trice** driving force; **a ~** motor cpd, power-driven; **~ a combustione interna/a reazione** internal combustion/jet engine.
moto'rino sm moped; **~ di avviamento** (AUT) starter.
motoriz'zato, a [motorid'dzato] ag (truppe) motorized; (persona) having a car o transport.
motorizzazi'one [motoriddzat'tsjone] sf (ufficio tecnico e organizzativo): (**ufficio della**) **~** road traffic office.
motos'cafo sm motorboat.
motove'detta sf motor patrol vessel.
mo'trice [mo'tritʃe] sf vedi **motore**.
mot'teggio [mot'teddʒo] sm banter.
'**motto** sm (battuta scherzosa) witty remark; (frase emblematica) motto, maxim.
mountain bike sf inv mountain bike.
mo'vente sm motive.
mo'venza [mo'ventsa] sf movement.
movimen'tare vt to liven up.
movimen'tato, a ag (festa, partita) lively;

(riunione) animated; (strada, vita) busy; (soggiorno) eventful.
movi'mento sm movement; (fig) activity, hustle and bustle; (MUS) tempo, movement; **essere sempre in ~** to be always on the go; **fare un po' di ~** (esercizio fisico) to take some exercise; **c'è molto ~ in città** the town is very busy; **~ di capitali** movement of capital; **M~ per la Liberazione della Donna (MLD)** Women's Movement.
movi'ola sf moviola; **rivedere qc alla ~** to see an action (BRIT) o instant (US) replay of sth.
Mozam'bico [moddzam'biko] sm: **il ~** Mozambique.
mozi'one [mot'tsjone] sf (POL) motion; **~ d'ordine** (POL) point of order.
mozzafi'ato [mottsa'fjato] ag inv breathtaking.
moz'zare [mot'tsare] vt to cut off; (coda) to dock; **~ il fiato** o **il respiro a qn** (fig) to take sb's breath away.
mozza'rella [mottsa'rella] sf mozzarella (a moist Neapolitan curd cheese).
mozzi'cone [mottsi'kone] sm stub, butt, end; (anche: **~ di sigaretta**) cigarette end.
'**mozzo** sm ['mɔddzo] (MECCANICA) hub; ['mottso] (NAUT) ship's boy; **~ di stalla** stable boy.
mq abbr (= metro quadro) sq.m.
MS sigla = Massa Carrara.
ms. abbr (= manoscritto) ms.
M.S.I. sigla m (= Movimento Sociale Italiano) former right-wing political party.
Mti abbr = monti.
'**mucca, che** sf cow.
'**mucchio** ['mukkjo] sm pile, heap; (fig): **un ~ di** lots of, heaps of.
mucil'lagine [mutʃil'ladʒine] sf (BOT) mucilage (green slime produced by plants growing in water).
'**muco, chi** sm mucus.
mu'cosa sf mucous membrane.
'**muffa** sf mould (BRIT), mold (US), mildew; **fare la ~** to go mouldy (BRIT) o moldy (US).
mugghi'are [mug'gjare] vi (fig: mare, tuono) to roar; (: vento) to howl.
mug'gire [mud'dʒire] vi (vacca) to low, moo; (toro) to bellow; (fig) to roar.
mug'gito [mud'dʒito] sm low, moo; bellow; roar.
mu'ghetto [mu'getto] sm lily of the valley.
mu'gnaio, a [muɲ'ɲajo] sm/f miller.
mugo'lare vi (cane) to whimper, whine; (fig: persona) to moan.
mugu'gnare [muguɲ'ɲare] vi (fam) to

mutter, mumble.

mulatti'era *sf* mule track.

mu'latto, a *ag, sm/f* mulatto.

muli'nare *vi* to whirl, spin (round and round).

muli'nello *sm* (*moto vorticoso*) eddy, whirl; (*di canna da pesca*) reel; (*NAUT*) windlass.

mu'lino *sm* mill; **~ a vento** windmill.

'mulo *sm* mule.

'multa *sf* fine.

mul'tare *vt* to fine.

multico'lore *ag* multicoloured (*BRIT*), multicolored (*US*).

multi'forme *ag* (*paesaggio, attività, interessi*) varied; (*ingegno*) versatile.

multimedi'ale *ag* multimedia *cpd*.

multinazio'nale [multinattsjo'nale] *ag, sf* multinational; **forza ~ di pace** multinational peace-keeping force.

'multiplo, a *ag, sm* multiple.

multiu'tenza [multiu'tɛntsa] *sf* (*INFORM*) time sharing.

'mummia *sf* mummy.

'mungere ['mundʒere] *vt* (*anche fig*) to milk.

mungi'tura [mundʒi'tura] *sf* milking.

munici'pale [munitʃi'pale] *ag* (*gen*) municipal; **palazzo ~** town hall; **autorità ~i** local authorities (*BRIT*), local government *sg*.

muni'cipio [muni'tʃipjo] *sm* town council; (*edificio*) town hall; **sposarsi in ~ ≈** to get married in a registry office (*BRIT*), have a civil marriage.

munifi'cenza [munifi'tʃɛntsa] *sf* munificence.

mu'nifico, a, ci, che *ag* munificent, generous.

mu'nire *vt*: **~ qc/qn di** to equip sth/sb with; **~ di firma** (*documento*) to sign.

munizi'oni [munit'tsjoni] *sfpl* (*MIL*) ammunition *sg*.

'munsi *etc vb vedi* **mungere**.

'munto, a *pp di* **mungere**.

mu'oio *etc vb vedi* **morire**.

mu'overe *vt* to move; (*ruota, macchina*) to drive; (*sollevare: questione, obiezione*) to raise, bring up; (: *accusa*) to make, bring forward; **~rsi** *vr* to move; **~ causa a qn** (*DIR*) to take legal action against sb; **~ a compassione** to move to pity; **~ guerra a** *o* **contro qn** to wage war against sb; **~ mari e monti** to move heaven and earth; **~ al pianto** to move to tears; **~ i primi passi** to take one's first steps; (*fig*) to be starting out; **muoviti!** hurry up!, get a move on!

'mura *sfpl vedi* **muro**.

mu'raglia [mu'raʎʎa] *sf* (high) wall.

mu'rale *ag* wall *cpd*; mural.

mu'rare *vt* (*persona, porta*) to wall up.

mu'rario, a *ag* building *cpd*; **arte ~a** masonry.

mura'tore *sm* (*con pietre*) mason; (*con mattoni*) bricklayer.

mura'tura *sf* (*lavoro murario*) masonry; **casa in ~** (*di pietra*) stonebuilt house; (*di mattoni*) brick house.

'muro *sm* wall; **~a** *sfpl* (*cinta cittadina*) walls; **a ~** wall *cpd*; (*armadio etc*) built-in; **mettere al ~** (*fucilare*) to shoot *o* execute (by firing squad); **~ di cinta** surrounding wall; **~ divisorio** dividing wall; **~ del suono** sound barrier.

'musa *sf* muse.

'muschio ['muskjo] *sm* (*ZOOL*) musk; (*BOT*) moss.

musco'lare *ag* muscular, muscle *cpd*.

muscola'tura *sf* muscle structure.

'muscolo *sm* (*ANAT*) muscle.

musco'loso, a *ag* muscular.

mu'seo *sm* museum.

museru'ola *sf* muzzle.

'musica *sf* music; **~ da ballo/camera** dance/chamber music.

musi'cale *ag* musical.

musicas'setta *sf* (pre-recorded) cassette.

musi'cista, i, e [muzi'tʃista] *sm/f* musician.

musi'comane *sm/f* music lover.

'muso *sm* muzzle; (*di auto, aereo*) nose; **tenere il ~** to sulk.

mu'sone, a *sm/f* sulky person.

'mussola *sf* muslin.

mus(s)ul'mano, a *ag, sm/f* Muslim, Moslem.

'muta *sf* (*di animali*) moulting (*BRIT*), molting (*US*); (*di serpenti*) sloughing; (*per immersioni subacquee*) diving suit; (*gruppo di cani*) pack.

mu'tabile *ag* changeable.

muta'mento *sm* change.

mu'tande *sfpl* (*da uomo*) (under)pants.

mutan'dine *sfpl* (*da donna, bambino*) pants (*BRIT*), briefs; **~ di plastica** plastic pants.

mu'tare *vt, vi* to change, alter.

mutazi'one [mutat'tsjone] *sf* change, alteration; (*BIOL*) mutation.

mu'tevole *ag* changeable.

muti'lare *vt* to mutilate, maim; (*fig*) to mutilate, deface.

muti'lato, a *sm/f* disabled person (*through loss of limbs*); **~ di guerra** disabled ex-serviceman (*BRIT*) *o* war veteran (*US*).

mutilazi'one [mutilat'tsjone] *sf* mutilation.

mu'tismo *sm* (*MED*) mutism; (*atteggiamento*) (stubborn) silence.

'muto, a *ag* (*MED*) dumb; (*emozione, dolore,*

CINE) silent; (*LING*) silent, mute; (*carta geografica*) blank; ~ **per lo stupore** *etc* speechless with amazement *etc*; **ha fatto scena** ~**a** he didn't utter a word.

'**mutua** *sf* (*anche:* **cassa** ~) health insurance scheme; **medico della** ~ ≈ National Health Service doctor (*BRIT*).

mutu'are *vt* (*fig*) to borrow.

mutu'ato, a *sm/f* member of a health insurance scheme.

'**mutuo, a** *ag* (*reciproco*) mutual ♦ *sm* (*ECON*) (long-term) loan; ~ **ipotecario** mortgage.

N n

N, n ['ɛnne] *sf o m* (*lettera*) N, n; **N come Napoli** ≈ N for Nellie (*BRIT*), N for Nan (*US*).

N *abbr* (= *nord*) N.

n *abbr* (= *numero*) no.

NA *sigla* = *Napoli*.

na'babbo *sm* (*anche fig*) nabob.

'**nacchere** ['nakkere] *sfpl* castanets.

NAD *sigla m* = **nucleo anti-droga**.

na'dir *sm* (*ASTR*) nadir.

'**nafta** *sf* naphtha; (*per motori diesel*) diesel oil.

nafta'lina *sf* (*CHIM*) naphthalene; (*tarmicida*) mothballs *pl*.

'**naia** *sf* (*ZOOL*) cobra; (*MIL*) *slang term for national service*.

na'if [na'if] *ag inv* naïve.

'**nailon** *sm* = **nylon**.

Nai'robi *sf* Nairobi.

'**nanna** *sf* (*linguaggio infantile*): **andare a** ~ to go to beddy-byes.

'**nano, a** *ag, sm/f* dwarf.

napole'tano, a *ag, sm/f* Neapolitan ♦ *sf* (*macchinetta da caffè*) Neapolitan coffee pot.

'**Napoli** *sf* Naples.

'**nappa** *sf* tassel.

nar'ciso [nar'tʃizo] *sm* narcissus.

'**narcos** *sm inv* (*colombiano*) Colombian drug trafficker.

narco'dollari *smpl* drug money *sg*.

nar'cosi *sf* general anaesthesia, narcosis.

nar'cotico, ci *sm* narcotic.

narcotraffi'cante *sm/f* drug trafficker.

narco'traffico *sm* drug trade.

na'rice [na'ritʃe] *sf* nostril.

nar'rare *vt* to tell the story of, recount.

narra'tivo, a *ag* narrative ♦ *sf* (*branca letteraria*) fiction.

narra'tore, 'trice *sm/f* narrator.

narrazi'one [narrat'tsjone] *sf* narration; (*racconto*) story, tale.

N.A.S.A. ['naza] *sigla f* (= *National Aeronautics and Space Administration*) NASA.

na'sale *ag* nasal.

na'scente [naʃ'ʃɛnte] *ag* (*sole, luna*) rising.

'**nascere** ['naʃʃere] *vi* (*bambino*) to be born; (*pianta*) to come *o* spring up; (*fiume*) to rise, have its source; (*sole*) to rise; (*dente*) to come through; (*fig: derivare, conseguire*): ~ **da** to arise from, be born out of; **è nata nel 1952** she was born in 1952; **da cosa nasce cosa** one thing leads to another.

'**nascita** ['naʃʃita] *sf* birth.

nasci'turo, a [naʃʃi'turo] *sm/f* future child; **come si chiamerà il** ~**?** what's the baby going to be called?

nas'condere *vt* to hide, conceal; ~**rsi** *vr* to hide.

nascon'diglio [naskon'diʎʎo] *sm* hiding place.

nascon'dino *sm* (*gioco*) hide-and-seek.

nas'cosi *etc vb vedi* **nascondere**.

nas'costo, a *pp di* **nascondere** ♦ *ag* hidden; **di** ~ secretly.

na'sello *sm* (*ZOOL*) hake.

'**naso** *sm* nose.

Nas'sau *sf* Nassau.

'**nastro** *sm* ribbon; (*magnetico, isolante, SPORT*) tape; ~ **adesivo** adhesive tape; ~ **trasportatore** conveyor belt.

nas'turzio [nas'turtsjo] *sm* nasturtium.

na'tale *ag* of one's birth ♦ *sm* (*REL*): **N**~ Christmas; (*giorno della nascita*) birthday; ~**i** *smpl*: **di illustri/umili** ~**i** of noble/ humble birth.

natalità *sf* birth rate.

nata'lizio, a [nata'littsjo] *ag* (*del Natale*) Christmas *cpd*.

na'tante *sm* craft *inv*, boat.

'**natica, che** *sf* (*ANAT*) buttock.

na'tio, a, 'tii, 'tie *ag* native.

Nativ'ità *sf* (*REL*) Nativity.

na'tivo, a *ag, sm/f* native.

'**nato, a** *pp di* **nascere** ♦ *ag*: **un attore** ~ a born actor; ~**a Pieri** née Pieri.

'**N.A.T.O.** *sigla f* NATO (= *North Atlantic Treaty Organization*).

na'tura *sf* nature; **pagare in** ~ to pay in kind; ~ **morta** still life.

natu'rale *ag* natural ♦ *sm*: **al** ~ (*alimenti*) served plain; (*ritratto*) life-size; **(ma) è** ~**!**

(*in risposte*) of course!; **a grandezza** ~
life-size; **acqua** ~ spring water.
natura'lezza [natura'lettsa] *sf* naturalness.
natura'lista, i, e *sm/f* naturalist.
naturaliz'zare [naturalid'dzare] *vt* to
naturalize.
natural'mente *av* naturally; (*certamente,
sì*) of course.
natu'rismo *sm* naturism, nudism.
natu'rista, i, e *ag, sm/f* naturist, nudist.
naufra'gare *vi* (*nave*) to be wrecked;
(*persona*) to be shipwrecked; (*fig*) to fall
through.
nau'fragio [nau'fradʒo] *sm* shipwreck; (*fig*)
ruin, failure.
'naufrago, ghi *sm* castaway, shipwreck
victim.
'nausea *sf* nausea; **avere la** ~ to feel sick
(*BRIT*) *o* ill (*US*); **fino alla** ~ ad nauseam.
nausea'bondo, a *ag*, **nause'ante** *ag*
nauseating, sickening.
nause'are *vt* to nauseate, make (feel) sick
(*BRIT*) *o* ill (*US*).
'nautico, a, ci, che *ag* nautical ♦ *sf* (art of)
navigation; **salone** ~ (*mostra*) boat show.
na'vale *ag* naval; **battaglia** ~ naval battle;
(*gioco*) battleships *pl*.
na'vata *sf* (*anche:* ~ **centrale**) nave; (*anche:*
~ **laterale**) aisle.
'nave *sf* ship, vessel; ~ **da carico** cargo
ship, freighter; ~ **cisterna** tanker; ~ **da
guerra** warship; ~ **di linea** liner; ~
passeggeri passenger ship; ~ **portaerei**
aircraft carrier; ~ **spaziale** spaceship.
na'vetta *sf* shuttle; (*servizio di
collegamento*) shuttle (service).
navi'cella [navi'tʃella] *sf* (*di aerostato*)
gondola; ~ **spaziale** spaceship.
navi'gabile *ag* navigable.
navi'gante *sm* sailor, seaman.
navi'gare *vi* to sail; ~ **in cattive acque** (*fig*)
to be in deep water.
navi'gato, a *ag* (*fig: esperto*) experienced.
naviga'tore, 'trice *sm/f* (*gen*) navigator; ~
solitario single-handed sailor.
navigazi'one [navigat'tsjone] *sf* navigation;
dopo una settimana di ~ after a week at
sea.
na'viglio [na'viʎʎo] *sm* fleet, ships *pl*;
(*canale artificiale*) canal; ~ **da pesca**
fishing fleet.
'Nazaret(h) ['naddzaret] *sf* Nazareth.
nazio'nale [nattsjo'nale] *ag* national ♦ *sf*
(*SPORT*) national team.
naziona'lismo [nattsjona'lizmo] *sm*
nationalism.
naziona'lista, i, e [nattsjona'lista] *ag, sm/f*
nationalist.

nazionalità [nattsjonali'ta] *sf inv*
nationality.
nazionaliz'zare [nattsjonalid'dzare] *vt* to
nationalize.
nazionalizzazi'one [nattsjonalid-
dzat'tsjone] *sf* nationalization.
nazi'one [nat'tsjone] *sf* nation.
naziskin ['nɑːtsiskin] *sm inv* Nazi skinhead.
na'zismo [nat'tsizmo] *sm* Nazism.
na'zista, i, e [nat'tsista] *ag, sm/f* Nazi.
NB *abbr* (= *nota bene*) NB.
N.d.A. *abbr* (= *nota dell'autore*) author's
note.
N.d.D. *abbr* = *nota della direzione*.
N.d.E. *abbr* (= *nota dell'editore*) publisher's
note.
N.d.R. *abbr* (= *nota della redazione*) editor's
note.
'nd'rangheta [nd'rangeta] *sf* Calabrian
Mafia.
N.d.T. *abbr* (= *nota del traduttore*)
translator's note.

===================== *PAROLA CHIAVE*

ne *pron* **1** (*di lui, lei, loro*) of him/her/them;
about him/her/them; ~ **riconosco la voce**
I recognize his (*o* her) voice
2 (*di questa, quella cosa*) of it; about it; ~
voglio ancora I want some more (of it *o*
them); **non parliamone più!** let's not talk
about it any more!
3 (*da ciò*) from this; ~ **deduco che l'avete
trovato** I gather you've found it; ~
consegue che ... it follows therefore
that ...
4 (*con valore partitivo*): **hai dei libri? — sì,
~ ho** have you any books? — yes, I have
(some); **hai del pane? — no, non ~ ho**
have you any bread? — no, I haven't any;
quanti anni hai? — ~ ho 17 how old are
you? — I'm 17
♦ *av* (*moto da luogo: da lì*) from there; ~
vengo ora I've just come from there.

né *cong*: ~ ... ~ neither ... nor; ~ **l'uno ~
l'altro lo vuole** neither of them wants it;
~ **più ~ meno** no more no less; **non parla
~ l'italiano ~ il tedesco** he speaks neither
Italian nor German, he doesn't speak
either Italian or German; **non piove ~
nevica** it isn't raining or snowing.
N.E. *abbr* (= *nordest*) NE.
ne'anche [ne'anke] *av, cong* not even; **non** ...
~ not even; ~ **se volesse potrebbe venire**
he couldn't come even if he wanted to;
non l'ho visto — neanch'io I didn't see
him — neither did I *o* I didn't either; ~
per idea *o* sogno! not on your life!; **non ci**

penso ~! I wouldn't dream of it!; ~ **a pagarlo lo farebbe** he wouldn't do it even if you paid him.

'**nebbia** *sf* fog; (*foschia*) mist.

nebbi'oso, a *ag* foggy; misty.

nebulizza'tore [nebuliddza'tore] *sm* atomizer.

nebu'losa *sf* nebula.

nebulosità *sf* haziness.

nebu'loso, a *ag* (*atmosfera, cielo*) hazy; (*fig*) hazy, vague.

néces'saire [nesɛ'sɛr] *sm inv*: ~ **da viaggio** overnight case *o* bag.

necessaria'mente [netʃessarja'mente] *av* necessarily.

neces'sario, a [netʃes'sarjo] *ag* necessary ♦ *sm*: **fare il** ~ to do what is necessary; **lo stretto** ~ the bare essentials *pl*.

necessità [netʃessi'ta] *sf inv* necessity; (*povertà*) need, poverty; **trovarsi nella** ~ **di fare qc** to be forced *o* obliged to do sth, have to do sth.

necessi'tare [netʃessi'tare] *vt* to require ♦ *vi* (*aver bisogno*): ~ **di** to need.

necro'logio [nekro'lɔdʒo] *sm* obituary notice; (*registro*) register of deaths.

ne'fando, a *ag* infamous, wicked.

ne'fasto, a *ag* inauspicious, ill-omened.

ne'gare *vt* to deny; (*rifiutare*) to deny, refuse; ~ **di aver fatto/che** to deny having done/that.

negativa'mente *av* negatively; **rispondere** ~ to give a negative response.

nega'tivo, a *ag, sf, sm* negative.

negazi'one [negat'tsjone] *sf* negation.

negherò *etc* [nege'rɔ] *vb vedi* **negare**.

ne'gletto, a [ne'glɛtto] *ag* (*trascurato*) neglected.

'**negli** ['neʎʎi] *prep + det vedi* **in**.

négli'gé [negli'ʒe] *sm inv* negligee.

negli'gente [negli'dʒɛnte] *ag* negligent, careless.

negli'genza [negli'dʒɛntsa] *sf* negligence, carelessness.

negozi'abile [negot'tsjabile] *ag* negotiable.

negozi'ante [negot'tsjante] *sm/f* trader, dealer; (*bottegaio*) shopkeeper (*BRIT*), storekeeper (*US*).

negozi'are [negot'tsjare] *vt* to negotiate ♦ *vi*: ~ **in** to trade *o* deal in.

negozi'ato [negot'tsjato] *sm* negotiation.

negozia'tore, 'trice [negottsja'tore] *sm/f* negotiator.

ne'gozio [ne'gɔttsjo] *sm* (*locale*) shop (*BRIT*), store (*US*); (*affare*) (piece of) business *no pl*; (*DIR*): ~ **giuridico** legal

transaction.

negri'ere, a, negri'ero, a *sm* slave trader ♦ *sm/f* (*fig*) slave driver.

'**negro, a** *ag, sm/f* Negro.

negro'mante *sm/f* necromancer.

negroman'zia [negroman'tsia] *sf* necromancy.

'**nei, nel, nell', 'nella, 'nelle, 'nello** *prep + det vedi* **in**.

'**nembo** *sm* (*METEOR*) nimbus.

ne'mico, a, ci, che *ag* hostile; (*MIL*) enemy *cpd* ♦ *sm/f* enemy; **essere** ~ **di** to be strongly averse *o* opposed to.

nem'meno *av, cong* = **neanche**.

'**nenia** *sf* dirge; (*motivo monotono*) monotonous tune.

'**neo** *sm* mole; (*fig*) (slight) flaw.

'**neo...** *prefisso* neo....

neofa'scista, i, e [neofaʃ'ʃista] *sm/f* neofascist.

neolo'gismo [neolo'dʒizmo] *sm* neologism.

'**neon** *sm* (*CHIM*) neon.

neo'nato, a *ag* newborn ♦ *sm/f* newborn baby.

neozelan'dese [neoddzelan'dese] *ag* New Zealand *cpd* ♦ *sm/f* New Zealander.

Ne'pal *sm*: **il** ~ Nepal.

nepo'tismo *sm* nepotism.

nep'pure *av, cong* = **neanche**.

ner'bata *sf* (*colpo*) blow; (*sferzata*) whiplash.

'**nerbo** *sm* lash; (*fig*) strength, backbone.

nerbo'ruto, a *ag* muscular; robust.

ne'retto *sm* (*TIP*) bold type.

'**nero, a** *ag* black; (*scuro*) dark ♦ *sm* black; **nella miseria più** ~**a** in utter *o* abject poverty; **essere di umore** ~, **essere** ~ to be in a filthy mood; **mettere qc** ~ **su bianco** to put sth down in black and white; **vedere tutto** ~ to look on the black side (of things).

nero'fumo *sm* lampblack.

nerva'tura *sf* (*ANAT*) nervous system; (*BOT*) veining; (*ARCHIT, TECN*) rib.

'**nervo** *sm* (*ANAT*) nerve; (*BOT*) vein; **avere i** ~**i** to be on edge; **dare sui** ~**i a qn** to get on sb's nerves; **tenere/avere i** ~**i saldi** to keep/be calm; **che** ~**i!** damn (it)!

nervo'sismo *sm* (*PSIC*) nervousness; (*irritazione*) irritability.

ner'voso, a *ag* nervous; (*irritabile*) irritable ♦ *sm* (*fam*): **far venire il** ~ **a qn** to get on sb's nerves; **farsi prendere dal** ~ to let o.s. get irritated.

'**nespola** *sf* (*BOT*) medlar; (*fig*) blow, punch.

'**nespolo** *sm* medlar tree.

'**nesso** *sm* connection, link.

nes'suno, a (*det: dav sm* **nessun** + *C, V*,
nessuno + *s impura, gn, pn, ps, x, z, dav sf*
nessuna + *C*, **nessun'** + *V*) *det* **1** (*non uno*)
no, *espressione negativa* + any; **non c'è
nessun libro** there isn't any book, there is
no book; **nessun altro** no one else, nobody
else; **nessun'altra cosa** nothing else; **in
nessun luogo** nowhere
2 (*qualche*) any; **hai ~a obiezione?** do you
have any objections?

♦ *pron* **1** (*non uno*) no one, nobody,
espressione negativa + any(one); (*: cosa*)
none, *espressione negativa* + any; **~ è venuto,
non è venuto** ~ nobody came
2 (*qualcuno*) anyone, anybody; **ha
telefonato ~?** did anyone phone?

netta'mente *av* clearly.
net'tare *vt* to clean ♦ *sm* ['nɛttare] nectar.
net'tezza [net'tettsa] *sf* cleanness,
cleanliness; **~ urbana** cleansing
department (*BRIT*), department of
sanitation (*US*).
'netto, a *ag* (*pulito*) clean; (*chiaro*) clear,
clear-cut; (*deciso*) definite; (*ECON*) net;
tagliare qc di ~ to cut sth clean off; **taglio
~ col passato** (*fig*) clean break with the
past.
nettur'bino *sm* dustman (*BRIT*), garbage
collector (*US*).
'neuro... *prefisso* neuro....
neurochirur'gia [neurokirur'dʒia] *sf*
neurosurgery.
neurolo'gia [neurolo'dʒia] *sf* neurology.
neuro'logico, a, ci, che [neuro'lɔdʒiko] *ag*
neurological.
neu'rologo a, gi, ghe *sm/f* neurologist.
neu'rosi *sf inv* = **nevrosi**.
neu'trale *ag* neutral.
neutralità *sf* neutrality.
neutraliz'zare [neutralid'dzare] *vt* to
neutralize.
'neutro, a *ag* neutral; (*LING*) neuter ♦ *sm*
(*LING*) neuter.
neu'trone *sm* neutron.
ne'vaio *sm* snowfield.
'neve *sf* snow; **montare a ~** (*CUC*) to whip
up; **~ carbonica** dry ice.
nevi'care *vb impers* to snow.
nevi'cata *sf* snowfall.
ne'vischio [ne'viskjo] *sm* sleet.
ne'voso, a *ag* snowy; snow-covered.
nevral'gia [nevral'dʒia] *sf* neuralgia.
ne'vralgico, a, ci, che [ne'vraldʒiko] *ag:*
punto ~ (*MED*) nerve centre; (*fig*) crucial
point.

nevras'tenico, a, ci, che *ag* (*MED*)
neurasthenic; (*fig*) hot-tempered ♦ *sm/f*
neurasthenic; hot-tempered person.
ne'vrosi *sf inv* neurosis.
ne'vrotico, a, ci, che *ag, sm/f* (*anche fig*)
neurotic.
Nia'gara *sm*: **le cascate del ~** the Niagara
Falls.
'nibbio *sm* (*ZOOL*) kite.
Nica'ragua *sm*: **il ~** Nicaragua.
nicaragu'ense *ag, sm/f* Nicaraguan.
'nicchia ['nikkja] *sf* niche; (*naturale*) cavity,
hollow; **~ di mercato** (*COMM*) niche
market.
nicchi'are [nik'kjare] *vi* to shilly-shally,
hesitate.
'nichel ['nikel] *sm* nickel.
nichi'lismo [niki'lizmo] *sm* nihilism.
Nico'sia *sf* Nicosia.
nico'tina *sf* nicotine.
nidi'ata *sf* (*di uccelli, fig: di bambini*) brood;
(*di altri animali*) litter.
nidifi'care *vi* to nest.
'nido *sm* nest ♦ *ag inv*: **asilo ~** day nursery,
crèche (*for children aged 0 to 3*); **a ~ d'ape**
(*tessuto etc*) honeycomb *cpd*.

ni'ente *pron* **1** (*nessuna cosa*) nothing; **~
può fermarlo** nothing can stop him; **~ di
~** absolutely nothing; **grazie! — di ~!**
thank you! — not at all!; **nient'altro**
nothing else; **nient'altro che** nothing but;
~ affatto not at all, not in the least; **come
se ~ fosse** as if nothing had happened;
cose da ~ trivial matters; **per ~** (*gratis,
invano*) for nothing; **non per ~, ma ...** not
for any particular reason, but ...; **poco o
~** next to nothing; **un uomo da ~** a man
of no consequence
2 (*qualcosa*): **hai bisogno di ~?** do you
need anything?
3: **non ... ~** nothing, *espressione negativa* +
anything; **non ho visto ~** I saw nothing, I
didn't see anything; **non può farci ~** he
can't do anything about it; **(non) fa ~** (*non
importa*) it doesn't matter; **non ho ~ da
dire** I have nothing *o* haven't anything to
say

♦ *ag inv*: **~ paura!** never fear!; **e ~ scuse!**
and I don't want to hear excuses!
♦ *sm* nothing; **un bel ~** absolutely
nothing; **basta un ~ per farla piangere** the
slightest thing is enough to make her
cry; **finire in ~** to come to nothing
♦ *av* (*in nessuna misura*): **non ... ~** not ... at
all; **non è (per) ~ buono** it isn't good at
all; **non ci penso per ~** (*non ne ho nessuna*

intenzione) I wouldn't think of it; ~ **male!** not bad at all!

nientedi'meno, niente'meno *av* actually, even ♦ *escl* really!, I say!

'Niger ['nidʒer] *sm*: **il** ~ Niger; (*fiume*) the Niger.

Ni'geria [ni'dʒɛrja] *sf* Nigeria.

nigeri'ano, a [nidʒe'rjano] *ag, sm/f* Nigerian.

'Nilo *sm*: **il** ~ the Nile.

'nimbo *sm* halo.

'ninfa *sf* nymph.

nin'fea *sf* water lily.

nin'fomane *sf* nymphomaniac.

ninna'nanna *sf* lullaby.

'ninnolo *sm* (*balocco*) plaything; (*gingillo*) knick-knack.

ni'pote *sm/f* (*di zii*) nephew/niece; (*di nonni*) grandson/daughter, grandchild.

nip'ponico, a, ci, che *ag* Japanese.

niti'dezza [niti'dettsa] *sf* (*gen*) clearness; (*di stile*) clarity; (*FOT, TV*) sharpness.

'nitido, a *ag* clear; (*immagine*) sharp, well-defined.

ni'trato *sm* nitrate.

'nitrico, a, ci, che *ag* nitric.

ni'trire *vi* to neigh.

'nitrito *sm* (*di cavallo*) neighing *no pl*; neigh; (*CHIM*) nitrite.

nitroglice'rina [nitroglitʃe'rina] *sf* nitroglycerine.

'niveo, a *ag* snow-white.

'Nizza ['nittsa] *sf* Nice.

nn *abbr* (= *numeri*) nos.

NO *sigla* = Novara.

no *av* (*risposta*) no; **vieni o** ~**?** are you coming or not?; **come** ~**!** of course!, certainly!; **perché** ~**?** why not?

N.O. *abbr* (= *nordovest*) NW.

nobil'donna *sf* noblewoman.

'nobile *ag* noble ♦ *sm/f* noble, nobleman/ woman.

nobili'are *ag* noble.

nobili'tare *vt* (*anche fig*) to ennoble; ~**rsi** *vr* (*rendersi insigne*) to distinguish o.s.

nobiltà *sf* nobility; (*di azione etc*) nobleness.

nobilu'omo *sm, pl* **-u'omini** nobleman.

'nocca, che *sf* (*ANAT*) knuckle.

'noccio *etc* ['nɔttʃo] *vb vedi* **nuocere.**

nocci'ola [not'tʃɔla] *sf* hazelnut ♦ *ag inv* (*anche*: **color** ~) hazel, light brown.

noccio'lina [nottʃo'lina] *sf* (*anche*: ~ **americana**) peanut.

'nocciolo ['nɔttʃolo] *sm* (*di frutto*) stone; (*fig*) heart, core; [not'tʃɔlo] (*albero*) hazel.

'noce ['notʃe] *sm* (*albero*) walnut tree ♦ *sf* (*frutto*) walnut; **una** ~ **di burro** (*CUC*) a knob of butter (*BRIT*), a dab of butter

(*US*); ~ **di cocco** coconut; ~ **moscata** nutmeg.

noce'pesca, sche [notʃe'pɛska] *sf* nectarine.

no'cevo *etc* [no'tʃevo] *vb vedi* **nuocere.**

noci'uto [no'tʃuto] *pp di* **nuocere.**

no'civo, a [no'tʃivo] *ag* harmful, noxious.

'nocqui *etc vb vedi* **nuocere.**

'nodo *sm* (*di cravatta, legname, NAUT*) knot; (*AUT, FERR*) junction; (*MED, ASTR, BOT*) node; (*fig: legame*) bond, tie; (: *punto centrale*) heart, crux; **avere un** ~ **alla gola** to have a lump in one's throat; **tutti i** ~**i vengono al pettine** (*proverbio*) your sins will find you out.

no'doso, a *ag* (*tronco*) gnarled.

'nodulo *sm* (*ANAT, BOT*) nodule.

'noi *pron* (*soggetto*) we; (*oggetto: per dare rilievo, con preposizione*) us; ~ **stessi(e)** we ourselves; (*oggetto*) ourselves; **da** ~ (*nel nostro paese*) in our country, where we come from; (*a casa nostra*) at our house.

'noia *sf* boredom; (*disturbo, impaccio*) bother *no pl*, trouble *no pl*; **avere qn/qc a** ~ not to like sb/sth; **mi è venuto a** ~ I'm tired of it; **dare** ~ **a** to annoy; **avere delle** ~**e con qn** to have trouble with sb.

noi'altri *pron* we.

noi'oso, a *ag* boring; (*fastidioso*) annoying, troublesome.

noleggi'are [noled'dʒare] *vt* (*prendere a noleggio*) to hire (*BRIT*), rent; (*dare a noleggio*) to hire out (*BRIT*), rent out; (*aereo, nave*) to charter.

noleggia'tore, 'trice [noleddʒa'tore] *sm/f* hirer (*BRIT*), renter; charterer.

no'leggio [no'leddʒo] *sm* hire (*BRIT*), rental; charter.

no'lente *ag*: **volente o** ~ whether one likes it or not, willy-nilly.

'nolo *sm* hire (*BRIT*), rental; charter; (*per trasporto merci*) freight; **prendere/dare a** ~ **qc** to hire/hire out sth (*BRIT*), rent/rent out sth.

'nomade *ag* nomadic ♦ *sm/f* nomad.

noma'dismo *sm* nomadism.

'nome *sm* name; (*LING*) noun; **in** *o* **a** ~ **di** in the name of; **di** *o* **per** ~ (*chiamato*) called, named; **conoscere qn di** ~ to know sb by name; **fare il** ~ **di qn** to name sb; **faccia pure il mio** ~ feel free to mention my name; ~ **d'arte** stage name; ~ **di battesimo** Christian name; ~ **depositato** trade name; ~ **di famiglia** surname; ~ **da ragazza** maiden name; ~ **da sposata** married name.

no'mea *sf* notoriety.

nomencla'tura *sf* nomenclature.

nomenkla'tura *sf* (*di partito, stato*) nomenklatura.

no'mignolo [no'miɲɲolo] *sm* nickname.

'nomina *sf* appointment.

nomi'nale *ag* nominal; (*LING*) noun *cpd.*

nomi'nare *vt* to name; (*eleggere*) to appoint; (*citare*) to mention; **non l'ho mai sentito** ~ I've never heard of it (*o* him).

nomina'tivo, a *ag* (*intestato: titolo*) registered; (: *libretto*) personal; (*LING*) nominative ♦ *sm* (*nome*) name; (*LING*) nominative; **elenco** ~ list of names.

non *av* not ♦ *prefisso* non-; **grazie** — ~ **c'è di che** thank you — don't mention it; **i** ~ **credenti** the unbelievers; *vedi* **affatto, appena** *etc.*

nonché [non'ke] *cong* (*tanto più, tanto meno*) let alone; (*e inoltre*) as well as.

nonconfor'mista, i, e *ag, sm/f* nonconformist.

noncu'rante *ag*: ~ **(di)** careless (of), indifferent (to); **con fare** ~ with a nonchalant air.

noncu'ranza [nonku'rantsa] *sf* carelessness, indifference; **un'aria di** ~ a nonchalant air.

nondi'meno *cong* (*tuttavia*) however; (*nonostante*) nevertheless.

'nonno, a *sm/f* grandfather/mother; (*in senso più familiare*) grandma/grandpa; ~**i** *smpl* grandparents.

non'nulla *sm inv*: **un** ~ nothing, a trifle.

'nono, a *num* ninth.

nonos'tante *prep* in spite of, notwithstanding ♦ *cong* although, even though.

non plus 'ultra *sm inv*: **il** ~ **(di)** the last word (in).

nontiscordardimé *sm inv* (*BOT*) forget-me-not.

nord *sm* north ♦ *ag inv* north; (*regione*) northern; **verso** ~ north, northwards; **l'America del N**~ North America.

nor'dest *sm* north-east.

'nordico, a, ci, che *ag* nordic, northern European.

nor'dista, i, e *ag, sm/f* Yankee.

nor'dovest *sm* north-west.

Norim'berga *sf* Nuremberg.

'norma *sf* (*principio*) norm; (*regola*) regulation, rule; (*consuetudine*) custom, rule; **di** ~ normally; **a** ~ **di legge** according to law, as laid down by law; **al di sopra della** ~ above average, above the norm; **per sua** ~ **e regola** for your information; **proporsi una** ~ **di vita** to set o.s. rules to live by; ~**e di sicurezza** safety regulations; ~**e per l'uso**

instructions for use.

nor'male *ag* normal.

normalità *sf* normality.

normaliz'zare [normalid'dzare] *vt* to normalize, bring back to normal.

normal'mente *av* normally.

Norman'dia *sf*: **la** ~ Normandy.

nor'manno, a *ag, sm/f* Norman.

norma'tivo, a *ag* normative ♦ *sf* regulations *pl.*

norve'gese [norve'dʒese] *ag, sm/f, sm* Norwegian.

Nor'vegia [nor'vɛdʒa] *sf*: **la** ~ Norway.

noso'comio *sm* hospital.

nostal'gia [nostal'dʒia] *sf* (*di casa, paese*) homesickness; (*del passato*) nostalgia.

nos'talgico, a, ci, che [nos'taldʒiko] *ag* homesick; nostalgic ♦ *sm/f* (*POL*) *person who hopes for the return of Fascism.*

nos'trano, a *ag* local; (*pianta, frutta*) home-produced.

'nostro, a *det*: **il(la)** ~**(a)** *etc* our ♦ *pron*: **il(la)** ~**(a)** *etc* ours ♦ *sm*: **abbiamo speso del** ~ we spent our own money ♦ *sf*: **la** ~**a** (*opinione*) our view; **i** ~**i** our family; our own people; **è dei** ~**i** he's one of us; **è dalla** ~**a** (*parte*) he's on our side; **anche noi abbiamo avuto le** ~**e** (*disavventure*) we've had our problems too; **alla** ~**a!** (*brindisi*) to us!

nos'tromo *sm* boatswain.

'nota *sf* (*segno*) mark; (*comunicazione scritta, MUS*) note; (*fattura*) bill; (*elenco*) list; **prendere** ~ **di qc** to note sth, make a note of sth, write sth down; (*fig: fare attenzione*) to note sth, take note of sth; **degno di** ~ noteworthy, worthy of note; ~**e caratteristiche** distinguishing marks *o* features; ~**e a piè di pagina** footnotes.

no'tabile *ag* notable; (*persona*) important ♦ *sm* prominent citizen.

no'taio *sm* notary.

no'tare *vt* (*segnare: errori*) to mark; (*registrare*) to note (down), write down; (*rilevare, osservare*) to note, notice; **farsi** ~ to get o.s. noticed.

nota'rile *ag*: **atto** ~ legal document (*authorized by a notary*); **studio** ~ notary's office.

notazi'one [notat'tsjone] *sf* (*MUS*) notation.

no'tevole *ag* (*talento*) notable, remarkable; (*peso*) considerable. ~

no'tifica, che *sf* notification.

notifi'care *vt* (*DIR*): ~ **qc a qn** to notify sb of sth, give sb notice of sth.

notificazi'one [notifikat'tsjone] *sf* notification.

no'tizia [no'tittsja] *sf* (piece of) news *sg*;

(*informazione*) piece of information; ~**e** *sfpl* news *sg*; information *sg*.

notizi'ario [notit'tsjarjo] *sm* (*RADIO, TV, STAMPA*) news *sg*.

'**noto, a** *ag* (well-)known.

notorietà *sf* fame; notoriety.

no'torio, a *ag* well-known; (*peg*) notorious.

not'tambulo, a *smf* night-bird (*fig*).

not'tata *sf* night.

'**notte** *sf* night; **di** ~ at night; (*durante la* ~) in the night, during the night; **questa** ~ (*passata*) last night; (*che viene*) tonight; **nella** ~ **dei tempi** in the mists of time; **come va?** — **peggio che andar di** ~ how are things? — worse than ever; ~ **bianca** sleepless night.

notte'tempo *av* at night; during the night.

'**nottola** *sf* (*ZOOL*) noctule.

not'turno, a *ag* nocturnal; (*servizio, guardiano*) night *cpd* ♦ *sf* (*SPORT*) evening fixture (*BRIT*) *o* match.

nov. *abbr* (= *novembre*) Nov.

no'vanta *num* ninety.

novan'tenne *ag, smf* ninety-year-old.

novan'tesimo, a *num* ninetieth.

novan'tina *sf*: **una** ~ (**di**) about ninety.

'**nove** *num* nine.

novecen'tesco, a, schi, sche [novet ʃen'tesko] *ag* twentieth-century.

nove'cento [nove'tʃɛnto] *num* nine hundred ♦ *sm*: **il N~** the twentieth century.

no'vella *sf* (*LETTERATURA*) short story.

novel'lino, a *ag* (*pivello*) green, inexperienced.

novel'lista, i, e *smf* short-story writer.

novel'listica *sf* (*arte*) short-story writing; (*insieme di racconti*) short stories *pl*.

no'vello, a *ag* (*piante, patate*) new; (*insalata, verdura*) early; (*sposo*) newly-married.

no'vembre *sm* November; *per fraseologia vedi* **luglio.**

novem'brino, a *ag* November *cpd*.

nove'mila *num* nine thousand.

noven'nale *ag* (*che dura 9 anni*) nine-year *cpd*; (*ogni 9 anni*) nine-yearly.

novi'lunio *sm* (*ASTR*) new moon.

novità *sf inv* novelty; (*innovazione*) innovation; (*cosa originale, insolita*) something new; (*notizia*) (piece of) news *sg*; **le** ~ **della moda** the latest fashions.

novizi'ato [novit'tsjato] *sm* (*REL*) novitiate; (*tirocinio*) apprenticeship.

no'vizio, a [no'vittsjo] *smf* (*REL*) novice; (*tirocinante*) beginner, apprentice.

nozi'one [not'tsjone] *sf* notion, idea; ~**i** *sfpl* (*rudimenti*) basic knowledge *sg*, rudiments.

nozio'nismo [nottsjo'nizmo] *sm* superficial

knowledge.

nozio'nistico, a, ci, che [nottsjo'nistiko] *ag* superficial.

'**nozze** ['nɔttse] *sfpl* wedding *sg*, marriage *sg*; ~ **d'argento/d'oro** silver/golden wedding *sg*.

N.P.A. *abbr* = **nave portaerei.**

ns. *abbr* (*COMM*) = **nostro.**

NU *sigla* = *Nuoro.*

N.U. *sigla* (= *Nazioni Unite*) UN.

'**nube** *sf* cloud.

nubi'fragio [nubi'fradʒo] *sm* cloudburst.

'**nubile** *ag* (*donna*) unmarried, single.

'**nuca, che** *sf* nape of the neck.

nucle'are *ag* nuclear ♦ *sm*: **il** ~ nuclear energy.

'**nucleo** *sm* nucleus; (*gruppo*) team, unit, group; (*MIL, POLIZIA*) squad; ~ **antidroga** anti-drugs squad; **il** ~ **familiare** the family unit.

nu'dismo *sm* nudism.

nu'dista, i, e *smf* nudist.

nudità *sf inv* nudity, nakedness; (*di paesaggio*) bareness ♦ *sfpl* (*parti nude del corpo*) nakedness *sg*.

'**nudo, a** *ag* (*persona*) bare, naked, nude; (*membra*) bare, naked; (*montagna*) bare ♦ *sm* (*ARTE*) nude; **a occhio** ~ to the naked eye; **a piedi** ~**i** barefoot; **mettere a** ~ (*cuore, verità*) to lay bare; **gli ha detto** ~ **e crudo che ...** he told him bluntly that ....

'**nugolo** *sm*: **un** ~ **di** a whole host of.

'**nulla** *pron, av* = **niente** ♦ *sm*: **il** ~ nothing; **svanire nel** ~ to vanish into thin air; **basta un** ~ **per farlo arrabbiare** he gets annoyed over the slightest thing.

nulla'osta *sm inv* authorization.

nullate'nente *ag*: **essere** ~ to own nothing ♦ *smf* person with no property.

nullità *sf inv* nullity; (*persona*) nonentity.

'**nullo, a** *ag* useless, worthless; (*DIR*) null (and void); (*SPORT*): **incontro** ~ draw.

nume'rale *ag, sm* numeral.

nume'rare *vt* to number.

numera'tore *sm* (*MAT*) numerator; (*macchina*) numbering device.

numerazi'one [numerat'tsjone] *sf* numbering; (*araba, decimale*) notation.

nu'merico, a, ci, che *ag* numerical.

'**numero** *sm* number; (*romano, arabo*) numeral; (*di spettacolo*) act, turn; **dare i** ~**i** (*farneticare*) not to be all there; **tanto per fare** ~ **invitiamo anche lui** why don't we invite him to make up the numbers?; **ha tutti i** ~**i per riuscire** he's got what it takes to succeed; **che** ~ **tuo fratello!** your brother is a real character!; ~ **civico** house number; ~ **chiuso** (*UNIVERSITÀ*) selective entry system; ~ **doppio** (_di rivista_) issue with supplement; ~ **di scarpe** size of shoe; ~ **verde** (_TEL_) ≈ Freephone ®.

nume'roso, a _ag_ numerous, many; (_folla, famiglia_) large.

numis'matica _sf_ numismatics _sg_, coin collecting.

'nunzio ['nuntsjo] _sm_ (_REL_) nuncio.

nu'occio _etc_ ['nwɔttʃo] _vb vedi_ **nuocere**.

nu'ocere ['nwɔtʃere] _vi_: ~ **a** to harm, damage; **il tentar non nuoce** (_proverbio_) there's no harm in trying.

nuoci'uto, a [nwo'tʃuto] _pp di_ **nuocere**.

nu'ora _sf_ daughter-in-law.

nuo'tare _vi_ to swim; (_galleggiare: oggetti_) to float; ~ **a rana/sul dorso** to do the breast stroke/backstroke.

nuo'tata _sf_ swim.

nuota'tore, 'trice _sm/f_ swimmer.

nu'oto _sm_ swimming.

nu'ova _sf vedi_ **nuovo**.

nuova'mente _av_ again.

Nu'ova York _sf_ New York.

Nu'ova Ze'landa [-dze'landa] _sf_: **la** ~ New Zealand.

nu'ovo, a _ag_ new ♦ _sf_ (_notizia_) (piece of) news _sg_; **come** ~ as good as new; **di** ~ again; **fino a** ~ **ordine** until further notice; **il suo volto non mi è** ~ I know his face; **rimettere a** ~ (_cosa, macchina_) to do up like new; **anno** ~, **vita** ~**a!** it's time to turn over a new leaf!; ~ **fiammante** _o_ **di zecca** brand-new; **la N**~**a Guinea** New Guinea; **la N**~**a Inghilterra** New England; **la N**~**a Scozia** Nova Scotia.

nu'trice [nu'tritʃe] _sf_ wet nurse.

nutri'ente _ag_ nutritious, nourishing; (_crema, balsamo_) nourishing.

nutri'mento _sm_ food, nourishment.

nu'trire _vt_ to feed; (_fig: sentimenti_) to harbour (_BRIT_), harbor (_US_), nurse.

nutri'tivo, a _ag_ nutritional; (_alimento_) nutritious.

nu'trito, a _ag_ (_numeroso_) large; (_fitto_) heavy; **ben/mal** ~ well/poorly fed.

nutrizi'one [nutrit'tsjone] _sf_ nutrition.

'nuvolo, a _ag_ cloudy ♦ _sf_ cloud.

nuvolosità _sf_ cloudiness.

nuvo'loso, a _ag_ cloudy.

nuzi'ale [nut'tsjale] _ag_ nuptial; wedding _cpd_.

'nylon ['nailən] _sm_ nylon.

_O o_

O, o [ɔ] _sf o m inv_ (_lettera_) O, o; ~ **come Otranto** ≈ O for Oliver (_BRIT_), O for Oboe (_US_).

o _cong_ (_dav V spesso_ **od**) or; ~ ... ~ either ... or; ~ **l'uno** ~ **l'altro** either (of them); ~ **meglio** or rather.

O. _abbr_ (= _ovest_) W.

'oasi _sf inv_ oasis.

obbedi'ente _etc vedi_ **ubbidiente** _etc._

obbiet'tare _etc vedi_ **obiettare** _etc._

obbli'gare _vt_ (_costringere_): ~ **qn a fare** to force _o_ oblige sb to do; (_DIR_) to bind; ~**rsi** _vr_: ~**rsi a fare** to undertake to do; ~**rsi per qn** (_DIR_) to stand surety for sb, act as guarantor for sb.

obbliga'tissimo, a _ag_ (_ringraziamento_): ~**!** much obliged!

obbli'gato, a _ag_ (_costretto, grato_) obliged; (_percorso, tappa_) set, fixed; **passaggio** ~ (_fig_) essential requirement.

obbliga'torio, a _ag_ compulsory, obligatory.

obbligazi'one [obbligat'tsjone] _sf_ obligation; (_COMM_) bond, debenture; ~ **dello Stato** government bond; ~**i convertibili** convertible loan stock, convertible debentures.

obbligazio'nista, i, e [obbligattsjo'nista] _sm/f_ bond-holder.

'obbligo, ghi _sm_ obligation; (_dovere_) duty; **avere l'**~ **di fare, essere nell'**~ **di fare** to be obliged to do; **essere d'**~ (_discorso, applauso_) to be called for; **avere degli** ~**ghi con** _o_ **verso qn** to be under an obligation to sb, be indebted to sb; **le formalità d'**~ the necessary formalities.

obb.mo _abbr_ = **obbligatissimo**.

ob'brobrio _sm_ disgrace; (_fig_) mess, eyesore.

obe'lisco, schi _sm_ obelisk.

obe'rato, a _ag_: ~ **di** (_lavoro_) overloaded _o_ overburdened with; (_debiti_) crippled with.

obesità _sf_ obesity.

o'beso, a _ag_ obese.

obiet'tare _vt_: ~ **che** to object that; ~ **su qc** to object to sth, raise objections concerning sth.

obiettiva'mente *av* objectively.
obiettività *sf* objectivity.
obiet'tivo, a *ag* objective ♦ *sm* (*OTTICA, FOT*) lens *sg*, objective; (*MIL, fig*) objective.
obiet'tore *sm* objector; ~ **di coscienza** conscientious objector.
obiezi'one [objet'tsjone] *sf* objection.
obi'torio *sm* morgue.
o'bliquo, a *ag* oblique; (*inclinato*) slanting; (*fig*) devious, underhand; **sguardo** ~ sidelong glance.
oblite'rare *vt* (*francobollo*) to cancel; (*biglietto*) to stamp.
oblitera'trice [oblitera'tritʃe] *sf* (*anche*: **macchina** ~) cancelling machine; stamping machine.
oblò *sm inv* porthole.
o'blungo, a, ghi, ghe *ag* oblong.
'oboe *sm* oboe.
'obolo *sm* (*elemosina*) (small) offering, mite.
obsole'scenza [obsoleʃ'ʃɛntsa] *sf* (*ECON*) obsolescence.
obso'leto, a *ag* obsolete.
OC *abbr* (= *onde corte*) SW.
'oca, *pl* **'oche** *sf* goose.
o'caggine [o'kaddʒine] *sf* silliness, stupidity.
occasio'nale *ag* (*incontro*) chance; (*cliente, guadagni*) casual, occasional.
occasi'one *sf* (*caso favorevole*) opportunity; (*causa, motivo, circostanza*) occasion; (*COMM*) bargain; **all'**~ should the need arise; **alla prima** ~ at the first opportunity; **d'**~ (*a buon prezzo*) bargain *cpd*; (*usato*) secondhand.
occhi'aia [ok'kjaja] *sf* eye socket; ~**e** *sfpl* (*sotto gli occhi*) shadows (under the eyes).
occhi'ali [ok'kjali] *smpl* glasses, spectacles; ~ **da sole** sunglasses.
occhi'ata [ok'kjata] *sf* look, glance; **dare un'**~ **a** to have a look at.
occhieggi'are [okkjed'dʒare] *vi* (*apparire qua e là*) to peep (out).
occhi'ello [ok'kjɛllo] *sm* buttonhole; (*asola*) eyelet.
'occhio ['ɔkkjo] *sm* eye; ~**!** careful!, watch out!; **a** ~ **nudo** with the naked eye; **a quattr'**~**i** privately, in private; **avere** ~ **to** have a good eye; **chiudere un** ~ (**su**) (*fig*) to turn a blind eye (to), shut one's eyes (to); **costare un** ~ **della testa** to cost a fortune; **dare all'**~ *o* **nell'**~ **a qn** to catch sb's eye; **fare l'**~ **a qc** to get used to sth; **tenere d'**~ **qn** to keep an eye on sb; **vedere di buon/mal** ~ **qc** to look favourably/unfavourably on sth.

occhio'lino [okkjo'lino] *sm*: **fare l'**~ **a qn** to wink at sb.
occiden'tale [ottʃiden'tale] *ag* western ♦ *smlf* Westerner.
occi'dente [ottʃi'dɛnte] *sm* west; (*POL*): **l'O**~ the West; **a** ~ in the west.
oc'cipite [ot'tʃipite] *sm* back of the head, occiput (*ANAT*).
oc'cludere *vt* to block.
occlusi'one *sf* blockage, obstruction.
oc'cluso, a *pp di* **occludere**.
occor'rente *ag* necessary ♦ *sm* all that is necessary.
occor'renza [okkor'rɛntsa] *sf* necessity, need; **all'**~ in case of need.
oc'correre *vi* to be needed, be required ♦ *vb impers*: **occorre farlo** it must be done; **occorre che tu parta** you must leave, you'll have to leave; **mi occorrono i soldi** I need the money.
oc'corso, a *pp di* **occorrere**.
occulta'mento *sm* concealment.
occul'tare *vt* to hide, conceal.
oc'culto, a *ag* hidden, concealed; (*scienze, forze*) occult.
occu'pante *smlf* (*di casa*) occupier, occupant; ~ **abusivo** squatter.
occu'pare *vt* to occupy; (*manodopera*) to employ; (*ingombrare*) to occupy, take up; ~**rsi** *vr* to occupy o.s., keep o.s. busy; (*impiegarsi*) to get a job; ~**rsi di** (*interessarsi*) to take an interest in; (*prendersi cura di*) to look after, take care of.
occu'pato, a *ag* (*MIL, POL*) occupied; (*persona: affaccendato*) busy; (*posto, sedia*) taken; (*toilette, TEL*) engaged.
occupazio'nale [okkupattsjo'nale] *ag* employment *cpd*, of employment.
occupazi'one [okkupat'tsjone] *sf* occupation; (*impiego, lavoro*) job; (*ECON*) employment.
Oce'ania [otʃe'anja] *sf*: **l'**~ Oceania.
o'ceano [o'tʃɛano] *sm* ocean.
'ocra *sf* ochre.
'OCSE *sigla f* (= *Organizzazione per la Cooperazione e lo Sviluppo Economico*) OECD (= *Organization for Economic Cooperation and Development*).
ocu'lare *ag* ocular, eye *cpd*; **testimone** ~ eye witness.
ocula'tezza [okula'tettsa] *sf* caution; shrewdness.
ocu'lato, a *ag* (*attento*) cautious, prudent; (*accorto*) shrewd.
ocu'lista, i, e *smlf* eye specialist, oculist.
od *cong vedi* **o**.
'ode *sf* ode.

'**ode** *etc vb vedi* **udire**.
odi'are *vt* to hate, detest.
odi'erno, a *ag* today's, of today; (*attuale*) present; **in data** ~**a** (*formale*) today.
'**odio** *sm* hatred; **avere in** ~ **qc/qn** to hate *o* detest sth/sb.
odi'oso, a *ag* hateful, odious; **rendersi** ~ **(a)** to make o.s. unpopular (with).
'**odo** *etc vb vedi* **udire**.
odontoi'atra, i, e *sm/f* dentist, dental surgeon.
odontoia'tria *sf* dentistry.
odonto'tecnico, ci *sm* dental technician.
odo'rare *vt* (*annusare*) to smell; (*profumare*) to perfume, scent ♦ *vi:* ~ **(di)** to smell (of).
odo'rato *sm* sense of smell.
o'dore *sm* smell; **gli** ~**i** *smpl* (*CUC*) (aromatic) herbs; **sentire** ~ **di qc** to smell sth; **morire in** ~ **di santità** (*REL*) to die in the odour (*BRIT*) *o* odor (*US*) of sanctity.
odo'roso, a *ag* sweet-smelling.
of'fendere *vt* to offend; (*violare*) to break, violate; (*insultare*) to insult; (*ferire*) to hurt; ~**rsi** *vr* (*con senso reciproco*) to insult one another; (*risentirsi*): ~**rsi (di)** to take offence (at), be offended (by).
offen'sivo, a *ag, sf* offensive.
offen'sore *sm* offender; (*MIL*) aggressor.
offe'rente *sm* (*in aste*): **al migliore** ~ to the highest bidder.
of'ferto, a *pp di* **offrire** ♦ *sf* offer; (*donazione, anche REL*) offering; (*in gara d'appalto*) tender; (*in aste*) bid; (*ECON*) supply; **fare un'**~**a** to make an offer; (*per appalto*) to tender; (*ad un'asta*) to bid; ~**a pubblica d'acquisto (OPA)** takeover bid; ~**a pubblica di vendita (OPV)** public offer for sale; ~**a reale** tender; "~**e d'impiego**" (*STAMPA*) "situations vacant" (*BRIT*), "help wanted" (*US*).
of'feso, a *pp di* **offendere** ♦ *ag* offended; (*fisicamente*) hurt, injured ♦ *sm/f* offended party ♦ *sf* insult, affront; (*MIL*) attack; (*DIR*) offence (*BRIT*), offense (*US*); **essere** ~ **con qn** to be annoyed with sb; **parte** ~**a** (*DIR*) plaintiff.
offi'ciare [offi't∫are] *vi* (*REL*) to officiate.
offi'cina [offi't∫ina] *sf* workshop.
of'frire *vt* to offer; ~**rsi** *vr* (*proporsi*) to offer (o.s.), volunteer; (*occasione*) to present itself; (*esporsi*): ~**rsi a** to expose o.s. to; **ti offro da bere** I'll buy you a drink; "**offresi posto di segretaria**" "secretarial vacancy", "vacancy for secretary"; "**segretaria offresi**" "secretary seeks post".
offus'care *vt* to obscure, darken; (*fig: intelletto*) to dim, cloud; (: *fama*) to

obscure, overshadow; ~**rsi** *vr* to grow dark; to cloud, grow dim; to be obscured.
of'talmico, a, ci, che *ag* ophthalmic.
oggettività [oddʒettivi'ta] *sf* objectivity.
ogget'tivo, a [oddʒet'tivo] *ag* objective.
og'getto [od'dʒɛtto] *sm* object; (*materia, argomento*) subject (matter); (*in lettere commerciali*): ~ **... re ...; essere** ~ **di** (*critiche, controversia*) to be the subject of; (*odio, pietà etc*) to be the object of; **essere** ~ **di scherno** to be a laughing stock; **in** ~ **a quanto detto** (*in lettere*) as regards the matter mentioned above; ~**i preziosi** valuables, articles of value; ~**i smarriti** lost property *sg* (*BRIT*), lost and found *sg* (*US*).
'**oggi** ['ɔddʒi] *av, sm* today; ~ **stesso** today, this very day; ~ **come** ~ at present, as things stand; **dall'** ~ **al domani** from one day to the next; **a tutt'**~ up till now, till today; **le spese a tutt'**~ **sono ...** expenses to date are ...; ~ **a otto** a week today.
oggigi'orno [oddʒi'dʒorno] *av* nowadays.
o'giva [o'dʒiva] *sf* ogive, pointed arch.
'**ogni** ['oɲɲi] *det* every, each; (*tutti*) all; (*con valore distributivo*) every; ~ **uomo è mortale** all men are mortal; **viene** ~ **due giorni** he comes every two days; ~ **cosa** everything; **ad** ~ **costo** at all costs, at any price; **in** ~ **luogo** everywhere; ~ **tanto** every so often; ~ **volta che** every time that.
Ognis'santi [oɲɲis'santi] *sm* All Saints' Day.
o'gnuno [oɲ'ɲuno] *pron* everyone, everybody.
'**ohi** *escl* oh!; (*esprimere dolore*) ow!
ohimè *escl* oh dear!
'**OIL** *sigla f* (= *Organizzazione Internazionale del Lavoro*) ILO.
OL *abbr* (= *onde lunghe*) LW.
O'landa *sf:* **l'**~ Holland.
olan'dese *ag* Dutch ♦ *sm* (*LING*) Dutch ♦ *sm/f* Dutchman/woman; **gli O**~**i** the Dutch.
ole'andro *sm* oleander.
ole'ato, a *ag:* **carta** ~**a** greaseproof paper (*BRIT*), wax paper (*US*).
oleo'dotto *sm* oil pipeline.
ole'oso, a *ag* oily; (*che contiene olio*) oil *cpd.*
o'lezzo [o'leddzo] *sm* fragrance.
ol'fatto *sm* sense of smell.
oli'are *vt* to oil.
olia'tore *sm* oil can, oiler.
oli'era *sf* oil cruet.
oligar'chia [oligar'kia] *sf* oligarchy.
olim'piadi *sfpl* Olympic Games.
o'limpico, a, ci, che *ag* Olympic.

'olio *sm* oil; (*PITTURA*): **un (quadro a)** ~ an oil painting; **sott'**~ (*CUC*) in oil; ~ **di fegato di merluzzo** cod liver oil; ~ **d'oliva** olive oil; ~ **santo** holy oil; ~ **di semi** vegetable oil; ~ **solare** suntan oil.

o'liva *sf* olive.

oli'vastro, a *ag* olive(-coloured) (*BRIT*), olive(-colored) (*US*); (*carnagione*) sallow.

oli'veto *sm* olive grove.

o'livo *sm* olive tree.

'olmo *sm* elm.

olo'causto *sm* holocaust.

OLP *sigla f* (= *Organizzazione per la Liberazione della Palestina*) PLO.

oltraggi'are [oltrad'dʒare] *vt* to offend, insult.

ol'traggio [ol'traddʒo] *sm* offence (*BRIT*), offense (*US*), insult; (*DIR*): ~ **al pudore** indecent behaviour (*BRIT*) o behavior (*US*); ~ **alla corte** contempt of court.

oltraggi'oso, a [oltrad'dʒoso] *ag* offensive.

ol'tralpe *av* beyond the Alps.

ol'tranza [ol'trantsa] *sf*: **a** ~ to the last, to the bitter end; **sciopero ad** ~ all-out strike.

oltran'zismo [oltran'tsizmo] *sm* (*POL*) extremism.

oltran'zista, i, e [oltran'tsista] *sm/f* (*POL*) extremist.

'oltre *av* (*più in là*) further; (*di più: aspettare*) longer, more ♦ *prep* (*di là da*) beyond, over, on the other side of; (*più di*) more than, over; (*in aggiunta a*) besides; (*eccetto*): ~ **a** except, apart from; ~ **a tutto** on top of all that.

oltrecor'tina *av* behind the Iron Curtain; **paesi d'**~ Iron Curtain countries.

oltre'manica *av* across the Channel.

oltre'mare *av* overseas.

oltre'modo *av* extremely, greatly.

oltreo'ceano [oltreo'tʃɛano] *av* overseas ♦ *sm*: **paesi d'**~ overseas countries.

oltrepas'sare *vt* to go beyond, exceed.

oltre'tomba *sm inv*: **l'**~ the hereafter.

OM *abbr* (= *onde medie*) MW; (*MIL*) = *ospedale militare*.

o'maggio [o'maddʒo] *sm* (*dono*) gift; (*segno di rispetto*) homage, tribute; ~**i** *smpl* (*complimenti*) respects; **in** ~ (*copia, biglietto*) complimentary; **rendere** ~ **a** to pay homage o tribute to; **presentare i propri** ~**i a qn** (*formale*) to pay one's respects to sb.

'Oman *sm*: **l'**~ Oman.

ombeli'cale *ag* umbilical.

ombe'lico, chi *sm* navel.

'ombra *sf* (*zona non assolata, fantasma*) shade; (*sagoma scura*) shadow ♦ *ag inv*:

bandiera ~ flag of convenience; **governo** ~ (*POL*) shadow cabinet; **sedere all'**~ to sit in the shade; **nell'**~ (*tramare, agire*) secretly; **restare nell'**~ (*fig: persona*) to remain in obscurity; **senza** ~ **di dubbio** without the shadow of a doubt.

ombreggi'are [ombred'dʒare] *vt* to shade.

om'brello *sm* umbrella; ~ **da sole** parasol, sunshade.

ombrel'lone *sm* beach umbrella.

om'bretto *sm* eyeshadow.

om'broso, a *ag* shady, shaded; (*cavallo*) nervous, skittish; (*persona*) touchy, easily offended.

ome'lette [ɔmə'lɛt] *sf inv* omelet(te).

ome'lia *sf* (*REL*) homily, sermon.

ome'opata *sm/f* hom(o)eopath.

omeopa'tia *sf* hom(o)eopathy.

omeo'patico, a, ci, che *ag* hom(o)eopathic ♦ *sm* hom(o)eopath.

omertà *sf* conspiracy of silence.

o'messo, a *pp di* omettere.

o'mettere *vt* to omit, leave out; ~ **di fare** to omit o fail to do.

omi'cida, i, e [omi'tʃida] *ag* homicidal, murderous ♦ *sm/f* murderer/murderess.

omi'cidio [omi'tʃidjo] *sm* murder; ~ **colposo** (*DIR*) culpable homicide; ~ **premeditato** (*DIR*) murder.

o'misi *etc vb vedi* omettere.

omissi'one *sf* omission; **reato d'**~ criminal negligence; ~ **di atti d'ufficio** negligence (*by a public employee*); ~ **di denuncia** failure to report a crime; ~ **di soccorso** (*DIR*) failure to stop and give assistance.

omogeneiz'zato [omodʒeneid'dzato] *sm* baby food.

omo'geneo, a [omo'dʒɛneo] *ag* homogeneous.

omolo'gare *vt* (*DIR*) to approve, recognize; (*ratificare*) to ratify.

omologazi'one [omologat'tsjone] *sf* approval; ratification.

o'mologo, a, ghi, ghe *ag* homologous, corresponding ♦ *sm/f* opposite number.

o'monimo, a *sm/f* namesake ♦ *sm* (*LING*) homonym.

omosessu'ale *ag, sm/f* homosexual.

O.M.S. *sigla f vedi* **Organizzazione Mondiale della Sanità**.

On. *abbr* (*POL*) = **onorevole**.

'oncia, ce ['ontʃa] *sf* ounce.

'onda *sf* wave; **mettere** o **mandare in** ~ (*RADIO, TV*) to broadcast; **andare in** ~ (*RADIO, TV*) to go on the air; ~**e corte/medie/lunghe** short/medium/long wave *sg*; **l'**~ **verde** (*AUT*) synchronized traffic lights *pl*.

on'data *sf* wave, billow; (*fig*) wave, surge; **a ~e** in waves; **~ di caldo** heatwave; **~ di freddo** cold spell *o* snap.

'onde *cong* (*affinché: con il congiuntivo*) so that, in order that; (*: con l'infinito*) so as to, in order to.

ondeggi'are [onded'dʒare] *vi* (*acqua*) to ripple; (*muoversi sulle onde: barca*) to rock, roll; (*fig: muoversi come le onde, barcollare*) to sway; (*: essere incerto*) to waver.

on'doso, a *ag* (*moto*) of the waves.

ondu'lato, a *ag* (*capelli*) wavy; (*terreno*) undulating; **cartone ~** corrugated paper; **lamiera ~a** sheet of corrugated iron.

ondula'torio, a *ag* undulating; (*FISICA*) undulatory, wave *cpd*.

ondulazi'one [ondulat'tsjone] *sf* undulation; (*acconciatura*) wave.

one'rato, a *ag*: **~ di** burdened with, loaded with.

'onere *sm* burden; **~ finanziario** financial charge; **~i fiscali** taxes.

one'roso, a *ag* (*fig*) heavy, onerous.

onestà *sf* honesty.

onesta'mente *av* honestly; fairly; virtuously; (*in verità*) honestly, frankly.

o'nesto, a *ag* (*probo, retto*) honest; (*giusto*) fair; (*casto*) chaste, virtuous.

'onice ['ɔnitʃe] *sf* onyx.

o'nirico, a, ci, che *ag* dreamlike, dream *cpd*.

onnipo'tente *ag* omnipotent.

onnipre'sente *ag* omnipresent; (*scherzoso*) ubiquitous.

onnisci'ente [onniʃ'ʃɛnte] *ag* omniscient.

onniveg'gente [onnived'dʒɛnte] *ag* all-seeing.

ono'mastico, ci *sm* name day.

onomato'pea *sf* onomatopoeia.

onomato'peico, a, ci, che *ag* onomatopoeic.

ono'ranze [ono'rantse] *sfpl* honours (*BRIT*), honors (*US*).

ono'rare *vt* to honour (*BRIT*), honor (*US*); (*far onore a*) to do credit to; **~rsi** *vr*: **~rsi di qc/di fare** to feel hono(u)red by sth/to do.

ono'rario, a *ag* honorary ♦ *sm* fee.

onora'tissimo, a *ag* (*in presentazioni*): **~!** delighted to meet you!

ono'rato, a *ag* (*reputazione, famiglia, carriera*) distinguished; **essere ~ di fare qc** to have the honour to do sth *o* of doing sth; **~ di conoscerla!** (it is) a pleasure to meet you!

o'nore *sm* honour (*BRIT*), honor (*US*); **in ~ di** in hono(u)r of; **fare gli ~i di casa** to play host (*o* hostess); **fare ~ a** to hono(u)r; (*pranzo*) to do justice to; (*famiglia*) to be a credit to; **farsi ~** to distinguish o.s.; **posto d'~** place of hono(u)r; **a onor del vero ...** to tell the truth ....

ono'revole *ag* honourable (*BRIT*), honorable (*US*) ♦ *sm/f* (*POL*) ≈ Member of Parliament (*BRIT*), ≈ Congressman/woman (*US*).

onorifi'cenza [onorifi'tʃɛntsa] *sf* honour (*BRIT*), honor (*US*); decoration.

ono'rifico, a, ci, che *ag* honorary.

'onta *sf* shame, disgrace; **ad ~ di** despite, notwithstanding.

on'tano *sm* alder.

'O.N.U. *sigla f* (= *Organizzazione delle Nazioni Unite*) UN, UNO.

OO.PP. *abbr vedi* **opere pubbliche.**

'OPA *sigla f vedi* **offerta pubblica d'acquisto.**

o'paco, a, chi, che *ag* (*vetro*) opaque; (*metallo*) dull, matt.

o'pale *sm o f* opal.

'O.P.E.C. *sigla f* (= *Organization of Petroleum Exporting Countries*) OPEC.

'opera *sf* (*gen*) work; (*azione rilevante*) action, deed, work; (*MUS*) work; opus; (*: melodramma*) opera; (*: teatro*) opera house; (*ente*) institution, organization; **per ~ sua** thanks to him; **fare ~ di persuasione presso qn** to try to convince sb; **mettersi/essere all'~** to get down to/be at work; **~ d'arte** work of art; **~ buffa** comic opera; **~ lirica** (grand) opera; **~ pia** religious charity; **~e pubbliche** (OO.PP.) public works; **~e di restauro/di scavo** restoration/excavation work *sg*.

ope'raio, a *ag* working-class; workers'; (*ZOOL: ape, formica*) worker *cpd* ♦ *sm/f* worker; **classe ~a** working class; **~ di fabbrica** factory worker; **~ a giornata** day labourer (*BRIT*) *o* laborer (*US*); **~ specializzato** *o* qualificato skilled worker; **~ non specializzato** semi-skilled worker.

ope'rare *vt* to carry out, make; (*MED*) to operate on ♦ *vi* to operate, work; (*rimedio*) to act, work; (*MED*) to operate; **~rsi** *vr* to occur, take place; (*MED*) to have an operation; **~rsi d'appendicite** to have one's appendix out; **~ qn d'urgenza** to perform an emergency operation on sb.

opera'tivo, a *ag* operative, operating; **piano ~** (*MIL*) plan of operations.

ope'rato *sm* (*comportamento*) actions *pl*.

opera'tore, 'trice *sm/f* operator; (*TV, CINE*) cameraman; **aperto solo agli ~i** (*COMM*) open to the trade only; **~ di borsa** dealer on the stock exchange; **~ ecologico** refuse collector; **~ economico** agent, broker; **~ del suono** sound recordist; **~ turistico** tour operator.

opera'torio, a *ag (MED)* operating.
operazi'one [operat'tsjone] *sf* operation.
ope'retta *sf (MUS)* operetta, light opera.
operosità *sf* industry.
ope'roso, a *ag* industrious, hard-working.
opi'ficio [opi'fitʃo] *sm* factory, works *pl.*
opi'nabile *ag (discutibile)* debatable,
   questionable; **è ~** it is a matter of
   opinion.
opini'one *sf* opinion; **avere il coraggio delle
   proprie ~i** to have the courage of one's
   convictions; **l'~ pubblica** public opinion.
opinio'nista, i, e *smf* (political) columnist.
op là *escl (per far saltare)* hup!; *(a bimbo che
   è caduto)* upsy-daisy!
'oppio *sm* opium.
oppi'omane *smf* opium addict.
oppo'nente *ag* opposing ♦ *smf* opponent.
op'pongo *etc vb vedi* **opporre**.
op'porre *vt* to oppose; **opporsi** *vr:* **opporsi
   (a qc)** to oppose (sth); to object (to sth); **~
   resistenza/un rifiuto** to offer resistance/
   to refuse.
opportu'nista, i, e *smf* opportunist.
opportunità *sf inv* opportunity;
   (convenienza) opportuneness, timeliness.
oppor'tuno, a *ag* timely, opportune;
   (giusto) right, appropriate; **a tempo ~** at
   the right *o* the appropriate time.
op'posi *etc vb vedi* **opporre**.
opposi'tore, 'trice *smf* opposer, opponent.
opposizi'one [oppozit'tsjone] *sf* opposition;
   (DIR) objection; **essere in netta ~** *(idee,
   opinioni)* to clash, be in complete
   opposition; **fare ~ a qn/qc** to oppose sb/
   sth.
op'posto, a *pp di* **opporre** ♦ *ag* opposite;
   (opinioni) conflicting ♦ *sm* opposite,
   contrary; **all'~** on the contrary.
oppressi'one *sf* oppression.
oppres'sivo, a *ag* oppressive.
op'presso, a *pp di* **opprimere**.
oppres'sore *sm* oppressor.
oppri'mente *ag (caldo, noia)* oppressive;
   (persona) tiresome; *(: deprimente)*
   depressing.
op'primere *vt (premere, gravare)* to weigh
   down; *(estenuare: sog: caldo)* to suffocate,
   oppress; *(tiranneggiare: popolo)* to
   oppress.
oppu'gnare [oppuɲ'ɲare] *vt (fig)* to refute.
op'pure *cong* or (else).
op'tare *vi:* **~ per** *(scegliere)* to opt for,
   decide upon; *(BORSA)* to take (out) an
   option on.
'optimum *sm inv* optimum.
opu'lento, a *ag (ricco)* rich, wealthy,
   affluent; *(: arredamento etc)* opulent.

opu'lenza [opu'lɛntsa] *sf (vedi ag)* richness,
   wealth, affluence; opulence.
o'puscolo *sm* booklet, pamphlet.
OPV *sigla f vedi* **offerta pubblica di vendita**.
opzio'nale [optsjo'nale] *ag* optional.
opzi'one [op'tsjone] *sf* option.
OR *sigla* = Oristano.
'ora *sf (60 minuti)* hour; *(momento)* time
   ♦ *av (adesso)* now; *(poco fa):* **è uscito
   proprio ~** he's just gone out; *(tra poco)*
   presently, in a minute; *(correlativo):*
   ~ ... ~ now ... now; **che ~ è?, che ~e
   sono?** what time is it?; **domani a quest'~**
   this time tomorrow; **non veder l'~ di fare**
   to long to do, look forward to doing; **fare
   le ~e piccole** to stay up till the early
   hours (of the morning) *o* the small hours;
   è ~ di partire it's time to go; **di buon' ~**
   early; **alla buon'~!** at last!; **~ legale** *o*
   estiva summer time *(BRIT)*, daylight
   saving time *(US)*; **~ locale** local time; **~ di
   pranzo** lunchtime; **~ di punta** *(AUT)* rush
   hour; **d'~ in avanti** *o* **poi** from now on; **or
   ~** just now, a moment ago; **~ come ~**
   right now, at present; **10 anni or sono** 10
   years ago.
o'racolo *sm* oracle.
'orafo *sm* goldsmith.
o'rale *ag, sm* oral.
oral'mente *av* orally.
ora'mai *av* = **ormai**.
o'rario, a *ag* hourly; *(fuso, segnale)* time
   cpd; *(velocità)* per hour ♦ *sm* timetable,
   schedule; *(di visite etc)* hours *pl*, time(s *pl*);
   ~ di apertura/chiusura opening/closing
   time; **~ di apertura degli sportelli** bank
   opening hours; **~ elastico** *o* **flessibile**
   (INDUSTRIA) flexitime; **~ ferroviario**
   railway timetable; **~ di lavoro/d'ufficio**
   working/office hours.
o'rata *sf* sea bream.
ora'tore, 'trice *smf* speaker; orator.
ora'torio, a *ag* oratorical ♦ *sm (REL)*
   oratory; *(MUS)* oratorio ♦ *sf (arte)* oratory.
orazi'one [orat'tsjone] *sf (REL)* prayer;
   (discorso) speech, oration.
or'bene *cong* so, well (then).
'orbita *sf (ASTR, FISICA)* orbit; *(ANAT)* (eye-)
   socket.
orbi'tare *vi* to orbit.
'orbo, a *ag* blind.
'Orcadi *sfpl:* **le (isole) ~** the Orkney
   Islands, the Orkneys.
or'chestra [or'kɛstra] *sf* orchestra.
orches'trale [orkes'trale] *ag* orchestral
   ♦ *smf* orchestra player.
orches'trare [orkes'trare] *vt* to orchestrate;
   (fig) to stage-manage.

orchi'dea [orki'dɛa] *sf* orchid.

'orcio ['ortʃo] *sm* jar.

'orco, chi *sm* ogre.

'orda *sf* horde.

or'digno [or'diɲɲo] *sm*: ~ **esplosivo** explosive device.

ordi'nale *ag*, *sm* ordinal.

ordina'mento *sm* order, arrangement; (*regolamento*) regulations *pl*, rules *pl*; ~ **scolastico/giuridico** education/legal system.

ordi'nanza [ordi'nantsa] *sf* (*DIR, MIL*) order; (*AMM: decreto*) decree; (*persona: MIL*) orderly, batman; **d'~** (*MIL*) regulation *cpd*; **ufficiale d'~** orderly; ~ **municipale** by(e)-law.

ordi'nare *vt* (*mettere in ordine*) to arrange, organize; (*COMM*) to order; (*prescrivere: medicina*) to prescribe; (*comandare*): ~ **a qn di fare qc** to order *o* command sb to do sth; (*REL*) to ordain.

ordi'nario, a *ag* (*comune*) ordinary; (*grossolano*) coarse, common ♦ *sm* ordinary; (*di università*) full professor.

ordina'tivo, a *ag* regulating, governing ♦ *sm* (*COMM*) order.

ordi'nato, a *ag* tidy, orderly.

ordinazi'one [ordinat'tsjone] *sf* (*COMM*) order; (*REL*) ordination; **fare un'~ di qc** to put in an order for sth, order sth; **eseguire qc su** ~ to make sth to order.

'ordine *sm* order; (*carattere*): **d'~ pratico** of a practical nature; **all'~** (*COMM: assegno*) to order; **di prim'~** first-class; **fino a nuovo** ~ until further notice; **essere in** ~ (*documenti*) to be in order; (*persona, stanza*) to be tidy; **mettere in** ~ to put in order, tidy (up); **richiamare all'~** to call to order; **le forze dell'~** the forces of law and order; ~ **d'acquisto** purchase order; **l'~ degli avvocati** ≈ the Bar; ~ **del giorno** (*di seduta*) agenda; (*MIL*) order of the day; **l'~ dei medici** ≈ the Medical Association; ~ **di pagamento** standing order (*BRIT*), automatic payment (*US*); **l'~ pubblico** law and order; **~i (sacri)** (*REL*) holy orders.

or'dire *vt* (*fig*) to plot, scheme.

or'dito *sm* (*di tessuto*) warp.

orecchi'abile [orek'kjabile] *ag* (*canzone*) catchy.

orec'chino [orek'kino] *sm* earring.

o'recchio [o'rekkjo] *pl(f)* **o'recchie** *sm* (*ANAT*) ear; **avere** ~ to have a good ear (for music); **venire all'~ di qn** to come to sb's attention; **fare ~e da mercante (a)** to turn a deaf ear (to).

orecchi'oni [orek'kjoni] *smpl* (*MED*) mumps *sg*.

o'refice [o'refitʃe] *sm* goldsmith; jeweller (*BRIT*), jeweler (*US*).

orefice'ria [orefitʃe'ria] *sf* (*arte*) goldsmith's art; (*negozio*) jeweller's (shop) (*BRIT*), jewelry store (*US*).

'orfano, a *ag* orphan(ed) ♦ *sm/f* orphan; ~ **di padre/madre** fatherless/motherless.

orfano'trofio *sm* orphanage.

orga'netto *sm* barrel organ; (*fam: armonica a bocca*) mouth organ; (: *fisarmonica*) accordion.

or'ganico, a, ci, che *ag* organic ♦ *sm* personnel, staff.

organi'gramma, i *sm* organization chart; (*INFORM*) computer flow chart.

orga'nismo *sm* (*BIOL*) organism; (*ANAT, AMM*) body, organism.

orga'nista, i, e *sm/f* organist.

organiz'zare [organid'dzare] *vt* to organize; **~rsi** *vr* to get organized.

organizza'tivo, a [organiddza'tivo] *ag* organizational.

organizza'tore, 'trice [organiddza'tore] *ag* organizing ♦ *sm/f* organizer.

organizzazi'one [organiddzat'tsjone] *sf* (*azione*) organizing, arranging; (*risultato*) organization; **O~ Mondiale della Sanità (O.M.S.)** World Health Organization (WHO).

'organo *sm* organ; (*di congegno*) part; (*portavoce*) spokesman/woman, mouthpiece; **~i di trasmissione** (*TECN*) transmission (unit) *sg*.

or'gasmo *sm* (*FISIOL*) orgasm; (*fig*) agitation, anxiety.

'orgia, ge ['ɔrdʒa] *sf* orgy.

or'goglio [or'goʎʎo] *sm* pride.

orgogli'oso, a [orgoʎ'ʎoso] *ag* proud.

orien'tabile *ag* adjustable.

orien'tale *ag* (*paese, regione*) eastern; (*tappeti, lingua, civiltà*) oriental.

orienta'mento *sm* positioning; orientation; direction; **senso di** ~ sense of direction; **perdere l'~** to lose one's bearings; ~ **professionale** careers guidance.

orien'tare *vt* (*situare*) to position; (*carta, bussola*) to orientate; (*fig*) to direct; **~rsi** *vr* to find one's bearings; (*fig: tendere*) to tend, lean; (: *indirizzarsi*): **~rsi verso** to take up, go in for.

orienta'tivo, a *ag* indicative, for guidance; **a scopo** ~ for guidance.

ori'ente *sm* east; **l'O~** the East, the Orient; **il Medio/l'Estremo O~** the Middle/Far East; **a** ~ in the east.

ori'ficio [ori'fitʃo], **ori'fizio** [ori'fittsjo] *sm* (*apertura*) opening; (: *di tubo*) mouth;

(*ANAT*) orifice.

o'rigano *sm* oregano.

origi'nale [oridʒi'nale] *ag* original; (*bizzarro*) eccentric ♦ *sm* original.

originalità [oridʒinali'ta] *sf* originality; eccentricity.

origi'nare [oridʒi'nare] *vt* to bring about, produce ♦ *vi*: ~ **da** to arise *o* spring from.

origi'nario, a [oridʒi'narjo] *ag* original; **essere** ~ **di** to be a native of; (*animale, pianta*) to be indigenous to, be native to.

o'rigine [o'ridʒine] *sf* origin; **all'**~ originally; **d'**~ **inglese** of English origin; **avere** ~ **da** to originate from; **dare** ~ **a** to give rise to.

origli'are [oriʎ'ʎare] *vi*: ~ **(a)** to eavesdrop (on).

o'rina *sf* urine.

ori'nale *sm* chamberpot.

ori'nare *vi* to urinate ♦ *vt* to pass.

orina'toio *sm* (public) urinal.

ori'undo, a *ag*: **essere** ~ **di Milano** *etc* to be of Milanese *etc* extraction *o* origin ♦ *sm/f* person of foreign extraction *o* origin.

orizzon'tale [oriddzon'tale] *ag* horizontal.

oriz'zonte [orid'dzonte] *sm* horizon.

ORL *sigla f* (*MED*: = *otorinolaringoiatria*) ENT.

or'lare *vt* to hem.

orla'tura *sf* (*azione*) hemming *no pl*; (*orlo*) hem.

'orlo *sm* edge, border; (*di recipiente*) rim, brim; (*di vestito etc*) hem; **pieno fino all'**~ full to the brim, brimful; **sull'**~ **della pazzia/della rovina** on the brink *o* verge of madness/ruin; ~ **a giorno** hemstitch.

'orma *sf* (*di persona*) footprint; (*di animale*) track; (*impronta, traccia*) mark, trace; **seguire** *o* **calcare le** ~**e di qn** to follow in sb's footsteps.

or'mai *av* by now, by this time; (*adesso*) now; (*quasi*) almost, nearly.

ormeggi'are [ormed'dʒare] *vt*, ~**rsi** *vr* (*NAUT*) to moor.

or'meggio [or'meddʒo] *sm* (*atto*) mooring *no pl*; (*luogo*) moorings *pl*; **posto d'**~ berth.

ormo'nale *ag* hormonal; (*disfunzione, cura*) hormone *cpd*; **terapia** ~ hormone therapy.

or'mone *sm* hormone.

ornamen'tale *ag* ornamental, decorative.

orna'mento *sm* ornament, decoration.

or'nare *vt* to adorn, decorate; ~**rsi** *vr*: ~**rsi (di)** to deck o.s. (out) (with).

or'nato, a *ag* ornate.

ornitolo'gia [ornitolo'dʒia] *sf* ornithology.

orni'tologo, a, gi, ghe *sm/f* ornithologist.

'oro *sm* gold; **d'**~, **in** ~ gold *cpd*; **d'**~ (*colore, occasione*) golden; (*persona*) marvellous (*BRIT*), marvelous (*US*); **un affare d'**~ a

real bargain; **prendere qc per** ~ **colato** to take sth as gospel (truth); ~ **nero** black gold; ~ **zecchino** pure gold.

orologe'ria [orolodʒe'ria] *sf* watchmaking *no pl*; watchmaker's (shop); clockmaker's (shop); **bomba a** ~ time bomb.

orologi'aio [orolo'dʒajo] *sm* watchmaker; clockmaker.

oro'logio [oro'lɔdʒo] *sm* clock; (*da tasca, da polso*) watch; ~ **biologico** biological clock; ~ **da polso** wristwatch; ~ **al quarzo** quartz watch; ~ **a sveglia** alarm clock.

o'roscopo *sm* horoscope.

or'rendo, a *ag* (*spaventoso*) horrible, awful; (*bruttissimo*) hideous.

or'ribile *ag* horrible.

'orrido, a *ag* fearful, horrid.

orripi'lante *ag* hair-raising, horrifying.

or'rore *sm* horror; **avere in** ~ **qn/qc** to loathe *o* detest sb/sth; **mi fanno** ~ I loathe *o* detest them.

orsacchi'otto [orsak'kjɔtto] *sm* teddy bear.

'orso *sm* bear; ~ **bruno/bianco** brown/polar bear.

orsù *escl* come now!

or'taggio [or'taddʒo] *sm* vegetable.

or'tensia *sf* hydrangea.

or'tica, che *sf* (stinging) nettle.

orti'caria *sf* nettle rash.

orticol'tura *sf* horticulture.

'orto *sm* vegetable garden, kitchen garden; (*AGR*) market garden (*BRIT*), truck farm (*US*); ~ **botanico** botanical garden(s *pl*).

orto'dosso, a *ag* orthodox.

ortofrut'ticolo, a *ag* fruit and vegetable *cpd*.

ortogo'nale *ag* perpendicular.

ortogra'fia *sf* spelling.

orto'lano, a *sm/f* (*venditore*) greengrocer (*BRIT*), produce dealer (*US*).

ortope'dia *sf* orthopaedics *sg* (*BRIT*), orthopedics *sg* (*US*).

orto'pedico, a, ci, che *ag* orthopaedic (*BRIT*), orthopedic (*US*) ♦ *sm* orthopaedic specialist (*BRIT*), orthopedist (*US*).

orzai'olo [ordza'jɔlo], **orzaiu'olo** [ordza'jwɔlo] *sm* (*MED*) stye.

or'zata [or'dzata] *sf* barley water.

'orzo ['ɔrdzo] *sm* barley.

'OSA *sigla f* (= *Organizzazione degli Stati Americani*) OAS (= *Organization of American States*).

o'sare *vt*, *vi* to dare; ~ **fare** to dare (to) do; **come osi?** how dare you?

oscenità [oʃʃeni'ta] *sf inv* obscenity.

o'sceno, a [oʃ'ʃɛno] *ag* obscene; (*ripugnante*) ghastly.

oscil'lare [oʃʃil'lare] *vi* (*pendolo*) to swing; (*dondolare: al vento etc*) to rock; (*variare*) to fluctuate; (*TECN*) to oscillate; (*fig*): ~ **fra** to waver between.

oscillazi'one [oʃʃillat'tsjone] *sf* oscillation; (*di prezzi, temperatura*) fluctuation.

oscura'mento *sm* darkening; obscuring; (*in tempo di guerra*) blackout.

oscu'rare *vt* to darken, obscure; (*fig*) to obscure; ~**rsi** *vr* (*cielo*) to darken, cloud over; (*persona*): **si oscurò in volto** his face clouded over.

oscurità *sf* (*vedi ag*) darkness; obscurity; gloominess.

os'curo, a *ag* dark; (*fig: incomprensibile*) obscure; (: *umile: vita, natali*) humble, obscure; (: *triste: pensiero*) gloomy, sombre ♦ *sm*: **all'**~ in the dark; **tenere qn all'**~ **di qc** to keep sb in the dark about sth.

'Oslo *sf* Oslo.

ospe'dale *sm* hospital.

ospedali'ero, a *ag* hospital *cpd.*

ospi'tale *ag* hospitable.

ospitalità *sf* hospitality.

ospi'tare *vt* to give hospitality to; (*sog: albergo*) to accommodate.

'ospite *smlf* (*persona che ospita*) host/ hostess; (*persona ospitata*) guest.

os'pizio [os'pittsjo] *sm* (*per vecchi etc*) home.

'ossa *sfpl vedi* **osso**.

os'sario *sm* (*MIL*) war memorial (*with burial place*).

ossa'tura *sf* (*ANAT*) skeletal structure, frame; (*TECN, fig*) framework.

'osseo, a *ag* bony; (*tessuto etc*) bone *cpd.*

osse'quente *ag*: ~ **alla legge** law-abiding.

os'sequio *sm* deference, respect; ~**i** *smpl* (*saluto*) respects, regards; **porgere i propri** ~**i a qn** (*formale*) to pay one's respects to sb; ~**i alla signora!** (give my) regards to your wife!

ossequi'oso, a *ag* obsequious.

osser'vanza [osser'vantsa] *sf* observance.

osser'vare *vt* to observe, watch; (*esaminare*) to examine; (*notare, rilevare*) to notice, observe; (*DIR: la legge*) to observe, respect; (*mantenere: silenzio*) to keep, observe; **far** ~ **qc a qn** to point sth out to sb.

osserva'tore, 'trice *ag* observant, perceptive ♦ *smlf* observer.

osserva'torio *sm* (*ASTR*) observatory; (*MIL*) observation post.

osservazi'one [osservat'tsjone] *sf* observation; (*di legge etc*) observance; (*considerazione critica*) observation,

remark; (*rimprovero*) reproof; **in** ~ under observation; **fare un'**~ to make a remark; to raise an objection; **fare un'**~ **a qn** to criticize sb.

ossessio'nare *vt* to obsess, haunt; (*tormentare*) to torment, harass.

ossessi'one *sf* obsession; (*seccatura*) nuisance.

osses'sivo, a *ag* obsessive, haunting; troublesome.

os'sesso, a *ag* (*spiritato*) possessed.

os'sia *cong* that is, to be precise.

ossi'buchi [ossi'buki] *smpl di* **ossobuco**.

ossi'dare *vt*, ~**rsi** *vr* to oxidize.

ossidazi'one [ossidat'tsjone] *sf* oxidization, oxidation.

'ossido *sm* oxide; ~ **di carbonio** carbon monoxide.

ossige'nare [ossidʒe'nare] *vt* to oxygenate; (*decolorare*) to bleach; **acqua ossigenata** hydrogen peroxide.

os'sigeno [os'sidʒeno] *sm* oxygen.

'osso *sm* (*pl(f) ossa nel senso ANAT*) bone; **d'**~ (*bottone etc*) of bone, bone *cpd*; **avere le** ~**a rotte** to be dead *o* dog tired; **bagnato fino all'**~ soaked to the skin; **essere ridotto all'**~ (*fig: magro*) to be just skin and bone; (: *senza soldi*) to be in dire straits; **rompersi l'**~ **del collo** to break one's neck; **rimetterci l'**~ **del collo** (*fig*) to ruin o.s., lose everything; **un** ~ **duro** (*persona, impresa*) a tough number; ~ **di seppia** cuttlebone.

osso'buco, *pl* **ossi'buchi** *sm* (*CUC*) marrowbone; (: *piatto*) *stew made with knuckle of veal in tomato sauce.*

os'suto, a *ag* bony.

ostaco'lare *vt* to block, obstruct.

os'tacolo *sm* obstacle; (*EQUITAZIONE*) hurdle, jump; **essere di** ~ **a qn/qc** (*fig*) to stand in the way of sb/sth.

os'taggio [os'taddʒo] *sm* hostage.

'oste, os'tessa *smlf* innkeeper.

osteggi'are [osted'dʒare] *vt* to oppose, be opposed to.

os'tello *sm* hostel; ~ **della gioventù** youth hostel.

osten'sorio *sm* (*REL*) monstrance.

osten'tare *vt* to make a show of, flaunt.

ostentazi'one [ostentat'tsjone] *sf* ostentation, show.

oste'ria *sf* inn.

os'tessa *sf vedi* **oste**.

os'tetrico, a, ci, che *ag* obstetric ♦ *sm* obstetrician ♦ *sf* midwife.

'ostia *sf* (*REL*) host; (*per medicinali*) wafer.

'ostico, a, ci, che *ag* difficult, tough.

os'tile *ag* hostile.

ostilità *sf* hostility ♦ *sfpl* (*MIL*) hostilities.
osti'narsi *vr* to insist, dig one's heels in; ~ **a fare** to persist (obstinately) in doing.
osti'nato, a *ag* (*caparbio*) obstinate; (*tenace*) persistent, determined.
ostinazi'one [ostinat'tsjone] *sf* obstinacy; persistence.
ostra'cismo [ostra'tʃizmo] *sm* ostracism.
'ostrica, che *sf* oyster.
ostru'ire *vt* to obstruct, block.
ostruzi'one [ostrut'tsjone] *sf* obstruction, blockage.
ostruzio'nismo [ostruttsjo'nizmo] *sm* (*POL*) obstructionism; (*SPORT*) obstruction; **fare dell'~ a** (*progetto, legge*) to obstruct; ~ **sindacale** work-to-rule (*BRIT*), slowdown (*US*).
o'tite *sf* ear infection.
oto'rino(laringoi'atra), i, e *sm/f* ear, nose and throat specialist.
'otre *sm* (*recipiente*) goatskin.
ott. *abbr* (= *ottobre*) Oct.
ottago'nale *ag* octagonal.
ot'tagono *sm* octagon.
ot'tano *sm* octane; **numero di ~i** octane rating.
ot'tanta *num* eighty.
ottan'tenne *ag* eighty-year-old ♦ *sm/f* octogenarian.
ottan'tesimo, a *num* eightieth.
ottan'tina *sf*: **una ~ (di)** about eighty.
ot'tavo, a *num* eighth ♦ *sf* octave.
ottempe'ranza [ottempe'rantsa] *sf*: **in ~ a** (*AMM*) in accordance with, in compliance with.
ottempe'rare *vi*: ~ **a** to comply with, obey.
ottene'brare *vt* to darken; (*fig*) to cloud.
otte'nere *vt* to obtain, get; (*risultato*) to achieve, obtain.
'ottico, a, ci, che *ag* (*della vista: nervo*) optic; (*dell'ottica*) optical ♦ *sm* optician ♦ *sf* (*scienza*) optics *sg*; (*FOT: lenti, prismi etc*) optics *pl*.
otti'male *ag* optimal, optimum.
ottima'mente *av* excellently, very well.
otti'mismo *sm* optimism.
otti'mista, i, e *sm/f* optimist.
ottimiz'zare [ottimid'dzare] *vt* to optimize.
ottimizzazi'one [ottimiddzat'tsjone] *sf* optimization.
'ottimo, a *ag* excellent, very good.
'otto *num* eight.
ot'tobre *sm* October; *per fraseologia vedi* **luglio**.
otto'brino, a *ag* October *cpd*.
ottocen'tesco, a, schi, sche [ottotʃen'tesko] *ag* nineteenth-century.

otto'cento [otto'tʃento] *num* eight hundred ♦ *sm*: **l'O~** the nineteenth century.
otto'mila *num* eight thousand.
ot'tone *sm* brass; **gli ~i** (*MUS*) the brass.
ottuage'nario, a [ottuadʒe'narjo] *ag, sm/f* octogenarian.
ot'tundere *vt* (*fig*) to dull.
ottu'rare *vt* to close (up); (*dente*) to fill.
ottura'tore *sm* (*FOT*) shutter; (*nelle armi*) breechblock.
otturazi'one [otturat'tsjone] *sf* closing (up); (*dentaria*) filling.
ottusità *sf* (*vedi ag*) obtuseness; dullness.
ot'tuso, a *pp di* **ottundere** ♦ *ag* (*MAT, fig*) obtuse; (*suono*) dull.
o'vaia *sf*, **o'vaio** *sm* (*ANAT*) ovary.
o'vale *ag, sm* oval.
o'varico, a *ag* ovarian.
o'vatta *sf* cotton wool; (*per imbottire*) padding, wadding.
ovat'tare *vt* (*imbottire*) to pad; (*fig: smorzare*) to muffle.
ovazi'one [ovat'tsjone] *sf* ovation.
'ovest *sm* west; **a ~ (di)** west (of); **verso ~** westward(s).
o'vile *sm* pen, enclosure; **tornare all'~** (*fig*) to return to the fold.
o'vino, a *ag* sheep *cpd*, ovine.
'O.V.N.I. *sigla m* (= *oggetto volante non identificato*) UFO.
ovulazi'one [ovulat'tsjone] *sf* ovulation.
'ovulo *sm* (*FISIOL*) ovum.
o'vunque *av* = **dovunque**.
ov'vero *cong* (*ossia*) that is, to be precise; (*oppure*) or (else).
ovvi'are *vi*: ~ **a** to obviate.
'ovvio, a *ag* obvious.
ozi'are [ot'tsjare] *vi* to laze around.
'ozio ['ɔttsjo] *sm* idleness; (*tempo libero*) leisure; **ore d'~** leisure time; **stare in ~** to be idle.
ozi'oso, a [ot'tsjoso] *ag* idle.
o'zono [od'dzɔno] *sm* ozone; **lo strato d'~** the ozone layer.
ozonos'fera [oddzonos'fɛra] *sf* ozone layer.

Pp

P, p [pi] *sf o m inv* (*lettera*) P, p; **P come Padova** ≈ P for Peter.

P *abbr* (= *peso*) wt; (= *posteggio*) P.

p *abbr* (= *pagina*) p.

P2 *abbr f*: **la (loggia)** ~ the P2 masonic lodge.

PA *sigla* = *Palermo*.

P.A. *abbr* = *pubblica amministrazione*.

pa'care *vt* to calm; **~rsi** *vr* (*tempesta, disordini*) to subside.

paca'tezza [paka'tettsa] *sf* quietness, calmness.

pa'cato, a *ag* quiet, calm.

'pacca, che *sf* slap.

pac'chetto [pak'ketto] *sm* packet; ~ **applicativo** (*INFORM*) applications package; ~ **azionario** (*FINANZA*) shareholding; ~ **software** (*INFORM*) software package; ~ **turistico** package holiday (*BRIT*) *o* tour.

pacchi'ano, a [pak'kjano] *ag* (*colori*) garish; (*abiti, arredamento*) vulgar, garish.

'pacco, chi *sm* parcel; (*involto*) bundle; ~ **postale** parcel.

paccot'tiglia [pakkot'tiʎʎa] *sf* trash, junk.

'pace ['patʃe] *sf* peace; **darsi** ~ to resign o.s.; **fare (la)** ~ **con qn** to make it up with sb.

pachis'tano, a [pakis'tano] *ag, sm/f* Pakistani.

pacifi'care [patʃifi'kare] *vt* (*riconciliare*) to reconcile, make peace between; (*mettere in pace*) to pacify.

pacificazi'one [patʃifikat'tsjone] *sf* (*vedi vt*) reconciliation; pacification.

pa'cifico, a, ci, che [pa'tʃifiko] *ag* (*persona*) peaceable; (*vita*) peaceful; (*fig: indiscusso*) indisputable; (: *ovvio*) obvious, clear ♦ *sm*: **il P~, l'Oceano P~** the Pacific (Ocean).

paci'fismo [patʃi'fizmo] *sm* pacifism.

paci'fista, i, e [patʃi'fista] *sm/f* pacifist.

pa'dano, a *ag* of the Po; **la pianura ~a** the Lombardy plain.

pa'della *sf* frying pan; (*per infermi*) bedpan.

padigli'one [padiʎ'ʎone] *sm* pavilion.

'Padova *sf* Padua.

pado'vano, a *ag* of (*o* from) Padua.

'padre *sm* father; **~i** *smpl* (*antenati*)

forefathers.

Padre'terno *sm*: **il** ~ God the Father.

pa'drino *sm* godfather.

padro'nale *ag* (*scala, entrata*) main, principal; **casa** ~ country house.

padro'nanza [padro'nantsa] *sf* command, mastery.

padro'nato *sm*: **il** ~ the ruling class.

pa'drone, a *sm/f* master/mistress; (*proprietario*) owner; (*datore di lavoro*) employer; **essere** ~ **di sé** to be in control of o.s.; **~/a di casa** master/mistress of the house; (*per gli inquilini*) landlord/lady.

padroneggi'are [padroned'dʒare] *vt* (*fig: sentimenti*) to master, control; (: *materia*) to master, know thoroughly; **~rsi** *vr* to control o.s.

pae'saggio [pae'zaddʒo] *sm* landscape.

paesag'gista, i, e [paezad'dʒista] *sm/f* (*pittore*) landscape painter.

pae'sano, a *ag* country *cpd* ♦ *sm/f* villager; countryman/woman.

pa'ese *sm* (*nazione*) country, nation; (*terra*) country, land; (*villaggio*) village; ~ **di provenienza** country of origin; **i P~i Bassi** the Netherlands.

paf'futo, a *ag* chubby, plump.

'paga, ghe *sf* pay, wages *pl*; **giorno di** ~ pay day.

pa'gabile *ag* payable; ~ **alla consegna/a vista** payable on delivery/on demand.

pa'gaia *sf* paddle.

paga'mento *sm* payment; ~ **anticipato** payment in advance; ~ **alla consegna** payment on delivery; ~ **all'ordine** cash with order; **la TV a** ~ pay TV.

pa'gano, a *ag, sm/f* pagan.

pa'gare *vt* to pay; (*acquisto, fig: colpa*) to pay for; (*contraccambiare*) to repay, pay back ♦ *vi* to pay; **quanto l'ha pagato?** how much did you pay for it?; ~ **con carta di credito** to pay by credit card; ~ **in contanti** to pay cash; ~ **di persona** (*fig*) to suffer the consequences; **l'ho pagata cara** (*fig*) I paid dearly for it.

pa'gella [pa'dʒella] *sf* (*INS*) school report (*BRIT*), report card (*US*).

'paggio ['paddʒo] *sm* page(boy).

paghe'rò [page'rɔ] *vb vedi* **pagare** ♦ *sm inv* IOU; ~ **cambiario** promissory note.

'pagina ['padʒina] *sf* page.

'paglia ['paʎʎa] *sf* straw; **avere la coda di** ~ (*fig*) to have a guilty conscience; **fuoco di** ~ (*fig*) flash in the pan.

pagliac'cetto [paʎʎat'tʃetto] *sm* (*per bambini*) rompers *pl*.

pagliac'ciata [paʎʎat'tʃata] *sf* farce.

pagli'accio [paʎ'ʎattʃo] *sm* clown.

pagliaio – pallone

pagli'aio [paʎ'ʎajo] *sm* haystack.
paglie'riccio [paʎʎe'ritt∫o] *sm* straw
mattress.
paglie'rino, a [paʎʎe'rino] *ag*: **giallo ~** pale
yellow.
pagli'etta [paʎ'ʎetta] *sf* (*cappello per uomo*)
(straw) boater; (*per tegami etc*) steel wool.
pagli'uzza [paʎ'ʎuttsa] *sf* (blade of) straw;
(*d'oro etc*) tiny particle, speck.
pa'gnotta [paɲ'ɲɔtta] *sf* round loaf.
'pago, a, ghi, ghe *ag*: **~ (di)** satisfied
(with).
pa'goda *sf* pagoda.
pail'lette [pa'jɛt] *sf inv* sequin.
'paio, *pl(f)* **'paia** *sm* pair; **un ~ di occhiali** a
pair of glasses; **un ~ di** (*alcuni*) a couple
of; **è un altro ~ di maniche** (*fig*) that's
another kettle of fish.
'paio *etc vb vedi* **parere.**
pai'olo, paiu'olo *sm* (copper) pot.
'Pakistan *sm*: **il ~** Pakistan.
pakis'tano, a *ag*, *sm/f* = **pachistano.**
pal. *abbr* = **palude.**
'pala *sf* shovel; (*di remo, ventilatore, elica*)
blade; (*di ruota*) paddle.
palan'drana *sf* (*scherzoso: abito lungo e
largo*) tent.
pa'lata *sf* shovelful; **fare soldi a ~e** to
make a mint.
pala'tale *ag* (*ANAT, LING*) palatal.
pa'lato *sm* palate.
pa'lazzo [pa'lattso] *sm* (*reggia*) palace;
(*edificio*) building; **~ di giustizia**
courthouse; **~ dello sport** sports stadium.

Rome contains a number of **Palazzi,** *which
are now associated with various
government departments and political
figures or groups.* **Palazzo Chigi,** *in Piazza
Colonna, was built in the 16th century and
acquired by the state in 1919, as the seat of
the Foreign Ministry. Since 1961 it has been
the Prime Minister's office and the place
where the cabinet meets.* **Palazzo Madama,**
*also constructed in the 16th century for the
Medici family, has been the seat of the
Senate since 1871.* **Palazzo di Montecitorio,**
*which was completed in 1694, has housed
the* **Camera dei deputati** *since 1870.* **Palazzo
Viminale,** *which takes its name from one of
the seven hills of Rome, on which it stands,
is the home of the Ministry of the Interior.*

pal'chetto [pal'ketto] *sm* shelf.
'palco, chi *sm* (*TEAT*) box; (*tavolato*)
platform, stand; (*ripiano*) layer.
palco'scenico, ci [palko∫'∫ɛniko] *sm* (*TEAT*)
stage.

palermi'tano, a *ag* of (*o* from) Palermo
♦ *sm/f* person from Palermo.
Pa'lermo *sf* Palermo.
pale'sare *vt* to reveal, disclose; **~rsi** *vr* to
reveal *o* show o.s.
pa'lese *ag* clear, evident.
Pales'tina *sf*: **la ~** Palestine.
palesti'nese *ag*, *sm/f* Palestinian.
pa'lestra *sf* gymnasium; (*esercizio atletico*)
exercise, training; (*fig*) training ground,
school.
paletot [pal'to] *sm inv* overcoat.
pa'letta *sf* spade; (*per il focolare*) shovel;
(*del capostazione*) signalling disc.
pa'letto *sm* stake, peg; (*spranga*) bolt.
palin'sesto *sm* (*STORIA*) palimpsest; (*TV,
RADIO*) programme (*BRIT*) *o* program (*US*)
schedule.
'palio *sm* (*gara*): **il P~** horserace run at
Siena; **mettere qc in ~** to offer sth as a
prize.

The **Palio** *is a horse race which takes place
in a number of Italian towns, the most
famous being the race in* **Siena.** *It has its
origins in the 13th century and nowadays is
usually held twice a year, on July 2nd and
August 16th in the Piazza del Campo, Siena.
10 of the 17* **contrade** *or districts take part.
Each contrada is represented by a horse
and rider, and the winner is the first horse
to complete the course regardless of
whether it still has its rider. The race is
preceded by a procession of contrada
members in historical dress.*

palis'sandro *sm* rosewood.
paliz'zata [palit'tsata] *sf* palisade.
'palla *sf* ball; (*pallottola*) bullet; **prendere
la ~ al balzo** (*fig*) to seize one's
opportunity.
pallaca'nestro *sf* basketball.
pallanu'oto *sf* water polo.
palla'volo *sf* volleyball.
palleggi'are [palled'dʒare] *vi* (*CALCIO*) to
practise (*BRIT*) *o* practice (*US*) with the
ball; (*TENNIS*) to knock up.
pallia'tivo *sm* palliative; (*fig*) stopgap
measure.
'pallido, a *ag* pale.
pal'lina *sf* (*bilia*) marble.
pal'lino *sm* (*BILIARDO*) cue ball; (*BOCCE*)
jack; (*proiettile*) pellet; (*pois*) dot; **bianco a
~i blu** white with blue dots; **avere il ~ di**
(*fig*) to be crazy about.
pallon'cino [pallon't∫ino] *sm* balloon;
(*lampioncino*) Chinese lantern.
pal'lone *sm* (*palla*) ball; (*CALCIO*) football;

(*aerostato*) balloon; **gioco del** ~ ball game.
pal'lore *sm* pallor, paleness.
pal'lottola *sf* pellet; (*proiettile*) bullet.
'palma *sf* (*ANAT*) = **palmo**; (*BOT*) palm; ~
   da datteri date palm.
pal'mato, a *ag* (*ZOOL: piede*) webbed; (*BOT*)
   palmate.
pal'mipede *ag* web-footed.
pal'mizio [pal'mittsjo] *sm* (*palma*) palm
   tree; (*ramo*) palm.
'palmo *sm* (*ANAT*) palm; **essere alto un** ~
   (*fig*) to be tiny; **restare con un** ~ **di naso**
   (*fig*) to be badly disappointed.
'palo *sm* (*legno appuntito*) stake; (*sostegno*)
   pole; **fare da o il** ~ (*fig*) to act as look-out;
   saltare di ~ **in frasca** (*fig*) to jump from
   one topic to another.
palom'baro *sm* diver.
pa'lombo *sm* (*pesce*) dogfish.
pal'pare *vt* to feel, finger.
'palpebra *sf* eyelid.
palpi'tare *vi* (*cuore, polso*) to beat; (: *più
   forte*) to pound, throb; (*fremere*) to quiver.
palpitazi'one [palpitat'tsjone] *sf*
   palpitation.
'palpito *sm* (*del cuore*) beat; (*fig: d'amore
   etc*) throb.
paltò *sm inv* overcoat.
pa'lude *sf* marsh, swamp.
palu'doso, a *ag* marshy, swampy.
pa'lustre *ag* marsh *cpd*, swamp *cpd*.
'pampino *sm* vine leaf.
pana'cea [pana't∫ea] *sf* panacea.
'Panama *sf* Panama; **il canale di** ~ the
   Panama Canal.
pana'mense *ag*, *sm/f* Panamanian.
'panca, che *sf* bench.
pancarrè *sm* sliced bread.
pan'cetta [pan't∫etta] *sf* (*CUC*) bacon.
pan'chetto [pan'ketto] *sm* stool; footstool.
pan'china [pan'kina] *sf* garden seat; (*di
   giardino pubblico*) (park) bench.
'pancia, ce ['pant∫a] *sf* belly, stomach;
   mettere *o* **fare** ~ to be getting a paunch;
   avere mal di ~ to have stomach ache *o* a
   sore stomach.
panci'era [pan't∫εra] *sf* corset.
panci'olle [pan't∫ɔlle] *av*: **stare in** ~ to
   lounge about (*BRIT*) *o* around.
panci'otto [pan't∫ɔtto] *sm* waistcoat.
pan'ciuto, a [pan't∫uto] *ag* (*persona*)
   potbellied; (*vaso, bottiglia*) rounded.
'pancreas *sm inv* pancreas.
'panda *sm inv* panda.
pande'monio *sm* pandemonium.
pan'doro *sm type of sponge cake eaten at
   Christmas.*
'pane *sm* bread; (*pagnotta*) loaf (of bread);

(*forma*): **un** ~ **di burro/cera** *etc* a pat of
   butter/bar of wax *etc*; **guadagnarsi il** ~ to
   earn one's living; **dire** ~ **al** ~, **vino al vino**
   (*fig*) to call a spade a spade; **rendere pan
   per focaccia** (*fig*) to give tit for tat; ~
   casereccio homemade bread; ~ **a cassetta**
   sliced bread; ~ **integrale** wholemeal
   bread; ~ **di segale** rye bread; **pan di
   Spagna** sponge cake; ~ **tostato** toast.
pane'girico [pane'dʒiriko] *sm* (*fig*)
   panegyric.
panette'ria *sf* (*forno*) bakery; (*negozio*)
   baker's (shop), bakery.
panetti'ere, a *sm/f* baker.
panet'tone *sm a kind of spiced brioche
   with sultanas, eaten at Christmas.*
'panfilo *sm* yacht.
pan'forte *sm Sienese nougat-type
   delicacy.*
pangrat'tato *sm* breadcrumbs *pl*.
'panico, a, ci, che *ag*, *sm* panic; **essere in
   preda al** ~ to be panic-stricken; **lasciarsi
   prendere dal** ~ to panic.
pani'ere *sm* basket.
panifica'tore, trice *sm/f* bread-maker,
   baker.
pani'ficio [pani'fit∫o] *sm* (*forno*) bakery;
   (*negozio*) baker's (shop), bakery.
pa'nino *sm* roll; ~ **imbottito** filled roll;
   sandwich.
panino'teca, che *sf* sandwich bar.
'panna *sf* (*CUC*) cream; (*AUT*) = **panne**; ~ **di
   cucina** cooking cream; ~ **montata**
   whipped cream.
'panne [pan] *sf inv* (*AUT*) breakdown; **essere
   in** ~ to have broken down.
pan'nello *sm* panel; ~ **di controllo** control
   panel; ~ **solare** solar panel.
'panno *sm* cloth; ~**i** *smpl* (*abiti*) clothes;
   mettiti nei miei ~**i** (*fig*) put yourself in
   my shoes.
pan'nocchia [pan'nɔkkja] *sf* (*di mais etc*)
   ear.
panno'lino *sm* (*per bambini*) nappy (*BRIT*),
   diaper (*US*).
pano'rama, i *sm* panorama.
pano'ramico, a, ci, che *ag* panoramic;
   strada ~**a** scenic route.
pantacol'lant *smpl* leggings.
panta'loni *smpl* trousers (*BRIT*), pants (*US*),
   pair *sg* of trousers *o* pants.
pan'tano *sm* bog.
pan'tera *sf* panther.
'pantheon ['panteon] *sm inv* pantheon.
pan'tofola *sf* slipper.
panto'mima *sf* pantomime.
pan'zana [pan'tsana] *sf* fib, tall story.
pao'nazzo, a [pao'nattso] *ag* purple.

'papa, i *sm* pope.

papà *sm inv* dad(dy); **figlio di** ~ spoilt young man.

pa'pale *ag* papal.

pa'pato *sm* papacy.

pa'pavero *sm* poppy.

'papero, a *sm/f* (ZOOL) gosling ♦ *sf* (*fig*) slip of the tongue, blunder.

papi'llon [papi'jɔ̃] *sm inv* bow tie.

pa'piro *sm* papyrus.

'pappa *sf* baby cereal.

pappa'gallo *sm* parrot; (*fig: uomo*) Romeo, wolf.

pappa'gorgia, ge [pappa'gɔrdʒa] *sf* double chin.

pappar'della *sf* (*fig*) rigmarole.

pap'pare *vt* (*fam: anche:* ~**rsi**) to gobble up.

par. *abbr* (= *paragrafo*) par.

'para *sf*: **suole di** ~ crepe soles.

parà *abbr m inv* (= *paracadutista*) para.

pa'rabola *sf* (MAT) parabola; (REL) parable.

para'bolico, a, ci, che *ag* (MAT) parabolic; *vedi anche* **antenna**.

para'brezza [para'breddza] *sm inv* (AUT) windscreen (BRIT), windshield (US).

paracadu'tare *vt*, ~**rsi** *vr* to parachute.

paraca'dute *sm inv* parachute.

paracadu'tismo *sm* parachuting.

paracadu'tista, i, e *sm/f* parachutist; (MIL) paratrooper.

para'carro *sm* kerbstone (BRIT), curbstone (US).

paradi'siaco, a, ci, che *ag* heavenly.

para'diso *sm* paradise; ~ **fiscale** tax haven.

parados'sale *ag* paradoxical.

para'dosso *sm* paradox.

para'fango, ghi *sm* mudguard.

paraf'fina *sf* paraffin, paraffin wax.

parafra'sare *vt* to paraphrase.

pa'rafrasi *sf inv* paraphrase.

para'fulmine *sm* lightning conductor.

pa'raggi [pa'raddʒi] *smpl*: **nei** ~ in the vicinity, in the neighbourhood (BRIT) o neighborhood (US).

parago'nare *vt*: ~ **con/a** to compare with/to.

para'gone *sm* comparison; (*esempio analogo*) analogy, parallel; **reggere al** ~ to stand comparison.

pa'ragrafo *sm* paragraph.

paraguai'ano, a *ag, sm/f* Paraguayan.

Paragu'ay [para'gwai] *sm*: **il** ~ Paraguay.

pa'ralisi *sf inv* paralysis.

para'litico, a, ci, che *ag, sm/f* paralytic.

paraliz'zare [paralid'dzare] *vt* to paralyze.

paral'lela'mente *av* in parallel.

parallele'pipedo *sm* parallelepiped.

paralle'lismo *sm* (MAT) parallelism; (*fig:*

corrispondenza) similarities *pl*.

paral'lelo, a *ag* parallel ♦ *sm* (GEO) parallel; (*comparazione*): **fare un** ~ **tra** to draw a parallel between ♦ *sf* parallel (line); ~**e** *sfpl* (*attrezzo ginnico*) parallel bars.

para'lume *sm* lampshade.

para'medico, a, ci, che *ag* paramedical.

para'menti *smpl* (REL) vestments.

pa'rametro *sm* parameter.

paramili'tare *ag* paramilitary.

pa'ranco, chi *sm* hoist.

para'noia *sf* paranoia; **andare/mandare in** ~ (*fam*) to freak/be freaked out.

para'noico, a, ci, che *ag, sm/f* paranoid; (*fam: angosciato*) freaked (out).

paranor'male *ag* paranormal.

para'occhi [para'ɔkki] *smpl* blinkers (BRIT), blinders (US).

para'petto *sm* parapet.

para'piglia [para'piʎʎa] *sm* commotion, uproar.

parapsicolo'gia [parapsikolo'dʒia] *sf* parapsychology.

pa'rare *vt* (*addobbare*) to adorn, deck; (*proteggere*) to shield, protect; (*scansare: colpo*) to parry; (CALCIO) to save ♦ *vi*: **dove vuole andare a** ~**?** what are you driving at?; ~**rsi** *vr* (*presentarsi*) to appear, present o.s.

parasco'lastico, a, ci, che *ag* (*attività*) extracurricular.

para'sole *sm inv* parasol, sunshade.

paras'sita, i *sm* parasite.

parassi'tario, a *ag* parasitic.

parasta'tale *ag* state-controlled.

paras'tato *sm employees in the state-controlled sector*.

pa'rata *sf* (SPORT) save; (MIL) review, parade.

pa'rati *smpl* hangings *pl*; **carta da** ~ wallpaper.

para'tia *sf* (*di nave*) bulkhead.

para'urti *sm inv* (AUT) bumper.

para'vento *sm* folding screen; **fare da** ~ **a qn** (*fig*) to shield sb.

par'cella [par'tʃɛlla] *sf* fee.

parcheggi'are [parked'dʒare] *vt* to park.

par'cheggio [par'keddʒo] *sm* parking *no pl*; (*luogo*) car park (BRIT), parking lot (US); (*singolo posto*) parking space.

par'chimetro [par'kimetro] *sm* parking meter.

'parco, chi *sm* park; (*spazio per deposito*) depot; (*complesso di veicoli*) fleet.

'parco, a, chi, che *ag*: ~ **(in)** (*sobrio*) moderate (in); (*avaro*) sparing (with).

pa'recchio, a [pa'rekkjo] *det* quite a lot of; (*tempo*) quite a lot of, a long ♦ *pron* quite a lot, quite a bit; (*tempo*) quite a while, a long time ♦ *av* (*con ag*) quite, rather; (*con vb*) quite a lot, quite a bit; ~**i(e)** *det pl* quite a lot of, several ♦ *pron pl* quite a lot, several.

pareggi'are [pared'dʒare] *vt* to make equal; (*terreno*) to level, make level; (*bilancio, conti*) to balance ♦ *vi* (*SPORT*) to draw.

pa'reggio [pa'reddʒo] *sm* (*ECON*) balance; (*SPORT*) draw.

paren'tado *sm* relatives *pl*, relations *pl*.

pa'rente *smf* relative, relation.

paren'tela *sf* (*vincolo di sangue, fig*) relationship; (*insieme dei parenti*) relations *pl*, relatives *pl*.

pa'rentesi *sf* (*segno grafico*) bracket, parenthesis; (*frase incisa*) parenthesis; (*digressione*) parenthesis, digression; **tra** ~ in brackets; (*fig*) incidentally.

pa'rere *sm* (*opinione*) opinion; (*consiglio*) advice, opinion; **a mio** ~ in my opinion ♦ *vi* to seem, appear ♦ *vb impers*: **pare che** it seems *o* appears that, they say that; **mi pare che** it seems to me that; **mi pare di si/no** I think so/don't think so; **fai come ti pare** do as you like; **che ti pare del mio libro?** what do you think of my book?

pa'rete *sf* wall.

'pargolo, a *smf* child.

'pari *ag inv* (*uguale*) equal, same; (*in giochi*) equal; drawn, tied; (*MAT*) even ♦ *sm inv* (*POL: di Gran Bretagna*) peer ♦ *smf inv* peer, equal; **copiato** ~ ~ copied word for word; **siamo** ~ (*fig*) we are quits *o* even; **alla** ~ on the same level; (*BORSA*) at par; **ragazza alla** ~ au pair (girl); **mettersi alla** ~ **con** to place o.s. on the same level as; **mettersi in** ~ **con** to catch up with; **andare di** ~ **passo con qn** to keep pace with sb.

parifi'care *vt* (*scuola*) to recognize officially.

parifi'cato, a *ag*: **scuola** ~**a** *officially recognized private school.*

Pa'rigi [pa'ridʒi] *sf* Paris.

pari'gino, a [pari'dʒino] *ag, smf* Parisian.

pa'riglia [pa'riʎʎa] *sf* pair; **rendere la** ~ to give tit for tat.

parità *sf* parity, equality; (*SPORT*) draw, tie.

pari'tetico, a, ci, che *ag*: **commissione** ~**a** joint committee; **rapporto** ~ equal relationship.

parlamen'tare *ag* parliamentary ♦ *smf* ≈ Member of Parliament (*BRIT*), ≈ Congressman/woman (*US*) ♦ *vi* to negotiate, parley.

parla'mento *sm* parliament.

The **Parlamento** *has legislative power as laid down in the Italian constitution which came into force on January 1st 1948. It is made up of two chambers: the* **Camera dei deputati** *and the* **Senato**. *Parliamentary elections are held every 5 years.*

---

parlan'tina *sf* (*fam*) talkativeness; **avere una buona** ~ to have the gift of the gab.

par'lare *vi* to speak, talk; (*confidare cose segrete*) to talk ♦ *vt* to speak; ~ **(a qn) di** to speak *o* talk (to sb) about; ~ **chiaro** to speak one's mind; ~ **male di qn/qc** to speak ill of sb/sth; ~ **del più e del meno** to talk of this and that; **ne ho sentito** ~ I have heard it mentioned; **non parliamone più** let's just forget about it; **i dati parlano** (*fig*) the facts speak for themselves.

par'lata *sf* (*dialetto*) dialect.

parla'tore, 'trice *smf* speaker.

parla'torio *sm* (*di carcere etc*) visiting room; (*REL*) parlour (*BRIT*), parlor (*US*).

parlot'tare *vi* to mutter.

parmigi'ano, a [parmi'dʒano] *ag* Parma *cpd*, of (*o* from) Parma ♦ *sm* (*grana*) Parmesan (cheese); **alla** ~**a** (*CUC*) with Parmesan cheese.

paro'dia *sf* parody.

parodi'are *vt* to parody.

pa'rola *sf* word; (*facoltà*) speech; ~**e** *sfpl* (*chiacchiere*) talk *sg*; **chiedere la** ~ to ask permission to speak; **dare la** ~ **a qn** to call on sb to speak; **dare la propria** ~ **a qn** to give sb one's word; **mantenere la** ~ to keep one's word; **mettere una buona** ~ **per qn** to put in a good word for sb; **passare dalle** ~**e ai fatti** to get down to business; **prendere la** ~ to take the floor; **rimanere senza** ~**e** to be speechless; **rimangiarsi la** ~ to go back on one's word; **non ho** ~**e per ringraziarla** I don't know how to thank you; **rivolgere la** ~ **a qn** to speak to sb; **non è detta l'ultima** ~ that's not the end of the matter; **è una persona di** ~ he is a man of his word; **in** ~**e povere** in plain English; ~ **d'onore** word of honour; ~ **d'ordine** (*MIL*) password; ~**e incrociate** crossword (puzzle) *sg*.

paro'laccia, ce [paro'lattʃa] *sf* bad word, swearword.

paros'sismo *sm* paroxysm.

par'quet [par'kɛ] *sm* parquet (flooring).

parrò *etc vb vedi* **parere**.

par'rocchia [par'rɔkkja] *sf* parish; (*chiesa*) parish church.

parrocchi'ano, a [parrok'kjano] *sm/f* parishioner.

'parroco, ci *sm* parish priest.

par'rucca, che *sf* wig.

parrucchi'ere, a [parruk'kjɛre] *sm/f* hairdresser ♦ *sm* barber.

parruc'cone *sm* (*peg*) old fogey.

parsi'monia *sf* frugality, thrift.

parsimoni'oso, a *ag* frugal, thrifty.

'parso, a *pp di* **parere.**

'parte *sf* part; (*lato*) side; (*quota spettante a ciascuno*) share; (*direzione*) direction; (*POL*) party; faction; (*DIR*) party; **a** ~ *ag* separate ♦ *av* separately; **scherzi a** ~ joking aside; **a** ~ **ciò** apart from that; **inviare a** ~ (*campioni etc*) to send under separate cover; **da** ~ (*in disparte*) to one side, aside; **mettere/prendere da** ~ to put/take aside; **d'altra** ~ on the one hand; **da** ~ **di** (*per conto di*) on behalf of; **da** ~ **mia** as far as I'm concerned, as for me; **da** ~ **di madre** on his (*o* her *etc*) mother's side; **essere dalla** ~ **della ragione** to be in the right; **da** ~ **a** ~ right through; **da qualche** ~ somewhere; **da nessuna** ~ nowhere; **da questa** ~ (*in questa direzione*) this way; **da ogni** ~ on all sides, everywhere; (*moto da luogo*) from all sides; **fare** ~ **di qc** to belong to sth; **prendere** ~ **a qc** to take part in sth; **prendere le** ~**i di qn** to take sb's side; **mettere qn a** ~ **di qc** to inform sb of sth; **costituirsi** ~ **civile contro qn** (*DIR*) to associate in an action with the public prosecutor against sb; **la** ~ **lesa** (*DIR*) the injured party; **le** ~**i in causa** the parties concerned.

parteci'pante [partetʃi'pante] *sm/f:* ~ **(a)** (*a riunione, dibattito*) participant (in); (*a gara sportiva*) competitor (in); (*a concorso*) entrant (to).

parteci'pare [partetʃi'pare] *vi:* ~ **a** to take part in, participate in; (*utili etc*) to share in; (*spese etc*) to contribute to; (*dolore, successo di qn*) to share (in) ♦ *vt:* ~ **le nozze (a)** to announce one's wedding (to).

partecipazi'one [partetʃipat'tsjone] *sf* participation; sharing; (*ECON*) interest; ~ **a banda armata** (*DIR*) belonging to an armed gang; ~ **di maggioranza/minoranza** controlling/minority interest; ~ **agli utili** profit-sharing; ~**i di nozze** *wedding announcement card;* **ministro delle P**~**i statali** *minister responsible for companies in which the state has a financial interest.*

par'tecipe [par'tetʃipe] *ag* participating; **essere** ~ **di** to take part in, participate in;

(*gioia, dolore*) to share (in); (*consapevole*) to be aware of.

parteggi'are [parted'dʒare] *vi:* ~ **per** to side with, be on the side of.

par'tenza [par'tɛntsa] *sf* departure; (*SPORT*) start; **essere in** ~ to be about to leave, be leaving; **passeggeri in** ~ **per** passengers travelling (*BRIT*) *o* traveling (*US*) to; **siamo tornati al punto di** ~ (*fig*) we are back where we started; **falsa** ~ (*anche fig*) false start.

parti'cella [parti'tʃɛlla] *sf* particle.

parti'cipio [parti'tʃipjo] *sm* participle.

partico'lare *ag* (*specifico*) particular; (*proprio*) personal, private; (*speciale*) special, particular; (*caratteristico*) distinctive; (*fuori dal comune*) peculiar ♦ *sm* detail, particular; **in** ~ in particular, particularly; **entrare nei** ~**i** to go into details.

particolareggi'ato, a [partikolared'dʒato] *ag* (extremely) detailed.

particolarità *sf inv* (*carattere eccezionale*) peculiarity; (*dettaglio*) particularity, detail; (*caratteristica*) characteristic, feature.

partigi'ano, a [parti'dʒano] *ag* partisan ♦ *sm* (*fautore*) supporter, champion; (*MIL*) partisan.

par'tire *vi* to go, leave; (*allontanarsi*) to go (*o* drive *etc*) away *o* off; (*petardo, colpo*) to go off; (*fig: avere inizio, SPORT*) to start; **sono partita da Roma alle 7** I left Rome at 7; **il volo parte da Ciampino** the flight leaves from Ciampino; **a** ~ **da** from; **la seconda a** ~ **da destra** the second from the right; ~ **in quarta** to drive off at top speed; (*fig*) to be very enthusiastic.

par'tita *sf* (*COMM*) lot, consignment; (*ECON: registrazione*) entry, item; (*CARTE, SPORT: gioco*) game; (*: competizione*) match, game; ~ **di caccia** hunting party; ~ **IVA** VAT account; ~ **semplice/doppia** (*COMM*) single-/double-entry book-keeping.

par'tito *sm* (*POL*) party; (*decisione*) decision, resolution; (*persona da maritare*) match; **per** ~ **preso** on principle; **mettere la testa a** ~ to settle down.

partitocra'zia [partitokrat'tsia] *sf* hijacking of institutions by the party system.

parti'tura *sf* (*MUS*) score.

'parto *sm* (*MED*) labour (*BRIT*), labor (*US*); **sala** ~ labo(u)r room; **morire di** ~ to die in childbirth.

partori'ente *sf* woman in labour (*BRIT*) *o* labor (*US*).

parto'rire *vt* to give birth to; (*fig*) to produce.

par'venza [par'vɛntsa] *sf* semblance.

'parvi *etc vb vedi* **parere.**

parzi'ale [par'tsjale] *ag* (*limitato*) partial; (*non obiettivo*) biased, partial.

parzialità [partsjali'ta] *sf:* ~ (**a favore di**) partiality (for), bias (towards); ~ (**contro**) bias (against).

'pascere ['paʃʃere] *vi* to graze ♦ *vt* (*brucare*) to graze on; (*far pascolare*) to graze, pasture.

pasci'uto, a [paʃ'ʃuto] *pp di* **pascere** ♦ *ag:* **ben** ~ plump.

pasco'lare *vt, vi* to graze.

'pascolo *sm* pasture.

'Pasqua *sf* Easter; **isola di** ~ Easter Island.

pas'quale *ag* Easter *cpd.*

pasqu'etta *sf* Easter Monday.

pas'sabile *ag* fairly good, passable.

pas'saggio [pas'saddʒo] *sm* passing *no pl*, passage; (*traversata*) crossing *no pl*, passage; (*luogo, prezzo della traversata, brano di libro etc*) passage; (*su veicolo altrui*) lift (*BRIT*), ride; (*SPORT*) pass; **di** ~ (*persona*) passing through; ~ **pedonale/a livello** pedestrian/level (*BRIT*) ø grade (*US*) crossing; ~ **di proprietà** transfer of ownership.

passamane'ria *sf* braid, trimming.

passamon'tagna [passamon'taɲɲa] *sm inv* balaclava.

pas'sante *sm/f* passer-by ♦ *sm* loop.

passa'porto *sm* passport.

pas'sare *vi* (*andare*) to go; (*veicolo, pedone*) to pass (by), go by; (*fare una breve sosta: postino etc*) to come, call; (: *amico: per fare una visita*) to call ø drop in; (*sole, aria, luce*) to get through; (*trascorrere: giorni, tempo*) to pass, go by; (*fig: proposta di legge*) to be passed; (: *dolore*) to pass, go away; (*CARTE*) to pass ♦ *vt* (*attraversare*) to cross; (*trasmettere: messaggio*): ~ **qc a qn** to pass sth on to sb; (*dare*): ~ **qc a qn** to pass sth to sb, give sb sth; (*trascorrere: tempo*) to spend; (*superare: esame*) to pass; (*triturare: verdura*) to strain; (*approvare*) to pass, approve; (*oltrepassare, sorpassare: anche fig*) to go beyond, pass; (*fig: subire*) to go through; ~ **da ... a** to pass from ... to; ~ **di padre in figlio** to be handed down ø to pass from father to son; ~ **per** (*anche fig*) to go through; ~ **per stupido/un genio** to be taken for a fool/a genius; ~ **sopra** (*anche fig*) to pass over; ~ **attraverso** (*anche fig*) to go through; ~ **ad altro** to change the subject; (*in una riunione*) to discuss the next item; ~ **in banca/ufficio** to call (in) at the bank/office; ~ **alla storia** to pass into history; ~

a un esame to go up (to the next class) after an exam; ~ **di moda** to go out of fashion; ~ **a prendere qc/qn** to call and pick sth/sb up; **le passo il Signor X** (*al telefono*) here is Mr X, I'm putting you through to Mr X; **farsi** ~ **per** to pass o.s. off as, pretend to be; **lasciar** ~ **qn/qc** to let sb/sth through; **col** ~ **degli anni** (*riferito al presente*) as time goes by; (*riferito al passato*) as time passed ø went by; **il peggio è passato** the worst is over; **30 anni e passa** well over 30 years ago; ~ **una mano di vernice su qc** to give sth a coat of paint; **passarsela: come te la passi?** how are you getting on ø along?

pas'sata *sf:* **dare una** ~ **di vernice a qc** to give sth a coat of paint; **dare una** ~ **al giornale** to have a look at the paper, skim through the paper.

passa'tempo *sm* pastime, hobby.

pas'sato, a *ag* (*scorso*) last; (*finito: gloria, generazioni*) past; (*usanze*) out of date; (*sfiorito*) faded ♦ *sm* past; (*LING*) past (tense); **l'anno** ~ last year; **nel corso degli anni** ~**i** over the past years; **nei tempi** ~**i** in the past; **sono le 8** ~**e** it's past ø after 8 o'clock; **è acqua** ~**a** (*fig*) it's over and done with; ~ **prossimo** (*LING*) present perfect; ~ **remoto** (*LING*) past historic; ~ **di verdura** (*CUC*) vegetable purée.

passa'tutto *sm inv*, **passaver'dura** *sm inv* vegetable mill.

passeg'gero, a [passed'dʒero] *ag* passing ♦ *sm/f* passenger.

passeggi'are [passed'dʒare] *vi* to go for a walk; (*in veicolo*) to go for a drive.

passeggi'ata [passed'dʒata] *sf* walk; drive; (*luogo*) promenade; **fare una** ~ to go for a walk (ø drive).

passeg'gino [passed'dʒino] *sm* pushchair (*BRIT*), stroller (*US*).

pas'seggio [pas'seddʒo] *sm* walk, stroll; (*luogo*) promenade; **andare a** ~ to go for a walk ø a stroll.

passe'rella *sf* footbridge; (*di nave, aereo*) gangway; (*pedana*) catwalk.

'passero *sm* sparrow.

pas'sibile *ag:* ~ **di** liable to.

passio'nale *ag* (*temperamento*) passionate; **delitto** ~ crime of passion.

passi'one *sf* passion.

passività *sf* (*qualità*) passivity, passiveness; (*COMM*) liability.

pas'sivo, a *ag* passive ♦ *sm* (*LING*) passive; (*ECON*) debit; (: *complesso dei debiti*) liabilities *pl.*

'passo *sm* step; (*andatura*) pace; (*rumore*) (foot)step; (*orma*) footprint; (*passaggio,* *fig: brano)* passage; *(valico)* pass; **a ~ d'uomo** at walking pace; *(AUT)* dead slow; **~ (a)** ~ step by step; **fare due** *o* **quattro ~i** to go for a walk *o* a stroll; **andare al ~ coi tempi** to keep up with the times; **di questo ~** *(fig)* at this rate; **fare i primi ~i** *(anche fig)* to take one's first steps; **fare il gran ~** *(fig)* to take the plunge; **fare un ~ falso** *(fig)* to make the wrong move; **tornare sui propri ~i** to retrace one's steps; "**~ carraio**" "vehicle entrance — keep clear".

'**pasta** *sf (CUC)* dough; (: *impasto per dolce)* pastry; (: *anche:* ~ **alimentare)** pasta; *(massa molle di materia)* paste; *(fig: indole)* nature; **~e** *sfpl (pasticcini)* pastries; **~ in brodo** noodle soup; **~ sfoglia** puff pastry *o* **paste** *(US)*.

pastasci'utta [pastaʃ'ʃutta] *sf* pasta.

pasteggi'are [pasted'dʒare] *vi:* ~ **a vino/ champagne** to have wine/champagne with one's meal.

pas'tella *sf* batter.

pas'tello *sm* pastel.

pas'tetta *sf (CUC)* = **pastella**.

pas'ticca, che *sf* = **pastiglia**.

pasticce'ria [pastittʃe'ria] *sf (pasticcini)* pastries *pl*, cakes *pl*; *(negozio)* cake shop; *(arte)* confectionery.

pasticci'are [pastit'tʃare] *vt* to mess up, make a mess of ♦ *vi* to make a mess.

pasticci'ere, a [pastit'tʃere] *sm/f* pastrycook; confectioner.

pastic'cino [pastit'tʃino] *sm* petit four.

pas'ticcio [pas'tittʃo] *sm (CUC)* pie; *(lavoro disordinato, imbroglio)* mess; **trovarsi nei ~i** to get into trouble.

pasti'ficio [pasti'fitʃo] *sm* pasta factory.

pas'tiglia [pas'tiʎʎa] *sf* pastille, lozenge.

pas'tina *sf small pasta shapes used in soup.*

pasti'naca, che *sf* parsnip.

'**pasto** *sm* meal; **vino da ~** table wine.

pas'toia *sf (fig):* ~ **burocratica** red tape.

pas'tone *sm (per animali)* mash; *(peg)* overcooked stodge.

pasto'rale *ag* pastoral.

pas'tore *sm* shepherd; *(REL)* pastor, minister; *(anche:* **cane ~)** sheepdog; **~ scozzese** *(ZOOL)* collie; **~ tedesco** *(ZOOL)* Alsatian (dog) *(BRIT)*, German shepherd (dog).

pasto'rizia [pasto'rittsja] *sf* sheep-rearing, sheep farming.

pastoriz'zare [pastorid'dzare] *vt* to pasteurize.

pas'toso, a *ag* doughy; pasty; *(fig: voce, colore)* mellow, soft.

pas'trano *sm* greatcoat.

pas'tura *sf* pasture.

pa'tacca, che *sf (distintivo)* medal, decoration; *(fig: macchia)* grease spot, grease mark; (: *articolo scadente)* bit of rubbish.

pa'tata *sf* potato; **~e fritte** chips *(BRIT)*, French fries.

pata'tine *sfpl (potato)* crisps *(BRIT)* *o* chips *(US)*.

pata'trac *sm (crollo: anche fig)* crash.

pâté [pa'te] *sm inv* pâté; ~ **di fegato d'oca** pâté de foie gras.

pa'tella *sf (ZOOL)* limpet.

pa'tema, i *sm* anxiety, worry.

paten'tato, a *ag (munito di patente)* licensed, certified; *(fig scherzoso: qualificato)* utter, thorough.

pa'tente *sf* licence *(BRIT)*, license *(US)*; *(anche:* ~ **di guida)** driving licence *(BRIT)*, driver's license *(US)*.

paten'tino *sm* temporary licence *(BRIT)* *o* license *(US)*.

paterna'lismo *sm* paternalism.

paterna'lista *sm* paternalist.

paterna'listico, a, ci, che *ag* paternalistic.

paternità *sf* paternity, fatherhood.

pa'terno, a *ag (affetto, consigli)* fatherly; *(casa, autorità)* paternal.

pa'tetico, a, ci, che *ag* pathetic; *(commovente)* moving, touching.

'**pathos** ['patos] *sm* pathos.

pa'tibolo *sm* gallows *sg*, scaffold.

pati'mento *sm* suffering.

'**patina** *sf (su rame etc)* patina; *(sulla lingua)* fur, coating.

pa'tire *vt, vi* to suffer.

pa'tito, a *sm/f* enthusiast, fan, lover.

patolo'gia [patolo'dʒia] *sf* pathology.

pato'logico, a, ci, che [pato'lɔdʒiko] *ag* pathological.

pa'tologo, a, gi, ghe *sm/f* pathologist.

'**patria** *sf* homeland; **amor di ~** patriotism.

patri'arca, chi *sm* patriarch.

pa'trigno [pa'triɲɲo] *sm* stepfather.

patrimoni'ale *ag (rendita)* from property ♦ *sf (anche:* **imposta ~)** property tax.

patri'monio *sm* estate, property; *(fig)* heritage; **mi è costato un ~** *(fig)* it cost me a fortune, I paid a fortune for it; **~ spirituale/culturale** spiritual/cultural heritage; **~ ereditario** *(fig)* hereditary characteristics *pl*; **~ pubblico** public property.

'**patrio, a, ii, ie** *ag (di patria)* native *cpd*, of one's country; *(DIR):* **~a potestà** parental authority; **amor ~** love of one's country.

patri'ota, i, e *smf* patriot.
patri'ottico, a, ci, che *ag* patriotic.
patriot'tismo *sm* patriotism.
patroci'nare [patrotʃi'nare] *vt* (*DIR: difendere*) to defend; (*sostenere*) to sponsor, support.
patro'cinio [patro'tʃinjo] *sm* defence (*BRIT*), defense (*US*); support, sponsorship.
patro'nato *sm* patronage; (*istituzione benefica*) charitable institution *o* society.
pa'trono *sm* (*REL*) patron saint; (*socio di patronato*) patron; (*DIR*) counsel.
'patta *sf* flap; (*dei pantaloni*) fly.
patteggia'mento [patteddʒa'mento] *sm* (*DIR*) plea bargaining.
patteggi'are [patted'dʒare] *vt, vi* to negotiate.
patti'naggio [patti'naddʒo] *sm* skating.
patti'nare *vi* to skate; ~ **sul ghiaccio** to ice-skate.
pattina'tore, 'trice *smf* skater.
'pattino *sm* skate; (*di slitta*) runner; (*AER*) skid; (*TECN*) sliding block; ~**i (da ghiaccio)** (ice) skates; ~**i a rotelle** roller skates.
pat'tino *sm* (*barca*) kind of pedalo with oars.
pat'tista, i, e *ag* (*POL*) of Patto per l'Italia ♦ *smf* (*POL*) member (*o* supporter) of Patto per l'Italia.
'patto *sm* (*accordo*) pact, agreement; (*condizione*) term, condition; **a ~ che** on condition that; **a nessun ~** under no circumstances; **venire** *o* **scendere a ~i (con)** to come to an agreement (with); **P~ per l'Italia** (*POL*) *centrist party*.
pat'tuglia [pat'tuʎʎa] *sf* (*MIL*) patrol.
pattugli'are [pattuʎ'ʎare] *vt* to patrol.
pattu'ire *vt* to reach an agreement on.
pattumi'era *sf* (dust)bin (*BRIT*), ashcan (*US*).
pa'ura *sf* fear; **aver ~ di/di fare/che** to be frightened *o* afraid of/of doing/that; **far ~ a** to frighten; **per ~ di/che** for fear of/that; **ho ~ di sì/no** I am afraid so/not.
pau'roso, a *ag* (*che fa paura*) frightening; (*che ha paura*) fearful, timorous.
'pausa *sf* (*sosta*) break; (*nel parlare, MUS*) pause.
paven'tato, a *ag* much-feared.
pa'vese *ag* of (*o* from) Pavia.
'pavido, a *ag* (*letterario*) fearful.
pavimen'tare *vt* (*stanza*) to floor; (*strada*) to pave.
pavimentazi'one [pavimentat'tsjone] *sf* flooring; paving.
pavi'mento *sm* floor.
pa'vone *sm* peacock.

pavoneggi'arsi [pavoned'dʒarsi] *vr* to strut about, show off.
pazien'tare [pattsjen'tare] *vi* to be patient.
pazi'ente [pat'tsjɛnte] *ag, smf* patient.
pazi'enza [pat'tsjɛntsa] *sf* patience; **perdere la ~** to lose (one's) patience.
pazza'mente [pattsa'mente] *av* madly; **essere ~ innamorato** to be madly in love.
paz'zesco, a, schi, sche [pat'tsesko] *ag* mad, crazy.
paz'zia [pat'tsia] *sf* (*MED*) madness, insanity; (*di azione, decisione*) madness, folly; **è stata una ~!** it was sheer madness!
'pazzo, a ['pattso] *ag* (*MED*) mad, insane; (*strano*) wild, mad ♦ *smf* madman/woman; ~ **di** (*gioia, amore etc*) mad *o* crazy with; ~ **per qc/qn** mad *o* crazy about sth/sb; **essere ~ da legare** to be raving mad *o* a raving lunatic.
PC *sigla* = Piacenza.
P.C. *abbr* = **polizza di carico**.
p.c. *abbr* = *per condoglianze*; *per conoscenza*.
p.c.c. *abbr* (= *per copia conforme*) cc.
P.C.I. *sigla m* (= *Partito Comunista Italiano*) *former political party*.
PCUS *sigla m* = *Partito Comunista dell'Unione Sovietica*.
PD *sigla* = Padova.
P.D. *abbr* = **partita doppia**.
P.D.S. *sigla m* (= *Partito Democratico della Sinistra*) *party originating from the P.C.I.*
PE *sigla* = Pescara.
'pecca, che *sf* defect, flaw, fault.
peccami'noso, a *ag* sinful.
pec'care *vi* to sin; (*fig*) to err.
pec'cato *sm* sin; **è un ~ che** it's a pity that; **che ~!** what a shame *o* pity!; **un ~ di gioventù** (*fig*) a youthful error *o* indiscretion.
pecca'tore, 'trice *smf* sinner.
peccherò *etc* [pekke'rɔ] *vb vedi* **peccare**.
'pece ['petʃe] *sf* pitch.
pechi'nese [peki'nese] *ag, smf* Pekin(g)ese (*inv*) ♦ *sm* (*anche: cane* ~) Pekin(g)ese *inv*, Peke.
Pe'chino [pe'kino] *sf* Beijing, Peking.
'pecora *sf* sheep; ~ **nera** (*fig*) black sheep.
peco'raio *sm* shepherd.
peco'rella *sf* lamb; **la ~ smarrita** the lost sheep; **cielo a ~e** (*fig: nuvole*) mackerel sky.
peco'rino *sm* sheep's milk cheese.
pecu'lato *sm* (*DIR*) embezzlement.
peculi'are *ag*: ~ **di** peculiar to.
peculiarità *sf* peculiarity.
pecuni'ario, a *ag* financial, money *cpd*.
pe'daggio [pe'daddʒo] *sm* toll.

pedago'gia [pedago'dʒia] *sf* pedagogy,
educational methods *pl*.

peda'gogico, a, ci, che [peda'gɔdʒiko] *ag*
pedagogic(al).

peda'gogo, a, ghi, ghe *sm/f* pedagogue.

peda'lare *vi* to pedal; (*andare in bicicletta*) to
cycle.

pe'dale *sm* pedal.

pe'dana *sf* footboard; (*SPORT: nel salto*)
springboard; (: *nella scherma*) piste.

pe'dante *ag* pedantic ♦ *sm/f* pedant.

pedante'ria *sf* pedantry.

pe'data *sf* (*impronta*) footprint; (*colpo*)
kick; **prendere a ~e qn/qc** to kick sb/sth.

pede'rasta, i *sm* pederast.

pe'destre *ag* prosaic, pedestrian.

pedi'atra, i, e *sm/f* paediatrician (*BRIT*),
pediatrician (*US*).

pedia'tria *sf* paediatrics *sg* (*BRIT*),
pediatrics *sg* (*US*).

pedi'atrico, a, ci, che *ag* pediatric.

pedi'cure *sm/f inv* chiropodist (*BRIT*),
podiatrist (*US*).

pedigree *sm inv* pedigree.

pedi'luvio *sm* footbath.

pe'dina *sf* (*della dama*) draughtsman (*BRIT*),
draftsman (*US*); (*fig*) pawn.

pedi'nare *vt* to shadow, tail.

pe'dofilo, a *ag, sm/f* paedophile.

pedo'nale *ag* pedestrian.

pe'done, a *sm/f* pedestrian ♦ *sm* (*SCACCHI*)
pawn.

peeling ['piling] *sm inv* (*COSMESI*) facial
scrub.

'peggio ['pɛddʒo] *av, ag inv* worse ♦ *sm o f*: **il**
o **la ~** the worst; **cambiare in ~** to get *o*
become worse; **alla ~** at worst, if the
worst comes to the worst; **tirare avanti
alla meno ~** to get along as best one can;
avere la ~ to come off worse, get the
worst of it.

peggiora'mento [peddʒora'mento] *sm*
worsening.

peggio'rare [peddʒo'rare] *vt* to make
worse, worsen ♦ *vi* to grow worse,
worsen.

peggiora'tivo, a [peddʒora'tivo] *ag*
pejorative.

peggi'ore [ped'dʒore] *ag* (*comparativo*)
worse; (*superlativo*) worst ♦ *sm/f*: **il(la) ~**
the worst (person); **nel ~ dei casi** if the
worst comes to the worst.

'pegno ['peɲɲo] *sm* (*DIR*) security, pledge;
(*nei giochi di società*) forfeit; (*fig*) pledge,
token; **dare in ~ qc** to pawn sth; **in ~
d'amicizia** as a token of friendship; **banco
dei ~i** pawnshop.

pelapa'tate *sm inv* potato peeler.

pe'lare *vt* (*spennare*) to pluck; (*spellare*) to
skin; (*sbucciare*) to peel; (*fig*) to make pay
through the nose; **~rsi** *vr* to go bald.

pe'lato, a *ag* (*sbucciato*) peeled; (*calvo*)
bald; (**pomodori**) **~i** peeled tomatoes.

pel'lame *sm* skins *pl*, hides *pl*.

'pelle *sf* skin; (*di animale*) skin, hide; (*cuoio*)
leather; **essere ~ ed ossa** to be skin and
bone; **avere la ~ d'oca** to have goose
pimples *o* goose flesh; **avere i nervi a fior
di ~** to be edgy; **non stare più nella ~
dalla gioia** to be beside o.s. with delight;
lasciarci la ~ to lose one's life; **amici per
la ~** firm *o* close friends.

pellegri'naggio [pellegri'naddʒo] *sm*
pilgrimage.

pelle'grino, a *sm/f* pilgrim.

pelle'rossa, pelli'rossa, *pl* **pelli'rosse**
sm/f Red Indian.

pellette'ria *sf* (*articoli*) leather goods *pl*;
(*negozio*) leather goods shop.

pelli'cano *sm* pelican.

pellicce'ria [pellittʃe'ria] *sf* (*negozio*)
furrier's (shop); (*quantità di pellicce*) furs
pl.

pel'liccia, ce [pel'littʃa] *sf* (*mantello di
animale*) coat, fur; (*indumento*) fur coat; **~
ecologica** fake fur.

pellicci'aio [pellitt'tʃajo] *sm* furrier.

pel'licola *sf* (*membrana sottile*) film, layer;
(*FOT, CINE*) film.

pelli'rossa *sm/f* = **pellerossa**.

'pelo *sm* hair; (*pelame*) coat, hair; (*pelliccia*)
fur; (*di tappeto*) pile; (*di liquido*) surface;
**per un ~: per un ~ non ho perduto il
treno** I very nearly missed the train; **c'è
mancato un ~ che affogasse** he narrowly
escaped drowning; **cercare il ~ nell'uovo**
(*fig*) to pick holes, split hairs; **non aver ~i
sulla lingua** (*fig*) to speak one's mind.

pe'loso, a *ag* hairy.

'peltro *sm* pewter.

pe'luche [pə'lyʃ] *sm* plush; **giocattoli di ~**
soft toys.

pe'luria *sf* down.

'pelvi *sf inv* pelvis.

'pelvico, a, ci, che *ag* pelvic.

'pena *sf* (*DIR*) sentence; (*punizione*)
punishment; (*sofferenza*) sadness *no pl*,
sorrow; (*fatica*) trouble *no pl*, effort;
(*difficoltà*) difficulty; **far ~** to be pitiful; **mi
fai ~** I feel sorry for you; **essere** *o* **stare
in ~ (per qc/qn)** to worry *o* be anxious
(about sth/sb); **prendersi** *o* **darsi la ~ di
fare** to go to the trouble of doing; **vale la
~ farlo** it's worth doing, it's worth it; **non
ne vale la ~** it's not worth the effort, it's
not worth it; **~ di morte** death sentence;

~ **pecuniaria** fine.

pe'nale *ag* penal ♦ *sf* (*anche:* **clausola** ~)
penalty clause; **causa** ~ criminal trial;
diritto ~ criminal law; **pagare la** ~ to pay
the penalty.

pena'lista, i, e *smf* (*avvocato*) criminal
lawyer.

penalità *sf inv* penalty.

penaliz'zare [penalid'dzare] *vt* (*SPORT*) to
penalize.

penalizzazi'one [penaliddzat'tsjone] *sf*
(*SPORT*) penalty.

pe'nare *vi* (*patire*) to suffer; (*faticare*) to
struggle.

pen'dente *ag* hanging; leaning ♦ *sm*
(*ciondolo*) pendant; (*orecchino*) drop
earring.

pen'denza [pen'dɛntsa] *sf* slope, slant;
(*grado d'inclinazione*) gradient; (*ECON*)
outstanding account.

'pendere *vi* (*essere appeso*): ~ **da** to hang
from; (*essere inclinato*) to lean; (*fig:
incombere*): ~ **su** to hang over.

pen'dice [pen'ditʃe] *sf* (*di monte*) slope.

pen'dio, ii *sm* slope, slant; (*luogo in
pendenza*) slope.

'pendola *sf* pendulum clock.

pendo'lare *ag* pendulum *cpd*, pendular
♦ *smf* commuter.

pendola'rismo *sm* commuting.

pendo'lino *sm* (*FERR*) high-speed tilting
train.

'pendolo *sm* (*peso*) pendulum; (*anche:
orologio a* ~) pendulum clock.

'pene *sm* penis.

pene'trante *ag* piercing, penetrating.

pene'trare *vi* to come *o* get in ♦ *vt* to
penetrate; ~ **in** to enter; (*sog: proiettile*) to
penetrate; (: *acqua, aria*) to go *o* come into.

penetrazi'one [penetrat'tsjone] *sf*
penetration.

penicil'lina [penitʃil'lina] *sf* penicillin.

peninsu'lare *ag* peninsular; **l'Italia** ~
mainland Italy.

pe'nisola *sf* peninsula.

peni'tente *smf* penitent.

peni'tenza [peni'tɛntsa] *sf* penitence;
(*punizione*) penance.

penitenzi'ario [peniten'tsjarjo] *sm* prison.

'penna *sf* (*di uccello*) feather; (*per scrivere*)
pen; ~**e** *sfpl* (*CUC*) quills (*type of pasta*); ~
a feltro/stilografica/a sfera felt-tip/
fountain/ballpoint pen.

pen'nacchio [pen'nakkjo] *sm* (*ornamento*)
plume.

penna'rello *sm* felt(-tip) pen.

pennel'lare *vi* to paint.

pennel'lata *sf* brushstroke.

pen'nello *sm* brush; (*per dipingere*)
(paint)brush; **a** ~ (*perfettamente*) to
perfection, perfectly; ~ **per la barba**
shaving brush.

Pen'nini *smpl*: **i** ~ the Pennines.

pen'nino *sm* nib.

pen'none *sm* (*NAUT*) yard; (*stendardo*)
banner, standard.

pen'nuto *sm* bird.

pe'nombra *sf* half-light, dim light.

pe'noso, a *ag* painful, distressing;
(*faticoso*) tiring, laborious.

pen'sare *vi* to think ♦ *vt* to think; (*inventare,
escogitare*) to think out; ~ **a** to think of;
(*amico, vacanze*) to think of *o* about;
(*problema*) to think about; ~ **di fare qc** to
think of doing sth; ~ **bene/male di qn** to
think well/badly of sb, have a good/bad
opinion of sb; **penso di sì** I think so;
penso di no I don't think so; **a pensarci
bene** ... on second thoughts (*BRIT*) *o*
thought (*US*) ...; **non voglio nemmeno
pensarci** I don't even want to think about
it; **ci penso io** I'll see to *o* take care of it.

pen'sata *sf* (*trovata*) idea, thought.

pensa'tore, 'trice *smf* thinker.

pensie'rino *sm* (*dono*) little gift; (*pensiero*)
ci farò un ~ I'll think about it.

pensi'ero *sm* thought; (*modo di pensare,
dottrina*) thinking *no pl*; (*preoccupazione*)
worry, care, trouble; **darsi** ~ **per qc** to
worry about sth; **stare in** ~ **per qn** to be
worried about sb; **un** ~ **gentile** (*anche fig:
dono etc*) a kind thought.

pensie'roso, a *ag* thoughtful.

'pensile *ag* hanging.

pensi'lina *sf* (*in stazione*) platform roof.

pensiona'mento *sm* retirement; ~
anticipato early retirement.

pensio'nante *smf* (*presso una famiglia*)
lodger; (*di albergo*) guest.

pensio'nato, a *smf* pensioner ♦ *sm* (*istituto*)
hostel.

pensi'one *sf* (*al prestatore di lavoro*)
pension; (*vitto e alloggio*) board and
lodging; (*albergo*) boarding house; **andare
in** ~ to retire; **mezza** ~ half board; ~
completa full board; ~ **d'invalidità**
disablement pension; ~ **di anzianità** old-
age pension.

pensio'nistico, a, ci, che *ag* pension *cpd*.

pen'soso, a *ag* thoughtful, pensive, lost in
thought.

pen'tagono *sm* pentagon; **il P**~ the
Pentagon.

pentag'ramma, i *sm* (*MUS*) staff, stave.

pentapar'tito *sm* (*POL*) five-party coalition
government.

'pentathlon ['pɛntatlon] *sm* (*SPORT*) pentathlon.

Pente'coste *sf* Pentecost, Whit Sunday (*BRIT*).

penti'mento *sm* repentance, contrition.

pen'tirsi *vr*: ~ **di** to repent of; (*rammaricarsi*) to regret, be sorry for.

penti'tismo *sm confessions from terrorists and members of organized crime rackets.*

> *The practice of* **pentitismo** *emerged in Italy during the period of major terrorist activity in the 1970s. Members of terrorist groups, who had been arrested, would collaborate with the authorities by providing information in return for a reduced sentence, or for their own ideological reasons. In recent years it has become common practice for members of Mafia organizations to become* **pentiti** *and special legislation has been passed to provide for their sentencing and personal protection.*

pen'tito, a *smf* ≈ supergrass (*BRIT*), *terrorist/criminal who turns police informer.*

'pentola *sf* pot; ~ **a pressione** pressure cooker.

pe'nultimo, a *ag* last but one (*BRIT*), next to last, penultimate.

pe'nuria *sf* shortage.

penzo'lare [pendzo'lare] *vi* to dangle, hang loosely.

penzo'loni [pendzo'loni] *av* dangling, hanging down; **stare** ~ to dangle, hang down.

pe'pato, a *ag* (*condito con pepe*) peppery, hot; (*fig: pungente*) sharp.

'pepe *sm* pepper; ~ **macinato/in grani/nero** ground/whole/black pepper.

pepero'nata *sf stewed peppers, tomatoes and onions.*

peperon'cino [peperon'tʃino] *sm* chilli pepper.

pepe'rone *sm*: ~ (**rosso**) red pepper, capsicum; ~ (**verde**) green pepper, capsicum; **rosso come un** ~ as red as a beetroot (*BRIT*), fire-engine red (*US*); ~**i ripieni** stuffed peppers.

pe'pita *sf* nugget.

──────────── *PAROLA CHIAVE*

per *prep* **1** (*moto attraverso luogo*) through; **i ladri sono passati** ~ **la finestra** the thieves got in (*o* out) through the window; **l'ho cercato** ~ **tutta la casa** I've searched the whole house *o* all over the house for it

2 (*moto a luogo*) for, to; **partire** ~ **la Germania/il mare** to leave for Germany/the sea; **il treno** ~ **Roma** the Rome train, the train for *o* to Rome; **proseguire** ~ **Londra** to go on to London

3 (*stato in luogo*): **seduto/sdraiato** ~ **terra** sitting/lying on the ground

4 (*tempo*) for; ~ **anni/tanto tempo** for years/a long time; ~ **tutta l'estate** throughout the summer, all summer long; **lo rividi** ~ **Natale** I saw him again at Christmas; **lo faccio** ~ **lunedì** I'll do it for Monday

5 (*mezzo, maniera*) by; ~ **lettera/ferrovia/ via aerea** by letter/rail/airmail; **prendere qn** ~ **un braccio** to take sb by the arm

6 (*causa, scopo*) for; **assente** ~ **malattia** absent because of *o* through *o* owing to illness; **ottimo** ~ **il mal di gola** excellent for sore throats; ~ **abitudine** out of habit, from habit

7 (*limitazione*) for; **è troppo difficile** ~ **lui** it's too difficult for him; ~ **quel che mi riguarda** as far as I'm concerned; ~ **poco che sia** however little it may be; ~ **questa volta ti perdono** I'll forgive you this time

8 (*prezzo, misura*) for; (*distributivo*) a, per; **venduto** ~ **3 milioni** sold for 3 million; **la strada continua** ~ **3 km** the street goes on for 3 km; **1000 lire** ~ **persona** 1000 lire a *o* per person; **uno** ~ **volta** one at a time; **uno** ~ **uno** one by one; **giorno** ~ **giorno** day by day; **due** ~ **parte** two either side; **5** ~ **cento** 5 per cent; **3** ~ **4 fa 12** 3 times 4 equals 12; **dividere/moltiplicare 12** ~ **4** to divide/multiply 12 by 4

9 (*in qualità di*) as; (*al posto di*) for; **avere qn** ~ **professore** to have sb as a teacher; **ti ho preso** ~ **Mario** I mistook you for Mario, I thought you were Mario; **dare** ~ **morto qn** to give sb up for dead; **lo prenderanno** ~ **pazzo** they'll think he's crazy

10 (*seguito da vb: finale*): ~ **fare qc** (so as) to do sth, in order to do sth; (: *causale*): ~ **aver fatto qc** for having done sth; **studia** ~ **passare l'esame** he's studying in order to *o* (so as) to pass his exam; **l'hanno punito** ~ **aver rubato i soldi** he was punished for having stolen the money; **è abbastanza grande** ~ **andarci da solo** he's big enough to go on his own.

'pera *sf* pear.

pe'raltro *av* moreover, what's more.

per'bacco *escl* by Jove!

per'bene *ag inv* respectable, decent ♦ *av*

(*con cura*) properly, well.

perbe'nismo *sm* (so-called) respectability.

percentu'ale [pert∫entu'ale] *sf* percentage; (*commissione*) commission.

perce'pire [pert∫e'pire] *vt* (*sentire*) to perceive; (*ricevere*) to receive.

percet'tibile [pert∫et'tibile] *ag* perceptible.

percezi'one [pert∫et'tsjone] *sf* perception.

══════════════ *PAROLA CHIAVE*

perché [per'ke] *av* why; ~ **no?** why not?; ~ **non vuoi andarci?** why don't you want to go?; **spiegami ~ l'hai fatto** tell me why you did it

♦ *cong* **1** (*causale*) because; **non posso uscire ~ ho da fare** I can't go out because *o* as I've a lot to do

2 (*finale*) in order that, so that; **te lo do ~ tu lo legga** I'm giving it to you so (that) you can read it

3 (*consecutivo*): **è troppo forte ~ si possa batterlo** he's too strong to be beaten

♦ *sm inv* reason; **il ~ di** the reason for; **non c'è un vero ~** there's no real reason for it.

perciò [per't∫ɔ] *cong* so, for this (*o* that) reason.

per'correre *vt* (*luogo*) to go all over; (: *paese*) to travel up and down, go all over; (*distanza*) to cover.

percor'ribile *ag* (*strada*) which can be followed.

per'corso, a *pp di* **percorrere** ♦ *sm* (*tragitto*) journey; (*tratto*) route.

per'cosso, a *pp di* **percuotere** ♦ *sf* blow.

percu'otere *vt* to hit, strike.

percussi'one *sf* percussion; **strumenti a ~** (*MUS*) percussion instruments.

per'dente *ag* losing ♦ *sm/f* loser.

'perdere *vt* to lose; (*lasciarsi sfuggire*) to miss; (*sprecare: tempo, denaro*) to waste; (*mandare in rovina: persona*) to ruin ♦ *vi* to lose; (*serbatoio etc*) to leak; **~rsi** *vr* (*smarrirsi*) to get lost; (*svanire*) to disappear, vanish; **saper ~** to be a good loser; **lascia ~!** forget it!, never mind!; **non ho niente da ~** (*fig*) I've got nothing to lose; **è un'occasione da non ~** it's a marvellous opportunity; (*affare*) it's a great bargain; **è fatica persa** it's a waste of effort; **~ al gioco** to lose money gambling; **~ di vista qn** (*anche fig*) to lose sight of sb; **~rsi di vista** to lose sight of each other; (*fig*) to lose touch; **~rsi alla vista** to disappear from sight; **~rsi in chiacchiere** to waste time talking.

perdifi'ato : **a ~** *av* (*correre*) at

breathtaking speed; (*gridare*) at the top of one's voice.

perdigi'orno [perdi'dʒorno] *sm/f inv* idler, waster.

'perdita *sf* loss; (*spreco*) waste; (*fuoriuscita*) leak; **siamo in ~** (*COMM*) we are running at a loss; **a ~ d'occhio** as far as the eye can see.

perdi'tempo *sm/f inv* waster, idler.

perdizi'one [perdit'tsjone] *sf* (*REL*) perdition, damnation; **luogo di ~** place of ill repute.

perdo'nare *vt* to pardon, forgive; (*scusare*) to excuse, pardon; **per farsi ~** in order to be forgiven; **perdona la domanda ...** if you don't mind my asking ...; **vogliate ~ il (mio) ritardo** my apologies for being late; **un male che non perdona** an incurable disease.

per'dono *sm* forgiveness; (*DIR*) pardon; **chiedere ~ a qn (per)** to ask for sb's forgiveness (for); (*scusarsi*) to apologize to sb (for).

perdu'rare *vi* to go on, last; (*perseverare*) to persist.

perduta'mente *av* desperately, passionately.

per'duto, a *pp di* **perdere** ♦ *ag* (*gen*) lost; **sentirsi** *o* **vedersi ~** (*fig*) to realize the hopelessness of one's position; **una donna ~a** (*fig*) a fallen woman.

peregri'nare *vi* to wander, roam.

pe'renne *ag* eternal, perpetual, perennial; (*BOT*) perennial.

peren'torio, a *ag* peremptory; (*definitivo*) final.

perfetta'mente *av* perfectly; **sai ~ che ...** you know perfectly well that ....

per'fetto, a *ag* perfect ♦ *sm* (*LING*) perfect (tense).

perfeziona'mento [perfettsjona'mento] *sm:* **~ (di)** improvement (in), perfection (of); **corso di ~** proficiency course.

perfezio'nare [perfettsjo'nare] *vt* to improve, perfect; **~rsi** *vr* to improve.

perfezi'one [perfet'tsjone] *sf* perfection.

perfezio'nismo [perfettsjo'nizmo] *sm* perfectionism.

perfezio'nista, i, e [perfettsjo'nista] *sm/f* perfectionist.

per'fidia *sf* perfidy.

'perfido, a *ag* perfidious, treacherous.

per'fino *av* even.

perfo'rare *vt* to pierce; (*MED*) to perforate; (*banda, schede*) to punch; (*trivellare*) to drill.

perfora'tore, 'trice *sm/f* punch-card operator ♦ *sm* (*utensile*) punch; (*INFORM*):

~ **di schede** card punch ♦ *sf* (*TECN*) boring *o* drilling machine; (*INFORM*) card punch.
perforazi'one [perforat'tsjone] *sf* piercing; perforation; punching; drilling.
perga'mena *sf* parchment.
'**pergola** *sf* pergola.
pergo'lato *sm* pergola.
perico'lante *ag* precarious.
pe'ricolo *sm* danger; **essere fuori** ~ to be out of danger; (*MED*) to be off the danger list; **mettere in** ~ to endanger, put in danger.
perico'loso, a *ag* dangerous.
perife'ria *sf* (*anche fig*) periphery; (*di città*) outskirts *pl*.
peri'ferico, a, ci, che *ag* (*ANAT, INFORM*) peripheral; (*zona*) outlying.
pe'rifrasi *sf inv* circumlocution.
pe'rimetro *sm* perimeter.
peri'odico, a, ci, che *ag* periodic(al); (*MAT*) recurring ♦ *sm* periodical.
pe'riodo *sm* period; ~ **contabile** accounting period; ~ **di prova** trial period.
peripe'zie [peripet'tsie] *sfpl* ups and downs, vicissitudes.
'**periplo** *sm* circumnavigation.
pe'rire *vi* to perish, die.
peris'copio *sm* periscope.
pe'rito, a *ag* expert, skilled ♦ *sm/f* expert; (*agronomo, navale*) surveyor; **un** ~ **chimico** a qualified chemist.
perito'nite *sf* peritonitis.
pe'rizia [pe'rittsja] *sf* (*abilità*) ability; (*giudizio tecnico*) expert opinion; expert's report; ~ **psichiatrica** psychiatrist's report.
'**perla** *sf* pearl.
per'lina *sf* bead.
perli'nato *sm* matchboarding.
perlo'meno *av* (*almeno*) at least.
perlopiù *av* (*quasi sempre*) in most cases, usually.
perlus'trare *vt* to patrol.
perlustrazi'one [perlustrat'tsjone] *sf* patrol, reconnaissance; **andare in** ~ to go on patrol.
perma'loso, a *ag* touchy.
perma'nente *ag* permanent ♦ *sf* permanent wave, perm.
perma'nenza [perma'nɛntsa] *sf* permanence; (*soggiorno*) stay; **buona** ~! enjoy your stay!
perma'nere *vi* to remain.
per'mango, per'masi *etc vb vedi* **permanere**.
perme'abile *ag* permeable.
perme'are *vt* to permeate.

per'messo, a *pp di* **permettere** ♦ *sm* (*autorizzazione*) permission, leave; (*dato a militare, impiegato*) leave; (*licenza*) licence (*BRIT*), license (*US*), permit; (*MIL: foglio*) pass; ~**?, è** ~**?** (*posso entrare?*) may I come in?; (*posso passare?*) excuse me; ~ **di lavoro/pesca** work/fishing permit.
per'mettere *vt* to allow, permit; ~ **a qn qc/di fare qc** to allow sb sth/to do sth; ~**rsi** *vr*: ~**rsi qc/di fare qc** (*concedersi*) to allow o.s. sth/to do sth; (*avere la possibilità*) to afford sth/to do sth; **permettete che mi presenti** let me introduce myself, may I introduce myself?; **mi sia permesso di sottolineare che ...** may I take the liberty of pointing out that ....
per'misi *etc vb vedi* **permettere**.
permis'sivo, a *ag* permissive.
'**permuta** *sf* (*DIR*) transfer; (*COMM*) trade-in; **accettare qc in** ~ to take sth as a trade-in; **valore di** ~ (*di macchina etc*) trade-in value.
permu'tare *vt* to exchange; (*MAT*) to permute.
per'nacchia [per'nakkja] *sf* (*fam*): **fare una** ~ to blow a raspberry.
per'nice [per'nitʃe] *sf* partridge.
pernici'oso, a [perni'tʃoso] *ag* pernicious.
'**perno** *sm* pivot.
pernotta'mento *sm* overnight stay.
pernot'tare *vi* to spend the night, stay overnight.
'**pero** *sm* pear tree.
però *cong* (*ma*) but; (*tuttavia*) however, nevertheless.
pero'rare *vt* (*DIR, fig*): ~ **la causa di qn** to plead sb's case.
perpendico'lare *ag, sf* perpendicular.
perpen'dicolo *sm*: **a** ~ perpendicularly.
perpe'trare *vt* to perpetrate.
perpetu'are *vt* to perpetuate.
per'petuo, a *ag* perpetual.
perplessità *sf inv* perplexity.
per'plesso, a *ag* perplexed, puzzled.
perqui'sire *vt* to search.
perquisizi'one [perkwizit'tsjone] *sf* (*police*) search; **mandato di** ~ search warrant.
'**perse** *etc vb vedi* **perdere**.
persecu'tore *sm* persecutor.
persecuzi'one [persekut'tsjone] *sf* persecution.
persegu'ibile *ag* (*DIR*): **essere** ~ **per legge** to be liable to prosecution.
persegu'ire *vt* to pursue; (*DIR*) to prosecute.
persegui'tare *vt* to persecute.
perseve'rante *ag* persevering.

perseve'ranza [perseve'rantsa] *sf* perseverance.

perseve'rare *vi* to persevere.

'**persi** *etc vb vedi* **perdere**.

'**Persia** *sf*: **la** ~ Persia.

persi'ano, a *ag, smf* Persian ♦ *sf* shutter; ~**a avvolgibile** roller blind.

'**persico, a, ci, che** *ag*: **il golfo P**~ the Persian Gulf; **pesce** ~ perch.

per'sino *av* = **perfino**.

persis'tente *ag* persistent.

persis'tenza [persis'tɛntsa] *sf* persistence.

per'sistere *vi* to persist; ~ **a fare** to persist in doing.

persis'tito, a *pp di* **persistere**.

'**perso, a** *pp di* **perdere** ♦ *ag* (*smarrito: anche fig*) lost; (*sprecato*) wasted; **fare qc a tempo** ~ to do sth in one's spare time; ~ **per** ~ I've (*o* we've *etc*) got nothing further to lose.

per'sona *sf* person; (*qualcuno*): **una** ~ someone, somebody, *espressione interrogativa* + anyone *o* anybody; ~**e** *sfpl* people *pl*; **non c'è** ~ **che** ... there's nobody who ..., there isn't anybody who ...; **in** ~, **di** ~ in person; **per interposta** ~ through an intermediary *o* a third party; ~ **giuridica** (*DIR*) legal person.

perso'naggio [perso'naddʒo] *sm* (*persona ragguardevole*) personality, figure; (*tipo*) character, individual; (*LETTERATURA*) character.

perso'nale *ag* personal ♦ *sm* staff, personnel; (*figura fisica*) build ♦ *sf* (*mostra*) one-man (*o* one-woman) exhibition.

personalità *sf inv* personality.

personaliz'zare [personalid'dzare] *vt* (*arredamento, stile*) to personalize; (*adattare*) to customize.

personaliz'zato, a [personalid'dzato] *ag* personalized.

personal'mente *av* personally.

personifi'care *vt* to personify; (*simboleggiare*) to embody.

personificazi'one [personifikat'tsjone] *sf* (*vedi vb*) personification; embodiment.

perspi'cace [perspi'katʃe] *ag* shrewd, discerning.

perspi'cacia [perspi'katʃa] *sf* perspicacity, shrewdness.

persu'adere *vt*: ~ **qn** (**di qc/a fare**) to persuade sb (of sth/to do).

persuasi'one *sf* persuasion.

persua'sivo, a *ag* persuasive.

persu'aso, a *pp di* **persuadere**.

per'tanto *cong* (*quindi*) so, therefore.

'**pertica, che** *sf* pole.

perti'nace [perti'natʃe] *ag* determined;

persistent.

perti'nente *ag*: ~ (**a**) relevant (to), pertinent (to).

perti'nenza [perti'nɛntsa] *sf* (*attinenza*) pertinence, relevance; (*competenza*): **essere di** ~ **di qn** to be sb's business.

per'tosse *sf* whooping cough.

per'tugio [per'tudʒo] *sm* hole, opening.

pertur'bare *vt* to disrupt; (*persona*) to disturb, perturb.

perturbazi'one [perturbat'tsjone] *sf* disruption; disturbance.

Perù *sm*: **il** ~ Peru.

peru'gino, a [peru'dʒino] *ag* of (*o* from) Perugia.

peruvi'ano, a *ag, smf* Peruvian.

per'vadere *vt* to pervade.

per'vaso, a *pp di* **pervadere**.

perve'nire *vi*: ~ **a** to reach, arrive at, come to; (*venire in possesso*): **gli pervenne una fortuna** he inherited a fortune; **far** ~ **qc a** to have sth sent to.

perve'nuto, a *pp di* **pervenire**.

perversi'one *sf* perversion.

perversità *sf* perversity.

per'verso, a *ag* perverted.

perver'tire *vt* to pervert.

perver'tito, a *smf* pervert.

pervi'cace [pervi'katʃe] *ag* stubborn, obstinate.

pervi'cacia [pervi'katʃa] *sf* stubbornness, obstinacy.

per'vinca, che *sf* periwinkle ♦ *sm inv* (*colore*) periwinkle (blue).

p.es. *abbr* (= *per esempio*) e.g.

'**pesa** *sf* weighing *no pl*; weighbridge.

pe'sante *ag* heavy; (*fig: noioso*) dull, boring.

pesan'tezza [pesan'tettsa] *sf* (*anche fig*) heaviness; **avere** ~ **di stomaco** to feel bloated.

pesaper'sone *ag inv*: (**bilancia**) ~ (weighing) scales *pl*; (*automatica*) weighing machine.

pe'sare *vt* to weigh ♦ *vi* (*avere un peso*) to weigh; (*essere pesante*) to be heavy; (*fig*) to carry weight; ~ **su** (*fig*) to lie heavy on; to influence; to hang over; **mi pesa sgridarlo** I find it hard to scold him; **tutta la responsabilità pesa su di lui** all the responsibility rests on his shoulders; **è una situazione che mi pesa** it's a difficult situation for me; **il suo parere pesa molto** his opinion counts for a lot; ~ **le parole** to weigh one's words.

'**pesca** *sf* (*pl* **pesche**: *frutto*) peach; (*il pescare*) fishing; **andare a** ~ to go fishing; ~ **di beneficenza** (*lotteria*) lucky dip; ~

con la lenza angling; ~ **subacquea** underwater fishing.

pes'caggio [pes'kaddʒo] *sm* (*NAUT*) draught (*BRIT*), draft (*US*).

pes'care *vt* (*pesce*) to fish for; to catch; (*qc nell'acqua*) to fish out; (*fig: trovare*) to get hold of, find.

pesca'tore *sm* fisherman; (*con lenza*) angler.

'pesce ['peʃʃe] *sm* fish *gen inv*; **P~i** (*dello zodiaco*) Pisces; **essere dei P~i** to be Pisces; **non saper che ~i prendere** (*fig*) not to know which way to turn; ~ **d'aprile!** April Fool!; ~ **martello** hammerhead; ~ **rosso** goldfish; ~ **spada** swordfish.

Il **pesce d'aprile** *is a sort of April Fool, played on April 1st each year. It took its name from the paper fish which was stuck to the back of the person who was the object of the joke. Nowadays all sorts of practical jokes are played on that day.*

---

pesce'cane [peʃʃe'kane] *sm* shark.
pesche'reccio [peske'rettʃo] *sm* fishing boat.
pesche'ria [peske'ria] *sf* fishmonger's (shop) (*BRIT*), fish store (*US*).
pescherò *etc* [peske'rɔ] *vb vedi* **pescare**.
peschi'era [pes'kjɛra] *sf* fishpond.
pesci'vendolo, a [peʃʃi'vendolo] *sm/f* fishmonger (*BRIT*), fish merchant (*US*).
'pesco, schi *sm* peach tree.
pes'coso, a *ag* teeming with fish.
pe'seta *sf* peseta.
'peso *sm* weight; (*SPORT*) shot; **dar ~ a qc** to attach importance to sth; **essere di ~ a qn** (*fig*) to be a burden to sb; **rubare sul ~** to give short weight; **lo portarono via di ~** they carried him away bodily; **avere due ~i e due misure** (*fig*) to have double standards; ~ **lordo/netto** gross/net weight; ~ **piuma/mosca/gallo/medio/massimo** (*PUGILATO*) feather/fly/bantam/middle/heavyweight.
pessi'mismo *sm* pessimism.
pessi'mista, i, e *ag* pessimistic ♦ *sm/f* pessimist.
'pessimo, a *ag* very bad, awful; **di ~a qualità** of very poor quality.
pes'tare *vt* to tread on, trample on; (*sale, pepe*) to grind; (*uva, aglio*) to crush; (*fig: picchiare*): ~ **qn** to beat sb up; ~ **i piedi** to stamp one's feet; ~ **i piedi a qn** (*anche fig*) to tread on sb's toes.
'peste *sf* plague; (*persona*) nuisance, pest.
pes'tello *sm* pestle.

pesti'cida, i [pesti'tʃida] *sm* pesticide.
pes'tifero, a *ag* (*anche fig*) pestilential, pestiferous; (*odore*) noxious.
pesti'lenza [pesti'lɛntsa] *sf* pestilence; (*fetore*) stench.
'pesto, a *ag*: **c'è buio ~** it's pitch dark ♦ *sm* (*CUC*) sauce made with basil, garlic, cheese and oil; **occhio ~** black eye.
'petalo *sm* (*BOT*) petal.
pe'tardo *sm* firecracker, banger (*BRIT*).
petizi'one [petit'tsjone] *sf* petition; **fare una ~ a** to petition.
'peto *sm* (*fam!*) fart (*!*).
petro'dollaro *sm* petrodollar.
petrol'chimica [petrol'kimika] *sf* petrochemical industry.
petroli'era *sf* (*nave*) oil tanker.
petroli'ere *sm* (*industriale*) oilman; (*tecnico*) worker in the oil industry.
petroli'ero, a *ag* oil *cpd*.
petro'lifero, a *ag* oil *cpd*.
pe'trolio *sm* oil, petroleum; (*per lampada, fornello*) paraffin (*BRIT*), kerosene (*US*); **lume a ~** oil *o* paraffin *o* kerosene lamp; ~ **grezzo** crude oil.
pettego'lare *vi* to gossip.
pettego'lezzo [pettego'leddzo] *sm* gossip *no pl*; **fare ~i** to gossip.
pet'tegolo, a *ag* gossipy ♦ *sm/f* gossip.
petti'nare *vt* to comb (the hair of); ~**rsi** *vr* to comb one's hair.
pettina'tura *sf* (*acconciatura*) hairstyle.
'pettine *sm* comb; (*ZOOL*) scallop.
petti'rosso *sm* robin.
'petto *sm* chest; (*seno*) breast, bust; (*CUC: di carne bovina*) brisket; (: *di pollo etc*) breast; **prendere qn/qc di ~** to face up to sb/sth; **a doppio ~** (*abito*) double-breasted.
petto'rale *ag* pectoral.
petto'rina *sf* (*di grembiule*) bib.
petto'ruto, a *ag* broad-chested; full-breasted.
petu'lante *ag* insolent.
pe'tunia *sf* petunia.
'pezza ['pɛttsa] *sf* piece of cloth; (*toppa*) patch; (*cencio*) rag, cloth; (*AMM*): ~ **d'appoggio** *o* **giustificativa** voucher; **trattare qn come una ~ da piedi** to treat sb like a doormat.
pez'zato, a [pet'tsato] *ag* piebald.
pez'zente [pet'tsɛnte] *sm/f* beggar.
'pezzo ['pɛttso] *sm* (*gen*) piece; (*brandello, frammento*) piece, bit; (*di macchina, arnese etc*) part; (*STAMPA*) article; (*di tempo*): **aspettare un ~** to wait quite a while *o* some time; **andare a ~i** to break into pieces; **essere a ~i** (*oggetto*) to be in

pieces *o* bits; (*fig: persona*) to be shattered; **un bel ~ d'uomo** a fine figure of a man; **abito a due ~i** two-piece suit; **essere tutto d'un ~** (*fig*) to be a man (*o* woman) of integrity; **~ di cronaca** (*STAMPA*) report; **~ grosso** (*fig*) bigwig; **~ di ricambio** spare part.

P.F. *abbr* = **per favore; prossimo futuro.**

PG *sigla* = *Perugia.*

P.G. *abbr* = **procuratore generale.**

pH [pi'akka] *sm inv* (*CHIM*) pH.

PI *sigla* = *Pisa.*

P.I. *abbr* = **Pubblica Istruzione.**

pi'accio *etc* ['pjattʃo] *vb vedi* **piacere.**

pia'cente [pja'tʃɛnte] *ag* attractive, pleasant.

pia'cere [pja'tʃere] *vi* to please; ♦ *sm* pleasure; (*favore*) favour (*BRIT*), favor (*US*); **una ragazza che piace** (*piacevole*) a likeable girl; (*attraente*) an attractive girl; **~ a: mi piace** I like it; **quei ragazzi non mi piacciono** I don't like those boys; **gli piacerebbe andare al cinema** he would like to go to the cinema; **il suo discorso è piaciuto molto** his speech was well received; **"~!"** (*nelle presentazioni*) "pleased to meet you!"; **con ~** certainly, with pleasure; **per ~** please; **fare un ~ a qn** to do sb a favour; **mi fa ~ per lui** I am pleased for him; **mi farebbe ~ rivederlo** I would like to see him again.

pia'cevole [pja'tʃevole] *ag* pleasant, agreeable.

piaci'mento [pjatʃi'mento] *sm*: **a ~** (*a volontà*) as much as one likes, at will; **lo farà a suo ~** he'll do it when it suits him.

piaci'uto, a [pja'tʃuto] *pp di* **piacere.**

pi'acqui *etc vb vedi* **piacere.**

pi'aga, ghe *sf* (*lesione*) sore; (*ferita: anche fig*) wound; (*fig: flagello*) scourge, curse; (: *persona*) pest, nuisance.

piagnis'teo [pjaɲɲis'tɛo] *sm* whining, whimpering.

piagnuco'lare [pjaɲɲuko'lare] *vi* to whimper.

piagnuco'lio, ii [pjaɲɲuko'lio] *sm* whimpering.

piagnuco'loso, a [pjaɲɲuko'loso] *ag* whiny, whimpering, moaning.

pi'alla *sf* (*arnese*) plane.

pial'lare *vt* to plane.

pialla'trice [pjalla'tritʃe] *sf* planing machine.

pi'ana *sf* stretch of level ground; (*più esteso*) plain.

pianeggi'ante [pjaned'dʒante] *ag* flat, level.

piane'rottolo *sm* landing.

pia'neta *sm* (*ASTR*) planet.

pi'angere ['pjandʒere] *vi* to cry, weep; (*occhi*) to water ♦ *vt* to cry, weep; (*lamentare*) to bewail, lament; **~ la morte di qn** to mourn sb's death.

pianifi'care *vt* to plan.

pianificazi'one [pjanifikat'tsjone] *sf* (*ECON*) planning; **~ aziendale** corporate planning.

pia'nista, i, e *sm/f* pianist.

pi'ano, a *ag* (*piatto*) flat, level; (*MAT*) plane; (*facile*) straightforward, simple; (*chiaro*) clear, plain ♦ *av* (*adagio*) slowly; (*a bassa voce*) softly; (*con cautela*) slowly, carefully ♦ *sm* (*MAT*) plane; (*GEO*) plain; (*livello*) level, plane; (*di edificio*) floor; (*programma*) plan; (*MUS*) piano; **pian ~** very slowly; (*poco a poco*) little by little; **una casa di 3 ~i** a 3-storey (*BRIT*) *o* 3-storied (*US*) house; **al ~ di sopra/di sotto** on the floor above/below; **all'ultimo ~** on the top floor; **al ~ terra** on the ground floor; **in primo/secondo ~** (*FOT, CINE etc*) in the foreground/background; **fare un primo ~** (*FOT, CINE*) to take a close-up; **di primo ~** (*fig*) prominent, high-ranking; **un fattore di secondo ~** a secondary *o* minor factor; **passare in secondo ~** to become less important; **mettere tutto sullo stesso ~** to lump everything together, give equal importance to everything; **tutto secondo i ~i** all according to plan; **~ di lavoro** (*superficie*) worktop; (*programma*) work plan; **~ regolatore** (*URBANISTICA*) town-planning scheme; **~ stradale** road surface.

piano'forte *sm* piano, pianoforte.

piano'terra *sm inv* = **piano terra.**

pi'ansi *etc vb vedi* **piangere.**

pi'anta *sf* (*BOT*) plant; (*ANAT: anche*: **~ del piede**) sole (of the foot); (*grafico*) plan; (*cartina topografica*) map; **ufficio a ~ aperta** open-plan office; **in ~ stabile** on the permanent staff; **~ stradale** street map, street plan.

piantagi'one [pjanta'dʒone] *sf* plantation.

pianta'grane *sm/f inv* troublemaker.

pian'tare *vt* to plant; (*conficcare*) to drive *o* hammer in; (*tenda*) to put up, pitch; (*fig: lasciare*) to leave, desert; **~rsi** *vr*: **~rsi davanti a qn** to plant o.s. in front of sb; **~ qn in asso** to leave sb in the lurch; **~ grane** (*fig*) to cause trouble; **piantala!** (*fam*) cut it out!

pian'tato, a *ag*: **ben ~** (*persona*) well-built.

pianta'tore *sm* planter.

pianter'reno *sm* ground floor.

pi'anto, a *pp di* **piangere** ♦ *sm* tears *pl*, crying.

pianto'nare *vt* to guard, watch over.
pian'tone *sm (vigilante)* sentry, guard; *(soldato)* orderly; *(AUT)* steering column.
pia'nura *sf* plain.
pi'astra *sf* plate; *(di pietra)* slab; *(di fornello)* hotplate; **panino alla** ~ ≈ toasted sandwich; ~ **di registrazione** tape deck.
pias'trella *sf* tile.
piastrel'lare *vt* to tile.
pias'trina *sf (ANAT)* platelet; *(MIL)* identity disc *(BRIT)* o tag *(US)*.
piatta'forma *sf (anche fig)* platform; ~ **continentale** *(GEO)* continental shelf; ~ **girevole** *(TECN)* turntable; ~ **di lancio** *(MIL)* launching pad o platform; ~ **rivendicativa** *document prepared by the unions in an industry, setting out their claims.*
piat'tello *sm* clay pigeon; **tiro al** ~ clay-pigeon shooting *(BRIT)*, trapshooting *(BRIT)*.
piat'tino *sm (di tazza)* saucer.
pi'atto, a *ag* flat; *(fig: scialbo)* dull ♦ *sm (recipiente, vivanda)* dish; *(portata)* course; *(parte piana)* flat (part); ~**i** *smpl (MUS)* cymbals; **un** ~ **di minestra** a plate of soup; ~ **fondo** soup dish; ~ **forte** main course; ~ **del giorno** dish of the day, plat du jour; ~ **del giradischi** turntable; ~**i già pronti** *(CUC)* ready-cooked dishes.
pi'azza ['pjattsa] *sf* square; *(COMM)* market; *(letto, lenzuolo)*: **a una** ~ single; **a due** ~**e** double; **far** ~ **pulita** to make a clean sweep; **mettere in** ~ *(fig: rendere pubblico)* to make public; **scendere in** ~ *(fig)* to take to the streets, demonstrate; ~ **d'armi** *(MIL)* parade ground.
piazza'forte [pjattsa'forte], *pl* **piazze'forti** *sf (MIL)* stronghold.
piaz'zale [pjat'tsale] *sm* (large) square.
piazza'mento [pjattsa'mento] *sm (SPORT)* place, placing.
piaz'zare [pjat'tsare] *vt* to place; *(COMM)* to market, sell; ~**rsi** *vr (SPORT)* to be placed; ~**rsi bene** to finish with the leaders o in a good position.
piaz'zista, i [pjat'tsista] *sm (COMM)* commercial traveller.
piaz'zola [pjat'tsɔla] *sf (AUT)* lay-by *(BRIT)*, (roadside) stopping place.
'picca, che *sf* pike; ~**che** *sfpl (CARTE)* spades; **rispondere** ~**che a qn** *(fig)* to give sb a flat refusal.
pic'cante *ag* hot, pungent; *(fig)* racy.
pic'carsi *vr*: ~ **di fare** to pride o.s. on one's ability to do; ~ **per qc** to take offence *(BRIT)* o offense *(US)* at sth.
picchet'taggio [pikket'taddʒo] *sm* picketing.

picchet'tare [pikket'tare] *vt* to picket.
pic'chetto [pik'ketto] *sm (MIL, di scioperanti)* picket.
picchi'are [pik'kjare] *vt (persona: colpire)* to hit, strike; *(: prendere a botte)* to beat (up); *(battere)* to beat; *(sbattere)* to bang ♦ *vi (bussare)* to knock; *(: con forza)* to bang; *(colpire)* to hit, strike; *(sole)* to beat down.
picchi'ata [pik'kjata] *sf* knock; bang; blow; *(percosse)* beating, thrashing; *(AER)* dive; **scendere in** ~ to (nose-)dive.
picchiet'tare [pikkjet'tare] *vt (punteggiare)* to spot, dot; *(colpire)* to tap.
'picchio ['pikkjo] *sm* woodpecker.
pic'cino, a [pit'tʃino] *ag* tiny, very small.
picci'olo [pit'tʃɔlo] *sm (BOT)* stalk.
piccio'naia [pittʃo'naja] *sf* pigeon-loft; *(TEAT)*: **la** ~ the gods *sg (BRIT)*, the gallery.
picci'one [pit'tʃone] *sm* pigeon; **pigliare due** ~**i con una fava** *(fig)* to kill two birds with one stone.
'picco, chi *sm* peak; **a** ~ vertically; **colare a** ~ *(NAUT, fig)* to sink.
picco'lezza [pikko'lettsa] *sf (dimensione)* smallness; *(fig: grettezza)* meanness, pettiness; *(: inezia)* trifle.
'piccolo, a *ag* small; *(oggetto, mano, di età: bambino)* small, little *(dav sostantivo)*; *(di breve durata: viaggio)* short; *(fig)* mean, petty ♦ *sm/f* child, little one ♦ *sm*: **nel mio** ~ in my own small way; ~**i** *smpl (di animale)* young *pl*; **in** ~ in miniature; **la** ~**a borghesia** the lower middle classes; *(peg)* the petty bourgeoisie.
pic'cone *sm* pick(-axe).
pic'cozza [pik'kɔttsa] *sf* ice-axe.
pic'nic *sm inv* picnic; **fare un** ~ to have a picnic.
pidies'sino, a *ag (POL)* of P.D.S. ♦ *sm/f* member (o supporter) of P.D.S.
pi'docchio [pi'dokkjo] *sm* louse.
pidocchi'oso, a [pidok'kjoso] *ag (infestato)* lousy; *(fig: taccagno)* mean, stingy, tight.
pidu'ista, i, e *ag* P2 *cpd (masonic lodge)* ♦ *sm* member of the P2 masonic lodge.
piè *sm inv*: **a ogni** ~ **sospinto** *(fig)* at every step; **saltare a** ~ **pari** *(omettere)* to skip; **a** ~ **di pagina** at the foot of the page; **note a** ~ **di pagina** footnotes.
pi'ede *sm* foot; *(di mobile)* leg; **in** ~**i** standing; **a** ~**i** on foot; **a** ~**i nudi** barefoot; **su due** ~**i** *(fig)* at once; **mettere qc in** ~**i** *(azienda etc)* to set sth up; **prendere** ~ *(fig)* to gain ground, catch on; **puntare i** ~**i** *(fig)* to dig one's heels in; **sentirsi mancare la terra sotto i** ~**i** to feel lost; **non sta in** ~**i** *(persona)* he can't stand; *(fig: scusa etc)* it doesn't hold water; **tenere in**

~i (*persona*) to keep on his (*o* her) feet; (*fig: ditta etc*) to keep going; **a ~ libero** (*DIR*) on bail; **sul ~ di guerra** (*MIL*) ready for action; **~ di porco** crowbar.

piedipi'atti *sm inv* (*peg: poliziotto*) cop.

piedis'tallo, piedes'tallo *sm* pedestal.

pi'ega, ghe *sf* (*piegatura, GEO*) fold; (*di gonna*) pleat; (*di pantaloni*) crease; (*grinza*) wrinkle, crease; **prendere una brutta** *o* **cattiva ~** (*fig: persona*) to get into bad ways; (: *situazione*) to take a turn for the worse; **non fa una ~** (*fig: ragionamento*) it's faultless; **non ha fatto una ~** (*fig: persona*) he didn't bat an eye(lid) (*BRIT*) *o* an eye(lash) (*US*).

piega'mento *sm* folding; bending; **~ sulle gambe** (*GINNASTICA*) kneebend.

pie'gare *vt* to fold; (*braccia, gambe, testa*) to bend ♦ *vi* to bend; **~rsi** *vr* to bend; (*fig*): **~rsi (a)** to yield (to), submit (to).

piega'tura *sf* folding *no pl*; bending *no pl*; fold; bend.

piegherò *etc* [pjege'rɔ] *vb vedi* **piegare**.

pieghet'tare [pjeget'tare] *vt* to pleat.

pie'ghevole [pje'gevole] *ag* pliable, flexible; (*porta*) folding; (*fig*) yielding, docile.

Pie'monte *sm*: **il ~** Piedmont.

piemon'tese *ag, sm/f* Piedmontese.

pi'ena *sf vedi* **pieno**.

pie'nezza [pje'nettsa] *sf* fullness.

pi'eno, a *ag* full; (*muro, mattone*) solid ♦ *sm* (*colmo*) height, peak; (*carico*) full load ♦ *sf* (*di fiume*) flood, spate; (*gran folla*) crowd, throng; **~ di** full of; **a ~e mani** abundantly; **a tempo ~** full-time; **a ~i voti** (*eleggere*) unanimously; **laurearsi a ~i voti** *to graduate with full marks*; **in ~ giorno** in broad daylight; **in ~ inverno** in the depths of winter; **in ~a notte** in the middle of the night; **in ~a stagione** at the height of the season; **in ~** (*completamente: sbagliare*) completely; (*colpire, centrare*): bang *o* right in the middle; **avere ~i poteri** to have full powers; **nel ~ possesso delle sue facoltà** in full possession of his faculties; **fare il ~ (di benzina)** to fill up (with petrol).

pie'none *sm*: **c'era il ~ al cinema/al teatro** the cinema/the theatre was packed.

pietà *sf* pity; (*REL*) piety; **senza ~** (*agire*) ruthlessly; (*persona*) pitiless, ruthless; **avere ~ di** (*compassione*) to pity, feel sorry for; (*misericordia*) to have pity *o* mercy on; **far ~** to arouse pity; (*peg*) to be terrible.

pie'tanza [pje'tantsa] *sf* dish, course.

pie'toso, a *ag* (*compassionevole*) pitying,

compassionate; (*che desta pietà*) pitiful.

pi'etra *sf* stone; **mettiamoci una ~ sopra** (*fig*) let bygones be bygones; **~ preziosa** precious stone, gem; **~ dello scandalo** (*fig*) cause of scandal.

pie'traia *sf* (*terreno*) stony ground.

pietrifi'care *vt* to petrify; (*fig*) to transfix, paralyze.

piet'rina *sf* (*per accendino*) flint.

pie'trisco, schi *sm* crushed stone, road metal.

pi'eve *sf* parish church.

'piffero *sm* (*MUS*) pipe.

pigi'ama [pi'dʒama] *sm* pyjamas *pl*.

'pigia 'pigia ['pidʒa'pidʒa] *sm* crowd, press.

pigi'are [pi'dʒare] *vt* to press.

pigia'trice [pidʒa'tritʃe] *sf* (*macchina*) wine press.

pigi'one [pi'dʒone] *sf* rent.

pigli'are [piʎ'ʎare] *vt* to take, grab; (*afferrare*) to catch.

'piglio ['piʎʎo] *sm* look, expression.

pig'mento *sm* pigment.

pig'meo, a *sm/f* pygmy.

'pigna ['piɲɲa] *sf* pine cone.

pignole'ria [piɲɲole'ria] *sf* fastidiousness, fussiness.

pi'gnolo, a [piɲ'ɲɔlo] *ag* pernickety.

pigno'rare [piɲɲo'rare] *vt* (*DIR*) to distrain.

pigo'lare *vi* to cheep, chirp.

pigo'lio *sm* cheeping, chirping.

pigra'mente *av* lazily.

pi'grizia [pi'grittsja] *sf* laziness.

'pigro, a *ag* lazy; (*fig: ottuso*) slow, dull.

PIL *sigla m vedi* **prodotto interno lordo**.

'pila *sf* (*catasta, di ponte*) pile; (*ELETTR*) battery; (*fam: torcia*) torch (*BRIT*), flashlight; **a ~, a ~e** battery-operated.

pi'lastro *sm* pillar.

'pillola *sf* pill; **prendere la ~** (*contraccettivo*) to be on the pill; **~ del giorno dopo** morning-after pill.

pi'lone *sm* (*di ponte*) pier; (*di linea elettrica*) pylon.

pi'lota, i, e *sm/f* pilot; (*AUT*) driver ♦ *ag inv* pilot *cpd*; **~ automatico** automatic pilot.

pilo'taggio [pilo'taddʒo] *sm*: **cabina di ~** flight deck.

pilo'tare *vt* to pilot; to drive.

piluc'care *vt* to nibble at.

pi'mento *sm* pimento, allspice.

pim'pante *ag* lively, full of beans.

pinaco'teca, che *sf* art gallery.

pi'neta *sf* pinewood.

ping-'pong [piŋ'pɔŋ] *sm* table tennis.

'pingue *ag* fat, corpulent.

pingu'edine *sf* corpulence.

pingu'ino *sm* (*ZOOL*) penguin.

'**pinna** *sf* fin; (*di pinguino, spatola di gomma*) flipper.
pin'nacolo *sm* pinnacle.
'**pino** *sm* pine (tree).
pi'nolo *sm* pine kernel.
'**pinta** *sf* pint.
'**pinza** ['pintsa] *sf* pliers *pl*; (*MED*) forceps *pl*; (*ZOOL*) pincer.
pinzette [pin'tsette] *sfpl* tweezers.
'**pio, a, 'pii, 'pie** *ag* pious; (*opere, istituzione*) charitable, charity *cpd*.
piogge'rella [pjoddʒe'rɛlla] *sf* drizzle.
pi'oggia, ge ['pjɔddʒa] *sf* rain; (*fig: di regali, fiori*) shower; (*di insulti*) hail; **sotto la** ~ in the rain; ~ **acida** acid rain.
pi'olo *sm* peg; (*di scala*) rung.
piom'bare *vi* to fall heavily; (*gettarsi con impeto*): ~ **su** to fall upon, assail ♦ *vt* (*dente*) to fill.
piomba'tura *sf* (*di dente*) filling.
piom'bino *sm* (*sigillo*) (lead) seal; (*del filo a piombo*) plummet; (*PESCA*) sinker.
pi'ombo *sm* (*CHIM*) (*sigillo*) (lead) seal; (*proiettile*) (lead) shot; **a** ~ (*cadere*) straight down; (*muro etc*) plumb; **andare con i piedi di** ~ (*fig*) to tread carefully; **senza** ~ (*benzina*) unleaded, lead-free; **anni di** ~ (*fig*) era of terrorist *outrages*.
pioni'ere, a *sm/f* pioneer.
pi'oppo *sm* poplar.
pio'vano, a *ag*: **acqua** ~a rainwater.
pi'overe *vb impers* to rain ♦ *vi* (*fig: scendere dall'alto*) to rain down; (: *affluire in gran numero*): ~ **in** to pour into; **non ci piove sopra** (*fig*) there's no doubt about it.
pioviggi'nare [pjoviddʒi'nare] *vb impers* to drizzle.
piovosità *sf* rainfall.
pio'voso, a *ag* rainy.
pi'ovra *sf* octopus.
pi'ovve *etc vb vedi* **piovere**.
'**pipa** *sf* pipe.
pipì *sf* (*fam*): **fare** ~ to have a wee (wee).
pipis'trello *sm* (*ZOOL*) bat.
pi'ramide *sf* pyramid.
pi'ranha *sm inv* piranha.
pi'rata, i *sm* pirate; ~ **della strada** hit-and-run driver.
Pire'nei *smpl*: **i** ~ the Pyrenees.
pi'retro *sm* pyrethrum.
'**pirico, a, ci, che** *ag*: **polvere** ~a gunpowder.
pi'rite *sf* pyrite.
piro'etta *sf* pirouette.
pi'rofilo, a *ag* heat-resistant ♦ *sf* heat-resistant glass; (*tegame*) heat-resistant dish.
pi'roga, ghe *sf* dug-out canoe.

pi'romane *sm/f* arsonist.
pi'roscafo *sm* steamer, steamship.
'**Pisa** *sf* Pisa.
pi'sano, a *ag* Pisan.
pisci'are [piʃ'ʃare] *vi* (*fam!*) to piss (*!*), pee (*!*).
pi'scina [piʃ'ʃina] *sf* (swimming) pool.
pi'sello *sm* pea.
piso'lino *sm* nap; **fare un** ~ to have a nap.
'**pista** *sf* (*traccia*) track, trail; (*di stadio*) track; (*di pattinaggio*) rink; (*da sci*) run; (*AER*) runway; (*di circo*) ring; ~ **da ballo** dance floor; ~ **ciclabile** cycle track; ~ **di lancio** launch(ing) pad; ~ **di rullaggio** (*AER*) taxiway; ~ **di volo** (*AER*) runway.
pis'tacchio [pis'takkjo] *sm* pistachio (tree); pistachio (nut).
pis'tillo *sm* (*BOT*) pistil.
pis'tola *sf* pistol, gun; ~ **a spruzzo** spray gun; ~ **a tamburo** revolver.
pis'tone *sm* piston.
pi'tocco, chi *sm* skinflint, miser.
pi'tone *sm* python.
'**pittima** *sf* (*fig*) bore.
pit'tore, 'trice *sm/f* painter.
pitto'resco, a, schi, sche *ag* picturesque.
pit'torico, a, ci, che *ag* of painting, pictorial.
pit'tura *sf* painting; ~ **fresca** wet paint.
pittu'rare *vt* to paint.

===================== *PAROLA CHIAVE*

più *av* **1** (*in maggiore quantità*) more; ~ **del solito** more than usual; **in** ~, **di** ~ more; **ne voglio di** ~ I want some more; **ci sono 3 persone in** *o* **di** ~ there are 3 more *o* extra people; **costa di** ~ it's more expensive; **una volta di** ~ once more; ~ **o meno** more or less; **né** ~ **né meno** no more, no less; **per di** ~ (*inoltre*) what's more, moreover; **è sempre** ~ **difficile** it is getting more and more difficult; **chi** ~ **chi meno hanno tutti contribuito** everybody made a contribution of some sort; ~ **dormo e** ~ **dormirei** the more I sleep the more I want to sleep

2 (*comparativo*) more; (*se monosillabo, spesso*): + ...**er**; ~ ... **di/che** more ... than; ~ **intelligente di lui** more intelligent than him; ~ **furbo di te** smarter than you; ~ **tardi di** ... later than ...; **lavoro** ~ **di te/di Paola** I work harder than you/than Paola; **è** ~ **fortunato che bravo** he is lucky rather than skilled; ~ **di quanto pensassi** more than I thought; ~ **che altro** mainly; ~ **che mai** more than ever

3 (*superlativo*) most; (*se monosillabico, spesso*): + ...**est**; **il** ~ **grande/intelligente**

the biggest/most intelligent; **è quello che compro ~ spesso** that's the one I buy most often; **al ~ presto** as soon as possible; **al ~ tardi** at the latest

4 (*negazione*): **non ... ~** no more, no longer; **non ho ~ soldi** I've got no more money, I don't have any more money; **non lavoro ~** I'm no longer working, I don't work any more; **non ce n'è ~** there isn't any left; **non c'è ~ nessuno** there's no one left; **non c'è ~ niente da fare** there's nothing more to be done; **a ~ non posso** (*gridare*) at the top of one's voice; (*correre*) as fast as one can

5 (*MAT*) plus; **4 ~ 5 fa 9** 4 plus 5 equals 9; **~ 5 gradi** 5 degrees above freezing, plus 5; **6 ~** (*a scuola*) just above a pass

♦ *prep* plus; **500.000 ~ le spese** 500,000 plus expenses; **siamo in quattro ~ il nonno** there are four of us, plus grandpa

♦ *ag inv* **1**: **~ ... (di)** more ... (than); **~ denaro/tempo** more money/time; **~ persone di quante ci aspettassimo** more people than we expected

2 (*numerosi, diversi*) several; **l'aspettai per ~ giorni** I waited for it for several days

♦ *sm* **1** (*la maggior parte*): **il ~ è fatto** most of it is done; **il ~ delle volte** more often than not, generally; **parlare del ~ e del meno** to talk about this and that

2 (*MAT*) plus (sign)

3: **i ~** the majority.

piuccheper'fetto [pjukkeper'fɛtto] *sm* (*LING*) pluperfect, past perfect.

pi'uma *sf* feather; **~e** *sfpl* down *sg*; (*piumaggio*) plumage *sg*, feathers.

piu'maggio [pju'maddʒo] *sm* plumage, feathers *pl*.

piu'mino *sm* (eider)down; (*per letto*) eiderdown; (: *tipo danese*) duvet, continental quilt; (*giacca*) quilted jacket (*with goose-feather padding*); (*per cipria*) powder puff; (*per spolverare*) feather duster.

piut'tosto *av* rather; **~ che** (*anziché*) rather than.

'piva *sf*: **con le ~e nel sacco** (*fig*) empty-handed.

pi'vello, a *sm/f* greenhorn.

'pizza ['pittsa] *sf* (*CUC*) pizza; (*CINE*) reel.

pizze'ria [pittse'ria] *sf* place where pizzas are made, sold or eaten.

pizzi'cagnolo, a [pittsi'kaɲɲolo] *sm/f* specialist grocer.

pizzi'care [pittsi'kare] *vt* (*stringere*) to nip, pinch; (*pungere*) to sting; to bite; (*MUS*) to

pluck ♦ *vi* (*prudere*) to itch, be itchy; (*cibo*) to be hot *o* spicy.

pizziche'ria [pittsike'ria] *sf* delicatessen (shop).

'pizzico, chi ['pittsiko] *sm* (*pizzicotto*) pinch, nip; (*piccola quantità*) pinch, dash; (*d'insetto*) sting; bite.

pizzi'cotto [pittsi'kɔtto] *sm* pinch, nip.

'pizzo ['pittso] *sm* (*merletto*) lace; (*barbetta*) goatee beard; (*tangente*) protection money.

pla'care *vt* to placate, soothe; **~rsi** *vr* to calm down.

'placca, che *sf* plate; (*con iscrizione*) plaque; (*anche*: **~ dentaria**) (dental) plaque.

plac'care *vt* to plate; **placcato in oro/argento** gold-/silver-plated.

pla'centa [pla't∫ɛnta] *sf* placenta.

placidità [platʃidi'ta] *sf* calm, peacefulness.

'placido, a ['platʃido] *ag* placid, calm.

plafoni'era *sf* ceiling light.

plagi'are [pla'dʒare] *vt* (*copiare*) to plagiarize; (*DIR*: *influenzare*) to coerce.

'plagio ['pladʒo] *sm* plagiarism; (*DIR*) duress.

plaid [plɛd] *sm inv* (travelling) rug (*BRIT*), lap robe (*US*).

pla'nare *vi* (*AER*) to glide.

'plancia, ce ['plantʃa] *sf* (*NAUT*) bridge; (*AUT*: *cruscotto*) dashboard.

'plancton *sm inv* plankton.

plane'tario, a *ag* planetary ♦ *sm* (*locale*) planetarium.

planis'fero *sm* planisphere.

plan'tare *sm* arch support.

'plasma *sm* plasma.

plas'mare *vt* to mould (*BRIT*), mold (*US*), shape.

'plastico, a, ci, che *ag* plastic ♦ *sm* (*rappresentazione*) relief model; (*esplosivo*): **bomba al ~** plastic bomb ♦ *sf* (*arte*) plastic arts *pl*; (*MED*) plastic surgery; (*sostanza*) plastic; **in materiale ~** plastic.

plasti'lina ® *sf* plasticine ®.

'platano *sm* plane tree.

pla'tea *sf* (*TEAT*) stalls *pl* (*BRIT*), orchestra (*US*).

plate'ale *ag* (*gesto, atteggiamento*) theatrical.

plateal'mente *av* theatrically.

'platino *sm* platinum.

pla'tonico, a, ci, che *ag* platonic.

plau'dire *vi*: **~ a** to applaud.

plau'sibile *ag* plausible.

'plauso *sm* (*fig*) approval.

'playback ['plei bæk] *sm*: **cantare in ~** to

mime.

'**playboy** ['plɛibɔi] *sm inv* playboy.

'**playmaker** ['pleimeikə*] *sm/f inv* (*SPORT*) playmaker.

'**play-off** ['plɛiɔf] *sm inv* (*SPORT*) play-off.

ple'baglia [ple'baʎʎa] *sf* (*peg*) rabble, mob.

'**plebe** *sf* common people.

ple'beo, a *ag* plebeian; (*volgare*) coarse, common.

plebi'scito [plebiʃ'ʃito] *sm* plebiscite.

ple'nario, a *ag* plenary.

pleni'lunio *sm* full moon.

plenipotenzi'ario, a [plenipoten'tsjarjo] *ag* plenipotentiary.

'**plenum** *sm inv* plenum.

'**plettro** *sm* plectrum.

'**pleura** *sf* (*ANAT*) pleura.

pleu'rite *sf* pleurisy.

P.L.I. *sigla m* (= *Partito Liberale Italiano*) *former political party*.

'**plico, chi** *sm* (*pacco*) parcel; **in ~ a parte** (*COMM*) under separate cover.

plissé [pli'se] *ag inv* plissé *cpd* ♦ *sm inv* (*anche*: **tessuto ~**) plissé.

plisset'tato, a *ag* plissé *cpd*.

plo'tone *sm* (*MIL*) platoon; **~ d'esecuzione** firing squad.

'**plumbeo, a** *ag* leaden.

plu'rale *ag, sm* plural.

plura'lismo *sm* pluralism.

pluralità *sf* plurality; (*maggioranza*) majority.

plusva'lenza [pluzva'lɛntsa] *sf* capital gain.

plusva'lore *sm* (*ECON*) surplus.

plu'tonio *sm* plutonium.

pluvi'ale *ag* rain *cpd*.

pluvi'ometro *sm* rain gauge.

P.M. *abbr* (*POL*) = **Pubblico Ministero**; (= *Polizia Militare*) MP (= *Military Police*).

pm *abbr* = *peso molecolare*.

PN *sigla* = *Pordenone*.

pneu'matico, a, ci, che *ag* inflatable; (*TECN*) pneumatic ♦ *sm* (*AUT*) tyre (*BRIT*), tire (*US*).

PNL *sigla m vedi* **prodotto nazionale lordo**.

PO *sigla* = *Prato*.

Po *sm*: **il ~** the Po.

po' *av, sm vedi* **poco**.

P.O. *abbr* = *posta ordinaria*.

po'chezza [po'kettsa] *sf* insufficiency, shortage; (*fig*: *meschinità*) meanness, smallness.

===== *PAROLA CHIAVE* =====

'**poco, a, chi, che** *ag* (*quantità*) little, not much; (*numero*) few, not many; **~ pane/ denaro/spazio** little *o* not much bread/ money/space; **con ~a spesa** without

spending much; **a ~ prezzo** at a low price, cheap; **~ (tempo) fa** a short time ago; **~che persone/idee** few *o* not many people/ideas; **è un tipo di ~che parole** he's a man of few words

♦ *av* **1** (*in piccola quantità*) little, not much; (*numero limitato*) few, not many; **guadagna ~** he doesn't earn much, he earns little

2 (*con ag, av*) (a) little, not very; **è ~ più vecchia di lui** she's a little *o* slightly older than him; **è ~ sociévole** he's not very sociable; **sta ~ bene** he isn't very well

3 (*tempo*): **~ dopo/prima** shortly afterwards/before; **il film dura ~** the film doesn't last very long; **ci vediamo molto ~** we don't see each other very often, we hardly ever see each other

4: **un po'** a little, a bit; **è un po' corto** it's a little *o* a bit short; **arriverà fra un po'** he'll arrive shortly *o* in a little while

5: **a dir ~** to say the least; **a ~ a ~** little by little; **per ~ non cadevo** I nearly fell; **è una cosa da ~** it's nothing, it's of no importance; **una persona da ~** a worthless person

♦ *pron* (a) little; **~chi, ~che** *pron pl* (*persone*) few (people); (*cose*) few; **ci vediamo tra ~** see you soon; **~chi lo sanno** not many people know it; **ci vuole tempo ed io ne ho ~** it takes time, and I haven't got much to spare

♦ *sm* **1** little; **vive del ~ che ha** he lives on the little he has

2: **un po'** a little; **un po' di zucchero** a little sugar; **un bel po' di denaro** quite a lot of money; **un po' per ciascuno** a bit each.

po'dere *sm* (*AGR*) farm.

pode'roso, a *ag* powerful.

podestà *sm inv* (*nel fascismo*) podestà, mayor.

'**podio** *sm* dais, platform; (*MUS*) podium.

po'dismo *sm* (*SPORT*: *marcia*) walking; (: *corsa*) running.

po'dista, i, e *sm/f* walker; runner.

po'ema, i *sm* poem.

poe'sia *sf* (*arte*) poetry; (*componimento*) poem.

po'eta, 'essa *sm/f* poet/poetess.

poe'tare *vi* to write poetry.

po'etico, a, ci, che *ag* poetic(al).

poggi'are [pod'dʒare] *vt* to lean, rest; (*posare*) to lay, place.

poggia'testa [poddʒa'tɛsta] *sm inv* (*AUT*) headrest.

'**poggio** ['pɔddʒo] *sm* hillock, knoll.

poggi'olo [pod'dʒɔlo] _sm_ balcony.

'poi _av_ then; (_alla fine_) finally, at last ♦ _sm_: **pensare al** ~ to think of the future; **e** ~ (_inoltre_) and besides; **questa** ~ (**è bella**) (_ironico_) that's a good one!; **d'ora in** ~ from now on; **da domani in** ~ from tomorrow onwards.

poi'ana _sf_ buzzard.

poiché [poi'ke] _cong_ since, as.

pois [pwa] _sm inv_ spot, (polka) dot; **a** ~ spotted, polka-dot _cpd._

'poker _sm_ poker.

po'lacco, a, chi, che _ag_ Polish ♦ _sm/f_ Pole.

po'lare _ag_ polar.

polariz'zare [polarid'dzare] _vt_ (_anche fig_) to polarize.

'polca, che _sf_ polka.

po'lemico, a, ci, che _ag_ polemic(al), controversial ♦ _sf_ controversy; **fare** ~**che** to be contentious.

polemiz'zare [polemid'dzare] _vi_: ~ (**su qc**) to argue (about sth).

po'lenta _sf_ (_CUC_) sort of thick porridge made with maize flour.

polen'tone, a _sm/f_ slowcoach (_BRIT_), slowpoke (_US_).

pole'sano, a _ag_ of (_o_ from) Polesine (_area between the Po and the Adige_).

POL'FER _abbr f_ = Polizia Ferroviaria.

'poli... _prefisso_ poly....

poliambula'torio _sm_ (_MED_) health clinic.

poli'clinico, ci _sm_ general hospital, polyclinic.

poli'edro _sm_ polyhedron.

poli'estere _sm_ polyester.

poliga'mia _sf_ polygamy.

polig'lotta, i, e _ag, sm/f_ polyglot.

po'ligono _sm_ polygon; ~ **di tiro** rifle range.

Poli'nesia _sf_: **la** ~ Polynesia.

polinesi'ano, a _ag, sm/f_ Polynesian.

'polio(mie'lite) _sf_ polio(myelitis).

'polipo _sm_ polyp.

polisti'rolo _sm_ polystyrene.

poli'tecnico, ci _sm_ postgraduate technical college.

po'litica, che _sf vedi_ **politico**.

politi'cante _sm/f_ (_peg_) petty politician.

politiciz'zare [politit∫id'dzare] _vt_ to politicize.

po'litico, a, ci, che _ag_ political ♦ _sm/f_ politician ♦ _sf_ (_scienza_) _sg_; (_linea di condotta_) policy; **elezioni** ~**che** parliamentary (_BRIT_) _o_ congressional (_US_) election(s); **uomo** ~ politician; **darsi alla** ~**a** to go into politics; **fare** ~**a** (_militante_) to be a political activist; (_come professione_) to be in politics; **la** ~**a del governo** the

government's policies; ~**a aziendale** company policy; ~**a estera** foreign policy; ~**a dei prezzi** prices policy; ~**a dei redditi** incomes policy.

poliva'lente _ag_ multi-purpose.

poli'zia [polit'tsia] _sf_ police; ~ **giudiziaria** ≈ Criminal Investigation Department (CID) (_BRIT_), Federal Bureau of Investigation (FBI) (_US_); ~ **sanitaria/ tributaria** health/tax inspectorate; ~ **stradale** traffic police.

> _The function of the **polizia di stato** is to maintain public order, to uphold law and prevent and investigate crime. They are a civil body and employ both male and female officers who perform similar duties. They report to the Minister of the Interior through a national committee on public order and security._

polizi'esco, a, schi, sche [polit'tsjesko] _ag_ police _cpd_; (_film, romanzo_) detective _cpd._

polizi'otto [polit'tsjɔtto] _sm_ policeman; **cane** ~ police dog; **donna** ~ policewoman.

'polizza ['pɔlittsa] _sf_ (_COMM_) bill; ~ **di assicurazione** insurance policy; ~ **di carico** bill of lading.

pol'laio _sm_ henhouse.

pollai'olo, a _sm/f_ poulterer (_BRIT_), poultryman.

pol'lame _sm_ poultry.

pol'lastra _sf_ pullet; (_fig: ragazza_) chick, wench.

pol'lastro _sm_ (_ZOOL_) cockerel.

'pollice ['pɔllit∫e] _sm_ thumb; (_unità di misura_) inch.

'polline _sm_ pollen.

polli'vendolo, a _sm/f_ poulterer (_BRIT_), poultryman.

'pollo _sm_ chicken; **far ridere i** ~**i** (_situazione, persona_) to be utterly ridiculous.

polmo'nare _ag_ lung _cpd_, pulmonary.

pol'mone _sm_ lung.

polmo'nite _sf_ pneumonia.

'polo _sm_ (_GEO, FISICA_) pole; (_gioco_) polo ♦ _sf inv_ (_maglia_) polo shirt; **il P~ sud/nord** the South/North Pole.

Po'lonia _sf_: **la** ~ Poland.

'polpa _sf_ flesh, pulp; (_carne_) lean meat.

pol'paccio [pol'patt∫o] _sm_ (_ANAT_) calf.

polpas'trello _sm_ fingertip.

pol'petta _sf_ (_CUC_) meatball.

polpet'tone _sm_ (_CUC_) meatloaf.

'polpo _sm_ octopus.

pol'poso, a _ag_ fleshy.

pol'sino _sm_ cuff.

'polso _sm_ (_ANAT_) wrist; (_pulsazione_) pulse;

pol'tiglia [pol'tiλλa] *sf* (*composto*) mash, mush; (*di fango e neve*) slush.

pol'trire *vi* to laze about.

pol'trona *sf* armchair; (*TEAT: posto*) seat in the front stalls (*BRIT*) *o* the orchestra (*US*).

poltron'cina [poltron'tʃina] *sf* (*TEAT*) seat in the back stalls (*BRIT*) *o* the orchestra (*US*).

pol'trone *ag* lazy, slothful.

'polvere *sf* dust; (*anche*: ~ **da sparo**) (gun)powder; (*sostanza ridotta minutissima*) powder, dust; **caffè in** ~ instant coffee; **latte in** ~ dried *o* powdered milk; **sapone in** ~ soap powder; ~ **di ferro** iron filings *pl*; ~ **d'oro** gold dust; ~ **pirica** *o* **da sparo** gunpowder.

polveri'era *sf* powder magazine.

polve'rina *sf* (*gen, MED*) powder; (*gergo: cocaina*) snow.

polveriz'zare [polverid'dzare] *vt* to pulverize; (*nebulizzare*) to atomize; (*fig*) to crush, pulverize; (: *record*) to smash.

polve'rone *sm* thick cloud of dust.

polve'roso, a *ag* dusty.

po'mata *sf* ointment, cream.

po'mello *sm* knob.

pomeridi'ano, a *ag* afternoon *cpd*; **nelle ore** ~**e** in the afternoon.

pome'riggio [pome'riddʒo] *sm* afternoon; **nel primo/tardo** ~ in the early/late afternoon.

'pomice ['pomitʃe] *sf* pumice.

pomici'are [pomi'tʃare] *vi* (*fam: sbaciucchiarsi*) to neck.

'pomo *sm* (*mela*) apple; (*ornamentale*) knob; (*di sella*) pommel; ~ **d'Adamo** (*ANAT*) Adam's apple.

pomo'doro *sm* tomato.

'pompa *sf* pump; (*sfarzo*) pomp (and ceremony); ~ **antincendio** fire hose; ~ **di benzina** petrol (*BRIT*) *o* gas (*US*) pump; (*distributore*) filling *o* gas (*US*) station; (*impresa di*) ~**e funebri** funeral parlour *sg* (*BRIT*), undertaker's *sg*, mortician's (*US*).

pom'pare *vt* to pump; (*trarre*) to pump out; (*gonfiare d'aria*) to pump up.

pompei'ano, a *ag* of (*o* from) Pompei.

pom'pelmo *sm* grapefruit.

pompi'ere *sm* fireman.

pom'pon [pom'pɔn] *sm inv* pompom, pompon.

pom'poso, a *ag* pompous.

ponde'rare *vt* to ponder over, consider carefully.

ponde'roso, a *ag* (*anche fig*) weighty.

po'nente *sm* west.

'pongo, 'poni *etc vb vedi* **porre.**

'ponte *sm* bridge; (*di nave*) deck; (: *anche*: ~ **di comando**) bridge; (*impalcatura*) scaffold; **vivere sotto i** ~**i** to be a tramp; **fare il** ~ (*fig*) to take the extra day off (*between 2 public holidays*); **governo** ~ interim government; ~ **aereo** airlift; ~ **di barche** (*MIL*) pontoon bridge; ~ **di coperta** (*NAUT*) upper deck; ~ **levatoio** drawbridge; ~ **radio** radio link; ~ **sospeso** suspension bridge.

pon'tefice [pon'tefitʃe] *sm* (*REL*) pontiff.

ponti'cello [ponti'tʃello] *sm* (*di occhiali, MUS*) bridge.

pontifi'care *vi* (*anche fig*) to pontificate.

pontifi'cato *sm* pontificate.

ponti'ficio, a, ci, cie [ponti'fitʃo] *ag* papal; **Stato P**~ Papal State.

pon'tile *sm* jetty.

'pony ['pɔni] *sm inv* pony.

pool [puːl] *sm inv* (*consorzio*) consortium; (*organismo internazionale*) pool; (*di esperti, ricercatori*) team; (*antimafia, antidroga*) working party.

pop [pɔp] *ag inv* pop *cpd*.

'popcorn ['pɔpkɔːn] *sm inv* popcorn.

'popeline ['pɔpelin] *sm* poplin.

popò *sm inv* (*sedere*) botty.

popo'lano, a *ag* popular, of the people ♦ *sm/f* man/woman of the people.

popo'lare *ag* popular; (*quartiere, clientela*) working-class; (*POL*) of P.P.I. ♦ *sm/f* (*POL*) member (*o* supporter) of P.P.I. ♦ *vt* (*rendere abitato*) to populate; ~**rsi** *vr* to fill with people, get crowded; **manifestazione** ~ mass demonstration; **repubblica** ~ people's republic.

popolarità *sf* popularity.

popolazi'one [popolat'tsjone] *sf* population.

'popolo *sm* people.

popo'loso, a *ag* densely populated.

po'pone *sm* melon.

'poppa *sf* (*di nave*) stern; (*mammella*) breast; ~ **aft**, astern.

pop'pante *sm/f* unweaned infant; (*fig: inesperto*) whippersnapper.

pop'pare *vt* to suck.

pop'pata *sf* (*allattamento*) feed.

poppa'toio *sm* (*feeding*) bottle.

popu'lista, i, e *ag* populist.

por'caio *sm* (*anche fig*) pigsty.

por'cata *sf* (*libro, film etc*) load of rubbish; **fare una** ~ **a qn** to play a dirty trick on sb.

porcel'lana [portʃel'lana] *sf* porcelain,

china; (*oggetto*) piece of porcelain.

porcel'lino, a [portʃel'lino] *sm/f* piglet; ~ **d'India** guinea pig.

porche'ria [porke'ria] *sf* filth, muck; (*fig: oscenità*) obscenity; (: *azione disonesta*) dirty trick; (: *cosa mal fatta*) rubbish.

por'chetta [por'ketta] *sf* roast sucking pig.

por'cile [por'tʃile] *sm* pigsty.

por'cino, a [por'tʃino] *ag* of pigs, pork *cpd* ♦ *sm* (*fungo*) type of edible mushroom.

'porco, ci *sm* pig; (*carne*) pork.

porcos'pino *sm* porcupine.

'porfido *sm* porphyry.

'porgere ['pɔrdʒere] *vt* to hand, give; (*tendere*) to hold out.

'porno *ag inv* porn, porno.

pornogra'fia *sf* pornography.

porno'grafico, a, ci, che *ag* pornographic.

'poro *sm* pore.

po'roso, a *ag* porous.

'porpora *sf* purple.

'porre *vt* (*mettere*) to put; (*collocare*) to place; (*posare*) to lay (down), put (down); (*fig: supporre*): **poniamo (il caso) che ...** let's suppose that ...; **porsi** *vr* (*mettersi*): **porsi a sedere/in cammino** to sit down/set off; ~ **le basi di** (*fig*) to lay the foundations of, establish; ~ **una domanda a qn** to ask sb a question, put a question to sb; ~ **la propria fiducia in qn** to place one's trust in sb; ~ **fine** *o* **termine a qc** to put an end *o* a stop to sth; **posto che ...** supposing that ..., on the assumption that ...; **porsi in salvo** to save o.s.

'porro *sm* (*BOT*) leek; (*MED*) wart.

'porsi *etc vb vedi* **porgere**.

'porta *sf* door; (*SPORT*) goal; (*INFORM*) port; ~**e** *sfpl* (*di città*) gates; **mettere qn alla** ~ to throw sb out; **sbattere** *o* **chiudere la** ~ **in faccia a qn** (*anche fig*) to slam the door in sb's face; **trovare tutte le** ~**e chiuse** (*fig*) to find the way barred; **a** ~**e chiuse** (*DIR*) in camera; **l'inverno è alle** ~**e** (*fig*) winter is upon us; **vendita** ~ **a** ~ door-to-door selling; ~ **di servizio** tradesmen's entrance; ~ **di sicurezza** emergency exit; ~ **stagna** watertight door.

portaba'gagli [portaba'gaʎʎi] *sm inv* (*facchino*) porter; (*AUT, FERR*) luggage rack.

portabandi'era *sm inv* standard bearer.

porta'borse *sm inv* (*peg*) lackey.

portabot'tiglie [portabot'tiʎʎe] *sm inv* bottle rack.

porta'cenere [porta'tʃenere] *sm inv* ashtray.

portachi'avi [porta'kjavi] *sm inv* keyring.

porta'cipria [porta'tʃiprja] *sm inv* powder compact.

porta'erei *sf inv* (*nave*) aircraft carrier ♦ *sm inv* (*aereo*) aircraft transporter.

portafi'nestra, pl portefi'nestre *sf* French window.

porta'foglio [porta'fɔʎʎo] *sm* (*busta*) wallet; (*cartella*) briefcase; (*POL, BORSA*) portfolio; ~ **titoli** investment portfolio.

portagi'oie [porta'dʒɔje] *sm inv*, **portagioi'elli** [portadʒo'jelli] *sm inv* jewellery (*BRIT*) *o* jewelry (*US*) box.

por'tale *sm* portal.

porta'lettere *sm/f inv* postman/woman (*BRIT*), mailman/woman (*US*).

porta'mento *sm* carriage, bearing.

portamo'nete *sm inv* purse.

por'tante *ag* (*muro etc*) supporting, load-bearing.

portan'tina *sf* sedan chair; (*per ammalati*) stretcher.

portaog'getti [portaod'dʒetti] *ag inv*: **vano** ~ (*in macchina*) glove compartment.

portaom'brelli *sm inv* umbrella stand.

porta'pacchi [porta'pakki] *sm inv* (*di moto, bicicletta*) luggage rack.

por'tare *vt* (*sostenere, sorreggere: peso, bambino, pacco*) to carry; (*indossare: abito, occhiali*) to wear; (: *capelli lunghi*) to have; (*avere: nome, titolo*) to have, bear; (*recare*): ~ **qc a qn** to take (*o* bring) sth to sb; (*fig: sentimenti*) to bear; ~**rsi** *vr* (*recarsi*) to go; ~ **avanti** (*discorso, idea*) to pursue; ~ **via** to take away; (*rubare*) to take; ~ **i bambini a spasso** to take the children for a walk; ~ **fortuna** to bring good luck; ~ **qc alla bocca** to lift *o* put sth to one's lips; **porta bene i suoi anni** he's wearing well; **dove porta questa strada?** where does this road lead?, where does this road take you?; **il documento porta la tua firma** the document has *o* bears your signature; **non gli porto rancore** I don't bear him a grudge; **la polizia si è portata sul luogo del disastro** the police went to the scene of the disaster.

portarit'ratti *sm inv* photo(graph) frame.

portari'viste *sm inv* magazine rack.

portasa'pone *sm inv* soap dish.

portasiga'rette *sm inv* cigarette case.

portas'pilli *sm inv* pincushion.

por'tata *sf* (*vivanda*) course; (*AUT*) carrying (*o* loading) capacity; (*di arma*) range; (*volume d'acqua*) (rate of) flow; (*fig: limite*) scope, capability; (: *importanza*) impact, import; **alla** ~ **di tutti** (*conoscenza*) within everybody's capabilities; (*prezzo*) within everybody's means; **a/fuori** ~ **(di)** within/out of reach (of); **a** ~ **di mano**

within (arm's) reach; **di grande** ~ of great importance.
por'tatile *ag* portable.
por'tato, a *ag* (*incline*): ~ **a** inclined *o* apt to.
porta'tore, 'trice *sm/f* (*anche COMM*) bearer; (*MED*) carrier; **pagabile al** ~ payable to the bearer; ~ **di handicap** disabled person.
portatovagli'olo [portatovaʎ'ʎɔlo] *sm* napkin ring.
portau'ovo *sm inv* eggcup.
porta'voce [porta'votʃe] *sm/f inv* spokesman/woman.
por'tello *sm* (*di portone*) door; (*NAUT*) hatch.
portel'lone *sm* (*NAUT, AER*) hold door.
por'tento *sm* wonder, marvel.
porten'toso, a *ag* wonderful, marvellous (*BRIT*), marvelous (*US*).
porti'cato *sm* portico.
'portico, ci *sm* portico; (*riparo*) lean-to.
porti'era *sf* (*AUT*) door.
porti'ere *sm* (*portinaio*) concierge, caretaker; (*di hotel*) porter; (*nel calcio*) goalkeeper.
porti'naio, a *sm/f* concierge, caretaker.
portine'ria *sf* caretaker's lodge.
'porto, a *pp di* **porgere** ♦ *sm* (*NAUT*) harbour (*BRIT*), harbor (*US*), port; (*spesa di trasporto*) carriage ♦ *sm inv* port (wine); **andare** *o* **giungere in** ~ (*fig*) to come to a successful conclusion; **condurre qc in** ~ to bring sth to a successful conclusion; ~ **d'armi** gun licence (*BRIT*) *o* license (*US*); ~ **fluviale** river port; ~ **franco** free port; ~ **marittimo** seaport; ~ **militare** naval base; ~ **pagato** carriage paid, post free *o* paid; ~ **di scalo** port of call.
Porto'gallo *sm*: **il** ~ Portugal.
porto'ghese [porto'geze] *ag, sm/f, sm* Portuguese *inv*.
por'tone *sm* main entrance, main door.
portori'cano, a *ag, sm/f* Puerto Rican.
Porto'rico *sf* Puerto Rico.
portu'ale *ag* harbour *cpd* (*BRIT*), harbor *cpd* (*US*), port *cpd* ♦ *sm* dock worker.
porzi'one [por'tsjone] *sf* portion, share; (*di cibo*) portion, helping.
'posa *sf* (*FOT*) exposure; (*atteggiamento, di modello*) pose; (*riposo*): **lavorare senza** ~ to work without a break; **mettersi in** ~ to pose; **teatro di** ~ photographic studio.
posa'cenere [posa'tʃenere] *sm inv* ashtray.
po'sare *vt* to put (down), lay (down) ♦ *vi* (*ponte, edificio, teoria*): ~ **su** to rest on; (*FOT, atteggiarsi*) to pose; ~**rsi** *vr* (*ape, aereo*) to land; (*uccello*) to alight;

(*sguardo*) to settle.
po'sata *sf* piece of cutlery; ~**e** *sfpl* cutlery *sg*.
posa'tezza [posa'tettsa] *sf* (*di persona*) composure; (*di discorso*) balanced nature.
po'sato, a *ag* steady; (*discorso*) balanced.
pos'critto *sm* postscript.
'posi *etc vb vedi* **porre.**
positiva'mente *av* positively; (*rispondere*) in the affirmative, affirmatively.
posi'tivo, a *ag* positive.
posizi'one [pozit'tsjone] *sf* position; **farsi una** ~ to make one's way in the world; **prendere** ~ (*fig*) to take a stand; **luci di** ~ (*AUT*) sidelights.
posolo'gia, 'gie [pozolo'dʒia] *sf* dosage, directions *pl* for use.
pos'porre *vt* to place after; (*differire*) to postpone, defer.
pos'posto, a *pp di* **posporre.**
posse'dere *vt* to own, possess; (*qualità, virtù*) to have, possess; (*conoscere a fondo: lingua etc*) to have a thorough knowledge of; (*sog: ira etc*) to possess.
possedi'mento *sm* possession.
pos'sente *ag* strong, powerful.
posses'sivo, a *ag* possessive.
pos'sesso *sm* possession; **essere in** ~ **di qc** to be in possession of sth; **prendere** ~ **di qc** to take possession of sth; **entrare in** ~ **dell'eredità** to come into one's inheritance.
posses'sore *sm* owner.
pos'sibile *ag* possible ♦ *sm*: **fare tutto il** ~ to do everything possible; **nei limiti del** ~ as far as possible; **al più tardi** ~ as late as possible; **vieni prima** ~ come as soon as possible.
possibi'lista, i, e *ag*: **essere** ~ to keep an open mind.
possibilità *sf inv* possibility ♦ *sfpl* (*mezzi*) means; **aver la** ~ **di fare** to be in a position to do; to have the opportunity to do; **nei limiti delle nostre** ~ in so far as we can.
possibil'mente *av* if possible.
possi'dente *sm/f* landowner.
possi'edo *etc vb vedi* **possedere.**
'posso *etc vb vedi* **potere.**
'posta *sf* (*servizio*) post, postal service; (*corrispondenza*) post, mail; (*ufficio postale*) post office; (*nei giochi d'azzardo*) stake; (*CACCIA*) hide (*BRIT*), blind (*US*); ~**e** *sfpl* (*amministrazione*) post office; **fare la** ~ **a qn** (*fig*) to lie in wait for sb; **la** ~ **in gioco è troppo alta** (*fig*) there's too much at stake; **a bella** ~ (*apposta*) on purpose;

piccola ~ (*su giornale*) letters to the editor, letters page; ~ **aerea** airmail; ~ **elettronica** electronic mail; ~ **ordinaria** ≈ second-class mail; **P~e e Telecomunicazioni (PP.TT.)** *postal and telecommunications service*; **ministro delle P~e e Telecomunicazioni** Postmaster General.

posta'giro [posta'dʒiro] *sm* post office cheque (*BRIT*) o check (*US*), postal giro (*BRIT*).

pos'tale *ag* postal, post office *cpd* ♦ *sm* (*treno*) mail train; (*nave*) mail boat; (*furgone*) mail van; **timbro** ~ postmark.

postazi'one [postat'tsjone] *sf* (*MIL*) emplacement.

post'bellico, a, ci, che *ag* postwar.

postda'tare *vt* to postdate.

posteggi'are [posted'dʒare] *vt, vi* to park.

posteggia'tore, 'trice [posteddʒa'tore] *sm/f* car-park attendant (*BRIT*), parking-lot attendant (*US*).

pos'teggio [pos'teddʒo] *sm* car park (*BRIT*), parking lot (*US*); (*di taxi*) rank (*BRIT*), stand (*US*).

postelegra'fonico, a, ci, che *ag* postal and telecommunications *cpd*.

'posteri *smpl* posterity *sg*; **i nostri** ~ our descendants.

posteri'ore *ag* (*dietro*) back; (*dopo*) later ♦ *sm* (*fam: sedere*) behind.

posteri'ori: a ~ *ag inv* after the event (*dopo sostantivo*) ♦ *av* looking back.

posterità *sf* posterity.

pos'ticcio, a, ci, ce [pos'tittʃo] *ag* false ♦ *sm* hairpiece.

postici'pare [postitʃi'pare] *vt* to defer, postpone.

pos'tilla *sf* marginal note.

pos'tino *sm* postman (*BRIT*), mailman (*US*).

'posto, a *pp di* **porre** ♦ *sm* (*sito, posizione*) place; (*impiego*) job; (*spazio libero*) room, space; (*di parcheggio*) space; (*sedile: al teatro, in treno etc*) seat; (*MIL*) post; **a** ~ (*in ordine*) in place, tidy; (*fig*) settled; (: *persona*) reliable; **mettere a** ~ (*riordinare*) to tidy (up), put in order; (*faccende: sistemare*) to straighten out; **prender** ~ to take a seat; **al** ~ **di** in place of; **sul** ~ on the spot; ~ **di blocco** roadblock; ~ **di lavoro** job; ~ **di polizia** police station; ~ **telefonico pubblico (P.T.P.)** public telephone; ~ **di villeggiatura** holiday (*BRIT*) o tourist spot; ~**i in piedi** (*TEAT, in autobus*) standing room.

postopera'torio, a *ag* (*MED*) postoperative.

pos'tribolo *sm* brothel.

post'scriptum *sm inv* postscript.

'postumo, a *ag* posthumous; (*tardivo*) belated; ~**i** *smpl* (*conseguenze*) after-effects, consequences.

po'tabile *ag* drinkable; **acqua** ~ drinking water.

po'tare *vt* to prune.

po'tassio *sm* potassium.

pota'tura *sf* pruning.

po'tente *ag* (*nazione*) strong, powerful; (*veleno, farmaco*) potent, strong.

poten'tino, a *ag* of (o from) Potenza.

Po'tenza [po'tɛntsa] *sf* Potenza.

po'tenza [po'tɛntsa] *sf* power; (*forza*) strength; **all'ennesima** ~ to the nth degree; **le Grandi P~e** the Great Powers; ~ **militare** military might o strength.

potenzi'ale [poten'tsjale] *ag, sm* potential.

potenzia'mento [potentsja'mento] *sm* development.

potenzi'are [poten'tsjare] *vt* to develop.

━━━━━━━━━━━━━━━━ *PAROLA CHIAVE*

po'tere *sm* power; **al** ~ (*partito etc*) in power; ~ **d'acquisto** purchasing power; ~ **esecutivo** executive power; ~ **giudiziario** legal power; ~ **legislativo** legislative power

♦ *vb aus* **1** (*essere in grado di*) can, be able to; **non ha potuto ripararlo** he couldn't o he wasn't able to repair it; **non è potuto venire** he couldn't o he wasn't able to come; **spiacente di non poter aiutare** sorry not to be able to help

2 (*avere il permesso*) can, may, be allowed to; **posso entrare?** can o may I come in?; **posso chiederti dove sei stato?** where, may I ask, have you been?

3 (*eventualità*) may, might, could; **potrebbe essere vero** it might o could be true; **può aver avuto un incidente** he may o might o could have had an accident; **può darsi** perhaps; **può darsi** o **può essere che non venga** he may o might not come

4 (*augurio*): **potessi almeno parlargli!** if only I could speak to him!

5 (*suggerimento*): **potresti almeno scusarti!** you could at least apologize!

♦ *vt* can, be able to; **può molto per noi** he can do a lot for us; **non ne posso più** (*per stanchezza*) I'm exhausted; (*per rabbia*) I can't take any more.

potestà *sf* (*potere*) power; (*DIR*) authority.

potrò *etc vb vedi* **potere**.

pove'raccio, a, ci, ce [pove'rattʃo] *sm/f* poor devil.

'**povero, a** *ag* poor; (*disadorno*) plain, bare ♦ *sm/f* poor man/woman; **i** ~**i** the poor; ~ **di** lacking in, having little; **minerale** ~ **di ferro** ore with a low iron content; **paese** ~ **di risorse** country short of *o* lacking in resources.

povertà *sf* poverty.

pozi'one [pot'tsjone] *sf* potion.

'**pozza** ['pottsa] *sf* pool.

poz'zanghera [pot'tsangera] *sf* puddle.

'**pozzo** ['pottso] *sm* well; (*cava: di carbone*) pit; (*di miniera*) shaft; ~ **nero** cesspit; ~ **petrolifero** oil well.

pp. *abbr* (= *pagine*) pp.

p.p. *abbr* (= *per procura*) pp.

P.P.I. *sigla m* (*POL*) (= *Partito Popolare Italiano*) *party originating from D.C.*

PP.SS. *abbr* = **partecipazioni statali.**

PP.TT. *abbr* = **Poste e Telecomunicazioni**; *vedi* **posta.**

PR *sigla* = *Parma* ♦ *sigla m* (*POL*) = *Partito Radicale.*

P.R. *abbr* = **piano regolatore; procuratore della Repubblica.**

'**Praga** *sf* Prague.

prag'matico, a, ci, che *ag* pragmatic.

pram'matica *sf* custom; **essere di** ~ to be customary.

pran'zare [pran'dzare] *vi* to dine, have dinner; to lunch, have lunch.

'**pranzo** ['prandzo] *sm* dinner; (*a mezzogiorno*) lunch.

'**prassi** *sf* usual procedure.

'**pratica, che** *sf* practice; (*esperienza*) experience; (*conoscenza*) knowledge, familiarity; (*tirocinio*) training, practice; (*AMM: affare*) matter, case; (: *incartamento*) file, dossier; **in** ~ (*praticamente*) in practice; **mettere in** ~ to put into practice; **fare le** ~**che per** (*AMM*) to do the paperwork for; ~ **restrittiva** restrictive practice; ~**che illecite** dishonest practices.

prati'cabile *ag* (*progetto*) practicable, feasible; (*luogo*) passable, practicable.

pratica'mente *av* (*in modo pratico*) in a practical way, practically; (*quasi*) practically, almost.

prati'cante *sm/f* apprentice, trainee; (*REL*) (regular) churchgoer.

prati'care *vt* to practise (*BRIT*), practice (*US*); (*SPORT: tennis etc*) to play; (: *nuoto, scherma etc*) to go in for; (*eseguire: apertura, buco*) to make; ~ **uno sconto** to give a discount.

praticità [pratit∫i'ta] *sf* practicality, practicalness; **per** ~ for practicality's sake.

'**pratico, a, ci, che** *ag* practical; ~ **di** (*esperto*) experienced *o* skilled in; (*familiare*) familiar with; **all'atto** ~ in practice; **è** ~ **del mestiere** he knows his trade; **mi è più** ~ **venire di pomeriggio** it's more convenient for me to come in the afternoon.

'**prato** *sm* meadow; (*di giardino*) lawn.

preal'larme *sm* warning (signal).

Pre'alpi *sfpl*: **le** ~ (the) Pre-Alps.

preal'pino, a *ag* of the Pre-Alps.

pre'ambolo *sm* preamble; **senza tanti** ~**i** without beating about (*BRIT*) *o* around (*US*) the bush.

preannunci'are [preannun't∫are], **preannunzi'are** [preannun'tsjare] *vt* to give advance notice of.

preavvi'sare *vt* to give advance notice of.

preav'viso *sm* notice; **telefonata con** ~ personal *o* person to person call.

pre'bellico, a, ci, che *ag* prewar *cpd*.

precari'ato *sm* temporary employment.

precarietà *sf* precariousness.

pre'cario, a *ag* precarious; (*INS*) temporary, without tenure.

precauzio'nale [prekauttsjo'nale] *ag* precautionary.

precauzi'one [prekaut'tsjone] *sf* caution, care; (*misura*) precaution; **prendere** ~**i** to take precautions.

prece'dente [pret∫e'dɛnte] *ag* previous ♦ *sm* precedent; **il discorso/film** ~ the previous *o* preceding speech/film; **senza** ~**i** unprecedented; ~**i penali** (*DIR*) criminal record *sg*.

precedente'mente [pret∫edente'mente] *av* previously.

prece'denza [pret∫e'dɛntsa] *sf* priority, precedence; (*AUT*) right of way; **dare** ~ **assoluta a qc** to give sth top priority.

pre'cedere [pre't∫ɛdere] *vt* to precede, go (*o* come) before.

precet'tare [pret∫et'tare] *vt* (*lavoratori*) to order back to work (*via an injunction*).

precettazi'one [pret∫ettat'tsjone] *sf* (*di lavoratori*) order to resume work.

pre'cetto [pre't∫ɛtto] *sm* precept; (*MIL*) call-up notice.

precet'tore [pret∫et'tore] *sm* (private) tutor.

precipi'tare [pret∫ipi'tare] *vi* (*cadere*) to fall headlong; (*fig: situazione*) to get out of control ♦ *vt* (*gettare dall'alto in basso*) to hurl, fling, (*fig: affrettare*) to rush; ~**rsi** *vr* (*gettarsi*) to hurl *o* fling o.s.; (*affrettarsi*) to rush.

precipi'tato, a [pret∫ipi'tato] *ag* hasty ♦ *sm* (*CHIM*) precipitate.

precipitazi'one [pretʃipitat'tsjone] *sf*
(*METEOR*) precipitation; (*fig*) haste.
precipi'toso, a [pretʃipi'toso] *ag* (*caduta,*
fuga) headlong; (*fig: avventato*) rash,
reckless; (: *affrettato*) hasty, rushed.
preci'pizio [pretʃi'pittsjo] *sm* precipice; **a** ~
(*fig: correre*) headlong.
pre'cipuo, a [pre'tʃipuo] *ag* principal, main.
precisa'mente [pretʃiza'mente] *av* (*gen*)
precisely; (*con esattezza*) exactly.
preci'sare [pretʃi'zare] *vt* to state, specify;
(*spiegare*) to explain (in detail); **vi**
preciseremo la data in seguito we'll let
you know the exact date later; **tengo a** ~
che ... I must point out that ....
precisazi'one [pretʃizat'tsjone] *sf*
clarification.
precisi'one [pretʃi'zjone] *sf* precision;
accuracy; **strumenti di** ~ precision
instruments.
pre'ciso, a [pre'tʃizo] *ag* (*esatto*) precise;
(*accurato*) accurate, precise; (*deciso: idea*)
precise, definite; (*uguale*): **2 vestiti** ~**i** 2
dresses exactly the same; **sono le 9** ~**e**
it's exactly 9 o'clock.
pre'cludere *vt* to block, obstruct.
pre'cluso, a *pp di* **precludere.**
pre'coce [pre'kɔtʃe] *ag* early; (*bambino*)
precocious; (*vecchiaia*) premature.
precocità [prekotʃi'ta] *sf* (*di morte*)
untimeliness; (*di bambino*)
precociousness.
precon'cetto, a [prekon'tʃɛtto] *ag*
preconceived ♦ *sm* preconceived idea,
prejudice.
pre'correre *vt* to anticipate; ~ **i tempi** to
be ahead of one's time.
precorri'tore, 'trice *sm/f* precursor,
forerunner.
pre'corso, a *pp di* **precorrere.**
precur'sore *sm* forerunner, precursor.
'preda *sf* (*bottino*) booty; (*animale, fig*) prey;
essere ~ **di** to fall prey to; **essere in** ~ **a**
to be prey to.
pre'dare *vt* to plunder.
preda'tore *sm* predator.
predeces'sore, a [predetʃes'sore] *sm/f*
predecessor.
pre'della *sf* platform, dais; altar-step.
predesti'nare *vt* to predestine.
predestinazi'one [predestinat'tsjone] *sf*
predestination.
pre'detto, a *pp di* **predire** ♦ *ag* aforesaid,
aforementioned.
'predica, che *sf* sermon; (*fig*) lecture,
talking-to.
predi'care *vt, vi* to preach.
predica'tivo, a *ag* predicative.

predi'cato *sm* (*LING*) predicate.
predi'letto, a *pp di* **prediligere** ♦ *ag, sm/f*
favourite (*BRIT*), favorite (*US*).
predilezi'one [predilet'tsjone] *sf* fondness,
partiality; **avere una** ~ **per qc/qn** to be
partial to sth/fond of sb.
predi'ligere [predi'lidʒere] *vt* to prefer,
have a preference for.
pre'dire *vt* to foretell, predict.
predis'porre *vt* to get ready, prepare; ~
qn a qc to predispose sb to sth.
predisposizi'one [predispozit'tsjone] *sf*
(*MED*) predisposition; (*attitudine*) bent,
aptitude; **avere** ~ **alla musica** to have a
bent for music.
predis'posto, a *pp di* **predisporre.**
predizi'one [predit'tsjone] *sf* prediction.
predomi'nante *ag* predominant.
predomi'nare *vi* (*prevalere*) to
predominate; (*eccellere*) to excel.
predo'minio *sm* predominance;
supremacy.
preesis'tente *ag* pre-existent.
pree'sistere *vi* to pre-exist.
preesis'tito, a *pp di* **preesistere.**
prefabbri'cato, a *ag* (*EDIL*) prefabricated.
prefazi'one [prefat'tsjone] *sf* preface,
foreword.
prefe'renza [prefe'rɛntsa] *sf* preference; **a**
~ **di** rather than; **di** ~ preferably, by
preference; **non ho** ~**e** I have no
preferences either way, I don't mind.
preferenzi'ale [preferen'tsjale] *ag*
preferential; **corsia** ~ (*AUT*) bus and taxi
lane.
prefe'ribile *ag*: ~ (**a**) preferable (to), better
(than); **sarebbe** ~ **andarsene** it would be
better to go.
preferibil'mente *av* preferably.
prefe'rire *vt* to prefer, like better; ~ **il**
caffè al tè to prefer coffee to tea, like
coffee better than tea.
pre'fetto *sm* prefect.
prefet'tura *sf* prefecture.
pre'figgersi [pre'fiddʒersi] *vr*: ~**rsi uno**
scopo to set o.s. a goal.
prefigu'rare *vt* (*simboleggiare*) to
foreshadow; (*prevedere*) to foresee.
pre'fisso, a *pp di* **prefiggersi** ♦ *sm* (*LING*)
prefix; (*TEL*) dialling (*BRIT*) o dial (*US*)
code.
Preg. *abbr* = **pregiatissimo.**
pre'gare *vi* to pray ♦ *vt* (*REL*) to pray to;
(*implorare*) to beg; (*chiedere*): ~ **qn di fare**
to ask sb to do; **farsi** ~ to need coaxing o
persuading.
pre'gevole [pre'dʒevole] *ag* valuable.
pregherò *etc* [prege'rɔ] *vb vedi* **pregare.**

preghi'era [pre'gjɛra] *sf* (*REL*) prayer; (*domanda*) request.

pregi'arsi [pre'dʒarsi] *vr*: **mi pregio di farle sapere che ...** I am pleased to inform you that ....

pregia'tissimo, a [predʒa'tissimo] *ag* (*in lettere*): ~ **Signor G. Agnelli** G. Agnelli Esquire.

pregi'ato, a [pre'dʒato] *ag* (*opera*) valuable; (*tessuto*) fine; (*valuta*) strong; **vino** ~ vintage wine.

'pregio ['prɛdʒo] *sm* (*stima*) esteem, regard; (*qualità*) (good) quality, merit; (*valore*) value, worth; **il** ~ **di questo sistema è ...** the merit of this system is ...; **oggetto di** ~ valuable object.

pregiudi'care [predʒudi'kare] *vt* to prejudice, harm, be detrimental to.

pregiudi'cato, a [predʒudi'kato] *sm/f* (*DIR*) previous offender.

pregiu'dizio [predʒu'dittsjo] *sm* (*idea errata*) prejudice; (*danno*) harm *no pl.*

preg'nante [preɲ'ɲante] *ag* (*fig*) pregnant, meaningful.

'pregno, a ['preɲɲo] *ag* (*saturo*): ~ **di** full of, saturated with.

'prego *escl* (*a chi ringrazia*) don't mention it!; (*invitando qn ad accomodarsi*) please sit down!; (*invitando qn ad andare prima*) after you!

pregus'tare *vt* to look forward to.

preis'toria *sf* prehistory.

preis'torico, a, ci, che *ag* prehistoric.

pre'lato *sm* prelate.

prela'vaggio [prela'vaddʒo] *sm* pre-wash.

prelazi'one [prelat'tsjone] *sf* (*DIR*) pre-emption; **avere il diritto di** ~ **su qc** to have the first option on sth.

preleva'mento *sm* (*BANCA*) withdrawal; (*di merce*) picking up, collection.

prele'vare *vt* (*denaro*) to withdraw; (*campione*) to take; (*merce*) to pick up, collect; (*sog: polizia*) to take, capture.

preli'evo *sm* (*BANCA*) withdrawal; (*MED*): **fare un** ~ (**di**) to take a sample (of).

prelimi'nare *ag* preliminary; ~**i** *smpl* preliminary talks; preliminaries.

pre'ludere *vi*: ~ **a** (*preannunciare: crisi, guerra, temporale*) to herald, be a sign of; (*introdurre: dibattito etc*) to introduce, be a prelude to.

pre'ludio *sm* prelude.

pre'luso, a *pp di* **preludere**.

pre-ma'man [prema'mã] *sm inv* maternity dress.

prematrimoni'ale *ag* premarital.

prema'turo, a *ag* premature.

premedi'tare *vt* to premeditate, plan.

premeditazi'one [premeditat'tsjone] *sf* (*DIR*) premeditation; **con** ~ *ag* premeditated ♦ *av* with intent.

'premere *vt* to press ♦ *vi*: ~ **su** to press down on; (*fig*) to put pressure on; ~ **a** (*fig: importare*) to matter to; ~ **il grilletto** to pull the trigger.

pre'messo, a *pp di* **premettere** ♦ *sf* introductory statement, introduction; **mancano le** ~**e per una buona riuscita** we lack the basis for a successful outcome.

pre'mettere *vt* to put before; (*dire prima*) to start by saying, state first; **premetto che ...** I must say first of all that ...; **premesso che ...** given that ...; **ciò premesso ...** that having been said ....

premi'are *vt* to give a prize to; (*fig: merito, onestà*) to reward.

premiazi'one [premjat'tsjone] *sf* prize giving.

'premier ['prɛmjer] *sm inv* premier.

premi'nente *ag* pre-eminent.

'premio *sm* prize; (*ricompensa*) reward; (*COMM*) premium; (*AMM: indennità*) bonus; **in** ~ **per** as a prize (*o* reward) for; ~ **d'ingaggio** (*SPORT*) signing-on fee; ~ **di produzione** productivity bonus.

pre'misi *etc vb vedi* **premettere**.

premoni'tore, 'trice *ag* premonitory.

premonizi'one [premonit'tsjone] *sf* premonition.

premu'nirsi *vr*: ~ **di** to provide o.s. with; ~ **contro** to protect o.s. from, guard o.s. against.

pre'mura *sf* (*fretta*) haste, hurry; (*riguardo*) attention, care; **aver** ~ to be in a hurry; **far** ~ **a qn** to hurry sb; **usare ogni** ~ **nei riguardi di qn, circondare qn di** ~**e** to be very attentive to sb.

premu'roso, a *ag* thoughtful, considerate.

prena'tale *ag* antenatal.

'prendere *vt* to take; (*andare a prendere*) to get, fetch; (*ottenere*) to get; (*guadagnare*) to get, earn; (*catturare: ladro, pesce*) to catch; (*collaboratore, dipendente*) to take on; (*passeggero*) to pick up; (*chiedere: somma, prezzo*) to charge, ask; (*trattare: persona*) to handle ♦ *vi* (*colla, cemento*) to set; (*pianta*) to take; (*fuoco: nel camino*) to catch; (*voltare*): ~ **a destra** to turn (to the) right; ~**rsi** *vr* (*azzuffarsi*): ~**rsi a pugni** to come to blows; **prende qualcosa?** (*da bere, da mangiare*) would you like something to eat (*o* drink)?; **prendo un caffè** I'll have a coffee; ~ **a fare qc** to start doing sth; ~ **qn/qc per** (*scambiare*) to take sb/sth for; ~ **l'abitudine di** to get into the habit of; ~ **fuoco** to catch fire; ~ **le generalità di qn**

to take down sb's particulars; ~ **nota di** to take note of; ~ **parte a** to take part in; ~**rsi cura di qn/qc** to look after sb/sth; ~**rsi un impegno** to take on a commitment; **prendersela** (*adirarsi*) to get annoyed; (*preoccuparsi*) to get upset, worry.

prendi'sole *sm inv* sundress.

preno'tare *vt* to book, reserve.

prenotazi'one [prenotat'tsjone] *sf* booking, reservation.

'**prensile** *ag* prehensile.

preoccu'pante *ag* worrying.

preoccu'pare *vt* to worry; ~**rsi** *vr*: ~**rsi di qn/qc** to worry about sb/sth; ~**rsi per qn** to be anxious for sb.

preoccupazi'one [preokkupat'tsjone] *sf* worry, anxiety.

preordi'nato, a *ag* preordained.

prepa'rare *vt* to prepare; (*esame, concorso*) to prepare for; ~**rsi** *vr* (*vestirsi*) to get ready; ~**rsi a qc/a fare** to get ready *o* prepare (o.s.) for sth/to do; ~ **da mangiare** to prepare a meal.

prepara'tivi *smpl* preparations.

prepa'rato, a *ag* (*gen*) prepared; (*pronto*) ready ♦ *sm* (*prodotto*) preparation.

prepara'torio, a *ag* preparatory.

preparazi'one [preparat'tsjone] *sf* preparation; **non ha la necessaria ~ per svolgere questo lavoro** he lacks the qualifications necessary for the job.

prepensiona'mento *sm* early retirement.

preponde'rante *ag* predominant.

pre'porre *vt* to place before; (*fig*) to prefer.

preposizi'one [prepozit'tsjone] *sf* (*LING*) preposition.

pre'posto, a *pp di* **preporre.**

prepo'tente *ag* (*persona*) domineering, arrogant; (*bisogno, desiderio*) overwhelming, pressing ♦ *sm/f* bully.

prepo'tenza [prepo'tentsa] *sf* arrogance; (*comportamento*) arrogant behaviour (*BRIT*) *o* behavior (*US*).

pre'puzio [pre'puttsjo] *sm* (*ANAT*) foreskin.

preroga'tiva *sf* prerogative.

'**presa** *sf* taking *no pl*; catching *no pl*; (*di città*) capture; (*indurimento: di cemento*) setting; (*appiglio, SPORT*) hold; (*di acqua, gas*) (supply) point; (*ELETTR*): ~ (**di corrente**) socket; (: *al muro*) point; (*piccola quantità: di sale etc*) pinch; (*CARTE*) trick; **far ~** (*colla*) to set; **ha fatto ~ sul pubblico** (*fig*) it caught the public's imagination; **a ~ rapida** (*cemento*) quick-setting; **di forte ~** (*fig*) with wide appeal; **essere alle ~e con qc** (*fig*) to be struggling with sth;

macchina da ~ (*CINE*) cine camera (*BRIT*), movie camera (*US*); ~ **d'aria** air inlet; ~ **diretta** (*AUT*) direct drive; ~ **in giro** leg-pull (*BRIT*), joke; ~ **di posizione** stand.

pre'sagio [pre'zadʒo] *sm* omen.

presa'gire [preza'dʒire] *vt* to foresee.

presa'lario *sm* (*INS*) grant.

'**presbite** *ag* long-sighted.

presbiteri'ano, a *ag, sm/f* Presbyterian.

presbi'terio *sm* presbytery.

pre'scindere [preʃ'ʃindere] *vi*: ~ **da** to leave out of consideration; **a ~ da** apart from.

pre'scisso, a [preʃ'ʃisso] *pp di* **prescindere.**

presco'lastico, a, ci, che *ag* pre-school *cpd*.

pres'critto, a *pp di* **prescrivere.**

pres'crivere *vt* to prescribe.

prescrizi'one [preskrit'tsjone] *sf* (*MED, DIR*) prescription; (*norma*) rule, regulation; **cadere in ~** (*DIR*) to become statute-barred.

'**prese** *etc vb vedi* **prendere.**

presen'tare *vt* to present; (*far conoscere*): ~ **qn (a)** to introduce sb (to); (*AMM: inoltrare*) to submit; ~**rsi** *vr* (*recarsi, farsi vedere*) to present o.s., appear; (*farsi conoscere*) to introduce o.s.; (*occasione*) to arise; ~ **qc in un'esposizione** to show *o* display sth at an exhibition; ~ **qn in società** to introduce sb into society; ~**rsi come candidato** (*POL*) to stand (*BRIT*) *o* run (*US*) as a candidate; ~**rsi bene/male** to have a good/poor appearance; **la situazione si presenta difficile** things aren't looking too good, things look a bit tricky.

presentazi'one [prezentat'tsjone] *sf* presentation; introduction.

pre'sente *ag* present; (*questo*) this ♦ *sm* present ♦ *sf* (*lettera*): **con la ~ vi comunico ...** this is to inform you that ... ♦ *sm/f* person present; **i ~i** those present; **aver ~ qc/qn** to remember sth/sb; **essere ~ a una riunione** to be present at *o* attend a meeting; **tener ~ qn/qc** to keep sb/sth in mind; **esclusi i ~i** present company excepted.

presenti'mento *sm* premonition.

pre'senza [pre'zentsa] *sf* presence; (*aspetto esteriore*) appearance; **in ~ di** in (the) presence of; **di bella ~** of good appearance; ~ **di spirito** presence of mind.

presenzi'are [prezen'tsjare] *vi*: ~ **a** to be present at, attend.

pre'sepio, pre'sepe *sm* crib.

preser'vare *vt* to protect.

preserva'tivo *sm* sheath, condom.

'presi *etc vb vedi* **prendere.**

'preside *sm/f (INS)* head (teacher) *(BRIT)*, principal *(US)*; *(di facoltà universitaria)* dean.

presi'dente *sm (POL)* president; *(di assemblea, COMM)* chairman; **il P~ della Camera** *(POL)* ≈ the Speaker; **P~ del Consiglio (dei Ministri)** ≈ Prime Minister; **P~ della Repubblica** President of the Republic.

The **Presidente del Consiglio,** *the Italian prime minister, is the head of the government. He/She submits nominations for ministerial posts to the Presidente della Repubblica and is responsible for those ministers appointed. He/She is nominated by the Presidente della Repubblica, in consultation with the leaders of the parliamentary parties, former heads of state, the* **Presidente della Camera** *and the Presidente del Senato. See also* **Parlamento** *and* **Consiglio dei Ministri.** *The* **Presidente della Repubblica** *is the head of state. He/She must be an Italian citizen of at least 50 years of age and is elected by Parliament and by 3 delegates from each region. He/She remains in office for 7 years. He/She has the power to call an election, dissolve one or both chambers of Parliament or call a referendum. He/She nominates the* **Presidente del Consiglio** *and in consultation with the latter appoints government Ministers. He/She also presides over the* **Consiglio Superiore della Magistratura.**

---

presiden'tessa *sf* president; *(moglie)* president's wife; *(di assemblea, COMM)* chairwoman.

presi'denza [presi'dɛntsa] *sf* presidency; office of president; chairmanship; **assumere la ~** to become president; to take the chair; **essere alla ~** to be president *(o chairman)*; **candidato alla ~** presidential candidate; candidate for the chairmanship.

presidenzi'ale [presidɛn'tsjale] *ag* presidential.

presidi'are *vt* to garrison.

pre'sidio *sm* garrison.

presi'edere *vt* to preside over ♦ *vi:* **~ a** to direct, be in charge of.

'preso, a *pp di* **prendere.**

'pressa *sf (TECN)* press.

pres'sante *ag (bisogno, richiesta)* urgent, pressing.

pressap'poco *av* about, roughly, approximately.

pres'sare *vt (anche fig)* to press; **~ qn con richieste** to pursue sb with demands.

pressi'one *sf* pressure; **far ~ su qn** to put pressure on sb; **subire forti ~i** to be under strong pressure; **~ sanguigna** blood pressure.

'presso *av (vicino)* nearby, close at hand ♦ *prep (vicino a)* near; *(accanto a)* beside, next to; *(in casa di):* **~ qn** at sb's home; *(nelle lettere)* care of *(abbr c/o)*; *(alle dipendenza di):* **lavora ~ di noi** he works for *o* with us ♦ *smpl:* **nei ~i di** near, in the vicinity of; **ha avuto grande successo ~ i giovani** it has been a hit with young people.

pressoché [presso'ke] *av* nearly, almost.

pressuriz'zare [pressurid'dzare] *vt* to pressurize.

prestabi'lire *vt* to arrange beforehand, arrange in advance.

presta'nome *sm/f inv (peg)* figurehead.

pres'tante *ag* good-looking.

pres'tanza [pres'tantsa] *sf (robust)* good looks *pl.*

pres'tare *vt:* **~ (qc a qn)** to lend (sb sth *o* sth to sb); **~rsi** *vr (offrirsi):* **~rsi a fare** to offer to do; *(essere adatto):* **~rsi a** to lend itself to, be suitable for; **~ aiuto** to lend a hand; **~ ascolto** *o* **orecchio** to listen; **~ attenzione** to pay attention; **~ fede a qc/qn** to give credence to sth/sb; **~ giuramento** to take an oath; **la frase si presta a molteplici interpretazioni** the phrase lends itself to numerous interpretations.

prestazi'one [prestat'tsjone] *sf (TECN, SPORT)* performance; **~i** *sfpl (di persona:* servizi) services.

prestigia'tore, 'trice [prestidʒa'tore] *sm/f* conjurer.

pres'tigio [pres'tidʒo] *sm (potere)* prestige; *(illusione):* **gioco di ~** conjuring trick.

prestigi'oso, a [presti'dʒoso] *ag* prestigious.

'prestito *sm* lending *no pl;* loan; **dar in ~** to lend; **prendere in ~** to borrow; **~ bancario** bank loan; **~ pubblico** public borrowing.

'presto *av (tra poco)* soon; *(in fretta)* quickly; *(di buon'ora)* early; **a ~** see you soon; **~ o tardi** sooner or later; **fare ~ a fare qc** to hurry up and do sth; *(non costare fatica)* to have no trouble doing sth; **si fa ~ a criticare** it's easy to criticize; **è ancora ~ per decidere** it's still too early *o* too soon to decide.

pre'sumere *vt* to presume, assume.

presu'mibile *ag (dati, risultati)* likely.

pre'sunsi *etc vb vedi* **presumere.**

pre'sunto, a *pp di* **presumere ♦** *ag*: **il ~ colpevole** the alleged culprit.

presuntu'oso, a *ag* presumptuous.

presunzi'one [prezun'tsjone] *sf* presumption.

presup'porre *vt* to suppose; to presuppose.

presup'posto, a *pp di* **presupporre ♦** *sm* (*premessa*) supposition, premise; **partendo dal ~ che** ... assuming that ...; **mancano i ~i necessari** the necessary conditions are lacking.

'prete *sm* priest.

preten'dente *smf* pretender **♦** *sm* (*corteggiatore*) suitor.

pre'tendere *vt* (*esigere*) to demand, require; (*sostenere*): **~ che** to claim that; **pretende di aver sempre ragione** he thinks he's always right.

pretenzi'oso, a [preten'tsjoso] *ag* pretentious.

preterintenzio'nale [preterintentsjo'nale] *ag* (*DIR*): **omicidio ~** manslaughter.

pre'teso, a *pp di* **pretendere ♦** *sf* (*esigenza*) claim, demand; (*presunzione, sfarzo*) pretentiousness; **avanzare una ~a** to put forward a claim *o* demand; **senza ~e** *ag* unpretentious **♦** *av* unpretentiously.

pre'testo *sm* pretext, excuse; **con il ~ di** on the pretext of.

pretestu'oso, a *ag* (*data, motivo*) used as an excuse.

pre'tore *sm* magistrate.

pre'tura *sf* (*DIR*: *sede*) magistrate's court (*BRIT*), circuit *o* superior court (*US*); (: *magistratura*) magistracy.

preva'lente *ag* prevailing.

prevalente'mente *av* mainly, for the most part.

preva'lenza [preva'lɛntsa] *sf* predominance.

preva'lere *vi* to prevail.

pre'valso, a *pp di* **prevalere**.

prevari'care *vi* (*abusare del potere*) to abuse one's power.

prevaricazi'one [prevarikat'tsjone] *sf* (*abuso di potere*) abuse of power.

preve'dere *vt* (*indovinare*) to foresee; (*presagire*) to foretell; (*considerare*) to make provision for; **nulla lasciava ~ che** ... there was nothing to suggest *o* to make one think that ...; **come previsto** as expected; **spese previste** anticipated expenditure; **previsto per martedì** scheduled for Tuesday.

prev'edibile *ag* predictable; **non era assolutamente ~ che** ... no one could have foreseen that ....

prevedibil'mente *av* as one would expect.

preve'nire *vt* (*anticipare*: *obiezione*) to forestall; (: *domanda*) to anticipate; (*evitare*) to avoid, prevent; (*avvertire*): **~ qn (di)** to warn sb (of); to inform sb (of).

preventi'vare *vt* (*COMM*) to estimate.

preven'tivo, a *ag* preventive **♦** *sm* (*COMM*) estimate; **fare un ~** to give an estimate; **bilancio ~** budget; **carcere ~** custody (*pending trial*).

preve'nuto, a *ag* (*mal disposto*): **~ (contro qc/qn)** prejudiced (against sth/sb).

prevenzi'one [preven'tsjone] *sf* prevention; (*preconcetto*) prejudice.

previ'dente *ag* showing foresight; prudent.

previ'denza [previ'dɛntsa] *sf* foresight; **istituto di ~** provident institution; **~ sociale** social security (*BRIT*), welfare (*US*).

pre'vidi *etc vb vedi* **prevedere**.

'previo, a *ag* (*COMM*): **~ avviso** upon notice; **~ pagamento** upon payment.

previsi'one *sf* forecast, prediction; **~i meteorologiche** *o* **del tempo** weather forecast *sg*.

pre'visto, a *pp di* **prevedere ♦** *sm*: **piú/meno del ~** more/less than expected; **prima del ~** earlier than expected.

prezi'oso, a [pret'tsjoso] *ag* precious; (*aiuto, consiglio*) invaluable **♦** *sm* jewel; valuable.

prez'zemolo [pret'tsemolo] *sm* parsley.

'prezzo ['prɛttso] *sm* price; **a ~ di costo** at cost, at cost price (*BRIT*); **tirare sul ~** to bargain, haggle; **il ~ pattuito è 1.000.000 di lire** the agreed price is 1,000,000 lire; **~ d'acquisto/di vendita** buying/selling price; **~ di fabbrica** factory price; **~ di mercato** market price; **~ scontato** reduced price; **~ unitario** unit price.

P.R.I. *sigla m* (= *Partito Repubblicano Italiano*) *former political party*.

prigi'one [pri'dʒone] *sf* prison.

prigio'nia [pridʒo'nia] *sf* imprisonment.

prigioni'ero, a [pridʒo'njɛro] *ag* captive **♦** *smf* prisoner.

'prima *sf vedi* **primo ♦** *av* before; (*in anticipo*) in advance, beforehand; (*per l'addietro*) at one time, formerly; (*più presto*) sooner, earlier; (*in primo luogo*) first **♦** *cong*: **~ di fare/che parta** before doing/he leaves; **~ di** *prep* before; **~ o poi** sooner or later; **due giorni ~** two days before *o* earlier; **~ d'ora** before now.

pri'mario, a *ag* primary; (*principale*) chief, leading, primary **♦** *smf* (*medico*) head physician, chief physician.

pri'mate *sm* (*REL, ZOOL*) primate.
prima'tista, i, e *sm/f* (*SPORT*) record holder.
pri'mato *sm* supremacy; (*SPORT*) record.
prima'vera *sf* spring.
primave'rile *ag* spring *cpd.*
primeggi'are [primed'dʒare] *vi* to excel, be one of the best.
primi'tivo, a *ag* (*gen*) primitive; (*significato*) original.
pri'mizie [pri'mittsje] *sfpl* early produce *sg.*
'primo, a *ag* first; (*fig*) initial; basic; prime ♦ *sm/f* first (one) ♦ *sm* (*CUC*) first course; (*in date*): **il ~ luglio** the first of July ♦ *sf* (*TEAT*) first night; (*CINE*) première; (*AUT*) first (gear); **le ~e ore del mattino** the early hours of the morning; **di ~a mattina** early in the morning; **in ~a pagina** (*STAMPA*) on the front page; **ai ~i freddi** at the first sign of cold weather; **ai ~i di maggio** at the beginning of May; **i ~i del Novecento** the early twentieth century; **viaggiare in ~a** to travel first-class; **per ~a cosa** firstly; **in ~ luogo** first of all, in the first place; **di prim'ordine** *o* **~a qualità** first-class, first-rate; **in un ~ tempo** *o* **momento** at first; **~a donna** leading lady; (*di opera lirica*) prima donna.
primo'genito, a [primo'dʒɛnito] *ag, sm/f* firstborn.
pri'mordi *smpl* beginnings.
primordi'ale *ag* primordial.
'primula *sf* primrose.
princi'pale [printʃi'pale] *ag* main, principal ♦ *sm* manager, boss; **sede ~** head office.
principal'mente [printʃipal'mente] *av* mainly, principally.
princi'pato [printʃi'pato] *sm* principality.
'principe ['printʃipe] *sm* prince; **~ ereditario** crown prince.
princi'pesco, a, schi, sche [printʃi'pesko] *ag* (*anche fig*) princely.
princi'pessa [printʃi'pessa] *sf* princess.
principi'ante [printʃi'pjante] *sm/f* beginner.
principi'are [printʃi'pjare] *vt, vi* to start, begin.
prin'cipio [prin'tʃipjo] *sm* (*inizio*) beginning, start; (*origine*) origin, cause; (*concetto, norma*) principle; **al** *o* **in ~** at first; **fin dal ~** right from the start; **per ~** on principle; **una questione di ~** a matter of principle; **una persona di sani ~i morali** a person of sound moral principles; **~ attivo** active ingredient.
pri'ore *sm* (*REL*) prior.
pri'ori: a ~ *ag inv* prior; **a priori** ♦ *av* at first glance; initially; a priori.
priorità *sf* priority; **avere la ~ (su)** to have

priority (over).
priori'tario, a *ag* having priority, of utmost importance.
'prisma, i *sm* prism.
pri'vare *vt*: **~ qn di** to deprive sb of; **~rsi** *vr*: **~rsi di** to go *o* do without.
priva'tiva *sf* (*ECON*) monopoly.
privatiz'zare [privatid'dzare] *vt* to privatize.
privatizzazi'one [privatiddzat'tsjone] *sf* privatization.
pri'vato, a *ag* private ♦ *sm/f* (*anche: ~ cittadino*) private citizen; **in ~** in private; **diritto ~** (*DIR*) civil law; **ritirarsi a vita ~a** to withdraw from public life; "**non vendiamo a ~i**" "wholesale only".
privazi'one [privat'tsjone] *sf* privation, hardship.
privilegi'are [privile'dʒare] *vt* to favour (*BRIT*), favor (*US*).
privilegi'ato, a [privile'dʒato] *ag* (*individuo, classe*) privileged; (*trattamento, COMM: credito*) preferential; **azioni ~e** preference shares (*BRIT*), preferred stock (*US*).
privi'legio [privi'lɛdʒo] *sm* privilege; **avere il ~ di fare** to have the privilege of doing, be privileged to do.
'privo, a *ag*: **~ di** without, lacking.
pro *prep* for, on behalf of ♦ *sm inv* (*utilità*) advantage, benefit; **a che ~?** what's the use?; **il ~ e il contro** the pros and cons.
pro'babile *ag* probable, likely.
probabilità *sf inv* probability; **con molta ~** very probably, in all probability.
probabil'mente *av* probably.
pro'bante *ag* convincing.
pro'blema, i *sm* problem.
proble'matico, a, ci, che *ag* problematic; (*incerto*) doubtful ♦ *sf* problems *pl.*
pro'boscide [pro'bɔʃʃide] *sf* (*di elefante*) trunk.
procacci'are [prokat'tʃare] *vt* to get, obtain.
procaccia'tore [prokattʃa'tore] *sm*: **~ d'affari** sales executive.
pro'cace [pro'katʃe] *ag* (*donna, aspetto*) provocative.
pro'cedere [pro'tʃɛdere] *vi* to proceed; (*comportarsi*) to behave; (*iniziare*): **~ a** to start; **~ contro** (*DIR*) to start legal proceedings against; **~ oltre** to go on ahead; **prima di ~ oltre** before going any further; **gli affari procedono bene** business is going well; **bisogna ~ con cautela** we have to proceed cautiously; **non luogo a ~** (*DIR*) nonsuit.
procedi'mento [protʃedi'mento] *sm* (*modo di condurre*) procedure; (*di avvenimenti*) course; (*TECN*) process; **~ penale** (*DIR*)

criminal proceedings *pl*.

proce'dura [prot∫e'dura] *sf* (*DIR*) procedure.

proces'sare [prot∫es'sare] *vt* (*DIR*) to try.

processi'one [prot∫es'sjone] *sf* procession.

pro'cesso [pro't∫esso] *sm* (*DIR*) trial; proceedings *pl*; (*metodo*) process; **essere sotto** ~ to be on trial; **mettere sotto** ~ (*anche fig*) to put on trial; ~ **di fabbricazione** manufacturing process; ~ **di pace** peace process.

processu'ale [prot∫essu'ale] *ag* (*DIR*): **atti** ~**i** records of a trial; **spese** ~**i** legal costs.

Proc. Gen. *abbr* = **procuratore generale**.

pro'cinto [pro't∫into] *sm*: **in** ~ **di fare** about to do, on the point of doing.

pro'clama, i *sm* proclamation.

procla'mare *vt* to proclaim.

proclamazi'one [proklamat'tsjone] *sf* proclamation, declaration.

procrasti'nare *vt* (*data*) to postpone; (*pagamento*) to defer.

procre'are *vt* to procreate.

pro'cura *sf* (*DIR*) proxy, power of attorney; (*ufficio*) attorney's office; **per** ~ by proxy; **la P**~ **della Repubblica** the Public Prosecutor's Office.

procu'rare *vt*: ~ **qc a qn** (*fornire*) to get *o* obtain sth for sb; (*causare: noie etc*) to bring *o* give sb sth.

procura'tore, 'trice *smlf* (*DIR*) ≈ solicitor; (*: chi ha la procura*) holder of power of attorney; ~ **generale** (*in corte d'appello*) public prosecutor; (*in corte di cassazione*) Attorney General; ~ **legale** ≈ solicitor (*BRIT*), lawyer; ~ **della Repubblica** (*in corte d'assise, tribunale*) public prosecutor.

prodi'gare *vt* to be lavish with; ~**rsi** *vr*: ~**rsi per qn** to do all one can for sb.

pro'digio [pro'did3o] *sm* marvel, wonder; (*persona*) prodigy.

prodigi'oso, a [prodi'd3oso] *ag* prodigious; phenomenal.

'prodigo, a, ghi, ghe *ag* lavish, extravagant.

pro'dotto, a *pp di* **produrre** ♦ *sm* product; ~ **di base** primary product; ~ **finale** end product; ~ **interno lordo (PIL)** gross domestic product (GDP); ~ **nazionale lordo (PNL)** gross national product (GNP); ~**i agricoli** farm produce *sg*; ~**i di bellezza** cosmetics; ~**i chimici** chemicals.

pro'duco *etc vb vedi* **produrre**.

pro'durre *vt* to produce.

pro'dussi *etc vb vedi* **produrre**.

produttività *sf* productivity.

produt'tivo, a *ag* productive.

produt'tore, 'trice *ag* producing *cpd* ♦ *smlf* producer; **paese** ~ **di petrolio** oil-producing country.

produzi'one [produt'tsjone] *sf* production; (*rendimento*) output; ~ **in serie** mass production.

pro'emio *sm* introduction, preface.

Prof. *abbr* (= *professore*) Prof.

profa'nare *vt* to desecrate.

pro'fano, a *ag* (*mondano*) secular, profane; (*sacrilego*) profane.

profe'rire *vt* to utter.

profes'sare *vt* to profess; (*medicina etc*) to practise (*BRIT*), practice (*US*).

professio'nale *ag* professional; **scuola** ~ training college.

professi'one *sf* profession; **di** ~ professional, by profession; **libera** ~ profession.

professio'nista, i, e *smlf* professional.

profes'sore, 'essa *smlf* (*INS*) teacher; (*: di università*) lecturer; (*: titolare di cattedra*) professor; ~ **d'orchestra** member of an orchestra.

pro'feta, i *sm* prophet.

pro'fetico, a, ci, che *ag* prophetic.

profetiz'zare [profetid'dzare] *vt* to prophesy.

profe'zia [profet'tsia] *sf* prophecy.

pro'ficuo, a *ag* useful, profitable.

profi'lare *vt* to outline; (*ornare: vestito*) to edge; ~**rsi** *vr* to stand out, be silhouetted; to loom up.

profi'lassi *sf* (*MED*) preventive treatment, prophylaxis.

profi'lattico, a, ci, che *ag* prophylactic ♦ *sm* (*anticoncezionale*) sheath, condom.

pro'filo *sm* profile; (*breve descrizione*) sketch, outline; **di** ~ in profile.

profit'tare *vi*: ~ **di** (*trarre profitto*) to profit by; (*approfittare*) to take advantage of.

pro'fitto *sm* advantage, profit, benefit; (*fig: progresso*) progress; (*COMM*) profit; **ricavare un** ~ **da** to make a profit from *o* out of; **vendere con** ~ to sell at a profit; **conto** ~**i e perdite** profit and loss account.

pro'fondere *vt* (*lodi*) to lavish; (*denaro*) to squander; ~**rsi** *vr*: ~**rsi in** to be profuse in.

profondità *sf inv* depth.

pro'fondo, a *ag* deep; (*rancore, meditazione*) profound ♦ *sm* depth(s *pl*), bottom; ~ **8 metri** 8 metres deep.

pro'forma *ag* routine *cpd* ♦ *sm inv* formality ♦ *av*: **fare qc** ~ to do sth as a formality.

'profugo, a, ghi, ghe *smlf* refugee.

profu'mare *vt* to perfume ♦ *vi* to be fragrant; ~**rsi** *vr* to put on perfume *o* scent.

profumata'mente *av*: **pagare qc** ~ to pay

through the nose for sth.

profu'mato, a *ag* (*fiore, aria*) fragrant; (*fazzoletto, saponetta*) scented; (*pelle*) sweet-smelling; (*persona*) with perfume on.

profume'ria *sf* perfumery; (*negozio*) perfume shop.

pro'fumo *sm* (*prodotto*) perfume, scent; (*fragranza*) scent, fragrance.

profusi'one *sf* profusion; **a** ~ in plenty.

pro'fuso, a *pp di* **profondere**.

progeni'tore, 'trice [prodʒeni'tore] *sm/f* ancestor.

proget'tare [prodʒet'tare] *vt* to plan; (*TECN: edificio*) to plan, design; ~ **di fare qc** to plan to do sth.

progettazi'one [prodʒettat'tsjone] *sf* planning; **in corso di** ~ at the planning stage.

proget'tista, i, e [prodʒet'tista] *sm/f* designer.

pro'getto [pro'dʒetto] *sm* plan; (*idea*) plan, project; **avere in** ~ **di fare qc** to be planning to do sth; ~ **di legge** (*POL*) bill.

'prognosi ['proɲɲozi] *sf* (*MED*) prognosis; **essere in** ~ **riservata** to be on the danger list.

pro'gramma, i *sm* programme (*BRIT*), program (*US*); (*TV, RADIO*) program(me)s *pl*; (*INS*) syllabus, curriculum; (*INFORM*) program; **avere in** ~ **di fare qc** to be planning to do sth; ~ **applicativo** (*INFORM*) application program.

program'mare *vt* (*TV, RADIO*) to put on; (*INFORM*) to program; (*ECON*) to plan.

programma'tore, 'trice *sm/f* (*INFORM*) computer programmer (*BRIT*) *o* programer (*US*).

programmazi'one [programmat'tsjone] *sf* programming (*BRIT*), programing (*US*); planning.

progre'dire *vi* to progress, make progress.

progressi'one *sf* progression.

progres'sista, i, e *ag, sm/f* progressive.

progressiva'mente *av* progressively.

progres'sivo, a *ag* progressive.

pro'gresso *sm* progress *no pl*; **fare** ~**i** to make progress.

proi'bire *vt* to forbid, prohibit; ~ **a qn di fare qc** (*vietare*) to forbid sb to do sth; (*impedire*) to prevent sb from doing sth.

proibi'tivo, a *ag* prohibitive.

proi'bito, a *ag* forbidden; "**è** ~ **l'accesso**" "no admittance"; "**è** ~ **fumare**" "no smoking".

proibizi'one [proibit'tsjone] *sf* prohibition.

proibizio'nismo [proibittsjo'nizmo] *sm* prohibition.

proiet'tare *vt* (*gen, GEOM, CINE*) to project; (*: presentare*) to show, screen; (*luce, ombra*) to throw, cast, project.

proi'ettile *sm* projectile, bullet (*o* shell *etc*).

proiet'tore *sm* (*CINE*) projector; (*AUT*) headlamp; (*MIL*) searchlight.

proiezi'one [projet'tsjone] *sf* (*CINE*) projection; showing.

'prole *sf* children *pl*, offspring.

proletari'ato *sm* proletariat.

prole'tario, a *ag, sm/f* proletarian.

prolife'rare *vi* (*fig*) to proliferate.

pro'lifico, a, ci, che *ag* prolific.

pro'lisso, a *ag* verbose.

'prologo, ghi *sm* prologue.

pro'lunga, ghe *sf* (*di cavo elettrico etc*) extension.

prolunga'mento *sm* (*gen*) extension; (*di strada*) continuation.

prolun'gare *vt* (*discorso, attesa*) to prolong; (*linea, termine*) to extend.

prome'moria *sm inv* memorandum.

pro'messa *sf* promise; **fare/mantenere una** ~ to make/keep a promise.

pro'messo, a *pp di* **promettere**.

promet'tente *ag* promising.

pro'mettere *vt* to promise ♦ *vi* to be *o* look promising; ~ **a qn di fare** to promise sb that one will do.

promi'nente *ag* prominent.

promi'nenza [promi'nɛntsa] *sf* prominence.

promiscuità *sf* promiscuousness.

pro'miscuo, a *ag*: **matrimonio** ~ mixed marriage; **nome** ~ (*LING*) common-gender noun.

pro'misi *etc vb vedi* **promettere**.

promon'torio *sm* promontory, headland.

pro'mosso, a *pp di* **promuovere**.

promo'tore, 'trice *sm/f* promoter, organizer.

promozio'nale [promottsjo'nale] *ag* promotional; "**vendita** ~" "special offer".

promozi'one [promot'tsjone] *sf* promotion; ~ **delle vendite** sales promotion.

promul'gare *vt* to promulgate.

promulgazi'one [promulgat'tsjone] *sf* promulgation.

promu'overe *vt* to promote.

proni'pote *sm/f* (*di nonni*) great-grandchild, great-grandson/granddaughter; (*di zii*) great-nephew/niece; ~**i** *smpl* (*discendenti*) descendants.

pro'nome *sm* (*LING*) pronoun.

pronomi'nale *ag* pronominal.

pronosti'care *vt* to foretell, predict.

pro'nostico, ci *sm* forecast.

pron'tezza [pron'tettsa] *sf* readiness; quickness, promptness; ~ **di riflessi** quick reflexes; ~ **di spirito/mente** readiness of wit/mind.

'pronto, a *ag* ready; (*rapido*) fast, quick, prompt; ~! (*TEL*) hello!; **essere** ~ **a fare qc** to be ready to do sth; ~ **all'ira** quick-tempered; **a** ~**a cassa** (*COMM*) cash (*BRIT*) *o* collect (*US*) on delivery; ~**a consegna** (*COMM*) prompt delivery; ~ **soccorso** first aid.

prontu'ario *sm* manual, handbook.

pro'nuncia [pro'nuntʃa] *sf* pronunciation.

pronunci'are [pronun'tʃare] *vt* (*parola, sentenza*) to pronounce; (*dire*) to utter; (*discorso*) to deliver; ~**rsi** *vr* to declare one's opinion; ~**rsi a favore di/contro** to pronounce o.s. in favour of/against; **non mi pronuncio** I'm not prepared to comment.

pronunci'ato, a [pronun'tʃato] *ag* (*spiccato*) pronounced, marked; (*sporgente*) prominent.

pro'nunzia *etc* [pro'nuntsja] = **pronuncia** *etc*.

propa'ganda *sf* propaganda.

propagan'dare *vt* (*idea*) to propagandize; (*prodotto, invenzione*) to push, plug (*fam*).

propa'gare *vt* (*FISICA, BIOL*) to propagate; (*notizia, idea, malattia*) to spread; ~**rsi** *vr* to propagate; to spread.

propagaz'ione [propagat'tsjone] *sf* (*vedi vb*) propagation; spreading.

prope'deutico, a, ci, che *ag* (*corso, trattato*) introductory.

pro'pendere *vi*: ~ **per** to favour (*BRIT*), favor (*US*), lean towards.

propensi'one *sf* inclination, propensity; **avere** ~ **a credere che ...** to be inclined to think that ....

pro'penso, a *pp di* **propendere** ♦ *ag*: **essere** ~ **a qc** to be in favour (*BRIT*) *o* favor (*US*) of sth; **essere** ~ **a fare qc** to be inclined to do sth.

propi'nare *vt* to administer.

pro'pizio, a [pro'pittsjo] *ag* favourable (*BRIT*), favorable (*US*).

pro'porre *vt* (*suggerire*): ~ **qc (a qn)** to suggest sth (to sb); (*candidato*) to put forward; (*legge, brindisi*) to propose; ~ **di fare** to suggest *o* propose doing; **proporsi di fare** to propose *o* intend to do; **proporsi una meta** to set o.s. a goal.

proporzio'nale [proportsjo'nale] *ag* proportional; **(sistema)** ~ (*POL*) proportional representation system.

proporzio'nato, a [proportsjo'nato] *ag*: ~ **a** proportionate to, proportional to; **ben** ~ well-proportioned.

proporzi'one [propor'tsjone] *sf* proportion; **in** ~ **a** in proportion to.

pro'posito *sm* (*intenzione*) intention, aim; (*argomento*) subject, matter; **a** ~ **di** regarding, with regard to; **a questo** ~ on this subject; **di** ~ (*apposta*) deliberately, on purpose; **a** ~ by the way; **capitare a** ~ (*cosa, persona*) to turn up at the right time.

proposizi'one [propozit'tsjone] *sf* (*LING*) clause; (: *periodo*) sentence.

pro'posto, a *pp di* **proporre** ♦ *sf* proposal; (*suggerimento*) suggestion; **fare una** ~**a** to put forward a proposal; to make a suggestion; ~**a di legge** (*POL*) bill.

propria'mente *av* (*correttamente*) properly, correctly; (*in modo specifico*) specifically; ~ **detto** in the strict sense of the word.

proprietà *sf inv* (*ciò che si possiede*) property *gen no pl*, estate; (*caratteristica*) property; (*correttezza*) correctness; **essere di** ~ **di qn** to belong to sb; ~ **edilizia** (developed) property; ~ **privata** private property.

proprie'tario, a *sm/f* owner; (*di albergo etc*) proprietor, owner; (*per l'inquilino*) landlord/lady; ~ **terriero** landowner.

'proprio, a *ag* (*possessivo*) own; (: *impersonale*) one's; (*esatto*) exact, correct, proper; (*senso, significato*) literal; (*LING: nome*) proper; (*particolare*): ~ **di** characteristic of, peculiar to ♦ *av* (*precisamente*) just, exactly; (*davvero*) really; (*affatto*): **non ... ** ~ not ... at all ♦ *sm* (*COMM*): **mettersi in** ~ to set up on one's own; **l'ha visto con i (suoi)** ~**i occhi** he saw it with his own eyes.

propu'gnare [propuɲ'ɲare] *vt* to support.

propulsi'one *sf* propulsion; **a** ~ **atomica** atomic-powered.

propul'sore *sm* (*TECN*) propeller.

'prora *sf* (*NAUT*) bow(s *pl*), prow.

'proroga, ghe *sf* extension; postponement.

proro'gare *vt* to extend; (*differire*) to postpone, defer.

pro'rompere *vi* to burst out.

pro'rotto, a *pp di* **prorompere**.

pro'ruppi *etc vb vedi* **prorompere**.

'prosa *sf* prose; (*TEAT*): **la stagione della** ~ the theatre season; **attore di** ~ theatre actor; **compagnia di** ~ theatrical company.

pro'saico, a, ci, che *ag* (*fig*) prosaic, mundane.

pro'sciogliere [proʃ'ʃɔʎʎere] *vt* to release; (*DIR*) to acquit.

prosciogli'mento [proʃʃoʎʎi'mento] *sm*

acquittal.

prosci'olto, a [proʃ'ʃɔlto] *pp di* **prosciogliere.**

prosciu'gare [proʃʃu'gare] *vt (terreni)* to drain, reclaim; **~rsi** *vr* to dry up.

prosci'utto [proʃ'ʃutto] *sm* ham.

pros'critto, a *pp di* **proscrivere** ♦ *sm/f* exile; outlaw.

pros'crivere *vt* to exile, banish.

proscrizi'one [proskrit'tsjone] *sf (esilio)* banishment, exile.

prosecuzi'one [prosekut'tsjone] *sf* continuation.

prosegui'mento *sm* continuation; **buon ~!** all the best!; *(a chi viaggia)* enjoy the rest of your journey!

prosegu'ire *vt* to carry on with, continue ♦ *vi* to carry on, go on.

pro'selito *sm (REL, POL)* convert.

prospe'rare *vi* to thrive.

prosperità *sf* prosperity.

'prospero, a *ag (fiorente)* flourishing, thriving, prosperous.

prospe'roso, a *ag (robusto)* hale and hearty; (: *ragazza)* buxom.

prospet'tare *vt (esporre)* to point out, show; *(ipotesi)* to advance; *(affare)* to outline; **~rsi** *vr* to look, appear.

prospet'tiva *sf (ARTE)* perspective; *(veduta)* view; *(fig: previsione, possibilità)* prospect.

pros'petto *sm (DISEGNO)* elevation; *(veduta)* view, prospect; *(facciata)* façade, front; *(tabella)* table; *(sommario)* summary.

prospici'ente [prospi'tʃɛnte] *ag:* **~ qc** facing *o* overlooking sth.

prossima'mente *av* soon.

prossimità *sf* nearness, proximity; **in ~ di** near (to), close to; **in ~ delle feste natalizie** as Christmas approaches.

'prossimo, a *ag (vicino):* **~ a** near (to), close to; *(che viene subito dopo)* next; *(parente)* close ♦ *sm* neighbour *(BRIT)*, neighbor *(US)*, fellow man; **nei ~i giorni** in the next few days; **in un ~ futuro** in the near future; **~ venturo (pv)** *(AMM):* **venerdì ~ venturo** next Friday.

'prostata *sf* prostate (gland).

prostitu'irsi *vr* to prostitute o.s.

prosti'tuta *sf* prostitute.

prostituzi'one [prostitut'tsjone] *sf* prostitution.

pros'trare *vt (fig)* to exhaust, wear out; **~rsi** *vr (fig)* to humble o.s.; **prostrato dal dolore** overcome *o* prostrate with grief.

prostrazi'one [prostrat'tsjone] *sf* prostration.

protago'nista, i, e *sm/f* protagonist.

pro'teggere [pro'tɛddʒere] *vt* to protect.

pro'teico, a, ci, che *ag* protein *cpd;* **altamente ~** high in protein.

prote'ina *sf* protein.

pro'tendere *vt* to stretch out.

'protesi *sf inv (MED)* prosthesis.

pro'teso, a *pp di* **protendere.**

pro'testa *sf* protest.

protes'tante *ag, sm/f* Protestant.

protes'tare *vt, vi* to protest; **~rsi** *vr:* **~rsi innocente** *etc* to protest one's innocence *o* that one is innocent *etc.*

pro'testo *sm (DIR)* protest; **mandare una cambiale in ~** to dishonour *(BRIT) o* dishonor *(US)* a bill.

protet'tivo, a *ag* protective.

pro'tetto, a *pp di* **proteggere.**

protetto'rato *sm* protectorate.

protet'tore, 'trice *sm/f* protector; *(sostenitore)* patron ♦ *ag (REL):* **santo ~** patron saint; **società ~trice dei consumatori** consumer protection society.

protezi'one [protet'tsjone] *sf* protection; *(patrocinio)* patronage; **misure di ~** protective measures; **~ civile** civil defence *(BRIT) o* defense *(US).*

protezio'nismo [protettsjo'nizmo] *sm* protectionism.

protocol'lare *vt* to register ♦ *ag* formal; of protocol.

proto'collo *sm* protocol; *(registro)* register of documents ♦ *ag inv:* **foglio ~** foolscap; **numero di ~** reference number.

pro'tone *sm* proton.

pro'totipo *sm* prototype.

pro'trarre *vt (prolungare)* to prolong; **protrarsi** *vr* to go on, continue.

pro'tratto, a *pp di* **protrarre.**

protube'ranza [protube'rantsa] *sf* protuberance, bulge.

Prov. *abbr (= provincia)* Prov.

'prova *sf (esperimento, cimento)* test, trial; *(tentativo)* attempt, try; *(MAT, testimonianza etc)* proof *no pl;* *(DIR)* evidence *no pl,* proof *no pl;* *(INS)* exam, test; *(TEAT)* rehearsal; *(di abito)* fitting; **a ~ di** *(in testimonianza di)* as proof of; **a ~ di fuoco** fireproof; **assumere in ~** *(per lavoro)* to employ on a trial basis; **essere in ~** *(persona: per lavoro)* to be on trial; **mettere alla ~** to put to the test; **giro di ~** test *o* trial run; **fino a ~ contraria** until (it's) proved otherwise; **~ a carico/a discarico** *(DIR)* evidence for the prosecution/for the defence; **~ documentale** *(DIR)* documentary evidence; ~ **generale** (*TEAT*) dress rehearsal; ~ **testimoniale** (*DIR*) testimonial evidence.

pro'vare *vt* (*sperimentare*) to test; (*tentare*) to try, attempt; (*assaggiare*) to try, taste; (*sperimentare in sé*) to experience; (*sentire*) to feel; (*cimentare*) to put to the test; (*dimostrare*) to prove; (*abito*) to try on; **~rsi** *vr*: **~rsi (a fare)** to try *o* attempt (to do); **~ a fare** to try *o* attempt to do.

proveni'enza [prove'njɛntsa] *sf* origin, source.

prove'nire *vi*: **~ da** to come from.

pro'venti *smpl* revenue *sg*.

prove'nuto, a *pp di* **provenire.**

Pro'venza [pro'vɛntsa] *sf*: **la ~** Provence.

proven'zale [proven'tsale] *ag* Provençal.

pro'verbio *sm* proverb.

pro'vetta *sf* test tube; **bambino in ~** test-tube baby.

pro'vetto, a *ag* skilled, experienced.

pro'vincia, ce *o* **cie** [pro'vintʃa] *sf* province.

The **Provincia** *is the autonomous political and administrative unit intermediate between the Comune and the Regione. A* **Provincia** *includes several* **Comuni***. It has responsiblity for public sanitation and health, maintenance of major roads and public buildings, such as schools, and for agriculture and fisheries. Each* **Provincia** *has a capoluogo, its chief town, and is run by a Giunta Provinciale which is elected by the Consiglio Provinciale. Each of these two bodies is presided over by a Presidente. There are 103 province in Italy. See also* **Comune** *and* **Regione***.*

---

provinci'ale [provin'tʃale] *ag* provincial; (**strada**) **~ main** road (*BRIT*), highway (*US*).

pro'vino *sm* (*CINE*) screen test; (*campione*) specimen.

provo'cante *ag* (*attraente*) provocative.

provo'care *vt* (*causare*) to cause, bring about; (*eccitare: riso, pietà*) to arouse; (*irritare, sfidare*) to provoke.

provoca'tore, 'trice *smf* agitator ♦ *ag*: **agente ~** agent provocateur.

provoca'torio, a *ag* provocative.

provocazi'one [provokat'tsjone] *sf* provocation.

provve'dere *vi* (*disporre*): **~ (a)** to provide (for); (*prendere un provvedimento*) to take steps, act ♦ *vt*: **~ qc a qn** to supply sth to sb; **~rsi** *vr*: **~rsi di** to provide o.s. with.

provvedi'mento *sm* measure; (*di*

previdenza) precaution; ~ **disciplinare** disciplinary measure.

provvedito'rato *sm* (*AMM*): ~ **agli studi** divisional education offices *pl.*

provvedi'tore *sm* (*AMM*): ~ **agli studi** divisional director of education.

provvi'denza [provvi'dɛntsa] *sf*: **la ~** providence.

provvidenzi'ale [provviden'tsjale] *ag* providential.

provvigi'one [provvi'dʒone] *sf* (*COMM*) commission; **lavoro/stipendio a ~** job/ salary on a commission basis.

provvi'sorio, a *ag* temporary; (*governo*) temporary, provisional.

prov'vista *sf* (*riserva*) supply, stock; **fare ~ di** to stock up with.

prov'visto, a *pp di* **provvedere** ♦ *sf* provision, supply.

pro'zia [prot'tsia] *sf* great-aunt.

pro'zio, zii [prot'tsio] *sm* great-uncle.

'prua *sf* (*NAUT*) = **prora.**

pru'dente *ag* cautious, prudent; (*assennato*) sensible, wise.

pru'denza [pru'dɛntsa] *sf* prudence, caution; wisdom; **per ~** as a precaution, to be on the safe side.

'prudere *vi* to itch, be itchy.

'prugna ['pruɲɲa] *sf* plum; ~ **secca** prune.

prurigi'noso, a [pruridʒi'noso] *ag* itchy.

pru'rito *sm* itchiness *no pl*; itch.

PS *sigla* = Pesaro.

P.S. *abbr* (= *postscriptum*) P.S.; (*COMM*) = **partita semplice** ♦ *sigla f vedi* **Pubblica Sicurezza.**

P.S.D.I. *sigla m* (= *Partito Socialista Democratico Italiano*) *former political party.*

pseu'donimo *sm* pseudonym.

PSI *sigla m* (*POL*) = Partito Socialista Italiano.

psica'nalisi *sf* psychoanalysis.

psicana'lista, i, e *smf* psychoanalyst.

psicanaliz'zare [psikanalid'dzare] *vt* to psychoanalyse.

'psiche ['psike] *sf* psyche.

psiche'delico, a, ci, che [psike'dɛliko] *ag* psychedelic.

psichi'atra, i, e [psi'kjatra] *smf* psychiatrist.

psichia'tria [psikja'tria] *sf* psychiatry.

psichi'atrico, a, ci, che [psi'kjatriko] *ag* (*caso*) psychiatric; (*reparto, ospedale*) psychiatric, mental.

'psichico, a, ci, che ['psikiko] *ag* psychological.

psico'farmaco, ci *sm* (*MED*) drug used in treatment of mental conditions.

psicolo'gia [psikolo'dʒia] *sf* psychology.

psico'logico, a, ci, che [psiko'lɔdʒiko] *ag* psychological.

psi'cologo, a, gi, ghe *sm/f* psychologist.

psico'patico, a, ci, che *ag* psychopathic. ♦ *sm/f* psychopath.

psi'cosi *sf inv* (*MED*) psychosis; (*fig*) obsessive fear.

psicoso'matico, a, ci, che *ag* psychosomatic.

PT *sigla* = *Pistoia*.

Pt. *abbr* (*GEO*: = *punta*) Pt.

P.T. *abbr* (= *Posta e Telegrafi*) ≈ PO (= *Post Office*); (*FISCO*) = **polizia tributaria**.

P.ta *abbr* = **porta**.

P.T.P. *abbr vedi* **posto telefonico pubblico**.

pubbli'care *vt* to publish.

pubblicazi'one [pubblikat'tsjone] *sf* publication; ~ **periodica** periodical; ~**i** (**matrimoniali**) *sfpl* (marriage) banns.

pubbli'cista, i, e [pubbli'tʃista] *sm/f* (*STAMPA*) freelance journalist.

pubblicità [pubblitʃi'ta] *sf* (*diffusione*) publicity; (*attività*) advertising; (*annunci nei giornali*) advertisements *pl*; **fare** ~ **a qc** to advertise sth.

pubblici'tario, a [pubblitʃi'tarjo] *ag* advertising *cpd*; (*trovata, film*) publicity *cpd* ♦ *sm* advertising agent; **annuncio o avviso** ~ advertisement.

'pubblico, a, ci, che *ag* public; (*statale*: *scuola etc*) state *cpd* ♦ *sm* public; (*spettatori*) audience; **in** ~ in public; **la** ~**a amministrazione** public administration; **un** ~ **esercizio** a catering (*o hotel o* entertainment) business; ~ **funzionario** civil servant; **Ministero della P**~**a Istruzione** ≈ Department of Education and Science (*BRIT*), ≈ Department of Health, Education and Welfare (*US*); **P**~ **Ministero** Public Prosecutor's Office; **la P**~**a Sicurezza (P.S.)** the police.

'pube *sm* (*ANAT*) pubis.

pubertà *sf* puberty.

'pudico, a, ci, che *ag* modest.

pu'dore *sm* modesty.

puericul'tura *sf* infant care.

pue'rile *ag* childish.

pu'erpera *sf* woman who has just given birth.

pugi'lato [pudʒi'lato] *sm* boxing.

'pugile ['pudʒile] *sm* boxer.

pugli'ese [puʎ'ʎese] *ag* of (*o* from) Puglia.

pugna'lare [puɲɲa'lare] *vt* to stab.

pu'gnale [puɲ'ɲale] *sm* dagger.

'pugno ['puɲɲo] *sm* fist; (*colpo*) punch; (*quantità*) fistful; **avere qn in** ~ to have sb in the palm of one's hand; **tenere la situazione in** ~ to have control of the situation; **scrivere qc di proprio** ~ to write sth in one's own hand.

'pulce ['pultʃe] *sf* flea.

pul'cino [pul'tʃino] *sm* chick.

pu'ledro, a *sm/f* colt/filly.

pu'leggia, ge [pu'leddʒa] *sf* pulley.

pu'lire *vt* to clean; (*lucidare*) to polish; **far** ~ **qc** to have sth cleaned; ~ **a secco** to dry-clean.

pu'lito, a *ag* (*anche fig*) clean; (*ordinato*) neat, tidy ♦ *sf* quick clean; **avere la coscienza** ~**a** to have a clear conscience.

puli'tura *sf* cleaning; ~ **a secco** dry-cleaning.

puli'zia [pulit'tsia] *sf* (*atto*) cleaning; (*condizione*) cleanness; **fare le** ~**e** to do the cleaning, do the housework; ~ **etnica** ethnic cleansing.

'pullman *sm inv* coach (*BRIT*), bus.

pul'lover *sm inv* pullover, jumper.

pullu'lare *vi* to swarm, teem.

pul'mino *sm* minibus.

'pulpito *sm* pulpit.

pul'sante *sm* (push-)button.

pul'sare *vi* to pulsate, beat.

pulsazi'one [pulsat'tsjone] *sf* beat.

pul'viscolo *sm* fine dust.

'puma *sm inv* puma.

pun'gente [pun'dʒɛnte] *ag* prickly; stinging; (*anche fig*) biting.

'pungere ['pundʒere] *vt* to prick; (*sog*: *insetto, ortica*) to sting; (: *freddo*) to bite; ~ **qn sul vivo** (*fig*) to cut sb to the quick.

pungigli'one [pundʒiʎ'ʎone] *sm* sting.

pungo'lare *vt* to goad.

pu'nire *vt* to punish.

puni'tivo, a *ag* punitive.

punizi'one [punit'tsjone] *sf* punishment; (*SPORT*) penalty.

'punsi *etc vb vedi* **pungere**.

'punta *sf* point; (*parte terminale*) tip, end; (*di monte*) peak; (*di costa*) promontory; (*minima parte*) touch, trace; **in** ~ **di piedi** on tiptoe; **ore di** ~ peak hours; **uomo di** ~ (*SPORT, POL*) front-rank *o* leading man; **doppie** ~**e** split ends.

pun'tare *vt* (*piedi a terra, gomiti sul tavolo*) to plant; (*dirigere: pistola*) to point; (*scommettere*): ~ **su** to bet on ♦ *vi* (*mirare*): ~ **a** to aim at; (*avviarsi*): ~ **su** to head *o* make for; (*fig: contare*): ~ **su** to count *o* rely on.

puntas'pilli *sm inv* = **portaspilli**.

pun'tata *sf* (*gita*) short trip; (*scommessa*) bet; (*parte di opera*) instalment (*BRIT*), installment (*US*); **farò una** ~ **a Parigi** I'll pay a flying visit to Paris; **romanzo a** ~**e** serial.

punteggi'are [puntedˈdʒare] _vt_ to punctuate.

punteggia'tura [punteddʒaˈtura] _sf_ punctuation.

pun'teggio [punˈteddʒo] _sm_ score.

puntel'lare _vt_ to support.

pun'tello _sm_ prop, support.

punteru'olo _sm_ (_TECN_) punch; (: _per stoffa_) bodkin.

pun'tiglio [punˈtiʎʎo] _sm_ obstinacy, stubbornness.

puntigli'oso, a [puntiʎˈʎoso] _ag_ punctilious.

pun'tina _sf_: ~ **da disegno** drawing pin (_BRIT_), thumb tack (_US_); ~**e** _sfpl_ (_AUT_) points.

pun'tino _sm_ dot; **fare qc a** ~ to do sth properly; **arrivare a** ~ to arrive just at the right moment; **cotto a** ~ cooked to perfection; **mettere i** ~**i sulle "i"** (_fig_) to dot the i's and cross the t's.

'punto, a _pp di_ **pungere** ♦ _sm_ (_segno, macchiolina_) dot; (_LING_) full stop; (_MAT, momento, di punteggio, fig: argomento_) point; (_posto_) spot; (_a scuola_) mark; (_nel cucire, nella maglia, MED_) stitch ♦ _av_: **non ...** ~ not ... at all; **due** ~**i** _sm inv_ (_LING_) colon; **ad un certo** ~ at a certain point; **fino ad un certo** ~ (_fig_) to a certain extent; **sul** ~ **di fare** (just) about to do; **fare il** ~ (_NAUT_) to take a bearing; **fare il** ~ **della situazione** (_analisi_) to take stock of the situation; (_riassunto_) to sum up the situation; **alle 6 in** ~ at 6 o'clock sharp _o_ on the dot; **essere a buon** ~ to have reached a satisfactory stage; **mettere a** ~ to adjust; (_motore_) to tune; (_cannocchiale_) to focus; (_fig_) to settle; **venire al** ~ to come to the point; **vestito di tutto** ~ all dressed up; **di** ~ **in bianco** point-blank; ~ **d'arrivo** arrival point; ~ **cardinale** point of the compass, cardinal point; ~ **debole** weak point; ~ **esclamativo/interrogativo** exclamation/question mark; ~ **d'incontro** meeting place, meeting point; ~ **morto** standstill; ~ **nero** (_comedone_) blackhead; ~ **nevralgico** (_anche fig_) nerve centre (_BRIT_) _o_ center (_US_); ~ **di partenza** (_anche fig_) starting point; ~ **di riferimento** landmark; (_fig_) point of reference; ~ **di vendita** retail outlet; ~ **e virgola** semicolon; ~ **di vista** (_fig_) point of view; ~**i di sospensione** suspension points.

puntu'ale _ag_ punctual.

puntualità _sf_ punctuality.

puntualiz'zare [puntualidˈdzare] _vt_ to make clear.

puntual'mente _av_ (_gen_) on time; (_ironico_: _al solito_) as usual.

pun'tura _sf_ (_di ago_) prick; (_di insetto_) sting, bite; (_MED_) puncture; (: _iniezione_) injection; (_dolore_) sharp pain.

punzecchi'are [puntsekˈkjare] _vt_ to prick; (_fig_) to tease.

punzo'nare [puntsoˈnare] _vt_ (_TECN_) to stamp.

pun'zone [punˈtsone] _sm_ (_per metalli_) stamp, die.

può, pu'oi _vb vedi_ **potere**.

'pupa _sf_ doll.

pu'pazzo [puˈpattso] _sm_ puppet.

pu'pillo, a _sm/f_ (_DIR_) ward; (_prediletto_) favourite (_BRIT_), favorite (_US_), pet ♦ _sf_ (_ANAT_) pupil.

purché [purˈke] _cong_ provided that, on condition that.

'pure _cong_ (_tuttavia_) and yet, nevertheless; (_anche se_) even if ♦ _av_ (_anche_) too, also; **pur di** (_al fine di_) just to; **faccia** ~! go ahead!, please do!

purè _sm_, **pu'rea** _sf_ (_CUC_) purée; (: _di patate_) mashed potatoes.

pu'rezza [puˈrettsa] _sf_ purity.

'purga, ghe _sf_ (_MED_) purging _no pl_; purge; (_POL_) purge.

pur'gante _sm_ (_MED_) purgative, purge.

pur'gare _vt_ (_MED, POL_) to purge; (_pulire_) to clean.

purga'torio _sm_ purgatory.

purifi'care _vt_ to purify; (_metallo_) to refine.

purificazi'one [purifikatˈtsjone] _sf_ purification; refinement.

puri'tano, a _ag, sm/f_ puritan.

'puro, a _ag_ pure; (_acqua_) clear, limpid; (_vino_) undiluted; **di razza** ~**a** thoroughbred; **per** ~ **caso** by sheer chance, purely by chance.

puro'sangue _sm/f inv_ thoroughbred.

pur'troppo _av_ unfortunately.

pus _sm_ pus.

pusil'lanime _ag_ cowardly.

'pustola _sf_ pimple.

puta'caso _av_ just supposing, suppose.

puti'ferio _sm_ rumpus, row.

putre'fare _vi_ to putrefy, rot.

putre'fatto, a _pp di_ **putrefare**.

putrefazi'one [putrefatˈtsjone] _sf_ putrefaction.

'putrido, a _ag_ putrid, rotten.

put'tana _sf_ (_fam!_) whore (!).

'putto _sm_ cupid.

'puzza [ˈputtsa] _sf_ = **puzzo**.

puz'zare [putˈtsare] _vi_ to stink; **la faccenda puzza (d'imbroglio)** the whole business stinks.

'puzzo [ˈputtso] _sm_ stink, foul smell.

'**puzzola** ['puttsola] *sf* polecat.
puzzo'lente [puttso'lɛnte] *ag* stinking.
PV *sigla* = Pavia.
pv *abbr vedi* **prossimo venturo**.
P.V.C. [pivi'tʃi] *sigla m* (= *polyvinyl chloride*)
   PVC.
PZ *sigla* = Potenza.
p. zza *abbr* = **piazza**.

Q q

Q, q [ku] *sf o m inv* (*lettera*) Q, q; **Q come**
   Quarto ≈ Q for Queen.
q *abbr* (= *quintale*) q.
Qa'tar [ka'tar] *sm*: **il ~** Qatar.
q.b. *abbr* (= *quanto basta*) as needed;
   zucchero ~ sugar to taste.
Q.G. *abbr* = **quartier generale**.
Q.I. *abbr vedi* **quoziente d'intelligenza**.
qua *av* here; **in ~** (*verso questa parte*) this
   way; **~ dentro/sotto** *etc* in/under here
   etc; **da un anno in ~** for a year now; **da**
   quando in ~? since when?; **per di ~**
   (*passare*) this way; **al di ~ di** (*fiume,*
   strada) on this side of; *vedi* **questo**.
'**quacchero, a** ['kwakkero] *sm/f* Quaker.
qua'derno *sm* notebook; (*per scuola*)
   exercise book.
qua'drangolo *sm* quadrangle.
qua'drante *sm* quadrant; (*di orologio*) face.
qua'drare *vi* (*bilancio*) to balance, tally;
   (*fig: corrispondere*): **~ (con)** to correspond
   (with) ♦ *vt* (*MAT*) to square; **far ~ il**
   bilancio to balance the books; **non mi**
   quadra I don't like it.
qua'drato, a *ag* square; (*fig: equilibrato*)
   level-headed, sensible; (: *peg*) square
   ♦ *sm* (*MAT*) square; (*PUGILATO*) ring; **5 al ~**
   5 squared.
quadret'tato, a *ag* (*foglio*) squared;
   (*tessuto*) checked.
qua'dretto *sm*: **a ~i** (*tessuto*) checked;
   (*foglio*) squared.
quadrien'nale *ag* (*che dura 4 anni*) four-
   year *cpd*; (*che avviene ogni 4 anni*) four-
   yearly.
quadri'foglio [kwadri'fɔʎʎo] *sm* four-leaf
   clover.
quadri'mestre *sm* (*periodo*) four-month
   period; (*INS*) term.
'**quadro** *sm* (*pittura*) painting, picture;

(*quadrato*) square; (*tabella*) table, chart;
(*TECN*) board, panel; (*TEAT*) scene; (*fig:*
scena, spettacolo) sight; (: *descrizione*)
outline, description; **~i** *smpl* (*POL*) party
organizers; (*COMM*) managerial staff;
(*MIL*) cadres; (*CARTE*) diamonds; **a ~i**
(*disegno*) checked; **fare un ~ della**
situazione to outline the situation; **~**
clinico (*MED*) case history; **~ di comando**
control panel; **~i intermedi** middle
management *sg*.
qua'drupede *sm* quadruped.
quadrupli'care *vt* to quadruple.
'**quadruplo, a** *ag, sm* quadruple.
quaggiù [kwad'dʒu] *av* down here.
'**quaglia** ['kwaʎʎa] *sf* quail.

═══════════════ *PAROLA CHIAVE*

'**qualche** ['kwalke] *det* **1** some, a few; (*in*
interrogative) any; **ho comprato ~ libro**
I've bought some *o* a few books; **~ volta**
sometimes; **hai ~ sigaretta?** have you any
cigarettes?
   2 (*uno*): **c'è ~ medico** is there a doctor?;
in ~ modo somehow
   3 (*un certo, parecchio*) some; **un**
personaggio di ~ rilievo a figure of some
importance
   4: **~ cosa = qualcosa**.

qualche'duno [kwalke'duno] *pron*
   = **qualcuno**.
qual'cosa *pron* something; (*in espressioni*
interrogative) anything; **qualcos'altro**
something else; anything else; **~ di**
nuovo something new; anything new; **~**
da mangiare something to eat; anything
to eat; **c'è ~ che non va?** is there
something *o* anything wrong?
qual'cuno *pron* (*persona*) someone,
somebody; (: *in espressioni interrogative*)
anyone, anybody; (*alcuni*) some; **~ è**
favorevole a noi some are on our side;
qualcun altro someone *o* somebody else;
anyone *o* anybody else.

═══════════════ *PAROLA CHIAVE*

'**quale** (*spesso troncato in qual*) *det* **1**
(*interrogativo*) what; (: *scegliendo tra due o*
più cose o persone) which; **~ uomo/**
denaro? what man/money?; which man/
money?; **~i sono i tuoi programmi?** what
are your plans?; **~ stanza preferisci?**
which room do you prefer?
   2 (*relativo: come*): **il risultato fu ~ ci si**
aspettava the result was as expected
   3 (*in elenchi*) such as, like; **piante ~i**
l'edera plants such as *o* like ivy

4 (*esclamativo*) what; ~ **disgrazia!** what bad luck!
5: in un certo qual modo in a way, in some ways; **per la qual cosa** for which reason
♦ *pron* **1** (*interrogativo*) which; ~ **dei due scegli?** which of the two do you want?
2 (*relativo*): **il(la)** ~ (*persona: soggetto*) who; (: *oggetto, con preposizione*) whom; (*cosa*) which; (*possessivo*) whose; **suo padre, il** ~ **è avvocato, ...** his father, who is a lawyer, ...; **a tutti coloro i** ~**i fossero interessati ...** to whom it may concern ...; **il signore con il** ~ **parlavo** the gentleman to whom I was speaking; **l'albergo al** ~ **ci siamo fermati** the hotel where we stayed *o* which we stayed at; **la signora della** ~ **ammiriamo la bellezza** the lady whose beauty we admire
♦ *av* (*in qualità di, come*) as; ~ **sindaco di questa città** as mayor of this town.

qua'lifica, che *sf* qualification; (*titolo*) title.
qualifi'care *vt* to qualify; (*definire*): ~ **qn/ qc come** to describe sb/sth as; ~**rsi** *vr* (*anche SPORT*) to qualify; ~**rsi a un concorso** to pass a competitive exam.
qualifica'tivo, a *ag* qualifying.
qualifi'cato, a *ag* (*dotato di qualifica*) qualified; (*esperto, abile*) skilled; **non mi ritengo** ~ **per questo lavoro** I don't think I'm qualified for this job; **è un medico molto** ~ he is a very distinguished doctor.
qualificazi'one [kwalifikat'tsjone] *sf* qualification; **gara di** ~ (*SPORT*) qualifying event.
qualità *sf inv* quality; **di ottima** *o* **prima** ~ top quality; **in** ~ **di** in one's capacity as; **in** ~ **di amica** as a friend; **articoli di ogni** ~ all sorts of goods; **controllo (di)** ~ quality control; **prodotto di** ~ quality product.
qualita'tivo, a *ag* qualitative.
qua'lora *cong* in case, if.
qual'siasi, qua'lunque *det inv* any; (*quale che sia*) whatever; (*discriminativo*) whichever; (*posposto: mediocre*) poor, indifferent; ordinary; **mettiti un vestito** ~ put on any old dress; ~ **cosa** anything; ~ **cosa accada** whatever happens; **a** ~ **costo** at any cost, whatever the cost; **l'uomo** ~ the man in the street; ~ **persona** anyone, anybody.
qualunqu'ista, i, e *sm/f person indifferent to politics.*
'quando *cong, av* when; ~ **sarò ricco** when I'm rich; **da** ~ (*dacché*) since;

(*interrogativo*): **da** ~ **sei qui?** how long have you been here?; **di** ~ **in** ~ from time to time; **quand'anche** even if.
quantifi'care *vt* to quantify.
quantità *sf inv* quantity; (*gran numero*): **una** ~ **di** a great deal of; a lot of; **in grande** ~ in large quantities.
quantita'tivo, a *ag* quantitative ♦ *sm* (*COMM: di merce*) amount, quantity.

═══════════════════ *PAROLA CHIAVE*

'quanto, a *det* **1** (*interrogativo: quantità*) how much; (: *numero*) how many; ~ **pane/ denaro?** how much bread/money?; ~**i libri/ragazzi?** how many books/boys?; ~ **tempo?** how long?; ~**i anni hai?** how old are you?
2 (*esclamativo*): ~**e storie!** what a lot of nonsense!; ~ **tempo sprecato!** what a waste of time!
3 (*relativo: quantità*) as much ... as; (: *numero*) as many ... as; **ho** ~ **denaro mi occorre** I have as much money as I need; **prendi** ~**i libri vuoi** take as many books as you like
♦ *pron* **1** (*interrogativo: quantità*) how much; (: *numero*) how many; (: *tempo*) how long; ~ **mi dai?** how much will you give me?; ~**i me ne hai portati?** how many did you bring me?; ~ **starai via?** how long will you be away (for)?; **da** ~ **sei qui?** how long have you been here?; ~**i ne abbiamo oggi?** what's the date today?
2 (*relativo: quantità*) as much as; (: *numero*) as many as; **farò** ~ **posso** I'll do as much as I can; **a** ~ **dice lui** according to him; **in risposta a** ~ **esposto nella sua lettera ...** in answer to the points raised in your letter; **possono venire** ~**i sono stati invitati** all those who have been invited can come
♦ *av* **1** (*interrogativo: con ag, av*) how; (: *con vb*) how much; ~ **stanco ti sembrava?** how tired did he seem to you?; ~ **corre la tua moto?** how fast can your motorbike go?; ~ **costa?** how much does it cost?; **quant'è?** how much is it?
2 (*esclamativo: con ag, av*) how; (: *con vb*) how much; ~ **sono felice!** how happy I am!; **sapessi** ~ **abbiamo camminato!** if you knew how far we've walked!; **studierò** ~ **posso** I'll study as much as *o* all I can; ~ **prima** as soon as possible; ~ **più ... tanto meno** the more ... the less; ~ **più ... tanto più** the more ... the more
3: in ~ (*in qualità di*) as; (*perché, per il fatto che*) as, since; **in** ~ **legale della signora** as the lady's lawyer; **non è possibile in** ~

non possiamo permettercelo it isn't
possible, since we can't afford it; **(in)** ~ **a**
(*per ciò che riguarda*) as for, as regards;
(in) ~ **a lui** as far as he's concerned
4: **per** ~ (*nonostante, anche se*) however;
per ~ **si sforzi, non ce la farà** try as he
may, he won't manage it; **per** ~ **sia brava,
fa degli errori** however good she may be,
she makes mistakes; **per** ~ **io sappia** as
far as I know.

quan'tunque *cong* although, though.
qua'ranta *num* forty.
quaran'tena *sf* quarantine.
quaran'tenne *ag, smf* forty-year-old.
quaran'tennio *sm* (period of) forty
years.
quaran'tesimo, a *num* fortieth.
quaran'tina *sf*: **una** ~ (**di**) about forty.
quaran'totto *sm inv* forty-eight; **fare un** ~
(*fam*) to raise hell.
Qua'resima *sf*: **la** ~ Lent.
'quarta *sf vedi* **quarto.**
quar'tetto *sm* quartet(te).
quarti'ere *sm* district, area; (*MIL*) quarters
pl; ~ **generale** (**Q.G.**) headquarters *pl*
(HQ); ~ **residenziale** residential area *o*
district; **i** ~**i alti** the smart districts.
'quarto, a *ag* fourth ♦ *sm* fourth; (*quarta
parte*) quarter ♦ *sf* (*AUT*) fourth (gear);
(*INS: elementare*) *fourth year of primary
school*; (*: superiore*) *seventh year of
secondary school*; **un** ~ **di vino** a
quarter-litre (*BRIT*) *o* quarter-liter (*US*)
bottle of wine; **le 6 e un** ~ a quarter past
(*BRIT*) *o* after (*US*) 6; ~ **d'ora** quarter of
an hour; **tre** ~**i d'ora** three quarters of an
hour; **le otto e tre** ~**i, le nove meno un** ~
(a) quarter to (*BRIT*) *o* of (*US*) nine;
passare un brutto ~ **d'ora** (*fig*) to have a
bad *o* nasty time of it; ~**i di finale** (*SPORT*)
quarter finals.
'quarzo ['kwartso] *sm* quartz.
'quasi *av* almost, nearly ♦ *cong* (*anche*:
~ **che**) as if; (**non**) ... ~ **mai** hardly ever;
~ ~ **me ne andrei** I've half a mind to
leave.
quas'sù *av* up here.
'quatto, a *ag* crouched, squatting;
(*silenzioso*) silent; ~ ~ very quietly;
stealthily.
quattordi'cenne [kwattordi'tʃɛnne] *ag, smf*
fourteen-year-old.
quat'tordici [kwat'torditʃi] *num* fourteen.
quat'trini *smpl* money *sg*, cash *sg*.
'quattro *num* four; **in** ~ **e quattr'otto** in less
than no time; **dirne** ~ **a qn** to give sb a
piece of one's mind; **fare il diavolo a** ~ to

kick up a rumpus; **fare** ~ **chiacchiere** to
have a chat; **farsi in** ~ **per qn** to go out of
one's way for sb, put o.s. out for sb.
quat'trocchi [kwat'trɔkki] *sm inv* (*fig fam*:
persona con occhiali) four-eyes; **a** ~ *av* (*tra
2 persone*) face to face; (*privatamente*) in
private.
quattrocen'tesco, a, schi, sche
[kwattrotʃen'tesko] *ag* fifteenth-
century.
quattro'cento [kwattro'tʃɛnto] *num*
four hundred ♦ *sm*: **il Q**~ the fifteenth
century.
quattro'mila *num* four thousand.

=============== *PAROLA CHIAVE*

'quello, a (*dav sm* **quel** + *C*, **quell'** + *V*,
quello + *s impura, gn, pn, ps, x, z*; *pl* **quei** +
C, **quegli** + *V o s impura, gn, pn, ps, x, z*,
dav sf **quella** + *C*, **quell'** + *V*; *pl* **quelle**) *det*
that; those *pl*; ~**a casa** that house; **quegli
uomini** those men; **voglio** ~**a camicia (lì** *o*
là) I want that shirt; ~ **è mio fratello**
that's my brother
♦ *pron* **1** (*dimostrativo*) that (one); those
(ones) *pl*; (*ciò*) that; **conosci** ~**a?** do you
know her?; **prendo** ~ **bianco** I'll take the
white one; **chi è** ~**?** who's that?;
prendiamo ~ (**lì** *o* **là**) let's take that one
(there); **in quel di Milano** in the Milan
area *o* region
2 (*relativo*): ~(**a**) **che** (*persona*) the one
(who); (*cosa*) the one (which), the one
(that); ~**i(e) che** (*persone*) those who;
(*cose*) those which; **è lui** ~ **che non voleva
venire** he's the one who didn't want to
come; **ho fatto** ~ **che potevo** I did what I
could; **è** ~**a che ti ho prestato** that's the
one I lent you; **è proprio** ~ **che gli ho
detto** that's exactly what I told him; **da** ~
che ho sentito from what I've heard.

'quercia, ce ['kwɛrtʃa] *sf* oak (tree); (*legno*)
oak; **la Q**~(*POL*) *symbol of P.D.S.*
que'rela *sf* (*DIR*) (legal) action.
quere'lare *vt* to bring an action against.
que'sito *sm* question, query; problem.
'questi *pron* (*poetico*) this person.
questio'nario *sm* questionnaire.
questi'one *sf* problem, question;
(*controversia*) issue; (*litigio*) quarrel; **in** ~
in question; **il caso in** ~ the matter at
hand; **la persona in** ~ the person
involved; **non voglio essere chiamato in**
~ I don't want to be dragged into the
argument; **fuor di** ~ out of the question; **è**
~ **di tempo** it's a matter *o* question of
time.

===================== *PAROLA CHIAVE*

'questo, a *det* **1** (*dimostrativo*) this; these *pl*;
~ **libro (qui** *o* **qua)** this book; **io prendo ~
cappotto, tu quello** I'll take this coat, you
take that one; **quest'oggi** today; ~**a sera**
this evening
2 (*enfatico*): **non fatemi più prendere di
~e paure** don't frighten me like that
again
♦ *pron* (*dimostrativo*) this (one); these
(ones) *pl*; (*ciò*) this; **prendo ~ (qui** *o* **qua)**
I'll take this one; **preferisci ~i o quelli?** do
you prefer these (ones) or those (ones)?;
~ **intendevo io** this is what I meant; ~
non dovevi dirlo you shouldn't have said
that; **e con ~?** so what?; **e con ~ se n'è
andato** and with that he left; **con tutto ~**
in spite of this, despite all this; ~ **è
quanto** that's all.

ques'tore *sm public official in charge of
the police in the provincial capital,
reporting to the prefetto*; ≈ chief
constable (*BRIT*), ≈ police commissioner
(*US*).
'questua *sf* collection (of alms).
ques'tura *sf* police headquarters *pl*.
questu'rino *sm* (*fam: poliziotto*) cop.
qui *av* here; **da** *o* **di ~** from here; **di ~ in
avanti** from now on; **di ~ a poco/una
settimana** in a little while/a week's time;
~ **dentro/sopra/vicino** in/up/near here;
vedi **questo.**
quie'scenza [kwjeʃ'ʃɛntsa] *sf* (*AMM*): **porre
qn in ~** to retire sb.
quie'tanza [kwje'tantsa] *sf* receipt.
quie'tare *vt* to calm, soothe.
qui'ete *sf* quiet, quietness; calmness;
stillness; peace; **turbare la ~ pubblica**
(*DIR*) to disturb the peace.
qui'eto, a *ag* quiet; (*notte*) calm, still;
(*mare*) calm; **l'ho fatto per il ~ vivere** I did
it for a quiet life.
'quindi *av* then ♦ *cong* therefore, so.
quindi'cenne [kwindi'tʃɛnne] *ag, smf*
fifteen-year-old.
'quindici ['kwinditʃi] *num* fifteen; ~ **giorni** a
fortnight (*BRIT*), two weeks.
quindi'cina [kwindi'tʃina] *sf* (*serie*): **una ~
(di)** about fifteen; **fra una ~ di giorni** in a
fortnight (*BRIT*) *o* two weeks.
quindici'nale [kwinditʃi'nale] *ag* fortnightly
(*BRIT*), semimonthly (*US*) ♦ *sm* (*rivista*)
fortnightly magazine (*BRIT*),
semimonthly (*US*).
quinquen'nale *ag* (*che dura 5 anni*) five-
year *cpd*; (*che avviene ogni 5 anni*) five-

yearly.
quin'quennio *sm* period of five years.
quinta *sf vedi* **quinto.**
quin'tale *sm* quintal (*100 kg*).
quin'tetto *sm* quintet(te).
'quinto, a *num* fifth ♦ *sf* (*AUT*) fifth (gear);
(*INS*: *elementare*) fifth year of primary
school; (: *superiore*) final year of
secondary school; (*TEAT*) wing; **un ~ della
popolazione** a fifth of the population; **tre
~i** three fifths; **in ~a pagina** on the fifth
page, on page five.
qui pro quo *sm inv* misunderstanding.

The **Quirinale,** *which takes its name from
one of the famous Seven Hills of Rome, on
which it stands, is the official residence of
the Presidente della Repubblica.*

'Quito *sf* Quito.
quiz [kwidz] *sm inv* (*domanda*) question;
(*anche*: **gioco a ~**) quiz game.
'quorum *sm* quorum.
'quota *sf* (*parte*) quota, share; (*AER*) height,
altitude; (*IPPICA*) odds *pl*; **prendere/
perdere ~** (*AER*) to gain/lose height *o*
altitude; ~ **imponibile** taxable income; ~
d'iscrizione (*INS*) enrolment fee; (*ad una
gara*) entry fee; (*ad un club*) membership
fee; ~ **di mercato** market share.
quo'tare *vt* (*BORSA*) to quote; (*valutare*:
anche fig) to value; **è un pittore molto
quotato** he is rated highly as a painter.
quotazi'one [kwotat'tsjone] *sf* quotation.
quotidiana'mente *av* daily, every day.
quotidi'ano, a *ag* daily; (*banale*) everyday
♦ *sm* (*giornale*) daily (paper).
quozi'ente [kwot'tsjɛnte] *sm* (*MAT*)
quotient; ~ **di crescita zero** zero growth
rate; ~ **d'intelligenza (Q.I.)** intelligence
quotient (IQ).

===================== *R r*

R, r ['ɛrre] *sf o m* (*lettera*) R, r; **R come Roma**
≈ R for Robert (*BRIT*), R for Roger (*US*).
R *abbr* (*POSTA*) = **raccomandata;** (*FERR*)
= **regionale.**
RA *sigla* = Ravenna.
ra'barbaro *sm* rhubarb.
Ra'bat *sf* Rabat.

rabberci'are [rabber'tʃare] *vt* (*anche fig*) to patch up.

'rabbia *sf* (*ira*) anger, rage; (*accanimento, furia*) fury; (*MED: idrofobia*) rabies *sg.*

rab'bino *sm* rabbi.

rabbi'oso, a *ag* angry, furious; (*facile all'ira*) quick-tempered; (*forze, acqua etc*) furious, raging; (*MED*) rabid, mad.

rabbo'nire *vt*, **~rsi** *vr* to calm down.

rabbrivi'dire *vi* to shudder, shiver.

rabbui'arsi *vr* to grow dark.

rabdo'mante *sm* water diviner.

racc. *abbr* (*POSTA*) = **raccomandata.**

raccapez'zarsi [rakkapet'tsarsi] *vr*: **non ~** to be at a loss.

raccapricci'ante [rakkaprit'tʃante] *ag* horrifying.

racca'priccio [rakka'prittʃo] *sm* horror.

raccatta'palle *sm inv* (*SPORT*) ballboy.

raccat'tare *vt* to pick up.

rac'chetta [rak'ketta] *sf* (*per tennis*) racket; (*per ping-pong*) bat; **~ da neve** snowshoe; **~ da sci** ski stick.

'racchio, a ['rakkjo] *ag* (*fam*) ugly.

racchi'udere [rak'kjudere] *vt* to contain.

racchi'uso, a [rak'kjuso] *pp di* **racchiudere.**

rac'cogliere [rak'kɔʎʎere] *vt* to collect; (*raccattare*) to pick up; (*frutti, fiori*) to pick, pluck; (*AGR*) to harvest; (*approvazione, voti*) to win; (*profughi*) to take in; (*vele*) to furl; (*capelli*) to put up; **~rsi** *vr* to gather; (*fig*) to gather one's thoughts; to meditate; **non ha raccolto** (*allusione*) he didn't take the hint; (*frecciata*) he took no notice of it; **~ i frutti del proprio lavoro** (*fig*) to reap the benefits of one's work; **~ le idee** (*fig*) to gather one's thoughts.

raccogli'mento [rakkoʎʎi'mento] *sm* meditation.

raccogli'tore [rakkoʎʎi'tore] *sm* (*cartella*) folder, binder; **~ a fogli mobili** loose-leaf binder.

rac'colto, a *pp di* **raccogliere** ♦ *ag* (*persona: pensoso*) thoughtful; (*luogo: appartato*) secluded, quiet ♦ *sm* (*AGR*) crop, harvest ♦ *sf* collecting *no pl*; collection; (*AGR*) harvesting *no pl*, gathering *no pl*; harvest, crop; **fare la ~a di qc** to collect sth; **chiamare a ~a** to gather together.

raccoman'dabile *ag* (*highly*) commendable; **è un tipo poco ~** he is not to be trusted.

raccoman'dare *vt* to recommend; (*affidare*) to entrust; **~rsi** *vr*: **~rsi a qn** to commend o.s. to sb; **~ a qn di fare qc** to recommend that sb does sth; **~ a qn di non fare qc** to tell *o* warn sb not to do sth; **~ qn a qn/alle cure di qn** to entrust sb to

sb/to sb's care; **mi raccomando!** don't forget!

raccoman'dato, a *ag* (*lettera, pacco*) recorded-delivery (*BRIT*), certified (*US*); (*candidato*) recommended ♦ *sm/f*: **essere un(a) ~(a) di ferro** to have friends in high places ♦ *sf* (*anche:* **lettera ~a**) recorded-delivery letter; **~a con ricevuta di ritorno** (**Rrr**) recorded-delivery letter with advice of receipt.

raccomandazi'one [rakkomandat'tsjone] *sf* recommendation; **lettera di ~** letter of introduction.

raccomo'dare *vt* (*riparare*) to repair, mend.

raccon'tare *vt*: **~ (a qn)** (*dire*) to tell (sb); (*narrare*) to relate (to sb), tell (sb) about; **a me non la racconti** don't try and kid me; **cosa mi racconti di nuovo?** what's new?

rac'conto *sm* telling *no pl*, relating *no pl*; (*fatto raccontato*) story, tale; (*genere letterario*) short story; **~i per bambini** children's stories.

raccorci'are [rakkor'tʃare] *vt* to shorten.

raccor'dare *vt* to link up, join.

rac'cordo *sm* (*TECN: giunzione*) connection, joint; (*AUT: di autostrada*) slip road (*BRIT*), entrance (*o* exit) ramp (*US*); **~ anulare** (*AUT*) ring road (*BRIT*), beltway (*US*).

ra'chitico, a, ci, che [ra'kitiko] *ag* suffering from rickets; (*fig*) scraggy, scrawny.

rachi'tismo [raki'tizmo] *sm* (*MED*) rickets *sg.*

racimo'lare [ratʃimo'lare] *vt* (*fig*) to scrape together, glean.

'rada *sf* (*natural*) harbour (*BRIT*) *o* harbor (*US*).

'radar *sm inv* radar.

raddol'cire [raddol'tʃire] *vt* (*persona, carattere*) to soften; **~rsi** *vr* (*tempo*) to grow milder; (*persona*) to soften, mellow.

raddoppia'mento *sm* doubling.

raddoppi'are *vt*, *vi* to double.

rad'doppio *sm* (*gen*) doubling; (*BILIARDO*) double; (*EQUITAZIONE*) gallop.

raddriz'zare [raddrit'tsare] *vt* to straighten; (*fig: correggere*) to put straight, correct.

'radere *vt* (*barba*) to shave off; (*mento*) to shave; (*fig: rasentare*) to graze; to skim; **~rsi** *vr* to shave (o.s.); **~ al suolo** to raze to the ground.

radi'ale *ag* radial.

radi'ante *ag* (*calore, energia*) radiant.

radi'are *vt* to strike off.

radia'tore *sm* radiator.

radiazi'one [radjat'tsjone] *sf* (*FISICA*) radiation; (*cancellazione*) striking off.

'**radica** *sf* (*BOT*): ~ **di noce** walnut (wood).
radi'cale *ag* radical ♦ *sm* (*LING*) root; (*MAT, POL*) radical.
radi'cato, a *ag* (*pregiudizio, credenza*) deep-seated, deeply-rooted.
ra'dicchio [ra'dikkjo] *sm variety of chicory.*
ra'dice [ra'ditʃe] *sf* root; **segno di** ~ (*MAT*) radical sign; **colpire alla** ~ (*fig*) to strike at the root; **mettere** ~**i** (*idee, odio etc*) to take root; (*persona*) to put down roots; ~ **quadrata** (*MAT*) square root.
'**radio** *sf inv* radio ♦ *sm* (*CHIM*) radium; **trasmettere per** ~ to broadcast; **stazione/ponte** ~ radio station/link; ~ **ricevente/trasmittente** receiver/transmitter.
radioabbo'nato, a *sm/f* radio subscriber.
radioama'tore, 'trice *sm/f* amateur radio operator, ham (*fam*).
radioascolta'tore, 'trice *sm/f* (radio) listener.
radioattività *sf* radioactivity.
radioat'tivo, a *ag* radioactive.
radiocoman'dare *vt* to operate by remote control.
radiocoman'dato, a *ag* remote-controlled.
radioco'mando *sm* remote control.
radiocomunicazi'one [radjokomunikat'tsjone] *sf* radio message.
radio'cronaca, che *sf* radio commentary.
radiocro'nista, i, e *sm/f* radio commentator.
radiodiffusi'one *sf* (radio) broadcasting.
radio'fonico, a, ci, che *ag* radio *cpd.*
radiogra'fare *vt* to X-ray.
radiogra'fia *sf* radiography; (*foto*) X-ray photograph.
radio'lina *sf* portable radio, transistor (radio).
radiolo'gia [radjolo'dʒia] *sf* radiology.
radi'ologo, a, gi, ghe *sm/f* radiologist.
radiorice'vente [radjoritʃe'vɛnte] *sf* (*anche:* **apparecchio** ~) receiver.
radi'oso, a *ag* radiant.
radiostazi'one [radjostat'tsjone] *sf* radio station.
radios'veglia [radjoz'veʎʎa] *sf* radio alarm.
radio'taxi *sm inv* radio taxi.
radio'tecnico, a, ci, che *ag* radio engineering *cpd* ♦ *sm* radio engineer.
radiotelegra'fista, i, e *sm/f* radiotelegrapher.
radiotera'pia *sf* radiotherapy.
radiotrasmit'tente *ag* (radio) broadcasting *cpd* ♦ *sf* (radio) broadcasting station.
'**rado, a** *ag* (*capelli*) sparse, thin; (*visite*)

infrequent; **di** ~ rarely; **non di** ~ not uncommonly.
radu'nare *vt*, ~**rsi** *vr* to gather, assemble.
radu'nata *sf* (*MIL*) muster.
ra'duno *sm* gathering, meeting.
ra'dura *sf* clearing.
'**rafano** *sm* horseradish.
raffazzo'nare [raffattso'nare] *vt* to patch up.
raf'fermo, a *ag* stale.
'**raffica, che** *sf* (*METEOR*) gust (of wind); ~ **di colpi** (*di fucile*) burst of gunfire.
raffigu'rare *vt* to represent.
raffigurazi'one [raffigurat'tsjone] *sf* representation, depiction.
raffi'nare *vt* to refine.
raffina'tezza [raffina'tettsa] *sf* refinement.
raffi'nato, a *ag* refined.
raffinazi'one [raffinat'tsjone] *sf* (*di sostanza*) refining; ~ **del petrolio** oil refining.
raffine'ria *sf* refinery.
raffor'zare [raffor'tsare] *vt* to reinforce.
rafforza'tivo, a [raffortsa'tivo] *ag* (*LING*) intensifying ♦ *sm* (*LING*) intensifier.
raffredda'mento *sm* cooling.
raffred'dare *vt* to cool; (*fig*) to dampen, have a cooling effect on; ~**rsi** *vr* to grow cool *o* cold; (*prendere un raffreddore*) to catch a cold; (*fig*) to cool (off).
raffred'dato, a *ag* (*MED*): **essere** ~ to have a cold.
raffred'dore *sm* (*MED*) cold.
raffron'tare *vt* to compare.
raf'fronto *sm* comparison.
'**rafia** *sf* (*fibra*) raffia.
raga'nella *sf* (*ZOOL*) tree frog.
ra'gazzo, a [ra'gattso] *sm/f* boy/girl; (*fam: fidanzato*) boyfriend/girlfriend; **nome da** ~**a** maiden name; ~**a madre** unmarried mother; ~**a squillo** call girl.
ragge'lare [raddʒe'lare] *vt, vi*, ~**rsi** *vr* to freeze.
raggi'ante [rad'dʒante] *ag* radiant, shining; ~ **di gioia** beaming *o* radiant with joy.
raggi'era [rad'dʒɛra] *sf* (*di ruota*) spokes *pl*; **a** ~ with a sunburst pattern.
'**raggio** ['raddʒo] *sm* (*di sole etc*) ray; (*MAT, distanza*) radius; (*di ruota etc*) spoke; **nel** ~ **di 20 km** within a radius of 20 km *o* a 20-km radius; **a largo** ~ (*esplorazione, incursione*) wide-ranging; ~ **d'azione** range; ~ **laser** laser beam; ~**i X** X-rays.
raggi'rare [raddʒi'rare] *vt* to take in, trick.
rag'giro [rad'dʒiro] *sm* trick.
raggi'ungere [rad'dʒundʒere] *vt* to reach; (*persona: riprendere*) to catch up (with); (*bersaglio*) to hit; (*fig: meta*) to achieve; ~

il proprio scopo to reach one's goal, achieve one's aim; ~ un accordo to come to o reach an agreement.

raggi'unto, a [rad'dʒunto] pp di raggiungere.

raggomito'larsi vr to curl up.

raggranel'lare vt to scrape together.

raggrin'zare [raggrin'tsare] vt, vi (anche: ~rsi) to wrinkle.

raggrin'zire [raggrin'tsire] vt = raggrinzare.

raggru'mare vt, ~rsi vr (sangue, latte) to clot.

raggruppa'mento sm (azione) grouping; (gruppo) group; (: MIL) unit.

raggrup'pare vt to group (together).

ragguagli'are [raggwaʎ'ʎare] vt (paragonare) to compare; (informare) to inform.

raggu'aglio [rag'gwaʎʎo] sm comparison; (informazione, relazione) piece of information.

ragguar'devole ag (degno di riguardo) distinguished, notable; (notevole: somma) considerable.

'ragia ['radʒa] sf: acqua ~ turpentine.

ragiona'mento [radʒona'mento] sm reasoning no pl; argument.

ragio'nare [radʒo'nare] vi (usare la ragione) to reason; (discorrere): ~ (di) to argue (about); cerca di ~ try and be reasonable.

ragi'one [ra'dʒone] sf reason; (dimostrazione, prova) argument, reason; (diritto) right; aver ~ to be right; aver ~ di qn to get the better of sb; dare ~ a qn (sog: persona) to side with sb; (: fatto) to prove sb right; farsi una ~ di qc to accept sth, come to terms with sth; in ~ di at the rate of; a o con ~ rightly, justly; perdere la ~ to become insane; (fig) to take leave of one's senses; a ragion veduta after due consideration; per ~i di famiglia for family reasons; ~ di scambio terms of trade; ~ sociale (COMM) corporate name; ragion di stato reason of State.

ragione'ria [radʒone'ria] sf accountancy; (ufficio) accounts department.

ragio'nevole [radʒo'nevole] ag reasonable.

ragioni'ere, a [radʒo'njɛre] sm/f accountant.

ragli'are [raʎ'ʎare] vi to bray.

ragna'tela [raɲɲa'tela] sf cobweb, spider's web.

'ragno ['raɲɲo] sm spider; non cavare un ~ dal buco (fig) to draw a blank.

ragù sm inv (CUC) meat sauce (for pasta).

RAI-TV [raiti'vu] sigla f (= Radio televisione italiana) Italian Broadcasting Company.

rallegra'menti smpl congratulations.

ralle'grare vt to cheer up; ~rsi vr to cheer up; (provare allegrezza) to rejoice; ~rsi con qn to congratulate sb.

rallenta'mento sm slowing down; slackening.

rallen'tare vt, vi to slow down; ~ il passo to slacken one's pace.

rallenta'tore sm (CINE) slow-motion camera; al ~ (anche fig) in slow motion.

raman'zina [raman'dzina] sf lecture, telling-off.

ra'mare vt (superficie) to copper, coat with copper; (AGR: vite) to spray with copper sulphate.

ra'marro sm green lizard.

ra'mato, a ag (oggetto: rivestito di rame) copper-coated, coppered; (capelli, barba) coppery, copper-coloured (BRIT), copper-colored (US).

'rame sm (CHIM) copper; di ~ copper cpd; incisione su ~ copperplate.

ramifi'care vi (BOT) to put out branches; ~rsi vr (diramarsi) to branch out; (MED: tumore, vene) to ramify; ~rsi in (biforcarsi) to branch into.

ramificazi'one [ramifikat'tsjone] sf ramification.

ra'mingo, a, ghi, ghe ag (poetico): andare ~ to go wandering, wander.

ra'mino sm (CARTE) rummy.

rammari'carsi vr: ~ (di) (rincrescersi) to be sorry (about), regret; (lamentarsi) to complain (about).

ram'marico, chi sm regret.

rammen'dare vt to mend; (calza) to darn.

ram'mendo sm mending no pl; darning no pl; mend; darn.

rammen'tare vt to remember, recall; ~rsi vr: ~rsi (di qc) to remember (sth); ~ qc a qn to remind sb of sth.

rammol'lire vt to soften ♦ vi (anche: ~rsi) to go soft.

rammol'lito, a ag weak ♦ sm/f weakling.

'ramo sm branch; (di commercio) field; non è il mio ~ it's not my field o line.

ramo'scello [ramoʃ'ʃello] sm twig.

'rampa sf flight (of stairs); ~ di lancio launching pad.

rampi'cante ag (BOT) climbing.

ram'pino sm (gancio) hook; (NAUT) grapnel.

ram'pollo sm (di acqua) spring; (BOT: germoglio) shoot; (fig: discendente) descendant.

ram'pone sm harpoon; (ALPINISMO) crampon.

'rana sf frog; ~ pescatrice angler fish.

'rancido, a ['rantʃido] ag rancid.

'rancio ['rantʃo] *sm* (*MIL*) mess; **ora del ~** mess time.

ran'core *sm* rancour (*BRIT*), rancor (*US*), resentment; **portare ~ a qn, provare ~ per** *o* **verso qn** to bear sb a grudge.

ran'dagio, a, gi, gie *o* **ge** [ran'dadʒo] *ag* (*gatto, cane*) stray.

ran'dello *sm* club, cudgel.

'rango, ghi *sm* (*grado*) rank; (*condizione sociale*) station, social standing; **persone di ~ inferiore** people of lower standing; **uscire dai ~ghi** to fall out; (*fig*) to step out of line.

Ran'gun *sf* Rangoon.

rannicchi'arsi [rannik'kjarsi] *vr* to crouch, huddle.

rannuvo'larsi *vr* to cloud over, become overcast.

ra'nocchio [ra'nɔkkjo] *sm* (*edible*) frog.

ranto'lare *vi* to wheeze.

ranto'lio *sm* (*il respirare affannoso*) wheezing; (: *di agonizzante*) death rattle.

'rantolo *sm* wheeze; death rattle.

ra'nuncolo *sm* (*BOT*) buttercup.

'rapa *sf* (*BOT*) turnip.

ra'pace [ra'patʃe] *ag* (*animale*) predatory; (*fig*) rapacious, grasping ♦ *sm* bird of prey.

ra'pare *vt* (*capelli*) to crop, cut very short.

'rapida *sf vedi* **rapido**.

rapida'mente *av* quickly, rapidly.

rapidità *sf* speed.

'rapido, a *ag* fast; (*esame, occhiata*) quick, rapid ♦ *sm* (*FERR*) express (train) ♦ *sf* (*di fiume*) rapid.

rapi'mento *sm* kidnapping; (*fig*) rapture.

ra'pina *sf* robbery; **~ in banca** bank robbery; **~ a mano armata** armed robbery.

rapi'nare *vt* to rob.

rapina'tore, 'trice *sm/f* robber.

ra'pire *vt* (*cose*) to steal; (*persone*) to kidnap; (*fig*) to enrapture, delight.

ra'pito, a *ag* (*persona*) kidnapped; (*fig: in estasi*): **ascoltare ~ qn** to be captivated by sb's words ♦ *sm/f* kidnapped person.

rapi'tore, 'trice *sm/f* kidnapper.

rappacifi'care [rappatʃifi'kare] *vt* (*riconciliare*) to reconcile; **~rsi** *vr* (*uso reciproco*) to be reconciled, make it up (*fam*).

rappacificazi'one [rappatʃifikat'tsjone] *sf* reconciliation.

rappez'zare [rappet'tsare] *vt* to patch.

rappor'tare *vt* (*confrontare*) to compare; (*riprodurre*) to reproduce.

rap'porto *sm* (*resoconto*) report; (*legame*) relationship; (*MAT, TECN*) ratio; **~i** *smpl*

(*fra persone, paesi*) relations; **in ~ a quanto è successo** with regard to *o* in relation to what happened; **fare ~ a qn su qc** to report sth to sb; **andare a ~ da qn** to report to sb; **chiamare qn a ~** (*MIL*) to summon sb; **essere in buoni/cattivi ~i con qn** to be on good/bad terms with sb; **~ d'affari, ~ di lavoro** business relations; **~ di compressione** (*TECN*) pressure ratio; **~ coniugale** marital relationship; **~ di trasmissione** (*TECN*) gear; **~i sessuali** sexual intercourse *sg*.

rap'prendersi *vr* to coagulate, clot; (*latte*) to curdle.

rappre'saglia [rappre'saʎʎa] *sf* reprisal, retaliation.

rappresen'tante *sm/f* representative; **~ di commercio** sales representative, sales rep (*fam*); **~ sindacale** union delegate *o* representative.

rappresen'tanza [rapprezen'tantsa] *sf* delegation, deputation; (*COMM: ufficio, sede*) agency; **in ~ di qn** on behalf of sb; **spese di ~** entertainment expenses; **macchina di ~** official car; **avere la ~ di** to be the agent for; **~ esclusiva** sole agency; **avere la ~ esclusiva** to be sole agent.

rappresen'tare *vt* to represent; (*TEAT*) to perform; **farsi ~ dal proprio legale** to be represented by one's lawyer.

rappresenta'tivo, a *ag* representative ♦ *sf* (*di partito, sindacale*) representative group; (*SPORT: squadra*) representative (team).

rappresentazi'one [rapprezentat'tsjone] *sf* representation; performing *no pl*; (*spettacolo*) performance; **prima ~ assoluta** world première.

rap'preso, a *pp di* **rapprendere**.

rapso'dia *sf* rhapsody.

'raptus *sm inv*: **~ di follia** fit of madness.

rara'mente *av* seldom, rarely.

rare'fare *vt*, **~rsi** *vr* to rarefy.

rare'fatto, a *pp di* **rarefare** ♦ *ag* rarefied.

rarefazi'one [rarefat'tsjone] *sf* rarefaction.

rarità *sf inv* rarity.

'raro, a *ag* rare.

ra'sare *vt* (*barba etc*) to shave off; (*siepi, erba*) to trim, cut; **~rsi** *vr* to shave (o.s.).

ra'sato, a *ag* (*erba*) trimmed, cut; (*tessuto*) smooth; **avere la barba ~a** to be clean-shaven.

rasa'tura *sf* shave.

raschia'mento [raskja'mento] *sm* (*MED*) curettage; **~ uterino** D and C.

raschi'are [ras'kjare] *vt* to scrape; (*macchia, fango*) to scrape off ♦ *vi* to clear one's throat.

rasen'tare vt (*andar rasente*) to keep close to; (*sfiorare*) to skim along (*o* over); (*fig*) to border on.

ra'sente prep: ~ (**a**) close to, very near.

'raso, a pp di **radere** ♦ ag (*barba*) shaved; (*capelli*) cropped; (*con misure di capacità*) level; (*pieno: bicchiere*) full to the brim ♦ sm (*tessuto*) satin; ~ **terra** close to the ground; **volare** ~ **terra** to hedgehop; **un cucchiaio** ~ a level spoonful.

ra'soio sm razor; ~ **elettrico** electric shaver *o* razor.

ras'pare vt (*levigare*) to rasp; (*grattare*) to scratch.

'raspo sm (*di uva*) grape stalk.

ras'segna [ras'seɲɲa] sf (*MIL*) inspection, review; (*esame*) inspection; (*resoconto*) review, survey; (*pubblicazione letteraria etc*) review; (*mostra*) exhibition, show; **passare in** ~ (*MIL, fig*) to review.

rasse'gnare [rasseɲ'ɲare] vt: ~ **le dimissioni** to resign, hand in one's resignation; ~**rsi** vr (*accettare*): ~**rsi (a qc/ a fare)** to resign o.s. (to sth/to doing).

rassegnazi'one [rasseɲɲat'tsjone] sf resignation.

rassere'nare vt (*persona*) to cheer up; ~**rsi** vr (*tempo*) to clear up.

rasset'tare vt to tidy, put in order; (*aggiustare*) to repair, mend.

rassicu'rante ag reassuring.

rassicu'rare vt to reassure; ~**rsi** vr to take heart, recover one's confidence.

rassicurazi'one [rassikurat'tsjone] sf reassurance.

rasso'dare vt to harden, stiffen; (*fig*) to strengthen, consolidate.

rassomigli'anza [rassomiʎ'ʎantsa] sf resemblance.

rassomigli'are [rassomiʎ'ʎare] vi: ~ **a** to resemble, look like.

rastrella'mento sm (*MIL, di polizia*) (thorough) search.

rastrel'lare vt to rake; (*fig: perlustrare*) to comb.

rastrelli'era sf rack; (*per piatti*) dish rack.

ras'trello sm rake.

'rata sf (*quota*) instalment, installment (*US*); **pagare a** ~**e** to pay by instal(l)ments *o* on hire purchase (*BRIT*); **comprare/vendere a** ~**e** to buy/sell on hire purchase (*BRIT*) *o* on the installment plan (*US*).

rate'ale ag: **pagamento** ~ payment by instal(l)ments; **vendita** ~ hire purchase (*BRIT*), installment plan (*US*).

rate'are, rateiz'zare [rateid'dzare] vt to divide into instal(l)ments.

rateazi'one [rateat'tsjone] sf division into instal(l)ments.

'rateo sm (*COMM*) accrual.

ra'tifica, che sf ratification.

ratifi'care vt (*DIR*) to ratify.

'ratto sm (*DIR*) abduction; (*ZOOL*) rat.

rattop'pare vt to patch.

rat'toppo sm patching *no pl*; patch.

rattrap'pire vt to make stiff; ~**rsi** vr to be stiff.

rattris'tare vt to sadden; ~**rsi** vr to become sad.

rau'cedine [rau't ʃedine] sf hoarseness.

'rauco, a, chi, che ag hoarse.

rava'nello sm radish.

raven'nate ag of (*o* from) Ravenna.

ravi'oli smpl ravioli sg.

ravve'dersi vr to mend one's ways.

ravvi'are vt (*capelli*) to tidy; ~**rsi i capelli** to tidy one's hair.

ravvicina'mento [ravvitʃina'mento] sm (*tra persone*) reconciliation; (*POL: tra paesi etc*) rapprochement.

ravvici'nare [ravvitʃi'nare] vt (*avvicinare*): ~ **qc a** to bring sth nearer to; (*oggetti*) to bring closer together; (*fig: persone*) to reconcile, bring together; ~**rsi** vr to be reconciled.

ravvi'sare vt to recognize.

ravvi'vare vt to revive; (*fig*) to brighten up, enliven; ~**rsi** vr to revive; to brighten up.

Rawal'pindi [raval'pindi] sf Rawalpindi.

razio'cinio [rattsjo'tʃinjo] sm reasoning *no pl*; reason; (*buon senso*) common sense.

razio'nale [rattsjo'nale] ag rational.

razionalità [rattsjonali'ta] sf rationality; (*buon senso*) common sense.

razionaliz'zare [rattsjonalid'dzare] vt (*metodo, lavoro, programma*) to rationalize; (*problema, situazione*) to approach rationally.

raziona'mento [rattsjona'mento] sm rationing.

razio'nare [rattsjo'nare] vt to ration.

razi'one [rat'tsjone] sf ration; (*porzione*) portion, share.

'razza ['rattsa] sf race; (*ZOOL*) breed; (*discendenza, stirpe*) stock, race; (*sorta*) sort, kind.

raz'zia [rat'tsia] sf raid, foray.

razzi'ale [rat'tsjale] ag racial.

raz'zismo [rat'tsizmo] sm racism, racialism.

raz'zista, i, e [rat'tsista] ag, sm/f racist, racialist.

'razzo ['raddzo] sm rocket; ~ **di segnalazione** flare; ~ **vettore** vector rocket.

razzo'lare [rattso'lare] *vi* (*galline*) to scratch about.

RC *sigla* = *Reggio Calabria*.

RDT *sigla f vedi* **Repubblica Democratica Tedesca**.

RE *sigla* = *Reggio Emilia*.

re *sm inv* (*sovrano*) king; (*MUS*) D; (: *solfeggiando la scala*) re.

rea'gente [rea'dʒɛnte] *sm* reagent.

rea'gire [rea'dʒire] *vi* to react.

re'ale *ag* real; (*di, da re*) royal ♦ *sm*: **il ~** reality; **i R~i** the Royal family.

rea'lismo *sm* realism.

rea'lista, i, e *sm/f* realist; (*POL*) royalist.

rea'listico, a, ci, che *ag* realistic.

realiz'zare [realid'dzare] *vt* (*progetto etc*) to realize, carry out; (*sogno, desiderio*) to realize, fulfil; (*scopo*) to achieve; (*COMM*: *titoli etc*) to realize; (*CALCIO etc*) to score; **~rsi** *vr* to be realized.

realizzazi'one [realiddzat'tsjone] *sf* realization; fulfilment; achievement; **~ scenica** stage production.

rea'lizzo [rea'liddzo] *sm* (*conversione in denaro*) conversion into cash; (*vendita forzata*) clearance sale.

real'mente *av* really, actually.

realtà *sf inv* reality; **in ~** (*in effetti*) in fact; (*a dire il vero*) really.

re'ame *sm* kingdom, realm; (*fig*) realm.

re'ato *sm* offence (*BRIT*), offense (*US*).

reat'tore *sm* (*FISICA*) reactor; (*AER: aereo*) jet; (: *motore*) jet engine.

reazio'nario, a [reattsjo'narjo] *ag, sm/f* (*POL*) reactionary.

reazi'one [reat'tsjone] *sf* reaction; **motore/ aereo a ~** jet engine/plane; **forze della ~** reactionary forces; **~ a catena** (*anche fig*) chain reaction.

'rebbio *sm* prong.

'rebus *sm inv* rebus; (*fig*) puzzle; enigma.

recapi'tare *vt* to deliver.

re'capito *sm* (*indirizzo*) address; (*consegna*) delivery; **ha un ~ telefonico?** do you have a telephone number where you can be reached?; **~ a domicilio** home delivery (service).

re'care *vt* (*portare*) to bring; (*avere su di sé*) to carry, bear; (*cagionare*) to cause, bring; **~rsi** *vr* to go; **~ danno a qn** to harm sb, cause harm to sb.

re'cedere [re'tʃɛdere] *vi* to withdraw.

recensi'one [retʃen'sjone] *sf* review.

recen'sire [retʃen'sire] *vt* to review.

recen'sore, a [retʃen'sore] *sm/f* reviewer.

re'cente [re'tʃɛnte] *ag* recent; **di ~** recently; **più ~** latest, most recent.

recente'mente [retʃente'mente] *av* recently.

rece'pire [retʃe'pire] *vt* to understand, take in.

recessi'one [retʃes'sjone] *sf* (*ECON*) recession.

re'cesso [re'tʃɛsso] *sm* (*azione*) recession, receding; (*DIR*) withdrawal; (*luogo*) recess.

recherò *etc* [reke'rɔ] *vb vedi* **recare**.

re'cidere [re'tʃidere] *vt* to cut off, chop off.

reci'divo, a [retʃi'divo] *sm/f* (*DIR*) second (*o* habitual) offender, recidivist ♦ *sf* recidivism.

recin'tare [retʃin'tare] *vt* to enclose, fence off.

re'cinto [re'tʃinto] *sm* enclosure; (*ciò che recinge*) fence; surrounding wall.

recinzi'one [retʃin'tsjone] *sf* (*azione*) enclosure, fencing-off; (*recinto: di legno*) fence; (: *di mattoni*) wall; (: *reticolato*) wire fencing; (: *a sbarre*) railings *pl*.

recipi'ente [retʃi'pjɛnte] *sm* container.

re'ciproco, a, ci, che [re'tʃiproko] *ag* reciprocal.

re'ciso, a [re'tʃizo] *pp di* **recidere**.

'recita ['rɛtʃita] *sf* performance.

'recital ['rɛtʃital] *sm inv* recital.

reci'tare [retʃi'tare] *vt* (*poesia, lezione*) to recite; (*dramma*) to perform; (*ruolo*) to play *o* act (the part of).

recitazi'one [retʃitat'tsjone] *sf* recitation; (*di attore*) acting; **scuola di ~** drama school.

recla'mare *vi* to complain ♦ *vt* (*richiedere*) to demand.

ré'clame [re'klam] *sf inv* advertising *no pl*; advertisement, advert (*BRIT*), ad (*fam*).

reclamiz'zare [reklamid'dzare] *vt* to advertise.

re'clamo *sm* complaint; **sporgere ~ a** to complain to, make a complaint to.

recli'nabile *ag* (*sedile*) reclining.

recli'nare *vt* (*capo*) to bow, lower; (*sedile*) to tilt.

reclusi'one *sf* (*DIR*) imprisonment.

re'cluso, a *sm/f* prisoner.

'recluta *sf* recruit.

recluta'mento *sm* recruitment.

reclu'tare *vt* to recruit.

re'condito, a *ag* secluded; (*fig*) secret, hidden.

'record *ag inv* record *cpd* ♦ *sm inv* record; **in tempo ~, a tempo di ~** in record time; **detenere il ~ di** to hold the record for; **~ mondiale** world record.

recrimi'nare *vi*: **~ (su qc)** to complain (about sth).

recriminazi'one [rekriminat'tsjone] *sf* recrimination.

recrude'scenza [rekrudeʃ'ʃɛntsa] *sf* fresh outbreak.

recupe'rare *etc* = **ricuperare** *etc*.

redargu'ire *vt* to rebuke.

re'dassi *etc vb vedi* **redigere**.

re'datto, a *pp di* **redigere**.

redat'tore, 'trice *sm/f (STAMPA)* editor; (: *di articolo*) writer; (*di dizionario etc*) compiler; ~ **capo** chief editor.

redazi'one [redat'tsjone] *sf* editing; writing; (*sede*) editorial office(s); (*personale*) editorial staff; (*versione*) version.

reddi'tizio, a [reddi'tittsjo] *ag* profitable.

'reddito *sm* income; (*dello Stato*) revenue; (*di un capitale*) yield; ~ **complessivo** gross income; ~ **disponibile** disposable income; ~ **fisso** fixed income; ~ **imponibile/non imponibile** taxable/non-taxable income; ~ **da lavoro** earned income; ~ **nazionale** national income; ~ **pubblico** public revenue.

re'densi *etc vb vedi* **redimere**.

re'dento, a *pp di* **redimere**.

reden'tore *sm*: **il R~** the Redeemer.

redenzi'one [reden'tsjone] *sf* redemption.

re'digere [re'didʒere] *vt* to write; (*contratto*) to draw up.

re'dimere *vt* to deliver; (*REL*) to redeem.

'redini *sfpl* reins.

redi'vivo, a *ag* returned to life, reborn.

'reduce ['rɛdutʃe] *ag (gen)*: ~ **da** returning from, back from ♦ *sm/f* survivor; (*veterano*) veteran; **essere** ~ **da** (*esame, colloquio*) to have been through; (*malattia*) to be just over.

'refe *sm* thread.

refe'rendum *sm inv* referendum.

refe'renza [refe'rɛntsa] *sf* reference.

re'ferto *sm* medical report.

refet'torio *sm* refectory.

refezi'one [refet'tsjone] *sf (INS)* school meal.

refrat'tario, a *ag* refractory; (*fig*): **essere ~ alla matematica** to have no aptitude for mathematics.

refrige'rante [refridʒe'rante] *ag (TECN)* cooling, refrigerating; (*bevanda*) refreshing ♦ *sm (CHIM: fluido)* coolant; (*TECN: apparecchio*) refrigerator.

refrige'rare [refridʒe'rare] *vt* to refrigerate; (*rinfrescare*) to cool, refresh.

refrigerazi'one [refridʒerat'tsjone] *sf* refrigeration; (*TECN*) cooling; ~ **ad acqua** (*AUT*) water-cooling.

refri'gerio [refri'dʒɛrjo] *sm*: **trovare** ~ to find somewhere cool.

refur'tiva *sf* stolen goods *pl*.

Reg. *abbr* (= *reggimento*) Regt; (*AMM*) = *regolamento*.

rega'lare *vt* to give (as a present), make a present of.

re'gale *ag* regal.

re'galo *sm* gift, present ♦ *ag inv*: **confezione** ~ gift pack; **fare un** ~ **a qn** to give sb a present; **"articoli da** ~**"** "gifts".

re'gata *sf* regatta.

reg'gente [red'dʒɛnte] *ag (proposizione)* main; (*sovrano*) reigning ♦ *sm/f* regent; **principe** ~ prince regent.

reg'genza [red'dʒɛntsa] *sf* regency.

'reggere ['rɛddʒere] *vt (tenere)* to hold; (*sostenere*) to support, bear, hold up; (*portare*) to carry, bear; (*resistere*) to withstand; (*dirigere: impresa*) to manage, run; (*governare*) to rule, govern; (*LING*) to take, be followed by ♦ *vi (resistere)*: ~ **a** to stand up to, hold out against; (*sopportare*): ~ **a** to stand; (*durare*) to last; (*fig: teoria etc*) to hold water; ~**rsi** *vr (stare ritto)* to stand; (*fig: dominarsi*) to control o.s.; ~**rsi sulle gambe** *o* **in piedi** to stand up.

'reggia, ge ['rɛddʒa] *sf* royal palace.

reggi'calze [reddʒi'kaltse] *sm inv* suspender belt.

reggi'mento [reddʒi'mento] *sm (MIL)* regiment.

reggi'petto [reddʒi'pɛtto] *sm*, **reggi'seno** [reddʒi'seno] *sm* bra.

re'gia, 'gie [re'dʒia] *sf (TV, CINE etc)* direction.

re'gime [re'dʒime] *sm (POL)* regime; (*DIR: aureo, patrimoniale etc*) system; (*MED*) diet; (*TECN*) (engine) speed; ~ **di giri** (*di motore*) revs *pl* per minute; ~ **vegetariano** vegetarian diet.

re'gina [re'dʒina] *sf* queen.

'regio, a, gi, gie ['rɛdʒo] *ag* royal.

regio'nale [redʒo'nale] *ag* regional.

regi'one [re'dʒone] *sf (gen)* region; (*territorio*) region, area.

---

*The **Regione** is the main administrative unit in Italy. There are 20 of these, each being subdivided into **Province**, which in turn are divided into **Comuni**. Each **Regione** has a **capoluogo**, which is its chief **provincia**. For example, in the Regione of Tuscany, Florence is the chief **Provincia** and therefore the **capoluogo di regione**. The number of **province** in a **regione** varies. Five **regioni** have special status: Val d'Aosta, Friuli-Venezia Giulia, Trentino-Alto Adige, Sicily and Sardinia and these enjoy wider powers.*

The **Regione** *is run by the Giunta regionale which is elected by the Consiglio regionale. Each of these two bodies is presided over by a Presidente. The Giunta regionale has legislative powers within the region over the police, public health, schools, town planning and agriculture. See also* **Comune** *and* **Provincia.**

re'gista, i, e [re'dʒista] *sm/f* (*TV, CINE etc*) director.

regis'trare [redʒis'trare] *vt* (*AMM*) to register; (*COMM*) to enter; (*notare*) to report, note; (*canzone, conversazione, sog: strumento di misura*) to record; (*mettere a punto*) to adjust, regulate; ~ **i bagagli** (*AER*) to check in one's luggage; ~ **i freni** (*TECN*) to adjust the brakes.

registra'tore [redʒistra'tore] *sm* (*strumento*) recorder, register; (*magnetofono*) tape recorder; ~ **di cassa** cash register; ~ **a cassette** cassette recorder; ~ **di volo** (*AER*) flight recorder, black box (*fam*).

registrazi'one [redʒistrat'tsjone] *sf* registration; entry; reporting; recording; adjustment; ~ **bagagli** (*AER*) check-in.

re'gistro [re'dʒistro] *sm* (*libro*) register; (*DIR*) registry; (*MUS, TECN*) register; (*COMM*): ~ (**di cassa**) ledger; **ufficio del** ~ registrar's office; ~ **di bordo** logbook; ~**i contabili** (account) books.

re'gnante [reɲ'ɲante] *ag* reigning, ruling ♦ *sm/f* ruler.

re'gnare [reɲ'ɲare] *vi* to reign, rule; (*fig*) to reign.

'regno ['reɲɲo] *sm* kingdom; (*periodo*) reign; (*fig*) realm; **il** ~ **animale/vegetale** the animal/vegetable kingdom; **il R**~ **Unito** the United Kingdom.

'regola *sf* rule; **a** ~ **d'arte** duly; perfectly; **essere in** ~ (*dipendente*) to be a registered employee; (*fig: essere pulito*) to be clean; **fare le cose in** ~ to do things properly; **avere le carte in** ~ (*gen*) to have one's papers in order; (*fig: essere adatto*) to be the right person; **per tua (norma e)** ~ for your information; **un'eccezione alla** ~ an exception to the rule.

rego'labile *ag* adjustable.

regolamen'tare *ag* (*distanza, velocità*) regulation *cpd*, proper; (*disposizione*) statutory ♦ *vt* (*gen*) to control; **entro il tempo** ~ within the time allowed, within the prescribed time.

regola'mento *sm* (*complesso di norme*) regulations *pl*; (*di debito*) settlement; ~ **di conti** (*fig*) settling of scores.

rego'lare *ag* regular; (*velocità*) steady;

(*superficie*) even; (*passo*) steady, even; (*in regola: documento*) in order ♦ *vt* to regulate, control; (*apparecchio*) to adjust, regulate; (*questione, conto, debito*) to settle; ~**rsi** *vr* (*moderarsi*): ~**rsi nel bere/ nello spendere** to control one's drinking/ spending; (*comportarsi*) to behave, act; **presentare** ~ **domanda** to apply through the proper channels; ~ **i conti** (*fig*) to settle old scores.

regolarità *sf inv* regularity; steadiness; evenness; (*nel pagare*) punctuality.

regolariz'zare [regolarid'dzare] *vt* (*posizione*) to regularize; (*debito*) to settle.

rego'lata *sf*: **darsi una** ~ to pull o.s. together.

regola'tezza [regola'tettsa] *sf* (*ordine*) orderliness; (*moderazione*) moderation.

rego'lato, a *ag* (*ordinato*) orderly; (*moderato*) moderate.

regola'tore *sm* (*TECN*) regulator; ~ **di frequenza/di volume** frequency/volume control.

'regolo *sm* ruler; ~ **calcolatore** slide rule.

regre'dire *vi* to regress.

regressi'one *sf* regression.

re'gresso *sm* (*fig: declino*) decline.

rei'etto, a *sm/f* outcast.

reincarnazi'one [reinkarnat'tsjone] *sf* reincarnation.

reinte'grare *vt* (*produzione*) to restore; (*energie*) to recover; (*dipendente*) to reinstate.

reintegrazi'one [reintegrat'tsjone] *sf* (*di produzione*) restoration; (*di dipendente*) reinstatement.

relativa'mente *av* relatively.

relatività *sf* relativity.

rela'tivo, a *ag* relative; (*attinente*) relevant; (*rispettivo*) respective; ~ **a** (*che concerne*) relating to, concerning; (*proporzionato*) in proportion to.

rela'tore, 'trice *sm/f* (*gen*) spokesman/ woman; (*INS: di tesi*) supervisor.

re'lax [re'laks] *sm* relaxation.

relazi'one [relat'tsjone] *sf* (*fra cose, persone*) relation(ship); (*resoconto*) report, account; ~**i** (*conoscenze*) connections; **essere in** ~ to be connected; **mettere in** ~ (*fatti, elementi*) to make the connection between; **in** ~ **a quanto detto prima** with regard to what has already been said; **essere in buone** ~**i con qn** to be on good terms with sb; **fare una** ~ to make a report, give an account; ~**i pubbliche (RP)** public relations (PR).

rele'gare *vt* to banish; (*fig*) to relegate.

religi'one [reli'dʒone] *sf* religion.

religi'oso, a [reli'dʒoso] *ag* religious ♦ *sm/f* monk/nun.

re'liquia *sf* relic.

re'litto *sm* wreck; (*fig*) down-and-out.

re'mainder [ri'meində*] *sm inv* (*libro*) remainder.

're'make ['ri:'meik] *sm inv* (*CINE*) remake.

re'mare *vi* to row.

remini'scenze [reminiʃ'ʃɛntse] *sfpl* reminiscences.

remissi'one *sf* remission; (*deferenza*) submissiveness, compliance; ~ **del debito** remission of debt; ~ **di querela** (*DIR*) withdrawal of an action.

remissività *sf* submissiveness.

remis'sivo, a *ag* submissive, compliant.

'remo *sm* oar.

'remora *sf* (*poetico: indugio*) hesitation.

re'moto, a *ag* remote.

remune'rare *etc* = **rimunerare** *etc*.

'rena *sf* sand.

re'nale *ag* kidney *cpd*.

'rendere *vt* (*ridare*) to return, give back; (: *saluto etc*) to return; (*produrre*) to yield, bring in; (*esprimere, tradurre*) to render; (*far diventare*): ~ **qc possibile** to make sth possible ♦ *vi* (*fruttare: ditta*) to be profitable; (: *investimento, campo*) to yield, be productive; ~ **grazie a qn** to thank sb; ~ **omaggio a qn** to honour sb; ~ **un servizio a qn** to do sb a service; ~ **una testimonianza** to give evidence; ~ **la visita** to pay a return visit; **non so se rendo l'idea** I don't know whether I'm making myself clear; **~rsi utile** to make o.s. useful; **~rsi conto di qc** to realize sth.

rendi'conto *sm* (*rapporto*) report, account; (*AMM, COMM*) statement of account.

rendi'mento *sm* (*reddito*) yield; (*di manodopera, TECN*) efficiency; (*capacità di produrre*) output; (*di studenti*) performance.

'rendita *sf* (*di individuo*) private *o* unearned income; (*COMM*) revenue; ~ **annua** annuity; ~ **vitalizia** life annuity.

'rene *sm* kidney.

'reni *sfpl* back *sg*.

reni'tente *ag* reluctant, unwilling; ~ **ai consigli di qn** unwilling to follow sb's advice; **essere ~ alla leva** (*MIL*) to fail to report for military service.

'renna *sf* reindeer *inv*.

'Reno *sm*: **il ~** the Rhine.

'reo, a *sm/f* (*DIR*) offender.

re'parto *sm* department, section; (*MIL*) detachment; ~ **acquisti** purchasing office.

repel'lente *ag* repulsive; (*CHIM: insettifugo*): **liquido ~** (liquid) repellant.

repen'taglio [repen'taʎʎo] *sm*: **mettere a ~** to jeopardize, risk.

repen'tino, a *ag* sudden, unexpected.

repe'ribile *ag* available.

repe'rire *vt* to find, trace.

re'perto *sm* (*ARCHEOLOGIA*) find; (*MED*) report; (*anche*: ~ **giudiziario**) exhibit.

reper'torio *sm* (*TEAT*) repertory; (*elenco*) index, (alphabetical) list.

'replica, che *sf* repetition; reply, answer; (*obiezione*) objection; (*TEAT, CINE*) repeat performance; (*copia*) replica.

repli'care *vt* (*ripetere*) to repeat; (*rispondere*) to answer, reply.

repor'tage [rəpɔr'taʒ] *sm inv* (*STAMPA*) report.

repressi'one *sf* repression.

repres'sivo, a *ag* repressive.

re'presso, a *pp di* **reprimere**.

re'primere *vt* to suppress, repress.

re'pubblica, che *sf* republic; **la R~ Democratica Tedesca (RDT)** the German Democratic Republic (GDR); **la R~ Federale Tedesca (RFT)** the Federal Republic of Germany (FRG); **la Prima/la Seconda R~** *terms used to refer to Italy before and after the political changes resulting from the 1994 elections; vedi anche* **Festa della Repubblica; Seconda Repubblica**.

repubbli'cano, a *ag, sm/f* republican.

repu'tare *vt* to consider, judge.

reputazi'one [reputat'tsjone] *sf* reputation; **farsi una cattiva ~** to get o.s. a bad name.

'requie *sf* rest; **dare ~ a qn** to give sb some peace; **senza ~** unceasingly.

'requiem *sm inv* (*preghiera*) requiem, prayer for the dead; (*fig: ufficio funebre*) requiem.

requi'sire *vt* to requisition.

requi'sito *sm* requirement; **avere i ~i necessari per un lavoro** to have the necessary qualifications for a job.

requisi'toria *sf* (*DIR*) closing speech (for the prosecution).

requisizi'one [rekwizit'tsjone] *sf* requisition.

'resa *sf* (*l'arrendersi*) surrender; (*restituzione, rendimento*) return; ~ **dei conti** rendering of accounts; (*fig*) day of reckoning.

re'scindere [reʃ'ʃindere] *vt* (*DIR*) to rescind, annul.

re'scisso, a [reʃ'ʃisso] *pp di* **rescindere**.

reset'tare *vt* (*INFORM*) to reset.

'resi *etc vb vedi* **rendere**.

resi'dente *ag* resident.
resi'denza [resi'dɛntsa] *sf* residence.
residenzi'ale [residen'tsjale] *ag* residential.
residu'ale *ag* residual.
re'siduo, a *ag* residual, remaining ♦ *sm* remainder; (*CHIM*) residue; **~i industriali** industrial waste *sg*.
'resina *sf* resin.
resis'tente *ag* (*che resiste*): **~ a** resistant to; (*forte*) strong; (*duraturo*) long-lasting, durable; **~ all'acqua** waterproof; **~ al caldo** heat-resistant; **~ al fuoco** fireproof; **~ al gelo** frost-resistant.
resis'tenza [resis'tɛntsa] *sf* (*gen, ELETTR*) resistance; (*di persona: fisica*) stamina, endurance; (*: mentale*) endurance, resistance; **opporre ~ (a)** to offer *o* put up resistance (to); (*decisione, scelta*) to show opposition (to).

> *The **Resistenza** in Italy fought against both the Nazis and Fascists during the Second World War. It was particularly active after the fall of the Fascist government on July 25th 1943, during the German occupation and the period of Mussolini's Republic of Salò in Northern Italy. Members of the Resistance spanned the whole political spectrum and played a vital role in the Liberation and in the formation of the new democratic government.*

re'sistere *vi* to resist; **~ a** (*assalto, tentazioni*) to resist; (*dolore, sog: pianta*) to withstand; (*non patir danno*) to be resistant to.
resis'tito, a *pp di* **resistere**.
'reso, a *pp di* **rendere**.
reso'conto *sm* report, account.
respin'gente [respin'dʒɛnte] *sm* (*FERR*) buffer.
res'pingere [res'pindʒere] *vt* to drive back, repel; (*rifiutare: pacco, lettera*) to return; (*: invito*) to refuse; (*: proposta*) to reject, turn down; (*INS: bocciare*) to fail.
res'pinto, a *pp di* **respingere**.
respi'rare *vi* to breathe; (*fig*) to get one's breath; to breathe again ♦ *vt* to breathe (in), inhale.
respira'tore *sm* respirator.
respira'torio, a *ag* respiratory.
respirazi'one [respirat'tsjone] *sf* breathing; **~ artificiale** artificial respiration; **~ bocca a bocca** mouth-to-mouth resuscitation, kiss of life (*fam*).
res'piro *sm* breathing *no pl*; (*singolo atto*) breath; (*fig*) respite, rest; **mandare un ~ di sollievo** to give a sigh of relief;

trattenere il ~ to hold one's breath; **lavorare senza ~** to work non-stop; **di ampio ~** (*opera, lavoro*) far-reaching.
respon'sabile *ag* responsible ♦ *sm/f* person responsible; (*capo*) person in charge; **~ di** responsible for; (*DIR*) liable for.
responsabilità *sf inv* responsibility; (*legale*) liability; **assumere la ~ di** to take on the responsibility for; **affidare a qn la ~ di qc** to make sb responsible for sth; **~ patrimoniale** debt liability; **~ penale** criminal liability.
responsabiliz'zare [responsabilid'dzare] *vt*: **~ qn** to make sb feel responsible.
res'ponso *sm* answer; (*DIR*) verdict.
'ressa *sf* crowd, throng.
'ressi *etc vb vedi* **reggere**.
res'tare *vi* (*rimanere*) to remain, stay; (*diventare*): **~ orfano/cieco** to become *o* be left an orphan/become blind; (*trovarsi*): **~ sorpreso** to be surprised; (*avanzare*) to be left, remain; **~ d'accordo** to agree; **non resta più niente** there's nothing left; **restano pochi giorni** there are only a few days left; **che resti tra di noi** this is just between ourselves; **~ in buoni rapporti** to remain on good terms; **~ senza parole** to be left speechless.
restau'rare *vt* to restore.
restaura'tore, 'trice *sm/f* restorer.
restaurazi'one [restaurat'tsjone] *sf* (*POL*) restoration.
res'tauro *sm* (*di edifici etc*) restoration; **in ~** under repair; **sotto ~** (*dipinto*) being restored; **chiuso per ~i** closed for repairs.
res'tio, a, 'tii, 'tie *ag* restive; (*persona*): **~ a** reluctant to.
restitu'ire *vt* to return, give back; (*energie, forze*) to restore.
restituzi'one [restitut'tsjone] *sf* return; (*di soldi*) repayment.
'resto *sm* remainder, rest; (*denaro*) change; (*MAT*) remainder; **~i** *smpl* leftovers; (*di città*) remains; **del ~** moreover, besides; **~i mortali** (mortal) remains.
res'tringere [res'trindʒere] *vt* to reduce; (*vestito*) to take in; (*stoffa*) to shrink; (*fig*) to restrict, limit; **~rsi** *vr* (*strada*) to narrow; (*stoffa*) to shrink.
restrit'tivo, a *ag* restrictive.
restrizi'one [restrit'tsjone] *sf* restriction.
resurrezi'one [resurret'tsjone] *sf* = **risurrezione**.
resusci'tare [resuʃʃi'tare] *vt, vi* = **risuscitare**.
re'tata *sf* (*PESCA*) haul, catch; **fare una ~ di** (*fig: persone*) to round up.
'rete *sf* net; (*di recinzione*) wire netting;

(*AUT, FERR, di spionaggio etc*) network; (*fig*) trap, snare; **segnare una** ~ (*CALCIO*) to score a goal; ~ **ferroviaria/stradale/di distribuzione** railway/road/distribution network; ~ **del letto** (sprung) bed base; ~ **da pesca** fishing net; ~ (**televisiva**) (*sistema*) network; (*canale*) channel.

reti'cente [reti't∫ɛnte] *ag* reticent.

reti'cenza [reti't∫ɛntsa] *sf* reticence.

retico'lato *sm* grid; (*rete metallica*) wire netting; (*di filo spinato*) barbed wire fence.

'retina *sf* (*ANAT*) retina.

re'torico, a, ci, che *ag* rhetorical ♦ *sf* rhetoric.

retribu'ire *vt* to pay; (*premiare*) to reward; **un lavoro mal retribuito** a poorly-paid job.

retribu'tivo, a *ag* pay *cpd.*

retribuzi'one [retribut'tsjone] *sf* payment; reward.

re'trivo, a *ag* (*fig*) reactionary.

'retro *sm inv* back ♦ *av* (*dietro*): **vedi** ~ see over(leaf).

retroattività *sf* retroactivity.

retroat'tivo, a *ag* (*DIR: legge*) retroactive; (*AMM: salario*) backdated.

retrobot'tega, ghe *sf* back shop.

retro'cedere [retro't∫ɛdere] *vi* to withdraw ♦ *vt* (*CALCIO*) to relegate; (*MIL*) to degrade; (*AMM*) to demote.

retrocessi'one [retrot∫es'sjone] *sf* (*di impiegato*) demotion.

retro'cesso, a [retro't∫ɛsso] *pp di* **retrocedere**.

retroda'tare *vt* (*AMM*) to backdate.

re'trogrado, a *ag* (*fig*) reactionary, backward-looking.

retrogu'ardia *sf* (*anche fig*) rearguard.

retro'marcia [retro'mart∫a] *sf* (*AUT*) reverse; (: *dispositivo*) reverse gear.

retro'scena [retro∫'∫ɛna] *sf inv* (*TEAT*) backstage ♦ *sm inv* (*fig*) behind-the-scenes activity.

retrospet'tivo, a *ag* retrospective ♦ *sf* (*ARTE*) retrospective (exhibition).

retros'tante *ag*: ~ (**a**) at the back (of).

retro'terra *sm* hinterland.

retro'via *sf* (*MIL*) zone behind the front; **mandare nelle** ~**e** to send to the rear.

retrovi'sore *sm* (*AUT*) (rear-view) mirror.

'retta *sf* (*MAT*) straight line; (*di convitto*) charge for bed and board; (*fig: ascolto*): **dar** ~ **a** to listen to, pay attention to.

rettango'lare *ag* rectangular.

ret'tangolo, a *ag* right-angled ♦ *sm* rectangle.

ret'tifica, che *sf* rectification, correction.

rettifi'care *vt* (*curva*) to straighten; (*fig*) to rectify, correct.

'rettile *sm* reptile.

retti'lineo, a *ag* rectilinear.

retti'tudine *sf* rectitude, uprightness.

'retto, a *pp di* **reggere** ♦ *ag* straight; (*MAT*): **angolo** ~ right angle; (*onesto*) honest, upright; (*giusto, esatto*) correct, proper, right.

ret'tore *sm* (*REL*) rector; (*di università*) ≈ chancellor.

reuma'tismo *sm* rheumatism.

Rev. *abbr* (= *Reverendo*) Rev(d).

reve'rendo, a *ag*: **il** ~ **padre Belli** the Reverend Father Belli.

reve'rente *ag* = **riverente**.

reve'renza [reve'rɛntsa] *sf* = **riverenza**.

rever'sibile *ag* reversible.

revisio'nare *vt* (*conti*) to audit; (*TECN*) to overhaul, service; (*DIR: processo*) to review; (*componimento*) to revise.

revisi'one *sf* auditing *no pl*; audit; servicing *no pl*; overhaul; review; revision; ~ **di bilancio** audit; ~ **di bozze** proofreading; ~ **contabile interna** internal audit.

revi'sore *sm*: ~ **di conti/bozze** auditor/proofreader.

'revoca *sf* revocation.

revo'care *vt* to revoke.

re'volver *sm inv* revolver.

revolve'rata *sf* revolver shot.

'Reykjavik ['reikjavik] *sf* Reykjavik.

RFT *sigla f vedi* **Repubblica Federale Tedesca**.

ri'abbia *etc vb vedi* **riavere**.

riabili'tare *vt* to rehabilitate; (*fig*) to restore to favour (*BRIT*) o favor (*US*).

riabilitazi'one [riabilitat'tsjone] *sf* rehabilitation.

riac'cendere [riat't∫ɛndere] *vt* (*sigaretta, fuoco, gas*) to light again; (*luce, radio, TV*) to switch on again; (*fig: sentimenti, interesse*) to rekindle, revive; ~**rsi** *vr* (*fuoco*) to catch again; (*luce, radio, TV*) to come back on again; (*fig: sentimenti*) to revive, be rekindled.

riac'ceso, a [riat't∫eso] *pp di* **riaccendere**.

riacqui'stare *vt* (*gen*) to buy again; (*ciò che si era venduto*) to buy back; (*fig: buonumore, sangue freddo, libertà*) to regain; ~ **la salute** to recover (one's health); ~ **le forze** to regain one's strength.

Ri'ad *sf* Riyadh.

riaddormen'tare *vt* to put to sleep again; ~**rsi** *vr* to fall asleep again.

riallac'ciare [riallat't∫are] *vt* (*cintura, cavo etc*) to refasten, tie up *o* fasten again; (*fig: rapporti, amicizia*) to resume, renew; ~**rsi**

vr: ~**rsi a** (*fig: a discorso, tema*) to resume, take up again.

rial'zare [rial'tsare] *vt* to raise, lift; (*alzare di più*) to heighten, raise; (*aumentare: prezzi*) to increase, raise ♦ *vi* (*prezzi*) to rise, increase.

rial'zato, a [rial'tsato] *ag:* **piano ~** mezzanine, entresol.

rial'zista, i [rial'tsista] *sm* (*BORSA*) bull.

ri'alzo [ri'altso] *sm* (*di prezzi*) increase, rise; (*sporgenza*) rise; **giocare al ~** (*BORSA*) to bull.

rian'dare *vi:* ~ (**in**), ~ (**a**) to go back (to), return (to).

riani'mare *vt* (*MED*) to resuscitate; (*fig: rallegrare*) to cheer up; (: *dar coraggio*) to give heart to; ~**rsi** *vr* to recover consciousness; to cheer up; to take heart.

rianimazi'one [rianimat'tsjone] *sf* (*MED*) resuscitation; **centro di ~** intensive care unit.

ria'perto, a *pp di* **riaprire.**

riaper'tura *sf* reopening.

riappa'rire *vi* to reappear.

riap'parso, a *pp di* **riapparire.**

riap'pendere *vt* to rehang; (*TEL*) to hang up.

ria'prire *vt,* ~**rsi** *vr* to reopen, open again.

ri'armo *sm* (*MIL*) rearmament.

ri'arso, a *ag* (*terreno*) arid; (*gola*) parched; (*labbra*) dry.

riasset'tare *vt* (*vedi sm*) to rearrange; to reorganize.

rias'setto *sm* (*di stanza etc*) rearrangement; (*ordinamento*) reorganization.

rias'sumere *vt* (*riprendere*) to resume; (*impiegare di nuovo*) to re-employ; (*sintetizzare*) to summarize.

rias'sunto, a *pp di* **riassumere** ♦ *sm* summary.

riattac'care *vt* (*attaccare di nuovo*): ~ (**a**) (*manifesto, francobollo*) to stick back (on); (*bottone*) to sew back (on); (*quadro, chiavi*) to hang back up (on); ~ (**il telefono** *o* **il ricevitore**) to hang up (the receiver).

riatti'vare *vt* to reactivate.

ria'vere *vt* to have again; (*avere indietro*) to get back; (*riacquistare*) to recover; ~**rsi** *vr* to recover; (*da svenimento, stordimento*) to come round.

riba'dire *vt* (*fig*) to confirm.

ri'balta *sf* (*sportello*) flap; (*TEAT: proscenio*) front of the stage; (: *apparecchio d'illuminazione*) footlights *pl;* (*fig*) limelight; **tornare alla ~** (*personaggio*) to make a comeback; (*problema*) to come up again.

ribal'tabile *ag* (*sedile*) tip-up.

ribal'tare *vt, vi* (*anche:* ~**rsi**) to turn over, tip over.

ribas'sare *vt* to lower, bring down ♦ *vi* to come down, fall.

ribas'sista, i *sm* (*BORSA*) bear.

ri'basso *sm* reduction, fall; **essere in ~** (*azioni, prezzi*) to be down; (*fig: popolarità*) to be on the decline; **giocare al ~** (*BORSA*) to bear.

ri'battere *vt* (*battere di nuovo*) to beat again; (*con macchina da scrivere*) to type again; (*palla*) to return; (*confutare*) to refute; ~ **che** to retort that.

ribattez'zare [ribatted'dzare] *vt* to rename.

ribel'larsi *vr:* ~ (**a**) to rebel (against).

ri'belle *ag* (*soldati*) rebel; (*ragazzo*) rebellious ♦ *smf* rebel.

ribelli'one *sf* rebellion.

'ribes *sm inv* currant; ~ **nero** blackcurrant; ~ **rosso** redcurrant.

ribol'lire *vi* (*fermentare*) to ferment; (*fare bolle*) to bubble, boil; (*fig*) to seethe.

ri'brezzo [ri'breddzo] *sm* disgust, loathing; **far ~ a** to disgust.

ribut'tante *ag* disgusting, revolting.

ricacci'are [rikat'tʃare] *vt* (*respingere*) to drive back; ~ **qn fuori** to throw sb out.

rica'dere *vi* to fall again; (*scendere a terra, fig: nel peccato etc*) to fall back; (*vestiti, capelli etc*) to hang (down); (*riversarsi: fatiche, colpe*): ~ **su** to fall on.

rica'duta *sf* (*MED*) relapse.

rical'care *vt* (*disegni*) to trace; (*fig*) to follow faithfully.

ricalci'trare [rikaltʃi'trare] *vi* (*cavalli, asini, muli*) to kick.

rica'mare *vt* to embroider.

ricambi'are *vt* to change again; (*contraccambiare*) to return.

ri'cambio *sm* exchange, return; (*FISIOL*) metabolism; ~**i** *smpl,* **pezzi di ~** spare parts; ~ **della manodopera** labour turnover.

ri'camo *sm* embroidery; **senza ~i** (*fig*) without frills.

ricapito'lare *vt* to recapitulate, sum up.

ricapitolazi'one [rikapitolat'tsjone] *sf* recapitulation, summary.

ricari'care *vt* (*arma, macchina fotografica*) to reload; (*penna*) to refill; (*orologio, giocattolo*) to rewind; (*ELETTR*) to recharge.

ricat'tare *vt* to blackmail.

ricatta'tore, 'trice *smf* blackmailer.

ri'catto *sm* blackmail; **fare un ~ a qn** to blackmail sb; **subire un ~** to be blackmailed.

rica'vare *vt* (*estrarre*) to draw out, extract;

(*ottenere*) to obtain, gain.
rica'vato *sm* (*di vendite*) proceeds *pl*.
ri'cavo *sm* proceeds *pl*; (*CONTABILITÀ*)
revenue.
ric'chezza [rik'kettsa] *sf* wealth; (*fig*)
richness; ~**e** *sfpl* (*beni*) wealth *sg*, riches;
~**e naturali** natural resources.
'riccio, a, ci, ce ['rittʃo] *ag* curly ♦ *sm*
(*ZOOL*) hedgehog; (: *anche*: ~ **di mare**) sea
urchin.
'ricciolo ['rittʃolo] *sm* curl.
ricci'uto, a [rit'tʃuto] *ag* curly.
'ricco, a, chi, che *ag* rich; (*persona, paese*)
rich, wealthy ♦ *sm/f* rich man/woman; **i**
~**chi** the rich; ~ **di** (*idee, illustrazioni etc*)
full of; (*risorse, fauna etc*) rich in.
ri'cerca, che [ri'tʃerka] *sf* search; (*indagine*)
investigation, inquiry; (*studio*): **la** ~
research; **una** ~ piece of research;
mettersi alla ~ **di** to go in search of, look
o search *o* hunt for; **essere alla** ~ **di** to be
searching for, be looking for; ~ **di**
mercato market research; ~ **operativa**
operational research.
ricer'care [ritʃer'kare] *vt* (*motivi, cause*) to
look for, try to determine; (*successo,*
piacere) to pursue; (*onore, gloria*) to seek.
ricerca'tezza [ritʃerka'tettsa] *sf*
(*raffinatezza*) refinement; (: *peg*)
affectation.
ricer'cato, a [ritʃer'kato] *ag* (*apprezzato*)
much sought-after; (*affettato*) studied,
affected ♦ *sm/f* (*POLIZIA*) wanted man/
woman.
ricerca'tore, 'trice [ritʃerka'tore] *sm/f* (*INS*)
researcher.
ricetrasmit'tente [ritʃetrazmit'tɛnte] *sf*
two-way radio, transceiver.
ri'cetta [ri'tʃetta] *sf* (*MED*) prescription;
(*CUC*) recipe; (*fig: antidoto*): ~ **contro**
remedy for.
ricet'tacolo [ritʃet'takolo] *sm* (*peg: luogo*
malfamato) den.
ricet'tario [ritʃet'tarjo] *sm* (*MED*)
prescription pad; (*CULIN*) recipe book.
ricetta'tore, 'trice [ritʃetta'tore] *sm/f* (*DIR*)
receiver (of stolen goods).
ricettazi'one [ritʃettat'tsjone] *sf* (*DIR*)
receiving (stolen goods).
ricet'tivo, a [ritʃet'tivo] *ag* receptive.
rice'vente [ritʃe'vɛnte] *ag* (*RADIO, TV*)
receiving ♦ *sm/f* (*COMM*) receiver.
ri'cevere [ri'tʃevere] *vt* to receive;
(*stipendio, lettera*) to get, receive;
(*accogliere: ospite*) to welcome; (*vedere:*
cliente, rappresentante etc) to see;
"confermiamo di aver ricevuto tale
merce" (*COMM*) "we acknowledge receipt

of these goods".
ricevi'mento [ritʃevi'mento] *sm* receiving
no pl; (*trattenimento*) reception; **al** ~ **della**
merce on receipt of the goods.
ricevi'tore [ritʃevi'tore] *sm* (*TECN*) receiver;
~ **delle imposte** tax collector.
ricevito'ria [ritʃevito'ria] *sf* (*FISCO*): ~ **(delle**
imposte) Inland Revenue (*BRIT*) *o*
Internal Revenue (*US*) Office; ~ **del lotto**
lottery office.
rice'vuta [ritʃe'vuta] *sf* receipt; **accusare** ~
di qc (*COMM*) to acknowledge receipt of
sth; ~ **fiscale** official receipt (for tax
purposes); ~ **di ritorno** (*POSTA*) advice of
receipt; ~ **di versamento** receipt of
payment.
ricezi'one [ritʃet'tsjone] *sf* (*RADIO, TV*)
reception.
richia'mare [rikja'mare] *vt* (*chiamare*
indietro, ritelefonare) to call back;
(*ambasciatore, truppe*) to recall;
(*rimproverare*) to reprimand; (*attirare*) to
attract, draw; ~**rsi** *vr*: ~**rsi a** (*riferirsi a*) to
refer to; ~ **qn all'ordine** to call sb to
order; **desidero** ~ **la vostra attenzione su**
... I would like to draw your attention
to ....
richi'amo [ri'kjamo] *sm* call; recall;
reprimand; attraction.
richie'dente [rikje'dɛnte] *sm/f* applicant.
richi'edere [ri'kjɛdere] *vt* to ask again for;
(*chiedere indietro*): ~ **qc** to ask for sth
back; (*chiedere: per sapere*) to ask; (: *per*
avere) to ask for; (*AMM: documenti*) to
apply for; (*esigere*) to need, require;
essere molto richiesto to be in great
demand.
richi'esto, a [ri'kjɛsto] *pp di* **richiedere** ♦ *sf*
(*domanda*) request; (*AMM*) application,
request; (*esigenza*) demand, request; **a** ~**a**
on request.
rici'claggio [ritʃi'kladdʒo] *sm* (*fig*)
laundering; ~ **di materiale** recycling; ~
di denaro sporco money laundering.
rici'clare [ritʃi'klare] *vt* (*vetro, carta, bottiglie*)
to recycle; (*fig: personale*) to retrain.
'ricino ['ritʃino] *sm*: **olio di** ~ castor oil.
ricogni'tore [rikoɲɲi'tore] *sm* (*AER*)
reconnaissance aircraft.
ricognizi'one [rikoɲɲit'tsjone] *sf* (*MIL*)
reconnaissance; (*DIR*) recognition,
acknowledgement.
ricolle'gare *vt* (*collegare nuovamente: gen*)
to join again, link again; (*connettere: fatti*):
~ **(a, con)** to connect (with); ~**rsi** *vr*: ~**rsi a**
(*sog: fatti: connettersi*) to be connected to;
(: *persona: riferirsi*) to refer to.
ri'colmo, a *ag*: ~ **(di)** (*bicchiere*) full to the

brim (with); (*stanza*) full (of).

ricominci'are [rikomin'tʃare] *vt*, *vi* to start again, begin again; ~ **a fare qc** to begin doing *o* to do sth again, start doing *o* to do sth again.

ricom'pensa *sf* reward.

ricompen'sare *vt* to reward.

ricom'porsi *vr* to compose o.s., regain one's composure.

ricom'posto, a *pp di* **ricomporsi**.

riconcili'are [rikontʃi'ljare] *vt* to reconcile; ~**rsi** *vr* to be reconciled.

riconciliazi'one [rikontʃiliat'tsjone] *sf* reconciliation.

ricon'dotto, a *pp di* **ricondurre**.

ricon'durre *vt* to bring (*o* take) back.

ricon'ferma *sf* reconfirmation.

riconfer'mare *vt* to reconfirm.

ricono'scente [rikonoʃ'ʃente] *ag* grateful.

ricono'scenza [rikonoʃ'ʃentsa] *sf* gratitude.

rico'noscere [riko'noʃʃere] *vt* to recognize; (*DIR: figlio, debito*) to acknowledge; (*ammettere: errore*) to admit, acknowledge; ~ **qn colpevole** to find sb guilty.

riconosci'mento [rikonoʃʃi'mento] *sm* recognition; acknowledgement; (*identificazione*) identification; **come ~ dei servizi resi** in recognition of services rendered; **documento di ~** means of identification; **segno di ~** distinguishing mark.

riconosci'uto, a [rikonoʃ'ʃuto] *pp di* **riconoscere**.

riconquis'tare *vt* (*MIL*) to reconquer; (*libertà, stima*) to win back.

rico'perto, a *pp di* **ricoprire**.

ricopi'are *vt* to copy.

rico'prire *vt* to re-cover; (*coprire*) to cover; (*occupare: carica*) to hold.

ricor'dare *vt* to remember, recall; (*richiamare alla memoria*): ~ **qc a qn** to remind sb of sth; ~**rsi** *vr*: ~**rsi (di)** to remember; ~**rsi di qc/di aver fatto** to remember sth/having done.

ri'cordo *sm* memory; (*regalo*) keepsake, souvenir; (*di viaggio*) souvenir; ~**i** *smpl* (*memorie*) memoirs.

ricor'rente *ag* recurrent, recurring.

ricor'renza [rikor'rentsa] *sf* recurrence; (*festività*) anniversary.

ri'correre *vi* (*ripetersi*) to recur; ~ **a** (*rivolgersi*) to turn to; (: *DIR*) to appeal to; (*servirsi di*) to have recourse to; ~ **in appello** to lodge an appeal.

ri'corso, a *pp di* **ricorrere** ♦ *sm* recurrence; (*DIR*) appeal; **far ~ a = ricorrere a**.

ricostitu'ente *ag* (*MED*): **cura ~** tonic treatment ♦ *sm* (*MED*) tonic.

ricostitu'ire *vt* (*società*) to build up again; (*governo, partito*) to re-form; ~**rsi** *vr* (*gruppo etc*) to re-form.

ricostru'ire *vt* (*casa*) to rebuild; (*fatti*) to reconstruct.

ricostruzi'one [rikostrut'tsjone] *sf* rebuilding *no pl*; reconstruction.

ri'cotta *sf soft white unsalted cheese made from sheep's milk*.

ricove'rare *vt* to give shelter to; ~ **qn in ospedale** to admit sb to hospital.

ricove'rato, a *sm/f* patient.

ri'covero *sm* shelter, refuge; (*MIL*) shelter; (*MED*) admission (to hospital); ~ **antiaereo** air-raid shelter.

ricre'are *vt* to recreate; (*rinvigorire*) to restore; (*fig: distrarre*) to amuse.

ricrea'tivo, a *ag* recreational.

ricreazi'one [rikreat'tsjone] *sf* recreation, entertainment; (*INS*) break.

ri'credersi *vr* to change one's mind.

ricupe'rare *vt* (*rientrare in possesso di*) to recover, get back; (*tempo perduto*) to make up for; (*NAUT*) to salvage; (: *naufraghi*) to rescue; (*delinquente*) to rehabilitate; ~ **lo svantaggio** (*SPORT*) to close the gap.

ri'cupero *sm* (*gen*) recovery; (*di relitto etc*) salvaging; **capacità di ~** resilience.

ricu'sare *vt* to refuse.

ridacchi'are [ridak'kjare] *vi* to snigger.

ri'dare *vt* to return, give back.

'ridda *sf* (*di ammiratori etc*) swarm; (*di pensieri*) jumble.

ri'dente *ag* (*occhi, volto*) smiling; (*paesaggio*) delightful.

'ridere *vi* to laugh; (*deridere, beffare*): ~ **di** to laugh at, make fun of; **non c'è niente da ~**, **c'è poco da ~** it's not a laughing matter.

rides'tare *vt* (*fig: ricordi, passioni*) to reawaken.

ri'detto, a *pp di* **ridire**.

ridico'laggine [ridiko'laddʒine] *sf* (*di situazione*) absurdity; (*cosa detta o fatta*) nonsense *no pl*.

ridicoliz'zare [ridikolid'dzare] *vt* to ridicule.

ri'dicolo, a *ag* ridiculous, absurd ♦ *sm*: **cadere nel ~** to become ridiculous; **rendersi ~** to make a fool of o.s.

ridimensiona'mento *sm* reorganization; (*di fatto storico*) reappraisal.

ridimensio'nare *vt* to reorganize; (*fig*) to see in the right perspective.

ri'dire *vt* to repeat; (*criticare*) to find fault with; to object to; **trova sempre qualcosa da ~** he always manages to find fault.

ridon'dante *ag* redundant.

ri'**dosso** *sm*: **a ~ di** (*dietro*) behind; (*contro*) against.

ri'**dotto, a** *pp di* **ridurre**.

ri'**duco** *etc vb vedi* **ridurre**.

ri'**durre** *vt* (*anche CHIM, MAT*) to reduce; (*prezzo, spese*) to cut, reduce; (*accorciare: opera letteraria*) to abridge; (: *RADIO, TV*) to adapt; **ridursi** *vr* (*diminuirsi*) to be reduced, shrink; **ridursi a** to be reduced to; **ridursi a pelle e ossa** to be reduced to skin and bone.

ri'**dussi** *etc vb vedi* **ridurre**.

ridut'**tore** *sm* (*TECN, CHIM, ELETTR*) reducer.

riduzi'**one** [ridut'tsjone] *sf* reduction; abridgement; adaptation.

ri'**ebbi** *etc vb vedi* **riavere**.

riecheg'**giare** [rieked'dʒare] *vi* to re-echo.

riedu'**care** *vt* (*persona, arto*) to re-educate; (*malato*) to rehabilitate.

rieducazi'**one** [riedukat'tsjone] *sf* re-education; rehabilitation; **centro di ~** rehabilitation centre.

rie'**leggere** [rie'lɛddʒere] *vt* to re-elect.

rie'**letto, a** *pp di* **rieleggere**.

riempi'**mento** *sm* filling (up).

riem'**pire** *vt* to fill (up); (*modulo*) to fill in *o* out; **~rsi** *vr* to fill (up); (*mangiare troppo*) to stuff o.s.; **~ qc di** to fill sth (up) with.

riempi'**tivo, a** *ag* filling ♦ *sm* (*anche fig*) filler.

rien'**tranza** [rien'trantsa] *sf* recess; indentation.

rien'**trare** *vi* (*entrare di nuovo*) to go (*o* come) back in; (*tornare*) to return; (*fare una rientranza*) to go in, curve inwards; to be indented; (*riguardare*): **~ in** to be included among, form part of; **~ (a casa)** to get back home; **non rientriamo nelle spese** we are not within our budget.

ri'**entro** *sm* (*ritorno*) return; (*di astronave*) re-entry; **è iniziato il grande ~** (*estivo*) people are coming back from their (summer) holidays.

riepilo'**gare** *vt* to summarize ♦ *vi* to recapitulate.

rie'**pilogo, ghi** *sm* recapitulation; **fare un ~ di qc** to summarize sth.

rie'**same** *sm* re-examination.

riesami'**nare** *vt* to re-examine.

ri'**esco** *etc vb vedi* **riuscire**.

ri'**essere** *vi*: **ci risiamo!** (*fam*) we're back to this again!

rievo'**care** *vt* (*passato*) to recall; (*commemorare: figura, meriti*) to commemorate.

rievocazi'**one** [rievokat'tsjone] *sf* (*vedi vt*) recalling; commemoration.

rifaci'**mento** [rifatʃi'mento] *sm* (*di film*) remake; (*di opera letteraria*) rehashing.

ri'**fare** *vt* to do again; (*ricostruire*) to make again; (*nodo*) to tie again, do up again; (*imitare*) to imitate, copy; **~rsi** *vr* (*risarcirsi*): **~rsi di** to make up for; (*vendicarsi*): **~rsi di qc su qn** to get one's own back on sb for sth; (*riferirsi*): **~rsi a** (*periodo, fenomeno storico*) to go back to; **~ il letto** to make the bed; **~rsi una vita** to make a new life for o.s.

ri'**fatto, a** *pp di* **rifare**.

riferi'**mento** *sm* reference; **in** *o* **con ~ a** with reference to; **far ~ a** to refer to.

rife'**rire** *vt* (*riportare*) to report; (*ascrivere*): **~ qc a** to attribute sth to ♦ *vi* to do a report; **~rsi** *vr*: **~rsi a** to refer to; **riferirò** I'll pass on the message.

rifi'**lare** *vt* (*tagliare a filo*) to trim; (*fam: affibbiare*): **~ qc a qn** to palm sth off on sb.

rifi'**nire** *vt* to finish off, put the finishing touches to.

rifini'**tura** *sf* finishing touch; **~e** *sfpl* (*di mobile, auto*) finish *sg*.

rifiu'**tare** *vt* to refuse; **~ di fare** to refuse to do.

rifi'**uto** *sm* refusal; **~i** *smpl* (*spazzatura*) rubbish *sg*, refuse *sg*; **~i solidi urbani** solid urban waste *sg*.

riflessi'**one** *sf* (*FISICA*) reflection; (*il pensare*) thought, reflection; (*osservazione*) remark.

rifles'**sivo, a** *ag* (*persona*) thoughtful, reflective; (*LING*) reflexive.

ri'**flesso, a** *pp di* **riflettere** ♦ *sm* (*di luce, su specchio*) reflection; (*FISIOL*) reflex; (*su capelli*) light; (*fig*) effect; **di** *o* **per ~** indirectly; **avere i ~i pronti** to have quick reflexes.

ri'**flettere** *vt* to reflect ♦ *vi* to think; **~rsi** *vr* to be reflected; (*ripercuotersi*): **~rsi su** to have repercussions on; **~ su** to think over.

riflet'**tore** *sm* reflector; (*proiettore*) floodlight; (: *MIL*) searchlight.

ri'**flusso** *sm* flowing back; (*della marea*) ebb; **un'epoca di ~** an era of nostalgia.

rifocil'**larsi** [rifotʃil'larsi] *vr* (*poetico*) to take refreshment.

rifondazi'**one** [rifondat'tsjone] *sf* (*POL*): **R~ Comunista** *hard left party, originating from former P.C.I.*

ri'**fondere** *vt* (*rimborsare*) to refund, repay; **~ le spese a qn** to refund sb's expenses; **~ i danni a qn** to compensate sb for damages.

ri'**forma** *sf* reform; (*MIL*) declaration of unfitness for service; discharge (*on *health grounds*); **la R~** (*REL*) the Reformation.

rifor'mare *vt* to re-form; (*cambiare, innovare*) to reform; (*MIL: recluta*) to declare unfit for service; (: *soldato*) to invalid out, discharge.

riforma'tore, 'trice *ag* reforming ♦ *sm/f* reformer.

riforma'torio *sm* (*DIR*) community home (*BRIT*), reformatory (*US*).

rifor'mista, i, e *ag, sm/f* reformist.

riforni'mento *sm* supplying, providing; restocking; (*di carburante*) refuelling; **~i** *smpl* supplies, provisions; **fare ~ di** (*viveri*) to stock up with; (*benzina*) to fill up with; **posto di ~** filling *o* gas (*US*) station.

rifor'nire *vt* (*provvedere*): **~ di** to supply *o* provide with; (*fornire di nuovo: casa etc*) to restock.

ri'frangere [ri'frandʒere] *vt* to refract.

ri'fratto, a *pp di* **rifrangere**.

rifrazi'one [rifrat'tsjone] *sf* refraction.

rifug'gire [rifud'dʒire] *vi* to escape again; (*fig*): **~ da** to shun.

rifugi'arsi [rifu'dʒarsi] *vr* to take refuge.

rifugi'ato, a [rifu'dʒato] *sm/f* refugee.

ri'fugio [ri'fudʒo] *sm* refuge, shelter; (*in montagna*) shelter; **~ antiaereo** air-raid shelter.

ri'fuso, a *pp di* **rifondere**.

'riga, ghe *sf* line; (*striscia*) stripe; (*di persone, cose*) line, row; (*regolo*) ruler; (*scriminatura*) parting; **mettersi in ~** to line up; **a ~ghe** (*foglio*) lined; (*vestito*) striped; **buttare giù due ~ghe** (*note*) to jot down a few notes; **mandami due ~ghe appena arrivi** drop me a line as soon as you arrive.

ri'gagnolo [ri'gaɲɲolo] *sm* rivulet.

ri'gare *vt* (*foglio*) to rule ♦ *vi*: **~ diritto** (*fig*) to toe the line.

riga'toni *smpl* (*CUC*) short, ridged pasta shapes.

rigatti'ere *sm* junk dealer.

riga'tura *sf* (*di pagina, quaderno*) lining, ruling; (*di fucile*) rifling.

rigene'rare [ridʒene'rare] *vt* (*gen, TECN*) to regenerate; (*forze*) to restore; (*gomma*) to retread; **~rsi** *vr* (*gen*) to regenerate; (*ramo, tumore*) to regenerate, grow again; **gomma rigenerata** retread.

rigenerazi'one [ridʒenerat'tsjone] *sf* regeneration.

riget'tare [ridʒet'tare] *vt* (*gettare indietro*) to throw back; (*fig: respingere*) to reject; (*vomitare*) to bring *o* throw up.

ri'getto [ri'dʒetto] *sm* (*anche MED*) rejection.

ri'ghello [ri'gɛllo] *sm* ruler.

righerò *etc* [rige'rɔ] *vb vedi* **rigare**.

rigi'dezza [ridʒi'dettsa], **rigidità** [ridʒidi'ta] *sf* rigidity; stiffness; severity, rigours *pl* (*BRIT*), rigors *pl* (*US*); strictness.

'rigido, a ['ridʒido] *ag* rigid, stiff; (*membra etc: indurite*) stiff; (*METEOR*) harsh, severe; (*fig*) strict.

rigi'rare [ridʒi'rare] *vt* to turn; **~rsi** *vr* to turn round; (*nel letto*) to turn over; **~ qc tra le mani** to turn sth over in one's hands; **~ il discorso** to change the subject.

'rigo, ghi *sm* line; (*MUS*) staff, stave.

rigogli'oso, a [rigoʎ'ʎoso] *ag* (*pianta*) luxuriant; (*fig: commercio, sviluppo*) thriving.

rigonfia'mento *sm* (*ANAT*) swelling; (*su legno, intonaco etc*) bulge.

ri'gonfio, a *ag* swollen; (*grembiule, sporta*): **~ di** bulging with.

ri'gore *sm* (*METEOR*) harshness, rigours *pl* (*BRIT*), rigors *pl* (*US*); (*fig*) severity, strictness; (*anche: calcio di ~*) penalty; **di ~ compulsory; "è di ~ l'abito da sera"** "evening dress"; **area di ~** (*CALCIO*) penalty box (*BRIT*); **a rigor di termini** strictly speaking.

rigorosità *sf* strictness; rigour (*BRIT*), rigor (*US*).

rigo'roso, a *ag* (*severo: persona, ordine*) strict; (*preciso*) rigorous.

rigover'nare *vt* to wash (up).

riguar'dare *vt* to look at again; (*considerare*) to regard, consider; (*concernere*) to regard, concern; **~rsi** *vr* (*aver cura di sé*) to look after o.s.; **per quel che mi riguarda** as far as I'm concerned; **sono affari che non ti riguardano** it's none of your business.

rigu'ardo *sm* (*attenzione*) care; (*considerazione*) regard, respect; **~ a** concerning, with regard to; **per ~ a** out of respect for; **ospite/persona di ~** very important guest/person; **non aver ~i nell'agire/nel parlare** to act/speak freely.

riguar'doso, a *ag* (*rispettoso*) respectful; (*premuroso*) considerate, thoughtful.

rigurgi'tare [rigurdʒi'tare] *vi* (*liquido*): **~ da** to gush out from; (*recipiente: traboccare*): **~ di** to overflow with.

ri'gurgito [ri'gurdʒito] *sm* (*MED*) regurgitation; (*fig: ritorno, risveglio*) revival.

rilanci'are [rilan'tʃare] *vt* (*lanciare di nuovo: gen*) to throw again; (: *moda*) to bring back; (: *prodotto*) to re-launch; **~ un'offerta** (*asta*) to make a higher bid.

ri'lancio [ri'lantʃo] sm (CARTE, di offerta) raising.

rilasci'are [rilaʃ'ʃare] vt (rimettere in libertà) to release; (AMM: documenti) to issue; (intervista) to give; ~ **delle dichiarazioni** to make a statement.

ri'lascio [ri'laʃʃo] sm release; issue.

rilassa'mento sm (gen, MED) relaxation.

rilas'sare vt to relax; ~rsi vr to relax; (fig: disciplina) to become slack.

rilassa'tezza [rilassa'tettsa] sf (fig: di costumi, disciplina) laxity.

rilas'sato, a ag (persona, muscoli) relaxed; (disciplina, costumi) lax.

rile'gare vt (libro) to bind.

rilega'tura sf binding.

ri'leggere [ri'lɛddʒere] vt to reread, read again; (rivedere) to read over.

ri'lento: a ~ av slowly.

ri'letto, a pp di rileggere.

rilet'tura sf (vedi vt) rereading; reading over.

rileva'mento sm (topografico, statistico) survey; (NAUT) bearing.

rile'vante ag considerable; important.

rile'vanza [rile'vantsa] sf importance.

rile'vare vt (ricavare) to find; (notare) to notice; (mettere in evidenza) to point out; (venire a conoscere: notizia) to learn; (raccogliere: dati) to gather, collect; (TOPOGRAFIA) to survey; (MIL) to relieve; (COMM) to take over.

rilevazi'one [rilevat'tsjone] sf survey.

rili'evo sm (ARTE, GEO) relief; (fig: rilevanza) importance; (osservazione) point, remark; (TOPOGRAFIA) survey; **dar ~ a o mettere in ~ qc** (fig) to bring sth out, highlight sth; **di poco/nessun ~** (fig) of little/no importance; **un personaggio di ~** an important person.

rilut'tante ag reluctant.

rilut'tanza [rilut'tantsa] sf reluctance.

'rima sf rhyme; (verso) verse; **far ~ con** to rhyme with; **rispondere a qn per le ~e** to give sb tit for tat.

riman'dare vt to send again; (restituire, rinviare) to send back, return; (differire): ~ **qc (a)** to postpone sth o put sth off (till); (fare riferimento): ~ **qn a** to refer sb to; **essere rimandato** (INS) to have to resit one's exams.

ri'mando sm (rinvio) return; (dilazione) postponement; (riferimento) cross-reference.

rimaneggi'are [rimaned'dʒare] vt (testo) to reshape, recast; (POL) to reshuffle.

rima'nente ag remaining ♦ sm rest, remainder; **i ~i** (persone) the rest of

them, the others.

rima'nenza [rima'nɛntsa] sf rest, remainder; ~e sfpl (COMM) unsold stock sg.

rima'nere vi (restare) to remain, stay; (avanzare) to be left, remain; (restare stupito) to be amazed; (restare, mancare): **rimangono poche settimane a Pasqua** there are only a few weeks left till Easter; (diventare): ~ **vedovo** to be left a widower; (trovarsi): ~ **confuso/sorpreso** to be confused/surprised; **rimane da vedere se** it remains to be seen whether.

rimangi'are [riman'dʒare] vt to eat again; ~rsi **la parola/una promessa** (fig) to go back on one's word/one's promise.

ri'mango etc vb vedi rimanere.

ri'mare vt, vi to rhyme.

rimargi'nare [rimard͡ʒi'nare] vt, vi (anche: ~rsi) to heal.

ri'masto, a pp di rimanere.

rima'sugli [rima'suλλi] smpl leftovers.

rimbal'zare [rimbal'tsare] vi to bounce back, rebound; (proiettile) to ricochet.

rim'balzo [rim'baltso] sm rebound; ricochet.

rimbam'bire vi to be in one's dotage; (rincretinire) to grow foolish.

rimbam'bito, a ag senile, gaga (fam); **un vecchio ~** a doddering old man.

rimbec'care vt (persona) to answer back; (offesa) to return.

rimbecil'lire [rimbetʃil'lire] vi, ~rsi vr to become stupid.

rimboc'care vt (orlo) to turn up; (coperta) to tuck in; (maniche, pantaloni) to turn o roll up.

rimbom'bare vi to resound; (artiglieria) to boom; (tuono) to rumble.

rim'bombo sm (vedi vi) boom; rumble.

rimbor'sare vt to pay back, repay; ~ **qc a qn** to reimburse sb for sth.

rim'borso sm repayment; (di spese, biglietto) refund; ~ **d'imposta** tax rebate.

rimboschi'mento [rimboski'mento] sm reafforestation.

rimbos'chire [rimbos'kire] vt to reafforest.

rimbrot'tare vt to reproach.

rim'brotto sm reproach.

rimedi'are vi: ~ **a** to remedy ♦ vt (fam: procurarsi) to get o scrape together; ~ **da vivere** to scrape a living.

ri'medio sm (medicina) medicine; (cura, fig) remedy, cure; **porre ~ a qc** to remedy sth; **non c'è ~** there's no way out, there's nothing to be done about it.

rimesco'lare vt to mix well, stir well; (carte) to shuffle; **sentirsi ~ il sangue** (per *rabbia*) to feel one's blood boil.

ri'messa *sf* (*locale: per veicoli*) garage; (: *per aerei*) hangar; (*COMM: di merce*) consignment; (: *di denaro*) remittance; (*TENNIS*) return; (*CALCIO: anche:* ~ **in gioco**) throw-in.

ri'messo, a *pp di* **rimettere.**

rimes'tare *vt* (*mescolare*) to mix well, stir well; (*fig: passato*) to drag up again.

ri'mettere *vt* (*mettere di nuovo*) to put back; (*indossare di nuovo*): ~ **qc** to put sth back on, put sth on again; (*restituire*) to return, give back; (*affidare*) to entrust; (: *decisione*) to refer; (*condonare*) to remit; (*COMM: merci*) to deliver; (: *denaro*) to remit; (*vomitare*) to bring up; (*perdere: anche:* **rimetterci**) to lose; ~**rsi** *vr:* ~**rsi a** (*affidarsi*) to trust; ~ **a nuovo** (*casa etc*) to do up (*BRIT*) *o* over (*US*); **rimetterci di tasca propria** to be out of pocket; ~**rsi al bello** (*tempo*) to clear up; ~**rsi in cammino** to set off again; ~**rsi al lavoro** to start working again; ~**rsi in salute** to get better, recover one's health.

rimi'nese *ag* of (*o* from) Rimini.

ri'misi *etc vb vedi* **rimettere.**

'rimmel ® *sm inv* mascara.

rimoderna'mento *sm* modernization.

rimoder'nare *vt* to modernize.

ri'monta *sf* (*SPORT, gen*) recovery.

rimon'tare *vt* (*meccanismo*) to reassemble; (*tenda*) to put up again ♦ *vi* (*salire di nuovo*): ~ **in** (*macchina, treno*) to get back into; (*SPORT*) to close the gap.

rimorchi'are [rimor'kjare] *vt* to tow; (*fig: ragazza*) to pick up.

rimorchia'tore [rimorkja'tore] *sm* (*NAUT*) tug(boat).

ri'morchio [ri'mɔrkjo] *sm* tow; (*veicolo*) trailer; **andare a** ~ to be towed; **prendere a** ~ to tow; **cavo da** ~ towrope; **autocarro con** ~ articulated lorry (*BRIT*), semi(trailer) (*US*).

ri'morso *sm* remorse; **avere il** ~ **di aver fatto qc** to deeply regret having done sth.

ri'mosso, a *pp di* **rimuovere.**

rimos'tranza [rimos'trantsa] *sf* protest, complaint; **fare le proprie** ~**e a qn** to remonstrate with sb.

rimozi'one [rimot'tsjone] *sf* removal; (*da un impiego*) dismissal; (*PSIC*) repression; "~ **forzata**" "illegally parked vehicles will be removed at owner's expense".

rimpas'tare *vt* (*POL: ministero*) to reshuffle.

rim'pasto *sm* (*POL*) reshuffle; ~ **ministeriale** cabinet reshuffle.

rimpatri'are *vi* to return home ♦ *vt* to repatriate.

rim'patrio *sm* repatriation.

rimpi'angere [rim'pjandʒere] *vt* to regret; (*persona*) to miss; ~ **di (non) aver fatto qc** to regret (not) having done sth.

rimpi'anto, a *pp di* **rimpiangere** ♦ *sm* regret.

rimpiat'tino *sm* hide-and-seek.

rimpiaz'zare [rimpjat'tsare] *vt* to replace.

rimpiccio'lire [rimpittʃo'lire] *vt* to make smaller ♦ *vi* (*anche:* ~**rsi**) to become smaller.

rimpin'zare [rimpin'tsare] *vt:* ~ **di** to cram *o* stuff with.

rimprove'rare *vt* to rebuke, reprimand.

rim'provero *sm* rebuke, reprimand; **di** ~ (*tono, occhiata*) reproachful; (*parole*) of reproach.

rimugi'nare [rimudʒi'nare] *vt* (*fig*) to turn over in one's mind.

rimune'rare *vt* (*retribuire*) to remunerate; (*ricompensare: sacrificio etc*) to reward; **un lavoro ben rimunerato** a well-paid job.

rimunera'tivo, a *ag* (*lavoro, attività*) remunerative, profitable.

rimunerazi'one [rimunerat'tsjone] *sf* remuneration; (*premio*) reward.

rimu'overe *vt* to remove; (*destituire*) to dismiss; (*fig: distogliere*) to dissuade.

rinascimen'tale [rinaʃʃimen'tale] *ag* Renaissance *cpd*, of the Renaissance.

Rinasci'mento [rinaʃʃi'mento] *sm:* **il** ~ the Renaissance.

ri'nascita [ri'naʃʃita] *sf* rebirth, revival.

rincal'zare [rinkal'tsare] *vt* (*palo, albero*) to support, prop up; (*lenzuola*) to tuck in.

rin'calzo [rin'kaltso] *sm* support, prop; (*rinforzo*) reinforcement; (*SPORT*) reserve (player); ~**i** *smpl* (*MIL*) reserves.

rinca'rare *vt* to increase the price of ♦ *vi* to go up, become more expensive; ~ **la dose** (*fig*) to pile it on.

rin'caro *sm:* ~ **(di)** (*prezzi, costo della vita*) increase (in); (*prodotto*) increase in the price (of).

rinca'sare *vi* to go home.

rinchi'udere [rin'kjudere] *vt* to shut (*o* lock) up; ~**rsi** *vr:* ~**rsi in** to shut o.s. up in; ~**rsi in se stesso** to withdraw into o.s.

rinchi'uso, a [rin'kjuso] *pp di* **rinchiudere.**

rincitrul'lirsi [rintʃitrul'lirsi] *vr* to grow foolish.

rin'correre *vt* to chase, run after.

rin'corso, a *pp di* **rincorrere** ♦ *sf* short run.

rin'crescere [rin'kreʃʃere] *vb impers:* **mi rincresce che/di non poter fare** I'm sorry that/I can't do, I regret that/being unable to do.

rincresci'mento [rinkreʃʃi'mento] *sm*

regret.

rincresci'uto, a [rinkreʃ'ʃuto] *pp di* **rincrescere**.

rincu'lare *vi* to draw back; (*arma*) to recoil.

rinfacci'are [rinfat'tʃare] *vt* (*fig*): ~ **qc a qn** to throw sth in sb's face.

rinfoco'lare *vt* (*fig*: *odio, passioni*) to rekindle; (: *risentimento, rabbia*) to stir up.

rinfor'zare [rinfor'tsare] *vt* to reinforce, strengthen ♦ *vi* (*anche*: ~**rsi**) to grow stronger.

rin'forzo [rin'fɔrtso] *sm*: **mettere un** ~ **a** to strengthen; ~**i** *smpl* (*MIL*) reinforcements; **di** ~ (*asse, sbarra*) strengthening; (*esercito*) supporting; (*personale*) extra, additional.

rinfran'care *vt* to encourage, reassure.

rinfres'cante *ag* (*bibita*) refreshing.

rinfres'care *vt* (*atmosfera, temperatura*) to cool (down); (*abito, pareti*) to freshen up ♦ *vi* (*tempo*) to grow cooler; ~**rsi** *vr* (*ristorarsi*) to refresh o.s.; (*lavarsi*) to freshen up; ~ **la memoria a qn** to refresh sb's memory.

rin'fresco, schi *sm* (*festa*) party; ~**schi** *smpl* (*cibi e bevande*) refreshments.

rin'fusa *sf*: **alla** ~ in confusion, higgledy-piggledy.

ringhi'are [rin'gjare] *vi* to growl, snarl.

ringhi'era [rin'gjɛra] *sf* railing; (*delle scale*) banister(s *pl*).

'ringhio ['ringjo] *sm* growl, snarl.

ringhi'oso, a [rin'gjoso] *ag* growling, snarling.

ringiova'nire [rindʒova'nire] *vt* (*sog*: *vestito, acconciatura etc*): ~ **qn** to make sb look younger; (: *vacanze etc*) to rejuvenate ♦ *vi* (*anche*: ~**rsi**) to become (*o* look) younger.

ringrazia'mento [ringrattsja'mento] *sm* thanks *pl*; **lettera/biglietto di** ~ thank you letter/card.

ringrazi'are [ringrat'tsjare] *vt* to thank; ~ **qn di qc** to thank sb for sth; ~ **qn per aver fatto qc** to thank sb for doing sth.

rinne'gare *vt* (*fede*) to renounce; (*figlio*) to disown, repudiate.

rinne'gato, a *smf* renegade.

rinnova'mento *sm* renewal; (*economico*) revival.

rinno'vare *vt* to renew; (*ripetere*) to repeat, renew; ~**rsi** *vr* (*fenomeno*) to be repeated, recur.

rin'novo *sm* (*di contratto*) renewal; "**chiuso per** ~ (**dei**) **locali**" (*negozio*) "closed for alterations".

rinoce'ronte [rinotʃe'ronte] *sm* rhinoceros.

rino'mato, a *ag* renowned, celebrated.

rinsal'dare *vt* to strengthen.

rinsa'vire *vi* to come to one's senses.

rinsec'chito, a [rinsek'kito] *ag* (*vecchio, albero*) thin, gaunt.

rinta'narsi *vr* (*animale*) to go into its den; (*persona: nascondersi*) to hide.

rintoc'care *vi* (*campana*) to toll; (*orologio*) to strike.

rin'tocco, chi *sm* toll.

rintracci'are [rintrat'tʃare] *vt* to track down; (*persona scomparsa, documento*) to trace.

rintro'nare *vi* to boom, roar ♦ *vt* (*assordare*) to deafen; (*stordire*) to stun.

rintuz'zare [rintut'tsare] *vt* (*fig*: *sentimento*) to check, repress; (: *accusa*) to refute.

ri'nuncia [ri'nuntʃa] *sf* renunciation; ~ **a** (*carica*) resignation from; (*eredità*) relinquishment of; ~ **agli atti del giudizio** (*DIR*) abandonment of a claim.

rinunci'are [rinun'tʃare] *vi*: ~ **a** to give up, renounce; ~ **a fare qc** to give up doing sth.

rinuncia'tario, a [rinuntʃa'tarjo] *ag* defeatist.

ri'nunzia *etc* [ri'nuntsja] = **rinuncia** *etc*.

rinveni'mento *sm* (*ritrovamento*) recovery; (*scoperta*) discovery; (*METALLURGIA*) tempering.

rinve'nire *vt* to find, recover; (*scoprire*) to discover, find out ♦ *vi* (*riprendere i sensi*) to come round; (*riprendere l'aspetto naturale*) to revive.

rinve'nuto, a *pp di* **rinvenire**.

rinver'dire *vi* (*bosco, ramo*) to become green again.

rinvi'are *vt* (*rimandare indietro*) to send back, return; (*differire*): ~ **qc (a)** to postpone sth *o* put sth off (till); (: *seduta*) to adjourn sth (till); (*fare un rimando*): ~ **qn a** to refer sb to; ~ **a giudizio** (*DIR*) to commit for trial.

rinvigo'rire *vt* to strengthen.

rin'vio, 'vii *sm* (*rimando*) return; (*differimento*) postponement; (: *di seduta*) adjournment; (*in un testo*) cross-reference; ~ **a giudizio** (*DIR*) indictment.

riò *etc vb vedi* **riavere**.

'Rio de Ja'neiro ['riodedʒa'neiro] *sf* Rio de Janeiro.

rio'nale *ag* (*mercato, cinema*) local, district *cpd*.

ri'one *sm* district, quarter.

riordina'mento *sm* (*di ente, azienda*) reorganization.

riordi'nare *vt* (*rimettere in ordine*) to tidy; (*riorganizzare*) to reorganize.

riorganiz'zare [riorganid'dzare] *vt* to reorganize.

riorganizzazi'one [riorganiddzat'tsjone] *sf* reorganization.

ripa'gare *vt* to repay.

ripa'rare *vt* (*proteggere*) to protect, defend; (*correggere: male, torto*) to make up for; (*: errore*) to put right; (*aggiustare*) to repair ♦ *vi* (*mettere rimedio*): ~ **a** to make up for; **~rsi** *vr* (*rifugiarsi*) to take refuge *o* shelter.

ripa'rato, a *ag* (*posto*) sheltered.

riparazi'one [riparat'tsjone] *sf* (*di un torto*) reparation; (*di guasto, scarpe*) repairing *no pl*; repair; (*risarcimento*) compensation; (*INS*): **esame di** ~ resit (*BRIT*), test retake (*US*).

ri'paro *sm* (*protezione*) shelter, protection; (*rimedio*) remedy; **al** ~ **da** (*sole, vento*) sheltered from; **mettersi al** ~ to take shelter; **correre ai ~i** (*fig*) to take remedial action.

ripar'tire *vt* (*dividere*) to divide up; (*distribuire*) to share out, distribute ♦ *vi* to leave again; (*motore*) to start again.

ripartizi'one [ripartit'tsjone] *sf* division; sharing out, distribution; (*AMM: dipartimento*) department.

ripas'sare *vi* to come (*o* go) back ♦ *vt* (*scritto, lezione*) to go over (again).

ri'passo *sm* (*di lezione*) revision (*BRIT*), review (*US*).

ripensa'mento *sm* second thoughts *pl* (*BRIT*), change of mind; **avere un** ~ to have second thoughts, change one's mind.

ripen'sare *vi* to think; (*cambiare idea*) to change one's mind; (*tornare col pensiero*): ~ **a** to recall; **a ripensarci** ... on thinking it over ....

riper'correre *vt* (*itinerario*) to travel over again; (*strada*) to go along again; (*fig: ricordi, passato*) to go back over.

riper'corso, a *pp di* **ripercorrere**.

riper'cosso, a *pp di* **ripercuotersi**.

ripercu'otersi *vr*: ~ **su** (*fig*) to have repercussions on.

ripercussi'one *sf* (*fig*): **avere una** ~ *o* **delle ~i su** to have repercussions on.

ripes'care *vt* (*pesce*) to catch again; (*persona, cosa*) to fish out; (*fig: ritrovare*) to dig out.

ripe'tente *sm/f* student repeating the year, repeater (*US*).

ri'petere *vt* to repeat; (*ripassare*) to go over.

ripeti'tore *sm* (*RADIO, TV*) relay.

ripetizi'one [ripetit'tsjone] *sf* repetition; (*di lezione*) revision; **~i** *sfpl* (*INS*) private tutoring *o* coaching *sg*; **fucile a** ~

repeating rifle.

ripetuta'mente *av* repeatedly, again and again.

ripi'ano *sm* (*GEO*) terrace; (*di mobile*) shelf.

ri'picca *sf*: **per** ~ out of spite.

'ripido, a *ag* steep.

ripiega'mento *sm* (*MIL*) retreat.

ripie'gare *vt* to refold; (*piegare più volte*) to fold (up) ♦ *vi* (*MIL*) to retreat, fall back; (*fig: accontentarsi*): ~ **su** to make do with; **~rsi** *vr* to bend.

ripi'ego, ghi *sm* expedient; **una soluzione di** ~ a makeshift solution.

ripi'eno, a *ag* full; (*CUC*) stuffed; (*: panino*) filled ♦ *sm* (*CUC*) stuffing.

ri'pone, ri'pongo *etc vb vedi* **riporre**.

ri'porre *vt* (*porre al suo posto*) to put back, replace; (*mettere via*) to put away; (*fiducia, speranza*): ~ **qc in qn** to place *o* put sth in sb.

ripor'tare *vt* (*portare indietro*) to bring (*o* take) back; (*riferire*) to report; (*citare*) to quote; (*ricevere*) to receive, get; (*vittoria*) to gain; (*successo*) to have; (*MAT*) to carry; (*COMM*) to carry forward; **~rsi** *vr*: **~rsi a** (*anche fig*) to go back to; (*riferirsi a*) to refer to; ~ **danni** to suffer damage; **ha riportato gravi ferite** he was seriously injured.

ri'porto *sm* amount carried over; amount carried forward.

ripo'sante *ag* (*gen*) restful; (*musica, colore*) soothing.

ripo'sare *vt* (*bicchiere, valigia*) to put down; (*dare sollievo*) to rest ♦ *vi* to rest; **~rsi** *vr* to rest; **qui riposa** ... (*su tomba*) here lies ....

ripo'sato, a *ag* (*viso, aspetto*) rested; (*mente*) fresh.

ri'posi *etc vb vedi* **riporre**.

ri'poso *sm* rest; (*MIL*): **~!** at ease!; **a** ~ (*in pensione*) retired; **giorno di** ~ day off; **"oggi ~"** (*CINE, TEAT*) "no performance today"; (*ristorante*) "closed today".

ripos'tiglio [ripos'tiλλo] *sm* lumber room (*BRIT*), storage room (*US*).

ri'posto, a *pp di* **riporre** ♦ *ag* (*fig: senso, significato*) hidden.

ri'prendere *vt* (*prigioniero, fortezza*) to recapture; (*prendere indietro*) to take back; (*ricominciare: lavoro*) to resume; (*andare a prendere*) to fetch, come back for; (*assumere di nuovo: impiegati*) to take on again, re-employ; (*rimproverare*) to tell off; (*restringere: abito*) to take in; (*CINE*) to shoot; **~rsi** *vr* to recover; (*correggersi*) to correct o.s.; ~ **a fare qc** to start doing sth again; ~ **il cammino** to set off again; ~ **i sensi** to recover consciousness; ~ **sonno**

to go back to sleep.

ripresen'tare *vt* (*certificato*) to submit again; (*domanda*) to put forward again; (*persona*) to introduce again; ~**rsi** *vr* (*ritornare: persona*) to come back; (: *occasione*) to arise again; ~**rsi a** (*esame*) to sit (*BRIT*) o take (*US*) again; (*concorso*) to enter again; ~**rsi come candidato** (*POL*) to stand (*BRIT*) o run (*US*) again (as a candidate).

ri'preso, a *pp di* **riprendere** ♦ *sf* recapture; resumption; (*economica, da malattia, emozione*) recovery; (*AUT*) acceleration *no pl*; (*TEAT, CINE*) rerun; (*CINE: presa*) shooting *no pl*; shot; (*SPORT*) second half; (: *PUGILATO*) round; **a più ~e** on several occasions, several times.

ripristi'nare *vt* to restore.

ri'pristino *sm* (*gen*) restoration; (*di tradizioni*) revival.

ripro'dotto, a *pp di* **riprodurre**.

ripro'durre *vt* to reproduce; **riprodursi** *vr* (*BIOL*) to reproduce; (*riformarsi*) to form again.

riprodut'tivo, a *ag* reproductive.

riprodut'tore, 'trice *ag* (*organo*) reproductive ♦ *sm*: ~ **acustico** pick-up; ~ **a cassetta** cassette player.

riproduzi'one [riprodut'tsjone] *sf* reproduction; ~ **vietata** all rights reserved.

ripro'messo, a *pp di* **ripromettersi**.

ripro'mettersi *vt* (*aspettarsi*): ~ **qc da** to expect sth from; (*intendere*): ~ **di fare qc** to intend to do sth.

ripro'porre *vt*: **riproporsi di fare qc** to intend to do sth.

ripro'posto, a *pp di* **riproporre**.

ri'prova *sf* confirmation; **a ~ di** as confirmation of.

ripro'vare *vt* (*provare di nuovo: gen*) to try again; (: *vestito*) to try on again; (: *sensazione*) to experience again ♦ *vi* (*tentare*): ~ (**a fare qc**) to try (to do sth) again; **riproverò più tardi** I'll try again later.

ripro'vevole *ag* reprehensible.

ripudi'are *vt* to repudiate, disown.

ri'pudio *sm* repudiation, disowning.

ripu'gnante [ripuɲ'ɲante] *ag* disgusting, repulsive.

ripu'gnanza [ripuɲ'ɲantsa] *sf* repugnance, disgust.

ripu'gnare [ripuɲ'ɲare] *vi*: ~ **a qn** to repel o disgust sb.

ripu'lire *vt* to clean up; (*sog: ladri*) to clean out; (*perfezionare*) to polish, refine.

ripulsi'one *sf* (*FISICA, fig*) repulsion.

ri'quadro *sm* square; (*ARCHIT*) panel.

ri'sacca, che *sf* backwash.

ri'saia *sf* paddy field.

risa'lire *vi* (*ritornare in su*) to go back up; ~ **a** (*ritornare con la mente*) to go back to; (*datare da*) to date back to, go back to.

risa'lita *sf*: **mezzi di ~** (*SCI*) ski lifts.

risal'tare *vi* (*fig: distinguersi*) to stand out; (*ARCHIT*) to project, jut out.

ri'salto *sm* prominence; (*sporgenza*) projection; **mettere** o **porre in ~ qc** to make sth stand out.

risana'mento *sm* (*economico*) improvement; (*bonifica*) reclamation; ~ **del bilancio** reorganization of the budget; ~ **edilizio** building improvement.

risa'nare *vt* (*guarire*) to heal, cure; (*palude*) to reclaim; (*economia*) to improve; (*bilancio*) to reorganize.

risa'pere *vt*: ~ **qc** to come to know of sth.

risa'puto, a *ag*: **è ~ che ...** everyone knows that ..., it's common knowledge that ....

risarci'mento [risartʃi'mento] *sm*: ~ (**di**) compensation (for); **aver diritto al ~ dei danni** to be entitled to damages.

risar'cire [risar'tʃire] *vt* (*cose*) to pay compensation for; (*persona*): ~ **qn di qc** to compensate sb for sth; ~ **i danni a qn** to pay sb damages.

ri'sata *sf* laugh.

riscalda'mento *sm* heating; ~ **centrale** central heating.

riscal'dare *vt* (*scaldare*) to heat; (: *mani, persona*) to warm; (*minestra*) to reheat; ~**rsi** *vr* to warm up.

ris'caldo *sm* (*fam*) (slight) inflammation.

riscat'tare *vt* (*prigioniero*) to ransom, pay a ransom for; (*DIR*) to redeem; ~**rsi** *vr* (*da disonore*) to redeem o.s.

ris'catto *sm* ransom; redemption.

rischia'rare [riskja'rare] *vt* (*illuminare*) to light up; (*colore*) to make lighter; ~**rsi** *vr* (*tempo*) to clear up; (*cielo*) to clear; (*fig: volto*) to brighten up; ~**rsi la voce** to clear one's throat.

rischi'are [ris'kjare] *vt* to risk ♦ *vi*: ~ **di fare qc** to risk o run the risk of doing sth.

'rischio ['riskjo] *sm* risk; **a ~** (*zona, situazione*) at risk, vulnerable; **a proprio ~ e pericolo** at one's own risk; **correre il ~ di fare qc** to run the risk of doing sth; ~ **del mestiere** occupational hazard.

rischi'oso, a [ris'kjoso] *ag* risky, dangerous.

risciac'quare [riʃʃak'kware] *vt* to rinse.

risci'acquo [riʃ'ʃakkwo] *sm* rinse.

riscon'trare *vt* (*confrontare: due cose*) to compare; (*esaminare*) to check, verify;

(*rilevare*) to find.

ris'contro *sm* comparison; check, verification; (*AMM: lettera di risposta*) reply; **mettere a ~** to compare; **in attesa di un vostro cortese ~** we look forward to your reply.

risco'perto, a *pp di* **riscoprire**.

risco'prire *vt* to rediscover.

riscossi'one *sf* collection.

ris'cosso, a *pp di* **riscuotere ♦** *sf* (*riconquista*) recovery, reconquest.

riscu'otere *vt* (*ritirare una somma dovuta*) to collect; (: *stipendio*) to draw, collect; (*fig: successo etc*) to win, earn; **~rsi** *vr*: **~rsi (da)** to shake o.s. (out of), rouse o.s. (from); **~ un assegno** to cash a cheque.

'rise *etc vb vedi* **ridere**.

risenti'mento *sm* resentment.

risen'tire *vt* to hear again; (*provare*) to feel **♦** *vi*: **~ di** to feel (*o* show) the effects of; **~rsi** *vr*: **~rsi di** *o* **per** to take offence (*BRIT*) *o* offense (*US*) at, resent.

risen'tito, a *ag* resentful.

ri'serbo *sm* reserve.

ri'serva *sf* reserve; (*di caccia, pesca*) preserve; (*restrizione, di indigeni*) reservation; **fare ~ di** (*cibo*) to get in a supply of; **tenere di ~** to keep in reserve; **con le dovute ~e** with certain reservations; **ha accettato con la ~ di potersi ritirare** he accepted with the proviso that he could pull out.

riser'vare *vt* (*tenere in serbo*) to keep, put aside; (*prenotare*) to book, reserve; **~rsi** *vr*: **~rsi di fare qc** to intend to do sth; **~rsi il diritto di fare qc** to reserve the right to do sth.

riserva'tezza [riserva'tettsa] *sf* reserve.

riser'vato, a *ag* (*prenotato, fig: persona*) reserved; (*confidenziale*) confidential; (*lettera, informazione*) confidential.

'risi *etc vb vedi* **ridere**.

ri'sibile *ag* laughable.

risi'cato, a *ag* (*vittoria etc*) very narrow.

risi'edere *vi*: **~ a** *o* **in** to reside in.

'risma *sf* (*di carta*) ream; (*fig*) kind, sort.

'riso, a *pp di* **ridere ♦** *sm* (*pianta*) rice; (*pl(f)* **~a**: *il ridere*): **un ~** a laugh; **il ~** laughter; **uno scoppio di ~a** a burst of laughter.

riso'lino *sm* snigger.

risolle'vare *vt* (*sollevare di nuovo: testa*) to raise again, lift up again; (*fig: questione*) to raise again, bring up again; (: *morale*) to raise; **~rsi** *vr* (*da terra*) to rise again; (*fig: da malattia*) to recover; **~ le sorti di qc** to improve the chances of sth.

ri'solsi *etc vb vedi* **risolvere**.

ri'solto, a *pp di* **risolvere**.

risolu'tezza [risolu'tettsa] *sf* determination.

risolu'tivo, a *ag* (*determinante*) decisive; (*che risolve*): **arrivare ad una formula ~a** to come up with a formula to resolve a situation.

riso'luto, a *ag* determined, resolute.

risoluzi'one [risolut'tsjone] *sf* solving *no pl*; (*MAT*) solution; (*decisione, di immagine*) resolution; (*DIR: di contratto*) annulment, cancellation.

ri'solvere *vt* (*difficoltà, controversia*) to resolve; (*problema*) to solve; (*decidere*): **~ di fare** to resolve to do; **~rsi** *vr* (*decidersi*): **~rsi a fare** to make up one's mind to do; (*andare a finire*): **~rsi in** to end up, turn out; **~rsi in nulla** to come to nothing.

risol'vibile *ag* solvable.

riso'nanza [riso'nantsa] *sf* resonance; **aver vasta ~** (*fig: fatto etc*) to be known far and wide.

riso'nare *vt, vi* = **risuonare**.

ri'sorgere [ri'sordʒere] *vi* to rise again.

risorgimen'tale [risordʒimen'tale] *ag* of the Risorgimento.

risorgi'mento [risordʒi'mento] *sm* revival; **il R~** (*STORIA*) the Risorgimento.

The **Risorgimento**, *which began in the early nineteenth century and ended in 1861, with the proclamation of the Kingdom of Italy, was a period of great upheaval and change. Political and personal freedom took on a new importance under the influence of the events of the French Revolution. It eventually led to the unification of Italy in 1871.*

---

ri'sorsa *sf* expedient, resort; **~e** *sfpl* (*naturali, finanziarie etc*) resources; **persona piena di ~e** resourceful person.

ri'sorsi *etc vb vedi* **risorgere**.

ri'sorto, a *pp di* **risorgere**.

ri'sotto *sm* (*CUC*) risotto.

rispar'miare *vt* to save; (*non uccidere*) to spare **♦** *vi* to save; **~ qc a qn** to spare sb sth; **~ fatica/fiato** to save one's energy/breath; **risparmiati il disturbo** *o* **la fatica** (*anche ironico*) save yourself the trouble.

risparmia'tore, 'trice *sm/f* saver.

ris'parmio *sm* saving *no pl*; (*denaro*) savings *pl*.

rispecchi'are [rispek'kjare] *vt* to reflect; **~rsi** *vr* to be reflected.

rispe'dire *vt* to send back; **~ qc a qn** to send sth back to sb.

rispet'tabile *ag* respectable; (*considerevole: somma*) sizeable, considerable.

rispet'tare *vt* to respect; (*legge*) to obey, comply with, abide by; (*promessa*) to keep; **farsi** ~ to command respect; ~ **le distanze** to keep one's distance; ~ **i tempi** to keep to schedule; **ogni medico che si rispetti** every self-respecting doctor.

rispettiva'mente *av* respectively.

rispet'tivo, a *ag* respective.

ris'petto *sm* respect; ~**i** *smpl* (*saluti*) respects, regards; ~ **a** (*in paragone a*) compared to; (*in relazione a*) as regards, as for; ~ **(di o per)** (*norme, leggi*) observance (of), compliance (with); **portare** ~ **a qn/qc** to have *o* feel respect for sb/sth; **mancare di** ~ **a qn** to be disrespectful to sb; **con** ~ **parlando** with respect, if you will excuse my saying so; **(porga) i miei** ~**i alla signora** (give) my regards to your wife.

rispet'toso, a *ag* respectful.

risplen'dente *ag* (*giornata, sole*) bright, shining; (*occhi*) sparkling.

ris'plendere *vi* to shine.

rispon'dente *ag:* ~ **a** in keeping *o* conformity with.

rispon'denza [rispon'dɛntsa] *sf* correspondence.

ris'pondere *vi* to answer, reply; (*freni*) to respond; ~ **a** (*domanda*) to answer, reply to; (*persona*) to answer; (*invito*) to reply to; (*provocazione, sog: veicolo, apparecchio*) to respond to; (*corrispondere a*) to correspond to; (: *speranze, bisogno*) to answer; ~ **a qn di qc** (*essere responsabile*) to be answerable to sb for sth.

rispo'sarsi *vr* to get married again, remarry.

ris'posto, a *pp di* **rispondere** ♦ *sf* answer, reply; **in** ~**a a** in reply to; **dare una** ~**a** to give an answer; **diamo** ~**a alla vostra lettera del** ... in reply to your letter of ....

'rissa *sf* brawl.

ris'soso, a *ag* quarrelsome.

rist. *abbr* = **ristampa**.

ristabi'lire *vt* to re-establish, restore; (*persona: sog: riposo etc*) to restore to health; ~**rsi** *vr* to recover.

rista'gnare [ristaɲ'ɲare] *vi* (*acqua*) to become stagnant; (*sangue*) to cease flowing; (*fig: industria*) to stagnate.

ris'tagno [ris'taɲɲo] *sm* stagnation; **c'è un** ~ **delle vendite** business is slack.

ris'tampa *sf* reprinting *no pl*; reprint.

ristam'pare *vt* to reprint.

risto'rante *sm* restaurant.

risto'rare *vt* (*persona, forze*) to revive, refresh; ~**rsi** *vr* (*rifocillarsi*) to have something to eat and drink; (*riposarsi*) to rest, have a rest.

ristora'tore, 'trice *ag* refreshing, reviving ♦ *sm* (*gestore di ristorante*) restaurateur.

ris'toro *sm* (*bevanda, cibo*) refreshment; **posto di** ~ (*FERR*) buffet, snack bar; **servizio di** ~ (*FERR*) refreshments *pl*.

ristret'tezza [ristret'tettsa] *sf* (*strettezza*) narrowness; (*fig: scarsezza*) scarcity, lack; (: *meschinità*) meanness; ~**e** *sfpl* (*povertà*) poverty *sg*.

ris'tretto, a *pp di* **restringere** ♦ *ag* (*racchiuso*) enclosed, hemmed in; (*angusto*) narrow; (*limitato*): ~ **(a)** restricted *o* limited (to); (*CUC: brodo*) thick; (: *caffè*) extra strong.

ristruttu'rare *vt* (*azienda*) to reorganize; (*edificio*) to restore; (*appartamento*) to alter; (*sog: crema, balsamo*) to repair.

ristrutturazi'one [ristrutturat'tsjone] *sf* reorganization; restoration; alteration.

risucchi'are [risuk'kjare] *vt* to suck in.

ri'succhio [ri'sukkjo] *sm* (*di acqua*) undertow, pull; (*di aria*) suction.

risul'tare *vi* (*dimostrarsi*) to prove (to be), turn out (to be); (*riuscire*): ~ **vincitore** to emerge as the winner; ~ **da** (*provenire*) to result from, be the result of; **mi risulta che** ... I understand that ..., as far as I know ...; **(ne) risulta che** ... it follows that ...; **non mi risulta** not as far as I know.

risul'tato *sm* result.

risuo'nare *vi* (*rimbombare*) to resound.

risurrezi'one [risurret'tsjone] *sf* (*REL*) resurrection.

risusci'tare [risuʃʃi'tare] *vt* to resuscitate, restore to life; (*fig*) to revive, bring back ♦ *vi* to rise (from the dead).

risvegli'are [rizveʎ'ʎare] *vt* (*gen*) to wake up, waken; (*fig: interesse*) to stir up, arouse; (: *curiosità*) to arouse; (*fig: dall'inerzia etc*): ~ **qn (da)** to rouse sb (from); ~**rsi** *vr* to wake up, awaken; (*fig: interesse, curiosità*) to be aroused.

ris'veglio [riz'veʎʎo] *sm* waking up; (*fig*) revival.

ris'volto *sm* (*di giacca*) lapel; (*di pantaloni*) turn-up (*BRIT*), cuff (*US*); (*di manica*) cuff; (*di tasca*) flap; (*di libro*) inside flap; (*fig*) implication.

ritagli'are [ritaʎ'ʎare] *vt* (*tagliar via*) to cut out.

ri'taglio [ri'taʎʎo] *sm* (*di giornale*) cutting, clipping; (*di stoffa etc*) scrap; **nei** ~**i di tempo** in one's spare time.

ritar'dare *vi* (*persona, treno*) to be late; (*orologio*) to be slow ♦ *vt* (*rallentare*) to slow down; (*impedire*) to delay, hold up;

(*differire*) to postpone, delay; ~ **il pagamento** to defer payment.

ritarda'tario, a *smlf* latecomer.

ritar'dato, a *ag* (*PSIC*) retarded.

ri'tardo *sm* delay; (*di persona aspettata*) lateness *no pl*; (*fig: mentale*) backwardness; **in** ~ late.

ri'tegno [ri'teɲɲo] *sm* restraint.

ritem'prare *vt* (*forze, spirito*) to restore.

rite'nere *vt* (*trattenere*) to hold back; (: *somma*) to deduct; (*giudicare*) to consider, believe.

ri'tengo, ri'tenni *etc vb vedi* **ritenere**.

riten'tare *vt* to try again, make another attempt at.

rite'nuta *sf* (*sul salario*) deduction; ~ **d'acconto** advance deduction of tax; ~ **alla fonte** (*FISCO*) taxation at source.

riterrò, riti'ene *etc vb vedi* **ritenere**.

riti'rare *vt* to withdraw; (*POL: richiamare*) to recall; (*andare a prendere: pacco etc*) to collect, pick up; ~**rsi** *vr* to withdraw; (*da un'attività*) to retire; (*stoffa*) to shrink; (*marea*) to recede; **gli hanno ritirato la patente** they disqualified him from driving (*BRIT*), they took away his licence (*BRIT*) *o* license (*US*); ~**rsi a vita privata** to withdraw from public life.

riti'rata *sf* (*MIL*) retreat; (*latrina*) lavatory.

riti'rato, a *ag* secluded; **fare vita** ~**a** to live in seclusion.

ri'tiro *sm* (*di truppe, candidati, soldi*) withdrawal; (*di pacchi*) collection; (*di passaporto*) confiscation; (*da attività*) retirement; (*luogo appartato*) retreat.

rit'mato, a *ag* rhythmic(al).

'ritmico, a, ci, che *ag* rhythmic(al).

'ritmo *sm* rhythm; (*fig*) rate; (: *della vita*) pace, tempo; **al** ~ **di** at a speed *o* rate of; **ballare al** ~ **di valzer** to waltz.

'rito *sm* rite; **di** ~ usual, customary.

ritoc'care *vt* (*disegno, fotografia*) to touch up; (*testo*) to alter.

ri'tocco, chi *sm* touching up *no pl*; alteration.

ri'torcere [ri'tɔrtʃere] *vt* (*filato*) to twist; (*fig: accusa, insulto*) to throw back; ~**rsi** *vr* (*tornare a danno di*): ~**rsi contro** to turn against.

ritor'nare *vi* to return, go (*o come*) back; (*ripresentarsi*) to recur; (*ridiventare*): ~ **ricco** to become rich again ♦ *vt* (*restituire*) to return, give back.

ritor'nello *sm* refrain.

ri'torno *sm* return; **durante il (viaggio di)** ~ on the return trip, on the way back; **al** ~ (*tornando*) on the way back; **essere di** ~ to be back; **far** ~ to return; **avere un** ~ **di**

fiamma (*AUT*) to backfire; (*fig: persona*) to be back in love again.

ritorsi'one *sf* (*rappresaglia*) retaliation.

ri'torto, a *pp di* **ritorcere** ♦ *ag* (*cotone, corda*) twisted.

ri'trarre *vt* (*trarre indietro, via*) to withdraw; (*distogliere: sguardo*) to turn away; (*rappresentare*) to portray, depict; (*ricavare*) to get, obtain; **ritrarsi** *vr* to move back.

ritrat'tare *vt* (*disdire*) to retract, take back; (*trattare nuovamente*) to deal with again.

ritrattazi'one [ritrattat'tsjone] *sf* withdrawal.

ritrat'tista, i, e *smlf* portrait painter.

ri'tratto, a *pp di* **ritrarre** ♦ *sm* portrait.

ritro'sia *sf* (*riluttanza*) reluctance, unwillingness; (*timidezza*) shyness.

ri'troso, a *ag* (*restio*): ~ **(a)** reluctant (to); (*schivo*) shy; **andare a** ~ to go backwards.

ritrova'mento *sm* (*di cadavere, oggetto smarrito etc*) finding; (*oggetto ritrovato*) find.

ritro'vare *vt* to find; (*salute*) to regain; (*persona*) to find; to meet again; ~**rsi** *vr* (*essere, capitare*) to find o.s.; (*raccapezzarsi*) to find one's way; (*con senso reciproco*) to meet (again).

ritro'vato *sm* discovery.

ri'trovo *sm* meeting place; ~ **notturno** night club.

'ritto, a *ag* (*in piedi*) standing, on one's feet; (*levato in alto*) erect, raised; (: *capelli*) standing on end; (*posto verticalmente*) upright.

ritu'ale *ag, sm* ritual.

riuni'one *sf* (*adunanza*) meeting; (*riconciliazione*) reunion; **essere in** ~ to be at a meeting.

riu'nire *vt* (*ricongiungere*) to join (together); (*riconciliare*) to reunite, bring together (again); ~**rsi** *vr* (*adunarsi*) to meet; (*tornare a stare insieme*) to be reunited; **siamo qui riuniti per festeggiare il vostro anniversario** we are gathered here to celebrate your anniversary.

riu'scire [riuʃ'ʃire] *vi* (*uscire di nuovo*) to go out again, go back out; (*aver esito: fatti, azioni*) to go, turn out; (*aver successo*) to succeed, be successful; (*essere, apparire*) to be, prove; (*raggiungere il fine*) to manage, succeed; ~ **a fare qc** to manage *o* be able to do sth; **questo mi riesce nuovo** this is new to me.

riu'scita [riuʃ'ʃita] *sf* (*esito*) result, outcome; (*buon esito*) success.

riutiliz'zare [riutilid'dzare] *vt* to use again, re-use.

'**riva** *sf* (*di fiume*) bank; (*di lago, mare*) shore; **in ~ al mare** on the (sea) shore.

ri'**vale** *ag* rival *cpd* ♦ *smf* rival; **non avere ~i** (*anche fig*) to be unrivalled.

rivaleggi'**are** [rivaled'dʒare] *vi* to compete, vie.

rivalità *sf* rivalry.

ri'**valsa** *sf* (*rivincita*) revenge; (*risarcimento*) compensation; **prendersi una ~ su qn** to take revenge on sb.

rivalu'**tare** *vt* (*ECON*) to revalue.

rivalutazi'**one** [rivalutat'tsjone] *sf* (*ECON*) revaluation; (*fig*) re-evaluation.

rivan'**gare** *vt* (*ricordi etc*) to dig up (again).

rive'**dere** *vt* to see again; (*ripassare*) to revise; (*verificare*) to check.

rivedrò *etc vb vedi* **rivedere**.

rive'**lare** *vt* to reveal; (*divulgare*) to reveal, disclose; (*dare indizio*) to reveal, show; **~rsi** *vr* (*manifestarsi*) to be revealed; **~rsi onesto** *etc* to prove to be honest *etc*.

rivela'**tore, 'trice** *ag* revealing ♦ *sm* (*TECN*) detector; (*FOT*) developer.

rivelazi'**one** [rivelat'tsjone] *sf* revelation.

ri'**vendere** *vt* (*vendere: di nuovo*) to resell, sell again; (: *al dettaglio*) to retail, sell retail.

rivendi'**care** *vt* to claim, demand.

rivendicazi'**one** [rivendikat'tsjone] *sf* claim; **~i salariali** wage claims.

ri'**vendita** *sf* (*bottega*) retailer's (shop); **~ di tabacchi** tobacconist's (shop).

rivendi'**tore, 'trice** *smf* retailer; **~ autorizzato** authorized dealer.

riverbe'**rare** *vt* to reflect.

ri'**verbero** *sm* (*di luce, calore*) reflection; (*di suono*) reverberation.

rive'**rente** *ag* reverent, respectful.

rive'**renza** [rive'rɛntsa] *sf* reverence; (*inchino*) bow; curtsey.

rive'**rire** *vt* (*rispettare*) to revere; (*salutare*) to pay one's respects to.

river'**sare** *vt* (*anche fig*) to pour; **~rsi** *vr* (*fig: persone*) to pour out.

rivesti'**mento** *sm* covering; coating.

rives'**tire** *vt* to dress again; (*ricoprire*) to cover; (: *con vernice*) to coat; (*fig: carica*) to hold; **~rsi** *vr* to get dressed again; to change (one's clothes); **~ di piastrelle** to tile.

ri'**vidi** *etc vb vedi* **rivedere**.

rivi'**era** *sf* coast; **la ~ italiana** the Italian Riviera.

ri'**vincita** [ri'vintʃita] *sf* (*SPORT*) return match; (*fig*) revenge; **prendersi la ~ (su qn)** to take o get one's revenge (on sb).

rivis'**suto, a** *pp di* **rivivere**.

ri'**vista** *sf* review; (*periodico*) magazine,

review; (*TEAT*) revue; variety show.

ri'**visto, a** *pp di* **rivedere**.

rivitaliz'**zante** [rivitalid'dzante] *ag* revitalizing.

rivitaliz'**zare** [rivitalid'dzare] *vt* to revitalize.

ri'**vivere** *vi* (*riacquistare forza*) to come alive again; (*tornare in uso*) to be revived ♦ *vt* to relive.

'**rivo** *sm* stream.

ri'**volgere** [ri'vɔldʒere] *vt* (*attenzione, sguardo*) to turn, direct; (*parole*) to address; **~rsi** *vr* to turn round; (*fig: dirigersi per informazioni*): **~rsi a** to go and see, go and speak to; **~ un'accusa/una critica a qn** to accuse/criticize sb; **~rsi all'ufficio competente** to apply to the office concerned.

rivolgi'**mento** [rivoldʒi'mento] *sm* upheaval.

ri'**volsi** *etc vb vedi* **rivolgere**.

ri'**volta** *sf* revolt, rebellion.

rivol'**tante** *ag* revolting, disgusting.

rivol'**tare** *vt* to turn over; (*con l'interno all'esterno*) to turn inside out; (*disgustare: stomaco*) to upset, turn; (: *fig*) to revolt, disgust; **~rsi** *vr* (*ribellarsi*): **~rsi (a)** to rebel (against).

rivol'**tella** *sf* revolver.

ri'**volto, a** *pp di* **rivolgere**.

rivol'**toso, a** *ag* rebellious ♦ *smf* rebel.

rivoluzio'**nare** [rivoluttsjo'nare] *vt* to revolutionize.

rivoluzio'**nario, a** [rivoluttsjo'narjo] *ag, smf* revolutionary.

rivoluzi'**one** [rivolut'tsjone] *sf* revolution.

riz'**zare** [rit'tsare] *vt* to raise, erect; **~rsi** *vr* to stand up; (*capelli*) to stand on end; **~rsi in piedi** to stand up, get to one's feet.

RN *sigla* = Rimini.

RNA *sigla m* RNA (= *ribonucleic acid*).

RO *sigla* = Rovigo.

'**roba** *sf* stuff, things *pl*; (*possessi, beni*) belongings *pl*, things *pl*, possessions *pl*; **~ da mangiare** things to eat, food; **~ da matti!** it's sheer madness o lunacy!

robi'**vecchi** [robi'vɛkki] *smf inv* junk dealer.

'**robot** *sm inv* robot.

ro'**botica** *sf* robotics *sg*.

robus'**tezza** [robus'tettsa] *sf* (*di persona, pianta*) robustness, sturdiness; (*di edificio, ponte*) soundness.

ro'**busto, a** *ag* robust, sturdy; (*solido: catena*) strong; (: *edificio, ponte*) sound, solid; (*vino*) full-bodied.

'**rocca, che** *sf* fortress.

rocca'**forte** *sf* stronghold.

roc'**chetto** [rok'ketto] *sm* reel, spool.

'roccia, ce ['rɔttʃa] *sf* rock; **fare** ~ (*SPORT*) to go rock climbing.

roccia'tore, 'trice [rottʃa'tore] *sm/f* rock climber.

rocci'oso, a [rot'tʃoso] *ag* rocky; **le Montagne R**~**e** the Rocky Mountains.

'roco, a, chi, che *ag* hoarse.

ro'daggio [ro'daddʒo] *sm* running (*BRIT*) *o* breaking (*US*) in; **in** ~ running *o* breaking in; **periodo di** ~ (*fig*) period of adjustment.

'Rodano *sm*: **il** ~ the Rhone.

ro'dare *vt* (*AUT, TECN*) to run (*BRIT*) *o* break (*US*) in.

ro'deo *sm* rodeo.

'rodere *vt* to gnaw (at); (*distruggere poco a poco*) to eat into.

'Rodi *sf* Rhodes.

rodi'tore *sm* (*ZOOL*) rodent.

rodo'dendro *sm* rhododendron.

'rogito ['rɔdʒito] *sm* (*DIR*) (notary's) deed.

'rogna ['rɔɲɲa] *sf* (*MED*) scabies *sg*; (*di animale*) mange; (*fig*) bother, nuisance.

ro'gnone [roɲ'ɲone] *sm* (*CUC*) kidney.

ro'gnoso, a [roɲ'ɲoso] *ag* (*persona*) scabby; (*animale*) mangy; (*fig*) troublesome.

'rogo, ghi *sm* (*per cadaveri*) (funeral) pyre; (*supplizio*): **il** ~ the stake.

rol'lare *vi* (*NAUT, AER*) to roll.

rol'lino *sm* = **rullino**.

rol'lio *sm* roll(ing).

'Roma *sf* Rome.

roma'gnolo, a [romaɲ'ɲɔlo] *ag* of (*o* from) Romagna.

roma'nesco, a, schi, sche *ag* Roman ♦ *sm* Roman dialect.

Roma'nia *sf*: **la** ~ Romania.

ro'manico, a, ci, che *ag* Romanesque.

ro'mano, a *ag*, *sm/f* Roman; **fare alla** ~**a** to go Dutch.

romantiche'ria [romantike'ria] *sf* sentimentality.

romanti'cismo [romanti'tʃizmo] *sm* romanticism.

ro'mantico, a, ci, che *ag* romantic.

ro'manza [ro'mandza] *sf* (*MUS, LETTERATURA*) romance.

roman'zare [roman'dzare] *vt* to romanticize.

roman'zesco, a, schi, sche [roman'dzesko] *ag* (*stile, personaggi*) fictional; (*fig*) storybook *cpd*.

romanzi'ere [roman'dzjɛre] *sm* novelist.

ro'manzo, a [ro'mandzo] *ag* (*LING*) romance *cpd* ♦ *sm* (*medievale*) romance; (*moderno*) novel; ~ **d'amore** love story; ~ **d'appendice** serial (story); ~ **cavalleresco** tale of chivalry; ~ **poliziesco**, ~ **giallo**

detective story; ~ **rosa** romantic novel.

rom'bare *vi* to rumble, thunder, roar.

'rombo *sm* rumble, thunder, roar; (*MAT*) rhombus; (*ZOOL*) turbot.

ro'meno, a *ag*, *sm/f*, *sm* = **rumeno**.

'rompere *vt* to break; (*conversazione, fidanzamento*) to break off ♦ *vi* to break; ~**rsi** *vr* to break; **mi rompe le scatole** (*fam*) he (*o* she) is a pain in the neck; ~**rsi un braccio** to break an arm.

rompi'capo *sm* worry, headache; (*indovinello*) puzzle; (*in enigmistica*) brain-teaser.

rompi'collo *sm* daredevil.

rompighi'accio [rompi'gjattʃo] *sm* (*NAUT*) icebreaker.

rompis'catole *sm/f inv* (*fam*) pest, pain in the neck.

'ronda *sf* (*MIL*) rounds *pl*, patrol.

ron'della *sf* (*TECN*) washer.

'rondine *sf* (*ZOOL*) swallow.

ron'done *sm* (*ZOOL*) swift.

ron'fare *vi* (*russare*) to snore.

ron'zare [ron'dzare] *vi* to buzz, hum.

ron'zino [ron'dzino] *sm* (*peg: cavallo*) nag.

ron'zio, ii [ron'dzio] *sm* buzzing, humming; ~ **auricolare** (*MED*) tinnitus *sg*.

'rosa *sf* rose; (*fig: gruppo*): ~ **dei candidati** list of candidates ♦ *ag inv*, *sm* pink.

ro'saio *sm* (*pianta*) rosebush, rose tree; (*giardino*) rose garden.

ro'sario *sm* (*REL*) rosary.

ro'sato, a *ag* pink, rosy ♦ *sm* (*vino*) rosé (wine).

ro'seo, a *ag* (*anche fig*) rosy.

ro'seto *sm* rose garden.

ro'setta *sf* (*diamante*) rose-cut diamond; (*rondella*) washer.

'rosi *vb vedi* **rodere**.

rosicchi'are [rosik'kjare] *vt* to gnaw (at); (*mangiucchiare*) to nibble (at).

rosma'rino *sm* rosemary.

'roso, a *pp di* **rodere**.

roso'lare *vt* (*CUC*) to brown.

roso'lia *sf* (*MED*) German measles *sg*, rubella.

'rospo *sm* (*ZOOL*) toad; **mandar giù** *o* **ingoiare un** *o* **il** ~ (*fig*) to swallow a bitter pill; **sputa il** ~**!** out with it!

ros'setto *sm* (*per labbra*) lipstick; (*per guance*) rouge.

ros'siccio, a, ci, ce [ros'sittʃo] *ag* reddish.

'rosso, a *ag*, *sm*, *sm/f* red; **diventare** ~ (**per la vergogna**) to blush *o* go red (with *o* for shame); **il mar R**~ the Red Sea; ~ **d'uovo** egg yolk.

ros'sore *sm* flush, blush.

rosticce'ria [rostittʃe'ria] *sf shop selling*

roast meat and other cooked food.

'rostro *sm* rostrum; (*becco*) beak.

ro'tabile *ag* (*percorribile*): strada ~ roadway; (*FERR*): materiale ~ rolling stock.

ro'taia *sf* rut, track; (*FERR*) rail.

ro'tare *vt, vi* to rotate.

rota'tivo, a *ag* rotating, rotation *cpd*.

rotazi'one [rotat'tsjone] *sf* rotation.

rote'are *vt, vi* to whirl; ~ gli occhi to roll one's eyes.

ro'tella *sf* small wheel; (*di mobile*) castor.

roto'calco, chi *sm* (*TIP*) rotogravure; (*rivista*) illustrated magazine.

roto'lare *vt, vi* to roll; ~rsi *vr* to roll (about).

roto'lio *sm* rolling.

'rotolo *sm* (*di carta, stoffa*) roll; (*di corda*) coil; andare a ~i (*fig*) to go to rack and ruin; mandare a ~i (*fig*) to ruin.

ro'tondo, a *ag* round ♦ *sf* rotunda.

ro'tore *sm* rotor.

'rotta *sf* (*AER, NAUT*) course, route; (*MIL*) rout; a ~ di collo at breakneck speed; essere in ~ con qn to be on bad terms with sb; fare ~ su *o* per *o* verso to head for *o* towards; cambiare ~ (*anche fig*) to change course; in ~ di collisione on a collision course; ufficiale di ~ navigator, navigating officer.

rot'tame *sm* fragment, scrap, broken bit; ~i *smpl* (*di nave, aereo etc*) wreckage *sg*; ~i di ferro scrap iron *sg*.

'rotto, a *pp di* rompere ♦ *ag* broken; (*calzoni*) torn, split; (*persona: pratico, resistente*): ~ a accustomed *o* inured to ♦ *sm*: per il ~ della cuffia by the skin of one's teeth; ~i *smpl*: 20.000 lire e ~i 20,000-odd lire.

rot'tura *sf* (*azione*) breaking *no pl*; (*di rapporti*) breaking off; (*MED*) fracture, break.

rou'lotte [ru'lɔt] *sf inv* caravan.

ro'vente *ag* red-hot.

'rovere *sm* oak.

ro'vescia [ro'veʃʃa] *sf*: alla ~ upside-down; inside-out; oggi mi va tutto alla ~ everything is going wrong (for me) today.

rovesci'are [roveʃ'ʃare] *vt* (*versare in giù*) to pour; (*: accidentalmente*) to spill; (*capovolgere*) to turn upside down; (*gettare a terra*) to knock down; (*: fig: governo*) to overthrow; (*piegare all'indietro: testa*) to throw back; ~rsi *vr* (*sedia, macchina*) to overturn; (*barca*) to capsize; (*liquido*) to spill; (*fig: situazione*) to be reversed.

ro'vescio, sci [ro'veʃʃo] *sm* other side, wrong side; (*della mano*) back; (*di moneta*) reverse; (*pioggia*) sudden downpour; (*fig*) setback; (*MAGLIA: anche:* punto ~) purl (stitch); (*TENNIS*) backhand (stroke); a ~ (*sottosopra*) upside-down; (*con l'esterno all'interno*) inside-out; capire qc a ~ to misunderstand sth; ~ di fortuna setback.

ro'vina *sf* ruin; ~e *sfpl* ruins; andare in ~ (*andare a pezzi*) to collapse; (*fig*) to go to rack and ruin; mandare qc/qn in ~ to ruin sth/sb.

rovi'nare *vi* to collapse, fall down ♦ *vt* (*far cadere giù: casa*) to demolish; (*danneggiare, fig*) to ruin.

rovi'nato, a *ag* ruined, damaged; (*fig: persona*) ruined.

rovi'noso, a *ag* ruinous.

rovis'tare *vt* (*casa*) to ransack; (*tasche*) to rummage in (*o* through).

'rovo *sm* (*BOT*) blackberry bush, bramble bush.

roz'zezza [rod'dzettsa] *sf* roughness, coarseness.

'rozzo, a [roddzo] *ag* rough, coarse.

RP *sigla fpl vedi* relazioni pubbliche.

R.R. *abbr* (*POSTA*) = ricevuta di ritorno.

Rrr *abbr* (*POSTA*) = raccomandata con ricevuta di ritorno.

RSVP *abbr* (= *répondez s'il vous plaît*) RSVP.

'ruba *sf*: andare a ~ to sell like hot cakes.

rubacu'ori *sm inv* ladykiller.

ru'bare *vt* to steal; ~ qc a qn to steal sth from sb.

rubi'condo, a *ag* ruddy.

rubi'netto *sm* tap, faucet (*US*).

ru'bino *sm* ruby.

ru'bizzo, a [ru'bittso] *ag* lively, sprightly.

'rublo *sm* rouble.

ru'brica, che *sf* (*di giornale: colonna*) column; (*: pagina*) page; (*quadernetto*) index book; (*: per indirizzi*) address book.

'rude *ag* tough, rough.

'rudere *sm* (*rovina*) ruins *pl*.

rudimen'tale *ag* rudimentary, basic.

rudi'menti *smpl* rudiments; basic principles.

ruffi'ano *sm* pimp.

'ruga, ghe *sf* wrinkle.

'ruggine [ˈruddʒine] *sf* rust.

rug'gire [rud'dʒire] *vi* to roar.

rug'gito [rud'dʒito] *sm* roar.

rugi'ada [ru'dʒada] *sf* dew.

ru'goso, a *ag* wrinkled; (*scabro: superficie etc*) rough.

rul'lare *vi* (*tamburo, nave*) to roll; (*aereo*) to taxi.

rul'lino *sm* (*FOT*) roll of film, spool.

rul'lio, ii *sm* (*di tamburi*) roll.

'rullo *sm* (*di tamburi*) roll; (*arnese cilindrico,*

TIP) roller; ~ **compressore** steam roller; ~ **di pellicola** roll of film.
rum *sm* rum.
ru'meno, a *ag, sm/f, sm* Romanian.
rumi'nante *sm* (*ZOOL*) ruminant.
rumi'nare *vt* (*ZOOL*) to ruminate; (*fig*) to ruminate on *o* over, chew over.
ru'more *sm*: **un** ~ a noise, a sound; **il** ~ noise; **fare** ~ to make a noise; **un** ~ **di passi** the sound of footsteps; **la notizia ha fatto molto** ~ (*fig*) the news aroused great interest.
rumoreggi'are [rumored'dʒare] *vi* (*tuono etc*) to rumble; (*fig: folla*) to clamour (*BRIT*), clamor (*US*).
rumo'roso, a *ag* noisy.
ru'olo *sm* (*TEAT, fig*) role, part; (*elenco*) roll, register, list; **di** ~ permanent, on the permanent staff; **professore di** ~ (*INS*) ≈ lecturer with tenure; **fuori** ~ (*personale, insegnante*) temporary.
ru'ota *sf* wheel; **a** ~ (*forma*) circular; ~ **anteriore/posteriore** front/back wheel; **andare a** ~ **libera** to freewheel; **parlare a** ~ **libera** (*fig*) to speak freely; ~ **di scorta** spare wheel.
ruo'tare *vt, vi* = **rotare**.
'rupe *sf* cliff, rock.
ru'pestre *ag* rocky.
ru'pia *sf* rupee.
'ruppi *etc vb vedi* **rompere**.
ru'rale *ag* rural, country *cpd*.
ru'scello [ruʃ'ʃɛllo] *sm* stream.
'ruspa *sf* excavator.
rus'pante *ag* (*pollo*) free-range.
rus'sare *vi* to snore.
'Russia *sf*: **la** ~ Russia.
'russo, a *ag, sm/f, sm* Russian.
'rustico, a, ci, che *ag* country *cpd*, rural; (*arredamento*) rustic; (*fig*) rough, unrefined ♦ *sm* (*fabbricato: per attrezzi*) shed; (*per abitazione*) farm labourer's (*BRIT*) *o* farmhand's cottage.
'ruta *sf* (*BOT*) rue.
rut'tare *vi* to belch.
'rutto *sm* belch.
'ruvido, a *ag* rough, coarse.
ruzzo'lare [ruttso'lare] *vi* to tumble down.
ruzzo'lone [ruttso'lone] *sm* tumble, fall.
ruzzo'loni [ruttso'loni] *av*: **cadere** ~ to tumble down; **fare le scale** ~ to tumble down the stairs.

S s

S, s ['ɛsse] *sf o m* (*lettera*) S, s; **S come Savona** ≈ S for Sugar.
s *abbr* (= *secondo*) sec.
S. *abbr* (= *sud*) S; (= *santo*) St.
SA *sigla* = *Salerno* ♦ *abbr vedi* **società anonima**.
sa *vb vedi* **sapere**.
sab. *abbr* (= *sabato*) Sat.
'sabato *sm* Saturday; *per fraseologia vedi* **martedì**.
'sabbia *sf* sand; ~**e mobili** quicksand(s *pl*).
sabbia'tura *sf* (*MED*) sand bath; (*TECN*) sand-blasting; **fare le** ~**e** to take sand baths.
sabbi'oso, a *ag* sandy.
sabo'taggio [sabo'taddʒo] *sm* sabotage.
sabo'tare *vt* to sabotage.
sabota'tore, 'trice *sm/f* saboteur.
'sacca, che *sf* bag; (*bisaccia*) haversack; (*insenatura*) inlet; ~ **d'aria** air pocket; ~ **da viaggio** travelling bag.
sacca'rina *sf* saccharin(e).
sac'cente [sat'tʃɛnte] *sm/f* know-all (*BRIT*), know-it-all (*US*).
saccheggi'are [sakked'dʒare] *vt* to sack, plunder.
sac'cheggio [sak'keddʒo] *sm* sack(ing).
sac'chetto [sak'ketto] *sm* (small) bag; (small) sack; ~ **di carta/di plastica** paper/plastic bag.
'sacco, chi *sm* bag; (*per carbone etc*) sack; (*ANAT, BIOL*) sac; (*tela*) sacking; (*saccheggio*) sack(ing); (*fig: grande quantità*): **un** ~ **di** lots of, heaps of; **cogliere** *o* **prendere qn con le mani nel** ~ to catch sb red-handed; **vuotare il** ~ to confess, spill the beans; **mettere qn nel** ~ to cheat sb; **colazione** *f* **al** ~ packed lunch; ~ **a pelo** sleeping bag; ~ **per i rifiuti** bin bag (*BRIT*), garbage bag (*US*).
sacer'dote [satʃer'dɔte] *sm* priest.
sacer'dozio [satʃer'dɔttsjo] *sm* priesthood.
'Sacra Co'rona U'nita *sf* the mafia in Puglia.
sacra'mento *sm* sacrament.
sa'crario *sm* memorial chapel.
sacres'tano *sm* = **sagrestano**.
sacres'tia *sf* = **sagrestia**.

sacrifi'care *vt* to sacrifice; ~**rsi** *vr* to sacrifice o.s.; (*privarsi di qc*) to make sacrifices.

sacrifi'cato, a *ag* sacrificed; (*non valorizzato*) wasted; **una vita** ~**a** a life of sacrifice.

sacri'ficio [sakri'fitʃo] *sm* sacrifice.

sacri'legio [sakri'lɛdʒo] *sm* sacrilege.

sa'crilego, a, ghi, ghe *ag* (*REL*) sacrilegious.

'sacro, a *ag* sacred.

sacro'santo, a *ag* sacrosanct.

'sadico, a, ci, che *ag* sadistic ♦ *sm/f* sadist.

sa'dismo *sm* sadism.

sadomaso'chismo [sadomazo'kismo] *sm* sadomasochism.

sa'etta *sf* arrow; (*fulmine: anche fig*) thunderbolt.

sa'fari *sm inv* safari.

sa'gace [sa'gatʃe] *ag* shrewd, sagacious.

sa'gacia [sa'gatʃa] *sf* sagacity, shrewdness.

sag'gezza [sad'dʒettsa] *sf* wisdom.

saggi'are [sad'dʒare] *vt* (*metalli*) to assay; (*fig*) to test.

'saggio, a, gi, ge ['saddʒo] *ag* wise ♦ *sm* (*persona*) sage; (*operazione sperimentale*) test; (: *dell'oro*) assay; (*fig: prova*) proof; (*campione indicativo*) sample; (*scritto: letterario*) essay; (: *INS*) written test; **dare** ~ **di** to give proof of; **in** ~ as a sample.

sag'gistica [sad'dʒistika] *sf* ≈ non-fiction.

Sagit'tario [sadʒit'tarjo] *sm* Sagittarius; **essere del** ~ to be Sagittarius.

'sagoma *sf* (*profilo*) outline, profile; (*forma*) form, shape; (*TECN*) template; (*bersaglio*) target; (*fig: persona*) character.

'sagra *sf* festival.

sa'grato *sm* churchyard.

sagres'tano *sm* sacristan; sexton.

sagres'tia *sf* sacristy; (*culto protestante*) vestry.

Sa'hara [sa'ara] *sm*: **il (Deserto del)** ~ the Sahara (Desert).

sahari'ana [saa'rjana] *sf* bush jacket.

'sai *vb vedi* **sapere.**

Sai'gon *sf* Saigon.

'saio *sm* (*REL*) habit.

'sala *sf* hall; (*stanza*) room; ~ **d'aspetto** waiting room; ~ **da ballo** ballroom; ~ **(dei) comandi** control room; ~ **per concerti** concert hall; ~ **per conferenze** (*INS*) lecture hall; (*in aziende*) conference room; ~ **da gioco** gaming room; ~ **macchine** (*NAUT*) engine room; ~ **operatoria** (*MED*) operating theatre (*BRIT*) *o* room (*US*); ~ **da pranzo** dining room; ~ **per ricevimenti** banqueting hall; ~ **delle udienze** (*DIR*) courtroom.

sa'lace [sa'latʃe] *ag* (*spinto, piccante*) salacious, saucy; (*mordace*) cutting, biting.

sala'mandra *sf* salamander.

sa'lame *sm* salami *no pl*, salami sausage.

sala'moia *sf* (*CUC*) brine.

sa'lare *vt* to salt.

salari'ale *ag* wage *cpd*, pay *cpd*; **aumento** ~ wage *o* pay increase (*BRIT*) *o* raise (*US*).

salari'ato, a *sm/f* wage-earner.

sa'lario *sm* pay, wages *pl*; ~ **base** basic wage; ~ **minimo garantito** guaranteed minimum wage.

salas'sare *vt* (*MED*) to bleed.

sa'lasso *sm* (*MED*) bleeding, bloodletting; (*fig: forte spesa*) drain.

sala'tino *sm* cracker, salted biscuit.

sa'lato, a *ag* (*sapore*) salty; (*CUC*) salted, salt *cpd*; (*fig: discorso etc*) biting, sharp; (: *prezzi*) steep, stiff.

sal'dare *vt* (*congiungere*) to join, bind; (*parti metalliche*) to solder; (: *con saldatura autogena*) to weld; (*conto*) to settle, pay.

salda'tore *sm* (*operaio*) solderer; welder; (*utensile*) soldering iron.

salda'trice [salda'tritʃe] *sf* (*macchina*) welder, welding machine; ~ **ad arco** arc welder.

salda'tura *sf* soldering; welding; (*punto saldato*) soldered joint; weld; ~ **autogena** welding; ~ **dolce** soft soldering.

sal'dezza [sal'dettsa] *sf* firmness, strength.

'saldo, a *ag* (*resistente, forte*) strong, firm; (*fermo*) firm, steady, stable; (*fig*) firm, steadfast ♦ *sm* (*svendita*) sale; (*di conto*) settlement; (*ECON*) balance; **pagare a** ~ to pay in full; ~ **attivo** credit; ~ **passivo** deficit; ~ **da riportare** balance carried forward.

'sale *sm* salt; (*fig*) wit; ~**i** *smpl* (*MED: da annusare*) smelling salts; **sotto** ~ salted; **restare di** ~ (*fig*) to be dumbfounded; **ha poco** ~ **in zucca** he doesn't have much sense; ~ **da cucina**, ~ **grosso** cooking salt; ~ **da tavola**, ~ **fino** table salt; ~**i da bagno** bath salts; ~**i minerali** mineral salts; ~**i e tabacchi** tobacconist's (shop).

sal'gemma [sal'dʒɛmma] *sm* rock salt.

'salgo *etc vb vedi* **salire.**

'salice ['salitʃe] *sm* willow; ~ **piangente** weeping willow.

sali'ente *ag* (*fig*) salient, main.

sali'era *sf* salt cellar.

sa'lino, a *ag* saline ♦ *sf* saltworks *sg*.

sa'lire *vi* to go (*o* come) up; (*aereo etc*) to climb, go up; (*passeggero*) to get on; (*sentiero, prezzi, livello*) to go up, rise ♦ *vt* (*scale, gradini*) to go (*o* come) up; ~ **su** to climb (up); ~ **sul treno/sull'autobus** to board the train/the bus; ~ **in macchina** to get into the car; ~ **a cavallo** to mount; ~ **al potere** to rise to power; ~ **al trono** to ascend the throne; ~ **alle stelle** (*prezzi*) to rocket.

sali'scendi [saliʃ'ʃendi] *sm inv* latch.

sa'lita *sf* climb, ascent; (*erta*) hill, slope; **in ~** *ag, av* uphill.

sa'liva *sf* saliva.

'salma *sf* corpse.

sal'mastro, a *ag* (*acqua*) salt *cpd*; (*sapore*) salty ♦ *sm* (*sapore*) salty taste; (*odore*) salty smell.

salmì *sm* (*CUC*) salmi; **lepre in ~** salmi of hare.

'salmo *sm* psalm.

sal'mone *sm* salmon.

salmo'nella *sf* salmonella.

Salo'mone: le isole ~ *sfpl* the Solomon Islands.

sa'lone *sm* (*stanza*) sitting room, lounge; (*in albergo*) lounge; (*di ricevimento*) reception room; (*su nave*) lounge, saloon; (*mostra*) show, exhibition; (*negozio: di parrucchiere*) hairdresser's (salon); ~ **dell'automobile** motor show; ~ **di bellezza** beauty salon.

salo'pette [salɔ'pɛt] *sf inv* dungarees *pl*.

salotti'ero, a *ag* mundane.

sa'lotto *sm* lounge, sitting room; (*mobilio*) lounge suite.

sal'pare *vi* (*NAUT*) to set sail; (*anche:* ~ **l'ancora**) to weigh anchor.

'salsa *sf* (*CUC*) sauce; **in tutte le ~e** (*fig*) in all kinds of ways; ~ **di pomodoro** tomato sauce.

sal'sedine *sf* (*del mare, vento*) saltiness; (*incrostazione*) (dried) salt.

sal'siccia, ce [sal'sittʃa] *sf* pork sausage.

salsi'era *sf* sauceboat (*BRIT*), gravy boat.

'salso *sm* saltiness.

sal'tare *vi* to jump, leap; (*esplodere*) to blow up, explode; (: *valvola*) to blow; (*venir via*) to pop off; (*non aver luogo: corso etc*) to be cancelled ♦ *vt* to jump (over), leap (over); (*fig: pranzo, capitolo*) to skip, miss (out); (*CUC*) to sauté; **far ~** to blow up; (*serratura: forzare*) to break; **far ~ il banco** (*GIOCO*) to break the bank; **farsi ~ le cervella** to blow one's brains out; **ma che ti salta in mente?** what are you thinking of?; ~ **da un argomento all'altro** to jump from one subject to another; ~ **addosso a qn** (*aggredire*) to attack sb; ~ **fuori** to jump out, leap out; (*venire trovato*) to turn up; ~ **fuori con** (*frase, commento*) to come out with; ~ **giù da qc** to jump off sth, jump down from sth.

saltel'lare *vi* to skip; to hop.

sal'tello *sm* hop, little jump.

saltim'banco, chi *sm* acrobat.

'salto *sm* jump; (*SPORT*) jumping; (*dislivello*) drop; **fare un ~** to jump, leap; **fare un ~ da qn** to pop over to sb's (place); ~ **in alto/lungo** high/long jump; ~ **con l'asta** pole vaulting; ~ **mortale** somersault; **un ~ di qualità** (*miglioramento*) significant improvement.

saltu'ario, a *ag* occasional, irregular.

sa'lubre *ag* healthy, salubrious.

sa'lume *sm* (*CUC*) cured pork; **~i** *smpl* (*insaccati*) cured pork meats.

salume'ria *sf* delicatessen.

salumi'ere, a *sm/f* ≈ delicatessen owner.

salumi'ficio [salumi'fitʃo] *sm* cured pork meat factory.

salu'tare *ag* healthy; (*fig*) salutary, beneficial ♦ *vt* (*per dire buon giorno, fig*) to greet; (*per dire addio*) to say goodbye to; (*MIL*) to salute; **mi saluti sua moglie** my regards to your wife.

sa'lute *sf* health; **~!** (*a chi starnutisce*) bless you!; (*nei brindisi*) cheers!; **bere alla ~ di qn** to drink (to) sb's health; **la ~ pubblica** public welfare; **godere di buona ~** to be healthy, enjoy good health.

sa'luto *sm* (*gesto*) wave; (*parola*) greeting; (*MIL*) salute; **gli ha tolto il ~** he no longer says hello to him; **cari ~i, tanti ~i** best regards; **vogliate gradire i nostri più distinti ~i** yours faithfully; **i miei ~i alla sua signora** my regards to your wife.

'salva *sf* salvo.

salvacon'dotto *sm* (*MIL*) safe-conduct.

salvada'naio *sm* moneybox, piggy bank.

salvado'regno, a [salvado'reɲɲo] *ag, sm/f* Salvadorean.

salva'gente [salva'dʒɛnte] *sm* (*NAUT*) lifebuoy; (*pl inv: stradale*) traffic island; ~ **a ciambella** lifebelt; ~ **a giubbotto** lifejacket (*BRIT*), life preserver (*US*).

salvaguar'dare *vt* to safeguard.

salvagu'ardia *sf* safeguard; **a ~ di** for the safeguard of.

sal'vare *vt* to save; (*trarre da un pericolo*) to rescue; (*proteggere*) to protect; **~rsi** *vr* to save o.s.; to escape; ~ **la vita a qn** to save sb's life; ~ **le apparenze** to keep up appearances; **si salvi chi può!** every man for himself!

salva'taggio [salva'taddʒo] *sm* rescue.

salva'tore, 'trice *sm/f* saviour (*BRIT*), savior (*US*).

salvazi'one [salvat'tsjone] *sf* (*REL*) salvation.

'salve *escl* (*fam*) hi!

sal'vezza [sal'vettsa] *sf* salvation; (*sicurezza*) safety.

'salvia *sf* (*BOT*) sage.

salvi'etta *sf* napkin, serviette.

'salvo, a *ag* safe, unhurt, unharmed; (*fuori pericolo*) safe, out of danger ♦ *sm*: **in ~ safe** ♦ *prep* (*eccetto*) except; **~ che** *cong* (*a meno che*) unless; (*eccetto che*) except (*that*); **mettere qc in ~** to put sth in a safe place; **mettersi in ~** to reach safety; **portare qn in ~** to lead sb to safety; **~ contrordini** barring instructions to the contrary; **~ errori e omissioni** errors and omissions excepted; **~ imprevisti** barring accidents.

sam'buca *sf* (*liquore*) sambuca (*type of anisette*).

sam'buco *sm* elder (tree).

sa'nare *vt* to heal, cure; (*economia*) to put right.

sana'toria *sf* (*DIR*) act of indemnity.

sana'torio *sm* sanatorium (*BRIT*), sanitarium (*US*).

san'cire [san'tʃire] *vt* to sanction.

'sandalo *sm* (*BOT*) sandalwood; (*calzatura*) sandal.

sang'ria [san'gria] *sf* (*bibita*) sangria.

'sangue *sm* blood; **farsi cattivo ~** to fret, get worked up; **all'ultimo ~** (*duello, lotta*) to the death; **non corre buon ~ tra di loro** there's bad blood between them; **buon ~ non mente!** blood will out!; **~ freddo** (*fig*) sang-froid, calm; **a ~ freddo** in cold blood.

sangu'igno, a [san'gwiɲɲo] *ag* blood *cpd*; (*colore*) blood-red.

sangui'nante *ag* bleeding.

sangui'nare *vi* to bleed.

sangui'nario, a *ag* bloodthirsty.

sangui'noso, a *ag* bloody.

sangui'suga, ghe *sf* leech.

sanità *sf* health; (*salubrità*) healthiness; **Ministero della S~** Department of Health; **~ mentale** sanity; **~ pubblica** public health.

sani'tario, a *ag* health *cpd*; (*condizioni*) sanitary ♦ *sm* (*AMM*) doctor; **Ufficiale S~** Health Officer; (*impianti*) **~i** *smpl* bathroom *o* sanitary fittings.

San Ma'rino *sf*: **la Repubblica di ~** the Republic of San Marino.

'sanno *vb vedi* **sapere**.

'sano, a *ag* healthy; (*denti, costituzione*) healthy, sound; (*integro*) whole, unbroken; (*fig: politica, consigli*) sound; **~ di mente** sane; **di ~a pianta** completely, entirely; **~ e salvo** safe and sound.

Santi'ago *sf*: **~ (del Cile)** Santiago (de Chile).

santifi'care *vt* to sanctify; (*feste*) to observe.

san'tino *sm* holy picture.

san'tissimo, a *ag*: **il S~ Sacramento** the Holy Sacrament; **il Padre S~** (*papa*) the Holy Father.

santità *sf* sanctity; holiness; **Sua/Vostra ~** (*titolo di papa*) His/Your Holiness.

'santo, a *ag* holy; (*fig*) saintly; (*seguito da nome proprio: dav sm* **san** + *C*, **sant'** + *V*, **santo** + *s impura, gn, pn, ps, x, z, dav sf* **santa** + *C*, **sant'** + *V*) saint ♦ *sm/f* saint; **parole ~e!** very true!; **tutto il ~ giorno** the whole blessed day, all day long; **non c'è ~ che tenga!** that's no excuse!; **la S~a Sede** the Holy See.

san'tone *sm* holy man.

santu'ario *sm* sanctuary.

sanzio'nare [santsjo'nare] *vt* to sanction.

sanzi'one [san'tsjone] *sf* sanction; (*penale, civile*) sanction, penalty; **~i economiche** economic sanctions.

sa'pere *vt* to know; (*essere capace di*): **so nuotare** I know how to swim, I can swim ♦ *vi*: **~ di** (*aver sapore*) to taste of; (*aver odore*) to smell of ♦ *sm* knowledge; **far ~ qc a qn** to inform sb about sth, let sb know sth; **venire a ~ qc (da qn)** to find out *o* hear about sth (from sb); **non ne vuole più ~ di lei** he doesn't want to have anything more to do with her; **mi sa che non sia vero** I don't think that's true.

sapi'ente *ag* (*dotto*) learned; (*che rivela abilità*) masterly ♦ *sm/f* scholar.

sapien'tone, a *sm/f* (*peg*) know-all (*BRIT*), know-it-all (*US*).

sapi'enza [sa'pjɛntsa] *sf* wisdom.

sa'pone *sm* soap; **~ da barba** shaving soap; **~ da bucato** washing soap; **~ liquido** liquid soap; **~ in scaglie** soapflakes *pl*.

sapo'netta *sf* cake *o* bar *o* tablet of soap.

sa'pore *sm* taste, flavour (*BRIT*), flavor (*US*).

sapo'rito, a *ag* tasty; (*fig: arguto*) witty; (*: piccante*) racy.

sappi'amo *vb vedi* **sapere**.

saprò *etc vb vedi* **sapere**.

sapu'tello, a *sm/f* know-all (*BRIT*), know-it-all (*US*).

sarà *etc vb vedi* **essere**.

sara'banda *sf* (*fig*) uproar.

saraci'nesca, sche [saratʃi'neska] *sf* (*serranda*) rolling shutter.

sar'casmo *sm* sarcasm *no pl*; sarcastic remark.

sar'castico, a, ci, che *ag* sarcastic.

sarchi'are [sar'kjare] *vt* (*AGR*) to hoe.

sar'cofago, gi *o* **ghi** *sm* sarcophagus.

Sar'degna [sar'deɲɲa] *sf:* **la ~** Sardinia.
sar'dina *sf* sardine.
'sardo, a *ag, sm/f* Sardinian.
sar'donico, a, ci, che *ag* sardonic.
sa'rei *etc vb vedi* **essere.**
'sarta *sf vedi* **sarto.**
'sartia *sf* (*NAUT*) stay.
sarti'ame *sm* (*NAUT*) stays *pl.*
'sarto, a *sm/f* tailor/dressmaker; **~ d'alta moda** couturier.
sarto'ria *sf* tailor's (shop); dressmaker's (shop); (*casa di moda*) fashion house; (*arte*) couture.
sassai'ola *sf* hail of stones.
sas'sata *sf* blow with a stone; **tirare una ~ contro** *o* **a qc/qn** to throw a stone at sth/sb.
'sasso *sm* stone; (*ciottolo*) pebble; (*masso*) rock; **restare** *o* **rimanere di ~** to be dumbfounded.
sassofo'nista, i, e *sm/f* saxophonist.
sas'sofono *sm* saxophone.
sas'sone *ag, sm/f, sm* Saxon.
sas'soso, a *ag* stony; pebbly.
'Satana *sm* Satan.
sa'tanico, a, ci, che *ag* satanic, fiendish.
sa'tellite *sm, ag* satellite.
'satira *sf* satire.
satireggi'are [satired'dʒare] *vt* to satirize ♦ *vi* (*fare della satira*) to be satirical; (*scrivere satire*) to write satires.
sa'tirico, a, ci, che *ag* satiric(al).
sa'tollo, a *ag* full, replete.
satu'rare *vt* to saturate.
saturazi'one [saturat'tsjone] *sf* saturation.
'saturo, a *ag* saturated; (*fig*): **~ di** full of; **~ d'acqua** (*terreno*) waterlogged.
'SAUB *sigla f* (= *Struttura Amministrativa Unificata di Base*) *state welfare system.*
'sauna *sf* sauna; **fare la ~** to have *o* take a sauna.
sa'vana *sf* savannah.
'savio, a *ag* wise, sensible ♦ *sm* wise man.
Sa'voia *sf:* **la ~** Savoy.
savoi'ardo, a *ag* of Savoy, Savoyard ♦ *sm* (*biscotto*) sponge finger.
sazi'are [sat'tsjare] *vt* to satisfy, satiate; **~rsi** *vr* (*riempirsi di cibo*): **~rsi (di)** to eat one's fill (of); (*fig*): **~rsi di** to grow tired *o* weary of.
sazietà [sattsje'ta] *sf* satiety, satiation.
'sazio, a ['sattsjo] *ag:* **~ (di)** sated (with), full (of); (*fig: stufo*) fed up (with), sick (of).
sbada'taggine [zbada'taddʒine] *sf* (*sventatezza*) carelessness; (*azione*) oversight.
sba'dato, a *ag* careless, inattentive.

sbadigli'are [zbadiʎ'ʎare] *vi* to yawn.
sba'diglio [zba'diʎʎo] *sm* yawn; **fare uno ~** to yawn.
'sbafo *sm:* **a ~** at somebody else's expense.
sbagli'are [zbaʎ'ʎare] *vt* to make a mistake in, get wrong ♦ *vi* (*fare errori*) to make a mistake (*o* mistakes), be mistaken; (*ingannarsi*) to be wrong; (*operare in modo non giusto*) to err; **~rsi** *vr* to make a mistake, be mistaken, be wrong; **~ la mira/strada** to miss one's aim/take the wrong road; **scusi, ho sbagliato numero** (*TEL*) sorry, I've got the wrong number; **non c'è da ~rsi** there can be no mistake.
sbagli'ato, a [zbaʎ'ʎato] *ag* (*gen*) wrong; (*compito*) full of mistakes; (*conclusione*) erroneous.
'sbaglio ['zbaʎʎo] *sm* mistake, error; (*morale*) error; **fare uno ~** to make a mistake.
sbales'trato, a *ag* (*persona: scombussolato*) unsettled.
sbal'lare *vt* (*merce*) to unpack ♦ *vi* (*nel fare un conto*) to overestimate; (*DROGA: gergo*) to get high.
sbal'lato, a *ag* (*calcolo*) wrong; (*fam: ragionamento, persona*) screwy.
'sballo *sm* (*DROGA: gergo*) trip.
sballot'tare *vt* to toss (about).
sbalor'dire *vt* to stun, amaze ♦ *vi* to be stunned, be amazed.
sbalordi'tivo, a *ag* amazing; (*prezzo*) incredible, absurd.
sbal'zare [zbal'tsare] *vt* to throw, hurl; (*fig: da una carica*) to remove, dismiss ♦ *vi* (*balzare*) to bounce; (*saltare*) to leap, bound.
'sbalzo ['zbaltso] *sm* (*spostamento improvviso*) jolt, jerk; **a ~i** jerkily; (*fig*) in fits and starts; **uno ~ di temperatura** a sudden change in temperature.
sban'care *vt* (*nei giochi*) to break the bank at (*o* of); (*fig*) to ruin, bankrupt.
sbanda'mento *sm* (*NAUT*) list; (*AUT*) skid; (*fig: di persona*) confusion; **ha avuto un periodo di ~** he went off the rails for a bit.
sban'dare *vi* (*NAUT*) to list; (*AUT*) to skid; **~rsi** *vr* (*folla*) to disperse; (*truppe*) to scatter; (*fig: famiglia*) to break up.
sban'data *sf* (*AUT*) skid; (*NAUT*) list; **prendere una ~ per qn** (*fig*) to fall for sb.
sban'dato, a *sm/f* mixed-up person.
sbandie'rare *vt* (*bandiera*) to wave; (*fig*) to parade, show off.
'sbando *sm:* **essere allo ~** to drift.
sbarac'care *vt* (*libri, piatti etc*) to clear (up).
sbaragli'are [zbaraʎ'ʎare] *vt* (*MIL*) to rout;

(*in gare sportive etc*) to beat, defeat.

sba'raglio [zba'raʎʎo] *sm*: **gettarsi allo ~** (*soldato*) to throw o.s. into the fray; (*fig*) to risk everything.

sbaraz'zarsi [zbarat'tsarsi] *vr*: **~ di** to get rid of, rid o.s. of.

sbaraz'zino, a [zbarat'tsino] *ag* impish, cheeky.

sbar'bare *vt*, **~rsi** *vr* to shave.

sbarba'tello *sm* novice, greenhorn.

sbar'care *vt* (*passeggeri*) to disembark; (*merci*) to unload ♦ *vi* to disembark.

'sbarco *sm* disembarkation; unloading; (*MIL*) landing.

'sbarra *sf* bar; (*di passaggio a livello*) barrier; (*DIR*): **mettere/presentarsi alla ~** to bring/appear before the court.

sbarra'mento *sm* (*stradale*) barrier; (*diga*) dam, barrage; (*MIL*) barrage; (*POL*) cut-off point (*level of support below which a political party is excluded from representation in Parliament*).

sbar'rare *vt* (*bloccare*) to block, bar; (*cancellare: assegno*) to cross (*BRIT*); **~ il passo** to bar the way; **~ gli occhi** to open one's eyes wide.

sbar'rato, a *ag* (*porta*) barred; (*passaggio*) blocked, barred; (*strada*) blocked, obstructed; (*occhi*) staring; (*assegno*) crossed (*BRIT*).

'sbattere *vt* (*porta*) to bang; (*tappeti, ali, CUC*) to beat; (*urtare*) to knock, hit ♦ *vi* (*porta, finestra*) to bang; (*agitarsi: ali, vele etc*) to flap; **~ qn fuori/in galera** to throw sb out/into prison; **me ne sbatto!** (*fam*) I don't give a damn!

sbat'tuto, a *ag* (*viso, aria*) dejected, worn out; (*uovo*) beaten.

sba'vare *vi* to dribble; (*colore*) to smear, smudge.

sbava'tura *sf* (*di persone*) dribbling; (*di lumache*) slime; (*di rossetto, vernice*) smear.

sbelli'carsi *vr*: **~ dalle risa** to split one's sides laughing.

'sberla *sf* slap.

sber'leffo *sm*: **fare uno ~ a qn** to make a face at sb.

sbia'dire *vi* (*anche*: **~rsi**), *vt* to fade.

sbia'dito, a *ag* faded; (*fig*) colourless (*BRIT*), colorless (*US*), dull.

sbian'care *vt* to whiten; (*tessuto*) to bleach ♦ *vi* (*impallidire*) to grow pale *o* white.

sbi'eco, a, chi, che *ag* (*storto*) squint, askew; **di ~**: **guardare qn di ~** (*fig*) to look askance at sb; **tagliare una stoffa di ~** to cut material on the bias.

sbigot'tire *vt* to dismay, stun ♦ *vi* (*anche*:

~rsi) to be dismayed.

sbilanci'are [zbilan'tʃare] *vt* to throw off balance; **~rsi** *vr* (*perdere l'equilibrio*) to overbalance, lose one's balance; (*fig: compromettersi*) to compromise o.s.

sbi'lenco, a, chi, che *ag* (*persona*) crooked, misshapen; (*fig: idea, ragionamento*) twisted.

sbirci'are [zbir'tʃare] *vt* to cast sidelong glances at, eye.

sbirci'ata [zbir'tʃata] *sf*: **dare una ~ a qc** to glance at sth, have a look at sth.

'sbirro *sm* (*peg*) cop.

sbizzar'rirsi [zbiddzar'rirsi] *vr* to indulge one's whims.

sbloc'care *vt* to unblock, free; (*freno*) to release; (*prezzi, affitti*) to free from controls; **~rsi** *vr* (*gen*) to become unblocked; (*passaggio, strada*) to clear, become unblocked; **la situazione si è sbloccata** things are moving again.

'sblocco, chi *sm* (*vedi vt*) unblocking, freeing; release.

sboc'care *vi*: **~ in** (*fiume*) to flow into; (*strada*) to lead into; (*persona*) to come (out) into; (*fig: concludersi*) to end (up) in.

sboc'cato, a *ag* (*persona*) foul-mouthed; (*linguaggio*) foul.

sbocci'are [zbot'tʃare] *vi* (*fiore*) to bloom, open (out).

'sbocco, chi *sm* (*di fiume*) mouth; (*di strada*) end; (*di tubazione, COMM*) outlet; (*uscita: anche fig*) way out; **una strada senza ~ a** dead end; **siamo in una situazione senza ~chi** there's no way out of this for us.

sbocconcel'lare [zbokkontʃel'lare] *vt*: **~ (qc)** to nibble (at sth).

sbollen'tare *vt* (*CUC*) to parboil.

sbol'lire *vi* (*fig*) to cool down, calm down.

'sbornia *sf* (*fam*): **prendersi una ~** to get plastered.

sbor'sare *vt* (*denaro*) to pay out.

sbot'tare *vi*: **~ in una risata/per la collera** to burst out laughing/explode with anger.

sbotto'nare *vt* to unbutton, undo.

sbra'cato, a *ag* slovenly.

sbracci'arsi [zbrat'tʃarsi] *vr* to wave (one's arms about).

sbracci'ato, a [zbrat'tʃato] *ag* (*camicia*) sleeveless; (*persona*) bare-armed.

sbrai'tare *vi* to yell, bawl.

sbra'nare *vt* to tear to pieces.

sbricio'lare [zbritʃo'lare] *vt*, **~rsi** *vr* to crumble.

sbri'gare *vt* to deal with, get through; (*cliente*) to attend to, deal with; **~rsi** *vr* to hurry (up).

sbriga'tivo, a *ag* (*persona, modo*) quick, expeditious; (*giudizio*) hasty.

sbrina'mento *sm* defrosting.

sbri'nare *vt* to defrost.

sbrindel'lato, a *ag* tattered, in tatters.

sbrodo'lare *vt* to stain, dirty.

sbron'zarsi [zbron'tsarsi] *vr* (*fam*) to get sozzled.

'sbronzo, a ['zbrontso] (*fam*) *ag* sozzled
♦ *sf*: **prendersi una ~a** to get sozzled.

sbruf'fone, a *sm/f* boaster, braggart.

sbu'care *vi* (*apparire*) to pop out (*o* up).

sbucci'are [zbut'tʃare] *vt* (*arancia, patata*) to peel; (*piselli*) to shell; **~rsi un ginocchio** to graze one's knee.

sbucherò *etc* [zbuke'rɔ] *vb vedi* **sbucare**.

sbudel'larsi *vr*: **~ dalle risa** to split one's sides laughing.

sbuf'fare *vi* (*persona, cavallo*) to snort; (: *ansimare*) to puff, pant; (*treno*) to puff.

'sbuffo *sm* (*di aria, fumo, vapore*) puff; **maniche a ~** puff(ed) sleeves.

sc. *abbr* (*TEAT*: = *scena*) sc.

S.C. *abbr* = **stato civile; Suprema Corte (di Cassazione)**.

'scabbia *sf* (*MED*) scabies *sg*.

'scabro, a *ag* rough, harsh; (*fig*) concise, terse.

sca'broso, a *ag* (*fig: difficile*) difficult, thorny; (: *imbarazzante*) embarrassing; (: *sconcio*) indecent.

scacchi'era [skak'kjɛra] *sf* chessboard.

scacchiere [skak'kjɛre] *sm* (*MIL*) sector; **S~** (*in Gran Bretagna*) Exchequer.

scaccia'cani [skattʃa'kani] *sm o f inv* pistol with blanks.

scacciapensi'eri [skattʃapen'sjɛri] *sm inv* (*MUS*) jew's-harp.

scacci'are [skat'tʃare] *vt* to chase away *o* out, drive *o* out; **~ qn di casa** to turn sb out of the house.

'scacco, chi *sm* (*pezzo del gioco*) chessman; (*quadretto di scacchiera*) square; (*fig*) setback, reverse; **~chi** *smpl* (*gioco*) chess *sg*; **a ~chi** (*tessuto*) check(ed); **subire uno ~** (*fig: sconfitta*) to suffer a setback.

scacco'matto *sm* checkmate; **dare ~ a qn** (*anche fig*) to checkmate sb.

'scaddi *etc vb vedi* **scadere**.

sca'dente *ag* shoddy, of poor quality.

sca'denza [ska'dɛntsa] *sf* (*di cambiale, contratto*) maturity; (*di passaporto*) expiry date; **a breve/lunga ~** short-/long-term; **data di ~** expiry date; **~ a termine** fixed deadline.

sca'dere *vi* (*contratto etc*) to expire; (*debito*) to fall due; (*valore, forze, peso*) to decline, go down.

sca'fandro *sm* (*di palombaro*) diving suit; (*di astronauta*) spacesuit.

scaffala'tura *sf* shelving, shelves *pl*.

scaf'fale *sm* shelf; (*mobile*) set of shelves.

'scafo *sm* (*NAUT, AER*) hull.

scagio'nare [skadʒo'nare] *vt* to exonerate, free from blame.

'scaglia ['skaʎʎa] *sf* (*ZOOL*) scale; (*scheggia*) chip, flake.

scagli'are [skaʎ'ʎare] *vt* (*lanciare: anche fig*) to hurl, fling; **~rsi** *vr*: **~rsi su o contro** to hurl *o* fling o.s. at; (*fig*) to rail at.

scagliona'mento [skaʎʎona'mento] *sm* (*MIL*) arrangement in echelons.

scaglio'nare [skaʎʎo'nare] *vt* (*pagamenti*) to space out, spread out; (*MIL*) to echelon.

scagli'one [skaʎ'ʎone] *sm* (*MIL*) echelon; (*GEO*) terrace; **a ~i** in groups.

sca'gnozzo [skaɲ'ɲɔttso] *sm* (*peg*) lackey.

'scala *sf* (*a gradini etc*) staircase, stairs *pl*; (*a pioli, di corda*) ladder; (*MUS, GEO, di colori, valori, fig*) scale; **~e** *sfpl* (*scalinata*) stairs; **su larga o vasta ~** on a large scale; **su piccola ~, su ~ ridotta** on a small scale; **su ~ nazionale/mondiale** on a national/ worldwide scale; **in ~ di 1 a 100.000** on a scale of 1 cm to 1 km; **riproduzione in ~** reproduction to scale; **~ a chiocciola** spiral staircase; **~ a libretto** stepladder; **~ di misure** system of weights and measures; **~ mobile** escalator; (*ECON*) sliding scale; **~ mobile (dei salari)** index-linked pay scale; **~ di sicurezza** (*antincendio*) fire escape.

Milan's **la Scala** *theatre first opened its doors in 1778 with a performance of Salieri's opera, "L'Europa riconosciuta". Built on the site of the former church of Santa Maria della Scala, it suffered serious damage in the bombing of Milan in 1943. It re-opened in 1946 with a concert conducted by Toscanini. Enjoying world-wide renown for its opera performances, it also has a famous classical dance school.*

sca'lare *vt* (*ALPINISMO, muro*) to climb, scale; (*debito*) to scale down, reduce; **questa somma vi viene scalata dal prezzo originale** this sum is deducted from the original price.

sca'lata *sf* scaling *no pl*, climbing *no pl*; (*arrampicata, fig*) climb; **dare la ~ a** (*fig*) to make a bid for.

scala'tore, 'trice *sm/f* climber.

scalca'gnato, a [skalkaɲ'ɲato] *ag* (*logoro*) worn; (*persona*) shabby.

scalci'are [skal'tʃare] *vi* to kick.

scalci'nato, a [skaltʃi'nato] *ag* (*fig peg*) shabby.

scalda'bagno [skalda'baɲɲo] *sm* water heater.

scal'dare *vt* to heat; **~rsi** *vr* to warm up, heat up; (*al fuoco, al sole*) to warm o.s.; (*fig*) to get excited; **~ la sedia** (*fig*) to twiddle one's thumbs.

scaldavi'vande *sm inv* dish warmer.

scal'dino *sm* (*per mani*) hand-warmer; (*per piedi*) foot-warmer; (*per letto*) bedwarmer.

scal'fire *vt* to scratch.

scalfit'tura *sf* scratch.

scali'nata *sf* staircase.

sca'lino *sm* (*anche fig*) step; (*di scala a pioli*) rung.

scal'mana *sf* (hot) flush.

scalma'narsi *vr* (*affaticarsi*) to rush about, rush around; (*agitarsi, darsi da fare*) to get all hot and bothered; (*arrabbiarsi*) to get excited, get steamed up.

scalma'nato, a *sm/f* hothead.

'scalo *sm* (*NAUT*) slipway; (*: porto d'approdo*) port of call; (*AER*) stopover; **fare ~ (a)** (*NAUT*) to call (at), put in (at); (*AER*) to land (at), make a stop (at); **volo senza ~** non-stop flight; **~ merci** (*FERR*) goods (*BRIT*) *o* freight yard.

sca'logna [ska'loɲɲa] *sf* (*fam*) bad luck.

scalo'gnato, a [skaloɲ'ɲato] *ag* (*fam*) unlucky.

scalop'pina *sf* (*CUC*) escalope.

scal'pello *sm* chisel.

scalpi'tare *vi* (*cavallo*) to paw the ground; (*persona*) to stamp one's feet.

scal'pore *sm* noise, row; **far ~** (*notizia*) to cause a sensation *o* a stir.

'scaltro, a *ag* cunning, shrewd.

scal'zare [skal'tsare] *vt* (*albero*) to bare the roots of; (*muro, fig: autorità*) to undermine.

'scalzo, a ['skaltso] *ag* barefoot.

scambi'are *vt* to exchange; (*confondere*): **~ qn/qc per** to take *o* mistake sb/sth for; **mi hanno scambiato il cappello** they've given me the wrong hat.

scambi'evole *ag* mutual, reciprocal.

'scambio *sm* exchange; (*COMM*) trade; (*FERR*) points *pl*; **fare (uno) ~** to make a swap; **libero ~** free trade; **~i con l'estero** foreign trade.

scamosci'ato, a [skamoʃ'ʃato] *ag* suede.

scampa'gnata [skampaɲ'ɲata] *sf* trip to the country.

scampa'nare *vi* to peal.

scam'pare *vt* (*salvare*) to rescue, save; (*evitare: morte, prigione*) to escape ♦ *vi*: **~**

(**a qc**) to survive (sth), escape (sth); **scamparla bella** to have a narrow escape.

'scampo *sm* (*salvezza*) escape; (*ZOOL*) prawn; **cercare ~ nella fuga** to seek safety in flight; **non c'è (via di) ~** there's no way out.

'scampolo *sm* remnant.

scanala'tura *sf* (*incavo*) channel, groove.

scandagli'are [skandaʎ'ʎare] *vt* (*NAUT*) to sound; (*fig*) to sound out; to probe.

scanda'listico, a, ci, che *ag* (*settimanale etc*) sensational.

scandaliz'zare [skandalid'dzare] *vt* to shock, scandalize; **~rsi** *vr* to be shocked.

'scandalo *sm* scandal; **dare ~** to cause a scandal.

scanda'loso, a *ag* scandalous, shocking.

Scandi'navia *sf*: **la ~** Scandinavia.

scandi'navo, a *ag, sm/f* Scandinavian.

scan'dire *vt* (*versi*) to scan; (*parole*) to articulate, pronounce distinctly; **~ il tempo** (*MUS*) to beat time.

scan'nare *vt* (*animale*) to butcher, slaughter; (*persona*) to cut *o* slit the throat of.

'scanno *sm* seat, bench.

scansafa'tiche [skansafa'tike] *sm/f inv* idler, loafer.

scan'sare *vt* (*rimuovere*) to move (aside), shift; (*schivare: schiaffo*) to dodge; (*sfuggire*) to avoid; **~rsi** *vr* to move aside.

scan'sia *sf* shelves *pl*; (*per libri*) bookcase.

'scanso *sm*: **a ~ di** in order to avoid, as a precaution against; **a ~ di equivoci** to avoid (any) misunderstanding.

scanti'nato *sm* basement.

scanto'nare *vi* to turn the corner; (*svignarsela*) to sneak off.

scanzo'nato, a [skantso'nato] *ag* easygoing.

scapacci'one [skapat'tʃone] *sm* clout, slap.

scapes'trato, a *ag* dissolute.

'scapito *sm* (*perdita*) loss; (*danno*) damage, detriment; **a ~ di** to the detriment of.

'scapola *sf* shoulder blade.

'scapolo *sm* bachelor.

scappa'mento *sm* (*AUT*) exhaust.

scap'pare *vi* (*fuggire*) to escape; (*andare via in fretta*) to rush off; **~ di prigione** to escape from prison; **~ di mano** (*oggetto*) to slip out of one's hands; **~ di mente a qn** to slip sb's mind; **lasciarsi ~** (*occasione, affare*) to miss, let go by; (*dettaglio*) to overlook; (*parola*) to let slip; (*prigioniero*) to let escape; **mi scappò detto** I let it slip.

scap'pata *sf* quick visit *o* call.

scappa'tella *sf* escapade.

scappa'toia *sf* way out.

scara'beo *sm* beetle.

scarabocchi'are [skarabok'kjare] *vt* to scribble, scrawl.

scara'bocchio [skara'bɔkkjo] *sm* scribble, scrawl.

scara'faggio [skara'faddʒo] *sm* cockroach.

scaraman'zia [skaraman'tsia] *sf*: **per ~ for** luck.

scara'muccia, ce [skara'muttʃa] *sf* skirmish.

scaraven'tare *vt* to fling, hurl.

scarce'rare [skartʃe'rare] *vt* to release (from prison).

scarcerazi'one [skartʃerat'tsjone] *sf* release (from prison).

scardi'nare *vt* to take off its hinges.

'scarica, che *sf* (*di più armi*) volley of shots; (*di sassi, pugni*) hail, shower; (*ELETTR*) discharge; **~ di mitra** burst of machine-gun fire.

scari'care *vt* (*merci, camion etc*) to unload; (*passeggeri*) to set down; (*arma*) to unload; (: *sparare, ELETTR*) to discharge; (*sog: corso d'acqua*) to empty, pour; (*fig: liberare da un peso*) to unburden, relieve; **~rsi** *vr* (*orologio*) to run o wind down; (*batteria, accumulatore*) to go flat (*BRIT*) o dead; (*fig: rilassarsi*) to unwind; (: *sfogarsi*) to let off steam; **~ le proprie responsabilità su qn** to off-load one's responsibilities onto sb; **~ la colpa addosso a qn** to blame sb; **il fulmine si scaricò su un albero** the lightning struck a tree.

scarica'tore *sm* loader; (*di porto*) docker.

'scarico, a, chi, che *ag* unloaded; (*orologio*) run down; (*batteria, accumulatore*) dead, flat (*BRIT*) ♦ *sm* (*di merci, materiali*) unloading; (*di immondizie*) dumping, tipping (*BRIT*); (: *luogo*) rubbish dump; (*TECN: deflusso*) draining; (: *dispositivo*) drain; (*AUT*) exhaust; **~ del lavandino** waste outlet.

scarlat'tina *sf* scarlet fever.

scar'latto, a *ag* scarlet.

'scarno, a *ag* thin, bony.

'scarpa *sf* shoe; **fare le ~e a qn** (*fig*) to double-cross sb; **~e da ginnastica** gym shoes; **~e coi tacchi (alti)** high-heeled shoes; **~e col tacco basso** low-heeled shoes; **~e senza tacco** flat shoes; **~e da tennis** tennis shoes.

scar'pata *sf* escarpment.

scarpi'era *sf* shoe rack.

scar'pone *sm* boot; **~i da montagna** climbing boots; **~i da sci** ski-boots.

scarroz'zare [skarrot'tsare] *vt* to drive around.

scarseggi'are [skarsed'dʒare] *vi* to be scarce; **~ di** to be short of, lack.

scar'sezza [skar'settsa] *sf* scarcity, lack.

'scarso, a *ag* (*insufficiente*) insufficient, meagre (*BRIT*), meager (*US*); (*povero: annata*) poor, lean; (*INS: voto*) poor; **~ di** lacking in; **3 chili ~i** just under 3 kilos, barely 3 kilos.

scartabel'lare *vt* to skim through, glance through.

scarta'faccio [skarta'fattʃo] *sm* notebook.

scarta'mento *sm* (*FERR*) gauge; **~ normale/ridotto** standard/narrow gauge.

scar'tare *vt* (*pacco*) to unwrap; (*idea*) to reject; (*MIL*) to declare unfit for military service; (*carte da gioco*) to discard; (*CALCIO*) to dodge (past) ♦ *vi* to swerve.

'scarto *sm* (*cosa scartata, anche COMM*) reject; (*di veicolo*) swerve; (*differenza*) gap, difference; **~ salariale** wage differential.

scar'toffie *sfpl* (*peg*) papers *pl*.

scas'sare *vt* (*fam: rompere*) to wreck.

scassi'nare *vt* to break, force.

'scasso *sm vedi* **furto**.

scate'nare *vt* (*fig*) to incite, stir up; **~rsi** *vr* (*temporale*) to break; (*rivolta*) to break out; (*persona: infuriarsi*) to rage.

scate'nato, a *ag* wild.

'scatola *sf* box; (*di latta*) tin (*BRIT*), can; **cibi in ~** tinned (*BRIT*) o canned foods; **una ~ di cioccolatini** a box of chocolates; **comprare qc a ~ chiusa** to buy sth sight unseen; **~ cranica** cranium.

scat'tante *ag* quick off the mark; (*agile*) agile.

scat'tare *vt* (*fotografia*) to take ♦ *vi* (*congegno, molla etc*) to be released; (*balzare*) to spring up; (*SPORT*) to put on a spurt; (*fig: per l'ira*) to fly into a rage; (*legge, provvedimento*) to come into effect; **~ in piedi** to spring to one's feet; **far ~** to release.

'scatto *sm* (*dispositivo*) release; (: *di arma da fuoco*) trigger mechanism; (*rumore*) click; (*balzo*) jump, start; (*SPORT*) spurt; (*fig: di ira etc*) fit; (: *di stipendio*) increment; **di ~** suddenly; **serratura a ~** spring lock.

scatu'rire *vi* to gush, spring.

scaval'care *vt* (*ostacolo*) to pass (o climb) over; (*fig*) to get ahead of, overtake.

sca'vare *vt* (*terreno*) to dig; (*legno*) to hollow out; (*pozzo, galleria*) to bore; (*città sepolta etc*) to excavate.

scava'trice [skava'tritʃe] *sf* (*macchina*) excavator.

scavezza'collo [skavettsa'kɔllo] *sm* daredevil.

'**scavo** *sm* excavating *no pl*; excavation.
scazzot'tare [skattsot'tare] *vt* (*fam*) to beat up, give a thrashing to.
'**scegliere** ['ʃeʎʎere] *vt* (*gen*) to choose; (*candidato, prodotto*) to choose, select; ~ **di fare** to choose to do.
sce'icco, chi [ʃe'ikko] *sm* sheik.
'**scelgo** *etc* ['ʃelgo] *vb vedi* **scegliere**.
scelle'rato, a [ʃelle'rato] *ag* wicked, evil.
scel'lino [ʃel'lino] *sm* shilling.
'**scelto, a** ['ʃelto] *pp di* **scegliere** ♦ *ag* (*gruppo*) carefully selected; (*frutta, verdura*) choice, top quality; (*MIL: specializzato*) crack *cpd*, highly skilled ♦ *sf* choice; (*selezione*) selection, choice; **frutta o formaggi a** ~**a** choice of fruit or cheese; **fare una** ~**a** to make a choice, choose; **non avere** ~**a** to have no choice *o* option; **di prima** ~**a** top grade *o* quality.
sce'mare [ʃe'mare] *vt, vi* to diminish.
sce'menza [ʃe'mentsa] *sf* stupidity *no pl*; stupid thing (to do *o* say).
'**scemo, a** ['ʃemo] *ag* stupid, silly.
'**scempio** ['ʃempjo] *sm* slaughter, massacre; (*fig*) ruin; **far** ~ **di** (*fig*) to play havoc with, ruin.
'**scena** ['ʃena] *sf* (*gen*) scene; (*palcoscenico*) stage; **le** ~**e** (*fig: teatro*) the stage; **andare in** ~ to be staged *o* put on *o* performed; **mettere in** ~ to stage; **uscire di** ~ to leave the stage; (*fig*) to leave the scene; **fare una** ~ (*fig*) to make a scene; **ha fatto** ~ **muta** (*fig*) he didn't open his mouth.
sce'nario [ʃe'narjo] *sm* scenery; (*di film*) scenario.
sce'nata [ʃe'nata] *sf* row, scene.
'**scendere** ['ʃendere] *vi* to go (*o* come) down; (*strada, sole*) to go down; (*notte*) to fall; (*passeggero: fermarsi*) to get out, alight; (*fig: temperatura, prezzi*) to fall, drop ♦ *vt* (*scale, pendio*) to go (*o* come) down; ~ **dalle scale** to go (*o* come) down the stairs; ~ **dal treno** to get off *o* out of the train; ~ **dalla macchina** to get out of the car; ~ **da cavallo** to dismount, get off one's horse; ~ **ad un albergo** to put up *o* stay at a hotel.
sceneggi'ato [ʃenedʒ'ʒato] *sm* television drama.
sceneggia'tore, 'trice [ʃenedʒʒa'tore] *sm/f* script-writer.
sceneggia'tura [ʃenedʒʒa'tura] *sf* (*TEAT*) scenario; (*CINE*) screenplay, scenario.
'**scenico, a, ci, che** ['ʃeniko] *ag* stage *cpd*.
scenogra'fia [ʃenogra'fia] *sf* (*TEAT*) stage design; (*CINE*) set design; (*elementi scenici*) scenery.
sce'nografo, a [ʃe'nɔgrafo] *sm/f* set

designer.
sce'riffo [ʃe'riffo] *sm* sheriff.
scervel'larsi [ʃervel'larsi] *vr*: ~ (**su qc**) to rack one's brains (over sth).
scervel'lato, a [ʃervel'lato] *ag* featherbrained, scatterbrained.
'**sceso, a** ['ʃeso] *pp di* **scendere**.
scetti'cismo [ʃetti'tʃizmo] *sm* scepticism (*BRIT*), skepticism (*US*).
'**scettico, a, ci, che** ['ʃettiko] *ag* sceptical (*BRIT*), skeptical (*US*).
'**scettro** ['ʃettro] *sm* sceptre (*BRIT*), scepter (*US*).
'**scheda** ['skɛda] *sf* (index) card; (*TV, RADIO*) (brief) report; ~ **a circuito stampato** printed-circuit board; ~ **elettorale** ballot paper; ~ **perforata** punch card; ~ **telefonica** phone card.
sche'dare [ske'dare] *vt* (*dati*) to file; (*libri*) to catalogue; (*registrare: anche POLIZIA*) to put on one's files.
sche'dario [ske'darjo] *sm* file; (*mobile*) filing cabinet.
sche'dato, a [ske'dato] *ag* with a (police) record ♦ *sm/f* person with a (police) record.
sche'dina [ske'dina] *sf* ≈ pools coupon (*BRIT*).
'**scheggia, ge** ['skeddʒa] *sf* splinter, sliver; ~ **impazzita** (*fig*) maverick.
sche'letrico, a, ci, che [ske'lɛtriko] *ag* (*anche ANAT*) skeletal; (*fig: essenziale*) skeleton *cpd*.
'**scheletro** ['skɛletro] *sm* skeleton; **avere uno** ~ **nell'armadio** (*fig*) to have a skeleton in the cupboard.
'**schema, i** ['skɛma] *sm* (*diagramma*) diagram, sketch; (*progetto, abbozzo*) outline, plan; **ribellarsi agli** ~**i** to rebel against traditional values; **secondo gli** ~**i tradizionali** in accordance with traditional values.
sche'matico, a, ci, che [ske'matiko] *ag* schematic.
schematiz'zare [skematid'dzare] *vt* to schematize.
'**scherma** ['skerma] *sf* fencing.
scher'maglia [sker'maʎʎa] *sf* (*fig*) skirmish.
scher'mirsi [sker'mirsi] *vr* to defend o.s., protect o.s.
'**schermo** ['skermo] *sm* shield, screen; (*CINE, TV*) screen.
schermogra'fia [skermogra'fia] *sf* X-rays *pl*.
scher'nire [sker'nire] *vt* to mock, sneer at.
'**scherno** ['skerno] *sm* mockery, derision; **farsi** ~ **di** to sneer at; **essere oggetto di** ~ to be a laughing stock.

scher'zare [sker'tsare] *vi* to joke.
'scherzo ['skertso] *sm* joke; (*tiro*) trick; (*MUS*) scherzo; **è uno ~!** (*una cosa facile*) it's child's play!, it's easy!; **per ~** for a joke *o* a laugh; **fare un brutto ~ a qn** to play a nasty trick on sb; **~i a parte** seriously, joking apart.
scher'zoso, a [sker'tsoso] *ag* (*tono, gesto*) playful; (*osservazione*) facetious; **è un tipo ~** he likes a joke.
schiaccia'noci [skjattʃa'notʃi] *sm inv* nutcracker.
schiacci'ante [skjat'tʃante] *ag* overwhelming.
schiacci'are [skjat'tʃare] *vt* (*dito*) to crush; (*noci*) to crack; **~ un pisolino** to have a nap.
schiaffeggi'are [skjaffed'dʒare] *vt* to slap.
schi'affo ['skjaffo] *sm* slap; **prendere qn a ~i** to slap sb's face; **uno ~ morale** a slap in the face, a rebuff.
schiamaz'zare [skjamat'tsare] *vi* to squawk, cackle.
schia'mazzo [skja'mattso] *sm* (*fig: chiasso*) din, racket.
schian'tare [skjan'tare] *vt* to break, tear apart; **~rsi** *vr* to break (up), shatter; **~rsi al suolo** (*aereo*) to crash (to the ground).
schi'anto ['skjanto] *sm* (*rumore*) crash; tearing sound; **è uno ~!** (*fam*) it's (*o* he's *o* she's) terrific!; **di ~** all of a sudden.
schia'rire [skja'rire] *vt* to lighten, make lighter ♦ *vi* (*anche:* **~rsi**) to grow lighter; (*tornar sereno*) to clear, brighten up; **~rsi la voce** to clear one's throat.
schia'rita [skja'rita] *sf* (*METEOR*) bright spell; (*fig*) improvement, turn for the better.
schiat'tare [skjat'tare] *vi* to burst; **~ d'invidia** to be green with envy; **~ di rabbia** to be beside o.s. with rage.
schiavitù [skjavi'tu] *sf* slavery.
schiaviz'zare [skjavid'dzare] *vt* to enslave.
schi'avo, a ['skjavo] *sm/f* slave.
schi'ena ['skjɛna] *sf* (*ANAT*) back.
schie'nale [skje'nale] *sm* (*di sedia*) back.
schi'era ['skjɛra] *sf* (*MIL*) rank; (*gruppo*) group, band; **villette a ~** ≈ terraced houses.
schiera'mento [skjera'mento] *sm* (*MIL, SPORT*) formation; (*fig*) alliance.
schie'rare [skje'rare] *vt* (*esercito*) to line up, draw up, marshal; **~rsi** *vr* to line up; (*fig*): **~rsi con** *o* **dalla parte di/contro qn** to side with/oppose sb.
schi'etto, a ['skjɛtto] *ag* (*puro*) pure; (*fig*) frank, straightforward.
schi'fare [ski'fare] *vt* to disgust.

schi'fezza [ski'fettsa] *sf*: **essere una ~** (*cibo, bibita etc*) to be disgusting; (*film, libro*) to be dreadful.
schifil'toso, a [skifil'toso] *ag* fussy, difficult.
'schifo ['skifo] *sm* disgust; **fare ~** (*essere fatto male, dare pessimi risultati*) to be awful; **mi fa ~** it makes me sick, it's disgusting; **quel libro è uno ~** that book's rotten.
schi'foso, a [ski'foso] *ag* disgusting, revolting; (*molto scadente*) rotten, lousy.
schioc'care [skjok'kare] *vt* (*frusta*) to crack; (*dita*) to snap; (*lingua*) to click; **~ le labbra** to smack one's lips.
schioppet'tata [skjoppet'tata] *sf* gunshot.
schi'oppo ['skjɔppo] *sm* rifle, gun.
schi'udere ['skjudere] *vt*, **~rsi** *vr* to open.
schi'uma ['skjuma] *sf* foam; (*di sapone*) lather; (*di latte*) froth.
schiu'mare [skju'mare] *vt* to skim ♦ *vi* to foam.
schi'uso, a ['skjuso] *pp di* **schiudere**.
schi'vare [ski'vare] *vt* to dodge, avoid.
'schivo, a ['skivo] *ag* (*ritroso*) stand-offish, reserved; (*timido*) shy.
schizofre'nia [skiddzofre'nia] *sf* schizophrenia.
schizo'frenico, a, ci, che [skiddzo'frɛniko] *ag* schizophrenic.
schiz'zare [skit'tsare] *vt* (*spruzzare*) to spurt, squirt; (*sporcare*) to splash, spatter; (*fig: abbozzare*) to sketch ♦ *vi* to spurt, squirt; (*saltar fuori*) to dart up (*o* off *etc*); **~ via** (*animale, persona*) to dart away; (*macchina, moto*) to accelerate away.
schizzi'noso, a [skittsi'noso] *ag* fussy, finicky.
'schizzo ['skittso] *sm* (*di liquido*) spurt; splash, spatter; (*abbozzo*) sketch.
sci [ʃi] *sm inv* (*attrezzo*) ski; (*attività*) skiing; **~ di fondo** cross-country skiing, ski touring (*US*); **~ nautico** water-skiing.
'scia, *pl* **'scie** ['ʃia] *sf* (*di imbarcazione*) wake; (*di profumo*) trail.
scià [ʃa] *sm inv* shah.
sci'abola ['ʃabola] *sf* sabre (*BRIT*), saber (*US*).
scia'callo [ʃa'kallo] *sm* jackal; (*fig peg: profittatore*) shark, profiteer; (*: ladro*) looter.
sciac'quare [ʃak'kware] *vt* to rinse.
scia'gura [ʃa'gura] *sf* disaster, calamity.
sciagu'rato, a [ʃagu'rato] *ag* unfortunate; (*malvagio*) wicked.
scialac'quare [ʃalak'kware] *vt* to squander.
scia'lare [ʃa'lare] *vi* to throw one's money

around.

sci'albo, a ['ʃalbo] *ag* pale, dull; (*fig*) dull, colourless (*BRIT*), colorless (*US*).

sci'alle ['ʃalle] *sm* shawl.

sci'alo ['ʃalo] *sm* squandering, waste.

scia'luppa [ʃa'luppa] *sf* (*NAUT*) sloop; (*anche*: ~ **di salvataggio**) lifeboat.

scia'mare [ʃa'mare] *vi* to swarm.

sci'ame ['ʃame] *sm* swarm.

scian'cato, a [ʃan'kato] *ag* lame; (*mobile*) rickety.

sci'are [ʃi'are] *vi* to ski; **andare a** ~ to go skiing.

sci'arpa ['ʃarpa] *sf* scarf; (*fascia*) sash.

scia'tore, 'trice [ʃia'tore] *sm/f* skier.

sciat'tezza [ʃat'tettsa] *sf* slovenliness.

sci'atto, a ['ʃatto] *ag* (*persona: nell'aspetto*) slovenly, unkempt; (: *nel lavoro*) sloppy, careless.

'scibile ['ʃibile] *sm* knowledge.

scien'tifico, a, ci, che [ʃen'tifiko] *ag* scientific; **la (polizia)** ~**a** the forensic department.

sci'enza ['ʃɛntsa] *sf* science; (*sapere*) knowledge; ~**e** *sfpl* (*INS*) science *sg*; ~**e naturali** natural sciences; ~**e politiche** political science *sg*.

scienzi'ato, a [ʃen'tsjato] *sm/f* scientist.

'Scilly ['ʃilli]: **le isole** ~ *sfpl* the Scilly Isles.

'scimmia ['ʃimmja] *sf* monkey.

scimmiot'tare [ʃimmjot'tare] *vt* to ape, mimic.

scimpanzé [ʃimpan'tse] *sm inv* chimpanzee.

scimu'nito, a [ʃimu'nito] *ag* silly, idiotic.

'scindere ['ʃindere] *vt*, ~**rsi** *vr* to split (up).

scin'tilla [ʃin'tilla] *sf* spark.

scintil'lare [ʃintil'lare] *vi* to spark; (*acqua, occhi*) to sparkle.

scintil'lio [ʃintil'lio] *sm* sparkling.

scioc'care [ʃok'kare] *vt* to shock.

scioc'chezza [ʃok'kettsa] *sf* stupidity *no pl*; stupid *o* foolish thing; **dire** ~**e** to talk nonsense.

sci'occo, a, chi, che ['ʃɔkko] *ag* stupid, foolish.

sci'ogliere ['ʃɔʎʎere] *vt* (*nodo*) to untie; (*capelli*) to loosen; (*persona, animale*) to untie, release; (*fig: persona*): ~ **da** to release from; (*neve*) to melt; (*nell'acqua: zucchero etc*) to dissolve; (*fig: mistero*) to solve; (*porre fine a: contratto*) to cancel; (: *società, matrimonio*) to dissolve; (: *riunione*) to bring to an end; ~**rsi** *vr* to loosen, come untied; to melt; to dissolve; (*assemblea, corteo, duo*) to break up; ~ **i muscoli** to limber up; ~ **il ghiaccio** (*fig*) to break the ice; ~ **le vele** (*NAUT*) to set sail; ~**rsi dai legami** (*fig*) to free o.s. from all

ties.

sci'olgo *etc* ['ʃɔlgo] *vb vedi* **sciogliere**.

sciol'tezza [ʃol'tettsa] *sf* agility; suppleness; ease.

sci'olto, a ['ʃɔlto] *pp di* **sciogliere** ♦ *ag* loose; (*agile*) agile, nimble; (*disinvolto*) free and easy; **essere** ~ **nei movimenti** to be supple; **versi** ~**i** (*POESIA*) blank verse.

sciope'rante [ʃope'rante] *sm/f* striker.

sciope'rare [ʃope'rare] *vi* to strike, go on strike.

sci'opero ['ʃopero] *sm* strike; **fare** ~ to strike; **entrare in** ~ to go on *o* come out on strike; ~ **bianco** work-to-rule (*BRIT*), slowdown (*US*); ~ **della fame** hunger strike; ~ **selvaggio** wildcat strike; ~ **a singhiozzo** on-off strike; ~ **di solidarietà** sympathy strike.

sciori'nare [ʃori'nare] *vt* (*ostentare*) to show off, display.

scio'via [ʃio'via] *sf* ski lift.

sciovi'nismo [ʃovi'nizmo] *sm* chauvinism.

sciovi'nista, i, e [ʃovi'nista] *sm/f* chauvinist.

sci'pito, a [ʃi'pito] *ag* insipid.

scip'pare [ʃip'pare] *vt*: ~ **qn** to snatch sb's bag.

scippa'tore [ʃippa'tore] *sm* bag-snatcher.

'scippo ['ʃippo] *sm* bag-snatching.

sci'rocco [ʃi'rɔkko] *sm* sirocco.

sci'roppo [ʃi'rɔppo] *sm* syrup; ~ **per la tosse** cough syrup, cough mixture.

'scisma, i ['ʃizma] *sm* (*REL*) schism.

scissi'one [ʃis'sjone] *sf* (*anche fig*) split, division; (*FISICA*) fission.

'scisso, a ['ʃisso] *pp di* **scindere**.

sciu'pare [ʃu'pare] *vt* (*abito, libro, appetito*) to spoil, ruin; (*tempo, denaro*) to waste; ~**rsi** *vr* to get spoilt *o* ruined; (*rovinarsi la salute*) to ruin one's health.

scivo'lare [ʃivo'lare] *vi* to slide *o* glide along; (*involontariamente*) to slip, slide.

'scivolo ['ʃivolo] *sm* slide; (*TECN*) chute.

scivo'loso, a [ʃivo'loso] *ag* slippery.

scle'rosi *sf* sclerosis.

scoc'care *vt* (*freccia*) to shoot ♦ *vi* (*guizzare*) to shoot up; (*battere: ora*) to strike.

scoccherò *etc* [skokke'rɔ] *vb vedi* **scoccare**.

scocci'are [skot'tʃare] *vt* to bother, annoy; ~**rsi** *vr* to be bothered *o* annoyed.

scoccia'tore, 'trice [skottʃa'tore] *sm/f* nuisance, pest (*fam*).

scoccia'tura [skottʃa'tura] *sf* nuisance, bore.

sco'della *sf* bowl.

scodinzo'lare [skodintso'lare] *vi* to wag its tail.

scogli'era [skoʎ'ʎɛra] *sf* reef; (*rupe*) cliff.

'scoglio ['skɔʎʎo] *sm* (*al mare*) rock; (*fig:
ostacolo*) difficulty, stumbling block.
scogli'oso, a [skoʎ'ʎoso] *ag* rocky.
scoi'attolo *sm* squirrel.
scola'pasta *sm inv* colander.
sco'lare *ag*: **età** ~ school age ♦ *vt* to drain
♦ *vi* to drip.
scola'resca *sf* schoolchildren *pl*, pupils *pl*.
sco'laro, a *sm/f* pupil, schoolboy/girl.
sco'lastico, a, ci, che *ag* (*gen*) scholastic;
(*libro, anno, divisa*) school *cpd*.
scol'lare *vt* (*staccare*) to unstick; ~**rsi** *vr* to
come unstuck.
scol'lato, a *ag* (*vestito*) low-cut, low-
necked; (*donna*) wearing a low-cut dress
(*o blouse etc*).
scolla'tura *sf* neckline.
'scolo *sm* drainage; (*sbocco*) drain; (*acqua*)
waste water; **canale di** ~ drain; **tubo di** ~
drainpipe.
scolo'rire *vt* to fade; to discolour (*BRIT*),
discolor (*US*) ♦ *vi* (*anche*: ~**rsi**) to fade; to
become discolo(u)red; (*impallidire*) to
turn pale.
scol'pire *vt* to carve, sculpt.
scombi'nare *vt* to mess up, upset.
scombi'nato, a *ag* confused, muddled.
scombusso'lare *vt* to upset.
scom'messo, a *pp di* **scommettere** ♦ *sf* bet,
wager; **fare una** ~**a** to bet.
scom'mettere *vt, vi* to bet.
scomo'dare *vt* to trouble, bother, disturb;
(*fig: nome famoso*) to involve, drag in;
~**rsi** *vr* to put o.s. out; ~**rsi a fare** to go to
the bother *o* trouble of doing.
scomodità *sf inv* (*di sedia, letto etc*)
discomfort; (*di orario, sistemazione etc*)
inconvenience.
'scomodo, a *ag* uncomfortable;
(*sistemazione, posto*) awkward,
inconvenient.
scompagi'nare [skompadʒi'nare] *vt* to
upset, throw into disorder.
scompag'nato, a [skompaɲ'ɲato] *ag*
(*calzini, guanti*) odd.
scompa'rire *vi* (*sparire*) to disappear,
vanish; (*fig*) to be insignificant.
scom'parso, a *pp di* **scomparire** ♦ *sf*
disappearance; (*fig: morte*) passing away,
death.
scomparti'mento *sm* (*FERR*)
compartment; (*sezione*) division.
scom'parto *sm* compartment, division.
scom'penso *sm* imbalance, lack of
balance.
scompigli'are [skompiʎ'ʎare] *vt* (*cassetto,
capelli*) to mess up, disarrange; (*fig: piani*)
to upset.

scom'piglio [skom'piʎʎo] *sm* mess,
confusion.
scom'porre *vt* (*parola, numero*) to break
up; (*CHIM*) to decompose; **scomporsi** *vr*
(*CHIM*) to decompose; (*fig*) to get upset,
lose one's composure; **senza scomporsi**
unperturbed.
scom'posto, a *pp di* **scomporre** ♦ *ag* (*gesto*)
unseemly; (*capelli*) ruffled, dishevelled.
sco'munica, che *sf* excommunication.
scomuni'care *vt* to excommunicate.
sconcer'tante [skontʃer'tante] *ag*
disconcerting.
sconcer'tare [skontʃer'tare] *vt* to
disconcert, bewilder.
'sconcio, a, ci, ce ['skontʃo] *ag* (*osceno*)
indecent, obscene ♦ *sm* (*cosa riprovevole,
mal fatta*) disgrace.
sconclusio'nato, a *ag* incoherent,
illogical.
sconfes'sare *vt* to renounce, disavow; to
repudiate.
scon'figgere [skon'fiddʒere] *vt* to defeat,
overcome.
sconfi'nare *vi* to cross the border; (*in
proprietà privata*) to trespass; (*fig*): ~ **da** to
stray *o* digress from.
sconfi'nato, a *ag* boundless, unlimited.
scon'fitto, a *pp di* **sconfiggere** ♦ *sf* defeat.
sconfor'tante, a *ag* discouraging,
disheartening.
sconfor'tare *vt* to discourage, dishearten;
~**rsi** *vr* to become discouraged, become
disheartened, lose heart.
scon'forto *sm* despondency.
sconge'lare [skondʒe'lare] *vt* to defrost.
scongiu'rare [skondʒu'rare] *vt* (*implorare*)
to beseech, implore; (*eludere: pericolo*) to
ward off, avert.
scongi'uro [skon'dʒuro] *sm* (*esorcismo*)
exorcism; **fare gli** ~**i** to touch wood (*BRIT*),
knock on wood (*US*).
scon'nesso, a *ag* (*fig: discorso*) incoherent,
rambling.
sconosci'uto, a [skonoʃ'ʃuto] *ag* unknown;
new, strange ♦ *sm/f* stranger, unknown
person.
sconquas'sare *vt* to shatter, smash.
scon'quasso *sm* (*danno*) damage; (*fig*)
confusion.
sconside'rato, a *ag* thoughtless, rash.
sconsigli'are [skonsiʎ'ʎare] *vt*: ~ **qc a qn** to
advise sb against sth; ~ **qn dal fare qc** to
advise sb not to do *o* against doing sth.
sconso'lato, a *ag* disconsolate.
scon'tare *vt* (*COMM: detrarre*) to deduct;
(: *debito*) to pay off; (: *cambiale*) to
discount; (*pena*) to serve; (*colpa, errori*) to

pay for, suffer for.

scon'tato, a *ag* (*previsto*) foreseen, taken for granted; (*prezzo, merce*) discounted, at a discount; **dare per ~ che** to take it for granted that.

sconten'tare *vt* to displease, dissatisfy.

sconten'tezza [skonten'tettsa] *sf* displeasure, dissatisfaction.

scon'tento, a *ag*: **~ (di)** discontented *o* dissatisfied (with) ♦ *sm* discontent, dissatisfaction.

'sconto *sm* discount; **fare** *o* **concedere uno ~** to give a discount; **uno ~ del 10%** a 10% discount.

scon'trarsi *vr* (*treni etc*) to crash, collide; (*venire ad uno scontro, fig*) to clash; **~ con** to crash into, collide with.

scon'trino *sm* ticket.

'scontro *sm* (MIL, *fig*) clash; (*di veicoli*) crash, collision; **~ a fuoco** shoot-out.

scon'troso, a *ag* sullen, surly; (*permaloso*) touchy.

sconveni'ente *ag* unseemly, improper.

sconvol'gente [skonvol'dʒɛnte] *ag* (*notizia, brutta esperienza*) upsetting, disturbing; (*bellezza*) amazing; (*passione*) overwhelming.

scon'volgere [skon'vɔldʒere] *vt* to throw into confusion, upset; (*turbare*) to shake, disturb, upset.

scon'volto, a *pp di* **sconvolgere** ♦ *ag* (*persona*) distraught, very upset.

'scopa *sf* broom; (CARTE) *Italian card game*.

sco'pare *vt* to sweep; (*fam!*) to bonk (*!*).

sco'pata *sf* (*fam!*) bonk (*!*).

scoperchi'are [skoper'kjare] *vt* (*pentola, vaso*) to take the lid off, uncover; (*casa*) to take the roof off.

sco'perto, a *pp di* **scoprire** ♦ *ag* uncovered; (*capo*) uncovered, bare; (*macchina*) open; (MIL) exposed, without cover; (*conto*) overdrawn ♦ *sf* discovery ♦ *sm*: **allo ~** (*dormire etc*) out in the open; **assegno ~** uncovered cheque; **avere un conto ~** to be overdrawn.

'scopo *sm* aim, purpose; **a che ~?** what for?; **adatto allo ~** fit for its purpose; **allo ~ di fare qc** in order to do sth; **a ~ di lucro** for gain *o* money; **senza ~** (*fare, cercare*) pointlessly.

scoppi'are *vi* (*spaccarsi*) to burst; (*esplodere*) to explode; (*fig*) to break out; **~ in pianto** *o* **a piangere** to burst out crying; **~ dalle risa** *o* **dal ridere** to split one's sides laughing; **~ dal caldo** to be boiling; **~ di salute** to be the picture of health.

scoppiet'tare *vi* to crackle.

'scoppio *sm* explosion; (*di tuono, arma etc*) crash, bang; (*di pneumatico*) bang; (*fig: di guerra*) outbreak; **a ~ ritardato** delayed-action; **reazione a ~ ritardato** delayed *o* slow reaction; **uno ~ di risa** a burst of laughter; **uno ~ di collera** an explosion of anger.

sco'prire *vt* to discover; (*liberare da ciò che copre*) to uncover; (: *monumento*) to unveil; **~rsi** *vr* to put on lighter clothes; (*fig*) to give o.s. away.

scopri'tore, 'trice *sm/f* discoverer.

scoraggi'are [skorad'dʒare] *vt* to discourage; **~rsi** *vr* to become discouraged, lose heart.

scor'butico, a, ci, che *ag* (*fig*) cantankerous.

scorcia'toia [skortʃa'toja] *sf* short cut.

'scorcio ['skortʃo] *sm* (ARTE) foreshortening; (*di secolo, periodo*) end, close; **~ panoramico** vista.

scor'dare *vt* to forget; **~rsi** *vr*: **~rsi di qc/di fare** to forget sth/to do.

sco'reggia [sko'reddʒa] (*fam!*) *sf* fart (*!*).

scoreggi'are [skored'dʒare] (*fam!*) *vi* to fart (*!*).

'scorgere ['skɔrdʒere] *vt* to make out, distinguish, see.

sco'ria *sf* (*di metalli*) slag; (*vulcanica*) scoria; **~e radioattive** (FISICA) radioactive waste *sg*.

'scorno *sm* ignominy, disgrace.

scorpacci'ata [skorpat'tʃata] *sf*: **fare una ~ (di)** to stuff o.s. (with), eat one's fill (of).

scorpi'one *sm* scorpion; (*dello zodiaco*): **S~** Scorpio; **essere dello S~** to be Scorpio.

'scorporo *sm* (POL) *transfer of votes aimed at increasing the chances of representation for minority parties.*

scorraz'zare [skorrat'tsare] *vi* to run about.

'scorrere *vt* (*giornale, lettera*) to run *o* skim through ♦ *vi* (*liquido, fiume*) to run, flow; (*fune*) to run; (*cassetto, porta*) to slide easily; (*tempo*) to pass (by).

scorre'ria *sf* raid, incursion.

scorret'tezza [skorret'tettsa] *sf* incorrectness; lack of politeness, rudeness; unfairness; **commettere una ~** (*essere sleale*) to be unfair.

scor'retto, a *ag* (*sbagliato*) incorrect; (*sgarbato*) impolite; (*sconveniente*) improper; (*sleale*) unfair; (*gioco*) foul.

scor'revole *ag* (*porta*) sliding; (*fig: stile*) fluent, flowing.

scorri'banda *sf* (MIL) raid; (*escursione*) trip, excursion.

'scorsi *etc vb vedi* **scorgere.**

'scorso, a *pp di* **scorrere** ♦ *ag* last ♦ *sf* quick look, glance; **lo ~ mese** last month.

scor'soio, a *ag*: **nodo ~** noose.

'scorta *sf* (*di personalità, convoglio*) escort; (*provvista*) supply, stock; **sotto la ~ di due agenti** escorted by two policemen; **fare ~ di** to stock up with, get in a supply of; **di ~** (*materiali*) spare; **ruota di ~** spare wheel.

scor'tare *vt* to escort.

scor'tese *ag* discourteous, rude.

scorte'sia *sf* discourtesy, rudeness; (*azione*) discourtesy.

scorti'care *vt* to skin.

'scorto, a *pp di* **scorgere**.

'scorza ['skɔrdza] *sf* (*di albero*) bark; (*di agrumi*) peel, skin.

sco'sceso, a [skoʃ'ʃeso] *ag* steep.

'scosso, a *pp di* **scuotere** ♦ *ag* (*turbato*) shaken, upset ♦ *sf* jerk, jolt, shake; (*ELETTR, fig*) shock; **prendere la ~a** to get an electric shock; **~a di terremoto** earth tremor.

scos'sone *sm*: **dare uno ~ a qn** to give sb a shake; **procedere a ~i** to jolt *o* jerk along.

scos'tante *ag* (*fig*) off-putting (*BRIT*), unpleasant.

scos'tare *vt* to move (away), shift; **~rsi** *vr* to move away.

scostu'mato, a *ag* immoral, dissolute.

scotch [skɔtʃ] *sm inv* (*whisky*) Scotch; ® (*nastro adesivo*) Scotch tape ®, Sellotape ®.

scot'tante *ag* (*fig: urgente*) pressing; (: *delicato*) delicate.

scot'tare *vt* (*ustionare*) to burn; (: *con liquido bollente*) to scald ♦ *vi* to burn; (*caffè*) to be too hot.

scotta'tura *sf* burn; scald.

'scotto, a *ag* overcooked ♦ *sm* (*fig*): **pagare lo ~** (**di**) to pay the penalty (for).

sco'vare *vt* to drive out, flush out; (*fig*) to discover.

'Scozia ['skɔttsja] *sf*: **la ~** Scotland.

scoz'zese [skot'tsese] *ag* Scottish ♦ *sm/f* Scot.

screan'zato, a [skrean'tsato] *ag* ill-mannered ♦ *sm/f* boor.

scredi'tare *vt* to discredit.

scre'mare *vt* to skim.

scre'mato, a *ag* skimmed; **parzialmente ~** semi-skimmed.

screpo'lare *vt*, **~rsi** *vr* to crack.

screpola'tura *sf* cracking *no pl*; crack.

screzi'ato, a [skret'tsjato] *ag* streaked.

'screzio ['skrɛttsjo] *sm* disagreement.

scribac'chino [skribak'kino] *sm* (*peg: impiegato*) penpusher; (: *scrittore*) hack.

scricchio'lare [skrikkjo'lare] *vi* to creak, squeak.

scricchio'lio [skrikkjo'lio] *sm* creaking.

'scricciolo ['skrittʃolo] *sm* wren.

'scrigno ['skriɲɲo] *sm* casket.

scrimina'tura *sf* parting.

'scrissi *etc vb vedi* **scrivere**.

'scritto, a *pp di* **scrivere** ♦ *ag* written ♦ *sm* writing; (*lettera*) letter, note ♦ *sf* inscription; **~i** *smpl* (*letterari etc*) work(s), writings; **per** *o* **in ~** in writing.

scrit'toio *sm* writing desk.

scrit'tore, 'trice *sm/f* writer.

scrit'tura *sf* writing; (*COMM*) entry; (*contratto*) contract; (*REL*): **la Sacra S~** the Scriptures *pl*; **~e** *sfpl* (*COMM*) accounts, books.

scrittu'rare *vt* (*TEAT, CINE*) to sign up, engage; (*COMM*) to enter.

scriva'nia *sf* desk.

scri'vano *sm* (*amanuense*) scribe; (*impiegato*) clerk.

scri'vente *sm/f* writer.

'scrivere *vt* to write; **come si scrive?** how is it spelt?, how do you write it?; **~ qc a qn** to write sth to sb; **~ qc a macchina** to type sth; **~ a penna/matita** to write in pen/pencil; **~ qc maiuscolo/minuscolo** to write sth in capital/small letters.

scroc'care *vt* (*fam*) to scrounge, cadge.

scroc'cone, a *sm/f* scrounger.

'scrofa *sf* (*ZOOL*) sow.

scrol'lare *vt* to shake; **~rsi** *vr* (*anche fig*) to give o.s. a shake; **~ le spalle/il capo** to shrug one's shoulders/shake one's head; **~rsi qc di dosso** (*ache fig*) to shake sth off.

scrol'lata *sf* shake; **~ di spalle** shrug (of one's shoulders).

scrosci'ante [skroʃ'ʃante] *ag* (*pioggia*) pouring; (*fig: applausi*) thunderous.

scrosci'are [skroʃ'ʃare] *vi* (*pioggia*) to pour down, pelt down; (*torrente, fig: applausi*) to thunder, roar.

'scroscio ['skrɔʃʃo] *sm* pelting; thunder, roar; (*di applausi*) burst.

scros'tare *vt* (*intonaco*) to scrape off, strip; **~rsi** *vr* to peel off, flake off.

'scrupolo *sm* scruple; (*meticolosità*) care, conscientiousness; **essere senza ~i** to be unscrupulous.

scrupo'loso, a *ag* scrupulous; conscientious.

scru'tare *vt* to scrutinize; (*intenzioni, causa*) to examine, scrutinize.

scruta'tore, trice *sm/f* (*POL*) scrutineer.

scruti'nare *vt* (*voti*) to count.

scru'tinio *sm* (*votazione*) ballot; (*insieme*

delle operazioni) poll; (*INS*) (*meeting for*) *assignment of marks at end of a term or year.*

scu'cire [sku't∫ire] *vt* (*orlo etc*) to unpick, undo; ~**rsi** *vr* to come unstitched.

scude'ria *sf* stable.

scu'detto *sm* (*SPORT*) (championship) shield; (*distintivo*) badge.

scu'discio [sku'di∫∫o] *sm* (riding) crop, (riding) whip.

'scudo *sm* shield; **farsi** ~ **di** *o* **con qc** to shield o.s. with sth; ~ **aereo/missilistico** air/missile defence (*BRIT*) *o* defense (*US*); ~ **termico** heat shield.

sculacci'are [skulat't∫are] *vt* to spank.

sculacci'one [skulat't∫one] *sm* spanking.

scul'tore, 'trice *sm/f* sculptor.

scul'tura *sf* sculpture.

scu'ola *sf* school; ~ **elementare** primary (*BRIT*) *o* grade (*US*) school (*for children from 6 to 11 years of age*); ~ **guida** driving school; ~ **materna** nursery school (*for children aged 3 to 5*); ~ **media inferiore** *first 3 years of secondary school, for children from 11 to 14 years of age*; ~ **dell'obbligo** compulsory education; ~**e serali** evening classes, night school *sg*; ~ **tecnica** technical college.

Italian children first attend la scuola *from the age of 3. They remain at* la scuola materna *until the age of 6 when they move on to the* scuola elementare *for a period of 5 years. After this there is the* scuola media inferiore, *which lasts another 3 years. Its completion marks the end of compulsory education. Students who want to continue their education then go to the* scuola media superiore, *which consists of a number of different establishments offering different specialisations: these are the* liceo classico, *the* liceo scientifico *and the liceo artistico, which take a further 5 years, the* istituto magistrale, *which takes 4 years, and the istituto tecnico e professionale, which takes between 3 and 5 years.*

---

scu'otere *vt* to shake; ~**rsi** *vr* to jump, be startled; (*fig: muoversi*) to rouse o.s., stir o.s.; (: *turbarsi*) to be shaken.

'scure *sf* axe, ax (*US*).

scu'rire *vt* to darken, make darker.

'scuro, a *ag* dark; (*fig: espressione*) grim ♦ *sm* darkness; dark colour (*BRIT*) *o* color (*US*); (*imposta*) (window) shutter; **verde/rosso** *etc* ~ dark green/red *etc*.

scur'rile *ag* scurrilous.

'scusa *sf* excuse; ~**e** *sfpl* apology *sg*, apologies; **chiedere** ~ **a qn (per)** to apologize to sb (for); **chiedo** ~ I'm sorry; (*disturbando etc*) excuse me; **vi prego di accettare le mie** ~**e** please accept my apologies.

scu'sare *vt* to excuse; ~**rsi** *vr*: ~**rsi (di)** to apologize (for); (**mi**) **scusi** I'm sorry; (*per richiamare l'attenzione*) excuse me.

S.C.V. *sigla* = Stato della Città del Vaticano.

sdebi'tarsi *vt*: ~**rsi (con qn di** *o* **per qc)** (*anche fig*) to repay (sb for sth).

sde'gnare [zdeɲ'ɲare] *vt* to scorn, despise; ~**rsi** *vr* (*adirarsi*) to get angry.

sde'gnato, a [zdeɲ'ɲato] *ag* indignant, angry.

'sdegno ['zdeɲɲo] *sm* scorn, disdain.

sde'gnoso, a [zdeɲ'ɲoso] *ag* scornful, disdainful.

sdilin'quirsi *vr* (*illanguidirsi*) to become sentimental.

sdoga'nare *vt* (*COMM*) to clear through customs.

sdolci'nato, a [zdolt∫i'nato] *ag* mawkish, oversentimental.

sdoppia'mento *sm* (*CHIM: di composto*) splitting; (*PSIC*): ~ **della personalità** split personality.

sdoppi'are *vt* (*dividere*) to divide *o* split in two.

sdrai'arsi *vr* to stretch out, lie down.

'sdraio *sm*: **sedia a** ~ deck chair.

sdrammatiz'zare [zdrammatid'dzare] *vt* to play down, minimize.

sdruccio'lare [zdrutt∫o'lare] *vi* to slip, slide.

sdruccio'levole [zdrutt∫o'levole] *ag* slippery.

sdru'cito, a [zdru't∫ito] *ag* (*strappato*) torn; (*logoro*) threadbare.

=================== *PAROLA CHIAVE*

se *pron vedi* **si**

♦ *cong* **1** (*condizionale, ipotetica*) if; ~ **nevica non vengo** I won't come if it snows; ~ **fossi in te** if I were you; **sarei rimasto** ~ **me l'avessero chiesto** I would have stayed if they'd asked me; **non puoi fare altro** ~ **non telefonare** all you can do is phone; ~ **mai** if, if ever; **siamo noi** ~ **mai che le siamo grati** it is we who should be grateful to you; ~ **no** (*altrimenti*) or (else), otherwise; ~ **non** (*anzi*) if not; (*tranne*) except; ~ **non altro** if nothing else, at least; ~ **solo** *o* **solamente** if only

2 (*in frasi dubitative, interrogative indirette*) if, whether; **non so** ~ **scrivere** *o* **telefonare** I don't know whether *o* if I should write or phone.

S.E. *abbr* (= *sud-est*) SE; (= *Sua Eccellenza*) HE.

sé *pron* (*gen*) oneself; (*esso, essa, lui, lei, loro*) itself; himself; herself; themselves; ~ **stesso(a)** *pron* oneself; itself; himself; herself; ~ **stessi(e)** *pron pl* themselves; **di per** ~ **non è un problema** it's no problem in itself; **parlare tra** ~ **e** ~ to talk to oneself; **va da** ~ **che ...** it goes without saying that ..., it's obvious that ..., it stands to reason that ...; **è un caso a** ~ *o* **a** ~ **stante** it's a special case.

S.E.A.T.O. *sigla f* (= *Southeast Asia Treaty Organization*) SEATO.

seb'bene *cong* although, though.

'sebo *sm* sebum.

sec. *abbr* (= *secolo*) c.

'SECAM *sigla m* (= *séquentiel couleur à mémoire*) SECAM.

'secca *sf vedi* **secco**.

sec'care *vt* to dry; (*prosciugare*) to dry up; (*fig: importunare*) to annoy, bother ♦ *vi* to dry; to dry up; **~rsi** *vr* to dry; to dry up; (*fig*) to grow annoyed; **si è seccato molto** he was very annoyed.

sec'cato, a *ag* (*fig: infastidito*) bothered, annoyed; (: *stufo*) fed up.

secca'tore, 'trice *sm/f* nuisance, bother.

secca'tura *sf* (*fig*) bother *no pl*, trouble *no pl*.

seccherò *etc* [sekke'rɔ] *vb vedi* **seccare**.

'secchia ['sekkja] *sf* bucket, pail.

secchi'ello [sek'kjɛllo] *sm* (*per bambini*) pail, bucket.

'secchio ['sekkjo] *sm* bucket, pail; ~ **della spazzatura** *o* **delle immondizie** dustbin (*BRIT*), garbage can (*US*).

'secco, a, chi, che *ag* dry; (*fichi, pesce*) dried; (*foglie, ramo*) withered; (*magro: persona*) thin, skinny; (*fig: risposta, modo di fare*) curt, abrupt; (: *colpo*) clean, sharp ♦ *sm* (*siccità*) drought ♦ *sf* (*del mare*) shallows *pl*; **restarci** ~ (*fig: morire sul colpo*) to drop dead; **avere la gola** ~**a** to feel dry, be parched; **lavare a** ~ to dry-clean; **tirare a** ~ (*barca*) to beach.

secen'tesco, a, schi, sche [setʃen'tesko] *ag* = **seicentesco**.

se'cernere [se'tʃɛrnere] *vt* to secrete.

seco'lare *ag* age-old, centuries-old; (*laico, mondano*) secular.

'secolo *sm* century; (*epoca*) age.

se'conda *sf vedi* **secondo**.

*The **Seconda Repubblica** is the name used especially by the media to refer to the government and country in general since the elections of 1994 when the old party*

*system collapsed and a new system was adopted. The collapse followed the Tangentopoli scandals (see **Tangentopoli**) which provoked a general wish for radical change. The political parties representing this new system were formed only recently and 1994 saw the first elections to be decided by the first-past-the-post method rather than by proportional representation.*

secondaria'mente *av* secondly.

secon'dario, a *ag* secondary; **scuola/ istruzione** ~**a** secondary school/ education.

secon'dino *sm* prison officer, warder (*BRIT*).

se'condo, a *ag* second ♦ *sm* second; (*di pranzo*) main course ♦ *sf* (*AUT*) second (gear); (*FERR*) second class ♦ *prep* according to; (*nel modo prescritto*) in accordance with; ~ **me** in my opinion, to my mind; ~ **la legge/quanto si era deciso** in accordance with the law/the decision taken; **di** ~**a classe** second-class; **di** ~**a mano** second-hand; **viaggiare in** ~**a** to travel second-class; **comandante** *m* **in** ~**a** second-in-command; **a** ~**a di** *prep* according to; in accordance with.

secondo'genito, a [sekondo'dʒɛnito] *sm/f* second-born.

secrezi'one [sekret'tsjone] *sf* secretion.

'sedano *sm* celery.

se'dare *vt* (*dolore*) to soothe; (*rivolta*) to put down, suppress.

seda'tivo, a *ag, sm* sedative.

'sede *sf* (*luogo di residenza*) (place of) residence; (*di ditta: principale*) head office; (: *secondaria*) branch (office); (*di organizzazione*) headquarters *pl*; (*di governo, parlamento*) seat; (*REL*) see; **in** ~ **di** (*in occasione di*) during; **in altra** ~ on another occasion; **in** ~ **legislativa** in legislative sitting; **prendere** ~ to take up residence; **un'azienda con diverse** ~**i in città** a firm with several branches in the city; ~ **centrale** head office; ~ **sociale** registered office.

seden'tario, a *ag* sedentary.

se'dere *vi* to sit, be seated; **~rsi** *vr* to sit down ♦ *sm* (*deretano*) bottom; **posto a** ~ seat.

'sedia *sf* chair; ~ **elettrica** electric chair; ~ **a rotelle** wheelchair.

sedi'cenne [sedi'tʃɛnne] *ag, sm/f* sixteen-year-old.

sedi'cente [sedi'tʃɛnte] *ag* self-styled.

sedi'cesimo, a [sedi'tʃɛzimo] *num* sixteenth.

'**sedici** ['seditʃi] *num* sixteen.

se'**dile** *sm* seat; (*panchina*) bench.

sedimen'**tare** *vi* to leave a sediment.

sedi'**mento** *sm* sediment.

sedizi'**one** [sedit'tsjone] *sf* revolt, rebellion.

sedizi'**oso, a** [sedit'tsjoso] *ag* seditious.

se'**dotto, a** *pp di* **sedurre.**

sedu'**cente** [sedu'tʃɛnte] *ag* seductive; (*proposta*) very attractive.

se'**durre** *vt* to seduce.

se'**duta** *sf* session, sitting; (*riunione*) meeting; **essere in** ~ to be in session, be sitting; ~ **stante** (*fig*) immediately; ~ **spiritica** seance.

sedut'**tore, 'trice** *sm/f* seducer/seductress.

seduzi'**one** [sedut'tsjone] *sf* seduction; (*fascino*) charm, appeal.

SEeO *abbr* (= *salvo errori e omissioni*) E and OE.

'**sega, ghe** *sf* saw; ~ **circolare** circular saw; ~ **a mano** handsaw.

'**segale** *sf* rye.

se'**gare** *vt* to saw; (*recidere*) to saw off.

sega'**tura** *sf* (*residuo*) sawdust.

'**seggio** ['sɛddʒo] *sm* seat; ~ **elettorale** polling station.

'**seggiola** ['sɛddʒola] *sf* chair.

seggio'**lino** [sɛddʒo'lino] *sm* seat; (*per bambini*) child's chair; ~ **di sicurezza** (*AUT*) child safety seat.

seggio'**lone** [sɛddʒo'lone] *sm* (*per bambini*) highchair.

seggio'**via** [sɛddʒo'via] *sf* chairlift.

seghe'**ria** [sege'ria] *sf* sawmill.

seghe'**rò** *etc* [sege'rɔ] *vb vedi* **segare.**

seghet'**tato, a** [seget'tato] *ag* serrated.

se'**ghetto** [se'getto] *sm* hacksaw.

seg'**mento** *sm* segment.

segna'**lare** [seɲɲa'lare] *vt* (*essere segno di*) to indicate, be a sign of; (*avvertire*) to signal; (*menzionare*) to indicate; (: *fatto, risultato, aumento*) to report; (: *errore, dettaglio*) to point out; (*AUT*) to signal, indicate; ~**rsi** *vr* (*distinguersi*) to distinguish o.s.; ~ **qn a qn** (*per lavoro etc*) to bring sb to sb's attention.

segnalazi'**one** [seɲɲalat'tsjone] *sf* (*azione*) signalling; (*segnale*) signal; (*annuncio*) report; (*raccomandazione*) recommendation.

se'**gnale** [seɲ'ɲale] *sm* signal; (*cartello*): ~ **stradale** road sign; ~ **acustico** acoustic *o* sound signal; ~ **d'allarme** alarm; (*FERR*) communication cord; ~ **di linea libera** (*TEL*) dialling (*BRIT*) *o* dial (*US*) tone; ~ **luminoso** light signal; ~ **di occupato** (*TEL*) engaged tone (*BRIT*), busy signal (*US*); ~ **orario** (*RADIO*) time signal.

segna'**letica** [seɲɲa'lɛtika] *sf* signalling, signposting; ~ **stradale** road signs *pl.*

segna'**libro** [seɲɲa'libro] *sm* bookmark(er).

segna'**punti** [seɲɲa'punti] *sm/f inv* scorer, scorekeeper.

se'**gnare** [seɲ'ɲare] *vt* to mark; (*prendere nota*) to note; (*indicare*) to indicate, mark; (*SPORT: goal*) to score; ~**rsi** *vr* (*REL*) to make the sign of the cross, cross o.s.

'**segno** ['seɲɲo] *sm* sign; (*impronta, contrassegno*) mark; (*bersaglio*) target; **fare** ~ **di sì/no** to nod (one's head)/shake one's head; **fare** ~ **a qn di fermarsi** to motion (to) sb to stop; **cogliere** *o* **colpire nel** ~ (*fig*) to hit the mark; **in** *o* **come** ~ **d'amicizia** as a mark *o* token of friendship; "~**i particolari**" (*su documento etc*) "distinguishing marks".

segre'**gare** *vt* to segregate, isolate.

segregazi'**one** [segregat'tsjone] *sf* segregation.

se'**greta** *sf vedi* **segreto.**

segre'**tario, a** *sm/f* secretary; ~ **comunale** town clerk; ~ **del partito** party leader; **S~ di Stato** Secretary of State.

segrete'**ria** *sf* (*di ditta, scuola*) (secretary's) office; (*d'organizzazione internazionale*) secretariat; (*POL etc: carica*) office of Secretary; ~ **telefonica** answering service.

segre'**tezza** [segre'tettsa] *sf* secrecy; **notizie della massima** ~ confidential information; **in tutta** ~ in secret; (*confidenzialmente*) in confidence.

se'**greto, a** *ag* secret ♦ *sm* secret ♦ *sf* dungeon; **in** ~ in secret, secretly; **il** ~ **professionale** professional secrecy; **un** ~ **professionale** a professional secret.

segu'**ace** [se'gwatʃe] *sm/f* follower, disciple.

segu'**ente** *ag* following, next; **nel modo** ~ as follows, in the following way.

se'**gugio** [se'gudʒo] *sm* hound, hunting dog; (*fig*) private eye, sleuth.

segu'**ire** *vt* to follow; (*frequentare: corso*) to attend ♦ *vi* to follow; (*continuare: testo*) to continue; ~ **i consigli di qn** to follow *o* to take sb's advice; ~ **gli avvenimenti di attualità** to follow *o* keep up with current events; **come segue** as follows; "**segue**" "to be continued".

segui'**tare** *vt* to continue, carry on with ♦ *vi* to continue, carry on.

'**seguito** *sm* (*scorta*) suite, retinue; (*discepoli*) followers *pl*; (*serie*) sequence, series *sg*; (*continuazione*) continuation; (*conseguenza*) result; **di** ~ at a stretch, on end; **in** ~ later on; **in** ~ **a, a** ~ **di** following; (*a causa di*) as a result of, owing to; **essere al** ~ **di qn** to be among sb's suite, be one of sb's retinue; **non aver** ~ (*conseguenze*) to have no repercussions; **facciamo** ~ **alla lettera del** ... further to *o* in answer to your letter of ....

'**sei** *vb vedi* **essere** ♦ *num* six.
Sei'celle [sei'tʃɛlle] *sfpl*: **le** ~ the Seychelles.
seicen'tesco, a, schi, sche [seitʃen'tesko] *ag* seventeenth-century.
sei'cento [sei'tʃɛnto] *num* six hundred ♦ *sm*: **il S**~ the seventeenth century.
sei'mila *num* six thousand.
'**selce** ['seltʃe] *sf* flint, flintstone.
selci'ato [sel'tʃato] *sm* cobbled surface.
selet'tivo, a *ag* selective.
selet'tore *sm* (*TECN*) selector.
selezio'nare [selettsjo'nare] *vt* to select.
selezi'one [selet'tsjone] *sf* selection; **fare una** ~ to make a selection *o* choice.
'**sella** *sf* saddle.
sel'lare *vt* to saddle.
sel'lino *sm* saddle.
seltz *sm inv* soda (water).
'**selva** *sf* (*bosco*) wood; (*foresta*) forest.
selvag'gina [selvad'dʒina] *sf* (*animali*) game.
sel'vaggio, a, gi, ge [sel'vaddʒo] *ag* wild; (*tribù*) savage, uncivilized; (*fig: brutale*) savage, brutal; (: *incontrollato: fenomeno, aumento etc*) uncontrolled ♦ *sm/f* savage; **inflazione** ~**a** a runaway inflation.
sel'vatico, a, ci, che *ag* wild.
S.Em. *abbr* (= *Sua Eminenza*) HE.
se'maforo *sm* (*AUT*) traffic lights *pl*.
se'mantico, a *ag* semantic ♦ *sf* semantics *sg*.
sembi'anza [sem'bjantsa] *sf* (*poetico: aspetto*) appearance; ~**e** *sfpl* (*lineamenti*) features; (*fig: falsa apparenza*) semblance *sg*.
sem'brare *vi* to seem ♦ *vb impers*: **sembra che** it seems that; **mi sembra che** it seems to me that; (*penso che*) I think (that); ~ **di essere** to seem to be; **non mi sembra vero!** I can't believe it!
'**seme** *sm* seed; (*sperma*) semen; (*CARTE*) suit.
se'mente *sf* seed.
semes'trale *ag* (*che dura 6 mesi*) six-month *cpd*; (*che avviene ogni 6 mesi*) six-monthly.
se'mestre *sm* half-year, six-month period.
'**semi** ... *prefisso* semi ....
semi'cerchio [semi'tʃerkjo] *sm* semicircle.
semicondut'tore *sm* semiconductor.

semidetenzi'one [semideten'tsjone] *sf* custodial sentence whereby individual must spend a minimum of 10 hours per day in prison.
semifi'nale *sf* semifinal.
semi'freddo, a *ag* (*CUC*) chilled ♦ *sm* ice-cream cake.
semilibertà *sf* custodial sentence which allows prisoner to study or work outside prison for part of the day.
'**semina** *sf* (*AGR*) sowing.
semi'nare *vt* to sow.
semi'nario *sm* seminar; (*REL*) seminary.
semi'nato *sm*: **uscire dal** ~ (*fig*) to wander off the point.
seminter'rato *sm* basement; (*appartamento*) basement flat (*BRIT*) *o* apartment (*US*).
semi'ologo, a, gi, ghe *sm/f* semiologist.
semi'otica *sf* semiotics *sg*.
se'mitico, a, ci, che *ag* semitic.
sem'mai = **se mai**.
'**semola** *sf* bran; ~ **di grano duro** durum wheat.
semo'lato *ag*: **zucchero** ~ caster sugar.
semo'lino *sm* semolina.
'**semplice** ['semplitʃe] *ag* simple; (*di un solo elemento*) single; **è una** ~ **formalità** it's a mere formality.
semplice'mente [semplitʃe'mente] *av* simply.
sempli'cistico, a, ci, che [sempli'tʃistiko] *ag* simplistic.
semplicità [semplitʃi'ta] *sf* simplicity.
semplifi'care *vt* to simplify.
semplificazi'one [semplifikat'tsjone] *sf* simplification; **fare una** ~ **di** to simplify.
'**sempre** *av* always; (*ancora*) still; **posso** ~ **tentare** I can always *o* still try; **da** ~ always; **per** ~ forever; **una volta per** ~ once and for all; ~ **che** *cong* provided (that); ~ **più** more and more; ~ **meno** less and less; **va** ~ **meglio** things are getting better and better; **è** ~ **meglio che niente** it's better than nothing; **è (pur)** ~ **tuo fratello** he is still your brother (however); **c'è** ~ **la possibilità che** ... there's still a chance that ..., there's always the possibility that ....
sempre'verde *ag, sm o f* (*BOT*) evergreen.
Sen. *abbr* (= *senatore*) Sen.
'**senape** *sf* (*CUC*) mustard.
se'nato *sm* senate.

The **Senato** *is the upper chamber of the Italian parliament, with similar functions to the* **Camera dei deputati**. *To stand for the* **Senato**, *one must be at least 40 years of age* *and to vote a candidate into the* **Senato,** *one must be 25 years of age or over. Elections for the 315 senators are held every 5 years. Former heads of state are elected life senators as are 5 distinguished members of the public nominated by the head of state for their achievements in the scientific, social, artistic or literary fields. It is presided over by the Presidente del Senato who is elected by the senators. See also* **Parlamento.**

sena'tore, 'trice *sm/f* senator.

'Senegal *sm:* **il ~** Senegal.

senega'lese *ag, sm/f* Senegalese *inv.*

se'nese *ag* of (*o* from) Siena.

se'nile *ag* senile.

'Senna *sf:* **la ~** the Seine.

'senno *sm* judgment, (common) sense; **col ~ di poi** with hindsight.

sennò *av* = **se no.**

'seno *sm* (*ANAT: petto, mammella*) breast; (: *grembo, fig*) womb; (: *cavità*) sinus; (*GEO*) inlet, creek; (*MAT*) sine; **in ~ al partito/all'organizzazione** within the party/the organization.

sen'sale *sm* (*COMM*) agent.

sensa'tezza [sensa'tettsa] *sf* good sense, good judgment.

sen'sato, a *ag* sensible.

sensazio'nale [sensattsjo'nale] *ag* sensational.

sensazi'one [sensat'tsjone] *sf* feeling, sensation; **fare ~** to cause a sensation, create a stir; **avere la ~ che** to have a feeling that.

sen'sibile *ag* sensitive; (*ai sensi*) perceptible; (*rilevante, notevole*) appreciable, noticeable; **~ a** sensitive to.

sensibilità *sf* sensitivity.

sensibiliz'zare [sensibilid'dzare] *vt* (*fig*) to make aware, awaken.

'senso *sm* (*FISIOL, istinto*) sense; (*impressione, sensazione*) feeling, sensation; (*significato*) meaning, sense; (*direzione*) direction; **~i** *smpl* (*coscienza*) consciousness *sg*; (*sensualità*) senses; **perdere/riprendere i ~i** to lose/regain consciousness; **avere ~ pratico** to be practical; **avere un sesto ~** to have a sixth sense; **fare ~ a** (*ripugnare*) to disgust, repel; **ciò non ha ~** that doesn't make sense; **senza *o* privo di ~** meaningless; **nel ~ che** in the sense that; **nel vero ~ della parola** in the true sense of the word; **nel ~ della lunghezza** lengthwise, lengthways; **nel ~ della larghezza** widthwise; **ho dato disposizioni**

in quel ~ I've given instructions to that end *o* effect; **~ comune** common sense; **~ del dovere** sense of duty; **in ~ opposto** in the opposite direction; **in ~ orario/antiorario** clockwise/anticlockwise; **~ dell'umorismo** sense of humour; **a ~ unico** one-way; **"~ vietato"** (*AUT*) "no entry".

sensu'ale *ag* sensual; sensuous.

sensualità *sf* sensuality; sensuousness.

sen'tenza [sen'tentsa] *sf* (*DIR*) sentence; (*massima*) maxim.

sentenzi'are [senten'tsjare] *vi* (*DIR*) to pass judgment.

senti'ero *sm* path.

sentimen'tale *ag* sentimental; (*vita, avventura*) love *cpd.*

senti'mento *sm* feeling.

senti'nella *sf* sentry.

sen'tire *vt* (*percepire al tatto, fig*) to feel; (*udire*) to hear; (*ascoltare*) to listen to; (*odore*) to smell; (*avvertire con il gusto, assaggiare*) to taste ♦ *vi:* **~ di** (*avere sapore*) to taste of; (*avere odore*) to smell of; **~rsi** *vr* (*uso reciproco*) to be in touch; **~rsi bene/male** to feel well/unwell *o* ill; **~rsi di fare qc** (*essere disposto*) to feel like doing sth; **~ la mancanza di qn** to miss sb; **ho sentito dire che ...** I have heard that ...; **a ~ lui ...** to hear him talk ...; **fatti ~** keep in touch; **intendo ~ il mio legale/il parere di un medico** I'm going to consult my lawyer/a doctor.

sentita'mente *av* sincerely; **ringraziare ~** to thank sincerely.

sen'tito, a *ag* (*sincero*) sincere, warm; **per ~ dire** by hearsay.

sen'tore *sm* rumour (*BRIT*), rumor (*US*), talk; **aver ~ di qc** to hear about sth.

'senza ['sentsa] *prep, cong* without; **~ nulla** without saying a word; **~ dire che ...** not to mention the fact that ...; **~ contare che ...** without considering that ...; **fare ~ qc** to do without sth; **~ di me** without me; **~ che io lo sapessi** without me *o* my knowing; **~ amici** friendless; **senz'altro** of course, certainly; **~ dubbio** no doubt; **~ scrupoli** unscrupulous; **i ~ lavoro** the jobless, the unemployed; **i ~ tetto** the homeless.

senza'tetto [sentsa'tetto] *sm/f inv* homeless person; **i ~** the homeless.

sepa'rare *vt* to separate; (*dividere*) to divide; (*tenere distinto*) to distinguish; **~rsi** *vr* (*coniugi*) to separate, part; (*amici*) to part; **~rsi da** (*coniuge*) to separate *o* part from; (*amico, socio*) to part company with; (*oggetto*) to part with.

separata'mente *av* separately.
sepa'rato, a *ag* (*letti, conto etc*) separate; (*coniugi*) separated.
separazi'one [separat'tsjone] *sf* separation; ~ **dei beni** division of property.
séparé [sepa're] *sm inv* screen.
se'polcro *sm* sepulchre (*BRIT*), sepulcher (*US*).
se'polto, a *pp di* **seppellire**.
sepol'tura *sf* burial; **dare** ~ **a qn** to bury sb.
seppel'lire *vt* to bury.
'seppi *etc vb vedi* **sapere**.
'seppia *sf* cuttlefish ♦ *ag inv* sepia.
sep'pure *cong* even if.
se'quela *sf* (*di avvenimenti*) series, sequence; (*di offese, ingiurie*) string.
se'quenza [se'kwentsa] *sf* sequence.
sequenzi'ale [sekwen'tsjale] *ag* sequential.
seques'trare *vt* (*DIR*) to impound; (*rapire*) to kidnap; (*costringere in un luogo*) to keep, confine.
se'questro *sm* (*DIR*) impoundment; ~ **di persona** kidnapping.
se'quoia *sf* sequoia.
'sera *sf* evening; **di** ~ in the evening; **domani** ~ tomorrow evening, tomorrow night; **questa** ~ this evening, tonight.
se'rale *ag* evening *cpd*; **scuola** ~ evening classes *pl*, night school.
se'rata *sf* evening; (*ricevimento*) party.
ser'bare *vt* to keep; (*mettere da parte*) to put aside; ~ **rancore/odio verso qn** to bear sb a grudge/hate sb.
serba'toio *sm* tank; (*cisterna*) cistern.
'serbo *ag* Serbian ♦ *sm/f* Serbian, Serb ♦ *sm* (*LING*) Serbian; (*il serbare*): **mettere/tenere o avere in** ~ **qc** to put/keep sth aside.
serbocro'ato, a *ag, sm* Serbo-Croat.
serena'mente *av* serenely, calmly.
sere'nata *sf* (*MUS*) serenade.
serenità *sf* serenity.
se'reno, a *ag* (*tempo, cielo*) clear; (*fig*) serene, calm ♦ *sm* (*tempo*) good weather; **un fulmine a ciel** ~ (*fig*) a bolt from the blue.
serg. *abbr* (= *sergente*) Sgt.
ser'gente [ser'dʒɛnte] *sm* (*MIL*) sergeant.
seri'ale *ag* (*INFORM*) serial.
seria'mente *av* (*con serietà, in modo grave*) seriously; **lavorare** ~ to take one's job seriously.
'serie *sf inv* (*successione*) series *inv*; (*gruppo, collezione: di chiavi etc*) set; (*SPORT*) division; league; (*COMM*): **modello di** ~/ **fuori** ~ standard/custom-built model; **in** ~ in quick succession; (*COMM*) mass *cpd*; **tutta una** ~ **di problemi** a whole string *o*

series of problems.
serietà *sf* seriousness; reliability.
'serio, a *ag* serious; (*impiegato*) responsible, reliable; (*ditta, cliente*) reliable, dependable; **sul** ~ (*davvero*) really, truly; (*seriamente*) seriously, in earnest; **dico sul** ~ I'm serious; **faccio sul** ~ I mean it; **prendere qc/qn sul** ~ to take sth/sb seriously.
seri'oso, a *ag* (*persona, modi*): **un po'** ~ a bit too serious.
ser'mone *sm* sermon.
'serpe *sf* snake; (*fig peg*) viper.
serpeggi'are [serped'dʒare] *vi* to wind; (*fig*) to spread.
ser'pente *sm* snake; ~ **a sonagli** rattlesnake.
'serra *sf* greenhouse; hothouse; (*GEO*) sierra.
serra'manico *sm*: **coltello a** ~ jack-knife.
ser'randa *sf* roller shutter.
ser'rare *vt* to close, shut; (*a chiave*) to lock; (*stringere*) to tighten; (*premere: nemico*) to close in on; ~ **i pugni/i denti** to clench one's fists/teeth; ~ **le file** to close ranks.
ser'rata *sf* (*INDUSTRIA*) lockout.
ser'rato, a *ag* (*veloce*): **a ritmo** ~ quickly, fast.
serra'tura *sf* lock.
'serva *sf vedi* **servo**.
ser'vigio [ser'vidʒo] *sm* favour (*BRIT*), favor (*US*), service.
ser'vire *vt* to serve; (*clienti: al ristorante*) to wait on; (: *al negozio*) to serve, attend to; (*fig: giovare*) to aid, help; (*CARTE*) to deal ♦ *vi* (*TENNIS*) to serve; (*essere utile*): ~ **a qn** to be of use to sb; ~ **a qc/a fare** (*utensile etc*) to be used for sth/for doing; ~ (**a qn**) **da** to serve as (for sb); ~**rsi** *vr* (*usare*): ~**rsi di** to use; (*prendere: cibo*): ~**rsi (di)** to help o.s. (to); (*essere cliente abituale*): ~**rsi da** to be a regular customer at, go to; **non mi serve più** I don't need it any more; **non serve che lei vada** you don't need to go.
servitù *sf* servitude; slavery; (*personale di servizio*) servants *pl*, domestic staff.
servizi'evole [servit'tsjevole] *ag* obliging, willing to help.
ser'vizio [ser'vittsjo] *sm* service; (*al ristorante: sul conto*) service (charge); (*STAMPA, TV, RADIO*) report; (*da tè, caffè etc*) set, service; ~**i** *smpl* (*di casa*) kitchen and bathroom; (*ECON*) services; **essere di** ~ to be on duty; **fuori** ~ (*telefono etc*) out of order; ~ **compreso/escluso** service included/not included; **entrata di** ~ service *o* tradesman's (*BRIT*) entrance;

casa con doppi ~i house with two bathrooms; **~ assistenza clienti** after-sales service; **~ civile** ≈ community service; **~ in diretta** (*TV, RADIO*) live coverage; **~ fotografico** (*STAMPA*) photo feature; **~ militare** military service; **~ d'ordine** (*POLIZIA*) police patrol; (*di manifestanti*) team of stewards (*responsible for crowd control*); **~i segreti** secret service *sg*; **~i di sicurezza** security forces.

'servo, a *smf* servant.

servo'freno *sm* (*AUT*) servo brake.

servos'terzo [servos'tɛrtso] *sm* (*AUT*) power steering.

'sesamo *sm* (*BOT*) sesame.

ses'santa *num* sixty.

sessan'tenne *ag, smf* sixty-year-old.

sessan'tesimo, a *num* sixtieth.

sessan'tina *sf*: **una ~ (di)** about sixty.

sessantot'tino, a *smf* a person who took part in the events of 1968.

Sessantotto, '68, refers to the year 1968 when the student protest movement really took on major significance. Originating in France, it then spread to other industrialized countries including Italy. What began as a purely student movement gradually spread to other parts of society and led to major political and social change. Left-wing groups flourished, schools and universities became more democratic and the referendum on divorce was held.

sessi'one *sf* session.

'sesso *sm* sex; **il ~ debole/forte** the weaker/stronger sex.

sessu'ale *ag* sexual, sex *cpd*.

sessualità *sf* sexuality.

sessu'ologo, a, gi, ghe *smf* sexologist, sex specialist.

ses'tante *sm* sextant.

'sesto, a *num* sixth ♦ *sm*: **rimettere in ~** (*aggiustare*) to put back in order; (*fig*: *persona*) to put back on his (*o* her) feet; **rimettersi in ~** (*riprendersi*) to recover, get well; (*riassettarsi*) to tidy o.s. up.

'seta *sf* silk.

setacci'are [setat'tʃare] *vt* (*farina etc*) to sift, sieve; (*fig*: *zona*) to search, comb.

se'taccio [se'tattʃo] *sm* sieve; **passare al ~** (*fig*) to search, comb.

'sete *sf* thirst; **avere ~** to be thirsty; **~ di potere** thirst for power.

seti'ficio [seti'fitʃo] *sm* silk factory.

'setola *sf* bristle.

sett. *abbr* (= *settembre*) Sept.

'setta *sf* sect.

set'tanta *num* seventy.

settan'tenne *ag, smf* seventy-year-old.

settan'tesimo, a *num* seventieth.

settan'tina *sf*: **una ~ (di)** about seventy.

'sette *num* seven.

settecen'tesco, a, schi, sche [settetʃen'tesko] *ag* eighteenth-century.

sette'cento [sette'tʃɛnto] *num* seven hundred ♦ *sm*: **il S~** the eighteenth century.

set'tembre *sm* September; *per fraseologia vedi* **luglio.**

sette'mila *num* seven thousand.

settentrio'nale *ag* northern ♦ *smf* northerner.

settentri'one *sm* north.

'settico, a, ci, che *ag* (*MED*) septic.

setti'mana *sf* week; **la ~ scorsa/prossima** last/next week; **a metà ~** in the middle of the week.

The settimana bianca is a winter-sports holiday taken by many Italians.

settima'nale *ag, sm* weekly.

'settimo, a *num* seventh.

set'tore *sm* sector; **~ privato/pubblico** private/public sector; **~ terziario** service industries *pl*.

Se'ul *sf* Seoul.

severità *sf* severity.

se'vero, a *ag* severe.

sevizi'are [sevit'tsjare] *vt* to torture.

se'vizie [se'vittsje] *sfpl* torture *sg*.

'sexy ['seksi] *ag inv* sexy.

sez. *abbr* = **sezione.**

sezio'nare [settsjo'nare] *vt* to divide into sections; (*MED*) to dissect.

sezi'one [set'tsjone] *sf* section; (*MED*) dissection.

sfaccen'dato, a [sfattʃen'dato] *ag* idle.

sfaccetta'tura [sfattʃetta'tura] *sf* (*azione*) faceting; (*parte sfaccettata, fig*) facet.

sfacchi'nare [sfakki'nare] *vi* (*fam*) to toil, drudge.

sfacchi'nata [sfakki'nata] *sf* (*fam*) chore, drudgery *no pl*.

sfaccia'taggine [sfattʃa'taddʒine] *sf* insolence, cheek.

sfacci'ato, a [sfat'tʃato] *ag* (*maleducato*) cheeky, impudent; (*vistoso*) gaudy.

sfa'celo [sfa'tʃɛlo] *sm* (*fig*) ruin, collapse.

sfal'darsi *vr* to flake (off).

sfal'sare *vt* to offset.

sfa'mare *vt* (*nutrire*) to feed; (*soddisfare la fame*): **~ qn** to satisfy sb's hunger; **~rsi** *vr* to satisfy one's hunger, fill o.s. up.

sfarfal'lio *sm* (*CINE, TV*) flickering.

'sfarzo ['sfartso] *sm* pomp, splendour (*BRIT*), splendor (*US*).

sfar'zoso, a [sfar'tsoso] *ag* splendid, magnificent.

sfasa'mento *sm* (*ELETTR*) phase displacement; (*fig*) confusion, bewilderment.

sfa'sato, a *ag* (*ELETTR, motore*) out of phase; (*fig: persona*) confused, bewildered.

sfasci'are [sfaʃ'ʃare] *vt* (*ferita*) to unbandage; (*distruggere: porta*) to smash, shatter; **~rsi** *vr* (*rompersi*) to smash, shatter.

sfa'tare *vt* (*leggenda*) to explode.

sfati'cato, a *sm/f* idler, loafer.

'sfatto, a *ag* (*letto*) unmade; (*orlo etc*) undone; (*gelato, neve*) melted; (*frutta*) overripe; (*riso, pasta etc*) overdone, overcooked; (*fam: persona, corpo*) flabby.

sfavil'lare *vi* to spark, send out sparks; (*risplendere*) to sparkle.

sfa'vore *sm* disfavour (*BRIT*), disfavor (*US*), disapproval.

sfavo'revole *ag* unfavourable (*BRIT*), unfavorable (*US*).

sfega'tato, a *ag* fanatical.

'sfera *sf* sphere.

'sferico, a, ci, che *ag* spherical.

sfer'rare *vt* (*fig: colpo*) to land, deal; (: *attacco*) to launch.

sfer'zante [sfer'tsante] *ag* (*critiche, parole*) stinging.

sfer'zare [sfer'tsare] *vt* to whip; (*fig*) to lash out at.

sfian'care *vt* to wear out, exhaust; **~rsi** *vr* to exhaust o.s., wear o.s. out.

sfia'tare *vi* to allow air (*o gas etc*) to escape.

sfiata'toio *sm* blowhole; (*TECN*) vent.

sfi'brante *ag* exhausting, energy-sapping.

sfi'brare *vt* (*indebolire*) to exhaust, enervate.

sfi'brato, a *ag* exhausted, worn out.

'sfida *sf* challenge.

sfi'dante *ag* challenging ♦ *sm/f* challenger.

sfi'dare *vt* to challenge; (*fig*) to defy, brave; **~ qn a fare qc** to challenge sb to do sth; **~ un pericolo** to brave a danger; **sfido che** ... I dare say (that) ....

sfi'ducia [sfi'dutʃa] *sf* distrust, mistrust; **avere ~ in qn/qc** to distrust sb/sth.

sfiduci'ato, a [sfidu'tʃato] *ag* lacking confidence.

sfigu'rare *vt* (*persona*) to disfigure; (*quadro, statua*) to deface ♦ *vi* (*far cattiva figura*) to make a bad impression.

sfilacci'are [sfilat'tʃare] *vt, vi*, **~rsi** *vr* to fray.

sfi'lare *vt* (*ago*) to unthread; (*abito, scarpe*) to slip off ♦ *vi* (*truppe*) to march past, parade; (*manifestanti*) to march; **~rsi** *vr* (*perle etc*) to come unstrung; (*orlo, tessuto*) to fray; (*calza*) to run, ladder.

sfi'lata *sf* (*MIL*) parade; (*di manifestanti*) march; **~ di moda** fashion show.

'sfilza ['sfiltsa] *sf* (*di case*) row; (*di errori*) series *inv*.

'sfinge ['sfindʒe] *sf* sphinx.

sfini'mento *sm* exhaustion.

sfi'nito, a *ag* exhausted.

sfio'rare *vt* to brush (against); (*argomento*) to touch upon; **~ la velocità di 150 km/h** to touch 150 km/h.

sfio'rire *vi* to wither, fade.

'sfitto, a *ag* vacant, empty.

sfo'cato, a *ag* (*FOT*) out of focus.

sfoci'are [sfo'tʃare] *vi*: **~ in** to flow into; (*fig: malcontento*) to develop into.

sfode'rato, a *ag* (*vestito*) unlined.

sfo'gare *vt* to vent, pour out; **~rsi** *vr* (*sfogare la propria rabbia*) to give vent to one's anger; (*confidarsi*): **~rsi (con)** to pour out one's feelings (to); **non sfogarti su di me!** don't take your bad temper out on me!

sfoggi'are [sfod'dʒare] *vt, vi* to show off.

'sfoggio ['sfɔddʒo] *sm* show, display; **fare ~ di** to show off, display.

sfogherò *etc* [sfoge'rɔ] *vb vedi* **sfogare**.

'sfoglia ['sfɔʎʎa] *sf* sheet of pasta dough; **pasta ~** (*CUC*) puff pastry.

sfogli'are [sfoʎ'ʎare] *vt* (*libro*) to leaf through.

'sfogo, ghi *sm* outlet; (*eruzione cutanea*) rash; (*fig*) outburst; **dare ~ a** (*fig*) to give vent to.

sfolgo'rante *ag* (*luce*) blazing; (*fig: vittoria*) brilliant.

sfolgo'rare *vi* to blaze.

sfolla'gente [sfolla'dʒɛnte] *sm inv* truncheon (*BRIT*), billy (*US*).

sfol'lare *vt* to empty, clear ♦ *vi* to disperse; **~ da** (*città*) to evacuate.

sfol'lato, a *ag* evacuated ♦ *sm/f* evacuee.

sfol'tire *vt*, **~rsi** *vr* to thin (out).

sfon'dare *vt* (*porta*) to break down; (*scarpe*) to wear a hole in; (*cesto, scatola*) to burst, knock the bottom out of; (*MIL*) to break through ♦ *vi* (*riuscire*) to make a name for o.s.

sfon'dato, a *ag* (*scarpe*) worn out; (*scatola*) burst; (*sedia*) broken, damaged; **essere ricco ~** to be rolling in it.

'sfondo *sm* background.

sfo'rare *vi* to overrun.

sfor'mare *vt* to put out of shape, knock out of shape; **~rsi** *vr* to lose shape, get out of shape.

sfor'mato, a *ag* (*che ha perso forma*) shapeless ♦ *sm* (*CUC*) type of soufflé.

sfor'nare *vt* (*pane*) to take out of the oven; (*fig*) to churn out.

sfor'nito, a *ag*: ~ **di** lacking in, without; (*negozio*) out of.

sfor'tuna *sf* misfortune, ill luck *no pl*; **avere** ~ to be unlucky; **che ~!** how unfortunate!

sfortu'nato, a *ag* unlucky; (*impresa, film*) unsuccessful.

sfor'zare [sfor'tsare] *vt* to force; (*voce, occhi*) to strain; **~rsi** *vr*: **~rsi di** *o* **a** *o* **per fare** to try hard to do.

'sforzo ['sfɔrtso] *sm* effort; (*tensione eccessiva, TECN*) strain; **fare uno** ~ to make an effort; **essere sotto** ~ (*motore, macchina, fig*: *persona*) to be under stress.

'sfottere *vt* (*fam*) to tease.

sfracel'lare [sfratʃel'lare] *vt*, **~rsi** *vr* to smash.

sfrat'tare *vt* to evict.

'sfratto *sm* eviction; **dare lo** ~ **a qn** to give sb notice to quit.

sfrecci'are [sfret'tʃare] *vi* to shoot *o* flash past.

sfre'gare *vt* (*strofinare*) to rub; (*graffiare*) to scratch; **~rsi le mani** to rub one's hands; ~ **un fiammifero** to strike a match.

sfregi'are [sfre'dʒare] *vt* to slash, gash; (*persona*) to disfigure; (*quadro*) to deface.

'sfregio ['sfredʒo] *sm* gash; scar; (*fig*) insult.

sfre'nato, a *ag* (*fig*) unrestrained, unbridled.

sfron'dare *vt* (*albero*) to prune, thin out; (*fig*: *discorso, scritto*) to prune (down).

sfronta'tezza [sfronta'tettsa] *sf* impudence, cheek.

sfron'tato, a *ag* impudent, cheeky.

sfrutta'mento *sm* exploitation.

sfrut'tare *vt* (*terreno*) to overwork, exhaust; (*miniera*) to exploit, work; (*fig*: *operai, occasione, potere*) to exploit.

sfrutta'tore, 'trice *sm/f* exploiter.

sfug'gente [sfud'dʒɛnte] *ag* (*fig*: *sguardo*) elusive; (*mento*) receding.

sfug'gire [sfud'dʒire] *vi* to escape; ~ **a** (*custode*) to escape (from); (*morte*) to escape; ~ **a qn** (*dettaglio, nome*) to escape sb; ~ **di mano a qn** to slip out of sb's hand (*o* hands); **lasciarsi** ~ **un'occasione** to let an opportunity go by; ~ **al controllo** (*macchina*) to go out of control;

(*situazione*) to be no longer under control.

sfug'gita [sfud'dʒita] *sf*: **di** ~ (*rapidamente, in fretta*) in passing.

sfu'mare *vt* (*colori, contorni*) to soften, shade off ♦ *vi* to shade (off), fade; (*fig*: *svanire*) to vanish, disappear; (: *speranze*) to come to nothing.

sfuma'tura *sf* shading off *no pl*; (*tonalità*) shade, tone; (*fig*) touch, hint.

sfuo'cato, a *ag* = **sfocato**.

sfuri'ata *sf* (*scatto di collera*) fit of anger; (*rimprovero*) sharp rebuke.

'sfuso, a *ag* (*caramelle etc*) loose, unpacked; (*vino*) unbottled; (*birra*) draught (*BRIT*), draft (*US*).

sg. *abbr* = **seguente**.

S.G. *abbr* = **Sua Grazia**.

sga'bello *sm* stool.

sgabuz'zino [zgabud'dzino] *sm* lumber room.

sgambet'tare *vi* to kick one's legs about.

sgam'betto *sm*: **far lo** ~ **a qn** to trip sb up; (*fig*) to oust sb.

sganasci'arsi [zganaʃ'ʃarsi] *vr*: ~ **dalle risa** to roar with laughter.

sganci'are [zgan'tʃare] *vt* to unhook; (*chiusura*) to unfasten, undo; (*FERR*) to uncouple; (*bombe: da aereo*) to release, drop; (*fig: fam: soldi*) to fork out; **~rsi** *vr* to come unhooked; to come unfastened, come undone; to uncouple; (*fig*): **~rsi (da)** to get away (from).

sganghe'rato, a [zgange'rato] *ag* (*porta*) off its hinges; (*auto*) ramshackle; (*riso*) wild, boisterous.

sgar'bato, a *ag* rude, impolite.

'sgarbo *sm*: **fare uno** ~ **a qn** to be rude to sb.

sgargi'ante [zgar'dʒante] *ag* gaudy, showy.

sgar'rare *vi* (*persona*) to step out of line; (*orologio: essere avanti*) to gain; (: *essere indietro*) to lose.

'sgarro *sm* inaccuracy.

sgattaio'lare *vi* to sneak away *o* off.

sge'lare [zdʒe'lare] *vi*, *vt* to thaw.

'sghembo, a ['zgembo] *ag* (*obliquo*) slanting; (*storto*) crooked.

sghignaz'zare [zgiɲɲat'tsare] *vi* to laugh scornfully.

sghignaz'zata [zgiɲɲat'tsata] *sf* scornful laugh.

sgob'bare *vi* (*fam: scolaro*) to swot; (: *operaio*) to slog.

sgoccio'lare [zgottʃo'lare] *vt* (*vuotare*) to drain (to the last drop) ♦ *vi* (*acqua*) to drip; (*recipiente*) to drain.

'sgoccioli ['zgottʃoli] *smpl*: **essere agli** ~ (*lavoro, provviste etc*) to be nearly finished; (*periodo*) to be nearly over; **siamo agli** ~ we've nearly finished, the end is in sight.

sgo'larsi *vr* to talk (*o* shout *o* sing) o.s. hoarse.

sgomb(e)'rare *vt* to clear; (*andarsene da*: *stanza*) to vacate; (*evacuare*) to evacuate.

'sgombero *sm vedi* **sgombro**.

'sgombro, a *ag*: ~ **(di)** clear (of), free (from) ♦ *sm* (*ZOOL*) mackerel; (*anche*: **sgombero**) clearing; vacating; evacuation; (: *trasloco*) removal.

sgomen'tare *vt* to dismay; ~**rsi** *vr* to be dismayed.

sgo'mento, a *ag* dismayed ♦ *sm* dismay, consternation.

sgomi'nare *vt* (*nemico*) to rout; (*avversario*) to defeat; (*fig: epidemia*) to overcome.

sgonfi'are *vt* to let down, deflate; ~**rsi** *vr* to go down.

'sgonfio, a *ag* (*pneumatico, pallone*) flat.

'sgorbio *sm* blot; scribble.

sgor'gare *vi* to gush (out).

sgoz'zare [zgot'tsare] *vt* to cut the throat of.

sgra'devole *ag* unpleasant, disagreeable.

sgra'dito, a *ag* unpleasant, unwelcome.

sgraffi'gnare [zgraffiɲ'ɲare] *vt* (*fam*) to pinch, swipe.

sgrammati'cato, a *ag* ungrammatical.

sgra'nare *vt* (*piselli*) to shell; ~ **gli occhi** to open one's eyes wide.

sgran'chirsi [zgran'kirsi] *vr* to stretch; ~ **le gambe** to stretch one's legs.

sgranocchi'are [zgranok'kjare] *vt* to munch.

sgras'sare *vt* to remove the grease from.

'sgravio *sm*: ~ **fiscale** *o* **contributivo** tax relief.

sgrazi'ato, a [zgrat'tsjato] *ag* clumsy, ungainly.

sgreto'lare *vt* to cause to crumble; ~**rsi** *vr* to crumble.

sgri'dare *vt* to scold.

sgri'data *sf* scolding.

sguai'ato, a *ag* coarse, vulgar.

sguai'nare *vt* to draw, unsheathe.

sgual'cire [zgwal'tʃire] *vt* to crumple (up), crease.

sgual'drina *sf* (*peg*) slut.

sgu'ardo *sm* (*occhiata*) look, glance; (*espressione*) look (in one's eye); **dare uno** ~ **a qc** to glance at sth, cast a glance *o* an eye over sth; **alzare** *o* **sollevare lo** ~ to raise one's eyes, look up; **cercare qc/qn con lo** ~ to look (a)round for sth/sb.

'sguattero, a *sm/f* scullery boy/maid.

sguaz'zare [zgwat'tsare] *vi* (*nell'acqua*) to

splash about; (*nella melma*) to wallow; ~ **nell'oro** to be rolling in money.

sguinzagli'are [zgwintsaʎ'ʎare] *vt* to let off the leash; (*fig: persona*): ~ **qn dietro a qn** to set sb on sb.

sgusci'are [zguʃ'ʃare] *vt* to shell ♦ *vi* (*sfuggire di mano*) to slip; ~ **via** to slip *o* slink away.

'shaker ['ʃeikə*] *sm inv* (cocktail) shaker.

'shampoo ['ʃampo] *sm inv* shampoo.

shoc'care [ʃok'kare] *vt* = **shockare**.

shock [ʃɔk] *sm inv* shock.

shoc'kare [ʃok'kare] *vt* to shock.

SI *sigla* = **Siena**.

═══════════════════ **PAROLA CHIAVE**

si (*dav lo, la, li, le, ne diventa* **se**) *pron* **1** (*riflessivo: maschile*) himself; (: *femminile*) herself; (: *neutro*) itself; (: *impersonale*) oneself; (: *pl*) themselves; **lavarsi** to wash (oneself); ~ **è tagliato** he has cut himself; ~ **credono importanti** they think a lot of themselves

2 (*con complemento oggetto*): **lavarsi le mani** to wash one's hands; **sporcarsi i pantaloni** to get one's trousers dirty; ~ **sta lavando i capelli** he (*o* she) is washing his (*o* her) hair

3 (*reciproco*) one another, each other; **si amano** they love one another *o* each other

4 (*passivo*): ~ **ripara facilmente** it is easily repaired; **affittasi camera** room to let

5 (*impersonale*): ~ **dice che …** they *o* people say that …; ~ **vede che è vecchio** one *o* you can see that it's old; **non** ~ **fa credito** we do not give credit; **ci** ~ **sbaglia facilmente** it's easy to make a mistake

6 (*noi*) we; **tra poco** ~ **parte** we're leaving soon.

sì *av* yes ♦ *sm*: **non mi aspettavo un** ~ I didn't expect him (*o* her *etc*) to say yes; **per me è** ~ I should think so, I expect so; **saranno stati** ~ **e no in 20** there must have been about 20 of them; **uno** ~ **e uno no** every other one; **un giorno** ~ **e uno no** every other day; **dire di** ~ to say yes; **spero/penso di** ~ I hope/think so; **fece di** ~ **col capo** he nodded (his head); **e** ~ **che …** and to think that ….

'sia *cong*: ~ **…** ~ (*o …* o): ~ **che lavori**, ~ **che non lavori** whether he works or not; (*tanto … quanto*): **verranno** ~ **Luigi** ~ **suo fratello** both Luigi and his brother will be coming.

'sia *etc vb vedi* **essere**.

SIAE *sigla f* = Società Italiana Autori ed Editori.

Si'am *sm*: **il** ~ Siam.

sia'mese *ag, sm/f* siamese *inv.*

si'amo *vb vedi* **essere**.

Si'beria *sf*: **la** ~ Siberia.

siberi'ano, a *ag, sm/f* Siberian.

sibi'lare *vi* to hiss; (*fischiare*) to whistle.

'sibilo *sm* hiss; whistle.

si'cario *sm* hired killer.

sicché [sik'ke] *cong* (*perciò*) so (that), therefore; (*e quindi*) (and) so.

siccità [sittʃi'ta] *sf* drought.

sic'come *cong* since, as.

Si'cilia [si'tʃilja] *sf*: **la** ~ Sicily.

sicili'ano, a [sitʃi'ljano] *ag, sm/f* Sicilian.

sico'moro *sm* sycamore.

'siculo, a *ag, sm/f* Sicilian.

si'cura *sf* (*di arma, spilla*) safety catch; (*di portiera*) safety lock.

sicura'mente *av* certainly.

sicu'rezza [siku'rettsa] *sf* safety; security; confidence; certainty; **di** ~ safety *cpd*; **la** ~ **stradale** road safety; **avere la** ~ **di qc** to be sure *o* certain of sth; **lo so con** ~ I am quite certain; **ha risposto con molta** ~ he answered very confidently.

si'curo, a *ag* safe; (*ben difeso*) secure; (*fiducioso*) confident; (*certo*) sure, certain; (*notizia, amico*) reliable; (*esperto*) skilled ♦ *av* (*anche*: **di** ~) certainly ♦ *sm*: **andare sul** ~ to play safe; **essere/mettere al** ~ to be safe/put in a safe place; ~ **di sé** self-confident, sure of o.s.; **sentirsi** ~ to feel safe *o* secure; **essere** ~ **di/che** to be sure of/that; **da fonte** ~**a** from reliable sources.

siderur'gia [siderur'dʒia] *sf* iron and steel industry.

side'rurgico, a, ci, che [side'rurdʒiko] *ag* iron and steel *cpd*.

'sidro *sm* cider.

si'edo *etc vb vedi* **sedere**.

si'epe *sf* hedge.

si'ero *sm* (*MED*) serum; ~ **antivipera** snake bite serum; ~ **del latte** whey.

sieronegatività *sf inv* HIV-negative status.

sieronega'tivo, a *ag* HIV-negative ♦ *sm/f* HIV-negative person.

sieropositività *sf inv* HIV-positive status.

sieroposi'tivo, a *ag* HIV-positive ♦ *sm/f* HIV-positive person.

si'erra *sf* (*GEO*) sierra.

Si'erra Le'one *sf*: **la** ~ Sierra Leone.

si'esta *sf* siesta, (afternoon) nap.

si'ete *vb vedi* **essere**.

si'filide *sf* syphilis.

si'fone *sm* siphon.

Sig. *abbr* (= *signore*) Mr.

siga'retta *sf* cigarette.

'sigaro *sm* cigar.

Sigg. *abbr* (= *signori*) Messrs.

sigil'lare [sidʒil'lare] *vt* to seal.

si'gillo [si'dʒillo] *sm* seal.

'sigla *sf* (*iniziali*) initials *pl*; (*abbreviazione*) acronym, abbreviation; ~ **automobilistica** *abbreviation of province on vehicle number plate*; ~ **musicale** signature tune.

si'glare *vt* to initial.

Sig.na *abbr* (= *signorina*) Miss.

signifi'care [siɲɲifi'kare] *vt* to mean; **cosa significa?** what does this mean?

significa'tivo, a [siɲɲifika'tivo] *ag* significant.

signifi'cato [siɲɲifi'kato] *sm* meaning.

si'gnora [siɲ'ɲora] *sf* lady; **la** ~ **X** Mrs ['mɪsɪz] X; **buon giorno S**~**/Signore/Signorina** good morning; (*deferente*) good morning Madam/Sir/Madam; (*quando si conosce il nome*) good morning Mrs/Mr/Miss X; **Gentile S**~**/Signore/Signorina** (*in una lettera*) Dear Madam/Sir/Madam; **Gentile** (*o* **Cara**) **S**~ **Rossi** Dear Mrs Rossi; **Gentile S**~ **Anna Rossi** (*sulle buste*) Mrs Anna Rossi; **il signor Rossi e** ~ Mr Rossi and his wife; ~**e e signori** ladies and gentlemen; **le presento la mia** ~ may I introduce my wife?

si'gnore [siɲ'ɲore] *sm* gentleman; (*padrone*) lord, master; (*REL*): **il S**~ the Lord; **il signor X** Mr ['mɪstə*] X; **signor Presidente** Mr Chairman; **Gentile** (*o* **Caro**) **Signor Rossi** (*in lettere*) Dear Mr Rossi; **Gentile Signor Paolo Rossi** (*sulle buste*) Mr Paolo Rossi; **i** ~**i Bianchi** (*coniugi*) Mr and Mrs Bianchi; *vedi anche* **signora**.

signo'ria [siɲɲo'ria] *sf* (*STORIA*) seignory, signoria; **S**~ **Vostra** (*S.V.*) (*AMM*) you.

signo'rile [siɲɲo'rile] *ag* refined.

signorilità [siɲɲorili'ta] *sf* (*raffinatezza*) refinement; (*eleganza*) elegance.

signo'rina [siɲɲo'rina] *sf* young lady; **la** ~ **X** Miss X; **Gentile** (*o* **Cara**) **S**~ **Rossi** (*in lettere*) Dear Miss Rossi; **Gentile S**~ **Anna Rossi** (*sulle buste*) Miss Anna Rossi; *vedi anche* **signora**.

signo'rino [siɲɲo'rino] *sm* young master.

Sig.ra *abbr* (= *signora*) Mrs.

silenzia'tore [silentsja'tore] *sm* silencer.

si'lenzio [si'lentsjo] *sm* silence; **fare** ~ to be quiet, stop talking; **far passare qc sotto** ~ to keep quiet about sth, hush sth up.

silenzi'oso, a [silen'tsjoso] *ag* silent, quiet.

'silice ['silitʃe] *sf* silica.

si'licio [si'litʃo] *sm* silicon; **piastrina di** ~

silicon chip.
sili'cone *sm* silicone.
'sillaba *sf* syllable.
silu'rare *vt* to torpedo; (*fig: privare del comando*) to oust.
si'luro *sm* torpedo.
simbi'osi *sf* (*BIOL*, *fig*) symbiosis.
simboleggi'are [simboled'dʒare] *vt* to symbolize.
sim'bolico, a, ci, che *ag* symbolic(al).
simbo'lismo *sm* symbolism.
'simbolo *sm* symbol.
simi'lare *ag* similar.
'simile *ag* (*analogo*) similar; (*di questo tipo*): **un uomo ~** such a man, a man like this ♦ *sm* (*persona*) fellow man; **libri ~i** such books; **~ a** similar to; **non ho mai visto niente di ~** I've never seen anything like that; **è insegnante o qualcosa di ~** he's a teacher or something like that; **vendono vasi e ~i** they sell vases and things like that; **i suoi ~i** one's fellow men; one's peers.
simili'tudine *sf* (*LING*) simile.
simme'tria *sf* symmetry.
sim'metrico, a, ci, che *ag* symmetric(al).
simpa'tia *sf* (*qualità*) pleasantness; (*inclinazione*) liking; **avere ~ per qn** to like sb, have a liking for sb; **con ~** (*su lettera etc*) with much affection.
sim'patico, a, ci, che *ag* (*persona*) nice, pleasant, likeable; (*casa, albergo etc*) nice, pleasant.
simpatiz'zante [simpatid'dzante] *sm/f* sympathizer.
simpatiz'zare [simpatid'dzare] *vi:* **~ con** to take a liking to.
sim'posio *sm* symposium.
simu'lacro *sm* (*monumento, statua*) image; (*fig*) semblance.
simu'lare *vt* to sham, simulate; (*TECN*) to simulate.
simulazi'one [simulat'tsjone] *sf* shamming; simulation.
simul'taneo, a *ag* simultaneous.
sin. *abbr* (= *sinistra*) L.
sina'goga, ghe *sf* synagogue.
sincera'mente [sintʃera'mente] *av* (*gen*) sincerely; (*francamente*) honestly, sincerely.
since'rarsi [sintʃe'rarsi] *vr:* **~ di qc** to make sure (of sth).
sincerità [sintʃeri'ta] *sf* sincerity.
sin'cero, a [sin'tʃero] *ag* (*genuino*) sincere; (*onesto*) genuine.
'sincope *sf* syncopation; (*MED*) blackout.
sincro'nia *sf* (*di movimento*) synchronism.
sin'cronico, a, ci, che *ag* synchronic.

sincroniz'zare [sinkronid'dzare] *vt* to synchronize.
sinda'cale *ag* (trade-)union *cpd*.
sindaca'lista, i, e *sm/f* trade unionist.
sinda'care *vt* (*controllare*) to inspect; (*fig: criticare*) to criticize.
sinda'cato *sm* (*di lavoratori*) (trade) union; **~ dei datori di lavoro** employers' association.
'sindaco, ci *sm* mayor.
'sindrome *sf* (*MED*) syndrome.
siner'gia, gie [siner'dʒia] *sf* (*anche fig*) synergy.
sinfo'nia *sf* (*MUS*) symphony.
sin'fonico, a, ci, che *ag* symphonic; (*orchestra*) symphony *cpd*.
singa'lese *ag, sm/f, sm* Sin(g)halese *inv*.
Singa'pore *sf* Singapore.
singhioz'zare [singjot'tsare] *vi* to sob; to hiccup.
singhi'ozzo [sin'gjottso] *sm* (*di pianto*) sob; (*MED*) hiccup; **avere il ~** to have the hiccups; **a ~** (*fig*) by fits and starts.
singo'lare *ag* (*insolito*) remarkable, singular; (*LING*) singular ♦ *sm* (*LING*) singular; (*TENNIS*): **~ maschile/femminile** men's/women's singles.
singolar'mente *av* (*separatamente*) individually, one at a time; (*in modo strano*) strangely, peculiarly, oddly.
'singolo, a *ag* single, individual ♦ *sm* (*persona*) individual; (*TENNIS*) = **singolare**; **ogni ~ individuo** each individual; **camera ~a** single room.
sinis'trato, a *ag* damaged ♦ *sm/f* disaster victim; **zona ~a** a disaster area.
si'nistro, a *ag* left, left-hand; (*fig*) sinister ♦ *sm* (*incidente*) accident ♦ *sf* (*POL*) left (wing); **a ~a** on the left; (*direzione*) to the left; **a ~a di** to the left of; **di ~a** left-wing; **tenere la ~a** to keep to the left; **guida a ~a** left-hand drive.
'sino *prep* = **fino.**
si'nonimo, a *ag* synonymous ♦ *sm* synonym; **~ di** synonymous with.
sin'tassi *sf* syntax.
sin'tattico, a, ci, che *ag* syntactic.
'sintesi *sf* synthesis; (*riassunto*) summary, résumé; **in ~** in brief, in short.
sin'tetico, a, ci, che *ag* synthetic; (*conciso*) brief, concise.
sintetiz'zare [sintetid'dzare] *vt* to synthesize; (*riassumere*) to summarize.
sintetizza'tore [sintetiddza'tore] *sm* (*MUS*) synthesizer; **~ di voce** voice synthesizer.
sinto'matico, a, ci, che *ag* symptomatic.
'sintomo *sm* symptom.
sinto'nia *sf* (*RADIO*) tuning; **essere in ~ con**

qn (*fig*) to be on the same wavelength as sb.

sintoniz'zare [sintonid'dzare] *vt* to tune (in); ~**rsi** *vr*: ~**rsi su** to tune in to.

sintonizza'tore [sintoniddza'tore] *sm* tuner.

sinu'oso, a *ag* (*strada*) winding.

sinu'site *sf* sinusitis.

SIP *sigla f* (= *Società Italiana per l'esercizio telefonico*) *Italian telephone company.*

si'pario *sm* (*TEAT*) curtain.

si'rena *sf* (*apparecchio*) siren; (*nella mitologia, fig*) siren, mermaid; ~ **d'allarme** (*per incendio*) fire alarm; (*per furto*) burglar alarm.

'Siria *sf*: **la** ~ Syria.

siri'ano, a *ag, sm/f* Syrian.

si'ringa, ghe *sf* syringe.

'sisma, i *sm* earthquake.

'SISMI *sigla m* (= *Servizio per l'Informazione e la Sicurezza Militari*) *military security service.*

'sismico, a, ci, che *ag* seismic; (*zona*) earthquake *cpd.*

sis'mografo *sm* seismograph.

sissi'gnore [sissiɲ'ɲore] *av* (*a un superiore*) yes, sir; (*enfatico*) yes indeed, of course.

sis'tema, i *sm* system; (*metodo*) method, way; **trovare il** ~ **per fare qc** to find a way to do sth; ~ **decimale/metrico** decimal/metric system; ~ **operativo** (*INFORM*) operating system; ~ **solare** solar system; ~ **di vita** way of life.

siste'mare *vt* (*mettere a posto*) to tidy, put in order; (*risolvere: questione*) to sort out, settle; (*procurare un lavoro a*) to find a job for; (*dare un alloggio a*) to settle, find accommodation (*BRIT*) o accommodations (*US*) for; ~**rsi** *vr* (*problema*) to be settled; (*persona: trovare alloggio*) to find accommodation(s); (: *trovarsi un lavoro*) to get fixed up with a job; **ti sistemo io!** I'll soon sort you out!; ~ **qn in un albergo** to fix sb up with a hotel.

sistematica'mente *av* systematically.

siste'matico, a, ci, che *ag* systematic.

sistemazi'one [sistemat'tsjone] *sf* arrangement, order; settlement; employment; accommodation (*BRIT*), accommodations (*US*).

'sito, a *ag* (*AMM*) situated ♦ *sm* (*letterario*) place.

situ'are *vt* to site, situate.

situ'ato, a *ag*: ~ **a/su** situated at/on.

situazi'one [situat'tsjone] *sf* situation; **vista la sua** ~ **familiare** given your family situation o circumstances; **nella sua** ~ **in** your position o situation; **mi trovo in una** ~ **critica** I'm in a very difficult situation o

position.

'skai ® *sm* Leatherette ®.

ski-lift [ski'lift] *sm inv* ski lift.

slacci'are [zlat'tʃare] *vt* to undo, unfasten.

slanci'arsi [zlan'tʃarsi] *vr* to dash, fling o.s.

slanci'ato, a [zlan'tʃato] *ag* slender.

'slancio ['zlantʃo] *sm* dash, leap; (*fig*) surge; **in uno** ~ **d'affetto** in a burst o rush of affection; **di** ~ impetuously.

sla'vato, a *ag* faded, washed out; (*fig: viso, occhi*) pale, colourless (*BRIT*), colorless (*US*).

sla'vina *sf* snowslide.

'slavo, a *ag* Slav(onic), Slavic.

sle'ale *ag* disloyal; (*concorrenza etc*) unfair.

slealtà *sf* disloyalty; unfairness.

sle'gare *vt* to untie.

slip *sm inv* (*mutandine*) briefs *pl*; (*da bagno: per uomo*) (swimming) trunks *pl*; (: *per donna*) bikini bottoms *pl*.

'slitta *sf* sledge; (*trainata*) sleigh.

slitta'mento *sm* slipping; skidding; postponement; ~ **salariale** wage drift.

slit'tare *vi* to slip, slide; (*AUT*) to skid; (*incontro, conferenza*) to be put off, be postponed.

s.l.m. *abbr* (= *sul livello del mare*) a.s.l.

slo'gare *vt* (*MED*) to dislocate; (: *caviglia, polso*) to sprain.

sloga'tura *sf* dislocation; sprain.

sloggi'are [zlod'dʒare] *vt* (*inquilino*) to turn out; (*nemico*) to drive out, dislodge ♦ *vi* to move out.

Slo'vacchia [zlo'vakkja] *sf* Slovakia.

slo'vacco, a, ci, che *ag, sm/f* Slovak, Slovakian; **la Repubblica S**~**a** the Slovak Republic.

Slo'venia *sf* Slovenia.

slo'veno, a *ag, sm/f* Slovene, Slovenian ♦ *sm* (*LING*) Slovene.

S.M. *abbr* (*MIL*) = **Stato Maggiore**; (= *Sua Maestà*) HM.

smac'cato, a *ag* (*fig*) excessive.

smacchi'are [zmak'kjare] *vt* to remove stains from.

smacchia'tore [zmakkja'tore] *sm* stain remover.

'smacco, chi *sm* humiliating defeat.

smagli'ante [zmaʎ'ʎante] *ag* brilliant, dazzling.

smagli'are [zmaʎ'ʎare] *vt*, ~**rsi** *vr* (*calza*) to ladder.

smaglia'tura [zmaʎʎa'tura] *sf* (*su maglia, calza*) ladder (*BRIT*), run; (*MED: sulla pelle*) stretch mark.

sma'grire *vt* to make thin ♦ *vi* to get o grow thin, lose weight.

sma'grito, a *ag*: **essere** ~ to have lost a lot

of weight.

smalizi'ato, a [smalit'tsjato] *ag* shrewd, cunning.

smal'tare *vt* to enamel; (*ceramica*) to glaze; (*unghie*) to varnish.

smalti'mento *sm* (*di rifiuti*) disposal.

smal'tire *vt* (*merce*) to sell off; (*rifiuti*) to dispose of; (*cibo*) to digest; (*peso*) to lose; (*rabbia*) to get over; ~ **la sbornia** to sober up.

'smalto *sm* (*anche di denti*) enamel; (*per ceramica*) glaze; ~ **per unghie** nail varnish.

smance'rie [zmantʃe'rie] *sfpl* mawkishness *sg.*

'smania *sf* agitation, restlessness; (*fig*): ~ **di** thirst for, craving for; **avere la** ~ **addosso** to have the fidgets; **avere la** ~ **di fare** to long *o* yearn to do.

smani'are *vi* (*agitarsi*) to be restless *o* agitated; (*fig*): ~ **di fare** to long *o* yearn to do.

smantella'mento *sm* dismantling.

smantel'lare *vt* to dismantle.

smar'carsi *vr* (*SPORT*) to get free of marking.

smargi'asso [zmar'dʒasso] *sm* show-off.

smarri'mento *sm* loss; (*fig*) bewilderment; dismay.

smar'rire *vt* to lose; (*non riuscire a trovare*) to mislay; ~**rsi** *vr* (*perdersi*) to lose one's way, get lost; (*: oggetto*) to go astray.

smar'rito, a *ag* (*oggetto*) lost; (*fig: confuso: persona*) bewildered, nonplussed; (*: sguardo*) bewildered; **ufficio oggetti** ~**i** lost property office (*BRIT*), lost and found (*US*).

smasche'rare [zmaske'rare] *vt* to unmask.

SME *abbr* = Stato Maggiore Esercito ♦ *sigla m* (= *Sistema Monetario Europeo*) EMS (= *European Monetary System*).

smem'brare *vt* (*gruppo, partito etc*) to split; ~**rsi** *vr* to split up.

smemo'rato, a *ag* forgetful.

smen'tire *vt* (*negare*) to deny; (*testimonianza*) to refute; (*reputazione*) to give the lie to; ~**rsi** *vr* to be inconsistent.

smen'tita *sf* denial; refutation.

sme'raldo *sm, ag inv* emerald.

smerci'are [zmer'tʃare] *vt* (*COMM*) to sell; (*: svendere*) to sell off.

'smercio ['zmertʃo] *sm* sale; **avere poco/ molto** ~ to have poor/good sales.

smerigli'ato, a [zmeriʎ'ʎato] *ag*: **carta** ~**a** emery paper; **vetro** ~ frosted glass.

sme'riglio [zme'riʎʎo] *sm* emery.

'smesso, a *pp di* **smettere** ♦ *ag*: **abiti** *mpl* ~**i** cast-offs.

'smettere *vt* to stop; (*vestiti*) to stop wearing ♦ *vi* to stop, cease; ~ **di fare** to stop doing.

smidol'lato, a *ag* spineless ♦ *sm/f* spineless person.

smilitarizzazi'one [zmilitariddzat'tsjone] *sf* demilitarization.

'smilzo, a ['zmiltso] *ag* thin, lean.

sminu'ire *vt* to diminish, lessen; (*fig*) to belittle; ~ **l'importanza di qc** to play sth down.

sminuz'zare [zminut'tsare] *vt* to break into small pieces; to crumble.

'smisi *etc vb vedi* **smettere.**

smista'mento *sm* (*di posta*) sorting; (*FERR*) shunting.

smis'tare *vt* (*pacchi etc*) to sort; (*FERR*) to shunt.

smisu'rato, a *ag* boundless, immeasurable; (*grandissimo*) immense, enormous.

smitiz'zare [zmitid'dzare] *vt* to debunk.

smobili'tare *vt* to demobilize.

smobilitazi'one [zmobilitat'tsjone] *sf* demobilization.

smobi'lizzo [zmobi'liddzo] *sm* (*COMM*) disinvestment.

smo'dato, a *ag* excessive, unrestrained.

smode'rato, a *ag* immoderate.

smog [zmɔg] *sm inv* smog.

'smoking ['smoukiŋ] *sm inv* dinner jacket (*BRIT*), tuxedo (*US*).

smon'tare *vt* (*mobile, macchina etc*) to take to pieces, dismantle; (*fig: scoraggiare*) to dishearten ♦ *vi* (*scendere: da cavallo*) to dismount; (*: da treno*) to get off; (*terminare il lavoro*) to stop (work); ~**rsi** *vr* to lose heart; to lose one's enthusiasm.

'smorfia *sf* grimace; (*atteggiamento lezioso*) simpering; **fare** ~**e** to make faces; to simper.

smorfi'oso, a *ag* simpering.

'smorto, a *ag* (*viso*) pale, wan; (*colore*) dull.

smor'zare [zmor'tsare] *vt* (*suoni*) to deaden; (*colori*) to tone down; (*luce*) to dim; (*sete*) to quench; (*entusiasmo*) to dampen; ~**rsi** *vr* (*suono, luce*) to fade; (*entusiasmo*) to dampen.

'smosso, a *pp di* **smuovere.**

smotta'mento *sm* landslide.

'smunto, a *ag* haggard, pinched.

smu'overe *vt* to move, shift; (*fig: commuovere*) to move; (*: dall'inerzia*) to rouse, stir; ~**rsi** *vr* to move, shift.

smus'sare *vt* (*angolo*) to round off, smooth; (*lama etc*) to blunt; ~**rsi** *vr* to become blunt.

s.n. *abbr* = senza numero.

snatu'rato, a *ag* inhuman, heartless.
snazionaliz'zare [znatt∫onalid'dzare] *vt* to denationalize.
snelli'mento *sm* (*di traffico*) speeding up; (*di procedura*) streamlining.
snel'lire *vt* (*persona*) to make slim; (*traffico*) to speed up; (*procedura*) to streamline; ~**rsi** *vr* (*persona*) to (get) slim; (*traffico*) to speed up.
'snello, a *ag* (*agile*) agile; (*svelto*) slender, slim.
sner'vante *ag* (*attesa, lavoro*) exasperating.
sner'vare *vt* to enervate, wear out; ~**rsi** *vr* to become enervated.
sni'dare *vt* to drive out, flush out.
snob'bare *vt* to snub.
sno'bismo *sm* snobbery.
snoccio'lare [znott∫o'lare] *vt* (*frutta*) to stone; (*fig: orazioni*) to rattle off; (*: verità*) to blab; (*: fam: soldi*) to shell out.
sno'dabile *ag* (*lampada*) adjustable; (*tubo, braccio*) hinged; **rasoio con testina** ~ swivel-head razor.
sno'dare *vt* to untie, undo; (*rendere agile, mobile*) to loosen; ~**rsi** *vr* to come loose; (*articolarsi*) to bend; (*strada, fiume*) to wind.
SO *sigla* = Sondrio.
so *vb vedi* **sapere**.
S.O. *abbr* (= sudovest) SW.
so'ave *ag* (*voce, maniera*) gentle; (*volto*) delicate, sweet; (*musica*) soft, sweet; (*profumo*) delicate.
soavità *sf* gentleness; delicacy; sweetness; softness.
sobbal'zare [sobbal'tsare] *vi* to jolt, jerk; (*trasalire*) to jump, start.
sob'balzo [sob'baltso] *sm* jerk, jolt; jump, start.
sobbar'carsi *vr*: ~ **a** to take on, undertake.
sob'borgo, ghi *sm* suburb.
sobil'lare *vt* to stir up, incite.
'sobrio, a *ag* sober.
Soc. *abbr* (= società) Soc.
socchi'udere [sok'kjudere] *vt* (*porta*) to leave ajar; (*occhi*) to half-close.
socchi'uso, a [sok'kjuso] *pp di* **socchiudere** ♦ *ag* (*porta, finestra*) ajar; (*occhi*) half-closed.
soc'combere *vi* to succumb, give way.
soc'correre *vt* to help, assist.
soccorri'tore, 'trice *sm/f* rescuer.
soc'corso, a *pp di* **soccorrere** ♦ *sm* help, aid, assistance; ~**i** *smpl* relief *sg*, aid *sg*; **prestare** ~ **a qn** to help *o* assist sb; **venire in** ~ **di qn** to help sb, come to sb's aid; **operazioni di** ~ rescue operations; ~ **stradale** breakdown service.

socialdemo'cratico, a, ci, che [sot∫aldemo'kratiko] *sm/f* Social Democrat.
soci'ale [so't∫ale] *ag* social; (*di associazione*) club *cpd*, association *cpd*.
socia'lismo [sot∫a'lizmo] *sm* socialism.
socia'lista, i, e [sot∫a'lista] *ag, sm/f* socialist.
socializ'zare [sot∫alid'dzare] *vi* to socialize.
società [sot∫e'ta] *sf inv* society; (*sportiva*) club; (*COMM*) company; **in** ~ **con qn** in partnership with sb; **mettersi in** ~ **con qn** to go into business with sb; **l'alta** ~ high society; ~ **anonima (SA)** ≈ limited (*BRIT*) *o* incorporated (*US*) company; ~ **per azioni (S.p.A.)** joint-stock company; ~ **di comodo** shell company; ~ **fiduciaria** trust company; ~ **di mutuo soccorso** friendly society (*BRIT*), benefit society (*US*); ~ **a responsabilità limitata (S.r.l.)** *type of limited liability company*.
soci'evole [so't∫evole] *ag* sociable.
socievo'lezza [sot∫evo'lettsa] *sf* sociableness.
'socio ['sɔt∫o] *sm* (*DIR, COMM*) partner; (*membro di associazione*) member.
sociolo'gia [sot∫olo'dʒia] *sf* sociology.
soci'ologo, a, gi, ghe [so't∫ɔlogo] *sm/f* sociologist.
'soda *sf* (*CHIM*) soda; (*acqua gassata*) soda (water).
soda'lizio [soda'littsjo] *sm* association, society.
soddisfa'cente [soddisfa't∫ente] *ag* satisfactory.
soddis'fare *vt, vi*: ~ **a** to satisfy; (*impegno*) to fulfil; (*debito*) to pay off; (*richiesta*) to meet, comply with; (*offesa*) to make amends for.
soddis'fatto, a *pp di* **soddisfare** ♦ *ag* satisfied, pleased; **essere** ~ **di** to be satisfied *o* pleased with.
soddisfazi'one [soddisfat'tsjone] *sf* satisfaction.
'sodio *sm* (*CHIM*) sodium.
'sodo, a *ag* firm, hard ♦ *sm*: **venire al** ~ to come to the point ♦ *av* (*picchiare, lavorare*) hard; **dormire** ~ to sleep soundly.
sofà *sm inv* sofa.
soffe'renza [soffe'rɛntsa] *sf* suffering; (*COMM*): **in** ~ unpaid.
sof'ferto, a *pp di* **soffrire** ♦ *ag* (*vittoria*) hard-fought; (*distacco, decisione*) painful.
soffi'are *vt* to blow; (*notizia, segreto*) to whisper ♦ *vi* to blow; (*sbuffare*) to puff (and blow); ~**rsi il naso** to blow one's nose; ~ **qc/qn a qn** (*fig*) to pinch *o* steal sth/sb from sb; ~ **via qc** to blow sth away.
soffi'ata *sf* (*fam*) tip-off; **fare una** ~ **alla**

polizia to tip off the police.
'soffice ['soffitʃe] *ag* soft.
soffi'etto *sm* (*MUS, per fuoco*) bellows *pl*;
porta a ~ folding door.
'soffio *sm* (*di vento*) breath; (*di fumo*) puff;
(*MED*) murmur.
soffi'one *sm* (*BOT*) dandelion.
sof'fitta *sf* attic.
sof'fitto *sm* ceiling.
soffo'cante *ag* suffocating, stifling.
soffo'care *vi* (*anche:* **~rsi**) to suffocate,
choke ♦ *vt* to suffocate, choke; (*fig*) to
stifle, suppress.
soffocazi'one [soffokat'tsjone] *sf*
suffocation.
sof'friggere [sof'friddʒere] *vt* to fry lightly.
sof'frire *vt* to suffer, endure; (*sopportare*)
to bear, stand ♦ *vi* to suffer; to be in pain;
~ (di) qc (*MED*) to suffer from sth.
sof'fritto, a *pp di* **soffriggere** ♦ *sm* (*CUC*)
fried mixture of herbs, bacon and onions.
sof'fuso, a *ag* (*di luce*) suffused.
So'fia *sf* (*GEO*) Sofia.
sofisti'care *vt* (*vino, cibo*) to adulterate.
sofisti'cato, a *ag* sophisticated; (*vino*)
adulterated.
sofisticazi'one [sofistikat'tsjone] *sf*
adulteration.
'software ['softwɛə] *sm*: **~ applicativo**
applications package.
sogget'tivo, a [soddʒet'tivo] *ag* subjective.
sog'getto [sod'dʒetto] *ag*: **~ a**
(*sottomesso*) subject to; (*esposto: a
variazioni, danni etc*) subject *o* liable to
♦ *sm* subject; **~ a tassa** taxable; **recitare
a ~** (*TEAT*) to improvise.
soggezi'one [soddʒet'tsjone] *sf* subjection;
(*timidezza*) awe; **avere ~ di qn** to be ill at
ease in sb's presence.
sogghi'gnare [soggiɲ'ɲare] *vi* to sneer.
sog'ghigno [sog'giɲɲo] *sm* sneer.
soggia'cere [soddʒa'tʃere] *vi*: **~ a** to be
subjected to.
soggio'gare [soddʒo'gare] *vt* to subdue,
subjugate.
soggior'nare [soddʒor'nare] *vi* to stay.
soggi'orno [sod'dʒorno] *sm* (*invernale,
marino*) stay; (*stanza*) living room.
soggi'ungere [sod'dʒundʒere] *vt* to add.
soggi'unto, a [sod'dʒunto] *pp di*
soggiungere.
'soglia ['sɔʎʎa] *sf* doorstep; (*anche fig*)
threshold.
sogli'ola ['sɔʎʎola] *sf* (*ZOOL*) sole.
so'gnante [soɲ'ɲante] *ag* dreamy.
so'gnare [soɲ'ɲare] *vt, vi* to dream; **~ a
occhi aperti** to daydream.
sogna'tore, 'trice [soɲɲa'tore] *sm/f*

dreamer.
'sogno ['soɲɲo] *sm* dream.
'soia *sf* (*BOT*) soya.
sol *sm* (*MUS*) G; (: *solfeggiando la scala*)
so(h).
so'laio *sm* (*soffitta*) attic.
sola'mente *av* only, just.
so'lare *ag* solar, sun *cpd*.
sol'care *vt* (*terreno, fig: mari*) to plough
(*BRIT*), plow (*US*).
'solco *sm* (*scavo, fig: ruga*) furrow;
(*incavo*) rut, track; (*di disco*) groove; (*scia*)
wake.
sol'dato *sm* soldier; **~ di leva** conscript; **~
semplice** private.
'soldo *sm* (*fig*): **non avere un ~** to be
penniless; **non vale un ~** it's not worth a
penny; **~i** *smpl* (*denaro*) money *sg*.
'sole *sm* sun; (*luce*) sun(light); (*tempo
assolato*) sun(shine); **prendere il ~** to
sunbathe; **il S~ che ride** (*POL*) *symbol of
the Italian Green party.*
soleggi'ato, a [soled'dʒato] *ag* sunny.
so'lenne *ag* solemn.
solennità *sf* solemnity; (*festività*) holiday,
feast day.
so'lere *vt*: **~ fare qc** to be in the habit of
doing sth ♦ *vb impers*: **come suole accadere**
as is usually the case, as usually
happens; **come si suol dire** as they say.
so'lerte *ag* diligent.
so'lerzia [so'lɛrtsja] *sf* diligence.
so'letta *sf* (*per scarpe*) insole.
sol'fato *sm* sulphate (*BRIT*), sulfate (*US*).
sol'forico, a, ci, che *ag* sulphuric (*BRIT*),
sulfuric (*US*); **acido ~** sulphuric *o*
sulfuric acid.
sol'furo *sm* sulphur (*BRIT*), sulfur (*US*).
soli'dale *ag* in agreement; **essere ~ con qn**
(*essere d'accordo*) to be in agreement with
sb; (*appoggiare*) to be behind sb.
solidarietà *sf* solidarity.
solidifi'care *vt, vi* (*anche:* **~rsi**) to solidify.
solidità *sf* solidity.
'solido, a *ag* solid; (*forte, robusto*) sturdy,
solid; (*fig: ditta*) sound, solid ♦ *sm* (*MAT*)
solid.
soli'loquio *sm* soliloquy.
so'lista, i, e *ag* solo ♦ *sm/f* soloist.
solita'mente *av* usually, as a rule.
soli'tario, a *ag* (*senza compagnia*) solitary,
lonely; (*solo, isolato*) solitary, lone;
(*deserto*) lonely ♦ *sm* (*gioiello, gioco*)
solitaire.
'solito, a *ag* usual; **essere ~ fare** to be in
the habit of doing; **di ~** usually; **più tardi
del ~** later than usual; **come al ~** as
usual; **siamo alle ~e!** (*fam*) here we go

again!

soli'tudine *sf* solitude.

sollaz'zare [sollat'tsare] *vt* to entertain; ~**rsi** *vr* to amuse o.s.

sol'lazzo [sol'lattso] *sm* amusement.

solleci'tare [solletʃi'tare] *vt* (*lavoro*) to speed up; (*persona*) to urge on; (*chiedere con insistenza*) to press for, request urgently; (*stimolare*): ~ **qn a fare** to urge sb to do; (*TECN*) to stress.

sollecitazi'one [solletʃitat'tsjone] *sf* entreaty, request; (*fig*) incentive; (*TECN*) stress; **lettera di** ~ (*COMM*) reminder.

sol'lecito, a [sol'letʃito] *ag* prompt, quick ♦ *sm* (*COMM*) reminder; ~ **di pagamento** payment reminder.

solleci'tudine [solletʃi'tudine] *sf* promptness, speed.

solleti'care *vt* to tickle.

sol'letico *sm* tickling; **soffrire il** ~ to be ticklish.

solleva'mento *sm* raising; lifting; (*ribellione*) revolt; ~ **pesi** (*sport*) weight-lifting.

solle'vare *vt* to lift, raise; (*fig: persona: alleggerire*): ~ (**da**) to relieve (of); (: *dar conforto*) to comfort, relieve; (: *questione*) to raise; (: *far insorgere*) to stir (to revolt); ~**rsi** *vr* to rise; (*fig: riprendersi*) to recover; (: *ribellarsi*) to rise up; ~**rsi da terra** (*persona*) to get up from the ground; (*aereo*) to take off; **sentirsi sollevato** to feel relieved.

solli'evo *sm* relief; (*conforto*) comfort; **con mio grande** ~ to my great relief.

'solo, a *ag* alone; (*in senso spirituale: isolato*) lonely; (*unico*): **un** ~ **libro** only one book, a single book; (*con ag numerale*): **veniamo noi tre** ~**i** just *o* only the three of us are coming ♦ *av* (*soltanto*) only, just; ~ **che** *cong* but; **è il** ~ **proprietario** he's the sole proprietor; **l'incontrò due** ~**e volte** he only met him twice; **non** ~ ... **ma anche** not only ... but also; **fare qc da** ~ to do sth (all) by oneself; **vive (da)** ~ he lives on his own; **possiamo vederci da** ~**i?** can I see you in private?

sol'stizio [sol'stittsjo] *sm* solstice.

sol'tanto *av* only.

so'lubile *ag* (*sostanza*) soluble; **caffè** ~ instant coffee.

soluzi'one [solut'tsjone] *sf* solution; **senza** ~ **di continuità** uninterruptedly.

sol'vente *ag, sm* solvent; ~ **per unghie** nail polish remover; ~ **per vernici** paint remover.

sol'venza [sol'vɛntsa] *sf* (*COMM*) solvency.

'soma *sf* load, burden; **bestia da** ~ beast of burden.

So'malia *sf*: **la** ~ Somalia.

'somalo, a *ag, sm/f, sm* Somali.

so'maro *sm* ass, donkey.

so'matico, a, ci, che *ag* somatic.

somigli'anza [somiʎ'ʎantsa] *sf* resemblance.

somigli'are [somiʎ'ʎare] *vi*: ~ **a** to be like, resemble; (*nell'aspetto fisico*) to look like; ~**rsi** *vr* to be (*o* look) alike.

'somma *sf* (*MAT*) sum; (*di denaro*) sum (of money); (*complesso di varie cose*) whole amount, sum total; **tirare le** ~**e** (*fig*) to sum up; **tirate le** ~**e** (*fig*) all things considered.

som'mare *vt* to add up; (*aggiungere*) to add; **tutto sommato** all things considered.

som'mario, a *ag* (*racconto, indagine*) brief; (*giustizia*) summary ♦ *sm* summary.

som'mergere [som'merdʒere] *vt* to submerge.

sommer'gibile [sommer'dʒibile] *sm* submarine.

som'merso, a *pp di* **sommergere**.

som'messo, a *ag* (*voce*) soft, subdued.

somminis'trare *vt* to give, administer.

sommità *sf inv* summit, top; (*fig*) height.

'sommo, a *ag* highest; (*rispetto*) highest, greatest; (*poeta, artista*) great, outstanding ♦ *sm* (*fig*) height; **per** ~**i capi** in short, in brief.

som'mossa *sf* uprising.

sommozza'tore [sommottsa'tore] *sm* (deep-sea) diver; (*MIL*) frogman.

so'naglio [so'naʎʎo] *sm* (*di mucche etc*) bell; (*per bambini*) rattle.

so'nante *ag*: **denaro** *o* **moneta** ~ (ready) cash.

so'nare *etc* = **suonare** *etc*.

'sonda *sf* (*MED, METEOR, AER*) probe; (*MINERALOGIA*) drill ♦ *ag inv*: **pallone** *m* ~ weather balloon.

son'daggio [son'daddʒo] *sm* sounding; probe; boring, drilling; (*indagine*) survey; ~ **d'opinioni** opinion poll.

son'dare *vt* (*NAUT*) to sound; (*atmosfera, piaga*) to probe; (*MINERALOGIA*) to bore, drill; (*fig: opinione etc*) to survey, poll.

so'netto *sm* sonnet.

son'nambulo, a *sm/f* sleepwalker.

sonnecchi'are [sonnek'kjare] *vi* to doze, nod.

sonnel'lino *sm* nap.

son'nifero *sm* sleeping drug (*o* pill).

'sonno *sm* sleep; **aver** ~ to be sleepy; **prendere** ~ to fall asleep.

sonno'lento, a *ag* sleepy, drowsy;

(*movimenti*) sluggish.
sonno'lenza [sonno'lɛntsa] *sf* sleepiness,
drowsiness.
'sono *vb vedi* **essere**.
sonoriz'zare [sonorid'dzare] *vt* (*LING*) to
voice; (*CINE*) to add a sound-track to.
so'noro, a *ag* (*ambiente*) resonant; (*voce*)
sonorous, ringing; (*onde, film*) sound *cpd*
♦ *sm*: **il ~** (*CINE*) the talkies *pl*.
sontu'oso, a *ag* sumptuous.
so'pire *vt* (*fig: dolore, tensione*) to soothe.
so'pore *sm* drowsiness.
sopo'rifero, a *ag* soporific.
soppe'rire *vi*: **~ a** to provide for; **~ alla
mancanza di qc** to make up for the lack
of sth.
soppe'sare *vt* to weigh in one's hand(s),
feel the weight of; (*fig*) to weigh up.
soppian'tare *vt* to supplant.
soppi'atto *av*: **di ~** secretly; furtively.
soppor'tabile *ag* tolerable, bearable.
soppor'tare *vt* (*reggere*) to support; (*subire:
perdita, spese*) to bear, sustain; (*soffrire:
dolore*) to bear, endure; (*sog: cosa: freddo*)
to withstand; (: *persona: freddo, vino*) to
take; (*tollerare*) to put up with, tolerate.
sopportazi'one [sopportat'tsjone] *sf*
patience; **avere spirito di ~, avere
capacità di ~** to be long-suffering.
soppressi'one *sf* abolition; withdrawal;
suppression; deletion; elimination,
liquidation.
sop'presso, a *pp di* **sopprimere**.
sop'primere *vt* (*carica, privilegi etc*) to
abolish, do away with; (*servizio*) to
withdraw; (*pubblicazione*) to suppress;
(*parola, frase*) to delete; (*uccidere*) to
eliminate, liquidate.
'sopra *prep* (*gen*) on; (*al di sopra di, più in
alto di*) above; over; (*riguardo a*) on, about
♦ *av* on top; (*attaccato, scritto*) on it; (*al di
sopra*) above; (*al piano superiore*) upstairs;
donne ~ i 30 anni women over 30 (years
of age); **100 metri ~ il livello del mare** 100
metres above sea level; **5 gradi ~ lo zero**
5 degrees above zero; **abito di ~** I live
upstairs; **essere al di ~ di ogni sospetto**
to be above suspicion; **per i motivi ~
illustrati** for the above-mentioned
reasons, for the reasons shown above;
dormirci ~ (*fig*) to sleep on it; **passar ~ a
qc** (*anche fig*) to pass over sth.
so'prabito *sm* overcoat.
sopraccen'nato, a [sopratt∫en'nato] *ag*
above-mentioned.
soprac'ciglio [soprat't∫iʎʎo], *pl*(*f*)
soprac'ciglia *sm* eyebrow.
sopracco'perta *sf* (*di letto*) bedspread; (*di*

libro) jacket.
soprad'detto, a *ag* aforesaid.
sopraf'fare *vt* to overcome, overwhelm.
sopraf'fatto, a *pp di* **sopraffare**.
sopraffazi'one [sopraffat'tsjone] *sf*
overwhelming, overpowering.
sopraf'fino, a *ag* (*pranzo, vino*) excellent;
(*fig*) masterly.
sopraggi'ungere [soprad'dʒundʒere] *vi*
(*giungere all'improvviso*) to arrive
(unexpectedly); (*accadere*) to occur
(unexpectedly).
sopraggi'unto, a [soprad'dʒunto] *pp di*
sopraggiungere.
soprallu'ogo, ghi *sm* (*di esperti*)
inspection; (*di polizia*) on-the-spot
investigation.
sopram'mobile *sm* ornament.
soprannatu'rale *ag* supernatural.
sopran'nome *sm* nickname.
soprannomi'nare *vt* to nickname.
sopran'numero *av*: **in ~** in excess.
so'prano, a *sm/f* (*persona*) soprano ♦ *sm*
(*voce*) soprano.
soprappensi'ero *av* lost in thought.
soprappiù *sm* surplus, extra; **in ~** extra,
surplus; (*per giunta*) besides, in addition.
sopras'salto *sm*: **di ~** with a start, with a
jump.
soprasse'dere *vi*: **~ a** to delay, put off.
soprat'tassa *sf* surtax.
soprat'tutto *av* (*anzitutto*) above all;
(*specialmente*) especially.
sopravvalu'tare *vt* (*persona, capacità*) to
overestimate.
sopravve'nire *vi* to arrive, appear; (*fatto*)
to occur.
soprav'vento *sm*: **avere/prendere il ~ su
qn** to have/get the upper hand over sb.
sopravvis'suto, a *pp di* **sopravvivere** ♦ *sm/f*
survivor.
sopravvi'venza [sopravvi'vɛntsa] *sf*
survival.
soprav'vivere *vi* to survive; (*continuare a
vivere*): **~ (in)** to live on (in); **~ a** (*incidente
etc*) to survive; (*persona*) to outlive.
soprele'vata *sf* (*di strada, ferrovia*) elevated
section.
soprinten'dente *sm/f* supervisor; (*statale:
di belle arti etc*) keeper.
soprinten'denza [soprinten'dɛntsa] *sf*
supervision; (*ente*): **~ alle Belle Arti**
*government department responsible for
monuments and artistic treasures*.
soprin'tendere *vi*: **~ a** to superintend,
supervise.
soprin'teso, a *pp di* **soprintendere**.
so'pruso *sm* abuse of power; **subire un ~**

to be abused.

soq'quadro *sm*: **mettere a** ~ to turn upside-down.

sor'betto *sm* sorbet, water ice (*BRIT*).

sor'bire *vt* to sip; (*fig*) to put up with.

'sorcio ['sort∫o] *sm* mouse.

'sordido, a *ag* sordid; (*fig: gretto*) stingy.

sor'dina *sf*: **in** ~ softly; (*fig*) on the sly.

sordità *sf* deafness.

'sordo, a *ag* deaf; (*rumore*) muffled; (*dolore*) dull; (*lotta*) silent, hidden; (*odio, rancore*) veiled ♦ *sm/f* deaf person.

sordo'muto, a *ag* deaf-and-dumb ♦ *sm/f* deaf-mute.

so'rella *sf* sister.

sorel'lastra *sf* stepsister.

sor'gente [sor'dʒɛnte] *sf* (*acqua che sgorga*) spring; (*di fiume, FISICA, fig*) source; **acqua di** ~ spring water; ~ **di calore** source of heat; ~ **termale** thermal spring.

'sorgere ['sordʒere] *vi* to rise; (*scaturire*) to spring, rise; (*fig: difficoltà*) to arise ♦ *sm*: **al** ~ **del sole** at sunrise.

sori'ano, a *ag*, *sm/f* tabby.

sormon'tare *vt* (*fig*) to overcome, surmount.

sorni'one, a *ag* sly.

sorpas'sare *vt* (*AUT*) to overtake; (*fig*) to surpass; (: *eccedere*) to exceed, go beyond; ~ **in altezza** to be higher than; (*persona*) to be taller than.

sorpas'sato, a *ag* (*metodo, moda*) outmoded, old-fashioned; (*macchina*) obsolete.

sor'passo *sm* (*AUT*) overtaking.

sorpren'dente *ag* surprising; (*eccezionale, inaspettato*) astonishing, amazing.

sor'prendere *vt* (*cogliere: in flagrante etc*) to catch; (*stupire*) to surprise; ~**rsi** *vr*: ~**rsi (di)** to be surprised (at).

sor'preso, a *pp di* **sorprendere** ♦ *sf* surprise; **fare una** ~**a a qn** to give sb a surprise; **prendere qn di** ~**a** to take sb by surprise *o* unawares.

sor'reggere [sor'rɛddʒere] *vt* to support, hold up; (*fig*) to sustain.

sor'retto, a *pp di* **sorreggere**.

sor'ridere *vi* to smile.

sor'riso, a *pp di* **sorridere** ♦ *sm* smile.

sor'sata *sf* gulp; **bere a** ~**e** to gulp.

sorseggi'are [sorsed'dʒare] *vt* to sip.

'sorsi *etc vb vedi* **sorgere**.

'sorso *sm* sip; **d'un** ~, **in un** ~ **solo** at one gulp.

'sorta *sf* sort, kind; **di** ~ whatever, of any kind at all; **ogni** ~ **di** all sorts of; **di ogni** ~ of every kind.

'sorte *sf* (*fato*) fate, destiny; (*evento fortuito*) chance; **tirare a** ~ to draw lots; **tentare la** ~ to try one's luck.

sorteggi'are [sorted'dʒare] *vt* to draw for.

sor'teggio [sor'teddʒo] *sm* draw.

sorti'legio [sorti'lɛdʒo] *sm* witchcraft *no pl*; (*incantesimo*) spell; **fare un** ~ **a qn** to cast a spell on sb.

sor'tire *vt* (*ottenere*) to produce.

sor'tita *sf* (*MIL*) sortie.

'sorto, a *pp di* **sorgere**.

sorvegli'ante [sorveʎ'ʎante] *sm/f* (*di carcere*) guard, warder (*BRIT*); (*di fabbrica etc*) supervisor.

sorvegli'anza [sorveʎ'ʎantsa] *sf* watch; supervision; (*POLIZIA, MIL*) surveillance.

sorvegli'are [sorveʎ'ʎare] *vt* (*bambino, bagagli, prigioniero*) to watch, keep an eye on; (*malato*) to watch over; (*territorio, casa*) to watch *o* keep watch over; (*lavori*) to supervise.

sorvo'lare *vt* (*territorio*) to fly over ♦ *vi*: ~ **su** (*fig*) to skim over.

S.O.S. *sigla m* mayday, SOS.

'sosia *sm inv* double.

sos'pendere *vt* (*appendere*) to hang (up); (*interrompere, privare di una carica*) to suspend; (*rimandare*) to defer; ~ **un quadro al muro/un lampadario al soffitto** to hang a picture on the wall/a chandelier from the ceiling; ~ **qn dal suo incarico** to suspend sb from office.

sospensi'one *sf* (*anche CHIM, AUT*) suspension; deferment; ~ **condizionale della pena** (*DIR*) suspended sentence.

sos'peso, a *pp di* **sospendere** ♦ *ag* (*appeso*): ~ **a** hanging on (*o* from); (*treno, autobus*) cancelled; **in** ~ in abeyance; (*conto*) outstanding; **tenere in** ~ (*fig*) to keep in suspense; **col fiato** ~ with bated breath.

sospet'tare *vt* to suspect ♦ *vi*: ~ **di** to suspect; (*diffidare*) to be suspicious of.

sos'petto, a *ag* suspicious ♦ *sm* suspicion; **destare** ~**i** to arouse suspicion.

sospet'toso, a *ag* suspicious.

sos'pingere [sos'pindʒere] *vt* to drive, push.

sos'pinto, a *pp di* **sospingere**.

sospi'rare *vi* to sigh ♦ *vt* to long for, yearn for.

sos'piro *sm* sigh; ~ **di sollievo** sigh of relief.

'sosta *sf* (*fermata*) stop, halt; (*pausa*) pause, break; **senza** ~ non-stop, without a break.

sostanti'vato, a *ag* (*LING*): **aggettivo** ~ adjective used as a noun.

sostan'tivo *sm* noun, substantive.

sos'tanza [sos'tantsa] *sf* substance; ~**e** *sfpl*

(*ricchezze*) wealth *sg*, possessions; **in ~** in short, to sum up; **la ~ del discorso** the essence of the speech.

sostanzi'ale [sostan'tsjale] *ag* substantial.

sostanzi'oso, a [sostan'tsjoso] *ag* (*cibo*) nourishing, substantial.

sos'tare *vi* (*fermarsi*) to stop (for a while), stay; (*fare una pausa*) to take a break.

sos'tegno [sos'teɲɲo] *sm* support; **a ~ di** in support of; **muro di ~** supporting wall.

soste'nere *vt* to support; (*prendere su di sé*) to take on, bear; (*resistere*) to withstand, stand up to; (*affermare*): **~ che** to maintain that; **~rsi** *vr* to hold o.s. up, support o.s.; (*fig*) to keep up one's strength; **~ qn** (*moralmente*) to be a support to sb; (*difendere*) to stand up for sb, take sb's part; **~ gli esami** to sit exams; **~ il confronto** to bear *o* stand comparison.

soste'nibile *ag* (*tesi*) tenable; (*spese*) bearable; (*sviluppo*) sustainable.

sosteni'tore, 'trice *sm/f* supporter.

sostenta'mento *sm* maintenance, support; **mezzi di ~** means of support.

soste'nuto, a *ag* (*stile*) elevated; (*velocità, ritmo*) sustained; (*prezzo*) high ♦ *sm/f*: **fare il(la) ~(a)** to be standoffish, keep one's distance.

sostitu'ire *vt* (*mettere al posto di*): **~ qn/qc a** to substitute sb/sth for; (*prendere il posto di*) to replace, take the place of.

sostitu'tivo, a *ag* (*AMM: documento, certificato*) equivalent.

sosti'tuto, a *sm/f* substitute; **~ procuratore della Repubblica** (*DIR*) deputy public prosecutor.

sostituzi'one [sostitut'tsjone] *sf* substitution; **in ~ di** as a substitute for, in place of.

sotta'ceti [sotta't∫eti] *smpl* pickles.

sot'tana *sf* (*sottoveste*) underskirt; (*gonna*) skirt; (*REL*) soutane, cassock.

sot'tecchi [sot'tekki] *av*: **guardare di ~** to steal a glance at.

sotter'fugio [sotter'fudʒo] *sm* subterfuge.

sotter'raneo, a *ag* underground ♦ *sm* cellar.

sotter'rare *vt* to bury.

sottigli'ezza [sottiʎ'ʎettsa] *sf* thinness; slimness; (*fig: acutezza*) subtlety; shrewdness; **~e** *sfpl* (*pedanteria*) quibbles.

sot'tile *ag* thin; (*figura, caviglia*) thin, slim, slender; (*fine: polvere, capelli*) fine; (*fig: leggero*) light; (*: vista*) sharp, keen; (*: olfatto*) fine, discriminating; (*: mente*) subtle; shrewd ♦ *sm*: **non andare per il ~** not to mince matters.

sottiliz'zare [sottilid'dzare] *vi* to split hairs.

sottin'tendere *vt* (*intendere qc non espresso*) to understand; (*implicare*) to imply; **lasciare ~ che** to let it be understood that.

sottin'teso, a *pp di* **sottintendere** ♦ *sm* allusion; **parlare senza ~i** to speak plainly.

'sotto *prep* (*gen*) under; (*più in basso di*) below ♦ *av* underneath, beneath; below; (*al piano inferiore*): **al (piano) di ~** downstairs; **~ il monte** at the foot of the mountain; **~ la pioggia/il sole** in the rain/sun(shine); **tutti quelli ~ i 18 anni** all those under 18 (years of age) (*BRIT*) *o* under age 18 (*US*); **~ il livello del mare** below sea level; **~ il chilo** under *o* less than a kilo; **ha 5 impiegati ~ di sé** he has 5 clerks under him; **siamo ~ Natale/Pasqua** it's nearly Christmas/Easter; **~ un certo punto di vista** in a sense; **~ forma di** in the form of; **~ falso nome** under a false name; **~ terra** underground; **~ voce** in a low voice; **chiuso ~ vuoto** vacuum packed.

sotto'banco *av* (*di nascosto: vendere, comprare*) under the counter; (*agire*) in an underhand way.

sottobicchi'ere [sottobik'kjɛre] *sm* mat, coaster.

sotto'bosco, schi *sm* undergrowth *no pl*.

sotto'braccio [sotto'bratt∫o] *av* by the arm; **prendere qn ~** to take sb by the arm; **camminare ~ a qn** to walk arm in arm with sb.

sottochi'ave [sotto'kjave] *av* under lock and key.

sottoco'perta *av* (*NAUT*) below deck.

sotto'costo *av* below cost (price).

sottocu'taneo, a *ag* subcutaneous.

sottoes'posto, a *ag* (*fotografia, pellicola*) underexposed.

sotto'fondo *sm* background; **~ musicale** background music.

sotto'gamba *av*: **prendere qc ~** not to take sth seriously.

sotto'gonna *sf* underskirt.

sottogo'verno *sm* political patronage.

sotto'gruppo *sm* subgroup; (*di partito*) faction.

sottoline'are *vt* to underline; (*fig*) to emphasize, stress.

sot't'olio *av*, *ag inv* in oil.

sotto'mano *av* (*a portata di mano*) within reach, to hand; (*di nascosto*) secretly.

sottoma'rino, a *ag* (*flora*) submarine; (*cavo, navigazione*) underwater ♦ *sm* (*NAUT*) submarine.

sotto'messo, a *pp di* **sottomettere** ♦ *ag* submissive.

sotto'mettere *vt* to subdue, subjugate; ~**rsi** *vr* to submit.

sottomissi'one *sf* submission.

sottopas'saggio [sottopas'saddʒo] *sm* (*AUT*) underpass; (*pedonale*) subway, underpass.

sotto'porre *vt* (*costringere*) to subject; (*fig: presentare*) to submit; **sottoporsi** *vr* to submit; **sottoporsi a** (*subire*) to undergo.

sotto'posto, a *pp di* **sottoporre**.

sottopro'dotto *sm* by-product.

sottoproduzi'one [sottoprodut'tsjone] *sf* underproduction.

sottoproletari'ato *sm*: **il** ~ the underprivileged class.

sot'tordine *av*: **passare in** ~ to become of minor importance.

sottos'cala *sm inv* (*ripostiglio*) cupboard (*BRIT*) *o* closet (*US*) under the stairs; (*stanza*) room under the stairs.

sottos'critto, a *pp di* **sottoscrivere** ♦ *sm/f*: **io** ~, **il** ~ the undersigned.

sottos'crivere *vt* to sign ♦ *vi*: ~ **a** to subscribe to.

sottoscrizi'one [sottoskrit'tsjone] *sf* signing; subscription.

sottosegre'tario *sm*: **S**~ **di Stato** undersecretary of state (*BRIT*), assistant secretary of state (*US*).

sotto'sopra *av* upside-down.

sottos'tante *ag* (*piani*) lower; **nella valle** ~ in the valley below.

sottos'tare *vi*: ~ **a** (*assoggettarsi a*) to submit to; (: *richieste*) to give in to; (*subire: prova*) to undergo.

sottosu'olo *sm* subsoil.

sottosvilup'pato, a *ag* underdeveloped.

sottosvi'luppo *sm* underdevelopment.

sottote'nente *sm* (*MIL*) second lieutenant.

sotto'terra *av* underground.

sotto'tetto *sm* attic.

sotto'titolo *sm* subtitle.

sottovalu'tare *vt* (*persona, prova*) to underestimate, underrate.

sotto'vento *av* (*NAUT*) leeward(s) ♦ *ag inv* (*lato*) leeward, lee.

sotto'veste *sf* underskirt.

sotto'voce [sotto'votʃe] *av* in a low voice.

sottovu'oto *av*: **confezionare** ~ to vacuum-pack ♦ *ag*: **confezione** *f* ~ vacuum pack.

sot'trarre *vt* (*MAT*) to subtract, take away; **sottrarsi** *vr*: **sottrarsi a** (*sfuggire*) to escape; (*evitare*) to avoid; ~ **qn/qc a** (*togliere*) to remove sb/sth from; (*salvare*) to save *o* rescue sb/sth from; ~ **qc a qn**

(*rubare*) to steal sth from sb; **sottratte le spese** once expenses have been deducted.

sot'tratto, a *pp di* **sottrarre**.

sottrazi'one [sottrat'tsjone] *sf* (*MAT*) subtraction; (*furto*) removal.

sottuffici'ale [sottuffi'tʃale] *sm* (*MIL*) non-commissioned officer; (*NAUT*) petty officer.

soufflé [su'fle] *sm inv* (*CUC*) soufflé.

souve'nir [suv(ə)'nir] *sm inv* souvenir.

so'vente *av* often.

soverchi'are [sover'kjare] *vt* to overpower, overwhelm.

soverchie'ria [soverkje'ria] *sf* (*prepotenza*) abuse (of power).

sovi'etico, a, ci, che *ag* Soviet ♦ *sm/f* Soviet citizen.

sovrabbon'dante *ag* overabundant.

sovrabbon'danza [sovrabbon'dantsa] *sf* overabundance; **in** ~ in excess.

sovraccari'care *vt* to overload.

sovrac'carico, a, chi, che *ag*: ~ **(di)** overloaded (with) ♦ *sm* excess load; ~ **di lavoro** extra work.

sovraesposizi'one [sovraespozit'tsjone] *sf* (*FOT*) overexposure.

sovraffol'lato, a *ag* overcrowded.

sovraimmagazzi'nare [sovraimmagaddzi-'nare] *vt* to overstock.

sovranità *sf* sovereignty; (*fig: superiorità*) supremacy.

sovrannatu'rale *ag* = **soprannaturale**.

so'vrano, a *ag* sovereign; (*fig: sommo*) supreme ♦ *sm/f* sovereign, monarch.

sovrappopolazi'one [sovrappopolat'tsjone] *sf* overpopulation.

sovrap'porre *vt* to place on top of, put on top of; (*FOT, GEOM*) to superimpose; **sovrapporsi** *vr* (*fig: aggiungersi*) to be added; (*FOT*) to be superimposed.

sovrapposizi'one [sovrapposit'tsjone] *sf* superimposition.

sovrap'posto, a *pp di* **sovrapporre**.

sovrapproduzi'one [sovrapprodut'tsjone] *sf* overproduction.

sovras'tante *ag* overhanging; (*fig*) imminent.

sovras'tare *vi*: ~ **a** *vt* (*vallata, fiume*) to overhang; (*fig*) to hang over, threaten.

sovrastrut'tura *sf* superstructure.

sovrecci'tare [sovrettʃi'tare] *vt* to overexcite.

sovrimpressi'one *sf* (*FOT, CINE*) double exposure; **immagini in** ~ superimposed images.

sovrinten'dente *etc* = **soprintendente** *etc*.

sovru'mano, a *ag* superhuman.
sovve'nire *vi* (*venire in mente*): ~ **a** to occur to.
sovvenzio'nare [sovventsjo'nare] *vt* to subsidize.
sovvenzi'one [sovven'tsjone] *sf* subsidy, grant.
sovver'sivo, a *ag* subversive.
sovverti'mento *sm* subversion, undermining.
sovver'tire *vt* (*POL: ordine, stato*) to subvert, undermine.
'sozzo, a ['sottso] *ag* filthy, dirty.
SP *sigla* = La Spezia.
S.P. *abbr* = **strada provinciale**; *vedi* **provinciale**.
S.p.A. *abbr vedi* **società per azioni**.
spac'care *vt* to split, break; (*legna*) to chop; (*fig*) to divide; ~**rsi** *vr* to split, break.
spacca'tura *sf* split.
spaccherò [spakke'rɔ] *etc vb vedi* **spaccare**.
spacci'are [spat'tʃare] *vt* (*vendere*) to sell (off); (*mettere in circolazione*) to circulate; (*droga*) to peddle, push; ~**rsi** *vr*: ~**rsi per** (*farsi credere*) to pass o.s. off as, pretend to be.
spacci'ato, a [spat'tʃato] *ag* (*fam: malato, fuggiasco*): **essere** ~ to be done for.
spaccia'tore, 'trice [spattʃa'tore] *sm/f* (*di droga*) pusher; (*di denaro falso*) dealer.
'spaccio ['spattʃo] *sm* (*di merce rubata, droga*): ~ (**di**) trafficking (in); (*di denaro falso*): ~ (**di**) passing (of); (*vendita*) sale; (*bottega*) shop.
'spacco, chi *sm* (*fenditura*) split, crack; (*strappo*) tear; (*di gonna*) slit.
spac'cone *sm/f* boaster, braggart.
'spada *sf* sword.
spadroneggi'are [spadroned'dʒare] *vi* to swagger.
spae'sato, a *ag* disorientated, lost.
spaghet'tata [spaget'tata] *sf* spaghetti meal.
spa'ghetti [spa'getti] *smpl* (*CUC*) spaghetti *sg*.
'Spagna ['spaɲɲa] *sf*: **la** ~ Spain.
spa'gnolo, a [spaɲ'ɲɔlo] *ag* Spanish ♦ *sm/f* Spaniard ♦ *sm* (*LING*) Spanish; **gli S**~**i** the Spanish.
'spago, ghi *sm* string, twine; **dare** ~ **a qn** (*fig*) to let sb have his (*o* her) way.
spai'ato, a *ag* (*calza, guanto*) odd.
spalan'care *vt*, ~**rsi** *vr* to open wide.
spa'lare *vt* to shovel.
'spalla *sf* shoulder; (*fig: TEAT*) stooge; ~**e** *sfpl* (*dorso*) back; **di** ~**e** from behind; **seduto alle mie** ~**e** sitting behind me; **prendere/colpire qn alle** ~**e** to take/hit sb

from behind; **mettere qn con le** ~**e al muro** (*fig*) to put sb with his (*o* her) back to the wall; **vivere alle** ~**e di qn** (*fig*) to live off sb.
spal'lata *sf* (*urto*) shove *o* push with the shoulder; **dare una** ~ **a qc** to give sth a push *o* shove with one's shoulder.
spalleggi'are [spalled'dʒare] *vt* to back up, support.
spal'letta *sf* (*parapetto*) parapet.
spalli'era *sf* (*di sedia etc*) back; (*di letto: da capo*) head(board); (: *da piedi*) foot(board); (*GINNASTICA*) wall bars *pl*.
spal'lina *sf* (*MIL*) epaulette; (*di sottoveste, maglietta*) strap; **senza** ~**e** strapless.
spal'mare *vt* to spread.
'spalti *smpl* (*di stadio*) terraces (*BRIT*), ≈ bleachers (*US*).
'spandere *vt* to spread; (*versare*) to pour (out); ~**rsi** *vr* to spread; ~ **lacrime** to shed tears.
'spanto, a *pp di* **spandere**.
spa'rare *vt* to fire ♦ *vi* (*far fuoco*) to fire; (*tirare*) to shoot; ~ **a qn/qc** to shoot sb/sth, fire at sb/sth.
spa'rato *sm* (*di camicia*) dicky.
spara'tore *sm* gunman.
spara'toria *sf* exchange of shots.
sparecchi'are [sparek'kjare] *vt*: ~ (**la tavola**) to clear the table.
spa'reggio [spa'reddʒo] *sm* (*SPORT*) play-off.
'spargere ['spardʒere] *vt* (*sparpagliare*) to scatter; (*versare: vino*) to spill; (: *lacrime, sangue*) to shed; (*diffondere*) to spread; (*emanare*) to give off (*o* out); ~**rsi** *vr* (*voce, notizia*) to spread; (*persone*) to scatter; **si è sparsa una voce sul suo conto** there is a rumour going round about him.
spargi'mento [spardʒi'mento] *sm* scattering; spilling; shedding; ~ **di sangue** bloodshed.
spa'rire *vi* to disappear, vanish; ~ **dalla circolazione** (*fig fam*) to lie low, keep a low profile.
sparizi'one [sparit'tsjone] *sf* disappearance.
spar'lare *vi*: ~ **di** to run down, speak ill of.
'sparo *sm* shot.
sparpagli'are [sparpaʎ'ʎare] *vt*, ~**rsi** *vr* to scatter.
'sparso, a *pp di* **spargere** ♦ *ag* scattered; (*sciolto*) loose; **in ordine** ~ (*MIL*) in open order.
sparti'acque *sm* (*GEO*) watershed.
sparti'neve *sm inv* snowplough (*BRIT*), snowplow (*US*).
spar'tire *vt* (*eredità, bottino*) to share out;

(*avversari*) to separate.

spar'tito *sm* (*MUS*) score.

sparti'traffico *sm inv* (*AUT*) central reservation (*BRIT*), median (strip) (*US*).

spartizi'one [spartit'tsjone] *sf* division.

spa'ruto, a *ag* (*viso etc*) haggard.

sparvi'ero *sm* (*ZOOL*) sparrowhawk.

spasi'mante *sm* suitor.

spasi'mare *vi* to be in agony; ~ **di fare** (*fig*) to yearn to do; ~ **per qn** to be madly in love with sb.

'spasimo *sm* pang.

'spasmo *sm* (*MED*) spasm.

spas'modico, a, ci, che *ag* (*angoscioso*) agonizing; (*MED*) spasmodic.

spas'sarsela *vi* to enjoy o.s., have a good time.

spassio'nato, a *ag* dispassionate, impartial.

'spasso *sm* (*divertimento*) amusement, enjoyment; **andare a** ~ to go out for a walk; **essere a** ~ (*fig*) to be out of work; **mandare qn a** ~ (*fig*) to give sb the sack.

spas'soso, a *ag* amusing, entertaining.

'spastico, a, ci, che *ag, sm/f* spastic.

'spatola *sf* spatula.

spau'racchio [spau'rakkjo] *sm* scarecrow.

spau'rire *vt* to frighten, terrify.

spavalde'ria *sf* boldness, arrogance.

spa'valdo, a *ag* arrogant, bold.

spaventa'passeri *sm inv* scarecrow.

spaven'tare *vt* to frighten, scare; ~**rsi** *vr* to become frightened, become scared.

spa'vento *sm* fear, fright; **far** ~ **a qn** to give sb a fright.

spaven'toso, a *ag* frightening, terrible; (*fig fam*) tremendous, fantastic.

spazi'ale [spat'tsjale] *ag* (*volo, nave, tuta*) space *cpd*; (*ARCHIT, GEOM*) spatial.

spazia'tura [spattsja'tura] *sf* (*TIP*) spacing.

spazien'tire [spattsjen'tire] *vi* (*anche:* ~**rsi**) to lose one's patience.

'spazio ['spattsjo] *sm* space; (*posto*) room, space; **fare** ~ **per qc/qn** to make room for sth/sb; **nello** ~ **di un'ora** within an hour, in the space of an hour; **dare** ~ **a** (*fig*) to make room for; ~ **aereo** airspace.

spazi'oso, a [spat'tsjoso] *ag* spacious.

spazzaca'mino [spattsaka'mino] *sm* chimney sweep.

spazza'neve [spattsa'neve] *sm inv* (*spartineve, SCI*) snowplough (*BRIT*), snowplow (*US*).

spaz'zare [spat'tsare] *vt* to sweep; (*foglie etc*) to sweep up; (*cacciare*) to sweep away.

spazza'tura [spattsa'tura] *sf* sweepings *pl*; (*immondizia*) rubbish.

spaz'zino [spat'tsino] *sm* street sweeper.

'spazzola ['spattsola] *sf* brush; **capelli a** ~ crew cut *sg*; ~ **per abiti** clothesbrush; ~ **da capelli** hairbrush.

spazzo'lare [spattso'lare] *vt* to brush.

spazzo'lino [spattso'lino] *sm* (small) brush; ~ **da denti** toothbrush.

specchi'arsi [spek'kjarsi] *vr* to look at o.s. in a mirror; (*riflettersi*) to be mirrored, be reflected.

specchi'era [spek'kjɛra] *sf* large mirror; (*mobile*) dressing table.

specchi'etto [spek'kjetto] *sm* (*tabella*) table, chart; ~ **da borsetta** pocket mirror; ~ **retrovisore** (*AUT*) rear-view mirror.

'specchio ['spɛkkjo] *sm* mirror; (*tabella*) table, chart; **uno** ~ **d'acqua** a sheet of water.

speci'ale [spe'tʃale] *ag* special; **in special modo** especially; **inviato** ~ (*RADIO, TV, STAMPA*) special correspondent; **offerta** ~ special offer; **poteri/leggi** ~**i** (*POL*) emegency powers/legislation.

specia'lista, i, e [spetʃa'lista] *sm/f* specialist.

specia'listico, a, ci, che [spetʃa'listiko] *ag* (*conoscenza, preparazione*) specialized.

specialità [spetʃali'ta] *sf inv* speciality; (*branca di studio*) special field, speciality.

specializ'zare [spetʃalid'dzare] *vt* (*industria*) to make more specialized; ~**rsi** *vr*: ~**rsi** (**in**) to specialize (in).

specializ'zato, a [spetʃalid'dzato] *ag* (*manodopera*) skilled; **operaio non** ~ semiskilled worker; **essere** ~ **in** to be a specialist in.

specializzazi'one [spetʃaliddzat'tsjone] *sf* specialization; **prendere la** ~ **in** to specialize in.

special'mente [spetʃal'mente] *av* especially, particularly.

'specie ['spɛtʃe] *sf inv* (*BIOL, BOT, ZOOL*) species *inv*; (*tipo*) kind, sort ♦ *av* especially, particularly; **una** ~ **di** a kind of; **fare** ~ **a qn** to surprise sb; **la** ~ **umana** mankind.

spe'cifica, che [spe'tʃifika] *sf* specification.

specifi'care [spetʃifi'kare] *vt* to specify, state.

specificata'mente [spetʃifikata'mente] *av* in detail.

spe'cifico, a, ci, che [spe'tʃifiko] *ag* specific.

speck [ʃpɛk] *sm inv* *kind of smoked ham*.

specu'lare *vi*: ~ **su** (*COMM*) to speculate in; (*sfruttare*) to exploit; (*meditare*) to speculate on.

specula'tore, 'trice *smf* (*COMM*) speculator.

speculazi'one [spekulat'tsjone] *sf* speculation.

spe'dire *vt* to send; (*COMM*) to dispatch, forward; ~ **per posta** to post (*BRIT*), mail (*US*); ~ **per mare** to ship.

spedita'mente *av* quickly; **camminare** ~ to walk at a brisk pace.

spe'dito, a *ag* (*gen*) quick; **con passo** ~ at a brisk pace.

spedizi'one [spedit'tsjone] *sf* sending; (*collo*) consignment; (*scientifica etc*) expedition; (*COMM*) forwarding; shipping; **fare una** ~ to send a consignment; **agenzia di** ~ forwarding agency; **spese di** ~ postal charges; (*COMM*) forwarding charges.

spedizioni'ere [spedittsjo'njɛre] *sm* forwarding agent, shipping agent.

'spegnere ['spɛɲɲere] *vt* (*fuoco, sigaretta*) to put out, extinguish; (*apparecchio elettrico*) to turn *o* switch off; (*gas*) to turn off; (*fig: suoni, passioni*) to stifle; (*debito*) to extinguish; ~**rsi** *vr* to go out; to go off; (*morire*) to pass away.

speleolo'gia [speleolo'dʒia] *sf* (*studio*) speleology; (*pratica*) potholing (*BRIT*), speleology.

spele'ologo, a, gi, ghe *smf* speleologist; potholer.

spel'lare *vt* (*scuoiare*) to skin; (*scorticare*) to graze; ~**rsi** *vr* to peel.

spendacci'one, a [spendat't∫one] *smf* spendthrift.

'spendere *vt* to spend; ~ **una buona parola per qn** (*fig*) to put in a good word for sb.

'spengo *etc vb vedi* **spegnere.**

spen'nare *vt* to pluck.

'spensi *etc vb vedi* **spegnere.**

spensiera'tezza [spensjera'tettsa] *sf* carefreeness, lightheartedness.

spensie'rato, a *ag* carefree.

'spento, a *pp di* **spegnere** ♦ *ag* (*suono*) muffled; (*colore*) dull; (*sigaretta*) out; (*civiltà, vulcano*) extinct.

spe'ranza [spe'rantsa] *sf* hope; **nella** ~ **di rivederti** hoping to see *o* in the hope of seeing you again; **pieno di** ~**e** hopeful; **senza** ~ (*situazione*) hopeless; (*amare*) without hope.

speran'zoso, a [speran'tsoso] *ag* hopeful.

spe'rare *vt* to hope for ♦ *vi*: ~ **in** to trust in; ~ **che/di fare** to hope that/to do; **lo spero, spero di sì** I hope so; **tutto fa** ~ **per il meglio** everything leads one to hope for the best.

sper'duto, a *ag* (*isolato*) out-of-the-way;

(*persona: smarrita, a disagio*) lost.

spergi'uro, a [sper'dʒuro] *smf* perjurer ♦ *sm* perjury.

sperico'lato, a *ag* fearless, daring; (*guidatore*) reckless.

sperimen'tale *ag* experimental; **fare qc in via** ~ to try sth out.

sperimen'tare *vt* to experiment with, test; (*fig*) to test, put to the test.

sperimentazi'one [sperimentat'tsjone] *sf* experimentation.

'sperma, i *sm* (*BIOL*) sperm.

spermato'zoo, i [spermatod'dzɔo] *sm* spermatozoon.

spe'rone *sm* spur.

sperpe'rare *vt* to squander.

'sperpero *sm* (*di denaro*) squandering, waste; (*di cibo, materiali*) waste.

'spesa *sf* (*soldi spesi*) expense; (*costo*) cost; (*acquisto*) purchase; (*fam: acquisto del cibo quotidiano*) shopping; ~**e** *sfpl* expenses; (*COMM*) costs; charges; **ridurre le** ~**e** (*gen*) to cut down; (*COMM*) to reduce expenditure; **fare la** ~ to do the shopping; **fare le** ~**e di qc** (*fig*) to pay the price for sth; **a** ~**e di** (*a carico di*) at the expense of; **con la modica** ~ **di un milione di lire** for the modest sum *o* outlay of one million lire; ~ **pubblica** public expenditure; ~**e accessorie** incidental expenses; ~**e generali** overheads; ~**e di gestione** operating expenses; ~**e d'impianto** initial outlay; ~**e legali** legal costs; ~**e di manutenzione, ~e di mantenimento** maintenance costs; ~**e postali** postage *sg*; ~**e di sbarco e sdoganamento** landing charges; ~**e di trasporto** handling charge; ~**e di viaggio** travelling (*BRIT*) *o* traveling (*US*) expenses.

spe'sare *vt*: **viaggio tutto spesato** all-expenses-paid trip.

'speso, a *pp di* **spendere.**

'spesso, a *ag* (*fitto*) thick; (*frequente*) frequent ♦ *av* often; ~**e volte** frequently, often.

spes'sore *sm* thickness; **ha uno** ~ **di 20 cm** it is 20 cm thick.

Spett. *abbr vedi* **spettabile.**

spet'tabile *ag* (*abbr*: **Spett.**: *in lettere*): ~ **ditta X** Messrs X and Co; **avvertiamo la** ~ **clientela ...** we inform our customers ....

spettaco'lare *ag* spectacular.

spet'tacolo *sm* (*rappresentazione*) performance, show; (*vista, scena*) sight; **dare** ~ **di sé** to make an exhibition *o* a spectacle of o.s.

spettaco'loso, a *ag* spectacular.

spet'tanza [spet'tantsa] *sf* (*competenza*)

concern; **non è di mia** ~ it's no concern of mine.

spet'tare vi: ~ **a** (decisione) to be up to; (stipendio) to be due to; **spetta a lei decidere** it's up to you to decide.

spetta'tore, 'trice smlf (CINE, TEAT) member of the audience; (di avvenimento) onlooker, witness.

spettego'lare vi to gossip.

spetti'nare vt: ~ **qn** to ruffle sb's hair; ~**rsi** vr to get one's hair in a mess.

spet'trale ag spectral, ghostly.

'spettro sm (fantasma) spectre (BRIT), specter (US); (FISICA) spectrum.

'spezie ['spεttsje] sfpl (CUC) spices.

spez'zare [spet'tsare] vt (rompere) to break; (fig: interrompere) to break up; ~**rsi** vr to break.

spezza'tino [spettsa'tino] sm (CUC) stew.

spez'zato, a [spet'tsato] ag (unghia, ramo, braccio) broken ♦ sm (abito maschile) coordinated jacket and trousers (BRIT) o pants (US); **fare orario** ~ to work a split shift.

spezzet'tare [spettset'tare] vt to break up (o chop) into small pieces.

spez'zino, a [spet'tsino] ag of (o from) La Spezia.

spez'zone [spet'tsone] sm (CINE) clip.

'spia sf spy; (confidente della polizia) informer; (ELETTR) indicating light; warning light; (fessura) peephole; (fig: sintomo) sign, indication; ~ **dell'olio** (AUT) oil warning light.

spiacci'care [spjattʃi'kare] vt to squash, crush.

spia'cente [spja'tʃɛnte] ag sorry; **essere** ~ **di qc/di fare qc** to be sorry about sth/for doing sth; **siamo** ~**i di dovervi annunciare che** ... we regret to announce that ....

spia'cevole [spja'tʃevole] ag unpleasant, disagreeable.

spi'aggia, ge ['spjaddʒa] sf beach.

spia'nare vt (terreno) to level, make level; (edificio) to raze to the ground; (pasta) to roll out; (rendere liscio) to smooth (out).

spi'ano sm: **a tutto** ~ (lavorare) non-stop, without a break; (spendere) lavishly.

spian'tato, a ag penniless, ruined.

spi'are vt to spy on; (occasione etc) to watch o wait for.

spi'ata sf tip-off.

spiattel'lare vt (fam: verità, segreto) to blurt out.

spi'azzo ['spjattso] sm open space; (radura) clearing.

spic'care vt (assegno, mandato di cattura) to issue ♦ vi (risaltare) to stand out; ~ **il volo**

to fly off; (fig) to spread one's wings; ~ **un balzo** to jump, leap.

spic'cato, a ag (marcato) marked, strong; (notevole) remarkable.

spiccherò etc [spikke'rɔ] vb vedi **spiccare**.

'spicchio ['spikkjo] sm (di agrumi) segment; (di aglio) clove; (parte) piece, slice.

spicci'are [spit'tʃare] vt (faccenda, impegno) to finish off; ~**rsi** vr (fare in fretta) to hurry up, get a move on.

'spiccio, a, ci, ce ['spitt∫o] ag (modi, mezzi) quick; **andare per le** ~**ce** to be quick off the mark, waste no time.

spiccio'lata [spitt∫o'lata] av: **alla** ~ in dribs and drabs, a few at a time.

'spicciolo, a ['spitt∫olo] ag: **moneta** ~**a**, ~**i** smpl (small) change.

'spicco, chi sm: **fare** ~ to stand out; **di** ~ outstanding, prominent; (tema) main, principal.

spie'dino sm (utensile) skewer; (cibo) kebab.

spi'edo sm (CUC) spit; **pollo allo** ~ spit-roasted chicken.

spiega'mento sm (MIL): ~ **di forze** deployment of forces.

spie'gare vt (far capire) to explain; (tovaglia) to unfold; (vele) to unfurl; ~**rsi** vr to explain o.s., make o.s. clear; ~ **qc a qn** to explain sth to sb; **il problema si spiega** one can understand the problem; **non mi spiego come** ... I can't understand how ....

spiegazi'one [spjegat'tsjone] sf explanation; **avere una** ~ **con qn** to have it out with sb.

spiegaz'zare [spjegat'tsare] vt to crease, crumple.

spiegherò etc [spjege'rɔ] vb vedi **spiegare**.

spie'tato, a ag ruthless, pitiless.

spiffe'rare vt (fam) to blurt out, blab.

'spiffero sm draught (BRIT), draft (US).

'spiga, ghe sf (BOT) ear.

spigli'ato, a [spiʎ'ʎato] ag self-possessed, self-confident.

spigo'lare vt (anche fig) to glean.

'spigolo sm corner; (GEOM) edge.

spigo'loso, a ag (mobile) angular; (persona, carattere) difficult.

'spilla sf brooch; (da cravatta, cappello) pin.

spil'lare vt (vino, fig) to tap; ~ **denaro/ notizie a qn** to tap sb for money/ information.

'spillo sm pin; (spilla) brooch; **tacco a** ~ stiletto heel (BRIT), spike heel (US); ~ **di sicurezza** o **da balia** safety pin; ~ **di sicurezza** (MIL) (safety) pin.

spilorce'ria [spilort∫e'ria] sf meanness,

stinginess.

spi'lorcio, a, ci, ce [spi'lortʃo] *ag* mean, stingy.

spilun'gone *sm/f* beanpole.

'spina *sf* (*BOT*) thorn; (*ZOOL*) spine, prickle; (*di pesce*) bone; (*ELETTR*) plug; (*di botte*) bunghole; **birra alla ~** draught beer; **stare sulle ~e** (*fig*) to be on tenterhooks; **~ dorsale** (*ANAT*) backbone.

spi'nacio [spi'natʃo] *sm* spinach *no pl*; (*CUC*): **~i** spinach *sg*.

spi'nale *ag* (*ANAT*) spinal.

spi'nato, a *ag* (*fornito di spine*): **filo ~** barbed wire; (*tessuto*) herringbone *cpd*.

spi'nello *sm* (*DROGA: gergo*) joint.

'spingere ['spindʒere] *vt* to push; (*condurre: anche fig*) to drive; (*stimolare*): **~ qn a fare** to urge *o* press sb to do; **~rsi** *vr* (*inoltrarsi*) to push on, carry on; **~rsi troppo lontano** (*anche fig*) to go too far.

'spino *sm* (*BOT*) thorn bush.

spi'noso, a *ag* thorny, prickly.

'spinsi *etc vb vedi* **spingere**.

spinte'rogeno [spinte'rɔdʒeno] *sm* (*AUT*) coil ignition.

'spinto, a *pp di* **spingere ♦** *sf* (*urto*) push; (*FISICA*) thrust; (*fig: stimolo*) incentive, spur; (: *appoggio*) string-pulling *no pl*; **dare una ~a a qn** (*fig*) to pull strings for sb.

spinto'nare *vt* to shove, push.

spin'tone *sm* push, shove.

spio'naggio [spio'naddʒo] *sm* espionage, spying.

spion'cino [spion'tʃino] *sm* peephole.

spi'one, a *sm/f* (*spia*) informer; (*ragazzino, collega*) telltale, sneak.

spio'nistico, a, ci, che *ag* (*organizzazione*) spy *cpd*; **rete ~a** spy ring.

spi'overe *vi* (*scorrere*) to flow down; (*ricadere*) to hang down, fall.

'spira *sf* coil.

spi'raglio [spi'raʎʎo] *sm* (*fessura*) chink, narrow opening; (*raggio di luce, fig*) glimmer, gleam.

spi'rale *sf* spiral; (*contraccettivo*) coil; **a ~** spiral(-shaped); **~ inflazionistica** inflationary spiral.

spi'rare *vi* (*vento*) to blow; (*morire*) to expire, pass away.

spiri'tato, a *ag* possessed; (*fig: persona, espressione*) wild.

spiri'tismo *sm* spiritualism.

'spirito *sm* (*REL, CHIM, disposizione d'animo, di legge etc, fantasma*) spirit; (*pensieri, intelletto*) mind; (*arguzia*) wit; (*umorismo*) humour, wit; **in buone condizioni di ~** in the right frame of mind; **è una persona di ~** he has a sense of humour (*BRIT*) *o*

humor (*US*); **battuta di ~** joke; **~ di classe** class consciousness; **non ha ~ di parte** he never takes sides; **lo S~ Santo** the Holy Spirit *o* Ghost.

spirito'saggine [spirito'saddʒine] *sf* witticism; (*peg*) wisecrack.

spiri'toso, a *ag* witty.

spiritu'ale *ag* spiritual.

splen'dente *ag* (*giornata*) bright, sunny; (*occhi*) shining; (*pavimento*) shining, gleaming.

'splendere *vi* to shine.

'splendido, a *ag* splendid; (*splendente*) shining; (*sfarzoso*) magnificent, splendid.

splen'dore *sm* splendour (*BRIT*), splendor (*US*); (*luce intensa*) brilliance, brightness.

spodes'tare *vt* to deprive of power; (*sovrano*) to depose.

'spoglia ['spoʎʎa] *sf vedi* **spoglio**.

spogli'are [spoʎ'ʎare] *vt* (*svestire*) to undress; (*privare, fig: depredare*): **~ qn di qc** to deprive sb of sth; (*togliere ornamenti: anche fig*): **~ qn/qc di** to strip sb/sth of; **~rsi** *vr* to undress, strip; **~rsi di** (*ricchezze etc*) to deprive o.s. of, give up; (*pregiudizi*) to rid o.s. of.

spoglia'rello [spoʎʎa'rello] *sm* striptease.

spoglia'toio [spoʎʎa'tojo] *sm* dressing room; (*di scuola etc*) cloakroom; (*SPORT*) changing room.

'spoglio, a ['spoʎʎo] *ag* (*pianta, terreno*) bare; (*privo*): **~ di** stripped of; lacking in, without **♦** *sm* (*di voti*) counting **♦** *sf* (*ZOOL*) skin, hide; (: *di rettile*) slough; **~e** *sfpl* (*salma*) remains; (*preda*) spoils, booty *sg*.

'spola *sf* shuttle; (*bobina*) spool; **fare la ~** (**fra**) to go to and fro *o* shuttle (between).

spo'letta *sf* (*CUCITO: bobina*) spool; (*di bomba*) fuse.

spol'pare *vt* to strip the flesh off.

spolve'rare *vt* (*anche CUC*) to dust; (*con spazzola*) to brush; (*con battipanni*) to beat; (*fig: mangiare*) to polish off **♦** *vi* to dust.

spolve'rino *sm* (*soprabito*) dust coat.

'sponda *sf* (*di fiume*) bank; (*di mare, lago*) shore; (*bordo*) edge.

sponsoriz'zare [sponsorid'dzare] *vt* to sponsor.

sponsorizzazi'one [sponsoriddzat'tsjone] *sf* sponsorship.

spontanea'mente *av* (*comportarsi*) naturally; (*agire*) spontaneously; (*reagire*) instinctively, spontaneously.

spon'taneo, a *ag* spontaneous; (*persona*) unaffected, natural; **di sua ~a volontà** of his own free will.

spopo'lare *vt* to depopulate **♦** *vi* (*attirare folla*) to draw the crowds; **~rsi** *vr* to

sporadico – spugna

become depopulated.

spo'radico, a, ci, che *ag* sporadic.

sporcacci'one, a [sporkat'tʃone] *sm/f (peg)* pig, filthy person.

spor'care *vt* to dirty, make dirty; (*fig*) to sully, soil; ~rsi *vr* to get dirty.

spor'cizia [spor'tʃittsja] *sf (stato)* dirtiness; (*sudiciume*) dirt, filth; (*fig: cosa oscena*) obscenity.

'sporco, a, chi, che *ag* dirty, filthy; **avere la coscienza ~a** to have a guilty conscience.

spor'genza [spor'dʒɛntsa] *sf* projection.

'sporgere ['spordʒere] *vt* to put out, stretch out ♦ *vi (venire in fuori)* to stick out; ~rsi *vr* to lean out; ~ **querela contro qn** (*DIR*) to take legal action against sb.

'sporsi *etc vb vedi* sporgere.

sport *sm inv* sport.

'sporta *sf* shopping bag.

spor'tello *sm (di treno, auto etc)* door; (*di banca, ufficio*) window, counter; ~ automatico (*BANCA*) cash dispenser, automated telling machine.

spor'tivo, a *ag (gara, giornale)* sports *cpd*; (*persona*) sporty; (*abito*) casual; (*spirito, atteggiamento*) sporting ♦ *sm/f* sportsman/woman; **campo ~** playing field; **giacca ~a** sports (*BRIT*) *o* sport (*US*) jacket.

'sporto, a *pp di* sporgere.

'sposa *sf* bride; (*moglie*) wife; **abito** *o* **vestito da ~** wedding dress.

sposa'lizio [spoza'littsjo] *sm* wedding.

spo'sare *vt* to marry; (*fig: idea, fede*) to espouse; ~rsi *vr* to get married, marry; ~rsi con qn to marry sb, get married to sb.

spo'sato, a *ag* married.

'sposo *sm* (bride)groom; (*marito*) husband; **gli ~i** the newlyweds.

spos'sante *ag* exhausting.

spossa'tezza [spossa'tettsa] *sf* exhaustion.

spos'sato, a *ag* exhausted, weary.

sposta'mento *sm* movement, change of position.

spos'tare *vt* to move, shift; (*cambiare: orario*) to change; ~rsi *vr* to move; **hanno spostato la partenza di qualche giorno** they postponed *o* put off their departure by a few days.

spot [spɔt] *sm inv (faretto)* spotlight, spot; (*TV*) advert, commercial, ad.

'spranga, ghe *sf (sbarra)* bar; (*catenaccio*) bolt.

spran'gare *vt* to bar; to bolt.

spray ['spraɪ] *sm inv (dispositivo, sostanza)* spray ♦ *ag inv (bombola, confezione)* spray *cpd*.

'sprazzo ['sprattso] *sm (di sole etc)* flash; (*fig: di gioia etc*) burst.

spre'care *vt* to waste; ~rsi *vr (persona)* to waste one's energy.

'spreco, chi *sm* waste.

spre'gevole [spre'dʒevole] *ag* contemptible, despicable.

'spregio ['sprɛdʒo] *sm* scorn, disdain.

spregiudi'cato, a [spredʒudi'kato] *ag* unprejudiced, unbiased; (*peg*) unscrupulous.

'spremere *vt* to squeeze; ~rsi le meningi (*fig*) to rack one's brains.

spre'muta *sf* fresh fruit juice; ~ d'arancia fresh orange juice.

sprez'zante [spret'tsante] *ag* scornful, contemptuous.

'sprezzo ['sprɛttso] *sm* contempt, scorn, disdain.

sprigio'nare [spridʒo'nare] *vt* to give off, emit; ~rsi *vr* to emanate; (*uscire con impeto*) to burst out.

spriz'zare [sprit'tsare] *vt, vi* to spurt; ~ gioia/salute to be bursting with joy/health.

sprofon'dare *vi* to sink; (*casa*) to collapse; (*suolo*) to give way, subside; ~rsi *vr:* ~rsi in (*poltrona*) to sink into; (*fig*) to become immersed *o* absorbed in.

sproloqui'are *vi* to ramble on.

spro'loquio *sm* rambling speech.

spro'nare *vt* to spur (on).

'sprone *sm (sperone, fig)* spur.

sproporzio'nato, a [sproportsjo'nato] *ag* disproportionate, out of all proportion.

sproporzi'one [spr"opor'tsjone] *sf* disproportion.

spropositato, a *ag (lettera, discorso)* full of mistakes; (*fig: costo*) excessive, enormous.

spro'posito *sm* blunder; **a ~** at the wrong time; (*rispondere, parlare*) irrelevantly.

sprovve'duto, a *ag* inexperienced, naïve.

sprov'visto, a *ag (mancante):* ~ **di** lacking in, without; **ne siamo ~i** (*negozio*) we are out of it (*o* them); **alla ~a** unawares.

spruz'zare [sprut'tsare] *vt (a nebulizzazione)* to spray; (*aspergere*) to sprinkle; (*inzaccherare*) to splash.

spruzza'tore [spruttsa'tore] *sm (per profumi)* spray, atomizer; (*per biancheria*) sprinkler, spray.

'spruzzo ['spruttso] *sm* spray; splash; **verniciatura a ~** spray painting.

spudora'tezza [spudora'tettsa] *sf* shamelessness.

spudo'rato, a *ag* shameless.

'spugna ['spuɲɲa] *sf (ZOOL)* sponge;

(_tessuto_) towelling.

spu'gnoso, a [spuɲ'ɲoso] _ag_ spongy.

spulci'are [spul'tʃare] _vt_ (_animali_) to rid of fleas; (_fig: testo, compito_) to examine thoroughly.

'spuma _sf_(_schiuma_) foam; (_bibita_) fizzy drink.

spu'mante _sm_ sparkling wine.

spumeggi'ante [spumed'dʒante] _ag_ (_vino, fig_) sparkling; (_birra, mare_) foaming.

spu'mone _sm_ (_CUC_) mousse.

spun'tare _sm_: **allo ~ del sole** at sunrise; **allo ~ del giorno** at daybreak ♦ _vt_ (_coltello_) to break the point of; (_capelli_) to trim; (_elenco_) to tick off (_BRIT_), check off (_US_) ♦ _vi_ (_uscire: germogli_) to sprout; (: _capelli_) to begin to grow; (: _denti_) to come through; (_apparire_) to appear (suddenly); **~rsi** _vr_ to become blunt, lose its point; **spuntarla** (_fig_) to make it, win through.

spun'tino _sm_ snack.

'spunto _sm_ (_TEAT, MUS_) cue; (_fig_) starting point; **dare lo ~ a** to give rise to; **prendere ~ da qc** to take sth as one's starting point.

spur'gare _vt_ (_fogna_) to clean, clear; **~rsi** _vr_ (_MED_) to expectorate.

spu'tare _vt_ to spit out; (_fig_) to belch (out) ♦ _vi_ to spit.

'sputo _sm_ spittle _no pl_, spit _no pl_.

sputta'nare _vt_ (_fam_) to bad-mouth.

'squadra _sf_(_strumento_) (set) square; (_gruppo_) team, squad; (_di operai_) gang, squad; (_MIL_) squad; (: _AER, NAUT_) squadron; (_SPORT_) team; **lavoro a ~e** teamwork; **~ mobile/del buon costume** (_POLIZIA_) flying/vice squad.

squa'drare _vt_ to square, make square; (_osservare_) to look at closely.

squa'driglia [skwa'driʎʎa] _sf_(_AER_) flight; (_NAUT_) squadron.

squa'drone _sm_ squadron.

squagli'arsi [skwaʎ'ʎarsi] _vr_ to melt; (_fig_) to sneak off.

squa'lifica, che _sf_ disqualification.

squalifi'care _vt_ to disqualify.

'squallido, a _ag_ wretched, bleak.

squal'lore _sm_ wretchedness, bleakness.

'squalo _sm_ shark.

'squama _sf_ scale.

squa'mare _vt_ to scale; **~rsi** _vr_ to flake _o_ peel (off).

squarcia'gola [skwartʃa'gola]: **a ~** _av_ at the top of one's voice.

squarci'are [skwar'tʃare] _vt_ (_muro, corpo_) to rip open; (_tessuto_) to rip; (_fig: tenebre, silenzio_) to split; (: _nuvole_) to pierce.

'squarcio ['skwartʃo] _sm_ (_ferita_) gash; (_in lenzuolo, abito_) rip; (_in un muro_) breach; (_in una nave_) hole; (_brano_) passage, excerpt; **uno ~ di sole** a burst of sunlight.

squar'tare _vt_ to quarter, cut up; (_cadavere_) to dismember.

squattri'nato, a _ag_ penniless ♦ _sm/f_ pauper.

squili'brare _vt_ to unbalance.

squili'brato, a _ag_ (_PSIC_) unbalanced ♦ _sm/f_ deranged person.

squi'librio _sm_ (_differenza, sbilancio_) imbalance; (_PSIC_) derangement.

squil'lante _ag_ (_suono_) shrill, sharp; (_voce_) shrill.

squil'lare _vi_ (_campanello, telefono_) to ring (out); (_tromba_) to blare.

'squillo _sm_ ring, ringing _no pl_; blare ♦ _sf inv_ (_anche_: **ragazza ~**) call girl.

squi'sito, a _ag_ exquisite; (_cibo_) delicious; (_persona_) delightful.

squit'tire _vi_ (_uccello_) to squawk; (_topo_) to squeak.

SR _sigla_ = Siracusa.

sradi'care _vt_ to uproot; (_fig_) to eradicate.

sragio'nare [zradʒo'nare] _vi_ to talk nonsense, rave.

sregola'tezza [zregola'tettsa] _sf_(_nel mangiare, bere_) lack of moderation; (_di vita_) dissoluteness, dissipation.

srego'lato, a _ag_ (_senza ordine: vita_) disorderly; (_smodato_) immoderate; (_dissoluto_) dissolute.

Sri 'Lanka [sri'lanka] _sm_: **il ~** Sri Lanka.

S.r.l. _abbr vedi_ **società a responsabilità limitata**.

sroto'lare _vt_, **~rsi** _vr_ to unroll.

SS _sigla_ = Sassari.

S.S. _abbr_ (_REL_) = _Sua Santità_; _Santa Sede_; _santi, santissimo_; (_AUT_) = **strada statale**; _vedi_ **statale**.

S.S.N. _abbr_ (= _Servizio Sanitario Nazionale_) ≈ NHS.

sta _etc vb vedi_ **stare**.

'stabbio _sm_ (_recinto_) pen, fold; (_di maiali_) pigsty; (_letame_) manure.

'stabile _ag_ stable, steady; (_tempo: non variabile_) settled; (_TEAT: compagnia_) resident ♦ _sm_ (_edificio_) building; **teatro ~** civic theatre.

stabili'mento _sm_ (_edificio_) establishment; (_fabbrica_) plant, factory; **~ balneare** bathing establishment; **~ tessile** textile mill.

stabi'lire _vt_ to establish; (_fissare: prezzi, data_) to fix; (_decidere_) to decide; **~rsi** _vr_ (_prendere dimora_) to settle; **resta stabilito**

che ... it is agreed that ....
stabilità *sf* stability.
stabiliz'zare [stabilid'dzare] *vt* to stabilize.
stabilizza'tore [stabiliddza'tore] *sm* stabilizer; (*fig*) stabilizing force.
stabilizzazi'one [stabiliddzat'tsjone] *sf* stabilization.
stacano'vista, i, e *sm/f* (*ironico*) eager beaver.
stac'care *vt* (*levare*) to detach, remove; (*separare: anche fig*) to separate, divide; (*strappare*) to tear off (*o* out); (*scandire: parole*) to pronounce clearly; (*SPORT*) to leave behind; **~rsi** *vr* (*bottone etc*) to come off; (*scostarsi*): **~rsi (da)** to move away (from); (*fig: separarsi*): **~rsi da** to leave; **non ~ gli occhi da qn** not to take one's eyes off sb; **~ la televisione/il telefono** to disconnect the television/the phone; **~ un assegno** to write a cheque.
staccio'nata [statt∫o'nata] *sf* (*gen*) fence; (*IPPICA*) hurdle.
'stacco, chi *sm* (*intervallo*) gap; (: *tra due scene*) break; (*differenza*) difference; (*SPORT: nel salto*) takeoff.
sta'dera *sf* lever scales *pl*.
'stadio *sm* (*SPORT*) stadium; (*periodo, fase*) phase, stage.
'staffa *sf* (*di sella, TECN*) stirrup; **perdere le ~e** (*fig*) to fly off the handle.
staf'fetta *sf* (*messo*) dispatch rider; (*SPORT*) relay race.
stagflazi'one [stagflat'tsjone] *sf* (*ECON*) stagflation.
stagio'nale [stadʒo'nale] *ag* seasonal ♦ *sm/f* seasonal worker.
stagio'nare [stadʒo'nare] *vt* (*legno*) to season; (*formaggi, vino*) to mature.
stagio'nato, a [stadʒo'nato] *ag* (*vedi vb*) seasoned; matured; (*scherzoso: attempato*) getting on in years.
stagi'one [sta'dʒone] *sf* season; **alta/bassa ~** high/low season.
stagli'arsi [staʎ'ʎarsi] *vr* to stand out, be silhouetted.
sta'gnante [staɲ'ɲante] *ag* stagnant.
sta'gnare [staɲ'ɲare] *vt* (*vaso, tegame*) to tin-plate; (*barca, botte*) to make watertight; (*sangue*) to stop ♦ *vi* to stagnate.
sta'gnino [staɲ'ɲino] *sm* tinsmith.
'stagno, a ['staɲɲo] *ag* (*a tenuta d'acqua*) watertight; (*a tenuta d'aria*) airtight ♦ *sm* (*acquitrino*) pond; (*CHIM*) tin.
sta'gnola [staɲ'ɲola] *sf* tinfoil.
stalag'mite *sf* stalagmite.
stalat'tite *sf* stalactite.
stali'nismo *sm* (*POL*) Stalinism.

'stalla *sf* (*per bovini*) cowshed; (*per cavalli*) stable.
stalli'ere *sm* groom, stableboy.
'stallo *sm* stall, seat; (*SCACCHI*) stalemate; (*AER*) stall; **situazione di ~** (*fig*) stalemate.
stal'lone *sm* stallion.
sta'mani, stamat'tina *av* this morning.
stam'becco, chi *sm* ibex.
stam'berga, ghe *sf* hovel.
'stampa *sf* (*TIP, FOT: tecnica*) printing; (*impressione, copia fotografica*) print; (*insieme di quotidiani, giornalisti etc*): **la ~** the press; **andare in ~** to go to press; **mandare in ~** to pass for press; **errore di ~** printing error; **prova di ~** print sample; **libertà di ~** freedom of the press; "**~e**" "printed matter".
stam'pante *sf* (*INFORM*) printer; **~ seriale/termica** serial/thermal printer.
stam'pare *vt* to print; (*pubblicare*) to publish; (*coniare*) to strike, coin; (*imprimere: anche fig*) to impress.
stampa'tello *sm* block letters *pl*.
stam'pato, a *ag* printed ♦ *sm* (*opuscolo*) leaflet; (*modulo*) form; **~i** *smpl* printed matter *sg*.
stam'pella *sf* crutch.
stampigli'are [stampiʎ'ʎare] *vt* to stamp.
stampiglia'tura [stampiʎʎa'tura] *sf* (*atto*) stamping; (*marchio*) stamp.
'stampo *sm* mould; (*fig: indole*) type, kind, sort.
sta'nare *vt* to drive out.
stan'care *vt* to tire, make tired; (*annoiare*) to bore; (*infastidire*) to annoy; **~rsi** *vr* to get tired, tire o.s. out; **~rsi (di)** (*stufarsi*) to grow weary (of), grow tired (of).
stan'chezza [stan'kettsa] *sf* tiredness, fatigue.
'stanco, a, chi, che *ag* tired; **~ di** tired of, fed up with.
stand [stand] *sm inv* (*in fiera*) stand.
'standard ['standǝrd] *sm inv* (*livello*) standard.
standardiz'zare [standardid'dzare] *vt* to standardize.
stan'dista, i, e *sm/f* (*in una fiera etc*) person responsible for a stand.
'stanga, ghe *sm* bar; (*di carro*) shaft.
stan'gare *vt* (*fig: cliente*) to overcharge; (: *studente*) to fail.
stan'gata *sf* (*colpo: anche fig*) blow; (*cattivo risultato*) poor result; (*CALCIO*) shot.
stan'ghetta [stan'getta] *sf* (*di occhiali*) leg; (*MUS, di scrittura*) bar.
'stanno *vb vedi* **stare**.
sta'notte *av* tonight; (*notte passata*) last night.

'**stante** *prep* owing to, because of; **a sé ~**
(*appartamento, casa*) independent,
separate.

stan'tio, a, 'tii, 'tie *ag* stale; (*burro*)
rancid; (*fig*) old.

stan'tuffo *sm* piston.

'**stanza** ['stantsa] *sf* room; (*POESIA*) stanza;
essere di ~ a (*MIL*) to be stationed in; **~
da bagno** bathroom; **~ da letto** bedroom.

stanzia'mento [stantsja'mento] *sm*
allocation.

stanzi'are [stan'tsjare] *vt* to allocate.

stan'zino [stan'tsino] *sm* (*ripostiglio*)
storeroom; (*spogliatoio*) changing room
(*BRIT*), locker room (*US*).

stap'pare *vt* to uncork; (*tappo a corona*) to
uncap.

star [star] *sf* (*attore, attrice etc*) star.

'**stare** *vi* (*restare in un luogo*) to stay,
remain; (*abitare*) to stay, live; (*essere
situato*) to be, be situated; (*anche:* **~ in
piedi**) to stand; (*essere, trovarsi*) to be;
(*dipendere*): **se stesse in me** if it were up
to me, if it depended on me; (*seguito da
gerundio*): **sta studiando** he's studying; **~
per fare qc** to be about to do sth; **starci**
(*esserci spazio*): **nel baule non ci sta più
niente** there's no more room in the boot;
(*accettare*): **ci stai?** is that okay with you?;
~ a (*attenersi a*) to follow, stick to;
(*seguito dall'infinito*): **~ a sentire** to listen;
staremo a vedere let's wait and see;
stiamo a discutere we're talking; (*toccare
a*): **sta a te giocare** it's your turn to play;
sta a te decidere it's up to you to decide;
~ a qn (*abiti etc*) to fit sb; **queste scarpe
mi stanno strette** these shoes are tight
for me; **il rosso ti sta bene** red suits you;
come stai? how are you?; **io sto bene/
male** I'm very well/not very well; **~
fermo** to keep *o* stay still; **~ seduto** to sit,
be sitting; **~ zitto** to keep quiet; **stando
così le cose** given the situation; **stando a
ciò che dice lui** according to him *o* to his
version.

starnaz'zare [starnat'tsare] *vi* to squawk.

starnu'tire *vi* to sneeze.

star'nuto *sm* sneeze.

sta'sera *av* this evening, tonight.

'**stasi** *sf* (*MED, fig*) stasis.

sta'tale *ag* state *cpd*, government *cpd* ♦ *smf*
state employee; (*nell'amministrazione*) ≈
civil servant; **bilancio ~** national budget;
strada ~ ≈ trunk (*BRIT*) *o* main road.

stataliz'zare [statalid'dzare] *vt* to
nationalize, put under state control.

'**statico, a, ci, che** *ag* (*ELETTR, fig*) static.

sta'tista, i *sm* statesman.

sta'tistico, a, ci, che *ag* statistical ♦ *sf*
statistic; (*scienza*) statistics *sg*; **fare una
~a** to carry out a statistical examination.

'**stato, a** *pp di* **essere, stare** ♦ *sm* (*condizione*)
state, condition; (*POL*) state; (*DIR*) status;
essere in ~ d'accusa (*DIR*) to be
committed for trial; **essere in ~ d'arresto**
(*DIR*) to be under arrest; **essere in ~
interessante** to be pregnant; **~
d'assedio/d'emergenza** state of siege/
emergency; **~ civile** (*AMM*) marital
status; **~ di famiglia** (*AMM*) *certificate
giving details of a household and its
dependents*; **~ maggiore** (*MIL*) general
staff; **~ patrimoniale** (*COMM*) statement
of assets and liabilities; **gli S~i Uniti
(d'America)** the United States (of
America).

'**statua** *sf* statue.

statuni'tense *ag* United States *cpd*, of the
United States.

sta'tura *sf* (*ANAT*) height; (*fig*) stature;
essere alto/basso di ~ to be tall/short *o*
small.

sta'tuto *sm* (*DIR*) statute; **regione a ~
speciale** *Italian region with political
autonomy in certain matters*; **~ della
società** (*COMM*) articles *pl* of association.

sta'volta *av* this time.

staziona'mento [stattsjona'mento] *sm*
(*AUT*) parking; (: *sosta*) waiting; **freno di
~** handbrake.

stazio'nare [stattsjo'nare] *vi* (*veicoli*) to be
parked.

stazio'nario, a [stattsjo'narjo] *ag*
stationary; (*fig*) unchanged.

stazi'one [stat'tsjone] *sf* station; (*balneare,
invernale etc*) resort; **~ degli autobus** bus
station; **~ balneare** seaside resort; **~
climatica** health resort; **~ ferroviaria**
railway (*BRIT*) *o* railroad (*US*) station; **~
invernale** winter sports resort; **~ di
lavoro** work station; **~ di polizia** police
station (*in small town*); **~ di servizio**
service *o* petrol (*BRIT*) *o* filling station; **~
termale** spa.

'**stazza** ['stattsa] *sf* tonnage.

st. civ. *abbr* = **stato civile**.

'**stecca, che** *sf* stick; (*di ombrello*) rib; (*di
sigarette*) carton; (*MED*) splint; (*stonatura*):
fare una ~ to sing (*o* play) a wrong note.

stec'cato *sm* fence.

stec'chito, a [stek'kito] *ag* dried up;
(*persona*) skinny; **lasciar ~ qn** (*fig*) to
leave sb flabbergasted; **morto ~** stone
dead.

'**stella** *sf* star; **~ alpina** (*BOT*) edelweiss; **~
cadente** *o* **filante** shooting star; **~ di mare**

(*ZOOL*) starfish.

stel'lato, a *ag* (*cielo, notte*) starry.

'stelo *sm* stem; (*asta*) rod; **lampada a** ~ standard lamp (*BRIT*), floor lamp.

'stemma, i *sm* coat of arms.

'stemmo *vb vedi* **stare**.

stempe'rare *vt* (*calce, colore*) to dissolve.

stempi'ato, a *ag* with a receding hairline.

stempia'tura *sf* receding hairline.

sten'dardo *sm* standard.

'stendere *vt* (*braccia, gambe*) to stretch (out); (*tovaglia*) to spread (out); (*bucato*) to hang out; (*mettere a giacere*) to lay (down); (*spalmare: colore*) to spread; (*mettere per iscritto*) to draw up; ~**rsi** *vr* (*coricarsi*) to stretch out, lie down; (*estendersi*) to extend, stretch.

stendibianche'ria [stendibjanke'ria] *sm inv* clotheshorse.

stendi'toio *sm* (*locale*) drying room; (*stendibiancheria*) clotheshorse.

stenodattilogra'fia *sf* shorthand typing (*BRIT*), stenography (*US*).

stenodatti'lografo, a *sm/f* shorthand typist (*BRIT*), stenographer (*US*).

stenogra'fare *vt* to take down in shorthand.

stenogra'fia *sf* shorthand.

ste'nografo, a *sm/f* stenographer.

sten'tare *vi*: ~ **a fare** to find it hard to do, have difficulty doing.

sten'tato, a *ag* (*compito, stile*) laboured (*BRIT*), labored (*US*); (*sorriso*) forced.

'stento *sm* (*fatica*) difficulty; ~**i** *smpl* (*privazioni*) hardship *sg*, privation *sg*; **a** ~ *av* with difficulty, barely.

'steppa *sf* steppe.

'sterco *sm* dung.

stereofo'nia *sf* stereophony.

'stereo('fonico, a, ci, che) *ag* stereo(phonic).

stereoti'pato, a *ag* stereotyped.

stere'otipo *sm* stereotype; **pensare per** ~**i** to think in clichés.

'sterile *ag* sterile; (*terra*) barren; (*fig*) futile, fruitless.

sterilità *sf* sterility.

steriliz'zare [sterilid'dzare] *vt* to sterilize.

sterilizzazi'one [steriliddzat'tsjone] *sf* sterilization.

ster'lina *sf* pound (sterling).

stermi'nare *vt* to exterminate, wipe out.

stermi'nato, a *ag* immense, endless.

ster'minio *sm* extermination, destruction; **campo di** ~ death camp.

'sterno *sm* (*ANAT*) breastbone.

ster'paglia [ster'paʎʎa] *sf* brushwood.

'sterpo *sm* dry twig.

ster'rare *vt* to excavate.

ster'zare [ster'tsare] *vt*, *vi* (*AUT*) to steer.

'sterzo ['stɛrtso] *sm* steering; (*volante*) steering wheel.

'steso, a *pp di* **stendere**.

'stessi *etc vb vedi* **stare**.

'stesso, a *ag* same; (*rafforzativo: in persona, proprio*): **il re** ~ the king himself *o* in person ♦ *pron*: **lo(la)** ~**(a)** the same (one); **quello** ~ **giorno** that very day; **i suoi** ~**i avversari lo ammirano** even his enemies admire him; **fa lo** ~ it doesn't matter; **parto lo** ~ I'm going all the same; **per me è lo** ~ it's all the same to me, it doesn't matter to me; *vedi* **io, tu** *etc*.

ste'sura *sf* (*azione*) drafting *no pl*, drawing up *no pl*; (*documento*) draft.

stetos'copio *sm* stethoscope.

'stetti *etc vb vedi* **stare**.

'stia *sf* hutch.

'stia *etc vb vedi* **stare**.

'stigma, i *sm* stigma.

'stigmate *sfpl* (*REL*) stigmata.

sti'lare *vt* to draw up, draft.

'stile *sm* style; (*classe*) style, class; (*SPORT*): ~ **libero** freestyle; **mobili in** ~ period furniture; **in grande** ~ in great style; **è proprio nel suo** ~ (*fig*) it's just like him.

sti'lismo *sm* concern for style.

sti'lista, i, e *sm/f* designer.

sti'listico, a, ci, che *ag* stylistic.

stiliz'zato, a [stilid'dzato] *ag* stylized.

stil'lare *vi* (*trasudare*) to ooze; (*gocciolare*) to drip.

stilli'cidio [stilli'tʃidjo] *sm* (*fig*) continual pestering (*o* moaning *etc*).

stilo'grafica, che *sf* (*anche*: **penna** ~) fountain pen.

Stim. *abbr* = **stimata**.

'stima *sf* esteem; valuation; assessment, estimate; **avere** ~ **di qn** to have respect for sb; **godere della** ~ **di qn** to enjoy sb's respect; **fare la** ~ **di qc** to estimate the value of sth.

sti'mare *vt* (*persona*) to esteem, hold in high regard; (*terreno, casa etc*) to value; (*stabilire in misura approssimativa*) to estimate, assess; (*ritenere*): ~ **che** to consider that; ~**rsi fortunato** to consider o.s. (to be) lucky.

Stim.ma *abbr* = **stimatissima**.

stimo'lante *ag* stimulating ♦ *sm* (*MED*) stimulant.

stimo'lare *vt* to stimulate; (*incitare*): ~ **qn (a fare)** to spur sb on (to do).

stimolazi'one [stimolat'tsjone] *sf* stimulation.

'stimolo *sm* (*anche fig*) stimulus.

'**stinco, chi** *sm* shin; shinbone.

'**stingere** ['stindʒere] *vt, vi* (*anche*: ~**rsi**) to fade.

'**stinto, a** *pp di* **stingere**.

sti'**pare** *vt* to cram, pack; ~**rsi** *vr* (*accalcarsi*) to crowd, throng.

stipendi'**are** *vt* (*pagare*) to pay (a salary to).

stipendi'**ato, a** *ag* salaried ♦ *sm/f* salaried worker.

sti'**pendio** *sm* salary.

'**stipite** *sm* (*di porta, finestra*) jamb.

stipu'**lare** *vt* (*redigere*) to draw up.

stipulazi'**one** [stipulat'tsjone] *sf* (*di contratto*: *stesura*) drafting; (: *firma*) signing.

stiracchi'**are** [stirak'kjare] *vt* (*fig*: *significato di una parola*) to stretch, force; ~**rsi** *vr* (*persona*) to stretch.

stira'**mento** *sm* (*MED*) sprain.

sti'**rare** *vt* (*abito*) to iron; (*distendere*) to stretch; (*strappare*: *muscolo*) to strain; ~**rsi** *vr* (*fam*) to stretch (o.s.).

stira'**tura** *sf* ironing.

'**stirpe** *sf* birth, stock; descendants *pl*.

stiti'**chezza** [stiti'kettsa] *sf* constipation.

'**stitico, a, ci, chi** *ag* constipated.

'**stiva** *sf* (*di nave*) hold.

sti'**vale** *sm* boot.

stiva'**letto** *sm* ankle boot.

sti'**vare** *vt* to stow, load.

'**stizza** ['stittsa] *sf* anger, vexation.

stiz'**zire** [stit'tsire] *vt* to irritate ♦ *vi*, ~**rsi** *vr* to become irritated, become vexed.

stiz'**zoso, a** [stit'tsoso] *ag* (*persona*) quick-tempered, irascible; (*risposta*) angry.

stocca'**fisso** *sm* stockfish, dried cod.

Stoc'carda *sf* Stuttgart.

stoc'**cata** *sf* (*colpo*) stab, thrust; (*fig*) gibe, cutting remark.

Stoc'colma *sf* Stockholm.

stock [stɔk] *sm inv* (*COMM*) stock.

'**stoffa** *sf* material, fabric; (*fig*): **aver la** ~ **di** to have the makings of; **avere della** ~ to have what it takes.

stoi'**cismo** [stoi'tʃizmo] *sm* stoicism.

'**stoico, a, ci, che** *ag* stoic(al).

sto'**ino** *sm* doormat.

'**stola** *sf* stole.

stol'**tezza** [stol'tettsa] *sf* stupidity; (*azione*) foolish action.

'**stolto, a** *ag* stupid, foolish.

'**stomaco, chi** *sm* stomach; **dare di** ~ to vomit, be sick.

sto'**nare** *vt* to sing (*o* play) out of tune ♦ *vi* to be out of tune, sing (*o* play) out of tune; (*fig*) to be out of place, jar; (: *colori*) to clash.

sto'**nato, a** *ag* (*persona*) off-key; (*strumento*) off-key, out of tune.

stona'**tura** *sf* (*suono*) false note.

stop *sm inv* (*TELEGRAFIA*) stop; (*AUT*: *cartello*) stop sign; (: *fanalino d'arresto*) brake-light (*BRIT*), stoplight.

'**stoppa** *sf* tow.

'**stoppia** *sf* (*AGR*) stubble.

stop'**pino** *sm* (*di candela*) wick; (*miccia*) fuse.

'**storcere** ['stɔrtʃere] *vt* to twist; ~**rsi** *vr* to writhe, twist; ~ **il naso** (*fig*) to turn up one's nose; ~**rsi la caviglia** to twist one's ankle.

stordi'**mento** *sm* (*gen*) dizziness; (*da droga*) stupefaction.

stor'**dire** *vt* (*intontire*) to stun, daze; ~**rsi** *vr*: ~**rsi col bere** to dull one's senses with drink.

stor'**dito, a** *ag* stunned; (*sventato*) scatterbrained, heedless.

'**storia** *sf* (*scienza, avvenimenti*) history; (*racconto, bugia*) story; (*faccenda, questione*) business *no pl*; (*pretesto*) excuse, pretext; ~**e** *sfpl* (*smancerie*) fuss *sg*; **passare alla** ~ to go down in history; **non ha fatto** ~**e** he didn't make a fuss.

storicità [storitʃi'ta] *sf* historical authenticity.

'**storico, a, ci, che** *ag* historic(al) ♦ *sm/f* historian.

storiogra'**fia** *sf* historiography.

stori'**one** *sm* (*ZOOL*) sturgeon.

stor'**mire** *vi* to rustle.

'**stormo** *sm* (*di uccelli*) flock.

stor'**nare** *vt* (*COMM*) to transfer.

stor'**nello** *sm kind of folk song*.

'**storno** *sm* starling.

storpi'**are** *vt* to cripple, maim; (*fig*: *parole*) to mangle; (: *significato*) to twist.

storpia'**tura** *sf* (*fig*: *di parola*) twisting, distortion.

'**storpio, a** *ag* crippled, maimed.

'**storsi** *etc vb vedi* **storcere**.

'**storto, a** *pp di* **storcere** ♦ *ag* (*chiodo*) twisted, bent; (*gamba, quadro*) crooked; (*fig*: *ragionamento*) false, wrong ♦ *sf* (*distorsione*) sprain, twist; (*recipiente*) retort ♦ *av*: **guardare** ~ **qn** (*fig*) to look askance at sb; **andar** ~ to go wrong.

sto'**viglie** [sto'viʎʎe] *sfpl* dishes *pl*, crockery.

str. *abbr* (*GEO*) = **stretto**.

'**strabico, a, ci, che** *ag* squint-eyed; (*occhi*) squint.

strabili'**ante** *ag* astonishing, amazing.

strabili'**are** *vi* to astonish, amaze.

stra'**bismo** *sm* squinting.

strabuz'zare [strabud'dzare] *vt*: ~ **gli occhi** to open one's eyes wide.

stra'carico, a, chi, che *ag* overloaded.

strac'chino [strak'kino] *sm type of soft cheese.*

stracci'are [strat't∫are] *vt* to tear.

'straccio, a, ci, ce ['stratt∫o] *ag*: **carta ~a** waste paper ♦ *sm* rag; (*per pulire*) cloth, duster.

stracci'one, a [strat't∫one] *sm/f* ragamuffin.

stracci'vendolo [stratt∫i'vendolo] *sm* ragman.

'stracco, a, chi, che *ag*: ~ (**morto**) exhausted, dead tired.

stra'cotto, a *ag* overcooked ♦ *sm* (*CUC*) beef stew.

'strada *sf* road; (*di città*) street; (*cammino, via, fig*) way; ~ **facendo** on the way; **tre ore di** ~ (**a piedi**)/(**in macchina**) three hours' walk/drive; **essere sulla buona** ~ (*nella vita*) to be on the right road *o* path; (*con indagine etc*) to be on the right track; **essere fuori** ~ (*fig*) to be on the wrong track; **fare** ~ **a qn** to show sb the way; **fare** *o* **farsi** ~ (*fig: persona*) to get on in life; **portare qn sulla cattiva** ~ to lead sb astray; **donna di** ~ (*fig peg*) streetwalker; **ragazzo di** ~ (*fig peg*) street urchin; ~ **ferrata** railway (*BRIT*), railroad (*US*); ~ **principale** main road; ~ **senza uscita** dead end, cul-de-sac.

stra'dale *ag* road *cpd*; (*polizia, regolamento*) traffic *cpd*.

stra'dario *sm* street guide.

stra'dino *sm* road worker.

strafalci'one [strafal't∫one] *sm* blunder, howler.

stra'fare *vi* to overdo it.

stra'fatto, a *pp di* **strafare**.

stra'foro: **di** ~ *av* (*di nascosto*) on the sly.

strafot'tente *ag*: **è** ~ he doesn't give a damn, he couldn't care less.

strafot'tenza [strafot'tentsa] *sf* arrogance.

'strage ['stradʒe] *sf* massacre, slaughter.

stra'grande *ag*: **la** ~ **maggioranza** the overwhelming majority.

stralci'are [stral't∫are] *vt* to remove.

'stralcio ['stralt∫o] *sm* (*COMM*): **vendere in** ~ to sell off (at bargain prices) ♦ *ag inv*: **legge** ~ abridged version of an act.

stralu'nato, a *ag* (*occhi*) rolling; (*persona*) beside o.s., very upset.

stramaz'zare [stramat'tsare] *vi* to fall heavily.

strambe'ria *sf* eccentricity.

'strambo, a *ag* strange, queer.

strampa'lato, a *ag* odd, eccentric.

strana'mente *av* oddly, strangely; **e lui, ~,**

ha accettato and, surprisingly, he agreed.

stra'nezza [stra'nettsa] *sf* strangeness.

strango'lare *vt* to strangle; ~**rsi** *vr* to choke.

strani'ero, a *ag* foreign ♦ *sm/f* foreigner.

stra'nito, a *ag* dazed.

'strano, a *ag* strange, odd.

straordi'nario, a *ag* extraordinary; (*treno etc*) special ♦ *sm* (*lavoro*) overtime.

strapaz'zare [strapat'tsare] *vt* to ill-treat; ~**rsi** *vr* to tire o.s. out, overdo things.

strapaz'zato, a [strapat'tsato] *ag*: **uova ~e** scrambled eggs.

stra'pazzo [stra'pattso] *sm* strain, fatigue; **da** ~ (*fig*) third-rate.

strapi'eno, a *ag* full to overflowing.

strapi'ombo *sm* overhanging rock; **a** ~ overhanging.

strapo'tere *sm* excessive power.

strappa'lacrime *ag inv* (*fam*): **romanzo** (*o* **film** *etc*) ~ tear-jerker.

strap'pare *vt* (*gen*) to tear, rip; (*pagina etc*) to tear off, tear out; (*sradicare*) to pull up; (*togliere*): ~ **qc a qn** to snatch sth from sb; (*fig*) to wrest sth from sb; ~**rsi** *vr* (*lacerarsi*) to rip, tear; (*rompersi*) to break; ~**rsi un muscolo** to tear a muscle.

strap'pato, a *ag* torn, ripped.

'strappo *sm* (*strattone*) pull, tug; (*lacerazione*) tear, rip; (*fig fam: passaggio*) lift (*BRIT*), ride (*US*); **fare uno ~ alla regola** to make an exception to the rule; ~ **muscolare** torn muscle.

strapun'tino *sm* jump *o* foldaway seat.

strari'pare *vi* to overflow.

Stras'burgo *sf* Strasbourg.

strasci'care [stra∫∫i'kare] *vt* to trail; (*piedi*) to drag; ~ **le parole** to drawl.

'strascico, chi ['stra∫∫iko] *sm* (*di abito*) train; (*conseguenza*) after-effect.

strata'gemma, i [strata'dʒɛmma] *sm* stratagem.

stra'tega, ghi *sm* strategist.

strate'gia, 'gie [strate'dʒia] *sf* strategy.

stra'tegico, a, ci, che [stra'tɛdʒiko] *ag* strategic.

'strato *sm* layer; (*rivestimento*) coat, coating; (*GEO, fig*) stratum; (*METEOR*) stratus.

stratos'fera *sf* stratosphere.

strat'tone *sm* tug, jerk; **dare uno ~ a qc** to tug *o* jerk sth, give sth a tug *o* jerk.

stravac'cato, a *ag* sprawling.

strava'gante *ag* odd, eccentric.

strava'ganza [strava'gantsa] *sf* eccentricity.

stra'vecchio, a [stra'vɛkkjo] *ag* very old.

strave'dere *vi*: ~ **per qn** to dote on sb.

stra'visto, a *pp di* **stravedere**.

stra'vizio [stra'vittsjo] *sm* excess.

stra'volgere [stra'vɔldʒere] *vt* (*volto*) to contort; (*fig: animo*) to trouble deeply; (: *verità*) to twist, distort.

stra'volto, a *pp di* **stravolgere** ♦ *ag* (*persona: per stanchezza etc*) in a terrible state; (: *per sofferenza*) distraught.

strazi'ante [strat'tsjante] *ag* (*scena*) harrowing; (*urlo*) bloodcurdling; (*dolore*) excruciating.

strazi'are [strat'tsjare] *vt* to torture, torment.

'strazio ['strattsjo] *sm* torture; (*fig: cosa fatta male*): **essere uno** ~ to be appalling; **fare** ~ **di** (*corpo, vittima*) to mutilate.

'strega, ghe *sf* witch.

stre'gare *vt* to bewitch.

stre'gone *sm* (*mago*) wizard; (*di tribù*) witch doctor.

stregone'ria *sf* (*pratica*) witchcraft; **fare una** ~ to cast a spell.

'stregua *sf*: **alla** ~ **di** by the same standard as.

stre'mare *vt* to exhaust.

'stremo *sm*: **essere allo** ~ to be at the end of one's tether.

'strenna *sf*: ~ **natalizia** (*regalo*) Christmas present; (*libro*) *book published for the Christmas market.*

'strenuo, a *ag* brave, courageous.

strepi'tare *vi* to yell and shout.

'strepito *sm* (*di voci, folla*) clamour (*BRIT*), clamor (*US*); (*di catene*) clanking, rattling.

strepi'toso, a *ag* clamorous, deafening; (*fig: successo*) resounding.

stres'sante *ag* stressful.

stres'sare *vt* to put under stress.

stres'sato, a *ag* under stress.

'stretta *sf vedi* **stretto**.

stretta'mente *av* tightly; (*rigorosamente*) strictly.

stret'tezza [stret'tettsa] *sf* narrowness; ~**e** *sfpl* (*povertà*) poverty *sg*, straitened circumstances.

'stretto, a *pp di* **stringere** ♦ *ag* (*corridoio, limiti*) narrow; (*gonna, scarpe, nodo, curva*) tight; (*intimo: parente, amico*) close; (*rigoroso: osservanza*) strict; (*preciso: significato*) precise, exact ♦ *sm* (*braccio di mare*) strait ♦ *sf* (*di mano*) grasp; (*finanziaria*) squeeze; (*fig: dolore, turbamento*) pang; **a denti** ~**i** with clenched teeth; **lo** ~ **necessario** the bare minimum; **una** ~**a di mano** a handshake; **una** ~**a al cuore** a sudden sadness; **essere alle** ~**e** to have one's back to the wall.

stret'toia *sf* bottleneck; (*fig*) tricky situation.

stri'ato, a *ag* streaked.

stria'tura *sf* (*atto*) streaking; (*effetto*) streaks *pl*.

stric'nina *sf* strychnine.

'strida *sfpl* screaming *sg*.

stri'dente *ag* strident.

'stridere *vi* (*porta*) to squeak; (*animale*) to screech, shriek; (*colori*) to clash.

'strido, *pl*(*f*) **strida** *sm* screech, shriek.

stri'dore *sm* screeching, shrieking.

'stridulo, a *ag* shrill.

'striglia ['striʎʎa] *sf* currycomb.

strigli'are [striʎ'ʎare] *vt* (*cavallo*) to curry.

strigli'ata [striʎ'ʎata] *sf* (*di cavallo*) currying; (*fig*): **dare una** ~ **a qn** to give sb a scolding.

stril'lare *vt, vi* to scream, shriek.

'strillo *sm* scream, shriek.

stril'lone *sm* newspaper seller.

strimin'zito, a [strimin'tsito] *ag* (*misero*) shabby; (*molto magro*) skinny.

strimpel'lare *vt* (*MUS*) to strum.

'stringa, ghe *sf* lace; (*INFORM*) string.

strin'gare *vt* (*fig: discorso*) to condense.

strin'gato, a *ag* (*fig*) concise.

'stringere ['strindʒere] *vt* (*avvicinare due cose*) to press (together), squeeze (together); (*tenere stretto*) to hold tight, clasp, clutch; (*pugno, mascella, denti*) to clench; (*labbra*) to compress; (*avvitare*) to tighten; (*abito*) to take in; (*sog: scarpe*) to pinch, be tight for; (*fig: concludere: patto*) to make; (: *accelerare: passo*) to quicken ♦ *vi* (*incalzare*) to be pressing; ~**rsi** *vr* (*accostarsi*): ~**rsi a** to press o.s. up against; ~ **la mano a qn** to shake sb's hand; ~ **gli occhi** to screw up one's eyes; ~ **amicizia con qn** to make friends with sb; **stringi stringi** in conclusion; **il tempo stringe** time is short.

'strinsi *etc vb vedi* **stringere**.

'striscia, sce ['striʃʃa] *sf* (*di carta, tessuto etc*) strip; (*riga*) stripe; ~**sce (pedonali)** zebra crossing *sg*; **a** ~**sce** striped.

strisci'ante [striʃ'ʃante] *ag* (*fig peg*) unctuous; (*ECON: inflazione*) creeping.

strisci'are [striʃ'ʃare] *vt* (*piedi*) to drag; (*muro, macchina*) to graze ♦ *vi* to crawl, creep.

'striscio ['striʃʃo] *sm* graze; (*MED*) smear; **colpire di** ~ to graze.

strisci'one [striʃ'ʃone] *sm* banner.

strito'lare *vt* to grind.

striz'zare [strit'tsare] *vt* (*arancia*) to squeeze; (*panni*) to wring (out); ~ **l'occhio** to wink.

striz'zata [strit'tsata] *sf:* **dare una ~ a qc** to give sth a wring; **una ~ d'occhio** a wink.

'strofa *sf,* **'strofe** *sf inv* strophe.

strofi'naccio [strofi'nattʃo] *sm* duster, cloth; (*per piatti*) dishcloth; (*per pavimenti*) floorcloth.

strofi'nare *vt* to rub.

stron'care *vt* to break off; (*fig: ribellione*) to suppress, put down; (*: film, libro*) to tear to pieces.

'stronzo ['strontso] *sm* (*sterco*) turd; (*fig fam!: persona*) shit (*!*).

stropicci'are [stropit'tʃare] *vt* to rub.

stroz'zare [strot'tsare] *vt* (*soffocare*) to choke, strangle; **~rsi** *vr* to choke.

strozza'tura [strottsa'tura] *sf* (*restringimento*) narrowing; (*di strada etc*) bottleneck.

stroz'zino, a [strot'tsino] *sm/f* (*usuraio*) usurer; (*fig*) shark.

struc'care *vt* to remove make-up from; **~rsi** *vr* to remove one's make-up.

'struggere ['struddʒere] *vt* (*fig*) to consume; **~rsi** *vr* (*fig*): **~rsi di** to be consumed with.

struggi'mento [struddʒi'mento] *sm* (*desiderio*) yearning.

strumen'tale *ag* (*MUS*) instrumental.

strumentaliz'zare [strumentalid'dzare] *vt* to exploit, use to one's own ends.

strumentalizzazi'one [strumentaliddzat'tsjone] *sf* exploitation.

strumentazi'one [strumentat'tsjone] *sf* (*MUS*) orchestration; (*TECN*) instrumentation.

stru'mento *sm* (*arnese, fig*) instrument, tool; (*MUS*) instrument; **~ a corda** *o* **ad arco/a fiato** string(ed)/wind instrument.

'strussi *etc vb vedi* **struggere**.

'strutto *sm* lard.

strut'tura *sf* structure.

struttu'rare *vt* to structure.

'struzzo ['struttso] *sm* ostrich; **fare lo ~, fare la politica dello ~** to bury one's head in the sand.

stuc'care *vt* (*muro*) to plaster; (*vetro*) to putty; (*decorare con stucchi*) to stucco.

stucca'tore, 'trice *sm/f* plasterer; (*artista*) stucco worker.

stuc'chevole [stuk'kevole] *ag* nauseating; (*fig*) tedious, boring.

'stucco, chi *sm* plaster; (*da vetri*) putty; (*ornamentale*) stucco; **rimanere di ~** (*fig*) to be dumbfounded.

stu'dente, 'essa *sm/f* student; (*scolaro*) pupil, schoolboy/girl.

studen'tesco, a, schi, sche *ag* student *cpd.*

studi'are *vt* to study; **~rsi** *vr* (*sforzarsi*): **~rsi**
di fare to try *o* endeavour (*BRIT*) *o* endeavor (*US*) to do.

studi'ato, a *ag* (*modi, sorriso*) affected.

'studio *sm* studying; (*ricerca, saggio, stanza*) study; (*di professionista*) office; (*di artista, CINE, TV, RADIO*) studio; (*di medico*) surgery (*BRIT*), office (*US*); **~i** *smpl* (*INS*) studies; **alla fine degli ~i** at the end of one's course (of studies); **secondo recenti ~i, appare che ...** recent research indicates that ...; **la proposta è allo ~** the proposal is under consideration; **~ legale** lawyer's office.

studi'oso, a *ag* studious, hardworking ♦ *sm/f* scholar.

'stufa *sf* stove; **~ elettrica** electric fire *o* heater; **~ a legna/carbone** wood-burning/coal stove.

stu'fare *vt* (*CUC*) to stew; (*fig fam*) to bore.

stu'fato *sm* (*CUC*) stew.

'stufo, a *ag* (*fam*): **essere ~ di** to be fed up with, be sick and tired of.

stu'oia *sf* mat.

stu'olo *sm* crowd, host.

stupefa'cente [stupefa'tʃɛnte] *ag* stunning, astounding ♦ *sm* drug, narcotic.

stupe'fare *vt* to stun, astound.

stupe'fatto, a *pp di* **stupefare**.

stupefazi'one [stupefat'tsjone] *sf* astonishment.

stu'pendo, a *ag* marvellous, wonderful.

stupi'daggine [stupi'daddʒine] *sf* stupid thing (to do *o* say).

stupidità *sf* stupidity.

'stupido, a *ag* stupid.

stu'pire *vt* to amaze, stun ♦ *vi* (*anche:* **~rsi**): **~ (di)** to be amazed (at), be stunned (by); **non c'è da ~rsi** that's not surprising.

stu'pore *sm* amazement, astonishment.

stu'prare *vt* to rape.

stupra'tore *sm* rapist.

'stupro *sm* rape.

stu'rare *vt* (*lavandino*) to clear.

stuzzica'denti [stuttsika'dɛnti] *sm* toothpick.

stuzzi'cante [stuttsi'kante] *ag* (*gen*) stimulating; (*appetitoso*) appetizing.

stuzzi'care [stuttsi'kare] *vt* (*ferita etc*) to poke (at), prod (at); (*fig*) to tease; (*: appetito*) to whet; (*: curiosità*) to stimulate; **~ i denti** to pick one's teeth.

════════════ *PAROLA CHIAVE*

su (*su + il = sul, su + lo = sullo, su + l' = sull', su + la = sulla, su + i = sui, su + gli = sugli, su + le = sulle*) *prep* **1** (*gen*) on; (*moto*) on(to); (*in cima a*) on (top of); **mettilo sul tavolo** put it on the table;

salire sul treno to get on the train; **un paesino sul mare** a village by the sea; **è sulla destra** it's on the right; **cento metri sul livello del mare** a hundred metres above sea level; **fecero rotta ~ Palermo** they set out for Palermo; **sul vestito portava un golf rosso** she was wearing a red sweater over her dress
2 (*argomento*) about, on; **un libro ~ Cesare** a book on *o* about Caesar
3 (*circa*) about; **costerà sui 3 milioni** it will cost about 3 million; **una ragazza sui 17 anni** a girl of about 17 (years of age)
4: ~ **misura** made to measure; ~ **ordinazione** to order; ~ **richiesta** on request; **3 casi ~ dieci** 3 cases out of 10
♦ *av* **1** (*in alto, verso l'alto*) up; **vieni ~** come on up; **guarda ~** look up; **andare ~ e giù** to go up and down; ~ **le mani!** hands up!; **in ~** (*verso l'alto*) up(wards); (*in poi*) onwards; **vieni ~ da me?** are you going to come up?; **dai 20 anni in ~** from the age of 20 onwards
2 (*addosso*) on; **cos'hai ~?** what have you got on?
♦ *escl* come on!; ~ **avanti, muoviti!** come on, hurry up!; ~ **coraggio!** come on, cheer up!

'**sua** *vedi* **suo**.
sua'dente *ag* persuasive.
sub *sm/f inv* skin-diver.
su'bacqueo, a *ag* underwater ♦ *sm* skin-diver.
subaffit'tare *vt* to sublet.
subaf'fitto *sm* (*contratto*) sublet.
subal'terno, a *ag, sm* subordinate; (*MIL*) subaltern.
subappal'tare *vt* to subcontract.
subap'palto *sm* subcontract.
sub'buglio [sub'buʎʎo] *sm* confusion, turmoil; **essere/mettere in ~** to be in/throw into a turmoil.
sub'conscio, a [sub'kɔnʃo], **subcosci'ente** [subkoʃ'ʃɛnte] *ag, sm* subconscious.
'**subdolo, a** *ag* underhand, sneaky.
suben'trare *vi*: ~ **a qn in qc** to take over sth from sb; **sono subentrati altri problemi** other problems arose.
su'bire *vt* to suffer, endure.
subis'sare *vt* (*fig*): ~ **di** to overwhelm with, load with.
subi'taneo, a *ag* sudden.
'**subito** *av* immediately, at once, straight away.
subli'mare *vt* (*PSIC*) to sublimate; (*CHIM*) to sublime.

su'blime *ag* sublime.
sublo'care *vt* to sublease.
sublocazi'one [sublokat'tsjone] *sf* sublease.
subnor'male *ag* subnormal ♦ *sm/f* mentally handicapped person.
subodo'rare *vt* (*insidia etc*) to smell, suspect.
subordi'nare *vt* to subordinate.
subordi'nato, a *ag* subordinate; (*dipendente*): ~ **a** dependent on, subject to.
subordinazi'one [subordinat'tsjone] *sf* subordination.
su'bordine *sm*: **in ~** secondarily.
subur'bano, a *ag* suburban.
succe'daneo [suttʃe'daneo] *sm* substitute.
suc'cedere [sut'tʃɛdere] *vi* (*prendere il posto di qn*): ~ **a** to succeed; (*venire dopo*): ~ **a** to follow; (*accadere*) to happen; ~**rsi** *vr* to follow each other; ~ **al trono** to succeed to the throne; **sono cose che succedono** these things happen.
successi'one [suttʃes'sjone] *sf* succession; **tassa di ~** death duty (*BRIT*), inheritance tax (*US*).
successiva'mente [suttʃessiva'mente] *av* subsequently.
succes'sivo, a [suttʃes'sivo] *ag* successive; **il giorno ~** the following day; **in un momento ~** subsequently.
suc'cesso, a [sut'tʃɛsso] *pp di* **succedere** ♦ *sm* (*esito*) outcome; (*buona riuscita*) success; **di ~** (*libro, personaggio*) successful; **avere ~** (*persona*) to be successful; (*idea*) to be well received.
succes'sore [suttʃes'sore] *sm* successor.
succhi'are [suk'kjare] *vt* to suck (up).
succhi'otto [suk'kjɔtto] *sm* dummy (*BRIT*), pacifier (*US*), comforter (*US*).
suc'cinto, a [sut'tʃinto] *ag* (*discorso*) succinct; (*abito*) brief.
'**succo, chi** *sm* juice; (*fig*) essence, gist; ~ **di frutta/pomodoro** fruit/tomato juice.
suc'coso, a *ag* juicy; (*fig*) pithy.
'**succube** *sm/f* victim; **essere ~ di qn** to be dominated by sb.
succur'sale *sf* branch (office).
sud *sm* south ♦ *ag inv* south; (*regione*) southern; **verso ~** south, southwards; **l'Italia del S~** Southern Italy; **l'America del S~** South America.
Su'dafrica *sm*: **il ~** South Africa.
sudafri'cano, a *ag, sm/f* South African.
Suda'merica *sm*: **il ~** South America.
sudameri'cano, a *ag, sm/f* South American.
Su'dan *sm*: **il ~** (the) Sudan.
suda'nese *ag, sm/f* Sudanese *inv*.
su'dare *vi* to perspire, sweat; ~ **freddo** to

come out in a cold sweat.

su'dato, a *ag* (*persona, mani*) sweaty; (*fig*: *denaro*) hard-earned ♦ *sf* (*anche fig*) sweat; una vittoria ~a a hard-won victory; ho fatto una bella ~a per finirlo in tempo it was a real sweat to get it finished in time.

sud'detto, a *ag* above-mentioned.

suddi'tanza [suddi'tantsa] *sf* subjection; (*cittadinanza*) citizenship.

sud'dito, a *sm/f* subject.

suddi'videre *vt* to subdivide.

suddivisi'one *sf* subdivision.

suddi'viso, a *pp di* suddividere.

su'dest *sm* south-east; vento di ~ south-easterly wind; il ~ asiatico South-East Asia.

sudice'ria [suditʃe'ria] *sf* (*qualità*) filthiness, dirtiness; (*cosa sporca*) dirty thing.

'sudicio, a, ci, ce ['suditʃo] *ag* dirty, filthy.

sudici'ume [sudi'tʃume] *sm* dirt, filth.

su'dore *sm* perspiration, sweat.

su'dovest *sm* south-west; vento di ~ south-westerly wind.

'sue *vedi* suo.

'Suez ['suez] *sm*: il Canale di ~ the Suez Canal.

suffici'ente [suffi'tʃɛnte] *ag* enough, sufficient; (*borioso*) self-important; (*INS*) satisfactory.

sufficiente'mente [suffitʃente'mente] *av* sufficiently, enough; (*guadagnare, darsi da fare*) enough.

suffici'enza [suffi'tʃɛntsa] *sf* (*INS*) pass mark; con un'aria di ~ (*fig*) with a condescending air; a ~ enough; ne ho avuto a ~! I've had enough of this!

suf'fisso *sm* (*LING*) suffix.

suffra'gare *vt* to support.

suf'fragio [suf'fradʒo] *sm* (*voto*) vote; ~ universale universal suffrage.

suggel'lare [suddʒel'lare] *vt* (*fig*) to seal.

suggeri'mento [suddʒeri'mento] *sm* suggestion; (*consiglio*) piece of advice, advice *no pl*; dietro suo ~ on his advice.

sugge'rire [suddʒe'rire] *vt* (*risposta*) to tell; (*consigliare*) to advise; (*proporre*) to suggest; (*TEAT*) to prompt; ~ a qn di fare qc to suggest to sb that he (*o* she) do sth.

suggeri'tore, 'trice [suddʒeri'tore] *sm/f* (*TEAT*) prompter.

suggestio'nare [suddʒestjo'nare] *vt* to influence.

suggesti'one [suddʒes'tjone] *sf* (*PSIC*) suggestion; (*istigazione*) instigation.

sugges'tivo, a [suddʒes'tivo] *ag* (*paesaggio*) evocative; (*teoria*) interesting, attractive.

'sughero ['sugero] *sm* cork.

'sugli ['suʎʎi] *prep +det vedi* su.

'sugo, ghi *sm* (*succo*) juice; (*di carne*) gravy; (*condimento*) sauce; (*fig*) gist, essence.

su'goso, a *ag* (*frutto*) juicy; (*fig*: *articolo etc*) pithy.

'sui *prep +det vedi* su.

sui'cida, i, e [sui'tʃida] *ag* suicidal ♦ *sm/f* suicide.

suici'darsi [suitʃi'darsi] *vr* to commit suicide.

sui'cidio [sui'tʃidjo] *sm* suicide.

su'ino, a *ag*: carne ~a pork ♦ *sm* pig; ~i *smpl* swine *pl*.

sul, sull', 'sulla, 'sulle, 'sullo *prep + det vedi* su.

sulfa'midico, a, ci, che *ag, sm* (*MED*) sulphonamide.

sulta'nina *sf*: (uva) ~ sultana.

sul'tano, a *sm/f* sultan/sultana.

Su'matra *sf* Sumatra.

'summit ['summit] *sm inv* summit.

S.U.N.I.A. *sigla m* (= *sindacato unitario nazionale inquilini e assegnatari*) *national association of tenants*.

sunnomi'nato, a *ag* aforesaid *cpd*.

'sunto *sm* summary.

'suo, 'sua, 'sue, su'oi *det*: il ~, la sua *etc* (*di lui*) his; (*di lei*) her; (*di esso*) its; (*con valore indefinito*) one's, his/her; (*forma di cortesia: anche:* S~) your ♦ *pron*: il ~, la sua *etc* his; hers; yours ♦ *sm*: ha speso del ~ he (*o* she *etc*) spent his (*o* her *etc*) own money ♦ *sf*: la ~a (*opinione*) his (*o* her *etc*) view; i suoi (*parenti*) his (*o* her *etc*) family; un ~ amico a friend of his (*o* hers *etc*); è dalla ~a he's on his (*o* her *etc*) side; anche lui ha avuto le ~e (*disavventure*) he's had his problems too; sta sulle ~e he keeps himself to himself.

su'ocero, a ['swɔtʃero] *sm/f* father/mother-in-law; i ~i *smpl* father- and mother-in-law.

su'oi *vedi* suo.

su'ola *sf* (*di scarpa*) sole.

su'olo *sm* (*terreno*) ground; (*terra*) soil.

suo'nare *vt* (*MUS*) to play; (*campana*) to ring; (*ore*) to strike; (*clacson, allarme*) to sound ♦ *vi* to play; (*telefono, campana*) to ring; (*ore*) to strike; (*clacson, fig: parole*) to sound.

suo'nato, a *ag* (*compiuto*): ha cinquant'anni ~i he is well over fifty.

suona'tore, 'trice *sm/f* player; ~ ambulante street musician.

suone'ria *sf* alarm.

su'ono *sm* sound.

su'ora *sf* (*REL*) nun; Suor Maria Sister

Maria.

'**super** *ag inv*: (**benzina**) ~ ≈ four-star (petrol) (*BRIT*), premium (*US*).

supera'mento *sm* (*di ostacolo*) overcoming; (*di montagna*) crossing.

supe'rare *vt* (*oltrepassare: limite*) to exceed, surpass; (*attraversare: fiume*) to cross; (*sorpassare: veicolo*) to overtake; (*fig: essere più bravo di*) to surpass, outdo; (*: difficoltà*) to overcome; (*: esame*) to get through; ~ **qn in altezza/peso** to be taller/heavier than sb; **ha superato la cinquantina** he's over fifty (years of age); ~ **i limiti di velocità** to exceed the speed limit; **stavolta ha superato se stesso** this time he has surpassed himself.

supe'rato, a *ag* outmoded.

supe'rattico, ci *sm* penthouse.

su'perbia *sf* pride.

su'perbo, a *ag* proud; (*fig*) magnificent, superb.

supercondut'tore *sm* superconductor.

superfici'ale [superfit'ʃale] *ag* superficial.

superficialità [superfitʃali'ta] *sf* superficiality.

super'ficie, ci [super'fitʃe] *sf* surface; **tornare in** ~ (*a galla*) to return to the surface; (*fig: problemi etc*) to resurface; ~ **alare** (*AER*) wing area; ~ **velica** (*NAUT*) sail area.

su'perfluo, a *ag* superfluous.

superi'ora *sf* (*REL: anche*: **madre** ~) mother superior.

superi'ore *ag* (*piano, arto, classi*) upper; (*più elevato: temperatura, livello*): ~ (**a**) higher (than); (*migliore*): ~ (**a**) superior (to) ♦ *sfpl*: **le** ~**i** (*INS*) *vedi* **scuola media superiore; il corso** ~ **di un fiume** the upper reaches of a river; **scuola media** ~ ≈ senior comprehensive school (*BRIT*); ≈ senior high (school) (*US*).

superiorità *sf* superiority.

superla'tivo, a *ag, sm* superlative.

superla'voro *sm* overwork.

super'market [super'market] *sm inv* = **supermercato.**

supermer'cato *sm* supermarket.

super'nova *sf* supernova.

superpo'tenza [superpo'tentsa] *sf* (*POL*) superpower.

super'sonico, a, ci, che *ag* supersonic.

su'perstite *ag* surviving ♦ *sm/f* survivor.

superstizi'one [superstit'tsjone] *sf* superstition.

superstizi'oso, a [superstit'tsjoso] *ag* superstitious.

super'strada *sf* ≈ expressway.

supervisi'one *sf* supervision.

supervi'sore *sm* supervisor.

su'pino, a *ag* supine; **accettazione** ~**a** (*fig*) blind acceptance.

suppel'lettile *sf* furnishings *pl*.

suppergiù [supper'dʒu] *av* more or less, roughly.

suppl. *abbr* (= *supplemento*) supp(l).

supplemen'tare *ag* extra; (*treno*) relief *cpd*; (*entrate*) additional.

supple'mento *sm* supplement.

sup'plente *ag* temporary; (*insegnante*) supply *cpd* (*BRIT*), substitute *cpd* (*US*) ♦ *sm/f* temporary member of staff; supply (*o* substitute) teacher.

supp'lenza [sup'plɛntsa] *sf*: **fare** ~ to do supply (*BRIT*) *o* substitute (*US*) teaching.

supple'tivo, a *ag* (*gen*) supplementary; (*sessione d'esami*) extra.

'supplica, che *sf* (*preghiera*) plea; (*domanda scritta*) petition, request.

suppli'care *vt* to implore, beseech.

suppli'chevole [suppli'kevole] *ag* imploring.

sup'plire *vi*: ~ **a** to make up for, compensate for.

sup'plizio [sup'plittsjo] *sm* torture.

sup'pongo, sup'poni *etc vb vedi* **supporre.**

sup'porre *vt* to suppose; **supponiamo che ...** let's *o* just suppose that ....

sup'porto *sm* (*sostegno*) support.

supposizi'one [suppozit'tsjone] *sf* supposition.

sup'posta *sf* (*MED*) suppository.

sup'posto, a *pp di* **supporre.**

suppu'rare *vi* to suppurate.

suprema'zia [supremat'tsia] *sf* supremacy.

su'premo, a *ag* supreme; **S~a Corte (di Cassazione)** Supreme Court.

surclas'sare *vt* to outclass.

surge'lare [surdʒe'lare] *vt* to (deep-)freeze.

surge'lato, a [surdʒe'lato] *ag* (deep-)frozen ♦ *smpl*: **i** ~**i** frozen food *sg*.

surme'nage [syrmə'naʒ] *sm* (*fisico*) overwork; (*mentale*) mental strain; (*SPORT*) overtraining.

sur'plus *sm inv* (*ECON*) surplus; ~ **di manodopera** overmanning.

surre'ale *ag* surrealistic.

surriscalda'mento *sm* (*gen*, *TECN*) overheating.

surriscal'dare *vt* to overheat.

surro'gato *sm* substitute.

suscet'tibile [suʃʃet'tibile] *ag* (*sensibile*) touchy, sensitive; (*soggetto*): ~ **di miglioramento** that can be improved, open to improvement.

suscettibilità [suʃʃettibili'ta] *sf* touchiness; **urtare la** ~ **di qn** to hurt sb's feelings.

susci'tare [suʃʃi'tare] *vt* to provoke, arouse.
su'sina *sf* plum.
su'sino *sm* plum (tree).
sussegu'ire *vt* to follow; **~rsi** *vr* to follow one another.
sussidi'ario, a *ag* subsidiary; (*treno*) relief *cpd*; (*fermata*) extra.
sus'sidio *sm* subsidy; (*aiuto*) aid; **~i didattici/audiovisivi** teaching/audiovisual aids; **~ di disoccupazione** unemployment benefit (*BRIT*) *o* benefits (*US*); **~ per malattia** sickness benefit.
sussi'ego *sm* haughtiness; **con aria di ~** haughtily.
sussis'tenza [sussis'tɛntsa] *sf* subsistence.
sus'sistere *vi* to exist; (*essere fondato*) to be valid *o* sound.
sussul'tare *vi* to shudder.
sus'sulto *sm* start.
sussur'rare *vt, vi* to whisper, murmur; **si sussurra che ...** it's rumoured (*BRIT*) *o* rumored (*US*) that ....
sus'surro *sm* whisper, murmur.
su'tura *sf* (*MED*) suture.
sutu'rare *vt* to stitch up, suture.
suv'via *escl* come on!
SV *sigla* = Savona.
S.V. *abbr vedi* **Signoria Vostra**.
sva'gare *vt* (*divertire*) to amuse; (*distrarre*): **~ qn** to take sb's mind off things; **~rsi** *vr* to amuse o.s.; to take one's mind off things.
sva'gato, a *ag* (*persona*) absent-minded; (*scolaro*) inattentive.
'svago, ghi *sm* (*riposo*) relaxation; (*ricreazione*) amusement; (*passatempo*) pastime.
svaligi'are [zvali'dʒare] *vt* to rob, burgle (*BRIT*), burglarize (*US*).
svaligia'tore, 'trice [zvalidʒa'tore] *sm/f* (*di banca*) robber; (*di casa*) burglar.
svalu'tare *vt* (*ECON*) to devalue; (*fig*) to belittle; **~rsi** *vr* (*ECON*) to be devalued.
svalutazi'one [zvalutat'tsjone] *sf* devaluation.
svam'pito, a *ag* absent-minded ♦ *sm/f* absent-minded person.
sva'nire *vi* to disappear, vanish.
sva'nito, a *ag* (*fig: persona*) absent-minded.
svantaggi'ato, a [zvantad'dʒato] *ag* at a disadvantage.
svan'taggio [zvan'taddʒo] *sm* disadvantage; (*inconveniente*) drawback, disadvantage; **tornerà a suo ~** it will work against you.
svantaggi'oso, a [zvantad'dʒoso] *ag* disadvantageous; **è un'offerta ~a per me** it's not in my interest to accept this

offer; **è un prezzo ~** it is not an attractive price.
svapo'rare *vi* to evaporate.
svapo'rato, a *ag* (*bibita*) flat.
svari'ato, a *ag* (*vario, diverso*) varied; (*numeroso*) various.
'svastica, che *sf* swastika.
sve'dese *ag* Swedish ♦ *sm/f* Swede ♦ *sm* (*LING*) Swedish.
'sveglia ['zveʎʎa] *sf* waking up; (*orologio*) alarm (clock); **suonare la ~** (*MIL*) to sound the reveille; **~ telefonica** alarm call.
svegli'are [zveʎ'ʎare] *vt* to wake up; (*fig*) to awaken, arouse; **~rsi** *vr* to wake up; (*fig*) to be revived, reawaken.
'sveglio, a ['zveʎʎo] *ag* awake; (*fig*) alert, quick-witted.
sve'lare *vt* to reveal.
svel'tezza [zvel'tettsa] *sf* (*gen*) speed; (*mentale*) quick-wittedness.
svel'tire *vt* (*gen*) to speed up; (*procedura*) to streamline.
'svelto, a *ag* (*passo*) quick; (*mente*) quick, alert; (*linea*) slim, slender; **alla ~a** quickly.
'svendere *vt* to sell off, clear.
'svendita *sf* (*COMM*) (clearance) sale.
sve'nevole *ag* mawkish.
'svengo *etc vb vedi* **svenire**.
sveni'mento *sm* fainting fit, faint.
sve'nire *vi* to faint.
sven'tare *vt* to foil, thwart.
sventa'tezza [zventa'tettsa] *sf* (*distrazione*) absent-mindedness; (*mancanza di prudenza*) rashness.
sven'tato, a *ag* (*distratto*) scatterbrained; (*imprudente*) rash.
'sventola *sf* (*colpo*) slap; **orecchie a ~** sticking-out ears.
svento'lare *vt, vi* to wave, flutter.
sven'trare *vt* to disembowel.
sven'tura *sf* misfortune.
sventu'rato, a *ag* unlucky, unfortunate.
sve'nuto, a *pp di* **svenire**.
svergo'gnare [zvergoɲ'ɲare] *vt* to shame.
svergo'gnato, a [zvergoɲ'ɲato] *ag* shameless ♦ *sm/f* shameless person.
sver'nare *vi* to spend the winter.
sver'rò *etc vb vedi* **svenire**.
sves'tire *vt* to undress; **~rsi** *vr* to get undressed.
'Svezia ['zvettsja] *sf*: **la ~** Sweden.
svez'zare [zvet'tsare] *vt* to wean.
svi'are *vt* to divert; (*fig*) to lead astray; **~rsi** *vr* to go astray.
svico'lare *vi* to slip down an alley; (*fig*) to sneak off.
svi'gnarsela [zviɲ'ɲarsela] *vr* to slip away,

sneak off.

svili'mento *sm* debasement.

svi'lire *vt* to debase.

svilup'pare *vt*, **~rsi** *vr* to develop.

svi'luppo *sm* development; (*di industria*) expansion; **in via di ~** in the process of development; **paesi in via di ~** developing countries.

svinco'lare *vt* to free, release; (*merce*) to clear.

'svincolo *sm* (*COMM*) clearance; (*stradale*) motorway (*BRIT*) *o* expressway (*US*) intersection.

svisce'rare [zviʃʃe'rare] *vt* (*fig: argomento*) to examine in depth.

svisce'rato, a [zviʃʃe'rato] *ag* (*amore, odio*) passionate.

'svista *sf* oversight.

svi'tare *vt* to unscrew.

'Svizzera ['zvittsera] *sf*: **la ~** Switzerland.

'svizzero, a ['zvittsero] *ag, sm/f* Swiss.

svoglia'tezza [zvoʎʎa'tettsa] *sf* listlessness; indolence.

svogli'ato, a [zvoʎ'ʎato] *ag* listless; (*pigro*) lazy, indolent.

svolaz'zare [zvolat'tsare] *vi* to flutter.

'svolgere ['zvɔldʒere] *vt* to unwind; (*srotolare*) to unroll; (*fig: argomento*) to develop; (: *piano, programma*) to carry out; **~rsi** *vr* to unwind; to unroll; (*fig: aver luogo*) to take place; (: *procedere*) to go on; **tutto si è svolto secondo i piani** everything went according to plan.

svolgi'mento [zvoldʒi'mento] *sm* development; carrying out; (*andamento*) course.

'svolsi *etc vb vedi* **svolgere**.

'svolta *sf* (*atto*) turning *no pl*; (*curva*) turn, bend; (*fig*) turning-point; **essere ad una ~ nella propria vita** to be at a crossroads in one's life.

svol'tare *vi* to turn.

'svolto, a *pp di* **svolgere**.

svuo'tare *vt* to empty (out).

'Swaziland ['swadziland] *sm*: **lo ~** Swaziland.

T t

T, t [ti] *sf o m inv* (*lettera*) T, t; **T come Taranto** ≈ T for Tommy.

T *abbr* = **tabaccheria**.

t *abbr* = **tara; tonnellata**.

TA *sigla* = *Taranto*.

tabac'caio, a *sm/f* tobacconist.

tabacche'ria [tabakke'ria] *sf* tobacconist's (shop).

tabacchi'era [tabak'kjɛra] *sf* snuffbox.

ta'bacco, chi *sm* tobacco.

ta'bella *sf* (*tavola*) table; (*elenco*) list; **~ di marcia** schedule; **~ dei prezzi** price list.

tabel'lone *sm* (*per pubblicità*) billboard; (*per informazioni*) notice board (*BRIT*), bulletin board (*US*); (: *in stazione*) timetable board.

taber'nacolo *sm* tabernacle.

tabù *ag, sm inv* taboo.

'tabula 'rasa *sf* tabula rasa; **fare ~** (*fig*) to make a clean sweep.

tabu'lare *vt* to tabulate.

tabu'lato *sm* (*INFORM*) printout.

tabula'tore *sm* tabulator.

TAC *sigla f* (*MED*: = *Tomografia Assiale Computerizzata*) CAT.

'tacca, che *sf* notch, nick; **di mezza ~** (*fig*) mediocre.

taccagne'ria [takkaɲɲe'ria] *sf* meanness, stinginess.

tac'cagno, a [tak'kaɲɲo] *ag* mean, stingy.

tac'cheggio [tak'keddʒo] *sm* shoplifting.

tac'chino [tak'kino] *sm* turkey.

'taccia, ce ['tattʃa] *sf* bad reputation.

tacci'are [tat'tʃare] *vt*: **~ qn di** (*vigliaccheria etc*) to accuse sb of.

'taccio *etc* ['tattʃo] *vb vedi* **tacere**.

'tacco, chi *sm* heel.

taccu'ino *sm* notebook.

ta'cere [ta'tʃere] *vi* to be silent *o* quiet; (*smettere di parlare*) to fall silent ♦ *vt* to keep to oneself, say nothing about; **far ~ qn** to make sb be quiet; (*fig*) to silence sb; **mettere a ~ qc** to hush sth up.

tachicar'dia [takikar'dia] *sf* (*MED*) tachycardia.

ta'chimetro [ta'kimetro] *sm* speedometer.

'tacito, a ['tatʃito] *ag* silent; (*sottinteso*) tacit, unspoken.

taci'turno, a [tatʃi'turno] *ag* taciturn.

taci'uto, a [ta'tʃuto] *pp di* **tacere.**
'tacqui *etc vb vedi* **tacere.**
ta'fano *sm* horsefly.
taffe'ruglio [taffe'ruʎʎo] *sm* brawl, scuffle.
taffettà *sm* taffeta.
'taglia ['taʎʎa] *sf* (*statura*) height; (*misura*)
size; (*riscatto*) ransom; (*ricompensa*)
reward; **~e forti** (*ABBIGLIAMENTO*) outsize.
taglia'boschi [taʎʎa'bɔski] *sm inv*
woodcutter.
taglia'carte [taʎʎa'karte] *sm inv* paperknife.
taglia'legna [taʎʎa'leɲɲa] *sm inv*
woodcutter.
tagli'ando [taʎ'ʎando] *sm* coupon.
tagli'are [taʎ'ʎare] *vt* to cut; (*recidere,
interrompere*) to cut off; (*intersecare*) to
cut across, intersect; (*carne*) to carve;
(*vini*) to blend ♦ *vi* to cut; (*prendere una
scorciatoia*) to take a short-cut; **~ la strada
a qn** to cut across in front of sb; **~ corto**
(*fig*) to cut short.
taglia'telle [taʎʎa'tɛlle] *sfpl* tagliatelle *pl.*
tagli'ato, a [taʎ'ʎato] *ag:* **essere ~ per qc**
(*fig*) to be cut out for sth.
taglia'trice [taʎʎa'tritʃe] *sf* (*TECN*) cutter.
taglia'unghie [taʎʎa'ungje] *sm inv* nail
clippers *pl.*
taglieggi'are [taʎʎed'dʒare] *vt* to exact a
tribute from.
tagli'ente [taʎ'ʎɛnte] *ag* sharp.
tagli'ere [taʎ'ʎɛre] *sm* chopping board; (*per
il pane*) bread board.
'taglio ['taʎʎo] *sm* (*anche fig*) cut; (*azione*)
cutting *no pl*; (*di carne*) piece; (*di stoffa*)
length; (*di vini*) blending; **di ~** on edge,
edgeways; **banconote di piccolo/grosso ~**
notes of small/large denomination; **un bel
~ di capelli** a nice haircut *o* hairstyle;
pizza al ~ pizza by the slice.
tagli'ola [taʎ'ʎɔla] *sf* trap, snare.
tagli'one [taʎ'ʎone] *sm:* **la legge del ~** the
concept of an eye for an eye and a tooth
for a tooth.
tagliuz'zare [taʎʎut'tsare] *vt* to cut into
small pieces.
Ta'hiti [ta'iti] *sf* Tahiti.
tailan'dese *ag, sm/f, sm* Thai.
Tai'landia *sf:* **la ~** Thailand.
tai'lleur [ta'jœr] *sm inv* lady's suit.
Tai'wan [tai'wan] *sm:* **il ~** Taiwan.
'talamo *sm* (*poetico*) marriage bed.
'talco *sm* talcum powder.

═══════════ *PAROLA CHIAVE*

'tale *det* **1** (*simile, così grande*) such; **un(a) ~
... such (a) ...**; **non accetto ~i discorsi** I
won't allow such talk; **è di una ~
arroganza** he is so arrogant; **fa una ~**

confusione! he makes such a mess!
2 (*persona o cosa indeterminata*) such-
and-such; **il giorno ~ all'ora ~** on such-
and-such a day at such-and-such a time;
la tal persona that person; **ha telefonato
una ~ Giovanna** somebody called
Giovanna phoned
3 (*nelle similitudini*): **~ ... ~** like ... like; **~
padre ~ figlio** like father, like son; **hai il
vestito ~ quale il mio** your dress is just *o*
exactly like mine
♦ *pron* (*indefinito: persona*): **un(a) ~**
someone; **quel** (*o* **quella**) **~** that person,
that man (*o* woman); **il tal dei ~i** what's-
his-name.

ta'lento *sm* talent.
talis'mano *sm* talisman.
talk-'show [tɔlk'ʃo] *sm inv* talk *o* chat show.
tallo'nare *vt* to pursue; **~ il pallone**
(*CALCIO, RUGBY*) to heel the ball.
tallon'cino [tallon'tʃino] *sm* counterfoil
(*BRIT*), stub; **~ del prezzo** (*di medicinali*)
tear-off tag.
tal'lone *sm* heel.
tal'mente *av* so.
ta'lora *av* = **talvolta.**
'talpa *sf* (*anche fig*) mole.
tal'volta *av* sometimes, at times.
tambu'rello *sm* tambourine.
tambu'rino *sm* drummer boy.
tam'buro *sm* drum; **freni a ~** drum brakes;
pistola a ~ revolver; **a ~ battente** (*fig*)
immediately, at once.
Ta'migi [ta'midʒi] *sm:* **il ~** the Thames.
tampona'mento *sm* (*AUT*) collision; **~ a
catena** pile-up.
tampo'nare *vt* (*otturare*) to plug; (*urtare:
macchina*) to crash *o* ram into.
tam'pone *sm* (*MED*) wad, pad; (*per timbri*)
ink-pad; (*respingente*) buffer; **~
assorbente** tampon.
'tamtam *sm inv* (*fig*) grapevine.
'tana *sf* lair, den; (*fig*) den, hideout.
'tanfo *sm* (*di muffa*) musty smell; (*puzza*)
stench.
tan'gente [tan'dʒɛnte] *ag* (*MAT*): **~ a** ♦ *sf* tangent; (*quota*) share;
(*denaro estorto*) rake-off (*fam*), cut.
tangen'topoli [tandʒɛn'tɔpoli] *sf* (*POL,
MEDIA*) Bribesville.

Tangentopoli *is the term used to describe
the corruption scandal involving a large
number of politicians, from all political
parties, including government ministers,
leading industrialists and businessmen.
Investigations exposed a complex system of*

illegal payments and bribes using both public and private money to benefit certain private individuals and political parties. The scandal began in Milan which was consequently called Tangentopoli or "Bribesville".

tangenzi'ale [tandʒen'tsjale] *sf* (*strada*) bypass.

'Tangeri ['tandʒeri] *sf* Tangiers.

tan'gibile [tan'dʒibile] *ag* tangible.

'tango, ghi *sm* tango.

'tanica, che *sf* jerry can.

tan'nino *sm* tannin.

tan'tino: un ~ *av* a little, a bit.

═══════════ *PAROLA CHIAVE*

'tanto, a *det* **1** (*molto: quantità*) a lot of, much; (: *numero*) a lot of, many; ~ **pane/ latte** a lot of bread/milk; ~ **tempo** a lot of time, a long time; ~**i auguri!** all the best!; ~**e grazie** many thanks; ~ **persone** a lot of people, many people; ~**e volte** many times, often; **ogni** ~**i chilometri** every so many kilometres
2: (*così* ~: *quantità*) so much, such a lot of; (: *numero*) so many, such a lot of; ~**a fatica per niente!** a lot of trouble for nothing!; **ha** ~ **coraggio che** ... he's got so much courage that ..., he's so brave that ...; **ho aspettato per** ~ **tempo** I waited so long *o* for such a long time
3: ~ ... **quanto** (*quantità*) as much ... as; (*numero*) as many ... as; **ho** ~**a pazienza quanta ne hai tu** I have as much patience as you have *o* as you; **ha** ~**i amici quanti nemici** he has as many friends as he has enemies

♦ *pron* **1** (*molto*) much, a lot; (*così* ~) so much, such a lot; ~**i, e many**, a lot; so many, such a lot; **credevo ce ne fosse** ~ I thought there was (such) a lot, I thought there was plenty; **una persona come** ~**e a** person just like any other; **è passato** ~ (*tempo*) it's been so long; **è** ~ **che aspetto** I've been waiting for a long time; ~ **di guadagnato!** so much the better!
2: ~ **quanto** (*denaro*) as much as; (*cioccolatini*) as many as; **ne ho** ~ **quanto basta** I have as much as I need; **due volte** ~ twice as much
3 (*indeterminato*) so much; ~ **per l'affitto,** ~ **per il gas** so much for the rent, so much for the gas; **costa un** ~ **al metro** it costs so much per metre; **di** ~ **in** ~, **ogni** ~ every so often; ~ **vale che** ... I (*o* we *etc*) may as well ...; ~ **meglio!** so much the better!; ~ **peggio per lui!** so much the

worse for him!; **se** ~ **mi dà** ~ if that's how things are; **guardare qc con** ~ **d'occhi** to gaze wide-eyed at sth
♦ *av* **1** (*molto*) very; **vengo** ~ **volentieri** I'd be very glad to come; **non ci vuole** ~ **a capirlo** it doesn't take much to understand it
2 (*così* ~: *con ag, av*) so; (: *con vb*) so much, such a lot; **è** ~ **bella!** she's so beautiful!; **non urlare** ~ (**forte**) don't shout so much; **sto** ~ **meglio adesso** I'm so much better now; **era** ~ **bella da non credere** she was incredibly beautiful; ~ ... **che** so ... (that); ~ ... **da** so ... as
3: ~ ... **quanto** as ... as; **conosco** ~ **Carlo quanto suo padre** I know both Carlo and his father; **non è poi** ~ **complicato quanto sembra** it's not as difficult as it seems; **è** ~ **bella quanto buona** she is as good as she is beautiful; ~ **più insisti,** ~ **più non mollerà** the more you insist, the more stubborn he'll be; **quanto più** ... ~ **meno** the more ... the less; **quanto più lo conosco** ~ **meno mi piace** the better I know him the less I like him
4 (*solamente*) just; ~ **per cambiare/ scherzare** just for a change/a joke; **una volta** ~ for once
5 (*a lungo*) (for) long
♦ *cong* after all; **non insistere,** ~ **è inutile** don't keep on, it's no use; **lascia stare,** ~ **è troppo tardi** forget it, it's too late.

Tanza'nia [tandza'nia] *sf*: **la** ~ Tanzania.

tapi'oca *sf* tapioca.

ta'piro *sm* (*ZOOL*) tapir.

'tappa *sf* (*luogo di sosta, fermata*) stop, halt; (*parte di un percorso*) stage, leg; (*SPORT*) lap; **a** ~**e** in stages; **bruciare le** ~**e** (*fig*) to be a whizz kid.

tappa'buchi [tappa'buki] *sm inv* stopgap; **fare da** ~ to act as a stopgap.

tap'pare *vt* to plug, stop up; (*bottiglia*) to cork.

tappa'rella *sf* rolling shutter.

tap'peto *sm* carpet; (*anche*: **tappetino**) rug; (*di tavolo*) cloth; (*SPORT*): **andare al** ~ to go down for the count; **mettere sul** ~ (*fig*) to bring up for discussion.

tappez'zare [tappet'tsare] *vt* (*con carta*) to paper; (*rivestire*): ~ **qc (di)** to cover sth (with).

tappezze'ria [tappettse'ria] *sf* (*arredamento*) soft furnishings *pl*; (*carta da parati*) wall covering; (*di automobile*) upholstery; **far da** ~ (*fig*) to be a wallflower.

tappezzi'ere [tappet'tsjɛre] *sm* upholsterer.

'tappo *sm* stopper; (*in sughero*) cork; ~ **a**

corona bottle top; ~ **a vite** screw top.

TAR *sigla m* = Tribunale Amministrativo Regionale.

'**tara** *sf* (*peso*) tare; (*MED*) hereditary defect; (*difetto*) flaw.

taran'tella *sf* tarantella.

ta'rantola *sf* tarantula.

ta'rare *vt* (*COMM*) to tare; (*TECN*) to calibrate.

ta'rato, a *ag* (*COMM*) tared; (*MED*) with a hereditary defect.

tara'tura *sf* (*COMM*) taring; (*TECN*) calibration.

tarchi'ato, a [tar'kjato] *ag* stocky, thickset.

tar'dare *vi* to be late ♦ *vt* to delay; ~ **a fare** to delay doing.

'**tardi** *av* late; **più** ~ later (on); **al più** ~ at the latest; **sul** ~ (*verso sera*) late in the day; **far** ~ to be late; (*restare alzato*) to stay up late.

tar'divo, a *ag* (*primavera*) late; (*rimedio*) belated, tardy; (*fig: bambino*) retarded.

'**tardo, a** *ag* (*lento, fig: ottuso*) slow; (*tempo: avanzato*) late.

tar'dona *sf* (*peg*): **essere una** ~ to be mutton dressed as lamb.

'**targa, ghe** *sf* plate; (*AUT*) number (*BRIT*) *o* license (*US*) plate; *vedi anche* **circolazione.**

tar'gare *vt* (*AUT*) to register.

targ'hetta [tar'getta] *sf* (*con nome: su porta*) nameplate; (: *su bagaglio*) name tag.

ta'riffa *sf* (*gen*) rate, tariff; (*di trasporti*) fare; (*elenco*) price list; tariff; **la** ~ **in vigore** the going rate; ~ **normale/ridotta** standard/reduced rate; (*su mezzi di trasporto*) full/concessionary fare; ~ **salariale** wage rate; ~ **unica** flat rate; ~**e doganali** customs rates *o* tariff; ~**e postali/telefoniche** postal/telephone charges.

tarif'fario, ii *ag*: **aumento** ~ increase in charges *o* rates ♦ *sm* tariff, table of charges.

'**tarlo** *sm* woodworm.

'**tarma** *sf* moth.

tarmi'cida, i [tarmi'tʃida] *ag, sm* moth-killer.

ta'rocco, chi *sm* tarot card; ~**chi** *smpl* (*gioco*) tarot *sg*.

tar'pare *vt* (*fig*): ~ **le ali a qn** to clip sb's wings.

tartagli'are [tartaʎ'ʎare] *vi* to stutter, stammer.

'**tartaro, a** *ag, sm* (*in tutti i sensi*) tartar.

tarta'ruga, ghe *sf* tortoise; (*di mare*) turtle; (*materiale*) tortoiseshell.

tartas'sare *vt* (*fam*): ~ **qn** to give sb the

works; ~ **qn a un esame** to give sb a grilling at an exam.

tar'tina *sf* canapé.

tar'tufo *sm* (*BOT*) truffle.

'**tasca, sche** *sf* pocket; **da** ~ pocket *cpd*; **fare i conti in** ~ **a qn** (*fig*) to meddle in sb's affairs.

tas'cabile *ag* (*libro*) pocket *cpd*.

tasca'pane *sm* haversack.

tas'chino [tas'kino] *sm* breast pocket.

Tas'mania *sf*: **la** ~ Tasmania.

'**tassa** *sf* (*imposta*) tax; (*doganale*) duty; (*per iscrizione: a scuola etc*) fee; ~ **di circolazione/di soggiorno** road/tourist tax.

tas'sametro *sm* taximeter.

tas'sare *vt* to tax; to levy a duty on.

tassa'tivo, a *ag* peremptory.

tassazi'one [tassat'tsjone] *sf* taxation; **soggetto a** ~ taxable.

tas'sello *sm* (*di legno, pietra*) plug; (*assaggio*) wedge.

tassì *sm inv* = **taxi.**

tas'sista, i, e *sm/f* taxi driver.

'**tasso** *sm* (*di natalità, d'interesse etc*) rate; (*BOT*) yew; (*ZOOL*) badger; ~ **di cambio/ d'interesse** rate of exchange/interest; ~ **di crescita** growth rate.

tas'tare *vt* to feel; ~ **il terreno** (*fig*) to see how the land lies.

tasti'era *sf* keyboard.

tastie'rino *sm*: ~ **numerico** numeric keypad.

'**tasto** *sm* key; (*tatto*) touch, feel; **toccare un** ~ **delicato** (*fig*) to touch on a delicate subject; **toccare il** ~ **giusto** (*fig*) to strike the right note; ~ **funzione** (*INFORM*) function key; ~ **delle maiuscole** (*su macchina da scrivere etc*) shift key.

tas'toni *av*: **procedere (a)** ~ to grope one's way forward.

'**tata** *sf* (*linguaggio infantile*) nanny.

'**tattico, a, ci, che** *ag* tactical ♦ *sf* tactics *pl*.

'**tatto** *sm* (*senso*) touch; (*fig*) tact; **duro al** ~ hard to the touch; **aver** ~ to be tactful, have tact.

tatu'aggio [tatu'addʒo] *sm* tattooing; (*disegno*) tattoo.

tatu'are *vt* to tattoo.

tauma'turgico, a, ci, che [tauma'turdʒiko] *ag* (*fig*) miraculous.

ta'verna *sf* (*osteria*) tavern.

'**tavola** *sf* table; (*asse*) plank, board; (*lastra*) tablet; (*quadro*) panel (painting); (*illustrazione*) plate; ~ **calda** snack bar; ~ **pieghevole** folding table.

tavo'lata *sf* company at table.

tavo'lato *sm* boarding; (*pavimento*) wooden

floor.

tavo'letta *sf* tablet, bar; **a ~** (*AUT*) flat out.

tavo'lino *sm* small table; (*scrivania*) desk; **~ da tè/gioco** coffee/card table; **mettersi a ~** to get down to work; **decidere qc a ~** (*fig*) to decide sth on a theoretical level.

'tavolo *sm* table; **~ da disegno** drawing board; **~ da lavoro** desk; (*TECN*) workbench; **~ operatorio** (*MED*) operating table.

tavo'lozza [tavo'lɔttsa] *sf* (*ARTE*) palette.

'taxi *sm inv* taxi.

'tazza ['tattsa] *sf* cup; **~ da caffè/tè** coffee/tea cup; **una ~ di caffè/tè** a cup of coffee/tea.

taz'zina [tat'tsina] *sf* coffee cup.

TBC *abbr f* (= *tubercolosi*) TB.

TCI *sigla m* = *Touring Club Italiano*.

TE *sigla* = *Teramo*.

te *pron* (*soggetto: in forme comparative, oggetto*) you.

tè *sm inv* tea; (*trattenimento*) tea party.

tea'trale *ag* theatrical.

te'atro *sm* theatre; **~ comico** comedy; **~ di posa** film studio.

'tecnico, a, ci, che *ag* technical ♦ *smf* technician ♦ *sf* technique; (*tecnologia*) film studio.

tecnolo'gia [teknolo'dʒia] *sf* technology; **alta ~** high technology, hi-tech.

tecno'logico, a, ci, che [tekno'lɔdʒiko] *ag* technological.

te'desco, a, schi, sche *ag, smf, sm* German; **~ orientale/occidentale** East/ West German.

tedi'are *vt* (*infastidire*) to bother, annoy; (*annoiare*) to bore.

'tedio *sm* tedium, boredom.

tedi'oso, a *ag* tedious, boring.

te'game *sm* (*CUC*) pan; **al ~** fried.

'teglia ['teʎʎa] *sf* (*CUC: per dolci*) (baking) tin (*BRIT*), cake pan (*US*); (: *per arrosti*) (roasting) tin.

'tegola *sf* tile.

Teh'ran *sf* Tehran.

tei'era *sf* teapot.

te'ina *sf* (*CHIM*) theine.

tel. *abbr* (= *telefono*) tel.

'tela *sf* (*tessuto*) cloth; (*per vele, quadri*) canvas; (*dipinto*) canvas, painting; **di ~** (*calzoni*) (heavy) cotton *cpd*; (*scarpe, borsa*) canvas *cpd*; **~ cerata** oilcloth; **~ di ragno** spider's web.

te'laio *sm* (*apparecchio*) loom; (*struttura*) frame.

Tel A'viv *sf* Tel Aviv.

tele... *prefisso* tele....

teleabbo'nato *sm* television licence holder.

tele'camera *sf* television camera.

telecoman'dare *vt* to operate by remote control.

teleco'mando *sm* remote control; (*dispositivo*) remote-control device.

telecomunicazi'oni [telekomunikat'tsjoni] *sfpl* telecommunications.

tele'cronaca, che *sf* television report.

telecro'nista, i, e *smf* (television) commentator.

tele'ferica, che *sf* cableway.

tele'film *sm inv* television film.

telefo'nare *vi* to telephone, ring; (*fare una chiamata*) to make a phone call ♦ *vt* to telephone; **~ a qn** to telephone sb, phone *o* ring *o* call sb (up).

telefo'nata *sf* (telephone) call; **~ urbana/ interurbana** local/long-distance call; **~ a carico del destinatario** reverse charge (*BRIT*) *o* collect (*US*) call; **~ con preavviso** person-to-person call.

telefonica'mente *av* by (tele)phone.

tele'fonico, a, ci, che *ag* (tele)phone *cpd*.

telefo'nino *sm* (*cellulare*) mobile phone.

telefo'nista, i, e *smf* telephonist; (*d'impresa*) switchboard operator.

te'lefono *sm* telephone; **avere il ~** to be on the (tele)phone; **~ a gettoni** ≈ pay phone; **~ azzurro** ≈ Childline; **~ interno** internal phone; **~ pubblico** public phone, call box (*BRIT*); **~ rosa** ≈ rape crisis.

telegior'nale [teledʒor'nale] *sm* television news (programme).

telegra'fare *vt, vi* to telegraph, cable.

telegra'fia *sf* telegraphy.

tele'grafico, a, ci, che *ag* telegraph *cpd*, telegraphic.

telegra'fista, i, e *smf* telegraphist, telegraph operator.

te'legrafo *sm* telegraph; (*ufficio*) telegraph office.

tele'gramma, i *sm* telegram.

tele'matica *sf* data transmission; telematics *sg*.

teleno'vela *sf* soap opera.

teleobiet'tivo *sm* telephoto lens *sg*.

telepa'tia *sf* telepathy.

tele'quiz [tele'kwits] *sm inv* (*TV*) game show.

teles'chermo [teles'kɛrmo] *sm* television screen.

teles'copio *sm* telescope.

telescri'vente *sf* teleprinter (*BRIT*), teletypewriter (*US*).

teleselet'tivo, a *ag*: **prefisso ~** dialling code (*BRIT*), dial code (*US*).

teleselezi'one [teleselet'tsjone] *sf* direct dialling.

telespetta'tore, 'trice *sm/f* (television) viewer.

tele'text *sm inv* teletext.

tele'video *sm videotext service.*

televisi'one *sf* television.

Televisione *in Italy comprises public and private-sector channels. There are 3 state-owned channels, RAI 1, 2 and 3, and a large number of private channels. Some of these exist at local level only, while others are regional. Some form part of a network, others are independent. Being state-owned, RAI is responsible to the Ministero delle Poste e Telecomunicazioni. Both the state-owned RAI and the privately run channels compete for advertising to finance themselves.*

---

televi'sore *sm* television set.

'telex *sm inv* telex.

'telo *sm* length of cloth.

te'lone *sm* (*per merci etc*) tarpaulin; (*sipario*) drop curtain.

'tema, i *sm* theme; (*INS*) essay, composition.

te'matica *sf* basic themes *pl.*

teme'rario, a *ag* rash, reckless.

te'mere *vt* to fear, be afraid of; (*essere sensibile a: freddo, calore*) to be sensitive to ♦ *vi* to be afraid; (*essere preoccupato*): ~ **per** to worry about, fear for; ~ **di/che** to be afraid of/that.

'tempera *sf* (*pittura*) tempera; (*dipinto*) painting in tempera.

temperama'tite *sm inv* pencil sharpener.

tempera'mento *sm* temperament.

tempe'rante *ag* moderate.

tempe'rare *vt* (*aguzzare*) to sharpen; (*fig*) to moderate, control, temper.

tempe'rato, a *ag* moderate, temperate; (*clima*) temperate.

tempera'tura *sf* temperature; ~ **ambiente** room temperature.

tempe'rino *sm* penknife.

tem'pesta *sf* storm; ~ **di sabbia/neve** sand/snowstorm.

tempes'tare *vt* (*percuotere*): ~ **qn di colpi** to rain blows on sb; (*bombardare*): ~ **qn di domande** to bombard sb with questions; (*ornare*) to stud.

tempestività *sf* timeliness.

tempes'tivo, a *ag* timely.

tempes'toso, a *ag* stormy.

'tempia *sf* (*ANAT*) temple.

'tempio *sm* (*edificio*) temple.

tem'pismo *sm* sense of timing.

tem'pistiche [tem'pistike] *sfpl* (*COMM*) time

and motion.

'tempo *sm* (*METEOR*) weather; (*cronologico*) time; (*epoca*) time, times *pl*; (*di film, gioco: parte*) part; (*MUS*) time; (: *battuta*) beat; (*LING*) tense; **un** ~ once; **da** ~ for a long time now; ~ **fa** some time ago; **poco** ~ **dopo** not long after; **a** ~ **e luogo** at the right time and place; **ogni cosa a suo** ~ we'll (*o* you'll *etc*) deal with it in due course; **al** ~ **stesso** *o* **a un** ~ at the same time; **per** ~ early; **per qualche** ~ for a while; **trovare il** ~ **di fare qc** to find the time to do sth; **aver fatto il proprio** ~ to have had its (*o* his *etc*) day; **primo/secondo** ~ (*TEAT*) first/second part; (*SPORT*) first/second half; **rispettare i** ~**i** to keep to the timetable; **stringere i** ~**i** to speed things up; **con i** ~**i che corrono** these days; **in questi ultimi** ~**i** of late; **ai miei** ~**i** in my day; ~ **di cottura** cooking time; **in** ~ **utile** in due time *o* course; ~**i di esecuzione** (*COMM*) time scale *sg*; ~**i di lavorazione** (*COMM*) throughput time *sg*; ~**i morti** (*COMM*) downtime *sg*, idle time *sg*.

tempo'rale *ag* temporal ♦ *sm* (*METEOR*) (thunder)storm.

tempora'lesco, a, schi, sche *ag* stormy.

tempo'raneo, a *ag* temporary.

temporeggi'are [tempored'dʒare] *vi* to play for time, temporize.

'tempra *sf* (*TECN: atto*) tempering, hardening; (: *effetto*) temper; (*fig: costituzione fisica*) constitution; (: *intellettuale*) temperament.

tem'prare *vt* to temper.

te'nace [te'natʃe] *ag* strong, tough; (*fig*) tenacious.

te'nacia [te'natʃa] *sf* tenacity.

te'naglie [te'naʎʎe] *sfpl* pincers *pl.*

'tenda *sf* (*riparo*) awning; (*di finestra*) curtain; (*per campeggio etc*) tent.

ten'daggio [ten'daddʒo] *sm* curtaining, curtains *pl*, drapes *pl* (*US*).

ten'denza [ten'dɛntsa] *sf* tendency; (*orientamento*) trend; **avere** ~ **a** *o* **per qc** to have a bent for sth; ~ **al rialzo/ribasso** (*BORSA*) upward/downward trend.

tendenziosità [tendentsjosi'ta] *sf* tendentiousness.

tendenzi'oso, a [tenden'tsjoso] *ag* tendentious, bias(s)ed.

'tendere *vt* (*allungare al massimo*) to stretch, draw tight; (*porgere: mano*) to hold out; (*fig: trappola*) to lay, set ♦ *vi*: ~ **a qc/a fare** to tend towards sth/to do; **tutti i nostri sforzi sono tesi a** ... all our efforts are geared towards ...; ~ **l'orecchio** to prick up one's ears; **il tempo tende al caldo** the weather is getting hot; **un blu che tende al verde** a greenish blue.

ten'dina *sf* curtain.

'tendine *sm* tendon, sinew.

ten'done *sm* (*da circo*) big top.

ten'dopoli *sf inv* (*large*) camp.

'tenebre *sfpl* darkness *sg*.

tene'broso, a *ag* dark, gloomy.

te'nente *sm* lieutenant.

te'nere *vt* to hold; (*conservare, mantenere*) to keep; (*ritenere, considerare*) to consider; (*spazio: occupare*) to take up, occupy; (*seguire: strada*) to keep to; (*dare: lezione, conferenza*) to give ♦ *vi* to hold; (*colori*) to be fast; (*dare importanza*): ~ **a** to care about; ~ **a fare** to want to do, be keen to do; ~**rsi** *vr* (*stare in una determinata posizione*) to stand; (*stimarsi*) to consider o.s.; (*aggrapparsi*): ~**rsi a** to hold on to; (*attenersi*): ~**rsi a** to stick to; ~ **in gran conto** *o* **considerazione qn** to have a high regard for sb, think highly of sb; ~ **conto di qc** to take sth into consideration; ~ **presente qc** to bear sth in mind; **non ci sono scuse che tengano** I'll take no excuses; ~**rsi per la mano** (*uso reciproco*) to hold hands; ~**rsi in piedi** to stay on one's feet.

tene'rezza [tene'rettsa] *sf* tenderness.

'tenero, a *ag* tender; (*pietra, cera, colore*) soft; (*fig*) tender, loving ♦ *sm*: **tra quei due c'è del** ~ there's a romance budding between those two.

'tengo *etc vb vedi* **tenere**.

'tenia *sf* tapeworm.

'tenni *etc vb vedi* **tenere**.

'tennis *sm* tennis; ~ **da tavolo** table tennis.

ten'nista, i, e *sm/f* tennis player.

te'nore *sm* (*tono*) tone; (*MUS*) tenor; ~ **di vita** way of life; (*livello*) standard of living.

tensi'one *sf* tension; **ad alta** ~ (*ELETTR*) high-voltage *cpd*, high-tension *cpd*.

tentaco'lare *ag* tentacular; (*fig: città*) magnet-like.

ten'tacolo *sm* tentacle.

ten'tare *vt* (*indurre*) to tempt; (*provare*): ~ **qc/di fare** to attempt *o* try sth/to do; ~ **la sorte** to try one's luck.

tenta'tivo *sm* attempt.

tentazi'one [tentat'tsjone] *sf* temptation; **aver la** ~ **di fare** to be tempted to do.

tentenna'mento *sm* (*fig*) hesitation, wavering; **dopo molti** ~**i** after much hesitation.

tenten'nare *vi* to shake, be unsteady; (*fig*) to hesitate, waver ♦ *vt*: ~ **il capo** to shake

one's head.

ten'toni *av*: **andare a** ~ (*anche fig*) to grope one's way.

'tenue *ag* (*sottile*) fine; (*colore*) soft; (*fig*) slender, slight.

te'nuta *sf* (*capacità*) capacity; (*divisa*) uniform; (*abito*) dress; (*AGR*) estate; **a** ~ **d'aria** airtight; ~ **di strada** roadholding power; **in** ~ **da lavoro** in one's working clothes; **in** ~ **da sci** in a skiing outfit.

teolo'gia [teolo'dʒia] *sf* theology.

teo'logico, a, ci, che [teo'lɔdʒiko] *ag* theological.

te'ologo, gi *sm* theologian.

teo'rema, i *sm* theorem.

teo'ria *sf* theory; **in** ~ in theory, theoretically.

te'orico, a, ci, che *ag* theoretic(al) ♦ *sm* theorist, theoretician; **a livello** ~, **in linea** ~**a** theoretically.

teoriz'zare [teorid'dzare] *vt* to theorize.

'tepido, a *ag* = **tiepido**.

te'pore *sm* warmth.

'teppa *sf* mob, hooligans *pl*.

tep'paglia [tep'paʎʎa] *sf* hooligans *pl*.

tep'pismo *sm* hooliganism.

tep'pista, i *sm* hooligan.

tera'peutico, a, ci, che *ag* therapeutic.

tera'pia *sf* therapy; ~ **di gruppo** group therapy.

tera'pista, i, e *sm/f* therapist.

tergicris'tallo [terdʒikris'tallo] *sm* windscreen (*BRIT*) *o* windshield (*US*) wiper.

tergiver'sare [terdʒiver'sare] *vi* to shilly-shally.

'tergo *sm*: **a** ~ behind; **vedi a** ~ please turn over.

'terital ® *sm inv* Terylene ®.

ter'male *ag* thermal.

'terme *sfpl* thermal baths.

'termico, a, ci, che *ag* thermal; **centrale** ~**a** thermal power station.

termi'nale *ag* (*fase, parte*) final; (*MED*) terminal ♦ *sm* terminal; **tratto** ~ (*di fiume*) lower reaches *pl*.

termi'nare *vt* to end; (*lavoro*) to finish ♦ *vi* to end.

terminazi'one [terminat'tsjone] *sf* (*fine*) end; (*LING*) ending; ~**i nervose** (*ANAT*) nerve endings.

'termine *sm* term; (*fine, estremità*) end; (*di territorio*) boundary, limit; **fissare un** ~ to set a deadline; **portare a** ~ **qc** to bring sth to a conclusion; **contratto a** ~ (*COMM*) forward contract; **a breve/lungo** ~ short-/long-term; **ai** ~**i di legge** by law; **in altri** ~**i** in other words; **parlare senza**

mezzi ~**i** to talk frankly, not to mince one's words.
terminolo'gia [terminolo'dʒia] *sf* terminology.
'**termite** *sf* termite.
termoco'perta *sf* electric blanket.
ter'mometro *sm* thermometer.
termonucle'are *ag* thermonuclear.
'**termos** *sm inv* = **thermos.**
termosi'fone *sm* radiator; **(riscaldamento a)** ~ central heating.
ter'mostato *sm* thermostat.
'**terna** *sf* set of three; (*lista di tre nomi*) list of three candidates.
'**terno** *sm* (*al lotto etc*) (set of) three winning numbers; **vincere un** ~ **al lotto** (*fig*) to hit the jackpot.
'**terra** *sf* (*gen, ELETTR*) earth; (*sostanza*) soil, earth; (*opposto al mare*) land *no pl*; (*regione, paese*) land; (*argilla*) clay; ~**e** *sfpl* (*possedimento*) lands, land *sg*; **a o per** ~ (*stato*) on the ground (*o floor*); (*moto*) to the ground, down; **mettere a** ~ (*ELETTR*) to earth; **essere a** ~ (*fig: depresso*) to be at rock bottom; **via** ~ (*viaggiare*) by land, overland; **strada in** ~ **battuta** dirt track; ~ **di nessuno** no man's land; **la T**~ **Santa** the Holy Land; ~ **di Siena** sienna; ~ ~ (*fig: persona, argomento*) prosaic, pedestrian.
'**terra-'aria** *ag inv* (*MIL*) ground-to-air.
terra'cotta *sf* terracotta; **vasellame di** ~ earthenware.
terra'ferma *sf* dry land, terra firma; (*continente*) mainland.
ter'raglia [ter'raʎʎa] *sf* pottery; ~**e** *pl* (*oggetti*) crockery *sg*, earthenware *sg*.
Terra'nova *sf*: **la** ~ Newfoundland.
terrapi'eno *sm* embankment, bank.
'**terra-'terra** *ag inv* (*MIL*) surface-to-surface.
ter'razza [ter'rattsa] *sf*, **ter'razzo** [ter'rattso] *sm* terrace.
terremo'tato, a *ag* (*zona*) devastated by an earthquake ♦ *smf* earthquake victim.
terre'moto *sm* earthquake.
ter'reno, a *ag* (*vita, beni*) earthly ♦ *sm* (*suolo, fig*) ground; (*COMM*) land *no pl*, plot (of land); site; (*SPORT, MIL*) field; **perdere** ~ (*anche fig*) to lose ground; **un** ~ **montuoso** a mountainous terrain; ~ **alluvionale** (*GEO*) alluvial soil.
'**terreo, a** *ag* (*viso, colorito*) wan.
ter'restre *ag* (*superficie*) of the earth, earth's; (*di terra: battaglia, animale*) land *cpd*; (*REL*) earthly, worldly.
ter'ribile *ag* terrible, dreadful.
ter'riccio [ter'rittʃo] *sm* soil.
terri'ero, a *ag*: **proprietà** ~**a** landed

property; **proprietario** ~ landowner.
terrifi'cante *ag* terrifying.
ter'rina *sf* (*zuppiera*) tureen.
territori'ale *ag* territorial.
terri'torio *sm* territory.
ter'rone, a *smf* *derogatory term used by Northern Italians to describe Southern Italians.*
ter'rore *sm* terror; **avere il** ~ **di qc** to be terrified of sth.
terro'rismo *sm* terrorism.
terro'rista, i, e *smf* terrorist.
terroriz'zare [terrorid'dzare] *vt* to terrorize.
'**terso, a** *ag* clear.
ter'zetto [ter'tsetto] *sm* (*MUS*) trio, terzetto; (*di persone*) trio.
terzi'ario, a [ter'tsjarjo] *ag* (*GEO, ECON*) tertiary.
ter'zino [ter'tsino] *sm* (*CALCIO*) fullback, back.
'**terzo, a** ['tertso] *ag* third ♦ *sm* (*frazione*) third; (*DIR*) third party ♦ *sf* (*gen*) third; (*AUT*) third (gear); (*di trasporti*) third class; (*SCOL: elementare*) third year at primary school; (*: media*) third year at secondary school; (*: superiore*) sixth year at secondary school; ~**i** *smpl* (*altri*) others, other people; **agire per conto di** ~**i** to act on behalf of a third party; **assicurazione contro** ~**i** third-party insurance (*BRIT*), liability insurance (*US*); **la** ~**a età** old age; **il** ~ **mondo** the Third World; **di terz'ordine** third rate; **la** ~**a pagina** (*STAMPA*) the Arts page.
'**tesa** *sf* brim; **a larghe** ~**e** wide-brimmed.
'**teschio** ['teskjo] *sm* skull.
'**tesi** *sf inv* thesis; ~ **di laurea** degree thesis.
'**tesi** *etc vb vedi* **tendere.**
'**teso, a** *pp di* **tendere** ♦ *ag* (*tirato*) taut, tight; (*fig*) tense.
tesore'ria *sf* treasury.
tesori'ere *sm* treasurer.
te'soro *sm* treasure; **il Ministero del T**~ the Treasury; **far** ~ **dei consigli di qn** to take sb's advice to heart.
'**tessera** *sf* (*documento*) card; (*di abbonato*) season ticket; (*di giornalista*) pass; **ha la** ~ **del partito** he's a party member.
tesse'rare *vt* (*iscrivere*) to give a membership card to.
tesse'rato, a *smf* (*di società sportiva etc*) (fully paid-up) member; (*POL*) (card-carrying) member.
'**tessere** *vt* to weave; ~ **le lodi di qn** (*fig*) to sing sb's praises.
'**tessile** *ag, sm* textile.
tessi'tore, 'trice *smf* weaver.
tessi'tura *sf* weaving.

tes'suto *sm* fabric, material; (*BIOL*) tissue; (*fig*) web.

'testa *sf* head; (*di cose: estremità, parte anteriore*) head, front; **5.000 lire a** ~ 5,000 lire apiece *o* a head *o* per person; **a** ~ **alta** with one's head held high; **a** ~ **bassa** (*correre*) headlong; (*con aria dimessa*) with head bowed; **di** ~ *ag* (*vettura etc*) front; **dare alla** ~ to go to one's head; **fare di** ~ **propria** to go one's own way; **in** ~ (*SPORT*) in the lead; **essere in** ~ **alla classifica** (*corridore*) to be number one; (*squadra*) to be at the top of the league table; (*disco*) to be top of the charts, be number one; **essere alla** ~ **di qc** (*società*) to be the head of; (*esercito*) to be at the head of; **tenere** ~ **a qn** (*nemico etc*) to stand up to sb; **una** ~ **d'aglio** a bulb of garlic; ~ **o croce?** heads or tails?; **avere la** ~ **dura** to be stubborn; ~ **di serie** (*TENNIS*) seed, seeded player.

'testa-'coda *sm inv* (*AUT*) spin.

testamen'tario, a *ag* (*DIR*) testamentary; **le sue disposizioni** ~e the provisions of his will.

testa'mento *sm* (*atto*) will, testament; **l'Antico/il Nuovo T**~ (*REL*) the Old/New Testament.

testar'daggine [testar'daddʒine] *sf* stubbornness, obstinacy.

tes'tardo, a *ag* stubborn, pig-headed.

tes'tare *vt* to test.

tes'tata *sf* (*parte anteriore*) head; (*intestazione*) heading; **missile a** ~ **nucleare** missile with a nuclear warhead.

'teste *smf* witness.

tes'ticolo *sm* testicle.

testi'era *sf* (*del letto*) headboard; (*di cavallo*) headpiece.

testi'mone *smf* (*DIR*) witness; **fare da** ~ **alle nozze di qn** to be a witness at sb's wedding; ~ **oculare** eye witness.

testimoni'anza [testimo'njantsa] *sf* (*atto*) deposition; (*effetto*) evidence; (*fig: prova*) proof; **accusare qn di falsa** ~ to accuse sb of perjury; **rilasciare una** ~ to give evidence.

testimoni'are *vt* to testify; (*fig*) to bear witness to, testify to ♦ *vi* to give evidence, testify; ~ **il vero** to tell the truth; ~ **il falso** to perjure o.s.

tes'tina *sf* (*di giradischi, registratore*) head.

'testo *sm* text; **fare** ~ (*opera, autore*) to be authoritative; (*fig: dichiarazione*) to carry weight.

testoste'rone *sm* testosterone.

testu'ale *ag* textual; **le sue parole** ~i his (*o* her) actual words.

tes'tuggine [tes'tuddʒine] *sf* tortoise; (*di mare*) turtle.

'tetano *sm* (*MED*) tetanus.

'tetro, a *ag* gloomy.

'tetta *sf* (*fam*) boob, tit.

tetta'rella *sf* teat.

'tetto *sm* roof; **abbandonare il** ~ **coniugale** to desert one's family; ~ **a cupola** dome.

tet'toia *sf* roofing; canopy.

'Tevere *sm*: **il** ~ the Tiber.

TG [tid'dʒi] *abbr m* (= *telegiornale*) TV news *sg*.

'thermos ® ['tɛrmos] *sm inv* vacuum *o* Thermos ® flask.

'thriller ['θrilə], **'thrilling** ['θriliŋ] *sm inv* thriller.

ti *pron* (*dav lo, la, li, le, ne diventa* **te**) (*oggetto*) you; (*complemento di termine*) (to) you; (*riflessivo*) yourself; ~ **aiuto?** can I give you a hand?; **te lo ha dato?** did he give it to you?; ~ **sei lavato?** have you washed?

ti'ara *sf* (*REL*) tiara.

'Tibet *sm*: **il** ~ Tibet.

tibe'tano, a *ag, smf* Tibetan.

'tibia *sf* tibia, shinbone.

tic *sm inv* tic, (*nervous*) twitch; (*fig*) mannerism.

ticchet'tio [tikket'tio] *sm* (*di macchina da scrivere*) clatter; (*di orologio*) ticking; (*della pioggia*) patter.

'ticchio ['tikkjo] *sm* (*ghiribizzo*) whim; (*tic*) tic, (*nervous*) twitch.

'ticket *sm inv* (*MED*) prescription charge (*BRIT*).

ti'ene *etc vb vedi* **tenere**.

ti'epido, a *ag* lukewarm, tepid.

ti'fare *vi*: ~ **per** to be a fan of; (*parteggiare*) to side with.

'tifo *sm* (*MED*) typhus; (*fig*): **fare il** ~ **per** to be a fan of.

tifoi'dea *sf* typhoid.

ti'fone *sm* typhoon.

ti'foso, a *smf* (*SPORT etc*) fan.

tight ['tait] *sm inv* morning suit.

'tiglio ['tiʎʎo] *sm* lime (tree), linden (tree).

'tigna ['tiɲɲa] *sf* (*MED*) ringworm.

ti'grato, a *ag* striped.

'tigre *sf* tiger.

tilt *sm*: **andare in** ~ (*fig*) to go haywire.

tim'ballo *sm* (*strumento*) kettledrum; (*CUC*) timbale.

tim'brare *vt* to stamp; (*annullare: francobolli*) to postmark; ~ **il cartellino** to clock in.

'timbro *sm* stamp; (*MUS*) timbre, tone.

timi'dezza [timi'dettsa] *sf* shyness, timidity.

'timido, a *ag* shy, timid.

'timo *sm* thyme.

ti'mone *sm* (*NAUT*) rudder.
timoni'ere *sm* helmsman.
timo'rato, a *ag* conscientious; ~ di Dio
God-fearing.
ti'more *sm* (*paura*) fear; (*rispetto*) awe;
avere ~ di qc/qn (*paura*) to be afraid of
sth/sb.
timo'roso, a *ag* timid, timorous.
'timpano *sm* (*ANAT*) eardrum; (*MUS*): ~i
kettledrums, timpani.
'tinca, che *sf* (*ZOOL*) tench.
ti'nello *sm* small dining room.
'tingere ['tindʒere] *vt* to dye.
'tino *sm* vat.
ti'nozza [ti'nɔttsa] *sf* tub.
'tinsi *etc vb vedi* tingere.
'tinta *sf* (*materia colorante*) dye; (*colore*)
colour (*BRIT*), color (*US*), shade.
tinta'rella *sf* (*fam*) (sun)tan.
tintin'nare *vi* to tinkle.
tintin'nio *sm* tinkling.
'tinto, a *pp di* tingere.
tinto'ria *sf* (*officina*) dyeworks *sg*;
(*lavasecco*) dry cleaner's (shop).
tin'tura *sf* (*operazione*) dyeing; (*colorante*)
dye; ~ di iodio tincture of iodine.
'tipico, a, ci, che *ag* typical.
'tipo *sm* type; (*genere*) kind, type; (*fam*)
chap, fellow; vestiti di tutti i ~i all kinds
of clothes; sul ~ di questo of this sort; sei
un bel ~! you're a fine one!
tipogra'fia *sf* typography.
tipo'grafico, a, ci, che *ag* typographic(al).
ti'pografo *sm* typographer.
tip 'tap [tip'tap] *sm* (*ballo*) tap dancing.
T.I.R. *sigla m* (= *Transports Internationaux
Routiers*) International Heavy Goods
Vehicle.
'tira e 'molla *sm inv* tug-of-war.
ti'raggio [ti'raddʒo] *sm* (*di camino etc*)
draught (*BRIT*), draft (*US*).
Ti'rana *sf* Tirana.
tiranneggi'are [tiranned'dʒare] *vt* to
tyrannize.
tiran'nia *sf* tyranny.
ti'ranno, a *ag* tyrannical ♦ *sm* tyrant.
ti'rante *sm* (*NAUT, di tenda etc*) guy; (*EDIL*)
brace.
tirapi'edi *sm/f inv* hanger-on.
tira'pugni [tira'puɲɲi] *sm inv* knuckleduster.
ti'rare *vt* (*gen*) to pull; (*estrarre*): ~ qc da to
take *o* pull sth out of; to get sth out of; to
extract sth from; (*chiudere: tenda etc*) to
draw, pull; (*tracciare, disegnare*) to draw,
trace; (*lanciare: sasso, palla*) to throw;
(*stampare*) to print; (*pistola, freccia*) to fire
♦ *vi* (*pipa, camino*) to draw; (*vento*) to

blow; (*abito*) to be tight; (*fare fuoco*) to
fire; (*fare del tiro, CALCIO*) to shoot; ~ qn da
parte to take *o* draw sb aside; ~ un
sospiro (di sollievo) to heave a sigh (of
relief); ~ a indovinare to take a guess; ~
sul prezzo to bargain; ~ avanti *vi* to
struggle on ♦ *vt* (*famiglia*) to provide for;
(*ditta*) to look after; ~ fuori to take out,
pull out; ~ giù to pull down; ~ su to pull
up; (*capelli*) to put up; (*fig: bambino*) to
bring up; ~rsi indietro to move back; (*fig*)
to back out; ~rsi su to pull o.s. up; (*fig*) to
cheer o.s. up.
ti'rato, a *ag* (*teso*) taut; (*fig: teso, stanco*)
drawn.
tira'tore *sm* gunman; un buon ~ a good
shot; ~ scelto marksman.
tira'tura *sf* (*azione*) printing; (*di libro*)
(print) run; (*di giornale*) circulation.
tirchie'ria [tirkje'ria] *sf* meanness,
stinginess.
'tirchio, a ['tirkjo] *ag* mean, stingy.
tiri'tera *sf* drivel, hot air.
'tiro *sm* shooting *no pl*, firing *no pl*; (*colpo,
sparo*) shot; (*di palla: lancio*) throwing *no pl*;
throw; (*fig*) trick; essere a ~ to be in
range; giocare un brutto ~ *o* un ~
mancino a qn to play a dirty trick on s.b.;
cavallo da ~ draught (*BRIT*) *o* draft (*US*)
horse; ~ a segno target shooting; (*luogo*)
shooting range.
tiroci'nante [tirotʃi'nante] *ag, sm/f*
apprentice (*cpd*); trainee (*cpd*).
tiro'cinio [tiro'tʃinjo] *sm* apprenticeship;
(*professionale*) training.
ti'roide *sf* thyroid (gland).
tiro'lese *ag, sm/f* Tyrolean, Tyrolese *inv*.
Ti'rolo *sm*: il ~ the Tyrol.
tir'rennico, a, ci, che *ag* Tyrrhenian.
Tir'reno *sm*: il (mar) ~ the Tyrrhenian Sea.
ti'sana *sf* herb tea.
'tisi *sf* (*MED*) consumption.
'tisico, a, ci, che *ag* (*MED*) consumptive;
(*fig: gracile*) frail ♦ *sm/f* consumptive
(person).
ti'tanico, a, ci, che *ag* gigantic, enormous.
ti'tano *sm* (*MITOLOGIA, fig*) titan.
tito'lare *ag* appointed; (*sovrano*) titular
♦ *sm/f* incumbent; (*proprietario*) owner;
(*CALCIO*) regular player.
tito'lato, a *ag* (*persona*) titled.
'titolo *sm* title; (*di giornale*) headline;
(*diploma*) qualification; (*COMM*) security;
(*: azione*) share; a che ~? for what
reason?; a ~ di amicizia out of friendship;
a ~ di cronaca for your information; a ~
di premio as a prize; ~ di credito share; ~
obbligazionario bond; ~ al portatore

bearer bond; ~ **di proprietà** title deed; ~**i di stato** government securities; ~**i di testa** (*CINE*) credits.

titu'bante *ag* hesitant, irresolute.

tivù *sf inv* (*fam*) telly (*BRIT*), TV.

'tizio, a ['tittsjo] *smf* fellow, chap.

tiz'zone [tit'tsone] *sm* brand.

T.M.G. *abbr* (= *tempo medio di Greenwich*) GMT.

TN *sigla* = *Trento*.

TNT *sigla m* (= *trinitrotoluolo*) TNT.

TO *sigla* = *Torino*.

toast [toust] *sm inv* toasted sandwich.

toc'cante *ag* touching.

toc'care *vt* to touch; (*tastare*) to feel; (*fig: riguardare*) to concern; (: *commuovere*) to touch, move; (: *pungere*) to hurt, wound; (: *far cenno a: argomento*) to touch on, mention ♦ *vi:* ~ **a** (*accadere*) to happen to; (*spettare*) to be up to; **tocca a te difenderci** it's up to you to defend us; **a chi tocca?** whose turn is it?; **mi toccò pagare** I had to pay; ~ **il fondo** (*in acqua*) to touch the bottom; (*fig*) to touch rock bottom; ~ **con mano** (*fig*) to find out for o.s.; ~ **qn sul vivo** to cut sb to the quick.

tocca'sana *sm inv* cure-all, panacea.

toccherò *etc* [tokke'rɔ] *vb vedi* **toccare**.

'tocco, chi *sm* touch; (*ARTE*) stroke, touch.

toe'letta *sf* = **toilette**.

'toga, ghe *sf* toga; (*di magistrato, professore*) gown.

'togliere ['tɔʎʎere] *vt* (*rimuovere*) to take away (*o off*), remove; (*riprendere, non concedere più*) to take away, remove; (*MAT*) to take away, subtract; (*liberare*) to free; ~ **qc a qn** to take sth (away) from sb; **ciò non toglie che** ... nevertheless ..., be that as it may ...; ~**rsi il cappello** to take off one's hat.

'Togo *sm:* **il** ~ Togo.

toilette [twa'lɛt] *sf inv* (*gabinetto*) toilet; (*cosmesi*) make-up; (*abbigliamento*) gown, dress; (*mobile*) dressing table; **fare** ~ to get made up, make o.s. beautiful.

'Tokyo *sf* Tokyo.

to'letta *sf* = **toilette**.

'tolgo *etc vb vedi* **togliere**.

tolle'rante *ag* tolerant.

tolle'ranza [tolle'rantsa] *sf* tolerance; **casa di** ~ brothel.

tolle'rare *vt* to tolerate; **non tollero repliche** I won't stand for objections; **non sono tollerati i ritardi** lateness will not be tolerated.

To'losa *sf* Toulouse.

'tolsi *etc vb vedi* **togliere**.

'tolto, a *pp di* **togliere**.

to'maia *sf* (*di scarpa*) upper.

'tomba *sf* tomb.

tom'bale *ag:* **pietra** ~ tombstone, gravestone.

tom'bino *sm* manhole cover.

'tombola *sf* (*gioco*) tombola; (*ruzzolone*) tumble.

'tomo *sm* volume.

tomogra'fia *sf* (*MED*) tomography; ~ **assiale computerizzata** computerized axial tomography.

'tonaca, che *sf* (*REL*) habit.

to'nare *vi* = **tuonare**.

'tondo, a *ag* round.

'tonfo *sm* splash; (*rumore sordo*) thud; (*caduta*): **fare un** ~ to take a tumble.

'tonico, a, ci, che *ag* tonic ♦ *sm* tonic; (*cosmetico*) toner.

tonifi'cante *ag* invigorating, bracing.

tonifi'care *vt* (*muscoli, pelle*) to tone up; (*irrobustire*) to invigorate, brace.

ton'nara *sf* tuna-fishing nets *pl*.

ton'nato, a *ag* (*CUC*): **salsa** ~**a** tuna fish sauce; **vitello** ~ veal with tuna fish sauce.

tonnel'laggio [tonnel'laddʒo] *sm* (*NAUT*) tonnage.

tonnel'lata *sf* ton.

'tonno *sm* tuna (fish).

'tono *sm* (*gen, MUS*) tone; (*di colore*) shade, tone; **rispondere a** ~ (*a proposito*) to answer to the point; (*nello stesso modo*) to answer in kind; (*per le rime*) to answer back.

ton'silla *sf* tonsil.

tonsil'lite *sf* tonsillitis.

ton'sura *sf* tonsure.

'tonto, a *ag* dull, stupid ♦ *smf* blockhead, dunce; **fare il finto** ~ to play dumb.

top [tɔp] *sm inv* (*vertice, camicetta*) top.

to'paia *sf* (*di topo*) mousehole; (*di ratto*) rat's nest; (*fig: casa etc*) hovel, dump.

to'pazio [to'pattsjo] *sm* topaz.

topi'cida, i [topi'tʃida] *sm* rat poison.

'topless ['tɔplis] *sm inv* topless bathing costume.

'topo *sm* mouse; ~ **d'albergo** (*fig*) hotel thief; ~ **di biblioteca** (*fig*) bookworm.

topogra'fia *sf* topography.

topog'rafico, a, ci, che *ag* topographic, topographical.

to'ponimo *sm* place name.

'toppa *sf* (*serratura*) keyhole; (*pezza*) patch.

to'race [to'ratʃe] *sm* chest.

'torba *sf* peat.

'torbido, a *ag* (*liquido*) cloudy; (: *fiume*) muddy; (*fig*) dark; troubled ♦ *sm:* **pescare nel** ~ (*fig*) to fish in troubled waters.

'torcere ['tɔrtʃere] *vt* to twist; (*biancheria*) to

wring (out); ~**rsi** *vr* to twist, writhe; **dare del filo da ~ a qn** to make life *o* things difficult for sb.

torchi'are [tor'kjare] *vt* to press.

'**torchio** ['tɔrkjo] *sm* press; **mettere qn sotto il ~** (*fig fam: interrogare*) to grill sb; ~ **tipografico** printing press.

'**torcia, ce** ['tɔrtʃa] *sf* torch; ~ **elettrica** torch (*BRIT*), flashlight (*US*).

torci'collo [tortʃi'kɔllo] *sm* stiff neck.

'**tordo** *sm* thrush.

to'rero *sm* bullfighter, toreador.

tori'nese *ag* of (*o* from) Turin ♦ *sm/f* person from Turin.

To'rino *sf* Turin.

tor'menta *sf* snowstorm.

tormen'tare *vt* to torment; ~**rsi** *vr* to fret, worry o.s.

tor'mento *sm* torment.

torna'conto *sm* advantage, benefit.

tor'nado *sm* tornado.

tor'nante *sm* hairpin bend (*BRIT*) *o* curve (*US*).

tor'nare *vi* to return, go (*o* come) back; (*ridiventare: anche fig*) to become (again); (*riuscire giusto, esatto: conto*) to work out; (*risultare*) to turn out (*to be*), prove (*to be*); ~ **al punto di partenza** to start again; ~ **a casa** to go (*o* come) home; **i conti tornano** the accounts balance; ~ **utile** to prove *o* turn out (*to be*) useful.

torna'sole *sm inv* litmus.

tor'neo *sm* tournament.

'**tornio** *sm* lathe.

tor'nire *vt* (*TECN*) to turn (on a lathe); (*fig*) to shape, polish.

tor'nito, a *ag* (*gambe, caviglie*) well-shaped.

'**toro** *sm* bull; (*dello zodiaco*): **T~** Taurus; **essere del T~** to be Taurus.

tor'pedine *sf* torpedo.

torpedini'era *sf* torpedo boat.

tor'pore *sm* torpor.

'**torre** *sf* tower; (*SCACCHI*) rook, castle; ~ **di controllo** (*AER*) control tower.

torrefazi'one [torrefat'tsjone] *sf* roasting.

torreggi'are [torred'dʒare] *vi*: ~ (**su**) to tower (over).

tor'rente *sm* torrent.

torren'tizio, a [torren'tittsjo] *ag* torrential.

torrenzi'ale [torren'tsjale] *ag* torrential.

tor'retta *sf* turret.

'**torrido, a** *ag* torrid.

torri'one *sm* keep.

tor'rone *sm* nougat.

'**torsi** *etc vb vedi* **torcere**.

torsi'one *sf* twisting; (*TECN*) torsion.

'**torso** *sm* torso, trunk; (*ARTE*) torso; **a ~ nudo** bare-chested.

'**torsolo** *sm* (*di cavolo etc*) stump; (*di frutta*) core.

'**torta** *sf* cake.

tortel'lini *smpl* (*CUC*) tortellini.

torti'era *sf* cake tin (*BRIT*), cake pan (*US*).

'**torto, a** *pp di* **torcere** ♦ *ag* (*ritorto*) twisted; (*storto*) twisted, crooked ♦ *sm* (*ingiustizia*) wrong; (*colpa*) fault; **a ~** wrongly; **a ~ o a ragione** rightly or wrongly; **aver ~** to be wrong; **fare un ~ a qn** to wrong sb; **essere/passare dalla parte del ~** to be/put o.s. in the wrong; **lui non ha tutti i ~i** there's something in what he says.

'**tortora** *sf* turtle dove.

tortu'oso, a *ag* (*strada*) twisting; (*fig*) tortuous.

tor'tura *sf* torture.

tortu'rare *vt* to torture.

'**torvo, a** *ag* menacing, grim.

tosa'erba *sm o f inv* (lawn)mower.

to'sare *vt* (*pecora*) to shear; (*cane*) to clip; (*siepe*) to clip, trim.

tosa'tura *sf* (*di pecore*) shearing; (*di cani*) clipping; (*di siepi*) trimming, clipping.

Tos'cana *sf*: **la ~** Tuscany.

tos'cano, a *ag, sm/f* Tuscan ♦ *sm* (*anche*: **sigaro ~**) strong Italian cigar.

'**tosse** *sf* cough.

tossicità [tossitʃi'ta] *sf* toxicity.

'**tossico, a, ci, che** *ag* toxic.

tossicodipen'dente *sm/f* drug addict.

tossicodipen'denza [tossikodipen'dɛntsa] *sf* drug addiction.

tossi'comane *sm/f* drug addict.

tossicoma'nia *sf* drug addiction.

tos'sina *sf* toxin.

tos'sire *vi* to cough.

tosta'pane *sm inv* toaster.

tos'tare *vt* to toast; (*caffè*) to roast.

tosta'tura *sf* (*di pane*) toasting; (*di caffè*) roasting.

'**tosto, a** *ag*: **faccia ~a** cheek ♦ *av* at once, immediately; ~ **che** as soon as.

to'tale *ag, sm* total.

totalità *sf*: **la ~ di** all of, the total amount (*o* number) of; **the whole +** *sg*.

totali'tario, a *ag* totalitarian; (*totale*) complete, total; **adesione ~a** complete support.

totalita'rismo *sm* (*POL*) totalitarianism.

totaliz'zare [totalid'dzare] *vt* to total; (*SPORT: punti*) to score.

totalizza'tore [totaliddza'tore] *sm* (*TECN*) totalizator; (*IPPICA*) totalizator, tote (*fam*).

to'tip *sm* gambling pool betting on horse racing.

toto'calcio [toto'kaltʃo] *sm* gambling pool betting on football results, ≈ (football) pools *pl* (*BRIT*).

tou'pet [tu'pɛ] *sm inv* toupee.

tour [tur] *sm inv* (*giro*) tour; (*CICLISMO*) tour de France.

tour de 'force ['tur də 'fɔrs] *sm inv* (*SPORT: anche fig*) tour de force.

tour'née [tur'ne] *sf* tour; **essere in** ~ to be on tour.

to'vaglia [to'vaʎʎa] *sf* tablecloth.

tovagli'olo [tovaʎ'ɔlo] *sm* napkin.

'tozzo, a ['tɔttso] *ag* squat ♦ *sm*: ~ **di pane** crust of bread.

TP *sigla* = Trapani.

TR *sigla* = Terni.

Tr *abbr* (*COMM*) = **tratta**.

tra *prep* (*di due persone, cose*) between; (*di più persone, cose*) among(st); (*tempo: entro*) within, in; **prendere qn** ~ **le braccia** to take sb in one's arms; **litigano** ~ (**di**) **loro** they're fighting amongst themselves; ~ **5 giorni** in 5 days' time; ~ **breve** *o* **poco** soon; ~ **sé e sé** (*parlare etc*) to oneself; **sia detto** ~ **noi ...** between you and me ...; ~ **una cosa e l'altra** what with one thing and another.

trabal'lante *ag* shaky.

trabal'lare *vi* to stagger, totter.

tra'biccolo *sm* (*peg: auto*) old banger (*BRIT*), jalopy.

traboc'care *vi* to overflow.

traboc'chetto [trabok'ketto] *sm* (*fig*) trap ♦ *ag inv* trap *cpd*; **domanda** ~ trick question.

traca'gnotto, a [traka'ɲɲɔtto] *ag* dumpy ♦ *sm/f* dumpy person.

tracan'nare *vt* to gulp down.

'traccia, ce ['trattʃa] *sf* (*segno, striscia*) trail, track; (*orma*) tracks *pl*; (*residuo, testimonianza*) trace, sign; (*abbozzo*) outline; **essere sulle** ~**ce di qn** to be on sb's trail.

tracci'are [trat'tʃare] *vt* to trace, mark (out); (*disegnare*) to draw; (*fig: abbozzare*) to outline; ~ **un quadro della situazione** to outline the situation.

tracci'ato [trat'tʃato] *sm* (*grafico*) layout, plan; ~ **di gara** (*SPORT*) race route.

tra'chea [tra'kɛa] *sf* windpipe, trachea.

tra'colla *sf* shoulder strap; **portare qc a** ~ to carry sth over one's shoulder; **borsa a** ~ shoulder bag.

tra'collo *sm* (*fig*) collapse, ruin; ~ **finanziario** crash; **avere un** ~ (*MED*) to have a setback; (*COMM*) to collapse.

traco'tante *ag* overbearing, arrogant.

traco'tanza [trako'tantsa] *sf* arrogance.

trad. *abbr* = **traduzione**.

tradi'mento *sm* betrayal; (*DIR, MIL*) treason; **a** ~ by surprise; **alto** ~ high treason.

tra'dire *vt* to betray; (*coniuge*) to be unfaithful to; (*doveri: mancare*) to fail in; (*rivelare*) to give away, reveal; **ha tradito le attese di tutti** he let everyone down.

tradi'tore, 'trice *sm/f* traitor.

tradizio'nale [tradittsjo'nale] *ag* traditional.

tradizi'one [tradit'tsjone] *sf* tradition.

tra'dotto, a *pp di* **tradurre** ♦ *sf* (*MIL*) troop train.

tra'durre *vt* to translate; (*spiegare*) to render, convey; (*DIR*): ~ **qn in carcere/tribunale** to take sb to prison/court; ~ **in cifre** to put into figures; ~ **in atto** (*fig*) to put into effect.

tradut'tore, 'trice *sm/f* translator.

traduzi'one [tradut'tsjone] *sf* translation; (*DIR*) transfer.

'trae *vb vedi* **trarre**.

tra'ente *sm/f* (*ECON*) drawer.

trafe'lato, a *ag* out of breath.

traffi'cante *sm/f* dealer; (*peg*) trafficker.

traffi'care *vi* (*commerciare*): ~ (**in**) to trade (in), deal (in); (*affaccendarsi*) to busy o.s. ♦ *vt* (*peg*) to traffic in.

traffi'cato, a *ag* (*strada, zona*) busy.

'traffico, ci *sm* traffic; (*commercio*) trade, traffic; ~ **aereo/ferroviario** air/rail traffic; ~ **di droga** drug trafficking; ~ **stradale** traffic.

tra'figgere [tra'fiddʒere] *vt* to run through, stab; (*fig*) to pierce.

tra'fila *sf* procedure.

trafi'letto *sm* (*di giornale*) short article.

tra'fitto, a *pp di* **trafiggere**.

trafo'rare *vt* to bore, drill.

tra'foro *sm* (*azione*) boring, drilling; (*galleria*) tunnel.

trafu'gare *vt* to purloin.

tra'gedia [tra'dʒɛdja] *sf* tragedy.

'traggo *etc vb vedi* **trarre**.

traghet'tare [traget'tare] *vt* to ferry.

tra'ghetto [tra'getto] *sm* crossing; (*barca*) ferry(boat).

tragicità [tradʒitʃi'ta] *sf* tragedy.

'tragico, a, ci, che ['tradʒiko] *ag* tragic ♦ *sm* (*autore*) tragedian; **prendere tutto sul** ~ (*fig*) to take everything far too seriously.

tragi'comico, a, ci, che [tradʒi'kɔmiko] *ag* tragicomic.

tra'gitto [tra'dʒitto] *sm* (*passaggio*) crossing; (*viaggio*) journey.

tragu'ardo *sm* (*SPORT*) finishing line; (*fig*) goal, aim.

'trai *etc vb vedi* **trarre**.

traiet'toria *sf* trajectory.

trai'nante *ag* (*cavo, fune*) towing; (*fig: persona, settore*) driving.

trai'nare *vt* to drag, haul; (*rimorchiare*) to tow.

'training ['trɛinɪŋ(g)] *sm inv* training.

'traino *sm* (*carro*) wagon; (*slitta*) sledge; (*carico*) load.

tralasci'are [tralaʃˈʃare] *vt* (*studi*) to neglect; (*dettagli*) to leave out, omit.

'tralcio ['traltʃo] *sm* (*BOT*) shoot.

tra'liccio [traˈlittʃo] *sm* (*tela*) ticking; (*struttura*) trellis; (*ELETTR*) pylon.

tram *sm inv* tram (*BRIT*), streetcar (*US*).

'trama *sf* (*filo*) weft, woof; (*fig: argomento, maneggio*) plot.

traman'dare *vt* to pass on, hand down.

tra'mare *vt* (*fig*) to scheme, plot.

tram'busto *sm* turmoil.

trames'tio *sm* bustle.

tramez'zino [tramedˈdzino] *sm* sandwich.

tra'mezzo [traˈmɛddzo] *sm* partition.

'tramite *prep* through ♦ *sm* means *pl*; **agire/ fare da ~** to act as/be a go-between.

tramon'tana *sf* (*METEOR*) north wind.

tramon'tare *vi* to set, go down.

tra'monto *sm* setting; (*del sole*) sunset.

tramor'tire *vi* to faint ♦ *vt* to stun.

trampo'lino *sm* (*per tuffi*) springboard, diving board; (*per lo sci*) ski-jump.

'trampolo *sm* stilt.

tramu'tare *vt*: **~ in** to change into, turn into.

trance [traːns] *sf inv* (*di medium*) trance; **cadere in ~** to fall into a trance.

'trancia, ce ['trantʃa] *sf* slice; (*cesoia*) shearing machine.

tranci'are [tranˈtʃare] *vt* (*TECN*) to shear.

'trancio ['trantʃo] *sm* slice.

tra'nello *sm* trap; **tendere un ~ a qn** to set a trap for sb; **cadere in un ~** to fall into a trap.

trangugi'are [tranguˈdʒare] *vt* to gulp down.

'tranne *prep* except (for), but (for); **~ che** *cong* unless; **tutti i giorni ~ il venerdì** every day except *o* with the exception of Friday.

tranquil'lante *sm* (*MED*) tranquillizer.

tranquillità *sf* calm, stillness; quietness; peace of mind.

tranquilliz'zare [trankwillidˈdzare] *vt* to reassure.

tran'quillo, a *ag* calm, quiet; (*bambino, scolaro*) quiet; (*sereno*) with one's mind at rest; **sta' ~** don't worry.

transat'lantico, a, ci, che *ag* transatlantic ♦ *sm* transatlantic liner; (*POL*) corridor used as a meeting place by members of the lower chamber of the Italian Parliament.

The **transatlantico** is a room in the **Palazzo di Montecitorio** used by the **deputati**, between parliamentary sessions, for relaxing and conversing with other members and also for giving interviews and press conferences to the media.

---

tran'satto, a *pp di* **transigere**.

transazi'one [transatˈtsjone] *sf* (*DIR*) settlement; (*COMM*) transaction, deal.

tran'senna *sf* barrier.

tran'setto *sm* transept.

transiberi'ano, a *ag* trans-Siberian.

tran'sigere [tranˈsidʒere] *vi* (*DIR*) to reach a settlement; (*venire a patti*) to compromise, come to an agreement.

tran'sistor *sm inv*, **transis'tore** *sm* transistor.

transi'tabile *ag* passable.

transi'tare *vi* to pass.

transi'tivo, a *ag* transitive.

'transito *sm* transit; **di ~** (*merci*) in transit; (*stazione*) transit *cpd*; **"divieto di ~"** "no entry"; **"~ interrotto"** "road closed".

transi'torio, a *ag* transitory, transient; (*provvisorio*) provisional.

transizi'one [transitˈtsjone] *sf* transition.

tran 'tran *sm* routine; **il solito ~** the same old routine.

tran'via *sf* tramway (*BRIT*), streetcar line (*US*).

tranvi'ario, a *ag* tram *cpd* (*BRIT*), streetcar *cpd* (*US*); **linea ~a** tramline, streetcar line.

tranvi'ere *sm* (*conducente*) tram driver (*BRIT*), streetcar driver (*US*); (*bigliettaio*) tram *o* streetcar conductor.

trapa'nare *vt* (*TECN*) to drill.

'trapano *sm* (*utensile*) drill; (*: MED*) trepan.

trapas'sare *vt* to pierce.

trapas'sato *sm* (*LING*) past perfect.

tra'passo *sm* passage; **~ di proprietà** (*di case*) conveyancing; (*di auto etc*) legal transfer.

trape'lare *vi* to leak, drip; (*fig*) to leak out.

tra'pezio [traˈpɛttsjo] *sm* (*MAT*) trapezium; (*attrezzo ginnico*) trapeze.

trape'zista, i, e [trapetˈtsista] *sm/f* trapeze artist.

trapian'tare *vt* to transplant.

trapi'anto *sm* transplanting; (*MED*) transplant.

'trappola *sf* trap.

tra'punta *sf* quilt.

'trarre *vt* to draw, pull; (*prendere, tirare fuori*) to take (out), draw; (*derivare*) to obtain; ~ **beneficio** o **profitto da qc** to benefit from sth; ~ **le conclusioni** to draw one's own conclusions; ~ **esempio da qn** to follow sb's example; ~ **guadagno** to make a profit; ~ **qn d'impaccio** to get sb out of an awkward situation; ~ **origine da qc** to have its origins o originate in sth; ~ **in salvo** to rescue.

trasa'lire *vi* to start, jump.

trasan'dato, a *ag* shabby.

trasbor'dare *vt* to transfer; (*NAUT*) to tran(s)ship ♦ *vi* (*NAUT*) to change ship; (*AER*) to change plane; (*FERR*) to change (trains).

trascenden'tale [traʃʃenden'tale] *ag* transcendental.

tra'scendere [traʃ'ʃendere] *vt* (*FILOSOFIA*, *REL*) to transcend; (*fig: superare*) to surpass, go beyond.

tra'sceso, a [traʃ'ʃeso] *pp di* **trascendere**.

trasci'nare [traʃʃi'nare] *vt* to drag; ~**rsi** *vr* to drag o.s. along; (*fig*) to drag on.

tras'correre *vt* (*tempo*) to spend, pass ♦ *vi* to pass.

tras'corso, a *pp di* **trascorrere** ♦ *ag* past ♦ *sm* mistake.

tras'critto, a *pp di* **trascrivere**.

tras'crivere *vt* to transcribe.

trascrizi'one [traskrit'tsjone] *sf* transcription.

trascu'rare *vt* to neglect; (*non considerare*) to disregard.

trascura'tezza [traskura'tettsa] *sf* carelessness, negligence.

trascu'rato, a *ag* (*casa*) neglected; (*persona*) careless, negligent.

traseco'lato, a *ag* astounded, amazed.

trasferi'mento *sm* transfer; (*trasloco*) removal, move.

trasfe'rire *vt* to transfer; ~**rsi** *vr* to move.

tras'ferta *sf* transfer; (*indennità*) travelling expenses *pl*; (*SPORT*) away game.

trasfigu'rare *vt* to transfigure.

trasfor'mare *vt* to transform, change.

trasforma'tore *sm* transformer.

trasformazi'one [trasformat'tsjone] *sf* transformation.

trasfusi'one *sf* (*MED*) transfusion.

trasgre'dire *vt* to break, infringe; (*ordini*) to disobey.

trasgressi'one *sf* breaking, infringement; disobeying.

trasgres'sivo, a *ag* (*personaggio*, *atteggiamento*) rule-breaking.

trasgres'sore, trasgredi'trice [trazgredi'tritʃe] *sm/f* (*DIR*) transgressor.

tras'lato, a *ag* metaphorical, figurative.

traslo'care *vt* to move, transfer; ~**rsi** *vr* to move.

tras'loco, chi *sm* removal.

tras'messo, a *pp di* **trasmettere**.

tras'mettere *vt* (*passare*): ~ **qc a qn** to pass sth on to sb; (*mandare*) to send; (*TECN*, *TEL*, *MED*) to transmit; (*TV*, *RADIO*) to broadcast.

trasmetti'tore *sm* transmitter.

trasmissi'one *sf* (*gen*, *FISICA*, *TECN*) transmission; (*passaggio*) transmission, passing on; (*TV*, *RADIO*) broadcast.

trasmit'tente *sf* transmitting o broadcasting station.

traso'gnato, a [trasoɲ'ɲato] *ag* dreamy.

traspa'rente *ag* transparent.

traspa'renza [traspa'rɛntsa] *sf* transparency; **guardare qc in** ~ to look at sth against the light.

traspa'rire *vi* to show (through).

tras'parso, a *pp di* **trasparire**.

traspi'rare *vi* to perspire; (*fig*) to come to light, leak out.

traspirazi'one [traspirat'tsjone] *sf* perspiration.

tras'porre *vt* to transpose.

traspor'tare *vt* to carry, move; (*merce*) to transport, convey; **lasciarsi** ~ **(da qc)** (*fig*) to let o.s. be carried away (by sth).

tras'porto *sm* transport; (*fig*) rapture, passion; **con** ~ passionately; **compagnia di** ~ carriers *pl*; (*per strada*) hauliers *pl* (*BRIT*), haulers *pl* (*US*); **mezzi di** ~ means of transport; **nave/aereo da** ~ transport ship/aircraft *inv*; ~ **(funebre)** funeral procession; ~ **marittimo/aereo** sea/air transport; ~ **stradale** (road) haulage; **i ~i pubblici** public transport.

tras'posto, a *pp di* **trasporre**.

'trassi *etc vb vedi* **trarre**.

trastul'lare *vt* to amuse; ~**rsi** *vr* to amuse o.s.

tras'tullo *sm* game.

trasu'dare *vi* (*filtrare*) to ooze; (*sudare*) to sweat ♦ *vt* to ooze with.

trasver'sale *ag* (*taglio*, *sbarra*) cross(-); (*retta*) transverse; **via** ~ side street.

trasvo'lare *vt* to fly over.

'tratta *sf* (*ECON*) draft; (*di persone*): **la** ~ **delle bianche** the white slave trade; ~ **documentaria** documentary bill of exchange.

tratta'mento *sm* treatment; (*servizio*) service; **ricevere un buon** ~ (*cliente*) to get good service; ~ **di bellezza** beauty treatment; ~ **di fine rapporto** (*COMM*) severance pay.

trat'tare *vt* (*gen*) to treat; (*commerciare*) to

deal in; (*svolgere: argomento*) to discuss, deal with; (*negoziare*) to negotiate ♦ *vi:* ~ **di** to deal with; ~ **con** (*persona*) to deal with; **si tratta di ...** it's about ...; **si tratterebbe solo di poche ore** it would just be a matter of a few hours.

tratta'tiva *sf* negotiation; ~**e** *sfpl* (*tra governi, stati*) talks; **essere in** ~ **con** to be in negotiation with.

trat'tato *sm* (*testo*) treatise; (*accordo*) treaty; ~ **commerciale** trade agreement; ~ **di pace** peace treaty.

trattazi'one [trattat'tsjone] *sf* treatment.

tratteggi'are [tratted'dʒare] *vt* (*disegnare: a tratti*) to sketch, outline; (*: col tratteggio*) to hatch.

trat'teggio [trat'teddʒo] *sm* hatching.

tratte'nere *vt* (*far rimanere: persona*) to detain; (*tenere, frenare, reprimere*) to hold back, keep back; (*astenersi dal consegnare*) to hold, keep; (*detrarre: somma*) to deduct; ~**rsi** *vr* (*astenersi*) to restrain o.s., stop o.s.; (*soffermarsi*) to stay, remain; **sono stato trattenuto in ufficio** I was delayed at the office.

tratteni'mento *sm* entertainment; (*festa*) party.

tratte'nuta *sf* deduction.

trat'tino *sm* dash; (*in parole composte*) hyphen.

'tratto, a *pp di* **trarre** ♦ *sm* (*di penna, matita*) stroke; (*parte*) part, piece; (*di strada*) stretch; (*di mare, cielo*) expanse; (*di tempo*) period (of time); ~**i** *smpl* (*caratteristiche*) features; (*modo di fare*) ways, manners; **a un** ~, **d'un** ~ suddenly.

trat'tore *sm* tractor.

tratto'ria *sf* (small) restaurant.

'trauma, i *sm* trauma; ~ **cranico** concussion.

trau'matico, a, ci, che *ag* traumatic.

traumatiz'zare [traumatid'dzare] *vt* (*MED*) to traumatize; (*fig: impressionare*) to shock.

tra'vaglio [tra'vaʎʎo] *sm* (*angoscia*) pain, suffering; (*MED*) pains *pl*; ~ **di parto** labour pains.

trava'sare *vt* to pour; (*vino*) to decant.

tra'vaso *sm* pouring; decanting.

trava'tura *sf* beams *pl*.

'trave *sf* beam.

tra'veggole *sfpl*: **avere le** ~ to be seeing things.

tra'versa *sf* (*trave*) crosspiece; (*via*) sidestreet; (*FERR*) sleeper (*BRIT*), (railroad) tie (*US*); (*CALCIO*) crossbar.

traver'sare *vt* to cross.

traver'sata *sf* crossing; (*AER*) flight, trip.

traver'sie *sfpl* mishaps, misfortunes.

traver'sina *sf* (*FERR*) sleeper (*BRIT*), (railroad) tie (*US*).

tra'verso, a *ag* oblique; **di** ~ *ag* askew ♦ *av* sideways; **andare di** ~ (*cibo*) to go down the wrong way; **messo di** ~ sideways on; **guardare di** ~ to look askance at; **via** ~**a** side road; **ottenere qc per vie** ~**e** (*fig*) to obtain sth in an underhand way.

travesti'mento *sm* disguise.

traves'tire *vt* to disguise; ~**rsi** *vr* to disguise o.s.

traves'tito *sm* transvestite.

travi'are *vt* (*fig*) to lead astray.

travi'sare *vt* (*fig*) to distort, misrepresent.

travol'gente [travol'dʒɛnte] *ag* overwhelming.

tra'volgere [tra'vɔldʒere] *vt* to sweep away, carry away; (*fig*) to overwhelm.

tra'volto, a *pp di* **travolgere**.

trazi'one [trat'tsjone] *sf* traction; ~ **anteriore/posteriore** (*AUT*) front-wheel/rear-wheel drive.

tre *num* three.

tre'alberi *sm inv* (*NAUT*) three-master.

'trebbia *sf* (*AGR: operazione*) threshing; (*: stagione*) threshing season.

trebbi'are *vt* to thresh.

trebbia'trice [trebbja'tritʃe] *sf* threshing machine.

trebbia'tura *sf* threshing.

'treccia, ce ['trettʃa] *sf* plait, braid; **lavorato a** ~**ce** (*pullover etc*) cable-knit.

trecen'tesco, a, schi, sche [tretʃen'tesko] *ag* fourteenth-century.

tre'cento [tre'tʃɛnto] *num* three hundred ♦ *sm*: **il T**~ the fourteenth century.

tredi'cenne [tredi'tʃɛnne] *ag, smf* thirteen-year-old.

tredi'cesimo, a [tredi'tʃɛzimo] *num* thirteenth ♦ *sf* Christmas bonus of a month's pay.

'tredici ['treditʃi] *num* thirteen ♦ *sm inv*: **fare** ~ (*TOTOCALCIO*) to win the pools (*BRIT*).

'tregua *sf* truce; (*fig*) respite; **senza** ~ nonstop, without stopping, uninterruptedly.

tre'mante *ag* trembling, shaking.

tre'mare *vi* to tremble, shake; ~ **di** (*freddo etc*) to shiver o tremble with; (*paura, rabbia*) to shake o tremble with.

trema'rella *sf* shivers *pl*.

tremen'tina *sf* turpentine.

tre'mila *num* three thousand.

'tremito *sm* trembling *no pl*; shaking *no pl*; shivering *no pl*.

tremo'lare *vi* to tremble; (*luce*) to flicker; (*foglie*) to quiver.

tremo'lio *sm* (*vedi vi*) tremble; flicker; quiver.

tre'more *sm* tremor.

'treno *sm* train; (*AUT*): ~ **di gomme** set of tyres; ~ **locale/diretto/espresso** local/fast/express train; ~ **merci** goods (*BRIT*) *o* freight train; ~ **rapido** express (train) (*for which supplement must be paid*); ~ **straordinario** special train; ~ **viaggiatori** passenger train.

> Treni *in Italy are of numerous different types: the* regionali *and* interregionali *are local trains which stop at every small town and village; the former operate within regional boundaries, while the latter may cross these. The* diretti *are ordinary trains for which no supplement need be paid and differ from the* espressi *principally in that the latter are long-distance trains which travel mainly during the night. The intercity and eurocity are faster trains for which a supplement must be paid when one buys one's ticket. The* rapidi *operate a first-class service only, and the high-speed* pendolino, *which offers both first and second-class travel, runs between major Italian cities.*

'trenta *num* thirty ♦ *sm inv* (*INS*): ~ **e lode** full marks plus distinction *o* cum laude.

tren'tenne *ag, smlf* thirty-year-old.

tren'tennio *sm* period of thirty years.

tren'tesimo, a *num* thirtieth.

tren'tina *sf*: **una** ~ **(di)** thirty or so, about thirty.

tren'tino, a *ag* of (*o* from) Trento.

trepi'dante *ag* anxious.

trepi'dare *vi* to be anxious; ~ **per qn** to be anxious about sb.

'trepido, a *ag* anxious.

treppi'ede *sm* tripod; (*CUC*) trivet.

tre'quarti *sm inv* three-quarter-length coat.

'tresca, sche *sf* (*fig*) intrigue; (: *relazione amorosa*) affair.

'trespolo *sm* trestle.

trevigi'ano, a [trevi'dʒano] *ag* of (*o* from) Treviso.

triango'lare *ag* triangular.

tri'angolo *sm* triangle.

tribo'lare *vi* (*patire*) to suffer; (*fare fatica*) to have a lot of trouble.

tribolazi'one [tribolat'tsjone] *sf* suffering, tribulation.

tri'bordo *sm* (*NAUT*) starboard.

tribù *sf inv* tribe.

tri'buna *sf* (*podio*) platform; (*in aule etc*) gallery; (*di stadio*) stand; ~ **della stampa/riservata al pubblico** press/public gallery.

tribu'nale *sm* court; **presentarsi** *o* **comparire in** ~ to appear in court; ~ **militare** military tribunal; ~ **supremo** supreme court.

tribu'tare *vt* to bestow; ~ **gli onori dovuti a qn** to pay tribute to sb.

tribu'tario, a *ag* (*imposta*) fiscal, tax *cpd*; (*GEO*): **essere** ~ **di** to be a tributary of.

tri'buto *sm* tax; (*fig*) tribute.

tri'checo, chi [tri'kɛko] *sm* (*ZOOL*) walrus.

tri'ciclo [tri'tʃiklo] *sm* tricycle.

trico'lore *ag* three-coloured (*BRIT*), three-colored (*US*) ♦ *sm* tricolo(u)r; (*bandiera italiana*) Italian flag.

tri'dente *sm* trident.

trien'nale *ag* (*che dura 3 anni*) three-year *cpd*; (*che avviene ogni 3 anni*) three-yearly.

tri'ennio *sm* period of three years.

tries'tino, a *ag* of (*o* from) Trieste.

tri'fase *ag* (*ELETTR*) three-phase.

tri'foglio [tri'fɔʎʎo] *sm* clover.

trifo'lato, a *ag* (*CUC*) cooked in oil, garlic and parsley.

'triglia ['triʎʎa] *sf* red mullet.

trigonome'tria *sf* trigonometry.

tril'lare *vi* (*MUS*) to trill.

'trillo *sm* trill.

tri'mestre *sm* period of three months; (*INS*) term, quarter (*US*); (*COMM*) quarter.

trimo'tore *sm* (*AER*) three-engined plane.

'trina *sf* lace.

trin'cea [trin'tʃea] *sf* trench.

trince'rare [trintʃe'rare] *vt* to entrench.

trinci'are [trin'tʃare] *vt* to cut up.

'Trinidad *sm*: ~ **e Tobago** Trinidad and Tobago.

Trinità *sf* (*REL*) Trinity.

'trio, pl 'trii *sm* trio.

trion'fale *ag* triumphal, triumphant.

trion'fante *ag* triumphant.

trion'fare *vi* to triumph, win; ~ **su** to triumph over, overcome.

tri'onfo *sm* triumph.

tripli'care *vt* to triple.

'triplice ['triplitʃe] *ag* triple; **in** ~ **copia** in triplicate.

'triplo, a *ag* triple, treble ♦ *sm*: **il** ~ **(di)** three times as much (as); **la spesa è** ~**a** it costs three times as much.

'tripode *sm* tripod.

'Tripoli *sf* Tripoli.

'trippa *sf* (*CUC*) tripe.

tri'pudio *sm* triumph, jubilation; (*fig: di colori*) galaxy.

tris *sm inv* (*CARTE*): ~ **d'assi/di re** *etc* three aces/kings *etc*.

'triste *ag* sad; (*luogo*) dreary, gloomy.

tris'tezza [tris'tettsa] *sf* sadness;

gloominess.

'**tristo, a** *ag* (*cattivo*) wicked, evil; (*meschino*) sorry, poor.

trita'**carne** *sm inv* mincer, grinder (*US*).

trita'**ghiaccio** [trita'gjattʃo] *sm inv* ice crusher.

tri'**tare** *vt* to mince, grind (*US*).

trita'**tutto** *sm inv* mincer, grinder (*US*).

'**trito, a** *ag* (*tritato*) minced, ground (*US*); ~ **e ritrito** (*idee, argomenti, frasi*) trite, hackneyed.

tri'**tolo** *sm* trinitrotoluene.

tri'**tone** *sm* (*ZOOL*) newt.

'**trittico, ci** *sm* (*ARTE*) triptych.

tritu'**rare** *vt* to grind.

tri'**vella** *sf* drill.

trivel'**lare** *vt* to drill.

trivellazi'**one** [trivellat'tsjone] *sf* drilling; **torre di** ~ derrick.

trivi'**ale** *ag* vulgar, low.

trivialità *sf inv* (*volgarità*) coarseness, crudeness; (: *osservazione*) coarse *o* crude remark.

tro'**feo** *sm* trophy.

'**trogolo** *sm* (*per maiali*) trough.

'**troia** *sf* (*ZOOL*) sow; (*fig peg*) whore.

'**tromba** *sf* (*MUS*) trumpet; (*AUT*) horn; ~ **d'aria** whirlwind; ~ **delle scale** stairwell.

trombet'**tista, i, e** *sm/f* trumpeter, trumpet (player).

trom'**bone** *sm* trombone.

trom'**bosi** *sf* thrombosis.

tron'**care** *vt* to cut off; (*spezzare*) to break off.

'**tronco, a, chi, che** *ag* cut off; broken off; (*LING*) truncated ♦ *sm* (*BOT, ANAT*) trunk; (*fig: tratto*) section; (: *pezzo: di lancia*) stump; **licenziare qn in** ~ (*fig*) to fire sb on the spot.

troneggi'**are** [troned'dʒare] *vi:* ~ **(su)** to tower (over).

'**tronfio, a** *ag* conceited.

'**trono** *sm* throne.

tropi'**cale** *ag* tropical.

'**tropico, ci** *sm* tropic; ~ **del Cancro/ Capricorno** Tropic of Cancer/Capricorn; **i** ~**ci** the tropics.

=========== *PAROLA CHIAVE*

'**troppo, a** *det* (*in eccesso: quantità*) too much; (: *numero*) too many; **ho messo** ~ **zucchero** I put too much sugar in; **c'era** ~**a gente** there were too many people ♦ *pron* (*in eccesso: quantità*) too much; (: *numero*) too many; **ne hai messo** ~ you've put in too much; **meglio** ~**i che pochi** better too many than too few ♦ *av* (*eccessivamente: con ag, av*) too; (: *con*

vb) too much; ~ **amaro/tardi** too bitter/ late; **lavora** ~ he works too much; ~ **buono da parte tua!** (*anche ironico*) you're too kind!; **di** ~ too much; too many; **qualche tazza di** ~ a few cups too many; **3000 lire di** ~ 3000 lire too much; **essere di** ~ to be in the way.

'**trota** *sf* trout.

trot'**tare** *vi* to trot.

trotterel'**lare** *vi* to trot along; (*bambino*) to toddle.

'**trotto** *sm* trot.

'**trottola** *sf* spinning top.

tro'**vare** *vt* to find; (*giudicare*): **trovo che** I find *o* think that; ~**rsi** *vr* (*reciproco: incontrarsi*) to meet; (*essere, stare*) to be; (*arrivare, capitare*) to find o.s.; **andare a** ~ **qn** to go and see sb; ~ **qn colpevole** to find sb guilty; **trovo giusto/sbagliato che** ... I think/don't think it's right that ...; ~**rsi bene/male** (*in un luogo, con qn*) to get on well/badly; ~**rsi d'accordo con qn** to be in agreement with sb.

tro'**vata** *sf* good idea; ~ **pubblicitaria** advertising gimmick.

trova'**tello, a** *sm/f* foundling.

truc'**care** *vt* (*falsare*) to fake; (*attore etc*) to make up; (*travestire*) to disguise; (*SPORT*) to fix; (*AUT*) to soup up; ~**rsi** *vr* to make up (one's face).

trucca'**tore, 'trice** *sm/f* (*CINE, TEAT*) make-up artist.

'**trucco, chi** *sm* trick; (*cosmesi*) make-up; **i** ~**chi del mestiere** the tricks of the trade.

'**truce** ['trutʃe] *ag* fierce.

truci'**dare** [trutʃi'dare] *vt* to slaughter.

tru'**ciolo** ['trutʃolo] *sm* shaving.

'**truffa** *sf* fraud, swindle.

truf'**fare** *vt* to swindle, cheat.

truffa'**tore, 'trice** *sm/f* swindler, cheat.

'**truppa** *sf* troop.

TS *sigla* = *Trieste*.

tu *pron* you; ~ **stesso(a)** you yourself; **dare del** ~ **a qn** to address sb as "tu"; **trovarsi a** ~ **per** ~ **con qn** to find o.s. face to face with sb.

'**tua** *vedi* **tuo.**

'**tuba** *sf* (*MUS*) tuba; (*cappello*) top hat.

tu'**bare** *vi* to coo.

tuba'**tura** *sf*, **tubazi'one** [tubat'tsjone] *sf* piping *no pl*, pipes *pl.*

tuberco'**losi** *sf* tuberculosis.

'**tubero** *sm* (*BOT*) tuber.

tu'**betto** *sm* tube.

tu'**bino** *sm* (*cappello*) bowler (*BRIT*), derby (*US*); (*abito da donna*) sheath dress.

'**tubo** *sm* tube; (*per conduttore*) pipe; ~

tubolare – tutto

digerente (*ANAT*) alimentary canal, digestive tract; ~ **di scappamento** (*AUT*) exhaust pipe.

tubo'lare *ag* tubular ♦ *sm* tubeless tyre (*BRIT*) o tire (*US*).

'tue *vedi* **tuo.**

tuf'fare *vt* to plunge; (*intingere*) to dip; ~**rsi** *vr* to plunge, dive.

tuffa'tore, 'trice *sm/f* (*SPORT*) diver.

'tuffo *sm* dive; (*breve bagno*) dip.

tu'gurio *sm* hovel.

tuli'pano *sm* tulip.

'tulle *sm* (*tessuto*) tulle.

tume'fare *vt* to cause to swell; ~**rsi** *vr* to swell.

'tumido, a *ag* swollen.

tu'more *sm* (*MED*) tumour (*BRIT*), tumor (*US*).

tumulazi'one [tumulat'tsjone] *sf* burial.

tu'multo *sm* uproar, commotion; (*sommossa*) riot; (*fig*) turmoil.

tumultu'oso, a *ag* rowdy, unruly; (*fig*) turbulent, stormy.

tungs'teno *sm* tungsten.

'tunica, che *sf* tunic.

'Tunisi *sf* Tunis.

Tuni'sia *sf*: **la** ~ Tunisia.

tuni'sino, a *ag, sm/f* Tunisian.

'tunnel *sm inv* tunnel.

'tuo, 'tua, tu'oi, 'tue *det*: **il** ~, **la tua** *etc* your ♦ *pron*: **il** ~, **la tua** *etc* yours ♦ *sm*: **hai speso del** ~? did you spend your own money? ♦ *sf*: **la** ~**a** (*opinione*) your view; **i tuoi** (*genitori, famiglia*) your family; **una** ~**a amica** a friend of yours; **è dalla** ~**a** he is on your side; **alla** ~**a!** (*brindisi*) your health!; **ne hai fatta una delle** ~**e!** (*sciocchezze*) you've done it again!

tuo'nare *vi* to thunder; **tuona** it is thundering, there's some thunder.

tu'ono *sm* thunder.

tu'orlo *sm* yolk.

tu'racciolo [tu'rattʃolo] *sm* cap, top; (*di sughero*) cork.

tu'rare *vt* to stop, plug; (*con sughero*) to cork; ~**rsi il naso** to hold one's nose.

'turba *sf* (*folla*) crowd, throng; (: *peg*) mob; ~**e** *sfpl* disorder(s); **soffrire di** ~**e psichiche** to suffer from a mental disorder.

turba'mento *sm* disturbance; (*di animo*) anxiety, agitation.

tur'bante *sm* turban.

tur'bare *vt* to disturb, trouble; ~ **la quiete pubblica** (*DIR*) to disturb the peace.

tur'bina *sf* turbine.

turbi'nare *vi* to whirl.

'turbine *sm* whirlwind; ~ **di neve** swirl of snow; ~ **di polvere/sabbia** dust/sandstorm.

turbi'noso, a *ag* (*vento, danza etc*) whirling.

turbo'lento, a *ag* turbulent; (*ragazzo*) boisterous, unruly.

turbo'lenza [turbo'lɛntsa] *sf* turbulence.

turboreat'tore *sm* turbojet engine.

tur'chese [tur'kese] *ag, sm, sf* turquoise.

Tur'chia [tur'kia] *sf*: **la** ~ Turkey.

tur'chino, a [tur'kino] *ag* deep blue.

'turco, a, chi, che *ag* Turkish ♦ *sm/f* Turk/Turkish woman ♦ *sm* (*LING*) Turkish; **parlare** ~ (*fig*) to talk double Dutch.

'turgido, a ['turdʒido] *ag* swollen.

tu'rismo *sm* tourism.

tu'rista, i, e *sm/f* tourist.

tu'ristico, a, ci, che *ag* tourist *cpd*.

tur'nista, i, e *sm/f* shift worker.

'turno *sm* turn; (*di lavoro*) shift; **di** ~ (*soldato, medico, custode*) on duty; **a** ~ (*rispondere*) in turn; (*lavorare*) in shifts; **fare a** ~ **a fare qc** to take turns to do sth; **è il suo** ~ it's your (o his *etc*) turn.

'turpe *ag* filthy, vile.

turpi'loquio *sm* obscene language.

'tuta *sf* overalls *pl*; (*SPORT*) tracksuit; ~ **mimetica** (*MIL*) camouflage clothing; ~ **spaziale** spacesuit; ~ **subacquea** wetsuit.

tu'tela *sf* (*DIR: di minore*) guardianship; (: *protezione*) protection; (*difesa*) defence (*BRIT*), defense (*US*); ~ **dell'ambiente** environmental protection; ~ **del consumatore** consumer protection.

tute'lare *vt* to protect, defend ♦ *ag* (*DIR*): **giudice** ~ *judge with responsibility for guardianship cases*.

tu'tore, 'trice *sm/f* (*DIR*) guardian.

tutta'via *cong* nevertheless, yet.

========================= *PAROLA CHIAVE*

'tutto, a *det* **1** (*intero*) all; ~ **il latte** all the milk; ~**a la notte** all night, the whole night; ~ **il libro** the whole book; ~**a una bottiglia** a whole bottle; **in** ~ **il mondo** all over the world

2 (*pl, collettivo*) all; every; ~**i i libri** all the books; ~**e le notti** every night; ~**i i venerdì** every Friday; ~**i gli uomini** all the men; (*collettivo*) all men; ~**e le volte che** every time (that); ~**i e due** both o each of us (o them o you); ~**i e cinque** all five of us (o them o you)

3 (*completamente*): **era** ~**a sporca** she was all dirty; **tremava** ~ he was trembling all over; **è** ~**a sua madre** she's just o exactly like her mother

4: **a tutt'oggi** so far, up till now; **a** ~**a velocità** at full o top speed

◆ *pron* **1** (*ogni cosa*) everything, all; (*qualsiasi cosa*) anything; **ha mangiato** ~ he's eaten everything; **dimmi** ~ tell me all about it; ~ **compreso** all included, all-in (*BRIT*); ~ **considerato** all things considered; **con** ~ **che** (*malgrado*) although; **del** ~ completely; **10.000 lire in** ~ 10,000 lire in all; **in** ~ **eravamo 50** there were 50 of us in all; **in** ~ **e per** ~ completely; **il che è** ~ **dire** and that's saying a lot

2: ~**i, e** (*ognuno*) all, everybody; **vengono** ~**i** they are all coming, everybody's coming; ~**i sanno che** everybody knows that; ~**i quanti** all and sundry

◆ *av* (*completamente*) entirely, quite; **è** ~ **il contrario** it's quite *o* exactly the opposite; **tutt'al più: saranno stati tutt'al più una cinquantina** there were about fifty of them at (the very) most; **tutt'al più possiamo prendere un treno** if the worst comes to the worst we can take a train; **tutt'altro** on the contrary; **è tutt'altro che felice** he's anything but happy; **tutt'intorno** all around; **tutt'a un tratto** suddenly

◆ *sm*: **il** ~ the whole lot, all of it; **il** ~ **si è svolto senza incidenti** it all went off without incident; **il** ~ **le costerà due milioni** the whole thing will cost you two million.

tutto'fare *ag inv*: **domestica** ~ general maid; **ragazzo** ~ office boy ◆ *smf inv* handyman/woman.

tut'tora *av* still.

tutù *sm inv* tutu, ballet skirt.

TV [ti'vu] *sf inv* (= *televisione*) TV ◆ *sigla* = Treviso.

U u

U, u [u] *sf o m inv* (*lettera*) U, u; **U come Udine** ≈ U for Uncle; **inversione ad U** U-turn.

ub'bia *sf* (*letterario*) irrational fear.

ubbidi'ente *ag* obedient.

ubbidi'enza [ubbi'djɛntsa] *sf* obedience.

ubbi'dire *vi* to obey; ~ **a** to obey; (*sog: veicolo, macchina*) to respond to.

ubicazi'one [ubikat'tsjone] *sf* site, location.

ubiquità *sf*: **non ho il dono dell'**~ I can't be everywhere at once.

ubria'care *vt*: ~ **qn** to get sb drunk; (*sog: alcool*) to make sb drunk; (*fig*) to make sb's head spin *o* reel; ~**rsi** *vr* to get drunk; ~**rsi di** (*fig*) to become intoxicated with.

ubria'chezza [ubria'kettsa] *sf* drunkenness.

ubri'aco, a, chi, che *ag, sm/f* drunk.

ubria'cone *sm* drunkard.

uccellagi'one [uttʃella'dʒone] *sf* bird catching.

uccelli'era [uttʃel'ljɛra] *sf* aviary.

uccel'lino [uttʃel'lino] *sm* baby bird, chick.

uc'cello [ut'tʃello] *sm* bird.

uc'cidere [ut'tʃidere] *vt* to kill; ~**rsi** *vr* (*suicidarsi*) to kill o.s.; (*perdere la vita*) to be killed.

uccisi'one [uttʃi'zjone] *sf* killing.

uc'ciso, a [ut'tʃizo] *pp di* **uccidere**.

ucci'sore [uttʃi'zore] *sm* killer.

U'craina *sf* Ukraine.

u'craino, a *ag, sm/f* Ukrainian.

UD *sigla* = Udine.

U.D.C. *sigla f* (*POL*: = *Unione di Centro*) centre party.

u'dente *sm/f*: **i non udenti** the hard of hearing.

u'dibile *ag* audible.

udi'enza [u'djɛntsa] *sf* audience; (*DIR*) hearing; **dare** ~ **(a)** to grant an audience (to); ~ **a porte chiuse** hearing in camera.

u'dire *vt* to hear.

udi'tivo, a *ag* auditory.

u'dito *sm* (sense of) hearing.

udi'tore, 'trice *sm/f* listener; (*INS*) unregistered student (*attending lectures*).

udi'torio *sm* (*persone*) audience.

U.E. *abbr* = *uso esterno*.

UEFA *sigla f* UEFA (= *Union of European Football Associations*).

'uffa *escl* tut!

uffici'ale [uffi'tʃale] *ag* official ◆ *sm* (*AMM*) official, officer; (*MIL*) officer; **pubblico** ~ public official; ~ **giudiziario** clerk of the court; ~ **di marina** naval officer; ~ **sanitario** health inspector; ~ **di stato civile** registrar.

ufficializ'zare [uffitʃalid'dzare] *vt* to make official.

uf'ficio [uf'fitʃo] *sm* (*gen*) office; (*dovere*) duty; (*mansione*) task, function, job; (*agenzia*) agency, bureau; (*REL*) service; **d'**~ *ag* office *cpd*; official ◆ *av* officially; **provvedere d'**~ to act officially; **convocare d'**~ (*DIR*) to summons; **difensore** *o* **avvocato d'**~ (*DIR*) court-appointed counsel for the defence; ~ **brevetti** patent office; ~ **di collocamento**

employment office; ~ **informazioni** information bureau; ~ **oggetti smarriti** lost property office (*BRIT*), lost and found (*US*); ~ **postale** post office; ~ **vendite/del personale** sales/personnel department.

uffici'oso, a [uffi'tʃoso] *ag* unofficial.

'UFO *sm inv* (= *unidentified flying object*) UFO.

'ufo: a ~ *av* free, for nothing.

U'ganda *sf*: **l'**~ Uganda.

'uggia ['uddʒa] *sf* (*noia*) boredom; (*fastidio*) bore; **avere/prendere qn in** ~ to dislike/take a dislike to sb.

uggi'oso, a [ud'dʒoso] *ag* tiresome; (*tempo*) dull.

'ugola *sf* uvula.

uguagli'anza [ugwaʎ'ʎantsa] *sf* equality.

uguagli'are [ugwaʎ'ʎare] *vt* to make equal; (*essere uguale*) to equal, be equal to; (*livellare*) to level; ~**rsi** *vr*: ~**rsi a** *o* **con qn** (*paragonarsi*) to compare o.s. to sb.

ugu'ale *ag* equal; (*identico*) identical, the same; (*uniforme*) level, even ♦ *av*: **costano** ~ they cost the same; **sono bravi** ~ they're equally good.

ugual'mente *av* equally; (*lo stesso*) all the same.

U.I. *abbr* = *uso interno*.

UIL *sigla f* (= *Unione Italiana del Lavoro*) *trade union federation.*

'ulcera ['ultʃera] *sf* ulcer.

ulcerazi'one [ultʃerat'tsjone] *sf* ulceration.

u'liva *etc* = **oliva** *etc*.

ulteri'ore *ag* further.

ultima'mente *av* lately, of late.

ulti'mare *vt* to finish, complete.

ulti'matum *sm inv* ultimatum.

ulti'missime *sfpl* latest news *sg*.

'ultimo, a *ag* (*finale*) last; (*estremo*) farthest, utmost; (*recente: notizia, moda*) latest; (*fig: sommo, fondamentale*) ultimate ♦ *sm/f* last (one); **fino all'**~ to the last, until the end; **da** ~, **in** ~ in the end; **per** ~ (*entrare, arrivare*) last; **abitare all'**~ **piano** to live on the top floor; **in** ~**a pagina** (*di giornale*) on the back page; **negli** ~**i tempi** recently; **all'**~ **momento** at the last minute; ... **la vostra lettera del 7 aprile** ~ **scorso** ... your letter of April 7th last; **in** ~**a analisi** in the final *o* last analysis; **in** ~ **luogo** finally.

ultrà *sm/f* ultra.

ultrasi'nistra *sf* (*POL*) extreme left.

ultrasu'ono *sm* ultrasound.

ultravio'letto, a *ag* ultraviolet.

ulu'lare *vi* to howl.

ulu'lato *sm* howling *no pl*; howl.

umana'mente *av* (*con umanità*) humanely; (*nei limiti delle capacità umane*) humanly.

uma'nesimo *sm* humanism.

umanità *sf* humanity.

umani'tario, a *ag* humanitarian.

umaniz'zare [umanid'dzare] *vt* to humanize.

u'mano, a *ag* human; (*comprensivo*) humane.

umbi'lico *sm* = **ombelico**.

'umbro, a *ag* of (*o* from) Umbria.

umet'tare *vt* to dampen, moisten.

umi'diccio, a, ci, ce [umi'dittʃo] *ag* (*terreno*) damp; (*mano*) moist, clammy.

umidifi'care *vt* to humidify.

umidifica'tore *sm* humidifier.

umidità *sf* dampness; moistness; humidity.

'umido, a *ag* damp; (*mano, occhi*) moist; (*clima*) humid ♦ *sm* dampness, damp; **carne in** ~ stew.

'umile *ag* humble.

umili'ante *ag* humiliating.

umili'are *vt* to humiliate; ~**rsi** *vr* to humble o.s.

umiliazi'one [umiljat'tsjone] *sf* humiliation.

umiltà *sf* humility, humbleness.

u'more *sm* (*disposizione d'animo*) mood; (*carattere*) temper; **di buon/cattivo** ~ in a good/bad mood.

umo'rismo *sm* humour (*BRIT*), humor (*US*); **avere il senso dell'**~ to have a sense of humo(u)r.

umo'rista, i, e *sm/f* humorist.

umo'ristico, a, ci, che *ag* humorous, funny.

un, un', una *vedi* **uno**.

u'nanime *ag* unanimous.

unanimità *sf* unanimity; **all'**~ unanimously.

'una 'tantum *ag* one-off *cpd* ♦ *sf* (*imposta*) one-off tax.

unci'nato, a [untʃi'nato] *ag* (*amo*) barbed; (*ferro*) hooked; **croce** ~**a** swastika.

unci'netto [untʃi'netto] *sm* crochet hook.

un'cino [un'tʃino] *sm* hook.

undi'cenne [undi'tʃenne] *ag*, *sm/f* eleven-year-old.

undi'cesimo, a [undi'tʃɛzimo] *ag* eleventh.

'undici ['undi tʃi] *num* eleven.

U'NESCO *sigla f* (= *United Nations Educational, Scientific and Cultural Organization*) UNESCO.

'ungere ['undʒere] *vt* to grease, oil; (*REL*) to anoint; (*fig*) to flatter, butter up; ~**rsi** *vr* (*sporcarsi*) to get covered in grease; ~**rsi con la crema** to put on cream.

unghe'rese [unge'rese] *ag*, *sm/f*, *sm* Hungarian.

Unghe'ria [unge'ria] *sf*: **l'**~ Hungary.

'**unghia** ['ungja] *sf* (*ANAT*) nail; (*di animale*)
claw; (*di rapace*) talon; (*di cavallo*) hoof;
pagare sull'~ (*fig*) to pay on the nail
unghi'ata [un'gjata] *sf* (*graffio*) scratch.
ungu'ento *sm* ointment.
unica'mente *av* only.
'**UNICEF** ['unitʃɛf] *sigla m* (= *United Nations
International Children's Emergency Fund*)
UNICEF.
'**unico, a, ci, che** *ag* (*solo*) only;
(*ineguagliabile*) unique; (*singolo: binario*)
single; **è figlio** ~ he's an only child; **atto**
~ (*TEAT*) one-act play; **agente** ~ (*COMM*)
sole agent.
uni'corno *sm* unicorn.
unifi'care *vt* to unite, unify; (*sistemi*) to
standardize.
unificazi'one [unifikat'tsjone] *sf*
unification; standardization.
unifor'mare *vt* (*terreno, superficie*) to level;
~**rsi** *vr*: ~**rsi a** to conform to; ~ **qc a** to
adjust *o* relate sth to.
uni'forme *ag* uniform; (*superficie*) even ♦ *sf*
(*divisa*) uniform; **alta** ~ dress uniform.
uniformità *sf* uniformity; evenness.
unilate'rale *ag* one-sided; (*DIR, POL*)
unilateral.
uninomi'nale *ag* (*POL: collegio, sistema*)
single-candidate *cpd*.
uni'one *sf* union; (*fig: concordia*) unity,
harmony; **l'U**~ **Sovietica** the Soviet
Union.
u'nire *vt* to unite; (*congiungere*) to join,
connect; (*: ingredienti, colori*) to combine;
(*in matrimonio*) to unite, join together;
~**rsi** *vr* to unite; (*in matrimonio*) to be
joined together; ~ **qc a** to unite sth with;
to join *o* connect sth with; to combine sth
with; ~**rsi a** (*gruppo, società*) to join.
u'nisono *sm*: **all'**~ in unison.
unità *sf inv* (*unione, concordia*) unity; (*MAT,
MIL, COMM, di misura*) unit; ~ **centrale (di
elaborazione)** (*INFORM*) central
processing unit; ~ **disco** (*INFORM*) disk
drive; ~ **monetaria** monetary unit.
uni'tario, a *ag* unitary; **prezzo** ~ price per
unit.
u'nito, a *ag* (*paese*) united; (*amici, famiglia*)
close; **in tinta** ~**a** plain, self-coloured
(*BRIT*), self-colored (*US*).
univer'sale *ag* universal; general.
universalità *sf* universality.
universal'mente *av* universally.
università *sf inv* university.
universi'tario, a *ag* university *cpd* ♦ *sm/f*
(*studente*) university student; (*insegnante*)
academic, university lecturer.
uni'verso *sm* universe.

u'nivoco, a, ci, che *ag* unambiguous.

=========== *PAROLA CHIAVE*

'**uno, a** (*dav sm* **un** + *C, V,* **uno** + *s impura,
gn, pn, ps, x, z; dav sf* **un'** + *V,* **una** + *C*) *det*
1 a; (*dav vocale*) an; **un bambino** a child;
~**a strada** a street; ~ **zingaro** a gypsy
2 (*intensivo*): **ho avuto** ~**a paura!** I got
such a fright!

♦ *pron* **1** one; **ce n'è** ~ **qui** there's one here;
prendine ~ take one (of them); **l'**~ **o
l'altro** either (of them); **l'**~ **e l'altro** both
(of them); **aiutarsi l'un l'altro** to help one
another *o* each other; **sono entrati l'**~
dopo l'altro they came in one after the
other; **a** ~ **a** ~ one by one; **metà per** ~
half each
2 (*un tale*) someone, somebody; **ho
incontrato** ~ **che ti conosce** I met
somebody who knows you
3 (*con valore impersonale*) one, you; **se** ~
vuole if one wants, if you want; **cosa fa** ~
in quella situazione? what does one do in
that situation?

♦ *num* one; ~**a mela e due pere** one apple
and two pears; ~ **più** ~ **fa due** one plus
one equals two, one and one are two
♦ *sf*: **è l'**~**a** it's one (o'clock).

'**unsi** *etc vb vedi* **ungere**.
'**unto, a** *pp di* **ungere** ♦ *ag* greasy, oily ♦ *sm*
grease.
untu'oso, a *ag* greasy, oily.
unzi'one [un'tsjone] *sf*: **l'Estrema U**~ (*REL*)
Extreme Unction.
u'omo, *pl* **u'omini** *sm* man; **da** ~ (*abito,
scarpe*) men's, for men; **a memoria d'**~
since the world began; **a passo d'**~ at
walking pace; ~ **d'affari** businessman; ~
d'azione man of action; ~ **di fiducia**
right-hand man; ~ **di mondo** man of the
world; ~ **di paglia** stooge; ~ **rana**
frogman; **l'**~ **della strada** the man in the
street.
u'opo *sm*: **all'**~ if necessary.
u'ovo, *pl(f)* **u'ova** *sm* egg; **cercare il pelo
nell'**~ (*fig*) to split hairs; ~ **affogato** *o* **in
camicia** poached egg; ~ **bazzotto/sodo**
soft-/hard-boiled egg; ~ **alla coque** boiled
egg; ~ **di Pasqua** Easter egg; ~ **al tegame**
o **all'occhio di bue** fried egg; **uova
strapazzate** scrambled eggs.
ura'gano *sm* hurricane.
U'rali *smpl*: **gli** ~, **i Monti** ~ the Urals, the
Ural Mountains.
u'ranio *sm* uranium.
urba'nesimo *sm* urbanization.
urba'nista, i, e *sm/f* town planner.

urba'nistica *sf* town planning.

urbanità *sf* urbanity.

ur'bano, a *ag* urban, city *cpd*, town *cpd*; (*TEL: chiamata*) local; (*fig*) urbane.

ur'gente [ur'dʒɛnte] *ag* urgent.

ur'genza [ur'dʒɛntsa] *sf* urgency; **in caso d'~** in (case of) an emergency; **d'~** *ag* emergency ♦ *av* urgently, as a matter of urgency; **non c'è ~** there's no hurry; **questo lavoro va fatto con ~** this work is urgent.

'urgere ['urdʒere] *vi* to be needed urgently.

u'rina *etc* = **orina** *etc*.

ur'lare *vi* (*persona*) to scream, yell; (*animale, vento*) to howl ♦ *vt* to scream, yell.

'urlo, *pl(m)* **'urli**, *pl(f)* **'urla** *sm* scream, yell; howl.

'urna *sf* urn; (*elettorale*) ballot box; **andare alle ~e** to go to the polls.

urrà *escl* hurrah!

U.R.S.S. *sigla f* (= *Unione delle Repubbliche Socialiste Sovietiche*): **l'~** the USSR.

ur'tare *vt* to bump into, knock against; (*fig: irritare*) to annoy ♦ *vi*: **~ contro** *o* **in** to bump into, knock against; (*fig: imbattersi*) to come up against; **~rsi** *vr* (*reciproco: scontrarsi*) to collide; (: *fig*) to clash; (*irritarsi*) to get annoyed.

'urto *sm* (*colpo*) knock, bump; (*scontro*) crash, collision; (*fig*) clash; **terapia d'~** (*MED*) shock treatment.

uruguai'ano, a *ag*, *sm/f* Uruguayan.

Urugu'ay *sm*: **l'~** Uruguay.

u.s. *abbr* = **ultimo scorso**.

'USA *smpl*: **gli ~** the USA.

u'sanza [u'zantsa] *sf* custom; (*moda*) fashion.

u'sare *vt* to use, employ ♦ *vi* (*essere di moda*) to be fashionable; (*servirsi*): **~ di** to use; (: *diritto*) to exercise; (*essere solito*): **~ fare** to be in the habit of doing, be accustomed to doing ♦ *vb impers*: **qui usa così** it's the custom round here; **~ la massima cura nel fare qc** to exercise great care when doing sth.

u'sato, a *ag* used; (*consumato*) worn; (*di seconda mano*) used, second-hand ♦ *sm* second-hand goods *pl*.

u'scente [uʃ'ʃɛnte] *ag* (*AMM*) outgoing.

usci'ere [uʃ'ʃɛre] *sm* usher.

'uscio ['uʃʃo] *sm* door.

u'scire [uʃ'ʃire] *vi* (*gen*) to come out; (*partire, andare a passeggio, a uno spettacolo etc*) to go out; (*essere sorteggiato: numero*) to come up; **~ da** (*gen*) to leave; (*posto*) to go (*o* come) out of, leave; (*solco, vasca etc*) to come out of; (*muro*) to stick out of;

(*competenza etc*) to be outside; (*infanzia, adolescenza*) to leave behind; (*famiglia nobile etc*) to come from; **~ da** *o* **di casa** to go out; (*fig*) to leave home; **~ in automobile** to go out in the car, go for a drive; **~ di strada** (*AUT*) to go off *o* leave the road.

u'scita [uʃ'ʃita] *sf* (*passaggio, varco*) exit, way out; (*per divertimento*) outing; (*ECON: somma*) expenditure; (*fig: battuta*) witty remark; **"vietata l'~"** "no exit"; **~ di sicurezza** emergency exit.

usi'gnolo [uziɲ'ɲɔlo] *sm* nightingale.

U.S.L. [uzl] *sigla f* (= *unità sanitaria locale*) local health centre.

'uso *sm* (*utilizzazione*) use; (*esercizio*) practice (*BRIT*), practise (*US*); (*abitudine*) custom; **fare ~ di qc** to use sth; **con l'~** with practice; **a ~ di** for (the use of); **d'~** (*corrente*) in use; **fuori ~** out of use; **essere in ~** to be in common *o* current use.

ustio'nare *vt* to burn; **~rsi** *vr* to burn o.s.

usti'one *sf* burn.

usu'ale *ag* common, everyday.

usufru'ire *vi*: **~ di** (*giovarsi di*) to take advantage of, make use of.

usu'frutto *sm* (*DIR*) usufruct.

u'sura *sf* usury; (*logoramento*) wear (and tear).

usu'raio *sm* usurer.

usur'pare *vt* to usurp.

usurpa'tore, 'trice *sm/f* usurper.

uten'sile *sm* tool, implement ♦ *ag*: **macchina ~** machine tool; **~i da cucina** kitchen utensils.

utensile'ria *sf* (*utensili*) tools *pl*; (*reparto*) tool room.

u'tente *sm/f* user; (*di gas etc*) consumer; (*del telefono*) subscriber; **~ finale** end user.

'utero *sm* uterus, womb; **~ in affitto** host womb.

'utile *ag* useful ♦ *sm* (*vantaggio*) advantage, benefit; (*ECON: profitto*) profit; **rendersi ~** to be helpful; **in tempo ~ per** in time for; **unire l'~ al dilettevole** to combine business with pleasure; **partecipare agli ~i** (*ECON*) to share in the profits.

utilità *sf* usefulness *no pl*; use; (*vantaggio*) benefit; **essere di grande ~** to be very useful.

utili'tario, a *ag* utilitarian ♦ *sf* (*AUT*) economy car.

utiliz'zare [utilid'dzare] *vt* to use, make use of, utilize.

utilizzazi'one [utiliddzat'tsjone] *sf* utilization, use.

uti'lizzo [uti'liddzo] *sm* (*AMM*) utilization; (*BANCA: di credito*) availment.
util'mente *av* usefully, profitably.
uto'pia *sf* utopia; **è pura ~** that's sheer utopianism.
uto'pistico, a, ci, che *ag* utopian.
UVA *abbr* = ultravioletto prossimo.
'uva *sf* grapes *pl*; **~ passa** raisins *pl*; **~ spina** gooseberry.

V v

V, v [vi, vu] *sf o m inv* (*lettera*) V, v; **V come Venezia** ≈ V for Victor.
V *abbr* (= *volt*) V.
v. *abbr* (= *vedi, verso, versetto*) v.
VA *sigla* = Varese.
va, va' *vb vedi* **andare**.
va'cante *ag* vacant.
va'canza [va'kantsa] *sf* (*l'essere vacante*) vacancy; (*riposo, ferie*) holiday(s *pl*) (*BRIT*), vacation (*US*); (*giorno di permesso*) day off, holiday; **~e** *sfpl* (*periodo di ferie*) holidays, vacation *sg*; **essere/andare in ~** to be/go on holiday *o* vacation; **far ~** to have a holiday; **~e estive** summer holiday(s) *o* vacation.
'vacca, che *sf* cow.
vacci'nare [vatt'ʃi'nare] *vt* to vaccinate; **farsi ~** to have a vaccination, get vaccinated.
vaccinazi'one [vattʃinat'tsjone] *sf* vaccination.
vac'cino [vat'tʃino] *sm* (*MED*) vaccine.
vacil'lante [vatʃil'lante] *ag* (*edificio, vecchio*) shaky, unsteady; (*fiamma*) flickering; (*salute, memoria*) shaky, failing.
vacil'lare [vatʃil'lare] *vi* to sway; (*fiamma*) to flicker; (*fig: memoria, coraggio*) to be failing, falter.
'vacuo, a *ag* (*fig*) empty, vacuous ♦ *sm* vacuum.
'vado *etc vb vedi* **andare**.
vagabon'daggio [vagabon'daddʒo] *sm* wandering, roaming; (*DIR*) vagrancy.
vagabon'dare *vi* to roam, wander.
vaga'bondo, a *sm/f* tramp, vagrant; (*fannullone*) idler, loafer.
va'gare *vi* to wander.
vagheggi'are [vaged'dʒare] *vt* to long for, dream of.

vagherò *etc* [vage'rɔ] *vb vedi* **vagare**.
va'ghezza [va'gettsa] *sf* vagueness.
va'gina [va'dʒina] *sf* vagina.
va'gire [va'dʒire] *vi* to whimper.
va'gito [va'dʒito] *sm* cry, wailing.
'vaglia ['vaʎʎa] *sm inv* money order; **~ cambiario** promissory note; **~ postale** postal order.
vagli'are [vaʎ'ʎare] *vt* to sift; (*fig*) to weigh up.
'vaglio ['vaʎʎo] *sm* sieve; **passare al ~** (*fig*) to examine closely.
'vago, a, ghi, ghe *ag* vague.
va'gone *sm* (*FERR: per passeggeri*) carriage (*BRIT*), car (*US*); (: *per merci*) truck, wagon; **~ letto** sleeper, sleeping car; **~ ristorante** dining *o* restaurant car.
'vai *vb vedi* **andare**.
vai'olo *sm* smallpox.
val. *abbr* = **valuta**.
va'langa, ghe *sf* avalanche.
va'lente *ag* able, talented.
va'lenza [va'lɛntsa] *sf* (*fig: significato*) content; (*CHIM*) valency.
va'lere *vi* (*avere forza, potenza*) to have influence; (*essere valido*) to be valid; (*avere vigore, autorità*) to hold, apply; (*essere capace: poeta, studente*) to be good, be able ♦ *vt* (*prezzo, sforzo*) to be worth; (*corrispondere*) to correspond to; (*procurare*): **~ qc a qn** to earn sb sth; **~rsi** *vr*: **~rsi di** to make use of, take advantage of; **far ~** (*autorità etc*) to assert; **far ~ le proprie ragioni** to make o.s. heard; **farsi ~** to make o.s. appreciated *o* respected; **vale a dire** that is to say; **~ la pena** to be worth the effort *o* worth it; **l'uno vale l'altro** the one is as good as the other, they amount to the same thing; **non vale niente** it's worthless; **~rsi dei consigli di qn** to take sb's advice, act upon sb's advice.
valeri'ana *sf* (*BOT, MED*) valerian.
va'levole *ag* valid.
'valgo *etc vb vedi* **valere**.
vali'care *vt* to cross.
'valico, chi *sm* (*passo*) pass.
validità *sf* validity.
'valido, a *ag* valid; (*rimedio*) effective; (*persona*) worthwhile; **essere di ~ aiuto a qn** to be a great help to sb.
valige'ria [validʒe'ria] *sf* (*assortimento*) leather goods *pl*; (*fabbrica*) leather goods factory; (*negozio*) leather goods shop.
va'ligia, gie o ge [va'lidʒa] *sf* (suit)case; **fare le ~gie** to pack (up); **~ diplomatica** diplomatic bag.
val'lata *sf* valley.

'**valle** *sf* valley; **a** ~ (*di fiume*) downstream; **scendere a** ~ to go downhill.

val'letto *sm* valet.

valligi'ano, a [valli'dʒano] *sm/f* inhabitant of a valley.

va'lore *sm* (*gen, COMM*) value; (*merito*) merit, worth; (*coraggio*) valour (*BRIT*), valor (*US*), courage; (*FINANZA: titolo*) security; ~**i** *smpl* (*oggetti preziosi*) valuables; **crescere/diminuire di** ~ to go up/down in value, gain/lose in value; **è di gran** ~ it's worth a lot, it's very valuable; **privo di** ~ worthless; ~ **contabile** book value; ~ **effettivo** real value; ~ **nominale** *o* **facciale** nominal value; ~ **di realizzo** break-up value; ~ **di riscatto** surrender value; ~**i bollati** (revenue) stamps.

valoriz'zare [valorid'dzare] *vt* (*terreno*) to develop; (*fig*) to make the most of.

valo'roso, a *ag* courageous.

'**valso, a** *pp di* **valere**.

va'luta *sf* currency, money; (*BANCA*): ~ **15 gennaio** interest to run from January 15th; ~ **estera** foreign currency.

valu'tare *vt* (*casa, gioiello, fig*) to value; (*stabilire: peso, entrate, fig*) to estimate.

valu'tario, a *ag* (*FINANZA: norme*) currency *cpd*.

valutazi'one [valutat'tsjone] *sf* valuation; estimate.

'**valva** *sf* (*ZOOL, BOT*) valve.

'**valvola** *sf* (*TECN, ANAT*) valve; (*ELETTR*) fuse; ~ **a farfalla del carburatore** (*AUT*) throttle; ~ **di sicurezza** safety valve.

'**valzer** ['valtser] *sm inv* waltz.

vam'pata *sf* (*di fiamma*) blaze; (*di calore*) blast; (: *al viso*) flush.

vam'piro *sm* vampire.

vana'gloria *sf* boastfulness.

van'dalico, a, ci, che *ag* vandal *cpd*; **atto** ~ act of vandalism.

vanda'lismo *sm* vandalism.

'**vandalo** *sm* vandal.

vaneggia'mento [vaneddʒa'mento] *sm* raving, delirium.

vaneggi'are [vaned'dʒare] *vi* to rave.

va'nesio, a *ag* vain, conceited.

'**vanga, ghe** *sf* spade.

van'gare *vt* to dig.

van'gelo [van'dʒɛlo] *sm* gospel.

vanifi'care *vt* to nullify.

va'niglia [va'niʎʎa] *sf* vanilla.

vanigli'ato, a [vaniʎ'ʎato] *ag*: **zucchero** ~ (*CUC*) vanilla sugar.

vanità *sf* vanity; (*di promessa*) emptiness; (*di sforzo*) futility.

vani'toso, a *ag* vain, conceited.

'**vanno** *vb vedi* **andare**.

'**vano, a** *ag* vain ♦ *sm* (*spazio*) space; (*apertura*) opening; (*stanza*) room; **il** ~ **della porta** the doorway; **il** ~ **portabagagli** (*AUT*) the boot (*BRIT*), the trunk (*US*).

van'taggio [van'taddʒo] *sm* advantage; **trarre** ~ **da qc** to benefit from sth; **essere/portarsi in** ~ (*SPORT*) to be in/take the lead.

vantaggi'oso, a [vantad'dʒoso] *ag* advantageous, favourable (*BRIT*), favorable (*US*).

van'tare *vt* to praise, speak highly of; ~**rsi** *vr*: ~**rsi (di/di aver fatto)** to boast *o* brag (about/about having done).

vante'ria *sf* boasting.

'**vanto** *sm* boasting; (*merito*) virtue, merit; (*gloria*) pride.

'**vanvera** *sf*: **a** ~ haphazardly; **parlare a** ~ to talk nonsense.

va'pore *sm* vapour (*BRIT*), vapor (*US*); (*anche:* ~ **acqueo**) steam; (*nave*) steamer; **a** ~ (*turbina etc*) steam *cpd*; **al** ~ (*CUC*) steamed.

vapo'retto *sm* steamer.

vapori'era *sf* (*FERR*) steam engine.

vaporiz'zare [vaporid'dzare] *vt* to vaporize.

vaporizza'tore [vaporiddza'tore] *sm* spray.

vaporizzazi'one [vaporiddzat'tsjone] *sf* vaporization.

vapo'roso, a *ag* (*tessuto*) filmy; (*capelli*) soft and full.

va'rare *vt* (*NAUT, fig*) to launch; (*DIR*) to pass.

var'care *vt* to cross.

'**varco, chi** *sm* passage; **aprirsi un** ~ **tra la folla** to push one's way through the crowd.

vare'china [vare'kina] *sf* bleach.

vari'abile *ag* variable; (*tempo, umore*) changeable, variable ♦ *sf* (*MAT*) variable.

vari'ante *sf* (*gen*) variation, change; (*di piano*) modification; (*LING*) variant; (*SPORT*) alternative route.

vari'are *vt, vi* to vary; ~ **di opinione** to change one's mind.

variazi'one [varjat'tsjone] *sf* variation, change; (*MUS*) variation; **una** ~ **di programma** a change of plan.

va'rice [va'ritʃe] *sf* varicose vein.

vari'cella [vari'tʃɛlla] *sf* chickenpox.

vari'coso, a *ag* varicose.

varie'gato, a *ag* variegated.

varietà *sf inv* variety ♦ *sm inv* variety show.

'**vario, a** *ag* varied; (*parecchi: col sostantivo al pl*) various; (*mutevole: umore*) changeable; ~**e** *sfpl*: ~**e ed eventuali** (*nell'ordine del giorno*) any other business.

vario'pinto, a *ag* multicoloured (*BRIT*),

multicolored (*US*).

'**varo** *sm* (*NAUT*, *fig*) launch; (*di leggi*) passing.

varrò *etc vb vedi* **valere**.

Var'savia *sf* Warsaw.

va'saio *sm* potter.

'**vasca, sche** *sf* basin; (*anche:* ~ **da bagno**) bathtub, bath.

va'scello [vaʃ'ʃɛllo] *sm* (*NAUT*) vessel, ship.

vas'chetta [vas'ketta] *sf* (*per gelato*) tub; (*per sviluppare fotografie*) dish.

vase'lina *sf* vaseline.

vasel'lame *sm* (*stoviglie*) crockery; (: *di porcellana*) china; ~ **d'oro/d'argento** gold/silver plate.

'**vaso** *sm* (*recipiente*) pot; (: *barattolo*) jar; (: *decorativo*) vase; (*ANAT*) vessel; ~ **da fiori** vase; (*per piante*) flowerpot.

vas'sallo *sm* vassal.

vas'soio *sm* tray.

vastità *sf* vastness.

'**vasto, a** *ag* vast, immense; **di** ~**e proporzioni** (*incendio*) huge; (*fenomeno, rivolta*) widespread; **su** ~**a scala** on a vast *o* huge scale.

Vati'cano *sm*: **il** ~ the Vatican; **la Città del** ~ the Vatican City.

VB *sigla* = **Vibo Valenza**.

VC *sigla* = **Vercelli**.

VE *sigla* = **Venezia** ♦ *abbr* = **Vostra Eccellenza**.

ve *pron, av vedi* **vi**.

vecchi'aia [vek'kjaja] *sf* old age.

'**vecchio, a** ['vɛkkjo] *ag* old ♦ *sm/f* old man/woman; **i** ~**i** the old; **è un mio** ~ **amico** he's an old friend of mine; **è un uomo** ~ **stile** *o* **stampo** he's an old-fashioned man; **è** ~ **del mestiere** he's an old hand at the job.

'**vece** ['vetʃe] *sf*: **in** ~ **di** in the place of, for; **fare le** ~**i di qn** to take sb's place; **firma del padre o di chi ne fa le** ~**i** signature of the father or guardian.

ve'dere *vt, vi* to see; ~**rsi** *vr* to meet, see one another; ~ **di fare qc** to see (to it) that sth is done, make sure that sth is done; **avere a che** ~ **con** to have to do with; **far** ~ **qc a qn** to show sb sth; **farsi** ~ to show o.s.; (*farsi vivo*) to show one's face; **farsi** ~ **da un medico** to go and see a doctor; **modo di** ~ outlook, view of things; **vedi pagina 8** (*rimando*) see page 8; **è da** ~ **se** ... it remains to be seen whether ...; **non vedo la ragione di farlo** I can't see any reason to do it; **si era visto costretto a** ... he found himself forced to ...; **non (ci) si vede** (*è buio etc*) you can't see a thing; **ci vediamo domani!** see you tomorrow!; **non lo posso** ~ (*fig*) I can't stand him.

ve'detta *sf* (*sentinella, posto*) look-out; (*NAUT*) patrol boat.

ve'dette [və'dɛt] *sf inv* (*attrice*) star.

'**vedovo, a** *sm/f* widower/widow; **rimaner** ~ to be widowed.

vedrò *etc vb vedi* **vedere**.

ve'duta *sf* view; **di larghe** *o* **ampie** ~**e** broad-minded; **di** ~**e limitate** narrow-minded.

vee'mente *ag* (*discorso, azione*) vehement; (*assalto*) vigorous; (*passione*) overwhelming.

vee'menza [vee'mɛntsa] *sf* vehemence; **con** ~ vehemently.

vege'tale [vedʒe'tale] *ag, sm* vegetable.

vege'tare [vedʒe'tare] *vi* (*fig*) to vegetate.

vegetari'ano, a [vedʒeta'rjano] *ag, sm/f* vegetarian.

vegeta'tivo, a *ag* vegetative.

vegetazi'one [vedʒetat'tsjone] *sf* vegetation.

'**vegeto, a** ['vɛdʒeto] *ag* (*pianta*) thriving; (*persona*) strong, vigorous.

veg'gente [ved'dʒɛnte] *sm/f* (*indovino*) clairvoyant.

'**veglia** ['veʎʎa] *sf* (*sorveglianza*) watch; (*trattenimento*) evening gathering; **tra la** ~ **e il sonno** half awake; **fare la** ~ **a un malato** to watch over a sick person; ~ **funebre** wake.

vegli'ardo, a [veʎ'ʎardo] *sm/f* venerable old man/woman.

vegli'are [veʎ'ʎare] *vi* to stay *o* sit up; (*stare vigile*) to watch; to keep watch ♦ *vt* (*malato, morto*) to watch over, sit up with.

vegli'one [veʎ'ʎone] *sm* ball, dance.

ve'icolo *sm* vehicle; ~ **spaziale** spacecraft *inv*.

'**vela** *sf* (*NAUT*: *tela*) sail; (*sport*) sailing; **tutto va a gonfie** ~**e** (*fig*) everything is going perfectly.

ve'lare *vt* to veil; ~**rsi** *vr* (*occhi, luna*) to mist over; (*voce*) to become husky; ~**rsi il viso** to cover one's face (with a veil).

ve'lato, a *ag* veiled.

vela'tura *sf* (*NAUT*) sails *pl*.

veleggi'are [veled'dʒare] *vi* to sail; (*AER*) to glide.

ve'leno *sm* poison.

vele'noso, a *ag* poisonous.

ve'letta *sf* (*di cappello*) veil.

veli'ero *sm* sailing ship.

ve'lina *sf* (*anche*: **carta** ~: *per imballare*) tissue paper; (: *per copie*) flimsy paper; (*copia*) carbon copy.

ve'lista, i, e *sm/f* yachtsman/woman.

ve'livolo *sm* aircraft.

velleità *sf inv* vain ambition, vain desire.

vellei'tario, a *ag* unrealistic.

'vello *sm* fleece.

vellu'tato, a *ag (stoffa, pesca, colore)* velvety; *(voce)* mellow.

vel'luto *sm* velvet; ~ **a coste** cord.

'velo *sm* veil; *(tessuto)* voile.

ve'loce [ve'lotʃe] *ag* fast, quick ♦ *av* fast, quickly.

velo'cista, i, e [velo'tʃista] *smlf (SPORT)* sprinter.

velocità [velotʃi'ta] *sf* speed; **a forte** ~ at high speed; ~ **di crociera** cruising speed.

ve'lodromo *sm* velodrome.

ven. *abbr (REL)* = **venerabile**; (= *venerdì*) Fri.

'vena *sf (gen)* vein; *(filone)* vein, seam; *(fig: ispirazione)* inspiration; *(: umore)* mood; **essere in** ~ **di qc** to be in the mood for sth.

ve'nale *ag (prezzo, valore)* market *cpd*; *(fig)* venal; mercenary.

venalità *sf* venality.

ve'nato, a *ag (marmo)* veined, streaked; *(legno)* grained.

vena'torio, a *ag* hunting; **la stagione** ~**a** the hunting season.

vena'tura *sf (di marmo)* vein, streak; *(di legno)* grain.

ven'demmia *sf (raccolta)* grape harvest; *(quantità d'uva)* grape crop, grapes *pl*; *(vino ottenuto)* vintage.

vendemmi'are *vt* to harvest ♦ *vi* to harvest the grapes.

'vendere *vt* to sell; ~ **all'ingrosso/al dettaglio** *o* **minuto** to sell wholesale/ retail; ~ **all'asta** to auction, sell by auction; **"vendesi"** "for sale".

ven'detta *sf* revenge.

vendi'care *vt* to avenge; ~**rsi** *vr*: ~**rsi (di)** to avenge o.s. (for); *(per rancore)* to take one's revenge (for); ~**rsi su qn** to revenge o.s. on sb.

vendica'tivo, a *ag* vindictive.

'vendita *sf* sale; **la** ~ *(attività)* selling; *(smercio)* sales *pl*; **in** ~ on sale; **mettere in** ~ to put on sale; **in** ~ **presso** on sale at; **contratto di** ~ sales agreement; **reparto** ~**e** sales department; ~ **all'asta** sale by auction; ~ **al dettaglio** *o* **minuto** retail; ~ **all'ingrosso** wholesale.

vendi'tore, 'trice *smlf* seller, vendor; *(gestore di negozio)* trader, dealer.

ven'duto, a *ag (merce)* sold; *(fig: corrotto)* corrupt.

ve'nefico, a, ci, che *ag* poisonous.

vene'rabile *ag*, **vene'rando, a** *ag* venerable.

vene'rare *vt* to venerate.

venerazi'one [venerat'tsjone] *sf* veneration.

venerdì *sm inv* Friday; **V**~ **Santo** Good Friday; *per fraseologia vedi* **martedì**.

'Venere *sm, sf* Venus.

ve'nereo, a *ag* venereal.

'veneto, a *ag* of *(o* from) the Veneto.

'veneto-giuli'ano, a ['vɛnetodʒu'ljano] *ag* of *(o* from) Venezia-Giulia.

Ve'nezia [ve'nɛttsja] *sf* Venice.

venezi'ano, a [venet'tsjano] *ag, smlf* Venetian.

Venezu'ela [venettsu'ela] *sm*: **il** ~ Venezuela.

venezue'lano, a [venettsue'lano] *ag, smlf* Venezuelan.

'vengo *etc vb vedi* **venire**.

veni'ale *ag* venial.

ve'nire *vi* to come; *(riuscire: dolce, fotografia)* to turn out; *(come ausiliare: essere)*: **viene ammirato da tutti** he is admired by everyone; ~ **da** to come from; **quanto viene?** how much does it cost?; **far** ~ *(mandare a chiamare)* to send for; *(medico)* to call, send for; ~ **a capo di qc** to unravel sth, sort sth out; ~ **al dunque** *o* **nocciolo** *o* **fatto** to come to the point; ~ **fuori** to come out; ~ **giù** to come down; ~ **meno** *(svenire)* to faint; ~ **meno a qc** not to fulfil sth; ~ **su** to come up; ~ **via** to come away; ~ **a sapere qc** to learn sth; ~ **a trovare qn** to come and see sb; **negli anni a** ~ in the years to come, in future; **è venuto il momento di ...** the time has come to ....

'venni *etc vb vedi* **venire**.

ven'taglio [ven'taʎʎo] *sm* fan.

ven'tata *sf* gust (of wind).

venten'nale *ag (che dura 20 anni)* twenty-year *cpd*; *(che ricorre ogni 20 anni)* which takes place every twenty years.

ven'tenne *ag, smlf* twenty-year-old.

ven'tennio *sm* period of twenty years; **il** ~ **fascista** the Fascist period.

ven'tesimo, a *num* twentieth.

'venti *num* twenty.

venti'lare *vt (stanza)* to air, ventilate; *(fig: idea, proposta)* to air.

venti'lato, a *ag (camera, zona)* airy; **poco** ~ airless.

ventila'tore *sm* fan; *(su parete, finestra)* ventilator, fan.

ventilazi'one [ventilat'tsjone] *sf* ventilation.

ven'tina *sf*: **una** ~ **(di)** around twenty, twenty or so.

ventiquat'tr'ore *sfpl (periodo)* twenty-four hours ♦ *sf inv (SPORT)* twenty-four-hour race; (*valigetta*) overnight case.

venti'sette *num* twenty-seven; **il** ~ (*giorno di paga*) (monthly) pay day.

ventitré *num* twenty-three ♦ *sfpl*: **portava il cappello sulle** ~ he wore his hat at a jaunty angle.

'vento *sm* wind; **c'è** ~ it's windy; **un colpo di** ~ a gust of wind; **contro** ~ against the wind; ~ **contrario** (*NAUT*) headwind.

'ventola *sf* (*AUT*, *TECN*) fan.

ven'tosa *sf* (*ZOOL*) sucker; (*di gomma*) suction pad.

ven'toso, a *ag* windy.

ven'totto *num* twenty-eight.

'ventre *sm* stomach.

ven'triloquo *sm* ventriloquist.

ven'tuno *num* twenty-one.

ven'tura *sf*: **andare alla** ~ to trust to luck; **soldato di** ~ mercenary.

ven'turo, a *ag* next, coming.

ve'nuto, a *pp di* **venire** ♦ *sm/f*: **il(la) primo(a)** ~**(a)** the first person who comes along ♦ *sf* coming, arrival.

ver. *abbr* = **versamento**.

'vera *sf* wedding ring.

ve'race [ve'ratʃe] *ag* (*testimone*) truthful; (*testimonianza*) accurate; (*cibi*) real, genuine.

vera'mente *av* really.

ve'randa *sf* veranda(h).

ver'bale *ag* verbal ♦ *sm* (*di riunione*) minutes *pl*; **accordo** ~ verbal agreement; **mettere a** ~ to place in the minutes *o* on record.

'verbo *sm* (*LING*) verb; (*parola*) word; (*REL*): **il V**~ the Word.

ver'boso, a *ag* verbose, wordy.

ver'dastro, a *ag* greenish.

'verde *ag, sm* green; ~ **bottiglia/oliva** *ag inv* bottle/olive green; **benzina** ~ lead-free *o* unleaded petrol; **i V**~**i** (*POL*) the Greens; **essere al** ~ (*fig*) to be broke.

verdeggi'ante [verded'dʒante] *ag* green, verdant.

verde'rame *sm* verdigris.

ver'detto *sm* verdict.

ver'dura *sf* vegetables *pl*.

vere'condia *sf* modesty.

vere'condo, a *ag* modest.

'verga, ghe *sf* rod.

ver'gato, a *ag* (*foglio*) ruled.

vergi'nale [verdʒi'nale] *ag* virginal.

'vergine ['verdʒine] *sf* vir‿ʒin; ˈ*dello zodiaco*): **V**~ Virgo ♦ *ag* virgin; (*ragazza*): **essere** ~ to be a virgin; **essere della V**~ (*dello zodiaco*) to be Virgo; **pura lana** ~ pure new wool; **olio** ~ **d'oliva** unrefined olive oil.

verginità [verdʒini'ta] *sf* virginity.

ver'gogna [ver'goɲɲa] *sf* shame; (*timidezza*) shyness, embarrassment.

vergo'gnarsi [vergoɲ'ɲarsi] *vr*: ~ (**di**) to be *o* feel ashamed (of); to be shy (about), be embarrassed (about).

vergo'gnoso, a [vergoɲ'ɲoso] *ag* ashamed; (*timido*) shy, embarrassed; (*causa di vergogna: azione*) shameful.

veridicità [veriditʃi'ta] *sf* truthfulness.

ve'ridico, a, ci, che *ag* truthful.

ve'rifica, che *sf* checking *no pl*; check; **fare una** ~ **di** (*freni, testimonianza, firma*) to check; ~ **contabile** (*FINANZA*) audit.

verifi'care *vt* (*controllare*) to check; (*confermare*) to confirm, bear out; (*FINANZA*) to audit.

verità *sf inv* truth; **a dire la** ~, **per la** ~ truth to tell, actually.

veriti'ero, a *ag* (*che dice la verità*) truthful; (*conforme a verità*) true.

'verme *sm* worm.

vermi'celli [vermi'tʃelli] *smpl* vermicelli *sg*.

ver'miglio [ver'miʎʎo] *sm* vermilion, scarlet.

'vermut *sm inv* vermouth.

ver'nacolo *sm* vernacular.

ver'nice [ver'nitʃe] *sf* (*colorazione*) paint; (*trasparente*) varnish; (*pelle*) patent leather; "~ **fresca**" "wet paint".

vernici'are [verni'tʃare] *vt* to paint; to varnish.

vernicia'tura [vernitʃa'tura] *sf* painting; varnishing.

'vero, a *ag* (*veridico: fatti, testimonianza*) true; (*autentico*) real ♦ *sm* (*verità*) truth; (*realtà*) (real) life; **un** ~ **e proprio delinquente** a real criminal, an out and out criminal; **tant'è** ~ **che** ... so much so that ...; **a onor del** ~, **a dire il** ~ to tell the truth.

Ve'rona *sf* Verona.

vero'nese *ag* of (*o* from) Verona.

vero'simile *ag* likely, probable.

verrò *etc vb vedi* **venire**.

ver'ruca, che *sf* wart.

versa'mento *sm* (*pagamento*) payment; (*deposito di denaro*) deposit.

ver'sante *sm* slopes *pl*, side.

ver'sare *vt* (*fare uscire: vino, farina*) to pour (out); (*spargere: lacrime, sangue*) to shed; (*rovesciare*) to spill; (*ECON*) to pay; (: *depositare*) to pay in ♦ *vi*: ~ **in gravi difficoltà** to find o.s. with serious problems; ~**rsi** *vr* (*rovesciarsi*) to spill; (*fiume, folla*): ~**rsi (in)** to pour (into).

versa'tile *ag* versatile.

versatilità *sf* versatility.

ver'sato, a *ag:* ~ **in** to be (well-)versed in.

ver'setto *sm* (*REL*) verse.

versi'one *sf* version; (*traduzione*) translation.

'verso *sm* (*di poesia*) verse, line; (*di animale, uccello, venditore ambulante*) cry; (*direzione*) direction; (*modo*) way; (*di foglio di carta*) verso; (*di moneta*) reverse; ~**i** *smpl* (*poesia*) verse *sg*; **per un** ~ **o per l'altro** one way or another; **prendere qn/ qc per il** ~ **giusto** to approach sb/sth the right way; **rifare il** ~ **a qn** (*imitare*) to mimic sb; **non c'è** ~ **di persuaderlo** there's no way of persuading him, he can't be persuaded ♦ *prep* (*in direzione di*) toward(s); (*nei pressi di*) near, around (about); (*in senso temporale*) about, around; (*nei confronti di*) for; ~ **di me** towards me; ~ **l'alto** upwards; ~ **il basso** downwards; ~ **sera** towards evening.

'vertebra *sf* vertebra.

verte'brale *ag* vertebral; **colonna** ~ spinal column, spine.

verte'brato, a *ag, sm* vertebrate.

ver'tenza [ver'tentsa] *sf* (*lite*) lawsuit, case; (*sindacale*) dispute.

'vertere *vi:* ~ **su** to deal with, be about.

verti'cale *ag, sf* vertical.

'vertice ['vεrtitʃe] *sm* summit, top; (*MAT*) vertex; **conferenza al** ~ (*POL*) summit conference.

ver'tigine [ver'tidʒine] *sf* dizziness *no pl*; dizzy spell; (*MED*) vertigo; **avere le** ~**i** to feel dizzy.

vertigi'noso, a [vertidʒi'noso] *ag* (*altezza*) dizzy; (*fig*) breathtakingly high (*o* deep *etc*).

'verza ['vεrdza] *sf* Savoy cabbage.

ve'scica, che [veʃ'ʃika] *sf* (*ANAT*) bladder; (*MED*) blister.

vesco'vile *ag* episcopal.

'vescovo *sm* bishop.

'vespa *sf* wasp; (®: *veicolo*) (motor) scooter.

ves'paio *sm* wasps' nest; **suscitare un** ~ (*fig*) to stir up a hornets' nest.

vespasi'ano *sm* urinal.

'vespro *sm* (*REL*) vespers *pl*.

ves'sare *vt* to oppress.

vessazi'one [vessat'tsjone] *sf* oppression.

ves'sillo *sm* standard; (*bandiera*) flag.

ves'taglia [ves'taʎʎa] *sf* dressing gown, robe (*US*).

'veste *sf* garment; (*rivestimento*) covering; (*qualità, facoltà*) capacity; ~**i** *sfpl* clothes, clothing *sg*; **in** ~ **ufficiale** (*fig*) in an official capacity; **in** ~ **di** in the guise of, as; ~ **da camera** dressing gown, robe

(*US*); ~ **editoriale** layout.

vesti'ario *sm* wardrobe, clothes *pl*; **capo di** ~ article of clothing, garment.

ves'tibolo *sm* (entrance) hall.

ves'tigia [ves'tidʒa] *sfpl* (*tracce*) vestiges, traces; (*rovine*) ruins, remains.

ves'tire *vt* (*bambino, malato*) to dress; (*avere indosso*) to have on, wear; ~**rsi** *vr* to dress, get dressed; ~**rsi da** (*negozio, sarto*) to buy *o* get one's clothes at.

ves'tito, a *ag* dressed ♦ *sm* garment; (*da donna*) dress; (*da uomo*) suit; ~**i** *smpl* (*indumenti*) clothes; ~ **di bianco** dressed in white.

Ve'suvio *sm:* **il** ~ Vesuvius.

vete'rano, a *ag, sm/f* veteran.

veteri'nario, a *ag* veterinary ♦ *sm* veterinary surgeon (*BRIT*), veterinarian (*US*), vet ♦ *sf* veterinary medicine.

'veto *sm inv* veto; **porre il** ~ **a qc** to veto sth.

ve'traio *sm* glassmaker; (*per finestre*) glazier.

ve'trato, a *ag* (*porta, finestra*) glazed; (*che contiene vetro*) glass *cpd* ♦ *sf* glass door (*o* window); (*di chiesa*) stained glass window; **carta** ~**a** sandpaper.

vetre'ria *sf* (*stabilimento*) glassworks *sg*; (*oggetti di vetro*) glassware.

ve'trina *sf* (*di negozio*) (shop) window; (*armadio*) display cabinet.

vetri'nista, i, e *sm/f* window dresser.

ve'trino *sm* slide.

vetri'olo *sm* vitriol.

'vetro *sm* glass; (*per finestra, porta*) pane (of glass); ~ **blindato** bulletproof glass; ~ **infrangibile** shatterproof glass; ~ **di sicurezza** safety glass; **i** ~**i di Murano** Murano glassware *sg*.

ve'troso, a *ag* vitreous.

'vetta *sf* peak, summit, top.

vet'tore *sm* (*MAT, FISICA*) vector; (*chi trasporta*) carrier.

vetto'vaglie [vetto'vaʎʎe] *sfpl* supplies.

vet'tura *sf* (*carrozza*) carriage; (*FERR*) carriage (*BRIT*), car (*US*); (*auto*) car (*BRIT*), automobile (*US*); ~ **di piazza** hackney carriage.

vettu'rino *sm* coach driver, coachman.

vezzeggi'are [vettsed'dʒare] *vt* to fondle, caress.

vezzeggia'tivo [vettseddʒa'tivo] *sm* (*LING*) term of endearment.

'vezzo ['vettso] *sm* habit; ~**i** *smpl* (*smancerie*) affected ways; (*leggiadria*) charms.

vez'zoso, a [vet'tsoso] *ag* (*grazioso*) charming, pretty; (*lezioso*) affected.

V.F. *abbr* = **vigili del fuoco**.

V.G. *abbr* = Vostra Grazia.
VI *sigla* = Vicenza.
vi (*dav lo, la, li, le, ne diventa* **ve**) *pron*
(*oggetto*) you; (*complemento di termine*)
(to) you; (*riflessivo*) yourselves;
(*reciproco*) each other ♦ *av* (*li*) there; (*qui*)
here; (*per questo/quel luogo*) through
here/there; ~ **è/sono** there is/are.
'**via** *sf* (*gen*) way; (*strada*) street; (*sentiero,
pista*) path, track; (*AMM: procedimento*)
channels *pl* ♦ *prep* (*passando per*) via, by
way of ♦ *av* away ♦ *escl* go away!; (*suvvia*)
come on!; (*SPORT*) go! ♦ *sm* (*SPORT*)
starting signal; **per** ~ **di** (*a causa di*)
because of, on account of; **in** *o* **per** ~ on
the way; **in** ~ **di guarigione** (*fig*) on the
road to recovery; **per** ~ **aerea** by air;
(*lettere*) by airmail; ~ **satellite** by
satellite; **andare/essere** ~ to go/be away;
~ ~ (*pian piano*) gradually; ~ ~ **che** (*a
mano a mano*) as; **e** ~ **dicendo, e** ~ **di
questo passo** and so on (and so forth);
dare il ~ (*SPORT*) to give the starting
signal; **dare il** ~ **a un progetto** to give the
green light to a project; **hanno dato il** ~
ai lavori they've begun *o* started work; **in**
~ **amichevole** in a friendly manner;
comporre una disputa in ~ **amichevole**
(*DIR*) to settle a dispute out of court; **in** ~
eccezionale as an exception; **in** ~ **privata**
o **confidenziale** (*dire etc*) in confidence; **in**
~ **provvisoria** provisionally; **V**~ **lattea**
(*ASTR*) Milky Way; ~ **di mezzo** middle
course; **non c'è** ~ **di scampo** *o* **d'uscita**
there's no way out; ~**e di comunicazione**
communication routes.
viabilità *sf* (*di strada*) practicability; (*rete
stradale*) roads *pl*, road network.
via'dotto *sm* viaduct.
viaggi'are [viad'dʒare] *vi* to travel; **le merci
viaggiano via mare** the goods go *o* are
sent by sea.
viaggia'tore, 'trice [viaddʒa'tore] *ag*
travelling (*BRIT*), traveling (*US*) ♦ *sm*
traveller (*BRIT*), traveler (*US*);
(*passeggero*) passenger.
vi'aggio [vi'addʒo] *sm* travel(ling); (*tragitto*)
journey, trip; **buon** ~! have a good trip!;
~ **d'affari** business trip; ~ **di nozze**
honeymoon; ~ **organizzato** package tour
o holiday.
vi'ale *sm* avenue.
vian'dante *sm/f* vagrant.
vi'atico, ci *sm* (*REL*) viaticum; (*fig*)
encouragement.
via'vai *sm* coming and going, bustle.
vi'brare *vi* to vibrate; (*agitarsi*): ~ (**di**) to
quiver (with).

vibra'tore *sm* vibrator.
vibrazi'one [vibrat'tsjone] *sf* vibration.
vi'cario *sm* (*apostolico etc*) vicar.
'**vice** ['vitʃe] *sm/f* deputy ♦ *prefisso* vice.
vice'console [vitʃe'kɔnsole] *sm* vice-consul.
vicediret'tore, 'trice [vitʃediret'tore] *sm/f*
assistant manager/manageress; (*di
giornale etc*) deputy editor.
vi'cenda [vi'tʃɛnda] *sf* event; ~**e** *sfpl* (*sorte*)
fortunes; **a** ~ **in** turn; **con alterne** ~**e** with
mixed fortunes.
vicen'devole [vitʃen'devole] *ag* mutual,
reciprocal.
vicen'tino, a [vitʃen'tino] *ag* of (*o* from)
Vicenza.
vicepresi'dente [vitʃepresi'dɛnte] *sm* vice-
president, vice-chairman.
vice'versa [vitʃe'vɛrsa] *av* vice versa; **da
Roma a Pisa e** ~ from Rome to Pisa and
back.
vi'chingo, a, ghi, ghe [vi'kingo] *ag, sm/f*
Viking.
vici'nanza [vitʃi'nantsa] *sf* nearness,
closeness; ~**e** *sfpl* (*paraggi*)
neighbourhood (*BRIT*), neighborhood (*US*),
vicinity.
vici'nato [vitʃi'nato] *sm* neighbourhood
(*BRIT*), neighborhood (*US*); (*vicini*)
neighbo(u)rs *pl*.
vi'cino, a [vi'tʃino] *ag* (*gen*) near; (*nello
spazio*) near, nearby; (*accanto*) next; (*nel
tempo*) near, close at hand ♦ *sm/f*
neighbour (*BRIT*), neighbor (*US*) ♦ *av* near,
close; **da** ~ (*guardare*) close up;
(*esaminare, seguire*) closely; (*conoscere*)
well, intimately; ~ **a** *prep* near (to), close
to; (*accanto a*) beside; **mi sono stati molto**
~**i** (*fig*) they were very supportive
towards me; ~ **di casa** neighbo(u)r.
vicissi'tudini [vitʃissi'tudini] *sfpl* trials and
tribulations.
'**vicolo** *sm* alley; ~ **cieco** blind alley.
'**video** *sm inv* (*TV: schermo*) screen.
video'camera *sf* camcorder.
videocas'setta *sf* videocassette.
videogi'oco, chi [video'dʒɔko] *sm* video
game.
videoregistra'tore [videoredʒistra'tore] *sm*
(*apparecchio*) video (recorder).
video'teca, che *sf* video shop.
videotermi'nale *sm* visual display unit.
'**vidi** *etc vb vedi* **vedere**.
vidi'mare *vt* (*AMM*) to authenticate.
vidimazi'one [vidimat'tsjone] *sf* (*AMM*)
authentication.
Vi'enna *sf* Vienna.
vien'nese *ag, sm/f* Viennese *inv*.
vie'tare *vt* to forbid; (*AMM*) to prohibit;

(*libro*) to ban; ~ **a qn di fare** to forbid sb
to do; to prohibit sb from doing.
vie'tato, a *ag* (*vedi vb*) forbidden;
prohibited; banned; "~ **fumare/
l'ingresso**" "no smoking/admittance"; ~
ai minori di 14/18 anni prohibited to
children under 14/18; "**senso** ~" (*AUT*)
"no entry"; "**sosta** ~**a**" (*AUT*) "no
parking".
Viet'nam *sm*: **il** ~ Vietnam.
vietna'mita, i, e *ag, sm/f, sm* Vietnamese
inv.
vi'eto, a *ag* worthless.
vi'gente [vi'dʒɛnte] *ag* in force.
'vigere ['vidʒere] *vi* (*difettivo: si usa solo alla
terza persona*) to be in force; **in casa mia
vige l'abitudine di** ... at home we are in
the habit of ....
vigi'lante [vidʒi'lante] *ag* vigilant,
watchful.
vigi'lanza [vidʒi'lantsa] *sf* vigilance;
(*sorveglianza: di operai, alunni*)
supervision; (: *di sospetti, criminali*)
surveillance; ~ **notturna** night-watchman
service.
vigi'lare [vidʒi'lare] *vt* to watch over, keep
an eye on; ~ **che** to make sure that, see
to it that.
vigi'lato, a [vidʒi'lato] *sm/f* (*DIR*) person
under police surveillance.
vigila'trice [vidʒila'tritʃe] *sf*: ~ **d'infanzia**
nursery-school teacher; ~ **scolastica**
school health officer.
'vigile ['vidʒile] *ag* watchful ♦ *sm* (*anche*: ~
urbano) policeman (*in towns*); ~ **del fuoco**
fireman.

The **vigili urbani** *are a municipal police force
whose sphere of activity is the* **Comune** *and
daily life within it. Their duties involve the
enforcing of laws relating to traffic, public
works and services and commerce.*

vigi'lessa [vidʒi'lessa] *sf* (*traffic*)
policewoman.
vi'gilia [vi'dʒilja] *sf* (*giorno antecedente*) eve;
la ~ **di Natale** Christmas Eve.
vigliacche'ria [viʎʎakke'ria] *sf* cowardice.
vigli'acco, a, chi, che [viʎ'ʎakko] *ag*
cowardly ♦ *sm/f* coward.
'vigna ['viɲɲa] *sf*, **vi'gneto** [viɲ'ɲeto] *sm*
vineyard.
vi'gnetta [viɲ'ɲetta] *sf* cartoon.
vi'gogna [vi'ɡoɲɲa] *sf* vicuña.
vi'gore *sm* vigour (*BRIT*), vigor (*US*); (*DIR*):
essere/entrare in ~ to be in/come into
force; **non è più in** ~ it is no longer in
force, it no longer applies.

vigo'roso, a *ag* vigorous.
'vile *ag* (*spregevole*) low, mean, base;
(*codardo*) cowardly.
vili'pendere *vt* to despise, scorn.
vili'pendio *sm* contempt, scorn.
vili'peso, a *pp di* **vilipendere**.
'villa *sf* villa.
vil'laggio [vil'laddʒo] *sm* village; ~ **turistico**
holiday village.
villa'nia *sf* rudeness, lack of manners; **fare
(o dire) una** ~ **a qn** to be rude to sb.
vil'lano, a *ag* rude, ill-mannered ♦ *sm/f*
boor.
villeggi'ante [villed'dʒante] *sm/f* holiday-
maker (*BRIT*), vacationer (*US*).
villeggi'are [villed'dʒare] *vi* to holiday,
spend one's holidays, vacation (*US*).
villeggia'tura [villeddʒa'tura] *sf* holiday(s
pl) (*BRIT*), vacation (*US*); **luogo di** ~
(holiday) resort.
vil'letta *sf*, **vil'lino** *sm* small house (with a
garden), cottage.
vil'loso, a *ag* hairy.
viltà *sf* cowardice *no pl*; (*gesto*) cowardly
act.

The **Viminale**, *which takes its name from
one of the famous Seven Hills of Rome, on
which it stands, is the home of the Ministry
of the Interior.*

'vimine *sm* wicker; **mobili di** ~**i** wicker
furniture *sg*.
vi'naio *sm* wine merchant.
'vincere ['vintʃere] *vt* (*in guerra, al gioco, a
una gara*) to defeat, beat; (*premio, guerra,
partita*) to win; (*fig*) to overcome, conquer
♦ *vi* to win; ~ **qn in** (*abilità, bellezza*) to
surpass sb in.
'vincita ['vintʃita] *sf* win; (*denaro vinto*)
winnings *pl*.
vinci'tore, 'trice [vintʃi'tore] *sm/f* winner;
(*MIL*) victor.
vinco'lante *ag* binding.
vinco'lare *vt* to bind; (*COMM: denaro*) to tie
up.
vinco'lato, a *ag*: **deposito** ~ (*COMM*) fixed
deposit.
'vincolo *sm* (*fig*) bond, tie; (*DIR*) obligation.
vi'nicolo, a *ag* wine *cpd*; **regione** ~**a** wine-
producing area.
vinificazi'one [vinifikat'tsjone] *sf* wine-
making.
'vino *sm* wine; ~ **bianco/rosso** white/red
wine.
'vinsi *etc vb vedi* **vincere**.
'vinto, a *pp di* **vincere** ♦ *ag*: **darla** ~**a a qn** to
let sb have his (*o* her) way; **darsi per** ~ to

give up, give in.

vi'ola *sf* (*BOT*) violet; (*MUS*) viola ♦ *ag, sm inv* (*colore*) purple.

vio'lare *vt* (*chiesa*) to desecrate, violate; (*giuramento, legge*) to violate.

violazi'one [violat'tsjone] *sf* desecration; violation; ~ **di domicilio** (*DIR*) breaking and entering.

violen'tare *vt* to use violence on; (*donna*) to rape.

vio'lento, a *ag* violent.

vio'lenza [vio'lɛntsa] *sf* violence; ~ **carnale** rape.

vio'letto, a *ag, sm* (*colore*) violet ♦ *sf* (*BOT*) violet.

violi'nista, i, e *sm/f* violinist.

vio'lino *sm* violin.

violoncel'lista, i, e [violont∫el'lista] *sm/f* cellist, cello player.

violon'cello [violon't∫ɛllo] *sm* cello.

vi'ottolo *sm* path, track.

VIP *sm/f inv* (= *Very Important Person*) VIP.

'vipera *sf* viper, adder.

vi'raggio [vi'raddʒo] *sm* (*NAUT, AER*) turn; (*FOT*) toning.

vi'rale *ag* viral.

vi'rare *vi* (*NAUT*) to come about; (*AER*) to turn; (*FOT*) to tone; ~ **di bordo** to change course.

vi'rata *sf* coming about; turning; change of course.

'virgola *sf* (*LING*) comma; (*MAT*) point.

virgo'lette *sfpl* inverted commas, quotation marks.

vi'rile *ag* (*proprio dell'uomo*) masculine; (*non puerile, da uomo*) manly, virile.

virilità *sf* masculinity; manliness; (*sessuale*) virility.

virtù *sf inv* virtue; **in** *o* **per** ~ **di** by virtue of, by.

virtu'ale *ag* virtual.

virtu'oso, a *ag* virtuous ♦ *sm/f* (*MUS etc*) virtuoso.

viru'lento, a *ag* virulent.

'virus *sm inv* virus.

visa'gista, i, e [viza'dʒista] *sm/f* beautician.

visce'rale [vi∫∫e'rale] *ag* (*MED*) visceral; (*fig*) profound, deep-rooted.

'viscere ['vi∫∫ere] *sm* (*ANAT*) internal organ ♦ *sfpl* (*di animale*) entrails *pl*; (*fig*) depths *pl*, bowels *pl*.

'vischio ['viskjo] *sm* (*BOT*) mistletoe; (*pania*) birdlime.

vischi'oso, a [vis'kjoso] *ag* sticky.

viscidità [vi∫∫idi'ta] *sf* sliminess.

'viscido, a ['vi∫∫ido] *ag* slimy.

vis'conte, 'essa *sm/f* viscount/viscountess.

viscosità *sf* viscosity.

vis'coso, a *ag* viscous.

vi'sibile *ag* visible.

visi'bilio *sm*: **andare in** ~ to go into raptures.

visibilità *sf* visibility.

visi'era *sf* (*di elmo*) visor; (*di berretto*) peak.

visio'nare *vt* (*gen*) to look at, examine; (*CINE*) to screen.

visio'nario, a *ag, sm/f* visionary.

visi'one *sf* vision; **prendere** ~ **di qc** to examine sth, look sth over; **prima/seconda** ~ (*CINE*) first/second showing.

'visita *sf* visit; (*MED*) visit, call; (: *esame*) examination; **far** ~ **a qn, andare in** ~ **da qn** to visit sb, pay sb a visit; **in** ~ **ufficiale in Italia** on an official visit to Italy; **orario di** ~**e** (*ospedale*) visiting hours; ~ **di controllo** (*MED*) checkup; ~ **a domicilio** house call; ~ **guidata** guided tour; ~ **sanitaria** sanitary inspection.

visi'tare *vt* to visit; (*MED*) to visit, call on; (: *esaminare*) to examine.

visita'tore, 'trice *sm/f* visitor.

vi'sivo, a *ag* visual.

'viso *sm* face; **fare buon** ~ **a cattivo gioco** to make the best of things.

vi'sone *sm* mink.

vi'sore *sm* (*FOT*) viewer.

'vispo, a *ag* quick, lively.

'vissi *etc vb vedi* **vivere.**

vis'suto, a *pp di* **vivere** ♦ *ag* (*aria, modo di fare*) experienced.

'vista *sf* (*facoltà*) (eye)sight; (*fatto di vedere*): **la** ~ **di** the sight of; (*veduta*) view; **con** ~ **sul lago** with a view over the lake; **sparare a** ~ to shoot on sight; **pagabile a** ~ payable on demand; **in** ~ in sight; **avere in** ~ **qc** to have sth in view; **mettersi in** ~ to draw attention to o.s.; (*peg*) to show off; **perdere qn di** ~ to lose sight of sb; (*fig*) to lose touch with sb; **far** ~ **di fare** to pretend to do; **a** ~ **d'occhio** as far as the eye can see; (*fig*) before one's very eyes.

vis'tare *vt* to approve; (*AMM: passaporto*) to visa.

'visto, a *pp di* **vedere** ♦ *sm* visa; ~ **che** *cong* seeing (that); ~ **d'ingresso/di transito** entry/transit visa; ~ **permanente/di soggiorno** permanent/tourist visa.

vis'toso, a *ag* gaudy, garish; (*ingente*) considerable.

visu'ale *ag* visual.

visualiz'zare [vizualid'dzare] *vt* to visualize.

visualizza'tore [vizualiddza'tore] *sm* (*INFORM*) visual display unit, VDU.

visualizzazi'one [vizualiddzat'tsjone] *sf* (*INFORM*) display.

'**vita** *sf* life; (*ANAT*) waist; **essere in** ~ to be alive; **pieno di** ~ full of life; **a** ~ for life; **membro a** ~ life member.

vi'tale *ag* vital.

vitalità *sf* vitality.

vita'lizio, a [vita'littsjo] *ag* life *cpd* ♦ *sm* life annuity.

vita'mina *sf* vitamin.

'**vite** *sf* (*BOT*) vine; (*TECN*) screw; **giro di** ~ (*anche fig*) turn of the screw.

vi'tello *sm* (*ZOOL*) calf; (*carne*) veal; (*pelle*) calfskin.

vi'ticcio [vi'tittʃo] *sm* (*BOT*) tendril.

viticol'tore *sm* wine grower.

viticol'tura *sf* wine growing.

'**vitreo, a** *ag* vitreous; (*occhio, sguardo*) glassy.

'**vittima** *sf* victim.

vitti'mismo *sm* self-pity.

'**vitto** *sm* food; (*in un albergo etc*) board; ~ **e alloggio** board and lodging.

vit'toria *sf* victory.

vittori'ano, a *ag* Victorian.

vittori'oso, a *ag* victorious.

vitupe'rare *vt* to rail at *o* against.

vi'uzza [vi'uttsa] *sf* (*in città*) alley.

'**viva** *escl*: ~ **il re!** long live the king!

vivacchi'are [vivak'kjare] *vi* to scrape a living.

vi'vace [vi'vatʃe] *ag* (*vivo, animato*) lively; (: *mente*) lively, sharp; (*colore*) bright.

vivacità [vivatʃi'ta] *sf* liveliness; brightness.

vivaciz'zare [vivatʃid'dzare] *vt* to liven up.

vi'vaio *sm* (*di pesci*) hatchery; (*AGR*) nursery.

viva'mente *av* (*commuoversi*) deeply, profoundly; (*ringraziare etc*) sincerely, warmly.

vi'vanda *sf* food; (*piatto*) dish.

vi'vente *ag* living, alive; **i** ~**i** the living.

'**vivere** *vi* to live ♦ *vt* to live; (*passare: brutto momento*) to live through, go through; (*sentire: gioie, pene di qn*) to share ♦ *sm* life; (*anche*: **modo di** ~) way of life; ~**i** *smpl* food *sg*, provisions; ~ **di** to live on.

vi'veur [vi'vœr] *sm inv* pleasure-seeker.

'**vivido, a** *ag* (*colore*) vivid, bright.

vivifi'care *vt* to enliven, give life to; (*piante etc*) to revive.

vivisezi'one [viviset'tsjone] *sf* vivisection.

'**vivo, a** *ag* (*vivente*) alive, living; (*fig*) lively; (: *colore*) bright, brilliant ♦ *sm*: **entrare nel** ~ **di una questione** to get to the heart of a matter; **i** ~**i** the living; **esperimenti su animali** ~**i** experiments on live *o* living animals; ~ **e vegeto** hale and hearty; **farsi** ~ (*fig*) to show one's face; to

keep in touch; **con** ~ **rammarico** with deep regret; **congratulazioni vivissime** heartiest congratulations; **con i più** ~**i ringraziamenti** with deepest *o* warmest thanks; **ritrarre dal** ~ to paint from life; **pungere qn nel** ~ (*fig*) to cut sb to the quick.

vivrò *etc vb vedi* **vivere**.

vizi'are [vit'tsjare] *vt* (*bambino*) to spoil; (*corrompere moralmente*) to corrupt; (*DIR*) to invalidate.

vizi'ato, a [vit'tsjato] *ag* spoilt; (*aria, acqua*) polluted; (*DIR*) invalid, invalidated.

'**vizio** ['vittsjo] *sm* (*morale*) vice; (*cattiva abitudine*) bad habit; (*imperfezione*) flaw, defect; (*errore*) fault, mistake; ~ **di forma** legal flaw *o* irregularity; ~ **procedurale** procedural error.

vizi'oso, a [vit'tsjoso] *ag* depraved; (*inesatto*) incorrect, wrong; **circolo** ~ vicious circle.

V.le *abbr* = **viale**.

vocabo'lario *sm* (*dizionario*) dictionary; (*lessico*) vocabulary.

vo'cabolo *sm* word.

vo'cale *ag* vocal ♦ *sf* vowel.

vocazi'one [vokat'tsjone] *sf* vocation; (*fig*) natural bent.

'**voce** ['votʃe] *sf* voice; (*diceria*) rumour (*BRIT*), rumor (*US*); (*di un elenco, in bilancio*) item; (*di dizionario*) entry; **parlare a alta/bassa** ~ to speak in a loud/low *o* soft voice; **fare la** ~ **grossa** to raise one's voice; **dar** ~ **a qc** to voice sth, give voice to sth; **a gran** ~ in a loud voice, loudly; **te lo dico a** ~ I'll tell you when I see you; **a una** ~ unanimously; **aver** ~ **in capitolo** (*fig*) to have a say in the matter; ~**i di corridoio** rumours.

voci'are [vo'tʃare] *vi* to shout, yell.

vocife'rante [votʃife'rante] *ag* noisy.

vo'cio [vo'tʃio] *sm* shouting.

'**vodka** *sf inv* vodka.

'**voga** *sf* (*NAUT*) rowing; (*usanza*): **essere in** ~ to be in fashion *o* in vogue.

vo'gare *vi* to row.

voga'tore, 'trice *sm/f* oarsman/woman ♦ *sm* rowing machine.

vogherò *etc* [voge'rɔ] *vb vedi* **vogare**.

'**voglia** ['vɔʎʎa] *sf* desire, wish; (*macchia*) birthmark; **aver** ~ **di qc/di fare** to feel like sth/like doing; (*più forte*) to want sth/to do; **di buona** ~ willingly.

'**voglio** *etc* ['vɔʎʎo] *vb vedi* **volere**.

vogli'oso, a [voʎ'ʎoso] *ag* (*sguardo etc*) longing; (*più forte*) full of desire.

'**voi** *pron* you; ~ **stessi(e)** you yourselves.

voi'altri *pron* you.

vol. *abbr* (= *volume*) vol.
vo'lano *sm* (*SPORT*) shuttlecock; (*TECN*) flywheel.
vo'lant [vɔ'lã] *sm inv* frill.
vo'lante *ag* flying ♦ *sm* (steering) wheel ♦ *sf* (*POLIZIA: anche*: **squadra** ~) flying squad.
volanti'naggio [volanti'naddʒo] *sm* leafleting.
volanti'nare *vt* (*distribuire volantini*) to leaflet, hand out leaflets.
volan'tino *sm* leaflet.
vo'lare *vi* (*uccello, aereo, fig*) to fly; (*cappello*) to blow away *o* off, fly away *o* off; ~ **via** to fly away *o* off.
vo'lata *sf* flight; (*d'uccelli*) flock, flight; (*corsa*) rush; (*SPORT*) final sprint; **passare di** ~ **da qn** to drop in on sb briefly.
vo'latile *ag* (*CHIM*) volatile ♦ *sm* (*ZOOL*) bird.
volatiliz'zarsi [volatilid'dzarsi] *vr* (*CHIM*) to volatilize; (*fig*) to vanish, disappear.
vo'lente *ag*: **verrai** ~ **o nolente** you'll come whether you like it or not.
volente'roso, a *ag* willing, keen.
volenti'eri *av* willingly; "~" "with pleasure", "I'd be glad to".

================= *PAROLA CHIAVE*

vo'lere *sm* will, wish(es); **contro il** ~ **di** against the wishes of; **per** ~ **di qn** in obedience to sb's will *o* wishes
♦ *vt* **1** (*esigere, desiderare*) to want; ~ **fare qc** to want to do sth; ~ **che qn faccia qc** to want sb to do sth; **vorrei andarmene** I'd like to go; **vorrei che se ne andasse** I'd like him to go; **vorrei quello lì!** I'd like that one!; **volevo parlartene** I meant to talk to you about it; **come vuoi** as you like; **la vogliono al telefono** there's a call for you; **che tu lo voglia o no** whether you like it or not; **vuoi un caffè?** would you like a coffee?; **senza** ~ (*inavvertitamente*) without meaning to, unintentionally; **te la sei voluta** you asked for it; **la tradizione vuole che ...** custom requires that ...; **la leggenda vuole che ...** legend has it that ...
2 (*consentire*): **vogliate attendere, per piacere** please wait; **vogliamo andare?** shall we go?; **vuole essere così gentile da ...?** would you be so kind as to ...?; **non ha voluto ricevermi** he wouldn't see me
3: **volerci** (*essere necessario: materiale, attenzione*) to be needed; (: *tempo*) to take; **quanta farina ci vuole per questa torta?** how much flour do you need for this cake?; **ci vuole un'ora per arrivare a Venezia** it takes an hour to get to Venice; **è quel che ci vuole** it's just what is

needed
4: **voler bene a qn** (*amore*) to love sb; (*affetto*) to be fond of sb, like sb very much; **voler male a qn** to dislike sb; **volerne a qn** to bear sb a grudge; **voler dire** to mean; **voglio dire ...** I mean ...; **volevo ben dire!** I thought as much!

vol'gare *ag* vulgar.
volgarità *sf* vulgarity.
volgariz'zare [volgarid'dzare] *vt* to popularize.
volgar'mente *av* (*in modo volgare*) vulgarly, coarsely; (*del popolo*) commonly, popularly.
'volgere ['vɔldʒere] *vt* to turn ♦ *vi* to turn; (*tendere*): ~ **a**: **il tempo volge al brutto/al bello** the weather is breaking/is setting fair; **un rosso che volge al viola** a red verging on purple; ~**rsi** *vr* to turn; ~ **al peggio** to take a turn for the worse; ~ **al termine** to draw to an end.
'volgo *sm* common people.
voli'era *sf* aviary.
voli'tivo, a *ag* strong-willed.
'volli *etc vb vedi* **volere**.
'volo *sm* flight; **ci sono due ore di** ~ **da Londra a Milano** it's a two-hour flight between London and Milan; **al** ~: **colpire qc al** ~ to hit sth as it flies past; **prendere al** ~ (*autobus, treno*) to catch at the last possible moment; (*palla*) to catch as it flies past; (*occasione*) to seize; **capire al** ~ to understand straight away; **veduta a** ~ **d'uccello** bird's-eye view; ~ **di linea** scheduled flight.
volontà *sf inv* will; **a** ~ (*mangiare, bere*) as much as one likes; **buona/cattiva** ~ goodwill/lack of goodwill; **le sue ultime** ~ (*testamento*) his last will and testament *sg.*
volontaria'mente *av* voluntarily.
volontari'ato *sm* (*MIL*) voluntary service; (*lavoro*) voluntary work.
volon'tario, a *ag* voluntary ♦ *sm* (*MIL*) volunteer.
'volpe *sf* fox.
vol'pino, a *ag* (*pelo, coda*) fox's; (*aspetto, astuzia*) fox-like ♦ *sm* (*cane*) Pomeranian.
vol'pone, a *sm/f* (*fig*) old fox.
'volsi *etc vb vedi* **volgere**.
volt *sm inv* (*ELETTR*) volt.
'volta *sf* (*momento, circostanza*) time; (*turno, giro*) turn; (*curva*) turn, bend; (*ARCHIT*) vault; (*direzione*): **partire alla** ~ **di** to set off for; **a mia** (*o* **tua** *etc*) ~ in turn; **una** ~ once; **una** ~ **sola** only once; **c'era una** ~ once upon a time there was; **le cose di**

una ~ the things of the past; **due ~e**
twice; **tre ~e** three times; **una cosa per ~**
one thing at a time; **una ~ o l'altra** one of
these days; **una ~ per tutte** once and for
all; **una ~ tanto** just for once; **lo facciamo
un'altra ~** we'll do it another time *o* some
other time; **a ~e** at times, sometimes; **di
~ in ~** from time to time; **una ~ che**
(*temporale*) once; (*causale*) since; **3 ~e 4** 3
times 4; **ti ha dato di ~ il cervello?** have
you gone out of your mind?

volta'faccia [volta'fattʃa] *sm inv* (*fig*) volte-
face.

vol'taggio [vol'taddʒo] *sm* (*ELETTR*) voltage.

vol'tare *vt* to turn; (*girare: moneta*) to turn
over; (*rigirare*) to turn round ♦ *vi* to turn;
~rsi *vr* to turn; to turn over; to turn
round.

voltas'tomaco *sm* nausea; (*fig*) disgust.

volteggi'are [volted'dʒare] *vi* (*volare*) to
circle; (*in equitazione*) to do trick riding;
(*in ginnastica*) to vault.

'volto, a *pp di* **volgere** ♦ *ag* (*inteso a*): **il mio
discorso è ~ a spiegare** ... in my speech I
intend to explain ... ♦ *sm* face.

vo'lubile *ag* changeable, fickle.

vo'lume *sm* volume.

volumi'noso, a *ag* voluminous, bulky.

vo'luta *sf* (*gen*) spiral; (*ARCHIT*) volute.

voluttà *sf* sensual pleasure *o* delight.

voluttu'oso, a *ag* voluptuous.

vomi'tare *vt, vi* to vomit.

'vomito *sm* vomit; **ho il ~** I feel sick.

'vongola *sf* clam.

vo'race [vo'ratʃe] *ag* voracious, greedy.

voracità [voratʃi'ta] *sf* voracity,
voraciousness.

vo'ragine [vo'radʒine] *sf* abyss, chasm.

vorrò *etc vb vedi* **volere**.

'vortice ['vortitʃe] *sm* whirl, vortex; (*fig*)
whirl.

vorti'coso, a *ag* whirling.

'vostro, a *det*: **il(la) ~(a)** *etc* your ♦ *pron*:
il(la) ~(a) *etc* yours ♦ *sm*: **avete speso del
~?** did you spend your own money? ♦ *sf*:
la ~a (*opinione*) your view; **i ~i** (*famiglia*)
your family; **un ~ amico** a friend of
yours; **è dei ~i, è dalla ~a** he's on your
side; **l'ultima ~a** (*COMM: lettera*) your
most recent letter; **alla ~a!** (*brindisi*)
here's to you!, your health!

vo'tante *sm/f* voter.

vo'tare *vi* to vote ♦ *vt* (*sottoporre a
votazione*) to take a vote on; (*approvare*) to
vote for; (*REL*): **~ qc a** to dedicate sth to;
~rsi *vr* to devote o.s. to.

votazi'one [votat'tsjone] *sf* vote, voting; **~i**
sfpl (*POL*) votes; (*INS*) marks.

'voto *sm* (*POL*) vote; (*INS*) mark (*BRIT*),
grade (*US*); (*REL*) vow; (*: offerta*) votive
offering; **aver ~i belli/brutti** (*INS*) to get
good/bad marks *o* grades; **prendere i ~i**
to take one's vows; **~ di fiducia** vote of
confidence.

V.P. *abbr* (= *vicepresidente*) VP.

VR *sigla* = *Verona*.

v.r. *abbr* (= *vedi retro*) PTO.

V.S. *abbr* = *Vostra Santità, Vostra Signoria*.

vs. *abbr* (= *vostro*) yr.

v.s. *abbr* = *vedi sopra*.

VT *sigla* = *Viterbo*.

V.U. *abbr* = **vigile urbano**.

vul'canico, a, ci, che *ag* volcanic.

vulcanizzazi'one [vulkaniddzat'tsjone] *sf*
vulcanization.

vul'cano *sm* volcano.

vulne'rabile *ag* vulnerable.

vulnerabilità *sf* vulnerability.

vu'oi, vu'ole *vb vedi* **volere**.

vuo'tare *vt*, **~rsi** *vr* to empty.

vu'oto, a *ag* empty; (*fig: privo*): **~ di** (*senso
etc*) devoid of ♦ *sm* empty space, gap;
(*spazio in bianco*) blank; (*FISICA*) vacuum;
(*fig: mancanza*) gap, void; **a mani ~e**
empty-handed; **assegno a ~** dud cheque
(*BRIT*), bad check (*US*); **~ d'aria** air
pocket; "**~ a perdere**" "no deposit"; "**~ a
rendere**" "returnable bottle".

v.v. *abbr* (= *vostro*) yr.

W w

W, w ['dɔppjovu] *sf o m inv* (*lettera*) W, w; **W
come Washington** ≈ W for William.

W *abbr* = **viva, evviva**.

'wafer ['vafer] *sm inv* (*CUC, ELETTR*) wafer.

wagon-'lit [vagɔ̃'li] *sm inv* (*FERR*) sleeping
car.

'walkman ® ['wɔːkmən] *sm inv* Walkman ®.

'water 'closet ['wɔːtə'klɔzɪt] *sm inv* toilet,
lavatory.

watt [vat] *sm inv* (*ELETTR*) watt.

wat'tora [vat'tora] *sm inv* (*ELETTR*) watt-
hour.

WC *sm inv* WC.

'weekend ['wiːkend] *sm inv* weekend.

'western ['wɛstern] *ag* (*CINE*) cowboy *cpd*
♦ *sm inv* western, cowboy film; **~
all'italiana** spaghetti western.

'whisky ['wiski] *sm inv* whisky.
'windsurf ['windsə:f] *sm inv* (*tavola*)
  windsurfer, sailboard; (*sport*)
  windsurfing.
'würstel ['vyrstəl] *sm inv* frankfurter.

X x

X, x [iks] *sf o m inv* (*lettera*) X, x; **X come**
  Xeres ≈ X for Xmas.
xenofo'bia [ksenofo'bia] *sf* xenophobia.
xe'nofobo, a [kse'nɔfobo] *ag* xenophobic
  ♦ *sm/f* xenophobe.
'xeres ['ksɛres] *sm inv* sherry.
xero'copia [ksero'kɔpja] *sf* xerox ®,
  photocopy.
xerocopi'are [kseroko'pjare] *vt* to
  photocopy.
xi'lofono [ksi'lɔfono] *sm* xylophone.

Y y

Y, y ['ipsilon] *sf o m inv* (*lettera*) Y, y; **Y come**
  Yacht ≈ Y for Yellow (*BRIT*), Y for Yoke
  (*US*).
yacht [jɔt] *sm inv* yacht.
'yankee ['jæŋki] *sm/f inv* Yank, Yankee.
Y.C.I. *abbr* = *Yacht Club d'Italia*.
'Yemen ['jemen] *sm*: **lo** ~ Yemen.
yen [jen] *sm inv* (*moneta*) yen.
'yiddish ['jidiʃ] *ag inv, sm inv* Yiddish.
'yoga ['jɔga] *ag inv, sm* yoga (*cpd*).
yogurt ['jɔgurt] *sm inv* yog(h)urt.

Z z

Z, z ['dzɛta] *sf o m inv* (*lettera*) Z, z; **Z come**
  Zara ≈ Z for Zebra.
zabai'one [dzaba'jone] *sm dessert made of*
  egg yolks, sugar and marsala.
zaf'fata [tsaf'fata] *sf* (*tanfo*) stench.
zaffe'rano [dzaffe'rano] *sm* saffron.
zaf'firo [dzaf'firo] *sm* sapphire.
'zagara ['dzagara] *sf* orange blossom.
'zaino ['dzaino] *sm* rucksack.
Za'ire [dza'ire] *sm*: **lo** ~ Zaire.
'Zambia ['dzambja] *sm*: **lo** ~ Zambia.
'zampa ['tsampa] *sf* (*di animale: gamba*) leg;
  (*: piede*) paw; **a quattro** ~**e** on all fours;
  ~**e di gallina** (*calligrafia*) scrawl; (*rughe*)
  crow's feet.
zam'pata [tsam'pata] *sf* (*di cane, gatto*) blow
  with a paw.
zampet'tare [tsampet'tare] *vi* to scamper.
zampil'lare [tsampil'lare] *vi* to gush, spurt.
zam'pillo [tsam'pillo] *sm* gush, spurt.
zam'pino [tsam'pino] *sm* paw; **qui c'è sotto**
  il suo ~ (*fig*) he's had a hand in this.
zam'pogna [tsam'poɲɲa] *sf instrument*
  similar to bagpipes.
'zanna ['tsanna] *sf* (*di elefante*) tusk; (*di*
  carnivori) fang.
zan'zara [dzan'dzara] *sf* mosquito.
zanzari'era [dzandza'rjɛra] *sf* mosquito net.
'zappa ['tsappa] *sf* hoe.
zap'pare [tsap'pare] *vt* to hoe.
zappa'tore [tsappa'tore] *sm* (*AGR*) hoer.
zappa'tura [tsappa'tura] *sf* (*AGR*) hoeing.
zar, za'rina [tsar, tsa'rina] *sm/f* tsar/tsarina.
'zattera ['dzattera] *sf* raft.
za'vorra [dza'vɔrra] *sf* ballast.
'zazzera ['tsattsera] *sf* shock of hair.
'zebra ['dzɛbra] *sf* zebra; ~**e** *sfpl* (*AUT*) zebra
  crossing *sg* (*BRIT*), crosswalk *sg* (*US*).
ze'brato, a [dze'brato] *ag* with black and
  white stripes; **strisce** ~**e**,
  attraversamento ~ (*AUT*) zebra crossing
  (*BRIT*), crosswalk (*US*).
'zecca, che ['tsekka] *sf* (*ZOOL*) tick; (*officina*
  di monete) mint.
zec'chino [tsek'kino] *sm* gold coin; **oro** ~
  pure gold.
ze'lante [dze'lante] *ag* zealous.
'zelo ['dzɛlo] *sm* zeal.

'zenit ['dzɛnit] *sm* zenith.
'zenzero ['dzendzero] *sm* ginger.
'zeppa ['tseppa] *sf* wedge.
'zeppo, a ['tseppo] *ag*: ~ **di** crammed *o* packed with.
zer'bino [dzer'bino] *sm* doormat.
'zero ['dzɛro] *sm* zero, nought; **vincere per tre a** ~ (*SPORT*) to win three-nil.
'zeta ['dzɛta] *sm o f* zed, (the letter) z.
'zia ['tsia] *sf* aunt.
zibel'lino [dzibel'lino] *sm* sable.
zi'gano, a [tsi'gano] *ag*, *sm/f* gypsy.
'zigomo ['dzigomo] *sm* cheekbone.
zigri'nare [dzigri'nare] *vt* (*gen*) to knurl; (*pellame*) to grain; (*monete*) to mill.
zig'zag [dzig'dzag] *sm inv* zigzag; **andare a** ~ to zigzag.
Zim'babwe [tsim'babwe] *sm*: **lo** ~ Zimbabwe.
zim'bello [dzim'bɛllo] *sm* (*oggetto di burle*) laughing-stock.
'zinco ['dzinko] *sm* zinc.
zinga'resco, a, schi, sche [dzinga'resko] *ag* gypsy *cpd*.
'zingaro, a ['dzingaro] *sm/f* gipsy.
'zio ['tsio], *pl* **'zii** *sm* uncle; **zii** *smpl* (*zio e zia*) uncle and aunt.
zi'tella [dzi'tɛlla] *sf* spinster; (*peg*) old maid.
zit'tire [tsit'tire] *vt* to silence, hush *o* shut up ♦ *vi* to hiss.
'zitto, a ['tsitto] *ag* quiet, silent; **sta'** ~! be quiet!
ziz'zania [dzid'dzanja] *sf* (*BOT*) darnel; (*fig*) discord; **gettare** *o* **seminare** ~ to sow discord.
'zoccolo ['tsɔkkolo] *sm* (*calzatura*) clog; (*di cavallo etc*) hoof; (*ARCHIT*) plinth; (*di parete*) skirting (board); (*di armadio*) base.
zodia'cale [dzodia'kale] *ag* zodiac *cpd*; **segno** ~ sign of the zodiac.
zo'diaco [dzo'diako] *sm* zodiac.
zolfa'nello [tsolfa'nɛllo] *sm* (sulphur) match.
'zolfo ['tsolfo] *sm* sulphur (*BRIT*), sulfur (*US*).
'zolla ['dzolla] *sf* clod (of earth).
zol'letta [dzol'letta] *sf* sugar lump.
'zona ['dzɔna] *sf* zone, area; ~ **di depressione** (*METEOR*) trough of low pressure; ~ **erogena** erogenous zone; ~ **pedonale** pedestrian precinct; ~ **verde** (*di abitato*) green area.

'zonzo ['dzondzo]: **a** ~ *av*: **andare a** ~ to wander about, stroll about.
'zoo ['dzɔo] *sm inv* zoo.
zoolo'gia [dzoolo'dʒia] *sf* zoology.
zoo'logico, a, ci, che [dzoo'lɔdʒiko] *ag* zoological.
zo'ologo, a, gi, ghe [dzo'ɔlogo] *sm/f* zoologist.
zoosa'fari [dzoosa'fari] *sm inv* safari park.
zoo'tecnico, a, ci, che [dzoo'tɛkniko] *ag* zootechnical; **il patrimonio** ~ **di un paese** a country's livestock resources.
zoppi'care [tsoppi'kare] *vi* to limp; (*fig: mobile*) to be shaky, rickety.
'zoppo, a ['tsɔppo] *ag* lame; (*fig: mobile*) shaky, rickety.
zoti'cone [dzoti'kone] *sm* lout.
zu'ava [dzu'ava] *sf*: **pantaloni** *mpl* **alla** ~ knickerbockers.
'zucca, che ['tsukka] *sf* (*BOT*) marrow (*BRIT*), vegetable marrow (*US*); pumpkin; (*scherzoso*) head.
zucche'rare [tsukke'rare] *vt* to put sugar in.
zucche'rato, a [tsukke'rato] *ag* sweet, sweetened.
zuccheri'era [tsukke'rjɛra] *sf* sugar bowl.
zuccheri'ficio [tsukkeri'fitʃo] *sm* sugar refinery.
zucche'rino, a [tsukke'rino] *ag* sugary, sweet.
'zucchero ['tsukkero] *sm* sugar; ~ **di canna** cane sugar; ~ **caramellato** caramel; ~ **filato** candy floss, cotton candy (*US*); ~ **a velo** icing sugar (*BRIT*), confectioner's sugar (*US*).
zucche'roso, a [tsukke'roso] *ag* sugary.
zuc'china [tsuk'kina] *sf*, **zuc'chino** [tsuk'kino] *sm* courgette (*BRIT*), zucchini (*US*).
zuc'cotto [tsuk'kɔtto] *sm* ice-cream sponge.
'zuffa ['tsuffa] *sf* brawl.
zufo'lare [tsufo'lare] *vt, vi* to whistle.
'zufolo ['tsufolo] *sm* (*MUS*) flageolet.
'zuppa ['tsuppa] *sf* soup; (*fig*) mixture, muddle; ~ **inglese** (*CUC*) dessert made with sponge cake, custard and chocolate, ≈ trifle (*BRIT*).
zuppi'era [tsup'pjɛra] *sf* soup tureen.
'zuppo, a ['tsuppo] *ag*: ~ **(di)** drenched (with), soaked (with).
Zu'rigo [dzu'rigo] *sf* Zurich.

English-Italian
Inglese-Italiano

Aa

A, a [eɪ] *n* (*letter*) A, a *form inv*; (*SCOL: mark*)
≈ 10 (*ottimo*); (*MUS*): **A la** *m*; **A for Andrew**,
(*US*) **A for Able** ≈ A come Ancona;
from A to Z dall'A alla Z; **A road** *n* (*BRIT
AUT*) ≈ strada statale; **A shares** *npl* (*BRIT
STOCK EXCHANGE*) azioni *fpl* senza diritto
di voto; **A to Z** ® *n* stradario.

KEYWORD

a [ə] (*before vowel or silent h*: **an**) *indef art* **1**
un (uno +*s impure, gn, pn, ps, x, z*), *f* una
(un' +*vowel*); ~ **mirror**
uno specchio; **an apple** una mela; **she's** ~
doctor è medico
2 (*instead of the number "one"*) un(o), *f*
una; ~ **year ago** un anno fa; ~ **hundred/
thousand pounds** cento/mille sterline
3 (*in expressing ratios, prices etc*) a, per; **3**
~ **day/week** 3 al giorno/alla settimana; **10
km an hour** 10 km all'ora; **£5** ~ **person** 5
sterline a persona *or* per persona.

a. *abbr* = **acre.**
AA *n abbr* (*BRIT*: = *Automobile Association*)
≈ A.C.I. *m* (= *Automobile Club d'Italia*);
(*US*: = *Associate in/of Arts*) titolo di studio;
(= *Alcoholics Anonymous*) A.A. *f*
(= *Anonima Alcolisti*); (*MIL*) = **anti-aircraft.**
AAA *n abbr* (= *American Automobile
Association*) ≈ A.C.I. *m* (= *Automobile
Club d'Italia*); (*BRIT*) = *Amateur Athletics
Association.*
A & R *n abbr* (*MUS*) = *artists and repertoire*; ~
man talent scout *m inv.*
AAUP *n abbr* (= *American Association of
University Professors*) *associazione dei
professori universitari.*
AB *abbr* (*BRIT*) *see* **able-bodied seaman;**

(*Canada*) = *Alberta.*
aback [ə'bæk] *adv*: **to be taken** ~ essere
sbalordito(a).
abacus, *pl* **abaci** ['æbəkəs, -saɪ] *n*
pallottoliere *m*, abaco.
abandon [ə'bændən] *vt* abbandonare ♦ *n*
abbandono; **to** ~ **ship** abbandonare la
nave.
abandoned [ə'bændənd] *adj* (*child, house
etc*) abbandonato(a); (*unrestrained:
manner*) disinvolto(a).
abase [ə'beɪs] *vt*: **to** ~ **o.s. (so far as to do)**
umiliarsi *or* abbassarsi (al punto di fare).
abashed [ə'bæʃt] *adj* imbarazzato(a).
abate [ə'beɪt] *vi* calmarsi.
abatement [ə'beɪtmənt] *n* (*of pollution,
noise*) soppressione *f*, eliminazione *f*;
noise ~ **society** associazione *f* per la lotta
contro i rumori.
abattoir ['æbətwɑː*] *n* (*BRIT*) mattatoio.
abbey ['æbɪ] *n* abbazia, badia.
abbot ['æbət] *n* abate *m.*
abbreviate [ə'briːvɪeɪt] *vt* abbreviare.
abbreviation [əbriːvɪ'eɪʃən] *n*
abbreviazione *f.*
ABC *n abbr* (= *American Broadcasting
Company*) rete televisiva *americana.*
abdicate ['æbdɪkeɪt] *vt* abdicare a ♦ *vi*
abdicare.
abdication [æbdɪ'keɪʃən] *n* abdicazione *f.*
abdomen ['æbdəmən] *n* addome *m.*
abdominal [æb'dɔmɪnl] *adj* addominale.
abduct [æb'dʌkt] *vt* rapire.
abduction [æb'dʌkʃən] *n* rapimento.
Aberdonian [æbə'dəunɪən] *adj* di Aberdeen
♦ *n* abitante *m/f* di Aberdeen; originario/a
di Aberdeen.
aberration [æbə'reɪʃən] *n* aberrazione *f.*

abet [əˈbɛt] *vt see* **aid.**
abeyance [əˈbeɪəns] *n*: **in ~ in** sospeso.
abhor [əbˈhɔː*] *vt* aborrire.
abhorrent [əbˈhɔrənt] *adj* odioso(a).
abide [əˈbaɪd] *vt* sopportare.
▶**abide by** *vt fus* conformarsi a.
abiding [əˈbaɪdɪŋ] *adj* (*memory etc*)
persistente, duraturo(a).
ability [əˈbɪlɪtɪ] *n* abilità *f inv*; **to the best of
my ~** con il massimo impegno.
abject [ˈæbdʒɛkt] *adj* (*poverty*) abietto(a);
(*apology*) umiliante; (*coward*) indegno(a),
vile.
ablaze [əˈbleɪz] *adj* in fiamme; **~ with light**
risplendente di luce.
able [ˈeɪbl] *adj* capace; **to be ~ to do sth**
essere capace di fare qc, poter fare qc.
able-bodied [ˈeɪblˈbɔdɪd] *adj* robusto(a).
able-bodied seaman (AB) *n* (*BRIT*)
marinaio scelto.
ably [ˈeɪblɪ] *adv* abilmente.
ABM *n abbr* (= *anti-ballistic missile*) ABM *m*.
abnormal [æbˈnɔːməl] *adj* anormale.
abnormality [æbnɔːˈmælɪtɪ] *n* (*condition*)
anormalità; (*instance*) anomalia.
aboard [əˈbɔːd] *adv* a bordo ♦ *prep* a bordo
di; **~ the train** in *or* sul treno.
abode [əˈbəud] *n* (*old*) dimora; (*LAW*)
domicilio, dimora; **of no fixed ~** senza
fissa dimora.
abolish [əˈbɔlɪʃ] *vt* abolire.
abolition [æbəuˈlɪʃən] *n* abolizione *f*.
abominable [əˈbɔmɪnəbl] *adj* abominevole.
aborigine [æbəˈrɪdʒɪnɪ] *n* aborigeno/a.
abort [əˈbɔːt] *vt* (*MED*, *fig*) abortire;
(*COMPUT*) interrompere l'esecuzione di.
abortion [əˈbɔːʃən] *n* aborto; **to have an ~**
avere un aborto, abortire.
abortionist [əˈbɔːʃənɪst] *n* abortista *m/f*.
abortive [əˈbɔːtɪv] *adj* abortivo(a).
abound [əˈbaund] *vi* abbondare; **to ~ in**
abbondare di.

════════════════════ *KEYWORD*

about [əˈbaut] *adv* **1** (*approximately*) circa,
quasi; **~ a hundred/thousand** un
centinaio/migliaio, circa cento/mille; **it
takes ~ 10 hours** ci vogliono circa 10 ore;
at ~ 2 o'clock verso le 2; **I've just ~
finished** ho quasi finito; **it's ~ here** è qui
intorno, è qui vicino
2 (*referring to place*) qua e là, in giro; **to
leave things lying ~** lasciare delle cose in
giro; **to run ~** correre qua e là; **to walk ~**
camminare; **is Paul ~?** (*BRIT*) hai visto
Paul in giro?; **it's the other way ~** (*BRIT*) è
il contrario
3: **to be ~ to do sth** stare per fare qc; **I'm**

not **~ to do all that for nothing** non ho
intenzione di fare tutto questo per niente
♦ *prep* **1** (*relating to*) su, di; **a book ~
London** un libro su Londra; **what is it ~?**
di che si tratta?; (*book, film etc*) di cosa
tratta?; **we talked ~ it** ne abbiamo
parlato; **do something ~ it!** fai qualcosa!;
what *or* **how ~ doing this?** che ne dici di
fare questo?
2 (*referring to place*): **to walk ~ the town**
camminare per la città; **her clothes were
scattered ~ the room** i suoi vestiti erano
sparsi *or* in giro per tutta la stanza.

about-face [əˈbautˈfeɪs] *n*, **about-turn**
[əˈbautˈtəːn] *n* (*MIL*) dietro front *m inv*.
above [əˈbʌv] *adv*, *prep* sopra; **mentioned ~**
suddetto; **costing ~ £10** più caro di 10
sterline; **he's not ~ a bit of blackmail** non
rifuggirebbe dal ricatto; **~ all** soprattutto.
aboveboard [əˈbʌvˈbɔːd] *adj* aperto(a);
onesto(a).
abrasion [əˈbreɪʒən] *n* abrasione *f*.
abrasive [əˈbreɪzɪv] *adj* abrasivo(a).
abreast [əˈbrɛst] *adv* di fianco; **3 ~** per 3 di
fronte; **to keep ~ of** tenersi aggiornato
su.
abridge [əˈbrɪdʒ] *vt* ridurre.
abroad [əˈbrɔːd] *adv* all'estero; **there is a
rumour ~ that** ... (*fig*) si sente dire in
giro che ..., circola la voce che ....
abrupt [əˈbrʌpt] *adj* (*steep*) erto(a); (*sudden*)
improvviso(a); (*gruff, blunt*) brusco(a).
abscess [ˈæbsɪs] *n* ascesso.
abscond [əbˈskɔnd] *vi* scappare.
absence [ˈæbsəns] *n* assenza; **in the ~ of**
(*person*) in assenza di; (*thing*) in
mancanza di.
absent [ˈæbsənt] *adj* assente; **to be ~
without leave (AWOL)** (*MIL etc*) essere
assente ingiustificato.
absentee [æbsənˈtiː] *n* assente *m/f*.
absenteeism [æbsənˈtiːɪzəm] *n*
assenteismo.
absent-minded [ˈæbsəntˈmaɪndɪd] *adj*
distratto(a).
absent-mindedness [ˈæbsəntˈmaɪndɪdnɪs]
n distrazione *f*.
absolute [ˈæbsəluːt] *adj* assoluto(a).
absolutely [æbsəˈluːtlɪ] *adv* assolutamente.
absolve [əbˈzɔlv] *vt*: **to ~ sb (from)** (*sin etc*)
assolvere qn (da); **to ~ sb from** (*oath*)
sciogliere qn da.
absorb [əbˈsɔːb] *vt* assorbire; **to be ~ed in
a book** essere immerso(a) in un libro.
absorbent [əbˈsɔːbənt] *adj* assorbente.
absorbent cotton *n* (*US*) cotone *m* idrofilo.
absorbing [əbˈsɔːbɪŋ] *adj* avvincente, molto

interessante.

absorption [əb'sɔːpʃən] *n* assorbimento.

abstain [əb'steɪn] *vi*: **to ~ (from)** astenersi (da).

abstemious [əb'stiːmɪəs] *adj* astemio(a).

abstention [əb'stɛnʃən] *n* astensione *f*.

abstinence ['æbstɪnəns] *n* astinenza.

abstract ['æbstrækt] *adj* astratto(a) ♦ *n* (*summary*) riassunto ♦ *vt* [æb'strækt] estrarre.

absurd [əb'sɔːd] *adj* assurdo(a).

absurdity [əb'sɔːdɪtɪ] *n* assurdità *f inv.*

ABTA ['æbtə] *n abbr* = *Association of British Travel Agents.*

Abu Dhabi ['æbuː'dɑːbɪ] *n* Abu Dhabi *f.*

abundance [ə'bʌndəns] *n* abbondanza.

abundant [ə'bʌndənt] *adj* abbondante.

abuse *n* [ə'bjuːs] abuso; (*insults*) ingiurie *fpl* ♦ *vt* [ə'bjuːz] abusare di; **open to ~** che si presta ad abusi.

abusive [ə'bjuːsɪv] *adj* ingiurioso(a).

abysmal [ə'bɪzməl] *adj* spaventoso(a).

abyss [ə'bɪs] *n* abisso.

AC *n abbr* (*US*) = *athletic club.*

a/c *abbr* (*BANKING etc*: = *account, account current*) c.

academic [ækə'dɛmɪk] *adj* accademico(a); (*pej: issue*) puramente formale ♦ *n* universitario/a.

academic year *n* anno accademico.

academy [ə'kædəmɪ] *n* (*learned body*) accademia; (*school*) scuola privata; **military/naval ~** scuola militare/navale; **~ of music** conservatorio.

ACAS ['eɪkæs] *n abbr* (*BRIT*: = *Advisory, Conciliation and Arbitration Service*) *comitato governativo per il miglioramento della contrattazione collettiva.*

accede [æk'siːd] *vi*: **to ~ to** (*request*) accedere a; (*throne*) ascendere a.

accelerate [æk'sɛləreɪt] *vt, vi* accelerare.

acceleration [æksɛlə'reɪʃən] *n* accelerazione *f.*

accelerator [æk'sɛləreɪtə*] *n* acceleratore *m.*

accent ['æksɛnt] *n* accento.

accentuate [æk'sɛntjueɪt] *vt* (*syllable*) accentuare; (*need, difference etc*) accentuare, mettere in risalto *or* in evidenza.

accept [ək'sɛpt] *vt* accettare.

acceptable [ək'sɛptəbl] *adj* accettabile.

acceptance [ək'sɛptəns] *n* accettazione *f*; **to meet with general ~** incontrare il favore *or* il consenso generale.

access ['æksɛs] *n* accesso ♦ *vt* (*COMPUT*) accedere a; **to have ~ to** avere accesso a;

the burglars gained **~ through a window** i ladri sono riusciti a penetrare da *or* attraverso una finestra.

accessible [æk'sɛsəbl] *adj* accessibile.

accession [æk'sɛʃən] *n* (*addition*) aggiunta; (*to library*) accessione *f*, acquisto; (*of king*) ascesa *or* salita al trono.

accessory [æk'sɛsərɪ] *n* accessorio; **toilet accessories** *npl* (*BRIT*) articoli *mpl* da toilette.

access road *n* strada d'accesso; (*to motorway*) raccordo di entrata.

access time *n* (*COMPUT*) tempo di accesso.

accident ['æksɪdənt] *n* incidente *m*; (*chance*) caso; **to meet with** *or* **to have an ~** avere un incidente; **~s at work** infortuni *mpl* sul lavoro; **by ~** per caso.

accidental [æksɪ'dɛntl] *adj* accidentale.

accidentally [æksɪ'dɛntəlɪ] *adv* per caso.

accident insurance *n* assicurazione *f* contro gli infortuni.

accident-prone ['æksɪdənt'prəun] *adj*: **he's very ~** è un vero passaguai.

acclaim [ə'kleɪm] *vt* acclamare ♦ *n* acclamazione *f.*

acclamation [æklə'meɪʃən] *n* (*approval*) acclamazione *f*; (*applause*) applauso.

acclimatize [ə'klaɪmətaɪz], (*US*) **acclimate** [ə'klaɪmeɪt] *vt*: **to become ~d** acclimatarsi.

accolade ['ækəleɪd] *n* encomio.

accommodate [ə'kɔmədeɪt] *vt* alloggiare; (*oblige, help*) favorire; **this car ~s 4 people comfortably** quest'auto può trasportare comodamente 4 persone.

accommodating [ə'kɔmədeɪtɪŋ] *adj* compiacente.

accommodation, (*US*) **accommodations** [əkɔmə'deɪʃən(z)] *n*(*pl*) alloggio; **seating ~** (*BRIT*) posti a sedere; **"~ to let"** (*BRIT*) "camere in affitto"; **have you any ~?** avete posto?

accompaniment [ə'kʌmpənɪmənt] *n* accompagnamento.

accompanist [ə'kʌmpənɪst] *n* (*MUS*) accompagnatore/trice.

accompany [ə'kʌmpənɪ] *vt* accompagnare.

accomplice [ə'kʌmplɪs] *n* complice *m/f.*

accomplish [ə'kʌmplɪʃ] *vt* compiere; (*achieve*) ottenere.

accomplished [ə'kʌmplɪʃt] *adj* (*person*) esperto(a).

accomplishment [ə'kʌmplɪʃmənt] *n* compimento; (*thing achieved*) risultato; **~s** *npl* (*skills*) doti *fpl.*

accord [ə'kɔːd] *n* accordo ♦ *vt* accordare; **of his own ~** di propria iniziativa; **with one ~** all'unanimità, di comune accordo.

accordance [ə'kɔːdəns] *n*: **in ~ with** in

conformità con.

according [ə'kɔːdɪŋ]: ~ **to** _prep_ secondo; **it went ~ to plan** è andata secondo il previsto.

accordingly [ə'kɔːdɪŋlɪ] _adv_ in conformità.

accordion [ə'kɔːdɪən] _n_ fisarmonica.

accost [ə'kɔst] _vt_ avvicinare.

account [ə'kaunt] _n_ (_COMM_) conto; (_report_) descrizione _f;_ ~**s** _npl_ (_COMM_) conti; "~ **payee only**" (_BRIT_) "assegno non trasferibile"; **to keep an ~ of** tenere nota di; **to bring sb to ~ for sth/for having done sth** chiedere a qn di render conto di qc/per aver fatto qc; **by all ~s** a quanto si dice; **of little ~** di poca importanza; **on ~** in acconto; **to buy sth on ~** comprare qc a credito; **on no ~** per nessun motivo; **on ~ of** a causa di; **to take into ~**, **take ~ of** tener conto di.

▶**account for** _vt fus_ (_explain_) spiegare; giustificare; **all the children were ~ed for** nessun bambino mancava all'appello.

accountability [ə'kauntə'bɪlɪtɪ] _n_ responsabilità.

accountable [ə'kauntəbl] _adj_ responsabile; **to be held ~ for sth** dover rispondere di qc.

accountancy [ə'kauntənsɪ] _n_ ragioneria.

accountant [ə'kauntənt] _n_ ragioniere/a.

accounting [ə'kauntɪŋ] _n_ contabilità.

accounting period _n_ esercizio finanziario, periodo contabile.

account number _n_ numero di conto.

account payable _n_ conto passivo.

account receivable _n_ conto da esigere.

accredited [ə'krɛdɪtɪd] _adj_ accreditato(a).

accretion [ə'kriːʃən] _n_ accrescimento.

accrue [ə'kruː] _vi_ (_mount up_) aumentare; **to ~ to** derivare a; ~**d charges** ratei _mpl_ passivi; ~**d interest** interesse _m_ maturato.

accumulate [ə'kjuːmjuleɪt] _vt_ accumulare ♦ _vi_ accumularsi.

accumulation [əkjuːmju'leɪʃən] _n_ accumulazione _f._

accuracy ['ækjurəsɪ] _n_ precisione _f._

accurate ['ækjurɪt] _adj_ preciso(a).

accurately ['ækjurɪtlɪ] _adv_ precisamente.

accusation [ækju'zeɪʃən] _n_ accusa.

accusative [ə'kjuːzətɪv] _n_ (_LING_) accusativo.

accuse [ə'kjuːz] _vt_ accusare.

accused [ə'kjuːzd] _n_ accusato/a.

accuser [ə'kjuːzə*] _n_ accusatore/trice.

accustom [ə'kʌstəm] _vt_ abituare; **to ~ o.s. to sth** abituarsi a qc.

accustomed [ə'kʌstəmd] _adj_ (_usual_) abituale; ~ **to** abituato(a) a.

AC/DC _abbr_ (= _alternating current/direct current_) c.a./c.c.

ACE [eɪs] _n abbr_ = _American Council on Education._

ace [eɪs] _n_ asso; **within an ~ of** (_BRIT_) a un pelo da.

acerbic [ə'səːbɪk] _adj_ (_also fig_) acido(a).

acetate ['æsɪteɪt] _n_ acetato.

ache [eɪk] _n_ male _m_, dolore _m_ ♦ _vi_ (_be sore_) far male, dolere; (_yearn_): **to ~ to do sth** morire dalla voglia di fare qc; **I've got stomach ~** _or_ (_US_) **a stomach ~** ho mal di stomaco; **my head ~s** mi fa male la testa; **I'm aching all over** mi duole dappertutto.

achieve [ə'tʃiːv] _vt_ (_aim_) raggiungere; (_victory_, _success_) ottenere; (_task_) compiere.

achievement [ə'tʃiːvmənt] _n_ compimento; successo.

Achilles heel [ə'kɪliːz-] _n_ tallone _m_ d'Achille.

acid ['æsɪd] _adj_ acido(a) ♦ _n_ acido.

acidity [ə'sɪdɪtɪ] _n_ acidità.

acid rain _n_ pioggia acida.

acid test _n_ (_fig_) prova del fuoco.

acknowledge [ək'nɔlɪdʒ] _vt_ riconoscere; (_letter: also:_ ~ **receipt of**) accusare ricevuta di.

acknowledgement [ək'nɔlɪdʒmənt] _n_ riconoscimento; (_of letter_) conferma; ~**s** (_in book_) ringraziamenti _mpl._

ACLU _n abbr_ (= _American Civil Liberties Union_) unione _americana per le libertà civili._

acme ['ækmɪ] _n_ culmine _m_, acme _m._

acne ['æknɪ] _n_ acne _f._

acorn ['eɪkɔːn] _n_ ghianda.

acoustic [ə'kuːstɪk] _adj_ acustico(a); _see also_ **acoustics.**

acoustic coupler [-'kʌplə*] _n_ (_COMPUT_) accoppiatore _m_ acustico.

acoustics [ə'kuːstɪks] _n_, _npl_ acustica.

acquaint [ə'kweɪnt] _vt:_ **to ~ sb with sth** far sapere qc a qn; **to be ~ed with** (_person_) conoscere.

acquaintance [ə'kweɪntəns] _n_ conoscenza; (_person_) conoscente _m/f;_ **to make sb's ~** fare la conoscenza di qn.

acquiesce [ækwɪ'ɛs] _vi_ (_agree_): **to ~ (in)** acconsentire (a).

acquire [ə'kwaɪə*] _vt_ acquistare.

acquired [ə'kwaɪəd] _adj_ acquisito(a); **it's an ~ taste** è una cosa che si impara ad apprezzare.

acquisition [ækwɪ'zɪʃən] _n_ acquisto.

acquisitive [ə'kwɪzɪtɪv] _adj_ a cui piace accumulare le cose.

acquit [ə'kwɪt] _vt_ assolvere; **to ~ o.s. well**

comportarsi bene.
acquittal [ə'kwɪtl] n assoluzione f.
acre ['eɪkə*] n acro (= 4047 m²).
acreage ['eɪkərɪdʒ] n superficie f in acri.
acrid ['ækrɪd] adj (smell) acre, pungente;
  (fig) pungente.
acrimonious [ækrɪ'məunɪəs] adj astioso(a).
acrobat ['ækrəbæt] n acrobata m/f.
acrobatic [ækrə'bætɪk] adj acrobatico(a).
acrobatics [ækrə'bætɪks] n acrobatica ♦ npl
  acrobazie fpl.
Acropolis [ə'krɔpəlɪs] n: the ~ l'Acropoli f.
across [ə'krɔs] prep (on the other side)
  dall'altra parte di; (crosswise) attraverso
  ♦ adv dall'altra parte; in larghezza; to
  walk ~ (the road) attraversare (la
  strada); to take sb ~ the road far
  attraversare la strada a qn; ~ from di
  fronte a; the lake is 12 km ~ il lago ha
  una larghezza di 12 km or è largo 12 km;
  to get sth ~ to sb (fig) far capire qc a qn.
acrylic [ə'krɪlɪk] adj acrilico(a) ♦ n acrilico.
ACT n abbr (= American College Test) esame
  di ammissione a college.
act [ækt] n atto; (in music-hall etc) numero;
  (LAW) decreto ♦ vi agire; (THEAT) recitare;
  (pretend) fingere ♦ vt (part) recitare; to
  catch sb in the ~ cogliere qn in flagrante
  or sul fatto; it's only an ~ è tutta scena, è
  solo una messinscena; ~ of God (LAW)
  calamità f inv naturale; to ~ Hamlet (BRIT)
  recitare la parte di Amleto; to ~ the fool
  (BRIT) fare lo stupido; to ~ as agire da; it
  ~s as a deterrent serve da deterrente;
  ~ing in my capacity as chairman, I ... in
  qualità di presidente, io ....
►**act on** vt: to ~ on sth agire in base a qc.
►**act out** vt (event) ricostruire; (fantasies)
  dare forma concreta a.
acting ['æktɪŋ] adj che fa le funzioni di ♦ n
  (of actor) recitazione f; (activity): to do
  some ~ fare del teatro (or del cinema);
  he is the ~ manager fa le veci del
  direttore.
action ['ækʃən] n azione f; (MIL)
  combattimento; (LAW) processo; to take
  ~ agire; to put a plan into ~ realizzare
  un piano; out of ~ fuori combattimento;
  (machine etc) fuori servizio; killed in ~
  (MIL) ucciso in combattimento; to bring
  an ~ against sb (LAW) intentare causa
  contro qn.
action replay n (BRIT TV) replay m inv.
activate ['æktɪveɪt] vt (mechanism) fare
  funzionare; (CHEM, PHYSICS) rendere
  attivo(a).
active ['æktɪv] adj attivo(a); to play an ~
  part in partecipare attivamente a.

active duty (AD) n (US MIL) = active
  service.
actively ['æktɪvlɪ] adv attivamente.
active partner n (COMM) socio effettivo.
active service n (BRIT MIL): to be on ~
  prestar servizio in zona di operazioni.
activist ['æktɪvɪst] n attivista m/f.
activity [æk'tɪvɪtɪ] n attività f inv.
actor ['æktə*] n attore m.
actress ['æktrɪs] n attrice f.
actual ['æktjuəl] adj reale, vero(a).
actually ['æktjuəlɪ] adv veramente; (even)
  addirittura.
actuary ['æktjuərɪ] n attuario/a.
actuate ['æktjueɪt] vt attivare.
acuity [ə'kju:ɪtɪ] n acutezza.
acumen ['ækjumən] n acume m; business ~
  fiuto negli affari.
acupuncture ['ækjupʌŋktʃə*] n agopuntura.
AD adv abbr (= Anno Domini) d. C. ♦ n abbr
  (US MIL) see active duty.
ad [æd] n abbr = advertisement.
adamant ['ædəmənt] adj irremovibile.
Adam's apple ['ædəmz-] n pomo di Adamo.
adapt [ə'dæpt] vt adattare ♦ vi: to ~ (to)
  adattarsi (a).
adaptability [ədæptə'bɪlɪtɪ] n adattabilità.
adaptable [ə'dæptəbl] adj (device)
  adattabile; (person) che sa adattarsi.
adaptation [ædæp'teɪʃən] n adattamento.
adapter, adaptor [ə'dæptə*] n (ELEC)
  adattatore m.
ADC n abbr (MIL) = aide-de-camp; (US: = Aid
  to Dependent Children) sussidio per figli a
  carico.
add [æd] vt aggiungere; (figures)
  addizionare ♦ vi: to ~ to (increase)
  aumentare.
►**add on** vt aggiungere.
►**add up** vt (figures) addizionare ♦ vi (fig): it
  doesn't ~ up non ha senso; it doesn't ~
  up to much non è un granché.
adder ['ædə*] n vipera.
addict ['ædɪkt] n tossicomane m/f; (fig)
  fanatico/a; heroin ~ eroinomane m/f; drug
  ~ tossicodipendente m/f, tossicomane m/f.
addicted [ə'dɪktɪd] adj: to be ~ to (drink etc)
  essere dedito(a) a; (fig: football etc) essere
  tifoso(a) di.
addiction [ə'dɪkʃən] n (MED) tossicomania.
adding machine ['ædɪŋ-] n addizionatrice
  f.
Addis Ababa ['ædɪs'æbəbə] n Addis Abeba
  f.
addition [ə'dɪʃən] n addizione f; in ~
  inoltre; in ~ to oltre.
additional [ə'dɪʃənl] adj supplementare.
additive ['ædɪtɪv] n additivo.

address – adorn

6 ENGLISH–ITALIAN

address [ə'drɛs] n (gen, COMPUT) indirizzo; (talk) discorso ♦ vt indirizzare; (speak to) fare un discorso a; **form of** ~ (gen) formula di cortesia; (in letters) formula d'indirizzo or di intestazione; **to** ~ **o.s. to sth** indirizzare le proprie energie verso qc; **absolute/relative** ~ (COMPUT) indirizzo assoluto/relativo.

address book n rubrica.

addressee [ædrɛ'siː] n destinatario/a.

Aden ['eɪdən] n: **the Gulf of** ~ il golfo di Aden.

adenoids ['ædɪnɔɪdz] npl adenoidi fpl.

adept ['ædɛpt] adj: ~ **at** esperto(a) in.

adequate ['ædɪkwɪt] adj (description, reward) adeguato(a); (amount) sufficiente; **to feel** ~ **to a task** sentirsi all'altezza di un compito.

adequately ['ædɪkwɪtlɪ] adv adeguatamente; sufficientemente.

adhere [əd'hɪə*] vi: **to** ~ **to** aderire a; (fig: rule, decision) seguire.

adhesion [əd'hiːʒən] n adesione f.

adhesive [əd'hiːzɪv] adj adesivo(a) ♦ n adesivo; ~ **tape** (BRIT: for parcels etc) nastro adesivo; (US: MED) cerotto adesivo.

ad hoc [æd'hɔk] adj (decision) ad hoc inv; (committee) apposito(a).

ad infinitum ['ædɪnfɪ'naɪtəm] adv all'infinito.

adjacent [ə'dʒeɪsənt] adj adiacente; ~ **to** accanto a.

adjective ['ædʒɛktɪv] n aggettivo.

adjoin [ə'dʒɔɪn] vt essere contiguo(a) or attiguo(a) a.

adjoining [ə'dʒɔɪnɪŋ] adj accanto inv, adiacente ♦ prep accanto a.

adjourn [ə'dʒəːn] vt rimandare, aggiornare; (US: end) sospendere ♦ vi sospendere la seduta; (PARLIAMENT) sospendere i lavori; (go) spostarsi; **to** ~ **a meeting till the following week** aggiornare or rinviare un incontro alla settimana seguente; **they** ~**ed to the pub** (col) si sono trasferiti al pub.

adjournment [ə'dʒəːnmənt] n rinvio, aggiornamento; sospensione f.

Adjt abbr (MIL) = **adjutant**.

adjudicate [ə'dʒuːdɪkeɪt] vt (contest) giudicare; (claim) decidere su.

adjudication [ədʒuːdɪ'keɪʃən] n decisione f.

adjust [ə'dʒʌst] vt aggiustare; (COMM) rettificare ♦ vi: **to** ~ **(to)** adattarsi (a).

adjustable [ə'dʒʌstəbl] adj regolabile.

adjuster [ə'dʒʌstə*] n see **loss adjuster**.

adjustment [ə'dʒʌstmənt] n adattamento; (of prices, wages) aggiustamento.

adjutant ['ædʒətənt] n aiutante m.

ad-lib [æd'lɪb] vt, vi improvvisare ♦ n improvvisazione f ♦ adv: **ad lib** a piacere, a volontà.

adman ['ædmæn] n (col) pubblicitario/a.

admin [æd'mɪn] n abbr (col) = **administration**.

administer [əd'mɪnɪstə*] vt amministrare; (justice) somministrare.

administration [ədmɪnɪs'treɪʃən] n amministrazione f; **the A**~ (US) il Governo.

administrative [əd'mɪnɪstrətɪv] adj amministrativo(a).

administrator [əd'mɪnɪstreɪtə*] n amministratore/trice.

admirable ['ædmərəbl] adj ammirevole.

admiral ['ædmərəl] n ammiraglio.

Admiralty ['ædmərəltɪ] n (BRIT: also: ~ **Board**) Ministero della Marina.

admiration [ædmə'reɪʃən] n ammirazione f.

admirer [əd'maɪərə*] n ammiratore/trice.

admiring [əd'maɪərɪŋ] adj (glance etc) di ammirazione.

admissible [əd'mɪsəbl] adj ammissibile.

admission [əd'mɪʃən] n ammissione f; (to exhibition, night club etc) ingresso; (confession) confessione f; **by his own** ~ per sua ammissione; "~ **free**", "**free** ~" "ingresso gratuito".

admit [əd'mɪt] vt ammettere; far entrare; (agree) riconoscere; "**children not** ~**ted**" "vietato l'ingresso ai bambini"; **this ticket** ~**s two** questo biglietto è valido per due persone; **I must** ~ **that** ... devo ammettere or confessare che ....

► **admit of** vt fus lasciare adito a.

► **admit to** vt fus riconoscere.

admittance [əd'mɪtəns] n ingresso; "**no** ~" "vietato l'ingresso".

admittedly [əd'mɪtɪdlɪ] adv bisogna pur riconoscere (che).

admonish [əd'mɔnɪʃ] vt ammonire.

ad nauseam [æd'nɔːzɪæm] adv fino alla nausea, a non finire.

ado [ə'duː] n: **without (any) more** ~ senza più indugi.

adolescence [ædəu'lɛsns] n adolescenza.

adolescent [ædəu'lɛsnt] adj, n adolescente (m/f).

adopt [ə'dɔpt] vt adottare.

adopted [ə'dɔptɪd] adj adottivo(a).

adoption [ə'dɔpʃən] n adozione f.

adore [ə'dɔː*] vt adorare.

adoring [ə'dɔːrɪŋ] adj adorante; **his** ~ **wife** sua moglie che lo adora.

adoringly [ə'dɔːrɪŋlɪ] adv con adorazione.

adorn [ə'dɔːn] vt ornare.

adornment [ə'dɔːnmənt] n ornamento.
ADP n abbr see **automatic data processing**.
adrenalin [ə'drɛnəlɪn] n adrenalina; **it gets the ~ going** ti dà una carica.
Adriatic (Sea) [eɪdrɪ'ætɪk-] n Adriatico.
adrift [ə'drɪft] adv alla deriva; **to come ~** (boat) andare alla deriva; (wire, rope etc) essersi staccato(a) or sciolto(a).
adroit [ə'drɔɪt] adj abile, destro(a).
ADT abbr (US: = Atlantic Daylight Time) ora legale di New York.
adult ['ædʌlt] n adulto/a.
adult education n scuola per adulti.
adulterate [ə'dʌltəreɪt] vt adulterare.
adulterer [ə'dʌltərə*] n adultero.
adulteress [ə'dʌltərɪs] n adultera.
adultery [ə'dʌltərɪ] n adulterio.
adulthood ['ædʌlthud] n età adulta.
advance [əd'vɑːns] n avanzamento; (money) anticipo ♦ vt avanzare; (date, money) anticipare ♦ vi avanzare; **in ~** in anticipo; **to make ~s to sb** (gen) fare degli approcci a qn; (amorously) fare delle avances a qn.
advanced [əd'vɑːnst] adj avanzato(a); (SCOL: studies) superiore; **~ in years** avanti negli anni.
advancement [əd'vɑːnsmənt] n avanzamento.
advance notice n preavviso.
advantage [əd'vɑːntɪdʒ] n (also TENNIS) vantaggio; **to take ~ of** approfittarsi di; **it's to our ~** è nel nostro interesse, torna a nostro vantaggio.
advantageous [ædvən'teɪdʒəs] adj vantaggioso(a).
advent ['ædvənt] n avvento; **A~** (REL) Avvento.
Advent calendar n calendario dell'Avvento.
adventure [əd'vɛntʃə*] n avventura.
adventure playground n area attrezzata di giochi per bambini con funi, strutture in legno etc.
adventurous [əd'vɛntʃərəs] adj avventuroso(a).
adverb ['ædvəːb] n avverbio.
adversary ['ædvəsərɪ] n avversario/a.
adverse ['ædvəːs] adj avverso(a); **in ~ circumstances** nelle avversità; **~ to** contrario(a) a.
adversity [əd'vəːsɪtɪ] n avversità.
advert ['ædvəːt] n abbr (BRIT) = **advertisement**.
advertise ['ædvətaɪz] vi (vt) fare pubblicità or réclame (a); fare un'inserzione (per vendere); **to ~ for** (staff) cercare tramite annuncio.

advertisement [əd'vəːtɪsmənt] n (COMM) réclame f inv, pubblicità f inv; (in classified ads) inserzione f.
advertiser ['ædvətaɪzə*] n azienda che reclamizza un prodotto; (in newspaper) inserzionista m/f.
advertising ['ædvətaɪzɪŋ] n pubblicità.
advertising agency n agenzia pubblicitaria or di pubblicità.
advertising campaign n campagna pubblicitaria.
advice [əd'vaɪs] n consigli mpl; (notification) avviso; **piece of ~** consiglio; **to ask (sb) for ~** chiedere il consiglio (di qn), chiedere un consiglio (a qn); **legal ~** consulenza legale.
advice note n (BRIT) avviso di spedizione.
advisable [əd'vaɪzəbl] adj consigliabile.
advise [əd'vaɪz] vt consigliare; **to ~ sb of sth** informare qn di qc; **to ~ sb against sth/against doing sth** sconsigliare qc a qn/a qn di fare qc; **you will be well/ill ~d to go** fareste bene/male ad andare.
advisedly [əd'vaɪzɪdlɪ] adv (deliberately) deliberatamente.
adviser [əd'vaɪzə*] n consigliere/a; (in business) consulente m/f, consigliere/a.
advisory [əd'vaɪzərɪ] n consultivo(a); **in an ~ capacity** in veste di consulente.
advocate n ['ædvəkɪt] (upholder) sostenitore/trice ♦ vt ['ædvəkeɪt] propugnare; **to be an ~ of** essere a favore di.
advt. abbr = **advertisement**.
AEA n abbr (BRIT: = Atomic Energy Authority) ente di controllo sulla ricerca e lo sviluppo dell'energia atomica.
AEC n abbr (US: = Atomic Energy Commission) ente di controllo sulla ricerca e lo sviluppo dell'energia atomica.
Aegean (Sea) [iː'dʒiːən-] n (mare m) Egeo.
aegis ['iːdʒɪs] n: **under the ~ of** sotto gli auspici di.
aeon ['iːən] n eternità f inv.
aerial ['ɛərɪəl] n antenna ♦ adj aereo(a).
aerobatics ['ɛərəʊ'bætɪks] npl acrobazia aerea sg; (stunts) acrobazie fpl aeree.
aerobics [ɛə'rəʊbɪks] n aerobica.
aerodrome ['ɛərədrəʊm] n (BRIT) aerodromo.
aerodynamic ['ɛərəʊdaɪ'næmɪk] adj aerodinamico(a).
aeronautics [ɛərə'nɔːtɪks] n aeronautica.
aeroplane ['ɛərəpleɪn] n aeroplano.
aerosol ['ɛərəsɔl] n aerosol m inv.
aerospace industry ['ɛərəʊspeɪs-] n industria aerospaziale.

aesthetic [ɪsˈθɛtɪk] *adj* estetico(a).

afar [əˈfɑː*] *adv* lontano; **from** ~ da lontano.

AFB *n abbr* (*US*) = Air Force Base.

AFDC *n abbr* (*US*: = Aid to Families with Dependent Children*) ≈ A.F. (= *assegni familiari*).

affable [ˈæfəbl] *adj* affabile.

affair [əˈfɛə*] *n* affare *m*; (*also*: **love** ~) relazione *f* amorosa; ~**s** (*business*) affari; **the Watergate** ~ il caso Watergate.

affect [əˈfɛkt] *vt* toccare; (*feign*) fingere.

affectation [æfɛkˈteɪʃən] *n* affettazione *f*.

affected [əˈfɛktɪd] *adj* affettato(a).

affection [əˈfɛkʃən] *n* affezione *f*.

affectionate [əˈfɛkʃənɪt] *adj* affettuoso(a).

affectionately [əˈfɛkʃənɪtlɪ] *adv* affettuosamente.

affidavit [æfɪˈdeɪvɪt] *n* (*LAW*) affidavit *m inv*.

affiliated [əˈfɪlɪeɪtɪd] *adj* affiliato(a); ~ **company** filiale *f*.

affinity [əˈfɪnɪtɪ] *n* affinità *f inv*.

affirm [əˈfəːm] *vt* affermare, asserire.

affirmation [æfəˈmeɪʃən] *n* affermazione *f*.

affirmative [əˈfəːmətɪv] *adj* affermativo(a) ♦ *n*: **in the** ~ affermativamente.

affix [əˈfɪks] *vt* apporre; attaccare.

afflict [əˈflɪkt] *vt* affliggere.

affliction [əˈflɪkʃən] *n* afflizione *f*.

affluence [ˈæfluəns] *n* ricchezza.

affluent [ˈæfluənt] *adj* ricco(a); **the** ~ **society** la società del benessere.

afford [əˈfɔːd] *vt* permettersi; (*provide*) fornire; **I can't** ~ **the time** non ho veramente il tempo; **can we** ~ **a car?** possiamo permetterci un'automobile?

affordable [əˈfɔːdəbl] *adj* (*che ha un prezzo*) abbordabile.

affray [əˈfreɪ] *n* (*BRIT LAW*) rissa.

affront [əˈfrʌnt] *n* affronto.

affronted [əˈfrʌntɪd] *adj* insultato(a).

Afghan [ˈæfgæn] *adj, n* afgano(a).

Afghanistan [æfˈgænɪstɑːn] *n* Afghanistan *m*.

afield [əˈfiːld] *adv*: **far** ~ lontano.

AFL-CIO *n abbr* (= *American Federation of Labor and Congress of Industrial Organizations*) *confederazione sindacale*.

afloat [əˈfləʊt] *adj*, *adv* a galla.

afoot [əˈfʊt] *adv*: **there is something** ~ si sta preparando qualcosa.

aforementioned [əˈfɔːmɛnʃənd] *adj* suddetto(a).

aforesaid [əˈfɔːsɛd] *adj* suddetto(a), predetto(a).

afraid [əˈfreɪd] *adj* impaurito(a); **to be** ~ **of** aver paura di; **to be** ~ **of doing** *or* **to do** aver paura di fare; **I am** ~ **that I'll be late** mi dispiace, ma farò tardi; **I'm** ~ **so!** ho

paura di sì!, temo proprio di sì!; **I'm** ~ **not** no, mi dispiace, purtroppo no.

afresh [əˈfrɛʃ] *adv* di nuovo.

Africa [ˈæfrɪkə] *n* Africa.

African [ˈæfrɪkən] *adj, n* africano(a).

Afrikaans [æfrɪˈkɑːns] *n* afrikaans *m*.

Afrikaner [æfrɪˈkɑːnə*] *n* africander *m inv*.

Afro-American [ˈæfrəʊəˈmɛrɪkən] *adj* afroamericano(a).

AFT *n abbr* (= *American Federation of Teachers*) *sindacato degli insegnanti*.

aft [ɑːft] *adv* a poppa, verso poppa.

after [ˈɑːftə*] *prep, adv* dopo; ~ **dinner** dopo cena; **the day** ~ **tomorrow** dopodomani; **what/who are you** ~? che/chi cerca?; **the police are** ~ **him** è ricercato dalla polizia; ~ **you!** prima lei!, dopo di lei!; ~ **all** dopo tutto.

afterbirth [ˈɑːftəbəːθ] *n* placenta.

aftercare [ˈɑːftəkɛə*] *n* (*BRIT MED*) assistenza medica post-degenza.

after-effects [ˈɑːftərɪfɛkts] *npl* conseguenze *fpl*; (*of illness*) postumi *mpl*.

afterlife [ˈɑːftəlaɪf] *n* vita dell'al di là.

aftermath [ˈɑːftəmæθ] *n* conseguenze *fpl*; **in the** ~ **of** nel periodo dopo.

afternoon [ˈɑːftəˈnuːn] *n* pomeriggio; **good** ~! buon giorno!

afters [ˈɑːftəz] *n* (*BRIT col*: *dessert*) dessert *m inv*.

after-sales service [ɑːftəˈseɪlz-] *n* servizio assistenza clienti.

after-shave (lotion) [ˈɑːftəʃeɪv-] *n* dopobarba *m inv*.

aftershock [ˈɑːftəʃɔk] *n* scossa di assestamento.

aftertaste [ˈɑːftəteɪst] *n* retrogusto.

afterthought [ˈɑːftəθɔːt] *n*: **as an** ~ come aggiunta.

afterwards [ˈɑːftəwədz] *adv* dopo.

again [əˈgɛn] *adv* di nuovo; **to begin/see** ~ ricominciare/rivedere; **he opened it** ~ l'ha aperto di nuovo, l'ha riaperto; **not** ... ~ non ... più; ~ **and** ~ ripetutamente; **now and** ~ di tanto in tanto, a volte.

against [əˈgɛnst] *prep* contro; ~ **a blue background** su uno sfondo azzurro; **leaning** ~ **the desk** appoggiato alla scrivania; **(as)** ~ (*BRIT*) in confronto a, contro.

age [eɪdʒ] *n* età *f inv* ♦ *vt, vi* invecchiare; **what** ~ **is he?** quanti anni ha?; **he is 20 years of** ~ ha 20 anni; **under** ~ minorenne; **to come of** ~ diventare maggiorenne; **it's been** ~**s since** ... sono secoli che ....

aged [ˈeɪdʒd] *adj*: ~ **10** di 10 anni; **the** ~ [ˈeɪdʒɪd] *npl* (*elderly*) gli anziani.

age group n generazione f; **the 40 to 50** ~ le persone fra i 40 e i 50 anni.

ageing ['eɪdʒɪŋ] adj che diventa vecchio(a); **an** ~ **filmstar** una diva stagionata.

ageless ['eɪdʒlɪs] adj senza età.

age limit n limite m d'età.

agency ['eɪdʒənsɪ] n agenzia; **through** or **by the** ~ **of** grazie a.

agenda [ə'dʒɛndə] n ordine m del giorno; **on the** ~ all'ordine del giorno.

agent ['eɪdʒənt] n agente m.

aggravate ['æɡrəveɪt] vt aggravare, peggiorare; (annoy) esasperare.

aggravation [æɡrə'veɪʃən] n peggioramento; esasperazione f.

aggregate ['æɡrɪɡeɪt] n aggregato; **on** ~ (SPORT) con punteggio complessivo.

aggression [ə'ɡrɛʃən] n aggressione f.

aggressive [ə'ɡrɛsɪv] adj aggressivo(a).

aggressiveness [ə'ɡrɛsɪvnɪs] n aggressività.

aggressor [ə'ɡrɛsə*] n aggressore m.

aggrieved [ə'ɡriːvd] adj addolorato(a).

aggro ['æɡrəu] n (col: behaviour) aggressività f inv; (: hassle) rottura.

aghast [ə'ɡɑːst] adj sbigottito(a).

agile ['ædʒaɪl] adj agile.

agility [ə'dʒɪlɪtɪ] n agilità f inv.

agitate ['ædʒɪteɪt] vt turbare; agitare ♦ vi: **to** ~ **for** agitarsi per.

agitator ['ædʒɪteɪtə*] n agitatore/trice.

AGM n abbr see **annual general meeting**.

agnostic [æɡ'nɔstɪk] adj, n agnostico(a).

ago [ə'ɡəu] adv: **2 days** ~ 2 giorni fa; **not long** ~ poco tempo fa; **as long** ~ **as 1960** già nel 1960; **how long** ~? quanto tempo fa?

agog [ə'ɡɔɡ] adj: **(all)** ~ **(for)** ansioso(a) (di), impaziente (di).

agonize ['æɡənaɪz] vi: **to** ~ **(over)** angosciarsi (per).

agonizing ['æɡənaɪzɪŋ] adj straziante.

agony ['æɡənɪ] n agonia; **I was in** ~ avevo dei dolori atroci.

agony aunt n (BRIT col) chi tiene la rubrica della posta del cuore.

agony column n posta del cuore.

agree [ə'ɡriː] vt (price) pattuire ♦ vi: **to** ~ **(with)** essere d'accordo (con); (LING) concordare (con); **to** ~ **to sth/to do sth** accettare qc/di fare qc; **to** ~ **that** (admit) ammettere che; **to** ~ **on sth** accordarsi su qc; **it was** ~**d that** ... è stato deciso (di comune accordo) che ...; **garlic doesn't** ~ **with me** l'aglio non mi va.

agreeable [ə'ɡriːəbl] adj gradevole; (willing) disposto(a); **are you** ~ **to this?** è d'accordo con questo?

agreed [ə'ɡriːd] adj (time, place) stabilito(a); **to be** ~ essere d'accordo.

agreement [ə'ɡriːmənt] n accordo; **in** ~ d'accordo; **by mutual** ~ di comune accordo.

agricultural [æɡrɪ'kʌltʃərəl] adj agricolo(a).

agriculture ['æɡrɪkʌltʃə*] n agricoltura.

aground [ə'ɡraund] adv: **to run** ~ arenarsi.

ahead [ə'hɛd] adv avanti; davanti; ~ **of** davanti a; (fig: schedule etc) in anticipo su; ~ **of time** in anticipo; **go** ~! avanti!; **go right** or **straight** ~ tiri diritto; **they were (right)** ~ **of us** erano (proprio) davanti a noi.

AI n abbr = Amnesty International; (COMPUT) see **artificial intelligence**.

AIB n abbr (BRIT: = Accident Investigation Bureau) ufficio d'inchiesta per incidenti aerei e simili.

AID n abbr = artificial insemination by donor; (US: = Agency for International Development) A.I.D. f.

aid [eɪd] n aiuto ♦ vt aiutare; **with the** ~ **of** con l'aiuto di; **in** ~ **of** a favore di; **to** ~ **and abet** (LAW) essere complice di.

aide [eɪd] n (person) aiutante m.

aide-de-camp (ADC) ['eɪddə'kɔŋ] n (MIL) aiutante m di campo.

AIDS [eɪdz] n abbr (= acquired immune or immuno-deficiency syndrome) A.I.D.S. f.

AIH n abbr = artificial insemination by husband.

ailing ['eɪlɪŋ] adj sofferente; (fig: economy, industry etc) in difficoltà.

ailment ['eɪlmənt] n indisposizione f.

aim [eɪm] vt: **to** ~ **sth at** (gun) mirare qc a; puntare qc a; (camera, remark) rivolgere qc a; (missile) lanciare qc contro; (blow etc) tirare qc a ♦ vi (also: **to take** ~) prendere la mira ♦ n mira; **to** ~ **at** mirare a; **to** ~ **to do** aver l'intenzione di fare.

aimless ['eɪmlɪs] adj, **aimlessly** ['eɪmlɪslɪ] adv senza scopo.

ain't [eɪnt] (col) = **am not; aren't; isn't**.

air [ɛə*] n aria ♦ vt (room, bed) arieggiare; (clothes) far prendere aria a; (idea, grievance) esprimere pubblicamente, manifestare; (views) far conoscere ♦ cpd (currents) d'aria; (attack) aereo(a); **by** ~ (travel) in aereo; **to be on the** ~ (RADIO, TV: station) trasmettere; (: programme) essere in onda.

air bag n airbag m inv.

air base n base f aerea.

airbed ['ɛəbɛd] n (BRIT) materassino.

airborne ['ɛəbɔːn] adj (plane) in volo; (troops) aerotrasportato(a); **as soon as**

the plane was ~ appena l'aereo ebbe decollato.

air cargo *n* carico trasportato per via aerea.

air-conditioned ['εəkən'dɪʃənd] *adj* con *or* ad aria condizionata.

air conditioning *n* condizionamento d'aria.

air-cooled ['εəkuːld] *adj* raffreddato(a) ad aria.

aircraft ['εəkrɑːft] *n* (*pl inv*) apparecchio.

aircraft carrier *n* portaerei *f inv*.

air cushion *n* cuscino gonfiabile; (*TECH*) cuscino d'aria.

airfield ['εəfiːld] *n* campo d'aviazione.

Air Force *n* aviazione *f* militare.

air freight *n* spedizione *f* di merci per via aerea; (*goods*) carico spedito per via aerea.

airgun ['εəgʌn] *n* fucile *m* ad aria compressa.

air hostess *n* hostess *f inv*.

airily ['εərɪlɪ] *adv* con disinvoltura.

airing ['εərɪŋ] *n*: **to give an** ~ **to** (*linen*) far prendere aria a; (*room*) arieggiare; (*fig: ideas etc*) ventilare.

air letter *n* (*BRIT*) aerogramma *m*.

airlift ['εəlɪft] *n* ponte *m* aereo.

airline ['εəlaɪn] *n* linea aerea.

airliner ['εəlaɪnə*] *n* aereo di linea.

airlock ['εəlɔk] *n* cassa d'aria.

air mail *n* posta aerea; **by** ~ per via *or* posta aerea.

air mattress *n* materassino gonfiabile.

airplane ['εəpleɪn] *n* (*US*) aeroplano.

air pocket *n* vuoto d'aria.

airport ['εəpɔːt] *n* aeroporto.

air raid *n* incursione *f* aerea.

air rifle *n* fucile *m* ad aria compressa.

airsick ['εəsɪk] *adj*: **to be** ~ soffrire di mal d'aereo.

airspace ['εəspeɪs] *n* spazio aereo.

airspeed ['εəspiːd] *n* velocità *f inv* di crociera (*AER*).

airstrip ['εəstrɪp] *n* pista d'atterraggio.

air terminal *n* air-terminal *m inv*.

airtight ['εətaɪt] *adj* ermetico(a).

air time *n* (*RADIO*) spazio radiofonico; (*TV*) spazio televisivo.

air traffic control *n* controllo del traffico aereo.

air traffic controller *n* controllore *m* del traffico aereo.

airway ['εəweɪ] *n* (*AVIAT*) rotte *fpl* aeree; (*ANAT*) vie *fpl* respiratorie.

airy ['εərɪ] *adj* arioso(a); (*manners*) noncurante.

aisle [aɪl] *n* (*of church*) navata laterale;

navata centrale; (*of plane*) corridoio.

ajar [ə'dʒɑː*] *adj* socchiuso(a).

AK *abbr* (*US*) = *Alaska*.

aka *abbr* (= *also known as*) alias.

akin [ə'kɪn] *prep* simile a.

AL *abbr* (*US*) = *Alabama*.

ALA *n abbr* = *American Library Association*.

Ala. *abbr* (*US*) = *Alabama*.

à la carte [ɑːlɑː'kɑːt] *adv* alla carta.

alacrity [ə'lækrɪtɪ] *n*: **with** ~ con prontezza.

alarm [ə'lɑːm] *n* allarme *m* ♦ *vt* allarmare.

alarm clock *n* sveglia.

alarmed [ə'lɑːmd] *adj* (*person*) allarmato(a); (*house, car etc*) dotato(a) di allarme.

alarming [ə'lɑːmɪŋ] *adj* allarmante, preoccupante.

alarmingly [ə'lɑːmɪŋlɪ] *adv* in modo allarmante; ~ **close** pericolosamente vicino.

alarmist [ə'lɑːmɪst] *n* allarmista *m/f*.

alas [ə'læs] *excl* ohimè!, ahimè!

Alas. *abbr* (*US*) = *Alaska*.

Alaska [ə'læskə] *n* Alaska.

Albania [æl'beɪnɪə] *n* Albania.

Albanian [æl'beɪnɪən] *adj* albanese ♦ *n* albanese *m/f*; (*LING*) albanese *m*.

albatross ['ælbətrɔs] *n* albatro, albatros *m inv*.

albeit [ɔːl'biːɪt] *conj* sebbene + *sub*, benché + *sub*.

album ['ælbəm] *n* album *m inv*; (*L.P.*) 33 giri *m inv*, L.P. *m inv*.

albumen ['ælbjumɪn] *n* albume *m*.

alchemy ['ælkɪmɪ] *n* alchimia.

alcohol ['ælkəhɔl] *n* alcool *m*.

alcohol-free ['ælkəhɔl'friː] *adj* analcolico(a).

alcoholic [ælkə'hɔlɪk] *adj* alcolico(a) ♦ *n* alcolizzato/a.

alcoholism ['ælkəhɔlɪzəm] *n* alcolismo.

alcove ['ælkəuv] *n* alcova.

Ald. *abbr* = *alderman*.

alderman ['ɔːldəmən] *n* consigliere *m* comunale.

ale [eɪl] *n* birra.

alert [ə'ləːt] *adj* vivo(a); (*watchful*) vigile ♦ *n* allarme *m* ♦ *vt*: **to** ~ **sb (to sth)** avvisare qn (di qc), avvertire qn (di qc); **to** ~ **sb to the dangers of sth** mettere qn in guardia contro qc; **on the** ~ all'erta.

Aleutian Islands [ə'luːʃən-] *npl* isole *fpl* Aleutine.

A level *n* (*BRIT*) diploma di studi superiori.

Alexandria [ælɪg'zændrɪə] *n* Alessandria (d'Egitto).

alfresco [æl'frεskəu] *adj, adv* all'aperto.

algebra ['ældʒɪbrə] *n* algebra.

Algeria [æl'dʒɪərɪə] *n* Algeria.

Algerian [æl'dʒɪərɪən] *adj, n* algerino(a).

Algiers [ælˈdʒɪəz] n Algeri f.

algorithm [ˈælɡərɪðəm] n algoritmo.

alias [ˈeɪlɪəs] adv alias ♦ n pseudonimo, falso nome m.

alibi [ˈælɪbaɪ] n alibi m inv.

alien [ˈeɪlɪən] n straniero/a ♦ adj: ~ (to) estraneo(a) (a).

alienate [ˈeɪlɪəneɪt] vt alienare.

alienation [eɪlɪəˈneɪʃən] n alienazione f.

alight [əˈlaɪt] adj acceso(a) ♦ vi scendere; (bird) posarsi.

align [əˈlaɪn] vt allineare.

alignment [əˈlaɪnmənt] n allineamento; **out of** ~ **(with)** non allineato (con).

alike [əˈlaɪk] adj simile ♦ adv allo stesso modo; **to look** ~ assomigliarsi; **winter and summer** ~ sia d'estate che d'inverno.

alimony [ˈælɪmənɪ] n (payment) alimenti mpl.

alive [əˈlaɪv] adj vivo(a); (active) attivo(a); ~ **with** pieno(a) di; ~ **to** conscio(a) di.

alkali [ˈælkəlaɪ] n alcali m inv.

═══════════════════ *KEYWORD*

all [ɔːl] adj tutto(a); ~ **day** tutto il giorno; ~ **night** tutta la notte; ~ **men** tutti gli uomini; ~ **five girls** tutt'e cinque le ragazze; ~ **five came** sono venuti tutti e cinque; ~ **the books** tutti i libri; ~ **the food** tutto il cibo; ~ **the time** tutto il tempo; (always) sempre; ~ **his life** tutta la vita; **for** ~ **their efforts** nonostante tutti i loro sforzi

♦ pron **1** tutto(a); **is that** ~? non c'è altro?; (in shop) basta così?; ~ **of them** tutti(e); ~ **of it** tutto(a); **I ate it** ~, **I ate** ~ **of it** l'ho mangiato tutto; ~ **of us went** tutti noi siamo andati; ~ **of the boys went** tutti i ragazzi sono andati

2 (in phrases): **above** ~ soprattutto; **after** ~ dopotutto; **at** ~: **not at** ~ (in answer to question) niente affatto; (in answer to thanks) prego!, di niente!, s'immagini!; **I'm not at** ~ **tired** non sono affatto stanco; **anything at** ~ **will do** andrà bene qualsiasi cosa; ~ **in** ~ tutto sommato

♦ adv: ~ **alone** tutto(a) solo(a); **to be/feel** ~ **in** (BRIT col) essere/sentirsi sfinito(a) or distrutto(a); ~ **out** adv: **to go** ~ **out** mettercela tutta; **it's not as hard as** ~ **that** non è poi così difficile; ~ **the more/the better** tanto più/meglio; ~ **but** quasi; **the score is two** ~ il punteggio è di due a due or è due pari.

allay [əˈleɪ] vt (fears) dissipare.

all clear n (MIL) cessato allarme m inv; (fig) okay m.

allegation [ælɪˈɡeɪʃən] n asserzione f.

allege [əˈlɛdʒ] vt asserire; **he is** ~**d to have said ...** avrebbe detto che ....

alleged [əˈlɛdʒd] adj presunto(a).

allegedly [əˈlɛdʒɪdlɪ] adv secondo quanto si asserisce.

allegiance [əˈliːdʒəns] n fedeltà.

allegory [ˈælɪɡərɪ] n allegoria.

all-embracing [ˈɔːlɪmˈbreɪsɪŋ] adj universale.

allergic [əˈlɔːdʒɪk] adj: ~ **to** allergico(a) a.

allergy [ˈælədʒɪ] n allergia.

alleviate [əˈliːvɪeɪt] vt alleviare.

alley [ˈælɪ] n vicolo; (in garden) vialetto.

alleyway [ˈælɪweɪ] n vicolo.

alliance [əˈlaɪəns] n alleanza.

allied [ˈælaɪd] adj alleato(a).

alligator [ˈælɪɡeɪtə*] n alligatore m.

all-important [ˈɔːlɪmˈpɔːtənt] adj importantissimo(a).

all-in [ˈɔːlɪn] adj (BRIT: also adv: charge) tutto compreso.

all-in wrestling n (BRIT) lotta americana.

alliteration [əlɪtəˈreɪʃən] n allitterazione f.

all-night [ˈɔːlˈnaɪt] adj aperto(a) (or che dura) tutta la notte.

allocate [ˈæləkeɪt] vt (share out) distribuire; (duties, sum, time): **to** ~ **sth to** assegnare qc a; **to** ~ **sth for** stanziare qc per.

allocation [æləʊˈkeɪʃən] n: ~ **(of money)** stanziamento.

allot [əˈlɔt] vt (share out) spartire; **to** ~ **sth to** (time) dare qc a; (duties) assegnare qc a; **in the** ~**ted time** nel tempo fissato or prestabilito.

allotment [əˈlɔtmənt] n (share) spartizione f; (garden) lotto di terra.

all-out [ˈɔːlaʊt] adj (effort etc) totale ♦ adv: **to go all out for** mettercela tutta per.

allow [əˈlaʊ] vt (practice, behaviour) permettere; (sum to spend etc) accordare; (sum, time estimated) dare; (concede): **to** ~ **that** ammettere che; **to** ~ **sb to do** permettere a qn di fare; **he is** ~**ed to (do it)** lo può fare; **smoking is not** ~**ed** è vietato fumare, non è permesso fumare; **we must** ~ **3 days for the journey** dobbiamo calcolare 3 giorni per il viaggio.

▶**allow for** vt fus tener conto di.

allowance [əˈlaʊəns] n (money received) assegno; (for travelling, accommodation) indennità f inv; (TAX) detrazione f di imposta; **to make** ~**(s) for** tener conto di; (person) scusare.

alloy [ˈælɔɪ] n lega.

all right adv (feel, work) bene; (as answer) va bene.

all-round ['ɔːl'raund] *adj* completo(a).
all-rounder [ɔːl'raundə*] *n* (*BRIT*): **to be a good ~** essere bravo(a) in tutto.
allspice ['ɔːlspaɪs] *n* pepe *m* della Giamaica.
all-time ['ɔːl'taɪm] *adj* (*record*) assoluto(a).
allude [ə'luːd] *vi*: **to ~ to** alludere a.
alluring [ə'ljuərɪŋ] *adj* seducente.
allusion [ə'luːʒən] *n* allusione *f*.
alluvium [ə'luːvɪəm] *n* materiale *m* alluvionale.
ally *n* ['ælaɪ] alleato ♦ *vt* [ə'laɪ]: **to ~ o.s. with** allearsi con.
almighty [ɔːl'maɪtɪ] *adj* onnipotente.
almond ['ɑːmənd] *n* mandorla.
almost ['ɔːlməust] *adv* quasi; **he ~ fell** per poco non è caduto.
alms [ɑːmz] *n* elemosina.
aloft [ə'lɔft] *adv* in alto; (*NAUT*) sull'alberatura.
alone [ə'ləun] *adj*, *adv* solo(a); **to leave sb ~** lasciare qn in pace; **to leave sth ~** lasciare stare qc; **let ~ ...** figuriamoci poi ..., tanto meno ....
along [ə'lɔŋ] *prep* lungo ♦ *adv*: **is he coming ~?** viene con noi?; **he was hopping/ limping ~** veniva saltellando/zoppicando; **~ with** insieme con.
alongside [ə'lɔŋ'saɪd] *prep* accanto a; lungo ♦ *adv* accanto; (*NAUT*) sottobordo; **we brought our boat ~** (*of a pier/shore etc*) abbiamo accostato la barca (al molo/alla riva *etc*).
aloof [ə'luːf] *adj* distaccato(a) ♦ *adv* a distanza, in disparte; **to stand ~** tenersi a distanza *or* in disparte.
aloofness [ə'luːfnɪs] *n* distacco, riserbo.
aloud [ə'laud] *adv* ad alta voce.
alphabet ['ælfəbɛt] *n* alfabeto.
alphabetical [ælfə'bɛtɪkəl] *adj* alfabetico(a); **in ~ order** in ordine alfabetico.
alphanumeric [ælfənjuː'mɛrɪk] *adj* alfanumerico(a).
alpine ['ælpaɪn] *adj* alpino(a); **~ hut** rifugio alpino; **~ pasture** pascolo alpestre; **~ skiing** sci alpino.
Alps [ælps] *npl*: **the ~** le Alpi.
already [ɔːl'rɛdɪ] *adv* già.
alright ['ɔːl'raɪt] *adv* (*BRIT*) = **all right**.
Alsatian [æl'seɪʃən] *n* (*BRIT*: *dog*) pastore *m* tedesco, (cane *m*) lupo.
also ['ɔːlsəu] *adv* anche.
Alta. *abbr* (*Canada*) = Alberta.
altar ['ɔltə*] *n* altare *m*.
alter ['ɔltə*] *vt*, *vi* alterare.
alteration [ɔltə'reɪʃən] *n* modificazione *f*, alterazione *f*; **~s** (*SEWING*, *ARCHIT*) modifiche *fpl*; **timetable subject to ~**

orario soggetto a variazioni.
altercation [ɔːltə'keɪʃən] *n* alterco, litigio.
alternate *adj* [ɔl'təːnɪt] alterno(a) ♦ *vi* ['ɔltəːneɪt] alternare; **on ~ days** ogni due giorni.
alternately [ɔl'təːnɪtlɪ] *adv* alternatamente.
alternating current ['ɔltəneɪtɪŋ-] *n* corrente *f* alternata.
alternative [ɔl'təːnətɪv] *adj* (*solutions*) alternativo(a); (*solution*) altro(a) ♦ *n* (*choice*) alternativa; (*other possibility*) altra possibilità.
alternatively [ɔl'təːnətɪvlɪ] *adv* altrimenti, come alternativa.
alternative medicine *n* medicina alternativa.
alternator ['ɔltəːneɪtə*] *n* (*AUT*) alternatore *m*.
although [ɔːl'ðəu] *conj* benché + *sub*, sebbene + *sub*.
altitude ['æltɪtjuːd] *n* altitudine *f*.
alto ['æltəu] *n* contralto.
altogether [ɔːltə'gɛðə*] *adv* del tutto, completamente; (*on the whole*) tutto considerato; (*in all*) in tutto; **how much is that ~?** quant'è in tutto?
altruism ['æltruɪzəm] *n* altruismo.
altruistic [æltru'ɪstɪk] *adj* altruistico(a).
aluminium [ælju'mɪnɪəm], (*US*) **aluminum** [ə'luːmɪnəm] *n* alluminio.
always ['ɔːlweɪz] *adv* sempre.
Alzheimer's ['æltshaɪməz] *n* (*also*: **~ disease**) morbo di Alzheimer.
AM *abbr* (= *amplitude modulation*) AM.
am [æm] *vb see* **be**.
a.m. *adv abbr* (= *ante meridiem*) della mattina.
AMA *n abbr* = *American Medical Association*.
amalgam [ə'mælgəm] *n* amalgama *m*.
amalgamate [ə'mælgəmeɪt] *vt* amalgamare ♦ *vi* amalgamarsi.
amalgamation [əmælgə'meɪʃən] *n* amalgamazione *f*; (*COMM*) fusione *f*.
amass [ə'mæs] *vt* ammassare.
amateur ['æmətə*] *n* dilettante *m/f* ♦ *adj* (*SPORT*) dilettante; **~ dramatics** *n* filodrammatica.
amateurish ['æmətərɪʃ] *adj* (*pej*) da dilettante.
amaze [ə'meɪz] *vt* stupire; **to be ~d (at)** essere sbalordito(a) (da).
amazement [ə'meɪzmənt] *n* stupore *m*.
amazing [ə'meɪzɪŋ] *adj* sorprendente, sbalorditivo(a); (*bargain*, *offer*) sensazionale.
amazingly [ə'meɪzɪŋlɪ] *adv* incredibilmente, sbalorditivamente.
Amazon ['æməzən] *n* (*MYTHOLOGY*)

Amazzone *f*; (*river*): **the** ~ il Rio delle Amazzoni ♦ *cpd* (*basin, jungle*) amazzonico(a).

Amazonian [æmə'zəʊnɪən] *adj* amazzonico(a).

ambassador [æm'bæsədə*] *n* ambasciatore/trice.

amber ['æmbə*] *n* ambra; **at** ~ (*BRIT AUT*) giallo.

ambidextrous [æmbɪ'dɛkstrəs] *adj* ambidestro(a).

ambience ['æmbɪəns] *n* ambiente *m*.

ambiguity [æmbɪ'gjuɪtɪ] *n* ambiguità *f inv*.

ambiguous [æm'bɪgjuəs] *adj* ambiguo(a).

ambition [æm'bɪʃən] *n* ambizione *f*; **to achieve one's** ~ realizzare le proprie aspirazioni *or* ambizioni.

ambitious [æm'bɪʃəs] *adj* ambizioso(a).

ambivalent [æm'bɪvələnt] *adj* ambivalente.

amble ['æmbl] *vi* (*gen*: **to** ~ **along**) camminare tranquillamente.

ambulance ['æmbjuləns] *n* ambulanza.

ambush ['æmbuʃ] *n* imboscata ♦ *vt* fare un'imboscata a.

ameba [ə'miːbə] *n* (*US*) = **amoeba**.

ameliorate [ə'miːlɪəreɪt] *vt* migliorare.

amen ['ɑː'mɛn] *excl* così sia, amen.

amenable [ə'miːnəbl] *adj*: ~ **to** (*advice etc*) ben disposto(a) a.

amend [ə'mɛnd] *vt* (*law*) emendare; (*text*) correggere ♦ *vi* emendarsi; **to make** ~**s** fare ammenda.

amendment [ə'mɛndmənt] *n* emendamento; correzione *f*.

amenities [ə'miːnɪtɪz] *npl* attrezzature *fpl* ricreative e culturali.

amenity [ə'miːnɪtɪ] *n* amenità *f inv*.

America [ə'mɛrɪkə] *n* America.

American [ə'mɛrɪkən] *adj*, *n* americano(a).

americanize [ə'mɛrɪkənaɪz] *vt* americanizzare.

amethyst ['æmɪθɪst] *n* ametista.

Amex ['æmɛks] *n abbr* = *American Stock Exchange*.

amiable ['eɪmɪəbl] *adj* amabile, gentile.

amicable ['æmɪkəbl] *adj* amichevole.

amicably ['æmɪkəblɪ] *adv*: **to part** ~ lasciarsi senza rancori.

amid(st) [ə'mɪd(st)] *prep* fra, tra, in mezzo a.

amiss [ə'mɪs] *adj*, *adv*: **there's something** ~ c'è qualcosa che non va bene; **don't take it** ~ non avertene a male.

ammo ['æməʊ] *n abbr* (*col*) = **ammunition**.

ammonia [ə'məʊnɪə] *n* ammoniaca.

ammunition [æmju'nɪʃən] *n* munizioni *fpl*; (*fig*) arma.

ammunition dump *n* deposito di munizioni.

amnesia [æm'niːzɪə] *n* amnesia.

amnesty ['æmnɪstɪ] *n* amnistia; **to grant an** ~ **to** concedere l'amnistia a, amnistiare.

Amnesty International *n* Amnesty International *f*.

amoeba, (*US*) **ameba** [ə'miːbə] *n* ameba.

amok [ə'mɔk] *adv*: **to run** ~ diventare pazzo(a) furioso(a).

among(st) [ə'mʌŋ(st)] *prep* fra, tra, in mezzo a.

amoral [eɪ'mɔrəl] *adj* amorale.

amorous ['æmərəs] *adj* amoroso(a).

amorphous [ə'mɔːfəs] *adj* amorfo(a).

amortization [əmɔːtaɪ'zeɪʃən] *n* (*COMM*) ammortamento.

amount [ə'maʊnt] *n* (*sum of money*) somma; (*of bill etc*) importo; (*quantity*) quantità *f inv* ♦ *vi*: **to** ~ **to** (*total*) ammontare a; (*be same as*) essere come; **this** ~**s to a refusal** questo equivale a un rifiuto.

amp(ère) ['æmp(ɛə*)] *n* ampere *m inv*; **a 13** ~ **plug** una spina con fusibile da 13 ampere.

ampersand ['æmpəsænd] *n* e *f* commerciale.

amphetamine [æm'fɛtəmiːn] *n* anfetamina.

amphibian [æm'fɪbɪən] *n* anfibio.

amphibious [æm'fɪbɪəs] *adj* anfibio(a).

amphitheatre, (*US*) **amphitheater** ['æmfɪθɪətə*] *n* anfiteatro.

ample ['æmpl] *adj* ampio(a); spazioso(a); (*enough*): **this is** ~ questo è più che sufficiente; **to have** ~ **time/room** avere assai tempo/posto.

amplifier ['æmplɪfaɪə*] *n* amplificatore *m*.

amplify ['æmplɪfaɪ] *vt* amplificare.

amply ['æmplɪ] *adv* ampiamente.

ampoule, (*US*) **ampule** ['æmpuːl] *n* (*MED*) fiala.

amputate ['æmpjuteɪt] *vt* amputare.

amputee [æmpju'tiː] *n* mutilato/a, chi ha subito un'amputazione.

Amsterdam [æmstə'dæm] *n* Amsterdam *f*.

amt *abbr* = **amount**.

amuck [ə'mʌk] *adv* = **amok**.

amuse [ə'mjuːz] *vt* divertire; **to** ~ **o.s. with sth/by doing sth** divertirsi con qc/a fare qc; **to be** ~**d at** essere divertito da; **he was not** ~**d** non l'ha trovato divertente.

amusement [ə'mjuːzmənt] *n* divertimento; **much to my** ~ con mio grande spasso.

amusement arcade *n* sala giochi (*solo con macchinette a gettoni*).

amusement park *n* luna park *m inv*.

amusing [ə'mjuːzɪŋ] *adj* divertente.

an [æn, ən, n] *indef art see* **a**.

ANA *n abbr* = *American Newspaper*

Association; American Nurses Association.
anachronism [ə'nækrənɪzəm] *n*
anacronismo.
anaemia [ə'niːmɪə] *n* anemia.
anaemic [ə'niːmɪk] *adj* anemico(a).
anaesthetic [ænɪs'θɛtɪk] *adj* anestetico(a)
♦ *n* anestetico; **local/general** ~ anestesia
locale/totale; **under the** ~ sotto anestesia.
anaesthetist [æ'niːsθɪtɪst] *n* anestesista *m/f.*
anagram ['ænəgræm] *n* anagramma *m.*
anal ['eɪnl] *adj* anale.
analgesic [ænæl'dʒiːsɪk] *adj* analgesico(a)
♦ *n* analgesico.
analogous [ə'næləgəs] *adj*: ~ **to** *or* **with**
analogo(a) a.
analog(ue) ['ænəlɔg] *adj* (*watch, computer*)
analogico(a).
analogy [ə'nælədʒɪ] *n* analogia; **to draw an**
~ **between** fare un'analogia tra.
analyse ['ænəlaɪz] *vt* (*BRIT*) analizzare.
analysis, *pl* **analyses** [ə'næləsɪs, -siːz] *n*
analisi *f inv*; **in the last** ~ in ultima analisi.
analyst ['ænəlɪst] *n* (*political* ~ *etc*) analista
m/f; (*US*) (psic)analista *m/f.*
analytic(al) [ænə'lɪtɪk(l)] *adj* analitico(a).
analyze ['ænəlaɪz] *vt* (*US*) = **analyse.**
anarchic [æ'nɑːkɪk] *adj* anarchico(a).
anarchist ['ænəkɪst] *adj*, *n* anarchico(a).
anarchy ['ænəkɪ] *n* anarchia.
anathema [ə'næθɪmə] *n*: **it is** ~ **to him** non
ne vuol neanche sentir parlare.
anatomical [ænə'tɒmɪkl] *adj* anatomico(a).
anatomy [ə'nætəmɪ] *n* anatomia.
ANC *n abbr* = African National Congress.
ancestor ['ænsɪstə*] *n* antenato/a.
ancestral [æn'sɛstrəl] *adj* avito(a).
ancestry ['ænsɪstrɪ] *n* antenati *mpl*;
ascendenza.
anchor ['æŋkə*] *n* ancora ♦ *vi* (*also:* **to drop**
~) gettare l'ancora ♦ *vt* ancorare; **to**
weigh ~ salpare *or* levare l'ancora.
anchorage ['æŋkərɪdʒ] *n* ancoraggio.
anchor man *n* (*TV, RADIO*) anchorman *m*
inv.
anchor woman *n* (*TV, RADIO*)
anchorwoman *f inv.*
anchovy ['æntʃəvɪ] *n* acciuga.
ancient ['eɪnʃənt] *adj* antico(a); (*fig*)
anziano(a); ~ **monument** monumento
storico.
ancillary [æn'sɪlərɪ] *adj* ausiliario(a).
and [ænd] *conj* e (*often* ed *before vowel*); ~
so on e così via; **try** ~ **do it** prova a farlo;
come ~ **sit here** vieni a sedere qui; **better**
~ **better** sempre meglio; **more** ~ **more**
sempre di più.
Andes ['ændiːz] *npl*: **the** ~ le Ande.
Andorra [æn'dɔːrə] *n* Andorra.

anecdote ['ænɪkdəut] *n* aneddoto.
anemia [ə'niːmɪə] *etc* = **anaemia** *etc.*
anemone [ə'nɛmənɪ] *n* (*BOT*) anemone *m*;
(*sea* ~) anemone *m* di mare, attinia.
anesthetic [ænɪs'θɛtɪk] *etc* = **anaesthetic**
etc.
anew [ə'njuː] *adv* di nuovo.
angel ['eɪndʒəl] *n* angelo.
angel dust *n* sedativo usato a scopo
allucinogeno.
anger ['æŋgə*] *n* rabbia ♦ *vt* arrabbiare.
angina [æn'dʒaɪnə] *n* angina pectoris.
angle ['æŋgl] *n* angolo ♦ *vi*: **to** ~ **for** (*fig*)
cercare di avere; **from their** ~ dal loro
punto di vista.
angler ['æŋglə*] *n* pescatore *m* con la
lenza.
Anglican ['æŋglɪkən] *adj*, *n* anglicano(a).
anglicize ['æŋglɪsaɪz] *vt* anglicizzare.
angling ['æŋglɪŋ] *n* pesca con la lenza.
Anglo- ['æŋgləu] *prefix* anglo...; ~**Italian** *adj*,
n italobritannico(a).
Anglo-Saxon ['æŋgləu'sæksən] *adj*, *n*
anglosassone (*m/f*).
Angola [æŋ'gəulə] *n* Angola.
Angolan [æŋ'gəulən] *adj*, *n* angolano(a).
angrily ['æŋgrɪlɪ] *adv* con rabbia.
angry ['æŋgrɪ] *adj* arrabbiato(a), furioso(a);
to be ~ **with sb/at sth** essere in collera
con qn/per qc; **to get** ~ arrabbiarsi; **to**
make sb ~ fare arrabbiare qn.
anguish ['æŋgwɪʃ] *n* angoscia.
anguished ['æŋgwɪʃt] *adj* angosciato(a),
pieno(a) d'angoscia.
angular ['æŋgjulə*] *adj* angolare.
animal ['ænɪməl] *adj*, *n* animale (*m*).
animal rights *npl* diritti *mpl* degli animali.
animate *vt* ['ænɪmeɪt] animare ♦ *adj*
['ænɪmɪt] animato(a).
animated ['ænɪmeɪtɪd] *adj* animato(a).
animation [ænɪ'meɪʃən] *n* animazione *f.*
animosity [ænɪ'mɒsɪtɪ] *n* animosità.
aniseed ['ænɪsiːd] *n* semi *mpl* di anice.
Ankara ['æŋkərə] *n* Ankara.
ankle ['æŋkl] *n* caviglia.
ankle socks *npl* calzini *mpl.*
annex *n* ['ænɛks] (*also:* BRIT: **annexe**)
edificio annesso ♦ *vt* [ə'nɛks] annettere.
annexation [ænɛk'seɪʃən] *n* annessione *f.*
annihilate [ə'naɪəleɪt] *vt* annientare.
annihilation [ənaɪə'leɪʃən] *n*
annientamento.
anniversary [ænɪ'vɔːsərɪ] *n* anniversario.
anniversary dinner *n* cena
commemorativa.
annotate ['ænəuteɪt] *vt* annotare.
announce [ə'nauns] *vt* annunciare; **he** ~**d**
that he wasn't going ha dichiarato che

non (ci) sarebbe andato.

announcement [ə'naunsmənt] *n* annuncio; (*letter, card*) partecipazione *f*; **I'd like to make an** ~ ho una comunicazione da fare.

announcer [ə'naunsə*] *n* (*RADIO, TV: between programmes*) annunciatore/trice; (*: in a programme*) presentatore/trice.

annoy [ə'nɔɪ] *vt* dare fastidio a; **to be ~ed (at sth/with sb)** essere seccato *or* irritato (per qc/con qn); **don't get ~ed!** non irritarti!

annoyance [ə'nɔɪəns] *n* fastidio; (*cause of* ~) noia.

annoying [ə'nɔɪɪŋ] *adj* irritante, seccante.

annual ['ænjuəl] *adj* annuale ♦ *n* (*BOT*) pianta annua; (*book*) annuario.

annual general meeting (AGM) *n* (*BRIT*) assemblea generale.

annually ['ænjuəlɪ] *adv* annualmente.

annual report *n* relazione *f* annuale.

annuity [ə'njuːɪtɪ] *n* annualità *f inv*; **life** ~ vitalizio.

annul [ə'nʌl] *vt* annullare; (*law*) rescindere.

annulment [ə'nʌlmənt] *n* annullamento; rescissione *f*.

annum ['ænəm] *n see* **per annum**.

Annunciation [ənʌnsɪ'eɪʃən] *n* Annunciazione *f*.

anode ['ænəud] *n* anodo.

anoint [ə'nɔɪnt] *vt* ungere.

anomalous [ə'nɔmələs] *adj* anomalo(a).

anomaly [ə'nɔməlɪ] *n* anomalia.

anon. [ə'nɔn] *abbr* = **anonymous**.

anonymity [ænə'nɪmɪtɪ] *n* anonimato.

anonymous [ə'nɔnɪməs] *adj* anonimo(a); **to remain** ~ mantenere l'anonimato.

anorak ['ænəræk] *n* giacca a vento.

anorexia [ænə'rɛksɪə] *n* (*also:* ~ **nervosa**) anoressia.

anorexic [ænə'rɛksɪk] *adj, n* anoressico(a).

another [ə'nʌðə*] *adj:* ~ **book** (*one more*) un altro libro, ancora un libro; (*a different one*) un altro libro ♦ *pron* un altro(un'altra), ancora uno(a); ~ **drink?** ancora qualcosa da bere?; **in** ~ **5 years** fra altri 5 anni; *see also* **one**.

ANSI *n abbr* (= *American National Standards Institution*) *Istituto americano di standardizzazione*.

answer ['ɑːnsə*] *n* risposta; soluzione *f* ♦ *vi* rispondere ♦ *vt* (*reply to*) rispondere a; (*problem*) risolvere; (*prayer*) esaudire; **in** ~ **to your letter** in risposta alla sua lettera; **to** ~ **the phone** rispondere (al telefono); **to** ~ **the bell** rispondere al campanello; **to** ~ **the door** aprire la porta.

▶**answer back** *vi* ribattere.

▶**answer for** *vt fus* essere responsabile di.

▶**answer to** *vt fus* (*description*) corrispondere a.

answerable ['ɑːnsərəbl] *adj:* ~ **(to sb/for sth)** responsabile (verso qn/di qc); **I am** ~ **to no one** non devo rispondere a nessuno.

answering machine ['ɑːnsərɪŋ-] *n* segreteria (telefonica) automatica.

ant [ænt] *n* formica.

ANTA *n abbr* = *American National Theater and Academy*.

antagonism [æn'tægənɪzəm] *n* antagonismo.

antagonist [æn'tægənɪst] *n* antagonista *m/f*.

antagonistic [æntægə'nɪstɪk] *adj* antagonistico(a).

antagonize [æn'tægənaɪz] *vt* provocare l'ostilità di.

Antarctic [ænt'ɑːktɪk] *n:* **the** ~ l'Antartide *f* ♦ *adj* antartico(a).

Antarctica [ænt'ɑːktɪkə] *n* Antartide *f*.

Antarctic Circle *n* Circolo polare antartico.

Antarctic Ocean *n* Oceano antartico.

ante ['æntɪ] *n* (*CARDS, fig*): **to up the** ~ alzare la posta in palio.

ante... ['æntɪ] *prefix* anti..., ante..., pre....

anteater ['æntiːtə*] *n* formichiere *m*.

antecedent [æntɪ'siːdənt] *n* antecedente *m*, precedente *m*.

antechamber ['æntɪtʃeɪmbə*] *n* anticamera.

antelope ['æntɪləup] *n* antilope *f*.

antenatal ['æntɪ'neɪtl] *adj* prenatale.

antenatal clinic *n* assistenza medica preparto.

antenna, *pl* **antennae** [æn'tɛnə, -niː] *n* antenna.

anthem ['ænθəm] *n* antifona; **national** ~ inno nazionale.

ant-hill ['ænthɪl] *n* formicaio.

anthology [æn'θɔlədʒɪ] *n* antologia.

anthropologist [ænθrə'pɔlədʒɪst] *n* antropologo/a.

anthropology [ænθrə'pɔlədʒɪ] *n* antropologia.

anti- ['æntɪ] *prefix* anti....

anti-aircraft ['æntɪ'ɛəkrɑːft] *adj* antiaereo(a).

anti-aircraft defence *n* difesa antiaerea.

antiballistic ['æntɪbə'lɪstɪk] *adj* antibalistico(a).

antibiotic ['æntɪbaɪ'ɔtɪk] *adj* antibiotico(a) ♦ *n* antibiotico.

antibody ['æntɪbɔdɪ] *n* anticorpo.

anticipate [æn'tɪsɪpeɪt] *vt* prevedere;

pregustare; (*wishes, request*) prevenire; **as ~d** come previsto; **this is worse than I ~d** è peggio di quel che immaginavo *or* pensavo.

anticipation [æntɪsɪ'peɪʃən] *n* anticipazione *f*; (*expectation*) aspettative *fpl*; **thanking you in ~** vi ringrazio in anticipo.

anticlimax ['æntɪ'klaɪmæks] *n*: **it was an ~** fu una completa delusione.

anticlockwise ['æntɪ'klɔkwaɪz] *adj* in senso antiorario.

antics ['æntɪks] *npl* buffonerie *fpl*.

anticyclone ['æntɪ'saɪkləun] *n* anticiclone *m*.

antidote ['æntɪdəut] *n* antidoto.

antifreeze ['æntɪfriːz] *n* anticongelante *m*.

antihistamine [æntɪ'hɪstəmɪn] *n* antistaminico.

Antilles [æn'tɪliːz] *npl*: **the ~** le Antille.

antipathy [æn'tɪpəθɪ] *n* antipatia.

antiperspirant ['æntɪ'pəːspərənt] *adj* antitraspirante.

Antipodean [æntɪpə'diːən] *adj* degli Antipodi.

Antipodes [æn'tɪpədiːz] *npl*: **the ~** gli Antipodi.

antiquarian [æntɪ'kwɛərɪən] *adj*: **~ bookshop** libreria antiquaria ♦ *n* antiquario/a.

antiquated ['æntɪkweɪtɪd] *adj* antiquato(a).

antique [æn'tiːk] *n* antichità *f inv* ♦ *adj* antico(a).

antique dealer *n* antiquario/a.

antique shop *n* negozio d'antichità.

antiquity [æn'tɪkwɪtɪ] *n* antichità *f inv*.

anti-semitic ['æntɪsɪ'mɪtɪk] *adj* antisemitico(a), antisemita.

anti-semitism ['æntɪ'sɛmɪtɪzəm] *n* antisemitismo.

antiseptic [æntɪ'sɛptɪk] *adj* antisettico(a) ♦ *n* antisettico.

antisocial ['æntɪ'səuʃəl] *adj* asociale; (*against society*) antisociale.

antitank [æntɪ'tæŋk] *adj* anticarro *inv*.

antithesis, *pl* **antitheses** [æn'tɪθɪsɪs, -siːz] *n* antitesi *f inv*; (*contrast*) carattere *m* antitetico.

anti-trust [æntɪ'trʌst] *adj* (*COMM*): **~ legislation** legislazione *f* antitrust *inv*.

antlers ['æntləz] *npl* palchi *mpl*.

Antwerp ['æntwəːp] *n* Anversa.

anus ['eɪnəs] *n* ano.

anvil ['ænvɪl] *n* incudine *f*.

anxiety [æŋ'zaɪətɪ] *n* ansia; (*keenness*): **~ to do** smania di fare.

anxious ['æŋkʃəs] *adj* ansioso(a), inquieto(a); (*keen*): **~ to do/that** impaziente di fare/che + *sub*; **I'm very ~**

about you sono molto preoccupato *or* in pensiero per te.

anxiously ['æŋkʃəslɪ] *adv* ansiosamente, con ansia.

═══════════════════════════ *KEYWORD*

any ['ɛnɪ] *adj* **1** (*in questions etc*): **have you ~ butter?** hai del burro?, hai un po' di burro?; **have you ~ children?** hai bambini?; **if there are ~ tickets left** se ci sono ancora (dei) biglietti, se c'è ancora qualche biglietto
2 (*with negative*): **I haven't ~ money/books** non ho soldi/libri; **without ~ difficulty** senza nessuna *or* alcuna difficoltà
3 (*no matter which*) qualsiasi, qualunque; **choose ~ book you like** scegli un libro qualsiasi
4 (*in phrases*): **in ~ case** in ogni caso; **~ day now** da un giorno all'altro; **at ~ moment** in qualsiasi momento, da un momento all'altro; **at ~ rate** ad ogni modo
♦ *pron* **1** (*in questions, with negative*): **have you got ~?** ne hai?; **can ~ of you sing?** qualcuno di voi sa cantare?; **I haven't ~ (of them)** non ne ho
2 (*no matter which one(s)*): **take ~ of those books (you like)** prendi uno qualsiasi di quei libri
♦ *adv* **1** (*in questions etc*): **do you want ~ more soup/sandwiches?** vuoi ancora un po' di minestra/degli altri panini?; **are you feeling ~ better?** ti senti meglio?
2 (*with negative*): **I can't hear him ~ more** non lo sento più; **don't wait ~ longer** non aspettare più.

anybody ['ɛnɪbɔdɪ] *pron* qualsiasi persona; (*in interrogative sentences*) qualcuno; (*in negative sentences*): **I don't see ~** non vedo nessuno.

anyhow ['ɛnɪhau] *adv* in qualsiasi modo; (*haphazard*) come capita; **I shall go ~** ci andrò lo stesso *or* comunque.

anyone ['ɛnɪwʌn] *pron* = **anybody**.

anyplace ['ɛnɪpleɪs] *pron* (*US col*) = **anywhere**.

anything ['ɛnɪθɪŋ] *pron* qualsiasi cosa; (*in interrogative sentences*) qualcosa; (*in negative sentences*) non ... niente, non ... nulla; **~ else?** (*in shop*) basta (così)?; **it can cost ~ between £15 and £20** può costare qualcosa come 15 o 20 sterline.

anytime ['ɛnɪtaɪm] *adv* in qualunque momento; quando vuole.

anyway ['ɛnɪweɪ] *adv* in *or* ad ogni modo.

anywhere ['ɛnɪwɛə*] adv da qualsiasi parte; (in interrogative sentences) da qualche parte; **I don't see him** ~ non lo vedo da nessuna parte; ~ **in the world** dovunque nel mondo.

Anzac ['ænzæk] n abbr (= Australia-New Zealand Army Corps) A.N.Z.A.C. m; (soldier) soldato dell'A.N.Z.A.C.

L'**Anzac Day** è una festa nazionale australiana e neozelandese che cade il 25 aprile e commemora il famoso sbarco delle forze armate congiunte dei due paesi a Gallipoli nel 1915, durante la prima guerra mondiale.

apart [ə'pɑːt] adv (to one side) a parte; (separately) separatamente; **with one's legs** ~ con le gambe divaricate; **10 miles/a long way** ~ a 10 miglia di distanza/molto lontani l'uno dall'altro; **they are living** ~ sono separati; ~ **from** prep a parte, eccetto.

apartheid [ə'pɑːteɪt] n apartheid f.

apartment [ə'pɑːtmənt] n (US) appartamento; ~**s** npl appartamento ammobiliato.

apartment building n (US) stabile m, caseggiato.

apathetic [æpə'θɛtɪk] adj apatico(a).

apathy ['æpəθɪ] n apatia.

APB n abbr (US: = all points bulletin: police expression) espressione della polizia che significa "trovate e arrestate il sospetto".

ape [eɪp] n scimmia ♦ vt scimmiottare.

Apennines ['æpənaɪnz] npl: **the** ~ gli Apennini.

aperitif [ə'pɛrɪtiːf] n aperitivo.

aperture ['æpətʃjuə*] n apertura.

APEX ['eɪpɛks] n abbr (AVIAT: = advance purchase excursion) APEX m inv.

apex ['eɪpɛks] n apice m.

aphid ['æfɪd] n afide f.

aphrodisiac [æfrəu'dɪzɪæk] adj afrodisiaco(a) ♦ n afrodisiaco.

API n abbr = American Press Institute.

apiece [ə'piːs] adv ciascuno(a).

aplomb [ə'plɔm] n disinvoltura.

APO n abbr (US: = Army Post Office) ufficio postale dell'esercito.

apocalypse [ə'pɔkəlɪps] n apocalisse f.

apolitical [eɪpə'lɪtɪkl] adj apolitico(a).

apologetic [əpɔlə'dʒɛtɪk] adj (tone, letter) di scusa; **to be very** ~ **about** scusarsi moltissimo di.

apologetically [əpɔlə'dʒɛtɪkəlɪ] adv per scusarsi.

apologize [ə'pɔlədʒaɪz] vi: **to** ~ **(for sth to sb)** scusarsi (di qc a qn), chiedere scusa (a qn per qc).

apology [ə'pɔlədʒɪ] n scuse fpl; **please accept my apologies** la prego di accettare le mie scuse.

apoplectic [æpə'plɛktɪk] adj (MED) apoplettico(a); ~ **with rage** (col) livido(a) per la rabbia.

apoplexy ['æpəplɛksɪ] n apoplessia.

apostle [ə'pɔsl] n apostolo.

apostrophe [ə'pɔstrəfɪ] n (sign) apostrofo.

appal [ə'pɔːl] vt atterrire; sgomentare.

Appalachian Mountains [æpə'leɪʃən-] npl: **the** ~ i Monti Appalachi.

appalling [ə'pɔːlɪŋ] adj spaventoso(a); **she's an** ~ **cook** è un disastro come cuoca.

apparatus [æpə'reɪtəs] n apparato.

apparel [ə'pærl] n (US) abbigliamento, confezioni fpl.

apparent [ə'pærənt] adj evidente.

apparently [ə'pærəntlɪ] adv evidentemente, a quanto pare.

apparition [æpə'rɪʃən] n apparizione f.

appeal [ə'piːl] vi (LAW) appellarsi alla legge ♦ n (LAW) appello; (request) richiesta; (charm) attrattiva; **to** ~ **for** chiedere (con insistenza); **to** ~ **to** (subj: person) appellarsi a; (: thing) piacere a; **to** ~ **to sb for mercy** chiedere pietà a qn; **it doesn't** ~ **to me** mi dice poco; **right of** ~ diritto d'appello.

appealing [ə'piːlɪŋ] adj (moving) commovente; (attractive) attraente.

appear [ə'pɪə*] vi apparire; (LAW) comparire; (publication) essere pubblicato(a); (seem) sembrare; **it would** ~ **that** sembra che; **to** ~ **in Hamlet** recitare nell'Amleto; **to** ~ **on TV** presentarsi in televisione.

appearance [ə'pɪərəns] n apparizione f; (look, aspect) aspetto; **to put in** or **make an** ~ fare atto di presenza; **by order of** ~ (THEAT) in ordine di apparizione; **to keep up** ~**s** salvare le apparenze; **to all** ~**s** a giudicar dalle apparenze.

appease [ə'piːz] vt calmare, appagare.

appeasement [ə'piːzmənt] n (POL) appeasement m inv.

append [ə'pɛnd] vt (COMPUT) aggiungere in coda.

appendage [ə'pɛndɪdʒ] n aggiunta.

appendicitis [əpɛndɪ'saɪtɪs] n appendicite f.

appendix, pl **appendices** [ə'pɛndɪks, -siːz] n appendice f; **to have one's** ~ **out** operarsi or farsi operare di appendicite.

appetite ['æpɪtaɪt] n appetito; **that walk has given me an** ~ la passeggiata mi ha

messo appetito.
appetizer ['æpɪtaɪzə*] *n* (*food*) stuzzichino;
(*drink*) aperitivo.
appetizing ['æpɪtaɪzɪŋ] *adj* appetitoso(a).
applaud [ə'plɔːd] *vt*, *vi* applaudire.
applause [ə'plɔːz] *n* applauso.
apple ['æpl] *n* mela; (*also:* ~ **tree**) melo; **the**
~ **of one's eye** la pupilla dei propri occhi.
apple turnover *n* sfogliatella alle mele.
appliance [ə'plaɪəns] *n* apparecchio;
electrical ~**s** elettrodomestici *mpl*.
applicable [ə'plɪkəbl] *adj* applicabile; **to be**
~ **to** essere valido per; **the law is** ~ **from**
January la legge entrerà in vigore in
gennaio.
applicant ['æplɪkənt] *n* candidato/a; (*ADMIN:*
for benefit etc) chi ha fatto domanda *or*
richiesta.
application [æplɪ'keɪʃən] *n* applicazione *f*;
(*for a job, a grant etc*) domanda; **on** ~ su
richiesta.
application form *n* modulo di domanda.
application program *n* (*COMPUT*)
programma applicativo.
applications package *n* (*COMPUT*)
software *m inv* applicativo.
applied [ə'plaɪd] *adj* applicato(a); ~ **arts**
arti *fpl* applicate.
apply [ə'plaɪ] *vt:* **to** ~ (**to**) (*paint, ointment*)
dare (a); (*theory, technique*) applicare (a)
♦ *vi:* **to** ~ **to** (*ask*) rivolgersi a; (*be suitable*
for, relevant to) riguardare, riferirsi a; **to**
~ (**for**) (*permit, grant, job*) fare domanda
(per); **to** ~ **the brakes** frenare; **to** ~ **o.s.**
to dedicarsi a.
appoint [ə'pɔɪnt] *vt* nominare.
appointee [əpɔɪn'tiː] *n* incaricato/a.
appointment [ə'pɔɪntmənt] *n* nomina;
(*arrangement to meet*) appuntamento; **by**
~ su *or* per appuntamento; **to make an** ~
with sb prendere un appuntamento con
qn; (*PRESS*): "~**s** (**vacant**)" "offerte *fpl* di
impiego".
apportion [ə'pɔːʃən] *vt* attribuire.
appraisal [ə'preɪzl] *n* valutazione *f*.
appraise [ə'preɪz] *vt* (*value*) valutare, fare
una stima di; (*situation etc*) fare il bilancio
di.
appreciable [ə'priːʃəbl] *adj* apprezzabile.
appreciably [ə'priːʃəblɪ] *adv* notevolmente,
sensibilmente.
appreciate [ə'priːʃɪeɪt] *vt* (*like*) apprezzare;
(*be grateful for*) essere riconoscente di;
(*be aware of*) rendersi conto di ♦ *vi*
(*COMM*) aumentare; **I** ~**d your help** ti sono
grato per l'aiuto.
appreciation [əpriːʃɪ'eɪʃən] *n*
apprezzamento; (*FINANCE*) aumento del

valore.
appreciative [ə'priːʃɪətɪv] *adj* (*person*)
sensibile; (*comment*) elogiativo(a).
apprehend [æprɪ'hɛnd] *vt* (*arrest*) arrestare;
(*understand*) comprendere.
apprehension [æprɪ'hɛnʃən] *n* (*fear*)
inquietudine *f*.
apprehensive [æprɪ'hɛnsɪv] *adj*
apprensivo(a).
apprentice [ə'prɛntɪs] *n* apprendista *m/f*
♦ *vt:* **to be** ~**d to** lavorare come
apprendista presso.
apprenticeship [ə'prɛntɪsʃɪp] *n*
apprendistato; **to serve one's** ~ fare il
proprio apprendistato *or* tirocinio.
appro. ['æprəu] *abbr* (*BRIT COMM: col*)
= **approval**.
approach [ə'prəutʃ] *vi* avvicinarsi *vt*
(*come near*) avvicinarsi a; (*ask, apply to*)
rivolgersi a; (*subject, passer-by*)
avvicinare ♦ *n* approccio; accesso; (*to*
problem) modo di affrontare; **to** ~ **sb**
about sth rivolgersi a qn per qc.
approachable [ə'prəutʃəbl] *adj* accessibile.
approach road *n* strada d'accesso.
approbation [æprə'beɪʃən] *n* approvazione
f, benestare *m*.
appropriate *vt* [ə'prəuprɪeɪt] (*take*)
appropriarsi di ♦ *adj* [ə'prəuprɪt]
appropriato(a); adatto(a); **it would not be**
~ **for me to comment** non sta a me fare
dei commenti.
appropriately [ə'prəuprɪtlɪ] *adv* in modo
appropriato.
appropriation [əprəuprɪ'eɪʃən] *n*
stanziamento.
approval [ə'pruːvəl] *n* approvazione *f*; **on** ~
(*COMM*) in prova, in esame; **to meet with**
sb's ~ soddisfare qn, essere di
gradimento di qn.
approve [ə'pruːv] *vt*, *vi* approvare.
▶**approve of** *vt fus* approvare.
approved school *n* (*BRIT: old*)
riformatorio.
approvingly [ə'pruːvɪŋlɪ] *adv* in
approvazione.
approx. *abbr* = **approximately**.
approximate *adj* [ə'prɔksɪmɪt]
approssimativo(a) ♦ *vt* [ə'prɔksɪmeɪt]
essere un'approssimazione di,
avvicinarsi a.
approximately [ə'prɔksɪmətlɪ] *adv* circa.
approximation [ə'prɔksɪ'meɪʃən] *n*
approssimazione *f*.
apr *n abbr* (= *annual percentage rate*) tasso di
percentuale annuo.
Apr. *abbr* (= *April*) apr.
apricot ['eɪprɪkɔt] *n* albicocca.

April ['eɪprəl] n aprile m; ~ **fool!** pesce d'aprile!; *for phrases see also* **July.**

April Fool's Day *è il primo aprile, il giorno degli scherzi e delle burle. Il nome deriva dal fatto che, se una persona cade nella trappola che gli è stata tesa, fa la figura del* fool, *cioè dello sciocco. Di recente gli scherzi stanno diventando sempre più elaborati, e persino i giornalisti a volte inventano vicende incredibili per burlarsi dei lettori.*

apron ['eɪprən] n grembiule m; (*AVIAT*) area di stazionamento.
apse [æps] n (*ARCHIT*) abside f.
APT n abbr (*BRIT*: = *advanced passenger train*) treno ad altissima velocità.
apt [æpt] adj (*suitable*) adatto(a); (*able*) capace; (*likely*): **to be** ~ **to do** avere tendenza a fare.
Apt. abbr = **apartment.**
aptitude ['æptɪtjuːd] n abilità f inv.
aptitude test n test m inv attitudinale.
aptly ['æptlɪ] adv appropriatamente, in modo adatto.
aqualung ['ækwəlʌŋ] n autorespiratore m.
aquarium [ə'kwɛərɪəm] n acquario.
Aquarius [ə'kwɛərɪəs] n Acquario; **to be** ~ essere dell'Acquario.
aquatic [ə'kwætɪk] adj acquatico(a).
aqueduct ['ækwɪdʌkt] n acquedotto.
AR abbr (*US*) = *Arkansas.*
ARA n abbr (*BRIT*) = *Associate of the Royal Academy.*
Arab ['ærəb] adj, n arabo(a).
Arabia [ə'reɪbɪə] n Arabia.
Arabian [ə'reɪbɪən] adj arabo(a).
Arabian Desert n Deserto arabico.
Arabian Sea n mare m Arabico.
Arabic ['ærəbɪk] adj arabico(a) ♦ n arabo.
Arabic numerals npl numeri arabi mpl, numerazione f araba.
arable ['ærəbl] adj arabile.
ARAM n abbr (*BRIT*) = *Associate of the Royal Academy of Music.*
arbiter ['ɑːbɪtə*] n arbitro.
arbitrary ['ɑːbɪtrərɪ] adj arbitrario(a).
arbitrate ['ɑːbɪtreɪt] vi arbitrare.
arbitration [ɑːbɪ'treɪʃən] n (*LAW*) arbitrato; (*INDUSTRY*) arbitraggio.
arbitrator ['ɑːbɪtreɪtə*] n arbitro.
ARC n abbr (= *American Red Cross*) C.R.I. f (= *Croce Rossa Italiana*).
arc [ɑːk] n arco.
arcade [ɑː'keɪd] n portico; (*passage with shops*) galleria.
arch [ɑːtʃ] n arco; (*of foot*) arco plantare

♦ vt inarcare ♦ prefix: ~(-) grande (*before n*); per eccellenza.
archaeological [ɑːkɪə'lɔdʒɪkəl] adj archeologico(a).
archaeologist [ɑːkɪ'ɔlədʒɪst] n archeologo/a.
archaeology [ɑːkɪ'ɔlədʒɪ] n archeologia.
archaic [ɑː'keɪɪk] adj arcaico(a).
archangel ['ɑːkeɪndʒəl] n arcangelo.
archbishop [ɑːtʃ'bɪʃəp] n arcivescovo.
arched [ɑːtʃt] adj arcuato(a), ad arco.
arch-enemy ['ɑːtʃ'ɛnɪmɪ] n arcinemico/a.
archeology [ɑːkɪ'ɔlədʒɪ] etc = **archaeology** etc.
archer ['ɑːtʃə*] n arciere m.
archery ['ɑːtʃərɪ] n tiro all'arco.
archetypal ['ɑːkɪtaɪpəl] adj tipico(a).
archetype ['ɑːkɪtaɪp] n archetipo.
archipelago [ɑːkɪ'pɛlɪgəu] n arcipelago.
architect ['ɑːkɪtɛkt] n architetto.
architectural [ɑːkɪ'tɛktʃərəl] adj architettonico(a).
architecture ['ɑːkɪtɛktʃə*] n architettura.
archive file n (*COMPUT*) file m inv di archivio.
archives ['ɑːkaɪvz] npl archivi mpl.
archivist ['ɑːkɪvɪst] n archivista m/f.
archway ['ɑːtʃweɪ] n arco.
ARCM n abbr (*BRIT*) = *Associate of the Royal College of Music.*
Arctic ['ɑːktɪk] adj artico(a) ♦ n: **the** ~ l'Artico.
Arctic Circle n Circolo polare artico.
Arctic Ocean n Oceano artico.
ARD n abbr (*US MED*) = *acute respiratory disease.*
ardent ['ɑːdənt] adj ardente.
ardour, (*US*) **ardor** ['ɑːdə*] n ardore m.
arduous ['ɑːdjuəs] adj arduo(a).
are [ɑː*] vb see **be.**
area ['ɛərɪə] n (*GEOM*) area; (*zone*) zona; (: *smaller*) settore m; **dining** ~ zona pranzo; **the London** ~ la zona di Londra.
area code n (*US TEL*) prefisso.
arena [ə'riːnə] n arena.
aren't [ɑːnt] = **are not.**
Argentina [ɑːdʒən'tiːnə] n Argentina.
Argentinian [ɑːdʒən'tɪnɪən] adj, n argentino(a).
arguable ['ɑːgjuəbl] adj discutibile; **it is** ~ **whether** ... è una cosa discutibile se ... + sub.
arguably ['ɑːgjuəblɪ] adv: **it is** ~ ... si può sostenere che sia ....
argue ['ɑːgjuː] vi (*quarrel*) litigare; (*reason*) ragionare ♦ vt (*debate: case, matter*) dibattere; **to** ~ **that** sostenere che; **to** ~ **about sth (with sb)** litigare per or a

proposito di qc (con qn).
argument ['ɑːgjumənt] *n* (*reasons*)
argomento; (*quarrel*) lite *f*; (*debate*)
discussione *f*; ~ **for/against** argomento a
or in favore di/contro.
argumentative [ɑːgju'mɛntətɪv] *adj*
litigioso(a).
aria ['ɑːrɪə] *n* aria.
ARIBA *n abbr* (*BRIT*) = *Associate of the Royal
Institute of British Architects.*
arid ['ærɪd] *adj* arido(a).
aridity [ə'rɪdɪtɪ] *n* aridità.
Aries ['ɛərɪz] *n* Ariete *m*; **to be** ~ essere
dell'Ariete.
arise, *pt* **arose,** *pp* **arisen** [ə'raɪz, ə'rəuz,
ə'rɪzn] *vi* alzarsi; (*opportunity, problem*)
presentarsi; **to** ~ **from** risultare da;
should the need ~ dovesse presentarsi la
necessità, in caso di necessità.
aristocracy [ærɪs'tɔkrəsɪ] *n* aristocrazia.
aristocrat ['ærɪstəkræt] *n* aristocratico/a.
aristocratic [ærɪstə'krætɪk] *adj*
aristocratico(a).
arithmetic [ə'rɪθmətɪk] *n* aritmetica.
arithmetical [ærɪθ'mɛtɪkəl] *adj*
aritmetico(a).
Ariz. *abbr* (*US*) = *Arizona.*
ark [ɑːk] *n*: **Noah's A**~ l'arca di Noè.
Ark. *abbr* (*US*) = *Arkansas.*
arm [ɑːm] *n* braccio; (*MIL: branch*) arma ♦ *vt*
armare; ~ **in** ~ a braccetto; *see also* **arms.**
armaments ['ɑːməmənts] *npl* (*weapons*)
armamenti *mpl.*
armband ['ɑːmbænd] *n* bracciale *m.*
armchair ['ɑːmtʃɛə*] *n* poltrona.
armed [ɑːmd] *adj* armato(a).
armed forces *npl* forze *fpl* armate.
armed robbery *n* rapina a mano armata.
Armenia [ɑː'miːnɪə] *n* Armenia.
Armenian [ɑː'miːnɪən] *adj* armeno(a) ♦ *n*
armeno/a; (*LING*) armeno.
armful ['ɑːmful] *n* bracciata.
armistice ['ɑːmɪstɪs] *n* armistizio.
armour, (*US*) **armor** ['ɑːmə*] *n* armatura;
(*also:* ~**-plating**) corazza, blindatura; (*MIL:
tanks*) mezzi *mpl* blindati.
armo(u)red car *n* autoblinda *f inv.*
armo(u)ry ['ɑːmərɪ] *n* arsenale *m.*
armpit ['ɑːmpɪt] *n* ascella.
armrest ['ɑːmrɛst] *n* bracciolo.
arms [ɑːmz] *npl* (*weapons*) armi *fpl*;
(*HERALDRY*) stemma *m.*
arms control *n* controllo degli armamenti.
arms race *n* corsa agli armamenti.
army ['ɑːmɪ] *n* esercito.
aroma [ə'rəumə] *n* aroma.
aromatherapy [ərəumə'θɛrəpɪ] *n*
aromaterapia.

aromatic [ærə'mætɪk] *adj* aromatico(a).
arose [ə'rəuz] *pt of* **arise.**
around [ə'raund] *adv* attorno, intorno ♦ *prep*
intorno a; (*fig: about*): ~ **£5/3 o'clock** circa
5 sterline/le 3; **is he** ~? è in giro?
arousal [ə'rauzəl] *n* (*sexual etc*) eccitazione
f; (*awakening*) risveglio.
arouse [ə'rauz] *vt* (*sleeper*) svegliare;
(*curiosity, passions*) suscitare.
arrange [ə'reɪndʒ] *vt* sistemare;
(*programme*) preparare ♦ *vi*: **we have** ~**d**
for a taxi to pick you up la faremo venire
a prendere da un taxi; **it was** ~**d that** ... è
stato deciso *or* stabilito che ...; **to** ~ **to do**
sth mettersi d'accordo per fare qc.
arrangement [ə'reɪndʒmənt] *n*
sistemazione *f*; (*plans etc*): ~**s** progetti
mpl, piani *mpl*; **by** ~ su richiesta; **to come**
to an ~ (**with sb**) venire ad un accordo
(con qn), mettersi d'accordo *or*
accordarsi (con qn); **I'll make** ~**s for you**
to be met darò disposizioni *or* istruzioni
perché ci sia qualcuno ad incontrarla.
arrant ['ærənt] *adj*: ~ **nonsense** colossali
sciocchezze *fpl.*
array [ə'reɪ] *n* fila; (*COMPUT*) array *m inv*,
insiemi *mpl.*
arrears [ə'rɪəz] *npl* arretrati *mpl*; **to be in** ~
with one's rent essere in arretrato con
l'affitto.
arrest [ə'rɛst] *vt* arrestare; (*sb's attention*)
attirare ♦ *n* arresto; **under** ~ in arresto.
arresting [ə'rɛstɪŋ] *adj* (*fig*) che colpisce.
arrival [ə'raɪvəl] *n* arrivo; (*person*)
arrivato/a; **new** ~ nuovo venuto.
arrive [ə'raɪv] *vi* arrivare.
▶**arrive at** *vt fus* arrivare a.
arrogance ['ærəgəns] *n* arroganza.
arrogant ['ærəgənt] *adj* arrogante.
arrow ['ærəu] *n* freccia.
arse [ɑːs] *n* (*BRIT col!*) culo(*!*).
arsenal ['ɑːsɪnl] *n* arsenale *m.*
arsenic ['ɑːsnɪk] *n* arsenico.
arson ['ɑːsn] *n* incendio doloso.
art [ɑːt] *n* arte *f*; (*craft*) mestiere *m*; **work of**
~ opera d'arte; *see also* **arts.**
artefact, (*US*) **artifact** ['ɑːtɪfækt] *n*
manufatto.
arterial [ɑː'tɪərɪəl] *adj* (*ANAT*) arterioso(a);
(*road etc*) di grande comunicazione; ~
roads le (grandi *or* principali) arterie.
artery ['ɑːtərɪ] *n* arteria.
artful ['ɑːtful] *adj* furbo(a).
art gallery *n* galleria d'arte.
arthritis [ɑː'θraɪtɪs] *n* artrite *f.*
artichoke ['ɑːtɪtʃəuk] *n* carciofo; **Jerusalem**
~ topinambur *m inv.*
article ['ɑːtɪkl] *n* articolo; ~**s** *npl* (*BRIT LAW*:

training) contratto di tirocinio; **~s of clothing** indumenti *mpl*.

articles of association *npl* (*COMM*) statuto sociale.

articulate *adj* [ɑː'tɪkjulɪt] (*person*) che si esprime forbitamente; (*speech*) articolato(a) ♦ *vi* [ɑː'tɪkjuleɪt] articolare.

articulated lorry *n* (*BRIT*) autotreno.

artifact ['ɑːtɪfækt] *n* (*US*) = **artefact**.

artifice ['ɑːtɪfɪs] *n* (*cunning*) abilità, destrezza; (*trick*) artificio.

artificial [ɑːtɪ'fɪʃəl] *adj* artificiale.

artificial insemination [-ɪnsɛmɪ'neɪʃən] *n* fecondazione *f* artificiale.

artificial intelligence (AI) *n* intelligenza artificiale (IA).

artificial respiration *n* respirazione *f* artificiale.

artillery [ɑː'tɪlərɪ] *n* artiglieria.

artisan ['ɑːtɪzæn] *n* artigiano/a.

artist ['ɑːtɪst] *n* artista *m/f*.

artistic [ɑː'tɪstɪk] *adj* artistico(a).

artistry ['ɑːtɪstrɪ] *n* arte *f*.

artless ['ɑːtlɪs] *adj* semplice, ingenuo(a).

arts [ɑːts] *npl* (*SCOL*) lettere *fpl*.

art school *n* scuola d'arte.

artwork ['ɑːtwɜːk] *n* materiale *m* illustrativo.

ARV *n abbr* (= *American Revised Version*) *traduzione della Bibbia*.

AS *n abbr* (*US SCOL*: = *Associate in/of Sciences*) *titolo di studio* ♦ *abbr* (*US*) = *American Samoa*.

============================ *KEYWORD*

as [æz] *conj* **1** (*referring to time*) mentre; **~ the years went by** col passare degli anni; **he came in ~ I was leaving** arrivò mentre stavo uscendo; **~ from tomorrow** da domani

2 (*in comparisons*): **~ big ~** grande come; **twice ~ big ~** due volte più grande di; **~ much/many ~** tanto quanto/tanti quanti; **~ soon ~ possible** prima possibile

3 (*since, because*) dal momento che, siccome

4 (*referring to manner, way*) come; **big ~ it is** grande com'è; **much ~ I like them, ...** per quanto mi siano simpatici, ...; **do ~ you wish** fa' come vuoi; **~ she said** come ha detto lei

5 (*concerning*): **~ for or to that** per quanto riguarda *or* quanto a quello

6: **~ if or though** come se; **he looked ~ if he was ill** sembrava stare male; *see also* **long; such; well**

♦ *prep*: **he works ~ a driver** fa l'autista; **~ chairman of the company, he ... come**

presidente della compagnia, lui ...; **he gave me it ~ a present** me lo ha regalato.

ASA *n abbr* (= *American Standards Association*) *associazione per la normalizzazione*.

a.s.a.p. *abbr* (= *as soon as possible*) prima possibile.

asbestos [æz'bɛstəs] *n* asbesto, amianto.

ascend [ə'sɛnd] *vt* salire.

ascendancy [ə'sɛndənsɪ] *n* ascendente *m*.

ascendant [ə'sɛndənt] *n*: **to be in the ~** essere in auge.

ascension [ə'sɛnʃən] *n*: **the A~** (*REL*) l'Ascensione *f*.

Ascension Island *n* isola dell'Ascensione.

ascent [ə'sɛnt] *n* salita.

ascertain [æsə'teɪn] *vt* accertare.

ascetic [ə'sɛtɪk] *adj* ascetico(a).

asceticism [ə'sɛtɪsɪzəm] *n* ascetismo.

ASCII ['æskiː] *n abbr* (= *American Standard Code for Information Interchange*) ASCII *m*.

ascribe [ə'skraɪb] *vt*: **to ~ sth to** attribuire qc a.

ASCU *n abbr* (*US*) = *Association of State Colleges and Universities*.

ASE *n abbr* = *American Stock Exchange*.

ASH [æʃ] *n abbr* (*BRIT*: = *Action on Smoking and Health*) *iniziativa contro il fumo*.

ash [æʃ] *n* (*dust*) cenere *f*; **~ (tree)** frassino.

ashamed [ə'ʃeɪmd] *adj* vergognoso(a); **to be ~ of** vergognarsi di; **to be ~ (of o.s.) for having done** vergognarsi di aver fatto.

ashen ['æʃən] *adj* (*pale*) livido(a).

ashore [ə'ʃɔː*] *adv* a terra; **to go ~** sbarcare.

ashtray ['æʃtreɪ] *n* portacenere *m*.

Ash Wednesday *n* Mercoledì *m inv* delle Ceneri.

Asia Minor *n* Asia minore.

Asian ['eɪʃən] *adj, n* asiatico(a).

Asiatic [eɪsɪ'ætɪk] *adj* asiatico(a).

aside [ə'saɪd] *adv* da parte ♦ *n* a parte *m*; **to take sb ~** prendere qn da parte; **~ from** (*as well as*) oltre a; (*except for*) a parte.

ask [ɑːsk] *vt* (*request*) chiedere; (*question*) domandare; (*invite*) invitare; **to ~ about sth** informarsi su *or* di qc; **to ~ sb sth/sb to do sth** chiedere qc a qn/a qn di fare qc; **to ~ sb about sth** chiedere a qn di qc; **to ~ (sb) a question** fare una domanda (a qn); **to ~ sb the time** chiedere l'ora a qn; **to ~ sb out to dinner** invitare qn a mangiare fuori; **you should ~ at the information desk** dovreste rivolgervi all'ufficio informazioni.

▶**ask after** *vt fus* chiedere di.

►**ask for** vt fus chiedere; **it's just ~ing for trouble** or **for it** è proprio (come) andarsele a cercare.

askance [ə'skɑːns] adv: **to look ~ at sb** guardare qn di traverso.

askew [ə'skjuː] adv di traverso, storto.

asking price ['ɑːskɪŋ-] n prezzo di partenza.

asleep [ə'sliːp] adj addormentato(a); **to be ~** dormire; **to fall ~** addormentarsi.

ASLEF ['æzlɛf] n abbr (BRIT: = Associated Society of Locomotive Engineers and Firemen) sindacato dei conducenti dei treni e dei macchinisti.

asp [æsp] n cobra m inv egiziano.

asparagus [əs'pærəgəs] n asparagi mpl.

asparagus tips npl punte fpl d'asparagi.

ASPCA n abbr (= American Society for the Prevention of Cruelty to Animals) ≈ E.N.P.A. m (Ente Nazionale per la Protezione degli Animali).

aspect ['æspɛkt] n aspetto.

aspersions [əs'pɔːʃənz] npl: **to cast ~ on** diffamare.

asphalt ['æsfælt] n asfalto.

asphyxiate [æs'fɪksɪeɪt] vt asfissiare.

asphyxiation [æsfɪksɪ'eɪʃən] n asfissia.

aspiration [æspə'reɪʃən] n aspirazione f.

aspire [əs'paɪə*] vi: **to ~ to** aspirare a.

aspirin ['æsprɪn] n aspirina.

aspiring [əs'paɪərɪŋ] adj aspirante.

ass [æs] n asino; (US col!) culo(!).

assail [ə'seɪl] vt assalire.

assailant [ə'seɪlənt] n assalitore m.

assassin [ə'sæsɪn] n assassino.

assassinate [ə'sæsɪneɪt] vt assassinare.

assassination [əsæsɪ'neɪʃən] n assassinio.

assault [ə'sɔːlt] n (MIL) assalto; (gen: attack) aggressione f, (LAW): **~ (and battery)** minacce e vie di fatto fpl ♦ vt assaltare; aggredire; (sexually) violentare.

assemble [ə'sɛmbl] vt riunire; (TECH) montare ♦ vi riunirsi.

assembly [ə'sɛmblɪ] n (meeting) assemblea; (construction) montaggio.

assembly language n (COMPUT) linguaggio assemblativo.

assembly line n catena di montaggio.

assent [ə'sɛnt] n assenso, consenso ♦ vi assentire; **to ~ (to sth)** approvare (qc).

assert [ə'sɔːt] vt asserire; (insist on) far valere; **to ~ o.s.** farsi valere.

assertion [ə'sɔːʃən] n asserzione f.

assertive [ə'sɔːtɪv] adj che sa imporsi.

assess [ə'sɛs] vt valutare.

assessment [ə'sɛsmənt] n valutazione f; (judgment): **~ (of)** giudizio (su).

assessor [ə'sɛsə*] n perito; funzionario del fisco.

asset ['æsɛt] n vantaggio; (person) elemento prezioso; **~s** npl (COMM) beni mpl; disponibilità fpl; attivo.

asset-stripping ['æsɛt'strɪpɪŋ] n (COMM) acquisto di una società in fallimento con lo scopo di rivenderne le attività.

assiduous [ə'sɪdjuəs] adj assiduo(a).

assign [ə'saɪn] vt: **to ~ (to)** (task) assegnare (a); (resources) riservare (a); (cause, meaning) attribuire (a); **to ~ a date to sth** fissare la data di qc.

assignment [ə'saɪnmənt] n compito.

assimilate [ə'sɪmɪleɪt] vt assimilare.

assimilation [əsɪmɪ'leɪʃən] n assimilazione f.

assist [ə'sɪst] vt assistere, aiutare.

assistance [ə'sɪstəns] n assistenza, aiuto.

assistant [ə'sɪstənt] n assistente m/f; (BRIT: also: **shop ~**) commesso/a.

assistant manager n vicedirettore m.

assizes [ə'saɪzɪz] npl assise fpl.

associate [ə'səuʃɪɪt] adj associato(a); (member) aggiunto(a) ♦ n collega m/f; (in business) socio/a ♦ vb [ə'səuʃɪeɪt] vt associare ♦ vi: **to ~ with sb** frequentare qn.

associated company [ə'səusɪ'eɪtɪd-] n società collegata.

associate director n amministratore m aggiunto.

association [əsəusɪ'eɪʃən] n associazione f; **in ~ with** in collaborazione con.

association football n (BRIT) (gioco del) calcio.

assorted [ə'sɔːtɪd] adj assortito(a); **in ~ sizes** in diverse taglie.

assortment [ə'sɔːtmənt] n assortimento.

Asst. abbr = assistant.

assuage [ə'sweɪdʒ] vt alleviare.

assume [ə'sjuːm] vt supporre; (responsibilities etc) assumere; (attitude, name) prendere.

assumed name n nome m falso.

assumption [ə'sʌmpʃən] n supposizione f, ipotesi f inv; **on the ~ that ...** partendo dal presupposto che ....

assurance [ə'ʃuərəns] n assicurazione f; (self-confidence) fiducia in se stesso; **I can give you no ~s** non posso assicurarle or garantirle niente.

assure [ə'ʃuə*] vt assicurare.

assured [ə'ʃuəd] adj (confident) sicuro(a); (certain: promotion etc) assicurato(a).

AST abbr (US: = Atlantic Standard Time) ora invernale di New York.

asterisk ['æstərɪsk] n asterisco.

astern [ə'stɔːn] adv a poppa.

asteroid ['æstərɔɪd] n asteroide m.
asthma ['æsmə] n asma.
asthmatic [æs'mætɪk] adj, n asmatico(a).
astigmatism [ə'stɪgmətɪzəm] n astigmatismo.
astir [ə'stəː*] adv in piedi; (excited) in fermento.
astonish [ə'stɔnɪʃ] vt stupire.
astonishing [ə'stɔnɪʃɪŋ] adj sorprendente, stupefacente; **I find it ~ that** ... mi stupisce che ....
astonishingly [ə'stɔnɪʃɪŋlɪ] adv straordinariamente, incredibilmente.
astonishment [ə'stɔnɪʃmənt] n stupore m; **to my ~** con mia gran meraviglia, con mio grande stupore.
astound [ə'staund] vt sbalordire.
astray [ə'streɪ] adv: **to go ~** smarrirsi; (fig) traviarsi; **to go ~ in one's calculations** sbagliare i calcoli.
astride [ə'straɪd] adv a cavalcioni ♦ prep a cavalcioni di.
astringent [əs'trɪndʒənt] adj, n astringente (m).
astrologer [əs'trɔlədʒə*] n astrologo/a.
astrology [əs'trɔlədʒɪ] n astrologia.
astronaut ['æstrənɔːt] n astronauta m/f.
astronomer [əs'trɔnəmə*] n astronomo/a.
astronomical [æstrə'nɔmɪkl] adj astronomico(a).
astronomy [əs'trɔnəmɪ] n astronomia.
astrophysics ['æstrəʊ'fɪzɪks] n astrofisica.
astute [əs'tjuːt] adj astuto(a).
asunder [ə'sʌndə*] adv: **to tear ~** strappare.
ASV n abbr (= American Standard Version) traduzione della Bibbia.
asylum [ə'saɪləm] n asilo; (lunatic ~) manicomio; **to seek political ~** chiedere asilo politico.
asymmetric(al) [eɪsɪ'mɛtrɪk(əl)] adj asimmetrico(a).

================= KEYWORD

at [æt] prep **1** (referring to position, direction) a; **~ the top** in cima; **~ the desk** al banco, alla scrivania; **~ home/school** a casa/scuola; **~ Paolo's** da Paolo; **~ the baker's** dal panettiere; **to look ~ sth** guardare qc; **to throw sth ~ sb** lanciare qc a qn
2 (referring to time) a; **~ 4 o'clock** alle 4; **~ night** di notte; **~ Christmas** a Natale; **~ times** a volte
3 (referring to rates, speed etc) a; **~ £1 a kilo** a 1 sterlina al chilo; **two ~ a time** due alla volta, due per volta; **~ 50 km/h** a 50 km/h; **~ full speed** a tutta velocità
4 (referring to manner): **~ a stroke** d'un

solo colpo; **~ peace** in pace
5 (referring to activity): **to be ~ work** essere al lavoro; **to play ~ cowboys** giocare ai cowboy; **to be good ~ sth/doing sth** essere bravo in qc/a fare qc
6 (referring to cause): **shocked/surprised/annoyed ~ sth** colpito da/sorpreso da/arrabbiato per qc; **I went ~ his suggestion** ci sono andato dietro suo consiglio.

ate [eɪt] pt of eat.
atheism ['eɪθɪɪzəm] n ateismo.
atheist ['eɪθɪɪst] n ateo/a.
Athenian [ə'θiːnɪən] adj, n ateniese (m/f).
Athens ['æθɪnz] n Atene f.
athlete ['æθliːt] n atleta m/f.
athletic [æθ'lɛtɪk] adj atletico(a).
athletics [æθ'lɛtɪks] n atletica.
Atlantic [ət'læntɪk] adj atlantico(a) ♦ n: **the ~ (Ocean)** l'Atlantico, l'Oceano Atlantico.
atlas ['ætləs] n atlante m.
Atlas Mountains npl: **the ~** i Monti dell'Atlante.
A.T.M. abbr (= automated telling machine) cassa automatica prelievi, sportello automatico.
atmosphere ['ætməsfɪə*] n atmosfera; (air) aria.
atmospheric [ætməs'fɛrɪk] adj atmosferico(a).
atmospherics [ætməs'fɛrɪks] npl (RADIO) scariche fpl.
atoll ['ætɔl] n atollo.
atom ['ætəm] n atomo.
atomic [ə'tɔmɪk] adj atomico(a).
atom(ic) bomb n bomba atomica.
atomizer ['ætəmaɪzə*] n atomizzatore m.
atone [ə'təʊn] vi: **to ~ for** espiare.
atonement [ə'təʊnmənt] n espiazione f.
ATP n abbr = Association of Tennis Professionals.
atrocious [ə'trəʊʃəs] adj atroce, pessimo(a).
atrocity [ə'trɔsɪtɪ] n atrocità f inv.
atrophy ['ætrəfɪ] n atrofia ♦ vi atrofizzarsi.
attach [ə'tætʃ] vt attaccare; (document, letter) allegare; (MIL: troops) assegnare; **to be ~ed to sb/sth** (to like) essere affezionato(a) a qn/qc; **the ~ed letter** la lettera acclusa or allegata.
attaché [ə'tæʃeɪ] n addetto.
attaché case n valigetta per documenti.
attachment [ə'tætʃmənt] n (tool) accessorio; (fig): **~ (to)** affetto (per).
attack [ə'tæk] vt attaccare; (task etc) iniziare; (problem) affrontare ♦ n attacco; (also: heart ~) infarto.

attacker [ə'tækə*] n aggressore m, assalitore/trice.

attain [ə'teɪn] vt (also: **to ~ to**) arrivare a, raggiungere.

attainments [ə'teɪnmənts] npl cognizioni fpl.

attempt [ə'tɛmpt] n tentativo ♦ vt tentare; **~ed murder** (LAW) tentato omicidio; **to make an ~ on sb's life** attentare alla vita di qn; **he made no ~ to help** non ha (neanche) tentato or cercato di aiutare.

attend [ə'tɛnd] vt frequentare; (meeting, talk) andare a; (patient) assistere.

▶**attend to** vt fus (needs, affairs etc) prendersi cura di; (customer) occuparsi di.

attendance [ə'tɛndəns] n (being present) presenza; (people present) gente f presente.

attendant [ə'tɛndənt] n custode m/f; persona di servizio ♦ adj concomitante.

attention [ə'tɛnʃən] n attenzione f; **~s** premure fpl, attenzioni fpl; **~!** (MIL) attenti!; **at ~** (MIL) sull'attenti; **for the ~ of** (ADMIN) per l'attenzione di; **it has come to my ~ that** ... sono venuto a conoscenza (del fatto) che ....

attentive [ə'tɛntɪv] adj attento(a); (kind) premuroso(a).

attentively [ə'tɛntɪvlɪ] adv attentamente.

attenuate [ə'tɛnjueɪt] vt attenuare ♦ vi attenuarsi.

attest [ə'tɛst] vi: **to ~ to** attestare.

attic ['ætɪk] n soffitta.

attire [ə'taɪə*] n abbigliamento.

attitude ['ætɪtjuːd] n (behaviour) atteggiamento; (posture) posa; (view): **~ (to)** punto di vista (nei confronti di).

attorney [ə'təːnɪ] n (US: lawyer) avvocato; (having proxy) mandatario; **power of ~** procura.

Attorney General n (BRIT) Procuratore m Generale; (US) Ministro della Giustizia.

attract [ə'trækt] vt attirare.

attraction [ə'trækʃən] n (gen pl: pleasant things) attrattiva; (PHYSICS, fig: towards sth) attrazione f.

attractive [ə'træktɪv] adj attraente; (idea, offer, price) allettante, interessante.

attribute n ['ætrɪbjuːt] attributo ♦ vt [ə'trɪbjuːt]: **to ~ sth to** attribuire qc a.

attrition [ə'trɪʃən] n: **war of ~** guerra di logoramento.

Atty. Gen. abbr = **Attorney General**.

atypical [eɪ'tɪpɪkl] adj atipico(a).

aubergine ['əubəʒiːn] n melanzana.

auburn ['ɔːbən] adj tizianesco(a).

auction ['ɔːkʃən] n (also: **sale by ~**) asta ♦ vt

(also: **to sell by ~**) vendere all'asta; (also: **to put up for ~**) mettere all'asta.

auctioneer [ɔːkʃə'nɪə*] n banditore m.

auction room n sala dell'asta.

audacious [ɔː'deɪʃəs] adj (bold) audace; (impudent) sfrontato(a).

audacity [ɔː'dæsɪtɪ] n audacia.

audible ['ɔːdɪbl] adj udibile.

audience ['ɔːdɪəns] n (people) pubblico; spettatori mpl; ascoltatori mpl; (interview) udienza.

audio-typist ['ɔːdɪəu'taɪpɪst] n dattilografo/a che trascrive da nastro.

audiovisual [ɔːdɪəu'vɪzjuəl] adj audiovisivo(a); **~ aids** sussidi mpl audiovisivi.

audit ['ɔːdɪt] n revisione f, verifica ♦ vt rivedere, verificare.

audition [ɔː'dɪʃən] n (THEAT) audizione f; (CINE) provino ♦ vi fare un'audizione (or un provino).

auditor ['ɔːdɪtə*] n revisore m.

auditorium [ɔːdɪ'tɔːrɪəm] n sala, auditorio.

Aug. abbr (= August) ago., ag.

augment [ɔːg'mɛnt] vt, vi aumentare.

augur ['ɔːgə*] vt (be a sign of) predire ♦ vi: **it ~s well** promette bene.

August ['ɔːgəst] n agosto; for phrases see also **July**.

august [ɔː'gʌst] adj augusto(a).

aunt [ɑːnt] n zia.

auntie, aunty ['ɑːntɪ] n zietta.

au pair ['əu'pɛə*] n (also: **~ girl**) (ragazza f) alla pari inv.

aura ['ɔːrə] n aura.

auspices ['ɔːspɪsɪz] npl: **under the ~ of** sotto gli auspici di.

auspicious [ɔːs'pɪʃəs] adj propizio(a).

austere [ɔs'tɪə*] adj austero(a).

austerity [ɔs'tɛrɪtɪ] n austerità f inv.

Australasia [ɔstrə'leɪzɪə] n Australasia.

Australia [ɔs'treɪlɪə] n Australia.

Australian [ɔs'treɪlɪən] adj, n australiano(a).

Austria ['ɔstrɪə] n Austria.

Austrian ['ɔstrɪən] adj, n austriaco(a).

AUT n abbr (BRIT: = Association of University Teachers) associazione dei docenti universitari.

authentic [ɔː'θɛntɪk] adj autentico(a).

authenticate [ɔː'θɛntɪkeɪt] vt autenticare.

authenticity [ɔːθɛn'tɪsɪtɪ] n autenticità.

author ['ɔːθə*] n autore/trice.

authoritarian [ɔːθɔrɪ'tɛərɪən] adj autoritario(a).

authoritative [ɔː'θɔrɪtətɪv] adj (account etc) autorevole; (manner) autoritario(a).

authority [ɔː'θɔrɪtɪ] n autorità f inv; (permission) autorizzazione f; **the**

authorities *npl* le autorità; **to have ~ to do sth** avere l'autorizzazione a fare *or* il diritto di fare qc.

authorization [ɔːθəraɪ'zeɪʃən] *n* autorizzazione *f*.

authorize ['ɔːθəraɪz] *vt* autorizzare.

authorized capital *n* capitale *m* nominale.

authorship ['ɔːθəʃɪp] *n* paternità (*letteraria etc*).

autistic [ɔː'tɪstɪk] *adj* autistico(a).

auto ['ɔːtəu] *n* (*US*) auto *f inv*.

autobiography [ɔːtəbaɪ'ɔgrəfɪ] *n* autobiografia.

autocratic [ɔːtə'krætɪk] *adj* autocratico(a).

Autocue ® ['ɔːtəukjuː] *n* (*BRIT*) gobbo (*TV*).

autograph ['ɔːtəgrɑːf] *n* autografo ♦ *vt* firmare.

autoimmune [ɔːtəʊɪ'mjuːn] *adj* autoimmune.

automat ['ɔːtəmæt] *n* (*US*) tavola calda fornita esclusivamente di distributori automatici.

automated ['ɔːtəmeɪtɪd] *adj* automatizzato(a).

automatic [ɔːtə'mætɪk] *adj* automatico(a) ♦ *n* (*gun*) arma automatica; (*car*) automobile *f* con cambio automatico; (*washing machine*) lavatrice *f* automatica.

automatically [ɔːtə'mætɪklɪ] *adv* automaticamente.

automatic data processing (ADP) *n* elaborazione *f* automatica dei dati (EAD).

automation [ɔːtə'meɪʃən] *n* automazione *f*.

automaton, *pl* **automata** [ɔː'tɔmətən, -tə] *n* automa *m*.

automobile ['ɔːtəməbiːl] *n* (*US*) automobile *f*.

autonomous [ɔː'tɔnəməs] *adj* autonomo(a).

autopsy ['ɔːtɔpsɪ] *n* autopsia.

autumn ['ɔːtəm] *n* autunno.

auxiliary [ɔːg'zɪlɪərɪ] *adj* ausiliario(a) ♦ *n* ausiliare *m/f*.

AV *n abbr* (= *Authorized Version*) traduzione inglese della Bibbia ♦ *abbr* = **audiovisual**.

Av. *abbr* = **avenue**.

avail [ə'veɪl] *vt*: **to ~ o.s. of** servirsi di; approfittarsi di ♦ *n*: **to no ~** inutilmente.

availability [əveɪlə'bɪlɪtɪ] *n* disponibilità.

available [ə'veɪləbl] *adj* disponibile; **every ~ means** tutti i mezzi disponibili; **to make sth ~ to sb** mettere qc a disposizione di qn; **is the manager ~?** è libero il direttore?

avalanche ['ævəlɑːnʃ] *n* valanga.

avant-garde ['ævãŋ'gɑːd] *adj* d'avanguardia.

avarice ['ævərɪs] *n* avarizia.

avaricious [ævə'rɪʃəs] *adj* avaro(a).

avdp. *abbr* (= *avoirdupois*) sistema ponderale anglosassone basato su libbra, oncia e multipli.

Ave. *abbr* = **avenue**.

avenge [ə'vɛndʒ] *vt* vendicare.

avenue ['ævənjuː] *n* viale *m*.

average ['ævərɪdʒ] *n* media ♦ *adj* medio(a) ♦ *vt* (*also*: **~ out at**) aggirarsi in media su, essere in media di; **on ~** in media; **above/below (the) ~** sopra/sotto la media.

averse [ə'vɜːs] *adj*: **to be ~ to sth/doing** essere contrario(a) a qc/a fare; **I wouldn't be ~ to a drink** non avrei nulla in contrario a bere qualcosa.

aversion [ə'vɜːʃən] *n* avversione *f*.

avert [ə'vɜːt] *vt* evitare, prevenire; (*one's eyes*) distogliere.

aviary ['eɪvɪərɪ] *n* voliera, uccelliera.

aviation [eɪvɪ'eɪʃən] *n* aviazione *f*.

avid ['ævɪd] *adj* avido(a).

avidly ['ævɪdlɪ] *adv* avidamente.

avocado [ævə'kɑːdəu] *n* (*also*: *BRIT*: **~ pear**) avocado *m inv*.

avoid [ə'vɔɪd] *vt* evitare.

avoidable [ə'vɔɪdəbl] *adj* evitabile.

avoidance [ə'vɔɪdəns] *n* l'evitare *m*.

avowed [ə'vaud] *adj* dichiarato(a).

AVP *n abbr* (*US*) = *assistant vice-president*.

AWACS ['eɪwæks] *n abbr* (= *airborne warning and control system*) sistema di allarme e controllo in volo.

await [ə'weɪt] *vt* aspettare; **~ing attention** (*COMM: letter*) in attesa di risposta; (*: order*) in attesa di essere evaso; **long ~ed** tanto atteso(a).

awake [ə'weɪk] *adj* sveglio(a) ♦ *vb* (*pt* **awoke** [ə'wəuk], *pp* **awoken** [ə'wəukən] *or* **awaked**) *vt* svegliare ♦ *vi* svegliarsi; **~ to** consapevole di.

awakening [ə'weɪknɪŋ] *n* risveglio.

award [ə'wɔːd] *n* premio; (*LAW*) decreto ♦ *vt* assegnare; (*LAW: damages*) decretare.

aware [ə'wɛə*] *adj*: **~ of** (*conscious*) conscio(a) di; (*informed*) informato(a) di; **to become ~ of** accorgersi di; **politically/socially ~** politicamente/socialmente preparato(a); **I am fully ~ that** ... mi rendo perfettamente conto che ....

awareness [ə'wɛənɪs] *n* consapevolezza; coscienza; **to develop people's ~ (of)** sensibilizzare la gente (a).

awash [ə'wɔʃ] *adj*: **~ (with)** inondato(a) (da).

away [ə'weɪ] *adj*, *adv* via; lontano(a); **two kilometres ~** a due chilometri di distanza; **two hours ~ by car** a due ore di distanza in macchina; **the holiday was two weeks** ~ mancavano due settimane alle vacanze; ~ **from** lontano da; **he's** ~ **for a week** è andato via per una settimana; **he's** ~ **in Milan** è (andato) a Milano; **to take** ~ *vt* portare via; **he was working/pedalling** *etc* ~ *la particella indica la continuità e l'energia dell'azione:* lavorava/pedalava *etc* più che poteva; **to fade/wither** *etc* ~ *la particella rinforza l'idea della diminuzione.*

away game *n* (*SPORT*) partita fuori casa.

awe [ɔ:] *n* timore *m.*

awe-inspiring ['ɔ:ɪnspaɪərɪŋ], **awesome** ['ɔ:səm] *adj* imponente.

awestruck ['ɔ:strʌk] *adj* sgomento(a).

awful ['ɔ:fəl] *adj* terribile; **an** ~ **lot of** (*people, cars, dogs*) un numero incredibile di; (*jam, flowers*) una quantità incredibile di.

awfully ['ɔ:flɪ] *adv* (*very*) terribilmente.

awhile [ə'waɪl] *adv* (per) un po'.

awkward ['ɔ:kwəd] *adj* (*clumsy*) goffo(a); (*inconvenient*) scomodo(a); (*embarrassing*) imbarazzante; (*difficult*) delicato(a), difficile.

awkwardness ['ɔ:kwədnɪs] *n* goffaggine *f;* scomodità; imbarazzo; delicatezza; difficoltà.

awl ['ɔ:l] *n* punteruolo.

awning ['ɔ:nɪŋ] *n* (*of tent*) veranda; (*of shop, hotel etc*) tenda.

awoke [ə'wəuk] *pt of* **awake.**

awoken [ə'wəukən] *pp of* **awake.**

AWOL ['eɪwɔl] *abbr* (*MIL etc*) *see* **absent without leave.**

awry [ə'raɪ] *adv* di traverso ♦ *adj* storto(a); **to go** ~ andare a monte.

axe, (*US*) **ax** [æks] *n* scure *f* ♦ *vt* (*project etc*) abolire; (*jobs*) sopprimere; **to have an** ~ **to grind** (*fig*) fare i propri interessi *or* il proprio tornaconto.

axiom ['æksɪəm] *n* assioma *m.*

axiomatic [æksɪəu'mætɪk] *adj* assiomatico(a).

axis, *pl* **axes** ['æksɪs, -si:z] *n* asse *m.*

axle ['æksl] *n* (*also:* ~**-tree**) asse *m.*

ay(e) [aɪ] *excl* (*yes*) sì.

AYH *n abbr* = American Youth Hostels.

AZ *abbr* (*US*) = Arizona.

azalea [ə'zeɪlɪə] *n* azalea.

Azerbaijan [æzəbaɪ'dʒɑ:n] *n* Azerbaigian *m.*

Azerbaijani [æzəbaɪ'dʒɑ:nɪ], **Azeri** [ə'zɛərɪ] *adj, n* azerbaigiano(a), azero(a).

Azores [ə'zɔ:z] *npl:* **the** ~ le Azzorre.

AZT *n abbr* (= azidothymidine) AZT *m.*

Aztec ['æztɛk] *adj, n* azteco(a).

azure ['eɪʒə*] *adj* azzurro(a).

B b

B, b [bi:] *n* (*letter*) B, b *f or m inv*; (*SCOL: mark*) ≈ 8 (*buono*); (*MUS*): **B** si *m*; **B for Benjamin**, (*US*) **B for Baker** ≈ B come Bologna; **B road** *n* (*BRIT AUT*) ≈ strada secondaria.

b. *abbr* = **born.**

BA *n abbr* = British Academy; (*SCOL*) *see* **Bachelor of Arts.**

babble ['bæbl] *vi* cianciare; mormorare ♦ *n* ciance *fpl*; mormorio.

babe [beɪb] *n* (*col*): **she's a real** ~ è uno schianto di ragazza.

baboon [bə'bu:n] *n* babbuino.

baby ['beɪbɪ] *n* bambino/a.

baby carriage *n* (*US*) carrozzina.

baby grand *n* (*also:* ~ **piano**) pianoforte *m* a mezza coda.

babyhood ['beɪbɪhud] *n* prima infanzia.

babyish ['beɪbɪʃ] *adj* infantile.

baby-minder ['beɪbɪ'maɪndə*] *n* (*BRIT*) bambinaia (*che tiene i bambini mentre la madre lavora*).

baby-sit ['beɪbɪsɪt] *vi* fare il (*or* la) babysitter.

baby-sitter ['beɪbɪsɪtə*] *n* baby-sitter *m/f inv.*

bachelor ['bætʃələ*] *n* scapolo; **B**~ **of Arts/Science (BA/BSc)** ≈ laureato/a in lettere/scienze; **B**~ **of Arts/Science degree (BA/BSc)** *n* ≈ laurea in lettere/scienze.

Il **Bachelor's Degree** *è il riconoscimento che viene conferito a chi ha completato un corso di laurea di tre o quattro anni all'università. I Bachelor's degree più importanti sono il BA (Bachelor of Arts), il BSc (Bachelor of Science), il BEd (Bachelor of Education), e il LLB (Bachelor of Laws); vedi anche* **Master's degree, doctorate.**

---

bachelorhood ['bætʃələhud] *n* celibato.

bachelor party *n* (*US*) festa di addio al celibato.

back [bæk] *n* (*of person, horse*) dorso, schiena; (*of hand*) dorso; (*of house, car*) didietro; (*of train*) coda; (*of chair*) schienale *m*; (*of page*) rovescio; (*FOOTBALL*) difensore *m*; ~ **to front**

backache–bacon

all'incontrario; **to break the ~ of a job**
(*BRIT*) fare il grosso *or* il peggio di un
lavoro; **to have one's ~ to the wall** (*fig*)
essere *or* trovarsi con le spalle al muro
♦ *vt* (*financially*) finanziare; (*candidate: also:*
~ up) appoggiare; (*horse: at races*)
puntare su; (*car*) guidare a marcia
indietro ♦ *vi* indietreggiare; (*car etc*) fare
marcia indietro ♦ *adj* (*in compounds*)
posteriore, di dietro; arretrato(a); **~
seats/wheels** (*AUT*) sedili *mpl*/ruote *fpl*
posteriori; **~ payments/rent** arretrati
mpl; **~ garden/room** giardino/stanza sul
retro (della casa); **to take a ~ seat** (*fig*)
restare in secondo piano ♦ *adv* (*not
forward*) indietro; (*returned*): **he's ~** è
tornato; **when will you be ~?** quando
torni?; **he ran ~** tornò indietro di corsa;
(*restitution*): **throw the ball ~** ritira la
palla; **can I have it ~?** posso riaverlo?;
(*again*): **he called ~** ha richiamato.
►**back down** *vi* (*fig*) fare marcia indietro.
►**back on to** *vt fus*: **the house ~s on to the
golf course** il retro della casa dà sul
campo da golf.
►**back out** *vi* (*of promise*) tirarsi indietro.
►**back up** *vt* (*support*) appoggiare,
sostenere; (*COMPUT*) fare una copia di
riserva di.
backache ['bækeɪk] *n* mal *m* di schiena.
back benches *npl* posti *m* in Parlamento
occupati dai *backbencher*.

Nella **House of Commons,** *una delle camere
del Parlamento britannico, sono chiamati*
back benches *gli scanni dove siedono i
backbencher, parlamentari che non hanno
incarichi né al governo né all'opposizione.
Nelle file davanti ad essi siedono i*
frontbencher; *vedi anche* **front bench.**

backbencher ['bæk'bɛntʃə*] *n* (*BRIT*)
parlamentare che non ha incarichi né al
governo né all opposizione.
backbiting ['bækbaɪtɪŋ] *n* maldicenza.
backbone ['bækbəun] *n* spina dorsale; **the
~ of the organization** l'anima
dell'organizzazione.
backchat ['bæktʃæt] *n* (*BRIT col*)
impertinenza.
backcloth ['bækklɒθ] *n* (*BRIT*) scena di
sfondo.
backcomb ['bækkəum] *vt* (*BRIT*) cotonare.
backdate [bæk'deɪt] *vt* (*letter*) retrodatare;
~d pay rise aumento retroattivo.
backdrop ['bækdrɒp] *n* = **backcloth.**
backer ['bækə*] *n* sostenitore/trice; (*COMM*)
fautore *m*.

backfire ['bæk'faɪə*] *vi* (*AUT*) dar ritorni di
fiamma; (*plans*) fallire.
backgammon ['bækgæmən] *n* tavola reale.
background ['bækgraund] *n* sfondo; (*of
events, COMPUT*) background *m inv*; (*basic
knowledge*) base *f*; (*experience*) esperienza
♦ *cpd* (*noise, music*) di fondo; **~ reading**
letture *fpl* sull'argomento; **family ~**
ambiente *m* familiare.
backhand ['bækhænd] *n* (*TENNIS: also:* **~
stroke**) rovescio.
backhanded [bæk'hændɪd] *adj* (*fig*)
ambiguo(a).
backhander ['bækhændə*] *n* (*BRIT: bribe*)
bustarella.
backing ['bækɪŋ] *n* (*COMM*) finanziamento;
(*MUS*) accompagnamento; (*fig*) appoggio.
backlash ['bæklæʃ] *n* contraccolpo,
ripercussione *f*.
backlog ['bæklɒg] *n*: **~ of work** lavoro
arretrato.
back number *n* (*of magazine etc*) numero
arretrato.
backpack ['bækpæk] *n* zaino.
backpacker ['bækpækə*] *n* chi viaggia con
zaino e sacco a pelo.
back pay *n* arretrato di paga.
backpedal ['bækpɛdl] *vi* pedalare
all'indietro; (*fig*) far marcia indietro.
backseat driver ['bæksiːt-] *n* passeggero
che dà consigli non richiesti al guidatore.
backside [bæk'saɪd] *n* (*col*) sedere *m*.
backslash ['bækslæʃ] *n* backslash *m inv*,
barra obliqua inversa.
backslide ['bækslaɪd] *vi* ricadere.
backspace ['bækspeɪs] *vi* (*in typing*) battere
il tasto di ritorno.
backstage [bæk'steɪdʒ] *adv* nel retroscena.
back stage *n* vicolo.
back-street ['bækstriːt] *adj*: **~ abortionist**
praticante *m/f* di aborti clandestini.
backstroke ['bækstrəuk] *n* nuoto sul dorso.
backtrack ['bæktræk] *vi* = **backpedal.**
backup ['bækʌp] *adj* (*train, plane*)
supplementare; (*COMPUT*) di riserva ♦ *n*
(*support*) appoggio, sostegno; (*COMPUT:
also:* **~ file**) file *m inv* di riserva.
backward ['bækwəd] *adj* (*movement*)
indietro *inv*; (*person*) tardivo(a); (*country*)
arretrato(a); **~ and forward movement**
movimento avanti e indietro.
backwards ['bækwədz] *adv* indietro; (*fall,
walk*) all'indietro; **to know sth ~** *or* (*US*) **~
and forwards** (*col*) sapere qc a menadito.
backwater ['bækwɔːtə*] *n* (*fig*) posto
morto.
back yard *n* cortile *m* sul retro.
bacon ['beɪkən] *n* pancetta.

bacteria [bæk'tɪərɪə] *npl* batteri *mpl*.
bacteriology [bæktɪərɪ'ɒlədʒɪ] *n* batteriologia.
bad [bæd] *adj* cattivo(a); (*child*) cattivello(a); (*meat, food*) andato(a) a male; **his ~ leg** la sua gamba malata; **to go ~** (*meat, food*) andare a male; **to have a ~ time of it** passarsela male; **I feel ~ about it** (*guilty*) mi sento un po' in colpa; **~ debt** credito difficile da recuperare; **~ faith** malafede *f*.
baddie, baddy ['bædɪ] *n* (*col: CINE etc*) cattivo/a.
bade [bæd] *pt of* **bid**.
badge [bædʒ] *n* insegna; (*of policeman*) stemma *m*; (*stick-on*) adesivo.
badger ['bædʒə*] *n* tasso ♦ *vt* tormentare.
badly ['bædlɪ] *adv* (*work, dress etc*) male; **things are going ~** le cose vanno male; **~ wounded** gravemente ferito; **he needs it ~** ne ha gran bisogno; **~ off** *adj* povero(a).
bad-mannered [bæd'mænəd] *adj* maleducato(a), sgarbato(a).
badminton ['bædmɪntən] *n* badminton *m*.
bad-tempered [bæd'tɛmpəd] *adj* irritabile; (*in bad mood*) di malumore.
baffle ['bæfl] *vt* (*puzzle*) confondere.
baffling ['bæflɪŋ] *adj* sconcertante.
bag [bæg] *n* sacco; (*handbag etc*) borsa; (*of hunter*) carniere *m*; bottino ♦ *vt* (*col: take*) mettersi in tasca; prendersi; **~s of** (*col: lots of*) un sacco di; **to pack one's ~s** fare le valigie; **~s under the eyes** borse sotto gli occhi.
bagful ['bægful] *n* sacco (pieno).
baggage ['bægɪdʒ] *n* bagagli *mpl*.
baggage car *n* (*US*) bagagliaio.
baggage claim *n* ritiro bagagli.
baggy ['bægɪ] *adj* largo(a), sformato(a).
Baghdad [bæg'dæd] *n* Bagdad *f*.
bag lady *n* (*col*) stracciona, barbona.
bagpipes ['bægpaɪps] *npl* cornamusa.
bag-snatcher ['bægsnætʃə*] *n* (*BRIT*) scippatore/trice.
bag-snatching ['bægsnætʃɪŋ] *n* (*BRIT*) scippo.
Bahamas [bə'hɑːməz] *npl*: **the ~** le isole Bahama.
Bahrain [bɑː'reɪn] *n* Bahrein *m*.
bail [beɪl] *n* cauzione *f* ♦ *vt* (*prisoner: gen: to grant ~ to*) concedere la libertà provvisoria su cauzione a; (*NAUT: also: ~ out*) *see* **bale out**; **to be released on ~** essere rilasciato(a) su cauzione.
▶**bail out** *vt* (*prisoner*) ottenere la libertà provvisoria su cauzione di; (*fig*) tirare fuori dai guai ♦ *vi see* **bale out**.
bailiff ['beɪlɪf] *n* usciere *m*; fattore *m*.

bait [beɪt] *n* esca ♦ *vt* (*hook*) innescare; (*trap*) munire di esca; (*fig*) tormentare.
bake [beɪk] *vt* cuocere al forno ♦ *vi* cuocersi al forno.
baked beans *npl* fagioli *mpl* all'uccelletto.
baker ['beɪkə*] *n* fornaio/a, panettiere/a.
bakery ['beɪkərɪ] *n* panetteria.
baking ['beɪkɪŋ] *n* cottura (al forno).
baking powder *n* lievito in polvere.
baking tin *n* stampo, tortiera.
baking tray *n* teglia.
balaclava [bælə'klɑːvə] *n* (*also: ~ helmet*) passamontagna *m inv*.
balance ['bæləns] *n* equilibrio; (*COMM: sum*) bilancio; (*scales*) bilancia ♦ *vt* tenere in equilibrio; (*pros and cons*) soppesare; (*budget*) far quadrare; (*account*) pareggiare; (*compensate*) contrappesare; **~ of trade/payments** bilancia commerciale/dei pagamenti; **~ brought forward** saldo riportato; **~ carried forward** saldo da riportare; **to ~ the books** fare il bilancio.
balanced ['bælənst] *adj* (*personality, diet*) equilibrato(a).
balance sheet *n* bilancio.
balcony ['bælkənɪ] *n* balcone *m*.
bald [bɔːld] *adj* calvo(a).
baldness ['bɔːldnɪs] *n* calvizie *f*.
bale [beɪl] *n* balla.
▶**bale out** *vt* (*NAUT: water*) vuotare; (*: boat*) aggottare ♦ *vi* (*of a plane*) gettarsi col paracadute.
Balearic [bælɪ'ærɪk] *adj*: **the ~ Islands** le (isole) Baleari.
baleful ['beɪlful] *adj* funesto(a).
balk [bɔːlk] *vi*: **to ~ (at)** tirarsi indietro (davanti a); (*horse*) recalcitrare (davanti a).
Balkan ['bɔːlkən] *adj* balcanico(a) ♦ *n*: **the ~s** i Balcani.
ball [bɔːl] *n* palla; (*football*) pallone *m*; (*for golf*) pallina; (*dance*) ballo; **to play ~ (with sb)** giocare a palla (con qn); (*fig*) stare al gioco (di qn); **to be on the ~** (*fig: competent*) essere in gamba; (*: alert*) stare all'erta; **to start the ~ rolling** (*fig*) fare la prima mossa; **the ~ is in your court** (*fig*) a lei la prossima mossa; *see also* **balls**.
ballad ['bæləd] *n* ballata.
ballast ['bæləst] *n* zavorra.
ball bearing *n* cuscinetto a sfere.
ball cock *n* galleggiante *m*.
ballerina [bælə'riːnə] *n* ballerina.
ballet ['bæleɪ] *n* balletto.
ballet dancer *n* ballerino/a.
ballistic [bə'lɪstɪk] *adj* balistico(a).
ballistics [bə'lɪstɪks] *n* balistica.

balloon [bə'luːn] n pallone m; (in comic strip) fumetto ♦ vi gonfiarsi.
balloonist [bə'luːnɪst] n aeronauta m/f.
ballot ['bælət] n scrutinio.
ballot box n urna (per le schede).
ballot paper n scheda.
ballpark ['bɔːlpɑːk] n (US) stadio di baseball.
ballpark figure n (col) cifra approssimativa.
ball-point pen ['bɔːlpɔɪnt-] n penna a sfera.
ballroom ['bɔːlrum] n sala da ballo.
balls [bɔːlz] npl (col!) coglioni mpl (!).
balm [bɑːm] n balsamo.
balmy ['bɑːmɪ] adj (breeze, air) balsamico(a); (BRIT col) = barmy.
BALPA ['bælpə] n abbr (= British Airline Pilots' Association) sindacato dei piloti.
balsam ['bɔːlsəm] n balsamo.
balsa (wood) ['bɔːlsə-] n (legno di) balsa.
Baltic ['bɔːltɪk] adj, n: the ~ (Sea) il (mar) Baltico.
balustrade [bæləs'treɪd] n balaustrata.
bamboo [bæm'buː] n bambù m.
bamboozle [bæm'buːzl] vt (col) infinocchiare.
ban [bæn] n interdizione f ♦ vt interdire; **he was ~ned from driving** (BRIT) gli hanno ritirato la patente.
banal [bə'nɑːl] adj banale.
banana [bə'nɑːnə] n banana.
band [bænd] n banda; (at a dance) orchestra; (MIL) fanfara.
▶**band together** vi collegarsi.
bandage ['bændɪdʒ] n benda.
Band-Aid ® ['bændeɪd] n (US) cerotto.
bandit ['bændɪt] n bandito.
bandstand ['bændstænd] n palco dell'orchestra.
bandwagon ['bændwægən] n: **to jump on the ~** (fig) seguire la corrente.
bandy ['bændɪ] vt (jokes, insults) scambiare.
▶**bandy about** vt far circolare.
bandy-legged ['bændɪ'lɛgɪd] adj dalle gambe storte.
bane [beɪn] n: **it (or he etc) is the ~ of my life** è la mia rovina.
bang [bæŋ] n botta; (of door) lo sbattere; (blow) colpo ♦ vt battere (violentemente); (door) sbattere ♦ vi scoppiare; sbattere; **to ~ at the door** picchiare alla porta; **to ~ into sth** sbattere contro qc ♦ adv: **to be ~ on time** (BRIT col) spaccare il secondo; see also **bangs**.
banger ['bæŋə*] n (BRIT: car: also: **old ~**) macinino; (BRIT col: sausage) salsiccia; (firework) mortaretto.

Bangkok ['bæŋkɔk] n Bangkok f.
Bangladesh [bɑːŋglə'dɛʃ] n Bangladesh m.
bangle ['bæŋgl] n braccialetto.
bangs [bæŋz] npl (US: fringe) frangia, frangetta.
banish ['bænɪʃ] vt bandire.
banister(s) ['bænɪstə(z)] n(pl) ringhiera.
banjo, **~es** or **~s** ['bændʒəu] n banjo m inv.
bank [bæŋk] n (for money) banca, banco; (of river, lake) riva, sponda; (of earth) banco ♦ vi (AVIAT) inclinarsi in virata; (COMM): **they ~ with Pitt's** sono clienti di Pitt's.
▶**bank on** vt fus contare su.
bank account n conto in banca.
bank balance n saldo; **a healthy ~** un solido conto in banca.
bank card n = **banker's card**.
bank charges npl (BRIT) spese fpl bancarie.
bank draft n assegno circolare or bancario.
banker ['bæŋkə*] n banchiere m; **~'s card** (BRIT) carta f assegni inv; **~'s order** (BRIT) ordine m di banca.
bank giro n bancogiro.
bank holiday n (BRIT) giorno di festa.

Una **bank holiday**, in Gran Bretagna, è una giornata in cui le banche e i negozi sono chiusi. Generalmente le bank holiday cadono di lunedì e molti se ne approfittano per fare una breve vacanza fuori città. Di conseguenza, durante questi fine settimana lunghi (**bank holiday weekend**) si verifica un notevole aumento del traffico sulle strade, negli aeroporti e nelle stazioni e molte località turistiche registrano il tutto esaurito.

---

banking ['bæŋkɪŋ] n attività bancaria; professione f di banchiere.
banking hours npl orario di sportello.
bank loan n prestito bancario.
bank manager n direttore m di banca.
banknote ['bæŋknəut] n banconota.
bank rate n tasso bancario.
bankrupt ['bæŋkrʌpt] adj, n fallito(a); **to go ~** fallire.
bankruptcy ['bæŋkrʌptsɪ] n fallimento.
bank statement n estratto conto.
banner ['bænə*] n bandiera.
bannister(s) ['bænɪstə(z)] n(pl) = **banister(s)**.
banns [bænz] npl pubblicazioni fpl di matrimonio.
banquet ['bæŋkwɪt] n banchetto.
bantam-weight ['bæntəmweɪt] n peso gallo.
banter ['bæntə*] n scherzi mpl bonari.

baptism ['bæptɪzəm] *n* battesimo.
Baptist ['bæptɪst] *adj, n* battista (*m/f*).
baptize [bæp'taɪz] *vt* battezzare.
bar [bɑː*] *n* barra; (*of window etc*) sbarra; (*of chocolate*) tavoletta; (*fig*) ostacolo; restrizione *f*; (*pub*) bar *m inv*; (*counter: in pub*) banco; (*MUS*) battuta ♦ *vt* (*road, window*) sbarrare; (*person*) escludere; (*activity*) interdire; ~ **of soap** saponetta; **the B~** (*LAW*) l'Ordine *m* degli avvocati; **behind** ~**s** (*prisoner*) dietro le sbarre; ~ **none** senza eccezione.
Barbados [bɑː'beɪdɒs] *n* Barbados *fsg.*
barbaric [bɑː'bærɪk], **barbarous** ['bɑːbərəs] *adj* barbaro(a); barbarico(a).
barbecue ['bɑːbɪkjuː] *n* barbecue *m inv.*
barbed wire ['bɑːbd-] *n* filo spinato.
barber ['bɑːbə*] *n* barbiere *m.*
barbiturate [bɑː'bɪtjurɪt] *n* barbiturico.
Barcelona [bɑːsɪ'ləunə] *n* Barcellona.
bar chart *n* diagramma *m* di frequenza.
bar code *n* codice *m* a barre.
bare [bɛə*] *adj* nudo(a) ♦ *vt* scoprire, denudare; (*teeth*) mostrare; **the** ~ **essentials** lo stretto necessario.
bareback ['bɛəbæk] *adv* senza sella.
barefaced ['bɛəfeɪst] *adj* sfacciato(a).
barefoot ['bɛəfut] *adj, adv* scalzo(a).
bareheaded [bɛə'hɛdɪd] *adj, adv* a capo scoperto.
barely ['bɛəlɪ] *adv* appena.
Barents Sea ['bærənts-] *n:* **the** ~ il mar di Barents.
bargain ['bɑːgɪn] *n* (*transaction*) contratto; (*good buy*) affare *m* ♦ *vi* (*haggle*) tirare sul prezzo; (*trade*) contrattare; **into the** ~ per giunta.
▶**bargain for** *vt fus* (*col*): **to** ~ **for sth** aspettarsi qc; **he got more than he** ~**ed for** gli è andata peggio di quel che si aspettasse.
bargaining ['bɑːgənɪŋ] *n* contrattazione *f.*
bargaining position *n:* **to be in a weak/ strong** ~ non avere/avere potere contrattuale.
barge [bɑːdʒ] *n* chiatta.
▶**barge in** *vi* (*walk in*) piombare dentro; (*interrupt talk*) intromettersi a sproposito.
▶**barge into** *vt fus* urtare contro.
baritone ['bærɪtəun] *n* baritono.
barium meal ['bɛərɪəm-] *n* (*pasto di*) bario.
bark [bɑːk] *n* (*of tree*) corteccia; (*of dog*) abbaio ♦ *vi* abbaiare.
barley ['bɑːlɪ] *n* orzo.
barley sugar *n* zucchero d'orzo.
barmaid ['bɑːmeɪd] *n* cameriera al banco.
barman ['bɑːmən] *n* barista *m.*
barmy ['bɑːmɪ] *adj* (*BRIT col*) tocco(a).

barn [bɑːn] *n* granaio; (*for animals*) stalla.
barnacle ['bɑːnəkl] *n* cirripede *m.*
barn owl *n* barbagianni *m inv.*
barometer [bə'rɒmɪtə*] *n* barometro.
baron ['bærən] *n* barone *m*; (*fig*) magnate *m*; **the oil** ~**s** i magnati del petrolio; **the press** ~**s** i baroni della stampa.
baroness ['bærənɪs] *n* baronessa.
baronet ['bærənɪt] *n* baronetto.
barrack ['bærək] *vt* (*BRIT*): **to** ~ **sb** subissare qn di grida e fischi.
barracking ['bærəkɪŋ] *n* (*BRIT*): **to give sb a** ~ subissare qn di grida e fischi.
barracks ['bærəks] *npl* caserma.
barrage ['bærɑːʒ] *n* (*MIL*) sbarramento; **a** ~ **of questions** una raffica di *or* un fuoco di fila di domande.
barrel ['bærəl] *n* barile *m*; (*of gun*) canna.
barrel organ *n* organetto a cilindro.
barren ['bærən] *adj* sterile; (*soil*) arido(a).
barricade [bærɪ'keɪd] *n* barricata ♦ *vt* barricare.
barrier ['bærɪə*] *n* barriera; (*BRIT: also:* **crash** ~) guardrail *m inv.*
barrier cream *n* (*BRIT*) crema protettiva.
barring ['bɑːrɪŋ] *prep* salvo.
barrister ['bærɪstə*] *n* (*BRIT*) avvocato.

> *Il* **barrister** *è un membro della più prestigiosa delle due branche della professione legale (l'altra è quella dei* **solicitor***); la sua funzione è quella di rappresentare i propri clienti in tutte le corti (***magistrates' court, crown court** *e* **Court of Appeal***), generalmente seguendo le istruzioni del caso preparate dai solicitor.*

barrow ['bærəu] *n* (*cart*) carriola.
barstool ['bɑːstuːl] *n* sgabello.
Bart. *abbr* (*BRIT*) = baronet.
bartender ['bɑːtɛndə*] *n* (*US*) barista *m.*
barter ['bɑːtə*] *n* baratto ♦ *vt:* **to** ~ **sth for** barattare qc con.
base [beɪs] *n* base *f* ♦ *adj* vile ♦ *vt:* **to** ~ **sth on** basare qc su; **to** ~ **at** (*troops*) mettere di stanza a; **coffee-**~**d** a base di caffè; **a Paris-**~**d firm** una ditta con sede centrale a Parigi; **I'm** ~**d in London** sono di base *or* ho base a Londra.
baseball ['beɪsbɔːl] *n* baseball *m.*
baseboard ['beɪsbɔːd] *n* (*US*) zoccolo, battiscopa *m inv.*
base camp *n* campo *m* base *inv.*
Basel [bɑːl] *n* = Basle.
baseline ['beɪslaɪn] *n* (*TENNIS*) linea di fondo.
basement ['beɪsmənt] *n* seminterrato; (*of shop*) sotterraneo.

base rate n tasso di base.
bases ['beɪsiːz] npl of **basis**; ['beɪsɪz] npl of **base**.
bash [bæʃ] vt (col) picchiare ♦ n: **I'll have a** ~ **(at it)** (BRIT col) ci proverò; ~**ed in** adj sfondato(a).
►**bash up** vt (col: car) sfasciare; (: BRIT: person) riempire di or prendere a botte.
bashful ['bæʃful] adj timido(a).
bashing ['bæʃɪŋ] n: **Paki-/queer-**~ atti mpl di violenza contro i pachistani/gli omosessuali.
BASIC ['beɪsɪk] n (COMPUT) BASIC m.
basic ['beɪsɪk] adj (principles, precautions, rules) elementare; (salary) base inv (after n).
basically ['beɪsɪklɪ] adv fondamentalmente, sostanzialmente.
basic rate n (of tax) aliquota minima.
basil ['bæzl] n basilico.
basin ['beɪsn] n (vessel, also GEO) bacino; (also: **wash**~) lavabo; (BRIT: for food) terrina.
basis, pl **bases** ['beɪsɪs, -siːz] n base f; **on the** ~ **of what you've said** in base alle sue asserzioni.
bask [bɑːsk] vi: **to** ~ **in the sun** crogiolarsi al sole.
basket ['bɑːskɪt] n cesta; (smaller) cestino; (with handle) paniere m.
basketball ['bɑːskɪtbɔːl] n pallacanestro f.
basketball player n cestista m/f.
Basle [bɑːl] n Basilea.
basmati rice [bəz'mætɪ-] n riso basmati.
Basque [bæsk] adj, n basco(a).
bass [beɪs] n (MUS) basso.
bass clef n chiave f di basso.
bassoon [bə'suːn] n fagotto.
bastard ['bɑːstəd] n bastardo/a; (col!) stronzo (!).
baste [beɪst] vt (CULIN) ungere con grasso; (SEWING) imbastire.
bastion ['bæstɪən] n bastione m; (fig) baluardo.
bat [bæt] n pipistrello; (for baseball etc) mazza; (BRIT: for table tennis) racchetta; **off one's own** ~ di propria iniziativa ♦ vt: **he didn't** ~ **an eyelid** non battè ciglio.
batch [bætʃ] n (of bread) infornata; (of papers) cumulo; (of applicants, letters) gruppo; (of work) sezione f; (of goods) partita, lotto.
batch processing n (COMPUT) elaborazione f a blocchi.
bated ['beɪtɪd] adj: **with** ~ **breath** col fiato sospeso.
bath [bɑːθ, pl bɑːðz] n bagno; (bathtub) vasca da bagno ♦ vt far fare il bagno a; **to**

have a ~ fare un bagno; see also **baths**.
bathchair ['bɑːθtʃɛə*] n (BRIT) poltrona a rotelle.
bathe [beɪð] vi fare il bagno ♦ vt bagnare; (wound etc) lavare.
bather ['beɪðə*] n bagnante m/f.
bathing ['beɪðɪŋ] n bagni mpl.
bathing cap n cuffia da bagno.
bathing costume, (US) **bathing suit** n costume m da bagno.
bathmat ['bɑːθmæt] n tappetino da bagno.
bathrobe ['bɑːθrəʊb] n accappatoio.
bathroom ['bɑːθrʊm] n stanza da bagno.
baths [bɑːðz] npl bagni mpl pubblici.
bath towel n asciugamano da bagno.
bathtub ['bɑːθtʌb] n (vasca da) bagno.
batman ['bætmən] n (BRIT MIL) attendente m.
baton ['bætən] n bastone m; (MUS) bacchetta.
battalion [bə'tælɪən] n battaglione m.
batten ['bætən] n (CARPENTRY) assicella, correntino; (for flooring) tavola per pavimenti; (NAUT) serretta; (: on sail) stecca.
►**batten down** vt (NAUT): **to** ~ **down the hatches** chiudere i boccaporti.
batter ['bætə*] vt battere ♦ n pastetta.
battered ['bætəd] adj (hat) sformato(a); (pan) ammaccato(a); ~ **wife/baby** consorte f/bambino(a) maltrattato(a).
battering ram ['bætərɪŋ-] n ariete m.
battery ['bætərɪ] n batteria; (of torch) pila.
battery charger n caricabatterie m inv.
battle ['bætl] n battaglia ♦ vi battagliare, lottare; **to fight a losing** ~ (fig) battersi per una causa persa; **that's half the** ~ (col) è già una mezza vittoria.
battle dress n uniforme f da combattimento.
battlefield ['bætlfiːld] n campo di battaglia.
battlements ['bætlmənts] npl bastioni mpl.
battleship ['bætlʃɪp] n nave f da guerra.
batty ['bætɪ] adj (col: person) svitato(a), strambo(a); (: behaviour, idea) strampalato(a).
bauble ['bɔːbl] n ninnolo.
baud [bɔːd] n (COMPUT) baud m inv.
baulk [bɔːlk] vi = **balk**.
bauxite ['bɔːksaɪt] n bauxite f.
Bavaria [bə'vɛərɪə] n Bavaria.
Bavarian [bə'vɛərɪən] adj, n bavarese (m/f).
bawdy ['bɔːdɪ] adj piccante.
bawl [bɔːl] vi urlare.
bay [beɪ] n (of sea) baia; (BRIT: for parking) piazzola di sosta; (loading) piazzale m di (sosta e) carico; **to hold sb at** ~ tenere qn a bada.

bay leaf *n* foglia d'alloro.
bayonet ['beɪənɪt] *n* baionetta.
bay tree *n* alloro.
bay window *n* bovindo.
bazaar [bə'zɑ:*] *n* bazar *m inv*; vendita di beneficenza.
bazooka [bə'zu:kə] *n* bazooka *m inv*.
BB *n abbr* (*BRIT*: = *Boys' Brigade*) *organizzazione giovanile a fine educativo.*
B & B *n abbr see* **bed and breakfast.**
BBB *n abbr* (*US*: = *Better Business Bureau*) *organismo per la difesa dei consumatori.*
BBC *n abbr* = *British Broadcasting Corporation.*

> *La* **BBC** *è l'azienda statale che fornisce il servizio radiofonico e televisivo in Gran Bretagna. Pur dovendo rispondere al Parlamento del proprio operato, la BBC non è soggetta al controllo dello stato per scelte e programmi, anche perché si autofinanzia con il ricavato dei canoni d'abbonamento. La BBC ha due reti televisive (BBC1 e BBC2), cinque stazioni radiofoniche nazionali e 37 emittenti locali; fornisce un servizio di informazione internazionale, il* **BBC World Service,** *trasmesso in tutto il mondo.*

BBE *n abbr* (*US*: = *Benevolent and Protective Order of Elks*) *organizzazione filantropica.*
BC *adv abbr* (= *before Christ*) a.C. ♦ *abbr* (*Canada*) = *British Columbia.*
BCG *n abbr* (= *Bacillus Calmette-Guérin*) *vaccino antitubercolare.*
BD *n abbr* (= *Bachelor of Divinity*) *titolo di studio.*
B/D *abbr* = **bank draft.**
BDS *n abbr* (= *Bachelor of Dental Surgery*) *titolo di studio.*

===================== *KEYWORD*

be [bi:] (*pt* **was, were,** *pp* **been**) *aux vb* **1** (*with present participle*: *forming continuous tenses*): **what are you doing?** che fai?, che stai facendo?; **they're coming tomorrow** vengono domani; **I've been waiting for her for hours** sono ore che l'aspetto
2 (*with pp*: *forming passives*) essere; **to ~ killed** essere *or* venire ucciso(a); **the box had been opened** la scatola era stata aperta; **the thief was nowhere to ~ seen** il ladro non si trovava da nessuna parte
3 (*in tag questions*): **it was fun, wasn't it?** è stato divertente, no?; **he's good-looking, isn't he?** è un bell'uomo, vero?; **she's back, is she?** così è tornata, eh?

4 (*+ to + infinitive*): **the house is to ~ sold** abbiamo (*or* hanno *etc*) intenzione di vendere casa; **you're to ~ congratulated for all your work** dovremo farvi i complimenti per tutto il vostro lavoro; **am I to understand that ...?** devo dedurre che ...?; **he's not to open it** non deve aprirlo; **he was to have come yesterday** sarebbe dovuto venire ieri
♦ *vb +complement* **1** (*gen*) essere; **I'm English** sono inglese; **I'm tired** sono stanco(a); **I'm hot/cold** ho caldo/freddo; **he's a doctor** è medico; **2 and 2 are 4** 2 più 2 fa 4; **~ careful!** sta attento!; **~ good** sii buono; **if I were you ...** se fossi in te ...
2 (*of health*) stare; **how are you?** come sta?; **he's very ill** sta molto male
3 (*of age*): **how old are you?** quanti anni hai?; **I'm sixteen (years old)** ho sedici anni
4 (*cost*) costare; **how much was the meal?** quant'era *or* quanto costava il pranzo?; **that'll ~ £5, please** (sono) 5 sterline, per favore
♦ *vi* **1** (*exist, occur etc*) essere, esistere; **the best singer that ever was** il migliore cantante mai esistito *or* di tutti i tempi; **~ that as it may** comunque sia, sia come sia; **so ~ it** sia pure, e sia
2 (*referring to place*) essere, trovarsi; **I won't ~ here tomorrow** non ci sarò domani; **Edinburgh is in Scotland** Edimburgo si trova in Scozia
3 (*referring to movement*): **where have you been?** dove sei stato?; **I've been to China** sono stato in Cina
♦ *impers vb* **1** (*referring to time, distance*) essere; **it's 5 o'clock** sono le 5; **it's the 28th of April** è il 28 aprile; **it's 10 km to the village** di qui al paese sono 10 km
2 (*referring to the weather*) fare; **it's too hot/cold** fa troppo caldo/freddo; **it's windy** c'è vento
3 (*emphatic*): **it's me** sono io; **it's only me** sono solo io; **it was Maria who paid the bill** è stata Maria che ha pagato il conto.

B/E *abbr* = **bill of exchange.**
beach [bi:tʃ] *n* spiaggia ♦ *vt* tirare in secco.
beach buggy *n* dune buggy *f inv*.
beachcomber ['bi:tʃkəumə*] *n* vagabondo (che si aggira sulla spiaggia).
beachwear ['bi:tʃwɛə*] *n* articoli *mpl* da spiaggia.
beacon ['bi:kən] *n* (*lighthouse*) faro; (*marker*) segnale *m*; (*radio ~*) radiofaro.
bead [bi:d] *n* perlina; (*of dew, sweat*) goccia; **~s** (*necklace*) collana.
beady ['bi:dɪ] *adj*: **~ eyes** occhi *mpl* piccoli e

penetranti.

beagle ['bi:gl] *n* cane *m* da lepre.
beak [bi:k] *n* becco.
beaker ['bi:kə*] *n* coppa.
beam [bi:m] *n* trave *f*; (*of light*) raggio; (*RADIO*) fascio (d'onde) ♦ *vi* brillare; (*smile*): **to ~ at sb** rivolgere un radioso sorriso a qn; **to drive on full** *or* **main ~** *or* (*US*) **high ~** guidare con gli abbaglianti accesi.
beaming ['bi:mɪŋ] *adj* (*sun, smile*) raggiante.
bean [bi:n] *n* fagiolo; (*of coffee*) chicco.
beanpole ['bi:npəul] *n* (*col*) spilungone/a.
beansprouts ['bi:nsprauts] *npl* germogli *mpl* di soia.
bear [bɛə*] *n* orso; (*STOCK EXCHANGE*) ribassista *m/f* ♦ *vb* (*pt* **bore**, *pp* **borne** [bɔ:*, bɔ:n]) *vt* (*gen*) portare; (*produce: fruit*) produrre, dare; (*: traces, signs*) mostrare; (*COMM: interest*) fruttare; (*endure*) sopportare ♦ *vi*: **to ~ right/left** piegare a destra/sinistra; **to ~ the responsibility of** assumersi la responsabilità di; **to ~ comparison with** reggere al paragone con; **I can't ~** him non lo posso soffrire *or* sopportare; **to bring pressure to ~ on sb** fare pressione su qn.
►**bear out** *vt* (*theory, suspicion*) confermare, convalidare.
►**bear up** *vi* farsi coraggio; **he bore up well under the strain** ha sopportato bene lo stress.
►**bear with** *vt fus* (*sb's moods, temper*) sopportare (con pazienza); **~ with me a minute** solo un attimo, prego.
bearable ['bɛərəbl] *adj* sopportabile.
beard [bɪəd] *n* barba.
bearded ['bɪədɪd] *adj* barbuto(a).
bearer ['bɛərə*] *n* portatore *m*; (*of passport*) titolare *m/f*.
bearing ['bɛərɪŋ] *n* portamento; (*connection*) rapporto; (*ball*) ~**s** *npl* cuscinetti *mpl* a sfere; **to take a ~** fare un rilevamento; **to find one's ~s** orientarsi.
beast [bi:st] *n* bestia.
beastly ['bi:stlɪ] *adj* meschino(a); (*weather*) da cani.
beat [bi:t] *n* colpo; (*of heart*) battito; (*MUS*) tempo; battuta; (*of policeman*) giro ♦ *vt* (*pt* **beat**, *pp* **beaten**) battere; **off the ~en track** fuori mano; **to ~ about the bush** menare il cane per l'aia; **to ~ time** battere il tempo; **that ~s everything!** (*col*) questo è il colmo!
►**beat down** *vt* (*door*) abbattere, buttare giù; (*price*) far abbassare; (*seller*) far scendere ♦ *vi* (*rain*) scrosciare; (*sun*)

picchiare.
►**beat off** *vt* respingere.
►**beat up** *vt* (*col: person*) picchiare; (*eggs*) sbattere.
beater ['bi:tə*] *n* (*for eggs, cream*) frullino.
beating ['bi:tɪŋ] *n* botte *fpl*; (*defeat*) batosta; **to take a ~** prendere una (bella) batosta.
beat-up [bi:t'ʌp] *adj* (*col*) scassato(a).
beautician [bju:'tɪʃən] *n* estetista *m/f*.
beautiful ['bju:tɪful] *adj* bello(a).
beautify ['bju:tɪfaɪ] *vt* abbellire.
beauty ['bju:tɪ] *n* bellezza; (*concept*) bello; **the ~ of it is that** ... il bello è che ....
beauty contest *n* concorso di bellezza.
beauty queen *n* miss *f inv*, reginetta di bellezza.
beauty salon *n* istituto di bellezza.
beauty sleep *n*: **to get one's ~** farsi un sonno ristoratore.
beauty spot *n* neo; (*BRIT: TOURISM*) luogo pittoresco.
beaver ['bi:və*] *n* castoro.
becalmed [bɪ'kɑ:md] *adj* in bonaccia.
became [bɪ'keɪm] *pt of* **become**.
because [bɪ'kɔz] *conj* perché; **~ of** *prep* a causa di.
beck [bɛk] *n*: **to be at sb's ~ and call** essere a completa disposizione di qn.
beckon ['bɛkən] *vt* (*also: ~ **to**) chiamare con un cenno.
become [bɪ'kʌm] *vt* (*irreg: like* **come**) diventare; **to ~ fat/thin** ingrassarsi/ dimagrire; **to ~ angry** arrabbiarsi; **it became known that** ... si è venuto a sapere che ...; **what has ~ of him?** che gli è successo?
becoming [bɪ'kʌmɪŋ] *adj* (*behaviour*) che si conviene; (*clothes*) grazioso(a).
BECTU ['bɛktu:] *n abbr* (*BRIT*) = *Broadcasting Entertainment Cinematographic and Theatre Union*.
BEd *n abbr* (= *Bachelor of Education*) *laurea con abilitazione all'insegnamento*.
bed [bɛd] *n* letto; (*of flowers*) aiuola; (*of coal, clay*) strato; (*of sea, lake*) fondo; **to go to ~** andare a letto.
►**bed down** *vi* sistemarsi (per dormire).
bed and breakfast (**B & B**) *n* (*terms*) camera con colazione; (*place*) ≈ pensione *f* familiare.

I **bed and breakfast**, *anche* **B & B**, *sono piccole pensioni a conduzione familiare, in case private o fattorie, dove si affittano camere e viene servita al mattino la tradizionale colazione all'inglese. Segnalate da un cartello posto in giardino o alla finestra, queste graziose pensioni offrono un* *servizio di camera con prima colazione, appunto bed and breakfast, a prezzi più contenuti rispetto agli alberghi.*

bedbug ['bɛdbʌɡ] *n* cimice *f.*

bedclothes ['bɛdkləuðz] *npl* coperte e lenzuola *fpl.*

bedcover ['bɛdkʌvə*] *n* copriletto.

bedding ['bɛdɪŋ] *n* coperte e lenzuola *fpl.*

bedevil [bɪ'dɛvl] *vt* (*person*) tormentare; (*plans*) ostacolare continuamente.

bedfellow ['bɛdfɛləu] *n*: **they are strange ~s** (*fig*) fanno una coppia ben strana.

bedlam ['bɛdləm] *n* baraonda.

bedpan ['bɛdpæn] *n* padella.

bedpost ['bɛdpəust] *n* colonnina del letto.

bedraggled [bɪ'dræɡld] *adj* fradicio(a).

bedridden ['bɛdrɪdən] *adj* costretto(a) a letto.

bedrock ['bɛdrɔk] *n* (*GEO*) basamento; (*fig*) fatti *mpl* di base.

bedroom ['bɛdrum] *n* camera da letto.

Beds *abbr* (*BRIT*) = *Bedfordshire.*

bed settee *n* divano *m* letto *inv.*

bedside ['bɛdsaɪd] *n*: **at sb's ~** al capezzale di qn.

bedside lamp *n* lampada da comodino.

bedsit(ter) ['bɛdsɪt(ə*)] *n* (*BRIT*) monolocale *m.*

bedspread ['bɛdsprɛd] *n* copriletto.

bedtime ['bɛdtaɪm] *n*: **it's ~** è ora di andare a letto.

bee [biː] *n* ape *f*; **to have a ~ in one's bonnet (about sth)** avere la fissazione (di qc).

beech [biːtʃ] *n* faggio.

beef [biːf] *n* manzo.

▶**beef up** *vt* (*col*) rinforzare.

beefburger ['biːfbəːɡə*] *n* hamburger *m inv.*

beefeater ['biːfiːtə*] *n guardia della Torre di Londra.*

beehive ['biːhaɪv] *n* alveare *m.*

bee-keeping ['biːkiːpɪŋ] *n* apicoltura.

beeline ['biːlaɪn] *n*: **to make a ~ for** buttarsi a capo fitto verso.

been [biːn] *pp of* **be.**

beep [biːp] *n* (*of horn*) colpo di clacson; (*of phone etc*) segnale *m* (acustico), bip *m inv* ♦ *vi* suonare.

beeper ['biːpə*] *n* (*of doctor etc*) cercapersone *m inv.*

beer [bɪə*] *n* birra.

beer belly *n* (*col*) stomaco da bevitore.

beer can *n* lattina di birra.

beetle ['biːtl] *n* scarafaggio; coleottero.

beetroot ['biːtruːt] *n* (*BRIT*) barbabietola.

befall [bɪ'fɔːl] *vi(vt)* (*irreg: like* **fall**) accadere (a).

befit [bɪ'fɪt] *vt* addirsi a.

before [bɪ'fɔː*] *prep* (*in time*) prima di; (*in space*) davanti a ♦ *conj* prima che + *sub*; prima di ♦ *adv* prima; **~ going** prima di andare; **~ she goes** prima che vada; **the week ~** la settimana prima; **I've seen it ~** l'ho già visto; **I've never seen it ~** è la prima volta che lo vedo.

beforehand [bɪ'fɔːhænd] *adv* in anticipo.

befriend [bɪ'frɛnd] *vt* assistere; mostrarsi amico a.

befuddled [bɪ'fʌdld] *adj* confuso(a).

beg [bɛɡ] *vi* chiedere l'elemosina ♦ *vt* chiedere in elemosina; (*favour*) chiedere; (*entreat*) pregare; **I ~ your pardon** (*apologising*) mi scusi; (*not hearing*) scusi?; **this ~s the question of ...** questo presuppone che sia già risolto il problema di ....

began [bɪ'ɡæn] *pt of* **begin.**

beggar ['bɛɡə*] *n* (*also*: **~man, ~woman**) mendicante *m/f.*

begin, *pt* **began,** *pp* **begun** [bɪ'ɡɪn, bɪ'ɡæn, bɪ'ɡʌn] *vt, vi* cominciare; **to ~ doing** *or* **to do sth** incominciare *or* iniziare a fare qc; **I can't ~ to thank you** non so proprio come ringraziarla; **to ~ with, I'd like to know ...** tanto per cominciare vorrei sapere ...; **~ning from Monday** a partire da lunedì.

beginner [bɪ'ɡɪnə*] *n* principiante *m/f.*

beginning [bɪ'ɡɪnɪŋ] *n* inizio, principio; **right from the ~** fin dall'inizio.

begrudge [bɪ'ɡrʌdʒ] *vt*: **to ~ sb sth** dare qc a qn a malincuore; invidiare qn per qc.

beguile [bɪ'ɡaɪl] *vt* (*enchant*) incantare.

beguiling [bɪ'ɡaɪlɪŋ] *adj* (*charming*) allettante; (*deluding*) ingannevole.

begun [bɪ'ɡʌn] *pp of* **begin.**

behalf [bɪ'hɑːf] *n*: **on ~ of**, (*US*) **in ~ of** per conto di; a nome di.

behave [bɪ'heɪv] *vi* comportarsi; (*well*: *also*: **~ o.s.**) comportarsi bene.

behaviour, (*US*) **behavior** [bɪ'heɪvjə*] *n* comportamento, condotta.

behead [bɪ'hɛd] *vt* decapitare.

beheld [bɪ'hɛld] *pt, pp of* **behold.**

behind [bɪ'haɪnd] *prep* dietro; (*followed by pronoun*) dietro di; (*time*) in ritardo con ♦ *adv* dietro; in ritardo ♦ *n* didietro; **we're ~ them in technology** siamo più indietro *or* più arretrati di loro nella tecnica; **~ the scenes** dietro le quinte; **to be ~ (schedule) with sth** essere indietro con qc; (*payments*) essere in arretrato con qc; **to leave sth ~** dimenticare di prendere qc.

behold [bɪ'həuld] *vt* (*irreg: like* **hold**) vedere, scorgere.

beige [beɪʒ] adj beige inv.
Beijing [beɪˈdʒɪŋ] n Pechino f.
being [ˈbiːɪŋ] n essere m; **to come into ~** cominciare ad esistere.
Beirut [beɪˈruːt] n Beirut f.
Belarus [ˈbɛlærus] n Bielorussia.
Belarussian [bɛləˈrʌʃən] adj bielorusso(a)
♦ n bielorusso/a; (LING) bielorusso.
belated [bɪˈleɪtɪd] adj tardo(a).
belch [bɛltʃ] vi ruttare ♦ vt (gen: ~ out: smoke etc) eruttare.
beleaguered [bɪˈliːgəd] adj (city) assediato(a); (army) accerchiato(a); (fig) assillato(a).
Belfast [ˈbɛlfɑːst] n Belfast f.
belfry [ˈbɛlfrɪ] n campanile m.
Belgian [ˈbɛldʒən] adj, n belga (m/f).
Belgium [ˈbɛldʒəm] n Belgio.
Belgrade [bɛlˈgreɪd] n Belgrado f.
belie [bɪˈlaɪ] vt smentire; (give false impression of) nascondere.
belief [bɪˈliːf] n (opinion) opinione f, convinzione f; (trust, faith) fede f; (acceptance as true) credenza; **in the ~ that** nella convinzione che; **it's beyond ~** è incredibile.
believe [bɪˈliːv] vt, vi credere; **to ~ in** (God) credere in; (ghosts) credere a; (method) avere fiducia in; **I don't ~ in corporal punishment** sono contrario alle punizioni corporali; **he is ~d to be abroad** si pensa (che) sia all'estero.
believer [bɪˈliːvə*] n (REL) credente m/f; (in idea, activity): **to be a ~ in** credere in.
belittle [bɪˈlɪtl] vt sminuire.
Belize [bɛˈliːz] n Belize m.
bell [bɛl] n campana; (small, on door, electric) campanello; **that rings a ~** (fig) mi ricorda qualcosa.
bell-bottoms [ˈbɛlbɔtəmz] npl calzoni mpl a zampa d'elefante.
bellboy [ˈbɛlbɔɪ], (US) **bellhop** [ˈbɛlhɔp] n ragazzo d'albergo, fattorino d'albergo.
belligerent [bɪˈlɪdʒərənt] adj (at war) belligerante; (fig) bellicoso(a).
bellow [ˈbɛləu] vi muggire; (cry) urlare (a squarciagola) ♦ vt (orders) urlare (a squarciagola).
bellows [ˈbɛləuz] npl soffietto.
bell push n (BRIT) pulsante m del campanello.
belly [ˈbɛlɪ] n pancia.
bellyache [ˈbɛlɪeɪk] n mal m di pancia ♦ vi (col) mugugnare.
bellybutton [ˈbɛlɪbʌtn] n ombelico.
bellyful [ˈbɛlɪful] n (col): **to have had a ~ of** (fig) averne piene le tasche (di).
belong [bɪˈlɔŋ] vi: **to ~ to** appartenere a;

(club etc) essere socio di; **this book ~s here** questo libro va qui.
belongings [bɪˈlɔŋɪŋz] npl cose fpl, roba; **personal ~** effetti mpl personali.
Belorussia [bɛləuˈrʌʃə] n Bielorussia.
Belorussian [bɛləuˈrʌʃən] adj, n = **Belarussian**.
beloved [bɪˈlʌvɪd] adj adorato(a).
below [bɪˈləu] prep sotto, al di sotto di ♦ adv sotto, di sotto; giù; **see ~** vedi sotto or oltre; **temperatures ~ normal** temperature al di sotto del normale.
belt [bɛlt] n cintura; (TECH) cinghia ♦ vt (thrash) picchiare ♦ vi (BRIT col) filarsela; **industrial ~** zona industriale.
▶**belt out** vt (song) cantare a squarciagola.
▶**belt up** vi (BRIT col) chiudere la boccaccia.
beltway [ˈbɛltweɪ] n (US AUT) circonvallazione f; (: motorway) autostrada.
bemoan [bɪˈməun] vt lamentare.
bemused [bɪˈmjuːzd] adj perplesso(a), stupito(a).
bench [bɛntʃ] n panca; (in workshop) banco; **the B~** (LAW) la Corte.
bench mark n banco di prova.
bend [bɛnd] vb (pt, pp **bent** [bɛnt]) vt curvare; (leg, arm) piegare ♦ vi curvarsi; piegarsi ♦ n (BRIT: in road) curva; (in pipe, river) gomito.
▶**bend down** vi chinarsi.
▶**bend over** vi piegarsi.
bends [bɛndz] npl (MED) embolia.
beneath [bɪˈniːθ] prep sotto, al di sotto di; (unworthy of) indegno(a) di ♦ adv sotto, di sotto.
benefactor [ˈbɛnɪfæktə*] n benefattore m.
benefactress [ˈbɛnɪfæktrɪs] n benefattrice f.
beneficial [bɛnɪˈfɪʃəl] adj che fa bene; vantaggioso(a); **~ to** che giova a.
beneficiary [bɛnɪˈfɪʃərɪ] n (LAW) beneficiario/a.
benefit [ˈbɛnɪfɪt] n beneficio, vantaggio; (allowance of money) indennità f inv ♦ vt far bene a ♦ vi: **he'll ~ from it** ne trarrà beneficio or profitto.
benefit performance n spettacolo di beneficenza.
Benelux [ˈbɛnɪlʌks] n Benelux m.
benevolent [bɪˈnɛvələnt] adj benevolo(a).
BEng n abbr (= Bachelor of Engineering) laurea in ingegneria.
benign [bɪˈnaɪn] adj benevolo(a); (MED) benigno(a).
bent [bɛnt] pt, pp of **bend** ♦ n inclinazione f ♦ adj (wire, pipe) piegato(a), storto(a); (col: dishonest) losco(a); **to be ~ on** essere

deciso(a) a.
bequeath [bɪ'kwiːð] _vt_ lasciare in eredità.
bequest [bɪ'kwɛst] _n_ lascito.
bereaved [bɪ'riːvd] _adj_ in lutto ♦ _npl_: **the** ~ i familiari in lutto.
bereavement [bɪ'riːvmənt] _n_ lutto.
beret ['bɛreɪ] _n_ berretto.
Bering Sea ['bɛrɪŋ-] _n_: **the** ~ il mar di Bering.
berk [bəːk] _n_ (_BRIT col!_) coglione/a (_!_).
Berks _abbr_ (_BRIT_) = Berkshire.
Berlin [bəː'lɪn] _n_ Berlino _f_; **East/West** ~ Berlino est/ovest.
berm [bəːm] _n_ (_US AUT_) corsia d'emergenza.
Bermuda [bəː'mjuːdə] _n_ le Bermude.
Bermuda shorts _npl_ bermuda _mpl_.
Bern [bəːn] _n_ Berna _f_.
berry ['bɛrɪ] _n_ bacca.
berserk [bə'səːk] _adj_: **to go** ~ montare su tutte le furie.
berth [bəːθ] _n_ (_bed_) cuccetta; (_for ship_) ormeggio ♦ _vi_ (_in harbour_) entrare in porto; (_at anchor_) gettare l'ancora; **to give sb a wide** ~ (_fig_) tenersi alla larga da qn.
beseech, _pt_, _pp_ **besought** [bɪ'siːtʃ, bɪ'sɔːt] _vt_ implorare.
beset, _pt_, _pp_ **beset** [bɪ'sɛt] _vt_ assalire ♦ _adj_: **a policy** ~ **with dangers** una politica irta _or_ piena di pericoli.
besetting [bɪ'sɛtɪŋ] _adj_: **his** ~ **sin** il suo più grande difetto.
beside [bɪ'saɪd] _prep_ accanto a; (_compared with_) rispetto a, in confronto a; **to be** ~ **o.s. (with anger)** essere fuori di sé; **that's** ~ **the point** non c'entra.
besides [bɪ'saɪdz] _adv_ inoltre, per di più ♦ _prep_ oltre a; (_except_) a parte.
besiege [bɪ'siːdʒ] _vt_ (_town_) assediare; (_fig_) tempestare.
besotted [bɪ'sɔtɪd] _adj_ (_BRIT_): ~ **with** infatuato(a) di.
besought [bɪ'sɔːt] _pt_, _pp of_ **beseech**.
bespectacled [bɪ'spɛktɪkld] _adj_ occhialuto(a).
bespoke [bɪ'spəuk] _adj_ (_BRIT_: _garment_) su misura; ~ **tailor** sarto.
best [bɛst] _adj_ migliore ♦ _adv_ meglio; **the** ~ **thing to do is** ... la cosa migliore da fare _or_ farsi è ...; **the** ~ **part of** (_quantity_) la maggior parte di; **at** ~ tutt'al più; **to make the** ~ **of sth** cavare il meglio possibile da qc; **to do one's** ~ fare del proprio meglio; **to the** ~ **of my knowledge** per quel che ne so; **to the** ~ **of my ability** al massimo delle mie capacità; **he's not exactly patient at the** ~ **of times** non è mai molto paziente.

best man _n_ testimone _m_ dello sposo.
bestow [bɪ'stəu] _vt_: **to** ~ **sth on sb** conferire qc a qn.
bestseller ['bɛst'sɛlə*] _n_ bestseller _m inv_.
bet [bɛt] _n_ scommessa ♦ _vt_, _vi_ (_pt_, _pp_ **bet** _or_ **betted**) scommettere; **it's a safe** ~ (_fig_) è molto probabile.
Bethlehem ['bɛθlɪhɛm] _n_ Betlemme _f_.
betray [bɪ'treɪ] _vt_ tradire.
betrayal [bɪ'treɪəl] _n_ tradimento.
better ['bɛtə*] _adj_ migliore ♦ _adv_ meglio ♦ _vt_ migliorare ♦ _n_: **to get the** ~ **of** avere la meglio su; **you had** ~ **do it** è meglio che lo faccia; **he thought** ~ **of it** cambiò idea; **to get** ~ migliorare; **a change for the** ~ un cambiamento in meglio; **that's** ~! così va meglio!; **I had** ~ **go** dovrei andare; ~ **off** _adj_ più ricco(a); (_fig_): **you'd be** ~ **off this way** starebbe meglio così.
betting ['bɛtɪŋ] _n_ scommesse _fpl_.
betting shop _n_ (_BRIT_) ufficio dell'allibratore.
between [bɪ'twiːn] _prep_ tra ♦ _adv_ in mezzo, nel mezzo; **the road** ~ **here and London** la strada da qui a Londra; **we only had £5** ~ **us** fra tutti e due avevamo solo 5 sterline.
bevel ['bɛvl] _n_ (_also_: ~**(led) edge**) profilo smussato.
beverage ['bɛvərɪdʒ] _n_ bevanda.
bevy ['bɛvɪ] _n_: **a** ~ **of** una banda di.
bewail [bɪ'weɪl] _vt_ lamentare.
beware [bɪ'wɛə*] _vt_, _vi_: **to** ~ (**of**) stare attento(a) (a).
bewildered [bɪ'wɪldəd] _adj_ sconcertato(a), confuso(a).
bewildering [bɪ'wɪldərɪŋ] _adj_ sconcertante, sbalorditivo(a).
bewitching [bɪ'wɪtʃɪŋ] _adj_ affascinante.
beyond [bɪ'jɔnd] _prep_ (_in space_) oltre; (_exceeding_) al di sopra di ♦ _adv_ di là; ~ **doubt** senza dubbio; ~ **repair** irreparabile.
b/f _abbr see_ **brought forward**.
BFPO _n abbr_ (= _British Forces Post Office_) _recapito delle truppe britanniche all'estero._
bhp _n abbr_ (_AUT_: = _brake horsepower_) c.v. (= _cavallo vapore_).
bi... [baɪ] _prefix_ bi....
biannual [baɪ'ænjuəl] _adj_ semestrale.
bias ['baɪəs] _n_ (_prejudice_) pregiudizio; (_preference_) preferenza.
bias(s)ed ['baɪəst] _adj_ parziale; **to be** ~ **against** essere prevenuto(a) contro.
biathlon [baɪ'æθlən] _n_ biathlon _m_.
bib [bɪb] _n_ bavaglino.
Bible ['baɪbl] _n_ Bibbia.

bibliography [bɪblɪ'ɔgrəfɪ] n bibliografia.
bicarbonate of soda [baɪ'kɑːbənɪt-] n bicarbonato (di sodio).
bicentenary [baɪsɛn'tiːnərɪ], **bicentennial** [baɪsɛn'tɛnɪəl] n bicentenario.
biceps ['baɪsɛps] n bicipite m.
bicker ['bɪkə*] vi bisticciare.
bicycle ['baɪsɪkl] n bicicletta.
bicycle path n, **bicycle track** n sentiero ciclabile.
bicycle pump n pompa della bicicletta.
bid [bɪd] n offerta; (attempt) tentativo ♦ vb (pt **bade** [bæd] or bid, pp **bidden** ['bɪdn] or bid) vi fare un'offerta ♦ vt fare un'offerta di; **to ~ sb good day** dire buon giorno a qn.
bidder ['bɪdə*] n: **the highest ~** il maggior offerente.
bidding ['bɪdɪŋ] n offerte fpl.
bide [baɪd] vt: **to ~ one's time** aspettare il momento giusto.
bidet ['biːdeɪ] n bidè m inv.
bidirectional ['baɪdɪ'rɛkʃənl] adj bidirezionale.
biennial [baɪ'ɛnɪəl] adj biennale ♦ n (pianta) biennale f.
bier [bɪə*] n bara.
bifocals [baɪ'fəuklz] npl occhiali mpl bifocali.
big [bɪg] adj grande; grosso(a); **my ~ brother** mio fratello maggiore; **to do things in a ~ way** fare le cose in grande.
bigamy ['bɪgəmɪ] n bigamia.
big dipper [-'dɪpə*] n montagne fpl russe, otto m inv volante.
big end n (AUT) testa di biella.
biggish ['bɪgɪʃ] adj (see big) piuttosto grande; piuttosto grosso(a); **a ~ rent** un affitto piuttosto alto.
bigheaded ['bɪg'hɛdɪd] adj presuntuoso(a).
big-hearted ['bɪg'hɑːtɪd] adj generoso(a).
bigot ['bɪgət] n persona gretta.
bigoted ['bɪgətɪd] adj gretto(a).
bigotry ['bɪgətrɪ] n grettezza.
big toe n alluce m.
big top n tendone m del circo.
big wheel n (at fair) ruota (panoramica).
bigwig ['bɪgwɪg] n (col) pezzo grosso.
bike [baɪk] n bici f inv.
bikini [bɪ'kiːnɪ] n bikini m inv.
bilateral [baɪ'lætərl] adj bilaterale.
bile [baɪl] n bile f.
bilingual [baɪ'lɪŋgwəl] adj bilingue.
bilious ['bɪlɪəs] adj biliare; (fig) bilioso(a).
bill [bɪl] n (in hotel, restaurant) conto; (COMM) fattura; (for gas, electricity) bolletta, conto; (POL) atto; (US: banknote) banconota; (notice) avviso; (THEAT): **on the ~** in cartellone; (of bird) becco ♦ vt mandare il conto a; **may I have the ~ please?** posso avere il conto per piacere?; **"stick** or **post no ~s"** "divieto di affissione"; **to fit** or **fill the ~** (fig) fare al caso; **~ of exchange** cambiale f, tratta; **~ of lading** polizza di carico; **~ of sale** atto di vendita.
billboard ['bɪlbɔːd] n tabellone m.
billet ['bɪlɪt] n alloggio ♦ vt (troops etc) alloggiare.
billfold ['bɪlfəuld] n (US) portafoglio.
billiards ['bɪljədz] n biliardo.
billion ['bɪljən] n (BRIT) bilione m; (US) miliardo.
billow ['bɪləu] n (of smoke) nuvola; (of sail) rigonfiamento ♦ vi (smoke) alzarsi in volute; (sail) gonfiarsi.
bills payable (B/P, b.p.) npl effetti mpl passivi.
bills receivable (B/R, b.r.) npl effetti mpl attivi.
billy goat ['bɪlɪgəut] n caprone m, becco.
bimbo ['bɪmbəu] n (col) pollastrella, svampitella.
bin [bɪn] n bidone m; (BRIT: also: **dust~**) pattumiera; (: also: **litter ~**) cestino.
binary ['baɪnərɪ] adj binario(a).
bind, pt, pp **bound** [baɪnd, baund] vt legare; (oblige) obbligare.
▶**bind over** vt (LAW) dare la condizionale a.
▶**bind up** vt (wound) fasciare, bendare; **to be bound up in** (work, research etc) essere completamente assorbito da; **to be bound up with** (person) dedicarsi completamente a.
binder ['baɪndə*] n (file) classificatore m.
binding ['baɪndɪŋ] n (of book) legatura ♦ adj (contract) vincolante.
binge [bɪndʒ] n (col): **to go on a ~** fare baldoria.
bingo ['bɪŋgəu] n gioco simile alla tombola.
bin liner n sacchetto per le immondizia.
binoculars [bɪ'nɔkjuləz] npl binocolo.
biochemistry [baɪəu'kɛmɪstrɪ] n biochimica.
biodegradable ['baɪəudɪ'greɪdəbl] adj biodegradabile.
biodiversity ['baɪəudaɪ'vəːsɪtɪ] n biodiversità f inv.
biofuel ['baɪəufjuəl] n carburante m biologico.
biographer [baɪ'ɔgrəfə*] n biografo/a.
biographic(al) [baɪə'græfɪk(l)] adj biografico(a).
biography [baɪ'ɔgrəfɪ] n biografia.
biological [baɪə'lɔdʒɪkl] adj biologico(a).
biological clock n orologio biologico.

biologist [baɪ'ɔlədʒɪst] *n* biologo/a.
biology [baɪ'ɔlədʒɪ] *n* biologia.
biophysics [baɪəu'fɪzɪks] *n* biofisica.
biopic ['baɪəupɪk] *n* film *m inv* biografia *inv*.
biosphere ['baɪəusfɪə*] *n* biosfera.
biopsy ['baɪɒpsɪ] *n* biopsia.
biotechnology [baɪəutɛk'nɔlədʒɪ] *n* biotecnologia.
birch [bə:tʃ] *n* betulla.
bird [bə:d] *n* uccello; (*BRIT col*: *girl*) bambola.
bird of prey *n* (uccello) rapace *m*.
bird's-eye view ['bə:dzaɪ-] *n* vista panoramica.
bird watcher *n* ornitologo/a dilettante.
Biro ® ['baɪrəu] *n* biro ® *f inv*.
birth [bə:θ] *n* nascita; **to give ~ to** dare alla luce; (*fig*) dare inizio a.
birth certificate *n* certificato di nascita.
birth control *n* controllo delle nascite; contraccezione *f*.
birthday ['bə:θdeɪ] *n* compleanno.
birthmark ['bə:θmɑːk] *n* voglia.
birthplace ['bə:θpleɪs] *n* luogo di nascita.
birth rate *n* indice *m* di natalità.
Biscay ['bɪskeɪ] *n*: **the Bay of** ~ il golfo di Biscaglia.
biscuit ['bɪskɪt] *n* (*BRIT*) biscotto; (*US*) panino al latte.
bisect [baɪ'sɛkt] *vt* tagliare in due (parti); (*MATH*) bisecare.
bisexual ['baɪ'sɛksjuəl] *adj, n* bisessuale (*m/f*).
bishop ['bɪʃəp] *n* vescovo; (*CHESS*) alfiere *m*.
bistro ['biːstrəu] *n* bistrò *m inv*.
bit [bɪt] *pt of* **bite** ♦ *n* pezzo; (*of tool*) punta; (*of horse*) morso; (*COMPUT*) bit *m inv*; (*US*: *coin*) ottavo di dollaro; **a ~ of** un po' di; **a ~ mad/dangerous** un po' matto/ pericoloso; **~ by ~** a poco a poco; **to do one's ~** fare la propria parte; **to come to ~s** (*break*) andare a pezzi; **bring all your ~s and pieces** porta tutte le tue cose.
bitch [bɪtʃ] *n* (*dog*) cagna; (*col!*) puttana (*!*).
bite [baɪt] *vt, vi* (*pt* **bit** [bɪt], *pp* **bitten** ['bɪtn]) mordere ♦ *n* morso; (*insect ~*) puntura; (*mouthful*) boccone *m*; **let's have a ~ (to eat)** mangiamo un boccone; **to ~ one's nails** mangiarsi le unghie.
biting ['baɪtɪŋ] *adj* pungente.
bit part *n* (*THEAT*) particina.
bitten ['bɪtn] *pp of* **bite**.
bitter ['bɪtə*] *adj* amaro(a); (*wind, criticism*) pungente; (*icy: weather*) gelido(a) ♦ *n* (*BRIT*: *beer*) birra amara; **to the ~ end** a oltranza.
bitterly ['bɪtəlɪ] *adv* (*disappoint, complain,*

weep) amaramente; (*oppose, criticise*) aspramente; (*jealous*) profondamente; **it's ~ cold** fa un freddo gelido.
bitterness ['bɪtənɪs] *n* amarezza; gusto amaro.
bittersweet ['bɪtəswiːt] *adj* agrodolce.
bitty ['bɪtɪ] *adj* (*BRIT col*) frammentario(a).
bitumen ['bɪtjumɪn] *n* bitume *m*.
bivouac ['bɪvuæk] *n* bivacco.
bizarre [bɪ'zɑː*] *adj* bizzarro(a).
bk *abbr* = **bank; book**.
BL *n abbr* (= *Bachelor of Law(s)*, *Bachelor of Letters*) *titolo di studio;* (*US*: = *Bachelor of Literature*) *titolo di studio.*
bl *abbr* = **bill of lading**.
blab [blæb] *vi* parlare troppo ♦ *vt* (*also*: ~ **out**) spifferare.
black [blæk] *adj* nero(a) ♦ *n* nero; (*person*): **B~** negro/a ♦ *vt* (*BRIT INDUSTRY*) boicottare; ~ **coffee** caffè *m inv* nero; **to give sb a ~ eye** fare un occhio nero a qn; **in the ~** (*in credit*) in attivo; **there it is in ~ and white** (*fig*) eccolo nero su bianco; ~ **and blue** *adj* tutto(a) pesto(a).
▶**black out** *vi* (*faint*) svenire.
black belt *n* (*SPORT*) cintura nera; (*US*: *area*): **the ~** *zona abitata principalmente da negri*.
blackberry ['blækbərɪ] *n* mora.
blackbird ['blækbə:d] *n* merlo.
blackboard ['blækbɔːd] *n* lavagna.
black box *n* (*AVIAT*) scatola nera.
Black Country *n* (*BRIT*): **the ~** *zona carbonifera del centro dell'Inghilterra.*
blackcurrant [blæk'kʌrənt] *n* ribes *m inv*.
black economy *n* (*BRIT*) economia sommersa.
blacken ['blækn] *vt* annerire.
Black Forest *n*: **the ~** la Foresta Nera.
blackhead ['blækhɛd] *n* punto nero, comedone *m*.
black hole *n* (*ASTRON*) buco nero.
black ice *n* strato trasparente di ghiaccio.
blackjack ['blækdʒæk] *n* (*CARDS*) ventuno; (*US*: *truncheon*) manganello.
blackleg ['blæklɛg] *n* (*BRIT*) crumiro.
blacklist ['blæklɪst] *n* lista nera ♦ *vt* mettere sulla lista nera.
blackmail ['blækmeɪl] *n* ricatto ♦ *vt* ricattare.
blackmailer ['blækmeɪlə*] *n* ricattatore/ trice.
black market *n* mercato nero.
blackout ['blækaut] *n* oscuramento; (*fainting*) svenimento; (*TV*) interruzione *f* delle trasmissioni.
black pepper *n* pepe *m* nero.
Black Sea *n*: **the ~** il mar Nero.

black sheep n pecora nera.

blacksmith ['blæksmıθ] n fabbro ferraio.

black spot n (AUT) luogo famigerato per gli incidenti.

bladder ['blædə*] n vescica.

blade [bleıd] n lama; (of oar) pala; ~ **of grass** filo d'erba.

blame [bleım] n colpa ♦ vt: **to ~ sb/sth for sth** dare la colpa di qc a qn/qc; **who's to ~?** chi è colpevole?; **I'm not to ~** non è colpa mia.

blameless ['bleımlıs] adj irreprensibile.

blanch [blɑːntʃ] vi (person) sbiancare in viso ♦ vt (CULIN) scottare.

bland [blænd] adj mite; (taste) blando(a).

blank [blæŋk] adj bianco(a); (look) distratto(a) ♦ n spazio vuoto; (cartridge) cartuccia a salve; **to draw a ~** (fig) non aver nessun risultato.

blank cheque, (US) **blank check** n assegno in bianco; **to give sb a ~ to do** (fig) dare carta bianca a qn per fare.

blanket ['blæŋkıt] n coperta ♦ adj (statement, agreement) globale.

blanket cover n: **to give ~** (subj: insurance policy) coprire tutti i rischi.

blare [blɛə*] vi strombettare; (radio) suonare a tutto volume.

blasé ['blɑːzeı] adj blasé inv.

blasphemous ['blæsfıməs] adj blasfemo(a).

blasphemy ['blæsfımı] n bestemmia.

blast [blɑːst] n (of wind) raffica; (of air, steam) getto; (bomb ~) esplosione f ♦ vt far saltare ♦ excl (BRIT col) mannaggia!; **(at) full ~** a tutta forza.

►blast off vi (SPACE) essere lanciato(a).

blast-off ['blɑːstɔf] n (SPACE) lancio.

blatant ['bleıtənt] adj flagrante.

blatantly ['bleıtəntlı] adv: **it's ~ obvious** è lampante.

blaze [bleız] n (fire) incendio; (glow: of fire, sun etc) bagliore m; (fig) vampata ♦ vi (fire) ardere, fiammeggiare; (fig) infiammarsi ♦ vt: **to ~ a trail** (fig) tracciare una via nuova; **in a ~ of publicity** circondato da grande pubblicità.

blazer ['bleızə*] n blazer m inv.

bleach [bliːtʃ] n (also: household ~) varechina ♦ vt (material) candeggiare.

bleached ['bliːtʃt] adj (hair) decolorato(a).

bleachers ['bliːtʃəz] npl (US) posti mpl di gradinata.

bleak [bliːk] adj (prospect, future) tetro(a); (landscape) desolato(a); (weather) gelido(a); (smile) pallido(a).

bleary-eyed ['blıərı'aıd] adj dagli occhi offuscati.

bleat [bliːt] vi belare.

bleed, pt, pp **bled** [bliːd, blɛd] vt dissanguare; (brakes, radiator) spurgare ♦ vi sanguinare; **my nose is ~ing** mi viene fuori sangue dal naso.

bleep [bliːp] n breve segnale m acustico, bip m inv ♦ vi suonare ♦ vt (doctor) chiamare con il cercapersone.

bleeper ['bliːpə*] n (of doctor etc) cercapersone m inv.

blemish ['blɛmıʃ] n macchia.

blend [blɛnd] n miscela ♦ vt mescolare ♦ vi (colours etc) armonizzare.

blender ['blɛndə*] n (CULIN) frullatore m.

bless, pt, pp **blessed** or **blest** [blɛs, blɛst] vt benedire; **~ you!** (sneezing) salute!; **to be ~ed with** godere di.

blessed ['blɛsıd] adj (REL: holy) benedetto(a); (happy) beato(a); **every ~ day** tutti i santi giorni.

blessing ['blɛsıŋ] n benedizione f; fortuna; **to count one's ~s** ringraziare Iddio, ritenersi fortunato; **it was a ~ in disguise** in fondo è stato un bene.

blest [blɛst] pt, pp of **bless.**

blew [bluː] pt of **blow.**

blight [blaıt] n (of plants) golpe f ♦ vt (hopes etc) deludere; (life) rovinare.

blimey ['blaımı] excl (BRIT col) accidenti!

blind [blaınd] adj cieco(a) ♦ n (for window) avvolgibile m; (Venetian ~) veneziana ♦ vt accecare; **to turn a ~ eye (on or to)** chiudere un occhio (su).

blind alley n vicolo cieco.

blind corner n (BRIT) svolta cieca.

blind date n appuntamento combinato (tra due persone che non si conoscono).

blinders ['blaındəz] npl (US) = **blinkers.**

blindfold ['blaındfəuld] n benda ♦ adj, adv bendato(a) ♦ vt bendare gli occhi a.

blinding ['blaındıŋ] adj (flash, light) accecante; (pain) atroce.

blindly ['blaındlı] adv ciecamente.

blindness ['blaındnıs] n cecità.

blind spot n (AUT etc) punto cieco; (fig) punto debole.

blink [blıŋk] vi battere gli occhi; (light) lampeggiare ♦ n: **to be on the ~** (col) essere scassato(a).

blinkers ['blıŋkəz] npl (BRIT) paraocchi mpl.

blinking ['blıŋkıŋ] adj (BRIT col): **this ~ ...** questo(a) maledetto(a) ....

blip [blıp] n (on radar etc) segnale m intermittente; (on graph) piccola variazione f; (fig) momentanea battuta d'arresto.

bliss [blıs] n estasi f.

blissful ['blısfəl] adj (event, day) stupendo(a), meraviglioso(a); (smile) beato(a); **in ~ ignorance** nella (più) beata ignoranza.

blissfully ['blɪsfəlɪ] *adj* (*sigh, smile*) beatamente; **~ happy** magnificamente felice.

blister ['blɪstə*] *n* (*on skin*) vescica; (*on paintwork*) bolla ♦ *vi* (*paint*) coprirsi di bolle.

blithe [blaɪð] *adj* gioioso(a), allegro(a).

blithely ['blaɪðlɪ] *adv* allegramente.

blithering ['blɪðərɪŋ] *adj* (*col*): **this ~ idiot** questa razza d'idiota.

BLit(t) *n abbr* (= *Bachelor of Literature*) titolo di studio.

blitz [blɪts] *n* blitz *m*; **to have a ~ on sth** (*fig*) prendere d'assalto qc.

blizzard ['blɪzəd] *n* bufera di neve.

BLM *n abbr* (*US*: = *Bureau of Land Management*) ≈ il demanio.

bloated ['bləʊtɪd] *adj* gonfio(a).

blob [blɔb] *n* (*drop*) goccia; (*stain, spot*) macchia.

bloc [blɔk] *n* (*POL*) blocco.

block [blɔk] *n* (*gen, COMPUT*) blocco; (*in pipes*) ingombro; (*toy*) cubo; (*of buildings*) isolato ♦ *vt* (*gen, COMPUT*) bloccare; **~ of flats** caseggiato; **3 ~s from here** a 3 isolati di distanza da qui; **mental ~** blocco mentale.

►**block up** *vt* bloccare; (*pipe*) ingorgare, intasare.

blockade [blɔ'keɪd] *n* blocco ♦ *vt* assediare.

blockage ['blɔkɪdʒ] *n* ostacolo.

block and tackle *n* (*TECH*) paranco.

block booking *n* prenotazione *f* in blocco.

blockbuster ['blɔkbʌstə*] *n* libro *or* film *etc* sensazionale.

block capitals *npl* stampatello.

blockhead ['blɔkhɛd] *n* testa di legno.

block letters *npl* stampatello.

block release *n* (*BRIT*) periodo pagato concesso al tirocinante per effettuare studi superiori.

block vote *n* (*BRIT*) voto per delega.

bloke [bləʊk] *n* (*BRIT col*) tizio.

blond [blɔnd] *n* (*man*) biondo ♦ *adj* biondo(a).

blonde [blɔnd] *n* (*woman*) bionda ♦ *adj* biondo(a).

blood [blʌd] *n* sangue *m*; **new ~** (*fig*) nuova linfa.

blood bank *n* banca del sangue.

blood count *n* conteggio di globuli rossi e bianchi.

bloodcurdling ['blʌdkəːdlɪŋ] *adj* raccapricciante, da far gelare il sangue.

blood donor *n* donatore/trice di sangue.

blood group *n* gruppo sanguigno.

bloodhound ['blʌdhaund] *n* segugio.

bloodless ['blʌdlɪs] *adj* (*pale*) smorto(a), esangue; (*coup*) senza spargimento di sangue.

bloodletting ['blʌdletɪŋ] *n* (*MED*) salasso; (*fig*) spargimento di sangue.

blood poisoning *n* setticemia.

blood pressure *n* pressione *f* sanguigna; **to have high/low ~** avere la pressione alta/bassa.

bloodshed ['blʌdʃɛd] *n* spargimento di sangue.

bloodshot ['blʌdʃɔt] *adj*: **~ eyes** occhi iniettati di sangue.

bloodstained ['blʌdsteɪnd] *adj* macchiato(a) di sangue.

bloodstream ['blʌdstriːm] *n* flusso del sangue.

blood test *n* analisi *f inv* del sangue.

bloodthirsty ['blʌdθəːstɪ] *adj* assetato(a) di sangue.

blood transfusion *n* trasfusione *f* di sangue.

blood type *n* gruppo sanguigno.

blood vessel *n* vaso sanguigno.

bloody ['blʌdɪ] *adj* sanguinoso(a); (*BRIT col!*): **this ~ ...** questo maledetto ...; **a ~ awful day** (*col!*) una giornata di merda (*!*); **~ good** (*col!*) maledettamente buono.

bloody-minded ['blʌdɪ'maɪndɪd] *adj* (*BRIT col*) indisponente.

bloom [bluːm] *n* fiore *m* ♦ *vi* essere in fiore.

blooming ['bluːmɪŋ] *adj* (*col*): **this ~ ...** questo(a) dannato(a) ....

blossom ['blɔsəm] *n* fiore *m*; (*with pl sense*) fiori *mpl* ♦ *vi* essere in fiore; **to ~ into** (*fig*) diventare.

blot [blɔt] *n* macchia ♦ *vt* macchiare; **to be a ~ on the landscape** rovinare il paesaggio; **to ~ one's copy book** (*fig*) farla grossa.

►**blot out** *vt* (*memories*) cancellare; (*view*) nascondere; (*nation, city*) annientare.

blotchy ['blɔtʃɪ] *adj* (*complexion*) coperto(a) di macchie.

blotter ['blɔtə*] *n* tampone *m* (di carta assorbente).

blotting paper ['blɔtɪŋ-] *n* carta assorbente.

blotto ['blɔtəʊ] *adj* (*col*) sbronzo(a).

blouse [blauz] *n* camicetta.

blow [bləʊ] *n* colpo ♦ *vb* (*pt* **blew**, *pp* **blown** [bluː, bləʊn]) *vi* soffiare ♦ *vt* (*fuse*) far saltare; **to come to ~s** venire alle mani; **to ~ one's nose** soffiarsi il naso; **to ~ a whistle** fischiare.

►**blow away** *vi* volare via ♦ *vt* portare via.

►**blow down** *vt* abbattere.

►**blow off** *vt* far volare via; **to ~ off course**

far uscire di rotta.
►**blow out** vi scoppiare.
►**blow over** vi calmarsi.
►**blow up** vi saltare in aria ♦ vt far saltare in aria; (tyre) gonfiare; (PHOT) ingrandire.
blow-dry ['bləudraɪ] n (hairstyle) messa in piega a föhn ♦ vt asciugare con il föhn.
blowlamp ['bləulæmp] n (BRIT) lampada a benzina per saldare.
blown [bləun] pp of **blow**.
blowout ['bləuaut] n (of tyre) scoppio; (col: big meal) abbuffata.
blowtorch ['bləutɔːtʃ] n lampada a benzina per saldare.
blowzy ['blauzɪ] adj trasandato(a).
BLS n abbr (US) = Bureau of Labor Statistics.
blubber ['blʌbə*] n grasso di balena ♦ vi (pej) piangere forte.
bludgeon ['blʌdʒən] vt prendere a randellate.
blue [bluː] adj azzurro(a), celeste; (darker) blu inv; ~ **film/joke** film/barzelletta pornografico(a); (only) once in a ~ **moon** a ogni morte di papa; **out of the** ~ (fig) all'improvviso; see also **blues**.
blue baby n neonato cianotico.
bluebell ['bluːbɛl] n giacinto di bosco.
bluebottle ['bluːbɔtl] n moscone m.
blue cheese n formaggio tipo gorgonzola.
blue-chip ['bluːtʃɪp] adj: ~ **investment** investimento sicuro.
blue-collar worker ['bluːkɔlə*-] n operaio/a.
blue jeans npl blue-jeans mpl.
blueprint ['bluːprɪnt] n cianografia; (fig): ~ (**for**) formula (di).
blues [bluːz] npl: **the** ~ (MUS) il blues; **to have the** ~ (col: feeling) essere a terra.
bluff [blʌf] vi bluffare ♦ n bluff m inv; (promontory) promontorio scosceso ♦ adj (person) brusco(a); **to call sb's** ~ mettere alla prova il bluff di qn.
blunder ['blʌndə*] n abbaglio ♦ vi prendere un abbaglio; **to** ~ **into sb/sth** andare a sbattere contro qn/qc.
blunt [blʌnt] adj (edge) smussato(a); (point) spuntato(a); (knife) che non taglia; (person) brusco(a) ♦ vt smussare; spuntare; **this pencil is** ~ questa matita non ha più la punta; ~ **instrument** (LAW) corpo contundente.
bluntly ['blʌntlɪ] adv (speak) senza mezzi termini.
bluntness n (of person) brutale franchezza.
blur [bləː*] n cosa offuscata ♦ vt offuscare.
blurb [bləːb] n trafiletto pubblicitario.
blurred [bləːd] adj (photo) mosso(a); (TV)

sfuocato(a).
blurt out [bləːt-] vt lasciarsi sfuggire.
blush [blʌʃ] vi arrossire ♦ n rossore m.
blusher ['blʌʃə*] n fard m inv.
bluster ['blʌstə*] n spaccanate fpl; (threats) vuote minacce fpl ♦ vi fare lo spaccone; minacciare a vuoto.
blustering ['blʌstərɪŋ] adj (tone etc) da spaccone.
blustery ['blʌstərɪ] adj (weather) burrascoso(a).
Blvd abbr = **boulevard**.
BM n abbr = British Museum; (SCOL: = Bachelor of Medicine) titolo di studio.
BMA n abbr = British Medical Association.
BMJ n abbr = British Medical Journal.
BMus n abbr (= Bachelor of Music) titolo di studio.
BMX n abbr (= bicycle motorcross) BMX f inv; ~ **bike** mountain bike f inv per cross.
BO n abbr (col: = body odour) odori mpl sgradevoli (del corpo); (US) = **box office**.
boar [bɔː*] n cinghiale m.
board [bɔːd] n tavola; (on wall) tabellone m; (for chess etc) scacchiera; (committee) consiglio, comitato; (in firm) consiglio d'amministrazione; (NAUT, AVIAT): **on** ~ a bordo ♦ vt (ship) salire a bordo di; (train) salire su; **full** ~ (BRIT) pensione f completa; **half** ~ (BRIT) mezza pensione; ~ **and lodging** vitto e alloggio; **above** ~ (fig) regolare; **across the** ~ (fig) adv per tutte le categorie ♦ adj generale; **to go by the** ~ venir messo(a) da parte.
►**board up** vt (door) chiudere con assi.
boarder ['bɔːdə*] n pensionante m/f; (SCOL) convittore/trice.
board game n gioco da tavolo.
boarding card ['bɔːdɪŋ-] n (AVIAT, NAUT) carta d'imbarco.
boarding house n pensione f.
boarding party n squadra di ispezione (del carico di una nave).
boarding pass n (BRIT) = **boarding card**.
boarding school n collegio.
board meeting n riunione f di consiglio.
board room n sala del consiglio.
boardwalk ['bɔːdwɔːk] n (US) passeggiata a mare.
boast [bəust] vi: **to** ~ (**about** or **of**) vantarsi (di) ♦ vt vantare ♦ n vanteria; vanto.
boastful ['bəustful] adj vanaglorioso(a).
boastfulness ['bəustfulnɪs] n vanagloria.
boat [bəut] n nave f; (small) barca; **to go by** ~ andare in barca or in nave; **we're all in the same** ~ (fig) siamo tutti nella stessa barca.
boater ['bəutə*] n (hat) paglietta.

boating ['bəʊtɪŋ] *n* canottaggio.
boat people *n* boat people *mpl*.
boatswain ['bəʊsn] *n* nostromo.
bob [bɒb] *vi* (*boat, cork on water: also*: ~ **up and down**) andare su e giù ♦ *n* (*BRIT col*) = **shilling**.
▶**bob up** *vi* saltare fuori.
bobbin ['bɒbɪn] *n* bobina; (*of sewing machine*) rocchetto.
bobby ['bɒbɪ] *n* (*BRIT col*) ≈ poliziotto.
bobsleigh ['bɒbsleɪ] *n* bob *m inv*.
bode [bəʊd] *vi*: **to** ~ **well/ill (for)** essere di buon/cattivo auspicio (per).
bodice ['bɒdɪs] *n* corsetto.
bodily ['bɒdɪlɪ] *adj* (*comfort, needs*) materiale; (*pain*) fisico(a) ♦ *adv* (*carry*) in braccio; (*lift*) di peso.
body ['bɒdɪ] *n* corpo; (*of car*) carrozzeria; (*of plane*) fusoliera; (*organization*) associazione *f*, organizzazione *f*; (*quantity*) quantità *f inv*; (*of speech, document*) parte *f* principale; (*also*: ~ **stocking**) body *m inv*; **in a** ~ in massa; (*ruling*) ~ direttivo; **a wine with** ~ un vino corposo.
body blow *n* (*fig*) duro colpo.
body-building ['bɒdɪ'bɪldɪŋ] *n* culturismo.
bodyguard ['bɒdɪgɑːd] *n* guardia del corpo.
body language *n* linguaggio del corpo.
body repairs *npl* (*AUT*) lavori *mpl* di carrozzeria.
body search *n* perquisizione *f* personale; **to submit to** *or* **undergo a** ~ essere sottoposto(a) a perquisizione personale.
bodywork ['bɒdɪwɔːk] *n* carrozzeria.
boffin ['bɒfɪn] *n* scienziato.
bog [bɒg] *n* palude *f* ♦ *vt*: **to get** ~**ged down** (*fig*) impantanarsi.
bogey ['bəʊgɪ] *n* (*worry*) spauracchio; (*also*: ~ **man**) babau *m inv*.
boggle ['bɒgl] *vi*: **the mind** ~**s** è incredibile.
Bogotá [bəʊgə'tɑː] *n* Bogotà *f*.
bogus ['bəʊgəs] *adj* falso(a); finto(a).
Bohemia [bəʊ'hiːmɪə] *n* Boemia.
Bohemian [bəʊ'hiːmɪən] *adj, n* boemo(a).
boil [bɔɪl] *vt, vi* bollire ♦ *n* (*MED*) foruncolo; **to come to the** *or* (*US*) **a** ~ raggiungere l'ebollizione; **to bring to the** *or* (*US*) **a** ~ portare a ebollizione; ~**ed egg** uovo alla coque; ~**ed potatoes** patate *fpl* bollite *or* lesse.
▶**boil down** *vi* (*fig*): **to** ~ **down to** ridursi a.
▶**boil over** *vi* traboccare (bollendo).
boiler ['bɔɪlə*] *n* caldaia.
boiler suit *n* (*BRIT*) tuta.
boiling ['bɔɪlɪŋ] *adj* bollente; **I'm** ~ (**hot**) (*col*) sto morendo di caldo.

boiling point *n* punto di ebollizione.
boil-in-the-bag [bɔɪlɪnðə'bæg] *adj* (*rice etc*) da bollire nel sacchetto.
boisterous ['bɔɪstərəs] *adj* chiassoso(a).
bold [bəʊld] *adj* audace; (*child*) impudente; (*outline*) chiaro(a); (*colour*) deciso(a).
boldness ['bəʊldnɪs] *n* audacia; impudenza.
bold type *n* (*TYP*) neretto, grassetto.
Bolivia [bə'lɪvɪə] *n* Bolivia.
Bolivian [bə'lɪvɪən] *adj, n* boliviano(a).
bollard ['bɒləd] *n* (*NAUT*) bitta; (*BRIT AUT*) colonnina luminosa.
bolshy ['bɒlʃɪ] *adj* (*BRIT col*) piantagrane, ribelle; **to be in a** ~ **mood** essere in vena di piantar grane.
bolster ['bəʊlstə*] *n* capezzale *m*.
▶**bolster up** *vt* sostenere.
bolt [bəʊlt] *n* chiavistello; (*with nut*) bullone *m* ♦ *adv*: ~ **upright** diritto(a) come un fuso ♦ *vt* serrare; (*food*) mangiare in fretta ♦ *vi* scappare via; **a** ~ **from the blue** (*fig*) un fulmine a ciel sereno.
bomb [bɒm] *n* bomba ♦ *vt* bombardare.
bombard [bɒm'bɑːd] *vt* bombardare.
bombardment [bɒm'bɑːdmənt] *n* bombardamento.
bombastic [bɒm'bæstɪk] *adj* ampolloso(a).
bomb disposal *n*: ~ **expert** artificiere *m*; ~ **unit** corpo degli artificieri.
bomber ['bɒmə*] *n* bombardiere *m*; (*terrorist*) dinamitardo/a.
bombing ['bɒmɪŋ] *n* bombardamento.
bomb scare *n* stato di allarme (*per sospetta presenza di una bomba*).
bombshell ['bɒmʃel] *n* (*fig*) notizia bomba.
bomb site *n* luogo bombardato.
bona fide ['bəʊnə'faɪdɪ] *adj* sincero(a); (*offer*) onesto(a).
bonanza [bə'nænzə] *n* cuccagna.
bond [bɒnd] *n* legame *m*; (*binding promise, FINANCE*) obbligazione *f*; **in** ~ (*of goods*) in attesa di sdoganamento.
bondage ['bɒndɪdʒ] *n* schiavitù *f*.
bonded warehouse ['bɒndɪd-] *n* magazzino doganale.
bone [bəʊn] *n* osso; (*of fish*) spina, lisca ♦ *vt* disossare; togliere le spine a.
bone china *n* porcellana fine.
bone-dry ['bəʊn'draɪ] *adj* asciuttissimo(a).
bone idle *adj*: **to be** ~ essere un(a) fannullone(a).
bone marrow *n* midollo osseo.
boner ['bəʊnə*] *n* (*US*) gaffe *f inv*.
bonfire ['bɒnfaɪə*] *n* falò *m inv*.
bonk [bɒŋk] *vt, vi* (*hum, col*) scopare (*!*).
bonkers ['bɒŋkəz] *adj* (*BRIT col*) suonato(a).
Bonn [bɒn] *n* Bonn *f*.
bonnet ['bɒnɪt] *n* cuffia; (*BRIT: of car*)

cofano.

bonny ['bɒnɪ] adj (esp Scottish) bello(a), carino(a).

bonus ['bəʊnəs] n premio; (on wages) gratifica.

bony ['bəʊnɪ] adj (thin: person) ossuto(a), angoloso(a); (arm, face, MED: tissue) osseo(a); (meat) pieno(a) di ossi; (fish) pieno(a) di spine.

boo [buː] excl ba! ♦ vt fischiare ♦ n fischio.

boob [buːb] n (col: breast) tetta; (: BRIT: mistake) gaffe f inv.

booby prize ['buːbɪ-] n premio per il peggior contendente.

booby trap ['buːbɪ-] n trabocchetto; (bomb) congegno che esplode al contatto.

booby-trapped ['buːbɪtræpt] adj: **a ~ car** una macchina con dell'esplosivo a bordo.

book [bʊk] n libro; (of stamps etc) blocchetto ♦ vt (ticket, seat, room) prenotare; (driver) multare; (football player) ammonire; ~s npl (COMM) conti mpl; **to keep the ~s** (COMM) tenere la contabilità; **by the ~** secondo le regole; **to throw the ~ at sb** incriminare qn seriamente or con tutte le aggravanti.

▸**book in** vi (BRIT: at hotel) prendere una camera.

▸**book up** vt riservare, prenotare; **the hotel is ~ed up** l'albergo è al completo; **all seats are ~ed up** è tutto esaurito.

bookable ['bʊkəbl] adj: **seats are ~** si possono prenotare i posti.

bookcase ['bʊkkeɪs] n scaffale m.

book ends npl reggilibri mpl.

booking ['bʊkɪŋ] n (BRIT) prenotazione f.

booking office n (BRIT) biglietteria.

book-keeping ['bʊk'kiːpɪŋ] n contabilità.

booklet ['bʊklɪt] n opuscolo, libretto.

bookmaker ['bʊkmeɪkə*] n allibratore m.

bookseller ['bʊksɛlə*] n libraio.

bookshelf ['bʊkʃɛlf] n mensola (per libri); **bookshelves** npl (bookcase) libreria.

bookshop ['bʊkʃɔp] n libreria.

bookstall ['bʊkstɔːl] n bancarella di libri.

bookstore ['bʊkstɔː*] n = **bookshop**.

book token n buono m libri inv.

book value n valore m contabile.

bookworm ['bʊkwɜːm] n (fig) topo di biblioteca.

boom [buːm] n (noise) rimbombo; (busy period) boom m inv ♦ vi rimbombare; andare a gonfie vele.

boomerang ['buːməræŋ] n boomerang m inv ♦ vi (fig) avere effetto contrario; **to ~ on sb** (fig) ritorcersi contro qn.

boom town n città f inv in rapidissima espansione.

boon [buːn] n vantaggio.

boorish ['bʊərɪʃ] adj maleducato(a).

boost [buːst] n spinta ♦ vt spingere; (increase: sales, production) incentivare; **to give a ~ to** (morale) tirar su; **it gave a ~ to his confidence** è stata per lui un'iniezione di fiducia.

booster ['buːstə*] n (ELEC) amplificatore m; (TV) amplificatore m di segnale; (also: ~ rocket) razzo vettore; (MED) richiamo.

booster seat n (AUT: for children) seggiolino di sicurezza.

boot [buːt] n stivale m; (ankle ~) stivaletto; (for hiking) scarpone m da montagna; (for football etc) scarpa; (BRIT: of car) portabagagli m inv ♦ vt (COMPUT) inizializzare; **to ~** (in addition) per giunta, in più; **to give sb the ~** (col) mettere qn alla porta.

booth [buːð] n (at fair) baraccone m; (of cinema, telephone etc) cabina; (also: **voting** ~) cabina (elettorale).

bootleg ['buːtlɛg] adj di contrabbando; ~ **record** registrazione f pirata inv.

booty ['buːtɪ] n bottino.

booze [buːz] (col) n alcool m ♦ vi trincare.

boozer ['buːzə*] n (col: person) beone m; (BRIT col: pub) osteria.

border ['bɔːdə*] n orlo; margine m; (of a country) frontiera; **the B~** la frontiera tra l'Inghilterra e la Scozia; **the B~s** la zona di confine tra l'Inghilterra e la Scozia.

▸**border on** vt fus confinare con.

borderline ['bɔːdəlaɪn] n (fig) linea di demarcazione ♦ adj: ~ **case** caso limite.

bore [bɔː*] pt of **bear** ♦ vt (hole) perforare; (person) annoiare ♦ n (person) seccatore/trice; (of gun) calibro; **he's ~d to tears** or ~**d to death** or ~**d stiff** è annoiato a morte, si annoia da morire.

boredom ['bɔːdəm] n noia.

boring ['bɔːrɪŋ] adj noioso(a).

born [bɔːn] adj: **to be ~** nascere; **I was ~ in 1960** sono nato nel 1960; ~ **blind** cieco dalla nascita; **a ~ comedian** un comico nato.

born-again [bɔːnə'gɛn] adj: ~ **Christian** convertito(a) alla chiesa evangelica.

borne [bɔːn] pp of **bear**.

Borneo ['bɔːnɪəʊ] n Borneo.

borough ['bʌrə] n comune m.

borrow ['bɒrəʊ] vt: **to ~ sth (from sb)** prendere in prestito qc (da qn); **may I ~ your car?** può prestarmi la macchina?

borrower ['bɒrəʊə*] n (gen) chi prende a prestito; (ECON) mutuatario/a.

borrowing ['bɒrəʊɪŋ] n prestito.

borstal ['bɔːstl] n (BRIT) riformatorio.

Bosnia ['bɒznɪə] *n* Bosnia.
Bosnia-Herzegovina
['bɒznɪəhɜːrtzə'gəʊviːnə] *n* (*also:* **Bosnia-Hercegovina**) Bosnia-Erzegovina.
Bosnian ['bɒznɪən] *adj*, *n* bosniaco(a).
bosom ['buzəm] *n* petto; (*fig*) seno.
bosom friend *n* amico/a del cuore.
boss [bɒs] *n* capo ♦ *vt* (*also:* ~ **about** *or* **around**) comandare a bacchetta; **stop** ~**ing everyone about**! smettila di dare ordini a tutti!
bossy ['bɒsɪ] *adj* prepotente.
bosun ['bəʊsn] *n* nostromo.
botanical [bə'tænɪkl] *adj* botanico(a).
botanist ['bɒtənɪst] *n* botanico/a.
botany ['bɒtənɪ] *n* botanica.
botch [bɒtʃ] *vt* fare un pasticcio di.
both [bəʊθ] *adj* entrambi(e), tutt'e due ♦ *pron:* ~ (**of them**) entrambi(e) ♦ *adv:* **they sell** ~ **meat and poultry** vendono insieme la carne ed il pollame; ~ **of us went, we** ~ **went** ci siamo andati tutt'e due.
bother ['bɒðə*] *vt* (*worry*) preoccupare; (*annoy*) infastidire ♦ *vi* (*gen:* ~ **o.s.**) preoccuparsi ♦ *n:* **it is a** ~ **to have to do** è una seccatura dover fare ♦ *excl* uffa!, accidenti!; **to** ~ **doing sth** darsi la pena di fare qc; **I'm sorry to** ~ **you** mi dispiace disturbarla; **please don't** ~ non si scomodi; **it's no** ~ non c'è problema.
Botswana [bɒt'swɑːnə] *n* Botswana *m*.
bottle ['bɒtl] *n* bottiglia; (*of perfume, shampoo etc*) flacone *m*; (*baby's*) biberon *m inv* ♦ *vt* imbottigliare; ~ **of wine/milk** bottiglia di vino/latte; **wine/milk** ~ bottiglia da vino/del latte.
▶**bottle up** *vt* contenere.
bottle bank *n* contenitore *m* per la raccolta del vetro.
bottle-fed ['bɒtlfɛd] *adj* allattato(a) artificialmente.
bottleneck ['bɒtlnɛk] *n* ingorgo.
bottle-opener ['bɒtləʊpnə*] *n* apribottiglie *m inv*.
bottom ['bɒtəm] *n* fondo; (*of mountain, tree, hill*) piedi *mpl*; (*buttocks*) sedere *m* ♦ *adj* più basso(a); ultimo(a); **at the** ~ **of** in fondo a; **to get to the** ~ **of sth** (*fig*) andare al fondo di *or* in fondo a qc.
bottomless ['bɒtəmlɪs] *adj* senza fondo.
bottom line *n:* **the** ~ **is ...** in ultima analisi ....
botulism ['bɒtjʊlɪzəm] *n* botulismo.
bough [baʊ] *n* ramo.
bought [bɔːt] *pt*, *pp of* **buy**.
boulder ['bəʊldə*] *n* masso (tondeggiante).
boulevard ['buːlvɑːd] *n* viale *m*.
bounce [baʊns] *vi* (*ball*) rimbalzare;

(*cheque*) essere restituito(a) ♦ *vt* far rimbalzare ♦ *n* (*rebound*) rimbalzo; **to** ~ **in** entrare di slancio *or* con foga; **he's got plenty of** ~ (*fig*) è molto esuberante.
bouncer ['baʊnsə*] *n* buttafuori *m inv*.
bouncy castle ® ['baʊnsɪ-] *n grande castello gonfiabile per giocare*.
bound [baʊnd] *pt*, *pp of* **bind** ♦ *n* (*gen pl*) limite *m*; (*leap*) salto ♦ *vt* (*leap*) saltare; (*limit*) delimitare ♦ *adj:* **to be** ~ **to do sth** (*obliged*) essere costretto(a) a fare qc; **he's** ~ **to fail** (*likely*) è certo di fallire; ~ **for** diretto(a) a; **out of** ~**s** il cui accesso è vietato.
boundary ['baʊndrɪ] *n* confine *m*.
boundless ['baʊndlɪs] *adj* illimitato(a).
bountiful ['baʊntɪful] *adj* (*person*) munifico(a); (*God*) misericordioso(a); (*supply*) abbondante.
bounty ['baʊntɪ] *n* (*generosity*) liberalità, munificenza; (*reward*) taglia.
bounty hunter *n* cacciatore *m* di taglie.
bouquet ['bʊkeɪ] *n* bouquet *m inv*.
bourbon ['bʊəbən] *n* (*US: also:* ~ **whiskey**) bourbon *m inv*.
bourgeois ['bʊəʒwɑː] *adj*, *n* borghese (*m/f*).
bout [baʊt] *n* periodo; (*of malaria etc*) attacco; (*BOXING etc*) incontro.
boutique [buː'tiːk] *n* boutique *f inv*.
bow¹ *n* [bəʊ] nodo; (*weapon*) arco; (*MUS*) archetto; (*NAUT: also:* ~**s**) prua.
bow² [baʊ] *n* (*with body*) inchino ♦ *vi* inchinarsi; (*yield*): **to** ~ **to** *or* **before** sottomettersi a; **to** ~ **to the inevitable** rassegnarsi all'inevitabile.
bowels [baʊəlz] *npl* intestini *mpl*; (*fig*) viscere *fpl*.
bowl [bəʊl] *n* (*for eating*) scodella; (*for washing*) bacino; (*ball*) boccia; (*of pipe*) fornello; (*US: stadium*) stadio ♦ *vi* (*CRICKET*) servire (la palla); *see also* **bowls**.
▶**bowl over** *vt* (*fig*) sconcertare.
bow-legged ['bəʊ'lɛgɪd] *adj* dalle gambe storte.
bowler ['bəʊlə*] *n* giocatore *m* di bocce; (*CRICKET*) giocatore che serve la palla; (*BRIT: also:* ~ **hat**) bombetta.
bowling ['bəʊlɪŋ] *n* (*game*) gioco delle bocce; bowling *m*.
bowling alley *n* pista da bowling.
bowling green *n* campo di bocce.
bowls [bəʊlz] *n* gioco delle bocce.
bow tie *n* cravatta a farfalla.
box [bɒks] *n* scatola; (*also:* **cardboard** ~) (scatola di) cartone *m*; (*crate; also for money*) cassetta; (*THEAT*) palco; (*BRIT AUT*) area d'incrocio ♦ *vi* fare pugilato ♦ *vt* mettere in (una) scatola; (*SPORT*)

combattere contro.

boxer ['bɔksə*] n (person) pugile m; (dog) boxer m inv.

boxing ['bɔksɪŋ] n (SPORT) pugilato.

Boxing Day n (BRIT) ≈ Santo Stefano.

Il **Boxing Day** è il primo giorno infrasettimanale dopo Natale e cade generalmente il 26 di dicembre. Prende il nome dall'usanza di donare pacchi regalo natalizi, un tempo chiamati "Christmas boxes", a fornitori, dipendenti e così via.

---

boxing gloves npl guantoni mpl da pugile.

boxing ring n ring m inv.

box number n (for advertisements) casella.

box office n biglietteria.

box room n ripostiglio.

boy [bɔɪ] n ragazzo; (small) bambino; (son) figlio; (servant) servo.

boycott ['bɔɪkɔt] n boicottaggio ♦ vt boicottare.

boyfriend ['bɔɪfrɛnd] n ragazzo.

boyish ['bɔɪɪʃ] adj di or da ragazzo.

Bp abbr = bishop.

BR abbr see British Rail.

bra [brɑ:] n reggipetto, reggiseno.

brace [breɪs] n sostegno; (on teeth) apparecchio correttore; (tool) trapano; (TYP: also: ~ **bracket**) graffa ♦ vt rinforzare, sostenere; **to** ~ **o.s.** (fig) farsi coraggio; see also **braces**.

bracelet ['breɪslɪt] n braccialetto.

braces ['breɪsɪz] npl (BRIT) bretelle fpl.

bracing ['breɪsɪŋ] adj invigorante.

bracken ['brækən] n felce f.

bracket ['brækɪt] n (TECH) mensola; (group) gruppo; (TYP) parentesi f inv ♦ vt mettere fra parentesi; (fig: also: ~ **together**) mettere insieme; **in** ~**s** tra parentesi; **round/square** ~**s** parentesi tonde/quadre; **income** ~ fascia di reddito.

brackish ['brækɪʃ] adj (water) salmastro(a).

brag [bræg] vi vantarsi.

braid [breɪd] n (trimming) passamano; (of hair) treccia.

Braille [breɪl] n braille m.

brain [breɪn] n cervello; ~**s** npl cervella fpl; **he's got** ~**s** è intelligente.

brainchild ['breɪntʃaɪld] n creatura, creazione f.

braindead ['breɪndɛd] adj (MED) che ha subito morte cerebrale; (col) cerebroleso(a), deficiente.

brainless ['breɪnlɪs] adj deficiente, stupido(a).

brainstorm ['breɪnstɔ:m] n (fig) attacco di pazzia; (US) = brainwave.

brainwash ['breɪnwɔʃ] vt fare un lavaggio di cervello a.

brainwave ['breɪnweɪv] n lampo di genio.

brainy ['breɪnɪ] adj intelligente.

braise [breɪz] vt brasare.

brake [breɪk] n (on vehicle) freno ♦ vt, vi frenare.

brake light n (fanalino dello) stop m inv.

brake pedal n pedale m del freno.

bramble ['bræmbl] n rovo; (fruit) mora.

bran [bræn] n crusca.

branch [brɑ:ntʃ] n ramo; (COMM) succursale f, filiale f ♦ vi diramarsi.

▶**branch out** vi: **to** ~ **out into** intraprendere una nuova attività nel ramo di.

branch line n (RAIL) linea secondaria.

branch manager n direttore m di filiale.

brand [brænd] n marca ♦ vt (cattle) marcare (a ferro rovente); (fig: pej): **to** ~ **sb a communist** etc definire qn come comunista etc.

brandish ['brændɪʃ] vt brandire.

brand name n marca.

brand-new ['brænd'nju:] adj nuovo(a) di zecca.

brandy ['brændɪ] n brandy m inv.

brash [bræʃ] adj sfacciato(a).

Brasilia [brə'zɪljə] n Brasilia.

brass [brɑ:s] n ottone m; **the** ~ (MUS) gli ottoni.

brass band n fanfara.

brassière ['bræsɪə*] n reggipetto, reggiseno.

brass tacks npl: **to get down to** ~ (col) venire al sodo.

brat [bræt] n (pej) marmocchio, monello/a.

bravado [brə'vɑ:dəu] n spavalderia.

brave [breɪv] adj coraggioso(a) ♦ n guerriero m pellerossa inv ♦ vt affrontare.

bravery ['breɪvərɪ] n coraggio.

bravo [brɑ:'vəu] excl bravo!, bene!

brawl [brɔ:l] n rissa ♦ vi azzuffarsi.

brawn [brɔ:n] n muscolo; (meat) carne f di testa di maiale.

brawny ['brɔ:nɪ] adj muscoloso(a).

bray [breɪ] n raglio ♦ vi ragliare.

brazen ['breɪzn] adj svergognato(a) ♦ vt: **to** ~ **it out** fare lo sfacciato.

brazier ['breɪzɪə*] n braciere m.

Brazil [brə'zɪl] n Brasile m.

Brazilian [brə'zɪljən] adj, n brasiliano(a).

Brazil nut n noce f del Brasile.

breach [bri:tʃ] vt aprire una breccia in ♦ n (gap) breccia, varco; (estrangement) rottura; (of duty) abuso; (breaking): ~ **of contract** rottura di contratto; ~ **of the peace** violazione f dell'ordine pubblico; ~

of trust abuso di fiducia.

bread [brɛd] n pane m; (col: money) grana;
to earn one's daily ~ guadagnarsi il pane;
**to know which side one's ~ is buttered
on** saper fare i propri interessi; **~ and
butter** n pane e burro; (fig) mezzi mpl di
sussistenza.

breadbin ['brɛdbɪn] n (BRIT) cassetta f
portapane inv.

breadboard ['brɛdbɔːd] n tagliere m (per il
pane); (COMPUT) pannello per
esperimenti.

breadbox ['brɛdbɔks] n (US) cassetta f
portapane inv.

breadcrumbs ['brɛdkrʌmz] npl briciole fpl;
(CULIN) pangrattato.

breadline ['brɛdlaɪn] n: **to be on the ~**
avere appena denaro per vivere.

breadth [brɛtθ] n larghezza.

breadwinner ['brɛdwɪnə*] n chi guadagna
il pane per tutta la famiglia.

break [breɪk] vb (pt **broke** [brəuk], pp **broken**
['brəukən]) vt rompere; (law) violare;
(promise) mancare a ♦ n (gap) breccia;
(weather) cambiare ♦ n (gap) breccia;
(fracture) rottura; (rest, also SCOL)
intervallo; (: short) pausa; (chance)
possibilità f inv; (holiday) vacanza; **to ~
one's leg** etc rompersi la gamba etc; **to ~
a record** battere un primato; **to ~ the
news to sb** comunicare per primo la
notizia a qn; **to ~ even** vi coprire le spese; **to ~
free** or **loose** liberarsi; **without a ~** senza
una pausa; **to have** or **take a ~** (few
minutes) fare una pausa; (holiday)
prendere un po' di riposo; **a lucky ~** un
colpo di fortuna.

▶**break down** vt (figures, data) analizzare;
(door etc) buttare giù, abbattere;
(resistance) stroncare ♦ vi crollare; (MED)
avere un esaurimento (nervoso); (AUT)
guastarsi.

▶**break in** vt (horse etc) domare ♦ vi
(burglar) fare irruzione.

▶**break into** vt fus (house) fare irruzione
in.

▶**break off** vi (speaker) interrompersi;
(branch) troncarsi ♦ vt (talks, engagement)
rompere.

▶**break open** vt (door etc) sfondare.

▶**break out** vi evadere; **to ~ out in spots**
coprirsi di macchie.

▶**break through** vi: **the sun broke through**
il sole ha fatto capolino tra le nuvole ♦ vt
(defences, barrier) sfondare, penetrare in;
(crowd) aprirsi un varco in or tra, aprirsi
un passaggio in or tra.

▶**break up** vi (partnership) sciogliersi;
(friends) separarsi ♦ vt fare in pezzi,
spaccare; (fight etc) interrompere, far
cessare; (marriage) finire.

breakable ['breɪkəbl] adj fragile; **~s** npl
oggetti mpl fragili.

breakage ['breɪkɪdʒ] n rottura; **to pay for
~s** pagare i danni.

breakaway ['breɪkəweɪ] adj (group etc)
scissionista, dissidente.

break-dancing ['breɪkdɑːnsɪŋ] n
breakdance f.

breakdown ['breɪkdaun] n (AUT) guasto; (in
communications) interruzione f; (MED: also:
nervous ~) esaurimento nervoso; (of
payments etc) resoconto.

breakdown service n (BRIT) servizio
riparazioni.

breakdown van n carro m attrezzi inv.

breaker ['breɪkə*] n frangente m.

breakeven ['breɪk'iːvn] cpd: **~ chart**
diagramma m del punto di rottura or
pareggio; **~ point** punto di rottura or
pareggio.

breakfast ['brɛkfəst] n colazione f.

breakfast cereal n fiocchi mpl d'avena or
di mais etc.

break-in ['breɪkɪn] n irruzione f.

breaking point ['breɪkɪŋ-] n punto di
rottura.

breakthrough ['breɪkθruː] n (MIL) breccia;
(fig) passo avanti.

break-up ['breɪkʌp] n (of partnership,
marriage) rottura.

break-up value n (COMM) valore m di
realizzo.

breakwater ['breɪkwɔːtə*] n frangiflutti m
inv.

breast [brɛst] n (of woman) seno; (chest)
petto.

breast-feed ['brɛstfiːd] vt, vi (irreg: like **feed**)
allattare (al seno).

breast pocket n taschino.

breast-stroke ['brɛststrəuk] n nuoto a rana.

breath [brɛθ] n fiato; **out of ~** senza fiato;
to go out for a ~ of air andare a prendere
una boccata d'aria.

Breathalyser ® ['brɛθəlaɪzə*] n alcoltest m
inv.

breathe [briːð] vt, vi respirare; **I won't ~ a
word about it** non fiaterò.

▶**breathe in** vi inspirare ♦ vt respirare.

▶**breathe out** vt, vi espirare.

breather ['briːðə*] n attimo di respiro.

breathing ['briːðɪŋ] n respiro, respirazione
f.

breathing space n (fig) attimo di respiro.

breathless ['brɛθlɪs] adj senza fiato; (with

excitement) con il fiato sospeso.
breath-taking ['brεθteιkιŋ] *adj*
sbalorditivo(a).
breath test *n* ≈ prova del palloncino.
-bred [brεd] *suffix*: **to be well/ill~** essere ben
educato(a)/maleducato(a).
breed [bri:d] *vb* (*pt, pp* **bred** [brεd]) *vt*
allevare; (*fig*: *hate, suspicion*) generare,
provocare ♦ *vi* riprodursi ♦ *n* razza,
varietà *f inv.*
breeder ['bri:də*] *n* (*PHYSICS*: *also*: ~
reactor) reattore *m* autofertilizzante.
breeding ['bri:dιŋ] *n* riproduzione *f*;
allevamento.
breeze [bri:z] *n* brezza.
breeze block *n* (*BRIT*) mattone composto
di scorie di coke.
breezy ['bri:zι] *adj* arioso(a); allegro(a).
Breton ['brεtən] *adj, n* brettone (*m/f*).
brevity ['brεvιtι] *n* brevità.
brew [bru:] *vt* (*tea*) fare un infuso di; (*beer*)
fare; (*plot*) tramare ♦ *vi* (*tea*) essere in
infusione; (*beer*) essere in
fermentazione; (*fig*) bollire in pentola.
brewer ['bru:ə*] *n* birraio.
brewery ['bru:ərι] *n* fabbrica di birra.
briar ['braιə*] *n* (*thorny bush*) rovo; (*wild
rose*) rosa selvatica.
bribe [braιb] *n* bustarella ♦ *vt* comprare; **to
~ sb to do sth** pagare qn sottobanco
perché faccia qc.
bribery ['braιbərι] *n* corruzione *f.*
bric-a-brac ['brιkəbræk] *n* bric-a-brac *m*.
brick [brιk] *n* mattone *m*.
bricklayer ['brιkleιə*] *n* muratore *m*.
brickwork ['brιkwə:k] *n* muratura in
mattoni.
brickworks ['brιkwə:ks] *n* fabbrica di
mattoni.
bridal ['braιdl] *adj* nuziale; ~ **party** corteo
nuziale.
bride [braιd] *n* sposa.
bridegroom ['braιdgru:m] *n* sposo.
bridesmaid ['braιdzmeιd] *n* damigella
d'onore.
bridge [brιdʒ] *n* ponte *m*; (*NAUT*) ponte di
comando; (*of nose*) dorso; (*CARDS,
DENTISTRY*) bridge *m inv* ♦ *vt* (*river*) fare un
ponte sopra; (*gap*) colmare.
bridging loan ['brιdʒιŋ-] *n* (*BRIT*)
anticipazione *f* sul mutuo.
bridle ['braιdl] *n* briglia ♦ *vt* tenere a freno;
(*horse*) mettere la briglia a ♦ *vi* (*in anger
etc*) adombrarsi, adontarsi.
bridle path *n* sentiero (per cavalli).
brief [bri:f] *adj* breve ♦ *n* (*LAW*) comparsa
♦ *vt* (*MIL etc*) dare istruzioni a; **in ~ ...** in
breve ..., a farla breve ...; **to ~ sb (about**

sth) mettere qn al corrente (di qc); *see
also* **briefs**.
briefcase ['bri:fkeιs] *n* cartella.
briefing ['bri:fιŋ] *n* istruzioni *fpl.*
briefly ['bri:flι] *adv* (*speak, visit*)
brevemente; (*glimpse*) di sfuggita.
briefness ['bri:fnιs] *n* brevità.
briefs [bri:fs] *npl* mutande *fpl.*
Brig. *abbr* = **brigadier**.
brigade [brι'geιd] *n* (*MIL*) brigata.
brigadier [brιgə'dιə*] *n* generale *m* di
brigata.
bright [braιt] *adj* luminoso(a); (*person*)
sveglio(a); (*colour*) vivace; **to look on the
~ side** vedere il lato positivo delle cose.
brighten ['braιtn] (*also*: ~ **up**) *vt* (*room*)
rendere luminoso(a); rallegrare ♦ *vi*
schiarirsi; (*person*) rallegrarsi.
brightly ['braιtlι] *adv* (*shine*) vivamente,
intensamente; (*smile*) radiosamente; (*talk*)
con animazione.
brill [brιl] *excl* (*BRIT col*) stupendo!,
fantastico!
brilliance ['brιljəns] *n* splendore *m*; (*fig*: *of
person*) genialità, talento.
brilliant ['brιljənt] *adj* brillante; (*sunshine*)
sfolgorante.
brim [brιm] *n* orlo.
brimful ['brιm'ful] *adj* pieno(a) *or* colmo(a)
fino all'orlo; (*fig*) pieno(a).
brine [braιn] *n* acqua salmastra; (*CULIN*)
salamoia.
bring, *pt, pp* **brought** [brιŋ, brɔ:t] *vt* portare;
to ~ sth to an end mettere fine a qc; **I
can't ~ myself to sack him** non so
risolvermi a licenziarlo.
▶**bring about** *vt* causare.
▶**bring back** *vt* riportare.
▶**bring down** *vt* (*lower*) far scendere;
(*shoot down*) abbattere; (*government*) far
cadere.
▶**bring forward** *vt* portare avanti; (*in time*)
anticipare; (*BOOK-KEEPING*) riportare.
▶**bring in** *vt* (*person*) fare entrare; (*object*)
portare; (*POL*: *bill*) presentare;
(: *legislation*) introdurre; (*LAW*: *verdict*)
emettere; (*produce*: *income*) rendere.
▶**bring off** *vt* (*task, plan*) portare a
compimento; (*deal*) concludere.
▶**bring out** *vt* (*meaning*) mettere in
evidenza; (*new product*) lanciare; (*book*)
pubblicare, fare uscire.
▶**bring round** *or* **to** *vt* (*unconscious person*)
far rinvenire.
▶**bring up** *vt* allevare; (*question*)
introdurre.
brink [brιŋk] *n* orlo; **on the ~ of doing sth**
sul punto di fare qc; **she was on the ~ of**

brisk – browse

tears era lì lì per piangere.

brisk [brɪsk] *adj* (*person, tone*) spiccio(a), sbrigativo(a); (: *abrupt*) brusco(a); (*wind*) fresco(a); (*trade etc*) vivace, attivo(a); **to go for a ~ walk** fare una camminata di buon passo; **business is ~** gli affari vanno bene.

bristle ['brɪsl] *n* setola ♦ *vi* rizzarsi; **bristling with** irto(a) di.

bristly ['brɪslɪ] *adj* (*chin*) ispido(a); (*beard, hair*) irsuto(a), setoloso(a).

Brit [brɪt] *n abbr* (*col*: = *British person*) britannico/a.

Britain ['brɪtən] *n* Gran Bretagna.

British ['brɪtɪʃ] *adj* britannico(a); **the ~** *npl* i Britannici; **the ~ Isles** *npl* le Isole Britanniche.

British Rail (BR) *n compagnia ferroviaria britannica*, ≈ Ferrovie *fpl* dello Stato (F.S.).

British Summer Time *n* ora legale (*in Gran Bretagna*).

Briton ['brɪtən] *n* britannico/a.

Brittany ['brɪtənɪ] *n* Bretagna.

brittle ['brɪtl] *adj* fragile.

Br(o) *abbr* (*REL*) = **brother**.

broach [brəʊtʃ] *vt* (*subject*) affrontare.

broad [brɔːd] *adj* largo(a); (*distinction*) generale; (*accent*) spiccato(a) ♦ *n* (*US col*) bellona; **~ hint** allusione *f* esplicita; **in ~ daylight** in pieno giorno; **the ~ outlines** le grandi linee.

broad bean *n* fava.

broadcast ['brɔːdkɑːst] *n* trasmissione *f* ♦ *vb* (*pt, pp* **broadcast**) *vt* trasmettere per radio (*or* per televisione) ♦ *vi* fare una trasmissione.

broadcaster ['brɔːdkɑːstə*] *n* annunciatore/trice radiotelevisivo(a) (*or* radiofonico(a)).

broadcasting ['brɔːdkɑːstɪŋ] *n* radiodiffusione *f*; televisione *f*.

broadcasting station *n* stazione *f* trasmittente.

broaden ['brɔːdn] *vt* allargare ♦ *vi* allargarsi.

broadly ['brɔːdlɪ] *adv* (*fig*) in generale.

broad-minded ['brɔːd'maɪndɪd] *adj* di mente aperta.

broadsheet ['brɔːdʃiːt] *n* (*BRIT*) giornale *m* (*si contrappone al tabloid che è di formato più piccolo*).

broccoli ['brɒkəlɪ] *n* (*BOT*) broccolo; (*CULIN*) broccoli *mpl*.

brochure ['brəʊʃjʊə*] *n* dépliant *m inv*.

brogue [brəʊg] *n* (*shoe*) scarpa rozza in cuoio; (*accent*) accento irlandese.

broil [brɔɪl] *vt* cuocere a fuoco vivo.

broke [brəʊk] *pt of* **break** ♦ *adj* (*col*) squattrinato(a); **to go ~** fare fallimento.

broken ['brəʊkən] *pp of* **break** ♦ *adj* (*gen*) rotto(a); (*stick, promise, vow*) spezzato(a); (*marriage*) fallito(a); **he comes from a ~ home** i suoi sono divisi; **in ~ French/ English** in un francese/inglese stentato.

broken-down ['brəʊkən'daʊn] *adj* (*car*) in panne, rotto(a); (*machine*) guasto(a), fuori uso; (*house*) abbandonato(a), in rovina.

broken-hearted ['brəʊkən'hɑːtɪd] *adj*: **to be ~** avere il cuore spezzato.

broker ['brəʊkə*] *n* agente *m*.

brokerage ['brəʊkərɪdʒ] *n* (*COMM*) commissione *f* di intermediazione.

brolly ['brɒlɪ] *n* (*BRIT col*) ombrello.

bronchitis [brɒŋ'kaɪtɪs] *n* bronchite *f*.

bronze [brɒnz] *n* bronzo.

bronzed [brɒnzd] *adj* abbronzato(a).

brooch [brəʊtʃ] *n* spilla.

brood [bruːd] *n* covata ♦ *vi* (*hen*) covare; (*person*) rimuginare.

broody ['bruːdɪ] *adj* (*fig*) cupo(a) e taciturno(a).

brook [brʊk] *n* ruscello.

broom [brʊm] *n* scopa.

broomstick ['brʊmstɪk] *n* manico di scopa.

Bros. *abbr* (*COMM*: = *brothers*) F.lli (= *Fratelli*).

broth [brɒθ] *n* brodo.

brothel ['brɒθl] *n* bordello.

brother ['brʌðə*] *n* fratello.

brotherhood ['brʌðəhud] *n* fratellanza; confraternità *f inv*.

brother-in-law ['brʌðərɪnlɔː] *n* cognato.

brotherly ['brʌðəlɪ] *adj* fraterno(a).

brought [brɔːt] *pt, pp of* **bring**.

brought forward (b/f) *adj* (*COMM*) riportato(a).

brow [braʊ] *n* fronte *f*; (*rare, gen*: **eye~**) sopracciglio; (*of hill*) cima.

browbeat ['braʊbiːt] *vt* intimidire.

brown [braʊn] *adj* bruno(a), marrone; (*hair*) castano(a) ♦ *n* (*colour*) color *m* bruno *or* marrone ♦ *vt* (*CULIN*) rosolare; **to go ~** (*person*) abbronzarsi; (*leaves*) ingiallire.

brown bread *n* pane *m* integrale, pane nero.

brownie ['braʊnɪ] *n* giovane esploratrice *f*.

brown paper *n* carta da pacchi *or* da imballaggio.

brown rice *n* riso greggio.

brown sugar *n* zucchero greggio.

browse [braʊz] *vi* (*animal*) brucare; (*in bookshop etc*) curiosare ♦ *n*: **to have a ~ (around)** dare un'occhiata (in giro); **to ~ through a book** sfogliare un libro.

bruise [bruːz] *n* ammaccatura; (*on person*) livido ♦ *vt* ammaccare; (*leg etc*) farsi un livido a; (*fig: feelings*) urtare ♦ *vi* (*fruit*) ammaccarsi.

Brum [brʌm] *n abbr*, **Brummagem** ['brʌmədʒəm] *n* (*col*) = *Birmingham*.

Brummie ['brʌmɪ] *n* (*col*) abitante *m/f* di Birmingham; originario/a di Birmingham.

brunch [brʌntʃ] *n ricca colazione consumata in tarda mattinata.*

brunette [bruː'nɛt] *n* bruna.

brunt [brʌnt] *n*: **the ~ of** (*attack, criticism etc*) il peso maggiore di.

brush [brʌʃ] *n* spazzola; (*quarrel*) schermaglia ♦ *vt* spazzolare; (*gen*: **~ past**, **~ against**) sfiorare; **to have a ~ with sb** (*verbally*) avere uno scontro con qn; (*physically*) venire a diverbio *or* alle mani con qn; **to have a ~ with the police** avere delle noie con la polizia.

▶**brush aside** *vt* scostare.

▶**brush up** *vt* (*knowledge*) rinfrescare.

brushed [brʌʃt] *adj* (*TECH: steel, chrome etc*) sabbiato(a); (*nylon, denim etc*) pettinato(a).

brush-off ['brʌʃɔf] *n*: **to give sb the ~** dare il ben servito a qn.

brushwood ['brʌʃwud] *n* macchia.

brusque [bruːsk] *adj* (*person, manner*) brusco(a); (*tone*) secco(a).

Brussels ['brʌslz] *n* Bruxelles *f*.

Brussels sprout *n* cavolo di Bruxelles.

brutal ['bruːtl] *adj* brutale.

brutality [bruː'tælɪtɪ] *n* brutalità.

brutalize ['bruːtəlaɪz] *vt* (*harden*) abbrutire; (*ill-treat*) brutalizzare.

brute [bruːt] *n* bestia; **by ~ force** con la forza, a viva forza.

brutish ['bruːtɪʃ] *adj* da bruto.

BS *n abbr* (*US*: = *Bachelor of Science*) titolo di studio.

bs *abbr* = **bill of sale.**

BSA *n abbr* (*US*) = *Boy Scouts of America.*

BSc *n abbr see* **Bachelor of Science.**

BSE *n abbr* (= *bovine spongiform encephalopathy*) encefalite *f* bovina spongiforme.

BSI *n abbr* (= *British Standards Institution*) *associazione per la normalizzazione.*

BST *abbr* (= *British Summer Time*) *ora legale.*

Bt. *abbr* (*BRIT*) = **baronet.**

btu *n abbr* (= *British thermal unit*) Btu *m* (= *1054.2 joules*).

bubble ['bʌbl] *n* bolla ♦ *vi* ribollire; (*sparkle, fig*) essere effervescente.

bubble bath *n* bagno *m* schiuma *inv*.

bubblejet printer ['bʌbldʒɛt-] *n* stampante *f* a getto d'inchiostro.

bubbly ['bʌblɪ] *adj* (*also fig*) frizzante ♦ *n* (*col*) (*champagne*) spumante *m*.

Bucharest [buːkə'rɛst] *n* Bucarest *f*.

buck [bʌk] *n* maschio (*di camoscio, caprone, coniglio etc*); (*US col*) dollaro ♦ *vi* sgroppare; **to pass the ~ (to sb)** scaricare (su di qn) la propria responsabilità.

▶**buck up** *vi* (*cheer up*) rianimarsi ♦ *vt*: **to ~ one's ideas up** mettere la testa a partito.

bucket ['bʌkɪt] *n* secchio ♦ *vi* (*BRIT col*): **the rain is ~ing (down)** piove a catinelle.

Buckingham Palace *è la residenza ufficiale a Londra del sovrano britannico. Costruita nel 1703 per il duca di Buckingham, fu acquistata nel 1762 dal re Giorgio III e ricostruita tra il 1821 e il 1838 sotto la guida dell'architetto John Nash. All'inizio del Novecento alcune sue parti sono state ulteriormente modificate.*

buckle ['bʌkl] *n* fibbia ♦ *vt* affibbiare; (*warp*) deformare.

▶**buckle down** *vi* mettersi sotto.

Bucks [bʌks] *abbr* (*BRIT*) = *Buckinghamshire.*

bud [bʌd] *n* gemma; (*of flower*) boccio ♦ *vi* germogliare; (*flower*) sbocciare.

Budapest [bjuːdə'pɛst] *n* Budapest *f*.

Buddha ['budə] *n* Budda *m*.

Buddhism ['budɪzəm] *n* buddismo.

Buddhist ['budɪst] *adj, n* buddista (*m/f*).

budding ['bʌdɪŋ] *adj* (*flower*) in boccio; (*poet etc*) in erba.

buddy ['bʌdɪ] *n* (*US*) compagno.

budge [bʌdʒ] *vt* scostare ♦ *vi* spostarsi.

budgerigar ['bʌdʒərɪɡɑː*] *n* pappagallino.

budget ['bʌdʒɪt] *n* bilancio preventivo ♦ *vi*: **to ~ for sth** fare il bilancio per qc; **I'm on a tight ~** devo contare la lira; **she works out her ~ every month** fa il preventivo delle spese ogni mese.

budgie ['bʌdʒɪ] *n* = **budgerigar.**

Buenos Aires ['bweɪnɔs'aɪrɪz] *n* Buenos Aires *f*.

buff [bʌf] *adj* color camoscio *inv* ♦ *n* (*enthusiast*) appassionato/a.

buffalo, *pl* **~** *or* **~es** ['bʌfələu] *n* bufalo; (*US*) bisonte *m*.

buffer ['bʌfə*] *n* respingente *m*; (*COMPUT*) memoria tampone, buffer *m inv*.

buffering ['bʌfərɪŋ] *n* (*COMPUT*) bufferizzazione *f*, memorizzazione *f* transitoria.

buffer state *n* stato cuscinetto.

buffer zone *n* zona *f* cuscinetto *inv*.

buffet n ['bufeɪ] (food, BRIT: bar) buffet m inv
♦ vt ['bʌfɪt] schiaffeggiare; scuotere;
urtare.
buffet car n (BRIT RAIL) ≈ servizio ristoro.
buffet lunch n pranzo in piedi.
buffoon [bə'fuːn] n buffone m.
bug [bʌg] n (insect) cimice f; (: gen) insetto;
(fig: germ) virus m inv; (spy device)
microfono spia; (COMPUT) bug m inv,
errore m nel programma ♦ vt mettere
sotto controllo; (room) installare
microfoni spia in; (annoy) scocciare; **I've
got the travel ~** (fig) mi è presa la mania
dei viaggi.
bugbear ['bʌgbɛə*] n spauracchio.
bugger ['bʌgə*] (col!) n bastardo (!) ♦ vb: **~
off!** vaffanculo! (!); **~ (it)!** merda! (!).
bugle ['bjuːgl] n tromba.
build [bɪld] n (of person) corporatura ♦ vt
(pt, pp **built** [bɪlt]) costruire.
▶**build on** vt fus (fig) prendere il via da.
▶**build up** vt (establish: business) costruire;
(: reputation) fare, consolidare; (increase:
production) allargare, incrementare;
don't ~ your hopes up too soon non
sperarci troppo.
builder ['bɪldə*] n costruttore m.
building ['bɪldɪŋ] n costruzione f; edificio;
(also: **~ trade**) edilizia.
building contractor n costruttore m,
imprenditore m (edile).
building industry n industria edilizia.
building site n cantiere m di costruzione.
building society n società immobiliare e
finanziaria.

Le **building society** sono società immobiliari
e finanziarie che forniscono anche numerosi
servizi bancari ai clienti che vi investono i
risparmi. Chi ha bisogno di un prestito per
l'acquisto di una casa si rivolge in genere ad
una building society.

---

building trade n = **building industry**.
build-up ['bɪldʌp] n (of gas etc) accumulo;
(publicity): **to give sb/sth a good ~** fare
buona pubblicità a qn/qc.
built [bɪlt] pt, pp of **build**; **well-~** robusto(a).
built-in ['bɪlt'ɪn] adj (cupboard) a muro;
(device) incorporato(a).
built-up area ['bɪltʌp-] n abitato.
bulb [bʌlb] n (BOT) bulbo; (ELEC) lampadina.
bulbous ['bʌlbəs] adj bulboso(a).
Bulgaria [bʌl'gɛərɪə] n Bulgaria.
Bulgarian [bʌl'gɛərɪən] adj bulgaro(a) ♦ n
bulgaro/a; (LING) bulgaro.
bulge [bʌldʒ] n rigonfiamento; (in birth rate,
sales) punta ♦ vi essere protuberante or

rigonfio(a); **to be bulging with** essere
pieno(a) or zeppo(a) di.
bulimia [bə'lɪmɪə] n bulimia.
bulk [bʌlk] n massa, volume m; **the ~ of** il
grosso di; **(to buy) in ~** (comprare) in
grande quantità.
bulk buying n acquisto di merce in
grande quantità.
bulk carrier n grossa nave f da carico.
bulkhead ['bʌlkhɛd] n paratia.
bulky ['bʌlkɪ] adj grosso(a); voluminoso(a).
bull [bul] n toro; (STOCK EXCHANGE) rialzista
m/f; (REL) bolla (papale).
bulldog ['buldɔg] n bulldog m inv.
bulldoze ['buldəuz] vt aprire or spianare
col bulldozer; **I was ~d into doing it** (fig
col) mi ci hanno costretto con la
prepotenza.
bulldozer ['buldəuzə*] n bulldozer m inv.
bullet ['bulɪt] n pallottola.
bulletin ['bulɪtɪn] n bollettino.
bulletin board n (COMPUT) bulletin board
m inv.
bullet-proof ['bulɪtpruːf] adj a prova di
proiettile; **~ vest** giubbotto
antiproiettile.
bullfight ['bulfaɪt] n corrida.
bullfighter ['bulfaɪtə*] n torero.
bullfighting ['bulfaɪtɪŋ] n tauromachia.
bullion ['buljən] n oro or argento in
lingotti.
bullock ['bulək] n giovenco.
bullring ['bulrɪŋ] n arena (per corride).
bull's-eye ['bulzaɪ] n centro del bersaglio.
bullshit ['bulʃɪt] (col!) excl, n stronzate fpl (!)
♦ vi raccontare stronzate (!) ♦ vt
raccontare stronzate a (!).
bully ['bulɪ] n prepotente m ♦ vt angariare;
(frighten) intimidire.
bullying ['bulɪŋ] n prepotenze fpl.
bum [bʌm] n (col: backside) culo; (tramp)
vagabondo/a; (US: idler) fannullone/a.
▶**bum around** vi (col) fare il vagabondo.
bumblebee ['bʌmblbiː] n (ZOOL) bombo.
bumf [bʌmf] n (col: forms etc) scartoffie fpl.
bump [bʌmp] n (blow) colpo; (jolt) scossa;
(noise) botto; (on road etc) protuberanza;
(on head) bernoccolo ♦ vt battere; (car)
urtare, sbattere.
▶**bump along** vi procedere sobbalzando.
▶**bump into** vt fus scontrarsi con; (col:
meet) imbattersi in, incontrare per caso.
bumper ['bʌmpə*] n (BRIT) paraurti m inv
♦ adj: **~ harvest** raccolto eccezionale.
bumper cars npl (US) autoscontri mpl.
bumph [bʌmf] n = **bumf**.
bumptious ['bʌmpʃəs] adj presuntuoso(a).
bumpy ['bʌmpɪ] adj (road) dissestato(a);

(*journey, flight*) movimentato(a).
bun [bʌn] *n* focaccia; (*of hair*) crocchia.
bunch [bʌntʃ] *n* (*of flowers, keys*) mazzo; (*of bananas*) ciuffo; (*of people*) gruppo; ~ **of grapes** grappolo d'uva.
bundle ['bʌndl] *n* fascio ♦ *vt* (*also:* ~ **up**) legare in un fascio; (*put*): **to** ~ **sth/sb into** spingere qc/qn in.
▶**bundle off** *vt* (*person*) mandare via in gran fretta.
▶**bundle out** *vt* far uscire (senza tante cerimonie).
bun fight *n* (*BRIT: col*) tè *m inv* (*ricevimento*).
bung [bʌŋ] *n* tappo ♦ *vt* (*BRIT: throw: also:* ~ **into**) buttare; (*also:* ~ **up**: *pipe, hole*) tappare, otturare; **my nose is** ~**ed up** (*col*) ho il naso otturato.
bungalow ['bʌŋgələu] *n* bungalow *m inv*.
bungee jumping ['bʌndʒiː'dʒʌmpɪŋ] *n* salto nel vuoto da ponti, grattacieli etc con un cavo fissato alla caviglia.
bungle ['bʌŋgl] *vt* abborracciare.
bunion ['bʌnjən] *n* callo (al piede).
bunk [bʌŋk] *n* cuccetta.
▶**bunk off** *vi* (*BRIT col*): **to** ~ **off school** marinare la scuola; **I'll** ~ **off at 3 this afternoon** oggi me la filo dal lavoro alle 3.
bunk beds *npl* letti *mpl* a castello.
bunker ['bʌŋkə*] *n* (*coal store*) ripostiglio per il carbone; (*MIL, GOLF*) bunker *m inv*.
bunny ['bʌnɪ] *n* (*also:* ~ **rabbit**) coniglietto.
bunny girl *n* coniglietta.
bunny hill *n* (*US SKI*) pista per principianti.
bunting ['bʌntɪŋ] *n* pavesi *mpl*, bandierine *fpl*.
buoy [bɔɪ] *n* boa.
▶**buoy up** *vt* tenere a galla; (*fig*) sostenere.
buoyancy ['bɔɪənsɪ] *n* (*of ship*) galleggiabilità.
buoyant ['bɔɪənt] *adj* galleggiante; (*fig*) vivace; (*COMM: market*) sostenuto(a); (*prices, currency*) stabile.
burden ['bɜːdn] *n* carico, fardello ♦ *vt* caricare; (*oppress*) opprimere; **to be a** ~ **to sb** essere di peso a qn.
bureau, *pl* ~**x** ['bjuərəu, -z] *n* (*BRIT: writing desk*) scrivania; (*US: chest of drawers*) cassettone *m*; (*office*) ufficio, agenzia.
bureaucracy [bjuə'rɔkrəsɪ] *n* burocrazia.
bureaucrat ['bjuərəkræt] *n* burocrate *m/f*.
bureaucratic [bjuərə'krætɪk] *adj* burocratico(a).
burgeon ['bɜːdʒən] *vi* svilupparsi rapidamente.
burger ['bɜːgə*] *n* hamburger *m inv*.
burglar ['bɜːglə*] *n* scassinatore *m*.
burglar alarm *n* antifurto *m inv*.
burglarize ['bɜːglərɪz] *vt* (*US*) svaligiare.

burglary ['bɜːglərɪ] *n* furto con scasso.
burgle ['bɜːgl] *vt* svaligiare.
Burgundy ['bɜːgəndɪ] *n* Borgogna.
burial ['bɛrɪəl] *n* sepoltura.
burial ground *n* cimitero.
burly ['bɜːlɪ] *adj* robusto(a).
Burma ['bɜːmə] *n* Birmania; *see* **Myanmar**.
Burmese [bɜː'miːz] *adj* birmano(a) ♦ *n* (*pl inv*) birmano/a; (*LING*) birmano.
burn [bɜːn] *vt, vi* (*pt, pp* **burned** *or* **burnt** [bɜːnt]) bruciare ♦ *n* bruciatura, scottatura; (*MED*) ustione *f*; **I've** ~**t myself!** mi sono bruciato!; **the cigarette** ~**t a hole in her dress** si è fatta un buco nel vestito con la sigaretta.
▶**burn down** *vt* distruggere col fuoco.
▶**burn out** *vt* (*subj: writer etc*): **to** ~ **o.s. out** esaurirsi.
burner ['bɜːnə*] *n* fornello.
burning ['bɜːnɪŋ] *adj* (*building, forest*) in fiamme; (*issue, question*) scottante.
burnish ['bɜːnɪʃ] *vt* brunire.

burnt [bɜːnt] *pt, pp of* **burn**.
burnt sugar *n* (*BRIT*) caramello.
burp [bɜːp] (*col*) *n* rutto ♦ *vi* ruttare.
burrow ['bʌrəu] *n* tana ♦ *vt* scavare.
bursar ['bɜːsə*] *n* economo/a; (*BRIT: student*) borsista *m/f*.
bursary ['bɜːsərɪ] *n* (*BRIT*) borsa di studio.
burst [bɜːst] *vb* (*pt, pp* **burst**) *vt* far scoppiare *or* esplodere ♦ *vi* esplodere; (*tyre*) scoppiare ♦ *n* scoppio; (*also:* ~ **pipe**) rottura nel tubo, perdita; ~ **of energy/laughter** scoppio d'energia/di risa; **a** ~ **of applause** uno scroscio d'applausi; **a** ~ **of speed** uno scatto (di velocità); ~ **blood vessel** rottura di un vaso sanguigno; **the river has** ~ **its banks** il fiume ha rotto gli argini *or* ha straripato; **to** ~ **into flames/tears** scoppiare in fiamme/lacrime; **to be** ~**ing with** essere pronto a scoppiare di; **to** ~ **out laughing** scoppiare a ridere; **to** ~ **open** *vi* aprirsi improvvisamente; (*door*) spalancarsi.
▶**burst into** *vt fus* (*room etc*) irrompere in.
▶**burst out of** *vt fus* precipitarsi fuori da.
bury ['bɛrɪ] *vt* seppellire; **to** ~ **one's face in one's hands** nascondere la faccia tra le

mani; **to ~ one's head in the sand** (*fig*)
fare (la politica del)lo struzzo; **to ~ the
hatchet** (*fig*) seppellire l'ascia di guerra.
bus, ~es [bʌs, 'bʌsɪz] *n* autobus *m inv.*
bus boy *n* (*US*) aiuto *inv* cameriere/a.
bush [buʃ] *n* cespuglio; (*scrub land*)
macchia.
bushed [buʃt] *adj* (*col*) distrutto(a).
bushel ['buʃl] *n* staio.
bushfire ['buʃfaɪə*] *n* grande incendio in
aperta campagna.
bushy ['buʃɪ] *adj* (*plant, tail, beard*) folto(a);
(*eyebrows*) irsuto(a).
busily ['bɪzɪlɪ] *adv* con impegno,
alacremente.
business ['bɪznɪs] *n* (*matter*) affare *m*;
(*trading*) affari *mpl*; (*firm*) azienda; (*job,
duty*) lavoro; **to be away on ~** essere
andato via per affari; **I'm here on ~** sono
qui per affari; **to do ~ with sb** fare affari
con qn; **he's in the insurance ~** lavora nel
campo delle assicurazioni; **it's none of
my ~** questo non mi riguarda; **he means
~** non scherza.
business address *n* indirizzo di lavoro *or*
d'ufficio.
business card *n* biglietto da visita della
ditta.
businesslike ['bɪznɪslaɪk] *adj* serio(a);
efficiente.
businessman ['bɪznɪsmən] *n* uomo d'affari.
business trip *n* viaggio d'affari.
businesswoman ['bɪznɪswumən] *n* donna
d'affari.
busker ['bʌskə*] *n* (*BRIT*) suonatore/trice
ambulante.
bus lane *n* (*BRIT*) corsia riservata agli
autobus.
bus shelter *n* pensilina (*alla fermata
dell'autobus*).
bus station *n* stazione *f* delle autolinee,
autostazione *f.*
bus stop *n* fermata d'autobus.
bust [bʌst] *n* (*ART*) busto; (*bosom*) seno ♦ *adj*
(*broken*) rotto(a) ♦ *vt* (*col: POLICE: arrest*)
pizzicare, beccare; **to go ~** fallire.
bustle ['bʌsl] *n* movimento, attività ♦ *vi*
darsi da fare.
bustling ['bʌslɪŋ] *adj* (*person*)
indaffarato(a); (*town*) animato(a).
bust-up ['bʌstʌp] *n* (*BRIT col*) lite *f.*
busty ['bʌstɪ] *adj* (*col*) tettone(a).
busy ['bɪzɪ] *adj* occupato(a); (*shop, street*)
molto frequentato(a) ♦ *vt*: **to ~ o.s.** darsi
da fare; **he's a ~ man** (*normally*) è un
uomo molto occupato; (*temporarily*) ha
molto da fare, è molto occupato.
busybody ['bɪzɪbɒdɪ] *n* ficcanaso *m/f inv.*

busy signal *n* (*US*) segnale *m* di occupato.
══════════════════ *KEYWORD*

but [bʌt] *conj* ma; **I'd love to come, ~ I'm
busy** vorrei tanto venire, ma ho da fare
♦ *prep* (*apart from, except*) eccetto, tranne,
meno; **nothing ~** nient'altro che; **he was
nothing ~ trouble** non dava altro che
guai; **no-one ~ him** solo lui; **no-one ~ him
can do it** nessuno può farlo tranne lui;
the last ~ one (*BRIT*) il(la) penultimo(a);
~ for you/your help se non fosse per te/
per il tuo aiuto; **anything ~ that** tutto ma
non questo; **anything ~ finished** tutt'altro
che finito
♦ *adv* (*just, only*) solo, soltanto; **she's ~ a
child** è solo una bambina; **had I ~ known**
se solo avessi saputo; **I can ~ try** tentar
non nuoce; **all ~ finished** quasi finito.

butane ['bju:teɪn] *n* (*also: ~ gas*) butano.
butch [butʃ] *adj* (*woman: pej*) mascolino(a);
(*man*) macho *inv.*
butcher ['butʃə*] *n* macellaio ♦ *vt*
macellare; **~'s (shop)** macelleria.
butler ['bʌtlə*] *n* maggiordomo.
butt [bʌt] *n* (*cask*) grossa botte *f*; (*thick end*)
estremità *f inv* più grossa; (*of gun*) calcio;
(*of cigarette*) mozzicone *m*; (*BRIT fig: target*)
oggetto ♦ *vt* cozzare.
►**butt in** *vi* (*interrupt*) interrompere.
butter ['bʌtə*] *n* burro ♦ *vt* imburrare.
buttercup ['bʌtəkʌp] *n* ranuncolo.
butter dish *n* burriera.
butterfingers ['bʌtəfɪŋgəz] *n* (*col*) mani *fpl*
di ricotta.
butterfly ['bʌtəflaɪ] *n* farfalla; (*SWIMMING:
also: ~ stroke*) (nuoto a) farfalla.
buttocks ['bʌtəks] *npl* natiche *fpl.*
button ['bʌtn] *n* bottone *m* ♦ *vt* (*also: ~ up*)
abbottonare ♦ *vi* abbottonarsi.
buttonhole ['bʌtnhəul] *n* asola, occhiello
♦ *vt* (*person*) attaccar bottone a.
buttress ['bʌtrɪs] *n* contrafforte *m.*
buxom ['bʌksəm] *adj* formoso(a).
buy [baɪ] *vt* (*pt, pp* **bought** [bɔːt]) comprare,
acquistare ♦ *n*: **a good/bad ~** un buon/
cattivo acquisto *or* affare; **to ~ sb sth/
sth from sb** comprare qc per qn/qc da qn;
to ~ sb a drink offrire da bere a qn.
►**buy back** *vt* riprendersi, prendersi
indietro.
►**buy in** *vt* (*BRIT: goods*) far provvista di.
►**buy into** *vt fus* (*BRIT COMM*) acquistare
delle azioni di.
►**buy off** *vt* (*col: bribe*) comprare.
►**buy out** *vt* (*business*) rilevare.
►**buy up** *vt* accaparrare.

buyer ['baɪə*] *n* compratore/trice; ~'s **market** mercato favorevole ai compratori.

buy-out ['baɪaut] *n* (*COMM*) acquisto di una società da parte dei suoi dipendenti.

buzz [bʌz] *n* ronzio; (*col: phone call*) colpo di telefono ♦ *vi* ronzare ♦ *vt* (*call on intercom*) chiamare al citofono; (: *with buzzer*) chiamare col cicalino; (*AVIAT: plane, building*) passare rasente; **my head is** ~**ing** mi gira la testa.

▶**buzz off** *vi* (*BRIT col*) filare, levarsi di torno.

buzzard ['bʌzəd] *n* poiana.

buzzer ['bʌzə*] *n* cicalino.

buzz word *n* (*col*) termine *m* in voga.

================= KEYWORD

by [baɪ] *prep* **1** (*referring to cause, agent*) da; **killed** ~ **lightning** ucciso da un fulmine; **surrounded** ~ **a fence** circondato da uno steccato; **a painting** ~ **Picasso** un quadro di Picasso

2 (*referring to method, manner, means*): ~ **bus/car/train** in autobus/macchina/treno, con l'autobus/la macchina/il treno; **to pay** ~ **cheque** pagare con (un) assegno; ~ **moonlight** al chiaro di luna; ~ **saving hard, he** ... risparmiando molto, lui ...

3 (*via, through*) per; **we came** ~ **Dover** siamo venuti via Dover

4 (*close to, past*) accanto a; **the house** ~ **the river** la casa sul fiume; **a holiday** ~ **the sea** una vacanza al mare; **she sat** ~ **his bed** si sedette accanto al suo letto; **she rushed** ~ **me** mi è passata accanto correndo; **I go** ~ **the post office every day** passo davanti all'ufficio postale ogni giorno

5 (*not later than*) per, entro; ~ **4 o'clock** per *or* entro le 4; ~ **this time tomorrow** domani a quest'ora; ~ **the time I got here it was too late** quando sono arrivato era ormai troppo tardi

6 (*during*): ~ **day/night** di giorno/notte

7 (*amount*) a; ~ **the kilo** a chili; **paid** ~ **the hour** pagato all'ora; **to increase** ~ **the hour** aumentare di ora in ora; **one** ~ **one** uno per uno; **little** ~ **little** a poco a poco

8 (*MATH, measure*): **to divide/multiply** ~ **3** dividere/moltiplicare per 3; **a room 3 metres** ~ **4** una stanza di 3 metri per 4; **it's broader** ~ **a metre** è un metro più largo, è più largo di un metro

9 (*according to*) per; **to play** ~ **the rules** attenersi alle regole; **it's all right** ~ **me** per me va bene

10: (**all**) ~ **oneself** (tutto(a)) solo(a); **he did it (all)** ~ **himself** lo ha fatto (tutto) da solo

11: ~ **the way** a proposito; **this wasn't my idea** ~ **the way** tra l'altro l'idea non è stata mia

♦ *adv* **1** *see* **go**; **pass** *etc*

2: ~ **and** ~ (*in past*) poco dopo; (*in future*) fra breve; ~ **and large** nel complesso.

bye(-bye) ['baɪ('baɪ)] *excl* ciao!, arrivederci!

by(e)-law ['baɪlɔ:] *n* legge *f* locale.

by-election ['baɪɪlɛkʃən] *n* (*BRIT*) elezione *f* straordinaria.

┌─────────────────────────────────────┐
Una **by-election** *in Gran Bretagna e in alcuni paesi del Commonwealth è un'elezione che si tiene per coprire un posto in Parlamento resosi vacante, a governo ancora in carica. È importante in quanto serve a misurare il consenso degli elettori in vista delle successive elezioni politiche.*
└─────────────────────────────────────┘

Byelorussia [bjɛləu'rʌʃə] *n* Bielorussia, Belorussia.

Byelorussian [bjɛləu'rʌʃən] *adj, n* = **Belarussian**.

bygone ['baɪgɔn] *adj* passato(a) ♦ *n*: **let** ~**s be** ~**s** mettiamoci una pietra sopra.

bypass ['baɪpɑːs] *n* circonvallazione *f*; (*MED*) by-pass *m inv* ♦ *vt* fare una deviazione intorno a.

by-product ['baɪprɔdʌkt] *n* sottoprodotto; (*fig*) conseguenza secondaria.

byre ['baɪə*] *n* (*BRIT*) stalla.

bystander ['baɪstændə*] *n* spettatore/trice.

byte [baɪt] *n* (*COMPUT*) byte *m inv*.

byway ['baɪweɪ] *n* strada secondaria.

byword ['baɪwəːd] *n*: **to be a** ~ **for** essere sinonimo di.

by-your-leave ['baɪjɔː'liːv] *n*: **without so much as a** ~ senza nemmeno chiedere il permesso.

Cc

C, c [siː] *n* (*letter*) C, c *f or m inv*; (*SCOL*: *mark*) ≈ 6 (*sufficiente*); (*MUS*): **C** do; ~ **for Charlie** ≈ C come Como.

C *abbr* (= *Celsius, centigrade*) C.

c. *abbr* (= *century*) sec.; (= *circa*) c; (*US etc*) = **cent(s)**.

CA *abbr* = **Central America**; (*US*) = **California** ♦ *n abbr* (*BRIT*) *see* **chartered accountant**.

ca. *abbr* (= *circa*) ca.

c/a *abbr* = **capital account; credit account; current account**.

CAA *n abbr* (*BRIT*: = *Civil Aviation Authority*, *US*: = *Civil Aeronautics Authority*) *organismo di controllo e di sviluppo dell'aviazione civile*.

CAB *n abbr* (*BRIT*: = *Citizens' Advice Bureau*) *organizzazione per la tutela del consumatore*.

cab [kæb] *n* taxi *m inv*; (*of train, truck*) cabina; (*horsedrawn*) carrozza.

cabaret ['kæbəreɪ] *n* cabaret *m inv*.

cabbage ['kæbɪdʒ] *n* cavolo.

cabbie, cabby ['kæbɪ] *n* (*col*), **cab driver** *n* tassista *m/f*.

cabin ['kæbɪn] *n* capanna; (*on ship*) cabina.

cabin cruiser *n* cabinato.

cabinet ['kæbɪnɪt] *n* (*POL*) consiglio dei ministri; (*furniture*) armadietto; (*also*: **display** ~) vetrinetta; **cocktail** ~ mobile *m* bar *inv*.

cabinet-maker ['kæbɪnɪt'meɪkə*] *n* stipettaio.

cabinet minister *n* ministro (*membro del Consiglio*).

cable ['keɪbl] *n* cavo; fune *f*; (*TEL*) cablogramma *m* ♦ *vt* telegrafare.

cable-car ['keɪblkɑː*] *n* funivia.

cablegram ['keɪblgræm] *n* cablogramma *m*.

cable railway *n* funicolare *f*.

cable television *n* televisione *f* via cavo.

cache [kæʃ] *n* nascondiglio; **a** ~ **of food** *etc* un deposito segreto di viveri *etc*.

cackle ['kækl] *vi* schiamazzare.

cactus, *pl* **cacti** ['kæktəs, -taɪ] *n* cactus *m inv*.

CAD *n abbr* (= *computer-aided design*) *progettazione f con l'ausilio dell'elaboratore*.

caddie ['kædɪ] *n* caddie *m inv*.

cadet [kə'dɛt] *n* (*MIL*) cadetto; **police** ~ allievo poliziotto.

cadge [kædʒ] *vt* (*col*) scroccare; **to** ~ **a meal (off sb)** scroccare un pranzo (a qn).

cadre ['kædrɪ] *n* quadro.

Caesarean, (*US*) **Cesarean** [siː'zɛərɪən] *adj*: ~ **(section)** (taglio) cesareo.

CAF *abbr* (*BRIT*: = *cost and freight*) Caf *m*.

café ['kæfeɪ] *n* caffè *m inv*.

cafeteria [kæfɪ'tɪərɪə] *n* self-service *m inv*.

caffein(e) ['kæfiːn] *n* caffeina.

cage [keɪdʒ] *n* gabbia ♦ *vt* mettere in gabbia.

cagey ['keɪdʒɪ] *adj* (*col*) chiuso(a); guardingo(a).

cagoule [kə'guːl] *n* K-way ® *m inv*.

cahoots [kə'huːts] *n*: **to be in** ~ **(with sb)** essere in combutta (con qn).

CAI *n abbr* (= *computer-aided instruction*) *istruzione f assistita dall'elaboratore*.

Cairo ['kaɪərəu] *n* il Cairo.

cajole [kə'dʒəul] *vt* allettare.

cake [keɪk] *n* torta; ~ **of soap** saponetta; **it's a piece of** ~ (*col*) è una cosa da nulla; **he wants to have his** ~ **and eat it (too)** (*fig*) vuole la botte piena e la moglie ubriaca.

caked [keɪkt] *adj*: ~ **with** incrostato(a) di.

cake shop *n* pasticceria.

Cal. *abbr* (*US*) = *California*.

calamitous [kə'læmɪtəs] *adj* disastroso(a).

calamity [kə'læmɪtɪ] *n* calamità *f inv*.

calcium ['kælsɪəm] *n* calcio.

calculate ['kælkjuleɪt] *vt* calcolare; (*estimate*: *chances, effect*) valutare.

▶**calculate on** *vt fus*: **to** ~ **on sth/on doing sth** contare su qc/di fare qc.

calculated ['kælkjuleɪtɪd] *adj* calcolato(a), intenzionale; **a** ~ **risk** un rischio calcolato.

calculating ['kælkjuleɪtɪŋ] *adj* calcolatore(trice).

calculation [kælkju'leɪʃən] *n* calcolo.

calculator ['kælkjuleɪtə*] *n* calcolatrice *f*.

calculus ['kælkjuləs] *n* calcolo; **integral/ differential** ~ calcolo integrale/ differenziale.

calendar ['kæləndə*] *n* calendario.

calendar year *n* anno civile.

calf, *pl* **calves** [kɑːf, kɑːvz] *n* (*of cow*) vitello; (*of other animals*) piccolo; (*also*: ~**skin**) (pelle *f* di) vitello; (*ANAT*) polpaccio.

caliber ['kælɪbə*] *n* (*US*) = **calibre**.

calibrate ['kælɪbreɪt] *vt* (*gun etc*) calibrare; (*scale of measuring instrument*) tarare.

calibre, (*US*) **caliber** ['kælɪbə*] *n* calibro.

calico ['kælɪkəu] *n* tela grezza, cotone *m* grezzo; (*US*) cotonina stampata.

Calif. *abbr* (*US*) = *California.*
California [kælɪˈfɔːnɪə] *n* California.
calipers [ˈkælɪpəz] *npl* (*US*) = **callipers.**
call [kɔːl] *vt* (*gen, also TEL*) chiamare;
(*announce: flight*) annunciare; (*meeting, strike*) indire, proclamare ♦ *vi* chiamare;
(*visit: also*: ~ **in**, ~ **round**) passare ♦ *n*
(*shout*) grido, urlo; visita; (*summons: for flight etc*) chiamata; (*fig: lure*) richiamo;
(*also*: **telephone** ~) telefonata; **to be on** ~
essere a disposizione; **to make a** ~
telefonare, fare una telefonata; **please give me a** ~ **at 7** per piacere mi chiami
alle 7; **to pay a** ~ **on sb** fare (una) visita a
qn; **there's not much** ~ **for these items**
non c'è molta richiesta di questi articoli;
she's ~**ed Jane** si chiama Jane; **who is** ~**ing?** (*TEL*) chi parla?; **London** ~**ing**
(*RADIO*) qui Londra.
►**call at** *vt fus* (*subj: ship*) fare scalo a; (: *train*) fermarsi a.
►**call back** *vi* (*return*) ritornare; (*TEL*)
ritelefonare, richiamare ♦ *vt* (*TEL*)
ritelefonare a, richiamare.
►**call for** *vt fus* (*demand: action etc*)
richiedere; (*collect: person*) passare a
prendere; (: *goods*) ritirare.
►**call in** *vt* (*doctor, expert, police*) chiamare,
far venire.
►**call off** *vt* (*meeting, race*) disdire; (*deal*)
cancellare; (*dog*) richiamare; **the strike was** ~**ed off** lo sciopero è stato revocato.
►**call on** *vt fus* (*visit*) passare da; (*request*):
to ~ **on sb to do** chiedere a qn di fare.
►**call out** *vi* urlare ♦ *vt* (*doctor, police, troops*) chiamare.
►**call up** *vt* (*MIL*) richiamare.
Callanetics ® [kæləˈnetɪks] *nsg* tipo di
ginnastica basata sulla ripetizione di
piccoli movimenti.
callbox [ˈkɔːlbɔks] *n* (*BRIT*) cabina
telefonica.
caller [ˈkɔːlə*] *n* persona che chiama;
visitatore/trice; **hold the line,** ~! (*TEL*)
rimanga in linea, signore (*or* signora)!
call girl *n* ragazza *f* squillo *inv*.
call-in [ˈkɔːlɪn] *n* (*US*) = **phone-in.**
calling [ˈkɔːlɪŋ] *n* vocazione *f*.
calling card *n* (*US*) biglietto da visita.
callipers, (*US*) **calipers** [ˈkælɪpəz] *npl* (*MED*)
gambale *m*; (*MATH*) calibro.
callous [ˈkæləs] *adj* indurito(a), insensibile.
callousness [ˈkæləsnɪs] *n* insensibilità.
callow [ˈkæləʊ] *adj* immaturo(a).
calm [kɑːm] *adj* calmo(a) ♦ *n* calma ♦ *vt*
calmare.
►**calm down** *vi* calmarsi ♦ *vt* calmare.
calmly [ˈkɑːmlɪ] *adv* con calma.

calmness [ˈkɑːmnɪs] *n* calma.
Calor gas ® [ˈkælə*-] *n* (*BRIT*) butano.
calorie [ˈkælərɪ] *n* caloria; **low-**~ **product**
prodotto a basso contenuto di calorie.
calve [kɑːv] *vi* figliare.
calves [kɑːvz] *npl of* **calf.**
CAM *n abbr* (= *computer-aided manufacturing*) fabbricazione *f* con
l'ausilio dell'elaboratore.
camber [ˈkæmbə*] *n* (*of road*) bombatura.
Cambodia [kæmˈbəʊdjə] *n* Cambogia.
Cambodian [kæmˈbəʊdɪən] *adj, n*
cambogiano(a).
Cambs *abbr* (*BRIT*) = *Cambridgeshire.*
camcorder [ˈkæmkɔːdə*] *n* videocamera.
came [keɪm] *pt of* **come.**
camel [ˈkæməl] *n* cammello.
cameo [ˈkæmɪəʊ] *n* cammeo.
camera [ˈkæmərə] *n* macchina fotografica;
(*CINE, TV*) telecamera; (*also*: **cine**~, **movie**
~) cinepresa; **in** ~ a porte chiuse.
cameraman [ˈkæmərəmæn] *n* cameraman
m inv.
Cameroon, Cameroun [ˈkæməruːn] *n*
Camerun *m*.
camouflage [ˈkæməflɑːʒ] *n* camuffamento;
(*MIL*) mimetizzazione *f* ♦ *vt* camuffare;
mimetizzare.
camp [kæmp] *n* campeggio; (*MIL*) campo ♦
vi campeggiare; accamparsi; **to go** ~**ing**
andare in campeggio.
campaign [kæmˈpeɪn] *n* (*MIL, POL etc*)
campagna ♦ *vi*: **to** ~ **(for/against)** (*also fig*)
fare una campagna (per/contro).
campaigner [kæmˈpeɪnə*] *n*: ~ **for** fautore/
trice di; ~ **against** oppositore/trice di.
campbed [ˈkæmpˈbed] *n* (*BRIT*) brandina.
camper [ˈkæmpə*] *n* campeggiatore/trice.
camping [ˈkæmpɪŋ] *n* campeggio.
camp(ing) site *n* campeggio.
campus [ˈkæmpəs] *n* campus *m inv*.
camshaft [ˈkæmʃɑːft] *n* albero a camme.
can [kæn] *aux vb see next headword* ♦ *n* (*of milk*)
scatola; (*of oil*) bidone *m*; (*of water*) tanica;
(*tin*) scatola ♦ *vt* mettere in scatola; **a** ~ **of beer** una lattina di birra; **to carry the** ~
(*BRIT col*) prendere la colpa.

―――――――――――――――――――― *KEYWORD*

can [kæn] (*negative* **cannot, can't**; *conditional
and pt* **could**) *aux vb* **1** (*be able to*) potere; **I**
~**'t go any further** non posso andare
oltre; **you** ~ **do it if you try** sei in grado di
farlo — basta provarci; **I'll help you all I**
~ ti aiuterò come potrò; **I** ~**'t see you** non
ti vedo; ~ **you hear me?** mi senti?, riesci
a sentirmi?
2 (*know how to*) sapere, essere capace di;

I ~ **swim** so nuotare; ~ **you speak French?** parla francese? **3** (*may*) potere; **could I have a word with you?** posso parlarle un momento? **4** (*expressing disbelief, puzzlement etc*): **it** ~'**t be true!** non può essere vero!; **what CAN he want?** cosa può mai volere? **5** (*expressing possibility, suggestion etc*): **he could be in the library** può darsi che sia in biblioteca; **they could have forgotten** potrebbero essersene dimenticati; **she could have been delayed** può aver avuto un contrattempo.

Canada ['kænədə] *n* Canada *m*.
Canadian [kə'neɪdɪən] *adj, n* canadese (*m/f*).
canal [kə'næl] *n* canale *m*.
canary [kə'nɛərɪ] *n* canarino.
Canary Islands, Canaries [kə'nɛərɪz] *npl*: **the** ~ le (isole) Canarie.
Canberra ['kænbərə] *n* Camberra.
cancel ['kænsəl] *vt* annullare; (*train*) sopprimere; (*cross out*) cancellare.
▶**cancel out** *vt* (*MATH*) semplificare; (*fig*) annullare; **they** ~ **each other out** (*also fig*) si annullano a vicenda.
cancellation [kænsə'leɪʃən] *n* annullamento; soppressione *f*; cancellazione *f*; (*TOURISM*) prenotazione *f* annullata.
cancer ['kænsə*] *n* cancro; **C**~ (*sign*) Cancro; **to be C**~ essere del Cancro.
cancerous ['kænsərəs] *adj* canceroso(a).
cancer patient *n* malato/a di cancro.
cancer research *n* ricerca sul cancro.
C and F *abbr* (*BRIT*: = *cost and freight*) Caf *m*.
candid ['kændɪd] *adj* onesto(a).
candidacy ['kændɪdəsɪ] *n* candidatura.
candidate ['kændɪdeɪt] *n* candidato/a.
candidature ['kændɪdətʃə*] *n* (*BRIT*) = **candidacy**.
candied ['kændɪd] *adj* candito(a); ~ **apple** (*US*) mela caramellata.
candle ['kændl] *n* candela.
candlelight ['kændl'laɪt] *n*: **by** ~ a lume di candela.
candlestick ['kændlstɪk] *n* (*also*: **candle holder**) bugia; (*bigger, ornate*) candeliere *m*.
candour, (*US*) **candor** ['kændə*] *n* sincerità.
candy ['kændɪ] *n* zucchero candito; (*US*) caramella; caramelle *fpl*.
candy-floss ['kændɪflɔs] *n* (*BRIT*) zucchero filato.
candy store *n* (*US*) ≈ pasticceria.
cane [keɪn] *n* canna; (*for baskets, chairs etc*) bambù *m*; (*SCOL*) verga; (*for walking*)

bastone *m* (da passeggio) ♦ *vt* (*BRIT SCOL*) punire a colpi di verga.
canine ['kænaɪn] *adj* canino(a).
canister ['kænɪstə*] *n* scatola metallica.
cannabis ['kænəbɪs] *n* canapa indiana.
canned ['kænd] *adj* (*food*) in scatola; (*col*: *recorded*: *music*) registrato(a); (*BRIT col*: *drunk*) sbronzo(a); (*US col*: *worker*) licenziato(a).
cannibal ['kænɪbəl] *n* cannibale *m/f*.
cannibalism ['kænɪbəlɪzəm] *n* cannibalismo.
cannon, *pl* ~ *or* ~**s** ['kænən] *n* (*gun*) cannone *m*.
cannonball ['kænənbɔːl] *n* palla di cannone.
cannon fodder *n* carne *f* da macello.
cannot ['kænɔt] = **can not**.
canny ['kænɪ] *adj* furbo(a).
canoe [kə'nuː] *n* canoa; (*SPORT*) canotto.
canoeing [kə'nuːɪŋ] *n* (*sport*) canottaggio.
canoeist [kə'nuːɪst] *n* canottiere *m*.
canon ['kænən] *n* (*clergyman*) canonico; (*standard*) canone *m*.
canonize ['kænənaɪz] *vt* canonizzare.
can opener [-'əupnə*] *n* apriscatole *m inv*.
canopy ['kænəpɪ] *n* baldacchino.
cant [kænt] *n* gergo ♦ *vt* inclinare ♦ *vi* inclinarsi.
can't [kænt] = **can not**.
Cantab. *abbr* (*BRIT*: = *cantabrigiensis*) *of Cambridge*.
cantankerous [kæn'tæŋkərəs] *adj* stizzoso(a).
canteen [kæn'tiːn] *n* mensa; (*BRIT*: *of cutlery*) portaposate *m inv*.
canter ['kæntə*] *n* piccolo galoppo ♦ *vi* andare al piccolo galoppo.
cantilever ['kæntɪliːvə*] *n* trave *f* a sbalzo.
canvas ['kænvəs] *n* tela; **under** ~ (*camping*) sotto la tenda; (*NAUT*) sotto la vela.
canvass ['kænvəs] *vt* (*COMM*: *district*) fare un'indagine di mercato in; (: *citizens, opinions*) fare un sondaggio di; (*POL*: *district*) fare un giro elettorale di; (: *person*) fare propaganda elettorale a.
canvasser ['kænvəsə*] *n* (*COMM*) agente *m* viaggiatore, piazzista *m*; (*POL*) propagandista *m/f* (elettorale).
canvassing ['kænvəsɪŋ] *n* sollecitazione *f*.
canyon ['kænjən] *n* canyon *m inv*.
CAP *n abbr* (= *Common Agricultural Policy*) PAC *f*.
cap [kæp] *n* (*also* FOOTBALL) berretto; (*of pen*) coperchio; (*of bottle*) tappo; (*for swimming*) cuffia; (*BRIT*: *contraceptive*: *also*: **Dutch** ~) diaframma *m* ♦ *vt* tappare; (*outdo*) superare; ~**ped with** ricoperto(a) di; **and to** ~ **it all, he** ... (*BRIT*) e per

completare l'opera, lui ....
capability [keɪpə'bɪlɪtɪ] n capacità f inv,
abilità f inv.
capable ['keɪpəbl] adj capace; ~ **of** capace
di; suscettibile di.
capacious [kə'peɪʃəs] adj capace.
capacity [kə'pæsɪtɪ] n capacità f inv; (of lift
etc) capienza; **in his ~ as** nella sua qualità
di; **to work at full ~** lavorare al massimo
delle proprie capacità; **this work is
beyond my ~** questo lavoro supera le
mie possibilità; **filled to ~** pieno zeppo; **in
an advisory ~** a titolo consultativo.
cape [keɪp] n (garment) cappa; (GEO) capo.
Cape of Good Hope n Capo di Buona
Speranza.
caper ['keɪpə*] n (CULIN: also: ~s) cappero;
(leap) saltello; (escapade) birichinata.
Cape Town n Città del Capo.
capita ['kæpɪtə] see **per capita.**
capital ['kæpɪtl] n (also: ~ **city**) capitale f;
(money) capitale m; (also: ~ **letter**)
(lettera) maiuscola.
capital account n conto capitale.
capital allowance n ammortamento
fiscale.
capital assets npl capitale m fisso.
capital expenditure n spese fpl in
capitale.
capital gains tax n imposta sulla
plusvalenza.
capital goods n beni mpl d'investimento,
beni mpl capitali.
capital-intensive ['kæpɪtlɪn'tɛnsɪv] adj ad
alta intensità di capitale.
capitalism ['kæpɪtəlɪzəm] n capitalismo.
capitalist ['kæpɪtəlɪst] adj, n capitalista
(m/f).
capitalize ['kæpɪtəlaɪz] vt (provide with
capital) capitalizzare.
▶**capitalize on** vt fus (fig) trarre vantaggio
da.
capital punishment n pena capitale.
capital transfer tax n (BRIT) imposta sui
trasferimenti di capitali.
Capitol ['kæpɪtl] n: **the ~** il Campidoglio.

Il **Capitol** *è l'edificio che ospita le riunioni
del Congresso degli Stati Uniti. È situato
sull'omonimo colle, Capitol Hill, a
Washington DC. In molti stati americani il
termine Capitol viene usato per indicare
l'edificio dove si riuniscono i rappresentanti
dello stato.*

---

capitulate [kə'pɪtjuleɪt] vi capitolare.
capitulation [kəpɪtju'leɪʃən] n
capitolazione f.

capricious [kə'prɪʃəs] adj capriccioso(a).
Capricorn ['kæprɪkɔːn] n Capricorno; **to be
~** essere del Capricorno.
caps [kæps] abbr = **capital letters.**
capsize [kæp'saɪz] vt capovolgere ♦ vi
capovolgersi.
capstan ['kæpstən] n argano.
capsule ['kæpsjuːl] n capsula.
Capt. abbr (= captain) Cap.
captain ['kæptɪn] n capitano ♦ vt
capitanare.
caption ['kæpʃən] n leggenda.
captivate ['kæptɪveɪt] vt avvincere.
captive ['kæptɪv] adj, n prigioniero(a).
captivity [kæp'tɪvɪtɪ] n prigionia; **in ~**
(animal) in cattività.
captor ['kæptə*] n (lawful) chi ha catturato;
(unlawful) rapitore m.
capture ['kæptʃə*] vt catturare, prendere;
(attention) attirare ♦ n cattura; (data ~)
registrazione f or rilevazione f di dati.
car [kɑː*] n macchina, automobile f; (US
RAIL) carrozza; **by ~** in macchina.
Caracas [kə'rækəs] n Caracas f.
carafe [kə'ræf] n caraffa.
carafe wine n (in restaurant) ≈ vino sfuso.
caramel ['kærəməl] n caramello.
carat ['kærət] n carato; **18 ~ gold** oro a 18
carati.
caravan ['kærəvæn] n roulotte f inv.
caravan site n (BRIT) campeggio per
roulotte.
caraway ['kærəweɪ] n: ~ **seed** seme m di
cumino.
carbohydrates [kɑːbəu'haɪdreɪts] npl
(foods) carboidrati mpl.
carbolic acid [kɑː'bɔlɪk-] n acido fenico,
fenolo.
car bomb n ordigno esplosivo collocato in
una macchina; **a ~ went off yesterday**
ieri è esplosa un'autobomba.
carbon ['kɑːbən] n carbonio.
carbonated ['kɑːbəneɪtəd] adj (drink)
gassato(a).
carbon copy n copia f carbone inv.
carbon dioxide [-daɪ'ɔksaɪd] n diossido di
carbonio.
carbon paper n carta carbone.
carbon ribbon n nastro carbonato.
car boot sale n mercatino dell'usato dove
la merce viene esposta nel bagagliaio
delle macchine.
carburettor, (US) **carburetor**
[kɑːbju'rɛtə*] n carburatore m.
carcass ['kɑːkəs] n carcassa.
carcinogenic [kɑːsɪnə'dʒɛnɪk] adj
cancerogeno(a).
card [kɑːd] n carta; (thin cardboard)

cartoncino; (*visiting* ~ *etc*) biglietto; (*membership* ~) tessera; (*Christmas* ~ *etc*) cartolina; **to play** ~**s** giocare a carte.

cardamom ['kɑːdəməm] *n* cardamomo.

cardboard ['kɑːdbɔːd] *n* cartone *m*.

cardboard box *n* (scatola di) cartone *m*.

cardboard city *n luogo dove dormono in scatole di cartone emarginati senzatetto*.

card-carrying member ['kɑːd'kærɪŋ-] *n* tesserato/a.

card game *n* gioco di carte.

cardiac ['kɑːdɪæk] *adj* cardiaco(a).

cardigan ['kɑːdɪgən] *n* cardigan *m inv.*

cardinal ['kɑːdɪnl] *adj*, *n* cardinale (*m*).

card index *n* schedario.

cardphone ['kɑːdfəun] *n* telefono a scheda (magnetica).

cardsharp ['kɑːdʃɑːp] *n* baro.

card vote *n* (*BRIT*) voto (palese) per delega.

CARE [kɛə*] *n abbr* = *Cooperative for American Relief Everywhere.*

care [kɛə*] *n* cura, attenzione *f*; (*worry*) preoccupazione *f* ♦ *vi*: **to** ~ **about** interessarsi di; **would you** ~ **to/for ...?** le piacerebbe ...?; **I wouldn't** ~ **to do it** non lo vorrei fare; **in sb's** ~ alle cure di qn; **to take** ~ fare attenzione; **to take** ~ **of** curarsi di; (*details, arrangements*) occuparsi di; **I don't** ~ non me ne importa; **I couldn't** ~ **less** non me ne importa un bel niente; ~ **of** (**c/o**) (*on letter*) presso; **"with** ~**"** "fragile"; **the child has been taken into** ~ il bambino è stato preso in custodia.

►**care for** *vt fus* aver cura di; (*like*) voler bene a.

careen [kə'riːn] *vi* (*ship*) sbandare ♦ *vt* carenare.

career [kə'rɪə*] *n* carriera; (*occupation*) professione *f* ♦ *vi* (*also*: ~ **along**) andare di (gran) carriera.

career girl *n* donna dedita alla carriera.

careers officer *n* consulente *m/f* d'orientamento professionale.

carefree ['kɛəfriː] *adj* sgombro(a) di preoccupazioni.

careful ['kɛəful] *adj* attento(a); (*cautious*) cauto(a); **(be)** ~**!** attenzione!; **he's very** ~ **with his money** bada molto alle spese.

carefully ['kɛəfəlɪ] *adv* con cura; cautamente.

careless ['kɛəlɪs] *adj* negligente; (*remark*) privo(a) di tatto.

carelessly ['kɛəlɪslɪ] *adv* negligentemente; senza tatto; (*without thinking*) distrattamente.

carelessness ['kɛəlɪsnɪs] *n* negligenza;

mancanza di tatto.

carer ['kɛərə*] *n chi si occupa di un familiare anziano o invalido.*

caress [kə'rɛs] *n* carezza ♦ *vt* accarezzare.

caretaker ['kɛəteɪkə*] *n* custode *m*.

caretaker government *n* (*BRIT*) governo *m* ponte *inv.*

car-ferry ['kɑːferɪ] *n* traghetto.

cargo, ** ~es** ['kɑːgəu] *n* carico.

cargo boat *n* cargo.

cargo plane *n* aereo di linea da carico.

car hire *n* (*BRIT*) autonoleggio.

Caribbean [kærɪ'biːən] *adj* caraibico(a); **the** ~ (**Sea**) il Mar dei Caraibi.

caricature ['kærɪkətjuə*] *n* caricatura.

caring ['kɛərɪŋ] *adj* (*person*) premuroso(a); (*society, organization*) umanitario(a).

carnage ['kɑːnɪdʒ] *n* carneficina.

carnal ['kɑːnl] *adj* carnale.

carnation [kɑː'neɪʃən] *n* garofano.

carnival ['kɑːnɪvəl] *n* (*public celebration*) carnevale *m*; (*US: funfair*) luna park *m inv.*

carnivorous [kɑː'nɪvərəs] *adj* carnivoro(a).

carol ['kærəl] *n*: (**Christmas**) ~ canto di Natale.

carouse [kə'rauz] *vi* far baldoria.

carousel [kærə'sɛl] *n* (*US*) giostra.

carp [kɑːp] *n* (*fish*) carpa.

►**carp at** *vt fus* trovare a ridire su.

car park *n* parcheggio.

carpenter ['kɑːpɪntə*] *n* carpentiere *m*.

carpentry ['kɑːpɪntrɪ] *n* carpenteria.

carpet ['kɑːpɪt] *n* tappeto; (*BRIT: fitted* ~) moquette *f inv* ♦ *vt* coprire con tappeto.

carpet bombing *n* bombardamento a tappeto.

carpet slippers *npl* pantofole *fpl.*

carpet sweeper *n* scopatappeti *m inv.*

car phone *n* telefonino per auto.

car rental *n* (*US*) autonoleggio.

carriage ['kærɪdʒ] *n* vettura; (*of goods*) trasporto; (*of typewriter*) carrello; (*bearing*) portamento; ~ **forward** porto assegnato; ~ **free** franco di porto; ~ **paid** porto pagato.

carriage return *n* (*on typewriter etc*) leva (*or* tasto) del ritorno a capo.

carriageway ['kærɪdʒweɪ] *n* (*BRIT: part of road*) carreggiata.

carrier ['kærɪə*] *n* (*of disease*) portatore/ trice; (*COMM*) impresa di trasporti; (*NAUT*) portaerei *f inv.*

carrier bag *n* (*BRIT*) sacchetto.

carrier pigeon *n* colombo viaggiatore.

carrion ['kærɪən] *n* carogna.

carrot ['kærət] *n* carota.

carry ['kærɪ] *vt* (*subj: person*) portare; (: *vehicle*) trasportare; (*a motion, bill*) far passare; (*involve: responsibilities etc*) comportare; (*COMM: goods*) tenere; (*: interest*) avere; (*MATH: figure*) riportare ♦ *vi* (*sound*) farsi sentire; **this loan carries 10% interest** questo prestito è sulla base di un interesse del 10%; **to be carried away** (*fig*) farsi trascinare.

▶**carry forward** *vt* (*MATH, COMM*) riportare.

▶**carry on** *vi*: **to ~ on with sth/doing** continuare qc/a fare ♦ *vt* mandare avanti.

▶**carry out** *vt* (*orders*) eseguire; (*investigation*) svolgere; (*accomplish etc: plan*) realizzare; (*perform, implement: idea, threat*) mettere in pratica.

carrycot ['kærɪkɒt] *n* (*BRIT*) culla portabile.

carry-on [kærɪ'ɒn] *n* (*col: fuss*) casino, confusione *f*; (*: annoying behaviour*): **I've had enough of your ~!** mi hai proprio scocciato!

cart [kɑːt] *n* carro ♦ *vt* (*col*) trascinare, scarrozzare.

carte blanche ['kɑːt'blɒnʃ] *n*: **to give sb ~** dare carta bianca a qn.

cartel [kɑː'tɛl] *n* (*COMM*) cartello.

cartilage ['kɑːtɪlɪdʒ] *n* cartilagine *f*.

cartographer [kɑː'tɒgrəfə*] *n* cartografo/a.

cartography [kɑː'tɒgrəfɪ] *n* cartografia.

carton ['kɑːtən] *n* (*box*) scatola di cartone; (*of yogurt*) cartone *m*; (*of cigarettes*) stecca.

cartoon [kɑː'tuːn] *n* (*in newspaper etc*) vignetta; (*CINE, TV*) cartone *m* animato; (*ART*) cartone.

cartoonist [kɑː'tuːnɪst] *n* vignettista *m/f*; cartonista *m/f*.

cartridge ['kɑːtrɪdʒ] *n* (*for gun, pen*) cartuccia; (*for camera*) caricatore *m*; (*music tape*) cassetta; (*of record player*) testina.

cartwheel ['kɑːtwiːl] *n*: **to turn a ~** (*SPORT etc*) fare la ruota.

carve [kɑːv] *vt* (*meat*) trinciare; (*wood, stone*) intagliare.

▶**carve up** *vt* (*meat*) tagliare; (*fig: country*) suddividere.

carving ['kɑːvɪŋ] *n* (*in wood etc*) scultura.

carving knife *n* trinciante *m*.

car wash *n* lavaggio auto.

Casablanca [kæsə'blæŋkə] *n* Casablanca.

cascade [kæs'keɪd] *n* cascata ♦ *vi* scendere a cascata.

case [keɪs] *n* caso; (*LAW*) causa, processo; (*box*) scatola; (*also*: **suit~**) valigia; (*TYP*): **lower/upper ~** (*carattere m*) minuscolo/maiuscolo; **to have a good ~** avere pretese legittime; **there's a strong ~ for reform** ci sono validi argomenti a favore della riforma; **in ~ of** in caso di; **in ~ he** caso mai lui; **just in ~** in caso di bisogno.

case history *n* (*MED*) cartella clinica.

case study *n* studio di un caso.

cash [kæʃ] *n* (*coins, notes*) soldi *mpl*, denaro; (*col: money*) quattrini *mpl* ♦ *vt* incassare; **to pay (in) ~** pagare in contanti; **to be short of ~** essere a corto di soldi; **~ with order/on delivery (COD)** (*COMM*) pagamento all'ordinazione/alla consegna.

▶**cash in** *vt* (*insurance policy etc*) riscuotere, riconvertire.

▶**cash in on** *vt fus*: **to ~ in on sth** sfruttare qc.

cash account *n* conto *m* cassa *inv*.

cash-and-carry ['kæʃənd'kærɪ] *n* cash and carry *m inv*.

cashbook ['kæʃbuk] *n* giornale *m* di cassa.

cash box *n* cassetta per il denaro spicciolo.

cash card *n* carta per prelievi automatici.

cash desk *n* (*BRIT*) cassa.

cash discount *n* sconto per contanti.

cash dispenser *n* sportello automatico.

cashew [kæ'ʃuː] *n* (*also*: **~ nut**) anacardio.

cash flow *n* cash-flow *m inv*, liquidità *f inv*.

cashier [kæ'ʃɪə*] *n* cassiere/a ♦ *vt* (*esp MIL*) destituire.

cashmere ['kæʃmɪə*] *n* cachemire *m*.

cash payment *n* pagamento in contanti.

cash price *n* prezzo per contanti.

cash register *n* registratore *m* di cassa.

cash sale *n* vendita per contanti.

casing ['keɪsɪŋ] *n* rivestimento.

casino [kə'siːnəu] *n* casinò *m inv*.

cask [kɑːsk] *n* botte *f*.

casket ['kɑːskɪt] *n* cofanetto; (*US: coffin*) bara.

Caspian Sea ['kæspɪən-] *n*: **the ~** il mar Caspio.

casserole ['kæsərəul] *n* casseruola; (*food*): **chicken ~** pollo in casseruola.

cassette [kæ'sɛt] *n* cassetta.

cassette deck *n* piastra di registrazione.

cassette player *n* riproduttore *m* a cassette.

cassette recorder *n* registratore *m* a cassette.

cast [kɑːst] *vt* (*pt, pp* **cast**) (*throw*) gettare; (*shed*) perdere; spogliarsi di; (*metal*) gettare, fondere ♦ *n* (*THEAT*) complesso di attori; (*mould*) forma; (*also*: **plaster ~**) ingessatura; (*THEAT*): **to ~ sb as Hamlet** scegliere qn per la parte di Amleto; **to ~ one's vote** votare, dare il voto.

▶**cast aside** *vt* (*reject*) mettere da parte.

▶**cast off** *vi* (*NAUT*) salpare; (*KNITTING*) diminuire, calare ♦ *vt* (*NAUT*) disormeggiare; (*KNITTING*) diminuire, calare.

►**cast on** *vt* (*KNITTING*) avviare ♦ *vi* avviare (le maglie).

castanets [kæstə'nɛts] *npl* castagnette *fpl*.

castaway ['kɑːstəwəɪ] *n* naufrago/a.

caste [kɑːst] *n* casta.

caster sugar ['kɑːstə-] *n* zucchero semolato.

casting vote ['kɑːstɪŋ-] *n* (*BRIT*) voto decisivo.

cast iron *n* ghisa ♦ *adj*: **cast-iron** (*fig*: *will, alibi*) di ferro, d'acciaio.

castle ['kɑːsl] *n* castello; (*fortified*) rocca.

castor ['kɑːstə*] *n* (*wheel*) rotella.

castor oil *n* olio di ricino.

castrate [kæs'treɪt] *vt* castrare.

casual ['kæʒjul] *adj* (*by chance*) casuale, fortuito(a); (*irregular*: *work etc*) avventizio(a); (*unconcerned*) noncurante, indifferente; ~ **wear** casual *m*.

casual labour *n* manodopera avventizia.

casually ['kæʒjulɪ] *adv* con disinvoltura; (*by chance*) casualmente.

casualty ['kæʒjultɪ] *n* ferito/a; (*dead*) morto/a, vittima; **heavy casualties** *npl* grosse perdite *fpl*.

casualty ward *n* (*BRIT*) pronto soccorso.

cat [kæt] *n* gatto.

catacombs ['kætəkuːmz] *npl* catacombe *fpl*.

catalogue, (*US*) **catalog** ['kætəlɔg] *n* catalogo ♦ *vt* catalogare.

catalyst ['kætəlɪst] *n* catalizzatore *m*.

catalytic converter [kætə'lɪtɪkkən'vɔːtə*] *n* marmitta catalitica, catalizzatore *m*.

catapult ['kætəpʌlt] *n* catapulta; fionda.

cataract ['kætərækt] *n* (*also MED*) cateratta.

catarrh [kə'tɑː*] *n* catarro.

catastrophe [kə'tæstrəfɪ] *n* catastrofe *f*.

catastrophic [kætə'strɔfɪk] *adj* catastrofico(a).

catcall ['kætkɔːl] *n* (*at meeting etc*) fischio.

catch [kætʃ] *vb* (*pt, pp* **caught** [kɔːt]) *vt* (*train, thief, cold*) acchiappare; (*ball*) afferrare; (*person*: *by surprise*) sorprendere; (*understand*) comprendere; (*get entangled*) impigliare ♦ *vi* (*fire*) prendere ♦ *n* (*fish etc caught*) retata, presa; (*trick*) inganno; (*TECH*) gancio; **to ~ sb's attention** *or* **eye** attirare l'attenzione di qn; **to ~ fire** prendere fuoco; **to ~ sight of** scorgere.

►**catch on** *vi* (*become popular*) affermarsi, far presa; (*understand*): **to ~ on (to sth)** capire (qc).

►**catch out** *vt* (*BRIT fig*: *with trick question*) cogliere in fallo.

►**catch up** *vi* mettersi in pari ♦ *vt* (*also*: ~ **up with**) raggiungere.

catching ['kætʃɪŋ] *adj* (*MED*) contagioso(a).

catchment area ['kætʃmənt-] *n* (*BRIT SCOL*) circoscrizione *f* scolare; (*GEO*) bacino pluviale.

catch phrase *n* slogan *m inv*; frase *f* fatta.

catch-22 ['kætʃtwɛntɪ'tuː] *n*: **it's a ~ situation** non c'è via d'uscita.

catchy ['kætʃɪ] *adj* orecchiabile.

catechism ['kætɪkɪzəm] *n* catechismo.

categoric(al) [kætɪ'gɔrɪk(l)] *adj* categorico(a).

categorize ['kætɪgəraɪz] *vt* categorizzare.

category ['kætɪgərɪ] *n* categoria.

cater ['keɪtə*] *vi* (*gen*: ~ **for**) provvedere da mangiare (per).

►**cater for** *vt fus* (*BRIT*: *needs*) provvedere a; (: *readers, consumers*) incontrare i gusti di.

caterer ['keɪtərə*] *n* fornitore *m*.

catering ['keɪtərɪŋ] *n* approvvigionamento.

catering trade *n* settore *m* ristoranti.

caterpillar ['kætəpɪlə*] *n* (*ZOOL*) bruco ♦ *cpd* (*vehicle*) cingolato(a); ~ **track** cingolo.

cat flap *n* gattaiola.

cathedral [kə'θiːdrəl] *n* cattedrale *f*, duomo.

cathode ['kæθəud] *n* catodo.

cathode ray tube *n* tubo a raggi catodici.

catholic ['kæθəlɪk] *adj* universale; aperto(a); eclettico(a); **C~** *adj*, *n* (*REL*) cattolico(a).

CAT scanner [kæt-] *n* (*MED*: = *computerized axial tomography scanner*) (rilevatore *m* per la) TAC *f inv*.

cat's-eye ['kæts'aɪ] *n* (*BRIT AUT*) catarifrangente *m*.

catsup ['kætsəp] *n* (*US*) ketchup *m inv*.

cattle ['kætl] *npl* bestiame *m*, bestie *fpl*.

catty ['kætɪ] *adj* maligno(a), dispettoso(a).

catwalk ['kætwɔːk] *n* passerella.

Caucasian [kɔː'keɪzɪən] *adj*, *n* caucasico(a).

Caucasus ['kɔːkəsəs] *n* Caucaso.

caucus ['kɔːkəs] *n* (*US POL*) (riunione *f* del) comitato elettorale; (*BRIT POL*: *group*) comitato di dirigenti.

Caucus *è il termine usato, specialmente negli Stati Uniti, per indicare una riunione informale dei rappresentanti di spicco di un partito politico che precede una riunione ufficiale. Con uso estensivo, la parola indica il nucleo direttivo di un partito politico.*

---

caught [kɔːt] *pt, pp of* **catch**.

cauliflower ['kɔlɪflauə*] *n* cavolfiore *m*.

cause [kɔːz] *n* causa ♦ *vt* causare; **there is no ~ for concern** non c'è ragione di preoccuparsi; **to ~ sb to do sth** far fare qc a qn; **to ~ sth to be done** far fare qc.

causeway ['kɔːzweɪ] n strada rialzata.

caustic ['kɔːstɪk] adj caustico(a).

caution ['kɔːʃən] n prudenza; (warning) avvertimento ♦ vt ammonire.

cautious ['kɔːʃəs] adj cauto(a), prudente.

cautiously ['kɔːʃəslɪ] adv prudentemente.

cautiousness ['kɔːʃəsnɪs] n cautela.

cavalier [kævə'lɪə*] n (knight) cavaliere m ♦ adj (pej: offhand) brusco(a).

cavalry ['kævəlrɪ] n cavalleria.

cave [keɪv] n caverna, grotta ♦ vi: **to go caving** fare speleologia.

▶**cave in** vi (roof etc) crollare.

caveman ['keɪvmæn] n uomo delle caverne.

cavern ['kævən] n caverna.

caviar(e) ['kævɪɑː*] n caviale m.

cavity ['kævɪtɪ] n cavità f inv.

cavity wall insulation n isolamento per pareti a intercapedine.

cavort [kə'vɔːt] vi far capriole.

cayenne (pepper) [keɪ'ɛn-] n pepe m di Caienna.

CB n abbr (BRIT: = Companion (of the Order) of the Bath) titolo; (= Citizens' Band (Radio)) C.B. m; ~ **radio (set)** baracchino.

CBC n abbr = Canadian Broadcasting Corporation.

CBE n abbr (BRIT: = Companion (of the Order) of the British Empire) titolo.

CBI n abbr (= Confederation of British Industry) ≈ CONFINDUSTRIA (= Confederazione Generale dell'Industria Italiana).

CBS n abbr (US) = Columbia Broadcasting System.

CC abbr (BRIT) = county council.

cc abbr (= cubic centimetre) cc; (on letter etc) = carbon copy.

CCA n abbr (US: = Circuit Court of Appeals) corte f d'appello itinerante.

CCU n abbr (US: = coronary care unit) unità coronarica.

CD n abbr (= compact disk) compact disc m inv; ~ **player** lettore m CD; (MIL) = Civil Defence (Corps) (BRIT), Civil Defense (US) ♦ abbr (BRIT: = Corps Diplomatique) C.D.

CDC n abbr (US) = center for disease control.

CD-I ® n CD-I m inv, compact disc m inv interattivo.

Cdr. abbr (= commander) Com.

CD-ROM ['siː'diː'rɔm] n abbr (= compact disc read-only memory) CD-ROM m inv.

CDT abbr (US: = Central Daylight Time) ora legale del centro.

CDW n abbr see **collision damage waiver**.

cease [siːs] vt, vi cessare.

ceasefire ['siːsfaɪə*] n cessate il fuoco m inv.

ceaseless ['siːslɪs] adj incessante, continuo(a).

CED n abbr (US) = Committee for Economic Development.

cedar ['siːdə*] n cedro.

cede [siːd] vt cedere.

CEEB n abbr (US: = College Entrance Examination Board) commissione f per l'esame di ammissione al college.

ceilidh ['keɪlɪ] n festa con musiche e danze popolari scozzesi o irlandesi.

ceiling ['siːlɪŋ] n soffitto; (fig: upper limit) tetto, limite m massimo.

celebrate ['sɛlɪbreɪt] vt, vi celebrare.

celebrated ['sɛlɪbreɪtɪd] adj celebre.

celebration [sɛlɪ'breɪʃən] n celebrazione f.

celebrity [sɪ'lɛbrɪtɪ] n celebrità f inv.

celeriac [sə'lɛrɪæk] n sedano m rapa inv.

celery ['sɛlərɪ] n sedano.

celestial [sɪ'lɛstɪəl] adj celeste.

celibacy ['sɛlɪbəsɪ] n celibato.

cell [sɛl] n cella; (BIOL) cellula; (ELEC) elemento (di batteria).

cellar ['sɛlə*] n sottosuolo, cantina.

cellist ['tʃɛlɪst] n violoncellista m/f.

cello ['tʃɛləʊ] n violoncello.

cellophane ® ['sɛləfeɪn] n cellophane ® m.

cellphone ['sɛlfəʊn] n cellulare m.

cellular ['sɛljʊlə*] adj cellulare.

celluloid ['sɛljʊlɔɪd] n celluloide f.

cellulose ['sɛljʊləʊs] n cellulosa.

Celsius ['sɛlsɪəs] adj Celsius inv.

Celt [kɛlt, sɛlt] n celta m/f.

Celtic ['kɛltɪk, 'sɛltɪk] adj celtico(a) ♦ n (LING) celtico.

cement [sə'mɛnt] n cemento ♦ vt cementare.

cement mixer n betoniera.

cemetery ['sɛmɪtrɪ] n cimitero.

cenotaph ['sɛnətɑːf] n cenotafio.

censor ['sɛnsə*] n censore m ♦ vt censurare.

censorship ['sɛnsəʃɪp] n censura.

censure ['sɛnʃə*] vt censurare.

census ['sɛnsəs] n censimento.

cent [sɛnt] n (US: coin) centesimo (= 1:100 di un dollaro); see also **per cent**.

centenary [sɛn'tiːnərɪ], **centennial** [sɛn'tɛnɪəl] n centenario.

center ['sɛntə*] n, vt (US) = **centre**.

centigrade ['sɛntɪgreɪd] adj centigrado(a).

centilitre, (US) **centiliter** ['sɛntɪliːtə*] n centilitro.

centimetre, (US) **centimeter** ['sɛntɪmiːtə*] n centimetro.

centipede ['sɛntɪpiːd] n centopiedi m inv.

central ['sɛntrəl] adj centrale.

Central African Republic n Repubblica

centrafricana.

Central America *n* America centrale.

central heating *n* riscaldamento centrale.

centralize ['sɛntrəlaɪz] *vt* accentrare.

central processing unit (CPU) *n* (*COMPUT*) unità *f inv* centrale di elaborazione.

central reservation *n* (*BRIT AUT*) banchina *f* spartitraffico *inv*.

centre, (*US*) center ['sɛntə*] *n* centro ♦ *vt* (*concentrate*): **to ~ (on)** concentrare (su).

centrefold, (*US*) centerfold ['sɛntəfəuld] *n* (*PRESS*) poster *m* (all'interno di rivista).

centre-forward ['sɛntə'fɔːwəd] *n* (*SPORT*) centroavanti *m inv*.

centre-half ['sɛntə'hɑːf] *n* (*SPORT*) centromediano.

centrepiece, (*US*) centerpiece ['sɛntəpiːs] *n* centrotavola *m*; (*fig*) punto centrale.

centre spread *n* (*BRIT*) pubblicità a doppia pagina.

centre-stage [sɛntə'steɪdʒ] *n*: **to take ~** porsi al centro dell'attenzione.

centrifugal [sɛn'trɪfjugəl] *adj* centrifugo(a).

centrifuge ['sɛntrɪfjuːʒ] *n* centrifuga.

century ['sɛntjurɪ] *n* secolo; **in the twentieth ~** nel ventesimo secolo.

CEO *n abbr* (*US*) *see* **chief executive officer.**

ceramic [sɪ'ræmɪk] *adj* ceramico(a).

cereal ['siːrɪəl] *n* cereale *m*.

cerebral ['sɛrɪbrəl] *adj* cerebrale.

ceremonial [sɛrɪ'məunɪəl] *n* cerimoniale *m*; (*rite*) rito.

ceremony ['sɛrɪmənɪ] *n* cerimonia; **to stand on ~** fare complimenti.

cert [səːt] *n* (*BRIT col*): **it's a dead ~** non c'è alcun dubbio.

certain ['səːtən] *adj* certo(a); **to make ~ of** assicurarsi di; **for ~** per certo, di sicuro.

certainly ['səːtənlɪ] *adv* certamente, certo.

certainty ['səːtəntɪ] *n* certezza.

certificate [sə'tɪfɪkɪt] *n* certificato; diploma *m*.

certified letter ['səːtɪfaɪd-] *n* (*US*) lettera raccomandata.

certified public accountant (CPA) ['səːtɪfaɪd-] *n* (*US*) ≈ commercialista *m/f*.

certify ['səːtɪfaɪ] *vt* certificare ♦ *vi*: **to ~ to** attestare a.

cervical ['səːvɪkl] *adj*: **~ cancer** cancro della cervice, tumore *m* al collo dell'utero; **~ smear** Pap-test *m inv*.

cervix ['səːvɪks] *n* cervice *f*.

Cesarean [siː'zɛərɪən] *adj*, *n* (*US*) = **Caesarean.**

cessation [sə'seɪʃən] *n* cessazione *f*; arresto.

cesspit ['sɛspɪt] *n* pozzo nero.

CET *abbr* (= *Central European Time*) *fuso orario*.

Ceylon [sɪ'lɔn] *n* Ceylon *f*.

cf. *abbr* (= *compare*) cfr.

c/f *abbr* (*COMM*) = *carried forward*.

CFC *n abbr* (= *chlorofluorocarbon*) CFC *m inv*.

CG *n abbr* (*US*) = **coastguard.**

cg *abbr* (= *centigram*) cg.

CH *n abbr* (*BRIT*: = *Companion of Honour*) titolo.

ch *abbr* (*BRIT*) = **central heating.**

ch. *abbr* (= *chapter*) cap.

Chad [tʃæd] *n* Chad *m*.

chafe [tʃeɪf] *vt* fregare, irritare ♦ *vi* (*fig*): **to ~ against** scontrarsi con.

chaffinch ['tʃæfɪntʃ] *n* fringuello.

chagrin ['ʃægrɪn] *n* disappunto, dispiacere *m*.

chain [tʃeɪn] *n* catena ♦ *vt* (*also*: **~ up**) incatenare.

chain reaction *n* reazione *f* a catena.

chain-smoke ['tʃeɪnsməuk] *vi* fumare una sigaretta dopo l'altra.

chain store *n* negozio a catena.

chair [tʃɛə*] *n* sedia; (*armchair*) poltrona; (*of university*) cattedra ♦ *vt* (*meeting*) presiedere; **the ~** (*US*: *electric ~*) la sedia elettrica.

chairlift ['tʃɛəlɪft] *n* seggiovia.

chairman ['tʃɛəmən] *n* presidente *m*.

chairperson ['tʃɛəpəːsn] *n* presidente/essa.

chairwoman ['tʃɛəwumən] *n* presidentessa.

chalet ['ʃæleɪ] *n* chalet *m inv*.

chalice ['tʃælɪs] *n* calice *m*.

chalk [tʃɔːk] *n* gesso.

▶**chalk up** *vt* scrivere col gesso; (*fig*: *success*) ottenere; (*: victory*) riportare.

challenge ['tʃælɪndʒ] *n* sfida ♦ *vt* sfidare; (*statement, right*) mettere in dubbio; **to ~ sb to a fight/game** sfidare qn a battersi/ ad una partita; **to ~ sb to do** sfidare qn a fare.

challenger ['tʃælɪndʒə*] *n* (*SPORT*) sfidante *m/f*.

challenging ['tʃælɪndʒɪŋ] *adj* sfidante; (*remark, look*) provocatorio(a).

chamber ['tʃeɪmbə*] *n* camera; **~ of commerce** camera di commercio.

chambermaid ['tʃeɪmbəmeɪd] *n* cameriera.

chamber music *n* musica da camera.

chamberpot ['tʃeɪmbəpɔt] *n* vaso da notte.

chameleon [kə'miːlɪən] *n* camaleonte *m*.

chamois ['ʃæmwɑː] *n* camoscio.

chamois leather ['ʃæmɪ-] *n* pelle *f* di camoscio.

champagne [ʃæm'peɪn] *n* champagne *m inv*.

champers ['ʃæmpəz] *nsg* (*col*) sciampagna.

champion ['tʃæmpɪən] n campione/essa; (of cause) difensore m ♦ vt difendere, lottare per.

championship ['tʃæmpɪənʃɪp] n campionato.

chance [tʃɑːns] n caso; (opportunity) occasione f; (likelihood) possibilità f inv ♦ vt: **to ~ it** rischiare, provarci ♦ adj fortuito(a); **there is little ~ of his coming** è molto improbabile che venga; **to take a ~** rischiare; **by ~** per caso; **it's the ~ of a lifetime** è un'occasione unica; **the ~s are that ...** probabilmente ..., è probabile che ... + sub; **to ~ to do sth** (formal: happen) fare per caso qc.

►**chance (up)on** vt fus (person) incontrare per caso, imbattersi in; (thing) trovare per caso.

chancel ['tʃɑːnsəl] n coro.

chancellor ['tʃɑːnsələ*] n cancelliere m; (of university) rettore m (onorario); **C~ of the Exchequer** (BRIT) Cancelliere m dello Scacchiere.

chandelier [ʃændə'lɪə*] n lampadario.

change [tʃeɪndʒ] vt cambiare; (transform): **to ~ sb into** trasformare qn in ♦ vi cambiarsi; (be transformed): **to ~ into** trasformarsi in ♦ n cambiamento; (money) resto; **to ~ one's mind** cambiare idea; **to ~ gear** (AUT) cambiare (marcia); **she ~d into an old skirt** si è cambiata e ha messo una vecchia gonna; **a ~ of clothes** un cambio (di vestiti); **for a ~** tanto per cambiare; **small ~** spiccioli mpl, moneta; **keep the ~** tenga il resto; **can you give me ~ for £1?** mi può cambiare una sterlina?

changeable ['tʃeɪndʒəbl] adj (weather) variabile; (person) mutevole.

change machine n distributore m automatico di monete.

changeover ['tʃeɪndʒəuvə*] n cambiamento, passaggio.

changing ['tʃeɪndʒɪŋ] adj che cambia; (colours) cangiante.

changing room n (BRIT: in shop) camerino; (: SPORT) spogliatoio.

channel ['tʃænl] n canale m; (of river, sea) alveo ♦ vt canalizzare; (fig: interest, energies): **to ~ into** concentrare su, indirizzare verso; **through the usual ~s** per le solite vie; **the (English) C~** la Manica; **green/red ~** (CUSTOMS) uscita "niente da dichiarare"/"merci da dichiarare".

Channel Islands npl: **the ~** le Isole Normanne.

Channel Tunnel n: **the ~** il tunnel della Manica.

chant [tʃɑːnt] n canto; salmodia; (of crowd) slogan m inv ♦ vt cantare; salmodiare; **the demonstrators ~ed their disapproval** i dimostranti lanciavano slogan di protesta.

chaos ['keɪɔs] n caos m.

chaos theory n teoria del caos.

chaotic [keɪ'ɔtɪk] adj caotico(a).

chap [tʃæp] n (BRIT col: man) tipo ♦ vt (skin) screpolare; **old ~** vecchio mio.

chapel ['tʃæpl] n cappella.

chaperone ['ʃæpərəun] n accompagnatore/trice ♦ vt accompagnare.

chaplain ['tʃæplɪn] n cappellano.

chapped [tʃæpt] adj (skin, lips) screpolato(a).

chapter ['tʃæptə*] n capitolo.

char [tʃɑː*] vt (burn) carbonizzare ♦ vi (BRIT: cleaner) lavorare come domestica (a ore) ♦ n (BRIT) = **charlady**.

character ['kærɪktə*] n (gen, COMPUT) carattere m; (in novel, film) personaggio; (eccentric) originale m; **a person of good ~** una persona a modo.

character code n (COMPUT) codice m di carattere.

characteristic ['kærɪktə'rɪstɪk] adj caratteristico(a) ♦ n caratteristica; **~ of** tipico(a) di.

characterize ['kærɪktəraɪz] vt caratterizzare; (describe): **to ~ (as)** descrivere (come).

charade [ʃə'rɑːd] n sciarada.

charcoal ['tʃɑːkəul] n carbone m di legna.

charge [tʃɑːdʒ] n accusa; (cost) prezzo; (of gun, battery, MIL: attack) carica ♦ vt (gun, battery, MIL: enemy) caricare; (customer) fare pagare a; (sum) fare pagare; (LAW): **to ~ sb (with)** accusare qn (di) ♦ vi (gen with: up, along etc) lanciarsi; **~s** npl: **bank ~s** commissioni fpl bancarie; **labour ~s** costi mpl del lavoro; **to ~ in/out** precipitarsi dentro/fuori; **to ~ up/down** lanciarsi su/giù per; **is there a ~?** c'è da pagare?; **there's no ~** non c'è niente da pagare; **extra ~** supplemento; **to take ~ of** incaricarsi di; **to be in ~ of** essere responsabile per; **to have ~ of sb** aver cura di qn; **how much do you ~ for this repair?** quanto chiede per la riparazione?; **to ~ an expense (up) to sb** addebitare una spesa a qn; **~ it to my account** lo metta or addebiti sul mio conto.

charge account n conto.

charge card n carta di credito commerciale.

chargé d'affaires ['ʃɑːʒeɪdæ'fɛə*] *n* incaricato d'affari.

chargehand ['tʃɑːdʒhænd] *n* (*BRIT*) caposquadra *m/f.*

charger ['tʃɑːdʒə*] *n* (*also*: **battery** ~) caricabatterie *m inv*; (*old*: *warhorse*) destriero.

chariot ['tʃærɪət] *n* carro.

charitable ['tʃærɪtəbl] *adj* caritatevole.

charity ['tʃærɪtɪ] *n* carità; (*organization*) opera pia.

charlady ['tʃɑːleɪdɪ] *n* (*BRIT*) domestica a ore.

charlatan ['ʃɑːlətən] *n* ciarlatano.

charm [tʃɑːm] *n* fascino; (*on bracelet*) ciondolo ♦ *vt* affascinare, incantare.

charm bracelet *n* braccialetto con ciondoli.

charming ['tʃɑːmɪŋ] *adj* affascinante.

chart [tʃɑːt] *n* tabella; grafico; (*map*) carta nautica; (*weather* ~) carta del tempo ♦ *vt* fare una carta nautica di; (*sales, progress*) tracciare il grafico di; **to be in the** ~**s** (*record, pop group*) essere in classifica.

charter ['tʃɑːtə*] *vt* (*plane*) noleggiare ♦ *n* (*document*) carta; **on** ~ a nolo.

chartered accountant (CA) ['tʃɑːtəd-] *n* (*BRIT*) ragioniere/a professionista.

charter flight *n* volo *m* charter *inv.*

charwoman ['tʃɑːwumən] *n* = **charlady**.

chase [tʃeɪs] *vt* inseguire; (*also*: ~ **away**) cacciare ♦ *n* caccia.

►**chase down** *vt* (*US*) = **chase up**.

►**chase up** *vt* (*BRIT*: *person*) scovare; (*: information*) scoprire, raccogliere.

chasm ['kæzəm] *n* abisso.

chassis ['ʃæsɪ] *n* telaio.

chastened ['tʃeɪsnd] *adj* abbattuto(a), provato(a).

chastening ['tʃeɪsnɪŋ] *adj* che fa riflettere.

chastise [tʃæs'taɪz] *vt* punire, castigare.

chastity ['tʃæstɪtɪ] *n* castità.

chat [tʃæt] *vi* (*also*: **have a** ~) chiacchierare ♦ *n* chiacchierata.

►**chat up** *vt* (*BRIT col*: *girl*) abbordare.

chatline ['tʃætlaɪn] *n* chatline *f.*

chat show *n* (*BRIT*) talk show *m inv*, conversazione *f* televisiva.

chattel ['tʃætl] *n see* **goods**.

chatter ['tʃætə*] *vi* (*person*) ciarlare ♦ *n* ciarle *fpl*; **her teeth were** ~**ing** batteva i denti.

chatterbox ['tʃætəbɔks] *n* chiacchierone/a.

chattering classes ['tʃætərɪŋ-] *npl*: **the** ~ (*col, pej*) ≈ gli intellettuali da salotto.

chatty ['tʃætɪ] *adj* (*style*) familiare; (*person*) chiacchierino(a).

chauffeur ['ʃəufə*] *n* autista *m.*

chauvinism ['ʃəuvɪnɪzəm] *n* (*also*: **male** ~) maschilismo; (*nationalism*) sciovinismo.

chauvinist ['ʃəuvɪnɪst] *n* (*also*: **male** ~) maschilista *m*; (*nationalist*) sciovinista *m/f.*

chauvinistic [ʃəuvɪ'nɪstɪk] *adj* sciovinistico(a).

ChE *abbr* = *chemical engineer.*

cheap [tʃiːp] *adj* a buon mercato; (*reduced*: *fare, ticket*) ridotto(a); (*joke*) grossolano(a); (*poor quality*) di cattiva qualità ♦ *adv* a buon mercato; ~**er** meno caro; ~ **money** denaro a basso tasso di interesse.

cheapen ['tʃiːpn] *vt* ribassare; (*fig*) avvilire.

cheaply ['tʃiːplɪ] *adv* a buon prezzo, a buon mercato.

cheat [tʃiːt] *vi* imbrogliare; (*at school*) copiare ♦ *vt* ingannare; (*rob*) defraudare ♦ *n* imbroglione *m*; copione *m*; (*trick*) inganno; **he's been** ~**ing on his wife** ha tradito sua moglie.

cheating ['tʃiːtɪŋ] *n* imbrogliare *m*; copiare *m.*

check [tʃɛk] *vt* verificare; (*passport, ticket*) controllare; (*halt*) fermare; (*restrain*) contenere ♦ *vi* (*official etc*) informarsi ♦ *n* verifica; controllo; (*curb*) freno; (*bill*) conto; (*pattern*: *gen pl*) quadretti *mpl*; (*US*) = **cheque** ♦ *adj* (*also*: ~**ed**: *pattern, cloth*) a scacchi, a quadretti; **to** ~ **with sb** chiedere a qn; **to keep a** ~ **on sb/sth** controllare qn/qc, fare attenzione a qn/qc.

►**check in** *vi* (*in hotel*) registrare; (*at airport*) presentarsi all'accettazione ♦ *vt* (*luggage*) depositare.

►**check off** *vt* segnare.

►**check out** *vi* (*from hotel*) saldare il conto ♦ *vt* (*luggage*) ritirare; (*investigate*: *story*) controllare, verificare; (*: person*) prendere informazioni su.

►**check up** *vi*: **to** ~ **up (on sth)** investigare (qc); **to** ~ **up on sb** informarsi sul conto di qn.

checkbook ['tʃɛkbuk] *n* (*US*) = **chequebook**.

checkered ['tʃɛkəd] *adj* (*US*) = **chequered**.

checkers ['tʃɛkəz] *n* (*US*) dama.

check guarantee card *n* (*US*) carta *f* assegni *inv.*

check-in ['tʃɛkɪn] *n* (*also*: ~ **desk**: *at airport*) check-in *m inv*, accettazione *f* (bagagli *inv*).

checking account ['tʃɛkɪŋ-] *n* (*US*) conto corrente.

checklist ['tʃɛklɪst] *n* lista di controllo.

checkmate ['tʃɛkmeɪt] *n* scaccomatto.

checkout ['tʃɛkaut] *n* (*in supermarket*)

cassa.

checkpoint ['tʃɛkpɔɪnt] n posto di blocco.

checkroom ['tʃɛkrum] n (US) deposito m bagagli inv.

checkup ['tʃɛkʌp] n (MED) controllo medico.

cheek [tʃiːk] n guancia; (impudence) faccia tosta.

cheekbone ['tʃiːkbəun] n zigomo.

cheeky ['tʃiːkɪ] adj sfacciato(a).

cheep [tʃiːp] n (of bird) pigolio ♦ vi pigolare.

cheer [tʃɪə*] vt applaudire; (gladden) rallegrare ♦ vi applaudire ♦ n (gen pl) applausi mpl; evviva mpl; ~s! salute!
►**cheer on** vt (person etc) incitare.
►**cheer up** vi rallegrarsi, farsi animo ♦ vt rallegrare.

cheerful ['tʃɪəful] adj allegro(a).

cheerfulness ['tʃɪəfulnɪs] n allegria.

cheerio ['tʃɪərɪ'əu] excl (BRIT) ciao!

cheerleader ['tʃɪəliːdə*] n cheerleader f inv.

cheerless ['tʃɪəlɪs] adj triste.

cheese [tʃiːz] n formaggio.

cheeseboard ['tʃiːzbɔːd] n piatto del (or per il) formaggio.

cheeseburger ['tʃiːzbəːgə*] n cheeseburger m inv.

cheesecake ['tʃiːzkeɪk] n specie di torta di ricotta, a volte con frutta.

cheetah ['tʃiːtə] n ghepardo.

chef [ʃɛf] n capocuoco.

chemical ['kɛmɪkl] adj chimico(a) ♦ n prodotto chimico.

chemical engineering n ingegneria chimica.

chemist ['kɛmɪst] n (BRIT: pharmacist) farmacista m/f; (scientist) chimico/a; ~'s shop n (BRIT) farmacia.

chemistry ['kɛmɪstrɪ] n chimica.

chemotherapy [kiːməu'θɛrəpɪ] n chemioterapia.

cheque, (US) check [tʃɛk] n assegno; to pay by ~ pagare per assegno or con un assegno.

chequebook, (US) checkbook ['tʃɛkbuk] n libretto degli assegni.

cheque card n (BRIT) carta f assegni inv.

chequered, (US) checkered ['tʃɛkəd] adj (fig) movimentato(a).

cherish ['tʃɛrɪʃ] vt aver caro; (hope etc) nutrire.

cheroot [ʃə'ruːt] n sigaro spuntato.

cherry ['tʃɛrɪ] n ciliegia.

Ches abbr (BRIT) = Cheshire.

chess [tʃɛs] n scacchi mpl.

chessboard ['tʃɛsbɔːd] n scacchiera.

chessman ['tʃɛsmæn] n pezzo degli scacchi.

chessplayer ['tʃɛspleɪə*] n scacchista m/f.

chest [tʃɛst] n petto; (box) cassa; **to get sth off one's ~** (col) sputare il rospo; **~ of drawers** cassettone m.

chest measurement n giro m torace inv.

chestnut ['tʃɛsnʌt] n castagna; (also: ~ tree) castagno ♦ adj castano(a).

chesty ['tʃɛstɪ] adj: ~ **cough** tosse f bronchiale.

chew [tʃuː] vt masticare.

chewing gum ['tʃuːɪŋ-] n chewing gum m.

chic [ʃiːk] adj elegante.

chick [tʃɪk] n pulcino; (US col) pollastrella.

chicken ['tʃɪkɪn] n pollo; (col: coward) coniglio.
►**chicken out** vi (col) avere fifa; **to ~ out of sth** tirarsi indietro da qc per fifa or paura.

chicken feed n (fig) miseria.

chickenpox ['tʃɪkɪnpɔks] n varicella.

chickpea ['tʃɪkpiː] n cece m.

chicory ['tʃɪkərɪ] n cicoria.

chide [tʃaɪd] vt rimproverare.

chief [tʃiːf] n capo ♦ adj principale; **C~ of Staff** (MIL) Capo di Stato Maggiore.

chief constable n (BRIT) ≈ questore m.

chief executive, (US) chief executive officer (CEO) n direttore m generale.

chiefly ['tʃiːflɪ] adv per lo più, soprattutto.

chiffon ['ʃɪfən] n chiffon m inv.

chilblain ['tʃɪlbleɪn] n gelone m.

child, pl ~ren [tʃaɪld, 'tʃɪldrən] n bambino/a.

child abuse n molestie fpl a minori.

child abuser [-ə'bjuːzə*] n molestatore/trice di bambini.

child benefit n (BRIT) ≈ assegni mpl familiari.

childbirth ['tʃaɪldbəːθ] n parto.

childhood ['tʃaɪldhud] n infanzia.

childish ['tʃaɪldɪʃ] adj puerile.

childless ['tʃaɪldlɪs] adj senza figli.

childlike ['tʃaɪldlaɪk] adj fanciullesco(a).

child minder n (BRIT) bambinaia.

child prodigy n bambino m prodigio inv.

children ['tʃɪldrən] npl of child.

children's home n istituto per l'infanzia.

Chile ['tʃɪlɪ] n Cile m.

Chilean ['tʃɪlɪən] adj, n cileno(a).

chill [tʃɪl] n freddo; (MED) infreddatura ♦ adj freddo(a), gelido(a) ♦ vt raffreddare; (CULIN) mettere in fresco; "**serve ~ed**" "servire fresco".
►**chill out** vi (esp US: col) darsi una calmata.

chilli, (US) chili ['tʃɪlɪ] n peperoncino.

chilling ['tʃɪlɪŋ] adj agghiacciante; (wind) gelido(a).

chilly ['tʃɪlɪ] *adj* freddo(a), fresco(a); (*sensitive to cold*) freddoloso(a); **to feel ~** sentirsi infreddolito(a).

chime [tʃaɪm] *n* carillon *m inv* ♦ *vi* suonare, scampanare.

chimney ['tʃɪmnɪ] *n* camino.

chimney sweep *n* spazzacamino.

chimpanzee [tʃɪmpæn'ziː] *n* scimpanzé *m inv.*

chin [tʃɪn] *n* mento.

China ['tʃaɪnə] *n* Cina.

china ['tʃaɪnə] *n* porcellana.

Chinese [tʃaɪ'niːz] *adj* cinese ♦ *n* (*pl inv*) cinese *m/f*; (*LING*) cinese *m.*

chink [tʃɪŋk] *n* (*opening*) fessura; (*noise*) tintinnio.

chinwag ['tʃɪnwæg] *n* (*col*): **to have a ~** fare una chiacchierata.

chip [tʃɪp] *n* (*gen pl*: *CULIN*) patatina fritta; (: *US*: *also*: **potato ~**) patatina; (*of wood, glass, stone*) scheggia; (*in gambling*) fiche *f inv*; (*COMPUT*: *micro~*) chip *m inv* ♦ *vt* (*cup, plate*) scheggiare; **when the ~s are down** (*fig*) al momento critico.

▶**chip in** *vi* (*col*: *contribute*) contribuire; (: *interrupt*) intromettersi.

chipboard ['tʃɪpbɔːd] *n* agglomerato.

chipmunk ['tʃɪpmʌŋk] *n* tamia *m* striato.

chippings ['tʃɪpɪŋz] *npl*: **loose ~** brecciame *m.*

I chip shop, *anche chiamati* fish-and-chip shop, *sono friggitorie che vendono principalmente filetti di pesce impanati e patatine fritte che un tempo venivano serviti ai clienti avvolti in carta di giornale.*

---

chiropodist [kɪ'rɒpədɪst] *n* (*BRIT*) pedicure *m/f inv.*

chiropody [kɪ'rɒpədɪ] *n* (*BRIT*) mestiere *m* di callista.

chirp [tʃɜːp] *n* cinguettio; (*of crickets*) cri cri *m* ♦ *vi* cinguettare.

chirpy ['tʃɜːpɪ] *adj* (*col*) frizzante.

chisel ['tʃɪzl] *n* cesello.

chit [tʃɪt] *n* biglietto.

chitchat ['tʃɪttʃæt] *n* (*col*) chiacchiere *fpl.*

chivalrous ['ʃɪvəlrəs] *adj* cavalleresco(a).

chivalry ['ʃɪvəlrɪ] *n* cavalleria; cortesia.

chives [tʃaɪvz] *npl* erba cipollina.

chloride ['klɔːraɪd] *n* cloruro.

chlorinate ['klɔrɪneɪt] *vt* clorare.

chlorine ['klɔːriːn] *n* cloro.

chock [tʃɒk] *n* zeppa.

chock-a-block ['tʃɒkə'blɒk], **chockfull** ['tʃɒk'ful] *adj* pieno(a) zeppo(a).

chocolate ['tʃɒklɪt] *n* (*substance*) cioccolato, cioccolata; (*drink*) cioccolata;

(*a sweet*) cioccolatino.

choice [tʃɔɪs] *n* scelta ♦ *adj* scelto(a); **a wide ~** un'ampia scelta; **I did it by** *or* **from ~** l'ho fatto di mia volontà *or* per mia scelta.

choir ['kwaɪə*] *n* coro.

choirboy ['kwaɪəbɔɪ] *n* corista *m* fanciullo.

choke [tʃəuk] *vi* soffocare ♦ *vt* soffocare; (*block*) ingombrare ♦ *n* (*AUT*) valvola dell'aria.

cholera ['kɔlərə] *n* colera *m.*

cholesterol [kə'lɛstərɒl] *n* colesterolo.

choose, *pt* **chose,** *pp* **chosen** [tʃuːz, tʃəuz, 'tʃəuzn] *vt* scegliere; **to ~ to do** decidere di fare; preferire fare; **to ~ between** scegliere tra; **to ~ from** scegliere da *or* tra.

choosy ['tʃuːzɪ] *adj*: **(to be) ~** (fare lo(la)) schizzinoso(a).

chop [tʃɒp] *vt* (*wood*) spaccare; (*CULIN*: *also*: **~ up**) tritare ♦ *n* colpo netto; (*CULIN*) costoletta; **to get the ~** (*BRIT col*: *project*) essere bocciato(a); (: *person*: *be sacked*) essere licenziato(a); *see also* **chops.**

▶**chop down** *vt* (*tree*) abbattere.

choppy ['tʃɒpɪ] *adj* (*sea*) mosso(a).

chops [tʃɒps] *npl* (*jaws*) mascelle *fpl.*

chopsticks ['tʃɒpstɪks] *npl* bastoncini *mpl* cinesi.

choral ['kɔːrəl] *adj* corale.

chord [kɔːd] *n* (*MUS*) accordo.

chore [tʃɔː*] *n* faccenda; **household ~s** faccende *fpl* domestiche.

choreographer [kɔrɪ'ɒɡrəfə*] *n* coreografo/a.

choreography [kɔrɪ'ɒɡrəfɪ] *n* coreografia.

chorister ['kɔrɪstə*] *n* corista *m/f.*

chortle ['tʃɔːtl] *vi* ridacchiare.

chorus ['kɔːrəs] *n* coro; (*repeated part of song, also fig*) ritornello.

chose [tʃəuz] *pt of* **choose.**

chosen ['tʃəuzn] *pp of* **choose.**

chowder ['tʃaudə*] *n* zuppa di pesce.

Christ [kraɪst] *n* Cristo.

christen ['krɪsn] *vt* battezzare.

christening ['krɪsnɪŋ] *n* battesimo.

Christian ['krɪstɪən] *adj, n* cristiano(a).

Christianity [krɪstɪ'ænɪtɪ] *n* cristianesimo.

Christian name *n* nome *m* di battesimo.

Christmas ['krɪsməs] *n* Natale *m*; **happy** *or* **merry ~!** Buon Natale!

Christmas card *n* cartolina di Natale.

Christmas Day *n* il giorno di Natale.

Christmas Eve *n* la vigilia di Natale.

Christmas Island *n* isola di Christmas.

Christmas tree *n* albero di Natale.

chrome [krəum] *n* = **chromium.**

chromium ['krəumɪəm] *n* cromo; (*also*: ~

plating) cromatura.

chromosome ['krəuməsəum] *n* cromosoma *m*.

chronic ['krɔnɪk] *adj* cronico(a); *(fig: liar, smoker)* incallito(a).

chronicle ['krɔnɪkl] *n* cronaca.

chronological [krɔnə'lɔdʒɪkl] *adj* cronologico(a).

chrysanthemum [krɪ'sænθəməm] *n* crisantemo.

chubby ['tʃʌbɪ] *adj* paffuto(a).

chuck [tʃʌk] *vt* buttare, gettare; **to ~ (up** *or* **in)** *(BRIT: job, person)* piantare.

▶**chuck out** *vt* buttar fuori.

chuckle ['tʃʌkl] *vi* ridere sommessamente.

chuffed [tʃʌft] *adj (col)*: **to be ~ about sth** essere arcicontento(a) di qc.

chug [tʃʌg] *vi (also:* **~ along**: *train)* muoversi sbuffando.

chum [tʃʌm] *n* compagno/a.

chump [tʃʌmp] *n (col)* idiota *m/f*.

chunk [tʃʌŋk] *n* pezzo; *(of bread)* tocco.

chunky [tʃʌŋkɪ] *adj (furniture etc)* basso(a) e largo(a); *(person)* ben piantato(a); *(knitwear)* di lana grossa.

Chunnel ['tʃʌnəl] *n* = **Channel Tunnel**.

church [tʃəːtʃ] *n* chiesa; **the C~ of England** la Chiesa anglicana.

churchyard ['tʃəːtʃjɑːd] *n* sagrato.

churlish ['tʃəːlɪʃ] *adj* rozzo(a), sgarbato(a).

churn [tʃəːn] *n (for butter)* zangola; *(also:* **milk ~)** bidone *m*.

▶**churn out** *vt* sfornare.

chute [ʃuːt] *n* cascata; *(also:* **rubbish ~)** canale *m* di scarico; *(BRIT: children's slide)* scivolo.

chutney ['tʃʌtnɪ] *n* salsa piccante (di frutta, zucchero e spezie).

CIA *n abbr (US:* = *Central Intelligence Agency)* C.I.A. *f*.

CID *n abbr (BRIT) see* **Criminal Investigation Department**.

cider ['saɪdə*] *n* sidro.

CIF *abbr (*= *cost, insurance and freight)* C.I.F. *m*.

cigar [sɪ'gɑː*] *n* sigaro.

cigarette [sɪgə'rɛt] *n* sigaretta.

cigarette case *n* portasigarette *m inv*.

cigarette end *n* mozzicone *m*.

cigarette holder *n* bocchino.

C-in-C *abbr see* **commander-in-chief**.

cinch [sɪntʃ] *n (col)*: **it's a ~** è presto fatto; *(sure thing)* è una cosa sicura.

cinder ['sɪndə*] *n* cenere *f*.

Cinderella [sɪndə'rɛlə] *n* Cenerentola.

cine-camera ['sɪnɪ'kæmərə] *n (BRIT)* cinepresa.

cine-film ['sɪnɪfɪlm] *n (BRIT)* pellicola.

cinema ['sɪnəmə] *n* cinema *m inv*.

cine-projector ['sɪnɪprə'dʒɛktə*] *n (BRIT)* proiettore *m*.

cinnamon ['sɪnəmən] *n* cannella.

cipher ['saɪfə*] *n* cifra; *(fig: faceless employee etc)* persona di nessun conto; **in ~ in** codice.

circa ['səːkə] *prep* circa.

circle ['səːkl] *n* cerchio; *(of friends etc)* circolo; *(in cinema)* galleria ♦ *vi* girare in circolo ♦ *vt (surround)* circondare; *(move round)* girare intorno a.

circuit ['səːkɪt] *n* circuito.

circuit board *n (COMPUT)* tavola dei circuiti.

circuitous [səː'kjuɪtəs] *adj* indiretto(a).

circular ['səːkjulə*] *adj* circolare ♦ *n (letter)* circolare *f*; *(as advertisement)* volantino pubblicitario.

circulate ['səːkjuleɪt] *vi* circolare; *(person: socially)* girare e andare un po' da tutti ♦ *vt* far circolare.

circulating capital ['səːkjuleɪtɪŋ-] *n (COMM)* capitale *m* d'esercizio.

circulation [səːkju'leɪʃən] *n* circolazione *f*; *(of newspaper)* tiratura.

circumcise ['səːkəmsaɪz] *vt* circoncidere.

circumference [sə'kʌmfərəns] *n* circonferenza.

circumflex ['səːkəmflɛks] *n (also:* **~ accent)** accento circonflesso.

circumscribe ['səːkəmskraɪb] *vt* circoscrivere; *(fig: limit)* limitare.

circumspect ['səːkəmspɛkt] *adj* circospetto(a).

circumstances ['səːkəmstənsɪz] *npl* circostanze *fpl*; *(financial condition)* condizioni *fpl* finanziarie; **in the ~s** date le circostanze; **under no ~s** per nessun motivo.

circumstantial ['səːkəm'stænʃəl] *adj (report, statement)* circostanziato(a), dettagliato(a); **~ evidence** prova indiretta.

circumvent [səːkəm'vɛnt] *vt (rule etc)* aggirare.

circus ['səːkəs] *n* circo; *(also:* **C~**: *in place names)* piazza (di forma circolare).

cirrhosis [sɪ'rəusɪs] *n (also:* **~ of the liver)** cirrosi *f inv* (epatica).

CIS *n abbr (*= *Commonwealth of Independent States)* CSI *f*.

cissy ['sɪsɪ] *n* = **sissy**.

cistern ['sɪstən] *n* cisterna; *(in toilet)* serbatoio d'acqua.

citation [saɪ'teɪʃən] *n* citazione *f*.

cite [saɪt] *vt* citare.

citizen ['sɪtɪzn] *n (POL)* cittadino/a;

(*resident*): **the ~s of this town** gli abitanti di questa città.

Citizens' Advice Bureau *n* (*BRIT*) *organizzazione di volontari che offre gratuitamente assistenza legale e finanziaria.*

citizenship ['sɪtɪznʃɪp] *n* cittadinanza.

citric ['sɪtrɪk] *adj*: **~ acid** acido citrico.

citrus fruit ['sɪtrəs-] *n* agrume *m*.

city ['sɪtɪ] *n* città *f inv*; **the C~** la Città di Londra (*centro commerciale*).

city centre *n* centro della città.

City Hall *n* (*US*) ≈ Comune *m*.

City Technology College *n* (*BRIT*) istituto tecnico superiore (*finanziato dall'industria*).

civic ['sɪvɪk] *adj* civico(a).

civic centre *n* (*BRIT*) centro civico.

civil ['sɪvɪl] *adj* civile; (*polite*) educato(a), gentile.

civil disobedience *n* disubbidienza civile.

civil engineer *n* ingegnere *m* civile.

civil engineering *n* ingegneria civile.

civilian [sɪ'vɪlɪən] *adj, n* borghese (*m/f*).

civilization [sɪvɪlaɪ'zeɪʃən] *n* civiltà *f inv*.

civilized ['sɪvɪlaɪzd] *adj* civilizzato(a); (*fig*) cortese.

civil law *n* codice *m* civile; (*study*) diritto civile.

civil liberties *npl* libertà *fpl* civili.

civil rights *npl* diritti *mpl* civili.

civil servant *n* impiegato/a statale.

Civil Service *n* amministrazione *f* statale.

civil war *n* guerra civile.

civvies ['sɪvɪz] *npl* (*col*): **in ~** in borghese.

cl *abbr* (= *centilitre*) cl.

clad [klæd] *adj*: **~ (in)** vestito(a) (di).

claim [kleɪm] *vt* (*rights etc*) rivendicare; (*damages*) richiedere; (*assert*) sostenere, pretendere ♦ *vi* (*for insurance*) fare una domanda d'indennizzo ♦ *n* rivendicazione *f*; pretesa; (*right*) diritto; **to ~ that/to be** sostenere che/di essere; (**insurance**) ~ domanda d'indennizzo; **to put in a ~ for sth** fare una richiesta di qc.

claimant ['kleɪmənt] *n* (*ADMIN, LAW*) richiedente *m/f*.

claim form *n* (*gen*) modulo di richiesta; (*for expenses*) modulo di rimborso spese.

clairvoyant [kleə'vɔɪənt] *n* chiaroveggente *m/f*.

clam [klæm] *n* vongola.

▶**clam up** *vi* (*col*) azzittirsi.

clamber ['klæmbə*] *vi* arrampicarsi.

clammy ['klæmɪ] *adj* (*weather*) caldo(a) umido(a); (*hands*) viscido(a).

clamour, (*US*) **clamor** ['klæmə*] *n* (*noise*) clamore *m*; (*protest*) protesta ♦ *vi*: **to ~ for** sth chiedere a gran voce qc.

clamp [klæmp] *n* pinza; morsa ♦ *vt* ammorsare.

▶**clamp down** *vt fus* (*fig*): **to ~ down (on)** dare un giro di vite (a).

clampdown ['klæmpdaun] *n* stretta, giro di vite; **a ~ on sth/sb** un giro di vite a qc/ qn.

clan [klæn] *n* clan *m inv*.

clandestine [klæn'destɪn] *adj* clandestino(a).

clang [klæŋ] *n* fragore *m*, suono metallico.

clanger ['klæŋə*] *n*: **to drop a ~** (*BRIT col*) fare una gaffe.

clansman ['klænzmən] *n* membro di un clan.

clap [klæp] *vi* applaudire ♦ *vt*: **to ~ one's hands** battere le mani ♦ *n*: **a ~ of thunder** un tuono.

clapping ['klæpɪŋ] *n* applausi *mpl*.

claptrap ['klæptræp] *n* (*col*) stupidaggini *fpl*.

claret ['klærət] *n* vino di Bordeaux.

clarification [klærɪfɪ'keɪʃən] *n* (*fig*) chiarificazione *f*, chiarimento.

clarify ['klærɪfaɪ] *vt* chiarificare, chiarire.

clarinet [klærɪ'nɛt] *n* clarinetto.

clarity ['klærɪtɪ] *n* chiarezza.

clash [klæʃ] *n* frastuono; (*fig*) scontro ♦ *vi* (*MIL, fig: have an argument*) scontrarsi; (*colours*) stridere; (*dates, events*) coincidere.

clasp [klɑ:sp] *n* fermaglio, fibbia ♦ *vt* stringere.

class [klɑ:s] *n* classe *f*; (*group, category*) tipo, categoria ♦ *vt* classificare.

class-conscious ['klɑ:skɔnʃəs] *adj* che ha coscienza di classe.

class consciousness *n* coscienza di classe.

classic ['klæsɪk] *adj* classico(a) ♦ *n* classico.

classical ['klæsɪkəl] *adj* classico(a).

classics ['klæsɪks] *npl* (*SCOL*) studi *mpl* umanistici.

classification [klæsɪfɪ'keɪʃən] *n* classificazione *f*.

classified ['klæsɪfaɪd] *adj* (*information*) segreto(a), riservato(a); **~ ads** annunci economici.

classify ['klæsɪfaɪ] *vt* classificare.

classless society ['klɑ:slɪs-] *n* società *f inv* senza distinzioni di classe.

classmate ['klɑ:smeɪt] *n* compagno/a di classe.

classroom ['klɑ:srum] *n* aula.

clatter ['klætə*] *n* acciottolio; scalpitio ♦ *vi* acciottolare; scalpitare.

clause [klɔ:z] *n* clausola; (*LING*) proposizione *f*.

claustrophobia [klɔːstrə'fəubɪə] n claustrofobia.

claustrophobic [klɔːstrə'fəubɪk] adj claustrofobico(a).

claw [klɔː] n tenaglia; (of bird of prey) artiglio; (of lobster) pinza ♦ vt graffiare; afferrare.

clay [kleɪ] n argilla.

clean [kliːn] adj pulito(a); (clear, smooth) netto(a) ♦ vt pulire ♦ adv: **he ~ forgot** si è completamente dimenticato; **to come ~** (col: admit guilt) confessare; **to have a ~ driving licence** or (US) **record** non aver mai preso contravvenzioni; **to ~ one's teeth** (BRIT) lavarsi i denti.

▶**clean off** vt togliere.

▶**clean out** vt ripulire.

▶**clean up** vi far pulizia ♦ vt (also fig) ripulire; (fig: make profit): **to ~ up on** fare una barca di soldi con.

clean-cut ['kliːn'kʌt] adj (man) curato(a); (situation etc) ben definito(a).

cleaner ['kliːnə*] n (person) uomo/donna delle pulizie; (also: **dry ~**) tintore/a; (product) smacchiatore m.

cleaning ['kliːnɪŋ] n pulizia.

cleaning lady n donna delle pulizie.

cleanliness ['klɛnlɪnɪs] n pulizia.

cleanly ['kliːnlɪ] adv in modo netto.

cleanse [klɛnz] vt pulire; purificare.

cleanser ['klɛnzə*] n detergente m; (cosmetic) latte m detergente.

clean-shaven ['kliːn'ʃeɪvn] adj sbarbato(a).

cleansing department ['klɛnzɪŋ-] n (BRIT) nettezza urbana.

clean sweep n: **to make a ~ (of)** fare piazza pulita (di).

clean-up ['kliːnʌp] n pulizia.

clear [klɪə*] adj chiaro(a); (road, way) libero(a); (profit, majority) netto(a) ♦ vt sgombrare; liberare; (site, woodland) spianare; (COMM: goods) liquidare; (LAW: suspect) discolpare; (obstacle) superare; (cheque) fare la compensazione di ♦ vi (weather) rasserenarsi; (fog) andarsene ♦ adv: **~ of** distante da ♦ n: **to be in the ~** (out of debt) essere in attivo; (out of suspicion) essere a posto; (out of danger) essere fuori pericolo; **to ~ the table** sparecchiare (la tavola); **to ~ one's throat** schiarirsi la gola; **to ~ a profit** avere un profitto netto; **to make o.s. ~** spiegarsi bene; **to make it ~ to sb that ...** far capire a qn che ...; **I have a ~ day tomorrow** (BRIT) non ho impegni domani; **to keep ~ of sb/sth** tenersi lontano da qn/qc, stare alla larga da qn/qc.

▶**clear off** vi (col: leave) svignarsela.

▶**clear up** vi schiarirsi ♦ vt mettere in ordine; (mystery) risolvere.

clearance ['klɪərəns] n (removal) sgombro; (free space) spazio; (permission) autorizzazione f, permesso.

clearance sale n vendita di liquidazione.

clear-cut ['klɪə'kʌt] adj ben delineato(a), distinto(a).

clearing ['klɪərɪŋ] n radura; (BRIT BANKING) clearing m.

clearing bank n (BRIT) banca che fa uso della camera di compensazione.

clearing house n (COMM) camera di compensazione.

clearly ['klɪəlɪ] adv chiaramente.

clearway ['klɪəweɪ] n (BRIT) strada con divieto di sosta.

cleavage ['kliːvɪdʒ] n (of woman) scollatura.

cleaver ['kliːvə*] n mannaia.

clef [klɛf] n (MUS) chiave f.

cleft [klɛft] n (in rock) crepa, fenditura.

clemency ['klɛmənsɪ] n clemenza.

clement ['klɛmənt] adj (weather) mite, clemente.

clench [klɛntʃ] vt stringere.

clergy ['klɜːdʒɪ] n clero.

clergyman ['klɜːdʒɪmən] n ecclesiastico.

clerical ['klɛrɪkl] adj d'impiegato; (REL) clericale.

clerk [klɑːk, (US) klɜːrk] n impiegato/a; (US: salesman/woman) commesso/a; **C~ of the Court** (LAW) cancelliere m.

clever ['klɛvə*] adj (mentally) intelligente; (deft, skilful) abile; (device, arrangement) ingegnoso(a).

cleverly ['klɛvəlɪ] adv abilmente.

clew [kluː] n (US) = **clue**.

cliché ['kliːʃeɪ] n cliché m inv.

click [klɪk] vi scattare ♦ vt: **to ~ one's tongue** schioccare la lingua; **to ~ one's heels** battere i tacchi.

client ['klaɪənt] n cliente m/f.

clientele [kliːɑːn'tɛl] n clientela.

cliff [klɪf] n scogliera scoscesa, rupe f.

cliffhanger ['klɪfhæŋə*] n (TV, fig) episodio (or situazione etc) ricco(a) di suspense.

climactic [klaɪ'mæktɪk] adj culminante.

climate ['klaɪmɪt] n clima m.

climax ['klaɪmæks] n culmine m; (of play etc) momento più emozionante; (sexual ~) orgasmo.

climb [klaɪm] vi salire; (clamber) arrampicarsi; (plane) prendere quota ♦ vt salire; (CLIMBING) scalare ♦ n salita; arrampicata; scalata; **to ~ over a wall** scavalcare un muro.

▶**climb down** vi scendere; (BRIT fig) far

marcia indietro.

climbdown ['klaɪmdaʊn] *n* (*BRIT*) ritirata.

climber ['klaɪmə*] *n* (*also*: **rock ~**) rocciatore/trice; alpinista *m/f*.

climbing ['klaɪmɪŋ] *n* (*also*: **rock ~**) alpinismo.

clinch [klɪntʃ] *vt* (*deal*) concludere.

clincher ['klɪntʃə*] *n* (*col*): **that was the ~** quello è stato il fattore decisivo.

cling, *pt*, *pp* **clung** [klɪŋ, klʌŋ] *vi*: **to ~ (to)** tenersi stretto/a (a); (*of clothes*) aderire strettamente (a).

clingfilm ['klɪŋfɪlm] *n* pellicola trasparente (*per alimenti*).

clinic ['klɪnɪk] *n* clinica; (*session*) seduta; serie *f* di sedute.

clinical ['klɪnɪkəl] *adj* clinico/a); (*fig*) freddo/a), distaccato/a).

clink [klɪŋk] *vi* tintinnare.

clip [klɪp] *n* (*for hair*) forcina; (*also*: **paper ~**) graffetta; (*BRIT*: *also*: **bulldog ~**) fermafogli *m inv*; (*holding hose etc*) anello d'attacco ♦ *vt* (*also*: **~ together**: *papers*) attaccare insieme; (*hair, nails*) tagliare; (*hedge*) tosare.

clippers ['klɪpəz] *npl* macchinetta per capelli; (*also*: **nail ~**) forbicine *fpl* per le unghie.

clipping ['klɪpɪŋ] *n* (*from newspaper*) ritaglio.

clique [kliːk] *n* cricca.

cloak [kləʊk] *n* mantello ♦ *vt* avvolgere.

cloakroom ['kləʊkrum] *n* (*for coats etc*) guardaroba *m inv*; (*BRIT*: *W.C.*) gabinetti *mpl*.

clock [klɔk] *n* orologio; (*of taxi*) tassametro; **around the ~** ventiquattr'ore su ventiquattro; **to sleep round the ~** *or* **the ~ round** dormire un giorno intero; **to work against the ~** lavorare in gara col tempo; **30,000 on the ~** (*BRIT AUT*) 30.000 sul contachilometri.

▶**clock in, clock on** *vi* (*BRIT*) timbrare il cartellino (all'entrata).

▶**clock off, clock out** *vi* (*BRIT*) timbrare il cartellino (all'uscita).

▶**clock up** *vt* (*miles, hours etc*) fare.

clockwise ['klɔkwaɪz] *adv* in senso orario.

clockwork ['klɔkwəːk] *n* movimento *or* meccanismo a orologeria ♦ *adj* (*toy, train*) a molla.

clog [klɔg] *n* zoccolo ♦ *vt* intasare ♦ *vi* intasarsi, bloccarsi.

cloister ['klɔɪstə*] *n* chiostro.

clone [kləʊn] *n* clone *m*.

close [kləʊs] *adj*, *adv and derivatives* *adj* vicino/a); (*writing, texture*) fitto/a); (*watch*) stretto/a); (*examination*) attento/a);

(*weather*) afoso/a) ♦ *adv* vicino, dappresso; **~ to** *prep* vicino a; **~ by, ~ at hand** qui (*or* lì) vicino; **how ~ is Edinburgh to Glasgow?** quanto dista Edimburgo da Glasgow?; **a ~ friend** un amico intimo; **to have a ~ shave** (*fig*) scamparla bella; **at ~ quarters** da vicino ♦ *vb*, *n and derivatives* [kləʊz] *vt* chiudere; (*bargain, deal*) concludere ♦ *vi* (*shop etc*) chiudere; (*lid, door etc*) chiudersi; (*end*) finire ♦ *n* (*end*) fine *f*; **to bring sth to a ~** terminare qc.

▶**close down** *vt* chiudere (definitivamente) ♦ *vi* cessare (definitivamente).

▶**close in** *vi* (*hunters*) stringersi attorno; (*evening, night, fog*) calare; **to ~ in on sb** accerchiare qn; **the days are closing in** le giornate si accorciano.

▶**close off** *vt* (*area*) chiudere.

closed [kləʊzd] *adj* chiuso/a).

closed-circuit ['kləʊzd'səːkɪt] *adj*: **~ television** televisione *f* a circuito chiuso.

closed shop *n* azienda o fabbrica che impiega solo aderenti ai sindacati.

close-knit ['kləʊs'nɪt] *adj* (*family, community*) molto unito/a).

closely ['kləʊslɪ] *adv* (*examine, watch*) da vicino; **we are ~ related** siamo parenti stretti; **a ~ guarded secret** un assoluto segreto.

close season ['kləʊz-] *n* (*FOOTBALL*) periodo di vacanza del campionato; (*HUNTING*) stagione *f* di chiusura (*di caccia, pesca etc*).

closet ['klɔzɪt] *n* (*cupboard*) armadio.

close-up ['kləʊsʌp] *n* primo piano.

closing ['kləʊzɪŋ] *adj* (*stages, remarks*) conclusivo/a), finale; **~ price** (*STOCK EXCHANGE*) prezzo di chiusura.

closing time *n* orario di chiusura.

closure ['kləʊʒə*] *n* chiusura.

clot [klɔt] *n* (*also*: **blood ~**) coagulo; (*col*: *idiot*) scemo/a ♦ *vi* coagularsi.

cloth [klɔθ] *n* (*material*) tessuto, stoffa; (*BRIT*: *also*: **tea~**) strofinaccio; (*also*: **table~**) tovaglia.

clothe [kləʊð] *vt* vestire.

clothes [kləʊðz] *npl* abiti *mpl*, vestiti *mpl*; **to put one's ~ on** vestirsi; **to take one's ~ off** togliersi i vestiti, svestirsi.

clothes brush *n* spazzola per abiti.

clothes line *n* corda (per stendere il bucato).

clothes peg, (*US*) **clothes pin** *n* molletta.

clothing ['kləʊðɪŋ] *n* = **clothes**.

clotted cream ['klɔtɪd-] *n* (*BRIT*) panna rappresa.

cloud [klaud] n nuvola; (of dust, smoke, gas) nube f ♦ vt (liquid) intorbidire; **to ~ the issue** distogliere dal problema; **every ~ has a silver lining** (proverb) non tutto il male vien per nuocere.
▶**cloud over** vi rannuvolarsi; (fig) offuscarsi.
cloudburst ['klaudbəːst] n acquazzone m.
cloud-cuckoo-land ['klaud'kukuː'lænd] n (BRIT) mondo dei sogni.
cloudy ['klaudɪ] adj nuvoloso(a); (liquid) torbido(a).
clout [klaut] n (blow) colpo; (fig) influenza ♦ vt dare un colpo a.
clove [kləuv] n chiodo di garofano; **~ of garlic** spicchio d'aglio.
clover ['kləuvə*] n trifoglio.
cloverleaf ['kləuvəliːf] n foglia di trifoglio; (AUT) raccordo (a quadrifoglio).
clown [klaun] n pagliaccio ♦ vi (also: ~ about, ~ around) fare il pagliaccio.
cloying ['klɔɪɪŋ] adj (taste, smell) nauseabondo(a).
club [klʌb] n (society) club m inv, circolo; (weapon, GOLF) mazza ♦ vt bastonare ♦ vi: **to ~ together** associarsi; **~s** npl (CARDS) fiori mpl.
club car n (US RAIL) carrozza or vagone m ristorante.
club class n (AVIAT) classe f club.
clubhouse ['klʌbhaus] n sede f del circolo.
club soda n (US) = soda.
cluck [klʌk] vi chiocciare.
clue [kluː] n indizio; (in crosswords) definizione f; **I haven't a ~** non ho la minima idea.
clued up, (US) **clued in** [kluːd-] adj (col) (ben) informato(a).
clump [klʌmp] n: **~ of trees** folto d'alberi.
clumsy ['klʌmzɪ] adj (person) goffo(a), maldestro(a); (object) malfatto(a), mal costruito(a).
clung [klʌŋ] pt, pp of **cling**.
cluster ['klʌstə*] n gruppo ♦ vi raggrupparsi.
clutch [klʌtʃ] n (grip, grasp) presa, stretta; (AUT) frizione f ♦ vt afferrare, stringere forte; **to ~ at** aggrapparsi a.
clutter ['klʌtə*] vt (also: ~ up) ingombrare ♦ n confusione f, disordine m.
CM abbr (US POST) = North Marianna Islands.
cm abbr (= centimetre) cm.
CNAA n abbr (BRIT: = Council for National Academic Awards) organizzazione che conferisce premi accademici.
CND n abbr = Campaign for Nuclear Disarmament.
CO n abbr (= commanding officer) Com.;

(BRIT) = Commonwealth Office ♦ abbr (US) = Colorado.
Co. abbr = **county**; (= company) C., C.ia.
c/o abbr (= care of) c/o.
coach [kəutʃ] n (bus) pullman m inv; (horse-drawn, of train) carrozza; (SPORT) allenatore/trice ♦ vt allenare.
coach trip n viaggio in pullman.
coagulate [kəu'ægjuleɪt] vt coagulare ♦ vi coagularsi.
coal [kəul] n carbone m.
coalface ['kəulfeɪs] n fronte f.
coalfield ['kəulfiːld] n bacino carbonifero.
coalition [kəuə'lɪʃən] n coalizione f.
coalman ['kəulmən] n negoziante m di carbone.
coalmine ['kəulmaɪn] n miniera di carbone.
coalminer ['kəulmaɪnə*] n minatore m.
coalmining ['kəulmaɪnɪŋ] n estrazione f del carbone.
coarse [kɔːs] adj (salt, sand etc) grosso(a); (cloth, person) rozzo(a); (vulgar: character, laugh) volgare.
coast [kəust] n costa ♦ vi (with cycle etc) scendere a ruota libera.
coastal ['kəustəl] adj costiero(a).
coaster ['kəustə*] n (NAUT) nave f da cabotaggio; (for glass) sottobicchiere m.
coastguard ['kəustgaːd] n guardia costiera.
coastline ['kəustlaɪn] n linea costiera.
coat [kəut] n cappotto; (of animal) pelo; (of paint) mano f ♦ vt coprire; **~ of arms** n stemma m.
coat hanger n attaccapanni m inv.
coating ['kəutɪŋ] n rivestimento.
co-author ['kəu'ɔːθə*] n coautore/trice.
coax [kəuks] vt indurre (con moine).
cob [kɔb] n see **corn**.
cobbler ['kɔblə*] n calzolaio.
cobbles ['kɔblz], **cobblestones** ['kɔblstəunz] npl ciottoli mpl.
COBOL ['kəubɔl] n COBOL m.
cobra ['kəubrə] n cobra m inv.
cobweb ['kɔbwɛb] n ragnatela.
cocaine [kə'keɪn] n cocaina.
cock [kɔk] n (rooster) gallo; (male bird) maschio ♦ vt (gun) armare; **to ~ one's ears** (fig) drizzare le orecchie.
cock-a-hoop [kɔkə'huːp] adj euforico(a).
cockerel ['kɔkərəl] n galletto.
cock-eyed ['kɔkaɪd] adj (fig) storto(a); strampalato(a).
cockle ['kɔkl] n cardio.
cockney ['kɔknɪ] n cockney m/f inv (abitante dei quartieri popolari dell'East End di Londra).
cockpit ['kɔkpɪt] n abitacolo.

cockroach ['kɔkrəutʃ] *n* blatta.
cocktail ['kɔkteɪl] *n* cocktail *m inv*; **prawn ~,** (*US*) **shrimp ~** cocktail *m inv* di gamberetti.
cocktail cabinet *n* mobile *m* bar *inv*.
cocktail party *n* cocktail *m inv*.
cocktail shaker *n* shaker *m inv*.
cocky ['kɔkɪ] *adj* spavaldo(a), arrogante.
cocoa ['kəukəu] *n* cacao.
coconut ['kəukənʌt] *n* noce *f* di cocco.
cocoon [kə'kuːn] *n* bozzolo.
COD *abbr see* **cash on delivery, collect on delivery.**
cod [kɔd] *n* merluzzo.
code [kəud] *n* codice *m*; **~ of behaviour** regole *fpl* di condotta; **~ of practice** codice professionale.
codeine ['kəudiːn] *n* codeina.
codger ['kɔdʒə*] *n* (*BRIT col*): **an old ~** un simpatico nonnetto.
codicil ['kɔdɪsɪl] *n* codicillo.
codify ['kəudɪfaɪ] *vt* codificare.
cod-liver oil ['kɔdlɪvə*-] *n* olio di fegato di merluzzo.
co-driver ['kəu'draɪvə*] *n* (*in race*) copilota *m*; (*of lorry*) secondo autista *m*.
co-ed ['kəu'ɛd] *adj abbr* = **coeducational** ♦ *n abbr* (*US: female student*) studentessa presso un'università mista; (*BRIT: school*) scuola mista.
coeducational ['kəuɛdju'keɪʃənl] *adj* misto(a).
coerce [kəu'əːs] *vt* costringere.
coercion [kəu'əːʃən] *n* coercizione *f*.
coexistence ['kəuɪg'zɪstəns] *n* coesistenza.
C. of C. *n abbr* = **chamber of commerce.**
C of E *abbr* = **Church of England.**
coffee ['kɔfɪ] *n* caffè *m inv*; **white ~,** (*US*) **~ with cream** caffellatte *m*.
coffee bar *n* (*BRIT*) caffè *m inv*.
coffee bean *n* grano *or* chicco di caffè.
coffee break *n* pausa per il caffè.
coffeecake ['kɔfɪkeɪk] *n* (*US*) panino dolce all'uva.
coffee cup *n* tazzina da caffè.
coffeepot ['kɔfɪpɔt] *n* caffettiera.
coffee table *n* tavolino da tè.
coffin ['kɔfɪn] *n* bara.
C of I *abbr* = **Church of Ireland.**
C of S *abbr* = **Church of Scotland.**
cog [kɔg] *n* dente *m*.
cogent ['kəudʒənt] *adj* convincente.
cognac ['kɔnjæk] *n* cognac *m inv*.
cogwheel ['kɔgwiːl] *n* ruota dentata.
cohabit [kəu'hæbɪt] *vi* (*formal*): **to ~ (with sb)** coabitare (con qn).
coherent [kəu'hɪərənt] *adj* coerente.
cohesion [kəu'hiːʒən] *n* coesione *f*.

cohesive [kəu'hiːsɪv] *adj* (*fig*) unificante, coesivo(a).
COI *n abbr* (*BRIT*) = *Central Office of Information.*
coil [kɔɪl] *n* rotolo; (*one loop*) anello; (*AUT, ELEC*) bobina; (*contraceptive*) spirale *f*; (*of smoke*) filo ♦ *vt* avvolgere.
coin [kɔɪn] *n* moneta ♦ *vt* (*word*) coniare.
coinage ['kɔɪnɪdʒ] *n* sistema *m* monetario.
coin-box ['kɔɪnbɔks] *n* (*BRIT*) cabina telefonica.
coincide [kəuɪn'saɪd] *vi* coincidere.
coincidence [kəu'ɪnsɪdəns] *n* combinazione *f*.
coin-operated ['kɔɪn'ɔpəreɪtɪd] *adj* (*machine*) (che funziona) a monete.
Coke ® [kəuk] *n* (*Coca-Cola*) coca *f inv*.
coke [kəuk] *n* coke *m*.
Col. *abbr* = **colonel;** (*US*) = *Colorado.*
COLA *n abbr* (*US*: = *cost-of-living adjustment*) ≈ scala mobile.
colander ['kɔləndə*] *n* colino.
cold [kəuld] *adj* freddo(a) ♦ *n* freddo; (*MED*) raffreddore *m*; **it's ~** fa freddo; **to be ~** aver freddo; **to catch ~** prendere freddo; **to catch a ~** prendere un raffreddore; **in ~ blood** a sangue freddo; **to have ~ feet** avere i piedi freddi; (*fig*) aver la fifa; **to give sb the ~ shoulder** ignorare qn.
cold-blooded [kəuld'blʌdɪd] *adj* (*ZOOL*) a sangue freddo.
cold cream *n* crema emolliente.
coldly ['kəuldlɪ] *adv* freddamente.
cold sore *n* erpete *m*.
cold sweat *n*: **to be in a ~ (about sth)** sudare freddo (per qc).
cold turkey *n* (*col*): **to go ~** avere la scimmia (*drogato*).
Cold War *n*: **the ~** la guerra fredda.
coleslaw ['kəulslɔ:] *n* insalata di cavolo bianco.
colic ['kɔlɪk] *n* colica.
colicky ['kɔlɪkɪ] *adj* che soffre di coliche.
collaborate [kə'læbəreɪt] *vi* collaborare.
collaboration [kəlæbə'reɪʃən] *n* collaborazione *f*.
collaborator [kə'læbəreɪtə*] *n* collaboratore/trice.
collage [kɔ'lɑːʒ] *n* (*ART*) collage *m inv*.
collagen ['kɔlədʒən] *n* collageno.
collapse [kə'læps] *vi* (*gen*) crollare; (*government*) cadere; (*MED*) avere un collasso; (*plans*) fallire ♦ *n* crollo; caduta; collasso; fallimento.
collapsible [kə'læpsəbl] *adj* pieghevole.
collar ['kɔlə*] *n* (*of coat, shirt*) colletto; (*for dog*) collare *m*; (*TECH*) anello, fascetta ♦ *vt* (*col: person, object*) beccare.

collarbone ['kɔləbəun] n clavicola.
collate [kɔ'leɪt] vt collazionare.
collateral [kɔ'lætərəl] n garanzia.
collation [kɔ'leɪʃən] n collazione f.
colleague ['kɔliːg] n collega m/f.
collect [kə'lɛkt] vt (gen) raccogliere; (as a hobby) fare collezione di; (BRIT: call for) prendere; (money owed, pension) riscuotere; (donations, subscriptions) fare una colletta di ♦ vi (people) adunarsi, riunirsi; (rubbish etc) ammucchiarsi ♦ adv (US TEL): **to call** ~ fare una chiamata a carico del destinatario; **to** ~ **one's thoughts** raccogliere le idee; ~ **on delivery (COD)** (US COMM) pagamento alla consegna.
collected [kə'lɛktɪd] adj: ~ **works** opere fpl raccolte.
collection [kə'lɛkʃən] n collezione f; raccolta; (for money) colletta; (POST) levata.
collective [kə'lɛktɪv] adj collettivo(a) ♦ n collettivo.
collective bargaining n trattative fpl (sindacali) collettive.
collector [kə'lɛktə*] n collezionista m/f; (of taxes) esattore m; ~**'s item** or **piece** pezzo da collezionista.
college ['kɔlɪdʒ] n (BRIT, US SCOL) college m inv; (of technology, agriculture etc) istituto superiore; (body) collegio; ~ **of education** ≈ facoltà f inv di Magistero.
collide [kə'laɪd] vi: **to** ~ **(with)** scontrarsi (con).
collie ['kɔlɪ] n (dog) collie m inv.
colliery ['kɔlɪərɪ] n (BRIT) miniera di carbone.
collision [kə'lɪʒən] n collisione f, scontro; **to be on a** ~ **course** (also fig) essere in rotta di collisione.
collision damage waiver (CDW) n (INSURANCE) copertura per i danni alla vettura.
colloquial [kə'ləukwɪəl] adj familiare.
collusion [kə'luːʒən] n collusione f; **in** ~ **with** in accordo segreto con.
Colo. abbr (US) = Colorado.
Cologne [kə'ləun] n Colonia.
cologne [kə'ləun] n (also: **eau de** ~) acqua di colonia.
Colombia [kə'lɔmbɪə] n Colombia.
Colombian [kə'lɔmbɪən] adj, n colombiano(a).
colon ['kəulən] n (sign) due punti mpl; (MED) colon m inv.
colonel ['kɔːnl] n colonnello.
colonial [kə'ləunɪəl] adj coloniale.
colonize ['kɔlənaɪz] vt colonizzare.

colony ['kɔlənɪ] n colonia.
color etc ['kʌlə*] (US) = **colour** etc.
Colorado beetle [kɔlə'rɑːdəu-] n dorifora.
colossal [kə'lɔsl] adj colossale.
colour, (US) **color** ['kʌlə*] n colore m ♦ vt colorare; (tint, dye) tingere; (fig: affect) influenzare ♦ vi arrossire ♦ cpd (film, photograph, television) a colori; ~**s** npl (of party, club) emblemi mpl.
colo(u)r bar n discriminazione f razziale (in locali etc).
colo(u)r-blind ['kʌləblaɪnd] adj daltonico(a).
colo(u)red ['kʌləd] adj colorato(a); (photo) a colori ♦ n: ~**s** gente f di colore.
colo(u)r film n (for camera) pellicola a colori.
colo(u)rful ['kʌləful] adj pieno(a) di colore, a vivaci colori; (personality) colorato(a).
colo(u)ring ['kʌlərɪŋ] n colorazione f; (complexion) colorito.
colo(u)r scheme combinazione f di colori.
colour supplement n (BRIT PRESS) supplemento a colori.
colo(u)r television n televisione f a colori.
colt [kəult] n puledro.
column ['kɔləm] n colonna; (fashion ~, sports ~ etc) rubrica; **the editorial** ~ l'articolo di fondo.
columnist ['kɔləmnɪst] n articolista m/f.
coma ['kəumə] n coma m inv.
comb [kəum] n pettine m ♦ vt (hair) pettinare; (area) battere a tappeto.
combat ['kɔmbæt] n combattimento ♦ vt combattere, lottare contro.
combination [kɔmbɪ'neɪʃən] n combinazione f.
combination lock n serratura a combinazione.
combine vb [kəm'baɪn] vt combinare; (one quality with another): **to** ~ **sth with sth** unire qc a qc ♦ vi unirsi; (CHEM) combinarsi ♦ n ['kɔmbaɪn] lega; (ECON) associazione f; **a** ~**d effort** uno sforzo collettivo.
combine (harvester) n mietitrebbia.
combo ['kɔmbəu] n (JAZZ etc) gruppo.
combustible [kəm'bʌstɪbl] adj combustibile.
combustion [kəm'bʌstʃən] n combustione f.
come, pt **came,** pp **come** [kʌm, keɪm] vi venire; (arrive) venire, arrivare; ~ **with me** vieni con me; **we've just** ~ **from Paris** siamo appena arrivati da Parigi; **nothing came of it** non è saltato fuori niente; **to** ~ **into sight** or **view** apparire; **to** ~ **to** (decision etc) raggiungere; **to** ~ **undone/**

loose slacciarsi/allentarsi; **coming!** vengo!; **if it ~s to it** nella peggiore delle ipotesi.

▶**come about** *vi* succedere.

▶**come across** *vt fus* trovare per caso; **to ~ across well/badly** fare una buona/cattiva impressione.

▶**come along** *vi* (*pupil, work*) fare progressi; **~ along!** avanti!, andiamo!, forza!

▶**come apart** *vi* andare in pezzi; (*become detached*) staccarsi.

▶**come away** *vi* venire via; (*become detached*) staccarsi.

▶**come back** *vi* ritornare; (*reply: col*): **can I ~ back to you on that one?** possiamo riparlarne più tardi?

▶**come by** *vt fus* (*acquire*) ottenere; procurarsi.

▶**come down** *vi* scendere; (*prices*) calare; (*buildings*) essere demolito(a).

▶**come forward** *vi* farsi avanti; presentarsi.

▶**come from** *vt fus* venire da; provenire da.

▶**come in** *vi* entrare.

▶**come in for** *vt fus* (*criticism etc*) ricevere.

▶**come into** *vt fus* (*money*) ereditare.

▶**come off** *vi* (*button*) staccarsi; (*stain*) andar via; (*attempt*) riuscire.

▶**come on** *vi* (*lights, electricity*) accendersi; (*pupil, undertaking*) fare progressi; **~ on!** avanti!, andiamo!, forza!

▶**come out** *vi* uscire; (*strike*) entrare in sciopero.

▶**come over** *vt fus*: **I don't know what's ~ over him!** non so cosa gli sia successo!

▶**come round** *vi* (*after faint, operation*) riprendere conoscenza, rinvenire.

▶**come through** *vi* (*survive*) sopravvivere, farcela; **the call came through** ci hanno passato la telefonata.

▶**come to** *vi* rinvenire ♦ *vt* (*add up to: amount*): **how much does it ~ to?** quanto costa?, quanto viene?

▶**come under** *vt fus* (*heading*) trovarsi sotto; (*influence*) cadere sotto, subire.

▶**come up** *vi* venire su.

▶**come up against** *vt fus* (*resistance, difficulties*) urtare contro.

▶**come up to** *vt fus* arrivare (fino) a; **the film didn't ~ up to our expectations** il film ci ha delusi.

▶**come up with** *vt fus*: **he came up with an idea** venne fuori con un'idea.

▶**come upon** *vt fus* trovare per caso.

comeback ['kʌmbæk] *n* (*THEAT etc*) ritorno; (*reaction*) reazione *f*; (*response*) risultato,
risposta.

COMECON ['kɔmɪkɔn] *n abbr* (= *Council for Mutual Economic Aid*) COMECON *m*.

comedian [kə'miːdɪən] *n* comico.

comedienne [kəmiːdɪ'ɛn] *n* attrice *f* comica.

comedown ['kʌmdaun] *n* rovescio.

comedy ['kɔmɪdɪ] *n* commedia.

comet ['kɔmɪt] *n* cometa.

comeuppance [kʌm'ʌpəns] *n*: **to get one's ~** ricevere ciò che si merita.

comfort ['kʌmfət] *n* comodità *f inv*, benessere *m*; (*solace*) consolazione *f*, conforto ♦ *vt* consolare, confortare; *see also* **comforts.**

comfortable ['kʌmfətəbl] *adj* comodo(a); (*income, majority*) più che sufficiente; **I don't feel very ~ about it** non mi sento molto tranquillo.

comfortably ['kʌmfətəblɪ] *adv* (*sit*) comodamente; (*live*) bene.

comforter ['kʌmfətə*] *n* (*US*) trapunta.

comforts ['kʌmfəts] *npl* comforts *mpl*, comodità *fpl*.

comfort station *n* (*US*) gabinetti *mpl*.

comic ['kɔmɪk] *adj* comico(a) ♦ *n* comico; (*magazine*) giornaletto.

comical ['kɔmɪkl] *adj* divertente, buffo(a).

comic strip *n* fumetto.

coming ['kʌmɪŋ] *n* arrivo ♦ *adj* (*next*) prossimo(a); (*future*) futuro(a); **in the ~ weeks** nelle prossime settimane.

coming(s) and going(s) *n(pl)* andirivieni *m inv*.

Comintern ['kɔmɪntəːn] *n* KOMINTERN *m*.

comma ['kɔmə] *n* virgola.

command [kə'mɑːnd] *n* ordine *m*, comando; (*MIL: authority*) comando; (*mastery*) padronanza; (*COMPUT*) command *m inv*, comando ♦ *vt* comandare; **to ~ sb to do** ordinare a qn di fare; **to have/take ~ of** avere/prendere il comando di; **to have at one's ~** (*money, resources etc*) avere a propria disposizione.

command economy *n* = **planned economy.**

commandeer [kɔmən'dɪə*] *vt* requisire.

commander [kə'mɑːndə*] *n* capo; (*MIL*) comandante *m*.

commander-in-chief (C-in-C) [kə'mɑːndər-ɪn't'ʃiːf] *n* (*MIL*) comandante *m* in capo.

commanding [kə'mɑːndɪŋ] *adj* (*appearance*) imponente; (*voice, tone*) autorevole; (*lead, position*) dominante.

commanding officer *n* comandante *m*.

commandment [kə'mɑːndmənt] *n* (*REL*) comandamento.

command module n (*SPACE*) modulo di comando.

commando [kə'mɑːndəu] n commando m inv; membro di un commando.

commemorate [kə'mɛməreɪt] vt commemorare.

commemoration [kəmɛmə'reɪʃən] n commemorazione f.

commemorative [kə'mɛmərətɪv] adj commemorativo(a).

commence [kə'mɛns] vt, vi cominciare.

commend [kə'mɛnd] vt lodare; raccomandare.

commendable [kə'mɛndəbl] adj lodevole.

commendation [kɔmɛn'deɪʃən] n lode f; raccomandazione f; (*for bravery etc*) encomio.

commensurate [kə'mɛnʃərɪt] adj: ~ **with** proporzionato(a) a.

comment ['kɔmɛnt] n commento ♦ vi: **to** ~ **(on)** fare commenti (su); **to** ~ **that** osservare che; "**no** ~" "niente da dire".

commentary ['kɔmɛntərɪ] n commentario; (*SPORT*) radiocronaca; telecronaca.

commentator ['kɔmɛnteɪtə*] n commentatore/trice; (*SPORT*) radiocronista m/f; telecronista m/f.

commerce ['kɔmɔːs] n commercio.

commercial [kə'mɔːʃəl] adj commerciale ♦ n (*TV: also*: ~ **break**) pubblicità f inv.

commercial bank n banca commerciale.

commercial college n ≈ istituto commerciale.

commercialism [kə'mɔːʃəlɪzəm] n affarismo.

commercial television n televisione f commerciale.

commercial traveller n commesso viaggiatore.

commercial vehicle n veicolo commerciale.

commiserate [kə'mɪzəreɪt] vi: **to** ~ **with** condolersi con.

commission [kə'mɪʃən] n commissione f; (*for salesman*) commissione, provvigione f ♦ vt (*MIL*) nominare (al comando); (*work of art*) commissionare; **I get 10%** ~ ricevo il 10% sulle vendite; **out of** ~ (*NAUT*) in disarmo; (*machine*) fuori uso; **to** ~ **sb to do sth** incaricare qn di fare qc; **to** ~ **sth from sb** (*painting etc*) commissionare qc a qn; ~ **of inquiry** (*BRIT*) commissione f d'inchiesta.

commissionaire [kəmɪʃə'nɛə*] n (*BRIT: at shop, cinema etc*) portiere m in livrea.

commissioner [kə'mɪʃənə*] n commissionario; (*POLICE*) questore m.

commit [kə'mɪt] vt (*act*) commettere; (*to sb's care*) affidare; **to** ~ **o.s. (to do)** impegnarsi (a fare); **to** ~ **suicide** suicidarsi; **to** ~ **sb for trial** rinviare qn a giudizio.

commitment [kə'mɪtmənt] n impegno.

committed [kə'mɪtɪd] adj (*writer*) impegnato(a); (*Christian*) convinto(a).

committee [kə'mɪtɪ] n comitato; **to be on a** ~ far parte di un comitato or di una commissione.

committee meeting n riunione f di comitato or di commissione.

commodity [kə'mɔdɪtɪ] n prodotto, articolo; (*food*) derrata.

commodity exchange n borsa f merci inv.

common ['kɔmən] adj comune; (*pej*) volgare; (*usual*) normale ♦ n terreno comune; **in** ~ in comune; **in** ~ **use** di uso comune; **it's** ~ **knowledge that** è di dominio pubblico che; **to the** ~ **good** nell'interesse generale, per il bene comune; *see also* **Commons**.

common cold n: **the** ~ il raffreddore.

common denominator n denominatore m comune.

commoner ['kɔmənə*] n cittadino/a (non nobile).

common ground n (*fig*) terreno comune.

common land n terreno di uso pubblico.

common law n diritto consuetudinario.

common-law ['kɔmənlɔː] adj: ~ **wife** convivente f more uxorio.

commonly ['kɔmənlɪ] adv comunemente, usualmente.

Common Market n Mercato Comune.

commonplace ['kɔmənpleɪs] adj banale, ordinario(a).

commonroom ['kɔmənrum] n sala di riunione; (*SCOL*) sala dei professori.

Commons ['kɔmənz] npl (*BRIT POL*): **the (House of)** ~ la Camera dei Comuni.

common sense n buon senso.

Commonwealth ['kɔmənwɛlθ] n: **the** ~ il Commonwealth.

Il **Commonwealth** *è un'associazione di stati sovrani indipendenti e di alcuni territori annessi che facevano parte dell'antico Impero Britannico, e che nel 1931 assunsero il nome di Commonwealth of Nations, denominazione successivamente semplificata in Commonwealth. Attualmente gli stati del Commonwealth riconoscono ancora il proprio capo di stato nel sovrano britannico e i loro rappresentanti si riuniscono per discutere questioni di comune interesse.*

commotion [kə'məuʃən] *n* confusione *f*, tumulto.

communal ['kɔmjuːnl] *adj* (*life*) comunale; (*for common use*) pubblico(a).

commune *n* ['kɔmjuːn] (*group*) comune *f* ♦ *vi* [kə'mjuːn]: **to ~ with** mettersi in comunione con.

communicate [kə'mjuːnɪkeɪt] *vt* comunicare, trasmettere ♦ *vi*: **to ~ (with)** comunicare (con).

communication [kəmjuːnɪ'keɪʃən] *n* comunicazione *f*.

communication cord *n* (*BRIT*) segnale *m* d'allarme.

communications network *n* rete *f* delle comunicazioni.

communications satellite *n* satellite *m* per telecomunicazioni.

communicative [kə'mjuːnɪkətɪv] *adj* (*gen*) loquace.

communion [kə'mjuːnɪən] *n* (*also*: **Holy C~**) comunione *f*.

communiqué [kə'mjuːnɪkeɪ] *n* comunicato.

communism ['kɔmjunɪzəm] *n* comunismo.

communist ['kɔmjunɪst] *adj*, *n* comunista (*m/f*).

community [kə'mjuːnɪtɪ] *n* comunità *f inv*.

community centre *n* circolo ricreativo.

community chest *n* (*US*) fondo di beneficenza.

community health centre *n* centro socio-sanitario.

community home *n* (*BRIT*) riformatorio.

community service *n* (*BRIT*) ≈ lavoro sostitutivo.

community spirit *n* spirito civico.

commutation ticket [kɔmjuː'teɪʃən-] *n* (*US*) biglietto di abbonamento.

commute [kə'mjuːt] *vi* fare il pendolare ♦ *vt* (*LAW*) commutare.

commuter [kə'mjuːtə*] *n* pendolare *m/f*.

compact *adj* [kəm'pækt] compatto(a) ♦ *n* ['kɔmpækt] (*also*: **powder ~**) portacipria *m inv*.

compact disc *n* compact disc *m inv*; **~ player** lettore *m* CD *inv*.

companion [kəm'pænjən] *n* compagno/a.

companionship [kəm'pænjənʃɪp] *n* compagnia.

companionway [kəm'pænjənweɪ] *n* (*NAUT*) scala.

company ['kʌmpənɪ] *n* (*also COMM, MIL, THEAT*) compagnia; **he's good ~** è di buona compagnia; **we have ~** abbiamo ospiti; **to keep sb ~** tenere compagnia a qn; **to part ~ with** separarsi da; **Smith and C~** Smith e soci.

company car *n* macchina (di proprietà) della ditta.

company director *n* amministratore *m*, consigliere *m* di amministrazione.

company secretary *n* (*BRIT COMM*) segretario/a generale.

comparable ['kɔmpərəbl] *adj* comparabile.

comparative [kəm'pærətɪv] *adj* (*freedom, cost*) relativo(a); (*adjective, adverb etc*) comparativo(a); (*literature*) comparato(a).

comparatively [kəm'pærətɪvlɪ] *adv* relativamente.

compare [kəm'pɛə*] *vt*: **to ~ sth/sb with/to** confrontare qc/qn con/a ♦ *vi*: **to ~ (with)** reggere il confronto (con); **~d with** *or* **to** a paragone di, rispetto a; **how do the prices ~?** che differenza di prezzo c'è?

comparison [kəm'pærɪsn] *n* confronto; **in ~ (with)** a confronto (di).

compartment [kəm'pɑːtmənt] *n* compartimento; (*RAIL*) scompartimento.

compass ['kʌmpəs] *n* bussola; (**a pair of**) **~es** (*MATH*) compasso; **within the ~ of** entro i limiti di.

compassion [kəm'pæʃən] *n* compassione *f*.

compassionate [kəm'pæʃənɪt] *adj* compassionevole; **on ~ grounds** per motivi personali.

compassionate leave *n* congedo straordinario (*per gravi motivi di famiglia*).

compatibility [kəmpætɪ'bɪlɪtɪ] *n* compatibilità.

compatible [kəm'pætɪbl] *adj* compatibile.

compel [kəm'pɛl] *vt* costringere, obbligare.

compelling [kəm'pɛlɪŋ] *adj* (*fig: argument*) irresistibile.

compendium [kəm'pɛndɪəm] *n* compendio.

compensate ['kɔmpənseɪt] *vt* risarcire ♦ *vi*: **to ~ for** compensare.

compensation [kɔmpən'seɪʃən] *n* compensazione *f*; (*money*) risarcimento.

compère ['kɔmpɛə*] *n* presentatore/trice.

compete [kəm'piːt] *vi* (*take part*) concorrere; (*vie*): **to ~ (with)** fare concorrenza (a).

competence ['kɔmpɪtəns] *n* competenza.

competent ['kɔmpɪtənt] *adj* competente.

competing [kəm'piːtɪŋ] *adj* (*theories, ideas*) opposto(a); (*companies*) in concorrenza; **three ~ explanations (of)** tre spiegazioni contrastanti tra di loro (di).

competition [kɔmpɪ'tɪʃən] *n* gara, concorso; (*SPORT*) gara; (*ECON*) concorrenza; **in ~ with** in concorrenza con.

competitive [kəm'pɛtɪtɪv] *adj* (*sports*) agonistico(a); (*person*) che ha spirito di competizione; (*ECON*) concorrenziale.

competitive examination *n* concorso.

competitor [kəm'pɛtɪtə*] n concorrente m/f.

compile [kəm'paɪl] vt compilare.

complacency [kəm'pleɪsnsɪ] n compiacenza di sé.

complacent [kəm'pleɪsnt] adj compiaciuto(a) di sé.

complain [kəm'pleɪn] vi: **to ~ (about)** lagnarsi (di); (in shop etc) reclamare (per).

▶**complain of** vt fus (MED) accusare.

complaint [kəm'pleɪnt] n lamento; reclamo; (MED) malattia.

complement n ['kɔmplɪmənt] complemento; (especially of ship's crew etc) effettivo ♦ vt ['kɔmplɪmɛnt] (enhance) accompagnarsi bene a.

complementary [kɔmplɪ'mɛntərɪ] adj complementare.

complete [kəm'pli:t] adj completo(a) ♦ vt completare; (a form) riempire; **it's a ~ disaster** è un vero disastro.

completely [kəm'pli:tlɪ] adv completamente.

completion [kəm'pli:ʃən] n completamento; **to be nearing ~** essere in fase di completamento; **on ~ of contract** alla firma del contratto.

complex ['kɔmplɛks] adj complesso(a) ♦ n (PSYCH, buildings etc) complesso.

complexion [kəm'plɛkʃən] n (of face) carnagione f; (of event etc) aspetto.

complexity [kəm'plɛksɪtɪ] n complessità f inv.

compliance [kəm'plaɪəns] n acquiescenza; **in ~ with** (orders, wishes etc) in conformità con.

compliant [kəm'plaɪənt] adj acquiescente, arrendevole.

complicate ['kɔmplɪkeɪt] vt complicare.

complicated ['kɔmplɪkeɪtɪd] adj complicato(a).

complication [kɔmplɪ'keɪʃən] n complicazione f.

compliment n ['kɔmplɪmənt] complimento ♦ vt ['kɔmplɪmɛnt] fare un complimento a; **~s** npl complimenti mpl; rispetti mpl; **to pay sb a ~** fare un complimento a qn; **to ~ sb (on sth/on doing sth)** congratularsi or complimentarsi con qn (per qc/per aver fatto qc).

complimentary [kɔmplɪ'mɛntərɪ] adj complimentoso(a), elogiativo(a); (free) in omaggio.

complimentary ticket n biglietto d'omaggio.

compliments slip n cartoncino della società.

comply [kəm'plaɪ] vi: **to ~ with** assentire a;

conformarsi a.

component [kəm'pəunənt] adj, n componente (m).

compose [kəm'pəuz] vt comporre; **to ~ o.s.** ricomporsi; **~d of** composto(a) di.

composed [kəm'pəuzd] adj calmo(a).

composer [kəm'pəuzə*] n (MUS) compositore/trice.

composite ['kɔmpəzɪt] adj composito(a); (MATH) composto(a).

composition [kɔmpə'zɪʃən] n composizione f.

compost ['kɔmpɔst] n composta, concime m.

composure [kəm'pəuʒə*] n calma.

compound ['kɔmpaund] n (CHEM, LING) composto; (enclosure) recinto ♦ adj composto(a) ♦ vt (fig: problem, difficulty) peggiorare.

compound fracture n frattura esposta.

compound interest n interesse m composto.

comprehend [kɔmprɪ'hɛnd] vt comprendere, capire.

comprehension [kɔmprɪ'hɛnʃən] n comprensione f.

comprehensive [kɔmprɪ'hɛnsɪv] adj comprensivo(a).

comprehensive insurance policy n polizza multi-rischio inv.

comprehensive (school) n (BRIT) scuola secondaria aperta a tutti.

compress vt [kəm'prɛs] comprimere ♦ n ['kɔmprɛs] (MED) compressa.

compression [kəm'prɛʃən] n compressione f.

comprise [kəm'praɪz] vt (also: **be ~d of**) comprendere.

compromise ['kɔmprəmaɪz] n compromesso ♦ vt compromettere ♦ vi venire a un compromesso ♦ cpd (decision, solution) di compromesso.

compulsion [kəm'pʌlʃən] n costrizione f; **under ~** sotto pressioni.

compulsive [kəm'pʌlsɪv] adj (PSYCH) incontrollabile; **he's a ~ smoker** non riesce a controllarsi nel fumare.

compulsory [kəm'pʌlsərɪ] adj obbligatorio(a).

compulsory purchase n espropriazione f.

compunction [kəm'pʌŋkʃən] n scrupolo; **to have no ~ about doing sth** non farsi scrupoli a fare qc.

computer [kəm'pju:tə*] n computer m inv, elaboratore m elettronico.

computer game n computer game m inv.

computerization [kəmpju:təraɪ'zeɪʃən] n computerizzazione f.

computerize [kəm'pjuːtəraɪz] *vt* computerizzare.

computer language *n* linguaggio *m* macchina *inv*.

computer literate *adj*: **to be** ~ essere in grado di usare il computer.

computer peripheral *n* unità periferica.

computer program *n* programma *m* di computer.

computer programmer *n* programmatore/trice.

computer programming *n* programmazione *f* di computer.

computer science *n* informatica.

computer scientist *n* informatico/a.

computing [kəm'pjuːtɪŋ] *n* informatica.

comrade ['kɒmrɪd] *n* compagno/a.

comradeship ['kɒmrɪdʃɪp] *n* cameratismo.

comsat ['kɒmsæt] *n abbr* = **communications satellite**.

con [kɒn] *vt* (*col*) truffare ♦ *n* truffa; **to** ~ **sb into doing sth** indurre qn a fare qc con raggiri.

concave ['kɒn'keɪv] *adj* concavo(a).

conceal [kən'siːl] *vt* nascondere.

concede [kən'siːd] *vt* concedere ♦ *vi* fare una concessione.

conceit [kən'siːt] *n* presunzione *f*, vanità.

conceited [kən'siːtɪd] *adj* presuntuoso(a), vanitoso(a).

conceivable [kən'siːvəbl] *adj* concepibile; **it is** ~ **that** ... può anche darsi che ....

conceivably [kən'siːvəblɪ] *adv*: **he may** ~ **be right** può anche darsi che abbia ragione.

conceive [kən'siːv] *vt* concepire ♦ *vi* concepire un bambino; **to** ~ **of sth/of doing sth** immaginare qc/di fare qc.

concentrate ['kɒnsəntreɪt] *vi* concentrarsi ♦ *vt* concentrare.

concentration [kɒnsən'treɪʃən] *n* concentrazione *f*.

concentration camp *n* campo di concentramento.

concentric [kɒn'sɛntrɪk] *adj* concentrico(a).

concept ['kɒnsɛpt] *n* concetto.

conception [kən'sɛpʃən] *n* concezione *f*; (*idea*) idea, concetto.

concern [kən'sɜːn] *n* affare *m*; (*COMM*) azienda, ditta; (*anxiety*) preoccupazione *f* ♦ *vt* riguardare; **to be** ~**ed** (**about**) preoccuparsi (di); **to be** ~**ed with** occuparsi di; **as far as I am** ~**ed** per quanto mi riguarda; **"to whom it may** ~**"** "a tutti gli interessati"; **the department** ~**ed** (*under discussion*) l'ufficio in questione; (*relevant*) l'ufficio competente.

concerning [kən'sɜːnɪŋ] *prep* riguardo a, circa.

concert ['kɒnsət] *n* concerto; **in** ~ di concerto.

concerted [kən'sɜːtɪd] *adj* concertato(a).

concert hall *n* sala da concerti.

concertina [kɒnsə'tiːnə] *n* piccola fisarmonica ♦ *vi* ridursi come una fisarmonica.

concerto [kən'tʃɛːtəu] *n* concerto.

concession [kən'sɛʃən] *n* concessione *f*.

concessionaire [kənsɛʃə'nɛə*] *n* concessionario.

concessionary [kən'sɛʃənərɪ] *adj* (*ticket, fare*) a prezzo ridotto.

conciliation [kənsɪlɪ'eɪʃən] *n* conciliazione *f*.

conciliatory [kən'sɪlɪətrɪ] *adj* conciliativo(a).

concise [kən'saɪs] *adj* conciso(a).

conclave ['kɒnkleɪv] *n* riunione *f* segreta; (*REL*) conclave *m*.

conclude [kən'kluːd] *vt* concludere ♦ *vi* (*speaker*) concludere; (*events*): **to** ~ (**with**) concludersi (con).

concluding [kən'kluːdɪŋ] *adj* (*remarks etc*) conclusivo(a), finale.

conclusion [kən'kluːʒən] *n* conclusione *f*; **to come to the** ~ **that** ... concludere che ..., arrivare alla conclusione che ....

conclusive [kən'kluːsɪv] *adj* conclusivo(a).

concoct [kən'kɒkt] *vt* inventare.

concoction [kən'kɒkʃən] *n* (*food, drink*) miscuglio.

concord ['kɒnkɔːd] *n* (*harmony*) armonia, concordia; (*treaty*) accordo.

concourse ['kɒnkɔːs] *n* (*hall*) atrio.

concrete ['kɒnkriːt] *n* calcestruzzo ♦ *adj* concreto(a); (*CONSTR*) di calcestruzzo.

concrete mixer *n* betoniera.

concur [kən'kɜː*] *vi* concordare.

concurrently [kən'kʌrntlɪ] *adv* simultaneamente.

concussion [kən'kʌʃən] *n* (*MED*) commozione *f* cerebrale.

condemn [kən'dɛm] *vt* condannare.

condemnation [kɒndɛm'neɪʃən] *n* condanna.

condensation [kɒndɛn'seɪʃən] *n* condensazione *f*.

condense [kən'dɛns] *vi* condensarsi ♦ *vt* condensare.

condensed milk *n* latte *m* condensato.

condescend [kɒndɪ'sɛnd] *vi* condiscendere; **to** ~ **to do sth** degnarsi di fare qc.

condescending [kɒndɪ'sɛndɪŋ] *adj* condiscendente.

condition [kən'dɪʃən] *n* condizione *f*; (*disease*) malattia ♦ *vt* condizionare, regolare; **in good/poor** ~ in buone/cattive condizioni; **to have a heart** ~

soffrire di (mal di) cuore; **weather** ~**s** condizioni meteorologiche; **on** ~ **that** a condizione che + *sub*, a condizione di.

conditional [kən'dıʃənl] *adj* condizionale; **to be** ~ **upon** dipendere da.

conditioner [kən'dıʃənə*] *n* (*for hair*) balsamo.

condo ['kɔndəu] *n abbr* (*US col*) = **condominium**.

condolences [kən'dəulənsız] *npl* condoglianze *fpl*.

condom ['kɔndəm] *n* preservativo.

condominium [kɔndə'mınıəm] *n* (*US*) condominio.

condone [kən'dəun] *vt* condonare.

conducive [kən'djuːsıv] *adj*: ~ **to** favorevole a.

conduct *n* ['kɔndʌkt] condotta ♦ *vt* [kən'dʌkt] condurre; (*manage*) dirigere; amministrare; (*MUS*) dirigere; **to** ~ **o.s.** comportarsi.

conductor [kən'dʌktə*] *n* (*of orchestra*) direttore *m* d'orchestra; (*on bus*) bigliettaio; (*US RAIL*) controllore *m*; (*ELEC*) conduttore *m*.

conductress [kən'dʌktrıs] *n* (*on bus*) bigliettaia.

conduit ['kɔndıt] *n* condotto; tubo.

cone [kəun] *n* cono; (*BOT*) pigna.

confectioner [kən'fɛkʃənə*] *n*: ~**'s (shop)** ≈ pasticceria.

confectionery [kən'fɛkʃənərı] *n* dolciumi *mpl*.

confederate [kən'fɛdərıt] *adj* confederato(a) ♦ *n* (*pej*) complice *m/f*; (*US HISTORY*) confederato.

confederation [kənfɛdə'reıʃən] *n* confederazione *f*.

confer [kən'fəː*] *vt*: **to** ~ **sth on** conferire qc a ♦ *vi* conferire; **to** ~ **(with sb about sth)** consultarsi (con qn su qc).

conference ['kɔnfərns] *n* congresso; **to be in** ~ essere in riunione.

conference room *n* sala *f* conferenze *inv*.

confess [kən'fɛs] *vt* confessare, ammettere ♦ *vi* confessarsi.

confession [kən'fɛʃən] *n* confessione *f*.

confessional [kən'fɛʃənl] *n* confessionale *m*.

confessor [kən'fɛsə*] *n* confessore *m*.

confetti [kən'fɛtı] *n* coriandoli *mpl*.

confide [kən'faıd] *vi*: **to** ~ **in** confidarsi con.

confidence ['kɔnfıdns] *n* confidenza; (*trust*) fiducia; (*also*: **self-**~) sicurezza di sé; **to tell sb sth in strict** ~ dire qc a qn in via strettamente confidenziale; **to have (every)** ~ **that** ... essere assolutamente certo(a) che ...; **motion of no** ~ mozione *f*

di sfiducia.

confidence trick *n* truffa.

confident ['kɔnfıdənt] *adj* sicuro(a); (*also*: **self-**~) sicuro(a) di sé.

confidential [kɔnfı'dɛnʃəl] *adj* riservato(a); (*secretary*) particolare.

confidentiality ['kɔnfıdɛnʃı'ælıtı] *n* riservatezza, carattere *m* confidenziale.

configuration [kən'fıgju'reıʃən] *n* (*COMPUT*) configurazione *f*.

confine [kən'faın] *vt* limitare; (*shut up*) rinchiudere; **to** ~ **o.s. to doing sth** limitarsi a fare qc; *see also* **confines**.

confined [kən'faınd] *adj* (*space*) ristretto(a).

confinement [kən'faınmənt] *n* prigionia; (*MIL*) consegna; (*MED*) parto.

confines ['kɔnfaınz] *npl* confini *mpl*.

confirm [kən'fəːm] *vt* confermare; (*REL*) cresimare.

confirmation [kɔnfə'meıʃən] *n* conferma; cresima.

confirmed [kən'fəːmd] *adj* inveterato(a).

confiscate ['kɔnfıskeıt] *vt* confiscare.

confiscation [kɔnfıs'keıʃən] *n* confisca.

conflagration [kɔnflə'greıʃən] *n* conflagrazione *f*.

conflict *n* ['kɔnflıkt] conflitto ♦ *vi* [kən'flıkt] essere in conflitto.

conflicting [kən'flıktıŋ] *adj* contrastante; (*reports, evidence, opinions*) contraddittorio(a).

conform [kən'fɔːm] *vi*: **to** ~ **(to)** conformarsi (a).

conformist [kən'fɔːmıst] *n* conformista *m/f*.

confound [kən'faund] *vt* confondere; (*amaze*) sconcertare.

confounded [kən'faundıd] *adj* maledetto(a).

confront [kən'frʌnt] *vt* confrontare; (*enemy, danger*) affrontare.

confrontation [kɔnfrən'teıʃən] *n* scontro.

confrontational [kɔnfrən'teıʃənəl] *adj* polemico(a), aggressivo(a).

confuse [kən'fjuːz] *vt* imbrogliare; (*one thing with another*) confondere.

confused [kən'fjuːzd] *adj* confuso(a); **to get** ~ confondersi.

confusing [kən'fjuːzıŋ] *adj* che fa confondere.

confusion [kən'fjuːʒən] *n* confusione *f*.

congeal [kən'dʒiːl] *vi* (*blood*) congelarsi.

congenial [kən'dʒiːnıəl] *adj* (*person*) simpatico(a); (*place, work, company*) piacevole.

congenital [kən'dʒɛnıtl] *adj* congenito(a).

conger eel ['kɔngər-] *n* grongo.

congested [kən'dʒɛstıd] *adj* congestionato(a); (*telephone lines*) sovraccarico(a).

congestion [kən'dʒɛstʃən] *n* congestione *f*.

conglomerate [kən'glɔmərɪt] *n* (*COMM*) conglomerato.

conglomeration [kənglɔmə'reɪʃən] *n* conglomerazione *f*.

Congo ['kɔŋgəu] *n* Congo.

congratulate [kən'grætjuleɪt] *vt*: **to ~ sb (on)** congratularsi con qn (per *or* di).

congratulations [kəngrætju'leɪʃənz] *npl*: **~ (on)** congratulazioni *fpl* (per) ♦ *excl* congratulazioni!, rallegramenti!

congregate ['kɔŋgrɪgeɪt] *vi* congregarsi, riunirsi.

congregation [kɔŋgrɪ'geɪʃən] *n* congregazione *f*.

congress ['kɔŋgrɛs] *n* congresso; (*US POL*): **C~** il Congresso.

*Il **Congress** è l'assemblea statunitense che si riunisce a Washington D.C. nel **Capitol** per elaborare e discutere le leggi federali. È costituita dalla **House of Representatives** (435 membri, eletti nei vari stati in base al numero degli abitanti) e dal **Senate** (100 senatori, due per ogni stato). Sia i membri della House of Representatives che quelli del Senate sono eletti direttamente dal popolo.*

congressman ['kɔŋgrɛsmən] *n* (*US*) membro del Congresso.

congresswoman ['kɔŋgrɛswumən] *n* (*US*) (donna) membro del Congresso.

conical ['kɔnɪkl] *adj* conico(a).

conifer ['kɔnɪfə*] *n* conifero.

coniferous [kə'nɪfərəs] *adj* (*forest*) di conifere.

conjecture [kən'dʒɛktʃə*] *n* congettura ♦ *vt, vi* congetturare.

conjugal ['kɔndʒugl] *adj* coniugale.

conjugate ['kɔndʒugeɪt] *vt* coniugare.

conjugation [kɔndʒə'geɪʃən] *n* coniugazione *f*.

conjunction [kən'dʒʌŋkʃən] *n* congiunzione *f*, **in ~ with** in accordo con, insieme con.

conjunctivitis [kəndʒʌŋktɪ'vaɪtɪs] *n* congiuntivite *f*.

conjure ['kʌndʒə*] *vi* fare giochi di prestigio.

▶**conjure up** *vt* (*ghost, spirit*) evocare; (*memories*) rievocare.

conjurer ['kʌndʒərə*] *n* prestigiatore/trice, prestidigitatore/trice.

conjuring trick ['kʌndʒərɪŋ-] *n* gioco di prestigio.

conker ['kɔŋkə*] *n* (*BRIT col*) castagna (d'ippocastano).

conk out [kɔŋk-] *vi* (*col*) andare in panne.

conman ['kɔnmæn] *n* truffatore *m*.

Conn. *abbr* (*US*) = Connecticut.

connect [kə'nɛkt] *vt* connettere, collegare; (*ELEC*) collegare; (*fig*) associare ♦ *vi* (*train*): **to ~ with** essere in coincidenza con; **to be ~ed with** aver rapporti con; essere imparentato(a) con; **I am trying to ~ you** (*TEL*) sto cercando di darle la linea.

connection [kə'nɛkʃən] *n* relazione *f*, rapporto; (*ELEC*) connessione *f*; (*TEL*) collegamento; (*train etc*) coincidenza; **in ~ with** con riferimento a, a proposito di; **what is the ~ between them?** in che modo sono legati?; **business ~s** rapporti d'affari; **to miss/get one's ~** (*train etc*) perdere/prendere la coincidenza.

connexion [kə'nɛkʃən] *n* (*BRIT*) = connection.

conning tower ['kɔnɪŋ-] *n* torretta di comando.

connive [kə'naɪv] *vi*: **to ~ at** essere connivente in.

connoisseur [kɔnɪ'sə:*] *n* conoscitore/trice.

connotation [kɔnə'teɪʃən] *n* connotazione *f*.

connubial [kə'nju:bɪəl] *adj* coniugale.

conquer ['kɔŋkə*] *vt* conquistare; (*feelings*) vincere.

conqueror ['kɔŋkərə*] *n* conquistatore *m*.

conquest ['kɔŋkwɛst] *n* conquista.

cons [kɔnz] *npl see* pro; convenience.

conscience ['kɔnʃəns] *n* coscienza; **in all ~** onestamente, in coscienza.

conscientious [kɔnʃɪ'ɛnʃəs] *adj* coscienzioso(a).

conscientious objector *n* obiettore *m* di coscienza.

conscious ['kɔnʃəs] *adj* consapevole; (*MED*) conscio(a); (*deliberate: insult, error*) intenzionale, voluto(a); **to become ~ of sth/that** rendersi conto di qc/che.

consciousness ['kɔnʃəsnɪs] *n* consapevolezza; (*MED*) coscienza; **to lose/regain ~** perdere/riprendere coscienza.

conscript ['kɔnskrɪpt] *n* coscritto.

conscription [kən'skrɪpʃən] *n* coscrizione *f*.

consecrate ['kɔnsɪkreɪt] *vt* consacrare.

consecutive [kən'sɛkjutɪv] *adj* consecutivo(a); **on 3 ~ occasions** 3 volte di fila.

consensus [kən'sɛnsəs] *n* consenso; **the ~ of opinion** l'opinione *f* unanime *or* comune.

consent [kən'sɛnt] *n* consenso ♦ *vi*: **to ~ (to)** acconsentire (a); **age of ~** età legale (per avere rapporti sessuali); **by**

common ~ di comune accordo.
consenting adults [kən'sɛntɪŋ-] *npl* adulti *mpl* consenzienti.
consequence ['kɔnsɪkwəns] *n* conseguenza, risultato; importanza; **in** ~ di conseguenza.
consequently ['kɔnsɪkwəntlɪ] *adv* di conseguenza, dunque.
conservation [kɔnsə'veɪʃən] *n* conservazione *f*; (*also*: **nature** ~) tutela dell'ambiente; **energy** ~ risparmio energetico.
conservationist [kɔnsə'veɪʃənɪst] *n* fautore/trice della tutela dell'ambiente.
conservative [kən'sɜːvətɪv] *adj* conservatore(trice); (*cautious*) cauto(a); **C**~ *adj, n* (*BRIT POL*) conservatore(trice); **the C**~ **Party** il partito conservatore.
conservatory [kən'sɜːvətrɪ] *n* (*greenhouse*) serra.
conserve [kən'sɜːv] *vt* conservare ♦ *n* conserva.
consider [kən'sɪdə*] *vt* considerare; (*take into account*) tener conto di; **to** ~ **doing sth** considerare la possibilità di fare qc; **all things** ~**ed** tutto sommato *or* considerato; ~ **yourself lucky** puoi dirti fortunato.
considerable [kən'sɪdərəbl] *adj* considerevole, notevole.
considerably [kən'sɪdərəblɪ] *adv* notevolmente, decisamente.
considerate [kən'sɪdərɪt] *adj* premuroso(a).
consideration [kənsɪdə'reɪʃən] *n* considerazione *f*; (*reward*) rimunerazione *f*; **out of** ~ **for** per riguardo a; **under** ~ in esame; **my first** ~ **is my family** il mio primo pensiero è per la mia famiglia.
considered [kən'sɪdəd] *adj*: **it is my** ~ **opinion that** ... dopo lunga riflessione il mio parere è che ....
considering [kən'sɪdərɪŋ] *prep* in considerazione di; ~ **(that)** se si considera (che).
consign [kən'saɪn] *vt* consegnare; (*send: goods*) spedire.
consignee [kɔnsaɪ'niː] *n* consegnatario/a, destinatario/a.
consignment [kən'saɪnmənt] *n* consegna; spedizione *f*.
consignment note *n* (*COMM*) nota di spedizione.
consignor [kən'saɪnə*] *n* mittente *m/f*.
consist [kən'sɪst] *vi*: **to** ~ **of** constare di, essere composto(a) di.
consistency [kən'sɪstənsɪ] *n* consistenza; (*fig*) coerenza.
consistent [kən'sɪstənt] *adj* coerente;

(*constant*) costante; ~ **with** compatibile con.
consolation [kɔnsə'leɪʃən] *n* consolazione *f*.
console *vt* [kən'səul] consolare ♦ *n* ['kɔnsəul] quadro di comando.
consolidate [kən'sɔlɪdeɪt] *vt* consolidare.
consols ['kɔnsɔlz] *npl* (*STOCK EXCHANGE*) titoli *mpl* del debito consolidato.
consommé [kən'sɔmeɪ] *n* consommé *m inv*, brodo ristretto.
consonant ['kɔnsənənt] *n* consonante *f*.
consort ['kɔnsɔːt] *n* consorte *m/f*; **prince** ~ principe *m* consorte ♦ *vi* (*often pej*): **to** ~ **with sb** frequentare qn.
consortium [kən'sɔːtɪəm] *n* consorzio.
conspicuous [kən'spɪkjuəs] *adj* cospicuo(a); **to make o.s.** ~ farsi notare.
conspiracy [kən'spɪrəsɪ] *n* congiura, cospirazione *f*.
conspiratorial [kənspɪrə'tɔːrɪəl] *adj* cospiratorio(a).
conspire [kən'spaɪə*] *vi* congiurare, cospirare.
constable ['kʌnstəbl] *n* (*BRIT*: *also*: **police** ~) ≈ poliziotto, agente *m* di polizia.
constabulary [kən'stæbjulərɪ] *n* forze *fpl* dell'ordine.
constant ['kɔnstənt] *adj* costante; continuo(a).
constantly ['kɔnstəntlɪ] *adv* costantemente; continuamente.
constellation [kɔnstə'leɪʃən] *n* costellazione *f*.
consternation [kɔnstə'neɪʃən] *n* costernazione *f*.
constipated ['kɔnstɪpeɪtɪd] *adj* stitico(a).
constipation [kɔnstɪ'peɪʃən] *n* stitichezza.
constituency [kən'stɪtjuənsɪ] *n* collegio elettorale; (*people*) elettori *mpl* (del collegio).

Con il termine **constituency** *viene indicato sia un collegio elettorale che i suoi elettori. In Gran Bretagna ogni collegio elegge un rappresentante che in seguito incontra regolarmente i propri elettori in riunioni chiamate* **surgery** *per discutere questioni di interesse locale.*

---

constituency party *n* sezione *f* locale (del partito).
constituent [kən'stɪtjuənt] *n* elettore/trice; (*part*) elemento componente.
constitute ['kɔnstɪtjuːt] *vt* costituire.
constitution [kɔnstɪ'tjuːʃən] *n* costituzione *f*.
constitutional [kɔnstɪ'tjuːʃənl] *adj* costituzionale.

constitutional monarchy *n* monarchia costituzionale.

constrain [kən'streɪn] *vt* costringere.

constrained [kən'streɪnd] *adj* costretto(a).

constraint [kən'streɪnt] *n* (*restraint*) limitazione *f*, costrizione *f*; (*embarrassment*) imbarazzo, soggezione *f*.

constrict [kən'strɪkt] *vt* comprimere; opprimere.

construct [kən'strʌkt] *vt* costruire.

construction [kən'strʌkʃən] *n* costruzione *f*; (*fig: interpretation*) interpretazione *f*; **under** ~ in costruzione.

construction industry *n* edilizia, industria edile.

constructive [kən'strʌktɪv] *adj* costruttivo(a).

construe [kən'struː] *vt* interpretare.

consul ['kɔnsl] *n* console *m*.

consulate ['kɔnsjulɪt] *n* consolato.

consult [kən'sʌlt] *vt*: **to** ~ **sb (about sth)** consultare qn (su *or* riguardo a qc).

consultancy [kən'sʌltənsɪ] *n* consulenza.

consultancy fee *n* onorario di consulenza.

consultant [kən'sʌltənt] *n* (*MED*) consulente *m* medico; (*other specialist*) consulente ♦ *cpd*: ~ **engineer** *n* ingegnere *m* consulente; ~ **paediatrician** *n* specialista *m/f* in pediatria; **legal/management** ~ consulente legale/gestionale.

consultation [kɔnsəl'teɪʃən] *n* consultazione *f*; (*MED, LAW*) consulto; **in** ~ **with** consultandosi con.

consultative [kən'sʌltətɪv] *adj* di consulenza.

consulting room [kən'sʌltɪŋ-] *n* (*BRIT*) ambulatorio.

consume [kən'sjuːm] *vt* consumare.

consumer [kən'sjuːmə*] *n* consumatore/trice; (*of electricity, gas etc*) utente *m/f*.

consumer credit *n* credito al consumatore.

consumer durables *npl* prodotti *mpl* di consumo durevole.

consumer goods *npl* beni *mpl* di consumo.

consumerism [kən'sjuːmərɪzəm] *n* (*consumer protection*) tutela del consumatore; (*ECON*) consumismo.

consumer society *n* società dei consumi.

consumer watchdog *n* comitato di difesa dei consumatori.

consummate ['kɔnsʌmeɪt] *vt* consumare.

consumption [kən'sʌmpʃən] *n* consumo; (*MED*) consunzione *f*; **not fit for human** ~ non commestibile.

cont. *abbr* (= *continued*) segue.

contact ['kɔntækt] *n* contatto; (*person*) conoscenza ♦ *vt* mettersi in contatto con; **to be in** ~ **with sb/sth** essere in contatto con qn/qc; **business** ~**s** contatti *mpl* d'affari.

contact lenses *npl* lenti *fpl* a contatto.

contagious [kən'teɪdʒəs] *adj* contagioso(a).

contain [kən'teɪn] *vt* contenere; **to** ~ **o.s.** contenersi.

container [kən'teɪnə*] *n* recipiente *m*; (*for shipping etc*) container *m*.

containerize [kən'teɪnəraɪz] *vt* mettere in container.

container ship *n* nave *f* container *inv*.

contaminate [kən'tæmɪneɪt] *vt* contaminare.

contamination [kəntæmɪ'neɪʃən] *n* contaminazione *f*.

cont'd *abbr* (= *continued*) segue.

contemplate ['kɔntəmpleɪt] *vt* contemplare; (*consider*) pensare a (*or* di).

contemplation [kɔntəm'pleɪʃən] *n* contemplazione *f*.

contemporary [kən'tɛmpərərɪ] *adj* contemporaneo(a); (*design*) moderno(a) ♦ *n* contemporaneo/a; (*of the same age*) coetaneo/a.

contempt [kən'tɛmpt] *n* disprezzo; ~ **of court** (*LAW*) oltraggio alla Corte.

contemptible [kən'tɛmptəbl] *adj* spregevole, vergognoso(a).

contemptuous [kən'tɛmptjuəs] *adj* sdegnoso(a).

contend [kən'tɛnd] *vt*: **to** ~ **that** sostenere che ♦ *vi*: **to** ~ **with** lottare contro; **he has a lot to** ~ **with** ha un sacco di guai.

contender [kən'tɛndə*] *n* contendente *m/f*; concorrente *m/f*.

content [kən'tɛnt] *adj* contento(a), soddisfatto(a) ♦ *vt* contentare, soddisfare ♦ *n* ['kɔntɛnt] contenuto; ~**s** *npl* contenuto; (*of barrel etc: capacity*) capacità *f inv*; (*table of*) ~**s** indice *m*; **to be** ~ **with** essere contento di; **to** ~ **o.s. with sth/with doing sth** accontentarsi di qc/di fare qc.

contented [kən'tɛntɪd] *adj* contento(a), soddisfatto(a).

contentedly [kən'tɛntɪdlɪ] *adv* con soddisfazione.

contention [kən'tɛnʃən] *n* contesa; (*assertion*) tesi *f inv*; **bone of** ~ pomo della discordia.

contentious [kən'tɛnʃəs] *adj* polemico(a).

contentment [kən'tɛntmənt] *n* contentezza.

contest *n* ['kɔntɛst] lotta; (*competition*) gara, concorso ♦ *vt* [kən'tɛst] contestare; (*LAW*) impugnare; (*compete for*) contendere.

contestant [kən'tɛstənt] n concorrente m/f; (in fight) avversario/a.

context ['kɔntɛkst] n contesto; **in/out of** ~ nel/fuori dal contesto.

continent ['kɔntɪnənt] n continente m; **the C**~ (BRIT) l'Europa continentale; **on the C**~ in Europa.

continental [kɔntɪ'nɛntl] adj continentale ♦ n (BRIT) abitante m/f dell'Europa continentale.

continental breakfast n colazione f all'europea.

continental quilt n (BRIT) piumino.

contingency [kən'tɪndʒənsɪ] n eventualità f inv.

contingency plan n misura d'emergenza.

contingent [kən'tɪndʒənt] n contingenza ♦ adj: **to be** ~ **upon** dipendere da.

continual [kən'tɪnjuəl] adj continuo(a).

continually [kən'tɪnjuəlɪ] adv di continuo.

continuation [kəntɪnju'eɪʃən] n continuazione f; (after interruption) ripresa; (of story) seguito.

continue [kən'tɪnjuː] vi continuare ♦ vt continuare; (start again) riprendere; **to be** ~**d** (story) continua; ~**d on page 10** segue or continua a pagina 10.

continuing education [kən'tɪnjuɪŋ-] n corsi mpl per adulti.

continuity [kɔntɪ'njuːɪtɪ] n continuità; (CINE) (ordine m della) sceneggiatura.

continuity girl n (CINE) segretaria di edizione.

continuous [kən'tɪnjuəs] adj continuo(a), ininterrotto(a); ~ **performance** (CINE) spettacolo continuato; ~ **stationery** (COMPUT) carta a moduli continui.

continuously [kən'tɪnjuəslɪ] adv (repeatedly) continuamente; (uninterruptedly) ininterrottamente.

contort [kən'tɔːt] vt contorcere.

contortion [kən'tɔːʃən] n contorcimento; (of acrobat) contorsione f.

contortionist [kən'tɔːʃənɪst] n contorsionista m/f.

contour ['kɔntuə*] n contorno, profilo; (also: ~ **line**) curva di livello.

contraband ['kɔntrəbænd] n contrabbando ♦ adj di contrabbando.

contraception [kɔntrə'sɛpʃən] n contraccezione f.

contraceptive [kɔntrə'sɛptɪv] adj contraccettivo(a) ♦ n contraccettivo.

contract n ['kɔntrækt] contratto ♦ cpd ['kɔntrækt] (price, date) del contratto; (work) a contratto ♦ vi [kən'trækt] (COMM): **to** ~ **to do sth** fare un contratto per fare qc; (become smaller) contrarre; **to be**

under ~ **to do sth** aver stipulato un contratto per fare qc; ~ **of employment** contratto di lavoro.

▶**contract in** vi impegnarsi (con un contratto); (BRIT ADMIN) scegliere di pagare i contributi per una pensione.

▶**contract out** vi: **to** ~ **out (of)** ritirarsi (da); (BRIT ADMIN) (scegliere di) non pagare i contributi per una pensione.

contraction [kən'trækʃən] n contrazione f.

contractor [kən'træktə*] n imprenditore m.

contractual [kən'træktjuəl] adj contrattuale.

contradict [kɔntrə'dɪkt] vt contraddire.

contradiction [kɔntrə'dɪkʃən] n contraddizione f; **to be in** ~ **with** discordare con.

contradictory [kɔntrə'dɪktərɪ] adj contraddittorio(a).

contralto [kən'træltəu] n contralto.

contraption [kən'træpʃən] n (pej) aggeggio.

contrary ['kɔntrərɪ] adj contrario(a); (unfavourable) avverso(a), contrario(a); [kən'trɛərɪ] (perverse) bisbetico(a) ♦ n contrario; **on the** ~ al contrario; **unless you hear to the** ~ a meno che non si disdica; ~ **to what we thought** a differenza di or contrariamente a quanto pensavamo.

contrast n ['kɔntrɑːst] contrasto ♦ vt [kən'trɑːst] mettere in contrasto; **in** ~ **to** or **with** a differenza di, contrariamente a.

contrasting [kən'trɑːstɪŋ] adj contrastante, di contrasto.

contravene [kɔntrə'viːn] vt contravvenire.

contravention [kɔntrə'vɛnʃən] n: ~ **(of)** contravvenzione f(a), infrazione f(di).

contribute [kən'trɪbjuːt] vi contribuire ♦ vt: **to** ~ **£10/an article to** dare 10 sterline/un articolo a; **to** ~ **to** contribuire a; (newspaper) scrivere per; (discussion) partecipare a.

contribution [kɔntrɪ'bjuːʃən] n contribuzione f.

contributor [kən'trɪbjutə*] n (to newspaper) collaboratore/trice.

contributory [kən'trɪbjutərɪ] adj (cause) che contribuisce; **it was a** ~ **factor in** ... quello ha contribuito a ....

contributory pension scheme n (BRIT) sistema di pensionamento finanziato congiuntamente dai contributi del lavoratore e del datore di lavoro.

contrite ['kɔntraɪt] adj contrito(a).

contrivance [kən'traɪvəns] n congegno; espediente m.

contrive [kən'traɪv] vt inventare;

escogitare ◊ *vi*: **to ~ to do** fare in modo di fare.

control [kən'trəul] *vt* dominare; (*firm, operation etc*) dirigere; (*check*) controllare; (*disease, fire*) arginare, limitare ◊ *n* controllo; **~s** *npl* comandi *mpl*; **to take ~ of** assumere il controllo di; **to be in ~ of** aver autorità su; essere responsabile di; controllare; **to ~ o.s.** controllarsi; **everything is under ~** tutto è sotto controllo; **the car went out of ~** la macchina non rispondeva ai comandi; **circumstances beyond our ~** circostanze *fpl* che non dipendono da noi.

control key *n* (*COMPUT*) tasto di controllo.

controller [kən'trəulə*] *n* controllore *m*.

controlling interest [kən'trəulıŋ-] *n* (*COMM*) maggioranza delle azioni.

control panel *n* (*on aircraft, ship, TV etc*) quadro dei comandi.

control point *n* punto di controllo.

control room *n* (*NAUT, MIL*) sala di comando; (*RADIO, TV*) sala di regia.

control tower *n* (*AVIAT*) torre *f* di controllo.

control unit *n* (*COMPUT*) unità *f inv* di controllo.

controversial [kɔntrə'və:ʃl] *adj* controverso(a), polemico(a).

controversy ['kɔntrəvə:sı] *n* controversia, polemica.

conurbation [kɔnə:'beıʃən] *n* conurbazione *f*.

convalesce [kɔnvə'lɛs] *vi* rimettersi in salute.

convalescence [kɔnvə'lɛsns] *n* convalescenza.

convalescent [kɔnvə'lɛsnt] *adj*, *n* convalescente (*m/f*).

convector [kən'vɛktə*] *n* convettore *m*.

convene [kən'vi:n] *vt* convocare; (*meeting*) organizzare ◊ *vi* convenire, adunarsi.

convenience [kən'vi:nıəns] *n* comodità *f inv*; **at your ~** a suo comodo; **at your earliest ~** (*COMM*) appena possibile; **all modern ~s**, (*BRIT*) **all mod cons** tutte le comodità moderne.

convenience foods *npl* cibi *mpl* precotti.

convenient [kən'vi:nıənt] *adj* conveniente, comodo(a); **if it is ~ to you** se per lei va bene, se non la incomoda.

conveniently [kən'vi:nıəntlı] *adv* (*happen*) a proposito; (*situated*) in un posto comodo.

convent ['kɔnvənt] *n* convento.

convention [kən'vɛnʃən] *n* convenzione *f*; (*meeting*) convegno.

conventional [kən'vɛnʃənl] *adj* convenzionale.

convent school *n* scuola retta da suore.

converge [kən'və:dʒ] *vi* convergere.

conversant [kən'və:snt] *adj*: **to be ~ with** essere al corrente di; essere pratico(a) di.

conversation [kɔnvə'seıʃən] *n* conversazione *f*.

conversational [kɔnvə'seıʃənl] *adj* non formale; (*COMPUT*) conversazionale; **~ Italian** l'italiano parlato.

conversationalist [kɔnvə'seıʃnəlıst] *n* conversatore/trice.

converse *n* ['kɔnvə:s] contrario, opposto ◊ *vi* [kən'və:s]: **to ~ (with sb about sth)** conversare (con qn su qc).

conversely [kɔn'və:slı] *adv* al contrario, per contro.

conversion [kən'və:ʃən] *n* conversione *f*; (*BRIT: of house*) trasformazione *f*, rimodernamento.

conversion table *n* tavola di equivalenze.

convert *vt* [kən'və:t] (*REL, COMM*) convertire; (*alter*) trasformare ◊ *n* ['kɔnvə:t] convertito/a.

convertible [kən'və:təbl] *n* macchina decappottabile.

convex ['kɔnvɛks] *adj* convesso(a).

convey [kən'veı] *vt* trasportare; (*thanks*) comunicare; (*idea*) dare.

conveyance [kən'veıəns] *n* (*of goods*) trasporto; (*vehicle*) mezzo di trasporto.

conveyancing [kən'veıənsıŋ] *n* (*LAW*) redazione *f* di transazioni di proprietà.

conveyor belt *n* nastro trasportatore.

convict *vt* [kən'vıkt] dichiarare colpevole ◊ *n* ['kɔnvıkt] carcerato/a.

conviction [kən'vıkʃən] *n* condanna; (*belief*) convinzione *f*.

convince [kən'vıns] *vt*: **to ~ sb (of sth/that)** convincere qn (di qc/che), persuadere qn (di qc/che).

convincing [kən'vınsıŋ] *adj* convincente.

convincingly [kən'vınsıŋlı] *adv* in modo convincente.

convivial [kən'vıvıəl] *adj* allegro(a).

convoluted ['kɔnvəlu:tıd] *adj* (*shape*) attorcigliato(a), avvolto(a); (*argument*) involuto(a).

convoy ['kɔnvɔı] *n* convoglio.

convulse [kən'vʌls] *vt* sconvolgere; **to be ~d with laughter** contorcersi dalle risa.

convulsion [kən'vʌlʃən] *n* convulsione *f*.

coo [ku:] *vi* tubare.

cook [kuk] *vt* cucinare, cuocere; (*meal*) preparare ◊ *vi* cuocere; (*person*) cucinare ◊ *n* cuoco/a.

▶**cook up** *vt* (*col: excuse, story*) improvvisare, inventare.

cookbook ['kukbuk] *n* = **cookery book**.

cooker ['kukə*] *n* fornello, cucina.

cookery book *n* (*BRIT*) libro di cucina.

cookie ['kukɪ] *n* (*US*) biscotto.

cooking ['kukɪŋ] *n* cucina ♦ *cpd* (*apples, chocolate*) da cuocere; (*utensils, salt, foil*) da cucina.

cookout ['kukaut] *n* (*US*) pranzo (cucinato) all'aperto.

cool [ku:l] *adj* fresco(a); (*not afraid*) calmo(a); (*unfriendly*) freddo(a); (*impertinent*) sfacciato(a) ♦ *vt* raffreddare, rinfrescare ♦ *vi* raffreddarsi, rinfrescarsi; it's ~ (*weather*) fa fresco; to keep sth ~ or in a ~ place tenere qc in fresco.

▶**cool down** *vi* raffreddarsi; (*fig: person, situation*) calmarsi.

coolant ['ku:lənt] *n* (liquido) refrigerante *m*.

cool box, (*US*) **cooler** ['ku:lə*] *n* borsa termica.

cooling ['ku:lɪŋ] *adj* (*breeze*) fresco(a).

cooling tower *n* torre *f* di raffreddamento.

coolly ['ku:lɪ] *adv* (*calmly*) con calma, tranquillamente; (*audaciously*) come se niente fosse; (*unenthusiastically*) freddamente.

coolness ['ku:lnɪs] *n* freschezza; sangue *m* freddo, calma.

coop [ku:p] *n* stia ♦ *vt*: to ~ up (*fig*) rinchiudere.

co-op ['kəuɔp] *n abbr* (= *cooperative (society)*) coop *f*.

cooperate [kəu'ɔpəreɪt] *vi* cooperare, collaborare.

cooperation [kəuɔpə'reɪʃən] *n* cooperazione *f*, collaborazione *f*.

cooperative [kəu'ɔpərətɪv] *adj* cooperativo(a) ♦ *n* cooperativa.

coopt [kəu'ɔpt] *vt*: to ~ sb into sth cooptare qn per qc.

coordinate *vt* [kəu'ɔ:dɪneɪt] coordinare ♦ *n* [kəu'ɔ:dɪnət] (*MATH*) coordinata; ~s *npl* (*clothes*) coordinati *mpl*.

coordination [kəuɔ:dɪ'neɪʃən] *n* coordinazione *f*.

coot [ku:t] *n* folaga.

co-ownership [kəu'əunəʃɪp] *n* comproprietà.

cop [kɔp] *n* (*col*) sbirro.

cope [kəup] *vi* farcela; to ~ with (*problems*) far fronte a.

Copenhagen [kəupən'heɪgən] *n* Copenhagen *f*.

copier ['kɔpɪə*] *n* (*also*: **photo**~) (foto)copiatrice *f*.

co-pilot ['kəupaɪlət] *n* secondo pilota *m*.

copious ['kəupɪəs] *adj* copioso(a), abbondante.

copper ['kɔpə*] *n* rame *m*; (*col*: *policeman*) sbirro; ~s *npl* spiccioli *mpl*.

coppice ['kɔpɪs], **copse** [kɔps] *n* bosco ceduo.

copulate ['kɔpjuleɪt] *vi* accoppiarsi.

copy ['kɔpɪ] *n* copia; (*book etc*) esemplare *m*; (*material: for printing*) materiale *m*, testo ♦ *vt* (*gen*, *COMPUT*) copiare; (*imitate*) imitare; rough/fair ~ brutta/bella (copia); to make good ~ (*fig*) fare notizia.

▶**copy out** *vt* ricopiare, trascrivere.

copycat ['kɔpɪkæt] *n* (*pej*) copione *m*.

copyright ['kɔpɪraɪt] *n* diritto d'autore; ~ reserved tutti i diritti riservati.

copy typist *n* dattilografo/a.

copywriter ['kɔpɪraɪtə*] *n* redattore *m* pubblicitario.

coral ['kɔrəl] *n* corallo.

coral reef *n* barriera corallina.

Coral Sea *n*: the ~ il mar dei Coralli.

cord [kɔ:d] *n* corda; (*ELEC*) filo; (*fabric*) velluto a coste; ~s *npl* (*trousers*) calzoni *mpl* (di velluto) a coste.

cordial ['kɔ:dɪəl] *adj*, *n* cordiale (*m*).

cordless ['kɔ:dlɪs] *adj* senza cavo.

cordon ['kɔ:dn] *n* cordone *m*.

▶**cordon off** *vt* fare cordone intorno a.

corduroy ['kɔ:dərɔɪ] *n* fustagno.

CORE [kɔ:*] *n abbr* (*US*) = *Congress of Racial Equality*.

core [kɔ:*] *n* (*of fruit*) torsolo; (*TECH*) centro; (*of earth, nuclear reactor*) nucleo; (*of problem etc*) cuore *m*, nocciolo ♦ *vt* estrarre il torsolo da; rotten to the ~ marcio fino al midollo.

Corfu [kɔ:'fu:] *n* Corfù *f*.

coriander [kɔrɪ'ændə*] *n* coriandolo.

cork [kɔ:k] *n* sughero; (*of bottle*) tappo.

corkage ['kɔ:kɪdʒ] *n somma da pagare se il cliente porta il proprio vino*.

corked [kɔ:kt], (*US*) **corky** ['kɔ:kɪ] *adj* (*wine*) che sa di tappo.

corkscrew ['kɔ:kskru:] *n* cavatappi *m inv*.

cormorant ['kɔ:mərənt] *n* cormorano.

Corn *abbr* (*BRIT*) = *Cornwall*.

corn [kɔ:n] *n* (*BRIT*: *wheat*) grano; (*US*: *maize*) granturco; (*on foot*) callo; ~ on the cob (*CULIN*) pannocchia cotta.

cornea ['kɔ:nɪə] *n* cornea.

corned beef ['kɔ:nd-] *n* carne *f* di manzo in scatola.

corner ['kɔ:nə*] *n* angolo; (*AUT*) curva; (*FOOTBALL: also:* ~ **kick**) corner *m inv*, calcio d'angolo ♦ *vt* intrappolare; mettere con le spalle al muro; (*COMM*: *market*) accaparrare ♦ *vi* prendere una curva; **to cut ~s** (*fig*) prendere una scorciatoia.

corner flag *n* (*FOOTBALL*) bandierina d'angolo.

corner kick *n* (*FOOTBALL*) calcio d'angolo.

cornerstone ['kɔːnəstəun] *n* pietra angolare.

cornet ['kɔːnɪt] *n* (*MUS*) cornetta; (*BRIT: of ice-cream*) cono.

cornflakes ['kɔːnfleɪks] *npl* fiocchi *mpl* di granturco.

cornflour ['kɔːnflauə*] *n* (*BRIT*) ≈ fecola di patate.

cornice ['kɔːnɪs] *n* cornicione *m*; cornice *f*.

Cornish ['kɔːnɪʃ] *adj* della Cornovaglia.

corn oil *n* olio di mais.

cornstarch ['kɔːnstɑːtʃ] *n* (*US*) = **cornflour.**

cornucopia [kɔːnjuːˈkəupɪə] *n* grande abbondanza.

Cornwall ['kɔːnwəl] *n* Cornovaglia.

corny ['kɔːnɪ] *adj* (*col*) trito(a).

corollary [kəˈrɔlərɪ] *n* corollario.

coronary ['kɔrənərɪ] *n*: ~ **(thrombosis)** trombosi *f* coronaria.

coronation [kɔrəˈneɪʃən] *n* incoronazione *f*.

coroner ['kɔrənə*] *n magistrato incaricato di indagare la causa di morte in circostanze sospette.*

coronet ['kɔrənɪt] *n* diadema *m*.

Corp. *abbr* = **corporation.**

corporal ['kɔːpərl] *n* caporalmaggiore *m* ♦ *adj*: ~ **punishment** pena corporale.

corporate ['kɔːpərɪt] *adj* comune; (*COMM*) costituito(a) (in corporazione).

corporate hospitality *n* omaggi *mpl* ai clienti (*come biglietti per spettacoli, cene etc*).

corporate identity, corporate image *n* (*of organization*) immagine *f* di marca.

corporation [kɔːpəˈreɪʃən] *n* (*of town*) consiglio comunale; (*COMM*) ente *m*.

corporation tax *n* ≈ imposta societaria.

corps [kɔː*], *pl* **corps** [kɔːz] *n* corpo; **press ~** ufficio *m* stampa *inv*.

corpse [kɔːps] *n* cadavere *m*.

corpuscle ['kɔːpʌsl] *n* corpuscolo.

corral [kəˈrɑːl] *n* recinto.

correct [kəˈrɛkt] *adj* (*accurate*) corretto(a), esatto(a); (*proper*) corretto(a) ♦ *vt* correggere; **you are ~** ha ragione.

correction [kəˈrɛkʃən] *n* correzione *f*.

correlate ['kɔrɪleɪt] *vt* mettere in correlazione ♦ *vi*: **to ~ with** essere in rapporto con.

correlation [kɔrɪˈleɪʃən] *n* correlazione *f*.

correspond [kɔrɪsˈpɔnd] *vi* corrispondere.

correspondence [kɔrɪsˈpɔndəns] *n* corrispondenza.

correspondence course *n* corso per corrispondenza.

correspondent [kɔrɪsˈpɔndənt] *n* corrispondente *m/f*.

corridor ['kɔrɪdɔː*] *n* corridoio.

corroborate [kəˈrɔbəreɪt] *vt* corroborare, confermare.

corrode [kəˈrəud] *vt* corrodere ♦ *vi* corrodersi.

corrosion [kəˈrəuʒən] *n* corrosione *f*.

corrosive [kəˈrəuzɪv] *adj* corrosivo(a).

corrugated ['kɔrəgeɪtɪd] *adj* increspato(a); ondulato(a).

corrugated iron *n* lamiera di ferro ondulata.

corrupt [kəˈrʌpt] *adj* corrotto(a) ♦ *vt* corrompere; ~ **practices** (*dishonesty, bribery*) pratiche *fpl* illecite.

corruption [kəˈrʌpʃən] *n* corruzione *f*.

corset ['kɔːsɪt] *n* busto.

Corsica ['kɔːsɪkə] *n* Corsica.

Corsican ['kɔːsɪkən] *adj*, *n* corso(a).

cortège [kɔːˈteɪʒ] *n* corteo.

cortisone ['kɔːtɪzəun] *n* cortisone *m*.

coruscating ['kɔrəskeɪtɪŋ] *adj* scintillante.

c.o.s. *abbr* (= *cash on shipment*) pagamento alla spedizione.

cosh [kɔʃ] *n* (*BRIT*) randello (corto).

cosignatory [kəuˈsɪgnətərɪ] *n* cofirmatario/a.

cosiness ['kəuzɪnɪs] *n* intimità.

cos lettuce ['kɔs-] *n* lattuga romana.

cosmetic [kɔzˈmɛtɪk] *n* cosmetico ♦ *adj* (*preparation*) cosmetico(a); (*surgery*) estetico(a); (*fig: reforms*) ornamentale.

cosmic ['kɔzmɪk] *adj* cosmico(a).

cosmonaut ['kɔzmənɔːt] *n* cosmonauta *m/f*.

cosmopolitan [kɔzməˈpɔlɪtn] *adj* cosmopolita.

cosmos ['kɔzmɔs] *n* cosmo.

cosset ['kɔsɪt] *vt* vezzeggiare.

cost [kɔst] *n* costo ♦ *vb* (*pt, pp* **cost**) *vi* costare ♦ *vt* stabilire il prezzo di; ~**s** *npl* (*LAW*) spese *fpl*; **it ~s £5/too much** costa 5 sterline/troppo; **it ~ him his life/job** gli costò la vita/il suo lavoro; **how much does it ~?** quanto costa?, quanto viene?; **what will it ~ to have it repaired?** quanto costerà farlo riparare?; ~ **of living** costo della vita; **at all ~s** a ogni costo.

cost accountant *n* analizzatore *m* dei costi.

co-star ['kəustɑː*] *n attore/trice della stessa importanza del protagonista.*

Costa Rica ['kɔstəˈriːkə] *n* Costa Rica.

cost centre *n* centro di costo.

cost control *n* controllo dei costi.

cost-effective ['kɔstɪˈfɛktɪv] *adj* (*gen*)

conveniente, economico(a); (*COMM*) redditizio(a), conveniente.

cost-effectiveness ['kɔstɪ'fɛktɪvnɪs] *n* convenienza.

costing ['kɔstɪŋ] *n* (determinazione *f* dei) costi *mpl*.

costly ['kɔstlɪ] *adj* costoso(a), caro(a).

cost-of-living ['kɔstəv'lɪvɪŋ] *adj*: ~ **allowance** indennità *f inv* di contingenza; ~ **index** indice *m* della scala mobile.

cost price *n* (*BRIT*) prezzo all'ingrosso.

costume ['kɔstjuːm] *n* costume *m*; (*lady's suit*) tailleur *m inv*; (*BRIT*: *also*: **swimming** ~) costume da bagno.

costume jewellery *n* bigiotteria.

cosy, (*US*) **cozy** ['kəuzɪ] *adj* intimo(a); (*room, atmosphere*) accogliente.

cot [kɔt] *n* (*BRIT*: *child's*) lettino; (*US*: *folding bed*) brandina.

cot death *n improvvisa e inspiegabile morte nel sonno di un neonato.*

Cotswolds ['kɔtswəuldz] *npl*: **the** ~ *zona collinare del Gloucestershire.*

cottage ['kɔtɪdʒ] *n* cottage *m inv*.

cottage cheese *n* fiocchi *mpl* di latte magro.

cottage industry *n industria artigianale basata sul lavoro a cottimo.*

cottage pie *n piatto a base di carne macinata in sugo e purè di patate.*

cotton ['kɔtn] *n* cotone *m*; ~ **dress** *etc* vestito *etc* di cotone.

►**cotton on** *vi* (*col*): **to** ~ **on (to sth)** afferrare (qc).

cotton wool *n* (*BRIT*) cotone *m* idrofilo.

couch [kautʃ] *n* sofà *m inv*; (*in doctor's surgery*) lettino ♦ *vt* esprimere.

couchette [kuːˈʃɛt] *n* cuccetta.

couch potato *n* (*col*) pigrone/a teledipendente.

cough [kɔf] *vi* tossire ♦ *n* tosse *f*.

cough drop *n* pasticca per la tosse.

cough mixture, cough syrup *n* sciroppo per la tosse.

could [kud] *pt of* **can.**

couldn't ['kudnt] = **could not.**

council ['kaunsl] *n* consiglio; **city** *or* **town** ~ consiglio comunale; **C~ of Europe** Consiglio d'Europa.

council estate *n* (*BRIT*) quartiere *m* di case popolari.

council house *n* (*BRIT*) casa popolare.

council housing *n* alloggi *mpl* popolari.

councillor ['kaunsələ*] *n* consigliere/a.

council tax *n* (*BRIT*) *tassa comunale sulla proprietà.*

counsel ['kaunsl] *n* avvocato; consultazione *f* ♦ *vt*: **to** ~ **sth/sb to do sth** consigliare

qc/a qn di fare qc; ~ **for the defence/the prosecution** avvocato difensore/di parte civile.

counsellor, (*US*) **counselor** ['kaunslə*] *n* consigliere/a; (*US*: *lawyer*) avvocato/essa.

count [kaunt] *vt*, *vi* contare ♦ *n* conto; (*nobleman*) conte *m*; **to** ~ **(up) to 10** contare fino a 10; **to** ~ **the cost of** calcolare il costo di; **not** ~**ing the children** senza contare i bambini; **10** ~**ing him** 10 compreso lui; ~ **yourself lucky** considerati fortunato; **it** ~**s for very little** non conta molto, non ha molta importanza; **to keep** ~ **of sth** tenere il conto di qc.

►**count on** *vt fus* contare su; **to** ~ **on doing sth** contare di fare qc.

►**count up** *vt* addizionare.

countdown ['kauntdaun] *n* conto alla rovescia.

countenance ['kauntɪnəns] *n* volto, aspetto ♦ *vt* approvare.

counter ['kauntə*] *n* banco; (*position: in post office, bank*) sportello; (*in game*) gettone *m*; (*TECH*) contatore *m* ♦ *vt* opporsi a; (*blow*) parare ♦ *adv*: ~ **to** contro; in opposizione a; **to buy under the** ~ (*fig*) comperare sottobanco; **to** ~ **sth with sth/by doing sth** rispondere a qc con qc/facendo qc.

counteract [kauntər'ækt] *vt* agire in opposizione a; (*poison etc*) annullare gli effetti di.

counterattack ['kauntərətæk] *n* contrattacco ♦ *vi* contrattaccare.

counterbalance ['kauntəbæləns] *vt* contrappesare.

counter-clockwise ['kauntə'klɔkwaɪz] *adv* in senso antiorario.

counter-espionage [kauntər'ɛspɪənɑːʒ] *n* controspionaggio.

counterfeit ['kauntəfɪt] *n* contraffazione *f*, falso ♦ *vt* contraffare, falsificare ♦ *adj* falso(a).

counterfoil ['kauntəfɔɪl] *n* matrice *f*.

counterintelligence ['kauntərɪn'tɛlɪdʒəns] *n* = **counter-espionage.**

countermand ['kauntəmɑːnd] *vt* annullare.

countermeasure ['kauntəmɛʒə*] *n* contromisura.

counteroffensive ['kauntərə'fɛnsɪv] *n* controffensiva.

counterpane ['kauntəpeɪn] *n* copriletto *m inv*.

counterpart ['kauntəpɑːt] *n* (*of document etc*) copia; (*of person*) corrispondente *m/f*.

counterproductive ['kauntəprə'dʌktɪv] *adj* controproducente.

counterproposal ['kauntəprə'pəuzl] *n* controproposta.
countersign ['kauntəsain] *vt* controfirmare.
countersink ['kauntəsiŋk] *vt* (*hole*) svasare.
countess ['kauntis] *n* contessa.
countless ['kauntlis] *adj* innumerevole.
countrified ['kʌntrifaid] *adj* rustico(a), campagnolo(a).
country ['kʌntri] *n* paese *m*; (*native land*) patria; (*as opposed to town*) campagna; (*region*) regione *f*; **in the** ~ in campagna; **mountainous** ~ territorio montagnoso.
country and western (music) *n* musica country e western, country *m*.
country dancing *n* (*BRIT*) danza popolare.
country house *n* villa in campagna.
countryman ['kʌntrimən] *n* (*national*) compatriota *m*; (*rural*) contadino.
countryside ['kʌntrisaid] *n* campagna.
country-wide ['kʌntri'waid] *adj* diffuso(a) in tutto il paese ♦ *adv* in tutto il paese.
county ['kaunti] *n* contea.
county council *n* (*BRIT*) consiglio di contea.
county town *n* (*BRIT*) capoluogo.
coup, ~s [kuː, -z] *n* (*also*: ~ **d'état**) colpo di Stato; (*triumph*) bel colpo.
coupé [kuː'pei] *n* coupé *m inv.*
couple ['kʌpl] *n* coppia ♦ *vt* (*carriages*) agganciare; (*TECH*) accoppiare; (*ideas, names*) associare; **a** ~ **of** un paio di.
couplet ['kʌplit] *n* distico.
coupling ['kʌpliŋ] *n* (*RAIL*) agganciamento.
coupon ['kuːpɔn] *n* (*voucher*) buono; (*COMM*) coupon *m inv.*
courage ['kʌridʒ] *n* coraggio.
courageous [kə'reidʒəs] *adj* coraggioso(a).
courgette [kuə'ʒɛt] *n* (*BRIT*) zucchina.
courier ['kuriə*] *n* corriere *m*; (*for tourists*) guida.
course [kɔːs] *n* corso; (*of ship*) rotta; (*for golf*) campo; (*part of meal*) piatto; **first** ~ primo piatto; **of** ~ *adv* senz'altro, naturalmente; **(no) of** ~ **not!** certo che no!, no di certo!; **in the** ~ **of the next few days** nel corso dei prossimi giorni; **in due** ~ a tempo debito; ~ **(of action)** modo d'agire; **the best** ~ **would be to** ... la cosa migliore sarebbe ...; **we have no other** ~ **but to** ... non possiamo far altro che ...; ~ **of lectures** corso di lezioni; **a** ~ **of treatment** (*MED*) una cura.
court [kɔːt] *n* corte *f*; (*TENNIS*) campo ♦ *vt* (*woman*) fare la corte a; (*fig: favour, popularity*) cercare di conquistare; (: *death, disaster*) sfiorare, rasentare; **out of** ~ (*LAW: settle*) in via amichevole; **to take to** ~ citare in tribunale; **C~ of Appeal**

corte d'appello.
courteous ['kɔːtiəs] *adj* cortese.
courtesan [kɔːti'zæn] *n* cortigiana.
courtesy ['kɔːtəsi] *n* cortesia; **by** ~ **of** per gentile concessione di.
courtesy light *n* (*AUT*) luce *f* interna.
court-house ['kɔːthaus] *n* (*US*) palazzo di giustizia.
courtier ['kɔːtiə*] *n* cortigiano/a.
courtmartial, pl courtsmartial ['kɔːt'mɑːʃəl] *n* corte *f* marziale.
courtroom ['kɔːtrum] *n* tribunale *m.*
court shoe *n* scarpa *f* décolleté *inv.*
courtyard ['kɔːtjɑːd] *n* cortile *m.*
cousin ['kʌzn] *n* cugino/a.
cove [kəuv] *n* piccola baia.
covenant ['kʌvənənt] *n* accordo ♦ *vt*: **to** ~ **to do sth** impegnarsi (per iscritto) a fare qc.
Coventry ['kɔvəntri] *n*: **to send sb to** ~ (*fig*) dare l'ostracismo a qn.
cover ['kʌvə*] *vt* (*gen*) coprire; (*distance*) coprire, percorrere; (*PRESS: report on*) fare un servizio su ♦ *n* (*of pan*) coperchio; (*over furniture*) fodera; (*of book*) copertina; (*shelter*) riparo; (*COMM, INSURANCE*) copertura; **to take** ~ mettersi al coperto; **under** ~ al riparo; **under** ~ **of darkness** protetto dall'oscurità; **under separate** ~ (*COMM*) a parte, in plico separato; **£10 will** ~ **everything** 10 sterline saranno sufficienti.
►**cover up** *vt* (*child, object*): **to** ~ **up (with)** coprire (di); (*fig: hide: truth, facts*) nascondere ♦ *vi*: **to** ~ **up for sb** (*fig*) coprire qn.
coverage ['kʌvəridʒ] *n* (*PRESS, TV, RADIO*): **to give full** ~ **to** fare un ampio servizio su.
coveralls ['kʌvərɔːlz] *npl* (*US*) tuta.
cover charge *n* coperto.
covering ['kʌvəriŋ] *n* copertura.
covering letter, (*US*) **cover letter** *n* lettera d'accompagnamento.
cover note *n* (*INSURANCE*) polizza (di assicurazione) provvisoria.
cover price *n* prezzo di copertina.
covert ['kʌvət] *adj* nascosto(a); (*glance*) di sottecchi, furtivo(a).
cover-up ['kʌvərʌp] *n* occultamento (di informazioni).
covet ['kʌvit] *vt* bramare.
cow [kau] *n* vacca ♦ *cpd* femmina ♦ *vt* intimidire; ~ **elephant** *n* elefantessa.
cowardice ['kauədis] *n* vigliaccheria.
cowardly ['kauədli] *adj* vigliacco(a).
cowboy ['kaubɔi] *n* cow-boy *m inv.*
cower ['kauə*] *vi* acquattarsi.

cowshed ['kauʃɛd] *n* stalla.

cowslip ['kauslɪp] *n* (*BOT*) primula (odorata).

coxswain ['kɔksn] *n* (*abbr*: **cox**) timoniere *m*.

coy [kɔɪ] *adj* falsamente timido(a).

coyote [kɔɪˈəutɪ] *n* coyote *m inv*.

cozy ['kəuzɪ] *adj* (*US*) = **cosy**.

CP *n abbr* (= *Communist Party*) P.C. *m*.

cp. *abbr* (= *compare*) cfr.

c/p *abbr* (*BRIT*) = **carriage paid**.

CPA *n abbr* (*US*) see **certified public accountant**.

CPI *n abbr* (*US*: = *Consumer Price Index*) indice dei prezzi al consumo.

Cpl. *abbr* = **corporal**.

CP/M *n abbr* (= *Control Program for Microcomputers*) CP/M *m*.

c.p.s. *abbr* (= *characters per second*) c.p.s.

CPSA *n abbr* (*BRIT*: = *Civil and Public Services Association*) sindacato dei servizi pubblici.

CPU *n abbr* see **central processing unit**.

cr. *abbr* = **credit; creditor**.

crab [kræb] *n* granchio.

crab apple *n* mela selvatica.

crack [kræk] *n* (*split, slit*) fessura, crepa; incrinatura; (*noise*) schiocco; (: *of gun*) scoppio; (*joke*) battuta; (*col: attempt*): **to have a ~ at sth** tentare qc; (*DRUGS*) crack *m inv* ♦ *vt* spaccare; incrinare; (*whip*) schioccare; (*nut*) schiacciare; (*case, mystery: solve*) risolvere; (*code*) decifrare ♦ *cpd* (*athlete*) di prim'ordine; **to ~ jokes** (*col*) dire battute, scherzare; **to get ~ing** (*col*) darsi una mossa.

▶**crack down on** *vt fus* prendere serie misure contro, porre freno a.

▶**crack up** *vi* crollare.

crackdown ['krækdaun] *n* repressione *f*.

cracked [krækt] *adj* (*col*) matto(a).

cracker ['krækə*] *n* cracker *m inv*; (*firework*) petardo; (*Christmas ~*) mortaretto natalizio (con sorpresa); **a ~ of a ...** (*BRIT col*) un(a) ... formidabile; **he's ~s** (*BRIT col*) è tocco.

crackle ['krækl] *vi* crepitare.

crackling ['kræklɪŋ] *n* crepitio; (*on radio, telephone*) disturbo; (*of pork*) cotenna croccante (del maiale).

crackpot ['krækpɔt] *n* (*col*) imbecille *m/f* con idee assurde, assurdo/a.

cradle ['kreɪdl] *n* culla ♦ *vt* (*child*) tenere fra le braccia; (*object*) reggere tra le braccia.

craft [krɑːft] *n* mestiere *m*; (*cunning*) astuzia; (*boat*) naviglio.

craftsman ['krɑːftsmən] *n* artigiano.

craftsmanship ['krɑːftsmənʃɪp] *n* abilità.

crafty ['krɑːftɪ] *adj* furbo(a), astuto(a).

crag [kræg] *n* roccia.

cram [kræm] *vt* (*fill*): **to ~ sth with** riempire qc di; (*put*): **to ~ sth into** stipare qc in.

cramming ['kræmɪŋ] *n* (*fig: pej*) sgobbare *m*.

cramp [kræmp] *n* crampo ♦ *vt* soffocare, impedire.

cramped [kræmpt] *adj* ristretto(a).

crampon ['kræmpən] *n* (*CLIMBING*) rampone *m*.

cranberry ['krænbərɪ] *n* mirtillo.

crane [kreɪn] *n* gru *f inv* ♦ *vt, vi*: **to ~ forward, to ~ one's neck** allungare il collo.

cranium, pl crania ['kreɪnɪəm, 'kreɪnɪə] *n* cranio.

crank [kræŋk] *n* manovella; (*person*) persona stramba.

crankshaft ['kræŋkʃɑːft] *n* albero a gomiti.

cranky ['kræŋkɪ] *adj* eccentrico(a); (*bad-tempered*): **to be ~** avere i nervi.

cranny ['krænɪ] *n see* **nook**.

crap [kræp] *n* (*col!*) fesserie *fpl*; **to have a ~** cacare (*!*).

crappy ['kræpɪ] *adj* (*col*) di merda (*!*).

crash [kræʃ] *n* fragore *m*; (*of car*) incidente *m*; (*of plane*) caduta; (*of business*) fallimento; (*STOCK EXCHANGE*) crollo ♦ *vt* fracassare ♦ *vi* (*plane*) fracassarsi; (*car*) avere un incidente; (*two cars*) scontrarsi; (*fig*) fallire, andare in rovina; **to ~ into** scontrarsi con; **he ~ed the car into a wall** andò a sbattere contro un muro con la macchina.

crash barrier *n* (*BRIT AUT*) guardrail *m inv*.

crash course *n* corso intensivo.

crash helmet *n* casco.

crash landing *n* atterraggio di fortuna.

crass [kræs] *adj* crasso(a).

crate [kreɪt] *n* gabbia.

crater ['kreɪtə*] *n* cratere *m*.

cravat(e) [krəˈvæt] *n* fazzoletto da collo.

crave [kreɪv] *vi*: **to ~ for** desiderare ardentemente.

craving ['kreɪvɪŋ] *n*: **~ (for)** (*for food, cigarettes etc*) (gran) voglia (di).

crawl [krɔːl] *vi* strisciare carponi; (*child*) andare a gattoni; (*vehicle*) avanzare lentamente ♦ *n* (*SWIMMING*) crawl *m*; **to ~ to sb** (*col: suck up*) arruffianarsi qn.

crawler lane ['krɔːlə*-] *n* (*BRIT AUT*) corsia riservata al traffico lento.

crayfish ['kreɪfɪʃ] *n* (*pl inv*) gambero (d'acqua dolce).

crayon ['kreɪən] *n* matita colorata.

craze [kreɪz] *n* mania.

crazed [kreɪzd] *adj* (*look, person*) folle, pazzo(a); (*pottery, glaze*) incrinato(a).

crazy ['kreɪzɪ] *adj* matto(a); **to go** ~ uscir di senno, impazzire; **to be** ~ **about sb** (*col*: *keen*) essere pazzo di qn; **to be** ~ **about sth** andare matto per qc.

crazy paving *n* (*BRIT*) lastricato a mosaico irregolare.

creak [kriːk] *vi* cigolare, scricchiolare.

cream [kriːm] *n* crema; (*fresh*) panna ♦ *adj* (*colour*) color crema *inv*; **whipped** ~ panna montata.

▶**cream off** *vt* (*best talents, part of profits*) portarsi via.

cream cake *n* torta alla panna.

cream cheese *n* formaggio fresco.

creamery ['kriːmərɪ] *n* (*shop*) latteria; (*factory*) caseificio.

creamy ['kriːmɪ] *adj* cremoso(a).

crease [kriːs] *n* grinza; (*deliberate*) piega ♦ *vt* sgualcire ♦ *vi* sgualcirsi.

crease-resistant ['kriːsrɪzɪstənt] *adj* ingualcibile.

create [kriː'eɪt] *vt* creare; (*fuss, noise*) fare.

creation [kriː'eɪʃən] *n* creazione *f*.

creative [kriː'eɪtɪv] *adj* creativo(a).

creativity [kriːeɪ'tɪvɪtɪ] *n* creatività.

creator [kriː'eɪtə*] *n* creatore/trice.

creature ['kriːtʃə*] *n* creatura.

crèche, creche [krɛʃ] *n* asilo infantile.

credence ['kriːdns] *n* credenza, fede *f*.

credentials [krɪ'dɛnʃlz] *npl* (*papers*) credenziali *fpl*; (*letters of reference*) referenze *fpl*.

credibility [krɛdɪ'bɪlɪtɪ] *n* credibilità.

credible ['krɛdɪbl] *adj* credibile; (*witness, source*) attendibile.

credit ['krɛdɪt] *n* credito; onore *m*; (*SCOL*: *esp US*) *certificato del compimento di una parte del corso universitario* ♦ *vt* (*COMM*) accreditare; (*believe: also*: **give** ~ **to**) credere, prestar fede a; **to** ~ **£5 to sb** accreditare 5 sterline a qn; **to** ~ **sb with sth** (*fig*) attribuire qc a qn; **on** ~ a credito; **to one's** ~ a proprio onore; **to take the** ~ **for** farsi il merito di; **to be in** ~ (*person*) essere creditore(trice); (*bank account*) essere coperto(a); **he's a** ~ **to his family** fa onore alla sua famiglia; *see also* **credits**.

creditable ['krɛdɪtəbl] *adj* che fa onore, degno(a) di lode.

credit account *n* conto di credito.

credit agency *n* (*BRIT*) agenzia di analisi di credito.

credit balance *n* saldo attivo.

credit bureau *n* (*US*) agenzia di analisi di credito.

credit card *n* carta di credito.

credit control *n* controllo dei crediti.

credit facilities *npl* agevolazioni *fpl* creditizie.

credit limit *n* limite *m* di credito.

credit note *n* (*BRIT*) nota di credito.

creditor ['krɛdɪtə*] *n* creditore/trice.

credits ['krɛdɪts] *npl* (*CINE*) titoli *mpl*.

credit transfer *n* bancogiro, postagiro.

creditworthy ['krɛdɪt'wəːðɪ] *adj* autorizzabile al credito.

credulity [krɪ'djuːlɪtɪ] *n* credulità.

creed [kriːd] *n* credo; dottrina.

creek [kriːk] *n* insenatura; (*US*) piccolo fiume *m*.

creel ['kriːl] *n* cestino per il pesce; (*also*: **lobster** ~) nassa.

creep [kriːp] *vi* (*pt, pp* **crept** [krɛpt]) avanzare furtivamente (*or* pian piano); (*plant*) arrampicarsi ♦ *n* (*col*): **he's a** ~ è un tipo viscido; **it gives me the** ~**s** (*col*) mi fa venire la pelle d'oca; **to** ~ **up on sb** avvicinarsi quatto quatto a qn; (*fig*: *old age etc*) cogliere qn alla sprovvista.

creeper ['kriːpə*] *n* pianta rampicante.

creepers ['kriːpəz] *npl* (*US*: *rompers*) tutina.

creepy ['kriːpɪ] *adj* (*frightening*) che fa accapponare la pelle.

creepy-crawly ['kriːpɪ'krɔːlɪ] *n* (*col*) bestiolina, insetto.

cremate [krɪ'meɪt] *vt* cremare.

cremation [krɪ'meɪʃən] *n* cremazione *f*.

crematorium, *pl* **crematoria** [krɛmə'tɔːrɪəm, -'tɔːrɪə] *n* forno crematorio.

creosote ['krɪəsəut] *n* creosoto.

crêpe [kreɪp] *n* crespo.

crêpe bandage *n* (*BRIT*) fascia elastica.

crêpe paper *n* carta crespa.

crêpe sole *n* suola di para.

crept [krɛpt] *pt, pp of* **creep**.

crescendo [krɪ'ʃɛndəu] *n* crescendo.

crescent ['krɛsnt] *n* (*shape*) mezzaluna; (*street*) strada semicircolare.

cress [krɛs] *n* crescione *m*.

crest [krɛst] *n* cresta; (*of helmet*) pennacchiera; (*of coat of arms*) cimiero.

crestfallen ['krɛstfɔːlən] *adj* mortificato(a).

Crete ['kriːt] *n* Creta.

crevasse [krɪ'væs] *n* crepaccio.

crevice ['krɛvɪs] *n* fessura, crepa.

crew [kruː] *n* equipaggio; (*CINE*) troupe *f inv*; (*gang*) banda, compagnia.

crew-cut ['kruːkʌt] *n*: **to have a** ~ avere i capelli a spazzola.

crew-neck ['kruːnɛk] *n* girocollo.

crib [krɪb] *n* culla; (*REL*) presepio ♦ *vt* (*col*) copiare.

cribbage ['krɪbɪdʒ] *n tipo di gioco di carte*.

crick [krɪk] *n* crampo; ~ **in the neck**

torcicollo.
cricket ['krɪkɪt] n (*insect*) grillo; (*game*) cricket *m*.
cricketer ['krɪkɪtə*] n giocatore *m* di cricket.
crime [kraɪm] n (*in general*) criminalità; (*instance*) crimine *m*, delitto.
crime wave n ondata di criminalità.
criminal ['krɪmɪnl] adj, n criminale (*m/f*); **C~ Investigation Department (CID)** ≈ polizia giudiziaria.
crimp [krɪmp] vt arricciare.
crimson ['krɪmzn] adj color cremisi inv.
cringe [krɪndʒ] vi acquattarsi; (*fig*) essere servile.
crinkle ['krɪŋkl] vt arricciare, increspare.
cripple ['krɪpl] n zoppo/a ♦ vt azzoppare; (*ship, plane*) avariare; (*production, exports*) rovinare; ~**d with arthritis** sciancato(a) per l'artrite.
crippling ['krɪplɪŋ] adj (*taxes, debts*) esorbitante; (*disease*) molto debilitante.
crisis, pl **crises** ['kraɪsɪs, -siːz] n crisi *f* inv.
crisp [krɪsp] adj croccante; (*fig*) frizzante; vivace; deciso(a).
crisps [krɪsps] npl (*BRIT*) patatine *fpl* fritte.
criss-cross ['krɪskrɔs] adj incrociato(a) ♦ vt incrociarsi.
criterion, pl **criteria** [kraɪ'tɪərɪən, -'tɪərɪə] n criterio.
critic ['krɪtɪk] n critico/a.
critical ['krɪtɪkl] adj critico(a); **to be ~ of sb/sth** criticare qn/qc, essere critico verso qn/qc.
critically ['krɪtɪklɪ] adv criticamente; ~ **ill** gravemente malato.
criticism ['krɪtɪsɪzəm] n critica.
criticize ['krɪtɪsaɪz] vt criticare.
critique [krɪ'tiːk] n critica, saggio critico.
croak [krəuk] vi gracchiare.
Croat ['krəuæt] adj, n = **Croatian**.
Croatia [krəu'eɪʃɪə] n Croazia.
Croatian [krəu'eɪʃɪən] adj croato(a) ♦ n croato/a; (*LING*) croato.
crochet ['krəuʃeɪ] n lavoro all'uncinetto.
crock [krɔk] n coccio; (*col: person: also:* **old** ~) rottame *m*; (*: car etc*) caffettiera, rottame *m*.
crockery ['krɔkərɪ] n vasellame *m*; (*plates, cups etc*) stoviglie *fpl*.
crocodile ['krɔkədaɪl] n coccodrillo.
crocus ['krəukəs] n croco.
croft [krɔft] n (*BRIT*) piccolo podere *m*.
crofter ['krɔftə*] n (*BRIT*) affittuario di un piccolo podere.
crone [krəun] n strega.
crony ['krəunɪ] n (*col*) amicone/a.
crook [kruk] n truffatore *m*; (*of shepherd*)

bastone *m*.
crooked ['krukɪd] adj curvo(a), storto(a); (*person, action*) disonesto(a).
crop [krɔp] n raccolto; (*produce*) coltivazione *f*; (*of bird*) gozzo, ingluvie *f* ♦ vt (*cut: hair*) tagliare, rapare; (*subj: animals: grass*) brucare.
▶**crop up** vi presentarsi.
cropper ['krɔpə*] n: **to come a** ~ (*col*) fare fiasco.
crop spraying n spruzzatura di antiparassitari.
croquet ['krəukeɪ] n croquet *m*.
croquette [krə'kɛt] n crocchetta.
cross [krɔs] n croce *f*; (*BIOL*) incrocio *f* ♦ vt (*street etc*) attraversare; (*arms, legs, BIOL*) incrociare; (*cheque*) sbarrare; (*thwart: person, plan*) contrastare, ostacolare ♦ vi: **the boat ~es from ... to ...** la barca fa la traversata da ... a ... ♦ adj di cattivo umore; **to ~ o.s.** fare il segno della croce, segnarsi; **we have a ~ed line** (*BRIT: on telephone*) c'è un'interferenza; **they've got their lines ~ed** (*fig*) si sono fraintesi; **to be/get ~ with sb (about sth)** essere arrabbiato(a)/arrabbiarsi con qn (per qc).
▶**cross out** vt cancellare.
▶**cross over** vi attraversare.
crossbar ['krɔsbɑː*] n traversa.
crossbow ['krɔsbəu] n balestra.
crossbreed ['krɔsbriːd] n incrocio.
cross-Channel ferry ['krɔs'tʃænl-] n traghetto che attraversa la Manica.
cross-check ['krɔstʃɛk] n controprova ♦ vi fare una controprova.
crosscountry (race) [krɔs'kʌntrɪ-] n cross-country *m* inv.
cross-dressing [krɔs'drɛsɪŋ] n travestitismo.
cross-examination ['krɔsɪgzæmɪ'neɪʃən] n (*LAW*) controinterrogatorio.
cross-examine ['krɔsɪg'zæmɪn] vt (*LAW*) sottoporre a controinterrogatorio.
cross-eyed ['krɔsaɪd] adj strabico(a).
crossfire ['krɔsfaɪə*] n fuoco incrociato.
crossing ['krɔsɪŋ] n incrocio; (*sea-passage*) traversata; (*also:* **pedestrian** ~) passaggio pedonale.
crossing point n valico di frontiera.
cross-purposes ['krɔs'pɜːpəsɪz] npl: **to be at** ~ **with sb** (*misunderstand*) fraintendere qn; **to talk at** ~ fraintendersi.
cross-question [krɔs'kwɛstʃən] vt (*LAW*) = **cross-examine**; (*fig*) sottoporre ad un interrogatorio.
cross-reference ['krɔs'rɛfərəns] n rinvio, rimando.

crossroads ['krɔsrəudz] *n* incrocio.
cross section *n* (*BIOL*) sezione *f* trasversale; (*in population*) settore *m* rappresentativo.
crosswalk ['krɔswɔːk] *n* (*US*) strisce *fpl* pedonali, passaggio pedonale.
crosswind ['krɔswɪnd] *n* vento di traverso.
crosswise ['krɔswaɪz] *adv* di traverso.
crossword ['krɔswɔːd] *n* cruciverba *m inv*.
crotch [krɔtʃ] *n* (*ANAT*) inforcatura; (*of garment*) pattina.
crotchet ['krɔtʃɪt] *n* (*MUS*) semiminima.
crotchety ['krɔtʃɪtɪ] *adj* (*person*) burbero(a).
crouch [krautʃ] *vi* acquattarsi; rannicchiarsi.
croup [kruːp] *n* (*MED*) crup *m*.
crouton ['kruːtɔn] *n* crostino.
crow [krəu] *n* (*bird*) cornacchia; (*of cock*) canto del gallo ♦ *vi* (*cock*) cantare; (*fig*) vantarsi; cantar vittoria.
crowbar ['krəubaː*] *n* piede *m* di porco.
crowd [kraud] *n* folla ♦ *vt* affollare, stipare ♦ *vi* affollarsi; ~**s of people** un sacco di gente.
crowded ['kraudɪd] *adj* affollato(a); ~ **with** stipato(a) di.
crowd scene *n* (*CINE, THEAT*) scena di massa.
crown [kraun] *n* corona; (*of head*) calotta cranica; (*of hat*) cocuzzolo; (*of hill*) cima ♦ *vt* incoronare; (*tooth*) incapsulare; **and to ~ it all ...** (*fig*) e per giunta ..., e come se non bastasse ....

Nel sistema legale inglese, la **crown court** *è un tribunale penale che si sposta da una città all'altra. È formata da una giuria e presieduta da un giudice. Vi si discutono i reati più gravi, mentre dei reati minori si occupano le* **magistrates' court**, *presiedute da un giudice di pace, ma senza giuria. È il giudice di pace che decide se passare o meno un caso alla* crown court.

---

crowning ['kraunɪŋ] *adj* (*achievement, glory*) supremo(a).
crown jewels *npl* gioielli *mpl* della Corona.
crown prince *n* principe *m* ereditario.
crow's-feet ['krəuzfiːt] *npl* zampe *fpl* di gallina.
crow's-nest ['krəuznɛst] *n* (*on sailing-ship*) coffa.
crucial ['kruːʃl] *adj* cruciale, decisivo(a); ~ **to** essenziale per.
crucifix ['kruːsɪfɪks] *n* crocifisso.
crucifixion [kruːsɪ'fɪkʃən] *n* crocifissione *f.*
crucify ['kruːsɪfaɪ] *vt* crocifiggere, mettere

in croce; (*fig*) distruggere, fare a pezzi.
crude [kruːd] *adj* (*materials*) greggio(a); non raffinato(a); (*fig*: *basic*) crudo(a), primitivo(a); (: *vulgar*) rozzo(a), grossolano(a).
crude (oil) *n* (petrolio) greggio.
cruel ['kruəl] *adj* crudele.
cruelty ['kruəltɪ] *n* crudeltà *f inv.*
cruet ['kruːɪt] *n* ampolla.
cruise [kruːz] *n* crociera ♦ *vi* andare a velocità di crociera; (*taxi*) circolare.
cruise missile *n* missile *m* cruise *inv.*
cruiser ['kruːzə*] *n* incrociatore *m.*
cruising speed ['kruːzɪŋ-] *n* velocità *f inv* di crociera.
crumb [krʌm] *n* briciola.
crumble ['krʌmbl] *vt* sbriciolare ♦ *vi* sbriciolarsi; (*plaster etc*) sgretolarsi; (*land, earth*) franare; (*building, fig*) crollare.
crumbly ['krʌmblɪ] *adj* friabile.
crummy ['krʌmɪ] *adj* (*col*: *cheap*) di infima categoria; (: *depressed*) giù inv.
crumpet ['krʌmpɪt] *n specie di frittella.*
crumple ['krʌmpl] *vt* raggrinzare, spiegazzare.
crunch [krʌntʃ] *vt* sgranocchiare; (*underfoot*) scricchiolare ♦ *n* (*fig*) punto *or* momento cruciale.
crunchy ['krʌntʃɪ] *adj* croccante.
crusade [kruː'seɪd] *n* crociata ♦ *vi* (*fig*): **to ~ for/against** fare una crociata per/contro.
crusader [kruː'seɪdə*] *n* crociato; (*fig*): ~ **(for)** sostenitore/trice (di).
crush [krʌʃ] *n* folla; (*love*): **to have a ~ on sb** avere una cotta per qn; (*drink*): **lemon ~** spremuta di limone ♦ *vt* schiacciare; (*crumple*) sgualcire; (*grind, break up*: *garlic, ice*) tritare; (: *grapes*) pigiare.
crush barrier *n* transenna.
crushing ['krʌʃɪŋ] *adj* schiacciante.
crust [krʌst] *n* crosta.
crustacean [krʌs'teɪʃən] *n* crostaceo.
crusty ['krʌstɪ] *adj* (*bread*) croccante; (*person*) brontolone(a); (*remark*) brusco(a).
crutch [krʌtʃ] *n* (*MED*) gruccia; (*support*) sostegno; (*also*: **crotch**) pattina.
crux [krʌks] *n* nodo.
cry [kraɪ] *vi* piangere; (*shout*: *also*: ~ **out**) urlare ♦ *n* urlo, grido; (*of animal*) verso; **to ~ for help** gridare aiuto; **what are you ~ing about?** perché piangi?; **she had a good ~** si è fatta un bel pianto; **it's a far ~ from ...** (*fig*) è tutt'un'altra cosa da ....
▶**cry off** *vi* ritirarsi.
crying ['kraɪɪŋ] *adj* (*fig*) palese; urgente.
crypt [krɪpt] *n* cripta.

cryptic ['krɪptɪk] *adj* ermetico(a).
crystal ['krɪstl] *n* cristallo.
crystal-clear ['krɪstl'klɪə*] *adj* cristallino(a); (*fig*) chiaro(a) (come il sole).
crystallize ['krɪstəlaɪz] *vi* cristallizzarsi ♦ *vt* (*fig*) concretizzare, concretare; ~**d fruits** (*BRIT*) frutta candita.
CSA *n abbr* (*US*) = *Confederate States of America*; (*BRIT*: = *Child Support Agency*) *istituto a difesa dei figli di coppie separate, che si adopera affinché venga rispettato l'obbligo del mantenimento.*
CSC *n abbr* (= *Civil Service Commission*) *commissione per il reclutamento dei funzionari statali.*
CSE *n abbr* (*BRIT old:* = *Certificate of Secondary Education*) *diploma di istruzione superiore.*
CS gas *n* (*BRIT*) *tipo di gas lacrimogeno.*
CST *abbr* (*US:* = *central standard time*) *fuso orario.*
CT *abbr* (*US*) = *Connecticut*.
ct *abbr* = *carat*.
CTC *n abbr* (*BRIT:* = *city technology college*) *istituto tecnico superiore.*
cu. *abbr* = *cubic*.
cub [kʌb] *n* cucciolo; (*also:* ~ **scout**) lupetto.
Cuba ['kjuːbə] *n* Cuba.
Cuban ['kjuːbən] *adj, n* cubano(a).
cubbyhole ['kʌbɪhəul] *n* angolino.
cube [kjuːb] *n* cubo ♦ *vt* (*MATH*) elevare al cubo.
cube root *n* radice *f* cubica.
cubic ['kjuːbɪk] *adj* cubico(a); ~ **metre** *etc* metro *etc* cubo; ~ **capacity** (*AUT*) cilindrata.
cubicle ['kjuːbɪkl] *n* scompartimento separato; cabina.
cuckoo ['kuːkuː] *n* cucù *m inv*.
cuckoo clock *n* orologio a cucù.
cucumber ['kjuːkʌmbə*] *n* cetriolo.
cud [kʌd] *n*: **to chew the** ~ ruminare.
cuddle ['kʌdl] *vt* abbracciare, coccolare ♦ *vi* abbracciarsi.
cuddly ['kʌdlɪ] *adj* da coccolare.
cudgel ['kʌdʒl] *n* randello ♦ *vt*: **to** ~ **one's brains** scervellarsi, spremere le meningi.
cue [kjuː] *n* stecca; (*THEAT etc*) segnale *m*.
cuff [kʌf] *n* (*of shirt, coat etc*) polsino; (*US: on trousers*) = **turnup**; (*blow*) schiaffo ♦ *vt* dare uno schiaffo a; **off the** ~ *adv* improvvisando.
cufflink ['kʌflɪŋk] *n* gemello.
cu. ft. *abbr* = *cubic feet*.
cu. in. *abbr* = *cubic inches*.
cuisine [kwɪ'ziːn] *n* cucina.

cul-de-sac ['kʌldəsæk] *n* vicolo cieco.
culinary ['kʌlɪnərɪ] *adj* culinario(a).
cull [kʌl] *vt* (*kill selectively: animals*) selezionare e abbattere.
culminate ['kʌlmɪneɪt] *vi*: **to** ~ **in** culminare con.
culmination [kʌlmɪ'neɪʃən] *n* culmine *m*.
culottes [kjuː'lɒts] *npl* gonna *f* pantalone *inv*.
culpable ['kʌlpəbl] *adj* colpevole.
culprit ['kʌlprɪt] *n* colpevole *m/f*.
cult [kʌlt] *n* culto.
cult figure *n* idolo.
cultivate ['kʌltɪveɪt] *vt* (*also fig*) coltivare.
cultivation [kʌltɪ'veɪʃən] *n* coltivazione *f*.
cultural ['kʌltʃərəl] *adj* culturale.
culture ['kʌltʃə*] *n* (*also fig*) cultura.
cultured ['kʌltʃəd] *adj* colto(a).
cumbersome ['kʌmbəsəm] *adj* ingombrante.
cumin ['kʌmɪn] *n* (*spice*) cumino.
cumulative ['kjuːmjulətɪv] *adj* cumulativo(a).
cunning ['kʌnɪŋ] *n* astuzia, furberia ♦ *adj* astuto(a), furbo(a); (*clever: device, idea*) ingegnoso(a).
cunt [kʌnt] *n* (*col!*) figa (*!*); (*insult*) stronzo/a (*!*).
cup [kʌp] *n* tazza; (*prize*) coppa; **a** ~ **of tea** una tazza di tè.
cupboard ['kʌbəd] *n* armadio.
cup final *n* (*BRIT FOOTBALL*) finale *f* di coppa.
Cupid ['kjuːpɪd] *n* Cupido; (*figurine*): **c**~ cupido.
cupidity [kjuː'pɪdɪtɪ] *n* cupidigia.
cupola ['kjuːpələ] *n* cupola.
cuppa ['kʌpə] *n* (*BRIT col*) tazza di tè.
cup-tie ['kʌptaɪ] *n* (*BRIT FOOTBALL*) partita di coppa.
curable ['kjuərəbl] *adj* curabile.
curate ['kjuərɪt] *n* cappellano.
curator [kjuə'reɪtə*] *n* direttore *m* (*di museo etc*).
curb [kəːb] *vt* tenere a freno; (*expenditure*) limitare ♦ *n* freno; (*US*) = **kerb**.
curd cheese [kəːd-] *n* cagliata.
curdle ['kəːdl] *vi* cagliare.
curds [kəːdz] *npl* latte *m* cagliato.
cure [kjuə*] *vt* guarire; (*CULIN*) trattare; affumicare; essiccare ♦ *n* rimedio; **to be** ~**d of sth** essere guarito(a) da qc.
cure-all ['kjuərɔːl] *n* (*also fig*) panacea, toccasana *m inv*.
curfew ['kəːfjuː] *n* coprifuoco.
curio ['kjuərɪəu] *n* curiosità *f inv*.
curiosity [kjuərɪ'ɒsɪtɪ] *n* curiosità.
curious ['kjuərɪəs] *adj* curioso(a); **I'm** ~

about him m'incuriosisce.

curiously ['kjuərıəslı] *adv* con curiosità; (*strangely*) stranamente; ~ **enough,** ... per quanto possa sembrare strano, ...

curl [kəːl] *n* riccio; (*of smoke etc*) anello ♦ *vt* ondulare; (*tightly*) arricciare ♦ *vi* arricciarsi.

►**curl up** *vi* avvolgersi a spirale; rannicchiarsi.

curler ['kəːlə*] *n* bigodino; (*SPORT*) giocatore/trice di curling.

curlew ['kəːluː] *n* chiurlo.

curling ['kəːlıŋ] *n* (*SPORT*) curling *m*.

curling tongs, (*US*) **curling irons** *npl* (*for hair*) arricciacapelli *m inv*.

curly ['kəːlı] *adj* ricciuto(a).

currant ['kʌrnt] *n* uva passa.

currency ['kʌrnsı] *n* moneta; **foreign** ~ divisa estera; **to gain** ~ (*fig*) acquistare larga diffusione.

current ['kʌrnt] *adj* corrente; (*tendency, price, event*) attuale ♦ *n* corrente *f*; **in** ~ **use** in uso corrente, d'uso comune; **the** ~ **issue of a magazine** l'ultimo numero di una rivista; **direct/alternating** ~ (*ELEC*) corrente continua/alternata.

current account *n* (*BRIT*) conto corrente.

current affairs *npl* attualità *fpl*.

current assets (*COMM*) attivo realizzabile e disponibile.

current liabilities *npl* (*COMM*) passività *fpl* correnti.

currently ['kʌrntlı] *adv* attualmente.

curriculum, *pl* ~**s** *or* **curricula** [kə'rıkjuləm, -lə] *n* curriculum *m inv*.

curriculum vitae (CV) [-'viːtaı] *n* curriculum vitae *m inv*.

curry ['kʌrı] *n* curry *m inv* ♦ *vt*: **to** ~ **favour with** cercare di attirarsi i favori di; **chicken** ~ pollo al curry.

curry powder *n* curry *m*.

curse [kəːs] *vt* maledire ♦ *vi* bestemmiare ♦ *n* maledizione *f*; bestemmia.

cursor ['kəːsə*] *n* (*COMPUT*) cursore *m*.

cursory ['kəːsərı] *adj* superficiale.

curt [kəːt] *adj* secco(a).

curtail [kəː'teıl] *vt* (*visit etc*) accorciare; (*expenses etc*) ridurre, decurtare.

curtain ['kəːtn] *n* tenda; (*THEAT*) sipario; **to draw the** ~**s** (*together*) chiudere *or* tirare le tende; (*apart*) aprire le tende.

curtain call *n* (*THEAT*) chinata alla ribalta.

curts(e)y ['kəːtsı] *n* inchino, riverenza ♦ *vi* fare un inchino *or* una riverenza.

curvature ['kəːvətʃə*] *n* curvatura.

curve [kəːv] *n* curva ♦ *vt* curvare ♦ *vi* curvarsi; (*road*) fare una curva.

curved [kəːvd] *adj* curvo(a).

cushion ['kuʃən] *n* cuscino ♦ *vt* (*shock*) fare da cuscinetto a.

cushy ['kuʃı] *adj* (*col*): **a** ~ **job** un lavoro di tutto riposo; **to have a** ~ **time** spassarsela.

custard ['kʌstəd] *n* (*for pouring*) crema.

custard powder *n* (*BRIT*) crema pasticcera in polvere.

custodial sentence [kʌs'təudıəl-] *n* condanna a pena detentiva.

custodian [kʌs'təudıən] *n* custode *m/f*; (*of museum etc*) soprintendente *m/f*.

custody ['kʌstədı] *n* (*of child*) custodia; (*for offenders*) arresto; **to take sb into** ~ mettere qn in detenzione preventiva; **in the** ~ **of** alla custodia di.

custom ['kʌstəm] *n* costume *m*, usanza; (*LAW*) consuetudine *f*; (*COMM*) clientela; *see also* **customs.**

customary ['kʌstəmərı] *adj* consueto(a); **it is** ~ **to do** è consuetudine fare.

custom-built ['kʌstəm'bılt] *adj see* **custom-made.**

customer ['kʌstəmə*] *n* cliente *m/f*; **he's an awkward** ~ (*col*) è un tipo incontentabile.

customer profile *n* profilo del cliente.

customized ['kʌstəmaızd] *adj* personalizzato(a); (*car*) fuoriserie *inv*.

custom-made ['kʌstəm'meıd] *adj* (*clothes*) fatto(a) su misura; (*other goods: also*: **custom-built**) fatto(a) su ordinazione.

customs ['kʌstəmz] *npl* dogana; **to go through (the)** ~ passare la dogana.

Customs and Excise *n* (*BRIT*) Ufficio Dazi e Dogana.

customs officer *n* doganiere *m*.

cut [kʌt] *vb* (*pt, pp* **cut**) *vt* tagliare; (*shape, make*) intagliare; (*reduce*) ridurre; (*col: avoid: class, lecture, appointment*) saltare ♦ *vi* tagliare; (*intersect*) tagliarsi ♦ *n* taglio; (*in salary etc*) riduzione *f*; **cold** ~**s** *npl* (*US*) affettati *mpl*; **power** ~ mancanza di corrente elettrica; **to** ~ **one's finger** tagliarsi un dito; **to get one's hair** ~ farsi tagliare i capelli; **to** ~ **a tooth** mettere un dente; **to** ~ **sb/sth short** interrompere qn/qc; **to** ~ **sb dead** ignorare qn completamente.

►**cut back** *vt* (*plants*) tagliare; (*production, expenditure*) ridurre.

►**cut down** *vt* (*tree*) abbattere; (*consumption, expenses*) ridurre; **to** ~ **sb down to size** (*fig*) sgonfiare *or* ridimensionare qn.

►**cut down on** *vt fus* ridurre.

►**cut in** *vi* (*interrupt conversation*): **to** ~ **in (on)** intromettersi (in); (*AUT*) tagliare la

strada (a).
►**cut off** *vt* tagliare; (*fig*) isolare; **we've been ~ off** (*TEL*) è caduta la linea.
►**cut out** *vt* tagliare; (*picture*) ritagliare.
►**cut up** *vt* (*gen*) tagliare; (*chop: food*) sminuzzare.
cut-and-dried ['kʌtən'draɪd] *adj* (*also:* **cut-and-dry**) assodato(a).
cutaway ['kʌtəweɪ] *adj, n:* ~ **(drawing)** spaccato.
cutback ['kʌtbæk] *n* riduzione *f*.
cute [kju:t] *adj* grazioso(a); (*clever*) astuto(a).
cut glass *n* cristallo.
cuticle ['kju:tɪkl] *n* (*on nail*) pellicina, cuticola.
cutlery ['kʌtlərɪ] *n* posate *fpl*.
cutlet ['kʌtlɪt] *n* costoletta.
cutoff ['kʌtɔf] *n* (*also:* ~ **point**) limite *m*.
cutoff switch *n* interruttore *m*.
cutout ['kʌtaut] *n* (*switch*) interruttore *m*; (*paper, cardboard figure*) ritaglio.
cut-price ['kʌt'praɪs], (*US*) **cut-rate** ['kʌt'reɪt] *adj* a prezzo ridotto.
cutthroat ['kʌtθrəut] *n* assassino ♦ *adj:* ~ **competition** concorrenza spietata.
cutting ['kʌtɪŋ] *adj* tagliente; (*fig*) pungente ♦ *n* (*BRIT: PRESS*) ritaglio (di giornale); (: *RAIL*) trincea; (*CINE*) montaggio.
cutting edge *n* (*of knife*) taglio, filo; **on** *or* **at the ~ of sth** all'avanguardia di qc.
cuttlefish ['kʌtlfɪʃ] *n* seppia.
cut-up ['kʌtʌp] *adj* stravolto(a).
CV *n abbr see* **curriculum vitae**.
C & W *n abbr* = **country and western** (music).
CWO *abbr* = **cash with order**.
cwt. *abbr* = **hundredweight**.
cyanide ['saɪənaɪd] *n* cianuro.
cybernetics [saɪbə'nɛtɪks] *n* cibernetica.
cyclamen ['sɪkləmən] *n* ciclamino.
cycle ['saɪkl] *n* ciclo; (*bicycle*) bicicletta ♦ *vi* andare in bicicletta.
cycle race *n* gara *or* corsa ciclistica.
cycle rack *n* portabiciclette *m inv*.
cycling ['saɪklɪŋ] *n* ciclismo; **to go on a ~ holiday** (*BRIT*) fare una vacanza in bicicletta.
cyclist ['saɪklɪst] *n* ciclista *m/f*.
cyclone ['saɪkləun] *n* ciclone *m*.
cygnet ['sɪgnɪt] *n* cigno giovane.
cylinder ['sɪlɪndə*] *n* cilindro.
cylinder capacity *n* cilindrata.
cylinder head *n* testata.
cylinder head gasket *n* guarnizione *f* della testata del cilindro.
cymbals ['sɪmblz] *npl* cembali *mpl*.
cynic ['sɪnɪk] *n* cinico/a.

cynical ['sɪnɪkl] *adj* cinico(a).
cynicism ['sɪnɪsɪzəm] *n* cinismo.
CYO *n abbr* (*US*) = **Catholic Youth Organization**.
cypress ['saɪprɪs] *n* cipresso.
Cypriot ['sɪprɪət] *adj, n* cipriota (*m/f*).
Cyprus ['saɪprəs] *n* Cipro.
cyst [sɪst] *n* cisti *f inv*.
cystitis [sɪ'staɪtɪs] *n* cistite *f*.
CZ *n abbr* (*US:* = *Canal Zone*) zona del Canale di Panama.
czar [zɑ:*] *n* zar *m inv*.
Czech [tʃɛk] *adj* ceco(a) ♦ *n* ceco/a; (*LING*) ceco; **the ~ Republic** la Repubblica Ceca.
Czechoslovak [tʃɛkə'sləuvæk] *adj, n* = **Czechoslovakian**.
Czechoslovakia [tʃɛkəslə'vækɪə] *n* Cecoslovacchia.
Czechoslovakian [tʃɛkəslə'vækɪən] *adj, n* cecoslovacco(a).

D d

D, d [di:] *n* (*letter*) D, d *f or m inv*; (*MUS*): **D** re *m*; **D for David**, (*US*) **D for Dog** ≈ D come Domodossola.
D *abbr* (*US POL*) = **democrat(ic)**.
d *abbr* (*BRIT: old*) = **penny**.
d. *abbr* = **died**.
DA *n abbr* (*US*) *see* **district attorney**.
dab [dæb] *vt* (*eyes, wound*) tamponare; (*paint, cream*) applicare (con leggeri colpetti); **a ~ of paint** un colpetto di vernice.
dabble ['dæbl] *vi:* **to ~ in** occuparsi (da dilettante) di.
Dacca ['dækə] *n* Dacca *f*.
dachshund ['dækshund] *n* bassotto.
dad, daddy [dæd, 'dædɪ] *n* babbo, papà *m inv*.
daddy-long-legs [dædɪ'lɔŋlɛgz] *n* tipula, zanzarone *m*.
daffodil ['dæfədɪl] *n* trombone *m*, giunchiglia.
daft [dɑ:ft] *adj* sciocco(a); **to be ~ about sb** perdere la testa per qn; **to be ~ about sth** andare pazzo per qc.
dagger ['dægə*] *n* pugnale *m*.
dahlia ['deɪljə] *n* dalia.
daily ['deɪlɪ] *adj* quotidiano(a), giornaliero(a) ♦ *n* quotidiano; (*BRIT:*

servant) donna di servizio ♦ *adv* tutti i giorni; **twice** ~ due volte al giorno.

dainty ['deɪntɪ] *adj* delicato(a), grazioso(a).

dairy ['dɛərɪ] *n* (*shop*) latteria; (*on farm*) caseificio ♦ *cpd* caseario(a).

dairy cow *n* mucca da latte.

dairy farm *n* caseificio.

dairy produce *n* latticini *mpl*.

dais ['deɪɪs] *n* pedana, palco.

daisy ['deɪzɪ] *n* margherita.

daisy wheel *n* (*on printer*) margherita.

daisy-wheel printer ['deɪzɪwiːl-] *n* stampante *f* a margherita.

Dakar ['dækə*] *n* Dakar *f*.

dale [deɪl] *n* valle *f*.

dally ['dælɪ] *vi* trastullarsi.

dalmatian [dæl'meɪʃən] *n* (*dog*) dalmata *m*.

dam [dæm] *n* diga; (*reservoir*) bacino artificiale ♦ *vt* sbarrare; costruire dighe su.

damage ['dæmɪdʒ] *n* danno, danni *mpl*; (*fig*) danno ♦ *vt* danneggiare; (*fig*) recar danno a; ~ **to property** danni materiali.

damages ['dæmɪdʒɪz] *npl* (*LAW*) danni *mpl*; **to pay £5000 in** ~ pagare 5000 sterline di indennizzo.

damaging ['dæmɪdʒɪŋ] *adj*: ~ **(to)** nocivo(a) (a).

Damascus [dəˈmɑːskəs] *n* Damasco *f*.

dame [deɪm] *n* (*title*, *US col*) donna; (*THEAT*) vecchia signora (*ruolo comico di donna recitato da un uomo*).

damn [dæm] *vt* condannare; (*curse*) maledire ♦ *n* (*col*): **I don't give a** ~ non me ne importa un fico ♦ *adj* (*col*): **this** ~ ... questo maledetto ...; ~ **(it)!** accidenti!

damnable ['dæmnəbl] *adj* (*col*: *behaviour*) vergognoso(a); (: *weather*) schifoso(a).

damnation [dæm'neɪʃən] *n* (*REL*) dannazione *f* ♦ *excl* (*col*) dannazione!, diavolo!

damning ['dæmɪŋ] *adj* (*evidence*) schiacciante.

damp [dæmp] *adj* umido(a) ♦ *n* umidità, umido ♦ *vt* (*also*: ~**en**) (*cloth*, *rag*) inumidire, bagnare; (*enthusiasm etc*) spegnere.

dampcourse ['dæmpkɔːs] *n* strato *m* isolante antiumido *inv*.

damper ['dæmpə*] *n* (*MUS*) sordina; (*of fire*) valvola di tiraggio; **to put a** ~ **on sth** (*fig*: *atmosphere*) gelare; (: *enthusiasm*) far sbollire.

dampness ['dæmpnɪs] *n* umidità, umido.

damson ['dæmzən] *n* susina damaschina.

dance [dɑːns] *n* danza, ballo; (*ball*) ballo ♦ *vi* ballare; **to** ~ **about** saltellare.

dance hall *n* dancing *m inv*, sala da ballo.

dancer ['dɑːnsə*] *n* danzatore/trice; (*professional*) ballerino/a.

dancing ['dɑːnsɪŋ] *n* danza, ballo.

D and C *n abbr* (*MED*: = *dilation and curettage*) raschiamento.

dandelion ['dændɪlaɪən] *n* dente *m* di leone.

dandruff ['dændrəf] *n* forfora.

dandy ['dændɪ] *n* dandy *m inv*, elegantone *m* ♦ *adj* (*US col*) fantastico(a).

Dane [deɪn] *n* danese *m/f*.

danger ['deɪndʒə*] *n* pericolo; **there is a** ~ **of fire** c'è pericolo di incendio; **in** ~ **in** pericolo; **out of** ~ fuori pericolo; **he was in** ~ **of falling** rischiava di cadere.

danger list *n* (*MED*): **on the** ~ **list** in prognosi riservata.

dangerous ['deɪndʒrəs] *adj* pericoloso(a).

dangerously ['deɪndʒrəslɪ] *adv*: ~ **ill** in pericolo di vita.

danger zone *n* area di pericolo.

dangle ['dæŋgl] *vt* dondolare; (*fig*) far balenare ♦ *vi* pendolare.

Danish ['deɪnɪʃ] *adj* danese ♦ *n* (*LING*) danese *m*.

Danish pastry *n* dolce *m* di pasta sfoglia.

dank [dæŋk] *adj* freddo(a) e umido(a).

Danube ['dænjuːb] *n*: **the** ~ il Danubio.

dapper ['dæpə*] *adj* lindo(a).

Dardanelles [dɑːdəˈnɛlz] *npl* Dardanelli *mpl*.

dare [dɛə*] *vt*: **to** ~ **sb to do** sfidare qn a fare ♦ *vi*: **to** ~ **(to) do sth** osare fare qc; **I** ~**n't tell him** (*BRIT*) non oso dirglielo; **I** ~ **say he'll turn up** immagino che spunterà.

daredevil ['dɛədɛvl] *n* scavezzacollo *m/f*.

Dar-es-Salaam ['dɑːrɛssəˈlɑːm] *n* Dar-es-Salaam *f*.

daring ['dɛərɪŋ] *adj* audace, ardito(a).

dark [dɑːk] *adj* (*night*, *room*) buio(a), scuro(a); (*colour*, *complexion*) scuro(a); (*fig*) cupo(a), tetro(a), nero(a) ♦ *n*: **in the** ~ al buio; **it is/is getting** ~ è/si sta facendo buio; **in the** ~ **about** (*fig*) all'oscuro di; **after** ~ a notte fatta; ~ **chocolate** cioccolata amara.

darken ['dɑːkən] *vt* (*room*) oscurare; (*photo*, *painting*) far scuro(a) ♦ *vi* oscurarsi; imbrunirsi.

dark glasses *npl* occhiali *mpl* scuri.

dark horse *n* (*fig*) incognita.

darkly ['dɑːklɪ] *adv* (*gloomily*) cupamente, con aria cupa; (*in a sinister way*) minacciosamente.

darkness ['dɑːknɪs] *n* oscurità, buio.

darkroom ['dɑːkruːm] *n* camera oscura.

darling ['dɑːlɪŋ] *adj* caro(a) ♦ *n* tesoro.

darn [dɑːn] *vt* rammendare.

dart [dɑːt] *n* freccetta ♦ *vi*: **to** ~ **towards** (*also*: **make a** ~ **towards**) precipitarsi verso; **to ~ along** passare come un razzo; **to ~ away** guizzare via; *see also* **darts.**

dartboard ['dɑːtbɔːd] *n* bersaglio (per freccette).

darts [dɑːts] *n* tiro al bersaglio (con freccette).

dash [dæʃ] *n* (*sign*) lineetta; (*small quantity: of liquid*) goccio, goccino; (: *of soda*) spruzzo ♦ *vt* (*missile*) gettare; (*hopes*) infrangere ♦ *vi*: **to ~ towards** (*also:* **make a ~ towards**) precipitarsi verso.

▶**dash away** *vi* scappare via.

dashboard ['dæʃbɔːd] *n* cruscotto.

dashing ['dæʃɪŋ] *adj* ardito(a).

dastardly ['dæstədlɪ] *adj* vile.

DAT *n abbr* (= *digital audio tape*) cassetta *f* digitale audio *inv.*

data ['deɪtə] *npl* dati *mpl.*

database ['deɪtəbeɪs] *n* database *m*, base *f* di dati.

data capture *n* registrazione *f or* rilevazione *f* di dati.

data processing *n* elaborazione *f* (elettronica) dei dati.

data transmission *n* trasmissione *f* di dati.

date [deɪt] *n* data; (*appointment*) appuntamento; (*fruit*) dattero ♦ *vt* datare; (*col: girl etc*) uscire con; **what's the ~ today?** quanti ne abbiamo oggi?; **~ of birth** data di nascita; **closing ~** scadenza, termine *m*; **to ~** *adv* fino a oggi; **out of ~** scaduto(a); (*old-fashioned*) passato(a) di moda; **up to ~** moderno(a); aggiornato(a); **to bring up to ~** (*correspondence, information*) aggiornare; (*method*) modernizzare; (*person*) aggiornare, mettere al corrente; **~d the 13th** datato il 13; **thank you for your letter ~d 5th July** *or* (*US*) **July 5th** la ringrazio per la sua lettera in data 5 luglio.

dated ['deɪtɪd] *adj* passato(a) di moda.

dateline ['deɪtlaɪn] *n* linea del cambiamento di data.

date rape *n* stupro perpetrato da persona conosciuta.

date stamp *n* timbro datario.

daub [dɔːb] *vt* imbrattare.

daughter ['dɔːtə*] *n* figlia.

daughter-in-law ['dɔːtərɪnlɔː] *n* nuora.

daunt [dɔːnt] *vt* intimidire.

daunting ['dɔːntɪŋ] *adj* non invidiabile.

dauntless ['dɔːntlɪs] *adj* intrepido(a).

dawdle ['dɔːdl] *vi* bighellonare; **to ~ over one's work** gingillarsi con il lavoro.

dawn [dɔːn] *n* alba ♦ *vi* (*day*) spuntare; (*fig*) venire in mente; **at ~** all'alba; **from ~ to dusk** dall'alba al tramonto; **it ~ed on him**

that ... gli è venuto in mente che ....

dawn chorus *n* (*BRIT*) coro mattutino degli uccelli.

day [deɪ] *n* giorno; (*as duration*) giornata; (*period of time, age*) tempo, epoca; **the ~ before** il giorno avanti *or* prima; **the ~ after, the following ~** il giorno dopo, il giorno seguente; **the ~ before yesterday** l'altroieri; **the ~ after tomorrow** dopodomani; **(on) that ~** quel giorno; **(on) the ~ that ...** il giorno che *or* in cui ...; **to work an 8-hour ~** avere una giornata lavorativa di 8 ore; **by ~** di giorno; **~ by ~** giorno per giorno; **paid by the ~** pagato(a) a giornata; **these ~s, in the present ~** di questi tempi, oggigiorno.

daybook ['deɪbuk] *n* (*BRIT*) brogliaccio.

day boy *n* (*SCOL*) alunno esterno.

daybreak ['deɪbreɪk] *n* spuntar *m* del giorno.

day care centre *n* scuola materna.

daydream ['deɪdriːm] *n* sogno a occhi aperti ♦ *vi* sognare a occhi aperti.

day girl *n* (*SCOL*) alunna esterna.

daylight ['deɪlaɪt] *n* luce *f* del giorno.

daylight robbery *n*: **it's ~!** (*BRIT col*) è un vero furto!

Daylight Saving Time *n* (*US*) ora legale.

day release *n*: **to be on ~** *avere un giorno di congedo alla settimana per formazione professionale.*

day return (ticket) *n* (*BRIT*) biglietto giornaliero di andata e ritorno.

day shift *n* turno di giorno.

daytime ['deɪtaɪm] *n* giorno.

day-to-day ['deɪtə'deɪ] *adj* (*routine*) quotidiano(a); (*expenses*) giornaliero(a); **on a ~ basis** a giornata.

day trip *n* gita (di un giorno).

day tripper *n* gitante *m/f.*

daze [deɪz] *vt* (*subj: drug*) inebetire; (: *blow*) stordire ♦ *n*: **in a ~** inebetito(a); stordito(a).

dazzle ['dæzl] *vt* abbagliare.

dazzling ['dæzlɪŋ] *adj* (*light*) abbagliante; (*colour*) violento(a); (*smile*) smagliante.

dB *abbr* (= *decibel*) db.

DC *abbr* (*ELEC*: = *direct current*) c.c.; (*US*) = *District of Columbia.*

DCC ® *n abbr* = *digital compact cassette.*

DD *n abbr* (= *Doctor of Divinity*) titolo di studio.

dd. *abbr* (*COMM*) = *delivered.*

D/D *abbr* = *direct debit.*

D-day ['diːdeɪ] *n giorno dello sbarco alleato in Normandia.*

DDS *n abbr* (*US*: = *Doctor of Dental Science; Doctor of Dental Surgery*) titoli di studio.

DDT *n abbr* (= *dichlorodiphenyl trichloroethane*) D.D.T. *m*.

DE *abbr* (*US*) = *Delaware*.

DEA *n abbr* (*US*: = *Drug Enforcement Administration*) ≈ squadra narcotici.

deacon ['diːkən] *n* diacono.

dead [dɛd] *adj* morto(a); (*numb*) intirizzito(a) ♦ *adv* assolutamente, perfettamente; **the ~** *npl* i morti; **he was shot ~** fu colpito a morte; **~ on time** in perfetto orario; **~ tired** stanco(a) morto(a); **to stop ~** fermarsi in tronco; **the line has gone ~** (*TEL*) è caduta la linea.

dead beat *adj* (*col*) stanco(a) morto(a).

deaden ['dɛdn] *vt* (*blow, sound*) ammortire; (*make numb*) intirizzire.

dead end *n* vicolo cieco.

dead-end ['dɛdɛnd] *adj*: **a ~ job** un lavoro senza sbocchi.

dead heat *n* (*SPORT*): **to finish in a ~** finire alla pari.

dead-letter office [dɛd'lɛtə-] *n* ufficio della posta in giacenza.

deadline ['dɛdlaɪn] *n* scadenza; **to work to a ~** avere una scadenza.

deadlock ['dɛdlɔk] *n* punto morto.

dead loss *n* (*col*): **to be a ~** (*person, thing*) non valere niente.

deadly ['dɛdlɪ] *adj* mortale; (*weapon, poison*) micidiale ♦ *adv*: **~ dull** di una noia micidiale.

deadpan ['dɛdpæn] *adj* a faccia impassibile.

Dead Sea *n*: **the ~** il mar Morto.

deaf [dɛf] *adj* sordo(a); **to turn a ~ ear to sth** fare orecchi da mercante a qc.

deaf-aid ['dɛfeɪd] *n* apparecchio per la sordità.

deaf-and-dumb ['dɛfən'dʌm] *adj* (*person*) sordomuto(a); (*alphabet*) dei sordomuti.

deafen ['dɛfn] *vt* assordare.

deafening ['dɛfnɪŋ] *adj* fragoroso(a), assordante.

deaf-mute ['dɛfmjuːt] *n* sordomuto/a.

deafness ['dɛfnɪs] *n* sordità.

deal [diːl] *n* accordo; (*business* ~) affare *m* ♦ *vt* (*pt, pp* **dealt** [dɛlt]) (*blow, cards*) dare; **to strike a ~ with sb** fare un affare con qn; **it's a ~!** (*col*) affare fatto!; **he got a bad/fair ~ from them** l'hanno trattato male/bene; **a good ~ of, a great ~ of** molto(a).

▶**deal in** *vt fus* (*COMM*) occuparsi di.

▶**deal with** *vt fus* (*COMM*) fare affari con, trattare con; (*handle*) occuparsi di; (*be about:* book *etc*) trattare di.

dealer ['diːlə*] *n* commerciante *m/f*.

dealership ['diːlə∫ɪp] *n* rivenditore *m*.

dealings ['diːlɪŋz] *npl* rapporti *mpl*; (*in goods, shares*) transazioni *fpl*.

dealt [dɛlt] *pt, pp of* **deal**.

dean [diːn] *n* (*REL*) decano; (*SCOL*) preside *m* di facoltà (*or* di collegio).

dear [dɪə*] *adj* caro(a) ♦ *n*: **my ~** caro mio/ cara mia; **~ me!** Dio mio!; **D~ Sir/Madam** (*in letter*) Egregio Signore/Egregia Signora; **D~ Mr/Mrs X** Gentile Signor/ Signora X.

dearly ['dɪəlɪ] *adv* (*love*) moltissimo; (*pay*) a caro prezzo.

dear money *n* (*COMM*) denaro ad alto interesse.

dearth [dəːθ] *n* scarsità, carestia.

death [dɛθ] *n* morte *f*; (*ADMIN*) decesso.

deathbed ['dɛθbɛd] *n* letto di morte.

death certificate *n* atto di decesso.

death duty *n* (*BRIT*) imposta *or* tassa di successione.

deathly ['dɛθlɪ] *adj* di morte ♦ *adv* come un cadavere.

death penalty *n* pena di morte.

death rate *n* indice *m* di mortalità.

death row [-rəu] *n* (*US*): **to be on ~** essere nel braccio della morte.

death sentence *n* condanna a morte.

death squad *n* squadra della morte.

deathtrap ['dɛθtræp] *n* trappola mortale.

deb [dɛb] *n abbr* (*col*) = **debutante**.

debacle [deɪ'baːkl] *n* (*defeat*) disfatta; (*collapse*) sfacelo.

debar [dɪ'baː*] *vt*: **to ~ sb from a club** *etc* escludere qn da un club *etc*; **to ~ sb from doing** vietare a qn di fare.

debase [dɪ'beɪs] *vt* (*currency*) adulterare; (*person*) degradare.

debatable [dɪ'beɪtəbl] *adj* discutibile; **it is ~ whether ...** è in dubbio se ....

debate [dɪ'beɪt] *n* dibattito ♦ *vt* dibattere, discutere ♦ *vi* (*consider*): **to ~ whether** riflettere se.

debauchery [dɪ'bɔːt∫ərɪ] *n* dissolutezza.

debenture [dɪ'bɛnt∫ə*] *n* (*COMM*) obbligazione *f*.

debilitate [dɪ'bɪlɪteɪt] *vt* debilitare.

debit ['dɛbɪt] *n* debito ♦ *vt*: **to ~ a sum to sb** *or* **to sb's account** addebitare una somma a qn.

debit balance *n* saldo debitore.

debit note *n* nota di addebito.

debonair [dɛbə'nɛə*] *adj* gioviale e disinvolto(a).

debrief [diː'briːf] *vt* chiamare a rapporto (a operazione ultimata).

debriefing [diː'briːfɪŋ] *n* rapporto.

debris ['dɛbriː] *n* detriti *mpl*.

debt [dɛt] *n* debito; **to be in ~** essere

indebitato(a); ~s of £5000 debiti per 5000 sterline; bad ~ debito insoluto.

debt collector *n* agente *m* di recupero crediti.

debtor ['dɛtə*] *n* debitore/trice.

debug [diːˈbʌg] *vt* (*COMPUT*) localizzare e rimuovere errori in.

debunk [diːˈbʌŋk] *vt* (*col: theory*) demistificare; (: *claim*) smentire; (: *person, institution*) screditare.

debut ['deɪbjuː] *n* debutto.

debutante ['dɛbjutɑːnt] *n* debuttante *f.*

Dec. *abbr* (= *December*) dic.

decade ['dɛkeɪd] *n* decennio.

decadence ['dɛkədəns] *n* decadenza.

decadent ['dɛkədənt] *adj* decadente.

de-caff ['diːkæf] *n* (*col*) decaffeinato.

decaffeinated [dɪˈkæfɪneɪtɪd] *adj* decaffeinato(a).

decamp [dɪˈkæmp] *vi* (*col*) filarsela, levare le tende.

decant [dɪˈkænt] *vt* (*wine*) travasare.

decanter [dɪˈkæntə*] *n* caraffa.

decarbonize [diːˈkɑːbənaɪz] *vt* (*AUT*) decarburare.

decathlon [dɪˈkæθlən] *n* decathlon *m.*

decay [dɪˈkeɪ] *n* decadimento; imputridimento; (*fig*) rovina; (*also*: **tooth** ~) carie *f* ♦ *vi* (*rot*) imputridire; (*fig*) andare in rovina.

decease [dɪˈsiːs] *n* decesso.

deceased [dɪˈsiːst] *n*: **the** ~ il(la) defunto(a).

deceit [dɪˈsiːt] *n* inganno.

deceitful [dɪˈsiːtful] *adj* ingannevole, perfido(a).

deceive [dɪˈsiːv] *vt* ingannare; **to** ~ **o.s.** illudersi, ingannarsi.

decelerate [diːˈsɛləreɪt] *vt, vi* rallentare.

December [dɪˈsɛmbə*] *n* dicembre *m; for phrases see also* **July.**

decency ['diːsənsɪ] *n* decenza.

decent ['diːsənt] *adj* decente; **they were very** ~ **about it** si sono comportati da signori riguardo a ciò.

decently ['diːsəntlɪ] *adv* (*respectably*) decentemente, convenientemente; (*kindly*) gentilmente.

decentralization [diːsɛntrəlaɪˈzeɪʃən] *n* decentramento.

decentralize [diːˈsɛntrəlaɪz] *vt* decentrare.

deception [dɪˈsɛpʃən] *n* inganno.

deceptive [dɪˈsɛptɪv] *adj* ingannevole.

decibel ['dɛsɪbɛl] *n* decibel *m inv.*

decide [dɪˈsaɪd] *vt* (*person*) far prendere una decisione a; (*question, argument*) risolvere, decidere ♦ *vi* decidere, decidersi; **to** ~ **to do/that** decidere di

fare/che; **to** ~ **on** decidere per; **to** ~ **against doing sth** decidere di non fare qc.

decided [dɪˈsaɪdɪd] *adj* (*resolute*) deciso(a); (*clear, definite*) netto(a), chiaro(a).

decidedly [dɪˈsaɪdɪdlɪ] *adv* indubbiamente; decisamente.

deciding [dɪˈsaɪdɪŋ] *adj* decisivo(a).

deciduous [dɪˈsɪdjuəs] *adj* deciduo(a).

decimal ['dɛsɪməl] *adj, n* decimale (*m*); **to 3** ~ **places** al terzo decimale.

decimalize ['dɛsɪmələɪz] *vt* (*BRIT*) convertire al sistema metrico decimale.

decimal point *n* ≈ virgola.

decimate ['dɛsɪmeɪt] *vt* decimare.

decipher [dɪˈsaɪfə*] *vt* decifrare.

decision [dɪˈsɪʒən] *n* decisione *f*; **to make a** ~ prendere una decisione.

decisive [dɪˈsaɪsɪv] *adj* (*victory, factor*) decisivo(a); (*influence*) determinante; (*manner, person*) risoluto(a), deciso(a); (*reply*) deciso(a), categorico(a).

deck [dɛk] *n* (*NAUT*) ponte *m*; (*of cards*) mazzo; (*of bus*): **top** ~ imperiale *m*; **to go up on** ~ salire in coperta; **below** ~ sotto coperta; **cassette** ~ piastra (di registrazione); **record** ~ piatto (giradischi).

deckchair ['dɛktʃɛə*] *n* sedia a sdraio.

deck hand *n* marinaio.

declaration [dɛkləˈreɪʃən] *n* dichiarazione *f.*

declare [dɪˈklɛə*] *vt* dichiarare.

declassify [diːˈklæsɪfaɪ] *vt* rendere accessibile al pubblico.

decline [dɪˈklaɪn] *n* (*decay*) declino; (*lessening*) ribasso ♦ *vt* declinare; rifiutare ♦ *vi* declinare; diminuire; ~ **in living standards** abbassamento del tenore di vita; **to** ~ **to do sth** rifiutar(si) di fare qc.

declutch [diːˈklʌtʃ] *vi* (*BRIT*) premere la frizione.

decode [diːˈkəud] *vt* decifrare.

decoder [diːˈkəudə*] *n* (*COMPUT, TV*) decodificatore *m.*

decompose [diːkəmˈpəuz] *vi* decomporre.

decomposition [diːkɔmpəˈzɪʃən] *n* decomposizione *f.*

decompression [diːkəmˈprɛʃən] *n* decompressione *f.*

decompression chamber *n* camera di decompressione.

decongestant [diːkənˈdʒɛstənt] *n* decongestionante *m.*

decontaminate [diːkənˈtæmɪneɪt] *vt* decontaminare.

decontrol [diːkənˈtrəul] *vt* (*trade*) liberalizzare; (*prices*) togliere il controllo governativo a.

decor ['deɪkɔː*] *n* decorazione *f.*

decorate ['dɛkəreɪt] *vt* (*adorn, give a medal to*) decorare; (*paint and paper*) pitturare e tappezzare.

decoration [dɛkə'reɪʃən] *n* decorazione *f.*

decorative ['dɛkərətɪv] *adj* decorativo(a).

decorator ['dɛkəreɪtə*] *n* decoratore/trice.

decorum [dɪ'kɔːrəm] *n* decoro.

decoy ['diːkɔɪ] *n* zimbello; **they used him as a ~ for the enemy** l'hanno usato come esca per il nemico.

decrease *n* ['diːkriːs] diminuzione *f* ♦ *vt, vi* [diː'kriːs] diminuire; **to be on the ~** essere in diminuzione.

decreasing [diː'kriːsɪŋ] *adj* sempre meno *inv.*

decree [dɪ'kriː] *n* decreto ♦ *vt*: **to ~ (that)** decretare (che + *sub*); **~ absolute** sentenza di divorzio definitiva; **~ nisi** [-'naɪsaɪ] sentenza provvisoria di divorzio.

decrepit [dɪ'krɛpɪt] *adj* decrepito(a); (*building*) cadente.

decry [dɪ'kraɪ] *vt* condannare, deplorare.

dedicate ['dɛdɪkeɪt] *vt* consacrare; (*book etc*) dedicare.

dedicated ['dɛdɪkeɪtɪd] *adj* coscienzioso(a); (*COMPUT*) specializzato(a), dedicato(a).

dedication [dɛdɪ'keɪʃən] *n* (*devotion*) dedizione *f*; (*in book*) dedica.

deduce [dɪ'djuːs] *vt* dedurre.

deduct [dɪ'dʌkt] *vt*: **to ~ sth (from)** dedurre qc (da); (*from wage etc*) trattenere qc (da).

deduction [dɪ'dʌkʃən] *n* (*deducting*) deduzione *f*; (*from wage etc*) trattenuta; (*deducing*) deduzione *f*, conclusione *f.*

deed [diːd] *n* azione *f*, atto; (*LAW*) atto; **~ of covenant** atto di donazione.

deem [diːm] *vt* (*formal*) giudicare, ritenere; **to ~ it wise to do** ritenere prudente fare.

deep [diːp] *adj* profondo(a) ♦ *adv*: **~ in snow** affondato(a) nella neve; **spectators stood 20 ~** c'erano 20 file di spettatori; **knee-~ in water** in acqua fino alle ginocchia; **4 metres ~** profondo(a) 4 metri; **he took a ~ breath** fece un respiro profondo.

deepen ['diːpn] *vt* (*hole*) approfondire ♦ *vi* approfondirsi; (*darkness*) farsi più intenso(a).

deep-freeze [diːp'friːz] *n* congelatore *m* ♦ *vt* congelare.

deep-fry ['diːp'fraɪ] *vt* friggere in olio abbondante.

deeply ['diːplɪ] *adv* profondamente; **to regret sth ~** rammaricarsi sinceramente di qc.

deep-rooted ['diːp'ruːtɪd] *adj* (*prejudice*) profondamente radicato(a); (*affection*)

profondo(a); (*habit*) inveterato(a).

deep-sea diver ['diːp'siː-] *n* palombaro.

deep-sea diving *n* immersione *f* in alto mare.

deep-sea fishing *n* pesca d'alto mare.

deep-seated ['diːp'siːtɪd] *adj* (*beliefs*) radicato(a).

deep-set ['diːpsɛt] *adj* (*eyes*) infossato(a).

deer [dɪə*] *n* (*pl inv*): **the ~** i cervidi (*ZOOL*); **(red) ~** cervo; **(fallow) ~** daino; **(roe) ~** capriolo.

deerskin ['dɪəskɪn] *n* pelle *f* di daino.

deerstalker ['dɪəstɔːkə*] *n* berretto da cacciatore.

deface [dɪ'feɪs] *vt* imbrattare.

defamation [dɛfə'meɪʃən] *n* diffamazione *f.*

defamatory [dɪ'fæmətərɪ] *adj* diffamatorio(a).

default [dɪ'fɔːlt] *vi* (*LAW*) essere contumace; (*gen*) essere inadempiente ♦ *n* (*COMPUT*: *also*: **~ value**) default *m inv*; **by ~** (*LAW*) in contumacia; (*SPORT*) per abbandono; **to ~ on a debt** non onorare un debito.

defaulter [dɪ'fɔːltə*] *n* (*on debt*) inadempiente *m/f.*

default option *n* (*COMPUT*) opzione *f* di default.

defeat [dɪ'fiːt] *n* sconfitta ♦ *vt* (*team, opponents*) sconfiggere; (*fig: plans, efforts*) frustrare.

defeatism [dɪ'fiːtɪzəm] *n* disfattismo.

defeatist [dɪ'fiːtɪst] *adj, n* disfattista (*m/f*).

defecate ['dɛfəkeɪt] *vi* defecare.

defect *n* ['diːfɛkt] difetto ♦ *vi* [dɪ'fɛkt]: **to ~ to the enemy/the West** passare al nemico/all'Ovest; **physical ~** difetto fisico; **mental ~** anomalia mentale.

defective [dɪ'fɛktɪv] *adj* difettoso(a).

defector [dɪ'fɛktə*] *n* rifugiato(a) politico(a).

defence, (*US*) **defense** [dɪ'fɛns] *n* difesa; **in ~ of** in difesa di; **the Ministry of D~**, (*US*) **the Department of Defense** il Ministero della Difesa; **witness for the ~** teste *m/f* a difesa.

defenceless [dɪ'fɛnslɪs] *adj* senza difesa.

defend [dɪ'fɛnd] *vt* difendere; (*decision, action*) giustificare; (*opinion*) sostenere.

defendant [dɪ'fɛndənt] *n* imputato/a.

defender [dɪ'fɛndə*] *n* difensore/a.

defending champion *n* (*SPORT*) campione/essa in carica.

defending counsel *n* (*LAW*) avvocato difensore.

defense [dɪ'fɛns] *n* (*US*) = **defence**.

defensive [dɪ'fɛnsɪv] *adj* difensivo(a) ♦ *n* difensiva; **on the ~** sulla difensiva.

defer [dɪ'fəː*] vt (*postpone*) differire, rinviare ♦ vi (*submit*): **to ~ to sb/sth** rimettersi a qn/qc.

deference ['dɛfərəns] n deferenza; riguardo; **out of** or **in ~ to** per riguardo a.

defiance [dɪ'faɪəns] n sfida; **in ~ of a** dispetto di.

defiant [dɪ'faɪənt] adj (*attitude*) di sfida; (*person*) ribelle.

defiantly [dɪ'faɪəntlɪ] adv con aria di sfida.

deficiency [dɪ'fɪʃənsɪ] n deficienza; carenza; (*COMM*) ammanco.

deficiency disease n malattia da carenza.

deficient [dɪ'fɪʃənt] adj deficiente; insufficiente; **to be ~ in** mancare di.

deficit ['dɛfɪsɪt] n disavanzo.

defile vb [dɪ'faɪl] vt contaminare ♦ vi sfilare ♦ n ['diːfaɪl] gola, stretta.

define [dɪ'faɪn] vt (*gen, COMPUT*) definire.

definite ['dɛfɪnɪt] adj (*fixed*) definito(a), preciso(a); (*clear, obvious*) ben definito(a), esatto(a); (*LING*) determinativo(a); **he was ~ about it** ne era sicuro.

definitely ['dɛfɪnɪtlɪ] adv indubbiamente.

definition [dɛfɪ'nɪʃən] n definizione f.

definitive [dɪ'fɪnɪtɪv] adj definitivo(a).

deflate [diː'fleɪt] vt sgonfiare; (*ECON*) deflazionare; (*pompous person*) fare abbassare la cresta a.

deflation [diː'fleɪʃən] n (*ECON*) deflazione f.

deflationary [diː'fleɪʃənrɪ] adj (*ECON*) deflazionistico(a).

deflect [dɪ'flɛkt] vt deflettere, deviare.

defog ['diː'fɔg] vt (*US AUT*) sbrinare.

defogger ['diː'fɔgə*] n (*US AUT*) sbrinatore m.

deform [dɪ'fɔːm] vt deformare.

deformed [dɪ'fɔːmd] adj deforme.

deformity [dɪ'fɔːmɪtɪ] n deformità f inv.

defraud [dɪ'frɔːd] vt: **to ~ (of)** defraudare (di).

defray [dɪ'freɪ] vt: **to ~ sb's expenses** sostenere le spese di qn.

defrost [diː'frɔst] vt (*fridge*) disgelare; (*frozen food*) scongelare.

deft [dɛft] adj svelto(a), destro(a).

defunct [dɪ'fʌŋkt] adj defunto(a).

defuse [diː'fjuːz] vt disinnescare; (*fig*) distendere.

defy [dɪ'faɪ] vt sfidare; (*efforts etc*) resistere a; (*refuse to obey: person*) rifiutare di obbedire a.

degenerate vi [dɪ'dʒɛnəreɪt] degenerare ♦ adj [dɪ'dʒɛnərɪt] degenere.

degradation [dɛgrə'deɪʃən] n degradazione f.

degrade [dɪ'greɪd] vt degradare.

degrading [dɪ'greɪdɪŋ] adj degradante.

degree [dɪ'griː] n grado; (*SCOL*) laurea (universitaria); **10 ~s below freezing** 10 gradi sotto zero; **a (first) ~ in maths** una laurea in matematica; **a considerable ~ of risk** una grossa percentuale di rischio; **by ~s** (*gradually*) gradualmente, a poco a poco; **to some ~, to a certain ~** fino a un certo punto, in certa misura.

dehydrated [diːhaɪ'dreɪtɪd] adj disidratato(a); (*milk, eggs*) in polvere.

dehydration [diːhaɪ'dreɪʃən] n disidratazione f.

de-ice [diː'aɪs] vt (*windscreen*) disgelare.

de-icer ['diːaɪsə*] n sbrinatore m.

deign [deɪn] vi: **to ~ to do** degnarsi di fare.

deity ['diːɪtɪ] n divinità f inv; dio/dea.

déjà vu [deɪʒɑː'vuː] n déjà vu m inv.

dejected [dɪ'dʒɛktɪd] adj abbattuto(a), avvilito(a).

dejection [dɪ'dʒɛkʃən] n abbattimento, avvilimento.

Del. abbr (*US*) = Delaware.

del. abbr = delete.

delay [dɪ'leɪ] vt (*journey, operation*) ritardare, rinviare; (*travellers, trains*) ritardare; (*payment*) differire ♦ n ritardo; **without ~** senza ritardo.

delayed-action [dɪ'leɪd'ækʃən] adj a azione ritardata.

delectable [dɪ'lɛktəbl] adj delizioso(a).

delegate n ['dɛlɪgɪt] delegato/a ♦ vt ['dɛlɪgeɪt] delegare; **to ~ sth to sb/sb to do sth** delegare qc a qn/qn a fare qc.

delegation [dɛlɪ'geɪʃən] n delegazione f; (*of work etc*) delega.

delete [dɪ'liːt] vt (*gen, COMPUT*) cancellare.

Delhi ['dɛlɪ] n Delhi f.

deli ['dɛlɪ] n = delicatessen.

deliberate adj [dɪ'lɪbərɪt] (*intentional*) intenzionale; (*slow*) misurato(a) ♦ vi [dɪ'lɪbəreɪt] deliberare, riflettere.

deliberately [dɪ'lɪbərɪtlɪ] adv (*on purpose*) deliberatamente.

deliberation [dɪlɪbə'reɪʃən] n (*consideration*) riflessione f; (*discussion*) discussione f, deliberazione f.

delicacy ['dɛlɪkəsɪ] n delicatezza.

delicate ['dɛlɪkɪt] adj delicato(a).

delicately ['dɛlɪkɪtlɪ] adv (*gen*) delicatamente; (*act, express*) con delicatezza.

delicatessen [dɛlɪkə'tɛsn] n ≈ salumeria.

delicious [dɪ'lɪʃəs] adj delizioso(a), squisito(a).

delight [dɪ'laɪt] n delizia, gran piacere m ♦ vt dilettare; **it is a ~ to the eyes** è un piacere guardarlo; **to take ~ in** divertirsi a; **to be the ~ of** essere la gioia di.

delighted [dɪ'laɪtɪd] *adj:* ~ **(at** *or* **with sth)** contentissimo(a) (di qc), felice (di qc); **to be** ~ **to do sth/that** essere felice di fare qc/che + *sub;* **I'd be** ~ con grande piacere.

delightful [dɪ'laɪtful] *adj* (*person, place, meal*) delizioso(a); (*smile, manner*) incantevole.

delimit [di:'lɪmɪt] *vt* delimitare.

delineate [dɪ'lɪnɪeɪt] *vt* delineare.

delinquency [dɪ'lɪŋkwənsɪ] *n* delinquenza.

delinquent [dɪ'lɪŋkwənt] *adj, n* delinquente (*m/f*).

delirious [dɪ'lɪrɪəs] *adj* (*MED, fig*) delirante, in delirio; **to be** ~ delirare; (*fig*) farneticare.

delirium [dɪ'lɪrɪəm] *n* delirio.

deliver [dɪ'lɪvə*] *vt* (*mail*) distribuire; (*goods*) consegnare; (*speech*) pronunciare; (*free*) liberare; (*MED*) far partorire; **to** ~ **a message** fare un'ambasciata; **to** ~ **the goods** (*fig*) partorire.

deliverance [dɪ'lɪvrəns] *n* liberazione *f*.

delivery [dɪ'lɪvərɪ] *n* distribuzione *f*; consegna; (*of speaker*) dizione *f*; (*MED*) parto; **to take** ~ **of** prendere in consegna.

delivery note *n* bolla di consegna.

delivery van, (*US*) **delivery truck** *n* furgoncino (per le consegne).

delta ['deltə] *n* delta *m*.

delude [dɪ'lu:d] *vt* deludere, illudere.

deluge ['delju:dʒ] *n* diluvio ♦ *vt* (*fig*): **to** ~ **(with)** subissare (di), inondare (di).

delusion [dɪ'lu:ʒən] *n* illusione *f*.

de luxe [də'lʌks] *adj* di lusso.

delve [delv] *vi*: **to** ~ **into** frugare in; (*subject*) far ricerche in.

Dem. *abbr* (*US POL*) = **democrat(ic).**

demagogue ['deməgɒg] *n* demagogo.

demand [dɪ'mɑ:nd] *vt* richiedere ♦ *n* richiesta; (*ECON*) domanda; **to** ~ **sth (from** *or* **of sb)** pretendere qc (da qn), esigere qc (da qn); **in** ~ ricercato(a), richiesto(a); **on** ~ a richiesta.

demand draft *n* (*COMM*) tratta a vista.

demanding [dɪ'mɑ:ndɪŋ] *adj* (*boss*) esigente; (*work*) impegnativo(a).

demarcation [di:mɑ:'keɪʃən] *n* demarcazione *f*.

demarcation dispute *n* (*INDUSTRY*) controversia settoriale (*or* di categoria).

demean [dɪ'mi:n] *vt*: **to** ~ **o.s.** umiliarsi.

demeanour, (*US*) **demeanor** [dɪ'mi:nə*] *n* comportamento; contegno.

demented [dɪ'mentɪd] *adj* demente, impazzito(a).

demilitarized zone [di:'mɪlɪtəraɪzd-] *n* zona smilitarizzata.

demise [dɪ'maɪz] *n* decesso.

demist [di:'mɪst] *vt* (*BRIT AUT*) sbrinare.

demister [di:'mɪstə*] *n* (*BRIT AUT*) sbrinatore *m*.

demo ['deməu] *n abbr* (*col*) = **demonstration.**

demobilize [di:'məubɪlaɪz] *vt* smobilitare.

democracy [dɪ'mɒkrəsɪ] *n* democrazia.

democrat ['deməkræt] *n* democratico/a.

democratic [demə'krætɪk] *adj* democratico(a); **the D~ Party** (*US*) il partito democratico.

demography [dɪ'mɒgrəfɪ] *n* demografia.

demolish [dɪ'mɒlɪʃ] *vt* demolire.

demolition [demə'lɪʃən] *n* demolizione *f*.

demon ['di:mən] *n* (*also fig*) demonio ♦ *cpd*: **a** ~ **squash player** un mago dello squash; **a** ~ **driver** un guidatore folle.

demonstrate ['demənstreɪt] *vt* dimostrare, provare ♦ *vi*: **to** ~ **(for/against)** dimostrare (per/contro), manifestare (per/contro).

demonstration [demən'streɪʃən] *n* dimostrazione *f*; (*POL*) manifestazione *f*, dimostrazione; **to hold a** ~ (*POL*) tenere una manifestazione, fare una dimostrazione.

demonstrative [dɪ'mɒnstrətɪv] *adj* dimostrativo(a).

demonstrator ['demənstreɪtə*] *n* (*POL*) dimostrante *m/f*; (*COMM: sales person*) dimostratore/trice; (*: car, computer etc*) modello per dimostrazione.

demoralize [dɪ'mɒrəlaɪz] *vt* demoralizzare.

demote [dɪ'məut] *vt* far retrocedere.

demotion [dɪ'məuʃən] *n* retrocessione *f*, degradazione *f*.

demur [dɪ'mə:*] *vi* (*formal*): **to** ~ **(at)** sollevare obiezioni (a *or* su) ♦ *n*: **without** ~ senza obiezioni.

demure [dɪ'mjuə*] *adj* contegnoso(a).

demurrage [dɪ'mʌrɪdʒ] *n* diritti *mpl* di immagazzinaggio; spese *fpl* di controstallia.

den [den] *n* tana, covo.

denationalization ['di:næʃnəlaɪ'zeɪʃən] *n* denazionalizzazione *f*.

denationalize [di:'næʃnəlaɪz] *vt* snazionalizzare.

denial [dɪ'naɪəl] *n* diniego; rifiuto.

denier ['denɪə*] *n* denaro (*di filati, calze*).

denigrate ['denɪgreɪt] *vt* denigrare.

denim ['denɪm] *n* tessuto di cotone ritorto; *see also* **denims.**

denim jacket *n* giubbotto di jeans.

denims ['denɪmz] *npl* blue jeans *mpl.*

denizen ['denɪzən] *n* (*inhabitant*) abitante *m/f*; (*foreigner*) straniero(a)

naturalizzato(a).
Denmark ['dɛnmɑːk] n Danimarca.
denomination [dɪnɔmɪ'neɪʃən] n (money) valore m; (REL) confessione f.
denominator [dɪ'nɔmɪneɪtə*] n denominatore m.
denote [dɪ'nəut] vt denotare.
denounce [dɪ'nauns] vt denunciare.
dense [dɛns] adj fitto(a); (stupid) ottuso(a), duro(a).
densely ['dɛnslɪ] adv: ~ **wooded** fittamente boscoso(a); ~ **populated** densamente popolato(a).
density ['dɛnsɪtɪ] n densità f inv; **single/ double** ~ **disk** (COMPUT) disco a singola/ doppia densità di registrazione.
dent [dɛnt] n ammaccatura ♦ vt (also: **make a** ~ **in**) ammaccare; (fig) intaccare.
dental ['dɛntl] adj dentale.
dental floss [-flɔs] n filo interdentale.
dental surgeon n medico/a dentista.
dentist ['dɛntɪst] n dentista m/f; ~'**s surgery** (BRIT) gabinetto dentistico.
dentistry ['dɛntɪstrɪ] n odontoiatria.
denture(s) ['dɛntʃə(z)] n(pl) dentiera.
denunciation [dɪnʌnsɪ'eɪʃən] n denuncia.
deny [dɪ'naɪ] vt negare; (refuse) rifiutare; **he denies having said it** nega di averlo detto.
deodorant [diː'əudərənt] n deodorante m.
depart [dɪ'pɑːt] vi partire; **to** ~ **from** (leave) allontanarsi da, partire da; (fig) deviare da.
departed [dɪ'pɑːtɪd] adj estinto(a) ♦ n: **the** ~ il caro estinto/la cara estinta.
department [dɪ'pɑːtmənt] n (COMM) reparto m; (SCOL) sezione f, dipartimento; (POL) ministero; **that's not my** ~ (also fig) questo non è di mia competenza; **D~ of State** (US) Dipartimento di Stato.
departmental [diːpɑːt'mɛntl] adj (dispute) settoriale; (meeting) di sezione; ~ **manager** caporeparto m/f.
department store n grande magazzino.
departure [dɪ'pɑːtʃə*] n partenza; (fig): ~ **from** deviazione f da; **a new** ~ una novità.
departure lounge n sala d'attesa.
depend [dɪ'pɛnd] vi: **to** ~ **(up)on** dipendere da; (rely on) contare su; (be dependent on) dipendere (economicamente) da, essere a carico di; **it** ~**s** dipende; ~**ing on the result ...** a seconda del risultato ....
dependable [dɪ'pɛndəbl] adj fidato(a); (car etc) affidabile.
dependant [dɪ'pɛndənt] n persona a carico.
dependence [dɪ'pɛndəns] n dipendenza.
dependent [dɪ'pɛndənt] adj: **to be** ~ **(on)** (gen) dipendere (da); (child, relative) essere a carico (di) ♦ n = **dependant**.

depict [dɪ'pɪkt] vt (in picture) dipingere; (in words) descrivere.
depilatory [dɪ'pɪlətərɪ] n (also: ~ **cream**) crema depilatoria.
depleted [dɪ'pliːtɪd] adj diminuito(a).
deplorable [dɪ'plɔːrəbl] adj deplorevole, lamentevole.
deplore [dɪ'plɔː*] vt deplorare.
deploy [dɪ'plɔɪ] vt dispiegare.
depopulate [diː'pɔpjuleɪt] vt spopolare.
depopulation ['diːpɔpju'leɪʃən] n spopolamento.
deport [dɪ'pɔːt] vt deportare; espellere.
deportation [diːpɔː'teɪʃən] n deportazione f.
deportation order n foglio di via obbligatorio.
deportee [diːpɔː'tiː] n deportato/a.
deportment [dɪ'pɔːtmənt] n portamento.
depose [dɪ'pəuz] vt deporre.
deposit [dɪ'pɔzɪt] n (COMM, GEO) deposito; (of ore, oil) giacimento; (CHEM) sedimento; (part payment) acconto; (for hired goods etc) cauzione f ♦ vt depositare; dare in acconto; (luggage etc) mettere or lasciare in deposito; **to put down a** ~ **of £50** versare una caparra di 50 sterline.
deposit account n conto vincolato.
depositor [dɪ'pɔzɪtə*] n depositante m/f.
depository [dɪ'pɔzɪtərɪ] n (person) depositario/a; (place) deposito.
depot ['dɛpəu] n deposito.
depraved [dɪ'preɪvd] adj depravato(a).
depravity [dɪ'prævɪtɪ] n depravazione f.
deprecate ['dɛprɪkeɪt] vt deprecare.
deprecating ['dɛprɪkeɪtɪŋ] adj (disapproving) di biasimo; (apologetic): **a** ~ **smile** un sorriso di scusa.
depreciate [dɪ'priːʃɪeɪt] vt svalutare ♦ vi svalutarsi.
depreciation [dɪpriːʃɪ'eɪʃən] n svalutazione f.
depress [dɪ'prɛs] vt deprimere; (press down) premere.
depressant [dɪ'prɛsnt] n (MED) sedativo.
depressed [dɪ'prɛst] adj (person) depresso(a), abbattuto(a); (area) depresso(a); (COMM: market, trade) stagnante, in ribasso; **to get** ~ deprimersi.
depressing [dɪ'prɛsɪŋ] adj deprimente.
depression [dɪ'prɛʃən] n depressione f.
deprivation [dɛprɪ'veɪʃən] n privazione f; (state) indigenza; (PSYCH) carenza affettiva.
deprive [dɪ'praɪv] vt: **to** ~ **sb of** privare qn di.
deprived [dɪ'praɪvd] adj disgraziato(a).

dept. *abbr* = **department.**

depth [dɛpθ] *n* profondità *f inv*; **at a ~ of 3 metres** a una profondità di 3 metri, a 3 metri di profondità; **in the ~s of** nel profondo di; nel cuore di; **in the ~s of winter** in pieno inverno; **to study sth in ~** studiare qc in profondità; **to be out of one's ~** (*BRIT: swimmer*) essere dove non si tocca; (*fig*) non sentirsi all'altezza della situazione.

depth charge *n* carica di profondità.

deputation [dɛpju'teɪʃən] *n* deputazione *f*, delegazione *f*.

deputize ['dɛpjutaɪz] *vi*: **to ~ for** svolgere le funzioni di.

deputy ['dɛpjutɪ] *n* (*replacement*) supplente *m/f*; (*second in command*) vice *m/f* ♦ *cpd*: **~ chairman** vicepresidente *m*; **~ head** (*SCOL*) vicepreside *m/f*; **~ leader** (*BRIT POL*) sottosegretario.

derail [dɪ'reɪl] *vt* far deragliare; **to be ~ed** deragliare.

derailment [dɪ'reɪlmənt] *n* deragliamento.

deranged [dɪ'reɪndʒd] *adj*: **to be (mentally) ~** essere pazzo(a).

derby ['dɔːbɪ] *n* (*US*) bombetta.

Derbys *abbr* (*BRIT*) = **Derbyshire.**

deregulate [diː'rɛgjuleɪt] *vt* eliminare la regolamentazione di.

deregulation ['diːrɛgju'leɪʃən] *n* eliminazione *f* della regolamentazione.

derelict ['dɛrɪlɪkt] *adj* abbandonato(a).

deride [dɪ'raɪd] *vt* deridere.

derision [dɪ'rɪʒən] *n* derisione *f*.

derisive [dɪ'raɪsɪv] *adj* di derisione.

derisory [dɪ'raɪsərɪ] *adj* (*sum*) irrisorio(a).

derivation [dɛrɪ'veɪʃən] *n* derivazione *f*.

derivative [dɪ'rɪvətɪv] *n* derivato ♦ *adj* derivato(a).

derive [dɪ'raɪv] *vt*: **to ~ sth from** derivare qc da; trarre qc da ♦ *vi*: **to ~ from** derivare da.

dermatitis [dəːmə'taɪtɪs] *n* dermatite *f*.

dermatology [dəːmə'tɔlədʒɪ] *n* dermatologia.

derogatory [dɪ'rɔgətərɪ] *adj* denigratorio(a).

derrick ['dɛrɪk] *n* gru *f inv*; (*for oil*) derrick *m inv*.

derv [dəːv] *n* (*BRIT*) gasolio.

DES *n abbr* (*BRIT*: = *Department of Education and Science*) ≈ ministero della Pubblica Istruzione.

desalination [diːsælɪ'neɪʃən] *n* desalinizzazione *f*, dissalazione *f*.

descend [dɪ'sɛnd] *vt, vi* discendere, scendere; **to ~ from** discendere da; **in ~ing order of importance** in ordine decrescente d'importanza.

▶**descend on** *vt fus* (*subj: enemy, angry person*) assalire, piombare su; (: *misfortune*) arrivare addosso a; (: *fig: gloom, silence*) scendere su; **visitors ~ed (up)on us** ci sono arrivate visite tra capo e collo.

descendant [dɪ'sɛndənt] *n* discendente *m/f*.

descent [dɪ'sɛnt] *n* discesa; (*origin*) discendenza, famiglia.

describe [dɪs'kraɪb] *vt* descrivere.

description [dɪs'krɪpʃən] *n* descrizione *f*; (*sort*) genere *m*, specie *f*; **of every ~** di ogni genere e specie.

descriptive [dɪs'krɪptɪv] *adj* descrittivo(a).

desecrate ['dɛsɪkreɪt] *vt* profanare.

desert *n* ['dɛzət] deserto ♦ *vb* [dɪ'zəːt] *vt* lasciare, abbandonare ♦ *vi* (*MIL*) disertare; *see also* **deserts.**

deserter [dɪ'zəːtə*] *n* disertore *m*.

desertion [dɪ'zəːʃən] *n* diserzione *f*.

desert island *n* isola deserta.

deserts [dɪ'zəːts] *npl*: **to get one's just ~** avere ciò che si merita.

deserve [dɪ'zəːv] *vt* meritare.

deservedly [dɪ'zəːvɪdlɪ] *adv* meritatamente, giustamente.

deserving [dɪ'zəːvɪŋ] *adj* (*person*) meritevole, degno(a); (*cause*) meritorio(a).

desiccated ['dɛsɪkeɪtɪd] *adj* essiccato(a).

design [dɪ'zaɪn] *n* (*sketch*) disegno; (: *of dress, car*) modello; (*layout, shape*) linea; (*pattern*) fantasia; (*COMM*) disegno tecnico; (*intention*) intenzione *f* ♦ *vt* disegnare; progettare; **to have ~s on** aver mire su; **well-~ed** ben concepito(a); **industrial ~** disegno industriale.

designate *vt* ['dɛzɪgneɪt] designare ♦ *adj* ['dɛzɪgnɪt] designato(a).

designation [dɛzɪg'neɪʃən] *n* designazione *f*.

designer [dɪ'zaɪnə*] *n* (*TECH*) disegnatore/trice, progettista *m/f*; (*of furniture*) designer *m/f inv*; (*fashion ~*) disegnatore/trice di moda; (*of theatre sets*) scenografo/a.

desirability [dɪzaɪərə'bɪlɪtɪ] *n* desiderabilità; vantaggio.

desirable [dɪ'zaɪərəbl] *adj* desiderabile; **it is ~ that** è opportuno che + *sub*.

desire [dɪ'zaɪə*] *n* desiderio, voglia ♦ *vt* desiderare, volere; **to ~ sth/to do sth/that** desiderare qc/di fare qc/che + *sub*.

desirous [dɪ'zaɪərəs] *adj*: **~ of** desideroso(a) di.

desk [dɛsk] *n* (*in office*) scrivania; (*for pupil*) banco; (*BRIT: in shop, restaurant*) cassa; (*in* *hotel)* ricevimento; (*at airport*) accettazione *f.*

desk job *n* lavoro d'ufficio.

desktop computer ['dɛsktɔp-] *n* personal *m inv*, personal computer *m inv*.

desktop publishing *n* desktop publishing *m*.

desolate ['dɛsəlɪt] *adj* desolato(a).

desolation [dɛsə'leɪʃən] *n* desolazione *f.*

despair [dɪs'pɛə*] *n* disperazione *f* ♦ *vi*: **to** ~ **of** disperare di; **in** ~ disperato(a).

despatch [dɪs'pætʃ] *n, vt* = **dispatch**.

desperate ['dɛspərɪt] *adj* disperato(a); (*measures*) estremo(a); (*fugitive*) capace di tutto; **we are getting** ~ siamo sull'orlo della disperazione.

desperately ['dɛspərɪtlɪ] *adv* disperatamente; (*very*) terribilmente, estremamente; ~ **ill** in pericolo di vita.

desperation [dɛspə'reɪʃən] *n* disperazione *f*; **in** ~ per disperazione.

despicable [dɪs'pɪkəbl] *adj* disprezzabile.

despise [dɪs'paɪz] *vt* disprezzare, sdegnare.

despite [dɪs'paɪt] *prep* malgrado, a dispetto di, nonostante.

despondent [dɪs'pɔndənt] *adj* abbattuto(a), scoraggiato(a).

despot ['dɛspɔt] *n* despota *m*.

dessert [dɪ'zɔːt] *n* dolce *m*; frutta.

dessertspoon [dɪ'zɔːtspuːn] *n* cucchiaio da dolci.

destabilize [diː'steɪbɪlaɪz] *vt* privare di stabilità; (*fig*) destabilizzare.

destination [dɛstɪ'neɪʃən] *n* destinazione *f.*

destine ['dɛstɪn] *vt* destinare.

destined ['dɛstɪnd] *adj*: **to be** ~ **to do sth** essere destinato(a) a fare qc; ~ **for London** diretto a Londra, con destinazione Londra.

destiny ['dɛstɪnɪ] *n* destino.

destitute ['dɛstɪtjuːt] *adj* indigente, bisognoso(a); ~ **of** privo(a) di.

destroy [dɪs'trɔɪ] *vt* distruggere.

destroyer [dɪs'trɔɪə*] *n* (*NAUT*) cacciatorpediniere *m*.

destruction [dɪs'trʌkʃən] *n* distruzione *f.*

destructive [dɪs'trʌktɪv] *adj* distruttivo(a).

desultory ['dɛsəltərɪ] *adj* (*reading*) disordinato(a); (*conversation*) sconnesso(a); (*contact*) saltuario(a), irregolare.

detach [dɪ'tætʃ] *vt* staccare, distaccare.

detachable [dɪ'tætʃəbl] *adj* staccabile.

detached [dɪ'tætʃt] *adj* (*attitude*) distante.

detached house *n* villa.

detachment [dɪ'tætʃmənt] *n* (*MIL*) distaccamento; (*fig*) distacco.

detail ['diːteɪl] *n* particolare *m*, dettaglio;

(*MIL*) piccolo distaccamento ♦ *vt* dettagliare, particolareggiare; (*MIL*): **to** ~ **sb (for)** assegnare qn (a); **in** ~ nei particolari; **to go into** ~(s) scendere nei particolari.

detailed ['diːteɪld] *adj* particolareggiato(a).

detain [dɪ'teɪn] *vt* trattenere; (*in captivity*) detenere.

detainee [diːteɪ'niː] *n* detenuto/a.

detect [dɪ'tɛkt] *vt* scoprire, scorgere; (*MED, POLICE, RADAR etc*) individuare.

detection [dɪ'tɛkʃən] *n* scoperta; individuazione *f*; **crime** ~ indagini *fpl* criminali; **to escape** ~ (*criminal*) eludere le ricerche; (*mistake*) passare inosservato(a).

detective [dɪ'tɛktɪv] *n* investigatore/trice; **private** ~ investigatore *m* privato.

detective story *n* giallo.

detector [dɪ'tɛktə*] *n* rivelatore *m*.

détente [deɪ'tɑːnt] *n* distensione *f.*

detention [dɪ'tɛnʃən] *n* detenzione *f*; (*SCOL*) permanenza forzata per punizione.

deter [dɪ'tə:*] *vt* dissuadere.

detergent [dɪ'tə:dʒənt] *n* detersivo.

deteriorate [dɪ'tɪərɪəreɪt] *vi* deteriorarsi.

deterioration [dɪtɪərɪə'reɪʃən] *n* deterioramento.

determination [dɪtə:mɪ'neɪʃən] *n* determinazione *f.*

determine [dɪ'tə:mɪn] *vt* determinare; **to** ~ **to do sth** decidere di fare qc.

determined [dɪ'tə:mɪnd] *adj* (*person*) risoluto(a), deciso(a); **to be** ~ **to do sth** essere determinato *or* deciso a fare qc; **a** ~ **effort** uno sforzo di volontà.

deterrence [dɪ'tɛrəns] *n* deterrenza.

deterrent [dɪ'tɛrənt] *n* deterrente *m*; **to act as a** ~ fungere da deterrente.

detest [dɪ'tɛst] *vt* detestare.

detestable [dɪ'tɛstəbl] *adj* detestabile, abominevole.

detonate ['dɛtəneɪt] *vi* detonare ♦ *vt* far detonare.

detonator ['dɛtəneɪtə*] *n* detonatore *m*.

detour ['diːtuə*] *n* deviazione *f.*

detract [dɪ'trækt] *vt*: **to** ~ **from** detrarre da.

detractor [dɪ'træktə*] *n* detrattore/trice.

detriment ['dɛtrɪmənt] *n*: **to the** ~ **of** a detrimento di; **without** ~ **to** senza danno a.

detrimental [dɛtrɪ'mɛntl] *adj*: ~ **to** dannoso(a) a, nocivo(a) a.

deuce [djuːs] *n* (*TENNIS*) quaranta pari *m inv*.

devaluation [diːvæljuː'eɪʃən] *n* svalutazione *f.*

devalue [diː'væljuː] *vt* svalutare.

devastate ['dɛvəsteɪt] *vt* devastare; **he was ~d by the news** la notizia fu per lui un colpo terribile.

devastating ['dɛvəsteɪtɪŋ] *adj* devastatore(trice).

devastation [dɛvə'steɪʃən] *n* devastazione *f*.

develop [dɪ'vɛləp] *vt* sviluppare; (*habit*) prendere (gradualmente) ♦ *vi* svilupparsi; (*facts, symptoms: appear*) manifestarsi, rivelarsi; **to ~ a taste for sth** imparare a gustare qc; **to ~ into** diventare.

developer [dɪ'vɛləpə*] *n* (*PHOT*) sviluppatore *m*; **property ~** costruttore *m* (edile).

developing country [dɪ'vɛləpɪŋ-] *n* paese *m* in via di sviluppo.

development [dɪ'vɛləpmənt] *n* sviluppo.

development area *n* area di sviluppo industriale.

deviant ['diːvɪənt] *adj* deviante.

deviate ['diːvɪeɪt] *vi:* **to ~ (from)** deviare (da).

deviation [diːvɪ'eɪʃən] *n* deviazione *f*.

device [dɪ'vaɪs] *n* (*apparatus*) congegno; (*explosive ~*) ordigno esplosivo.

devil ['dɛvl] *n* diavolo; demonio.

devilish ['dɛvlɪʃ] *adj* diabolico(a).

devil-may-care ['dɛvlmeɪ'kɛə*] *adj* impudente.

devil's advocate *n:* **to play ~** fare l'avvocato del diavolo.

devious ['diːvɪəs] *adj* (*means*) indiretto(a), tortuoso(a); (*person*) subdolo(a).

devise [dɪ'vaɪz] *vt* escogitare, concepire.

devoid [dɪ'vɔɪd] *adj:* **~ of** privo(a) di.

devolution [diːvə'luːʃən] *n* (*POL*) decentramento.

devolve [dɪ'vɔlv] *vi:* **to ~ (up)on** ricadere su.

devote [dɪ'vəut] *vt:* **to ~ sth to** dedicare qc a.

devoted [dɪ'vəutɪd] *adj* devoto(a); **to be ~ to** essere molto attaccato(a) a.

devotee [dɛvəu'tiː] *n* (*REL*) adepto/a; (*MUS, SPORT*) appassionato/a.

devotion [dɪ'vəuʃən] *n* devozione *f*, attaccamento; (*REL*) atto di devozione, preghiera.

devour [dɪ'vauə*] *vt* divorare.

devout [dɪ'vaut] *adj* pio(a), devoto(a).

dew [djuː] *n* rugiada.

dexterity [dɛks'tɛrɪtɪ] *n* destrezza.

dext(e)rous ['dɛkstrəs] *adj* (*skilful*) destro(a), abile; (*movement*) agile.

dg *abbr* (= *decigram*) dg.

DH *n abbr* = **Department of Health**; *see*

DHSS *n abbr* (*BRIT: old*) = *Department of Health and Social Security.*

diabetes [daɪə'biːtiːz] *n* diabete *m*.

diabetic [daɪə'bɛtɪk] *adj* diabetico(a); (*chocolate, jam*) per diabetici ♦ *n* diabetico/a.

diabolical [daɪə'bɔlɪkl] *adj* diabolico(a); (*col: dreadful*) infernale, atroce.

diaeresis [daɪ'ɛrɪsɪs] *n* dieresi *f inv*.

diagnose [daɪəg'nəuz] *vt* diagnosticare.

diagnosis, *pl* **diagnoses** [daɪəg'nəusɪs, -siːz] *n* diagnosi *f inv*.

diagonal [daɪ'ægənl] *adj*, *n* diagonale (*f*).

diagram ['daɪəgræm] *n* diagramma *m*.

dial ['daɪəl] *n* quadrante *m*; (*on telephone*) disco combinatore ♦ *vt* (*number*) fare; **to ~ a wrong number** sbagliare numero; **can I ~ London direct?** si può chiamare Londra in teleselezione?

dial. *abbr* = **dialect**.

dialect ['daɪəlɛkt] *n* dialetto.

dialling code ['daɪəlɪŋ-], (*US*) **area code** *n* prefisso.

dialling tone ['daɪəlɪŋ-], (*US*) **dial tone** *n* segnale *m* di linea libera.

dialogue ['daɪəlɔg] *n* dialogo.

dialysis [daɪ'ælɪsɪs] *n* dialisi *f*.

diameter [daɪ'æmɪtə*] *n* diametro.

diametrically [daɪə'mɛtrɪklɪ] *adv:* **~ opposed (to)** diametralmente opposto(a) (a).

diamond ['daɪəmənd] *n* diamante *m*; (*shape*) rombo; **~s** *npl* (*CARDS*) quadri *mpl*.

diamond ring *n* anello di brillanti; (*with one diamond*) anello con brillante.

diaper ['daɪəpə*] *n* (*US*) pannolino.

diaphragm ['daɪəfræm] *n* diaframma *m*.

diarrhoea, (*US*) **diarrhea** [daɪə'riːə] *n* diarrea.

diary ['daɪərɪ] *n* (*daily account*) diario; (*book*) agenda; **to keep a ~** tenere un diario.

diatribe ['daɪətraɪb] *n* diatriba.

dice [daɪs] *n* (*pl inv*) dado ♦ *vt* (*CULIN*) tagliare a dadini.

dicey ['daɪsɪ] *adj* (*col*): **it's a bit ~** è un po' un rischio.

dichotomy [daɪ'kɔtəmɪ] *n* dicotomia.

dickhead ['dɪkhɛd] *n* (*BRIT col!*) testa *m* di cazzo(*!*).

Dictaphone ® ['dɪktəfəun] *n* dittafono.

dictate *vt* [dɪk'teɪt] dettare ♦ *vi:* **to ~ to** (*person*) dare ordini a, dettar legge a ♦ *n* ['dɪkteɪt] dettame *m*; **I won't be ~d to** non ricevo ordini.

dictation [dɪk'teɪʃən] *n* dettato; (*to secretary etc*) dettatura; **at ~ speed** a velocità di dettatura.

dictator [dɪk'teɪtə*] n dittatore m.
dictatorship [dɪk'teɪtəʃɪp] n dittatura.
diction ['dɪkʃən] n dizione f.
dictionary ['dɪkʃənrɪ] n dizionario.
did [dɪd] pt of **do**.
didactic [daɪ'dæktɪk] adj didattico(a).
didn't = **did not**.
die [daɪ] n (pl: **dies**) conio; matrice f; stampo ♦ vi morire; **to be dying** star morendo; **to be dying for sth/to do sth** morire dalla voglia di qc/di fare qc; **to ~ (of or from)** morire (di).
▶**die away** vi spegnersi a poco a poco.
▶**die down** vi abbassarsi.
▶**die out** vi estinguersi.
diehard ['daɪhɑːd] n reazionario/a.
diesel ['diːzl] n diesel m.
diesel engine n motore m diesel inv.
diesel fuel, diesel oil n gasolio (per motori diesel).
diet ['daɪət] n alimentazione f; (restricted food) dieta ♦ vi (also: **be on a ~**) stare a dieta; **to live on a ~ of** nutrirsi di.
dietician [daɪə'tɪʃən] n dietologo/a.
differ ['dɪfə*] vi: **to ~ from sth** differire da qc; essere diverso(a) da qc; **to ~ from sb over sth** essere in disaccordo con qn su qc.
difference ['dɪfrəns] n differenza; (quarrel) screzio; **it makes no ~ to me** per me è lo stesso; **to settle one's ~s** risolvere la situazione.
different ['dɪfrənt] adj diverso(a).
differential [dɪfə'renʃəl] n (AUT, wages) differenziale m.
differentiate [dɪfə'renʃɪeɪt] vi differenziarsi; **to ~ between** discriminare fra, fare differenza fra.
differently ['dɪfrəntlɪ] adv diversamente.
difficult ['dɪfɪkəlt] adj difficile; **~ to understand** difficile da capire.
difficulty ['dɪfɪkəltɪ] n difficoltà f inv; **to have difficulties with** (police, landlord etc) avere noie con; **to be in ~** essere or trovarsi in difficoltà.
diffidence ['dɪfɪdəns] n mancanza di sicurezza.
diffident ['dɪfɪdənt] adj sfiduciato(a).
diffuse adj [dɪ'fjuːs] diffuso(a) ♦ vt [dɪ'fjuːz] diffondere, emanare.
dig [dɪg] vb (pt, pp **dug** [dʌg]) vt (hole) scavare; (garden) vangare ♦ vi scavare ♦ n (prod) gomitata; (fig) frecciata; (ARCHAEOLOGY) scavo, scavi mpl; **to ~ into** (snow, soil) scavare; **to ~ into one's pockets for sth** frugarsi le tasche cercando qc; **to ~ one's nails into** conficcare le unghie in; see also **digs**.
▶**dig in** vi (col: eat) attaccare a mangiare; (also: ~ **o.s. in**: MIL) trincerarsi; (: fig) insediarsi, installarsi ♦ vt (compost) interrare; (knife, claw) affondare; **to ~ in one's heels** (fig) impuntarsi.
▶**dig out** vt (survivors, car from snow) tirar fuori (scavando), estrarre (scavando).
▶**dig up** vt scavare; (tree etc) sradicare.
digest [daɪ'dʒɛst] vt digerire.
digestible [dɪ'dʒɛstəbl] adj digeribile.
digestion [dɪ'dʒɛstʃən] n digestione f.
digestive [dɪ'dʒɛstɪv] adj digestivo(a); **~ system** apparato digerente.
digit ['dɪdʒɪt] n cifra; (finger) dito.
digital ['dɪdʒɪtəl] adj digitale.
digital compact cassette n piastra digitale per CD.
dignified ['dɪgnɪfaɪd] adj dignitoso(a).
dignitary ['dɪgnɪtərɪ] n dignitario.
dignity ['dɪgnɪtɪ] n dignità.
digress [daɪ'grɛs] vi: **to ~ from** divagare da.
digression [daɪ'grɛʃən] n digressione f.
digs [dɪgz] npl (BRIT col) camera ammobiliata.
dilapidated [dɪ'læpɪdeɪtɪd] adj cadente.
dilate [daɪ'leɪt] vt dilatare ♦ vi dilatarsi.
dilatory ['dɪlətərɪ] adj dilatorio(a).
dilemma [daɪ'lɛmə] n dilemma m; **to be in a ~** essere di fronte a un dilemma.
diligent ['dɪlɪdʒənt] adj diligente.
dill [dɪl] n aneto.
dilly-dally ['dɪlɪdælɪ] vi gingillarsi.
dilute [daɪ'luːt] vt diluire; (with water) annacquare ♦ adj diluito(a).
dim [dɪm] adj (light, eyesight) debole; (memory, outline) vago(a); (stupid) ottuso(a) ♦ vt (light: also: US AUT) abbassare; **to take a ~ view of sth** non vedere di buon occhio qc.
dime [daɪm] n (US) = 10 cents.
dimension [dɪ'mɛnʃən] n dimensione f.
-dimensional [dɪ'mɛnʃənl] adj suffix: **two~** bi-dimensionale.
diminish [dɪ'mɪnɪʃ] vt, vi diminuire.
diminished [dɪ'mɪnɪʃt] adj: **~ responsibility** (LAW) incapacità d'intendere e di volere.
diminutive [dɪ'mɪnjutɪv] adj minuscolo(a) ♦ n (LING) diminutivo.
dimly ['dɪmlɪ] adv debolmente; indistintamente.
dimmer ['dɪmə*] n (also: ~ **switch**) dimmer m inv, interruttore m a reostato; **~s** (US AUT) anabbaglianti mpl; (: parking lights) luci fpl di posizione.
dimple ['dɪmpl] n fossetta.
dim-witted ['dɪm'wɪtɪd] adj (col) sciocco(a), stupido(a).
din [dɪn] n chiasso, fracasso ♦ vt: **to ~ sth**

into sb (*col*) ficcare qc in testa a qn.
dine [daɪn] *vi* pranzare.
diner ['daɪnə*] *n* (*person: in restaurant*)
cliente *m*; (*RAIL*) carrozza *or* vagone *m*
ristorante; (*US: eating place*) tavola calda.
dinghy ['dɪŋgɪ] *n* battello pneumatico;
(*also*: **sailing ~**) dinghy *m inv*.
dingy ['dɪndʒɪ] *adj* grigio(a).
dining area ['daɪnɪŋ-] *n* zona pranzo *inv*.
dining car *n* vagone *m* ristorante.
dining room *n* sala da pranzo.
dinner ['dɪnə*] *n* pranzo *m*; (*evening meal*)
cena; (*public*) banchetto; **~'s ready!** a
tavola!
dinner jacket *n* smoking *m inv*.
dinner party *n* cena.
dinner service *n* servizio da tavola.
dinner time *n* ora di pranzo (*or* cena).
dinosaur ['daɪnəsɔː*] *n* dinosauro.
dint [dɪnt] *n*: **by ~ of (doing) sth** a forza di
(fare) qc.
diocese ['daɪəsɪs] *n* diocesi *f inv*.
dioxide [daɪ'ɒksaɪd] *n* biossido.
dip [dɪp] *n* (*slope*) discesa; (*in sea*) bagno
♦ *vt* immergere, bagnare; (*BRIT AUT: lights*)
abbassare ♦ *vi* (*road*) essere in pendenza;
(*bird, plane*) abbassarsi.
Dip. *abbr* (*BRIT*) = **diploma**.
diphtheria [dɪf'θɪərɪə] *n* difterite *f*.
diphthong ['dɪfθɒŋ] *n* dittongo.
diploma [dɪ'pləumə] *n* diploma *m*.
diplomacy [dɪ'pləuməsɪ] *n* diplomazia.
diplomat ['dɪpləmæt] *n* diplomatico.
diplomatic [dɪplə'mætɪk] *adj*
diplomatico(a); **to break off ~ relations**
rompere le relazioni diplomatiche.
diplomatic corps *n* corpo diplomatico.
diplomatic immunity *n* immunità *f inv*
diplomatica.
dipstick ['dɪpstɪk] *n* (*AUT*) indicatore *m* di
livello dell'olio.
dipswitch ['dɪpswɪtʃ] *n* (*BRIT AUT*) levetta
dei fari.
dire [daɪə*] *adj* terribile; estremo(a).
direct [daɪ'rɛkt] *adj* diretto(a); (*manner,
person*) franco(a), esplicito(a) ♦ *vt*
dirigere; **to ~ sb to do sth** dare direttive
a qn di fare qc; **can you ~ me to ...?** mi
può indicare la strada per ...?
direct cost *n* (*COMM*) costo diretto.
direct current *n* (*ELEC*) corrente *f*
continua.
direct debit *n* (*BANKING*) addebito
effettuato per ordine di un cliente di
banca.
direct dialling *n* (*TEL*) ≈ teleselezione *f*.
direct hit *n* (*MIL*) colpo diretto.
direction [dɪ'rɛkʃən] *n* direzione *f*; (*of play,*

film, programme) regia; **~s** *npl* (*advice*)
chiarimenti *mpl*; (*instructions: to a place*)
indicazioni *fpl*; **~s for use** istruzioni *fpl*; **to
ask for ~s** chiedere la strada; **sense of ~**
senso dell'orientamento; **in the ~ of** in
direzione di.
directive [dɪ'rɛktɪv] *n* direttiva, ordine *m*; **a
government ~** una disposizione
governativa.
direct labour *n* manodopera diretta.
directly [dɪ'rɛktlɪ] *adv* (*in straight line*)
direttamente; (*at once*) subito.
direct mail *n* pubblicità diretta.
direct mailshot *n* (*BRIT*) materiale *m*
pubblicitario ad approccio diretto.
directness [daɪ'rɛktnɪs] *n* (*of person, speech*)
franchezza.
director [dɪ'rɛktə*] *n* direttore/trice;
amministratore/trice; (*THEAT, CINE, TV*)
regista *m/f*; **D~ of Public Prosecutions
(DPP)** (*BRIT*) ≈ Procuratore *m* della
Repubblica.
directory [dɪ'rɛktərɪ] *n* elenco; (*street ~*)
stradario; (*trade ~*) repertorio del
commercio; (*COMPUT*) directory *m inv*.
directory enquiries, (*US*) **directory
assistance** *n* (*TEL*) servizio informazioni,
informazioni *fpl* elenco abbonati.
dirt [dɜːt] *n* sporcizia; immondizia; **to treat
sb like ~** trattare qn come uno straccio.
dirt-cheap ['dɜːt'tʃiːp] *adj* da due soldi.
dirt road *n* strada non asfaltata.
dirty ['dɜːtɪ] *adj* sporco(a) ♦ *vt* sporcare; **~
story** storia oscena; **~ trick** brutto
scherzo.
disability [dɪsə'bɪlɪtɪ] *n* invalidità *f inv*;
(*LAW*) incapacità *f inv*.
disability allowance *n* pensione *f*
d'invalidità.
disable [dɪs'eɪbl] *vt* (*subj: illness, accident*)
rendere invalido(a); (*tank, gun*) mettere
fuori uso.
disabled [dɪs'eɪbld] *adj* invalido(a);
(*maimed*) mutilato(a); (*through illness, old
age*) inabile.
disadvantage [dɪsəd'vɑːntɪdʒ] *n*
svantaggio.
disadvantaged [dɪsəd'vɑːntɪdʒd] *adj*
(*person*) svantaggiato(a).
disadvantageous [dɪsædvɑːn'teɪdʒəs] *adj*
svantaggioso(a).
disaffected [dɪsə'fɛktɪd] *adj*: **~ (to or
towards)** scontento(a) di, insoddisfatto(a)
di.
disaffection [dɪsə'fɛkʃən] *n* malcontento,
insoddisfazione *f*.
disagree [dɪsə'griː] *vi* (*differ*) discordare;
(*be against, think otherwise*): **to ~ (with)**

essere in disaccordo (con), dissentire (da); **I ~ with you** non sono d'accordo con lei; **garlic ~s with me** l'aglio non mi va.

disagreeable [dɪsə'griːəbl] adj sgradevole; (person) antipatico(a).

disagreement [dɪsə'griːmənt] n disaccordo; (quarrel) dissapore m; **to have a ~ with sb** litigare con qn.

disallow ['dɪsə'lau] vt respingere; (BRIT FOOTBALL: goal) annullare.

disappear [dɪsə'pɪə*] vi scomparire.

disappearance [dɪsə'pɪərəns] n scomparsa.

disappoint [dɪsə'pɔɪnt] vt deludere.

disappointed [dɪsə'pɔɪntɪd] adj deluso(a).

disappointing [dɪsə'pɔɪntɪŋ] adj deludente.

disappointment [dɪsə'pɔɪntmənt] n delusione f.

disapproval [dɪsə'pruːvəl] n disapprovazione f.

disapprove [dɪsə'pruːv] vi: **to ~ of** disapprovare.

disapproving [dɪsə'pruːvɪŋ] adj di disapprovazione.

disarm [dɪs'ɑːm] vt disarmare.

disarmament [dɪs'ɑːməmənt] n disarmo.

disarming [dɪs'ɑːmɪŋ] adj (smile) disarmante.

disarray [dɪsə'reɪ] n: **in ~** (troops) in rotta; (thoughts) confuso(a); (clothes) in disordine; **to throw into ~** buttare all'aria.

disaster [dɪ'zɑːstə*] n disastro.

disaster area n zona disastrata.

disastrous [dɪ'zɑːstrəs] adj disastroso(a).

disband [dɪs'bænd] vt sbandare; (MIL) congedare ♦ vi sciogliersi.

disbelief ['dɪsbə'liːf] n incredulità; **in ~** incredulo(a).

disbelieve ['dɪsbə'liːv] vt (person, story) non credere a, mettere in dubbio; **I don't ~ you** vorrei poterle credere.

disc [dɪsk] n disco.

disc. abbr (COMM) = **discount.**

discard [dɪs'kɑːd] vt (old things) scartare; (fig) abbandonare.

disc brake n freno a disco.

discern [dɪ'səːn] vt discernere, distinguere.

discernible [dɪ'səːnəbl] adj percepibile.

discerning [dɪ'səːnɪŋ] adj perspicace.

discharge vt [dɪs'tʃɑːdʒ] (duties) compiere; (settle: debt) pagare, estinguere; (ELEC, waste etc) scaricare; (MED) emettere; (patient) dimettere; (employee) licenziare; (soldier) congedare; (defendant) liberare ♦ n ['dɪstʃɑːdʒ] (ELEC) scarica; (MED, of gas, chemicals) emissione f, (vaginal ~) perdite fpl (bianche); (dismissal) licenziamento; congedo; liberazione f; **to ~ one's gun**

fare fuoco.

discharged bankrupt [dɪs'tʃɑːdʒd-] n fallito cui il tribunale ha concesso la riabilitazione.

disciple [dɪ'saɪpl] n discepolo.

disciplinary ['dɪsɪplɪnərɪ] adj disciplinare; **to take ~ action against sb** prendere un provvedimento disciplinare contro qn.

discipline ['dɪsɪplɪn] n disciplina ♦ vt disciplinare; (punish) punire; **to ~ o.s. to do sth** imporsi di fare qc.

disc jockey (DJ) n disc jockey m inv.

disclaim [dɪs'kleɪm] vt negare, smentire.

disclaimer [dɪs'kleɪmə*] n smentita; **to issue a ~** pubblicare una smentita.

disclose [dɪs'kləuz] vt rivelare, svelare.

disclosure [dɪs'kləuʒə*] n rivelazione f.

disco ['dɪskəu] n abbr = **discothèque.**

discolour, (US) **discolor** [dɪs'kʌlə*] vt scolorire; (sth white) ingiallire ♦ vi sbiadire, scolorirsi; (sth white) ingiallire.

discolo(u)ration [dɪskʌlə'reɪʃən] n scolorimento.

discolo(u)red [dɪs'kʌləd] adj scolorito(a); ingiallito(a).

discomfort [dɪs'kʌmfət] n disagio; (lack of comfort) scomodità f inv.

disconcert [dɪskən'səːt] vt sconcertare.

disconnect [dɪskə'nɛkt] vt sconnettere, staccare; (ELEC, RADIO) staccare; (gas, water) chiudere.

disconnected [dɪskə'nɛktɪd] adj (speech, thought) sconnesso(a).

disconsolate [dɪs'kɔnsəlɪt] adj sconsolato(a).

discontent [dɪskən'tɛnt] n scontentezza.

discontented [dɪskən'tɛntɪd] adj scontento(a).

discontinue [dɪskən'tɪnjuː] vt smettere, cessare; **"~d"** (COMM) "sospeso".

discord ['dɪskɔːd] n disaccordo; (MUS) dissonanza.

discordant [dɪs'kɔːdənt] adj discordante; dissonante.

discothèque ['dɪskəutɛk] n discoteca.

discount n ['dɪskaunt] sconto ♦ vt [dɪs'kaunt] scontare; (report etc) non badare a; **at a ~** con uno sconto; **to give sb a ~ on sth** fare uno sconto a qn su qc; **~ for cash** sconto m cassa inv.

discount house n (FINANCE) casa di sconto, discount house f inv; (COMM: also: **discount store**) discount m inv.

discount rate n tasso di sconto.

discourage [dɪs'kʌrɪdʒ] vt scoraggiare; (dissuade, deter) tentare di dissuadere.

discouragement [dɪs'kʌrɪdʒmənt] n (dissuasion) disapprovazione f;

(*depression*) scoraggiamento; **to act as a ~ to** ostacolare.
discouraging [dɪs'kʌrɪdʒɪŋ] *adj* scoraggiante.
discourteous [dɪs'kə:tɪəs] *adj* scortese.
discover [dɪs'kʌvə*] *vt* scoprire.
discovery [dɪs'kʌvərɪ] *n* scoperta.
discredit [dɪs'krɛdɪt] *vt* screditare; mettere in dubbio ♦ *n* discredito.
discreet [dɪ'skri:t] *adj* discreto(a).
discreetly [dɪ'skri:tlɪ] *adv* con discrezione.
discrepancy [dɪ'skrɛpənsɪ] *n* discrepanza.
discretion [dɪ'skrɛʃən] *n* discrezione *f*; **use your own ~** giudichi lei.
discretionary [dɪs'krɛʃənərɪ] *adj* (*powers*) discrezionale.
discriminate [dɪ'skrɪmɪneɪt] *vi*: **to ~ between** distinguere tra; **to ~ against** discriminare contro.
discriminating [dɪs'krɪmɪneɪtɪŋ] *adj* (*ear, taste*) fine, giudizioso(a); (*person*) esigente; (*tax, duty*) discriminante.
discrimination [dɪskrɪmɪ'neɪʃən] *n* discriminazione *f*; (*judgement*) discernimento; **racial/sexual ~** discriminazione razziale/sessuale.
discus ['dɪskəs] *n* disco.
discuss [dɪ'skʌs] *vt* discutere; (*debate*) dibattere.
discussion [dɪ'skʌʃən] *n* discussione *f*; **under ~** in discussione.
disdain [dɪs'deɪn] *n* disdegno.
disease [dɪ'zi:z] *n* malattia.
diseased [dɪ'zi:zd] *adj* malato(a).
disembark [dɪsɪm'bɑ:k] *vt*, *vi* sbarcare.
disembarkation [dɪsɛmbɑ:'keɪʃən] *n* sbarco.
disembodied [dɪsɪm'bɔdɪd] *adj* disincarnato(a).
disembowel [dɪsɪm'baʊəl] *vt* sbudellare, sventrare.
disenchanted [dɪsɪn'tʃɑ:ntɪd] *adj* disincantato(a); **~ (with)** deluso(a) (da).
disenfranchise [dɪsɪn'fræntʃaɪz] *vt* privare del diritto di voto; (*COMM*) revocare una condizione di privilegio commerciale a.
disengage [dɪsɪn'geɪdʒ] *vt* disimpegnare; (*TECH*) distaccare; (*AUT*) disinnestare.
disentangle [dɪsɪn'tæŋgl] *vt* sbrogliare.
disfavour, (*US*) **disfavor** [dɪs'feɪvə*] *n* sfavore *m*; disgrazia.
disfigure [dɪs'fɪgə*] *vt* sfigurare.
disgorge [dɪs'gɔ:dʒ] *vt* (*subj: river*) riversare.
disgrace [dɪs'greɪs] *n* vergogna; (*disfavour*) disgrazia ♦ *vt* disonorare, far cadere in disgrazia.
disgraceful [dɪs'greɪsful] *adj* scandaloso(a),

vergognoso(a).
disgruntled [dɪs'grʌntld] *adj* scontento(a), di cattivo umore.
disguise [dɪs'gaɪz] *n* travestimento ♦ *vt* travestire; (*voice*) contraffare; (*feelings etc*) mascherare; **to ~ o.s. as** travestirsi da; **in ~** travestito(a); **there's no disguising the fact that ...** non si può nascondere (il fatto) che ....
disgust [dɪs'gʌst] *n* disgusto, nausea ♦ *vt* disgustare, far schifo a.
disgusting [dɪs'gʌstɪŋ] *adj* disgustoso(a).
dish [dɪʃ] *n* piatto; **to do** *or* **wash the ~es** fare i piatti.
▶**dish out** *vt* (*food*) servire; (*advice*) elargire; (*money*) tirare fuori; (*exam papers*) distribuire.
▶**dish up** *vt* (*food*) servire; (*facts, statistics*) presentare.
dishcloth ['dɪʃklɔθ] *n* strofinaccio dei piatti.
dishearten [dɪs'hɑ:tn] *vt* scoraggiare.
dishevelled, (*US*) **disheveled** [dɪ'ʃɛvəld] *adj* arruffato(a); scapigliato(a).
dishonest [dɪs'ɔnɪst] *adj* disonesto(a).
dishonesty [dɪs'ɔnɪstɪ] *n* disonestà.
dishonour, (*US*) **dishonor** [dɪs'ɔnə*] *n* disonore *m*.
dishono(u)rable [dɪs'ɔnərəbl] *adj* disonorevole.
dish soap *n* (*US*) detersivo liquido (per stoviglie).
dishtowel ['dɪʃtaʊəl] *n* strofinaccio dei piatti.
dishwasher ['dɪʃwɔʃə*] *n* lavastoviglie *f inv*; (*person*) sguattero/a.
dishy ['dɪʃɪ] *adj* (*BRIT col*) figo(a).
disillusion [dɪsɪ'lu:ʒən] *vt* disilludere, disingannare ♦ *n* disillusione *f*; **to become ~ed (with)** perdere le illusioni (su).
disillusionment [dɪsɪ'lu:ʒənmənt] *n* disillusione *f*.
disincentive [dɪsɪn'sɛntɪv] *n*: **to act as a ~ (to)** agire da freno (su); **to be a ~ to** scoraggiare.
disinclined [dɪsɪn'klaɪnd] *adj*: **to be ~ to do sth** essere poco propenso(a) a fare qc.
disinfect [dɪsɪn'fɛkt] *vt* disinfettare.
disinfectant [dɪsɪn'fɛktənt] *n* disinfettante *m*.
disinflation [dɪsɪn'fleɪʃən] *n* disinflazione *f*.
disinformation [dɪsɪnfə'meɪʃən] *n* disinformazione *f*.
disinherit [dɪsɪn'hɛrɪt] *vt* diseredare.
disintegrate [dɪs'ɪntɪgreɪt] *vi* disintegrarsi.
disinterested [dɪs'ɪntrəstɪd] *adj* disinteressato(a).
disjointed [dɪs'dʒɔɪntɪd] *adj* sconnesso(a).

disk [dɪsk] n (COMPUT) disco; **single-/ double-sided** ~ disco m monofaccia inv/a doppia faccia.

disk drive n disk drive m inv, unità f inv a dischi magnetici.

disk operating system (DOS) n sistema m operativo a disco.

diskette [dɪs'kɛt] n (COMPUT) dischetto.

dislike [dɪs'laɪk] n antipatia, avversione f ♦ vt: **he ~s it** non gli piace; **I ~ the idea** l'idea non mi va; **to take a ~ to sb/sth** prendere in antipatia qn/qc.

dislocate ['dɪsləkeɪt] vt (MED) slogare; (fig) disorganizzare; **he ~d his shoulder** si è lussato una spalla.

dislodge [dɪs'lɔdʒ] vt rimuovere, staccare; (enemy) sloggiare.

disloyal [dɪs'lɔɪəl] adj sleale.

dismal ['dɪzml] adj triste, cupo(a).

dismantle [dɪs'mæntl] vt smantellare, smontare; (fort, warship) disarmare.

dismast [dɪs'mɑ:st] vt disalberare.

dismay [dɪs'meɪ] n costernazione f ♦ vt sgomentare; **much to my** ~ con mio gran stupore.

dismiss [dɪs'mɪs] vt congedare; (employee) licenziare; (idea) scacciare; (LAW) respingere ♦ vi (MIL) rompere i ranghi.

dismissal [dɪs'mɪsəl] n congedo; licenziamento.

dismount [dɪs'maunt] vi scendere ♦ vt (rider) disarcionare.

disobedience [dɪsə'bi:dɪəns] n disubbidienza.

disobedient [dɪsə'bi:dɪənt] adj disubbidiente.

disobey [dɪsə'beɪ] vt disubbidire; (rule) trasgredire.

disorder [dɪs'ɔːdə*] n disordine m; (rioting) tumulto; (MED) disturbo; **civil** ~ disordini mpl interni.

disorderly [dɪs'ɔːdəlɪ] adj disordinato(a); tumultuoso(a).

disorderly conduct n (LAW) comportamento atto a turbare l'ordine pubblico.

disorganize [dɪs'ɔːgənaɪz] vt disorganizzare.

disorganized [dɪs'ɔːgənaɪzd] adj (person, life) disorganizzato(a); (system, meeting) male organizzato(a).

disorientated [dɪs'ɔːrɪɛnteɪtɪd] adj disorientato(a).

disown [dɪs'əun] vt ripudiare.

disparaging [dɪs'pærɪdʒɪŋ] adj spregiativo(a), sprezzante; **to be** ~ **about sb/sth** denigrare qn/qc.

disparate ['dɪspərɪt] adj disparato(a).

disparity [dɪs'pærɪtɪ] n disparità f inv.

dispassionate [dɪs'pæʃənət] adj calmo(a), freddo(a); imparziale.

dispatch [dɪs'pætʃ] vt spedire, inviare; (deal with: business) sbrigare ♦ n spedizione f, invio; (MIL, PRESS) dispaccio.

dispatch department n reparto spedizioni.

dispatch rider n (MIL) corriere m, portaordini m inv.

dispel [dɪs'pɛl] vt dissipare, scacciare.

dispensary [dɪs'pɛnsərɪ] n farmacia; (in chemist's) dispensario.

dispense [dɪs'pɛns] vt distribuire, amministrare; (medicine) preparare e dare; **to** ~ **sb from** dispensare qn da.

▸**dispense with** vt fus fare a meno di; (make unnecessary) rendere superfluo(a).

dispenser [dɪs'pɛnsə*] n (container) distributore m.

dispensing chemist n (BRIT) farmacista m/f.

dispersal [dɪs'pəːsl] n dispersione f.

disperse [dɪs'pəːs] vt disperdere; (knowledge) disseminare ♦ vi disperdersi.

dispirited [dɪs'pɪrɪtɪd] adj scoraggiato(a), abbattuto(a).

displace [dɪs'pleɪs] vt spostare.

displaced person n (POL) profugo/a.

displacement [dɪs'pleɪsmənt] n spostamento.

display [dɪs'pleɪ] n mostra; esposizione f; (of feeling etc) manifestazione f; (military ~) parata (militare); (computer ~) display m inv; (pej) ostentazione f ♦ vt mostrare; (goods) esporre; (results) affiggere; (departure times) indicare; **on** ~ (gen) in mostra; (goods) in vetrina.

display advertising n pubblicità tabellare.

displease [dɪs'pliːz] vt dispiacere a, scontentare; ~**d with** scontento(a) di.

displeasure [dɪs'plɛʒə*] n dispiacere m.

disposable [dɪs'pəuzəbl] adj (pack etc) a perdere; (income) disponibile; ~ **nappy** (BRIT) pannolino di carta.

disposal [dɪs'pəuzl] n (of rubbish) evacuazione f; distruzione f; (of property etc: by selling) vendita; (: by giving away) cessione f; **at one's** ~ alla sua disposizione; **to put sth at sb's** ~ mettere qc a disposizione di qn.

dispose [dɪs'pəuz] vt disporre.

▸**dispose of** vt fus (time, money) disporre di; (COMM: sell) vendere; (unwanted goods) sbarazzarsi di; (problem) eliminare.

disposed [dɪs'pəuzd] adj: ~ **to do** disposto(a) a fare.

disposition [dɪspə'zɪʃən] *n* disposizione *f*; (*temperament*) carattere *m*.

dispossess ['dɪspə'zɛs] *vt*: **to ~ sb (of)** spossessare qn (di).

disproportion [dɪsprə'pɔːʃən] *n* sproporzione *f*.

disproportionate [dɪsprə'pɔːʃənət] *adj* sproporzionato(a).

disprove [dɪs'pruːv] *vt* confutare.

dispute [dɪs'pjuːt] *n* disputa; (*also*: **industrial ~**) controversia (sindacale) ♦ *vt* contestare; (*matter*) discutere; (*victory*) disputare; **to be in** *or* **under ~** (*matter*) essere in discussione; (*territory*) essere oggetto di contesa.

disqualification [dɪskwɔlɪfɪ'keɪʃən] *n* squalifica; **~ (from driving)** (*BRIT*) ritiro della patente.

disqualify [dɪs'kwɔlɪfaɪ] *vt* (*SPORT*) squalificare; **to ~ sb from sth/from doing** rendere qn incapace a qc/a fare; squalificare qn da qc/da fare; **to ~ sb from driving** (*BRIT*) ritirare la patente a qn.

disquiet [dɪs'kwaɪət] *n* inquietudine *f*.

disquieting [dɪs'kwaɪətɪŋ] *adj* inquietante, allarmante.

disregard [dɪsrɪ'gɑːd] *vt* non far caso a, non badare a ♦ *n* (*indifference*): **~ (for)** (*feelings*) insensibilità (a), indifferenza (verso); (*danger*) noncuranza (di); (*money*) disprezzo (di).

disrepair [dɪsrɪ'pɛə*] *n* cattivo stato; **to fall into ~** (*building*) andare in rovina; (*street*) deteriorarsi.

disreputable [dɪs'rɛpjutəbl] *adj* (*person*) di cattiva fama; (*area*) malfamato(a), poco raccomandabile.

disrepute ['dɪsrɪ'pjuːt] *n* disonore *m*, vergogna; **to bring into ~** rovinare la reputazione di.

disrespectful [dɪsrɪ'spɛktful] *adj* che manca di rispetto.

disrupt [dɪs'rʌpt] *vt* (*meeting, lesson*) disturbare, interrompere; (*public transport*) creare scompiglio in; (*plans*) scombussolare.

disruption [dɪs'rʌpʃən] *n* disordine *m*; interruzione *f*.

disruptive [dɪs'rʌptɪv] *adj* (*influence*) negativo(a), deleterio(a); (*strike action*) paralizzante.

dissatisfaction [dɪssætɪs'fækʃən] *n* scontentezza, insoddisfazione *f*.

dissatisfied [dɪs'sætɪsfaɪd] *adj*: **~ (with)** scontento(a) *or* insoddisfatto(a) (di).

dissect [dɪ'sɛkt] *vt* sezionare; (*fig*) sviscerare.

disseminate [dɪ'sɛmɪneɪt] *vt* disseminare.

dissent [dɪ'sɛnt] *n* dissenso.

dissenter [dɪ'sɛntə*] *n* (*REL, POL etc*) dissidente *m/f*.

dissertation [dɪsə'teɪʃən] *n* (*SCOL*) tesi *f inv*, dissertazione *f*.

disservice [dɪs'səːvɪs] *n*: **to do sb a ~** fare un cattivo servizio a qn.

dissident ['dɪsɪdnt] *adj* dissidente; (*speech, voice*) di dissenso ♦ *n* dissidente *m/f*.

dissimilar [dɪ'sɪmɪlə*] *adj*: **~ (to)** dissimile *or* diverso(a) (da).

dissipate ['dɪsɪpeɪt] *vt* dissipare.

dissipated ['dɪsɪpeɪtɪd] *adj* dissipato(a).

dissociate [dɪ'səuʃɪeɪt] *vt* dissociare; **to ~ o.s. from** dichiarare di non avere niente a che fare con.

dissolute ['dɪsəluːt] *adj* dissoluto(a), licenzioso(a).

dissolve [dɪ'zɔlv] *vt* dissolvere, sciogliere; (*COMM, POL, marriage*) sciogliere ♦ *vi* dissolversi, sciogliersi; (*fig*) svanire.

dissuade [dɪ'sweɪd] *vt*: **to ~ sb (from)** dissuadere qn (da).

distaff side ['dɪstɑːf-] *n* ramo femminile di una famiglia.

distance ['dɪstns] *n* distanza; **in the ~** in lontananza; **what's the ~ to London?** quanto dista Londra?; **it's within walking ~** ci si arriva a piedi; **at a ~ of 2 metres** a 2 metri di distanza.

distant ['dɪstnt] *adj* lontano(a), distante; (*manner*) riservato(a), freddo(a).

distaste [dɪs'teɪst] *n* ripugnanza.

distasteful [dɪs'teɪstful] *adj* ripugnante, sgradevole.

Dist. Atty. *abbr* (*US*) = **district attorney**.

distemper [dɪs'tɛmpə*] *n* (*paint*) tempera; (*of dogs*) cimurro.

distend [dɪs'tɛnd] *vt* dilatare ♦ *vi* dilatarsi.

distended [dɪs'tɛndɪd] *adj* (*stomach*) dilatato(a).

distil, (*US*) **distill** [dɪs'tɪl] *vt* distillare.

distillery [dɪs'tɪlərɪ] *n* distilleria.

distinct [dɪs'tɪŋkt] *adj* distinto(a); (*preference, progress*) definito(a); **as ~ from** a differenza di.

distinction [dɪs'tɪŋkʃən] *n* distinzione *f*; (*in exam*) lode *f*; **to draw a ~ between** fare distinzione tra; **a writer of ~** uno scrittore di notevoli qualità.

distinctive [dɪs'tɪŋktɪv] *adj* distintivo(a).

distinctly [dɪs'tɪŋktlɪ] *adv* distintamente; (*remember*) chiaramente; (*unhappy, better*) decisamente.

distinguish [dɪs'tɪŋgwɪʃ] *vt* distinguere; discernere ♦ *vi*: **to ~ (between)** distinguere (tra); **to ~ o.s.** distinguersi.

distinguished [dɪs'tɪŋgwɪʃt] adj (eminent) eminente; (career) brillante; (refined) distinto(a), signorile.

distinguishing [dɪs'tɪŋgwɪʃɪŋ] adj (feature) distinto(a), caratteristico(a).

distort [dɪs'tɔːt] vt (also fig) distorcere; (account, news) falsare; (TECH) deformare.

distortion [dɪs'tɔːʃən] n (gen) distorsione f; (of truth etc) alterazione f; (of facts) travisamento; (TECH) deformazione f.

distract [dɪs'trækt] vt distrarre.

distracted [dɪs'træktɪd] adj distratto(a).

distraction [dɪs'trækʃən] n distrazione f; **to drive sb to ~** spingere qn alla pazzia.

distraught [dɪs'trɔːt] adj stravolto(a).

distress [dɪs'trɛs] n angoscia; (pain) dolore m ♦ vt affliggere; **in ~** (ship etc) in pericolo, in difficoltà; **~ed area** (BRIT) zona sinistrata.

distressing [dɪs'trɛsɪŋ] adj doloroso(a), penoso(a).

distress signal n segnale m di pericolo.

distribute [dɪs'trɪbjuːt] vt distribuire.

distribution [dɪstrɪ'bjuːʃən] n distribuzione f.

distribution cost n costo di distribuzione.

distributor [dɪs'trɪbjutə*] n distributore m; (COMM) concessionario.

district ['dɪstrɪkt] n (of country) regione f; (of town) quartiere m; (ADMIN) distretto.

district attorney (DA) n (US) ≈ sostituto procuratore m della Repubblica.

district council n organo di amministrazione regionale.

In Inghilterra e in Galles, il **district council** è l'organo amministrativo indipendente dei **district** (che sono 369, ripartiti in 53 **county**) e si occupa di questioni di interesse locale. È finanziato tramite una tassa locale e riceve un contributo da parte del governo che ne controlla le spese tramite un'apposita commissione. I district council vengono eletti ogni quattro anni.

---

district nurse n (BRIT) infermiera di quartiere.

distrust [dɪs'trʌst] n diffidenza, sfiducia ♦ vt non aver fiducia in.

distrustful [dɪs'trʌstful] adj diffidente.

disturb [dɪs'tɜːb] vt disturbare; (inconvenience) scomodare; **sorry to ~ you** scusi se la disturbo.

disturbance [dɪs'tɜːbəns] n disturbo; (political etc) tumulto; (by drunks etc) disordini mpl; **~ of the peace** disturbo della quiete pubblica; **to cause a ~** provocare disordini.

disturbed [dɪs'tɜːbd] adj turbato(a); **to be emotionally ~** avere problemi emotivi; **to be mentally ~** essere malato(a) di mente.

disturbing [dɪs'tɜːbɪŋ] adj sconvolgente.

disuse [dɪs'juːs] n: **to fall into ~** cadere in disuso.

disused [dɪs'juːzd] adj abbandonato(a).

ditch [dɪtʃ] n fossa ♦ vt (col) piantare in asso.

dither ['dɪðə*] vi vacillare.

ditto ['dɪtəu] adv idem.

divan [dɪ'væn] n divano.

divan bed n divano letto inv.

dive [daɪv] n tuffo; (of submarine) immersione f; (AVIAT) picchiata; (pej) buco ♦ vi tuffarsi.

diver ['daɪvə*] n tuffatore/trice; (deep-sea ~) palombaro.

diverge [daɪ'vɜːdʒ] vi divergere.

divergent [daɪ'vɜːdʒənt] adj divergente.

diverse [daɪ'vɜːs] adj vario(a).

diversification [daɪvɜːsɪfɪ'keɪʃən] n diversificazione f.

diversify [daɪ'vɜːsɪfaɪ] vt diversificare.

diversion [daɪ'vɜːʃən] n (BRIT AUT) deviazione f; (distraction) divertimento.

diversionary tactics [daɪ'vɜːʃənrɪ-] npl tattica fsg diversiva.

diversity [daɪ'vɜːsɪtɪ] n diversità f inv, varietà f inv.

divert [daɪ'vɜːt] vt (traffic, river) deviare; (train, plane) dirottare; (amuse) divertire.

divest [daɪ'vɛst] vt: **to ~ sb of** spogliare qn di.

divide [dɪ'vaɪd] vt dividere; (separate) separare ♦ vi dividersi; **to ~ (between or among)** dividere (tra), ripartire (tra); **40 ~d by 5** 40 diviso 5.

▶**divide out** vt: **to ~ out (between or among)** (sweets etc) distribuire (tra); (tasks) distribuire or ripartire (tra).

divided [dɪ'vaɪdɪd] adj (country) diviso(a); (opinions) discordi.

divided highway n (US) strada a doppia carreggiata.

divided skirt n gonna f pantalone inv.

dividend ['dɪvɪdɛnd] n dividendo.

dividend cover n rapporto dividendo profitti.

dividers [dɪ'vaɪdəz] npl compasso a punte fisse.

divine [dɪ'vaɪn] adj divino(a) ♦ vt (future) divinare, predire; (truth) indovinare; (water, metal) individuare tramite radioestesia.

diving ['daɪvɪŋ] n tuffo.

diving board n trampolino.

diving suit *n* scafandro.
divinity [dɪ'vɪnɪtɪ] *n* divinità *f* inv; teologia.
division [dɪ'vɪʒən] *n* divisione *f*;
    separazione *f*; (*BRIT FOOTBALL*) serie *f* inv;
    ~ **of labour** divisione *f* del lavoro.
divisive [dɪ'vaɪsɪv] *adj* che è causa di
    discordia.
divorce [dɪ'vɔːs] *n* divorzio ♦ *vt* divorziare
    da.
divorced [dɪ'vɔːst] *adj* divorziato(a).
divorcee [dɪvɔː'siː] *n* divorziato/a.
divot ['dɪvət] *n* (*GOLF*) zolla di terra
    (*sollevata accidentalmente*).
divulge [daɪ'vʌldʒ] *vt* divulgare, rivelare.
D.I.Y. *adj*, *n abbr* (*BRIT*) *see* **do-it-yourself.**
dizziness ['dɪzɪnɪs] *n* vertigini *fpl.*
dizzy ['dɪzɪ] *adj* (*height*) vertiginoso(a); **to
    make sb** ~ far girare la testa a qn; **to feel**
    ~ avere il capogiro; **I feel** ~ mi gira la
    testa, ho il capogiro.
DJ *n abbr see* **disc jockey.**
d.j. *n abbr* = **dinner jacket.**
Djakarta [dʒə'kɑːtə] *n* Giakarta.
DJIA *n abbr* (*US STOCK EXCHANGE*: = *Dow-
    Jones Industrial Average*) indice *m* Dow-
    Jones.
dl *abbr* (= *decilitre*) dl.
DLit(t) *n abbr* = *Doctor of Literature*; *Doctor of
    Letters.*
DLO *n abbr* = **dead-letter office.**
dm *abbr* (= *decimetre*) dm.
DMus *n abbr* = *Doctor of Music.*
DMZ *n abbr* (= *demilitarized zone*) zona
    smilitarizzata.
DNA *n abbr* (= *deoxyribonucleic acid*) DNA *m.*

===================== *KEYWORD*

do [duː] (*pt* **did**, *pp* **done**) *n* (*col: party etc*)
festa; **it was rather a grand** ~ è stato un
ricevimento piuttosto importante
    ♦ *vb* **1** (*in negative constructions*) *non
    tradotto*; **I don't understand** non capisco
2 (*to form questions*) *non tradotto*; **didn't
    you know?** non lo sapevi?; **why didn't you
    come?** perché non sei venuto?
3 (*for emphasis, in polite expressions*): **she
    does seem rather late** sembra essere
    piuttosto in ritardo; **I DO wish I could ...**
    magari potessi ...; **but I DO like it!** sì che
    mi piace!; ~ **sit down** si accomodi la
    prego, prego si sieda; ~ **take care!** mi
    raccomando, stai attento!
4 (*used to avoid repeating vb*): **she swims
    better than I** ~ lei nuota meglio di me; ~
    you agree? — **yes, I** ~/**no, I don't** sei
    d'accordo? — sì/no; **she lives in Glasgow
    — so** ~ **I** lei vive a Glasgow — anch'io; **he
    asked me to help him and I did** mi ha

chiesto di aiutarlo ed io l'ho fatto; **they
    come here often** — ~ **they?** vengono qui
    spesso — ah sì?, davvero?
5 (*in question tags*): **you like him, don't
    you?** ti piace, vero?; **I don't know him,** ~
    I? non lo conosco, vero?
    ♦ *vt* (*gen, carry out, perform etc*) fare; **what
    are you** ~**ing tonight?** che fai stasera?;
    what can I ~ **for you?** (*in shop*) desidera?;
    I'll ~ **all I can** farò tutto il possibile; **to** ~
    the cooking cucinare; **to** ~ **the washing-
    up** fare i piatti; **to** ~ **one's teeth** lavarsi i
    denti; **to** ~ **one's hair/nails** farsi i
    capelli/le unghie; **the car was** ~**ing 100** la
    macchina faceva i 100 all'ora; **how** ~ **you
    like your steak done?** come preferisce la
    bistecca?; **well done** ben cotto(a)
    ♦ *vi* **1** (*act, behave*) fare; ~ **as I** ~ faccia
    come me, faccia come faccio io; **what did
    he** ~ **with the cat?** che ne ha fatto del
    gatto?
2 (*get on, fare*) andare; **he's** ~**ing well/
    badly at school** va bene/male a scuola;
    how ~ **you** ~? piacere!
3 (*suit*) andare bene; **this room will** ~
    questa stanza va bene
4 (*be sufficient*) bastare; **will £10** ~?
    basteranno 10 sterline?; **that'll** ~ basta
    così; **that'll** ~! (*in annoyance*) ora basta!;
    to make ~ **(with)** arrangiarsi (con)
▶**do away with** *vt fus* (*kill*) far fuori;
    (*abolish*) abolire
▶**do for** *vt fus* (*BRIT col: clean for*) fare i
    servizi per
▶**do out of** *vt fus*: **to** ~ **sb out of sth**
    fregare qc a qn
▶**do up** *vt* (*laces*) allacciare; (*dress, buttons*)
    abbottonare; (*renovate: room, house*)
    rimettere a nuovo, rifare; **to** ~ **o.s. up**
    farsi bello(a)
▶**do with** *vt fus* (*need*) aver bisogno di; **I
    could** ~ **with some help/a drink** un aiuto/
    un bicchierino non guasterebbe; **it could**
    ~ **with a wash** una lavata non gli farebbe
    male; (*be connected*): **what has it got to** ~
    with you? e tu che c'entri?; **I won't have
    anything to** ~ **with it** non voglio avere
    niente a che farci; **it has to** ~ **with money**
    si tratta di soldi
▶**do without** *vi* fare senza ♦ *vt fus* fare a
    meno di.

do. *abbr* = **ditto.**
DOA *abbr* (= *dead on arrival*) morto(a)
    durante il trasporto.
d.o.b. *abbr* = *date of birth.*
doc [dɔk] *n* (*col*) dottore/essa.
docile ['dəʊsaɪl] *adj* docile.

dock [dɔk] n bacino; (wharf) molo; (LAW) banco degli imputati ♦ vi entrare in bacino ♦ vt (pay etc) decurtare.
dock dues npl diritti mpl di banchina.
docker ['dɔkə*] n scaricatore m.
docket ['dɔkɪt] n (on parcel etc) etichetta, cartellino.
dockyard ['dɔkjɑːd] n cantiere m navale.
doctor ['dɔktə*] n medico, dottore/essa; (PhD etc) dottore/essa ♦ vt (interfere with: food, drink) adulterare; (: text, document) alterare, manipolare; ~'s office (US) gabinetto medico, ambulatorio; D~ of Philosophy (PhD) dottorato di ricerca; (person) titolare m/f di un dottorato di ricerca.
doctorate ['dɔktərɪt] n dottorato.

Il **doctorate** è il riconoscimento accademico più prestigioso in tutti i campi del sapere e viene conferito in seguito alla presentazione di una tesi originale di fronte ad una commissione di esperti. Generalmente tale tesi è un compendio del lavoro svolto durante più anni di studi; vedi anche **Bachelor's degree, Master's degree.**

---

doctrine ['dɔktrɪn] n dottrina.
docudrama [dɔkju'drɑːmə] n (TV) ricostruzione f filmata.
document n ['dɔkjumənt] documento ♦ vt ['dɔkjumɛnt] documentare.
documentary [dɔkju'mɛntərɪ] adj documentario(a); (evidence) documentato(a) ♦ n documentario.
documentation [dɔkjumən'teɪʃən] n documentazione f.
DOD n abbr (US) = Department of Defense; see defence.
doddering ['dɔdərɪŋ] adj traballante.
doddery ['dɔdərɪ] adj malfermo(a).
doddle ['dɔdl] n: it's a ~ (col) è un gioco da ragazzi.
Dodecanese Islands [dəudikə'niːz-] npl Isole fpl del Dodecanneso.
dodge [dɔdʒ] n trucco; schivata ♦ vt schivare, eludere ♦ vi scansarsi; (SPORT) fare una schivata; to ~ out of the way scansarsi; to ~ through the traffic destreggiarsi nel traffico.
dodgems ['dɔdʒəmz] npl (BRIT) autoscontri mpl.
dodgy ['dɔdʒɪ] adj (col: uncertain) rischioso(a); (untrustworthy) sospetto(a).
DOE n abbr (BRIT: = Department of the Environment) ≈ Ministero dell'Ambiente; (US) = Department of Energy; see energy.
doe [dəu] n (deer) femmina di daino;

(rabbit) coniglia.
does [dʌz] see do.
doesn't ['dʌznt] = does not.
dog [dɔg] n cane m ♦ vt (follow closely) pedinare; (fig: memory etc) perseguitare; to go to the ~s (person) ridursi male, lasciarsi andare; (nation etc) andare in malora.
dog biscuits npl biscotti mpl per cani.
dog collar n collare m di cane; (fig) collarino.
dog-eared ['dɔgɪəd] adj (book) con orecchie.
dog food n cibo per cani.
dogged ['dɔgɪd] adj ostinato(a), tenace.
doggie, doggy ['dɔgɪ] n (col) cane m, cagnolino.
doggy bag n sacchetto per gli avanzi (da portare a casa).
dogma ['dɔgmə] n dogma m.
dogmatic [dɔg'mætɪk] adj dogmatico(a).
do-gooder [duː'gudə*] n (col pej): to be a ~ fare il filantropo.
dogsbody ['dɔgzbɔdɪ] n (BRIT) factotum m inv.
doily ['dɔɪlɪ] n centrino di carta sottopiatto.
doing ['duːɪŋ] n: this is your ~ è opera tua, sei stato tu.
doings ['duɪŋz] npl attività fpl.
do-it-yourself (DIY) ['duːɪtjɔː'sɛlf] n il far da sé.
doldrums ['dɔldrəmz] npl (fig): to be in the ~ essere giù; (business) attraversare un momento difficile.
dole [dəul] n (BRIT) sussidio di disoccupazione; to be on the ~ vivere del sussidio.
▶**dole out** vt distribuire.
doleful ['dəulful] adj triste, doloroso(a).
doll [dɔl] n bambola.
▶**doll up** vt: to ~ o.s. up farsi bello(a).
dollar ['dɔlə*] n dollaro.
dollop ['dɔləp] n (of food) cucchiaiata.
dolly ['dɔlɪ] n bambola.
dolphin ['dɔlfɪn] n delfino.
domain [də'meɪn] n dominio; (fig) campo, sfera.
dome [dəum] n cupola.
domestic [də'mɛstɪk] adj (duty, happiness, animal) domestico(a); (policy, affairs, flights) nazionale; (news) dall'interno.
domesticated [də'mɛstɪkeɪtɪd] adj addomesticato(a); (person) casalingo(a).
domesticity [dəumɛs'tɪsɪtɪ] n vita di famiglia.
domestic servant n domestico/a.
domicile ['dɔmɪsaɪl] n domicilio.
dominant ['dɔmɪnənt] adj dominante.

dominate ['dɔmɪneɪt] *vt* dominare.
domination [dɔmɪ'neɪʃən] *n* dominazione *f.*
domineering [dɔmɪ'nɪərɪŋ] *adj* dispotico(a),
autoritario(a).
Dominican Republic [də'mɪnɪkən-] *n*
Repubblica Dominicana.
dominion [də'mɪnɪən] *n* dominio; sovranità;
(*BRIT POL*) dominion *m inv.*
domino, **~es** ['dɔmɪnəu] *n* domino; **~es** *n*
(*game*) gioco del domino.
don [dɔn] *n* (*BRIT*) docente *m/f*
universitario(a) ♦ *vt* indossare.
donate [də'neɪt] *vt* donare.
donation [də'neɪʃən] *n* donazione *f.*
done [dʌn] *pp of* **do**.
donkey ['dɔŋkɪ] *n* asino.
donkey-work ['dɔŋkɪwəːk] *n* (*BRIT col*)
lavoro ingrato.
donor ['dəunə*] *n* donatore/trice.
donor card *n* tessera di donatore di
organi.
don't [dəunt] *vb* = **do not**.
donut ['dəunʌt] *n* (*US*) = **doughnut**.
doodle ['duːdl] *n* scarabocchio ♦ *vi*
scarabocchiare.
doom [duːm] *n* destino; rovina ♦ *vt*: **to be
~ed** (**to failure**) essere predestinato(a) (a
fallire).
doomsday ['duːmzdeɪ] *n* il giorno del
Giudizio.
door [dɔː*] *n* porta; (*of vehicle*) sportello,
portiera; **from ~ to ~** di porta in porta.
doorbell ['dɔːbɛl] *n* campanello.
door handle *n* maniglia.
doorman ['dɔːmæn] *n* (*in hotel*) portiere *m*
in livrea; (*in block of flats*) portinaio.
doormat ['dɔːmæt] *n* stuoia della porta.
doorstep ['dɔːstɛp] *n* gradino della porta.
door-to-door ['dɔːtə'dɔː*] *adj*: **~ selling**
vendita porta a porta.
doorway ['dɔːweɪ] *n* porta; **in the ~** nel
vano della porta.
dope [dəup] *n* (*col: drugs*) roba;
(: *information*) dati *mpl* ♦ *vt* (*horse etc*)
drogare.
dopey ['dəupɪ] *adj* (*col*) inebetito(a).
dormant ['dɔːmənt] *adj* inattivo(a); (*fig*)
latente.
dormer ['dɔːmə*] *n* (*also*: **~ window**)
abbaino.
dormice ['dɔːmaɪs] *npl of* **dormouse**.
dormitory ['dɔːmɪtrɪ] *n* dormitorio; (*US: hall
of residence*) casa dello studente.
dormouse, *pl* **dormice** ['dɔːmaus, -maɪs] *n*
ghiro.
Dors *abbr* (*BRIT*) = **Dorset**.
DOS [dɔs] *n abbr see* **disk operating system**.
dosage ['dəusɪdʒ] *n* (*on medicine bottle*)

posologia.
dose [dəus] *n* dose *f*; (*BRIT*: *bout*) attacco
♦ *vt*: **to ~ sb with sth** somministrare qc a
qn; **a ~ of flu** una bella influenza.
dosser ['dɔsə*] *n* (*BRIT col*) barbone/a.
doss house ['dɔs-] *n* (*BRIT*) asilo notturno.
dossier ['dɔsɪeɪ] *n* dossier *m inv.*
DOT *n abbr* (*US*) = **Department of
Transportation**; *see* **transportation**.
dot [dɔt] *n* punto; macchiolina ♦ *vt*: **~ted
with** punteggiato(a) di; **on the ~** in punto.
dot command *n* (*COMPUT*) dot command
m inv.
dote [dəut]: **to ~ on** *vt fus* essere
infatuato(a) di.
dot-matrix printer [dɔt'meɪtrɪks-] *n*
stampante *f* a matrice a punti.
dotted line ['dɔtɪd-] *n* linea punteggiata; **to
sign on the ~** firmare (nell'apposito
spazio); (*fig*) accettare.
dotty ['dɔtɪ] *adj* (*col*) strambo(a).
double ['dʌbl] *adj* doppio(a) ♦ *adv* (*fold*) in
due, doppio; (*twice*): **to cost ~** (**sth**)
costare il doppio (di qc) ♦ *n* sosia *m inv*;
(*CINE*) controfigura ♦ *vt* raddoppiare;
(*fold*) piegare doppio *or* in due ♦ *vi*
raddoppiarsi; **spelt with a ~ "l"** scritto
con due elle *or* con doppia elle; **~ five
two six (5526)** (*BRIT TEL*) cinque cinque
due sei; **on the ~**, (*BRIT*) **at the ~** a passo
di corsa; **to ~ as** (*have two uses etc*)
funzionare *or* servire anche da; *see also*
doubles.
▶**double back** *vi* (*person*) tornare sui
propri passi.
▶**double up** *vi* (*bend over*) piegarsi in due;
(*share room*) dividere la stanza.
double bass *n* contrabbasso.
double bed *n* letto matrimoniale.
double-breasted ['dʌbl'brɛstɪd] *adj* a
doppio petto.
double-check ['dʌbl'tʃɛk] *vt, vi*
ricontrollare.
double-clutch ['dʌbl'klʌtʃ] *vi* (*US*) fare la
doppietta.
double cream *n* (*BRIT*) doppia panna.
doublecross ['dʌbl'krɔs] *vt* fare il doppio
gioco con.
doubledecker ['dʌbl'dɛkə*] *n* autobus *m inv*
a due piani.
double declutch *vi* (*BRIT*) fare la
doppietta.
double exposure *n* (*PHOT*)
sovrimpressione *f.*
double glazing *n* (*BRIT*) doppi vetri *mpl.*
double-page ['dʌblpeɪdʒ] *adj*: **~ spread**
pubblicità a doppia pagina.
double parking *n* parcheggio in doppia

fila.

double room n camera per due.

doubles ['dʌblz] n (TENNIS) doppio.

double time n tariffa doppia per lavoro straordinario.

double whammy [-'wæmɪ] n doppia mazzata (fig).

doubly ['dʌblɪ] adv doppiamente.

doubt [daut] n dubbio ♦ vt dubitare di; **to ~ that** dubitare che + sub; **without (a) ~** senza dubbio; **beyond ~** fuor di dubbio; **I ~ it very much** ho i miei dubbi, nutro seri dubbi in proposito.

doubtful ['dautful] adj dubbioso(a), incerto(a); (person) equivoco(a); **to be ~ about sth** avere dei dubbi su qc, non essere convinto di qc; **I'm a bit ~** non ne sono sicuro.

doubtless ['dautlɪs] adv indubbiamente.

dough [dəu] n pasta, impasto; (col: money) grana.

doughnut, (US) **donut** ['dəunʌt] n bombolone m.

dour [duə*] adj arcigno(a).

douse [daus] vt (with water) infradiciare; (flames) spegnere.

dove [dʌv] n colombo/a.

Dover ['dəuvə*] n Dover f.

dovetail ['dʌvteɪl] n: **~ joint** incastro a coda di rondine ♦ vi (fig) combaciare.

dowager ['dauədʒə*] n vedova titolata.

dowdy ['daudɪ] adj trasandato(a); malvestito(a).

Dow-Jones average ['dau'dʒəunz-] n (US) indice m Dow-Jones.

down [daun] n (fluff) piumino; (hill) collina, colle m ♦ adv giù, di sotto ♦ prep giù per ♦ vt (col: drink) scolarsi; **~ there** laggiù, là in fondo; **~ here** quaggiù; **I'll be ~ in a minute** scendo tra un minuto; **the price of meat is ~** il prezzo della carne è sceso; **I've got it ~ in my diary** ce l'ho sulla mia agenda; **to pay £2 ~** dare 2 sterline in acconto or di anticipo; **I've been ~ with flu** sono stato a letto con l'influenza; **England is two goals ~** l'Inghilterra sta perdendo per due goal; **to ~ tools** (BRIT) incrociare le braccia; **~ with X!** abbasso X!

down-and-out ['daunəndaut] n (tramp) barbone m.

down-at-heel ['daunət'hi:l] adj scalcagnato(a); (fig) trasandato(a).

downbeat ['daunbi:t] n (MUS) tempo in battere ♦ adj (col) volutamente distaccato(a).

downcast ['daunkɑ:st] adj abbattuto(a).

downer ['daunə*] n (col: drug) farmaco

depressivo; **to be on a ~** (depressed) essere giù.

downfall ['daunfɔ:l] n caduta; rovina.

downgrade ['daungreid] vt (job, hotel) declassare; (employee) degradare.

downhearted [daun'hɑ:tɪd] adj scoraggiato(a).

downhill ['daun'hɪl] adv verso il basso ♦ n (SKI: also: **~ race**) discesa libera; **to go ~** andare in discesa; (business) andare a rotoli.

Downing Street ['daunɪŋ-] n: **lo ~** residenza del primo ministro inglese.

Downing Street è la via di Westminster che porta da Whitehall al parco di St James dove, al numero 10, si trova la residenza del primo ministro inglese. Nella stessa via, al numero 11, si trova la residenza del **Chancellor of the Exchequer**. Spesso l'espressione Downing Street è usata per indicare il governo britannico.

download ['daunləud] vt (COMPUT) trasferire (per esempio da un grosso calcolatore ad un microcalcolatore).

down-market ['daun'mɑ:kɪt] adj rivolto(a) ad una fascia di mercato inferiore.

down payment n acconto.

downplay ['daunpleɪ] vt (US) minimizzare.

downpour ['daunpɔ:*] n scroscio di pioggia.

downright ['daunraɪt] adj franco(a); (refusal) assoluto(a).

Downs [daunz] npl (BRIT): **the ~** colline ricche di gesso nel sud-est dell'Inghilterra.

downsize ['daun'saɪz] vt (workforce) ridurre.

Down's syndrome n sindrome f di Down.

downstairs ['daun'stɛəz] adv di sotto; al piano inferiore; **to come ~, go ~** scendere giù.

downstream ['daun'stri:m] adv a valle.

downtime ['dauntaɪm] n (COMM) tempi mpl morti.

down-to-earth ['dauntu'ə:θ] adj pratico(a).

downtown ['daun'taun] adv in città ♦ adj (US): **~ Chicago** il centro di Chicago.

downtrodden ['dauntrɔdn] adj oppresso(a).

down under adv agli antipodi.

downward ['daunwəd] adj in giù, in discesa; **a ~ trend** una diminuzione progressiva.

downward(s) ['daunwəd(z)] adv in giù, in discesa.

dowry ['daurɪ] n dote f.

doz. abbr = **dozen**.

doze [dəuz] *vi* sonnecchiare.
►**doze off** *vi* appisolarsi.
dozen ['dʌzn] *n* dozzina; **a ~ books** una
dozzina di libri; **80p a ~** 80 pence la
dozzina; **~s of times** centinaia *or* migliaia
di volte.
DPh, DPhil *n abbr* (= *Doctor of Philosophy*) ≈
dottorato di ricerca.
DPP *n abbr* (*BRIT*) *see* **Director of Public
Prosecutions.**
DPT *n abbr* (*MED*: = *diphtheria, pertussis,
tetanus*) *vaccino.*
DPW *n abbr* (*US*: = *Department of Public
Works*) ≈ Ministero dei Lavori Pubblici.
Dr, Dr. *abbr* (= *doctor*) Dr, Dott./Dott.ssa.
dr *abbr* (*COMM*) = **debtor.**
Dr. *abbr* (*in street names*) = **drive.**
drab [dræb] *adj* tetro(a), grigio(a).
draft [drɑːft] *n* abbozzo; (*COMM*) tratta; (*US
MIL*) contingente *m*; (: *call-up*) leva ♦ *vt*
abbozzare; (*document, report*) stendere (in
versione preliminare); *see also* **draught.**
drag [dræg] *vt* trascinare; (*river*) dragare
♦ *vi* trascinarsi ♦ *n* (*AVIAT, NAUT*)
resistenza (aerodinamica); (*col: person*)
noioso/a; (: *task*) noia; (*women's clothing*):
in ~ travestito (da donna).
►**drag away** *vt*: **to ~ away (from)** tirare
via (da).
►**drag on** *vi* tirar avanti lentamente.
dragnet ['drægnet] *n* giacchio; (*fig*)
rastrellamento.
dragon ['drægən] *n* drago.
dragonfly ['drægənflaɪ] *n* libellula.
dragoon [drə'guːn] *n* (*cavalryman*) dragone
m ♦ *vt*: **to ~ sb into doing sth** (*BRIT*)
costringere qn a fare qc.
drain [dreɪn] *n* canale *m* di scolo; (*for
sewage*) fogna; (*on resources*) salasso ♦ *vt*
(*land, marshes*) prosciugare; (*vegetables*)
scolare; (*reservoir etc*) vuotare ♦ *vi* (*water*)
defluire; **to feel ~ed** sentirsi svuotato(a),
sentirsi sfinito(a).
drainage ['dreɪnɪdʒ] *n* prosciugamento;
fognatura.
draining board ['dreɪnɪŋ-], **drainboard**
(*US*) ['dreɪnbɔːd] *n* piano del lavello.
drainpipe ['dreɪnpaɪp] *n* tubo di scarico.
drake [dreɪk] *n* maschio dell'anatra.
dram [dræm] *n* bicchierino (di whisky *etc*).
drama ['drɑːmə] *n* (*art*) dramma *m*, teatro;
(*play*) commedia; (*event*) dramma.
dramatic [drə'mætɪk] *adj* drammatico(a).
dramatically [drə'mætɪklɪ] *adv* in modo
spettacolare.
dramatist ['dræmətɪst] *n* drammaturgo/a.
dramatize ['dræmətaɪz] *vt* (*events etc*)
drammatizzare; (*adapt: novel: for TV*)

ridurre *or* adattare per la televisione;
(: *for cinema*) ridurre *or* adattare per lo
schermo.
drank [dræŋk] *pt of* **drink.**
drape [dreɪp] *vt* drappeggiare; *see also*
drapes.
draper ['dreɪpə*] *n* (*BRIT*) negoziante *m/f* di
stoffe.
drapes [dreɪps] *npl* (*US*) tende *fpl.*
drastic ['dræstɪk] *adj* drastico(a).
drastically ['dræstɪklɪ] *adv* drasticamente.
draught, (*US*) **draft** [drɑːft] *n* corrente *f*
d'aria; (*NAUT*) pescaggio; **on ~** (*beer*) alla
spina; *see also* **draughts.**
draught beer *n* birra alla spina.
draughtboard ['drɑːftbɔːd] *n* scacchiera.
draughts [drɑːfts] *n* (*BRIT*) (gioco della)
dama.
draughtsman, (*US*) **draftsman**
['drɑːftsmən] *n* disegnatore *m.*
draughtsmanship, (*US*) **draftsmanship**
['drɑːftsmənʃɪp] *n* disegno tecnico; (*skill*)
arte *f* del disegno.
draw [drɔː] *vb* (*pt* **drew,** *pp* **drawn** [druː,
drɔːn]) *vt* tirare; (*attract*) attirare; (*picture*)
disegnare; (*line, circle*) tracciare; (*money*)
ritirare; (*formulate: conclusion*) trarre,
ricavare; (: *comparison, distinction*): **to ~
(between)** fare (tra) ♦ *vi* (*SPORT*)
pareggiare ♦ *n* (*SPORT*) pareggio; (*in
lottery*) estrazione *f*; (*attraction*) attrazione
f; **to ~ to a close** avvicinarsi alla
conclusione; **to ~ near** *vi* avvicinarsi.
►**draw back** *vi*: **to ~ back (from)**
indietreggiare (di fronte a), tirarsi
indietro (di fronte a).
►**draw in** *vi* (*BRIT: car*) accostarsi; (: *train*)
entrare in stazione.
►**draw on** *vt* (*resources*) attingere a;
(*imagination, person*) far ricorso a.
►**draw out** *vi* (*lengthen*) allungarsi ♦ *vt*
(*money*) ritirare.
►**draw up** *vi* (*stop*) arrestarsi, fermarsi
♦ *vt* (*document*) compilare; (*plans*)
formulare.
drawback ['drɔːbæk] *n* svantaggio,
inconveniente *m.*
drawbridge ['drɔːbrɪdʒ] *n* ponte *m* levatoio.
drawee [drɔː'iː] *n* trattario.
drawer [drɔː*] *n* cassetto; ['drɔːə*] (*of
cheque*) riscuotitore/trice.
drawing ['drɔːɪŋ] *n* disegno.
drawing board *n* tavola da disegno.
drawing pin *n* (*BRIT*) puntina da disegno.
drawing room *n* salotto.
drawl [drɔːl] *n* pronuncia strascicata.
drawn [drɔːn] *pp of* **draw** ♦ *adj* (*haggard: with
tiredness*) tirato(a); (: *with pain*)

contratto(a) (dal dolore).

drawstring ['drɔːstrɪŋ] *n* laccio (*per stringere maglie, sacche etc*).

dread [drɛd] *n* terrore *m* ♦ *vt* tremare all'idea di.

dreadful ['drɛdful] *adj* terribile; **I feel ~**! (*ill*) mi sento uno straccio!; (*ashamed*) vorrei scomparire (dalla vergogna)!

dream [driːm] *n* sogno ♦ *vt, vi* (*pt, pp* **dreamed** *or* **dreamt** [drɛmt]) sognare; **to have a ~ about sb/sth** fare un sogno su qn/qc; **sweet ~s!** sogni d'oro!
►**dream up** *vt* (*reason, excuse*) inventare; (*plan, idea*) escogitare.

dreamer ['driːmə*] *n* sognatore/trice.

dreamt [drɛmt] *pt, pp of* **dream**.

dreamy ['driːmɪ] *adj* (*look, voice*) sognante; (*person*) distratto(a), sognatore(trice).

dreary ['drɪərɪ] *adj* tetro(a); monotono(a).

dredge [drɛdʒ] *vt* dragare.
►**dredge up** *vt* tirare alla superficie; (*fig: unpleasant facts*) rivangare.

dredger ['drɛdʒə*] *n* draga; (*BRIT: also:* **sugar ~**) spargizucchero *m inv*.

dregs [drɛgz] *npl* feccia.

drench [drɛntʃ] *vt* inzuppare; **~ed to the skin** bagnato(a) fino all'osso, bagnato(a) fradicio(a).

dress [drɛs] *n* vestito; (*clothing*) abbigliamento ♦ *vt* vestire; (*wound*) fasciare; (*food*) condire; preparare; (*shop window*) allestire ♦ *vi* vestirsi; **to ~ o.s., to get ~ed** vestirsi; **she ~es very well** veste molto bene.
►**dress up** *vi* vestirsi a festa; (*in fancy dress*) vestirsi in costume.

dress circle *n* prima galleria.

dress designer *n* disegnatore/trice di moda.

dresser ['drɛsə*] *n* (*THEAT*) assistente *m/f* del camerino; (*also:* **window ~**) vetrinista *m/f*; (*furniture*) credenza.

dressing ['drɛsɪŋ] *n* (*MED*) benda; (*CULIN*) condimento.

dressing gown *n* (*BRIT*) vestaglia.

dressing room *n* (*THEAT*) camerino; (*SPORT*) spogliatoio.

dressing table *n* toilette *f inv*.

dressmaker ['drɛsmeɪkə*] *n* sarta.

dressmaking ['drɛsmeɪkɪŋ] *n* sartoria; confezioni *fpl* per donna.

dress rehearsal *n* prova generale.

dress shirt *n* camicia da sera.

dressy ['drɛsɪ] *adj* (*col*) elegante.

drew [druː] *pt of* **draw**.

dribble ['drɪbl] *vi* gocciolare; (*baby*) sbavare; (*FOOTBALL*) dribblare ♦ *vt* dribblare.

dried [draɪd] *adj* (*fruit, beans*) secco(a); (*eggs, milk*) in polvere.

drier ['draɪə*] *n* = **dryer**.

drift [drɪft] *n* (*of current etc*) direzione *f*; forza; (*of sand, snow*) cumulo; (*general meaning*) senso ♦ *vi* (*boat*) essere trasportato(a) dalla corrente; (*sand, snow*) ammucchiarsi; **to catch sb's ~** capire dove qn vuole arrivare; **to let things ~** lasciare che le cose vadano come vogliono; **to ~ apart** (*friends*) perdersi di vista; (*lovers*) allontanarsi l'uno dall'altro.

drifter ['drɪftə*] *n* persona che fa una vita da zingaro.

driftwood ['drɪftwud] *n* resti *mpl* della mareggiata.

drill [drɪl] *n* trapano; (*MIL*) esercitazione *f* ♦ *vt* trapanare; (*soldiers*) esercitare, addestrare; (*pupils: in grammar*) fare esercitare ♦ *vi* (*for oil*) fare trivellazioni.

drilling ['drɪlɪŋ] *n* (*for oil*) trivellazione *f*.

drilling rig *n* (*on land*) torre *f* di perforazione; (*at sea*) piattaforma (per trivellazioni subacquee).

drily ['draɪlɪ] *adv* = **dryly**.

drink [drɪŋk] *n* bevanda, bibita ♦ *vt, vi* (*pt* **drank**, *pp* **drunk** [dræŋk, drʌŋk]) bere; **to have a ~** bere qualcosa; **a ~ of water** un bicchier d'acqua; **would you like something to ~?** vuole qualcosa da bere?; **we had ~s before lunch** abbiamo preso l'aperitivo.
►**drink in** *vt* (*subj: person: fresh air*) aspirare; (*: story*) ascoltare avidamente; (*: sight*) ammirare, bersi con gli occhi.

drinkable ['drɪŋkəbl] *adj* (*not poisonous*) potabile; (*palatable*) bevibile.

drink-driving ['drɪŋk'draɪvɪŋ] *n* guida in stato di ebbrezza.

drinker ['drɪŋkə*] *n* bevitore/trice.

drinking ['drɪŋkɪŋ] *n* (*drunkenness*) il bere, alcoolismo.

drinking fountain *n* fontanella.

drinking water *n* acqua potabile.

drip [drɪp] *n* goccia; (~*ping*) sgocciolio; (*MED*) fleboclisi *f inv*; (*col: spineless person*) lavativo ♦ *vi* gocciolare; (*washing*) sgocciolare; (*wall*) trasudare.

drip-dry ['drɪp'draɪ] *adj* (*shirt*) che non si stira.

drip-feed ['drɪpfiːd] *vt* alimentare mediante fleboclisi.

dripping ['drɪpɪŋ] *n* (*CULIN*) grasso d'arrosto ♦ *adj*: ~ **wet** fradicio(a).

drive [draɪv] *n* passeggiata *or* giro in macchina; (*also:* ~**way**) viale *m* d'accesso; (*energy*) energia; (*PSYCH*) impulso;

bisogno; (*push*) sforzo eccezionale; campagna; (*SPORT*) drive *m inv*; (*TECH*) trasmissione *f*; (*COMPUT: also*: **disk** ~) disk drive *m inv*, unità *f inv* a dischi magnetici ♦ *vb* (*pt* **drove**, *pp* **driven** [drəuv, 'drɪvn]) *vt* (*vehicle*) guidare; (*nail*) piantare; (*push*) cacciare, spingere; (*TECH: motor*) azionare; far funzionare ♦ *vi* (*AUT: at controls*) guidare; (: *travel*) andare in macchina; **to go for a** ~ andare a fare un giro in macchina; **it's 3 hours'** ~ **from London** è a 3 ore di macchina da Londra; **left-/right-hand** ~ (*AUT*) guida a sinistra/destra; **front-/rear-wheel** ~ (*AUT*) trazione *f* anteriore/posteriore; **to** ~ **sb to (do) sth** spingere qn a (fare) qc; **he** ~**s a taxi** fa il tassista; **to** ~ **at 50 km an hour** guidare *or* andare a 50 km all'ora.
▶**drive at** *vt fus* (*fig: intend, mean*) mirare a, voler dire.
▶**drive on** *vi* proseguire, andare (più) avanti ♦ *vt* (*incite, encourage*) sospingere, spingere.
drive-by ['draɪvbaɪ] *n* (*also*: ~ **shooting**) sparatoria dalla macchina; **he was killed in a** ~ **shooting** lo hanno ammazzato sparandogli da una macchina in corsa.
drive-in ['draɪvɪn] *adj*, *n* (*esp US*) drive-in (*m inv*).
drive-in window *n* (*US*) sportello di drive-in.
drivel ['drɪvl] *n* (*col: nonsense*) ciance *fpl*.
driven ['drɪvn] *pp of* **drive**.
driver ['draɪvə*] *n* conducente *m/f*; (*of taxi*) tassista *m*; (*of bus*) autista *m*.
driver's license *n* (*US*) patente *f* di guida.
driveway ['draɪvweɪ] *n* viale *m* d'accesso.
driving ['draɪvɪŋ] *adj*: ~ **rain** pioggia sferzante ♦ *n* guida.
driving force *n* forza trainante.
driving instructor *n* istruttore/trice di scuola guida.
driving lesson *n* lezione *f* di guida.
driving licence *n* (*BRIT*) patente *f* di guida.
driving school *n* scuola *f* guida *inv*.
driving test *n* esame *m* di guida.
drizzle ['drɪzl] *n* pioggerella ♦ *vi* piovigginare.
droll [drəul] *adj* buffo(a).
dromedary ['drɔmədərɪ] *n* dromedario.
drone [drəun] *n* ronzio; (*male bee*) fuco ♦ *vi* (*bee, aircraft, engine*) ronzare; (*also*: ~ **on**: *person*) continuare a parlare (in modo monotono); (: *voice*) continuare a ronzare.
drool [druːl] *vi* sbavare; **to** ~ **over sb/sth** (*fig*) andare in estasi per qn/qc.
droop [druːp] *vi* abbassarsi; languire.
drop [drɔp] *n* goccia; (*fall: in price*) calo,

ribasso; (: *in salary*) riduzione *f*, taglio; (*also*: **parachute** ~) lancio; (*steep incline*) salto ♦ *vt* lasciar cadere; (*voice, eyes, price*) abbassare; (*set down from car*) far scendere ♦ *vi* cascare; (*decrease: wind, temperature, price, voice*) calare; (*numbers, attendance*) diminuire; ~**s** *npl* (*MED*) gocce *fpl*; **cough** ~**s** pastiglie *fpl* per la tosse; **a** ~ **of 10%** un calo del 10%; **to** ~ **sb a line** mandare due righe a qn; **to** ~ **anchor** gettare l'ancora.
▶**drop in** *vi* (*col: visit*): **to** ~ **in (on)** fare un salto (da), passare (da).
▶**drop off** *vi* (*sleep*) addormentarsi ♦ *vt*: **to** ~ **sb off** far scendere qn.
▶**drop out** *vi* (*withdraw*) ritirarsi; (*student etc*) smettere di studiare.
droplet ['drɔplɪt] *n* gocciolina.
dropout ['drɔpaut] *n* (*from society/university*) chi ha abbandonato (la società/gli studi).
dropper ['drɔpə*] *n* (*MED etc*) contagocce *m inv*.
droppings ['drɔpɪŋz] *npl* sterco.
dross [drɔs] *n* scoria; scarto.
drought [draut] *n* siccità *f inv*.
drove [drəuv] *pt of* **drive** ♦ *n*: ~**s of people** una moltitudine di persone.
drown [draun] *vt* affogare; (*also*: ~ **out**: *sound*) coprire ♦ *vi* affogare.
drowse [drauz] *vi* sonnecchiare.
drowsy ['drauzɪ] *adj* sonnolento(a), assonnato(a).
drudge [drʌdʒ] *n* (*person*) uomo/donna di fatica; (*job*) faticaccia.
drudgery ['drʌdʒərɪ] *n* fatica improba; **housework is sheer** ~ le faccende domestiche sono alienanti.
drug [drʌg] *n* farmaco; (*narcotic*) droga ♦ *vt* drogare; **he's on** ~**s** si droga; (*MED*) segue una cura.
drug abuser [-ə'bjuːzə*] *n* chi fa uso di droghe.
drug addict *n* tossicomane *m/f*.
druggist ['drʌgɪst] *n* (*US*) farmacista *m/f*.
drug peddler *n* spacciatore/trice di droga.
drugstore ['drʌgstɔ:*] *n* (*US*) *negozio di generi vari e di articoli di farmacia con un bar*.
drum [drʌm] *n* tamburo; (*for oil, petrol*) fusto ♦ *vt*: **to** ~ **one's fingers on the table** tamburellare con le dita sulla tavola; ~**s** *npl* (*MUS*) batteria.
▶**drum up** *vt* (*enthusiasm, support*) conquistarsi.
drummer ['drʌmə*] *n* batterista *m/f*.
drum roll *n* rullio di tamburi.
drumstick ['drʌmstɪk] *n* (*MUS*) bacchetta; (*chicken leg*) coscia di pollo.

drunk [drʌŋk] *pp of* **drink** ♦ *adj* ubriaco(a); ebbro(a) ♦ *n* ubriacone/a; **to get ~** ubriacarsi, prendere una sbornia.

drunkard ['drʌŋkəd] *n* ubriacone/a.

drunken ['drʌŋkən] *adj* ubriaco(a); da ubriaco; **~ driving** guida in stato di ebbrezza.

drunkenness ['drʌŋkənnɪs] *n* ubriachezza; ebbrezza.

dry [draɪ] *adj* secco(a); (*day, clothes, fig: humour*) asciutto(a); (*uninteresting: lecture, subject*) poco avvincente ♦ *vt* seccare; (*clothes, hair, hands*) asciugare ♦ *vi* asciugarsi; **on ~ land** sulla terraferma; **to ~ one's hands/hair/eyes** asciugarsi le mani/i capelli/gli occhi.

▶**dry up** *vi* seccarsi; (*source of supply*) esaurirsi; (*fig: imagination etc*) inaridirsi; (*fall silent: speaker*) azzittirsi.

dry-clean [draɪ'kliːn] *vt* pulire *or* lavare a secco.

dry-cleaner's [draɪ'kliːnəz] *n* lavasecco *m inv*.

dry-cleaning [draɪ'kliːnɪŋ] *n* pulitura a secco.

dry dock *n* (*NAUT*) bacino di carenaggio.

dryer ['draɪə*] *n* (*for hair*) föhn *m inv*, asciugacapelli *m inv*; (*for clothes*) asciugabiancheria *m inv.*

dry goods *npl* (*COMM*) tessuti *mpl* e mercerie *fpl.*

dry goods store *n* (*US*) negozio di stoffe.

dry ice *n* ghiaccio secco.

dryly ['draɪlɪ] *adv* con fare asciutto.

dryness ['draɪnɪs] *n* secchezza; (*of ground*) aridità.

dry rot *n* fungo del legno.

dry run *n* (*fig*) prova.

dry ski slope *n* pista artificiale.

DSc *n abbr* (= *Doctor of Science*) *titolo di studio.*

DSS *n abbr* (*BRIT*) = **Department of Social Security**; *see* **social security**.

DST *abbr* (*US*) = **Daylight Saving Time**.

DT *n abbr* (*COMPUT*) = **data transmission**.

DTI *n abbr* (*BRIT*) = **Department of Trade and Industry**; *see* **trade**.

DTP *n abbr* = **desktop publishing**.

DT's *n abbr* (*col*) = **delirium tremens**.

dual ['djuəl] *adj* doppio(a).

dual carriageway *n* (*BRIT*) strada a doppia carreggiata.

dual-control ['djuəlkən'trəul] *adj* con doppi comandi.

dual nationality *n* doppia nazionalità.

dual-purpose ['djuəl'pəːpəs] *adj* a doppio uso.

dubbed [dʌbd] *adj* (*CINE*) doppiato(a);

(*nicknamed*) soprannominato(a).

dubious ['djuːbɪəs] *adj* dubbio(a); (*character, manner*) ambiguo(a), equivoco(a); **I'm very ~ about it** ho i miei dubbi in proposito.

Dublin ['dʌblɪn] *n* Dublino *f.*

Dubliner ['dʌblɪnə*] *n* dublinese *m/f.*

duchess ['dʌtʃɪs] *n* duchessa.

duck [dʌk] *n* anatra ♦ *vi* abbassare la testa ♦ *vt* spingere sotto (acqua).

duckling ['dʌklɪŋ] *n* anatroccolo.

duct [dʌkt] *n* condotto; (*ANAT*) canale *m.*

dud [dʌd] *n* (*shell*) proiettile *m* che fa cilecca; (*object, tool*): **it's a ~** è inutile, non funziona ♦ *adj* (*BRIT: cheque*) a vuoto; (*note, coin*) falso(a).

due [djuː] *adj* dovuto(a); (*expected*) atteso(a); (*fitting*) giusto(a) ♦ *n* dovuto ♦ *adv*: **~ north** diritto verso nord; **~s** *npl* (*for club, union*) quota; (*in harbour*) diritti *mpl* di porto; **in ~ course** a tempo debito; finalmente; **~ to** dovuto a; a causa di; **the rent's ~ on the 30th** l'affitto scade il 30; **the train is ~ at 8** il treno è atteso per le 8; **she is ~ back tomorrow** dovrebbe essere di ritorno domani; **I am ~ 6 days' leave** mi spettano 6 giorni di ferie.

due date *n* data di scadenza.

duel ['djuəl] *n* duello.

duet [djuː'ɛt] *n* duetto.

duff [dʌf] *adj* (*BRIT col*) barboso(a).

duffelbag, duffle bag ['dʌflbæg] *n* sacca da viaggio di tela.

duffelcoat, duffle coat ['dʌflkəut] *n* montgomery *m inv.*

duffer ['dʌfə*] *n* (*col*) schiappa.

dug [dʌg] *pt, pp of* **dig**.

dugout ['dʌgaut] *n* (*FOOTBALL*) panchina.

duke [djuːk] *n* duca *m.*

dull [dʌl] *adj* (*boring*) noioso(a); (*slow-witted*) ottuso(a); (*sound, pain*) sordo(a); (*weather, day*) fosco(a), scuro(a); (*blade*) smussato(a) ♦ *vt* (*pain, grief*) attutire; (*mind, senses*) intorpidire.

duly ['djuːlɪ] *adv* (*on time*) a tempo debito; (*as expected*) debitamente.

dumb [dʌm] *adj* muto(a); (*stupid*) stupido(a); **to be struck ~** (*fig*) ammutolire, restare senza parole.

dumbbell ['dʌmbɛl] *n* (*SPORT*) manubrio, peso.

dumbfounded [dʌm'faundɪd] *adj* stupito(a), stordito(a).

dummy ['dʌmɪ] *n* (*tailor's model*) manichino; (*SPORT*) finto; (*BRIT: for baby*) tettarella ♦ *adj* falso(a), finto(a).

dummy run *n* giro di prova.

dump [dʌmp] *n* mucchio di rifiuti; (*place*)

luogo di scarico; (*MIL*) deposito; (*COMPUT*) scaricamento, dump *m inv* ♦ *vt* (*put down*) scaricare; mettere giù; (*get rid of*) buttar via; (*COMM: goods*) svendere; (*COMPUT*) scaricare; **to be (down) in the ~s** (*col*) essere giù di corda.

dumping ['dʌmpɪŋ] *n* (*ECON*) dumping *m*; (*of rubbish*): *"no ~"* "vietato lo scarico".

dumpling ['dʌmplɪŋ] *n specie di gnocco.*

dumpy ['dʌmpɪ] *adj* tracagnotto(a).

dunce [dʌns] *n* asino.

dune [djuːn] *n* duna.

dung [dʌŋ] *n* concime *m*.

dungarees [dʌŋgə'riːz] *npl* tuta.

dungeon ['dʌndʒən] *n* prigione *f* sotterranea.

dunk [dʌŋk] *vt* inzuppare.

duo ['djuːəu] *n* (*gen*, *MUS*) duo *m inv.*

duodenal [djuːəu'diːnl] *adj* (*ulcer*) duodenale.

duodenum [djuːəu'diːnəm] *n* duodeno.

dupe [djuːp] *vt* gabbare, ingannare.

duplex ['djuːplɛks] *n* (*US: also:* ~ **apartment**) appartamento su due piani.

duplicate *n* ['djuːplɪkət] doppio; (*copy of letter etc*) duplicato ♦ *vt* ['djuːplɪkeɪt] raddoppiare; (*on machine*) ciclostilare ♦ *adj* (*copy*) conforme, esattamente uguale; **in** ~ in duplice copia; ~ **key** duplicato (della chiave).

duplicating machine ['djuːplɪkeɪtɪŋ-], **duplicator** ['djuːplɪkeɪtə*] *n* duplicatore *m*.

duplicity [djuː'plɪsɪtɪ] *n* doppiezza, duplicità.

Dur. *abbr* (*BRIT*) = Durham.

durability [djuərə'bɪlɪtɪ] *n* durevolezza; resistenza.

durable ['djuərəbl] *adj* durevole; (*clothes, metal*) resistente.

duration [djuə'reɪʃən] *n* durata.

duress [djuə'rɛs] *n*: **under** ~ sotto costrizione.

Durex ® ['djuərɛks] *n* (*BRIT*) preservativo.

during ['djuərɪŋ] *prep* durante, nel corso di.

dusk [dʌsk] *n* crepuscolo.

dusky ['dʌskɪ] *adj* scuro(a).

dust [dʌst] *n* polvere *f* ♦ *vt* (*furniture*) spolverare; (*cake etc*): **to** ~ **with** cospargere con.

▶**dust off** *vt* rispolverare.

dustbin ['dʌstbɪn] *n* (*BRIT*) pattumiera.

duster ['dʌstə*] *n* straccio per la polvere.

dust jacket *n* sopraccoperta.

dustman ['dʌstmən] *n* (*BRIT*) netturbino.

dustpan ['dʌstpæn] *n* pattumiera.

dusty ['dʌstɪ] *adj* polveroso(a).

Dutch [dʌtʃ] *adj* olandese ♦ *n* (*LING*)

olandese *m* ♦ *adv*: **to go** ~ *or* **d~** fare alla romana; **the** ~ gli Olandesi.

Dutch auction *n* asta all'olandese.

Dutchman ['dʌtʃmən], **Dutchwoman** ['dʌtʃwumən] *n* olandese *m/f.*

dutiable ['djuːtɪəbl] *adj* soggetto(a) a dazio.

dutiful ['djuːtɪful] *adj* (*child*) rispettoso(a); (*husband*) premuroso(a); (*employee*) coscienzioso(a).

duty ['djuːtɪ] *n* dovere *m*; (*tax*) dazio, tassa; **duties** *npl* mansioni *fpl*; **on** ~ di servizio; (*MED: in hospital*) di guardia; **off** ~ libero(a), fuori servizio; **to make it one's** ~ **to do sth** assumersi l'obbligo di fare qc; **to pay** ~ **on sth** pagare il dazio su qc.

duty-free ['djuːtɪ'friː] *adj* esente da dazio; ~ **shop** duty free *m inv.*

duty officer *n* (*MIL etc*) ufficiale *m* di servizio.

duvet ['duːveɪ] *n* piumino, piumone *m.*

DV *abbr* (= *Deo volente*) D.V.

DVLA *n abbr* (= *Driver and Vehicle Licensing Authority*) ≈ I.M.C.T.C. *m* (= *Ispettorato Generale della Motorizzazione Civile e dei Trasporti in Concessione*).

DVLC *n abbr* (*BRIT: = Driver and Vehicle Licensing Office*) ≈ I.M.C.T.C. *m.*

DVM *n abbr* (*US: = Doctor of Veterinary Medicine*) *titolo di studio.*

dwarf [dwɔːf] *n* nano/a ♦ *vt* far apparire piccolo.

dwell, *pt*, *pp* **dwelt** [dwɛl, dwɛlt] *vi* dimorare.

▶**dwell on** *vt fus* indugiare su.

dweller ['dwɛlə*] *n* abitante *m/f*; **city** ~ cittadino/a.

dwelling ['dwɛlɪŋ] *n* dimora.

dwelt [dwɛlt] *pt*, *pp of* **dwell.**

dwindle ['dwɪndl] *vi* diminuire, decrescere.

dwindling ['dwɪndlɪŋ] *adj* (*strength, interest*) che si affievolisce; (*resources, supplies*) in diminuzione.

dye [daɪ] *n* colore *m*; (*chemical*) colorante *m*, tintura ♦ *vt* tingere; **hair** ~ tinta per capelli.

dyestuffs ['daɪstʌfs] *npl* coloranti *mpl.*

dying ['daɪɪŋ] *adj* morente, moribondo(a).

dyke [daɪk] *n* diga; (*channel*) canale *m* di scolo; (*causeway*) sentiero rialzato.

dynamic [daɪ'næmɪk] *adj* dinamico(a).

dynamics [daɪ'næmɪks] *n or npl* dinamica.

dynamite ['daɪnəmaɪt] *n* dinamite *f* ♦ *vt* far saltare con la dinamite.

dynamo ['daɪnəməu] *n* dinamo *f inv.*

dynasty ['dɪnəstɪ] *n* dinastia.

dysentery ['dɪsntrɪ] *n* dissenteria.

dyslexia [dɪs'lɛksɪə] *n* dislessia.

dyslexic [dɪs'lɛksɪk] *adj, n* dislessico(a).

dyspepsia [dɪs'pɛpsɪə] n dispepsia.
dystrophy ['dɪstrəfɪ] n distrofia; **muscular ~** distrofia muscolare.

E e

E, e [iː] n (letter) E, e f or m inv; (MUS): **E** mi m; **E for Edward,** (US) **E for Easy** ≈ E come Empoli.
E abbr (= east) E ♦ n abbr (= Ecstasy) ecstasy f inv.
E111 n abbr (also: **form ~**) E111 (modulo CEE per rimborso spese mediche).
ea. abbr = **each**.
E.A. n abbr (US) = educational age.
each [iːtʃ] adj ogni, ciascuno(a) ♦ pron ciascuno(a), ognuno(a); **~ one** ognuno(a); **~ other** si (or ci etc); **they hate ~ other** si odiano (l'un l'altro); **you are jealous of ~ other** siete gelosi l'uno dell'altro; **~ day** ogni giorno; **they have 2 books ~** hanno 2 libri ciascuno; **they cost £5 ~** costano 5 sterline l'uno; **~ of us** ciascuno or ognuno di noi.
eager ['iːgə*] adj impaziente; desideroso(a); ardente; (keen: pupil) appassionato(a), attento(a); **to be ~ to do sth** non veder l'ora di fare qc; essere desideroso di fare qc; **to be ~ for** essere desideroso di, aver gran voglia di.
eagle ['iːgl] n aquila.
E and OE abbr (= errors and omissions excepted) S.E.O.
ear [ɪə*] n orecchio; (of corn) pannocchia; **up to the ~s in debt** nei debiti fino al collo.
earache ['ɪəreɪk] n mal m d'orecchi.
eardrum ['ɪədrʌm] n timpano.
earful ['ɪəful] n: **to give sb an ~** fare una ramanzina a qn.
earl [əːl] n conte m.
earlier ['əːlɪə*] adj (date etc) anteriore; (edition etc) precedente, anteriore ♦ adv prima; **I can't come any ~** non posso venire prima.
early ['əːlɪ] adv presto, di buon'ora; (ahead of time) in anticipo ♦ adj precoce; anticipato(a); che si fa vedere di buon'ora; (man) primitivo(a); (Christians, settlers) primo(a); **~ in the morning/afternoon** nelle prime ore del mattino/del

pomeriggio; **you're ~!** sei in anticipo!; **have an ~ night/start** vada a letto/parta presto; **in the ~ or ~ in the spring/19th century** all'inizio della primavera/dell'Ottocento; **she's in her ~ forties** ha appena passato la quarantina; **at your earliest convenience** (COMM) non appena possibile.
early retirement n ritiro anticipato.
early warning system n sistema m del preallarme.
earmark ['ɪəmɑːk] vt: **to ~ sth for** destinare qc a.
earn [əːn] vt guadagnare; (rest, reward) meritare; (COMM: yield) maturare; **to ~ one's living** guadagnarsi da vivere; **this ~ed him much praise, he ~ed much praise for this** si è attirato grandi lodi per questo.
earned income n reddito da lavoro.
earnest ['əːnɪst] adj serio(a) ♦ n (also: **~ money**) caparra; **in ~** adv sul serio.
earnings ['əːnɪŋz] npl guadagni mpl; (of company etc) proventi mpl; (salary) stipendio.
ear, nose and throat specialist n otorinolaringoiatra m/f.
earphones ['ɪəfəunz] npl cuffia.
earplugs ['ɪəplʌgz] npl tappi mpl per le orecchie.
earring ['ɪərɪŋ] n orecchino.
earshot ['ɪəʃɔt] n: **out of/within ~** fuori portata/a portata d'orecchio.
earth [əːθ] n (gen, also BRIT ELEC) terra; (of fox etc) tana ♦ vt (BRIT ELEC) mettere a terra.
earthenware ['əːθənwɛə*] n terracotta; stoviglie fpl di terracotta ♦ adj di terracotta.
earthly ['əːθlɪ] adj terreno(a); **~ paradise** paradiso terrestre; **there is no ~ reason to think ...** non vi è ragione di pensare ....
earthquake ['əːθkweɪk] n terremoto.
earth-shattering ['əːθʃætərɪŋ] adj stupefacente.
earth tremor n scossa sismica.
earthworks ['əːθwəːks] npl lavori mpl di sterro.
earthworm ['əːθwəːm] n lombrico.
earthy ['əːθɪ] adj (fig) grossolano(a).
earwax ['ɪəwæks] n cerume m.
earwig ['ɪəwɪg] n forbicina.
ease [iːz] n agio, comodo ♦ vt (soothe) calmare; (loosen) allentare ♦ vi (situation) allentarsi, distendersi; **life of ~** vita comoda; **with ~** senza difficoltà; **at ~** a proprio agio; (MIL) a riposo; **to feel at ~/ill at ~** sentirsi a proprio agio/a disagio;

to ~ sth out/in tirare fuori/infilare qc con delicatezza; facilitare l'uscita/ l'entrata di qc.

►**ease off, ease up** *vi* diminuire; (*slow down*) rallentarsi; (*fig*) rilassarsi.

easel ['i:zl] *n* cavalletto.

easily ['i:zɪlɪ] *adv* facilmente.

easiness ['i:zɪnɪs] *n* facilità, semplicità; (*of manners*) disinvoltura.

east [i:st] *n* est *m* ♦ *adj* dell'est ♦ *adv* a oriente; **the E~** l'Oriente *m*; (*POL*) i Paesi dell'Est.

Easter ['i:stə*] *n* Pasqua ♦ *adj* (*holidays*) pasquale, di Pasqua.

Easter egg *n* uovo di Pasqua.

Easter Island *n* isola di Pasqua.

easterly ['i:stəlɪ] *adj* dall'est, d'oriente.

Easter Monday *n* Pasquetta.

eastern ['i:stən] *adj* orientale, d'oriente; **E~ Europe** l'Europa orientale; **the E~ bloc** (*POL*) i Paesi dell'Est.

Easter Sunday *n* domenica di Pasqua.

East Germany *n* Germania dell'Est.

eastward(s) ['i:stwəd(z)] *adv* verso est, verso levante.

easy ['i:zɪ] *adj* facile; (*manner*) disinvolto(a); (*carefree: life*) agiato(a), tranquillo(a) ♦ *adv*: **to take it** *or* **things ~** prendersela con calma; **I'm ~** (*col*) non ho problemi; **easier said than done** tra il dire e il fare c'è di mezzo il mare; **payment on ~ terms** (*COMM*) facilitazioni *fpl* di pagamento.

easy chair *n* poltrona.

easy-going ['i:zɪ'gəuɪŋ] *adj* accomodante.

eat, *pt* **ate**, *pp* **eaten** [i:t, eɪt, 'i:tn] *vt* mangiare.

►**eat away** *vt* (*subj: sea*) erodere; (: *acid*) corrodere.

►**eat away at, eat into** *vt fus* rodere.

►**eat out** *vi* mangiare fuori.

►**eat up** *vt* (*meal etc*) finire di mangiare; **it ~s up electricity** consuma un sacco di corrente.

eatable ['i:təbl] *adj* mangiabile; (*safe to eat*) commestibile.

eaten ['i:tn] *pp of* **eat**.

eau de Cologne ['əudəkə'ləun] *n* acqua di colonia.

eaves [i:vz] *npl* gronda.

eavesdrop ['i:vzdrɒp] *vi*: **to ~ (on a conversation)** origliare (una conversazione).

ebb [ɛb] *n* riflusso ♦ *vi* rifluire; (*fig: also: ~ away*) declinare; **~ and flow** flusso e riflusso; **to be at a low ~** (*fig: person, spirits*) avere il morale a terra; (: *business*) andar male.

ebb tide *n* marea discendente.

ebony ['ɛbənɪ] *n* ebano.

ebullient [ɪ'bʌlɪənt] *adj* esuberante.

EC *n abbr* (= *European Community*) CE (= *Comunità Europea*).

eccentric [ɪk'sɛntrɪk] *adj*, *n* eccentrico(a).

ecclesiastic [ɪkli:zɪ'æstɪk] *n* ecclesiastico.

ecclesiastic(al) [ɪkli:zɪ'æstɪk(əl)] *adj* ecclesiastico(a).

ECG *n abbr see* **electrocardiogram**.

ECGD *n abbr* (= *Export Credits Guarantee Department*) servizio di garanzia finanziaria per l'esportazione.

echo, **~es** ['ɛkəu] *n* eco *m or f* ♦ *vt* ripetere; fare eco a ♦ *vi* echeggiare; dare un eco.

éclair ['eɪkleə*] *n* ≈ bignè *m inv*.

eclipse [ɪ'klɪps] *n* eclissi *f inv* ♦ *vt* eclissare.

ECM *n abbr* (*US*: = *European Common Market*) MEC *m*.

eco... ['i:kəu] *prefix* eco....

eco-friendly [i:kəu'frɛndlɪ] *adj* ecologico(a).

ecological [i:kə'lɒdʒɪkəl] *adj* ecologico(a).

ecologist [ɪ'kɒlədʒɪst] *n* ecologo/a.

ecology [ɪ'kɒlədʒɪ] *n* ecologia.

economic [i:kə'nɒmɪk] *adj* economico(a); (*profitable: price*) vantaggioso(a); (*business*) che rende.

economical [i:kə'nɒmɪkəl] *adj* economico(a); (*person*) economo(a).

economically [i:kə'nɒmɪklɪ] *adv* con economia; (*regarding economics*) dal punto di vista economico.

economics [i:kə'nɒmɪks] *n* economia ♦ *npl* aspetto *or* lato economico.

economist [ɪ'kɒnəmɪst] *n* economista *m/f*.

economize [ɪ'kɒnəmaɪz] *vi* risparmiare, fare economia.

economy [ɪ'kɒnəmɪ] *n* economia; **economies of scale** (*COMM*) economie *fpl* di scala.

economy class *n* (*AVIAT etc*) classe *f* turistica.

economy size *n* confezione *f* economica.

ecosystem ['i:kəusɪstəm] *n* ecosistema *m*.

eco-tourism [i:kəu'tuərɪzəm] *n* ecoturismo.

ECSC *n abbr* (= *European Coal & Steel Community*) C.E.C.A. *f* (= *Comunità Europea del Carbone e dell'Acciaio*).

ecstasy ['ɛkstəsɪ] *n* estasi *f inv*; **to go into ecstasies over** andare in estasi davanti a; **E~** (*drug*) ecstasy *f inv*.

ecstatic [ɛks'tætɪk] *adj* estatico(a), in estasi.

ECT *n abbr see* **electroconvulsive therapy**.

ECU, ecu ['eɪkju:] *n abbr* (= *European Currency Unit*) ECU *m inv*, ecu *f inv*.

Ecuador ['ɛkwədɔ:*] *n* Ecuador *m*.

ecumenical [i:kju'mɛnɪkl] *adj*

ecumenico(a).

eczema ['ɛksɪmə] n eczema m.

eddy ['ɛdɪ] n mulinello.

edge [ɛdʒ] n margine m; (of table, plate, cup) orlo; (of knife etc) taglio ♦ vt bordare ♦ vi: **to ~ away from** sgattaiolare da; **to ~ past** passar rasente; **to ~ forward** avanzare a poco a poco; **on ~** (fig) = **edgy**; **to have the ~ on** essere in vantaggio su.

edgeways ['ɛdʒweɪz] adv di fianco; **he couldn't get a word in ~** non riuscì a dire una parola.

edging ['ɛdʒɪŋ] n bordo.

edgy ['ɛdʒɪ] adj nervoso(a).

edible ['ɛdɪbl] adj commestibile; (meal) mangiabile.

edict ['iːdɪkt] n editto.

edifice ['ɛdɪfɪs] n edificio.

edifying ['ɛdɪfaɪɪŋ] adj edificante.

Edinburgh ['ɛdɪnbərə] n Edimburgo f.

edit ['ɛdɪt] vt curare; (newspaper, magazine) dirigere; (COMPUT) correggere e modificare, editare.

edition [ɪ'dɪʃən] n edizione f.

editor ['ɛdɪtə*] n (in newspaper) redattore/ trice; redattore/trice capo; (of sb's work) curatore/trice; (film ~) responsabile m/f del montaggio.

editorial [ɛdɪ'tɔːrɪəl] adj redazionale, editoriale ♦ n editoriale m; **the ~ staff** la redazione.

EDP n abbr see **electronic data processing**.

EDT abbr (US: = Eastern Daylight Time) ora legale di New York.

educate ['ɛdjukeɪt] vt istruire; educare.

educated guess ['ɛdjukeɪtɪd-] n ipotesi f ben fondata.

education [ɛdju'keɪʃən] n (teaching) insegnamento; istruzione f; (knowledge, culture) cultura; (SCOL: subject etc) pedagogia; **primary** or (US) **elementary/ secondary ~** scuola primaria/secondaria.

educational [ɛdju'keɪʃənl] adj pedagogico(a); scolastico(a); istruttivo(a); **~ technology** tecnologie fpl applicate alla didattica.

Edwardian [ɛd'wɔːdɪən] adj edoardiano(a).

EE abbr = **electrical engineer**.

EEC n abbr (= European Economic Community) C.E.E. f (= Comunità Economica Europea).

EEG n abbr see **electroencephalogram**.

eel [iːl] n anguilla.

EENT n abbr (US MED) = eye, ear, nose and throat.

EEOC n abbr (US) = **Equal Employment Opportunity Commission**.

eerie ['ɪərɪ] adj che fa accapponare la pelle.

EET abbr (= Eastern European Time) fuso orario.

effect [ɪ'fɛkt] n effetto ♦ vt effettuare; **to take ~** (law) entrare in vigore; (drug) fare effetto; **to have an ~ on sb/sth** avere or produrre un effetto su qn/qc; **to put into ~** (plan) attuare; **in ~** effettivamente; **his letter is to the ~ that** ... il contenuto della sua lettera è che ...; see also **effects**.

effective [ɪ'fɛktɪv] adj efficace; (striking: display, outfit) che fa colpo; **~ date** data d'entrata in vigore; **to become ~** (law) entrare in vigore.

effectively [ɪ'fɛktɪvlɪ] adv (efficiently) efficacemente; (strikingly) ad effetto; (in reality) di fatto; (in effect) in effetti.

effectiveness [ɪ'fɛktɪvnɪs] n efficacia.

effects [ɪ'fɛkts] npl (THEAT) effetti mpl scenici; (property) effetti mpl.

effeminate [ɪ'fɛmɪnɪt] adj effeminato(a).

effervescent [ɛfə'vɛsnt] adj effervescente.

efficacy ['ɛfɪkəsɪ] n efficacia.

efficiency [ɪ'fɪʃənsɪ] n efficienza; rendimento effettivo.

efficiency apartment n (US) miniappartamento.

efficient [ɪ'fɪʃənt] adj efficiente; (remedy, product, system) efficace; (machine, car) che ha un buon rendimento.

efficiently [ɪ'fɪʃəntlɪ] adv efficientemente; efficacemente.

effigy ['ɛfɪdʒɪ] n effigie f.

effluent ['ɛfluənt] n effluente m.

effort ['ɛfət] n sforzo; **to make an ~ to do sth** sforzarsi di fare qc.

effortless ['ɛfətlɪs] adj senza sforzo, facile.

effrontery [ɪ'frʌntərɪ] n sfrontatezza.

effusive [ɪ'fjuːsɪv] adj (person) espansivo(a); (welcome, letter) caloroso(a); (thanks, apologies) interminabile.

EFL n abbr (SCOL) = English as a foreign language.

EFTA ['ɛftə] n abbr (= European Free Trade Association) E.F.T.A. f.

e.g. adv abbr (= exempli gratia: for example) p.es.

egalitarian [ɪgælɪ'tɛərɪən] adj egualitario(a).

egg [ɛg] n uovo.

▶**egg on** vt incitare.

eggcup ['ɛgkʌp] n portauovo m inv.

eggplant ['ɛgplɑːnt] n (esp US) melanzana.

eggshell ['ɛgʃɛl] n guscio d'uovo ♦ adj (colour) guscio d'uovo inv.

egg-timer ['ɛgtaɪmə*] n clessidra (per misurare il tempo di cottura delle uova).

egg white n albume m, bianco d'uovo.

egg yolk n tuorlo, rosso (d'uovo).
ego ['iːgəu] n ego m inv.
egoism ['ɛgəuizəm] n egoismo.
egoist ['ɛgəuist] n egoista m/f.
egotism ['ɛgəutizəm] n egotismo.
egotist ['ɛgəutist] n egotista m/f.
ego trip n: **to be on an ~** gasarsi.
Egypt ['iːdʒipt] n Egitto.
Egyptian [ı'dʒipʃən] adj, n egiziano(a).
eiderdown ['aidədaun] n piumino.
eight [eit] num otto.
eighteen ['eı'tiːn] num diciotto.
eighth [eitθ] num ottavo(a).
eighty [eiti] num ottanta.
Eire ['ɛərə] n Repubblica d'Irlanda.
EIS n abbr (= Educational Institute of Scotland) *principale sindacato degli insegnanti in Scozia.*
either ['aiðə*] adj l'uno(a) o l'altro(a); (both, each) ciascuno(a); **on ~ side** su ciascun lato ♦ pron: **~ (of them)** (o) l'uno(a) o l'altro(a); **I don't like ~** non mi piace né l'uno né l'altro ♦ adv neanche; **no, I don't ~** no, neanch'io ♦ conj: **~ good or bad** o buono o cattivo; **I haven't seen ~ one or the other** non ho visto né l'uno né l'altro.
ejaculation [ıdʒækju'leiʃən] n (PHYSIOL) eiaculazione f.
eject [ı'dʒɛkt] vt espellere; lanciare ♦ vi (pilot) catapultarsi.
ejector seat [ı'dʒɛktə-] n sedile m eiettabile.
eke [iːk]: **to ~ out** vt far durare; aumentare.
EKG n abbr (US) = electrocardiogram.
el [ɛl] n abbr (US col) see elevated railroad.
elaborate adj [ı'læbərit] elaborato(a), minuzioso(a) ♦ vb [ı'læbəreit] vt elaborare ♦ vi entrare in dettagli.
elapse [ı'læps] vi trascorrere, passare.
elastic [ı'læstik] adj elastico(a) ♦ n elastico.
elastic band n (BRIT) elastico.
elasticity [ılæs'tisiti] n elasticità.
elated [ı'leitid] adj pieno(a) di gioia.
elation [ı'leiʃən] n gioia.
elbow ['ɛlbəu] n gomito ♦ vt: **to ~ one's way through the crowd** farsi largo tra la folla a gomitate.
elbow grease n: **to use a bit of ~** usare un po' di olio di gomiti.
elbowroom ['ɛlbəurum] n spazio.
elder ['ɛldə*] adj maggiore, più vecchio(a) ♦ n (tree) sambuco; **one's ~s** i più anziani.
elderly ['ɛldəlı] adj anziano(a) ♦ npl: **the ~** gli anziani.
elder statesman n anziano uomo politico in pensione, ma ancora influente; (of company) anziano/a consigliere/a.

eldest ['ɛldıst] adj, n: **the ~ (child)** il(la) maggiore (dei bambini).
elect [ı'lɛkt] vt eleggere; (choose): **to ~ to do** decidere di fare ♦ adj: **the president ~** il presidente designato.
election [ı'lɛkʃən] n elezione f; **to hold an ~** indire un'elezione.
election campaign n campagna elettorale.
electioneering [ılɛkʃə'niəriŋ] n propaganda elettorale.
elector [ı'lɛktə*] n elettore/trice.
electoral [ı'lɛktərəl] adj elettorale.
electoral college n collegio elettorale.
electoral roll n (BRIT) registro elettorale.
electoral system n sistema m elettorale.
electorate [ı'lɛktərit] n elettorato.
electric [ı'lɛktrik] adj elettrico(a).
electrical [ı'lɛktrikəl] adj elettrico(a).
electrical engineer n ingegnere m elettrotecnico.
electrical failure n guasto all'impianto elettrico.
electric blanket n coperta elettrica.
electric chair n sedia elettrica.
electric cooker n cucina elettrica.
electric current n corrente f elettrica.
electric fire n (BRIT) stufa elettrica.
electrician [ılɛk'triʃən] n elettricista m.
electricity [ılɛk'trisiti] n elettricità; **to switch on/off the ~** attaccare/staccare la corrente.
electricity board n (BRIT) ente m regionale per l'energia elettrica.
electric light n luce f elettrica.
electric shock n scossa (elettrica).
electrify [ı'lɛktrifai] vt (RAIL) elettrificare; (audience) elettrizzare.
electro... [ı'lɛktrəu] prefix elettro....
electrocardiogram (ECG) [ı'lɛktrə-'kaːdiəgræm] n elettrocardiogramma m.
electro-convulsive therapy (ECT) [ı'lɛktrəkən'vʌlsıv-] n elettroshockterapia.
electrocute [ı'lɛktrəkjuːt] vt fulminare.
electrode [ı'lɛktrəud] n elettrodo.
electroencephalogram (EEG) [ı'lɛktrəuɛn'sɛfələgræm] n (MED) elettroencefalogramma m (EEG).
electrolysis [ılɛk'trɔlisis] n elettrolisi f.
electromagnetic [ı'lɛktrəumæg'nɛtık] n elettromagnetico(a).
electron [ı'lɛktrɔn] n elettrone m.
electronic [ılɛk'trɔnık] adj elettronico(a); see also **electronics**.
electronic data processing (EDP) n elaborazione f elettronica di dati.
electronic mail n posta elettronica.
electronics [ılɛk'trɔnıks] n elettronica.

electron microscope n microscopio elettronico.
electroplated [ɪ'lɛktrəu'pleɪtɪd] adj galvanizzato(a).
electrotherapy [ɪ'lɛktrəu'θɛrəpɪ] n elettroterapia.
elegance ['ɛlɪgəns] n eleganza.
elegant ['ɛlɪgənt] adj elegante.
element ['ɛlɪmənt] n elemento; (of heater, kettle etc) resistenza.
elementary [ɛlɪ'mɛntərɪ] adj elementare.

L'**elementary school**, negli Stati Uniti e in Canada, è un istituto scolastico dove i bambini ricevono un'istruzione per un periodo che va dai 6 agli 8 anni. Negli Stati Uniti si chiama anche **grade school** o **grammar school**.

---

elephant ['ɛlɪfənt] n elefante/essa.
elevate ['ɛlɪveɪt] vt elevare.
elevated railroad (el) n (US) (ferrovia) soprelevata.
elevation [ɛlɪ'veɪʃən] n elevazione f; (height) altitudine f.
elevator ['ɛlɪveɪtə*] n elevatore m; (US: lift) ascensore m.
eleven [ɪ'lɛvn] num undici.
elevenses [ɪ'lɛvnzɪz] npl (BRIT) caffè m a metà mattina.
eleventh [ɪ'lɛvnθ] adj undicesimo(a); **at the ~ hour** (fig) all'ultimo minuto.
elf, pl **elves** [ɛlf, ɛlvz] n elfo.
elicit [ɪ'lɪsɪt] vt: **to ~ (from)** trarre (da), cavare fuori (da); **to ~ sth (from sb)** strappare qc (a qn).
eligible ['ɛlɪdʒəbl] adj eleggibile; (for membership) che ha i requisiti; **to be ~ for a pension** essere pensionabile.
eliminate [ɪ'lɪmɪneɪt] vt eliminare.
elimination [ɪlɪmɪ'neɪʃən] n eliminazione f; **by process of ~** per eliminazione.
élite [eɪ'liːt] n élite f inv.
elitist [eɪ'liːtɪst] adj (pej) elitario(a).
elixir [ɪ'lɪksə*] n elisir m inv.
Elizabethan [ɪlɪzə'biːθən] n elisabettiano(a).
ellipse [ɪ'lɪps] n ellisse f.
elliptical [ɪ'lɪptɪkl] adj ellittico(a).
elm [ɛlm] n olmo.
elocution [ɛlə'kjuːʃən] n elocuzione f.
elongated ['iːlɔŋgeɪtɪd] adj allungato(a).
elope [ɪ'ləup] vi (lovers) scappare.
elopement [ɪ'ləupmənt] n fuga romantica.
eloquence ['ɛləkwəns] n eloquenza.
eloquent ['ɛləkwənt] adj eloquente.
else [ɛls] adv altro; **something ~** qualcos'altro; **somewhere ~** altrove;

everywhere ~ in qualsiasi altro luogo; **where ~?** in quale altro luogo?; **little ~** poco altro; **everyone ~** tutti gli altri; **nothing ~** nient'altro; **or ~** (otherwise) altrimenti; **is there anything ~ I can do?** posso fare qualcos'altro?
elsewhere [ɛls'wɛə*] adv altrove.
ELT n abbr (SCOL) = English Language Teaching.
elucidate [ɪ'luːsɪdeɪt] vt delucidare.
elude [ɪ'luːd] vt eludere.
elusive [ɪ'luːsɪv] adj elusivo(a); (answer) evasivo(a); **he is very ~** è proprio inafferrabile or irraggiungibile.
elves [ɛlvz] npl of **elf**.
emaciated [ɪ'meɪsɪeɪtɪd] adj emaciato(a).
E-mail, e-mail ['iːmeɪl] n abbr (= electronic mail) posta elettronica ♦ vt: **to ~ sb** comunicare con qn mediante posta elettronica.
emanate ['ɛməneɪt] vi: **to ~ from** emanare da.
emancipate [ɪ'mænsɪpeɪt] vt emancipare.
emancipation [ɪmænsɪ'peɪʃən] n emancipazione f.
emasculate [ɪ'mæskjuleɪt] vt (fig) rendere impotente.
embalm [ɪm'bɑːm] vt imbalsamare.
embankment [ɪm'bæŋkmənt] n (of road, railway) massicciata; (riverside) argine m; (dyke) diga.
embargo [ɪm'bɑːgəu] n (pl ~es: COMM, NAUT) embargo ♦ vt mettere l'embargo su; **to put an ~ on sth** mettere l'embargo su qc.
embark [ɪm'bɑːk] vi: **to ~ (on)** imbarcarsi (su) ♦ vt imbarcare; **to ~ on** (fig) imbarcarsi in; (journey) intraprendere.
embarkation [ɛmbɑː'keɪʃən] n imbarco.
embarkation card n carta d'imbarco.
embarrass [ɪm'bærəs] vt imbarazzare; **to be ~ed** essere imbarazzato(a).
embarrassing [ɪm'bærəsɪŋ] adj imbarazzante.
embarrassment [ɪm'bærəsmənt] n imbarazzo.
embassy ['ɛmbəsɪ] n ambasciata; **the Italian E~** l'ambasciata d'Italia.
embed [ɪm'bɛd] vt conficcare; incastrare.
embellish [ɪm'bɛlɪʃ] vt abbellire; **to ~ (with)** (fig: story, truth) infiorare (con).
embers ['ɛmbəz] npl braci fpl.
embezzle [ɪm'bɛzl] vt appropriarsi indebitamente di.
embezzlement [ɪm'bɛzlmənt] n appropriazione f indebita, malversazione f.

embezzler [ɪmˈbɛzlə*] *n* malversatore/trice.

embitter [ɪmˈbɪtə*] *vt* amareggiare; inasprire.

emblem [ˈɛmbləm] *n* emblema *m*.

embodiment [ɪmˈbɔdɪmənt] *n* personificazione *f*, incarnazione *f*.

embody [ɪmˈbɔdɪ] *vt* (*features*) racchiudere, comprendere; (*ideas*) dar forma concreta a, esprimere.

embolden [ɪmˈbəuldn] *vt* incitare.

embolism [ˈɛmbəlɪzəm] *n* embolia.

embossed [ɪmˈbɔst] *adj* in rilievo; goffrato(a); ~ **with** ... con in rilievo ....

embrace [ɪmˈbreɪs] *vt* abbracciare; (*include*) comprendere ◆ *vi* abbracciarsi ◆ *n* abbraccio.

embroider [ɪmˈbrɔɪdə*] *vt* ricamare; (*fig*: *story*) abbellire.

embroidery [ɪmˈbrɔɪdərɪ] *n* ricamo.

embroil [ɪmˈbrɔɪl] *vt*: **to become** ~**ed (in sth)** restare invischiato(a) (in qc).

embryo [ˈɛmbrɪəu] *n* (*also fig*) embrione *m*.

emcee [ɛmˈsiː] *n abbr* = **master of ceremonies**.

emend [ɪˈmɛnd] *vt* (*text*) correggere, emendare.

emerald [ˈɛmərəld] *n* smeraldo.

emerge [ɪˈmɜːdʒ] *vi* apparire, sorgere; **it** ~**s that** (*BRIT*) risulta che.

emergence [ɪˈmɜːdʒəns] *n* apparizione *f*; (*of nation*) nascita.

emergency [ɪˈmɜːdʒənsɪ] *n* emergenza; **in an** ~ in caso di emergenza; **to declare a state of** ~ dichiarare lo stato di emergenza.

emergency exit *n* uscita di sicurezza.

emergency landing *n* atterraggio forzato.

emergency lane *n* (*US AUT*) corsia d'emergenza.

emergency road service *n* (*US*) servizio riparazioni.

emergency service *n* servizio di pronto intervento.

emergency stop *n* (*BRIT AUT*) frenata improvvisa.

emergent [ɪˈmɜːdʒənt] *adj*: ~ **nation** paese *m* in via di sviluppo.

emery board [ˈɛmərɪ-] *n* limetta di carta smerigliata.

emery paper *n* carta smerigliata.

emetic [ɪˈmɛtɪk] *n* emetico.

emigrant [ˈɛmɪgrənt] *n* emigrante *m/f*.

emigrate [ˈɛmɪgreɪt] *vi* emigrare.

emigration [ɛmɪˈgreɪʃən] *n* emigrazione *f*.

émigré [ˈɛmɪgreɪ] *n* emigrato/a.

eminence [ˈɛmɪnəns] *n* eminenza.

eminent [ˈɛmɪnənt] *adj* eminente.

eminently [ˈɛmɪnəntlɪ] *adv* assolutamente, perfettamente.

emirate [ɛˈmɪərɪt] *n* emirato.

emission [ɪˈmɪʃən] *n* (*of gas, radiation*) emissione *f*.

emit [ɪˈmɪt] *vt* emettere.

emolument [ɪˈmɔljumənt] *n* (*often pl*: *formal*) emolumento.

emotion [ɪˈməuʃən] *n* emozione *f*; (*love, jealousy etc*) sentimento.

emotional [ɪˈməuʃənl] *adj* (*person*) emotivo(a); (*scene*) commovente; (*tone, speech*) carico(a) d'emozione.

emotionally [ɪˈməuʃnəlɪ] *adv* (*behave, be involved*) sentimentalmente; (*speak*) con emozione; ~ **disturbed** con turbe emotive.

emotive [ɪˈməutɪv] *adj* emotivo(a); ~ **power** capacità di commuovere.

empathy [ˈɛmpəθɪ] *n* immedesimazione *f*; **to feel** ~ **with sb** immedesimarsi con i sentimenti di qn.

emperor [ˈɛmpərə*] *n* imperatore *m*.

emphasis, *pl* -**ases** [ˈɛmfəsɪs, -siːz] *n* enfasi *f inv*; importanza; **to lay** *or* **place** ~ **on sth** (*fig*) mettere in risalto *or* in evidenza qc; **the** ~ **is on sport** si dà molta importanza allo sport.

emphasize [ˈɛmfəsaɪz] *vt* (*word, point*) sottolineare; (*feature*) mettere in evidenza.

emphatic [ɪmˈfætɪk] *adj* (*strong*) vigoroso(a); (*unambiguous, clear*) netto(a); categorico(a).

emphatically [ɪmˈfætɪkəlɪ] *adv* vigorosamente; nettamente.

emphysema [ɛmfɪˈsiːmə] *n* (*MED*) enfisema *m*.

empire [ˈɛmpaɪə*] *n* impero.

empirical [ɛmˈpɪrɪkl] *adj* empirico(a).

employ [ɪmˈplɔɪ] *vt* (*make use of*: *thing, method, person*) impiegare, servirsi di; (*give job to*) dare lavoro a, impiegare; **he's** ~**ed in a bank** lavora in banca.

employee [ɪmplɔɪˈiː] *n* impiegato/a.

employer [ɪmˈplɔɪə*] *n* principale *m/f*, datore *m* di lavoro.

employment [ɪmˈplɔɪmənt] *n* impiego; **to find** ~ trovare impiego *or* lavoro; **without** ~ disoccupato(a); **place of** ~ posto di lavoro.

employment agency *n* agenzia di collocamento.

employment exchange *n* (*BRIT*) ufficio *m* collocamento *inv*.

empower [ɪmˈpauə*] *vt*: **to** ~ **sb to do** concedere autorità a qn di fare.

empress ['ɛmprɪs] *n* imperatrice *f*.

emptiness ['ɛmptɪnɪs] *n* vuoto.

empty ['ɛmptɪ] *adj* vuoto(a); (*street, area*) deserto(a); (*threat, promise*) vano(a) ♦ *n* (*bottle*) vuoto ♦ *vt* vuotare ♦ *vi* vuotarsi; (*liquid*) scaricarsi; **on an ~ stomach** a stomaco vuoto; **to ~ into** (*river*) gettarsi in.

empty-handed [ɛmptɪ'hændɪd] *adj* a mani vuote.

empty-headed [ɛmptɪ'hɛdɪd] *adj* sciocco(a).

EMS *n abbr* (= *European Monetary System*) S.M.E. *m*.

EMT *n abbr* = *emergency medical technician*.

EMU *n abbr* (= *European Monetary Union*) Unità *f* monetaria europea.

emulate ['ɛmjuleɪt] *vt* emulare.

emulsion [ɪ'mʌlʃən] *n* emulsione *f*; (*also*: ~ **paint**) colore *m* a tempera.

enable [ɪ'neɪbl] *vt*: **to ~ sb to do** permettere a qn di fare.

enact [ɪn'ækt] *vt* (*law*) emanare; (*play, scene*) rappresentare.

enamel [ɪ'næməl] *n* smalto.

enamel paint *n* vernice *f* a smalto.

enamoured [ɪ'næməd] *adj*: ~ **of** innamorato(a) di.

encampment [ɪn'kæmpmənt] *n* accampamento.

encased [ɪn'keɪst] *adj*: ~ **in** racchiuso(a) in; rivestito(a) di.

enchant [ɪn'tʃɑːnt] *vt* incantare; (*subj*: *magic spell*) catturare.

enchanting [ɪn'tʃɑːntɪŋ] *adj* incantevole, affascinante.

encircle [ɪn'səːkl] *vt* accerchiare.

encl(l). *abbr* (*on letters etc*: = *enclosed*, *enclosure*) all., alleg.

enclose [ɪn'kləuz] *vt* (*land*) circondare, recingere; (*letter etc*): **to ~ (with)** allegare (con); **please find ~d** trovi qui accluso.

enclosure [ɪn'kləuʒə*] *n* recinto; (*COMM*) allegato.

encoder [ɪn'kəudə*] *n* (*COMPUT*) codificatore *m*.

encompass [ɪn'kʌmpəs] *vt* comprendere.

encore [ɔŋ'kɔː*] *excl*, *n* bis (*m inv*).

encounter [ɪn'kauntə*] *n* incontro ♦ *vt* incontrare.

encourage [ɪn'kʌrɪdʒ] *vt* incoraggiare; (*industry, growth etc*) favorire; **to ~ sb to do sth** incoraggiare qn a fare qc.

encouragement [ɪn'kʌrɪdʒmənt] *n* incoraggiamento.

encouraging [ɪn'kʌrɪdʒɪŋ] *adj* incoraggiante.

encroach [ɪn'krəutʃ] *vi*: **to ~ (up)on** (*rights*) usurpare; (*time*) abusare di; (*land*) oltrepassare i limiti di.

encrusted [ɪn'krʌstɪd] *adj*: ~ **with** incrostato(a) di.

encumbered [ɪn'kʌmbəd] *adj*: **to be ~ (with)** essere carico(a) di.

encyclop(a)edia [ɛnsaɪkləu'piːdɪə] *n* enciclopedia.

end [ɛnd] *n* fine *f*; (*aim*) fine *m*; (*of table*) bordo estremo; (*of line, rope etc*) estremità *f inv*; (*of pointed object*) punta; (*of town*) parte *f* ♦ *vt* finire; (*also*: **bring to an ~, put an ~ to**) mettere fine a ♦ *vi* finire; **from ~ to ~** da un'estremità all'altra; **to come to an ~** arrivare alla fine, finire; **to be at an ~** essere finito(a); **in the ~** alla fine; **at the ~ of the street** in fondo alla strada; **at the ~ of the day** (*BRIT fig*) in fin dei conti; **on ~** (*object*) ritto(a); **to stand on ~** (*hair*) rizzarsi; **for 5 hours on ~** per 5 ore di fila; **for hours on ~** per ore e ore; **to this ~, with this ~ in view** a questo fine; **to ~ (with)** concludere (con).

►**end up** *vi*: **to ~ up in** finire in.

endanger [ɪn'deɪndʒə*] *vt* mettere in pericolo; **an ~ed species** una specie in via di estinzione.

endear [ɪn'dɪə*] *vt*: **to ~ o.s. to sb** accattivarsi le simpatie di qn.

endearing [ɪn'dɪərɪŋ] *adj* accattivante.

endearment [ɪn'dɪəmənt] *n*: **to whisper ~s** sussurrare tenerezze; **term of ~** vezzeggiativo, parola affettuosa.

endeavour, (*US*) **endeavor** [ɪn'dɛvə*] *n* sforzo, tentativo ♦ *vi*: **to ~ to do** cercare *or* sforzarsi di fare.

endemic [ɛn'dɛmɪk] *adj* endemico(a).

ending ['ɛndɪŋ] *n* fine *f*, conclusione *f*; (*LING*) desinenza.

endive ['ɛndaɪv] *n* (*curly*) indivia (riccia); (*smooth, flat*) indivia belga.

endless ['ɛndlɪs] *adj* senza fine; (*patience, resources*) infinito(a); (*possibilities*) illimitato(a).

endorse [ɪn'dɔːs] *vt* (*cheque*) girare; (*approve*) approvare, appoggiare.

endorsee [ɪndɔː'siː] *n* giratario/a.

endorsement [ɪn'dɔːsmənt] *n* (*approval*) approvazione *f*; (*signature*) firma; (*BRIT*: *on driving licence*) contravvenzione registrata sulla patente.

endorser [ɪn'dɔːsə*] *n* girante *m/f*.

endow [ɪn'dau] *vt* (*prize*) istituire; (*hospital*) fondare; (*provide with money*) devolvere denaro a; (*equip*): **to ~ with** fornire di, dotare di.

endowment [ɪn'daumənt] *n* istituzione *f*;

fondazione *f*; (*amount*) donazione *f*.
endowment mortgage *n mutuo che viene ripagato sotto forma di un'assicurazione a vita.*
endowment policy *n* polizza-vita mista.
end product *n* (*INDUSTRY*) prodotto finito; (*fig*) risultato.
end result *n* risultato finale.
endurable [ɪn'djuərəbl] *adj* sopportabile.
endurance [ɪn'djuərəns] *n* resistenza; pazienza.
endurance test *n* prova di resistenza.
endure [ɪn'djuə*] *vt* sopportare, resistere a ♦ *vi* durare.
enduring [ɪn'djuərɪŋ] *adj* duraturo(a).
end user *n* (*COMPUT*) consumatore(trice) effettivo(a).
enema ['ɛnɪmə] *n* (*MED*) clistere *m*.
enemy ['ɛnəmɪ] *adj, n* nemico(a); **to make an ~ of sb** inimicarsi qn.
energetic [ɛnə'dʒɛtɪk] *adj* energico(a); attivo(a).
energy ['ɛnədʒɪ] *n* energia; **Department of E~** Ministero dell'Energia.
energy crisis *n* crisi *f* energetica.
energy-saving ['ɛnədʒɪ'seɪvɪŋ] *adj* (*policy*) del risparmio energetico; (*device*) che risparmia energia.
enervating ['ɛnəːveɪtɪŋ] *adj* debilitante.
enforce [ɪn'fɔːs] *vt* (*LAW*) applicare, far osservare.
enforced [ɪn'fɔːst] *adj* forzato(a).
enfranchise [ɪn'fræntʃaɪz] *vt* (*give vote to*) concedere il diritto di voto a; (*set free*) affrancare.
engage [ɪn'geɪdʒ] *vt* (*hire*) assumere; (*lawyer*) incaricare; (*attention, interest*) assorbire; (*MIL*) attaccare; (*TECH*): **to ~ gear/the clutch** innestare la marcia/la frizione ♦ *vi* (*TECH*) ingranare; **to ~ in** impegnarsi in; **he is ~d in research/a survey** si occupa di ricerca/di un'inchiesta; **to ~ sb in conversation** attaccare conversazione con qn.
engaged [ɪn'geɪdʒd] *adj* (*BRIT: busy, in use*) occupato(a); (*betrothed*) fidanzato(a); **to get ~** fidanzarsi.
engaged tone *n* (*BRIT TEL*) segnale *m* di occupato.
engagement [ɪn'geɪdʒmənt] *n* impegno, obbligo; appuntamento; (*to marry*) fidanzamento; (*MIL*) combattimento; **I have a previous ~** ho già un impegno.
engagement ring *n* anello di fidanzamento.
engaging [ɪn'geɪdʒɪŋ] *adj* attraente.
engender [ɪn'dʒɛndə*] *vt* produrre, causare.

engine ['ɛndʒɪn] *n* (*AUT*) motore *m*; (*RAIL*) locomotiva.
engine driver *n* (*BRIT: of train*) macchinista *m*.
engineer [ɛndʒɪ'nɪə*] *n* ingegnere *m*; (*BRIT: for domestic appliances*) tecnico; (*US RAIL*) macchinista *m*; **civil/mechanical ~** ingegnere civile/meccanico.
engineering [ɛndʒɪ'nɪərɪŋ] *n* ingegneria ♦ *cpd* (*works, factory, worker etc*) metalmeccanico(a).
engine failure *n* guasto al motore.
engine trouble *n* panne *f*.
England ['ɪŋglənd] *n* Inghilterra.
English ['ɪŋglɪʃ] *adj* inglese ♦ *n* (*LING*) inglese *m*; **the ~** *npl* gli Inglesi; **to be an ~ speaker** essere anglofono(a).
English Channel *n*: **the ~** il Canale della Manica.
Englishman ['ɪŋglɪʃmən], **Englishwoman** ['ɪŋglɪʃwumən] *n* inglese *m/f*.
English-speaking ['ɪŋglɪ'spiːkɪŋ] *adj* di lingua inglese.
engrave [ɪn'greɪv] *vt* incidere.
engraving [ɪn'greɪvɪŋ] *n* incisione *f*.
engrossed [ɪn'grəust] *adj*: **~ in** assorbito(a) da, preso(a) da.
engulf [ɪn'gʌlf] *vt* inghiottire.
enhance [ɪn'hɑːns] *vt* accrescere; (*position, reputation*) migliorare.
enigma [ɪ'nɪgmə] *n* enigma *m*.
enigmatic [ɛnɪg'mætɪk] *adj* enigmatico(a).
enjoy [ɪn'dʒɔɪ] *vt* godere; (*have: success, fortune*) avere; (*have benefit of: health*) godere (di); **I ~ dancing** mi piace ballare; **to ~ o.s.** godersela, divertirsi.
enjoyable [ɪn'dʒɔɪəbl] *adj* piacevole.
enjoyment [ɪn'dʒɔɪmənt] *n* piacere *m*, godimento.
enlarge [ɪn'lɑːdʒ] *vt* ingrandire ♦ *vi*: **to ~ on** (*subject*) dilungarsi su.
enlarged [ɪn'lɑːdʒd] *adj* (*edition*) ampliato(a); (*MED: organ, gland*) ingrossato(a).
enlargement [ɪn'lɑːdʒmənt] *n* (*PHOT*) ingrandimento.
enlighten [ɪn'laɪtn] *vt* illuminare; dare chiarimenti a.
enlightened [ɪn'laɪtnd] *adj* illuminato(a).
enlightening [ɪn'laɪtnɪŋ] *adj* istruttivo(a).
enlightenment [ɪn'laɪtnmənt] *n* progresso culturale; chiarimenti *mpl*; (*HISTORY*): **the E~** l'Illuminismo.
enlist [ɪn'lɪst] *vt* arruolare; (*support*) procurare ♦ *vi* arruolarsi; **~ed man** (*US MIL*) soldato semplice.
enliven [ɪn'laɪvn] *vt* (*people*) rallegrare; (*events*) ravvivare.

enmity ['ɛnmɪtɪ] *n* inimicizia.
ennoble [ɪ'nəubl] *vt* nobilitare; (*with title*) conferire un titolo nobiliare a.
enormity [ɪ'nɔːmɪtɪ] *n* enormità *f inv.*
enormous [ɪ'nɔːməs] *adj* enorme.
enormously [ɪ'nɔːməslɪ] *adv* enormemente.
enough [ɪ'nʌf] *adj, n:* ~ **time/books** assai tempo/libri; **have you got** ~? ne ha abbastanza *or* a sufficienza? ♦ *adv:* **big** ~ abbastanza grande; **he has not worked** ~ non ha lavorato abbastanza; ~! basta!; **it's hot** ~ (**as it is**)! fa abbastanza caldo così!; **will £5 be** ~? bastano 5 sterline?; **that's** ~ basta; **I've had** ~! non ne posso più!; **he was kind** ~ **to lend me the money** è stato così gentile da prestarmi i soldi; **... which, funnily** ~ ... che, strano a dirsi.
enquire [ɪn'kwaɪə*] *vt, vi* = **inquire**.
enrage [ɪn'reɪdʒ] *vt* fare arrabbiare.
enrich [ɪn'rɪtʃ] *vt* arricchire.
enrol, (*US*) **enroll** [ɪn'rəul] *vt* iscrivere; (*at university*) immatricolare ♦ *vi* iscriversi.
enrol(l)ment [ɪn'rəulmənt] *n* iscrizione *f*.
en route [ɔn'ruːt] *adv:* ~ **for/from/to** in viaggio per/da/a.
ensconced [ɪn'skɔnst] *adj:* ~ **in** ben sistemato(a) in.
ensemble [ɑ̃ːn'sɑːmbl] *n* (*MUS*) ensemble *m inv.*
enshrine [ɪn'ʃraɪn] *vt* conservare come una reliquia.
ensign *n* (*NAUT*) ['ɛnsən] bandiera; (*MIL*) ['ɛnsaɪn] portabandiera *m inv.*
enslave [ɪn'sleɪv] *vt* fare schiavo.
ensue [ɪn'sjuː] *vi* seguire, risultare.
ensure [ɪn'ʃuə*] *vt* assicurare; garantire; **to** ~ **that** assicurarsi che.
ENT *n abbr* (*MED*: = *Ear, Nose & Throat*) O.R.L.
entail [ɪn'teɪl] *vt* comportare.
entangle [ɪn'tæŋgl] *vt* (*thread etc*) impigliare; **to become** ~**d in sth** (*fig*) rimanere impegolato in qc.
enter ['ɛntə*] *vt* (*gen*) entrare in; (*club*) associarsi a; (*profession*) intraprendere; (*army*) arruolarsi in; (*competition*) partecipare a; (*sb for a competition*) iscrivere; (*write down*) registrare; (*COMPUT: data*) introdurre, inserire ♦ *vi* entrare.
▶**enter for** *vt fus* iscriversi a.
▶**enter into** *vt fus* (*explanation*) cominciare a dare; (*debate*) partecipare a; (*agreement*) concludere; (*negotiations*) prendere parte a.
▶**enter (up)on** *vt fus* cominciare.
enteritis [ɛntə'raɪtɪs] *n* enterite *f*.
enterprise ['ɛntəpraɪz] *n* (*undertaking,*

company) impresa; (*spirit*) iniziativa.
enterprising ['ɛntəpraɪzɪŋ] *adj* intraprendente.
entertain [ɛntə'teɪn] *vt* divertire; (*invite*) ricevere; (*idea, plan*) nutrire.
entertainer [ɛntə'teɪnə*] *n* comico/a.
entertaining [ɛntə'teɪnɪŋ] *adj* divertente ♦ *n:* **to do a lot of** ~ avere molti ospiti.
entertainment [ɛntə'teɪnmənt] *n* (*amusement*) divertimento; (*show*) spettacolo.
entertainment allowance *n* spese *fpl* di rappresentanza.
enthral [ɪn'θrɔːl] *vt* affascinare, avvincere.
enthralled [ɪn'θrɔːld] *adj* affascinato(a).
enthralling [ɪn'θrɔːlɪŋ] *adj* avvincente.
enthuse [ɪn'θuːz] *vi:* **to** ~ (**about** *or* **over**) entusiasmarsi (per).
enthusiasm [ɪn'θuːzɪæzəm] *n* entusiasmo.
enthusiast [ɪn'θuːzɪæst] *n* entusiasta *m/f*; **a jazz** *etc* ~ un appassionato di jazz *etc.*
enthusiastic [ɪnθuːzɪ'æstɪk] *adj* entusiasta, entusiastico(a); **to be** ~ **about sth/sb** essere appassionato di qc/entusiasta di qn.
entice [ɪn'taɪs] *vt* allettare, sedurre.
enticing [ɪn'taɪsɪŋ] *adj* allettante.
entire [ɪn'taɪə*] *adj* intero(a).
entirely [ɪn'taɪəlɪ] *adv* completamente, interamente.
entirety [ɪn'taɪərətɪ] *n:* **in its** ~ nel suo complesso.
entitle [ɪn'taɪtl] *vt* (*give right*): **to** ~ **sb to sth/to do** dare diritto a qn a qc/a fare.
entitled [ɪn'taɪtld] *adj* (*book*) che si intitola; **to be** ~ **to sth/to do sth** avere diritto a qc/a fare qc.
entity ['ɛntɪtɪ] *n* entità *f inv.*
entrails ['ɛntreɪlz] *npl* interiora *fpl.*
entrance *n* ['ɛntrns] entrata, ingresso; (*of person*) entrata ♦ *vt* [ɪn'trɑːns] incantare, rapire; **to gain** ~ **to** (*university etc*) essere ammesso a.
entrance examination *n* (*to school*) esame *m* di ammissione.
entrance fee *n* tassa d'iscrizione; (*to museum etc*) prezzo d'ingresso.
entrance ramp *n* (*US AUT*) rampa di accesso.
entrancing [ɪn'trɑːnsɪŋ] *adj* incantevole.
entrant ['ɛntrnt] *n* partecipante *m/f*; concorrente *m/f*; (*BRIT: in exam*) candidato/a.
entreat [ɛn'triːt] *vt* supplicare.
entreaty [ɪn'triːtɪ] *n* supplica, preghiera.
entrée ['ɔntreɪ] *n* (*CULIN*) prima portata.
entrenched [ɛn'trɛntʃt] *adj* radicato(a).
entrepreneur ['ɔntrəprə'nɜː*] *n*

imprenditore *m*.
entrepreneurial ['ɔntrəprə'nɜːrɪəl] *adj* imprenditoriale.
entrust [ɪn'trʌst] *vt*: **to ~ sth to** affidare qc a.
entry ['ɛntrɪ] *n* entrata; (*way in*) entrata, ingresso; (*in dictionary*) voce *f*; (*in diary, ship's log*) annotazione *f*, (*in account book, ledger, list*) registrazione *f*; "**no ~**" "vietato l'ingresso"; (*AUT*) "divieto di accesso"; **single/double ~ book-keeping** partita semplice/doppia.
entry form *n* modulo d'iscrizione.
entry phone *n* (*BRIT*) citofono.
entwine [ɪn'twaɪn] *vt* intrecciare.
E number *n* sigla di additivo alimentare.
enumerate [ɪ'njuːməreɪt] *vt* enumerare.
enunciate [ɪ'nʌnsɪeɪt] *vt* enunciare; pronunciare.
envelop [ɪn'vɛləp] *vt* avvolgere, avviluppare.
envelope ['ɛnvələup] *n* busta.
enviable ['ɛnvɪəbl] *adj* invidiabile.
envious ['ɛnvɪəs] *adj* invidioso(a).
environment [ɪn'vaɪərənmənt] *n* ambiente *m*; **Department of the E~** (*BRIT*) ≈ Ministero dell'Ambiente.
environmental [ɪnvaɪərən'mɛntl] *adj* ecologico(a); ambientale; **~ studies** (*in school etc*) ecologia.
environmentalist [ɪn'vaɪərən'mɛntəlɪst] *n* studioso/a della protezione dell'ambiente.
environmentally [ɪnvaɪərən'mɛntəlɪ] *adv*: **~ sound/friendly** che rispetta l'ambiente.
Environmental Protection Agency (EPA) *n* (*US*) ≈ Ministero dell'Ambiente.
envisage [ɪn'vɪzɪdʒ] *vt* immaginare; prevedere.
envision [ɪn'vɪʒən] *vt* concepire, prevedere.
envoy ['ɛnvɔɪ] *n* inviato/a.
envy ['ɛnvɪ] *n* invidia ♦ *vt* invidiare; **to ~ sb sth** invidiare qn per qc.
enzyme ['ɛnzaɪm] *n* enzima *m*.
EPA *n abbr* (*US*) *see* **Environmental Protection Agency**.
ephemeral [ɪ'fɛmərəl] *adj* effimero(a).
epic ['ɛpɪk] *n* poema *m* epico ♦ *adj* epico(a).
epicentre, (*US*) **epicenter** ['ɛpɪsɛntə*] *n* epicentro.
epidemic [ɛpɪ'dɛmɪk] *n* epidemia.
epilepsy ['ɛpɪlɛpsɪ] *n* epilessia.
epileptic [ɛpɪ'lɛptɪk] *adj*, *n* epilettico(a).
epilogue ['ɛpɪlɔg] *n* epilogo.
Epiphany [ɪ'pɪfənɪ] *n* Epifania.
episcopal [ɪ'pɪskəpəl] *adj* episcopale.
episode ['ɛpɪsəud] *n* episodio.

epistle [ɪ'pɪsl] *n* epistola.
epitaph ['ɛpɪtɑːf] *n* epitaffio.
epithet ['ɛpɪθɛt] *n* epiteto.
epitome [ɪ'pɪtəmɪ] *n* epitome *f*; quintessenza.
epitomize [ɪ'pɪtəmaɪz] *vt* (*fig*) incarnare.
epoch ['iːpɔk] *n* epoca.
epoch-making ['iːpɔkmeɪkɪŋ] *adj* che fa epoca.
eponymous [ɪ'pɔnɪməs] *adj* dello stesso nome.
equable ['ɛkwəbl] *adj* uniforme; (*climate*) costante; (*character*) equilibrato(a).
equal ['iːkwl] *adj*, *n* uguale (*m/f*) ♦ *vt* uguagliare; **~ to** (*task*) all'altezza di.
equality [iː'kwɔlɪtɪ] *n* uguaglianza.
equalize ['iːkwəlaɪz] *vt*, *vi* pareggiare.
equalizer ['iːkwəlaɪzə*] *n* punto del pareggio.
equally ['iːkwəlɪ] *adv* ugualmente; **they are ~ clever** sono intelligenti allo stesso modo.
Equal Opportunities Commission, (*US*) **Equal Employment Opportunity Commission** *n commissione contro discriminazioni sessuali o razziali nel mondo del lavoro.*
equal(s) sign *n* segno d'uguaglianza.
equanimity [ɛkwə'nɪmɪtɪ] *n* serenità.
equate [ɪ'kweɪt] *vt*: **to ~ sth with** considerare qc uguale a; (*compare*) paragonare qc con; **to ~ A to B** mettere in equazione A e B.
equation [ɪ'kweɪʃən] *n* (*MATH*) equazione *f*.
equator [ɪ'kweɪtə*] *n* equatore *m*.
Equatorial Guinea [ɛkwə'tɔːrɪəl-] *n* Guinea Equatoriale.
equestrian [ɪ'kwɛstrɪən] *adj* equestre ♦ *n* cavaliere/amazzone.
equilibrium [iːkwɪ'lɪbrɪəm] *n* equilibrio.
equinox ['iːkwɪnɔks] *n* equinozio.
equip [ɪ'kwɪp] *vt* equipaggiare, attrezzare; **to ~ sb/sth with** fornire qn/qc di; **~ped with** (*machinery etc*) dotato(a) di; **he is well ~ped for the job** ha i requisiti necessari per quel lavoro.
equipment [ɪ'kwɪpmənt] *n* attrezzatura; (*electrical etc*) apparecchiatura.
equitable ['ɛkwɪtəbl] *adj* equo(a), giusto(a).
equities ['ɛkwɪtɪz] *npl* (*BRIT COMM*) azioni *fpl* ordinarie.
equity ['ɛkwɪtɪ] *n* equità.
equity capital *n* capitale *m* azionario.
equivalent [ɪ'kwɪvələnt] *adj*, *n* equivalente (*m*); **to be ~ to** equivalere a.
equivocal [ɪ'kwɪvəkl] *adj* equivoco(a); (*open to suspicion*) dubbio(a).
equivocate [ɪ'kwɪvəkeɪt] *vi* esprimersi in

modo equivoco.
equivocation [ɪkwɪvə'keɪʃən] n parole fpl equivoche.
ER abbr (BRIT) = Elizabeth Regina.
ERA n abbr (US POL) = Equal Rights Amendment.
era ['ɪərə] n era, età f inv.
eradicate [ɪ'rædɪkeɪt] vt sradicare.
erase [ɪ'reɪz] vt cancellare.
eraser [ɪ'reɪzə*] n gomma.
erect [ɪ'rɛkt] adj eretto(a) ♦ vt costruire; (monument, tent) alzare.
erection [ɪ'rɛkʃən] n (also PHYSIOL) erezione f; (of building) costruzione f; (of machinery) montaggio.
ergonomics [ɔːgə'nɔmɪks] n ergonomia.
ERISA n abbr (US: = Employee Retirement Income Security Act) legge relativa al pensionamento statale.
Eritrea [ɛrɪ'treɪə] n Eritrea.
ERM n abbr (= Exchange Rate Mechanism) meccanismo dei tassi di cambio.
ermine ['ɔːmɪn] n ermellino.
ERNIE ['ɔːnɪ] n abbr (BRIT: = Electronic Random Number Indicator Equipment) sistema che seleziona i numeri vincenti di buoni del Tesoro.
erode [ɪ'rəud] vt erodere; (metal) corrodere.
erogenous zone [ɪ'rɔdʒənəs-] n zona erogena.
erosion [ɪ'rəuʒən] n erosione f.
erotic [ɪ'rɔtɪk] adj erotico(a).
eroticism [ɪ'rɔtɪsɪzəm] n erotismo.
err [ɔː*] vi errare; (REL) peccare.
errand ['ɛrənd] n commissione f; to run ~s fare commissioni; ~ of mercy atto di carità.
errand boy n fattorino.
erratic [ɪ'rætɪk] adj imprevedibile; (person, mood) incostante.
erroneous [ɪ'rəunɪəs] adj erroneo(a).
error ['ɛrə*] n errore m; typing/spelling ~ errore di battitura/di ortografia; in ~ per errore; ~s and omissions excepted salvo errori ed omissioni.
error message n (COMPUT) messaggio di errore.
erstwhile ['ɔːstwaɪl] adv allora, un tempo ♦ adj di allora.
erudite ['ɛrjudaɪt] adj erudito(a).
erupt [ɪ'rʌpt] vi erompere; (volcano) mettersi (or essere) in eruzione.
eruption [ɪ'rʌpʃən] n eruzione f; (of anger, violence) esplosione f.
ESA n abbr (= European Space Agency) ESA f.
escalate ['ɛskəleɪt] vi intensificarsi; (costs)

salire.
escalation [ɛskə'leɪʃən] n escalation f; (of prices) aumento.
escalation clause n clausola di revisione.
escalator ['ɛskəleɪtə*] n scala mobile.
escapade [ɛskə'peɪd] n scappatella; avventura.
escape [ɪ'skeɪp] n evasione f; fuga; (of gas etc) fuga, fuoriuscita ♦ vi fuggire; (from jail) evadere, scappare; (fig) sfuggire; (leak) uscire ♦ vt sfuggire a; to ~ from sb sfuggire a qn; to ~ to (another place) fuggire in; (freedom, safety) fuggire verso; to ~ notice passare inosservato(a).
escape artist n mago della fuga.
escape clause n clausola scappatoia.
escapee [ɪskeɪ'piː] n evaso/a.
escape hatch n (in submarine, space rocket) portello di sicurezza.
escape key n (COMPUT) tasto di escape, tasto per cambio di codice.
escape route n percorso della fuga.
escapism [ɪs'keɪpɪzəm] n evasione f (dalla realtà).
escapist [ɪs'keɪpɪst] adj d'evasione ♦ n persona che cerca di evadere dalla realtà.
escapologist [ɛskə'pɔlədʒɪst] n (BRIT) = escape artist.
escarpment [ɪs'kɑːpmənt] n scarpata.
eschew [ɪs'tʃuː] vt evitare.
escort n ['ɛskɔːt] scorta; (to dance etc): **her** ~ il suo cavaliere; **his** ~ la sua dama ♦ vt [ɪ'skɔːt] scortare; accompagnare.
escort agency n agenzia di hostess.
Eskimo ['ɛskɪməu] adj eschimese ♦ n eschimese m/f; (LING) eschimese m.
ESL n abbr (SCOL) = English as a Second Language.
esophagus [iː'sɔfəgəs] n (US) = oesophagus.
esoteric [ɛsəu'tɛrɪk] adj esoterico(a).
ESP n abbr see extrasensory perception; (SCOL) = English for Special Purposes.
esp. abbr (= especially) spec.
especially [ɪ'spɛʃlɪ] adv specialmente; (above all) soprattutto; (specifically) espressamente; (particularly) particolarmente.
espionage ['ɛspɪənɑːʒ] n spionaggio.
esplanade [ɛsplə'neɪd] n lungomare m.
espouse [ɪ'spauz] vt abbracciare.
Esquire [ɪ'skwaɪə*] n (BRIT: abbr **Esq.**): J. Brown, ~ Signor J. Brown.
essay ['ɛseɪ] n (SCOL) composizione f; (LITERATURE) saggio.
essence ['ɛsns] n essenza; **in** ~ in sostanza;

speed is of the ~ la velocità è di estrema importanza.
essential [ɪ'sɛnʃəl] _adj_ essenziale; (_basic_) fondamentale ♦ _n_ elemento essenziale; **it is** ~ **that** è essenziale che + _sub_.
essentially [ɪ'sɛnʃəlɪ] _adv_ essenzialmente.
EST _abbr_ (_US_: = _Eastern Standard Time_) _fuso orario_.
est. _abbr_ = _established; estimate(d)_.
establish [ɪ'stæblɪʃ] _vt_ stabilire; (_business_) mettere su; (_one's power etc_) confermare; (_prove: fact, identity, sb's innocence_) dimostrare.
establishment [ɪs'tæblɪʃmənt] _n_ stabilimento; (_business_) azienda; **the E~** la classe dirigente; l'establishment _m_; **a teaching** ~ un istituto d'istruzione.
estate [ɪ'steɪt] _n_ proprietà _f inv_; (_LAW_) beni _mpl_, patrimonio; (_BRIT: also_: **housing** ~) complesso edilizio.
estate agency _n_ (_BRIT_) agenzia immobiliare.
estate agent _n_ (_BRIT_) agente _m_ immobiliare.
estate car _n_ (_BRIT_) giardiniera.
esteem [ɪ'sti:m] _n_ stima ♦ _vt_ considerare; stimare; **I hold him in high** ~ gode di tutta la mia stima.
esthetic [ɪs'θɛtɪk] _adj_ (_US_) = **aesthetic**.
estimate _n_ ['ɛstɪmət] stima; (_COMM_) preventivo ♦ _vb_ ['ɛstɪmeɪt] _vt_ stimare, valutare ♦ _vi_ (_BRIT COMM_): **to** ~ **for** fare il preventivo per; **to give sb an** ~ **of** fare a qn una valutazione approssimativa (_or_ un preventivo) di; **at a rough** ~ approssimativamente.
estimation [ɛstɪ'meɪʃən] _n_ stima; opinione _f_; **in my** ~ a mio giudizio, a mio avviso.
Estonia [ɛ'stəʊnɪə] _n_ Estonia.
Estonian [ɛ'stəʊnɪən] _adj_ estone _inv_ ♦ _n_ estone _m/f_; (_LING_) estone _m_.
estranged [ɪ'streɪndʒd] _adj_ separato(a).
estrangement [ɪs'treɪndʒmənt] _n_ alienazione _f_.
estrogen ['i:strəʊdʒən] _n_ (_US_) = **oestrogen**.
estuary ['ɛstjʊərɪ] _n_ estuario.
ET _abbr_ (_US_: = _Eastern Time_) _fuso orario_; (_BRIT_: = _Employment Training_) _corso di formazione professionale per disoccupati_.
ETA _n abbr_ (= _estimated time of arrival_) ora di arrivo prevista.
et al. _abbr_ (= _et alii: and others_) ed altri.
etc. _abbr_ (= _et cetera_) ecc., etc.
etch [ɛtʃ] _vt_ incidere all'acquaforte.
etching ['ɛtʃɪŋ] _n_ acquaforte _f_.
ETD _n abbr_ (= _estimated time of departure_) ora di partenza prevista.

eternal [ɪ'tɜ:nl] _adj_ eterno(a).
eternity [ɪ'tɜːnɪtɪ] _n_ eternità.
ether ['iːθə*] _n_ etere _m_.
ethereal [ɪ'θɪərɪəl] _adj_ etereo(a).
ethical ['ɛθɪkl] _adj_ etico(a), morale.
ethics ['ɛθɪks] _n_ etica ♦ _npl_ morale _f_.
Ethiopia [i:θɪ'əʊpɪə] _n_ Etiopia.
Ethiopian [i:θɪ'əʊpɪən] _adj, n_ etiope (_m/f_).
ethnic ['ɛθnɪk] _adj_ etnico(a).
ethnic cleansing [-'klɛnzɪŋ] _n_ pulizia etnica.
ethnology [ɛθ'nɒlədʒɪ] _n_ etnologia.
ethos ['iːθɒs] _n_ (_of culture, group_) norma di vita.
etiquette ['ɛtɪkɛt] _n_ etichetta.
ETV _n abbr_ (_US_) = _Educational Television_.
etymology [ɛtɪ'mɒlədʒɪ] _n_ etimologia.
EU _n abbr_ (= _European Union_) UE _f_.
eucalyptus [ju:kə'lɪptəs] _n_ eucalipto.
eulogy [' juːlədʒɪ] _n_ elogio.
euphemism ['juːfəmɪzəm] _n_ eufemismo.
euphemistic [juːfə'mɪstɪk] _adj_ eufemistico(a).
euphoria [juː'fɔːrɪə] _n_ euforia.
Eurasia [juə'reɪʃə] _n_ Eurasia.
Eurasian [juə'reɪʃən] _adj, n_ eurasiano(a).
Euratom [juə'rætəm] _n abbr_ (= _European Atomic Energy Community_) EURATOM _f_.
Euro- ['juərəʊ] _prefix_ euro-.
Eurocheque ['juərəʊtʃɛk] _n_ eurochèque _m inv_.
Eurocrat ['juərəʊkræt] _n_ eurocrate _m/f_.
Eurodollar ['juərəʊdɒlə*] _n_ eurodollaro.
Europe ['juərəp] _n_ Europa.
European [juərə'pi:ən] _adj, n_ europeo(a).
European Court of Justice _n_ Corte _f_ di Giustizia della Comunità Europea.
Euro-sceptic ['juərəʊskɛptɪk] _n_ euroscettico/a.
euthanasia [ju:θə'neɪzɪə] _n_ eutanasia.
evacuate [ɪ'vækjueɪt] _vt_ evacuare.
evacuation [ɪvækju'eɪʃən] _n_ evacuazione _f_.
evacuee [ɪvækju'iː] _n_ sfollato/a.
evade [ɪ'veɪd] _vt_ eludere; (_duties etc_) sottrarsi a.
evaluate [ɪ'væljueɪt] _vt_ valutare.
evangelist [ɪ'vændʒəlɪst] _n_ evangelista _m_.
evangelize [ɪ'vændʒəlaɪz] _vt_ evangelizzare.
evaporate [ɪ'væpəreɪt] _vi_ evaporare ♦ _vt_ far evaporare.
evaporated milk _n_ latte _m_ concentrato.
evaporation [ɪvæpə'reɪʃən] _n_ evaporazione _f_.
evasion [ɪ'veɪʒən] _n_ evasione _f_.
evasive [ɪ'veɪsɪv] _adj_ evasivo(a).
eve [iːv] _n_: **on the** ~ **of** alla vigilia di.
even ['iːvn] _adj_ regolare; (_number_) pari _inv_ ♦ _adv_ anche, perfino; ~ **if**, ~ **though** anche

se; ~ **more** ancora di più; **he loves her** ~ **more** la ama anche di più; ~ **faster** ancora più veloce; ~ **so** ciò nonostante; **not** ~ ... nemmeno ...; **to break** ~ finire in pari *or* alla pari; **to get** ~ **with sb** dare la pari a qn.

▶**even out** *vi* pareggiare.

even-handed ['iːvn'hændɪd] *adj* imparziale, equo(a).

evening ['iːvnɪŋ] *n* sera; (*as duration, event*) serata; **in the** ~ la sera; **this** ~ stasera, questa sera; **tomorrow/yesterday** ~ domani/ieri sera.

evening class *n* corso serale.

evening dress *n* (*woman's*) abito da sera; **in** ~ (*man*) in abito scuro; (*woman*) in abito lungo.

evenly ['iːvənlɪ] *adv* (*distribute, space, spread*) uniformemente; (*divide*) in parti uguali.

evensong ['iːvnsɔŋ] *n* ≈ vespro.

event [ɪ'vɛnt] *n* avvenimento; (*SPORT*) gara; **in the** ~ **of** in caso di; **at all** ~**s** (*BRIT*), **in any** ~ in ogni caso; **in the** ~ in realtà, di fatto; **in the course of** ~**s** nel corso degli eventi.

eventful [ɪ'vɛntful] *adj* denso(a) di eventi.

eventing [ɪ'vɛntɪŋ] *n* (*HORSERIDING*) concorso ippico.

eventual [ɪ'vɛntʃuəl] *adj* finale.

eventuality [ɪvɛntʃu'ælɪtɪ] *n* possibilità *f* *inv*, eventualità *f inv*.

eventually [ɪ'vɛntʃuəlɪ] *adv* finalmente.

ever ['ɛvə*] *adv* mai; (*at all times*) sempre; **for** ~ per sempre; **the best** ~ il migliore che ci sia mai stato; **hardly** ~ non ... quasi mai; **did you** ~ **meet him?** l'ha mai incontrato?; **have you** ~ **been there?** c'è mai stato?; ~ **so pretty** così bello(a); **thank you** ~ **so much** grazie mille; **yours** ~ (*BRIT: in letters*) sempre tuo; ~ **since** *adv* da allora ♦ *conj* sin da quando.

Everest ['ɛvərɪst] *n* (*also*: Mount ~) Everest *m*.

evergreen ['ɛvəgriːn] *n* sempreverde *m*.

everlasting [ɛvə'lɑːstɪŋ] *adj* eterno(a).

every ['ɛvrɪ] *adj* ogni; ~ **day** tutti i giorni, ogni giorno; ~ **other/third day** ogni due/ tre giorni; ~ **other car** una macchina su due; ~ **now and then** ogni tanto, di quando in quando; **I have** ~ **confidence in him** ho piena fiducia in lui.

everybody ['ɛvrɪbɔdɪ] *pron* ognuno, tutti *pl*; ~ **else** tutti gli altri; ~ **knows about it** lo sanno tutti.

everyday ['ɛvrɪdeɪ] *adj* quotidiano(a); di ogni giorno; (*use, occurrence, experience*) comune; (*expression*) di uso corrente.

everyone ['ɛvrɪwʌn] = **everybody**.

everything ['ɛvrɪθɪŋ] *pron* tutto, ogni cosa; ~ **is ready** è tutto pronto; **he did** ~ **possible** ha fatto tutto il possibile.

everywhere ['ɛvrɪwɛə*] *adv* in ogni luogo, dappertutto; (*wherever*) ovunque; ~ **you go you meet** ... ovunque si vada si trova ....

evict [ɪ'vɪkt] *vt* sfrattare.

eviction [ɪ'vɪkʃən] *n* sfratto.

eviction notice *n* avviso di sfratto.

evidence ['ɛvɪdəns] *n* (*proof*) prova; (*of witness*) testimonianza; (*sign*): **to show** ~ **of** dare segni di; **to give** ~ deporre; **in** ~ (*obvious*) in evidenza; in vista.

evident ['ɛvɪdənt] *adj* evidente.

evidently ['ɛvɪdəntlɪ] *adv* evidentemente.

evil ['iːvl] *adj* cattivo(a), maligno(a) ♦ *n* male *m*.

evince [ɪ'vɪns] *vt* manifestare.

evocative [ɪ'vɔkətɪv] *adj* evocativo(a).

evoke [ɪ'vəuk] *vt* evocare; (*admiration*) suscitare.

evolution [iːvə'luːʃən] *n* evoluzione *f*.

evolve [ɪ'vɔlv] *vt* elaborare ♦ *vi* svilupparsi, evolversi.

ewe [juː] *n* pecora.

ex- [ɛks] *prefix* ex; (*out of*): **the price** ~ **works** il prezzo franco fabbrica.

exacerbate [ɪk'sæsəbeɪt] *vt* (*pain*) aggravare; (*fig: relations, situation*) esacerbare, esasperare.

exact [ɪg'zækt] *adj* esatto(a) ♦ *vt*: **to** ~ **sth** (**from**) estorcere qc (da); esigere qc (da).

exacting [ɪg'zæktɪŋ] *adj* esigente; (*work*) faticoso(a).

exactitude [ɪg'zæktɪtjuːd] *n* esattezza, precisione *f*.

exactly [ɪg'zæktlɪ] *adv* esattamente; ~**!** esatto!

exaggerate [ɪg'zædʒəreɪt] *vt, vi* esagerare.

exaggeration [ɪgzædʒə'reɪʃən] *n* esagerazione *f*.

exalt [ɪg'zɔːlt] *vt* esaltare; elevare.

exalted [ɪg'zɔːltɪd] *adj* (*rank, person*) elevato(a); (*elated*) esaltato(a).

exam [ɪg'zæm] *n abbr* (*SCOL*) = **examination**.

examination [ɪgzæmɪ'neɪʃən] *n* (*SCOL*) esame *m*; (*MED*) controllo; **to take** *or* (*BRIT*) **sit an** ~ sostenere *or* dare un esame; **the matter is under** ~ la questione è all'esame.

examine [ɪg'zæmɪn] *vt* esaminare; (*SCOL: orally, LAW: person*) interrogare; (*inspect: machine, premises*) ispezionare; (*luggage, passport*) controllare; (*MED*) visitare.

examiner [ɪg'zæmɪnə*] *n* esaminatore/ trice.

example [ɪg'zɑːmpl] *n* esempio; **for** ~ ad *or* per esempio; **to set a good/bad** ~ dare il buon/cattivo esempio.

exasperate [ɪg'zɑːspəreɪt] *vt* esasperare; ~**d by** (*or* **at** *or* **with**) esasperato da.

exasperating [ɪg'zɑːspəreɪtɪŋ] *adj* esasperante.

exasperation [ɪgzɑːspə'reɪʃən] *n* esasperazione *f*.

excavate ['ɛkskəveɪt] *vt* scavare.

excavation [ɛkskə'veɪʃən] *n* escavazione *f*.

excavator ['ɛkskəveɪtə*] *n* scavatore *m*, scavatrice *f*.

exceed [ɪk'siːd] *vt* superare; (*one's powers, time limit*) oltrepassare.

exceedingly [ɪk'siːdɪŋlɪ] *adv* eccessivamente.

excel [ɪk'sɛl] *vi* eccellere ♦ *vt* sorpassare; **to** ~ **o.s.** (*BRIT*) superare se stesso.

excellence ['ɛksələns] *n* eccellenza.

Excellency ['ɛksələnsɪ] *n*: **His** ~ Sua Eccellenza.

excellent ['ɛksələnt] *adj* eccellente.

except [ɪk'sɛpt] *prep* (*also*: ~ **for**, ~**ing**) salvo, all'infuori di, eccetto ♦ *vt* escludere; ~ **if/when** salvo se/quando; ~ **that** salvo che.

exception [ɪk'sɛpʃən] *n* eccezione *f*; **to take** ~ **to** trovare a ridire su; **with the** ~ **of** ad eccezione di.

exceptional [ɪk'sɛpʃənl] *adj* eccezionale.

excerpt ['ɛksəːpt] *n* estratto.

excess [ɪk'sɛs] *n* eccesso; **in** ~ **of** al di sopra di.

excess baggage *n* bagaglio in eccedenza.

excess fare *n* supplemento.

excessive [ɪk'sɛsɪv] *adj* eccessivo(a).

excess supply *n* eccesso di offerta.

exchange [ɪks'tʃeɪndʒ] *n* scambio; (*also*: **telephone** ~) centralino ♦ *vt*: **to** ~ **(for)** scambiare (con); **in** ~ **for** in cambio di; **foreign** ~ (*COMM*) cambio.

exchange control *n* controllo sui cambi.

exchange market *n* mercato dei cambi.

exchange rate *n* tasso di cambio.

Exchequer [ɪks'tʃɛkə*] *n*: **the** ~ (*BRIT*) lo Scacchiere, ≈ il ministero delle Finanze.

excisable [ɪk'saɪzəbl] *adj* soggetto(a) a dazio.

excise *n* ['ɛksaɪz] imposta, dazio ♦ *vt* [ɛk'saɪz] recidere.

excise duties *npl* dazi *mpl*.

excitable [ɪk'saɪtəbl] *adj* eccitabile.

excite [ɪk'saɪt] *vt* eccitare; **to get** ~**d** eccitarsi.

excitement [ɪk'saɪtmənt] *n* eccitazione *f*; agitazione *f*.

exciting [ɪk'saɪtɪŋ] *adj* avventuroso(a);

(*film, book*) appassionante.

excl. *abbr* (= *excluding, exclusive* (*of*)) escl.

exclaim [ɪk'skleɪm] *vi* esclamare.

exclamation [ɛksklə'meɪʃən] *n* esclamazione *f*.

exclamation mark *n* punto esclamativo.

exclude [ɪk'skluːd] *vt* escludere.

excluding [ɪk'skluːdɪŋ] *prep*: ~ **VAT** IVA esclusa.

exclusion [ɪk'skluːʒən] *n* esclusione *f*; **to the** ~ **of** escludendo.

exclusion clause *n* clausola di esclusione.

exclusion zone *n* area interdetta.

exclusive [ɪk'skluːsɪv] *adj* esclusivo(a); (*club*) selettivo(a); (*district*) snob *inv* ♦ *adv* (*COMM*) non compreso; ~ **of VAT** IVA esclusa; ~ **of postage** spese postali escluse; ~ **of service** servizio escluso; **from 1st to 15th March** ~ dal 1° al 15 marzo esclusi; ~ **rights** *npl* (*COMM*) diritti *mpl* esclusivi.

exclusively [ɪk'skluːsɪvlɪ] *adv* esclusivamente.

excommunicate [ɛkskə'mjuːnɪkeɪt] *vt* scomunicare.

excrement ['ɛkskrəmənt] *n* escremento.

excruciating [ɪk'skruːʃɪeɪtɪŋ] *adj* straziante, atroce.

excursion [ɪk'skəːʃən] *n* escursione *f*, gita.

excursion ticket *n* biglietto a tariffa escursionistica.

excusable [ɪk'skjuːzəbl] *adj* scusabile.

excuse *n* [ɪk'skjuːs] scusa ♦ *vt* [ɪk'skjuːz] scusare; (*justify*) giustificare; **to make** ~**s for sb** trovare giustificazioni per qn; **to** ~ **sb from** (*activity*) dispensare qn da; ~ **me!** mi scusi!; **now if you will** ~ **me**, ... ora, mi scusi ma ...; **to** ~ **o.s.** (**for** (**doing**) **sth**) giustificarsi (per (aver fatto) qc).

ex-directory ['ɛksdɪ'rɛktərɪ] *adj* (*BRIT*): ~ **(phone) number** numero non compreso nell'elenco telefonico.

execrable ['ɛksɪkrəbl] *adj* (*gen*) pessimo(a); (*manners*) esecrabile.

execute ['ɛksɪkjuːt] *vt* (*prisoner*) giustiziare; (*plan etc*) eseguire.

execution [ɛksɪ'kjuːʃən] *n* esecuzione *f*.

executioner [ɛksɪ'kjuːʃnə*] *n* boia *m inv*.

executive [ɪg'zɛkjutɪv] *n* (*COMM*) dirigente *m*; (*POL*) esecutivo ♦ *adj* esecutivo(a); (*secretary*) di direzione; (*offices, suite*) della direzione; (*car, plane*) dirigenziale; (*position, job, duties*) direttivo(a).

executive director *n* amministratore/trice.

executor [ɪg'zɛkjutə*] *n* esecutore(trice) testamentario(a).

exemplary [ɪg'zɛmplərɪ] *adj* esemplare.

exemplify [ɪgˈzɛmplɪfaɪ] *vt* esemplificare.

exempt [ɪgˈzɛmpt] *adj*: ~ **(from)** (*person: from tax*) esentato(a) (da); (: *from military service etc*) esonerato(a) (da); (*goods*) esente (da) ♦ *vt*: **to** ~ **sb from** esentare qn da.

exemption [ɪgˈzɛmpʃən] *n* esenzione *f*.

exercise [ˈɛksəsaɪz] *n* esercizio ♦ *vt* esercitare; (*dog*) portar fuori ♦ *vi* (*also*: **take** ~) fare del movimento *or* moto.

exercise bike *n* cyclette ⓇⓇ *f inv*.

exercise book *n* quaderno.

exert [ɪgˈzəːt] *vt* esercitare; (*strength, force*) impiegare; **to** ~ **o.s.** sforzarsi.

exertion [ɪgˈzəːʃən] *n* sforzo.

ex gratia [ˈɛksˈgreɪʃə] *adj*: ~ **payment** gratifica.

exhale [ɛksˈheɪl] *vt, vi* espirare.

exhaust [ɪgˈzɔːst] *n* (*also*: ~ **fumes**) scappamento; (*also*: ~ **pipe**) tubo di scappamento ♦ *vt* esaurire; **to** ~ **o.s.** sfiancarsi.

exhausted [ɪgˈzɔːstɪd] *adj* esaurito(a).

exhausting [ɪgˈzɔːstɪŋ] *adj* estenuante.

exhaustion [ɪgˈzɔːstʃən] *n* esaurimento; **nervous** ~ sovraffaticamento mentale.

exhaustive [ɪgˈzɔːstɪv] *adj* esauriente.

exhibit [ɪgˈzɪbɪt] *n* (*ART*) oggetto esposto; (*LAW*) documento *or* oggetto esibito ♦ *vt* esporre; (*courage, skill*) dimostrare.

exhibition [ɛksɪˈbɪʃən] *n* mostra, esposizione *f*; (*of rudeness etc*) spettacolo; **to make an** ~ **of o.s.** dare spettacolo di sé.

exhibitionist [ɛksɪˈbɪʃənɪst] *n* esibizionista *m/f*.

exhibitor [ɪgˈzɪbɪtə*] *n* espositore/trice.

exhilarating [ɪgˈzɪləreɪtɪŋ] *adj* esilarante; stimolante.

exhilaration [ɪgzɪləˈreɪʃən] *n* esaltazione *f*, ebbrezza.

exhort [ɪgˈzɔːt] *vt* esortare.

exile [ˈɛksaɪl] *n* esilio; (*person*) esiliato/a ♦ *vt* esiliare; **in** ~ in esilio.

exist [ɪgˈzɪst] *vi* esistere.

existence [ɪgˈzɪstəns] *n* esistenza; **to be in** ~ esistere.

existentialism [ɛgzɪsˈtɛnʃəlɪzəm] *n* esistenzialismo.

existing [ɪgˈzɪstɪŋ] *adj* (*laws, regime*) attuale.

exit [ˈɛksɪt] *n* uscita ♦ *vi* (*COMPUT, THEAT*) uscire.

exit poll *n* exit poll *m inv*, sondaggio all'uscita dei seggi.

exit ramp *n* (*US AUT*) rampa di uscita.

exit visa *n* visto d'uscita.

exodus [ˈɛksədəs] *n* esodo.

ex officio [ˈɛksəˈfɪʃɪəu] *adj, adv* d'ufficio.

exonerate [ɪgˈzɔnəreɪt] *vt*: **to** ~ **from** discolpare da.

exorbitant [ɪgˈzɔːbɪtənt] *adj* (*price*) esorbitante; (*demands*) sproposito(a).

exorcise [ˈɛksɔːsaɪz] *vt* esorcizzare.

exotic [ɪgˈzɔtɪk] *adj* esotico(a).

expand [ɪkˈspænd] *vt* (*chest, economy etc*) sviluppare; (*market, operations*) espandere; (*influence*) estendere; (*horizons*) allargare ♦ *vi* svilupparsi; (*also gas*) espandersi; (*metal*) dilatarsi; **to** ~ **on** (*notes, story etc*) ampliare.

expanse [ɪkˈspæns] *n* distesa, estensione *f*.

expansion [ɪkˈspænʃən] *n* (*gen*) espansione *f*; (*of town, economy*) sviluppo; (*of metal*) dilatazione *f*.

expansionism [ɪkˈspænʃənɪzəm] *n* espansionismo.

expansionist [ɪkˈspænʃənɪst] *adj* espansionistico(a).

expatriate *n* [ɛksˈpætrɪət] espatriato/a ♦ *vt* [ɛksˈpætrɪeɪt] espatriare.

expect [ɪkˈspɛkt] *vt* (*anticipate*) prevedere, aspettarsi, prevedere *or* aspettarsi che + *sub*; (*count on*) contare su; (*hope for*) sperare; (*require*) richiedere, esigere; (*suppose*) supporre; (*await, also baby*) aspettare ♦ *vi*: **to be** ~**ing** essere in stato interessante; **to** ~ **sb to do** aspettarsi che qn faccia; **to** ~ **to do sth** pensare *or* contare di fare qc; **as** ~**ed** come previsto; **I** ~ **so** credo di sì.

expectancy [ɪkˈspɛktənsɪ] *n* attesa; **life** ~ probabilità *fpl* di vita.

expectant [ɪkˈspɛktənt] *adj* pieno(a) di aspettative.

expectantly [ɪkˈspɛktəntlɪ] *adv* (*look, listen*) con un'aria d'attesa.

expectant mother *n* gestante *f*.

expectation [ɛkspɛkˈteɪʃən] *n* aspettativa; speranza; **in** ~ **of** in previsione di; **against** *or* **contrary to all** ~(s) contro ogni aspettativa; **to come** *or* **live up to sb's** ~s rispondere alle attese di qn.

expedience, expediency [ɪkˈspiːdɪəns, ɪkˈspiːdɪənsɪ] *n* convenienza; **for the sake of** ~ per una questione di comodità.

expedient [ɪkˈspiːdɪənt] *adj* conveniente; vantaggioso(a) ♦ *n* espediente *m*.

expedite [ˈɛkspədaɪt] *vt* sbrigare; facilitare.

expedition [ɛkspəˈdɪʃən] *n* spedizione *f*.

expeditionary force [ɛkspəˈdɪʃənərɪ-] *n* corpo di spedizione.

expeditious [ɛkspəˈdɪʃəs] *adj* sollecito(a), rapido(a).

expel [ɪk'spɛl] *vt* espellere.

expend [ɪk'spɛnd] *vt* spendere; (*use up*) consumare.

expendable [ɪk'spɛndəbl] *adj* sacrificabile.

expenditure [ɪk'spɛndɪtʃə*] *n* spesa; (*of time, effort*) dispendio.

expense [ɪk'spɛns] *n* spesa; (*high cost*) costo; **~s** *npl* (*COMM*) spese *fpl*, indennità *fpl*; **to go to the ~ of** sobbarcarsi la spesa di; **at great ~** con grande impiego di mezzi; **at the ~ of** a spese di.

expense account *n* conto *m* spese *inv*.

expensive [ɪk'spɛnsɪv] *adj* caro(a), costoso(a); **she has ~ tastes** le piacciono le cose costose.

experience [ɪk'spɪərɪəns] *n* esperienza ♦ *vt* (*pleasure*) provare; (*hardship*) soffrire; **to learn by ~** imparare per esperienza.

experienced [ɪk'spɪərɪənst] *adj* che ha esperienza.

experiment *n* [ɪk'spɛrɪmənt] esperimento, esperienza ♦ *vi* [ɪk'spɛrɪmɛnt] fare esperimenti; **to perform** *or* **carry out an ~** fare un esperimento; **as an ~** a titolo di esperimento; **to ~ with a new vaccine** sperimentare un nuovo vaccino.

experimental [ɪkspɛrɪ'mɛntl] *adj* sperimentale; **at the ~ stage** in via di sperimentazione.

expert ['ɛkspə:t] *adj, n* esperto(a); **~ witness** (*LAW*) esperto/a; **~ in** *or* **at doing sth** esperto nel fare qc; **an ~ on sth** un esperto di qc.

expertise [ɛkspə:'ti:z] *n* competenza.

expire [ɪk'spaɪə*] *vi* (*period of time, licence*) scadere.

expiry [ɪk'spaɪərɪ] *n* scadenza.

explain [ɪk'spleɪn] *vt* spiegare.

▶**explain away** *vt* dar ragione di.

explanation [ɛksplə'neɪʃən] *n* spiegazione *f*; **to find an ~ for sth** trovare la spiegazione di qc.

explanatory [ɪk'splænətrɪ] *adj* esplicativo(a).

expletive [ɪk'spli:tɪv] *n* imprecazione *f*.

explicit [ɪk'splɪsɪt] *adj* esplicito(a); (*definite*) netto(a).

explode [ɪk'spləud] *vi* esplodere ♦ *vt* (*fig: theory*) demolire; **to ~ a myth** distruggere un mito.

exploit *n* ['ɛksplɔɪt] impresa ♦ *vt* [ɪk'splɔɪt] sfruttare.

exploitation [ɛksplɔɪ'teɪʃən] *n* sfruttamento.

exploration [ɛksplə'reɪʃən] *n* esplorazione *f*.

exploratory [ɪk'splɔrətrɪ] *adj* (*fig: talks*) esplorativo(a); **~ operation** (*MED*) intervento d'esplorazione.

explore [ɪk'splɔ:*] *vt* esplorare; (*possibilities*) esaminare.

explorer [ɪk'splɔ:rə*] *n* esploratore/trice.

explosion [ɪk'spləuʒən] *n* esplosione *f*.

explosive [ɪk'spləusɪv] *adj* esplosivo(a) ♦ *n* esplosivo.

exponent [ɪk'spəunənt] *n* esponente *m/f*.

export *vt* [ɛk'spɔ:t] esportare ♦ *n* ['ɛkspɔ:t] esportazione *f*; articolo di esportazione ♦ *cpd* d'esportazione.

exportation [ɛkspɔ:'teɪʃən] *n* esportazione *f*.

exporter [ɪk'spɔ:tə*] *n* esportatore *m*.

export licence *n* licenza d'esportazione.

expose [ɪk'spəuz] *vt* esporre; (*unmask*) smascherare; **to ~ o.s.** (*LAW*) oltraggiare il pudore.

exposed [ɪk'spəuzd] *adj* (*land, house*) esposto(a); (*ELEC: wire*) scoperto(a); (*pipe, beam*) a vista.

exposition [ɛkspə'zɪʃən] *n* esposizione *f*.

exposure [ɪk'spəuʒə*] *n* esposizione *f*; (*PHOT*) posa; (*MED*) assideramento; **to die of ~** morire assiderato(a).

exposure meter *n* esposimetro.

expound [ɪk'spaund] *vt* esporre; (*theory, text*) spiegare.

express [ɪk'sprɛs] *adj* (*definite*) chiaro(a), espresso(a); (*BRIT: letter etc*) espresso *inv* ♦ *n* (*train*) espresso ♦ *adv*: **to send sth ~** spedire qc per espresso ♦ *vt* esprimere; **to ~ o.s.** esprimersi.

expression [ɪk'sprɛʃən] *n* espressione *f*.

expressionism [ɪk'sprɛʃənɪzəm] *n* espressionismo.

expressive [ɪk'sprɛsɪv] *adj* espressivo(a).

expressly [ɪk'sprɛslɪ] *adv* espressamente.

expressway [ɪk'sprɛsweɪ] *n* (*US*) autostrada che attraversa la città.

expropriate [ɛks'prəuprɪeɪt] *vt* espropriare.

expulsion [ɪk'spʌlʃən] *n* espulsione *f*.

exquisite [ɛk'skwɪzɪt] *adj* squisito(a).

ex-serviceman ['ɛks'sə:vɪsmən] *n* ex combattente *m*.

ext. *abbr* (*TEL*: = *extension*) int. (= *interno*).

extemporize [ɪk'stɛmpəraɪz] *vi* improvvisare.

extend [ɪk'stɛnd] *vt* (*visit*) protrarre; (*road, deadline*) prolungare; (*building*) ampliare; (*offer*) offrire, porgere; (*COMM: credit*) accordare ♦ *vi* (*land*) estendersi.

extension [ɪk'stɛnʃən] *n* (*of road, term*) prolungamento; (*of contract, deadline*) proroga; (*building*) annesso; (*to wire, table*) prolunga; (*telephone*) interno; (: *in private house*) apparecchio supplementare; **~ 3718** (*TEL*) interno 3718.

extension cable *n* (*ELEC*) prolunga.

extensive [ɪk'stɛnsɪv] *adj* esteso(a), ampio(a); (*damage*) su larga scala; (*alterations*) notevole; (*inquiries*) esauriente; (*use*) grande.

extensively [ɪk'stɛnsɪvlɪ] *adv* (*altered, damaged etc*) radicalmente; **he's travelled** ~ ha viaggiato molto.

extent [ɪk'stɛnt] *n* estensione *f*; (*of knowledge, activities, power*) portata; (*degree: of damage, loss*) proporzioni *fpl*; **to some** ~ fino a un certo punto; **to a certain/large** ~ in certa/larga misura; **to what** ~? fino a che punto?; **to such an** ~ **that** ... a tal punto che ....

extenuating [ɪk'stɛnjueɪtɪŋ] *adj*: ~ **circumstances** attenuanti *fpl*.

exterior [ɛk'stɪərɪə*] *adj* esteriore, esterno(a) ♦ *n* esteriore *m*, esterno; aspetto (esteriore).

exterminate [ɪk'stə:mɪneɪt] *vt* sterminare.

extermination [ɪkstə:mɪ'neɪʃən] *n* sterminio.

external [ɛk'stə:nl] *adj* esterno(a), esteriore ♦ *n*: **the** ~**s** le apparenze; **for** ~ **use only** (*MED*) solo per uso esterno; ~ **affairs** (*POL*) affari *mpl* esteri.

externally [ɛk'stə:nəlɪ] *adv* esternamente.

extinct [ɪk'stɪŋkt] *adj* estinto(a).

extinction [ɪk'stɪŋkʃən] *n* estinzione *f*.

extinguish [ɪk'stɪŋgwɪʃ] *vt* estinguere.

extinguisher [ɪk'stɪŋgwɪʃə*] *n* estintore *m*.

extol, (*US*) **extoll** [ɪk'stəul] *vt* (*merits, virtues*) magnificare; (*person*) celebrare.

extort [ɪk'stɔ:t] *vt*: **to** ~ **sth** (**from**) estorcere qc (da).

extortion [ɪk'stɔ:ʃən] *n* estorsione *f*.

extortionate [ɪk'stɔ:ʃənɪt] *adj* esorbitante.

extra ['ɛkstrə] *adj* extra *inv*, supplementare ♦ *adv* (*in addition*) di più ♦ *n* supplemento; (*THEAT*) comparso; **wine will cost** ~ il vino è extra; ~ **large sizes** taglie *fpl* forti.

extra... ['ɛkstrə] *prefix* extra....

extract *vt* [ɪk'strækt] estrarre; (*money, promise*) strappare ♦ *n* ['ɛkstrækt] estratto; (*passage*) brano.

extraction [ɪk'strækʃən] *n* estrazione *f*; (*descent*) origine *f*.

extractor fan [ɪk'stræktə*-] *n* aspiratore *m*.

extracurricular [ɛkstrəkə'rɪkjulə*] *adj* (*SCOL*) parascolastico(a).

extradite ['ɛkstrədaɪt] *vt* estradare.

extradition [ɛkstrə'dɪʃən] *n* estradizione *f*.

extramarital [ɛkstrə'mærɪtl] *adj* extraconiugale.

extramural [ɛkstrə'mjuərl] *adj* fuori dell'università.

extraneous [ɛk'streɪnɪəs] *adj*: ~ **to** estraneo(a) a.

extraordinary [ɪk'strɔ:dnrɪ] *adj* straordinario(a); **the** ~ **thing is that** ... la cosa strana è che ....

extraordinary general meeting *n* assemblea straordinaria.

extrapolation [ɪkstræpə'leɪʃən] *n* estrapolazione *f*.

extrasensory perception (ESP) [ɛkstrə'sɛnsərɪ-] *n* percezione *f* extrasensoriale.

extra time *n* (*FOOTBALL*) tempo supplementare.

extravagance [ɪk'strævəgəns] *n* (*excessive spending*) sperpero; (*thing bought*) stravaganza.

extravagant [ɪk'strævəgənt] *adj* stravagante; (*in spending: person*) prodigo(a); (: *tastes*) dispendioso(a).

extreme [ɪk'stri:m] *adj* estremo(a) ♦ *n* estremo; ~**s of temperature** eccessivi sbalzi *mpl* di temperatura; **the** ~ **left/right** (*POL*) l'estrema sinistra/destra.

extremely [ɪk'stri:mlɪ] *adv* estremamente.

extremist [ɪk'stri:mɪst] *adj, n* estremista (*m/f*).

extremity [ɪk'strɛmɪtɪ] *n* estremità *f inv*.

extricate ['ɛkstrɪkeɪt] *vt*: **to** ~ **sth** (**from**) districare qc (da).

extrovert ['ɛkstrəvə:t] *n* estroverso/a.

exuberance [ɪg'zu:bərəns] *n* esuberanza.

exuberant [ɪg'zju:bərənt] *adj* esuberante.

exude [ɪg'zju:d] *vt* trasudare; (*fig*) emanare.

exult [ɪg'zʌlt] *vi* esultare, gioire.

exultant [ɪg'zʌltənt] *adj* (*person, smile*) esultante; (*shout, expression*) di giubilo.

exultation [ɛgzʌl'teɪʃən] *n* giubilo; **in** ~ per la gioia.

eye [aɪ] *n* occhio; (*of needle*) cruna ♦ *vt* osservare; **to keep an** ~ **on** tenere d'occhio; **in the public** ~ esposto(a) al pubblico; **as far as the** ~ **can see** a perdita d'occhio; **with an** ~ **to doing sth** (*BRIT*) con l'idea di far qc; **to have an** ~ **for sth** avere occhio per qc; **there's more to this than meets the** ~ non è così semplice come sembra.

eyeball ['aɪbɔ:l] *n* globo dell'occhio.

eyebath ['aɪbɑ:θ] *n* occhino.

eyebrow ['aɪbrau] *n* sopracciglio.

eyebrow pencil *n* matita per le sopracciglia.

eye-catching ['aɪkætʃɪŋ] *adj* che colpisce l'occhio.

eye cup *n* (*US*) = **eyebath**.

eyedrops ['aɪdrɔps] *npl* gocce *fpl* oculari, collirio.

eyeful ['aɪful] *n*: **to get an** ~ (**of sth**) (*col*)

avere l'occasione di dare una bella
sbirciata (a qc).
eyeglass ['aɪɡlɑːs] *n* monocolo.
eyelash ['aɪlæʃ] *n* ciglio.
eyelet ['aɪlɪt] *n* occhiello.
eye-level ['aɪlɛvl] *adj* all'altezza degli
occhi.
eyelid ['aɪlɪd] *n* palpebra.
eyeliner ['aɪlaɪnə*] *n* eye-liner *m inv*.
eye-opener ['aɪəupnə*] *n* rivelazione *f*.
eyeshadow ['aɪʃædəu] *n* ombretto.
eyesight ['aɪsaɪt] *n* vista.
eyesore ['aɪsɔː*] *n* pugno nell'occhio.
eyestrain ['aɪstreɪn] *n*: **to get** ~ stancarsi
gli occhi.
eye-tooth, *pl* **-teeth** ['aɪtuːθ, -tiːθ] *n* canino
superiore; **to give one's eye-teeth for
sth/to do sth** (*fig*) dare non so che cosa
per qc/per fare qc.
eyewash ['aɪwɔʃ] *n* collirio; (*fig*)
sciocchezze *fpl*.
eye witness *n* testimone *m/f* oculare.
eyrie ['ɪərɪ] *n* nido (d'aquila).

Ff

F, f [ɛf] *n* (*letter*) F, f *f or m inv*; (*MUS*): F fa *m*;
F for Frederick, (*US*) **F for Fox** ≈ F come
Firenze.
F. *abbr* (= *Fahrenheit*) F.
FA *n abbr* (*BRIT*) = *Football Association*.
FAA *n abbr* (*US*) = *Federal Aviation
Administration*.
fable ['feɪbl] *n* favola.
fabric ['fæbrɪk] *n* stoffa, tessuto; (*ARCHIT*)
struttura.
fabricate ['fæbrɪkeɪt] *vt* fabbricare.
fabrication [fæbrɪ'keɪʃən] *n* fabbricazione *f*.
fabric ribbon *n* (*for typewriter*)
dattilonastro di tessuto.
fabulous ['fæbjuləs] *adj* favoloso(a); (*col*:
super) favoloso(a), fantastico(a).
façade [fə'sɑːd] *n* facciata; (*fig*) apparenza.
face [feɪs] *n* faccia, viso, volto; (*expression*)
faccia; (*grimace*) smorfia; (*of clock*)
quadrante *m*; (*of building*) facciata; (*side,
surface*) faccia; (*of mountain, cliff*) parete *f*
♦ *vt* fronteggiare; (*fig*) affrontare; ~
down (*person*) bocconi; (*object*) a faccia
in giù; **to lose/save** ~ perdere/salvare la
faccia; **to pull a** ~ fare una smorfia; **in**

the ~ **of** (*difficulties etc*) di fronte a; **on the**
~ **of it** a prima vista; **to** ~ **the fact that** ...
riconoscere *or* ammettere che ....
▶**face up to** *vt fus* affrontare, far fronte a.
face cloth *n* (*BRIT*) guanto di spugna.
face cream *n* crema per il viso.
faceless ['feɪslɪs] *adj* anonimo(a).
face lift *n* lifting *m inv*; (*of façade etc*)
ripulita.
face powder *n* cipria.
face-saving ['feɪs'seɪvɪŋ] *adj* che salva la
faccia.
facet ['fæsɪt] *n* faccetta, sfaccettatura; (*fig*)
sfaccettatura.
facetious [fə'siːʃəs] *adj* faceto(a).
face-to-face ['feɪstə'feɪs] *adv* faccia a
faccia.
face value ['feɪs'væljuː] *n* (*of coin*) valore *m*
facciale *or* nominale; **to take sth at** ~ (*fig*)
giudicare qc dalle apparenze.
facia ['feɪʃɪə] *n* = **fascia**.
facial ['feɪʃəl] *adj* facciale ♦ *n* trattamento
del viso.
facile ['fæsaɪl] *adj* facile; superficiale.
facilitate [fə'sɪlɪteɪt] *vt* facilitare.
facility [fə'sɪlɪtɪ] *n* facilità; **facilities** *npl*
attrezzature *fpl*; **credit facilities**
facilitazioni *fpl* di credito.
facing ['feɪsɪŋ] *n* (*of wall etc*) rivestimento;
(*SEWING*) paramontura.
facsimile [fæk'sɪmɪlɪ] *n* facsimile *m inv*.
facsimile machine *n* telecopiatrice *f*.
fact [fækt] *n* fatto; **in** ~ infatti; **to know for
a** ~ **that** ... sapere per certo che ...; **the** ~
(**of the matter**) **is that** ... la verità è che ...;
the ~**s of life** (*sex*) i fatti riguardanti la
vita sessuale; (*fig*) le realtà della vita.
fact-finding ['fæktfaɪndɪŋ] *adj*: **a** ~ **tour/
mission** un viaggio/una missione
d'inchiesta.
faction ['fækʃən] *n* fazione *f*.
factional ['fækʃənl] *adj*: ~ **fighting** scontri
mpl tra fazioni.
factor ['fæktə*] *n* fattore *m*; (*COMM*:
company) organizzazione *specializzata
nell'incasso di crediti per conto terzi*; (*:
agent*) agente *m* depositario ♦ *vi* incassare
crediti per conto terzi; **human** ~
elemento umano; **safety** ~ coefficiente *m*
di sicurezza.
factory ['fæktərɪ] *n* fabbrica, stabilimento.
factory farming *n* (*BRIT*) allevamento su
scala industriale.
factory floor *n*: **the** ~ (*workers*) gli operai;
(*area*) il reparto produzione; **on the** ~ nel
reparto produzione.
factory ship *n* nave *f* fattoria *inv*.
factual ['fæktjuəl] *adj* che si attiene ai fatti.

faculty ['fækəltɪ] n facoltà f inv; (US: teaching staff) corpo insegnante.

fad [fæd] n mania; capriccio.

fade [feɪd] vi sbiadire, sbiadirsi; (light, sound, hope) attenuarsi, affievolirsi; (flower) appassire.

▶**fade in** vt (picture) aprire in dissolvenza; (sound) aumentare gradualmente d'intensità.

▶**fade out** vt (picture) chiudere in dissolvenza; (sound) diminuire gradualmente d'intensità.

faeces, (US) **feces** ['fiːsiːz] npl feci fpl.

fag [fæg] n (BRIT col: cigarette) cicca; (: chore) sfacchinata; (US col: homosexual) frocio.

fag end n (BRIT col) mozzicone m.

fagged out ['fægd-] adj (BRIT col) stanco(a) morto(a).

fail [feɪl] vt (exam) non superare; (candidate) bocciare; (subj: courage, memory) mancare a ♦ vi fallire; (student) essere respinto(a); (supplies) mancare; (eyesight, health, light: also: **be ~ing**) venire a mancare; (brakes) non funzionare; **to ~ to do sth** (neglect) mancare di fare qc; (be unable) non riuscire a fare qc; **without ~** senza fallo; certamente.

failing ['feɪlɪŋ] n difetto ♦ prep in mancanza di; **~ that** se questo non è possibile.

failsafe ['feɪlseɪf] adj (device etc) di sicurezza.

failure ['feɪljə*] n fallimento; (person) fallito/a; (mechanical etc) guasto; (in exam) insuccesso, bocciatura; (of crops) perdita; **his ~ to come** il fatto che non sia venuto; **it was a complete ~** è stato un vero fiasco.

faint [feɪnt] adj debole; (recollection) vago(a); (mark) indistinto(a); (smell, breeze, trace) leggero(a) ♦ vi svenire; **to feel ~** sentirsi svenire.

faintest ['feɪntɪst] adj: **I haven't the ~ idea** non ho la più pallida idea.

faint-hearted [feɪnt'hɑːtɪd] adj pusillanime.

faintly ['feɪntlɪ] adv debolmente; vagamente.

faintness ['feɪntnɪs] n debolezza.

fair [fɛə*] adj (person, decision) giusto(a), equo(a); (hair etc) biondo(a); (skin, complexion) bianco(a); (weather) bello(a), clemente; (good enough) assai buono(a); (sizeable) bello(a) ♦ adv: **to play ~** giocare correttamente ♦ n fiera; (BRIT: funfair) luna park m inv; (also: **trade ~**) fiera campionaria; **it's not ~!** non è giusto!; **a ~ amount of** un bel po' di.

fair copy n bella copia.

fair game n: **to be ~** (person) essere bersaglio legittimo.

fairground ['fɛəgraund] n luna park m inv.

fair-haired [fɛə'hɛəd] adj (person) biondo(a).

fairly ['fɛəlɪ] adv equamente; (quite) abbastanza.

fairness ['fɛənɪs] n equità, giustizia; **in all ~** per essere giusti, a dire il vero.

fair play n correttezza.

fairy ['fɛərɪ] n fata.

fairy godmother n fata buona.

fairy lights npl (BRIT) lanternine fpl colorate.

fairy tale n fiaba.

faith [feɪθ] n fede f; (trust) fiducia; (sect) religione f, fede f; **to have ~ in sb/sth** avere fiducia in qn/qc.

faithful ['feɪθful] adj fedele.

faithfully ['feɪθfəlɪ] adv fedelmente; **yours ~** (BRIT: in letters) distinti saluti.

faith healer n guaritore/trice.

fake [feɪk] n imitazione f; (picture) falso; (person) impostore/a ♦ adj falso(a) ♦ vt (accounts) falsificare; (illness) fingere; (painting) contraffare; **his illness is a ~** fa finta di essere malato.

falcon ['fɔːlkən] n falco, falcone m.

Falkland Islands ['fɔːlklənd-] npl: **the ~** le isole Falkland.

fall [fɔːl] n caduta; (decrease) diminuzione f, calo; (in temperature) abbassamento; (in price) ribasso; (US: autumn) autunno ♦ vi (pt **fell**, pp **fallen** [fɛl, 'fɔːlən]) cadere; (temperature, price) abbassare; **a ~ of earth** uno smottamento; **a ~ of snow** (BRIT) una nevicata; **to ~ in love (with sb/sth)** innamorarsi (di qn/qc); **to ~ short of** (sb's expectations) non corrispondere a; **to ~ flat** vi (on one's face) cadere bocconi; (joke) fare cilecca; (plan) fallire; see also **falls.**

▶**fall apart** vi cadere a pezzi.

▶**fall back** vi indietreggiare; (MIL) ritirarsi.

▶**fall back on** vt fus ripiegare su; **to have sth to ~ back on** avere qc di riserva.

▶**fall behind** vi rimanere indietro; (fig: with payments) essere in arretrato.

▶**fall down** vi (person) cadere; (building, hopes) crollare.

▶**fall for** vt fus (person) prendere una cotta per; **to ~ for a trick** (or **a story** etc) cascarci.

▶**fall in** vi crollare; (MIL) mettersi in riga.

▶**fall in with** vt fus (sb's plans etc) trovarsi d'accordo con.

▶**fall off** vi cadere; (diminish) diminuire, abbassarsi.

▶**fall out** vi (friends etc) litigare.
▶**fall over** vi cadere.
▶**fall through** vi (plan, project) fallire.
fallacy ['fæləsɪ] n errore m.
fallback ['fɔ:lbæk] adj: ~ **position** posizione f di ripiego.
fallen ['fɔ:lən] pp of **fall**.
fallible ['fælɪbl] adj fallibile.
falling ['fɔ:lɪŋ] adj: ~ **market** (COMM) mercato in ribasso.
falling-off ['fɔ:lɪŋ'ɔf] n calo.
fallopian tube [fə'ləupɪən-] n (ANAT) tuba di Falloppio.
fallout ['fɔ:laut] n fall-out m.
fallout shelter n rifugio antiatomico.
fallow ['fæləu] adj incolto(a); a maggese.
falls [fɔ:lz] npl (waterfall) cascate fpl.
false [fɔ:ls] adj falso(a); **under** ~ **pretences** con l'inganno.
false alarm n falso allarme m.
falsehood ['fɔ:lshud] n menzogna.
falsely ['fɔ:lslɪ] adv (accuse) a torto.
false teeth npl (BRIT) denti mpl finti.
falsify ['fɔ:lsɪfaɪ] vt falsificare; (figures) alterare.
falter ['fɔ:ltə*] vi esitare, vacillare.
fame [feɪm] n fama, celebrità.
familiar [fə'mɪlɪə*] adj familiare; (common) comune; (close) intimo(a); **to be** ~ **with** (subject) conoscere; **to make o.s.** ~ **with** familiarizzarsi con; **to be on** ~ **terms with** essere in confidenza con.
familiarity [fəmɪlɪ'ærɪtɪ] n familiarità; intimità.
familiarize [fə'mɪlɪəraɪz] vt: **to** ~ **sb with sth** far conoscere qc a qn.
family ['fæmɪlɪ] n famiglia.
family allowance n (BRIT) assegni mpl familiari.
family business n impresa familiare.
family credit n (BRIT) ≈ assegni mpl familiari.
family doctor n medico di famiglia.
family life n vita familiare.
family man n padre m di famiglia.
family planning clinic n consultorio familiare.
family tree n albero genealogico.
famine ['fæmɪn] n carestia.
famished ['fæmɪʃt] adj affamato(a); **I'm** ~! (col) ho una fame da lupo!
famous ['feɪməs] adj famoso(a).
famously ['feɪməslɪ] adv (get on) a meraviglia.
fan [fæn] n (folding) ventaglio; (machine) ventilatore m; (person) ammiratore/trice; (SPORT) tifoso/a ♦ vt far vento a; (fire, quarrel) alimentare.

▶**fan out** vi spargersi (a ventaglio).
fanatic [fə'nætɪk] n fanatico/a.
fanatical [fə'nætɪkl] adj fanatico(a).
fan belt n cinghia del ventilatore.
fancied ['fænsɪd] adj immaginario(a).
fanciful ['fænsɪful] adj fantasioso(a); (object) di fantasia.
fan club n fan club m inv.
fancy ['fænsɪ] n immaginazione f, fantasia; (whim) capriccio ♦ cpd (di) fantasia inv ♦ vt (feel like, want) aver voglia di; (imagine) immaginare, credere; **to take a** ~ **to** incapricciarsi di; **it took** or **caught my** ~ mi è piaciuto; **when the** ~ **takes him** quando ne ha voglia; **to** ~ **that** immaginare che; **he fancies her** gli piace.
fancy dress n costume m (per maschera).
fancy-dress ball n ballo in maschera.
fancy goods npl articoli mpl di ogni genere.
fanfare ['fænfɛə*] n fanfara.
fanfold paper ['fænfəuld-] n carta a moduli continui.
fang [fæŋ] n zanna; (of snake) dente m.
fan heater n (BRIT) stufa ad aria calda.
fanlight ['fænlaɪt] n lunetta.
fanny ['fænɪ] n (BRIT col!) figa(!); (US col) culo(!).
fantasize ['fæntəsaɪz] vi fantasticare, sognare.
fantastic [fæn'tæstɪk] adj fantastico(a).
fantasy ['fæntəsɪ] n fantasia, immaginazione f; fantasticheria; chimera.
fanzine ['fænzi:n] n rivista specialistica (per appassionati).
FAO n abbr (= Food and Agriculture Organization) FAO f.
FAQ abbr (= free alongside quay) franco lungo banchina.
far [fɑ:*] adj: **the** ~ **side/end** l'altra parte/l'altro capo; **the** ~ **left/right** (POL) l'estrema sinistra/destra ♦ adv lontano; **is it** ~ **to London?** è lontana Londra?; **it's not** ~ **(from here)** non è lontano (da qui); ~ **away,** ~ **off** lontano, distante; ~ **better** assai migliore; ~ **from** lontano da; **by** ~ di gran lunga; **as** ~ **back as the 13th century** già nel duecento; **go as** ~ **as the farm** vada fino alla fattoria; **as** ~ **as I know** per quel che so; **as** ~ **as possible** nei limiti del possibile; **how** ~ **have you got with your work?** dov'è arrivato con il suo lavoro?
faraway ['fɑːrəweɪ] adj lontano(a); (voice, look) assente.
farce [fɑːs] n farsa.
farcical ['fɑːsɪkəl] adj farsesco(a).

fare [fɛə*] n (on trains, buses) tariffa; (in taxi) prezzo della corsa; (food) vitto, cibo ♦ vi passarsela.
Far East n: **the ~** l'Estremo Oriente m.
farewell [fɛə'wɛl] excl, n addio ♦ cpd (party etc) d'addio.
far-fetched ['fɑː'fɛtʃt] adj (explanation) stiracchiato(a), forzato(a); (idea, scheme, story) inverosimile.
farm [fɑːm] n fattoria, podere m ♦ vt coltivare.
▶**farm out** vt (work) dare in consegna.
farmer ['fɑːmə*] n coltivatore/trice; agricoltore/trice.
farmhand ['fɑːmhænd] n bracciante m agricolo.
farmhouse ['fɑːmhaus] n fattoria.
farming ['fɑːmɪŋ] n agricoltura; **intensive ~** coltura intensiva; **sheep ~** allevamento di pecore.
farm labourer n = **farmhand**.
farmland ['fɑːmlænd] n terreno da coltivare.
farm produce n prodotti mpl agricoli.
farm worker n = **farmhand**.
farmyard ['fɑːmjɑːd] n aia.
Faroe Islands ['fɛərəu-], **Faroes** ['fɛərəuz] npl: **the ~** le isole Faeroer.
far-reaching ['fɑː'riːtʃɪŋ] adj di vasta portata.
far-sighted ['fɑː'saɪtɪd] adj presbite; (fig) lungimirante.
fart [fɑːt] (col!) n scoreggia(!) ♦ vi scoreggiare (!).
farther ['fɑːðə*] adv più lontano ♦ adj più lontano(a).
farthest ['fɑːðɪst] superlative of **far**.
FAS abbr (BRIT: = free alongside ship) franco banchina nave.
fascia ['feɪʃɪə] n (AUT) cruscotto.
fascinate ['fæsɪneɪt] vt affascinare.
fascinating ['fæsɪneɪtɪŋ] adj affascinante.
fascination [fæsɪ'neɪʃən] n fascino.
fascism ['fæʃɪzəm] n fascismo.
fascist ['fæʃɪst] adj, n fascista (m/f).
fashion ['fæʃən] n moda; (manner) maniera, modo ♦ vt foggiare, formare; **in ~** alla moda; **out of ~** passato(a) di moda; **after a ~** (finish, manage etc) così così; **in the Greek ~** alla greca.
fashionable ['fæʃənəbl] adj alla moda, di moda; (writer) di grido.
fashion designer n disegnatore/trice di moda.
fashion show n sfilata di moda.
fast [fɑːst] adj rapido(a), svelto(a), veloce; (clock): **to be ~** andare avanti; (dye, colour) solido(a) ♦ adv rapidamente; (stuck,

held) saldamente ♦ n digiuno ♦ vi digiunare; **~ asleep** profondamente addormentato; **as ~ as I can** più in fretta possibile; **my watch is 5 minutes ~** il mio orologio va avanti di 5 minuti; **to make a boat ~** (BRIT) ormeggiare una barca.
fasten ['fɑːsn] vt chiudere, fissare; (coat) abbottonare, allacciare ♦ vi chiudersi, fissarsi; abbottonarsi, allacciarsi.
▶**fasten (up)on** vt fus (idea) cogliere al volo.
fastener ['fɑːsnə*], **fastening** ['fɑːsnɪŋ] n fermaglio, chiusura; (BRIT: zip ~) chiusura lampo.
fast food n fast food m inv.
fastidious [fæs'tɪdɪəs] adj esigente, difficile.
fast lane n (AUT) ≈ corsia di sorpasso.
fat [fæt] adj grasso(a) ♦ n grasso; **to live off the ~ of the land** vivere nel lusso, avere ogni ben di Dio.
fatal ['feɪtl] adj fatale; mortale; disastroso(a).
fatalism ['feɪtəlɪzəm] n fatalismo.
fatality [fə'tælɪtɪ] n (road death etc) morto/a, vittima.
fatally ['feɪtəlɪ] adv a morte.
fate [feɪt] n destino; (of person) sorte f; **to meet one's ~** trovare la morte.
fated ['feɪtɪd] adj (governed by fate) destinato(a); (person, project etc) destinato(a) a finire male.
fateful ['feɪtful] adj fatidico(a).
fat-free ['fæt'friː] adj senza grassi.
father ['fɑːðə*] n padre m.
Father Christmas n Babbo Natale.
fatherhood ['fɑːðəhuːd] n paternità.
father-in-law ['fɑːðərɪnlɔː] n suocero.
fatherland ['fɑːðəlænd] n patria.
fatherly ['fɑːðəlɪ] adj paterno(a).
fathom ['fæðəm] n braccio (= 1828 mm) ♦ vt (mystery) penetrare, sondare.
fatigue [fə'tiːg] n stanchezza; (MIL) corvé f; **metal ~** fatica del metallo.
fatness ['fætnɪs] n grassezza.
fatten ['fætn] vt, vi ingrassare; **chocolate is ~ing** la cioccolata fa ingrassare.
fatty ['fætɪ] adj (food) grasso(a) ♦ n (col) ciccione/a.
fatuous ['fætjuəs] adj fatuo(a).
faucet ['fɔːsɪt] n (US) rubinetto.
fault [fɔːlt] n colpa; (TENNIS) fallo; (defect) difetto; (GEO) faglia ♦ vt criticare; **it's my ~** è colpa mia; **to find ~ with** trovare da ridire su; **at ~** in fallo; **generous to a ~** eccessivamente generoso.
faultless ['fɔːltlɪs] adj perfetto(a); senza difetto; impeccabile.

faulty ['fɔːltɪ] _adj_ difettoso(a).

fauna ['fɔːnə] _n_ fauna.

faux pas [fəu'pɑː] _n_ gaffe _f inv._

favour, (_US_) **favor** ['feɪvə*] _n_ favore _m_ ♦ _vt_ (_proposition_) favorire, essere favorevole a; (_pupil etc_) favorire; (_team, horse_) dare per vincente; **to do sb a ~** fare un favore _or_ una cortesia a qn; **in ~ of** in favore di; **to be in ~ of sth/of doing sth** essere favorevole a qc/a fare qc; **to find ~ with** **sb** (_subj: person_) entrare nelle buone grazie di qn; (: _suggestion_) avere l'approvazione di qn.

favo(u)rable ['feɪvərəbl] _adj_ favorevole.

favo(u)rably ['feɪvərəblɪ] _adv_ favorevolmente.

favo(u)rite ['feɪvrɪt] _adj, n_ favorito(a).

favo(u)ritism ['feɪvrɪtɪzəm] _n_ favoritismo.

fawn [fɔːn] _n_ daino ♦ _adj_ (_also:_ **~-coloured**) marrone chiaro _inv_ ♦ _vi:_ **to ~ (up)on** adulare servilmente.

fax [fæks] _n_ (_document, machine_) facsimile _m inv_ ♦ _vt_ teletrasmettere, spedire in facsimile.

FBI _n abbr_ (_US:_ = _Federal Bureau of Investigation_) FBI _f._

FCC _n abbr_ (_US_) = _Federal Communications Commission._

FCO _n abbr_ (_BRIT:_ = _Foreign and Commonwealth Office_) ≈ Ufficio affari esteri.

FD _n abbr_ (_US_) = **fire department.**

FDA _n abbr_ (_US_) = _Food and Drug Administration._

FE _n abbr_ = **further education.**

fear [fɪə*] _n_ paura, timore _m_ ♦ _vt_ aver paura di, temere ♦ _vi:_ **to ~ for** temere per, essere in ansia per; **~ of heights** vertigini _fpl;_ **for ~ of** per paura di; **to ~** **that** avere paura di (_or_ che + _sub_), temere di (_or_ che + _sub_).

fearful ['fɪəful] _adj_ pauroso(a); (_sight, noise_) terribile, spaventoso(a); (_frightened_): **to** **be ~ of** temere.

fearfully ['fɪəfəlɪ] _adv_ (_timidly_) timorosamente; (_col: very_) terribilmente, spaventosamente.

fearless ['fɪəlɪs] _adj_ intrepido(a), senza paura.

fearsome ['fɪəsəm] _adj_ (_opponent_) formidabile, terribile; (_sight_) terrificante.

feasibility [fiːzə'bɪlɪtɪ] _n_ praticabilità.

feasibility study _n_ studio delle possibilità di realizzazione.

feasible ['fiːzəbl] _adj_ fattibile, realizzabile.

feast [fiːst] _n_ festa, banchetto; (_REL: also:_ ~ **day**) festa ♦ _vi_ banchettare; **to ~ on** godersi, gustare.

feat [fiːt] _n_ impresa, fatto insigne.

feather ['fɛðə*] _n_ penna ♦ _cpd_ (_mattress, bed,_ _pillow_) di piume ♦ _vt:_ **to ~ one's nest** (_fig_) arricchirsi.

feather-weight ['fɛðəweɪt] _n_ peso _m_ piuma _inv._

feature ['fiːtʃə*] _n_ caratteristica; (_article_) articolo ♦ _vt_ (_subj: film_) avere come protagonista ♦ _vi_ figurare; **~s** _npl_ (_of face_) fisionomia; **a (special) ~ on sth/sb** un servizio speciale su qc/qn; **it ~d** **prominently in ...** ha avuto un posto di prima importanza in ....

feature film _n_ film _m inv_ principale.

featureless ['fiːtʃəlɪs] _adj_ anonimo(a), senza caratteri distinti.

Feb. [fɛb] _abbr_ (= _February_) feb.

February ['fɛbruərɪ] _n_ febbraio; _for phrases_ _see also_ **July.**

feces ['fiːsiːz] _npl_ (_US_) = **faeces.**

feckless ['fɛklɪs] _adj_ irresponsabile, incosciente.

Fed [fɛd] _abbr_ (_US_) = **federal; federation.**

fed [fɛd] _pt, pp of_ **feed; to be ~ up** essere stufo(a).

Fed. [fɛd] _n abbr_ (_US col_) = **Federal Reserve** **Board.**

federal ['fɛdərəl] _adj_ federale.

Federal Republic of Germany (FRG) _n_ Repubblica Federale Tedesca (RFT).

Federal Reserve Board (Fed.) _n_ (_US_) _organo di controllo del sistema bancario_ _statunitense._

Federal Trade Commission (FTC) _n_ (_US_) _organismo di protezione contro le_ _pratiche commerciali abusive._

federation [fɛdə'reɪʃən] _n_ federazione _f._

fee [fiː] _n_ pagamento; (_of doctor, lawyer_) onorario; (_for examination_) tassa d'esame; **school ~s** tasse _fpl_ scolastiche; **entrance** ~, **membership ~** quota d'iscrizione; **for** **a small ~** per una somma modesta.

feeble ['fiːbl] _adj_ debole.

feeble-minded [fiːbl'maɪndɪd] _adj_ deficiente.

feed [fiːd] _n_ (_of baby_) pappa ♦ _vt_ (_pt, pp_ **fed** [fɛd]) nutrire; (_horse etc_) dare da mangiare a; (_fire, machine_) alimentare ♦ _vi_ (_baby, animal_) mangiare; **to ~ material** **into sth** introdurre materiale in qc; **to ~** **data/information into sth** inserire dati/ informazioni in qc.

▶**feed back** _vt_ (_results_) riferire.

▶**feed on** _vt fus_ nutrirsi di.

feedback ['fiːdbæk] _n_ feed-back _m;_ (_from_ _person_) reazioni _fpl._

feeder ['fiːdə*] _n_ (_bib_) bavaglino.

feeding bottle ['fiːdɪŋ-] _n_ (_BRIT_) biberon _m_

inv.

feel [fi:l] *n* sensazione *f*; (*sense of touch*) tatto; (*of substance*) consistenza ♦ *vt* (*pt, pp* **felt** [fɛlt]) toccare; palpare; tastare; (*cold, pain, anger*) sentire; (*grief*) provare; (*think, believe*): **to ~ (that)** pensare che; **I ~ that you ought to do it** penso che dovreste farlo; **to ~ hungry/cold** aver fame/ freddo; **to ~ lonely/better** sentirsi solo/ meglio; **I don't ~ well** non mi sento bene; **to ~ sorry for** dispiacersi per; **it ~s soft è** morbido al tatto; **it ~s colder out here** sembra più freddo qui fuori; **it ~s like velvet** sembra velluto (al tatto); **to ~ like** (*want*) aver voglia di; **to ~ about** *or* **around for** cercare a tastoni; **to ~ about** *or* **around in one's pocket for** frugarsi in tasca per cercare; **I'm still ~ing my way** (*fig*) sto ancora tastando il terreno; **to get the ~ of sth** (*fig*) abituarsi a qc.

feeler ['fi:lə*] *n* (*of insect*) antenna; **to put out ~s** (*fig*) fare un sondaggio.

feeling ['fi:lɪŋ] *n* sensazione *f*, sentimento; (*impression*) senso, impressione *f*; **to hurt sb's ~s** offendere qn; **what are your ~s about the matter?** che cosa ne pensa?; **my ~ is that ...** ho l'impressione che ...; **I got the ~ that ...** ho avuto l'impressione che ...; **~s ran high about it** la cosa aveva provocato grande eccitazione.

fee-paying school ['fi:peɪŋ-] *n* scuola privata.

feet [fi:t] *npl of* **foot.**

feign [feɪn] *vt* fingere, simulare.

felicitous [fɪ'lɪsɪtəs] *adj* felice.

fell [fɛl] *pt of* **fall** ♦ *vt* (*tree*) abbattere; (*person*) atterrare ♦ *adj*: **with one ~ blow** con un colpo terribile; **at one ~ swoop** in un colpo solo ♦ *n* (*BRIT: mountain*) monte *m*; (*: moorland*): **the ~s** la brughiera.

fellow ['fɛləu] *n* individuo, tipo; (*comrade*) compagno; (*of learned society*) membro; (*of university*) ≈ docente *m/f* ♦ *cpd*: **their ~ prisoners/students** i loro compagni di prigione/studio.

fellow citizen *n* concittadino/a.

fellow countryman *n* compatriota *m*.

fellow feeling *n* simpatia.

fellow men *npl* simili *mpl*.

fellowship ['fɛləuʃɪp] *n* associazione *f*, compagnia; (*SCOL*) specie di borsa di studio universitaria.

fellow traveller *n* compagno/a di viaggio; (*POL*) simpatizzante *m/f*.

fell-walking ['fɛlwɔːkɪŋ] *n* (*BRIT*) passeggiate *fpl* in montagna.

felon ['fɛlən] *n* (*LAW*) criminale *m/f*.

felony ['fɛlənɪ] *n* (*LAW*) reato, crimine *m*.

felt [fɛlt] *pt, pp of* **feel** ♦ *n* feltro.

felt-tip pen ['fɛlttɪp-] *n* pennarello.

female ['fi:meɪl] *n* (*ZOOL*) femmina; (*pej: woman*) donna, femmina ♦ *adj* femminile; (*BIOL, ELEC*) femmina *inv*; **male and ~ students** studenti e studentesse.

female impersonator *n* (*THEAT*) attore comico che fa parti da donna.

feminine ['fɛmɪnɪn] *adj, n* femminile (*m*).

femininity [fɛmɪ'nɪnɪtɪ] *n* femminilità.

feminism ['fɛmɪnɪzəm] *n* femminismo.

feminist ['fɛmɪnɪst] *n* femminista *m/f*.

fen [fɛn] *n* (*BRIT*): **the F~s** la regione delle Fen.

fence [fɛns] *n* recinto; (*SPORT*) ostacolo; (*col: person*) ricettatore/trice ♦ *vt* (*also: ~ in*) recingere ♦ *vi* schermire; **to sit on the ~** (*fig*) rimanere neutrale.

fencing ['fɛnsɪŋ] *n* (*SPORT*) scherma.

fend [fɛnd] *vi*: **to ~ for o.s.** arrangiarsi.

▶**fend off** *vt* (*attack, attacker*) respingere, difendersi da; (*blow*) parare; (*awkward question*) eludere.

fender ['fɛndə*] *n* parafuoco; (*US*) parafango; paraurti *m inv*.

fennel ['fɛnl] *n* finocchio.

ferment *vi* [fə'mɛnt] fermentare ♦ *n* ['fɔːmɛnt] agitazione *f*, eccitazione *f*.

fermentation [fɔːmɛn'teɪʃən] *n* fermentazione *f*.

fern [fɔːn] *n* felce *f*.

ferocious [fə'rəuʃəs] *adj* feroce.

ferocity [fə'rɔsɪtɪ] *n* ferocità.

ferret ['fɛrɪt] *n* furetto.

▶**ferret about, ferret around** *vi* frugare.

▶**ferret out** *vt* (*person*) scovare, scoprire; (*secret, truth*) scoprire.

ferry ['fɛrɪ] *n* (*small*) traghetto; (*large: also: ~boat*) nave *f* traghetto *inv* ♦ *vt* traghettare; **to ~ sth/sb across or over** traghettare qc/qn da una parte all'altra.

ferryman ['fɛrɪmən] *n* traghettatore *m*.

fertile ['fɔːtaɪl] *adj* fertile; (*BIOL*) fecondo(a); **~ period** periodo di fecondità.

fertility [fə'tɪlɪtɪ] *n* fertilità; fecondità.

fertility drug *n* farmaco fecondativo.

fertilize ['fɔːtɪlaɪz] *vt* fertilizzare; fecondare.

fertilizer ['fɔːtɪlaɪzə*] *n* fertilizzante *m*.

fervent ['fɔːvənt] *adj* ardente, fervente.

fervour, (*US*) **fervor** ['fɔːvə*] *n* fervore *m*, ardore *m*.

fester ['fɛstə*] *vi* suppurare.

festival ['fɛstɪvəl] *n* (*REL*) festa; (*ART, MUS*) festival *m inv*.

festive ['fɛstɪv] *adj* di festa; **the ~ season** (*BRIT: Christmas*) il periodo delle feste.

festivities [fɛs'tɪvɪtɪz] *npl* festeggiamenti *mpl*.

festoon [fɛ'stuːn] *vt*: **to ~ with** ornare di; decorare con.

fetch [fetʃ] *vt* andare a prendere; (*sell for*) essere venduto(a) per; **how much did it ~?** a *or* per quanto lo ha venduto?

▶**fetch up** *vi* (*BRIT*) andare a finire.

fetching ['fetʃɪŋ] *adj* attraente.

fête [feɪt] *n* festa.

fetid ['fɛtɪd] *adj* fetido(a).

fetish ['fɛtɪʃ] *n* feticcio.

fetter ['fɛtə*] *vt* (*person*) incatenare; (*horse*) legare; (*fig*) ostacolare.

fetters ['fɛtəz] *npl* catene *fpl*.

fettle ['fɛtl] *n* (*BRIT*): **in fine ~ in gran forma.

fetus ['fiːtəs] *n* (*US*) = **foetus**.

feud [fjuːd] *n* contesa, lotta ♦ *vi* essere in lotta; **a family ~** una lite in famiglia.

feudal ['fjuːdl] *adj* feudale.

feudalism ['fjuːdəlɪzəm] *n* feudalesimo.

fever ['fiːvə*] *n* febbre *f*; **he has a ~** ha la febbre.

feverish ['fiːvərɪʃ] *adj* (*also fig*) febbrile; (*person*) febbricitante.

few [fjuː] *adj* pochi(e) ♦ *pron* alcuni(e); **~ succeed** pochi ci riescono; **they were ~** erano pochi; **a ~ ...** qualche ...; **I know a ~** ne conosco alcuni; **a good ~, quite a ~** parecchi; **in the next ~ days** nei prossimi giorni; **in the past ~ days** negli ultimi giorni, in questi ultimi giorni; **every ~ days/months** ogni due o tre giorni/mesi; **a ~ more days** qualche altro giorno.

fewer ['fjuːə*] *adj* meno *inv*; **they are ~ now** adesso ce ne sono di meno.

fewest ['fjuːɪst] *adj* il minor numero di.

FFA *n abbr* = *Future Farmers of America.*

FH *abbr* (*BRIT*) = **fire hydrant**.

FHA *n abbr* (*US*) = *Federal Housing Administration.*

fiancé [fɪ'ãːŋseɪ] *n* fidanzato.

fiancée [fɪ'ãːŋseɪ] *n* fidanzata.

fiasco [fɪ'æskəu] *n* fiasco.

fib [fɪb] *n* piccola bugia.

fibre, (*US*) **fiber** ['faɪbə*] *n* fibra.

fibreboard, (*US*) **fiberboard** ['faɪbəbɔːd] *n* pannello di fibre.

fibre-glass, (*US*) **fiber-glass** ['faɪbəglɑːs] *n* fibra di vetro.

fibrositis [faɪbrə'saɪtɪs] *n* cellulite *f*.

FICA *n abbr* (*US*) = *Federal Insurance Contributions Act.*

fickle ['fɪkl] *adj* incostante, capriccioso(a).

fiction ['fɪkʃən] *n* narrativa; (*sth made up*) finzione *f*.

fictional ['fɪkʃənl] *adj* immaginario(a).

fictionalize ['fɪkʃənəlaɪz] *vt* romanzare.

fictitious [fɪk'tɪʃəs] *adj* fittizio(a).

fiddle ['fɪdl] *n* (*MUS*) violino; (*cheating*) imbroglio; truffa ♦ *vt* (*BRIT*: *accounts*) falsificare, falsare; **tax ~** frode *f* fiscale; **to work a ~** fare un imbroglio.

▶**fiddle with** *vt fus* gingillarsi con.

fiddler ['fɪdlə*] *n* violinista *m/f*.

fiddly ['fɪdlɪ] *adj* (*task*) da certosino; (*object*) complesso(a).

fidelity [fɪ'dɛlɪtɪ] *n* fedeltà; (*accuracy*) esattezza.

fidget ['fɪdʒɪt] *vi* agitarsi.

fidgety ['fɪdʒɪtɪ] *adj* agitato(a).

fiduciary [fɪ'duːʃɪərɪ] *n* fiduciario.

field [fiːld] *n* (*gen*, *COMPUT*) campo; **to lead the ~** (*SPORT*, *COMM*) essere in testa, essere al primo posto; **to have a ~ day** (*fig*) divertirsi, spassarsela.

field glasses *npl* binocolo (da campagna).

field hospital *n* ospedale *m* da campo.

field marshal (FM) *n* feldmaresciallo.

fieldwork ['fiːldwəːk] *n* ricerche *fpl* esterne; (*ARCHEOLOGY*, *GEO*) lavoro sul campo.

fiend [fiːnd] *n* demonio.

fiendish ['fiːndɪʃ] *adj* demoniaco(a).

fierce [fɪəs] *adj* (*look*, *fighting*) fiero(a); (*wind*) furioso(a); (*attack*) feroce; (*enemy*) acerrimo(a).

fiery ['faɪərɪ] *adj* ardente; infocato(a).

FIFA ['fiːfə] *n abbr* (= *Fédération Internationale de Football Association*) F.I.F.A. *f*.

fifteen [fɪf'tiːn] *num* quindici.

fifth [fɪfθ] *num* quinto(a).

fiftieth ['fɪftɪɪθ] *num* cinquantesimo(a).

fifty ['fɪftɪ] *num* cinquanta.

fifty-fifty ['fɪftɪ'fɪftɪ] *adj*, *adv*: **to go ~ with sb** fare a metà con qn; **we have a ~ chance of success** abbiamo una probabilità su due di successo.

fig [fɪg] *n* fico.

fight [faɪt] *n* zuffa, rissa; (*MIL*) battaglia, combattimento; (*against cancer etc*) lotta ♦ *vb* (*pt*, *pp* **fought** [fɔːt]) *vt* combattere; (*cancer*, *alcoholism*) lottare contro, combattere; (*LAW*: *case*) difendere ♦ *vi* battersi, combattere; (*quarrel*): **to ~ (with sb)** litigare (con qn); (*fig*): **to ~ (for/ against)** lottare (per/contro).

▶**fight back** *vi* difendersi; (*SPORT*, *after illness*) riprendersi ♦ *vt* (*tears*) ricacciare.

▶**fight down** *vt* (*anger*, *anxiety*) vincere; (*urge*) reprimere.

▶**fight off** *vt* (*attack*, *attacker*) respingere; (*disease*, *sleep*, *urge*) lottare contro.

▶**fight out** *vt*: **to ~ it out** risolvere la

questione a pugni.

fighter ['faɪtə*] n combattente m; (plane) aeroplano da caccia.

fighter-bomber ['faɪtəbɔmə*] n cacciabombardiere m.

fighter pilot n pilota m di caccia.

fighting ['faɪtɪŋ] n combattimento; (in streets) scontri mpl.

figment ['fɪɡmənt] n: **a ~ of the imagination** un parto della fantasia.

figurative ['fɪɡjurətɪv] adj figurato(a).

figure ['fɪɡə*] n (DRAWING, GEOM, person) figura; (number, cipher) cifra; (body, outline) forma ♦ vi (appear) figurare; (US: make sense) spiegarsi; essere logico(a) ♦ vt (US: think, calculate) pensare, immaginare; **public ~** personaggio pubblico; **~ of speech** figura retorica.

►**figure on** vt fus (US) contare su.

►**figure out** vt riuscire a capire; calcolare.

figurehead ['fɪɡəhɛd] n (NAUT) polena; (pej) prestanome m/f inv.

figure skating n pattinaggio artistico.

Fiji (Islands) ['fiːdʒiː-] n(pl) le (isole) Figi.

filament ['fɪləmənt] n filamento.

filch [fɪltʃ] vt (col: steal) grattare.

file [faɪl] n (tool) lima; (for nails) limetta; (dossier) incartamento; (in cabinet) scheda; (folder) cartellina; (for loose leaf) raccoglitore m; (row) fila; (COMPUT) archivio, file m inv ♦ vt (nails, wood) limare; (papers) archiviare; (LAW: claim) presentare ♦ vi: **to ~ in/out** entrare/uscire in fila; **to ~ past** marciare in fila davanti a; **to ~ a suit against sb** intentare causa contro qn.

file name n (COMPUT) nome m del file.

filibuster ['fɪlɪbʌstə*] n (esp US POL) n (also: ~er) ostruzionista m/f ♦ vi fare ostruzionismo.

filing ['faɪlɪŋ] n archiviare m; see also **filings**.

filing cabinet n casellario.

filing clerk n archivista m/f.

filings ['faɪlɪŋz] npl limatura.

Filipino [fɪlɪ'piːnəu] n filippino/a; (LING) tagal m.

fill [fɪl] vt riempire; (tooth) otturare; (job) coprire; (supply: order, requirements, need) soddisfare ♦ n: **to eat one's ~** mangiare a sazietà; **we've already ~ed that vacancy** abbiamo già assunto qualcuno per quel posto.

►**fill in** vt (hole) riempire; (form) compilare; (details, report) completare ♦ vi: **to ~ in for sb** sostituire qn; **to ~ sb in on sth** (col) mettere qn al corrente di qc.

►**fill out** vt (form, receipt) riempire.

►**fill up** vt riempire ♦ vi (AUT) fare il pieno;

~ it up, please (AUT) mi faccia il pieno, per piacere.

fillet ['fɪlɪt] n filetto.

fillet steak n bistecca di filetto.

filling ['fɪlɪŋ] n (CULIN) impasto, ripieno; (for tooth) otturazione f.

filling station n stazione f di rifornimento.

fillip ['fɪlɪp] n incentivo, stimolo.

filly ['fɪlɪ] n puledra.

film [fɪlm] n (CINE) film m inv; (PHOT) pellicola; (thin layer) velo ♦ vt (scene) filmare.

film script n copione m.

film star n divo/a dello schermo.

filmstrip ['fɪlmstrɪp] n filmina.

film studio n studio cinematografico.

Filofax ® ['faɪləufæks] n agenda ad anelli.

filter ['fɪltə*] n filtro ♦ vt filtrare.

►**filter in, filter through** vi (news) trapelare.

filter coffee n caffè m da passare al filtro.

filter lane n (BRIT AUT) corsia di svincolo.

filter tip n filtro.

filth [fɪlθ] n sporcizia; (fig) oscenità.

filthy ['fɪlθɪ] adj lordo(a), sozzo(a); (language) osceno(a).

fin [fɪn] n (of fish) pinna.

final ['faɪnl] adj finale, ultimo(a); definitivo(a) ♦ n (SPORT) finale f; ~**s** npl (SCOL) esami mpl finali; ~ **demand** ingiunzione f di pagamento.

finale [fɪ'nɑːlɪ] n finale m.

finalist ['faɪnəlɪst] n (SPORT) finalista m/f.

finality [faɪ'nælɪtɪ] n irrevocabilità; **with an air of ~** con risolutezza.

finalize ['faɪnəlaɪz] vt mettere a punto.

finally ['faɪnəlɪ] adv (lastly) alla fine; (eventually) finalmente; (once and for all) definitivamente.

finance [faɪ'næns] n finanza; (funds) fondi mpl, capitale m ♦ vt finanziare; ~**s** npl finanze fpl.

financial [faɪ'nænʃəl] adj finanziario(a); ~ **statement** estratto conto finanziario.

financially [faɪ'nænʃəlɪ] adv finanziariamente.

financial year n anno finanziario, esercizio finanziario.

financier [faɪ'nænsɪə*] n finanziatore m.

find [faɪnd] vt (pt, pp **found** [faund]) trovare; (lost object) ritrovare ♦ n trovata, scoperta; **to ~ (some) difficulty in doing sth** trovare delle difficoltà nel fare qc; **to ~ sb guilty** (LAW) giudicare qn colpevole.

►**find out** vt informarsi di; (truth, secret) scoprire; (person) cogliere in fallo ♦ vi: **to ~ out about** informarsi su; (by chance) venire a sapere.

findings ['faɪndɪŋz] *npl* (*LAW*) sentenza, conclusioni *fpl*; (*of report*) conclusioni.

fine [faɪn] *adj* bello(a); ottimo(a); (*thin, subtle*) fine ♦ *adv* (*well*) molto bene; (*small*) finemente ♦ *n* (*LAW*) multa ♦ *vt* (*LAW*) multare; **he's** ~ sta bene; **the weather is** ~ il tempo è bello; **you're doing** ~ te la cavi benissimo; **to cut it** ~ (*of time, money*) farcela per un pelo.

fine arts *npl* belle arti *fpl*.

finely ['faɪnlɪ] *adv* (*splendidly*) in modo stupendo; (*chop*) finemente; (*adjust*) con precisione.

fine print *n*: **the** ~ i caratteri minuti.

finery ['faɪnərɪ] *n* abiti *mpl* eleganti.

finesse [fɪ'nɛs] *n* finezza.

fine-tooth comb ['faɪntuːθ-] *n*: **to go through sth with a** ~ (*fig*) passare qc al setaccio.

finger ['fɪŋgə*] *n* dito ♦ *vt* toccare, tastare.

fingernail ['fɪŋgəneɪl] *n* unghia.

fingerprint ['fɪŋgəprɪnt] *n* impronta digitale ♦ *vt* (*person*) prendere le impronte digitali di.

fingerstall ['fɪŋgəstɔːl] *n* ditale *m*.

fingertip ['fɪŋgətɪp] *n* punta del dito; **to have sth at one's** ~**s** (*fig*) avere qc sulla punta delle dita.

finicky ['fɪnɪkɪ] *adj* esigente, pignolo(a); minuzioso(a).

finish ['fɪnɪʃ] *n* fine *f*; (*SPORT: place*) traguardo; (*polish etc*) finitura ♦ *vt* finire; (*use up*) esaurire ♦ *vi* finire; (*session*) terminare; **to** ~ **doing sth** finire di fare qc; **to** ~ **first/second** (*SPORT*) arrivare primo/secondo; **she's** ~**ed with him** ha chiuso con lui.

▶**finish off** *vt* compiere; (*kill*) uccidere.

▶**finish up** *vi, vt* finire.

finished ['fɪnɪʃt] *adj* (*product*) finito(a); (*performance*) perfetto(a); (*col: tired*) sfinito(a).

finishing line ['fɪnɪʃɪŋ-] *n* linea d'arrivo.

finishing school *n* scuola privata di perfezionamento (*per signorine*).

finishing touches *npl* ultimi ritocchi *mpl*.

finite ['faɪnaɪt] *adj* limitato(a); (*verb*) finito(a).

Finland ['fɪnlənd] *n* Finlandia.

Finn [fɪn] *n* finlandese *m/f*.

Finnish ['fɪnɪʃ] *adj* finlandese ♦ *n* (*LING*) finlandese *m*.

fiord [fjɔːd] *n* fiordo.

fir [fəː*] *n* abete *m*.

fire [faɪə*] *n* fuoco; incendio ♦ *vt* (*discharge*): **to** ~ **a gun** scaricare un fucile; (*fig*) infiammare; (*dismiss*) licenziare ♦ *vi* sparare, far fuoco; **on** ~ in fiamme;

insured against ~ assicurato contro gli incendi; **electric/gas** ~ stufa elettrica/a gas; **to set** ~ **to sth, set sth on** ~ dar fuoco a qc, incendiare qc; **to be/come under** ~ (**from**) essere/finire sotto il fuoco *or* il tiro (di).

fire alarm *n* allarme *m* d'incendio.

firearm ['faɪərɑːm] *n* arma da fuoco.

fire brigade *n* (*BRIT*) (corpo dei) pompieri *mpl*.

fire chief *n* (*US*) = **fire master**.

fire department *n* (*US*) = **fire brigade**.

fire door *n* porta *f* rompifuoco *inv*.

fire drill *n* esercitazione *f* antincendio.

fire engine *n* autopompa.

fire escape *n* scala di sicurezza.

fire extinguisher *n* estintore *m*.

fireguard ['faɪəgɑːd] *n* (*BRIT*) parafuoco.

fire hazard *n*: **that's a** ~ comporta rischi in caso d'incendio.

fire hydrant *n* idrante *m*.

fire insurance *n* assicurazione *f* contro gli incendi.

fireman ['faɪəmən] *n* pompiere *m*.

fire master *n* (*BRIT*) comandante *m* dei vigili del fuoco.

fireplace ['faɪəpleɪs] *n* focolare *m*.

fireplug ['faɪəplʌg] *n* (*US*) = **fire hydrant**.

fire practice *n* = **fire drill**.

fireproof ['faɪəpruːf] *adj* resistente al fuoco.

fire regulations *npl* norme *fpl* antincendio.

fire screen *n* parafuoco.

fireside ['faɪəsaɪd] *n* angolo del focolare.

fire station *n* caserma dei pompieri.

firewood ['faɪəwʊd] *n* legna.

firework ['faɪəwɜːk] *n* fuoco d'artificio.

firing ['faɪərɪŋ] *n* (*MIL*) spari *mpl*, tiro.

firing line *n* linea del fuoco; **to be in the** ~ (*fig*) essere sotto tiro.

firing squad *n* plotone *m* d'esecuzione.

firm [fəːm] *adj* fermo(a); (*offer, decision*) definitivo(a) ♦ *n* ditta, azienda; **to be a** ~ **believer in sth** credere fermamente in qc.

firmly ['fəːmlɪ] *adv* fermamente.

firmness ['fəːmnɪs] *n* fermezza.

first [fəːst] *adj* primo(a) ♦ *adv* (*before others*) il primo, la prima; (*before other things*) per primo; (*for the first time*) per la prima volta; (*when listing reasons etc*) per prima cosa ♦ *n* (*person: in race*) primo/a; (*BRIT SCOL*) laurea con lode; (*AUT*) prima; **at** ~ dapprima, all'inizio; ~ **of all** prima di tutto; **in the** ~ **instance** prima di tutto, in primo luogo; **I'll do it** ~ **thing tomorrow** lo farò per prima cosa domani; **from the (very)** ~ fin dall'inizio, fin dal primo momento; **the** ~ **of January** il primo (di) gennaio.

first aid n pronto soccorso.
first-aid kit ['fə:st'eɪd-] n cassetta pronto soccorso.
first-class ['fə:st'klɑ:s] adj di prima classe.
first-class mail n ≈ espresso.
first-hand ['fə:st'hænd] adj di prima mano; diretto(a).
first lady n (US) moglie f del presidente.
firstly ['fə:stlɪ] adv in primo luogo.
first name n nome m di battesimo.
first night n (THEAT) prima.
first-rate ['fə:st'reɪt] adj di prima qualità, ottimo(a).
first-time buyer ['fə:sttaɪm-] n acquirente m/f di prima casa.
First World War n: **the ~** la prima guerra mondiale.
fir tree n abete m.
FIS n abbr (BRIT: = Family Income Supplement) ≈ A.F. (= assegni familiari).
fiscal ['fɪskəl] adj fiscale; **~ year** anno fiscale.
fish [fɪʃ] n (pl inv) pesce m ♦ vt, vi pescare; **to ~ a river** pescare in un fiume; **to go ~ing** andare a pesca.
►**fish out** vt (from water) ripescare; (from box etc) tirare fuori.
fish-and-chip shop [fɪʃən'tʃɪp-] n ≈ friggitoria; see **chip shop**.
fishbone ['fɪʃbəun] n lisca, spina.
fisherman ['fɪʃəmən] n pescatore m.
fishery ['fɪʃərɪ] n zona da pesca.
fish factory n (BRIT) fabbrica per la lavorazione del pesce.
fish farm n vivaio.
fish fingers npl (BRIT) bastoncini mpl di pesce (surgelati).
fish hook n amo.
fishing boat ['fɪʃɪŋ-] n barca da pesca.
fishing industry n industria della pesca.
fishing line n lenza.
fishing net n rete f da pesca.
fishing rod n canna da pesca.
fishing tackle n attrezzatura da pesca.
fish market n mercato del pesce.
fishmonger ['fɪʃmʌŋgə*] n pescivendolo; **~'s (shop)** pescheria.
fish slice n (BRIT) posata per servire il pesce.
fish sticks npl (US) = **fish fingers**.
fishy ['fɪʃɪ] adj (fig) sospetto(a).
fission ['fɪʃən] n fissione f; **atomic/nuclear ~** fissione atomica/nucleare.
fissure ['fɪʃə*] n fessura.
fist [fɪst] n pugno.
fistfight ['fɪstfaɪt] n scazzottata.
fit [fɪt] adj (MED, SPORT) in forma; (proper) adatto(a), appropriato(a); conveniente

♦ vt (subj: clothes) stare bene a; (match: facts etc) concordare con; (: description) corrispondere a; (adjust) aggiustare; (put in, attach) mettere; installare; (equip) fornire, equipaggiare ♦ vi (clothes) stare bene; (parts) andare bene, adattarsi; (in space, gap) entrare ♦ n (MED) attacco; **~ to** in grado di; **~ for** adatto(a) a; degno(a) di; **to keep ~** tenersi in forma; **~ for work** (after illness) in grado di riprendere il lavoro; **do as you think** or **see ~** faccia come meglio crede; **this dress is a tight/good ~** questo vestito è stretto/sta bene; **~ of anger/enthusiasm** accesso d'ira/d'entusiasmo; **to have a ~** (MED) avere un attacco di convulsioni; (col) andare su tutte le furie; **by ~s and starts** a sbalzi.
►**fit in** vi accordarsi; adattarsi ♦ vt (object) far entrare; (fig: appointment, visitor) trovare il tempo per; **to ~ in with sb's plans** adattarsi ai progetti di qn.
►**fit out** vt (BRIT: also: ~ **up**) equipaggiare.
fitful ['fɪtful] adj saltuario(a).
fitment ['fɪtmənt] n componibile m.
fitness ['fɪtnɪs] n (MED) forma fisica; (of remark) appropriatezza.
fitted ['fɪtɪd] adj: **~ carpet** moquette f inv; **~ cupboards** armadi mpl a muro; **~ kitchen** (BRIT) cucina componibile.
fitter ['fɪtə*] n aggiustatore m or montatore m meccanico; (DRESSMAKING) sarto/a.
fitting ['fɪtɪŋ] adj appropriato(a) ♦ n (of dress) prova; (of piece of equipment) montaggio, aggiustaggio; see also **fittings**.
fitting room n (in shop) camerino.
fittings ['fɪtɪŋz] npl impianti mpl.
five [faɪv] num cinque.
five-day week ['faɪvdeɪ-] n settimana di 5 giorni (lavorativi).
fiver ['faɪvə*] n (col: BRIT) biglietto da cinque sterline; (: US) biglietto da cinque dollari.
fix [fɪks] vt fissare; (mend) riparare; (make ready: meal, drink) preparare ♦ n: **to be in a ~** essere nei guai; **the fight was a ~** (col) l'incontro è stato truccato.
►**fix up** vt (arrange: date, meeting) fissare, stabilire; **to ~ sb up with sth** procurare qc a qn.
fixation [fɪk'seɪʃən] n (PSYCH, fig) fissazione f, ossessione f.
fixed [fɪkst] adj (prices etc) fisso(a); **there's a ~ charge** c'è una quota fissa; **how are you ~ for money?** (col) a soldi come stai?
fixed assets npl beni mpl patrimoniali.
fixture ['fɪkstʃə*] n impianto (fisso); (SPORT) incontro (del calendario sportivo).

fizz [fɪz] vi frizzare.

fizzle ['fɪzl] vi frizzare; (also: ~ **out**: enthusiasm, interest) smorzarsi, svanire; (: plan) fallire.

fizzy ['fɪzɪ] adj frizzante; gassato(a).

fjord [fjɔːd] n = **fiord**.

FL, Fla. abbr (US) = Florida.

flabbergasted ['flæbəgɑːstɪd] adj sbalordito(a).

flabby ['flæbɪ] adj flaccido(a).

flag [flæg] n bandiera; (also: ~**stone**) pietra da lastricare ♦ vi stancarsi; affievolirsi; ~ **of convenience** bandiera di convenienza.
▶**flag down** vt fare segno (di fermarsi) a.

flagon ['flægən] n bottiglione m.

flagpole ['flægpəul] n albero.

flagrant ['fleɪgrənt] adj flagrante.

flag stop n (US: for bus) fermata facoltativa, fermata a richiesta.

flair [flɛə*] n (for business etc) fiuto; (for languages etc) facilità.

flak [flæk] n (MIL) fuoco d'artiglieria; (col: criticism) critiche fpl.

flake [fleɪk] n (of rust, paint) scaglia; (of snow, soap powder) fiocco ♦ vi (also: ~ **off**) sfaldarsi.

flaky ['fleɪkɪ] adj (paintwork) scrostato(a); (skin) squamoso(a); ~ **pastry** (CULIN) pasta sfoglia.

flamboyant [flæm'bɔɪənt] adj sgargiante.

flame [fleɪm] n fiamma; **old** ~ (col) vecchia fiamma.

flamingo [flə'mɪŋgəu] n fenicottero, fiammingo.

flammable ['flæməbl] adj infiammabile.

flan [flæn] n (BRIT) flan m inv.

Flanders ['flɑːndəz] n Fiandre fpl.

flange [flændʒ] n flangia; (on wheel) suola.

flank [flæŋk] n fianco.

flannel ['flænl] n (BRIT: also: **face** ~) guanto di spugna; (fabric) flanella; ~**s** npl pantaloni mpl di flanella.

flannelette [flænə'lɛt] n flanella di cotone.

flap [flæp] n (of pocket) patta; (of envelope) lembo; (AVIAT) flap m inv ♦ vt (wings) battere ♦ vi (sail, flag) sbattere; (col: also: **be in a** ~) essere in agitazione.

flapjack ['flæpdʒæk] n (US: pancake) frittella; (BRIT: biscuit) biscotto di avena.

flare [flɛə*] n razzo; (in skirt etc) svasatura.
▶**flare up** vi andare in fiamme; (fig: person) infiammarsi di rabbia; (: revolt) scoppiare.

flared ['flɛəd] adj (trousers) svasato(a).

flash [flæʃ] n vampata; (also: **news** ~) notizia f lampo inv; (PHOT) flash m inv; (US: torch) torcia elettrica, lampadina tascabile ♦ vt accendere e spegnere; (send: message) trasmettere; (flaunt) ostentare ♦ vi brillare; (light on ambulance, eyes etc) lampeggiare; **in a** ~ in un lampo; ~ **of inspiration** lampo di genio; **to** ~ **one's headlights** lampeggiare; **he** ~**ed by** or **past** ci passò davanti come un lampo.

flashback ['flæʃbæk] n flashback m inv.

flashbulb ['flæʃbʌlb] n cubo m flash inv.

flash card n (SCOL) scheda didattica.

flashcube ['flæʃkjuːb] n flash m inv.

flasher ['flæʃə*] n (AUT) lampeggiatore m.

flashlight ['flæʃlaɪt] n (torch) lampadina tascabile.

flashpoint ['flæʃpɔɪnt] n punto di infiammabilità; (fig) livello critico.

flashy ['flæʃɪ] adj (pej) vistoso(a).

flask [flɑːsk] n fiasco; (CHEM) beuta; (also: **vacuum** ~) thermos ® m inv.

flat [flæt] adj piatto(a); (tyre) sgonfio(a), a terra; (battery) scarico(a); (denial) netto(a); (MUS) bemolle inv; (: voice) stonato(a); (: instrument) scordato(a) ♦ n (BRIT: rooms) appartamento; (MUS) bemolle m; (AUT) pneumatico sgonfio ♦ adv: **(to work)** ~ **out** (lavorare) a più non posso; ~ **rate of pay** tariffa unica di pagamento.

flat-footed ['flæt'futɪd] adj: **to be** ~ avere i piedi piatti.

flatly ['flætlɪ] adv categoricamente, nettamente.

flatmate ['flætmeɪt] n (BRIT): **he's my** ~ divide l'appartamento con me.

flatness ['flætnɪs] n (of land) assenza di rilievi.

flat-screen ['flætskriːn] adj a schermo piatto.

flatten ['flætn] vt (also: ~ **out**) appiattire; (house, city) abbattere, radere al suolo.

flatter ['flætə*] vt lusingare; (show to advantage) donare a.

flatterer ['flætərə*] n adulatore/trice.

flattering ['flætərɪŋ] adj lusinghiero(a); (clothes etc) che dona, che abbellisce.

flattery ['flætərɪ] n adulazione f.

flatulence ['flætjuləns] n flatulenza.

flaunt [flɔːnt] vt fare mostra di.

flavour, (US) flavor ['fleɪvə*] n gusto, sapore m ♦ vt insaporire, aggiungere sapore a; **vanilla-~ed** al gusto di vaniglia.

flavo(u)ring ['fleɪvərɪŋ] n essenza (artificiale).

flaw [flɔː] n difetto.

flawless ['flɔːlɪs] adj senza difetti.

flax [flæks] n lino.

flaxen ['flæksən] adj biondo(a).

flea [fliː] n pulce f.

flea market n mercato delle pulci.

fleck [flɛk] n (of mud, paint, colour) macchiolina; (of dust) granello ♦ vt (with blood, mud etc) macchiettare; **brown ~ed with white** marrone screziato di bianco.

fled [flɛd] pt, pp of **flee**.

fledg(e)ling ['flɛdʒlɪŋ] n uccellino.

flee, pt, pp **fled** [fliː, flɛd] vt fuggire da ♦ vi fuggire, scappare.

fleece [fliːs] n vello ♦ vt (col) pelare.

fleecy ['fliːsɪ] adj (blanket) soffice; (cloud) come ovatta.

fleet [fliːt] n flotta; (of lorries etc) convoglio; (of cars) parco.

fleeting ['fliːtɪŋ] adj fugace, fuggitivo(a); (visit) volante.

Flemish ['flɛmɪʃ] adj fiammingo(a) ♦ n (LING) fiammingo; **the ~** npl i Fiamminghi.

flesh [flɛʃ] n carne f; (of fruit) polpa.

flesh wound n ferita superficiale.

flew [fluː] pt of **fly**.

flex [flɛks] n filo (flessibile) ♦ vt flettere; (muscles) contrarre.

flexibility [flɛksɪ'bɪlɪtɪ] n flessibilità.

flexible ['flɛksəbl] adj flessibile.

flexitime ['flɛksɪtaɪm] n orario flessibile.

flick [flɪk] n colpetto; see also **flicks**.

▶**flick through** vt fus sfogliare.

flicker ['flɪkə*] vi tremolare ♦ n tremolio; **a ~ of light** un breve bagliore.

flick knife n (BRIT) coltello a serramanico.

flicks npl: **the ~** (col) il cine.

flier ['flaɪə*] n aviatore m.

flight [flaɪt] n volo; (escape) fuga; (also: ~ of steps) scalinata; **to take ~** darsi alla fuga; **to put to ~** mettere in fuga.

flight attendant n (US) steward m, hostess f inv.

flight crew n equipaggio.

flight deck n (AVIAT) cabina di controllo; (NAUT) ponte m di comando.

flight path n (of aircraft) rotta di volo; (of rocket, projectile) traiettoria.

flight recorder n registratore m di volo.

flimsy ['flɪmzɪ] adj (fabric) inconsistente; (excuse) meschino(a).

flinch [flɪntʃ] vi ritirarsi; **to ~ from** tirarsi indietro di fronte a.

fling, pt, pp **flung** [flɪŋ, flʌŋ] vt lanciare, gettare ♦ n (love affair) avventura.

flint [flɪnt] n selce f; (in lighter) pietrina.

flip [flɪp] n colpetto ♦ vt dare un colpetto a; (US: pancake) far saltare (in aria) ♦ vi: **to ~ for sth** (US) fare a testa e croce per qc.

▶**flip through** vt fus (book, records) dare una scorsa a.

flippant ['flɪpənt] adj senza rispetto, irriverente.

flipper ['flɪpə*] n pinna.

flip side n (of record) retro.

flirt [fləːt] vi flirtare ♦ n civetta.

flirtation [fləː'teɪʃən] n flirt m inv.

flit [flɪt] vi svolazzare.

float [fləut] n galleggiante m; (in procession) carro; (sum of money) somma ♦ vi galleggiare; (bather) fare il morto; (COMM: currency) fluttuare ♦ vt far galleggiare; (loan, business) lanciare; **to ~ an idea** ventilare un'idea.

floating ['fləutɪŋ] adj a galla; **~ vote** voto oscillante; **~ voter** elettore m indeciso.

flock [flɔk] n gregge m; (of people) folla; (of birds) stormo.

floe [fləu] n (also: **ice ~**) banchisa.

flog [flɔg] vt flagellare.

flood [flʌd] n alluvione f; (of words, tears etc) diluvio ♦ vt inondare, allagare; (AUT: carburettor) ingolfare; **in ~** in pieno; **to ~ the market** (COMM) inondare il mercato.

flooding ['flʌdɪŋ] n inondazione f.

floodlight ['flʌdlaɪt] n riflettore m ♦ vt illuminare a giorno.

floodlit ['flʌdlɪt] pt, pp of **floodlight** ♦ adj illuminato(a) a giorno.

flood tide n alta marea, marea crescente.

floodwater ['flʌdwɔːtə*] n acque fpl (di inondazione).

floor [flɔː*] n pavimento; (storey) piano; (of sea, valley) fondo; (fig: at meeting): **the ~** il pubblico ♦ vt pavimentare; (knock down) atterrare; (baffle) confondere; (silence) far tacere; **on the ~** sul pavimento, per terra; **ground ~, (US) first ~** pianterreno; **first ~, (US) second ~** primo piano; **top ~** ultimo piano; **to have the ~** (speaker) prendere la parola.

floorboard ['flɔːbɔːd] n tavellone m di legno.

flooring ['flɔːrɪŋ] n (floor) pavimento; (material) materiale m per pavimentazioni.

floor lamp n (US) lampada a stelo.

floor show n spettacolo di varietà.

floorwalker ['flɔːwɔːkə*] n (esp US) ispettore m di reparto.

flop [flɔp] n fiasco ♦ vi (fail) far fiasco.

floppy ['flɔpɪ] adj floscio(a), molle ♦ n (COMPUT) = **floppy disk**; **~ hat** cappello floscio.

floppy disk n floppy disk m inv.

flora ['flɔːrə] n flora.

floral ['flɔːrl] adj floreale.

Florence ['flɔrəns] n Firenze f.

Florentine ['flɔrəntaɪn] adj fiorentino(a).

florid ['flɔrɪd] adj (complexion) florido(a); (style) fiorito(a).

florist ['flɔrɪst] n fioraio/a; **at the ~'s (shop)**

dal fioraio.

flotation [fləʊ'teɪʃən] n (COMM) lancio.

flounce [flaʊns] n balzo.

▶**flounce out** vi uscire stizzito(a).

flounder ['flaʊndə*] vi annaspare ♦ n (ZOOL) passera di mare.

flour ['flaʊə*] n farina.

flourish ['flʌrɪʃ] vi fiorire ♦ vt brandire ♦ n abbellimento; svolazzo; (of trumpets) fanfara.

flourishing ['flʌrɪʃɪŋ] adj prosperoso(a), fiorente.

flout [flaʊt] vt (order) contravvenire a; (convention) sfidare.

flow [fləʊ] n flusso; circolazione f; (of river, also ELEC) corrente f ♦ vi fluire; (traffic, blood in veins) circolare; (hair) scendere.

flow chart n schema m di flusso.

flow diagram n organigramma m.

flower ['flaʊə*] n fiore m ♦ vi fiorire; **in** ~ in fiore.

flower bed n aiuola.

flowerpot ['flaʊəpɒt] n vaso da fiori.

flowery ['flaʊərɪ] adj fiorito(a).

flown [fləʊn] pp of **fly**.

flu [fluː] n influenza.

fluctuate ['flʌktjʊeɪt] vi fluttuare, oscillare.

fluctuation [flʌktjʊ'eɪʃən] n fluttuazione f, oscillazione f.

flue [fluː] n canna fumaria.

fluency ['fluːənsɪ] n facilità, scioltezza; **his** ~ **in English** la sua scioltezza nel parlare l'inglese.

fluent ['fluːənt] adj (speech) facile, sciolto(a); **he's a** ~ **speaker/reader** si esprime/legge senza difficoltà; **he speaks** ~ **Italian, he's** ~ **in Italian** parla l'italiano correntemente.

fluently ['fluːəntlɪ] adv con facilità; correntemente.

fluff [flʌf] n lanugine f.

fluffy ['flʌfɪ] adj lanuginoso(a); (toy) di peluche.

fluid ['fluːɪd] adj fluido(a) ♦ n fluido; (in diet) liquido.

fluid ounce n (BRIT) = 0.028 l; 0.05 pints.

fluke [fluːk] n (col) colpo di fortuna.

flummox ['flʌməks] vt rendere perplesso(a).

flung [flʌŋ] pt, pp of **fling**.

flunky ['flʌŋkɪ] n tirapiedi m/f inv.

fluorescent [fluə'rɛsnt] adj fluorescente.

fluoride ['fluəraɪd] n fluoruro.

fluorine ['fluəriːn] n fluoro.

flurry ['flʌrɪ] n (of snow) tempesta; **a** ~ **of activity/excitement** una febbre di attività/un'improvvisa agitazione.

flush [flʌʃ] n rossore m; (fig) ebbrezza ♦ vt

ripulire con un getto d'acqua; (also: ~ out: birds) far alzare in volo; (: animals, fig: criminal) stanare ♦ vi arrossire ♦ adj: ~ with a livello di, pari a; ~ against aderente a; hot ~es (MED) vampate fpl di calore; to ~ the toilet tirare l'acqua.

flushed [flʌʃt] adj tutto(a) rosso(a).

fluster ['flʌstə*] n agitazione f.

flustered ['flʌstəd] adj sconvolto(a).

flute [fluːt] n flauto.

flutter ['flʌtə*] n agitazione f; (of wings) frullio ♦ vi (bird) battere le ali.

flux [flʌks] n: **in a state of** ~ in continuo mutamento.

fly [flaɪ] n (insect) mosca; (on trousers: also: **flies**) bracchetta ♦ vb (pt **flew**, pp **flown** [fluː, fləʊn]) vt pilotare; (passengers, cargo) trasportare (in aereo); (distances) percorrere ♦ vi volare; (passengers) andare in aereo; (escape) fuggire; (flag) sventolare; to ~ open spalancarsi all'improvviso; to ~ off the handle perdere le staffe, uscire dai gangheri.

▶**fly away** vi volar via.

▶**fly in** vi (plane) arrivare; (person) arrivare in aereo.

▶**fly off** vi volare via.

▶**fly out** vi (plane) partire; (person) partire in aereo.

fly-fishing ['flaɪfɪʃɪŋ] n pesca con la mosca.

flying ['flaɪɪŋ] n (activity) aviazione f; (action) volo ♦ adj: ~ **visit** visita volante; **with** ~ **colours** con risultati brillanti; **he doesn't like** ~ non gli piace viaggiare in aereo.

flying buttress n arco rampante.

flying picket n picchetto (proveniente da fabbriche non direttamente coinvolte nello sciopero).

flying saucer n disco volante.

flying squad n (POLICE) (squadra) volante f.

flying start n: **to get off to a** ~ **start** partire come un razzo.

flyleaf ['flaɪliːf] n risguardo.

flyover ['flaɪəʊvə*] n (BRIT: bridge) cavalcavia m inv.

flypast ['flaɪpɑːst] n esibizione f della pattuglia aerea.

flysheet ['flaɪʃiːt] n (for tent) sopratetto.

flyweight ['flaɪweɪt] n (SPORT) peso m mosca inv.

flywheel ['flaɪwiːl] n volano.

FM abbr see **frequency modulation**; (BRIT MIL) see **Field Marshal**.

FMB n abbr (US) = Federal Maritime Board.

FMCS n abbr (US: = Federal Mediation and Conciliation Services) organismo di *conciliazione in caso di conflitti sul lavoro.*

FO *n abbr* (*BRIT*) *see* **Foreign Office.**

foal [fəul] *n* puledro.

foam [fəum] *n* schiuma ♦ *vi* schiumare.

foam rubber *n* gommapiuma ®.

FOB *abbr* (= *free on board*) franco a bordo.

fob [fɔb] *vt*: **to ~ sb off with** appioppare qn con; sbarazzarsi di qn con ♦ *n* (*also*: **watch ~**: *chain*) catena per orologio; (: *band of cloth*) nastro per orologio.

foc *abbr* (*BRIT*) = **free of charge.**

focal ['fəukəl] *adj* focale.

focal point *n* punto focale.

focus ['fəukəs] *n* (*pl* **~es**) fuoco; (*of interest*) centro ♦ *vt* (*field glasses etc*) mettere a fuoco; (*light rays*) far convergere ♦ *vi*: **to ~ on** (*with camera*) mettere a fuoco; (*person*) fissare lo sguardo su; **in ~** a fuoco; **out of ~** sfocato(a).

fodder ['fɔdə*] *n* foraggio.

FOE *n abbr* (= *Friends of the Earth*) Amici *mpl* della Terra; (*US*: = *Fraternal Order of Eagles*) organizzazione filantropica.

foe [fəu] *n* nemico.

foetus, (*US*) **fetus** ['fiːtəs] *n* feto.

fog [fɔg] *n* nebbia.

fogbound ['fɔgbaund] *adj* fermo(a) a causa della nebbia.

foggy ['fɔgɪ] *adj* nebbioso(a); **it's ~** c'è nebbia.

fog lamp, (*US*) **fog light** *n* (*AUT*) faro *m* antinebbia *inv*.

foible ['fɔɪbl] *n* debolezza, punto debole.

foil [fɔɪl] *vt* confondere, frustrare ♦ *n* lamina di metallo; (*also*: **kitchen ~**) foglio di alluminio; (*FENCING*) fioretto; **to act as a ~ to** (*fig*) far risaltare.

foist [fɔɪst] *vt*: **to ~ sth on sb** rifilare qc a qn.

fold [fəuld] *n* (*bend, crease*) piega; (*AGR*) ovile *m*; (*fig*) gregge *m* ♦ *vt* piegare; **to ~ one's arms** incrociare le braccia.

▶**fold up** *vi* (*map etc*) piegarsi; (*business*) crollare ♦ *vt* (*map etc*) piegare, ripiegare.

folder ['fəuldə*] *n* (*for papers*) cartella; cartellina; (*binder*) raccoglitore *m*.

folding ['fəuldɪŋ] *adj* (*chair, bed*) pieghevole.

foliage ['fəulɪɪdʒ] *n* fogliame *m*.

folk [fəuk] *npl* gente *f* ♦ *cpd* popolare; **~s** *npl* famiglia.

folklore ['fəuklɔː*] *n* folclore *m*.

folk music *n* musica folk *inv*.

folk singer *n* cantante *m/f* folk *inv*.

folksong ['fəuksɔŋ] *n* canto popolare.

follow ['fɔləu] *vt* seguire ♦ *vi* seguire; (*result*) conseguire, risultare; **to ~ sb's advice** seguire il consiglio di qn; **I don't**

quite ~ you non ti capisco *or* seguo affatto; **to ~ in sb's footsteps** seguire le orme di qn; **it ~s that** ... ne consegue che ...; **he ~ed suit** lui ha fatto lo stesso.

▶**follow on** *vi* (*continue*): **to ~ on from** seguire.

▶**follow out** *vt* (*implement: idea, plan*) eseguire, portare a termine.

▶**follow through** *vt* = **follow out.**

▶**follow up** *vt* (*victory*) sfruttare; (*letter, offer*) fare seguito a; (*case*) seguire.

follower ['fɔləuə*] *n* seguace *m/f*, discepolo/a.

following ['fɔləuɪŋ] *adj* seguente, successivo(a) ♦ *n* seguito, discepoli *mpl*.

follow-up ['fɔləuʌp] *n* seguito.

folly ['fɔlɪ] *n* pazzia, follia.

fond [fɔnd] *adj* (*memory, look*) tenero(a), affettuoso(a); **to be ~ of** volere bene a; **she's ~ of swimming** le piace nuotare.

fondle ['fɔndl] *vt* accarezzare.

fondly ['fɔndlɪ] *adv* (*lovingly*) affettuosamente; (*naïvely*): **he ~ believed that** ... ha avuto l'ingenuità di credere che ....

fondness ['fɔndnɪs] *n* affetto; **~ (for sth)** predilezione *f* (per qc).

font [fɔnt] *n* (*REL*) fonte *m* (battesimale); (*TYP*) stile *m* di carattere.

food [fuːd] *n* cibo.

food chain *n* catena alimentare.

food mixer *n* frullatore *m*.

food poisoning *n* intossicazione *f* alimentare.

food processor *n* tritatutto *m inv* elettrico.

food stamp *n* (*US*) buono alimentare dato agli indigenti.

foodstuffs ['fuːdstʌfs] *npl* generi *fpl* alimentari.

fool [fuːl] *n* sciocco/a; (*HISTORY: of king*) buffone *m*; (*CULIN*) frullato ♦ *vt* ingannare ♦ *vi* (*gen*: **~ around**) fare lo sciocco; **to make a ~ of sb** prendere in giro qn; **to make a ~ of o.s.** coprirsi di ridicolo; **you can't ~ me** non mi inganna.

▶**fool about, fool around** *vi* (*waste time*) perdere tempo.

foolhardy ['fuːlhɑːdɪ] *adj* avventato(a).

foolish ['fuːlɪʃ] *adj* scemo(a), stupido(a); imprudente.

foolishly ['fuːlɪʃlɪ] *adv* stupidamente.

foolishness ['fuːlɪʃnɪs] *n* stupidità.

foolproof ['fuːlpruːf] *adj* (*plan etc*) sicurissimo(a).

foolscap ['fuːlskæp] *n* carta protocollo.

foot [fut] *n* (*pl* **feet** [fiːt]) piede *m*; (*measure*) piede (= *304 mm; 12 inches*); (*of animal*) zampa; (*of page, stairs etc*) fondo ♦ *vt* (*bill*) pagare; **on** ~ a piedi; **to put one's** ~ **down** (*AUT*) schiacciare l'acceleratore; (*say no*) imporsi; **to find one's feet** ambientarsi.

footage ['futidʒ] *n* (*CINE: length*) ≈ metraggio; (: *material*) sequenza.

foot and mouth (disease) *n* afta epizootica.

football ['futbɔːl] *n* pallone *m*; (*sport: BRIT*) calcio; (: *US*) football *m* americano.

footballer ['futbɔːlə*] *n* (*BRIT*) = **football player**.

football ground *n* campo di calcio.

football match *n* (*BRIT*) partita di calcio.

football player *n* (*BRIT*) calciatore *m*; (*US*) giocatore *m* di football americano.

footbrake ['futbreik] *n* freno a pedale.

footbridge ['futbridʒ] *n* passerella.

foothills ['futhilz] *npl* contrafforti *fpl*.

foothold ['futhəuld] *n* punto d'appoggio.

footing ['futiŋ] *n* (*fig*) posizione *f*; **to lose one's** ~ mettere un piede in fallo; **on an equal** ~ in condizioni di parità.

footlights ['futlaits] *npl* luci *fpl* della ribalta.

footman ['futmən] *n* lacchè *m inv*.

footnote ['futnəut] *n* nota (a piè di pagina).

footpath ['futpɑːθ] *n* sentiero; (*in street*) marciapiede *m*.

footprint ['futprint] *n* orma, impronta.

footrest ['futrest] *n* poggiapiedi *m inv*.

footsie ['futsi] *n* (*col*): **to play** ~ **with sb** fare piedino a qn.

Footsie (index) ['futsi-] *n* (*col*) = Financial Times Stock Exchange 100 Index.

footsore ['futsɔː*] *adj*: **to be** ~ avere mal di piedi.

footstep ['futstep] *n* passo.

footwear ['futwɛə*] *n* calzatura.

FOR *abbr* (= *free on rail*) franco vagone.

=============== *KEYWORD*

for [fɔː*] *prep* **1** (*indicating destination, intention, purpose*) per; **the train** ~ **London** il treno per Londra; **he went** ~ **the paper** è andato a prendere il giornale; **it's time** ~ **lunch** è ora di pranzo; **what's it** ~? a che serve?; **what** ~? (*why*) perché?

2 (*on behalf of, representing*) per; **to work** ~ **sb/sth** lavorare per qn/qc; **I'll ask him** ~ **you** glielo chiederò a nome tuo; **G** ~ **George** G come George

3 (*because of*) per, a causa di; ~ **this reason** per questo motivo

4 (*with regard to*) per; **it's cold** ~ **July** è freddo per luglio; ~ **everyone who voted yes, 50 voted no** per ogni voto a favore ce n'erano 50 contro

5 (*in exchange for*) per; **I sold it** ~ **£5** l'ho venduto per 5 sterline

6 (*in favour of*) per, a favore di; **are you** ~ **or against us?** sei con noi o contro di noi?; **I'm all** ~ **it** sono completamente a favore

7 (*referring to distance, time*) per; **there are roadworks** ~ **5 km** ci sono lavori in corso per 5 km; **he was away** ~ **2 years** è stato via per 2 anni; **she will be away** ~ **a month** starà via un mese; **it hasn't rained** ~ **3 weeks** non piove da 3 settimane; **can you do it** ~ **tomorrow?** può farlo per domani?

8 (*with infinitive clauses*): **it is not** ~ **me to decide** non sta a me decidere; **it would be best** ~ **you to leave** sarebbe meglio che lei se ne andasse; **there is still time** ~ **you to do it** ha ancora tempo per farlo; ~ **this to be possible** ... perché ciò sia possibile ...

9 (*in spite of*) nonostante; ~ **all his complaints, he's very fond of her** nonostante tutte le sue lamentele, le vuole molto bene

♦ *conj* (*since, as: rather formal*) dal momento che, poiché.

forage ['fɔridʒ] *vi* foraggiare.

forage cap *n* bustina.

foray ['fɔrei] *n* incursione *f*.

forbad(e) [fə'bæd] *pt of* **forbid**.

forbearing [fɔː'bɛəriŋ] *adj* paziente, tollerante.

forbid, *pt* **forbad(e),** *pp* **forbidden** [fə'bid, -'bæd, -'bidn] *vt* vietare, interdire; **to** ~ **sb to do sth** proibire a qn di fare qc.

forbidding [fə'bidiŋ] *adj* arcigno(a), d'aspetto minaccioso.

force [fɔːs] *n* forza ♦ *vt* forzare; (*obtain by* ~: *smile, confession*) strappare; **the F~s** *npl* (*BRIT*) le forze armate; **in** ~ (*in large numbers*) in gran numero; (*law*) in vigore; **to come into** ~ entrare in vigore; **a** ~ **5 wind** un vento forza 5; **to join** ~**s** unire le forze; **the sales** ~ (*COMM*) l'effettivo dei rappresentanti; **to** ~ **sb to do sth** costringere qn a fare qc.

▶**force back** *vt* (*crowd, enemy*) respingere; (*tears*) ingoiare.

▶**force down** *vt* (*food*) sforzarsi di mangiare.

forced [fɔːst] *adj* forzato(a).

force-feed ['fɔːsfiːd] *vt* sottoporre ad alimentazione forzata.

forceful ['fɔːsful] *adj* forte, vigoroso(a).

forcemeat ['fɔːsmiːt] *n* (*BRIT CULIN*) ripieno.

forceps ['fɔːsips] *npl* forcipe *m*.

forcibly ['fɔːsəblɪ] *adv* con la forza; (*vigorously*) vigorosamente.
ford [fɔːd] *n* guado ♦ *vt* guadare.
fore [fɔː*] *n*: **to the** ~ in prima linea; **to come to the** ~ mettersi in evidenza.
forearm ['fɔːrɑːm] *n* avambraccio.
forebear ['fɔːbɛə*] *n* antenato.
foreboding [fɔː'bəudɪŋ] *n* presagio di male.
forecast ['fɔːkɑːst] *n* previsione *f*; (*weather* ~) previsioni *fpl* del tempo ♦ *vt* (*irreg: like* **cast**) prevedere.
foreclose [fɔː'kləuz] *vt* (*LAW: also:* ~ **on**) sequestrare l'immobile ipotecato di.
foreclosure [fɔː'kləuʒə*] *n* sequestro di immobile ipotecato.
forecourt ['fɔːkɔːt] *n* (*of garage*) corte *f* esterna.
forefathers ['fɔːfɑːðəz] *npl* antenati *mpl*, avi *mpl*.
forefinger ['fɔːfɪŋgə*] *n* (dito) indice *m*.
forefront ['fɔːfrʌnt] *n*: **in the** ~ **of** all'avanguardia di.
forego [fɔː'gəu] *vt* = **forgo**.
foregoing ['fɔːgəuɪŋ] *adj* precedente.
foregone ['fɔːgɒn] *pp of* **forego** ♦ *adj*: **it's a** ~ **conclusion** è una conclusione scontata.
foreground ['fɔːgraund] *n* primo piano ♦ *cpd* (*COMPUT*) foreground *inv*, di primo piano.
forehand ['fɔːhænd] *n* (*TENNIS*) diritto.
forehead ['fɔrɪd] *n* fronte *f*.
foreign ['fɔrən] *adj* straniero(a); (*trade*) estero(a).
foreign body *n* corpo estraneo.
foreign currency *n* valuta estera.
foreigner ['fɔrənə*] *n* straniero/a.
foreign exchange *n* cambio di valuta; (*currency*) valuta estera.
foreign exchange market *n* mercato delle valute.
foreign exchange rate *n* cambio.
foreign investment *n* investimento all'estero.
foreign minister *n* ministro degli Affari esteri.
Foreign Office (FO) *n* (*BRIT*) Ministero degli Esteri.
foreign secretary *n* (*BRIT*) ministro degli Affari esteri.
foreleg ['fɔːlɛg] *n* zampa anteriore.
foreman ['fɔːmən] *n* caposquadra *m*; (*LAW: of jury*) portavoce *m* della giuria.
foremost ['fɔːməust] *adj* principale; più in vista ♦ *adv*: **first and** ~ innanzitutto.
forename ['fɔːneɪm] *n* nome *m* di battesimo.
forensic [fə'rɛnsɪk] *adj*: ~ **medicine** medicina legale; ~ **expert** esperto della

(polizia) scientifica.
foreplay ['fɔːpleɪ] *n* preliminari *mpl*.
forerunner ['fɔːrʌnə*] *n* precursore *m*.
foresee, *pt* **foresaw**, *pp* **foreseen** [fɔː'siː, -'sɔː, -'siːn] *vt* prevedere.
foreseeable [fɔː'siːəbl] *adj* prevedibile.
foreseen [fɔː'siːn] *pp of* **foresee**.
foreshadow [fɔː'ʃædəu] *vt* presagire, far prevedere.
foreshorten [fɔː'ʃɔːtn] *vt* (*figure, scene*) rappresentare in scorcio.
foresight ['fɔːsaɪt] *n* previdenza.
foreskin ['fɔːskɪn] *n* (*ANAT*) prepuzio.
forest ['fɔrɪst] *n* foresta.
forestall [fɔː'stɔːl] *vt* prevenire.
forestry ['fɔrɪstrɪ] *n* silvicoltura.
foretaste ['fɔːteɪst] *n* pregustazione *f*.
foretell, *pt*, *pp* **foretold** [fɔː'tɛl, -'təuld] *vt* predire.
forethought ['fɔːθɔːt] *n* previdenza.
foretold [fɔː'təuld] *pt*, *pp of* **foretell**.
forever [fə'rɛvə*] *adv* per sempre; (*fig*) sempre, di continuo.
forewarn [fɔː'wɔːn] *vt* avvisare in precedenza.
forewent [fɔː'wɛnt] *pt of* **forego**.
foreword ['fɔːwəːd] *n* prefazione *f*.
forfeit ['fɔːfɪt] *n* ammenda, pena ♦ *vt* perdere; (*one's happiness, health*) giocarsi.
forgave [fə'geɪv] *pt of* **forgive**.
forge [fɔːdʒ] *n* fucina ♦ *vt* falsificare; (*signature*) contraffare, falsificare; (*wrought iron*) fucinare, foggiare.
▶**forge ahead** *vi* tirare avanti.
forger ['fɔːdʒə*] *n* contraffattore *m*.
forgery ['fɔːdʒərɪ] *n* falso; (*activity*) contraffazione *f*.
forget, *pt* **forgot**, *pp* **forgotten** [fə'gɛt, -'gɒt, -'gɒtn] *vt*, *vi* dimenticare.
forgetful [fə'gɛtful] *adj* di corta memoria; ~ **of** dimentico(a) di.
forgetfulness [fə'gɛtfulnɪs] *n* smemoratezza; (*oblivion*) oblio.
forget-me-not [fə'gɛtmɪnɒt] *n* nontiscordardimé *m inv*.
forgive, *pt* **forgave**, *pp* **forgiven** [fə'gɪv, -'geɪv, -'gɪvn] *vt* perdonare; **to** ~ **sb for sth/for doing sth** perdonare qc a qn/a qn di aver fatto qc.
forgiveness [fə'gɪvnɪs] *n* perdono.
forgiving [fə'gɪvɪŋ] *adj* indulgente.
forgo, *pt* **forwent**, *pp* **forgone** [fɔː'gəu, -'wɛnt, -'gɒn] *vt* rinunciare a.
forgot [fə'gɒt] *pt of* **forget**.
forgotten [fə'gɒtn] *pp of* **forget**.
fork [fɔːk] *n* (*for eating*) forchetta; (*for gardening*) forca; (*of roads*) bivio; (*of railways*) inforcazione *f* ♦ *vi* (*road*)

biforcarsi.
▶**fork out** (*col: pay*) *vt* sborsare ♦ *vi* pagare.
forked [fɔːkt] *adj* (*lightning*) a zigzag.
fork-lift truck ['fɔːklɪft-] *n* carrello
    elevatore.
forlorn [fəˈlɔːn] *adj* (*person*) sconsolato(a);
    (*deserted: cottage*) abbandonato(a);
    (*desperate: attempt*) disperato(a).
form [fɔːm] *n* forma; (*SCOL*) classe *f*;
    (*questionnaire*) modulo ♦ *vt* formare;
    (*circle, queue etc*) fare; **in the ~ of** a forma
    di, sotto forma di; **to be in good ~**
    (*SPORT, fig*) essere in forma; **in top ~** in
    gran forma; **to ~ part of sth** far parte di
    qc.
formal ['fɔːməl] *adj* (*offer, receipt*) vero(a) e
    proprio(a); (*person*) cerimonioso(a);
    (*occasion, dinner*) formale, ufficiale; (*ART,
    PHILOSOPHY*) formale; **~ dress** abito da
    cerimonia; (*evening dress*) abito da sera.
formality [fɔːˈmælɪtɪ] *n* formalità *f inv*.
formalize ['fɔːməlaɪz] *vt* rendere ufficiale.
formally ['fɔːməlɪ] *adv* ufficialmente;
    formalmente; cerimoniosamente; **to be ~
    invited** ricevere un invito ufficiale.
format ['fɔːmæt] *n* formato ♦ *vt* (*COMPUT*)
    formattare.
formation [fɔːˈmeɪʃən] *n* formazione *f*.
formative ['fɔːmətɪv] *adj*: **~ years** anni *mpl*
    formativi.
former ['fɔːmə*] *adj* vecchio(a) (*before n*),
    ex *inv* (*before n*); **the ~ president** l'ex
    presidente; **the ~ ... the latter** quello ...
    questo; **the ~ Yugoslavia/Soviet Union**
    l'ex Jugoslavia/Unione Sovietica.
formerly ['fɔːməlɪ] *adv* in passato.
form feed *n* (*on printer*) alimentazione *f*
    modulo.
formidable ['fɔːmɪdəbl] *adj* formidabile.
formula ['fɔːmjʊlə] *n* formula; **F~ One**
    (*AUT*) formula uno.
formulate ['fɔːmjʊleɪt] *vt* formulare.
fornicate ['fɔːnɪkeɪt] *vi* fornicare.
forsake, *pt* **forsook**, *pp* **forsaken** [fəˈseɪk,
    -ˈsʊk, -ˈseɪkən] *vt* abbandonare.
fort [fɔːt] *n* forte *m*; **to hold the ~** (*fig*)
    prendere le redini (della situazione).
forte ['fɔːtɪ] *n* forte *m*.
forth [fɔːθ] *adv* in avanti; **to go back and ~**
    andare avanti e indietro; **and so ~** e così
    via.
forthcoming [fɔːθˈkʌmɪŋ] *adj* prossimo(a);
    (*character*) aperto(a), comunicativo(a).
forthright ['fɔːθraɪt] *adj* franco(a),
    schietto(a).
forthwith [fɔːθˈwɪθ] *adv* immediatamente,
    subito.
fortieth ['fɔːtɪɪθ] *num* quarantesimo(a).

fortification [fɔːtɪfɪˈkeɪʃən] *n* fortificazione
    f.
fortified wine *n* vino ad alta gradazione
    alcolica.
fortify ['fɔːtɪfaɪ] *vt* fortificare.
fortitude ['fɔːtɪtjuːd] *n* forza d'animo.
fortnight ['fɔːtnaɪt] *n* (*BRIT*) quindici giorni
    mpl, due settimane *fpl*; **it's a ~ since ...**
    sono due settimane da quando ....
fortnightly ['fɔːtnaɪtlɪ] *adj* bimensile ♦ *adv*
    ogni quindici giorni.
FORTRAN ['fɔːtræn] *n* FORTRAN *m*.
fortress ['fɔːtrɪs] *n* fortezza, rocca.
fortuitous [fɔːˈtjuːɪtəs] *adj* fortuito(a).
fortunate ['fɔːtʃənɪt] *adj* fortunato(a); **he is
    ~ to have ...** ha la fortuna di avere ...; **it is
    ~ that** è una fortuna che + *sub*.
fortunately ['fɔːtʃənɪtlɪ] *adv*
    fortunatamente.
fortune ['fɔːtʃən] *n* fortuna; **to make a ~**
    farsi una fortuna.
fortuneteller ['fɔːtʃəntɛlə*] *n* indovino/a.
forty ['fɔːtɪ] *num* quaranta.
forum ['fɔːrəm] *n* foro; (*fig*) luogo di
    pubblica discussione.
forward ['fɔːwəd] *adj* (*movement, position*)
    in avanti; (*not shy*) sfacciato(a); (*COMM:
    delivery, sales, exchange*) a termine ♦ *n*
    (*SPORT*) avanti *m inv* ♦ *vt* (*letter*) inoltrare;
    (*parcel, goods*) spedire; (*fig*) promuovere,
    appoggiare; **to move ~** avanzare; **"please
    ~"** "si prega di inoltrare"; **~ planning**
    programmazione *f* in anticipo.
forward(s) ['fɔːwəd(z)] *adv* avanti.
forwent [fɔːˈwɛnt] *pt of* **forgo**.
fossil ['fɔsl] *adj*, *n* fossile (*m*); **~ fuel**
    combustibile *m* fossile.
foster ['fɔstə*] *vt* incoraggiare, nutrire;
    (*child*) avere in affidamento.
foster brother *n* fratellastro.
foster child *n* bambino(a) preso(a) in
    affidamento.
foster mother *n* madre *f* affidataria.
fought [fɔːt] *pt, pp of* **fight**.
foul [faul] *adj* (*smell, food*) cattivo(a);
    (*weather*) brutto(a), orribile; (*language*)
    osceno(a); (*deed*) infame ♦ *n* (*FOOTBALL*)
    fallo ♦ *vt* sporcare; (*football player*)
    commettere un fallo su; (*entangle: anchor,
    propeller*) impigliarsi in.
foul play *n* (*SPORT*) gioco scorretto; **~ is
    not suspected** si è scartata l'ipotesi del
    delitto (*or* dell'attentato *etc*).
found [faund] *pt, pp of* **find** ♦ *vt* (*establish*)
    fondare.
foundation [faunˈdeɪʃən] *n* (*act*) fondazione
    f; (*base*) base *f*; (*also:* **~ cream**) fondo
    tinta; **~s** *npl* (*of building*) fondamenta *fpl*;

foundation stone – free

to lay the ~s gettare le fondamenta.
foundation stone *n* prima pietra.
founder ['faundə*] *n* fondatore/trice ♦ *vi* affondare.
founding ['faundɪŋ] *adj*: **~ fathers** (*US*) padri *mpl* fondatori; **~ member** socio fondatore.
foundry ['faundrɪ] *n* fonderia.
fount [faunt] *n* fonte *f*; (*TYP*) stile *m* di carattere.
fountain ['fauntɪn] *n* fontana.
fountain pen *n* penna stilografica.
four [fɔ:*] *num* quattro; **on all ~s** a carponi.
four-letter word ['fɔ:lɛtə-] *n* parolaccia.
four-poster ['fɔ:'pəustə*] *n* (*also*: **~ bed**) letto a quattro colonne.
foursome ['fɔ:səm] *n* partita a quattro; uscita in quattro.
fourteen ['fɔ:ti:n] *num* quattordici.
fourth [fɔ:θ] *num* quarto(a) ♦ *n* (*AUT*: *also*: **~ gear**) quarta.
four-wheel drive ['fɔ:wi:l-] *n* (*AUT*): **with ~** con quattro ruote motrici.
fowl [faul] *n* pollame *m*; volatile *m*.
fox [fɔks] *n* volpe *f* ♦ *vt* confondere.
fox fur *n* volpe *f*, pelliccia di volpe.
foxglove ['fɔksglʌv] *n* (*BOT*) digitale *f*.
fox-hunting ['fɔkshʌntɪŋ] *n* caccia alla volpe.
foyer ['fɔɪeɪ] *n* atrio; (*THEAT*) ridotto.
FP *n abbr* (*BRIT*) = *former pupil*; (*US*) = **fireplug**.
FPA *n abbr* (*BRIT*: = *Family Planning Association*) ≈ A.I.E.D. *f* (= *Associazione Italiana Educazione Demografica*).
Fr. *abbr* (*REL*) = **father; friar**.
fr. *abbr* (= *franc*) fr.
fracas ['fræka:] *n* rissa, lite *f*.
fraction ['frækʃən] *n* frazione *f*.
fractionally ['frækʃnəlɪ] *adv* un tantino, minimamente.
fractious ['frækʃəs] *adj* irritabile.
fracture ['fræktʃə*] *n* frattura ♦ *vt* fratturare.
fragile ['frædʒaɪl] *adj* fragile.
fragment ['frægmənt] *n* frammento.
fragmentary ['frægməntərɪ] *adj* frammentario(a).
fragrance ['freɪɡrəns] *n* fragranza, profumo.
fragrant ['freɪɡrənt] *adj* fragrante, profumato(a).
frail [freɪl] *adj* debole, delicato(a).
frame [freɪm] *n* (*of building*) armatura; (*of human, animal*) ossatura, corpo; (*of picture*) cornice *f*; (*of door, window*) telaio; (*of spectacles*: *also*: **~s**) montatura ♦ *vt* (*picture*) incorniciare; **to ~ sb** (*col*)

incastrare qn; **~ of mind** stato d'animo.
framework ['freɪmwɔ:k] *n* struttura.
France [frɑ:ns] *n* Francia.
franchise ['fræntʃaɪz] *n* (*POL*) diritto di voto; (*COMM*) concessione *f*.
franchisee [fræntʃaɪ'zi:] *n* concessionaria.
franchiser ['fræntʃaɪzə*] *n* concedente *m*.
frank [fræŋk] *adj* franco(a), aperto(a) ♦ *vt* (*letter*) affrancare.
Frankfurt ['fræŋkfət] *n* Francoforte *f*.
frankfurter ['fræŋkfə:tə*] *n* würstel *m inv*.
franking machine ['fræŋkɪŋ-] *n* macchina affrancatrice.
frankly ['fræŋklɪ] *adv* francamente, sinceramente.
frankness ['fræŋknɪs] *n* franchezza.
frantic ['fræntɪk] *adj* (*activity, pace*) frenetico(a); (*desperate: need, desire*) pazzo(a), sfrenato(a); (: *search*) affannoso(a); (*person*) fuori di sé.
frantically ['fræntɪklɪ] *adv* freneticamente; affannosamente.
fraternal [frə'tə:nl] *adj* fraterno(a).
fraternity [frə'tə:nɪtɪ] *n* (*club*) associazione *f*; (*spirit*) fratellanza.
fraternize ['frætənaɪz] *vi* fraternizzare.
fraud [frɔ:d] *n* truffa; (*LAW*) frode *f*; (*person*) impostore/a.
fraudulent ['frɔ:djulənt] *adj* fraudolento(a).
fraught [frɔ:t] *adj* (*tense*) teso(a); **~ with** pieno(a) di, intriso(a) da.
fray [freɪ] *n* baruffa ♦ *vt* logorare ♦ *vi* logorarsi; **to return to the ~** tornare nella mischia; **tempers were getting ~ed** cominciavano ad innervosirsi; **her nerves were ~ed** aveva i nervi a pezzi.
FRB *n abbr* (*US*) = **Federal Reserve Board**.
FRCM *n abbr* (*BRIT*) = *Fellow of the Royal College of Music*.
FRCO *n abbr* (*BRIT*) = *Fellow of the Royal College of Organists*.
FRCP *n abbr* (*BRIT*) = *Fellow of the Royal College of Physicians*.
FRCS *n abbr* (*BRIT*) = *Fellow of the Royal College of Surgeons*.
freak [fri:k] *n* fenomeno, mostro; (*col: enthusiast*) fanatico/a ♦ *adj* (*storm, conditions*) anormale; (*victory*) inatteso(a).
▶**freak out** *vi* (*col*) andare fuori di testa.
freakish ['fri:kɪʃ] *adj* (*result, appearance*) strano(a), bizzarro(a); (*weather*) anormale.
freckle ['frɛkl] *n* lentiggine *f*.
free [fri:] *adj* libero(a); (*gratis*) gratuito(a); (*liberal*) generoso(a) ♦ *vt* (*prisoner, jammed person*) liberare; (*jammed object*) districare; **~ (of charge)** gratuitamente; **admission ~** entrata libera; **to give sb a**

~ **hand** dare carta bianca a qn; ~ **and easy** rilassato.
freebie ['friːbɪ] *n (col)*: **it's a** ~ è in omaggio.
freedom ['friːdəm] *n* libertà.
freedom fighter *n* combattente *m/f* per la libertà.
free enterprise *n* liberalismo economico.
Freefone ® ['friːfəun] *n (BRIT)* ≈ numero verde.
free-for-all ['friːfərɔːl] *n* parapiglia *m* generale.
free gift *n* regalo, omaggio.
freehold ['friːhəuld] *n* proprietà assoluta.
free kick *n (SPORT)* calcio libero.
freelance ['friːlɑːns] *adj* indipendente; ~ **work** collaborazione *f* esterna.
freeloader ['friːləudə*] *n (pej)* scroccone/a.
freely ['friːlɪ] *adv* liberamente; *(liberally)* liberalmente.
free-market economy [friː'mɑːkɪt-] *n* economia di libero mercato.
freemason ['friːmeɪsn] *n* massone *m*.
freemasonry ['friːmeɪsnrɪ] *n* massoneria.
freepost ['friːpəust] *n* affrancatura a carica del destinatario.
free-range ['friː'reɪndʒ] *adj (eggs)* di gallina ruspante.
free sample *n* campione *m* gratuito.
free speech *n* libertà di parola.
freestyle ['friːstaɪl] *n (in swimming)* stile *m* libero.
free trade *n* libero scambio.
freeway ['friːweɪ] *n (US)* superstrada.
freewheel [friː'wiːl] *vi* andare a ruota libera.
freewheeling [friː'wiːlɪŋ] *adj* a ruota libera.
free will *n* libero arbitrio; **of one's own** ~ di spontanea volontà.
freeze [friːz] *vb (pt* **froze**, *pp* **frozen** [frəuz, 'frəuzn]) *vi* gelare ♦ *vt* gelare; *(food)* congelare; *(prices, salaries)* bloccare ♦ *n* gelo; blocco.
▶**freeze over** *vi (lake, river)* ghiacciarsi; *(windows, windscreen)* coprirsi di ghiaccio.
▶**freeze up** *vi* gelarsi.
freeze-dried ['friːzdraɪd] *adj* liofilizzato(a).
freezer ['friːzə*] *n* congelatore *m*.
freezing ['friːzɪŋ] *adj*: **I'm** ~ mi sto congelando ♦ *n (also:* ~ **point)** punto di congelamento; **3 degrees below** ~ 3 gradi sotto zero.
freight [freɪt] *n (goods)* merce *f*, merci *fpl*; *(money charged)* spese *fpl* di trasporto; ~ **forward** spese a carico del destinatario; ~ **inward** spese di trasporto sulla merce in entrata.

freight car *n (US)* carro *m* merci *inv*.
freighter ['freɪtə*] *n (NAUT)* nave *f* da carico.
freight forwarder [-'fɔːwədə*] *n* spedizioniere *m*.
freight train *n (US)* treno *m* merci *inv*.
French [frɛntʃ] *adj* francese ♦ *n (LING)* francese *m*; **the** ~ *npl* i Francesi.
French bean *n* fagiolino.
French Canadian *adj*, *n* franco-canadese *(m/f)*.
French dressing *n (CULIN)* condimento per insalata.
French fried potatoes, *(US)* **French fries** *npl* patate *fpl* fritte.
French Guiana [-gaɪ'ænə] *n* Guiana francese.
French loaf *n* ≈ filoncino.
Frenchman ['frɛntʃmən] *n* francese *m*.
French Riviera *n*: **the** ~ la Costa Azzurra.
French stick *n* baguette *f inv*.
French window *n* portafinestra.
Frenchwoman ['frɛntʃwumən] *n* francese *f*.
frenetic [frə'nɛtɪk] *adj* frenetico(a).
frenzy ['frɛnzɪ] *n* frenesia.
frequency ['friːkwənsɪ] *n* frequenza.
frequency modulation (FM) *n* modulazione *f* di frequenza (F.M.).
frequent *adj* ['friːkwənt] frequente ♦ *vt* [frɪ'kwɛnt] frequentare.
frequently ['friːkwəntlɪ] *adv* frequentemente, spesso.
fresco ['frɛskəu] *n* affresco.
fresh [frɛʃ] *adj* fresco(a); *(new)* nuovo(a); *(cheeky)* sfacciato(a); **to make a** ~ **start** cominciare da capo.
freshen ['frɛʃən] *vi (wind, air)* rinfrescare.
▶**freshen up** *vi* rinfrescarsi.
freshener ['frɛʃnə*] *n*: **skin** ~ tonico rinfrescante; **air** ~ deodorante *m* per ambienti.
fresher ['frɛʃə*] *n (BRIT SCOL: col)* = **freshman**.
freshly ['frɛʃlɪ] *adv* di recente, di fresco.
freshman ['frɛʃmən] *n (SCOL)* matricola.
freshness ['frɛʃnɪs] *n* freschezza.
freshwater ['frɛʃwɔːtə*] *adj (fish)* d'acqua dolce.
fret [frɛt] *vi* agitarsi, affliggersi.
fretful ['frɛtful] *adj (child)* irritabile.
Freudian ['frɔɪdɪən] *adj* freudiano(a); ~ **slip** lapsus *m inv* freudiano.
FRG *n abbr see* **Federal Republic of Germany**.
Fri. *abbr (= Friday)* ven.
friar ['fraɪə*] *n* frate *m*.
friction ['frɪkʃən] *n* frizione *f*, attrito.
friction feed *n (on printer)* trascinamento ad attrito.

Friday ['fraɪdɪ] *n* venerdì *m inv; for phrases see also* **Tuesday**.

fridge [frɪdʒ] *n (BRIT)* frigo, frigorifero.

fridge-freezer ['frɪdʒ'friːzə*] *n* freezer *m inv*.

fried [fraɪd] *pt, pp of* **fry** ♦ *adj* fritto(a); ~ **egg** uovo fritto.

friend [frɛnd] *n* amico/a; **to make ~s with** fare amicizia con.

friendliness ['frɛndlɪnɪs] *n* amichevolezza.

friendly ['frɛndlɪ] *adj* amichevole ♦ *n (also:* ~ **match**) partita amichevole; **to be ~ with** essere amico di; **to be ~ to** essere cordiale con.

friendly fire *n* fuoco amico.

friendly society *n* società *f inv* di mutuo soccorso.

friendship ['frɛndʃɪp] *n* amicizia.

frieze [friːz] *n* fregio.

frigate ['frɪgɪt] *n (NAUT: modern)* fregata.

fright [fraɪt] *n* paura, spavento; **to take ~** spaventarsi; **she looks a ~!** guarda com'è conciata!

frighten ['fraɪtn] *vt* spaventare, far paura a.

▶**frighten away, frighten off** *vt (birds, children etc)* scacciare (facendogli paura).

frightened ['fraɪtnd] *adj:* **to be ~ (of)** avere paura (di).

frightening ['fraɪtnɪŋ] *adj* spaventoso(a), pauroso(a).

frightful ['fraɪtful] *adj* orribile.

frightfully ['fraɪtfulɪ] *adv* terribilmente; **I'm ~ sorry** mi dispiace moltissimo.

frigid ['frɪdʒɪd] *adj (woman)* frigido(a).

frigidity [frɪ'dʒɪdɪtɪ] *n* frigidità.

frill [frɪl] *n* balza; **without ~s** *(fig)* senza fronzoli.

frilly ['frɪlɪ] *adj (clothes, lampshade)* pieno(a) di fronzoli.

fringe [frɪndʒ] *n* frangia; *(edge: of forest etc)* margine *m; (fig):* **on the ~** al margine.

fringe benefits *npl* vantaggi *mpl*.

fringe theatre *n* teatro d'avanguardia.

Frisbee ® ['frɪzbɪ] *n* frisbee ® *m inv*.

frisk [frɪsk] *vt* perquisire.

frisky ['frɪskɪ] *adj* vivace, vispo(a).

fritter ['frɪtə*] *n* frittella.

▶**fritter away** *vt* sprecare.

frivolity [frɪ'vɔlɪtɪ] *n* frivolezza.

frivolous ['frɪvələs] *adj* frivolo(a).

frizzy ['frɪzɪ] *adj* crespo(a).

fro [frəu] *adv:* **to and ~** avanti e indietro.

frock [frɔk] *n* vestito.

frog [frɔg] *n* rana; **to have a ~ in one's throat** avere la voce rauca.

frogman ['frɔgmən] *n* uomo *m* rana *inv*.

frogmarch ['frɔgmɑːtʃ] *vt (BRIT):* **to ~ sb**

in/out portar qn dentro/fuori con la forza.

frolic ['frɔlɪk] *vi* sgambettare.

━━━━━━━━━━━━━━━━━━━━ *KEYWORD*

from [frɔm] *prep* **1** *(indicating starting place, origin etc)* da; **where do you come ~?**, **where are you ~?** da dove viene?, di dov'è?; **where has he come ~?** da dove arriva?; ~ **London to Glasgow** da Londra a Glasgow; **a letter ~ my sister** una lettera da mia sorella; **tell him ~ me that ...** gli dica da parte mia che ...

2 *(indicating time)* da; ~ **one o'clock to** *or* **until** *or* **till two** dall'una alle due; **(as)** ~ **Friday** a partire da venerdì; ~ **January (on)** da gennaio, a partire da gennaio

3 *(indicating distance)* da; **the hotel is 1 km ~ the beach** l'albergo è a 1 km dalla spiaggia

4 *(indicating price, number etc)* da; ~ **a pound** da una sterlina in su; **prices range ~ £10 to £50** i prezzi vanno dalle 10 alle 50 sterline

5 *(indicating difference)* da; **he can't tell red ~ green** non sa distinguere il rosso dal verde

6 *(because of, on the basis of):* ~ **what he says** da quanto dice lui; **weak ~ hunger** debole per la fame.

━━━━━━━━━━━━━━━━━━━━━━━━━━━━

frond [frɔnd] *n* fronda.

front [frʌnt] *n (of house, dress)* davanti *m inv; (of train)* testa; *(of book)* copertina; *(promenade: also:* **sea** ~) lungomare *m; (MIL, POL, METEOR)* fronte *m; (fig: appearances)* fronte *f* ♦ *adj* primo(a); anteriore, davanti *inv* ♦ *vi:* **to ~ onto sth** dare su qc, guardare verso qc; **in ~ (of)** davanti (a).

frontage ['frʌntɪdʒ] *n* facciata.

frontal ['frʌntl] *adj* frontale.

front bench *n* posti in Parlamento occupati dai *frontbencher*.

┌─────────────────────────────────────┐
Nel Parlamento britannico, si chiamano **front bench** *gli scanni della* **House of Commons** *che si trovano alla sinistra e alla destra dello* **Speaker** *davanti ai* **backbenches***. I front bench sono occupati dai* **frontbencher***, parlamentari che ricoprono una carica di governo o che fanno parte dello* **shadow cabinet** *dell'opposizione.*
└─────────────────────────────────────┘

frontbencher ['frʌnt'bɛntʃə*] *n (BRIT)* parlamentare con carica al governo o all'opposizione.

front desk *n (US: in hotel)* reception *f inv; (:*

at doctor's) accettazione *f.*

front door *n* porta d'entrata; (*of car*) sportello anteriore.

frontier ['frʌntɪə*] *n* frontiera.

frontispiece ['frʌntɪspiːs] *n* frontespizio.

front page *n* prima pagina.

front room *n* (*BRIT*) salotto.

front runner *n* (*fig*) favorito/a.

front-wheel drive ['frʌntwiːl-] *n* trasmissione *f* anteriore.

frost [frɔst] *n* gelo; (*also*: **hoar~**) brina.

frostbite ['frɔstbaɪt] *n* congelamento.

frosted ['frɔstɪd] *adj* (*glass*) smerigliato(a); (*US*: *cake*) glassato(a).

frosting ['frɔstɪŋ] *n* (*US*: *on cake*) glassa.

frosty ['frɔstɪ] *adj* (*window*) coperto(a) di ghiaccio; (*welcome*) gelido(a).

froth ['frɔθ] *n* spuma; schiuma.

frown [fraun] *n* cipiglio ♦ *vi* accigliarsi.

▶**frown on** *vt fus* (*fig*) disapprovare.

froze [frəuz] *pt of* **freeze**.

frozen ['frəuzn] *pp of* **freeze** ♦ *adj* (*food*) congelato(a); (*COMM*: *assets*) bloccato(a).

FRS *n abbr* (*BRIT*) = Fellow of the Royal Society; (*US*: = Federal Reserve System) *sistema bancario degli Stati Uniti.*

frugal ['fruːgəl] *adj* frugale; (*person*) economo(a).

fruit [fruːt] *n* (*pl inv*) frutto; (*collectively*) frutta.

fruiterer ['fruːtərə*] *n* fruttivendolo; **at the ~'s (shop)** dal fruttivendolo.

fruit fly *n* mosca della frutta.

fruitful ['fruːtful] *adj* fruttuoso(a); (*plant*) fruttifero(a); (*soil*) fertile.

fruition [fruː'ɪʃən] *n*: **to come to ~** realizzarsi.

fruit juice *n* succo di frutta.

fruitless ['fruːtlɪs] *adj* (*fig*) vano(a), inutile.

fruit machine *n* (*BRIT*) macchina *f* mangiasoldi *inv.*

fruit salad *n* macedonia.

frump [frʌmp] *n*: **to feel a ~** sentirsi infagottato(a).

frustrate [frʌs'treɪt] *vt* frustrare.

frustrated [frʌs'treɪtɪd] *adj* frustrato(a).

frustrating [frʌs'treɪtɪŋ] *adj* (*job*) frustrante; (*day*) disastroso(a).

frustration [frʌs'treɪʃən] *n* frustrazione *f.*

fry, *pt, pp* **fried** [fraɪ, -d] *vt* friggere ♦ *npl*: **the small ~** i pesci piccoli.

frying pan ['fraɪɪŋ-] *n* padella.

FT *n abbr* (*BRIT*: = Financial Times) *giornale finanziario*; **the ~ index** l'indice FT.

ft. *abbr* = **foot, feet.**

FTC *n abbr* (*US*) *see* **Federal Trade Commission.**

FT-SE 100 Index *n abbr* = Financial Times

Stock Exchange 100 Index.

fuchsia ['fjuːʃə] *n* fucsia.

fuck [fʌk] *vt, vi* (*col!*) fottere (*!*); **~ off!** vaffanculo! (*!*).

fuddled ['fʌdld] *adj* (*muddled*) confuso(a); (*col*: *tipsy*) brillo(a).

fuddy-duddy ['fʌdɪdʌdɪ] *n* (*pej*) parruccone *m.*

fudge [fʌdʒ] *n* (*CULIN*) specie di caramella *a base di latte, burro e zucchero* ♦ *vt* (*issue, problem*) evitare.

fuel [fjuəl] *n* (*for heating*) combustibile *m*; (*for propelling*) carburante *m* ♦ *vt* (*furnace etc*) alimentare; (*aircraft, ship etc*) rifornire di carburante.

fuel oil *n* nafta.

fuel pump *n* (*AUT*) pompa del carburante.

fuel tank *n* deposito *m* nafta *inv*; (*on vehicle*) serbatoio (della benzina).

fug [fʌg] *n* (*BRIT*) aria viziata.

fugitive ['fjuːdʒɪtɪv] *n* fuggitivo/a, profugo/a; (*from prison*) evaso/a.

fulfil, (*US*) **fulfill** [ful'fɪl] *vt* (*function*) compiere; (*order*) eseguire; (*wish, desire*) soddisfare, appagare.

fulfilled [ful'fɪld] *adj* (*person*) realizzato(a), soddisfatto(a).

fulfil(l)ment [ful'fɪlmənt] *n* (*of wishes*) soddisfazione *f*, appagamento.

full [ful] *adj* pieno(a); (*details, skirt*) ampio(a); (*price*) intero(a) ♦ *adv*: **to know ~ well that** sapere benissimo che; **~ (up)** (*hotel etc*) al completo; **I'm ~ (up)** sono pieno; **a ~ two hours** due ore intere; **at ~ speed** a tutta velocità; **in ~** per intero; **to pay in ~** pagare tutto; **~ name** nome *m* e cognome *m*; **~ employment** piena occupazione; **~ fare** tariffa completa.

fullback ['fulbæk] *n* (*RUGBY, FOOTBALL*) terzino.

full-blooded ['ful'blʌdɪd] *adj* (*vigorous*: *attack*) energico(a); (*virile*: *male*) virile.

full-cream ['ful'kriːm] *adj*: **~ milk** (*BRIT*) latte *m* intero.

full-grown ['ful'grəun] *adj* maturo(a).

full-length ['ful'leŋθ] *adj* (*portrait*) in piedi; (*film*) a lungometraggio.

full moon *n* luna piena.

full-scale ['fulskeɪl] *adj* (*plan, model*) in grandezza naturale; (*search, retreat*) su vasta scala.

full-sized ['ful'saɪzd] *adj* (*portrait etc*) a grandezza naturale.

full stop *n* punto.

full-time ['ful'taɪm] *adj, adv* (*work*) a tempo pieno ♦ *n* (*SPORT*) fine *f* partita.

fully ['fulɪ] *adv* interamente, pienamente, completamente; (*at least*): **~ as big**

almeno così grosso.

fully-fledged ['fulɪ'flɛdʒd] *adj* (*bird*) adulto(a); (*fig: teacher, member etc*) a tutti gli effetti.

fulsome ['fulsəm] *adj* (*pej: praise*) esagerato(a), eccessivo(a); (: *manner*) insincero.

fumble ['fʌmbl] *vi* brancolare, andare a tentoni ♦ *vt* (*ball*) lasciarsi sfuggire.

►**fumble with** *vt fus* trafficare.

fume [fju:m] *vi* essere furioso(a); ~**s** *npl* esalazioni *fpl*, vapori *mpl*.

fumigate ['fju:mɪgeɪt] *vt* suffumicare.

fun [fʌn] *n* divertimento, spasso; **to have** ~ divertirsi; **for** ~ per scherzo; **it's not much** ~ non è molto divertente; **to make** ~ **of** prendersi gioco di.

function ['fʌŋkʃən] *n* funzione *f*, cerimonia, ricevimento ♦ *vi* funzionare; **to** ~ **as** fungere da, funzionare da.

functional ['fʌŋkʃənl] *adj* funzionale.

function key *n* (*COMPUT*) tasto di funzioni.

fund [fʌnd] *n* fondo, cassa; (*source*) fonte; (*store*) riserva; ~**s** *npl* (*money*) fondi *mpl*.

fundamental [fʌndə'mɛntl] *adj* fondamentale; ~**s** *npl* basi *fpl*.

fundamentalism [fʌndə'mɛntəlɪzəm] *n* fondamentalismo.

fundamentalist [fʌndə'mɛntəlɪst] *n* fondamentalista *m/f*.

fundamentally [fʌndə'mɛntəlɪ] *adv* essenzialmente, fondamentalmente.

funding ['fʌndɪŋ] *n* finanziamento.

fund-raising ['fʌndreɪzɪŋ] *n* raccolta di fondi.

funeral ['fju:nərəl] *n* funerale *m*.

funeral director *n* impresario di pompe funebri.

funeral parlour *n* impresa di pompe funebri.

funeral service *n* ufficio funebre.

funereal [fju:'nɪərɪəl] *adj* funereo(a), lugubre.

fun fair *n* luna park *m inv*.

fungus, *pl* **fungi** ['fʌŋgəs, -gaɪ] *n* fungo; (*mould*) muffa.

funicular [fju:'nɪkjulə*] *adj* (*also:* ~ **railway**) funicolare *f*.

funky ['fʌŋkɪ] *adj* (*music*) funky *inv*; (*col: excellent*) figo(a).

funnel ['fʌnl] *n* imbuto; (*of ship*) ciminiera.

funnily ['fʌnɪlɪ] *adv* in modo divertente; (*oddly*) stranamente.

funny ['fʌnɪ] *adj* divertente, buffo(a); (*strange*) strano(a), bizzarro(a).

funny bone *n* osso cubitale.

fun run *n* marcia non competitiva.

fur [fə:*] *n* pelo; pelliccia; pelle *f*; (*BRIT: in*

kettle etc) deposito calcare.

fur coat *n* pelliccia.

furious ['fjuərɪəs] *adj* furioso(a); (*effort*) accanito(a); (*argument*) violento(a).

furiously ['fjuərɪəslɪ] *adv* furiosamente; accanitamente.

furl [fə:l] *vt* (*sail*) piegare.

furlong ['fə:lɔŋ] *n* = *201.17 m* (*termine ippico*).

furlough ['fə:ləu] *n* (*US*) congedo, permesso.

furnace ['fə:nɪs] *n* fornace *f*.

furnish ['fə:nɪʃ] *vt* ammobiliare; (*supply*) fornire; ~**ed flat** *or* (*US*) **apartment** appartamento ammobiliato.

furnishings ['fə:nɪʃɪŋz] *npl* mobili *mpl*, mobilia.

furniture ['fə:nɪtʃə*] *n* mobili *mpl*; **piece of** ~ mobile *m*.

furore [fjuə'rɔ:rɪ] *n* (*protests*) scalpore *m*; (*enthusiasm*) entusiasmo.

furrier ['fʌrɪə*] *n* pellicciaio/a.

furrow ['fʌrəu] *n* solco ♦ *vt* (*forehead*) segnare di rughe.

furry ['fə:rɪ] *adj* (*animal*) peloso(a); (*toy*) di peluche.

further ['fə:ðə*] *adj* supplementare, altro(a); nuovo(a); più lontano(a) ♦ *adv* più lontano; (*more*) di più; (*moreover*) inoltre ♦ *vt* favorire, promuovere; **until** ~ **notice** fino a nuovo avviso; **how much** ~ **is it?** quanto manca *or* dista?; ~ **to your letter of ...** (*COMM*) con riferimento alla vostra lettera del ...; **to** ~ **one's interests** fare i propri interessi.

further education *n* ≈ corsi *mpl* di formazione.

furthermore [fə:ðə'mɔ:*] *adv* inoltre, per di più.

furthermost ['fə:ðəməust] *adj* più lontano(a).

furthest ['fə:ðɪst] *superlative of* **far**.

furtive ['fə:tɪv] *adj* furtivo(a).

fury ['fjuərɪ] *n* furore *m*.

fuse, (*US*) **fuze** [fju:z] *n* fusibile *m*; (*for bomb etc*) miccia, spoletta ♦ *vt* fondere; (*ELEC*): **to** ~ **the lights** far saltare i fusibili ♦ *vi* fondersi; **a** ~ **has blown** è saltato un fusibile.

fuse box *n* cassetta dei fusibili.

fuselage ['fju:zəlɑ:ʒ] *n* fusoliera.

fuse wire *n* filo (di fusibile).

fusillade [fju:zɪ'leɪd] *n* scarica di fucileria; (*fig*) fuoco di fila, serie *f inv* incalzante.

fusion ['fju:ʒən] *n* fusione *f*.

fuss [fʌs] *n* chiasso, trambusto, confusione *f*; (*complaining*) storie *fpl* ♦ *vt* (*person*) infastidire, scocciare ♦ *vi* agitarsi; **to**

make a ~ fare delle storie; **to make a ~ of sb** coprire qn di attenzioni.

▶**fuss over** *vt fus (person)* circondare di premure.

fusspot ['fʌspɒt] *n (col)*: **he's such a ~** fa sempre tante storie.

fussy ['fʌsɪ] *adj (person)* puntiglioso(a), esigente; che fa le storie; *(dress)* carico(a) di fronzoli; *(style)* elaborato(a); **I'm not ~** *(col)* per me è lo stesso.

fusty ['fʌstɪ] *adj (pej: archaic)* stantio(a); (: *smell)* che sa di stantio.

futile ['fjuːtaɪl] *adj* futile.

futility [fjuː'tɪlɪtɪ] *n* futilità.

futon ['fuːtɒn] *n* futon *m inv*, letto giapponese.

future ['fjuːtʃə*] *adj* futuro(a) ♦ *n* futuro, avvenire *m*; *(LING)* futuro; **in ~** in futuro; **in the near ~** in un prossimo futuro; **in the immediate ~** nell'immediato futuro.

futures ['fjuːtʃəz] *npl (COMM)* operazioni *fpl* a termine.

futuristic [fjuːtʃə'rɪstɪk] *adj* futuristico(a).

fuze [fjuːz] *n, vt, vi (US)* = **fuse**.

fuzzy ['fʌzɪ] *adj (PHOT)* indistinto(a), sfocato(a); *(hair)* crespo(a).

fwd. *abbr* = **forward**.

fwy *abbr (US)* = **freeway**.

FY *abbr* = **fiscal year**.

FYI *abbr* = **for your information**.

Gg

G, g [dʒiː] *n (letter)* G, g *f or m inv*; *(MUS)*: **G** sol *m*; **G for George** ≈ G come Genova.

G *n abbr (BRIT SCOL: mark: = good)* ≈ buono; *(US CINE: = general audience)* per tutti.

g *abbr (= gram; gravity)* g.

G7 *n abbr (POL: = Group of Seven)* G7 *mpl*.

GA *abbr (US POST) = Georgia*.

gab [gæb] *n (col)*: **to have the gift of the ~** avere parlantina.

gabble ['gæbl] *vi* borbottare; farfugliare.

gaberdine [gæbə'diːn] *n* gabardine *m inv*.

gable ['geɪbl] *n* frontone *m*.

Gabon [gə'bɒn] *n* Gabon *m*.

gad about [gæd-] *vi (col)* svolazzare (qua e là).

gadget ['gædʒɪt] *n* aggeggio.

Gaelic ['geɪlɪk] *adj* gaelico(a) ♦ *n (language)* gaelico.

gaffe [gæf] *n* gaffe *f inv*.

gaffer ['gæfə*] *n (BRIT col)* capo.

gag [gæg] *n* bavaglio; *(joke)* facezia, scherzo ♦ *vt (prisoner etc)* imbavagliare ♦ *vi (choke)* soffocare.

gaga ['gɑːgɑː] *adj*: **to go ~** rimbambirsi.

gage [geɪdʒ] *n, vt (US)* = **gauge**.

gaiety ['geɪɪtɪ] *n* gaiezza.

gaily ['geɪlɪ] *adv* allegramente.

gain [geɪn] *n* guadagno, profitto ♦ *vt* guadagnare ♦ *vi (watch)* andare avanti; **to ~ in/by** aumentare di/con; **to ~ 3lbs (in weight)** aumentare di 3 libbre; **to ~ ground** guadagnare terreno.

▶**gain (up)on** *vt fus* accorciare le distanze da, riprendere.

gainful ['geɪnful] *adj* profittevole, lucrativo(a).

gainfully ['geɪnfəlɪ] *adv*: **to be ~ employed** avere un lavoro retribuito.

gainsay [geɪn'seɪ] *vt irreg (like* **say***)* contraddire; negare.

gait [geɪt] *n* andatura.

gal. *abbr* = **gallon**.

gala ['gɑːlə] *n* gala; **swimming ~** manifestazione *f* di nuoto.

Galapagos Islands [gə'læpəgəs-] *npl*: **the ~** le isole Galapagos.

galaxy ['gæləksɪ] *n* galassia.

gale [geɪl] *n* vento forte; burrasca; **~ force 10** vento forza 10.

gall [gɔːl] *n (ANAT)* bile *f*; *(fig: impudence)* fegato, faccia ♦ *vt* urtare (i nervi a).

gall. *abbr* = **gallon**.

gallant ['gælənt] *adj* valoroso(a); *(towards ladies)* galante, cortese.

gallantry ['gæləntrɪ] *n* valore *m* militare; galanteria, cortesia.

gall bladder ['gɔːl-] *n* cistifellea.

galleon ['gælɪən] *n* galeone *m*.

gallery ['gælərɪ] *n* galleria; loggia; *(for spectators)* tribuna; *(in theatre)* loggione *m*, balconata; *(also:* **art ~**: *state-owned)* museo; (: *private)* galleria.

galley ['gælɪ] *n (ship's kitchen)* cambusa; *(ship)* galea; *(also:* **~ proof***)* bozza in colonna.

Gallic ['gælɪk] *adj* gallico(a); *(French)* francese.

galling ['gɔːlɪŋ] *adj* irritante.

gallon ['gælən] *n* gallone *m (BRIT: = 4.543 l; 8 pints; US = 3.785 l)*.

gallop ['gæləp] *n* galoppo ♦ *vi* galoppare; **~ing inflation** inflazione *f* galoppante.

gallows ['gæləuz] *n* forca.

gallstone ['gɔːlstəun] *n* calcolo biliare.

Gallup Poll ['gæləp-] *n* sondaggio a campione.

galore [gə'lɔː*] adv a iosa, a profusione.
galvanize ['gælvənaız] vt galvanizzare; **to ~ sb into action** (fig) galvanizzare qn, spronare qn all'azione.
Gambia ['gæmbıə] n Gambia m.
gambit ['gæmbıt] n (fig): (opening) ~ prima mossa.
gamble ['gæmbl] n azzardo, rischio calcolato ♦ vt, vi giocare; **to ~ on** (fig) giocare su; **to ~ on the Stock Exchange** giocare in Borsa.
gambler ['gæmblə*] n giocatore/trice d'azzardo.
gambling ['gæmblıŋ] n gioco d'azzardo.
gambol ['gæmbəl] vi saltellare.
game [geım] n gioco; (event) partita; (HUNTING) selvaggina ♦ adj coraggioso(a); (ready): **to be ~ (for sth/to do)** essere pronto(a) (a qc/a fare); **~s** npl (SCOL) attività fpl sportive; **big ~** selvaggina grossa.
game bird n uccello selvatico.
gamekeeper ['geımkiːpə*] n guardacaccia m inv.
gamely ['geımlı] adv coraggiosamente.
game reserve n riserva di caccia.
games console n console f inv dei videogame.
gameshow ['geımʃəu] n gioco a premi.
gamesmanship ['geımzmənʃıp] n abilità.
gaming ['geımıŋ] n gioco d'azzardo.
gammon ['gæmən] n (bacon) quarto di maiale; (ham) prosciutto affumicato.
gamut ['gæmət] n gamma.
gang [gæŋ] n banda, squadra ♦ vi: **to ~ up on sb** far combutta contro qn.
Ganges ['gændʒiːz] n: **the ~** il Gange.
gangland ['gæŋlænd] adj della malavita; **~ killer** sicario.
gangling ['gæŋglıŋ] adj allampanato(a).
gangly ['gæŋglı] adj = **gangling**.
gangplank ['gæŋplæŋk] n passerella.
gangrene ['gæŋgriːn] n cancrena.
gangster ['gæŋstə*] n gangster m inv.
gangway ['gæŋweı] n passerella; (BRIT: of bus) passaggio.
gantry ['gæntrı] n (for crane, railway signal) cavalletto; (for rocket) torre f di lancio.
GAO n abbr (US: = General Accounting Office) ≈ Corte f dei Conti.
gaol [dʒeıl] n, vt (BRIT) = **jail**.
gap [gæp] n buco; (in time) intervallo; (fig) lacuna; vuoto.
gape [geıp] vi restare a bocca aperta.
gaping ['geıpıŋ] adj (hole) squarciato(a).
garage ['gærɑːʒ] n garage m inv.
garb [gɑːb] n abiti mpl, veste f.
garbage ['gɑːbıdʒ] n immondizie fpl, rifiuti

mpl; (fig: film, book) porcheria, robaccia; (: nonsense) fesserie fpl.
garbage can n (US) bidone m della spazzatura.
garbage collector n (US) spazzino/a.
garbage disposal unit n tritarifiuti m inv.
garbage truck n (US) camion m inv della spazzatura.
garbled ['gɑːbld] adj deformato(a); ingarbugliato(a).
garden ['gɑːdn] n giardino ♦ vi lavorare nel giardino; **~s** npl (public) giardini pubblici; (private) parco.
garden centre n vivaio.
garden city n (BRIT) città f inv giardino inv.
gardener ['gɑːdnə*] n giardiniere/a.
gardening ['gɑːdnıŋ] n giardinaggio.
gargle ['gɑːgl] vi fare gargarismi ♦ n gargarismo.
gargoyle ['gɑːgɔıl] n gargouille f inv.
garish ['gɛərıʃ] adj vistoso(a).
garland ['gɑːlənd] n ghirlanda; corona.
garlic ['gɑːlık] n aglio.
garment ['gɑːmənt] n indumento.
garner ['gɑːnə*] vt ammucchiare, raccogliere.
garnish ['gɑːnıʃ] vt guarnire.
garret ['gærıt] n soffitta.
garrison ['gærısn] n guarnigione f ♦ vt guarnire.
garrulous ['gærjuləs] adj ciarliero(a), loquace.
garter ['gɑːtə*] n giarrettiera; (US: suspender) gancio (di reggicalze).
garter belt n (US) reggicalze m inv.
gas [gæs] n gas m inv; (used as anaesthetic) etere m; (US: gasoline) benzina ♦ vt asfissiare con il gas; (MIL) gasare.
gas cooker n (BRIT) cucina a gas.
gas cylinder n bombola del gas.
gaseous ['gæsıəs] adj gassoso(a).
gas fire n (BRIT) radiatore m a gas.
gas-fired ['gæsfaıəd] adj (alimentato(a)) a gas.
gash [gæʃ] n sfregio ♦ vt sfregiare.
gasket ['gæskıt] n (AUT) guarnizione f.
gas mask n maschera f antigas inv.
gas meter n contatore m del gas.
gasoline ['gæsəliːn] n (US) benzina.
gasp [gɑːsp] vi ansare, boccheggiare; (in surprise) restare senza fiato.
▶**gasp out** vt dire affannosamente.
gas ring n fornello a gas.
gas station n (US) distributore m di benzina.
gas stove n cucina a gas.
gassy ['gæsı] adj gassoso(a).
gas tank n (US AUT) serbatoio (di benzina).

gas tap *n* (*on cooker*) manopola del gas; (*on pipe*) rubinetto del gas.
gastric ['gæstrɪk] *adj* gastrico(a).
gastric ulcer *n* ulcera gastrica.
gastroenteritis ['gæstrəuɛntə'raɪtɪs] *n* gastroenterite *f*.
gastronomy [gæs'trɔnəmɪ] *n* gastronomia.
gasworks ['gæswɔːks] *n or npl* impianto di produzione del gas.
gate [geɪt] *n* cancello; (*of castle, town*) porta; (*at airport*) uscita; (*at level crossing*) barriera.
gâteau, *pl* ~**x** ['gætəu, -z] *n* torta.
gatecrash ['geɪtkræʃ] *vt* partecipare senza invito a.
gatecrasher ['geɪtkræʃə*] *n* intruso(a), ospite *m/f* non invitato(a).
gatehouse ['geɪthaus] *n* casetta del custode (*all'entrata di un parco*).
gateway ['geɪtweɪ] *n* porta.
gather ['gæðə*] *vt* (*flowers, fruit*) cogliere; (*pick up*) raccogliere; (*assemble*) radunare; raccogliere; (*understand*) capire ♦ *vi* (*assemble*) radunarsi; (*dust*) accumularsi; (*clouds*) addensarsi; **to ~ speed** acquistare velocità; **to ~ (from/ that)** comprendere (da/che), dedurre (da/che); **as far as I can ~** da quel che ho potuto capire.
gathering ['gæðərɪŋ] *n* adunanza.
GATT [gæt] *n abbr* (= *General Agreement on Tariffs and Trade*) G.A.T.T. *m*.
gauche [gəuʃ] *adj* goffo(a), maldestro(a).
gaudy ['gɔːdɪ] *adj* vistoso(a).
gauge [geɪdʒ] *n* (*standard measure*) calibro; (*RAIL*) scartamento; (*instrument*) indicatore *m* ♦ *vt* misurare; (*fig: sb's capabilities, character*) valutare, stimare; **to ~ the right moment** calcolare il momento giusto; **petrol ~,** (*US*) **gas ~** indicatore *m or* spia della benzina.
gaunt [gɔːnt] *adj* scarno(a); (*grim, desolate*) desolato(a).
gauntlet ['gɔːntlɪt] *n* (*fig*): **to run the ~ through an angry crowd** passare sotto il fuoco di una folla ostile; **to throw down the ~** gettare il guanto.
gauze [gɔːz] *n* garza.
gave [geɪv] *pt of* **give**.
gawky ['gɔːkɪ] *adj* goffo(a), sgraziato(a).
gawp [gɔːp] *vi*: **to ~ at** guardare a bocca aperta.
gay [geɪ] *adj* (*person*) gaio(a), allegro(a); (*colour*) vivace, vivo(a); (*col*) omosessuale.
gaze [geɪz] *n* sguardo fisso ♦ *vi*: **to ~ at** guardare fisso.
gazelle [gə'zɛl] *n* gazzella.

gazette [gə'zɛt] *n* (*newspaper*) gazzetta; (*official publication*) gazzetta ufficiale.
gazetteer [gæzə'tɪə*] *n* (*book*) dizionario dei nomi geografici; (*section of book*) indice *m* dei nomi geografici.
gazump [gə'zʌmp] *vt* (*BRIT*): **to ~ sb** *nella compravendita di immobili, venire meno all'impegno preso con un acquirente accettando un'offerta migliore fatta da altri.*
GB *abbr* (= *Great Britain*) GB.
GBH *n abbr* (*BRIT LAW: col*) *see* **grievous bodily harm**.
GC *n abbr* (*BRIT:* = *George Gross*) *decorazione al valore.*
GCE *n abbr* (*BRIT:* = *General Certificate of Education*) ≈ diploma *m* di maturità.
GCHQ *n abbr* (*BRIT:* = *Government Communications Headquarters*) *centro per l'intercettazione delle telecomunicazioni straniere.*
GCSE *n abbr* (*BRIT:* = *General Certificate of Secondary Education*) diploma di istruzione secondaria conseguito a 16 anni in Inghilterra e Galles.
Gdns. *abbr* = *gardens*.
GDP *n abbr* = **gross domestic product**.
GDR *n abbr see* **German Democratic Republic**.
gear [gɪə*] *n* attrezzi *mpl*, equipaggiamento; (*belongings*) roba; (*TECH*) ingranaggio; (*AUT*) marcia ♦ *vt* (*fig: adapt*) adattare; **top** *or* (*US*) **high/low/ bottom ~** quarta (*or* quinta)/ seconda/ prima; **in ~** in marcia; **out of ~** in folle; **our service is ~ed to meet the needs of the disabled** la nostra organizzazione risponde espressamente alle esigenze degli handicappati.
▶**gear up** *vi*: **to ~ up (to do)** prepararsi (a fare).
gear box *n* scatola del cambio.
gear lever, (*US*) **gear shift** *n* leva del cambio.
GED *n abbr* (*US SCOL*) = *general educational development*.
geese [giːs] *npl of* **goose**.
geezer ['giːzə*] *n* (*BRIT col*) tizio.
Geiger counter ['gaɪgə-] *n* geiger *m inv*.
gel [dʒɛl] *n* gel *m inv*.
gelatin(e) ['dʒɛlətiːn] *n* gelatina.
gelignite ['dʒɛlɪgnaɪt] *n* nitroglicerina.
gem [dʒɛm] *n* gemma.
Gemini ['dʒɛmɪnaɪ] *n* Gemelli *mpl*; **to be ~** essere dei Gemelli.
gen [dʒɛn] *n* (*BRIT col*): **to give sb the ~ on sth** mettere qn al corrente di qc.
Gen. *abbr* (*MIL*: = *General*) Gen.

gen. *abbr* (= *general, generally*) gen.
gender ['dʒɛndə*] *n* genere *m*.
gene [dʒiːn] *n* (*BIOL*) gene *m*.
genealogy [dʒiːnɪˈælədʒɪ] *n* genealogia.
general ['dʒɛnərl] *n* generale *m* ♦ *adj*
generale; **in** ~ in genere; **the** ~ **public** il
grande pubblico.
general anaesthetic *n* anestesia totale.
general delivery *n* (*US*) fermo posta *m*.
general election *n* elezioni *fpl* generali.
generalization ['dʒɛnrəlaɪˈzeɪʃən] *n*
generalizzazione *f*.
generalize ['dʒɛnrəlaɪz] *vi* generalizzare.
generally ['dʒɛnrəlɪ] *adv* generalmente.
general manager *n* direttore *m* generale.
general practitioner (GP) *n* medico
generico; **who's your GP?** qual'è il suo
medico di fiducia?
general strike *n* sciopero generale.
generate ['dʒɛnəreɪt] *vt* generare.
generation [dʒɛnəˈreɪʃən] *n* generazione *f*;
(*of electricity etc*) produzione *f*.
generator ['dʒɛnəreɪtə*] *n* generatore *m*.
generic [dʒɪˈnɛrɪk] *adj* generico(a).
generosity [dʒɛnəˈrɒsɪtɪ] *n* generosità.
generous ['dʒɛnərəs] *adj* generoso(a);
(*copious*) abbondante.
genesis ['dʒɛnɪsɪs] *n* genesi *f*.
genetic [dʒɪˈnɛtɪk] *adj* genetico(a); ~
engineering ingegneria genetica.
genetic fingerprinting [-fɪŋɡəprɪntɪŋ] *n*
rilevamento delle impronte genetiche.
genetics [dʒɪˈnɛtɪks] *n* genetica.
Geneva [dʒɪˈniːvə] *n* Ginevra; **Lake** ~ il
lago di Ginevra.
genial ['dʒiːnɪəl] *adj* geniale, cordiale.
genitals ['dʒɛnɪtlz] *npl* genitali *mpl*.
genitive ['dʒɛnɪtɪv] *n* genitivo.
genius ['dʒiːnɪəs] *n* genio.
Genoa ['dʒɛnəuə] *n* Genova.
genocide ['dʒɛnəusaɪd] *n* genocidio.
Genoese [dʒɛnəuˈiːz] *adj*, *n* (*pl inv*)
genovese (*m/f*).
gent [dʒɛnt] *n abbr* (*BRIT col*)
= **gentleman**.
genteel [dʒɛnˈtiːl] *adj* raffinato(a),
distinto(a).
gentle ['dʒɛntl] *adj* delicato(a); (*person*)
dolce.
gentleman ['dʒɛntlmən] *n* signore *m*; (*well-
bred man*) gentiluomo; ~'s **agreement**
impegno sulla parola.
gentlemanly ['dʒɛntlmənlɪ] *adj* da
gentiluomo.
gentleness ['dʒɛntlnɪs] *n* delicatezza;
dolcezza.
gently ['dʒɛntlɪ] *adv* delicatamente.
gentry ['dʒɛntrɪ] *n* nobiltà minore.

gents [dʒɛnts] *n* W.C. *m* (per signori).
genuine ['dʒɛnjuɪn] *adj* autentico(a);
sincero(a).
genuinely ['dʒɛnjuɪnlɪ] *adv* genuinamente.
geographer [dʒɪˈɒɡrəfə*] *n*
geografo/a.
geographic(al) [dʒɪəˈɡræfɪk(l)] *adj*
geografico(a).
geography [dʒɪˈɒɡrəfɪ] *n* geografia.
geological [dʒɪəˈlɒdʒɪkl] *adj* geologico(a).
geologist [dʒɪˈɒlədʒɪst] *n* geologo/a.
geology [dʒɪˈɒlədʒɪ] *n* geologia.
geometric(al) [dʒɪəˈmɛtrɪk(l)] *adj*
geometrico(a).
geometry [dʒɪˈɒmətrɪ] *n* geometria.
Geordie ['dʒɔːdɪ] *n* (*col*) abitante *m/f*
del Tyneside; originario/a del
Tyneside.
Georgia ['dʒɔːdʒə] *n* Georgia.
Georgian ['dʒɔːdʒən] *adj* georgiano(a) ♦ *n*
georgiano/a; (*LING*) georgiano.
geranium [dʒɪˈreɪnɪəm] *n* geranio.
geriatric [dʒɛrɪˈætrɪk] *adj* geriatrico(a).
germ [dʒəːm] *n* (*MED*) microbo; (*BIOL, fig*)
germe *m*.
German ['dʒəːmən] *adj* tedesco(a) ♦ *n*
tedesco/a; (*LING*) tedesco.
German Democratic Republic (GDR) *n*
Repubblica Democratica Tedesca
(R.D.T.).
germane [dʒəːˈmeɪn] *adj* (*formal*): **to be** ~ **to**
sth essere attinente a qc.
German measles *n* rosolia.
Germany ['dʒəːmənɪ] *n* Germania.
germination [dʒəːmɪˈneɪʃən] *n*
germinazione *f*.
germ warfare *n* guerra batteriologica.
gerrymandering ['dʒɛrɪmændərɪŋ] *n*
manipolazione *f* dei distretti
elettorali.
gestation [dʒɛsˈteɪʃən] *n* gestazione *f*.
gesticulate [dʒɛsˈtɪkjuleɪt] *vi* gesticolare.
gesture ['dʒɛstjə*] *n* gesto; **as a** ~ **of**
friendship in segno d'amicizia.

════════════════════════ *KEYWORD*

get [ɡɛt] (*pt, pp* **got**, (*US*) *pp* **gotten**) *vi* **1**
(*become, be*) diventare, farsi; **to** ~ **drunk**
ubriacarsi; **to** ~ **killed** venire *or* rimanere
ucciso(a); **it's** ~ting **late** si sta facendo
tardi; **to** ~ **old** invecchiare; **to** ~ **paid**
venire pagato(a); **to** ~ **ready** prepararsi;
to ~ **shaved** farsi la barba; **to** ~ **tired**
stancarsi; **to** ~ **washed** lavarsi
2 (*go*): **to** ~ **to/from** andare a/da; **to** ~
home arrivare *or* tornare a casa; **how did**
you ~ **here?** come sei venuto?; **he got**
across the bridge ha attraversato il

ponte; **he got under the fence** è passato sotto il recinto
3 (*begin*) mettersi a, cominciare a; **to ~ to know sb** incominciare a conoscere qn; **let's ~ going** *or* **started** muoviamoci
4 (*modal aux vb*): **you've got to do it** devi farlo
♦ *vt* **1**: **to ~ sth done** (*do*) fare qc; (*have done*) far fare qc; **to ~ sth/sb ready** preparare qc/qn; **to ~ one's hair cut** tagliarsi *or* farsi tagliare i capelli; **to ~ sb to do sth** far fare qc a qn
2 (*obtain: money, permission, results*) ottenere; (*find: job, flat*) trovare; (*fetch: person, doctor*) chiamare; (*: object*) prendere; **to ~ sth for sb** prendere *or* procurare qc a qn; **~ me Mr Jones, please** (*TEL*) mi passi il signor Jones, per favore; **can I ~ you a drink?** le posso offrire da bere?
3 (*receive: present, letter, prize*) ricevere; (*acquire: reputation*) farsi; **how much did you ~ for the painting?** quanto le hanno dato per il quadro?
4 (*catch*) prendere; (*hit: target etc*) colpire; **to ~ sb by the arm/throat** afferrare qn per un braccio/alla gola; **~ him!** prendetelo!; **he really ~s me** (*fig: annoy*) mi dà proprio sui nervi
5 (*take, move*) portare; **to ~ sth to sb** far avere qc a qn; **do you think we'll ~ it through the door?** pensi che riusciremo a farlo passare per la porta?
6 (*catch, take: plane, bus etc*) prendere; **he got the last bus** ha preso l'ultimo autobus; **she got the morning flight to Milan** ha preso il volo per Milano del mattino
7 (*understand*) afferrare; (*hear*) sentire; **I've got it!** ci sono arrivato!, ci sono!; **I'm sorry, I didn't ~ your name** scusi, non ho capito (*or* sentito) come si chiama
8 (*have, possess*): **to have got** avere; **how many have you got?** quanti ne ha?
▶**get about** *vi* muoversi; (*news*) diffondersi
▶**get across** *vt*: **to ~ across (to)** (*message, meaning*) comunicare (a) ♦ *vi*: **to ~ across to** (*subj: speaker*) comunicare con
▶**get along** *vi* (*agree*) andare d'accordo; (*depart*) andarsene; (*manage*) = **get by**
▶**get at** *vt fus* (*attack*) prendersela con; (*reach*) raggiungere, arrivare a; **what are you ~ting at?** dove vuoi arrivare?
▶**get away** *vi* partire, andarsene; (*escape*) scappare
▶**get away with** *vt fus*: **he'll never ~ away with it!** non riuscirà a farla franca!

▶**get back** *vi* (*return*) ritornare, tornare ♦ *vt* riottenere, riavere; **to ~ back to** (*start again*) ritornare a; (*contact again*) rimettersi in contatto con
▶**get back at** *vt fus* (*col*): **to ~ back at sb** (**for sth**) rendere pan per focaccia a qn (per qc)
▶**get by** *vi* (*pass*) passare; (*manage*) farcela; **I can ~ by in Dutch** mi arrangio in olandese
▶**get down** *vi, vt fus* scendere ♦ *vt* far scendere; (*depress*) buttare giù
▶**get down to** *vt fus* (*work*) mettersi a (fare); **to ~ down to business** venire al dunque
▶**get in** *vi* entrare; (*train*) arrivare; (*arrive home*) ritornare, tornare ♦ *vt* (*bring in: harvest*) raccogliere; (*: coal, shopping, supplies*) fare provvista di; (*insert*) far entrare, infilare
▶**get into** *vt fus* entrare in; **to ~ into a rage** incavolarsi; **to ~ into bed** mettersi a letto
▶**get off** *vi* (*from train etc*) scendere; (*depart: person, car*) andare via; (*escape*) cavarsela ♦ *vt* (*remove: clothes, stain*) levare; (*send off*) spedire; (*have as leave: days, time*): **we got 2 days off** abbiamo avuto 2 giorni liberi ♦ *vt fus* (*train, bus*) scendere da; **to ~ off to a good start** (*fig*) cominciare bene
▶**get on** *vi*: **how did you ~ on?** com'è andata?; **he got on quite well** ha fatto bene, (gli) è andata bene; **to ~ on (with sb)** andare d'accordo (con qn); **how are you ~ting on?** come va la vita? ♦ *vt fus* montare in; (*horse*) montare su
▶**get on to** *vt fus* (*BRIT col: contact: on phone etc*) contattare, rintracciare; (*: deal with*) occuparsi di
▶**get out** *vi* uscire; (*of vehicle*) scendere ♦ *vt* tirar fuori, far uscire; **to ~ out (of)** (*money from bank etc*) ritirare (da)
▶**get out of** *vt fus* uscire da; (*duty etc*) evitare; **what will you ~ out of it?** cosa ci guadagni?
▶**get over** *vt fus* (*illness*) riaversi da; (*communicate: idea etc*) comunicare, passare; **let's ~ it over (with)** togliamoci il pensiero
▶**get round** *vt fus* aggirare; (*fig: person*) rigirare ♦ *vi*: **to ~ round to doing sth** trovare il tempo di fare qc
▶**get through** *vi* (*TEL*) avere la linea ♦ *vt fus* (*finish: work*) sbrigare; (*: book*) finire
▶**get through to** *vt fus* (*TEL*) parlare a
▶**get together** *vi* riunirsi ♦ *vt* raccogliere; (*people*) adunare
▶**get up** *vi* (*rise*) alzarsi ♦ *vt fus* salire su

per
▶**get up to** *vt fus* (*reach*) raggiungere;
(*prank etc*) fare.

getaway ['gɛtəweɪ] *n* fuga.
getaway car *n* macchina per la fuga.
get-together ['gɛttəgɛðə*] *n* (piccola)
riunione *f*; (*party*) festicciola.
get-up ['gɛtʌp] *n* (*col*: *outfit*) tenuta.
get-well card [gɛt'wɛl-] *n* cartolina di
auguri di pronta guarigione.
geyser ['giːzə*] *n* scaldabagno; (*GEO*)
geyser *m inv*.
Ghana ['gɑːnə] *n* Ghana *m*.
Ghanaian [gɑː'neɪən] *adj*, *n* ganaense (*m/f*).
ghastly ['gɑːstlɪ] *adj* orribile, orrendo(a).
gherkin ['gəːkɪn] *n* cetriolino.
ghetto ['gɛtəu] *n* ghetto.
ghetto blaster [-'blɑːstə*] *n* maxistereo
portatile.
ghost [gəust] *n* fantasma *m*, spettro ♦ *vt*
(*book*) fare lo scrittore ombra per.
ghostly ['gəustlɪ] *adj* spettrale.
ghostwriter ['gəustraɪtə*] *n* scrittore/trice
ombra *inv*.
ghoul [guːl] *n* vampiro che si nutre di
cadaveri.
ghoulish ['guːlɪʃ] *adj* (*tastes etc*)
macabro(a).
GHQ *n abbr* (*MIL*: = *general headquarters*) ≈
comando di Stato maggiore.
GI *n abbr* (*US col*: = *government issue*) G.I. *m*,
soldato americano.
giant ['dʒaɪənt] *n* gigante/essa ♦ *adj* gigante,
enorme; ~ **(size) packet** confezione *f*
gigante.
giant killer *n* (*SPORT*) *piccola squadra che
riesce a batterne una importante.*
gibber ['dʒɪbə*] *vi* (*monkey*) squittire
confusamente; (*idiot*) farfugliare.
gibberish ['dʒɪbərɪʃ] *n* parole *fpl* senza
senso.
gibe [dʒaɪb] *n* frecciata ♦ *vi*: **to ~ at**
lanciare frecciate a.
giblets ['dʒɪblɪts] *npl* frattaglie *fpl*.
Gibraltar [dʒɪ'brɔːltə*] *n* Gibilterra.
giddiness ['gɪdɪnɪs] *n* vertigine *f*.
giddy ['gɪdɪ] *adj* (*dizzy*): **to be ~** aver le
vertigini; (*height*) vertiginoso(a); **I feel ~**
mi gira la testa.
gift [gɪft] *n* regalo; (*donation, ability*) dono;
(*COMM: also*: **free ~**) omaggio; **to have a ~
for sth** (*talent*) avere il dono di qc.
gifted ['gɪftɪd] *adj* dotato(a).
gift token, gift voucher *n* buono
(acquisto).
gig [gɪg] *n* (*col*: *of musician*) serata.
gigabyte [giːgəbaɪt] *n* gigabyte *m inv*.

gigantic [dʒaɪ'gæntɪk] *adj* gigantesco(a).
giggle ['gɪgl] *vi* ridere scioccamente ♦ *n*
risolino (sciocco).
GIGO ['gaɪgəu] *abbr* (*COMPUT*: *col*: = *garbage
in, garbage out*) qualità di input = qualità
di output.
gild [gɪld] *vt* dorare.
gill [dʒɪl] *n* (*measure*) = 0.25 pints (*BRIT* =
0.148 *l*; *US* = 0.118 *l*).
gills [gɪlz] *npl* (*of fish*) branchie *fpl*.
gilt [gɪlt] *n* doratura ♦ *adj* dorato(a).
gilt-edged ['gɪltɛdʒd] *adj* (*stocks, securities*)
della massima sicurezza.
gimlet ['gɪmlɪt] *n* succhiello.
gimmick ['gɪmɪk] *n* trucco; **sales ~** trovata
commerciale.
gin [dʒɪn] *n* (*liquor*) gin *m inv*.
ginger ['dʒɪndʒə*] *n* zenzero.
▶**ginger up** *vt* scuotere; animare.
ginger ale, ginger beer *n* bibita gassosa
allo zenzero.
gingerbread ['dʒɪndʒəbrɛd] *n* pan *m* di
zenzero.
ginger group *n* (*BRIT*) gruppo di
pressione.
ginger-haired ['dʒɪndʒə'hɛəd] *adj*
rossiccio(a).
gingerly ['dʒɪndʒəlɪ] *adv* cautamente.
gingham ['gɪŋəm] *n* percalle *m* a righe (*or*
quadretti).
ginseng ['dʒɪnsɛŋ] *n* ginseng *m*.
gipsy ['dʒɪpsɪ] *n* zingaro/a ♦ *adj* degli
zingari.
giraffe [dʒɪ'rɑːf] *n* giraffa.
girder ['gəːdə*] *n* trave *f*.
girdle ['gəːdl] *n* (*corset*) guaina.
girl [gəːl] *n* ragazza; (*young unmarried
woman*) signorina; (*daughter*) figlia,
figliola; **a little ~** una bambina.
girlfriend ['gəːlfrɛnd] *n* (*of girl*) amica; (*of
boy*) ragazza.
girlish ['gəːlɪʃ] *adj* da ragazza.
Girl Scout *n* (*US*) Giovane Esploratrice *f*.
Giro ['dʒaɪrəu] *n*: **the National ~** (*BRIT*) ≈ la
or il Bancoposta.
giro ['dʒaɪrəu] *n* (*bank ~*) versamento
bancario; (*post office ~*) postagiro.
girth [gəːθ] *n* circonferenza; (*of horse*)
cinghia.
gist [dʒɪst] *n* succo.
give [gɪv] *n* (*of fabric*) elasticità ♦ *vb* (*pt
gave, pp given* [geɪv, 'gɪvn]) *vt* dare ♦ *vi*
cedere; **to ~ sb sth**, **~ sth to sb** dare qc a
qn; **to ~ a cry/sigh** emettere un grido/
sospiro; **how much did you ~ for it?**
quanto (l')hai pagato?; **12 o'clock, ~ or
take a few minutes** mezzogiorno, minuto
più minuto meno; **to ~ way** *vi* cedere;

(*BRIT AUT*) dare la precedenza.

▶**give away** *vt* dare via; (*give free*) fare dono di; (*betray*) tradire; (*disclose*) rivelare; (*bride*) condurre all'altare.

▶**give back** *vt* rendere.

▶**give in** *vi* cedere ♦ *vt* consegnare.

▶**give off** *vt* emettere.

▶**give out** *vt* distribuire; annunciare ♦ *vi* (*be exhausted: supplies*) esaurirsi, venir meno; (*fail: engine*) fermarsi; (: *strength*) mancare.

▶**give up** *vi* rinunciare ♦ *vt* rinunciare a; **to ~ up smoking** smettere di fumare; **to ~ o.s. up** arrendersi.

give-and-take [gɪvən'teɪk] *n* (*col*) elasticità (da ambo le parti), concessioni *fpl* reciproche.

giveaway ['gɪvəweɪ] *n* (*col*): **her expression was a ~** le si leggeva tutto in volto; **the exam was a ~!** l'esame è stato uno scherzo! ♦ *cpd*: **~ prices** prezzi stracciati.

given ['gɪvn] *pp of* **give** ♦ *adj* (*fixed: time, amount*) dato(a), determinato(a) ♦ *conj*: **~ (that) ...** dato che ...; **~ the circumstances** ... date le circostanze ....

glacial ['gleɪsɪəl] *adj* glaciale.

glacier ['glæsɪə*] *n* ghiacciaio.

glad [glæd] *adj* lieto(a), contento(a); **to be ~ about sth/that** essere contento *or* lieto di qc/che + *sub*; **I was ~ of his help** gli sono stato grato del suo aiuto.

gladden ['glædn] *vt* rallegrare, allietare.

glade [gleɪd] *n* radura.

gladioli [glædɪ'əʊlaɪ] *npl* gladioli *mpl*.

gladly ['glædlɪ] *adv* volentieri.

glamorous ['glæmərəs] *adj* (*gen*) favoloso(a); (*person*) affascinante, seducente; (*occasion*) brillante, elegante.

glamour ['glæmə*] *n* fascino.

glance [glɑːns] *n* occhiata, sguardo ♦ *vi*: **to ~ at** dare un'occhiata a.

▶**glance off** *vt fus* (*bullet*) rimbalzare su.

glancing ['glɑːnsɪŋ] *adj* (*blow*) che colpisce di striscio.

gland [glænd] *n* ghiandola.

glandular ['glændjulə*] *adj*: **~ fever** (*BRIT*) mononucleosi *f*.

glare [glɛə*] *n* riverbero, luce *f* abbagliante; (*look*) sguardo furioso ♦ *vi* abbagliare; **to ~ at** guardare male.

glaring ['glɛərɪŋ] *adj* (*mistake*) madornale.

glasnost ['glæznɔst] *n* glasnost *f*.

glass [glɑːs] *n* (*substance*) vetro; (*tumbler*) bicchiere *m*; (*also: looking ~*) specchio; *see also* **glasses**.

glass-blowing ['glɑːsbləʊɪŋ] *n* soffiatura del vetro.

glass ceiling *n* (*fig*) barriera invisibile.

glasses ['glɑːsɪz] *npl* (*spectacles*) occhiali *mpl*.

glass fibre *n* fibra di vetro.

glasshouse ['glɑːshaus] *n* serra.

glassware ['glɑːswɛə*] *n* vetrame *m*.

glassy ['glɑːsɪ] *adj* (*eyes*) vitreo(a).

Glaswegian [glæs'wiːdʒən] *adj* di Glasgow ♦ *n* abitante *m/f* di Glasgow; originario/a di Glasgow.

glaze [gleɪz] *vt* (*door*) fornire di vetri; (*pottery*) smaltare; (*CULIN*) glassare ♦ *n* smalto; glassa.

glazed ['gleɪzd] *adj* (*eye*) vitreo(a); (*tiles, pottery*) smaltato(a).

glazier ['gleɪzɪə*] *n* vetraio.

gleam [gliːm] *n* barlume *m*; raggio ♦ *vi* luccicare; **a ~ of hope** un barlume di speranza.

gleaming ['gliːmɪŋ] *adj* lucente.

glean [gliːn] *vt* (*information*) racimolare.

glee [gliː] *n* allegrezza, gioia.

gleeful ['gliːful] *adj* allegro(a), gioioso(a).

glen [glɛn] *n* valletta.

glib [glɪb] *adj* dalla parola facile; facile.

glide [glaɪd] *vi* scivolare; (*AVIAT, birds*) planare ♦ *n* scivolata; planata.

glider ['glaɪdə*] *n* (*AVIAT*) aliante *m*.

gliding ['glaɪdɪŋ] *n* (*AVIAT*) volo a vela.

glimmer ['glɪmə*] *vi* luccicare ♦ *n* barlume *m*.

glimpse [glɪmps] *n* impressione *f* fugace ♦ *vt* vedere di sfuggita; **to catch a ~ of** vedere di sfuggita.

glint [glɪnt] *n* luccichio ♦ *vi* luccicare.

glisten ['glɪsn] *vi* luccicare.

glitter ['glɪtə*] *vi* scintillare ♦ *n* scintillio.

glitz [glɪts] *n* (*col*) vistosità, chiassosità.

gloat [gləut] *vi*: **to ~ (over)** gongolare di piacere (per).

global ['gləubl] *adj* globale; (*world-wide*) mondiale.

global warming *n* riscaldamento dell'atmosfera terrestre.

globe [gləub] *n* globo, sfera.

globetrotter ['gləubtrɔtə*] *n* giramondo *m/f* inv.

globule ['glɔbjuːl] *n* (*ANAT*) globulo; (*of water etc*) gocciolina.

gloom [gluːm] *n* oscurità, buio; (*sadness*) tristezza, malinconia.

gloomy ['gluːmɪ] *adj* fosco(a), triste; **to feel ~** sentirsi giù *or* depresso.

glorification [glɔːrɪfɪ'keɪʃən] *n* glorificazione *f*.

glorify ['glɔːrɪfaɪ] *vt* glorificare; celebrare, esaltare.

glorious ['glɔːrɪəs] *adj* glorioso(a); magnifico(a).

glory ['glɔːrɪ] *n* gloria; splendore *m* ♦ *vi*: **to ~ in** gloriarsi di *or* in.

glory hole *n* (*col*) ripostiglio.

Glos *abbr* (*BRIT*) = *Gloucestershire*.

gloss [glɔs] *n* (*shine*) lucentezza; (*also*: ~ **paint**) vernice *f* a olio.

▶**gloss over** *vt fus* scivolare su.

glossary ['glɔsərɪ] *n* glossario.

glossy ['glɔsɪ] *adj* lucente ♦ *n* (*also*: ~ **magazine**) rivista di lusso.

glove [glʌv] *n* guanto.

glove compartment *n* (*AUT*) vano portaoggetti.

glow [gləu] *vi* ardere; (*face*) essere luminoso(a) ♦ *n* bagliore *m*; (*of face*) colorito acceso.

glower ['glauə*] *vi*: **to ~ (at sb)** guardare (qn) in cagnesco.

glowing ['gləuɪŋ] *adj* (*fire*) ardente; (*complexion*) luminoso(a); (*fig: report, description etc*) entusiasta.

glow-worm ['gləuwɜːm] *n* lucciola.

glucose ['gluːkəus] *n* glucosio.

glue [gluː] *n* colla ♦ *vt* incollare.

glue-sniffing ['gluːsnɪfɪŋ] *n* sniffare *m* (colla).

glum [glʌm] *adj* abbattuto(a).

glut [glʌt] *n* eccesso ♦ *vt* saziare; (*market*) saturare.

glutinous ['gluːtɪnəs] *adj* colloso(a), appiccicoso(a).

glutton ['glʌtn] *n* ghiottone/a; **a ~ for work** un(a) patito(a) del lavoro.

gluttonous ['glʌtənəs] *adj* ghiotto(a), goloso(a).

gluttony ['glʌtənɪ] *n* ghiottoneria; (*sin*) gola.

glycerin(e) ['glɪsəriːn] *n* glicerina.

gm *abbr* = **gram**.

GMAT *n abbr* (*US*: = *Graduate Management Admissions Test*) esame di ammissione all'ultimo biennio di scuola superiore.

GMB *n abbr* (*BRIT*) = *General Municipal and Boilermakers (Union)*.

GMT *abbr* (= *Greenwich Mean Time*) T.M.G.

gnarled [nɑːld] *adj* nodoso(a).

gnash [næʃ] *vt*: **to ~ one's teeth** digrignare i denti.

gnat [næt] *n* moscerino.

gnaw [nɔː] *vt* rodere.

gnome [nəum] *n* gnomo.

GNP *n abbr* = **gross national product**.

go [gəu] *vb* (*pt* **went**, *pp* **gone** [wɛnt, gɔn]) *vi* andare; (*depart*) partire, andarsene; (*work*) funzionare; (*break etc*) cedere; (*be sold*): **to ~ for £10** essere venduto per 10 sterline; (*fit, suit*): **to ~ with** andare bene con; (*become*): **to ~ pale** diventare

pallido(a); **to ~ mouldy** ammuffire ♦ *n* (*pl* ~**es**): **to have a ~ (at)** provare; **to be on the ~** essere in moto; **whose ~ is it?** a chi tocca?; **to ~ by car/on foot** andare in macchina/a piedi; **he's ~ing to do** sta per fare; **to ~ for a walk** andare a fare una passeggiata; **to ~ dancing/shopping** andare a ballare/fare la spesa; **to ~ looking for sb/sth** andare in cerca di qn/qc; **to ~ to sleep** addormentarsi; **to ~ and see sb** andare a trovare qn; **how is it ~ing?** come va (la vita)?; **how did it ~?** com'è andato?; **to ~ round the back/by the shop** passare da dietro/davanti al negozio; **my voice has gone** m'è andata via la voce; **the cake is all gone** il dolce è finito tutto; **I'll take whatever is ~ing** (*BRIT*) prendo quello che c'è; ... **to ~** (*US: food*) ... da portar via; **the money will ~ towards our holiday** questi soldi li mettiamo per la vacanza.

▶**go about** *vi* (*also*: ~ **around**) aggirarsi; (: *rumour*) correre, circolare ♦ *vt fus*: **how do I ~ about this?** qual'è la prassi per questo?; **to ~ about one's business** occuparsi delle proprie faccende.

▶**go after** *vt fus* (*pursue*) correr dietro a, rincorrere; (*job, record etc*) mirare a.

▶**go against** *vt fus* (*be unfavourable to*) essere contro; (*be contrary to*) andare contro.

▶**go ahead** *vi* andare avanti; ~ **ahead!** faccia pure!

▶**go along** *vi* andare, avanzare ♦ *vt fus* percorrere; **to ~ along with** (*accompany*) andare con, accompagnare; (*agree with: idea*) sottoscrivere, appoggiare.

▶**go away** *vi* partire, andarsene.

▶**go back** *vi* tornare, ritornare; (*go again*) andare di nuovo.

▶**go back on** *vt fus* (*promise*) non mantenere.

▶**go by** *vi* (*years, time*) scorrere ♦ *vt fus* attenersi a, seguire (alla lettera); prestar fede a.

▶**go down** *vi* scendere; (*ship*) affondare; (*sun*) tramontare ♦ *vt fus* scendere; **that should ~ down well with him** dovrebbe incontrare la sua approvazione.

▶**go for** *vt fus* (*fetch*) andare a prendere; (*like*) andar matto(a) per; (*attack*) attaccare; saltare addosso a.

▶**go in** *vi* entrare.

▶**go in for** *vt fus* (*competition*) iscriversi a; (*be interested in*) interessarsi di.

▶**go into** *vt fus* entrare in; (*investigate*) indagare, esaminare; (*embark on*) lanciarsi in.

▶**go off** *vi* partire, andar via; (*food*) guastarsi; (*explode*) esplodere, scoppiare; (*lights etc*) spegnersi; (*event*) passare ♦ *vt fus*: **I've gone off chocolate** la cioccolata non mi piace più; **the gun went off** il fucile si scaricò; **the party went off well** la festa è andata *or* è riuscita bene; **to ~ off to sleep** addormentarsi.

▶**go on** *vi* continuare; (*happen*) succedere; (*lights*) accendersi ♦ *vt fus* (*be guided by*: *evidence etc*) basarsi su, fondarsi su; **to ~ on doing** continuare a fare; **what's ~ing on here?** che succede *or* che sta succedendo qui?

▶**go on at** *vt fus* (*nag*) assillare.

▶**go on with** *vt fus* continuare, proseguire.

▶**go out** *vi* uscire; (*fire, light*) spegnersi; (*ebb*: *tide*) calare; **to ~ out with sb** uscire con qn.

▶**go over** *vi* (*ship*) ribaltarsi ♦ *vt fus* (*check*) esaminare; **to ~ over sth in one's mind** pensare bene a qc.

▶**go round** *vi* (*circulate*: *news, rumour*) circolare; (*revolve*) girare; (*visit*): **to ~ round (to sb's)** passare (da qn); (*make a detour*): **to ~ round (by)** passare (per); (*suffice*) bastare (per tutti).

▶**go through** *vt fus* (*town etc*) attraversare; (*search through*) frugare in; (*examine*: *list, book*) leggere da capo a fondo; (*perform*) fare.

▶**go through with** *vt fus* (*plan, crime*) mettere in atto, eseguire; **I couldn't ~ through with it** non sono riuscito ad andare fino in fondo.

▶**go under** *vi* (*sink*: *ship*) affondare, colare a picco; (: *person*) andare sotto; (*fig*: *business, firm*) fallire.

▶**go up** *vi* salire ♦ *vt fus* salire su per; **to ~ up in flames** andare in fiamme.

▶**go without** *vt fus* fare a meno di.

goad [gəud] *vt* spronare.

go-ahead ['gəuəhɛd] *adj* intraprendente ♦ *n*: **to give sb/sth the ~** dare l'okay a qn/qc.

goal [gəul] *n* (*SPORT*) gol *m*, rete *f*; (: *place*) porta; (*fig*: *aim*) fine *m*, scopo.

goal difference *n* differenza *f* reti *inv*.

goalie ['gəuli] *n* (*col*) portiere *m*.

goalkeeper ['gəulki:pə*] *n* portiere *m*.

goalpost ['gəulpəust] *n* palo (della porta).

goat [gəut] *n* capra.

gobble ['gɔbl] *vt* (*also*: **~ down**, **~ up**) ingoiare.

go-between ['gəubitwi:n] *n* intermediario/a.

Gobi Desert ['gəubɪ-] *n*: **the ~** il Deserto dei Gobi.

goblet ['gɔblɪt] *n* calice *m*, coppa.

goblin ['gɔblɪn] *n* folletto.

go-cart ['gəukɑ:t] *n* go-kart *m inv* ♦ *cpd*: **~ racing** *n* kartismo.

god [gɔd] *n* dio; **G~** Dio.

god-awful [gɔd'ɔ:fəl] *adj* (*col*) di merda (*!*).

godchild ['gɔdtʃaɪld] *n* figlioccio/a.

goddamn(ed) ['gɔddæm(d)] (*esp US*: *col*) *excl*: **goddamn!** porca miseria! ♦ *adj* fottuto(a) (*!*), maledetto(a) ♦ *adv* maledettamente.

goddaughter ['gɔddɔ:tə*] *n* figlioccia.

goddess ['gɔdɪs] *n* dea.

godfather ['gɔdfɑ:ðə*] *n* padrino.

god-fearing ['gɔdfɪərɪŋ] *adj* timorato(a) di Dio.

god-forsaken ['gɔdfəseɪkən] *adj* desolato(a), sperduto(a).

godmother ['gɔdmʌðə*] *n* madrina.

godparents ['gɔdpɛərənts] *npl*: **the ~** il padrino e la madrina.

godsend ['gɔdsɛnd] *n* dono del cielo.

godson ['gɔdsʌn] *n* figlioccio.

goes [gəuz] *vb see* **go**.

gofer ['gəufə*] *n* (*col*) tuttofare *m/f*, tirapiedi *m/f inv*.

go-getter ['gəugɛtə*] *n* arrivista *m/f*.

goggle ['gɔgl] *vi*: **to ~ (at)** stare con gli occhi incollati *or* appiccicati (a *or* addosso a).

goggles ['gɔglz] *npl* occhiali *mpl* (di protezione).

going ['gəuɪŋ] *n* (*conditions*) andare *m*, stato del terreno ♦ *adj*: **the ~ rate** la tariffa in vigore; **a ~ concern** un'azienda avviata; **it was slow ~** si andava a rilento.

going-over [gəuɪŋ'əuvə*] *n* (*col*) controllata; (*violent attack*) pestaggio.

goings-on ['gəuɪŋz'ɔn] *npl* (*col*) fatti *mpl* strani, cose *fpl* strane.

go-kart ['gəukɑ:t] *n* = **go-cart**.

gold [gəuld] *n* oro ♦ *adj* d'oro; (*reserves*) aureo(a).

golden ['gəuldən] *adj* (*made of gold*) d'oro; (*gold in colour*) dorato(a).

golden age *n* età d'oro.

golden handshake *n* (*BRIT*) gratifica di fine servizio.

golden rule *n* regola principale.

goldfish ['gəuldfɪʃ] *n* pesce *m* dorato *or* rosso.

gold leaf *n* lamina d'oro.

gold medal *n* (*SPORT*) medaglia d'oro.

goldmine ['gəuldmaɪn] *n* miniera d'oro.

gold-plated ['gəuld'pleɪtɪd] *adj* placcato(a) oro *inv*.

goldsmith ['gəuldsmɪθ] *n* orefice *m*, orafo.

gold standard *n* tallone *m* aureo.

golf [gɔlf] *n* golf *m*.

golf ball *n* pallina da golf.

golf club *n* circolo di golf; (*stick*) bastone *m* or mazza da golf.

golf course *n* campo di golf.

golfer ['gɔlfə*] *n* giocatore/trice di golf.

golfing ['gɔlfɪŋ] *n* il giocare a golf.

gondola ['gɔndələ] *n* gondola.

gondolier [gɔndə'lɪə*] *n* gondoliere *m*.

gone [gɔn] *pp of* **go**.

goner ['gɔnə*] *n* (*col*): **I thought you were a ~** pensavo che ormai fossi spacciato.

gong [gɔŋ] *n* gong *m inv*.

good [gud] *adj* buono(a); (*kind*) buono(a), gentile; (*child*) bravo(a) ♦ *n* bene *m*; **~!** bene!, ottimo!; **to be ~ at** essere bravo(a) in; **it's ~ for you** fa bene; **it's a ~ thing you were there** meno male che c'era; **she is ~ with children/her hands** ci sa fare coi bambini/è abile nei lavori manuali; **to feel ~** sentirsi bene; **it's ~ to see you** che piacere vederla; **he's up to no ~** ne sta combinando qualcuna; **it's no ~ complaining** brontolare non serve a niente; **for the common ~** nell'interesse generale, per il bene comune; **for ~** (*for ever*) per sempre, definitivamente; **would you be ~ enough to ...?** avrebbe la gentilezza di ...?; **that's very ~ of you** è molto gentile da parte sua; **is this any ~?** (*will it do?*) va bene questo?; (*what's it like?*) com'è?; **a ~ deal (of)** molto(a), una buona quantità (di); **a ~ many** molti(e); **~ morning!** buon giorno!; **~ afternoon/ evening!** buona sera!; **~ night!** buona notte!; *see also* **goods**.

goodbye [gud'baɪ] *excl* arrivederci!; **to say ~ to** (*person*) salutare.

good faith *n* buona fede.

good-for-nothing ['gudfənʌθɪŋ] *n* buono/a a nulla, vagabondo/a.

Good Friday *n* Venerdì Santo.

good-humoured [gud'hju:məd] *adj* (*person*) di buon umore; (*remark, joke*) bonario(a).

good-looking [gud'lukɪŋ] *adj* bello(a).

good-natured [gud'neɪtʃəd] *adj* (*person*) affabile; (*discussion*) amichevole, cordiale.

goodness ['gudnɪs] *n* (*of person*) bontà; **for ~ sake!** per amor di Dio!; **~ gracious!** santo cielo!, mamma mia!

goods [gudz] *npl* (*COMM etc*) merci *fpl*, articoli *mpl*; **~ and chattels** beni *mpl* e effetti *mpl*.

goods train *n* (*BRIT*) treno *m* merci *inv*.

goodwill [gud'wɪl] *n* amicizia, benevolenza; (*COMM*) avviamento.

goody-goody ['gudɪgudɪ] *n* (*pej*) santarellino/a.

gooey ['gu:ɪ] *adj* (*BRIT col*: *sticky*) appiccicoso(a); (*cake, dessert*) troppo zuccherato(a).

goose, pl geese [gu:s, gi:s] *n* oca.

gooseberry ['guzbərɪ] *n* uva spina; **to play ~** (*BRIT*) tenere la candela.

gooseflesh ['gu:sflɛʃ] *n*, **goosepimples** ['gu:spɪmplz] *npl* pelle *f* d'oca.

goose step *n* (*MIL*) passo dell'oca.

GOP *n abbr* (*US POL: col*: = *Grand Old Party*) partito repubblicano.

gopher ['gəufə*] *n* = **gofer**.

gore [gɔ:*] *vt* incornare ♦ *n* sangue *m* (coagulato).

gorge [gɔ:dʒ] *n* gola ♦ *vt*: **to ~ o.s. (on)** ingozzarsi (di).

gorgeous ['gɔ:dʒəs] *adj* magnifico(a).

gorilla [gə'rɪlə] *n* gorilla *m inv*.

gormless ['gɔ:mlɪs] *adj* (*BRIT col*) tonto(a); (: *stronger*) deficiente.

gorse [gɔ:s] *n* ginestrone *m*.

gory ['gɔ:rɪ] *adj* sanguinoso(a).

go-slow ['gəu'sləu] *n* (*BRIT*) rallentamento dei lavori (*per agitazione sindacale*).

gospel ['gɔspl] *n* vangelo.

gossamer ['gɔsəmə*] *n* (*cobweb*) fili *mpl* della Madonna or di ragnatela; (*light fabric*) stoffa sottilissima.

gossip ['gɔsɪp] *n* chiacchiere *fpl*; pettegolezzi *mpl*; (*person*) pettegolo/a ♦ *vi* chiacchierare; (*maliciously*) pettegolare; **a piece of ~** un pettegolezzo.

gossip column *n* cronaca mondana.

got [gɔt] *pt, pp of* **get**.

Gothic ['gɔθɪk] *adj* gotico(a).

gotten ['gɔtn] (*US*) *pp of* **get**.

gouge [gaudʒ] *vt* (*also*: **~ out**: *hole etc*) scavare; (: *initials*) scolpire; (: *sb's eyes*) cavare.

gourd [guəd] *n* zucca.

gourmet ['guəmeɪ] *n* buongustaio/a.

gout [gaut] *n* gotta.

govern ['gʌvən] *vt* governare; (*LING*) reggere.

governess ['gʌvənɪs] *n* governante *f*.

governing ['gʌvənɪŋ] *adj* (*POL*) al potere, al governo; **~ body** consiglio di amministrazione.

government ['gʌvnmənt] *n* governo; (*BRIT*: *ministers*) ministero ♦ *cpd* statale; **local ~** amministrazione *f* locale.

governmental [gʌvn'mɛntl] *adj* governativo(a).

government housing *n* (*US*) alloggi *mpl* popolari.

government stock *n* titoli *mpl* di stato.

governor ['gʌvənə*] n (of state, bank) governatore m; (of school, hospital) amministratore m; (BRIT: of prison) direttore/trice.

Govt abbr = **government**.

gown [gaun] n vestito lungo; (of teacher, judge) toga.

GP n abbr (MED) see **general practitioner**.

GPMU n abbr (BRIT) = Graphical, Paper and Media Union.

GPO n abbr (BRIT: old) = General Post Office; (US: = Government Printing Office) ≈ Poligrafici dello Stato.

gr. abbr (COMM) = **gross**.

grab [græb] vt afferrare, arraffare; (property, power) impadronirsi di ♦ vi: **to ~ at** tentare disperatamente di afferrare.

grace [greɪs] n grazia; (graciousness) garbo, cortesia ♦ vt onorare; **5 days' ~** dilazione f di 5 giorni; **to say ~** dire il benedicite; **with a good/bad ~** volentieri/ malvolentieri; **his sense of humour is his saving ~** il suo senso dell'umorismo è quello che lo salva.

graceful ['greɪsful] adj elegante, aggraziato(a).

gracious ['greɪʃəs] adj grazioso(a); misericordioso(a) ♦ excl: **(good) ~!** madonna (mia)!

gradation [grə'deɪʃən] n gradazione f.

grade [greɪd] n (COMM) qualità f inv; classe f; categoria; (in hierarchy) grado; (US SCOL) voto; classe; (gradient) pendenza, gradiente m ♦ vt classificare; ordinare; graduare; **to make the ~** (fig) farcela.

grade crossing n (US) passaggio a livello.

grade school n (US) scuola elementare or primaria.

gradient ['greɪdɪənt] n pendenza, gradiente m.

gradual ['grædjuəl] adj graduale.

gradually ['grædjuəlɪ] adv man mano, a poco a poco.

graduate n ['grædjuɪt] laureato/a; (US SCOL) diplomato/a, licenziato/a ♦ vi ['grædjueɪt] laurearsi.

graduated pension ['grædjueɪtɪd-] n pensione calcolata sugli ultimi stipendi.

graduation [grædju'eɪʃən] n cerimonia del conferimento della laurea; (US SCOL) consegna dei diplomi.

graffiti [grə'fiːtɪ] npl graffiti mpl.

graft [grɑːft] n (AGR, MED) innesto ♦ vt innestare; **hard ~** (col) duro lavoro.

grain [greɪn] n (no pl: cereals) cereali mpl; (US: corn) grano; (of sand) granello; (of wood) venatura; **it goes against the ~**

(fig) va contro la mia (or la sua etc) natura.

gram [græm] n grammo.

grammar ['græmə*] n grammatica.

grammar school n (BRIT) ≈ liceo; (US) ≈ scuola elementare.

grammatical [grə'mætɪkl] adj grammaticale.

gramme [græm] n = **gram**.

gramophone ['græməfəun] n (BRIT) grammofono.

granary ['grænərɪ] n granaio.

grand [grænd] adj grande, magnifico(a); grandioso(a) ♦ n (col: thousand) mille dollari mpl (or sterline fpl).

grandchild, pl **-children** ['græntʃaɪld, -tʃɪldrən] n nipote m.

granddad ['grændæd] n (col) nonno.

granddaughter ['grændɔːtə*] n nipote f.

grandeur ['grændjə*] n (of style, house) splendore m; (of occasion, scenery etc) grandiosità, maestà.

grandfather ['grændfɑːðə*] n nonno.

grandiose ['grændɪəus] adj grandioso(a); (pej) pomposo(a).

grand jury n (US) giuria (formata da 12 a 23 membri).

grandma ['grænmɑː] n (col) nonna.

grandmother ['grænmʌðə*] n nonna.

grandpa ['grænpɑː] n (col) = **granddad**.

grandparent ['grænpɛərənt] n nonno/a.

grand piano n pianoforte m a coda.

Grand Prix ['grɑ̃ː'priː] n (AUT) Gran Premio, Grand Prix m inv.

grandson ['grænsʌn] n nipote m.

grandstand ['grændstænd] n (SPORT) tribuna.

grand total n somma complessiva.

granite ['grænɪt] n granito.

granny ['grænɪ] n (col) nonna.

grant [grɑːnt] vt accordare; (a request) accogliere; (admit) ammettere; concedere ♦ n (SCOL) borsa; (ADMIN) sussidio, sovvenzione f; **to take sth for ~ed** dare qc per scontato.

granulated ['grænjuleɪtɪd] adj: **~ sugar** zucchero cristallizzato.

granule ['grænjuːl] n granello.

grape [greɪp] n chicco d'uva, acino; **a bunch of ~s** un grappolo d'uva.

grapefruit ['greɪpfruːt] n pompelmo.

grapevine ['greɪpvaɪn] n vite f; **I heard it on the ~** (fig) me l'ha detto l'uccellino.

graph [grɑːf] n grafico.

graphic ['græfɪk] adj grafico(a); (vivid) vivido(a); see also **graphics**.

graphic designer n grafico/a.

graphic equalizer n equalizzatore m

grafico.

graphics ['græfɪks] n (art, process) grafica; (pl: drawings) illustrazioni fpl.

graphite ['græfaɪt] n grafite f.

graph paper n carta millimetrata.

grapple ['græpl] vi: **to ~ with** essere alle prese con.

grappling iron ['græplɪŋ-] n (NAUT) grappino.

grasp [grɑːsp] vt afferrare ♦ n (grip) presa; (fig) potere m; comprensione f; **to have sth within one's ~** avere qc a portata di mano; **to have a good ~ of** (subject) avere una buona padronanza di.

▶**grasp at** vt fus (rope etc) afferrarsi a, aggrapparsi a; (fig: opportunity) non farsi sfuggire, approfittare di.

grasping ['grɑːspɪŋ] adj avido(a).

grass [grɑːs] n erba; (pasture) pascolo, prato; (BRIT col: informer) informatore/trice; (ex-terrorist) pentito/a.

grasshopper ['grɑːshɒpə*] n cavalletta.

grassland ['grɑːslænd] n prateria.

grass roots npl (fig) base f.

grass snake n natrice f.

grassy ['grɑːsɪ] adj erboso(a).

grate [greɪt] n graticola (del focolare) ♦ vi cigolare, stridere ♦ vt (CULIN) grattugiare.

grateful ['greɪtful] adj grato(a), riconoscente.

gratefully ['greɪtfulɪ] adv con gratitudine.

grater ['greɪtə*] n grattugia.

gratification [grætɪfɪ'keɪʃən] n soddisfazione f.

gratify ['grætɪfaɪ] vt appagare; (whim) soddisfare.

gratifying ['grætɪfaɪɪŋ] adj gradito(a); soddisfacente.

grating ['greɪtɪŋ] n (iron bars) grata ♦ adj (noise) stridente, stridulo(a).

gratitude ['grætɪtjuːd] n gratitudine f.

gratuitous [grə'tjuːɪtəs] adj gratuito(a).

gratuity [grə'tjuːɪtɪ] n mancia.

grave [greɪv] n tomba ♦ adj grave, serio(a).

gravedigger ['greɪvdɪgə*] n becchino.

gravel ['grævl] n ghiaia.

gravely ['greɪvlɪ] adv gravemente, solennemente; **~ ill** in pericolo di vita.

gravestone ['greɪvstəun] n pietra tombale.

graveyard ['greɪvjɑːd] n cimitero.

gravitate ['grævɪteɪt] vi gravitare.

gravity ['grævɪtɪ] n (all senses) gravità.

gravy ['greɪvɪ] n intingolo della carne; salsa.

gravy boat n salsiera.

gravy train n: **the ~** (col) l'albero della cuccagna.

gray [greɪ] adj (US) = **grey**.

graze [greɪz] vi pascolare, pascere ♦ vt (touch lightly) sfiorare; (scrape) escoriare ♦ n (MED) escoriazione f.

grazing ['greɪzɪŋ] n pascolo.

grease [griːs] n (fat) grasso; (lubricant) lubrificante m ♦ vt ingrassare; lubrificare; **to ~ the skids** (US: fig) spianare la strada.

grease gun n ingrassatore m.

greasepaint ['griːspeɪnt] n cerone m.

greaseproof paper ['griːspruːf-] n (BRIT) carta oleata.

greasy ['griːsɪ] adj grasso(a); untuoso(a); (BRIT: road, surface) scivoloso(a); (hands, clothes) unto(a).

great [greɪt] adj grande; (pain, heat) forte, intenso(a); (col) magnifico(a), meraviglioso(a); **they're ~ friends** sono grandi amici; **the ~ thing is that ...** il bello è che ...; **it was ~!** è stato fantastico!; **we had a ~ time** ci siamo divertiti un mondo.

Great Barrier Reef n: **the ~** la Grande Barriera Corallina.

Great Britain n Gran Bretagna.

great-grandchild, pl **-children** [greɪt'grænt(ʃaɪld, -tʃɪldrən] n pronipote m/f.

great-grandfather [greɪt'grænfɑːðə*] n bisnonno.

great-grandmother [greɪt'grænmʌðə*] n bisnonna.

Great Lakes npl: **the ~** i Grandi Laghi.

greatly ['greɪtlɪ] adv molto.

greatness ['greɪtnɪs] n grandezza.

Grecian ['griːʃən] adj greco(a).

Greece [griːs] n Grecia.

greed [griːd] n (also: ~iness) avarizia; (for food) golosità, ghiottoneria.

greedily ['griːdɪlɪ] adv avidamente; golosamente.

greedy ['griːdɪ] adj avido(a); goloso(a), ghiotto(a).

Greek [griːk] adj greco(a) ♦ n greco/a; (LING) greco; **ancient/modern ~** greco antico/moderno.

green [griːn] adj (also POL) verde; (inexperienced) inesperto(a), ingenuo(a) ♦ n verde m; (stretch of grass) prato; (also: **village ~**) ≈ piazza del paese; **~s** npl (vegetables) verdura; (of golf course) green m inv; **to have ~ fingers** or (US) **a ~ thumb** (fig) avere il pollice verde; **the G~ Party** (BRIT POL) i Verdi.

green belt n (round town) cintura di verde.

green card n (AUT) carta verde.

greenery ['griːnərɪ] n verde m.

greenfly ['griːnflaɪ] n afide f.

greengage ['griːngeɪdʒ] n susina Regina

Claudia.

greengrocer ['gri:ngrəusə*] n (BRIT) fruttivendolo/a, erbivendolo/a.

greenhouse ['gri:nhaus] n serra.

greenhouse effect n: **the ~** l'effetto serra.

greenhouse gas n gas m inv responsabile dell'effetto serra.

greenish ['gri:nɪʃ] adj verdastro(a).

Greenland ['gri:nlənd] n Groenlandia.

Greenlander ['gri:nləndə*] n groenlandese m/f.

green light n: **to give sb the ~** dare via libera a qn.

green pepper n peperone m verde.

greet [gri:t] vt salutare.

greeting ['gri:tɪŋ] n saluto; **Christmas/ birthday** ~s auguri mpl di Natale/di compleanno; **Season's** ~s Buone Feste.

greeting(s) card n cartolina d'auguri.

gregarious [grə'gɛərɪəs] adj gregario(a); socievole.

grenade [grə'neɪd] n (also: **hand** ~) granata.

grew [gru:] pt of **grow**.

grey [greɪ] adj grigio(a); **to go ~** diventar grigio.

greyhound ['greɪhaund] n levriere m.

grid [grɪd] n grata; (ELEC) rete f; (US AUT) area d'incrocio.

griddle ['grɪdl] n piastra.

gridiron ['grɪdaɪən] n graticola.

gridlock ['grɪdlɔk] n (traffic jam) paralisi f inv del traffico.

grief [gri:f] n dolore m; **to come to ~** (plan) naufragare; (person) finire male.

grievance ['gri:vəns] n doglianza, lagnanza; (cause for complaint) motivo di risentimento.

grieve [gri:v] vi addolorarsi, soffrire ♦ vt addolorare; **to ~ for sb** compiangere qn; (dead person) piangere qn.

grievous bodily harm (GBH) ['gri:vəs-] n (LAW) aggressione f.

grill [grɪl] n (on cooker) griglia ♦ vt (BRIT) cuocere ai ferri; (question) interrogare senza sosta; ~**ed meat** carne f ai ferri or alla griglia.

grille [grɪl] n grata; (AUT) griglia.

grill(room) ['grɪl(rum)] n rosticceria.

grim [grɪm] adj sinistro(a); brutto(a).

grimace [grɪ'meɪs] n smorfia ♦ vi fare smorfie.

grime [graɪm] n sudiciume m.

grimy ['graɪmɪ] adj sudicio(a).

grin [grɪn] n sorriso smagliante ♦ vi: **to ~ (at)** sorridere (a), fare un gran sorriso (a).

grind [graɪnd] vb (pt, pp **ground** [graund]) vt macinare; (US: meat) tritare, macinare; (make sharp) arrotare; (polish: gem, lens) molare ♦ vi (car gears) grattare ♦ n (work) sgobbata; **to ~ one's teeth** digrignare i denti; **to ~ to a halt** (vehicle) arrestarsi con uno stridio di freni; (fig: talks, scheme) insabbiarsi; (: work, production) cessare del tutto; **the daily ~** (col) il trantran quotidiano.

grinder ['graɪndə*] n (machine: for coffee) macinino.

grindstone ['graɪndstəun] n: **to keep one's nose to the ~** darci sotto.

grip [grɪp] n presa; (holdall) borsa da viaggio ♦ vt afferrare; **to come to ~s with** affrontare; cercare di risolvere; **to ~ the road** (tyres) far presa sulla strada; (car) tenere bene la strada; **to lose one's ~** perdere or allentare la presa; (fig) perdere la grinta.

gripe [graɪp] n (MED) colica; (col: complaint) lagna ♦ vi (col) brontolare.

gripping ['grɪpɪŋ] adj avvincente.

grisly ['grɪzlɪ] adj macabro(a), orrido(a).

grist [grɪst] n (fig): **it's (all) ~ to the mill** tutto aiuta.

gristle ['grɪsl] n cartilagine f.

grit [grɪt] n ghiaia; (courage) fegato ♦ vt (road) coprire di sabbia; **to ~ one's teeth** stringere i denti; **I've got a piece of ~ in my eye** ho un bruscolino nell'occhio.

grits [grɪts] npl (US) macinato grosso (di avena etc).

grizzle ['grɪzl] vi (BRIT) piagnucolare.

grizzly ['grɪzlɪ] n (also: ~ **bear**) orso grigio, grizzly m inv.

groan [grəun] n gemito ♦ vi gemere.

grocer ['grəusə*] n negoziante m di generi alimentari; ~'s **(shop)** negozio di alimentari.

groceries ['grəusərɪz] npl provviste fpl.

grocery ['grəusərɪ] n (shop) (negozio di) alimentari.

grog [grɔg] n grog m inv.

groggy ['grɔgɪ] adj barcollante.

groin [grɔɪn] n inguine m.

groom [gru:m] n palafreniere m; (also: **bride~**) sposo ♦ vt (horse) strigliare; (fig): **to ~ sb for** avviare qn a.

groove [gru:v] n scanalatura, solco.

grope [grəup] vi andare a tentoni; **to ~ for sth** cercare qc a tastoni.

gross [grəus] adj grossolano(a); (COMM) lordo(a) ♦ n (pl inv) (twelve dozen) grossa ♦ vt (COMM) incassare, avere un incasso lordo di.

gross domestic product (GDP) n

prodotto interno lordo (P.I.L.).
grossly ['grǝuslɪ] adv (greatly) molto.
gross national product (GNP) n
prodotto nazionale lordo (P.N.L.).
grotesque [grǝu'tɛsk] adj grottesco(a).
grotto ['grɔtǝu] n grotta.
grotty ['grɔtɪ] adj (BRIT col) squallido(a).
grouch [grautʃ] (col) vi brontolare ♦ n
(person) brontolone/a.
ground [graund] pt, pp of **grind** ♦ adj (coffee
etc) macinato(a) ♦ n suolo, terra; (land)
terreno; (SPORT) campo; (reason: gen pl)
ragione f; (US: also: ~ **wire**) (presa a)
terra ♦ vt (plane) tenere a terra; (US ELEC)
mettere la presa a terra a ♦ vi (ship)
arenarsi; ~**s** npl (of coffee etc) fondi mpl;
(gardens etc) terreno, giardini mpl; **on/to
the** ~ per/a terra; **below** ~ sottoterra;
common ~ terreno comune; **to gain/lose**
~ guadagnare/perdere terreno; **he
covered a lot of** ~ **in his lecture** ha
toccato molti argomenti nel corso della
conferenza.
ground cloth n (US) = **groundsheet**.
ground control n (AVIAT, SPACE) base f di
controllo.
ground floor n pianterreno.
grounding ['graundɪŋ] n (in education) basi
fpl.
groundless ['graundlɪs] adj infondato(a).
groundnut ['graundnʌt] n arachide f.
ground rent n (BRIT) canone m di affitto di
un terreno.
ground rules npl regole fpl fondamentali.
groundsheet ['graundʃiːt] n (BRIT) telone m
impermeabile.
groundsman ['graundzmǝn], (US)
groundskeeper ['graundzkiːpǝ*] n
(SPORT) custode m (di campo sportivo).
ground staff n personale m di terra.
groundswell ['graundswɛl] n maremoto;
(fig) movimento.
ground-to-air ['graundtu'ɛǝ*] adj terra-aria
inv.
ground-to-ground ['graundtǝ'graund] adj: ~
missile missile m terra-terra.
groundwork ['graundwǝːk] n preparazione
f.
group [gruːp] n gruppo; (MUS: pop ~)
complesso, gruppo ♦ vt raggruppare ♦ vi
raggrupparsi.
groupie ['gruːpɪ] n groupie m/f inv, fan m/f inv
scatenato(a).
group therapy n terapia di gruppo.
grouse [graus] n (pl inv) (bird) tetraone m
♦ vi (complain) brontolare.
grove [grǝuv] n boschetto.
grovel ['grɔvl] vi (fig): **to** ~ **(before)**

strisciare (di fronte a).
grow, pt **grew**, pp **grown** [grǝu, gruː, grǝun]
vi crescere; (increase) aumentare;
(become): **to** ~ **rich/weak** arricchirsi/
indebolirsi ♦ vt coltivare, far crescere; **to**
~ **tired of waiting** stancarsi di aspettare.
▶**grow apart** vi (fig) estraniarsi.
▶**grow away from** vt fus (fig) allontanarsi
da, staccarsi da.
▶**grow on** vt fus: **that painting is** ~**ing on
me** quel quadro più lo guardo più mi
piace.
▶**grow out of** vt fus (clothes) diventare
troppo grande per indossare; (habit)
perdere (col tempo); **he'll** ~ **out of it** gli
passerà.
▶**grow up** vi farsi grande, crescere.
grower ['grǝuǝ*] n coltivatore/trice.
growing ['grǝuɪŋ] adj (fear, amount)
crescente; ~ **pains** (also fig) problemi mpl
di crescita.
growl [graul] vi ringhiare.
grown [grǝun] pp of **grow** ♦ adj adulto(a),
maturo(a).
grown-up [grǝun'ʌp] n adulto/a, grande m/f.
growth [grǝuθ] n crescita, sviluppo; (what
has grown) crescita; (MED) escrescenza,
tumore m.
growth rate n tasso di crescita.
GRSM n abbr (BRIT) = Graduate of the Royal
Schools of Music.
grub [grʌb] n larva; (col: food) roba (da
mangiare).
grubby ['grʌbɪ] adj sporco(a).
grudge [grʌdʒ] n rancore m ♦ vt: **to** ~ **sb sth**
dare qc a qn di malavoglia; invidiare qc
a qn; **to bear sb a** ~ **(for)** serbar rancore a
qn (per).
grudgingly ['grʌdʒɪŋlɪ] adv di malavoglia,
di malincuore.
gruelling, (US) **grueling** ['gruǝlɪŋ] adj
estenuante.
gruesome ['gruːsǝm] adj orribile.
gruff [grʌf] adj rozzo(a).
grumble ['grʌmbl] vi brontolare, lagnarsi.
grumpy ['grʌmpɪ] adj stizzito(a).
grunge [grʌndʒ] n (MUS) grunge m inv;
(style) moda f grunge inv.
grunt [grʌnt] vi grugnire ♦ n grugnito.
G-string ['dʒiːstrɪŋ] n (garment) tanga m inv.
GSUSA n abbr = Girl Scouts of the United
States of America.
GT abbr (AUT: = gran turismo) GT.
GU abbr (US POST) = Guam.
guarantee [gærǝn'tiː] n garanzia ♦ vt
garantire; **he can't** ~ **(that) he'll come**
non può garantire che verrà.
guarantor [gærǝn'tɔː*] n garante m/f.

guard [gɑːd] *n* guardia; (*protection*) riparo, protezione *f*; (*BOXING*) difesa; (*one man*) guardia, sentinella; (*BRIT RAIL*) capotreno; (*safety device: on machine*) schermo protettivo; (*also:* **fire ~**) parafuoco ♦ *vt* fare la guardia a; **to ~ (against** *or* **from)** proteggere (da), salvaguardare (da); **to be on one's ~** (*fig*) stare in guardia.
►**guard against** *vi*: **to ~ against doing sth** guardarsi dal fare qc.

guard dog *n* cane *m* da guardia.

guarded ['gɑːdɪd] *adj* (*fig*) cauto(a), guardingo(a).

guardian ['gɑːdɪən] *n* custode *m*; (*of minor*) tutore/trice.

guard's van *n* (*BRIT RAIL*) vagone *m* di servizio.

Guatemala [gwɑːtə'mɑːlə] *n* Guatemala *m*.

Guernsey ['gəːnzɪ] *n* Guernesey *f*.

guerrilla [gə'rɪlə] *n* guerrigliero.

guerrilla warfare *n* guerriglia.

guess [gɛs] *vi* indovinare ♦ *vt* indovinare; (*US*) credere, pensare ♦ *n* congettura; **to take** *or* **have a ~** cercare di indovinare; **my ~ is that ...** suppongo che ...; **to keep sb ~ing** tenere qn in sospeso *or* sulla corda; **I ~ you're right** mi sa che hai ragione.

guesstimate ['gɛstɪmɪt] *n* (*col*) stima approssimativa.

guesswork ['gɛswəːk] *n*: **I got the answer by ~** ho azzeccato la risposta.

guest [gɛst] *n* ospite *m/f*; (*in hotel*) cliente *m/f*; **be my ~** (*col*) fai come (se fossi) a casa tua.

guest-house ['gɛsthaus] *n* pensione *f*.

guest room *n* camera degli ospiti.

guff [gʌf] *n* (*col*) stupidaggini *fpl*, assurdità *fpl*.

guffaw [gʌ'fɔː] *n* risata sonora ♦ *vi* scoppiare di una risata sonora.

guidance ['gaɪdəns] *n* guida, direzione *f*; **marriage/vocational ~** consulenza matrimoniale/per l'avviamento professionale.

guide [gaɪd] *n* (*person, book etc*) guida; (*also:* **girl ~**) giovane esploratrice *f* ♦ *vt* guidare; **to be ~d by sb/sth** farsi *or* lasciarsi guidare da qn/qc.

guidebook ['gaɪdbuk] *n* guida.

guided missile *n* missile *m* telecomandato.

guide dog *n* (*BRIT*) cane *m* guida *inv*.

guidelines ['gaɪdlaɪnz] *npl* (*fig*) indicazioni *fpl*, linee *fpl* direttive.

guild [gɪld] *n* arte *f*, corporazione *f*; associazione *f*.

guildhall ['gɪldhɔːl] *n* (*BRIT*) palazzo municipale.

guile [gaɪl] *n* astuzia.

guileless ['gaɪllɪs] *adj* candido(a).

guillotine ['gɪlətiːn] *n* ghigliottina.

guilt [gɪlt] *n* colpevolezza.

guilty ['gɪltɪ] *adj* colpevole; **to feel ~ (about)** sentirsi in colpa (per); **to plead ~/not ~** dichiararsi colpevole/innocente.

Guinea ['gɪnɪ] *n*: **Republic of ~** Repubblica di Guinea.

guinea ['gɪnɪ] *n* (*BRIT*) ghinea (= *21 shillings: valuta ora fuori uso*).

guinea pig *n* cavia.

guise [gaɪz] *n* maschera.

guitar [gɪ'tɑː*] *n* chitarra.

guitarist [gɪ'tɑːrɪst] *n* chitarrista *m/f*.

gulch [gʌltʃ] *n* (*US*) burrone *m*.

gulf [gʌlf] *n* golfo; (*abyss*) abisso; **the (Persian) G~** il Golfo Persico.

Gulf States *npl*: **the ~** i paesi del Golfo Persico.

Gulf Stream *n*: **the ~** la corrente del Golfo.

gull [gʌl] *n* gabbiano.

gullet ['gʌlɪt] *n* gola.

gullibility [gʌlɪ'bɪlɪtɪ] *n* semplicioneria.

gullible ['gʌlɪbl] *adj* credulo(a).

gully ['gʌlɪ] *n* burrone *m*; gola; canale *m*.

gulp [gʌlp] *vi* deglutire; (*from emotion*) avere il nodo in gola ♦ *vt* (*also:* **~ down**) tracannare, inghiottire ♦ *n* (*of liquid*) sorso; (*of food*) boccone *m*; **in** *or* **at one ~** in un sorso, d'un fiato.

gum [gʌm] *n* (*ANAT*) gengiva; (*glue*) colla; (*sweet*) gelatina di frutta; (*also:* **chewing-~**) chewing-gum *m* ♦ *vt* incollare.
►**gum up** *vt*: **to ~ up the works** (*col*) mettere il bastone tra le ruote.

gumboil ['gʌmbɔɪl] *n* ascesso (dentario).

gumboots ['gʌmbuːts] *npl* (*BRIT*) stivali *mpl* di gomma.

gumption ['gʌmpʃən] *n* buon senso, senso pratico.

gun [gʌn] *n* fucile *m*; (*small*) pistola, rivoltella; (*rifle*) carabina; (*shotgun*) fucile da caccia; (*cannon*) cannone *m* ♦ *vt* (*also:* **~ down**) abbattere a colpi di pistola *or* fucile; **to stick to one's ~s** (*fig*) tener duro.

gunboat ['gʌnbəut] *n* cannoniera.

gun dog *n* cane *m* da caccia.

gunfire ['gʌnfaɪə*] *n* spari *mpl*.

gung-ho ['gʌŋ'həu] *adj* (*col*) stupidamente entusiasta.

gunk [gʌŋk] *n* porcherie *fpl*.

gunman ['gʌnmən] *n* bandito armato.

gunner ['gʌnə*] *n* artigliere *m*.

gunpoint ['gʌnpɔɪnt] *n*: **at ~** sotto minaccia

di fucile.

gunpowder ['gʌnpaudə*] n polvere f da
sparo.

gunrunner ['gʌnrʌnə*] n contrabbandiere
d'armi.

gunrunning ['gʌnrʌnɪŋ] n contrabbando
d'armi.

gunshot ['gʌnʃɔt] n sparo; **within** ~ a
portata di fucile.

gunsmith ['gʌnsmɪθ] n armaiolo.

gurgle ['gəːgl] n gorgoglio ♦ vi gorgogliare.

guru ['guruː] n guru m inv.

gush [gʌʃ] n fiotto, getto ♦ vi sgorgare; (fig)
abbandonarsi ad effusioni.

gushing ['gʌʃɪŋ] adj che fa smancerie,
smorfioso(a).

gusset ['gʌsɪt] n gherone m; (in tights, pants)
rinforzo.

gust [gʌst] n (of wind) raffica; (of smoke)
buffata.

gusto ['gʌstəu] n entusiasmo.

gusty ['gʌstɪ] adj (wind) a raffiche; (day)
tempestoso(a).

gut [gʌt] n intestino, budello; (MUS etc)
minugia; ~**s** npl (col: innards) budella fpl;
(: of animals) interiora fpl; (courage) fegato
♦ vt (poultry, fish) levare le interiora a,
sventrare; (building) svuotare; (: subj: fire)
divorare l'interno di; **to hate sb's** ~**s**
odiare qn a morte.

gut reaction n reazione f istintiva.

gutsy ['gʌtsɪ] adj (col: style) che ha
mordente; (plucky) coraggioso(a).

gutted ['gʌtɪd] adv (col: upset) scioccato(a).

gutter ['gʌtə*] n (of roof) grondaia; (in
street) cunetta.

gutter press n: **the** ~ la stampa
scandalistica.

guttural ['gʌtərl] adj gutturale.

guy [gaɪ] n (also: ~**rope**) cavo or corda di
fissaggio; (col: man) tipo, elemento;
(figure) effigie di Guy Fawkes.

Durante la notte del 5 novembre, la **Guy
Fawkes' Night**, che commemora il
fallimento della Congiura delle Polveri
contro Giacomo I nel 1605, vengono lanciati
fuochi d'artificio e viene bruciata l'effigie di
Guy Fawkes, uno dei cospiratori.

Guyana [gaɪ'ænə] n Guayana f.

guzzle ['gʌzl] vi gozzovigliare ♦ vt
tranguagiare.

gym [dʒɪm] n (also: **gymnasium**) palestra;
(also: **gymnastics**) ginnastica.

gymkhana [dʒɪm'kɑːnə] n gimkana.

gymnasium [dʒɪm'neɪzɪəm] n palestra.

gymnast ['dʒɪmnæst] n ginnasta m/f.

gymnastics [dʒɪm'næstɪks] n, npl
ginnastica.

gym shoes npl scarpe fpl da ginnastica.

gym slip n (BRIT) grembiule m da scuola
(per ragazze).

gynaecologist, (US) **gynecologist**
[gaɪnɪ'kɔlədʒɪst] n ginecologo/a.

gynaecology, (US) **gynecology**
[gaɪnə'kɔlədʒɪ] n ginecologia.

gypsy ['dʒɪpsɪ] n = **gipsy**.

gyrate [dʒaɪ'reɪt] vi girare.

gyroscope ['dʒaɪərəskəup] n giroscopio.

H h

H, h [eɪtʃ] n (letter) H, h f or m inv; **H for
Harry,** (US) **H for How** ≈ H come Hotel.

habeas corpus ['heɪbɪəs'kɔːpəs] n (LAW)
habeas corpus m inv.

haberdashery ['hæbədæʃərɪ] n merceria.

habit ['hæbɪt] n abitudine f; (costume) abito;
(REL) tonaca; **to get out of/into the** ~ **of
doing sth** perdere/prendere l'abitudine
di fare qc.

habitable ['hæbɪtəbl] adj abitabile.

habitat ['hæbɪtæt] n habitat m inv.

habitation [hæbɪ'teɪʃən] n abitazione f.

habitual [hə'bɪtjuəl] adj abituale; (drinker,
liar) inveterato(a).

habitually [hə'bɪtjuəlɪ] adv abitualmente, di
solito.

hack [hæk] vt tagliare, fare a pezzi ♦ n (cut)
taglio; (blow) colpo; (old horse) ronzino;
(pej: writer) negro.

hacker ['hækə*] n (COMPUT) pirata m
informatico.

hackles ['hæklz] npl: **to make sb's** ~ **rise**
(fig) rendere qn furioso.

hackney cab ['hæknɪ-] n carrozza a nolo.

hackneyed ['hæknɪd] adj comune, trito(a).

hacksaw ['hæksɔː] n seghetto (per
metallo).

had [hæd] pt, pp of **have**.

haddock ['hædək] n eglefino.

hadn't ['hædnt] = **had not**.

haematology, (US) **hematology**
[hiːmə'tɔlədʒɪ] n ematologia.

haemoglobin, (US) **hemoglobin**
[hiːməu'gləubɪn] n emoglobina.

haemophilia, (US) **hemophilia**
[hiːməu'fɪlɪə] n emofilia.

haemorrhage, (*US*) **hemorrhage** ['hɛmərɪdʒ] *n* emorragia.
haemorrhoids, (*US*) **hemorrhoids** ['hɛmərɔɪdz] *npl* emorroidi *fpl*.
hag [hæg] *n* (*ugly*) befana; (*nasty*) megera; (*witch*) strega.
haggard ['hægəd] *adj* smunto(a).
haggis ['hægɪs] *n* (*Scottish*) insaccato a base di frattaglie di pecora e avena.
haggle ['hægl] *vi*: **to ~ (over)** contrattare (su); (*argue*) discutere (su).
haggling ['hæglɪŋ] *n* contrattazioni *fpl*.
Hague [heɪg] *n*: **The ~** L'Aia.
hail [heɪl] *n* grandine *f* ♦ *vt* (*call*) chiamare; (*greet*) salutare ♦ *vi* grandinare; **to ~ (as)** acclamare (come); **he ~s from Scotland** viene dalla Scozia.
hailstone ['heɪlstəun] *n* chicco di grandine.
hailstorm ['heɪlstɔ:m] *n* grandinata.
hair [hɛə*] *n* capelli *mpl*; (*single hair: on head*) capello; (*: on body*) pelo; **to do one's ~** pettinarsi.
hairbrush ['hɛəbrʌʃ] *n* spazzola per capelli.
haircut ['hɛəkʌt] *n* taglio di capelli; **I need a ~** devo tagliarmi i capelli.
hairdo ['hɛədu:] *n* acconciatura, pettinatura.
hairdresser ['hɛədrɛsə*] *n* parrucchiere/a.
hair-dryer ['hɛədraɪə*] *n* asciugacapelli *m inv*.
-haired [hɛəd] *suffix*: **fair/long~** dai capelli biondi/lunghi.
hairgrip ['hɛəgrɪp] *n* forcina.
hairline ['hɛəlaɪn] *n* attaccatura dei capelli.
hairline fracture *n* incrinatura.
hairnet ['hɛənɛt] *n* retina (per capelli).
hair oil *n* brillantina.
hairpiece ['hɛəpi:s] *n* toupet *m inv*.
hairpin ['hɛəpɪn] *n* forcina.
hairpin bend, (*US*) **hairpin curve** *n* tornante *m*.
hair-raising ['hɛəreɪzɪŋ] *adj* orripilante.
hair remover *n* crema depilatoria.
hair spray *n* lacca per capelli.
hairstyle ['hɛəstaɪl] *n* pettinatura, acconciatura.
hairy ['hɛərɪ] *adj* irsuto(a); peloso(a); (*col: frightening*) spaventoso(a).
Haiti ['heɪtɪ] *n* Haiti *f*.
hake, *pl* ~ *or* ~**s** [heɪk] *n* nasello.
halcyon ['hælsɪən] *adj* sereno(a).
hale [heɪl] *adj*: **~ and hearty** che scoppia di salute.
half [hɑ:f] *n* (*pl* **halves** [hɑ:vz]) mezzo, metà *f inv*; (*SPORT: of match*) tempo; (*: of ground*) metà campo ♦ *adj* mezzo(a) ♦ *adv* a mezzo, a metà; **~ an hour** mezz'ora; **~ a dozen** mezza dozzina; **~ a pound** mezza libbra;

two and a ~ due e mezzo; **a week and a ~** una settimana e mezza; **~ (of it)** la metà; **~ (of)** la metà di; **~ the amount of** la metà di; **to cut sth in ~** tagliare qc in due; **~ empty/closed** mezzo vuoto/chiuso, semivuoto/semichiuso; **~ past 3** le 3 e mezza; **to go halves (with sb)** fare a metà (con qn).
half-back ['hɑ:fbæk] *n* (*SPORT*) mediano.
half-baked [hɑ:f'beɪkt] *adj* (*fig col: idea, scheme*) mal combinato(a), che non sta in piedi.
half-breed ['hɑ:fbri:d] *n* = **half-caste**.
half-brother ['hɑ:fbrʌðə*] *n* fratellastro.
half-caste ['hɑ:fkɑ:st] *n* meticcio/a.
half-hearted [hɑ:f'hɑ:tɪd] *adj* tiepido(a).
half-hour [hɑ:f'auə*] *n* mezz'ora.
half-mast ['hɑ:f'mɑ:st] *n*: **at ~** (*flag*) a mezz'asta.
halfpenny ['heɪpnɪ] *n* mezzo penny *m inv*.
half-price ['hɑ:f'praɪs] *adj* a metà prezzo ♦ *adv* (*also*: **at ~**) a metà prezzo.
half term *n* (*BRIT SCOL*) vacanza a *or* di metà trimestre.
half-time [hɑ:f'taɪm] *n* (*SPORT*) intervallo.
halfway [hɑ:f'weɪ] *adv* a metà strada; **to meet sb ~** (*fig*) arrivare a un compromesso con qn.
halfway house *n* (*hostel*) ostello dove possono alloggiare temporaneamente ex detenuti; (*fig*) via di mezzo.
half-wit ['hɑ:fwɪt] *n* (*col*) idiota *m/f*.
half-yearly [hɑ:f'jɪəlɪ] *adv* semestralmente, ogni sei mesi ♦ *adj* semestrale.
halibut ['hælɪbət] *n* (*pl inv*) ippoglosso.
halitosis [hælɪ'təusɪs] *n* alitosi *f*.
hall [hɔ:l] *n* sala, salone *m*; (*entrance way*) entrata; (*corridor*) corridoio; (*mansion*) grande villa, maniero; **~ of residence** *n* (*BRIT*) casa dello studente.
hallmark ['hɔ:lmɑ:k] *n* marchio di garanzia; (*fig*) caratteristica.
hallo [hə'ləu] *excl* = **hello**.
Hallowe'en ['hæləu'i:n] *n* vigilia d'Ognissanti.

Secondo la tradizione anglosassone, durante la notte di **Hallowe'en**, *il 31 di ottobre, è possibile vedere le streghe e i fantasmi. Negli Stati Uniti e in Scozia i bambini, travestiti da fantasmi e con in mano lanterne ricavate da zucche, vanno di porta in porta e raccolgono dolci e piccoli doni.*

---

hallucination [həlu:sɪ'neɪʃən] *n* allucinazione *f*.
hallucinogenic [həlu:sɪnəu'dʒɛnɪk] *adj* allucinogeno(a).

hallway ['hɔːlweɪ] n ingresso; corridoio.

halo ['heɪləu] n (of saint etc) aureola; (of sun) alone m.

halt [hɔːlt] n fermata ♦ vt fermare ♦ vi fermarsi; **to call a ~ (to sth)** (fig) mettere or porre fine (a qc).

halter ['hɔːltə*] n (for horse) cavezza.

halterneck ['hɔːltənɛk] adj allacciato(a) dietro il collo.

halve [hɑːv] vt (apple etc) dividere a metà; (expense) ridurre di metà.

halves [hɑːvz] npl of half.

ham [hæm] n prosciutto; (col: also: **radio ~**) radioamatore/trice; (also: **~ actor**) attore/trice senza talento.

Hamburg ['hæmbəːg] n Amburgo f.

hamburger ['hæmbəːgə*] n hamburger m inv.

ham-fisted ['hæm'fɪstɪd], (US) **ham-handed** ['hæm'hændɪd] adj maldestro(a).

hamlet ['hæmlɪt] n paesetto.

hammer ['hæmə*] n martello ♦ vt martellare; (fig) sconfiggere duramente ♦ vi (at door) picchiare; **to ~ a point home to sb** cacciare un'idea in testa a qn.

▶**hammer out** vt (metal) spianare (a martellate); (fig: solution, agreement) mettere a punto.

hammock ['hæmək] n amaca.

hamper ['hæmpə*] vt impedire ♦ n cesta.

hamster ['hæmstə*] n criceto.

hamstring ['hæmstrɪŋ] n (ANAT) tendine m del ginocchio.

hand [hænd] n mano f; (of clock) lancetta; (handwriting) scrittura; (at cards) mano; (: game) partita; (worker) operaio/a; (measurement: of horse) ≈ dieci centimetri ♦ vt dare, passare; **to give sb a ~** dare una mano a qn; **at ~** a portata di mano; **in ~** a disposizione; (work) in corso; **we have the matter in ~** ci stiamo occupando della cosa; **we have the situation in ~** abbiamo la situazione sotto controllo; **to be on ~** (person) essere disponibile; (emergency services) essere pronto(a) a intervenire; **to ~** (information etc) a portata di mano; **to force sb's ~** forzare la mano a qn; **to have a free ~** avere carta bianca; **to have in one's ~** (also fig) avere in mano or in pugno; **on the one ~ ..., on the other ~** da un lato ..., dall'altro.

▶**hand down** vt passare giù; (tradition, heirloom) tramandare; (US: sentence, verdict) emettere.

▶**hand in** vt consegnare.

▶**hand out** vt (leaflets) distribuire; (advice) elargire.

▶**hand over** vt passare; cedere.

▶**hand round** vt (BRIT: information, papers) far passare; (distribute: chocolates etc) far girare; (subj: hostess) offrire.

handbag ['hændbæg] n borsetta.

hand baggage n bagaglio a mano.

handball ['hændbɔːl] n pallamano f.

handbasin ['hændbeɪsn] n lavandino.

handbook ['hændbuk] n manuale m.

handbrake ['hændbreɪk] n freno a mano.

hand cream n crema per le mani.

handcuffs ['hændkʌfs] npl manette fpl.

handful ['hændful] n manciata, pugno.

hand-held ['hænd'hɛld] adj portatile.

handicap ['hændɪkæp] n handicap m inv ♦ vt handicappare; **to be mentally ~ped** essere un handicappato mentale; **to be physically ~ped** essere handicappato.

handicraft ['hændɪkrɑːft] n lavoro d'artigiano.

handiwork ['hændɪwəːk] n lavorazione f a mano; **this looks like his ~** (pej) qui c'è il suo zampino.

handkerchief ['hæŋkətʃɪf] n fazzoletto.

handle ['hændl] n (of door etc) maniglia; (of cup etc) ansa; (of knife etc) impugnatura; (of saucepan) manico; (for winding) manovella ♦ vt toccare, maneggiare; manovrare; (deal with) occuparsi di; (treat: people) trattare; "**~ with care**" "fragile".

handlebar(s) ['hændlbɑː(z)] n(pl) manubrio.

handling ['hændlɪŋ] n (AUT) maneggevolezza; (of issue) modo di affrontare.

handling charges npl commissione f per la prestazione; (for goods) spese fpl di trasporto; (BANKING) spese fpl bancarie.

hand-luggage ['hændlʌgɪdʒ] n bagagli mpl a mano.

handmade [hænd'meɪd] adj fatto(a) a mano; (biscuits etc) fatto(a) in casa.

handout ['hændaut] n (leaflet) volantino; (press ~) comunicato stampa.

hand-picked [hænd'pɪkt] adj (produce) scelto(a), selezionato(a); (staff etc) scelto(a).

handrail ['hændreɪl] n (on staircase etc) corrimano.

handset ['hændsɛt] n (TEL) ricevitore m.

handshake ['hændʃeɪk] n stretta di mano; (COMPUT) colloquio.

handsome ['hænsəm] adj bello(a); (reward) generoso(a); (profit, fortune) considerevole.

hands-on ['hændz'ɔn] adj: **~ experience** esperienza diretta or pratica.

handstand ['hændstænd] n: **to do a ~** fare

la verticale.

hand-to-mouth ['hændtə'mauθ] *adj* (*existence*) precario(a).

handwriting ['hændraɪtɪŋ] *n* scrittura.

handwritten ['hændrɪtn] *adj* scritto(a) a mano, manoscritto(a).

handy ['hændɪ] *adj* (*person*) bravo(a); (*close at hand*) a portata di mano; (*convenient*) comodo(a); (*useful: machine etc*) pratico(a), utile; **to come in** ~ servire.

handyman ['hændɪmæn] *n* tuttofare *m inv*; **tools for the** ~ arnesi per il fatelo-da-voi.

hang, *pt, pp* **hung** [hæŋ, hʌŋ] *vt* appendere; (*criminal: pt, pp* **hanged**) impiccare ♦ *vi* pendere; (*hair*) scendere; (*drapery*) cadere; **to get the** ~ **of (doing) sth** (*col*) cominiciare a capire (come si fa) qc.

▶**hang about** *vi* bighellonare, ciondolare.

▶**hang back** *vi* (*hesitate*): **to** ~ **back (from doing)** essere riluttante (a fare).

▶**hang on** *vi* (*wait*) aspettare ♦ *vt fus* (*depend on: decision etc*) dipendere da; **to** ~ **on to** (*keep hold of*) aggrapparsi a, attaccarsi a; (*keep*) tenere.

▶**hang out** *vt* (*washing*) stendere (fuori); (*col: live*) stare ♦ *vi* penzolare, pendere.

▶**hang together** *vi* (*argument etc*) stare in piedi.

▶**hang up** *vi* (*TEL*) riattaccare ♦ *vt* appendere; **to** ~ **up on sb** (*TEL*) metter giù il ricevitore a qn.

hangar ['hæŋə*] *n* hangar *m inv*.

hangdog ['hæŋdɒg] *adj* (*guilty: look, expression*) da cane bastonato.

hanger ['hæŋə*] *n* gruccia.

hanger-on [hæŋər'ɒn] *n* parassita *m*.

hang-glider ['hæŋglaɪdə*] *n* deltaplano.

hang-gliding ['hæŋglaɪdɪŋ] *n* volo col deltaplano.

hanging ['hæŋɪŋ] *n* (*execution*) impiccagione *f*.

hangman ['hæŋmən] *n* boia *m*, carnefice *m*.

hangover ['hæŋəʊvə*] *n* (*after drinking*) postumi *mpl* di sbornia.

hang-up ['hæŋʌp] *n* complesso *m*.

hank [hæŋk] *n* matassa.

hanker ['hæŋkə*] *vi*: **to** ~ **after** bramare.

hankering ['hæŋkərɪŋ] *n*: **to have a** ~ **for sth/to do sth** avere una gran voglia di qc/di fare qc.

hankie, hanky ['hæŋkɪ] *n abbr* = **handkerchief.**

Hants *abbr* (*BRIT*) = **Hampshire.**

haphazard [hæp'hæzəd] *adj* a casaccio, alla carlona.

hapless ['hæplɪs] *adj* disgraziato(a); (*unfortunate*) sventurato(a).

happen ['hæpən] *vi* accadere, succedere;

she ~**ed to be free** per caso era libera; **if anything** ~**ed to him** se dovesse succedergli qualcosa; **as it** ~**s** guarda caso; **what's** ~**ing?** cosa succede?, cosa sta succedendo?

▶**happen (up)on** *vt fus* capitare su.

happening ['hæpnɪŋ] *n* avvenimento.

happily ['hæpɪlɪ] *adv* felicemente; fortunatamente.

happiness ['hæpɪnɪs] *n* felicità, contentezza.

happy ['hæpɪ] *adj* felice, contento(a); ~ **with** (*arrangements etc*) soddisfatto(a) di; **yes, I'd be** ~ **to** (certo,) con piacere, (ben) volentieri; ~ **birthday!** buon compleanno!; ~ **Christmas/New Year!** buon Natale/anno!

happy-go-lucky ['hæpɪgəʊ'lʌkɪ] *adj* spensierato(a).

happy hour *n* orario in cui i pub hanno prezzi ridotti.

harangue [hə'ræŋ] *vt* arringare.

harass ['hærəs] *vt* molestare.

harassed ['hærəst] *adj* assillato(a).

harassment ['hærəsmənt] *n* molestia.

harbour, (*US*) **harbor** ['hɑːbə*] *n* porto ♦ *vt* dare rifugio a; (*retain: grudge etc*) covare, nutrire.

harbo(u)r dues *npl* diritti *mpl* portuali.

harbo(u)r master *n* capitano di porto.

hard [hɑːd] *adj* duro(a) ♦ *adv* (*work*) sodo; (*think, try*) bene; **to look** ~ **at** guardare fissamente; esaminare attentamente; **to drink** ~ bere forte; ~ **luck!** peccato!; **no** ~ **feelings!** senza rancore!; **to be** ~ **of hearing** essere duro(a) d'orecchio; **to be** ~ **on sb** essere severo con qn; **to be** ~ **done by** essere trattato(a) ingiustamente; **I find it** ~ **to believe that** ... stento *or* faccio fatica a credere che ... + *sub*.

hard-and-fast ['hɑːdən'fɑːst] *adj* ferreo(a).

hardback ['hɑːdbæk] *n* libro rilegato.

hardboard ['hɑːdbɔːd] *n* legno precompresso.

hard-boiled egg ['hɑːd'bɔɪld-] *n* uovo sodo.

hard cash *n* denaro in contanti.

hard copy *n* (*COMPUT*) hard copy *f inv*, terminale *m* di stampa.

hard-core ['hɑːd'kɔː*] *adj* (*pornography*) hardcore *inv*; (*supporters*) irriducibile.

hard court *n* (*TENNIS*) campo in terra battuta.

hard disk *n* (*COMPUT*) hard disk *m inv*, disco rigido.

harden ['hɑːdn] *vt* indurire; (*steel*) temprare; (*fig: determination*) rafforzare ♦ *vi* (*substance*) indurirsi.

hardened ['hɑːdnd] *adj* (*criminal*)
incallito(a); **to be ~ to sth** essere
(diventato) insensibile a qc.
hard graft *n*: **by sheer ~** lavorando da
matti.
hard-headed ['hɑːd'hɛdɪd] *adj* pratico(a).
hard-hearted ['hɑːd'hɑːtɪd] *adj* che non si
lascia commuovere, dal cuore duro.
hard-hitting ['hɑːd'hɪtɪŋ] *adj* molto duro(a);
a ~ documentary un documentario *m*
verità *inv.*
hard labour *n* lavori forzati *mpl.*
hardliner [hɑːd'laɪnə*] *n* fautore/trice della
linea dura.
hard-luck story [hɑːd'lʌk-] *n* storia
lacrimosa (*con un fine ben preciso*).
hardly ['hɑːdlɪ] *adv* (*scarcely*) appena, a
mala pena; **it's ~ the case** non è proprio il
caso; **~ anyone/anywhere** quasi
nessuno/da nessuna parte; **I can ~ believe
it** stento a crederci.
hardness ['hɑːdnɪs] *n* durezza.
hard-nosed ['hɑːd'nəuzd] *adj* (*people*) con i
piedi per terra.
hard-pressed ['hɑːd'prɛst] *adj* in difficoltà.
hard sell *n* (*COMM*) intensa campagna
promozionale.
hardship ['hɑːdʃɪp] *n* avversità *f inv*;
privazioni *fpl.*
hard shoulder *n* (*BRIT AUT*) corsia
d'emergenza.
hard-up [hɑːd'ʌp] *adj* (*col*) al verde.
hardware ['hɑːdwɛə*] *n* ferramenta *fpl*;
(*COMPUT*) hardware *m.*
hardware shop *n* (negozio di) ferramenta
fpl.
hard-wearing [hɑːd'wɛərɪŋ] *adj* resistente,
robusto(a).
hard-won ['hɑːd'wʌn] *adj* sudato(a).
hard-working [hɑːd'wɜːkɪŋ] *adj*
lavoratore(trice).
hardy ['hɑːdɪ] *adj* robusto(a); (*plant*)
resistente al gelo.
hare [hɛə*] *n* lepre *f.*
hare-brained ['hɛəbreɪnd] *adj* folle;
scervellato(a).
harelip ['hɛəlɪp] *n* (*MED*) labbro leporino.
harem [hɑː'riːm] *n* harem *m inv.*
hark back [hɑːk-] *vi*: **to ~ back to** (*former
days*) rievocare; (*earlier occasion*)
ritornare a o su.
harm [hɑːm] *n* male *m*; (*wrong*) danno ♦ *vt*
(*person*) fare male a; (*thing*) danneggiare;
to mean no ~ non avere l'intenzione
d'offendere; **out of ~'s way** al sicuro;
there's no ~ in trying tentar non nuoce.
harmful ['hɑːmful] *adj* dannoso(a).
harmless ['hɑːmlɪs] *adj* innocuo(a);

inoffensivo(a).
harmonic [hɑː'mɒnɪk] *adj* armonico(a).
harmonica [hɑː'mɒnɪkə] *n* armonica.
harmonics [hɑː'mɒnɪks] *npl* armonia.
harmonious [hɑː'məunɪəs] *adj*
armonioso(a).
harmonium [hɑː'məunɪəm] *n* armonium *m
inv.*
harmonize ['hɑːmənaɪz] *vt, vi* armonizzare.
harmony ['hɑːmənɪ] *n* armonia.
harness ['hɑːnɪs] *n* bardatura, finimenti *mpl*
♦ *vt* (*horse*) bardare; (*resources*) sfruttare.
harp [hɑːp] *n* arpa ♦ *vi*: **to ~ on about**
insistere tediosamente su.
harpist ['hɑːpɪst] *n* arpista *m/f.*
harpoon [hɑː'puːn] *n* arpione *m.*
harpsichord ['hɑːpsɪkɔːd] *n* clavicembalo.
harrow ['hærəu] *n* (*AGR*) erpice *m.*
harrowing ['hærəuɪŋ] *adj* straziante.
harry ['hærɪ] *vt* (*MIL*) saccheggiare; (*person*)
assillare.
harsh [hɑːʃ] *adj* (*hard*) duro(a); (*severe*)
severo(a); (*unpleasant: sound*) rauco(a);
(: *colour*) chiassoso(a); violento(a).
harshly ['hɑːʃlɪ] *adv* duramente;
severamente.
harshness ['hɑːʃnɪs] *n* durezza; severità.
harvest ['hɑːvɪst] *n* raccolto; (*of grapes*)
vendemmia ♦ *vt* fare il raccolto di,
raccogliere; vendemmiare ♦ *vi* fare il
raccolto; vendemmiare.
harvester ['hɑːvɪstə*] *n* (*machine*)
mietitrice *f*; (*also*: **combine ~**)
mietitrebbia; (*person*) mietitore/trice.
has [hæz] *see* **have.**
has-been ['hæzbiːn] *n* (*col: person*): **he's/
she's a ~** ha fatto il suo tempo.
hash [hæʃ] *n* (*CULIN*) specie di spezzatino
fatto con carne già cotta; (*fig: mess*)
pasticcio ♦ *n abbr* (*col*) = **hashish.**
hashish ['hæʃɪʃ] *n* hascisc *m.*
hasn't ['hæznt] = **has not.**
hassle ['hæsl] *n* (*col*) sacco di problemi.
haste [heɪst] *n* fretta.
hasten ['heɪsn] *vt* affrettare ♦ *vi* affrettarsi;
I ~ to add that ... mi preme di aggiungere
che ....
hastily ['heɪstɪlɪ] *adv* in fretta,
precipitosamente.
hasty ['heɪstɪ] *adj* affrettato(a),
precipitoso(a).
hat [hæt] *n* cappello.
hatbox ['hætbɒks] *n* cappelliera.
hatch [hætʃ] *n* (*NAUT: also*: **~way**)
boccaporto; (*BRIT: also*: **service ~**) portello
di servizio ♦ *vi* schiudersi ♦ *vt* covare; (*fig:
scheme, plot*) elaborare, mettere a punto.
hatchback ['hætʃbæk] *n* (*AUT*) tre (*or*

cinque) porte *f inv.*

hatchet ['hætʃɪt] *n* accetta.

hatchet job *n* (*col*) attacco spietato; **to do a ~ on sb** fare a pezzi qn.

hatchet man *n* (*col*) tirapiedi *m inv*, scagnozzo.

hate [heɪt] *vt* odiare, detestare ♦ *n* odio; **to ~ to do** *or* **doing** detestare fare; **I ~ to trouble you, but ...** mi dispiace disturbarla, ma ....

hateful ['heɪtful] *adj* odioso(a), detestabile.

hatred ['heɪtrɪd] *n* odio.

hat trick *n* (*BRIT SPORT, also fig*): **to get a ~** segnare tre punti consecutivi (*or* vincere per tre volte consecutive).

haughty ['hɔːtɪ] *adj* altero(a), arrogante.

haul [hɔːl] *vt* trascinare, tirare ♦ *n* (*of fish*) pescata; (*of stolen goods etc*) bottino.

haulage ['hɔːlɪdʒ] *n* trasporto; autotrasporto.

haulage contractor *n* (*BRIT: firm*) impresa di trasporti; (: *person*) autotrasportatore *m.*

haulier ['hɔːlɪə*], (*US*) **hauler** ['hɔːlə*] *n* autotrasportatore *m.*

haunch [hɔːntʃ] *n* anca; **a ~ of venison** una coscia di cervo.

haunt [hɔːnt] *vt* (*subj: fear*) pervadere; (: *person*) frequentare ♦ *n* rifugio; **a ghost ~s this house** questa casa è abitata da un fantasma.

haunted ['hɔːntɪd] *adj* (*castle etc*) abitato(a) dai fantasmi *or* dagli spiriti; (*look*) ossessionato(a), tormentato(a).

haunting ['hɔːntɪŋ] *adj* (*sight, music*) ossessionante, che perseguita.

Havana [hə'vænə] *n* l'Avana.

═══════════════════ *KEYWORD*

have [hæv] (*pt, pp* **had**) *aux vb* **1** (*gen*) avere; essere; **to ~ arrived/gone** essere arrivato(a)/andato(a); **to ~ eaten/slept** avere mangiato/dormito; **he has been kind/promoted** è stato gentile/promosso; **having finished** *or* **when he had finished, he left** dopo aver finito, se n'è andato

2 (*in tag questions*): **you've done it, ~n't you?** l'hai fatto, (non è) vero?; **he hasn't done it, has he?** non l'ha fatto, vero?

3 (*in short answers and questions*): **you've made a mistake — no I ~n't/so I ~** ha fatto un errore — ma no, niente affatto/ sì, è vero; **we ~n't paid — yes we ~!** non abbiamo pagato — ma sì che abbiamo pagato!; **I've been there before, ~ you?** ci sono già stato, e lei?

♦ *modal aux vb* (*be obliged*): **to ~ (got) to do sth** dover fare qc; **I ~n't got** *or* **I don't ~**

to wear glasses non ho bisogno di portare gli occhiali; **I had better leave** è meglio che io vada

♦ *vt* **1** (*possess, obtain*) avere; **he has (got) blue eyes/dark hair** ha gli occhi azzurri/i capelli scuri; **~ you got** *or* **do you ~ a car/phone?** ha la macchina/il telefono?; **may I ~ your address?** potrebbe darmi il suo indirizzo?; **you can ~ it for £5** te lo do per 5 sterline

2 (*+noun: take, hold etc*): **to ~ a bath** fare un bagno; **to ~ breakfast** fare colazione; **to ~ a cigarette** fumare una sigaretta; **to ~ a drink** bere qualcosa; **to ~ lunch** pranzare; **to ~ a party** dare *or* fare una festa; **to ~ an operation** avere *or* subire un'operazione; **to ~ a swim** fare una nuotata; **I'll ~ a coffee** prendo un caffè; **let me ~ a try** fammi *or* lasciami provare

3: **to ~ sth done** far fare qc; **to ~ one's hair cut** tagliarsi *or* farsi tagliare i capelli; **he had a suit made** si fece fare un abito; **to ~ sb do sth** far fare qc a qn; **he had me phone his boss** mi ha fatto telefonare al suo capo

4 (*experience, suffer*) avere; **to ~ a cold/ flu** avere il raffreddore/l'influenza; **she had her bag stolen** le hanno rubato la borsa

5 (*phrases*): **you've been had!** ci sei cascato!; **I won't ~ it!** (*accept*) non mi sta affatto bene!; *see also* **haves**

▶**have in** *vt*: **to ~ it in for sb** (*col*) avercela con qn

▶**have on** *vt* (*garment*) avere addosso; (*be busy with*) avere da fare; **I don't ~ any money on me** non ho soldi con me; **~ you anything on tomorrow?** (*BRIT*) ha qualcosa in programma per domani?; **to ~ sb on** (*BRIT col*) prendere in giro qn

▶**have out** *vt*: **to ~ it out with sb** (*settle a problem etc*) mettere le cose in chiaro con qn.

haven ['heɪvn] *n* porto; (*fig*) rifugio.

haversack ['hævəsæk] *n* zaino.

haves [hævz] *npl* (*col*): **the ~ and the have- nots** gli abbienti e i non abbienti.

havoc ['hævək] *n* confusione *f*, subbuglio; **to play ~ with sth** scombussolare qc; **to wreak ~ on sth** mettere in subbuglio qc.

Hawaii [hə'waɪiː] *n* le Hawaii.

Hawaiian [hə'waɪjən] *adj* hawaiano(a) ♦ *n* hawaiano/a; (*LING*) lingua hawaiana.

hawk [hɔːk] *n* falco ♦ *vt* (*goods for sale*) vendere per strada.

hawker ['hɔːkə*] *n* venditore *m* ambulante.

hawkish ['hɔːkɪʃ] *adj* violento(a).
hawthorn ['hɔːθɔːn] *n* biancospino.
hay [heɪ] *n* fieno.
hay fever *n* febbre *f* da fieno.
haystack ['heɪstæk] *n* pagliaio.
haywire ['heɪwaɪə*] *adj* (*col*): **to go** ~
perdere la testa; impazzire.
hazard ['hæzəd] *n* (*chance*) azzardo; (*risk*)
pericolo, rischio ♦ *vt* (*one's life*) rischiare,
mettere a repentaglio; (*remark*)
azzardare; **to be a health/fire** ~ essere
pericoloso per la salute/in caso
d'incendio; **to** ~ **a guess** tirare a
indovinare.
hazardous ['hæzədəs] *adj* pericoloso(a),
rischioso(a).
hazard pay *n* (*US*) indennità di rischio.
hazard warning lights *npl* (*AUT*) luci *fpl* di
emergenza.
haze [heɪz] *n* foschia.
hazel ['heɪzl] *n* (*tree*) nocciolo ♦ *adj* (*eyes*)
(*color*) nocciola *inv*.
hazelnut ['heɪzlnʌt] *n* nocciola.
hazy ['heɪzɪ] *adj* fosco(a); (*idea*) vago(a);
(*photograph*) indistinto(a).
H-bomb ['eɪtʃbɔm] *n* bomba H.
h & c *abbr* (*BRIT*) = *hot and cold* (*water*).
HE *abbr* = *high explosive*; (*REL, DIPLOMACY:* =
His (*or Her*) *Excellency*) S.E.
he [hiː] *pron* lui, egli; **it is** ~ **who** ... è lui che
...; **here** ~ **is** eccolo; ~**-bear** *etc* orso *etc*
maschio.
head [hɛd] *n* testa, capo; (*leader*) capo; (*on
tape recorder, computer etc*) testina ♦ *vt*
(*list*) essere in testa a; (*group*) essere a
capo di; ~**s** (**or tails**) testa (o croce), pari
(o dispari); ~ **first** a capofitto; ~ **over
heels in love** pazzamente innamorato(a);
£10 a *or* **per** ~ 10 sterline a testa; **to sit at
the** ~ **of the table** sedersi a capotavola;
to have a ~ **for business** essere tagliato
per gli affari; **to have no** ~ **for heights**
soffrire di vertigini; **to lose/keep one's** ~
perdere/non perdere la testa; **to come to
a** ~ (*fig: situation etc*) precipitare; **to** ~ **the
ball** (*SPORT*) dare di testa alla palla.
►**head for** *vt fus* dirigersi verso.
►**head off** *vt* (*threat, danger*) sventare.
headache ['hɛdeɪk] *n* mal *m* di testa; **to
have a** ~ aver mal di testa.
headband ['hɛdbænd] *n* fascia per i capelli.
headboard ['hɛdbɔːd] *n* testiera (del letto).
head cold *n* raffreddore *m* di testa.
headdress ['hɛddrɛs] *n* (*of Indian etc*)
copricapo; (*of bride*) acconciatura.
headed notepaper ['hɛdɪd-] *n* carta
intestata.
header ['hɛdə*] *n* (*BRIT col: FOOTBALL*) colpo

di testa; (: *fall*) caduta di testa.
head-first ['hɛd'fəːst] *adv* a testa in giù;
(*fig*) senza pensare.
headhunt ['hɛdhʌnt] *vt*: **to be** ~**ed** avere
un'offerta di lavoro da un cacciatore di
teste.
headhunter ['hɛdhʌntə*] *n* cacciatore *m* di
teste.
heading ['hɛdɪŋ] *n* titolo; intestazione *f*.
headlamp ['hɛdlæmp] *n* (*BRIT*) = **headlight**.
headland ['hɛdlənd] *n* promontorio.
headlight ['hɛdlaɪt] *n* fanale *m*.
headline ['hɛdlaɪn] *n* titolo.
headlong ['hɛdlɔŋ] *adv* (*fall*) a capofitto;
(*rush*) precipitosamente.
headmaster [hɛd'maːstə*] *n* preside *m*.
headmistress [hɛd'mɪstrɪs] *n* preside *f*.
head office *n* sede *f* (centrale).
head-on [hɛd'ɔn] *adj* (*collision*) frontale.
headphones ['hɛdfəunz] *npl* cuffia.
headquarters (HQ) [hɛd'kwɔːtəz] *npl*
ufficio centrale; (*MIL*) quartiere *m*
generale.
head-rest ['hɛdrɛst] *n* poggiacapo.
headroom ['hɛdrum] *n* (*in car*) altezza
dell'abitacolo; (*under bridge*) altezza
limite.
headscarf ['hɛdskaːf] *n* foulard *m inv*.
headset ['hɛdsɛt] *n* = **headphones**.
headstone ['hɛdstəun] *n* (*on grave*) lapide *f*,
pietra tombale.
headstrong ['hɛdstrɔŋ] *adj* testardo(a).
head waiter *n* capocameriere *m*.
headway ['hɛdweɪ] *n*: **to make** ~ fare
progressi *or* passi avanti.
headwind ['hɛdwɪnd] *n* controvento.
heady ['hɛdɪ] *adj* che dà alla testa;
inebriante.
heal [hiːl] *vt, vi* guarire.
health [hɛlθ] *n* salute *f*; **Department of H**~
≈ Ministero della Sanità.
health care *n* assistenza sanitaria.
health centre *n* (*BRIT*) poliambulatorio.
health food(s) *n(pl)* alimenti *mpl* integrali.
health hazard *n* pericolo per la salute.
Health Service *n*: **the** ~ (*BRIT*) ≈ il
Servizio Sanitario Statale.
healthy ['hɛlθɪ] *adj* (*person*) in buona salute;
(*climate*) salubre; (*food*) salutare; (*attitude
etc*) sano(a); (*economy*) florido(a); (*bank
balance*) solido(a).
heap [hiːp] *n* mucchio ♦ *vt* ammucchiare;
~**s (of)** (*col: lots*) un sacco (di), un
mucchio (di); **to** ~ **favours/praise/gifts**
etc **on sb** ricolmare qn di favori/lodi/
regali *etc*.
hear, *pt, pp* **heard** [hɪə*, həːd] *vt* sentire;
(*news*) ascoltare; (*lecture*) assistere a;

(*LAW: case*) esaminare ♦ *vi* sentire; **to ~ about** sentire parlare di; (*have news of*) avere notizie di; **did you ~ about the move?** ha sentito del trasloco?; **to ~ from sb** ricevere notizie da qn.

►**hear out** *vt* ascoltare senza interrompere.

hearing ['hɪərɪŋ] *n* (*sense*) udito; (*of witnesses*) audizione *f*; (*of a case*) udienza; **to give sb a ~** dare ascolto a qn.

hearing aid *n* apparecchio acustico.

hearsay ['hɪəseɪ] *n* dicerie *fpl*, chiacchiere *fpl*; **by ~** *adv* per sentito dire.

hearse [hɜːs] *n* carro funebre.

heart [hɑːt] *n* cuore *m*; **~s** *npl* (*CARDS*) cuori *mpl*; **at ~** in fondo; **by ~** (*learn, know*) a memoria; **to take ~** farsi coraggio *or* animo; **to lose ~** perdere coraggio, scoraggiarsi; **to have a weak ~** avere il cuore debole; **to set one's ~ on sth/on doing sth** tenere molto a qc/a fare qc; **the ~ of the matter** il nocciolo della questione.

heartache ['hɑːteɪk] *n* pene *fpl*, dolori *mpl*.

heart attack *n* attacco di cuore.

heartbeat ['hɑːtbiːt] *n* battito del cuore.

heartbreak ['hɑːtbreɪk] *n* immenso dolore *m*.

heartbreaking ['hɑːtbreɪkɪŋ] *adj* straziante.

heartbroken ['hɑːtbrəukən] *adj* affranto(a); **to be ~** avere il cuore spezzato.

heartburn ['hɑːtbɜːn] *n* bruciore *m* di stomaco.

-hearted ['hɑːtɪd] *suffix*: **a kind~ person** una persona molto gentile.

heartening ['hɑːtnɪŋ] *adj* incoraggiante.

heart failure *n* (*MED*) arresto cardiaco.

heartfelt ['hɑːtfɛlt] *adj* sincero(a).

hearth [hɑːθ] *n* focolare *m*.

heartily ['hɑːtɪlɪ] *adv* (*laugh*) di cuore; (*eat*) di buon appetito; (*agree*) in pieno, completamente; **to be ~ sick of** (*BRIT*) essere veramente stufo di, essere arcistufo di.

heartland ['hɑːtlænd] *n* zona centrale; **Italy's industrial ~** il cuore dell'industria italiana.

heartless ['hɑːtlɪs] *adj* senza cuore, insensibile; crudele.

heartstrings ['hɑːtstrɪŋz] *npl*: **to tug at sb's ~** toccare il cuore a qn, toccare qn nel profondo.

heart-throb ['hɑːtθrɔb] *n* rubacuori *m inv*.

heart-to-heart ['hɑːttə'hɑːt] *adj, adv* a cuore aperto.

heart transplant *n* trapianto del cuore.

heartwarming ['hɑːtwɔːmɪŋ] *adj* confortante, che scalda il cuore.

hearty ['hɑːtɪ] *adj* caloroso(a); robusto(a); sano(a); vigoroso(a).

heat [hiːt] *n* calore *m*; (*fig*) ardore *m*; fuoco; (*SPORT: also:* **qualifying ~**) prova eliminatoria; (*ZOOL*): **in** *or* (*BRIT*) **on ~** in calore ♦ *vt* scaldare.

►**heat up** *vi* (*liquids*) scaldarsi; (*room*) riscaldarsi ♦ *vt* riscaldare.

heated ['hiːtɪd] *adj* riscaldato(a); (*fig*) appassionato(a); acceso(a), eccitato(a).

heater ['hiːtə*] *n* stufa; radiatore *m*.

heath [hiːθ] *n* (*BRIT*) landa.

heathen ['hiːðn] *adj, n* pagano(a).

heather ['hɛðə*] *n* erica.

heating ['hiːtɪŋ] *n* riscaldamento.

heat-resistant ['hiːtrɪzɪstənt] *adj* termoresistente.

heat-seeking ['hiːtsiːkɪŋ] *adj* che cerca fonti di calore.

heatstroke ['hiːtstrəuk] *n* colpo di sole.

heatwave ['hiːtweɪv] *n* ondata di caldo.

heave [hiːv] *vt* sollevare (con forza) ♦ *vi* sollevarsi ♦ *n* (*push*) grande spinta; **to ~ a sigh** emettere *or* mandare un sospiro.

►**heave to** (*pt, pp* **hove**) *vi* (*NAUT*) mettersi in cappa.

heaven ['hɛvn] *n* paradiso, cielo; **~ forbid!** Dio ce ne guardi!; **for ~'s sake!** (*pleading*) per amor del cielo!, per carità!; (*protesting*) santo cielo!, in nome del cielo!; **thank ~!** grazie al cielo!

heavenly ['hɛvnlɪ] *adj* divino(a), celeste.

heavily ['hɛvɪlɪ] *adv* pesantemente; (*drink, smoke*) molto.

heavy ['hɛvɪ] *adj* pesante; (*sea*) grosso(a); (*rain*) forte; (*drinker, smoker*) gran (*before noun*); **it's ~ going** è una gran fatica; **~ industry** industria pesante.

heavy cream *n* (*US*) doppia panna.

heavy-duty ['hɛvɪ'djuːtɪ] *adj* molto resistente.

heavy goods vehicle (HGV) *n* (*BRIT*) veicolo per trasporti pesanti.

heavy-handed ['hɛvɪ'hændɪd] *adj* (*clumsy, tactless*) pesante.

heavy metal *n* (*MUS*) heavy metal *m*.

heavy-set ['hɛvɪ'sɛt] *adj* (*esp US*) tarchiato(a).

heavyweight ['hɛvɪweɪt] *n* (*SPORT*) peso massimo.

Hebrew ['hiːbruː] *adj* ebreo(a) ♦ *n* (*LING*) ebraico.

Hebrides ['hɛbrɪdiːz] *npl*: **the ~** le Ebridi.

heck [hɛk] (*col*) *excl*: **oh ~!** oh no! ♦ *n*: **a ~ of a lot of** un gran bel po' di.

heckle ['hɛkl] *vt* interpellare e dare noia a (*un oratore*).

heckler ['hɛklə*] *n* agitatore/trice.

hectare ['hɛktɑː*] n (BRIT) ettaro.
hectic ['hɛktɪk] adj movimentato(a); (busy) frenetico(a).
hector ['hɛktə*] vt usare le maniere forti con.
he'd [hiːd] = he would; he had.
hedge [hɛdʒ] n siepe f ♦ vi essere elusivo(a); as a ~ against inflation per cautelarsi contro l'inflazione; to ~ one's bets (fig) coprirsi dai rischi.
►**hedge in** vt recintare con una siepe.
hedgehog ['hɛdʒhɒg] n riccio.
hedgerow ['hɛdʒrəu] n siepe f.
hedonism ['hiːdənɪzəm] n edonismo.
heed [hiːd] vt (also: take ~ of) badare a, far conto di ♦ n: to pay (no) ~ to, to take (no) ~ of (non) ascoltare, (non) tener conto di.
heedless ['hiːdlɪs] adj sbadato(a).
heel [hiːl] n (ANAT) calcagno; (of shoe) tacco ♦ vt (shoe) rifare i tacchi a; to bring to ~ addomesticare; to take to one's ~s (col) darsela a gambe, alzare i tacchi.
hefty ['hɛftɪ] adj (person) solido(a); (parcel) pesante; (piece, price) grosso(a).
heifer ['hɛfə*] n giovenca.
height [haɪt] n altezza; (high ground) altura; (fig: of glory) apice m; (: of stupidity) colmo; what ~ are you? quanto sei alto?; of average ~ di statura media; to be afraid of ~s soffrire di vertigini; it's the ~ of fashion è l'ultimo grido della moda.
heighten ['haɪtn] vt innalzare; (fig) accrescere.
heinous ['heɪnəs] adj nefando(a), atroce.
heir [ɛə*] n erede m.
heir apparent n erede m/f legittimo(a).
heiress ['ɛərɛs] n erede f.
heirloom ['ɛəluːm] n mobile m (or gioiello or quadro) di famiglia.
heist [haɪst] n (US col) rapina.
held [hɛld] pt, pp of hold.
helicopter ['hɛlɪkɒptə*] n elicottero.
heliport ['hɛlɪpɔːt] n eliporto.
helium ['hiːlɪəm] n elio.
hell [hɛl] n inferno; a ~ of a ... (col) un(a) maledetto(a) ...; oh ~! (col) porca miseria!, accidenti!
he'll [hiːl] = he will, he shall.
hell-bent [hɛl'bɛnt] adj (col): to be ~ on doing sth voler fare qc a tutti i costi.
hellish ['hɛlɪʃ] adj infernale.
hello [hə'ləu] excl buon giorno!; ciao! (to sb one addresses as "tu"); (surprise) ma guarda!
helm [hɛlm] n (NAUT) timone m.
helmet ['hɛlmɪt] n casco.
helmsman ['hɛlmzmən] n timoniere m.
help [hɛlp] n aiuto; (charwoman) donna di servizio; (assistant etc) impiegato/a ♦ vt aiutare; ~! aiuto!; with the ~ of con l'aiuto di; to be of ~ to sb essere di aiuto or essere utile a qn; to ~ sb (to) do sth aiutare qn a far qc; can I ~ you? (in shop) desidera?; ~ yourself (to bread) si serva (del pane); I can't ~ saying non posso evitare di dire; he can't ~ it non ci può far niente.
helper ['hɛlpə*] n aiutante m/f, assistente m/f.
helpful ['hɛlpful] adj di grande aiuto; (useful) utile.
helping ['hɛlpɪŋ] n porzione f.
helping hand n: to give sb a ~ dare una mano a qn.
helpless ['hɛlplɪs] adj impotente; debole; (baby) indifeso(a).
helplessly ['hɛlplɪslɪ] adv (watch) senza poter fare nulla.
helpline ['hɛlplaɪn] n ≈ telefono amico; (COMM) servizio m informazioni inv (a pagamento).
Helsinki ['hɛlsɪŋkɪ] n Helsinki f.
helter-skelter ['hɛltə'skɛltə*] n (BRIT: in funfair) scivolo (a spirale).
hem [hɛm] n orlo ♦ vt fare l'orlo a.
►**hem in** vt cingere; to feel ~med in (fig) sentirsi soffocare.
he-man ['hiːmæn] n (col) fusto.
hematology [hiːmə'tɔlədʒɪ] n (US) = haematology.
hemisphere ['hɛmɪsfɪə*] n emisfero.
hemlock ['hɛmlɔk] n cicuta.
hemoglobin [hiːməu'gləubɪn] n (US) = haemoglobin.
hemophilia [hiːməu'fɪlɪə] n (US) = haemophilia.
hemorrhage n (US) = haemorrhage.
hemorrhoids ['hɛmərɔɪdz] npl (US) = haemorrhoids.
hemp [hɛmp] n canapa.
hen [hɛn] n gallina; (female bird) femmina.
hence [hɛns] adv (therefore) dunque; 2 years ~ di qui a 2 anni.
henceforth [hɛns'fɔːθ] adv d'ora in poi.
henchman ['hɛntʃmən] n (pej) caudatario.
henna ['hɛnə] n henna.
hen night n (col) addio al nubilato.
hen party n (col) festa di sole donne.
henpecked ['hɛnpɛkt] adj dominato dalla moglie.
hepatitis [hɛpə'taɪtɪs] n epatite f.
her [həː*] pron (direct) la, l' + vowel; (indirect) le; (stressed, after prep) lei; see note at she ♦ adj il(la) suo(a), i(le) suoi(sue); I see ~ la vedo; give ~ a book le dia un libro; after ~ dopo (di)

lei.
herald ['hɛrəld] n araldo ♦ vt annunciare.
heraldic [hɛ'rældɪk] adj araldico(a).
heraldry ['hɛrəldrɪ] n araldica.
herb [hə:b] n erba; ~**s** npl (*CULIN*) erbette
fpl.
herbaceous [hə:'beɪʃəs] adj erbaceo(a).
herbal ['hə:bəl] adj di erbe; ~ **tea** tisana.
herbicide ['hə:bɪsaɪd] n erbicida m.
herd [hə:d] n mandria; (*of wild animals,
swine*) branco ♦ vt (*drive, gather. animals*)
guidare; (: *people*) radunare; ~**ed
together** ammassati (come bestie).
here [hɪə*] adv qui, qua ♦ excl ehi!; ~! (*at roll
call*) presente!; ~ **is**, ~ **are** ecco; ~'**s my
sister** ecco mia sorella; ~ **she is** eccola; ~
she comes eccola che viene; **come** ~!
vieni qui!; ~ **and there** qua e là.
hereabouts ['hɪərəbauts] adv da queste
parti.
hereafter [hɪər'ɑ:ftə*] adv in futuro; dopo
questo ♦ n: **the** ~ l'al di là m.
hereby [hɪə'baɪ] adv (*in letter*) con la
presente.
hereditary [hɪ'rɛdɪtrɪ] adj ereditario(a).
heredity [hɪ'rɛdɪtɪ] n eredità.
heresy ['hɛrəsɪ] n eresia.
heretic ['hɛrətɪk] n eretico/a.
heretical [hɪ'rɛtɪkl] adj eretico(a).
herewith [hɪə'wɪð] adv qui accluso.
heritage ['hɛrɪtɪdʒ] n eredità; (*of country,
nation*) retaggio; **our national** ~ il nostro
patrimonio nazionale.
hermetically [hə:'mɛtɪklɪ] adv
ermeticamente; ~ **sealed** ermeticamente
chiuso.
hermit ['hə:mɪt] n eremita m.
hernia ['hə:nɪə] n ernia.
hero, ~**es** ['hɪərəu] n eroe m.
heroic [hɪ'rəuɪk] adj eroico(a).
heroin ['hɛrəuɪn] n eroina (*droga*).
heroin addict n eroinomane m/f.
heroine ['hɛrəuɪn] n eroina (*donna*).
heroism ['hɛrəuɪzəm] n eroismo.
heron ['hɛrən] n airone m.
hero worship n divismo.
herring ['hɛrɪŋ] n aringa.
hers [hə:z] pron il(la) suo(a), i(le) suoi(sue);
a friend of ~ un suo amico; **this is** ~
questo è (il) suo.
herself [hə:'sɛlf] pron (*reflexive*) si;
(*emphatic*) lei stessa; (*after prep*) se stessa,
sé.
Herts abbr (*BRIT*) = Hertfordshire.
he's [hi:z] = **he is; he has.**
hesitant ['hɛzɪtənt] adj esitante,
indeciso(a); **to be** ~ **about doing sth**
esitare a fare qc.

hesitate ['hɛzɪteɪt] vi: **to** ~ (**about/to do**)
esitare (su/a fare); **don't** ~ **to ask (me)**
non aver timore or paura di chiedermelo.
hesitation [hɛzɪ'teɪʃən] n esitazione f; **I
have no** ~ **in saying (that)** ... non esito a
dire che ....
hessian ['hɛsɪən] n tela di canapa.
heterogeneous [hɛtərəu'dʒi:nɪəs] adj
eterogeneo(a).
heterosexual [hɛtərəu'sɛksjuəl] adj, n
eterosessuale (m/f).
het up [hɛt'ʌp] adj agitato(a).
HEW n abbr (*US*: = Department of Health,
Education and Welfare) ministero della
sanità, della pubblica istruzione e della
previdenza sociale.
hew [hju:] vt tagliare (con l'accetta).
hex [hɛks] (*US*) n stregoneria ♦ vt stregare.
hexagon ['hɛksəgən] n esagono.
hexagonal [hɛk'sægənl] adj esagonale.
hey [heɪ] excl ehi!
heyday ['heɪdeɪ] n: **the** ~ **of** i bei giorni di,
l'età d'oro di.
HF n abbr (= high frequency) AF.
HGV n abbr see **heavy goods vehicle.**
HI abbr (*US*) = Hawaii.
hi [haɪ] excl ciao!
hiatus [haɪ'eɪtəs] n vuoto; (*LING*) iato.
hibernate ['haɪbəneɪt] vi ibernare.
hibernation [haɪbə'neɪʃən] n letargo,
ibernazione f.
hiccough, hiccup ['hɪkʌp] vi singhiozzare
♦ n singhiozzo; **to have (the)** ~**s** avere il
singhiozzo.
hick [hɪk] n (*US col*) buzzurro/a.
hid [hɪd] pt of **hide.**
hidden ['hɪdn] pp of **hide** ♦ adj nascosto(a);
there are no ~ **extras** è veramente tutto
compreso nel prezzo; ~ **agenda**
programma m occulto.
hide [haɪd] n (*skin*) pelle f ♦ vb (pt **hid**, pp
hidden [hɪd, 'hɪdn]) vt: **to** ~ **sth (from sb)**
nascondere qc (a qn) ♦ vi: **to** ~ (**from sb**)
nascondersi (da qn).
hide-and-seek ['haɪdən'si:k] n rimpiattino.
hideaway ['haɪdəweɪ] n nascondiglio.
hideous ['hɪdɪəs] adj laido(a); orribile.
hide-out ['haɪdaut] n nascondiglio.
hiding ['haɪdɪŋ] n (*beating*) bastonata; **to be
in** ~ (*concealed*) tenersi nascosto(a).
hiding place n nascondiglio.
hierarchy ['haɪərɑ:kɪ] n gerarchia.
hieroglyphic [haɪərə'glɪfɪk] adj
geroglifico(a); ~**s** npl geroglifici mpl.
hi-fi ['haɪ'faɪ] adj, n abbr (= high fidelity) hi-fi
(m) inv.
higgledy-piggledy ['hɪgldɪ'pɪgldɪ] adv alla
rinfusa.

high [haɪ] *adj* alto(a); (*speed, respect, number*) grande; (*wind*) forte; (*BRIT CULIN: meat, game*) frollato(a); (: *spoilt*) andato(a) a male; (*col: on drugs*) fatto(a); (: *on drink*) su di giri ♦ *adv* alto, in alto ♦ *n*: **exports have reached a new** ~ le esportazioni hanno toccato un nuovo record; **20m** ~ alto(a) 20m; **to pay a** ~ **price for sth** pagare (molto) caro qc.

highball ['haɪbɔːl] *n* (*US: drink*) whisky (*or* brandy) e soda con ghiaccio.

highboy ['haɪbɔɪ] *n* (*US*) cassettone *m*.

highbrow ['haɪbrau] *adj, n* intellettuale (*m/f*).

highchair ['haɪtʃeə*] *n* seggiolone *m*.

high-class ['haɪ'klɑːs] *adj* (*neighbourhood*) elegante; (*hotel*) di prim'ordine; (*person*) di gran classe; (*food*) raffinato(a).

High Court *n* alta corte *f*.

Nel sistema legale inglese e gallese, la **High Court** e la **Court of Appeal** compongono la **Supreme Court of Judicature**. In Scozia, invece, la High Court è la corte che si occupa dei reati più gravi e corrisponde alla **crown court** inglese.

higher ['haɪə*] *adj* (*form of life, study etc*) superiore ♦ *adv* più in alto, più in su.

higher education *n* istruzione *f* superiore, istruzione universitaria.

highfalutin [haɪfə'luːtɪn] *adj* (*col*) pretenzioso(a).

high finance *n* alta finanza.

high-flier, high-flyer [haɪ'flaɪə*] *n* (giovane) promessa (*fig*).

high-flying [haɪ'flaɪɪŋ] *adj* (*fig*) promettente.

high-handed [haɪ'hændɪd] *adj* prepotente.

high-heeled [haɪ'hiːld] *adj* a tacchi alti.

highjack ['haɪdʒæk] *vt, n* = **hijack**.

high jump *n* (*SPORT*) salto in alto.

highlands ['haɪləndz] *npl* zona montuosa; **the H~** le Highlands scozzesi.

high-level ['haɪlɛvl] *adj* (*talks etc, COMPUT*) ad alto livello.

highlight ['haɪlaɪt] *n* (*fig: of event*) momento culminante ♦ *vt* mettere in evidenza; ~**s** *npl* (*in hair*) colpi *mpl* di sole.

highlighter ['haɪlaɪtə*] *n* (*pen*) evidenziatore *m*.

highly ['haɪlɪ] *adv* molto; ~ **paid** pagato molto bene; **to speak** ~ **of** parlare molto bene di.

highly-strung ['haɪlɪ'strʌŋ] *adj* teso(a) di nervi, eccitabile.

High Mass *n* messa cantata *or* solenne.

highness ['haɪnɪs] *n* altezza; **Her H~** Sua Altezza.

high-pitched [haɪ'pɪtʃt] *adj* acuto(a).

high point *n*: **the** ~ il momento più importante.

high-powered ['haɪ'pauəd] *adj* (*engine*) molto potente, ad alta potenza; (*fig: person*) di prestigio.

high-pressure ['haɪprɛʃə*] *adj* ad alta pressione; (*fig*) aggressivo(a).

high-rise block ['haɪraɪz-] *n* palazzone *m*.

high school *n* (*BRIT*) scuola secondaria; (*US*) istituto d'istruzione secondaria.

Negli Stati Uniti la **high school** è un istituto di istruzione secondaria. Si suddivide in junior high school (dal settimo al nono anno di corso) e senior high school (dal decimo al dodicesimo), dove vengono impartiti sia insegnamenti accademici che di formazione professionale. In Gran Bretagna molte scuole secondarie si chiamano high school; vedi anche **elementary school**.

high season *n* (*BRIT*) alta stagione.

high spirits *npl* buonumore *m*, euforia; **to be in** ~ essere euforico(a).

high street *n* (*BRIT*) strada principale.

highway ['haɪweɪ] *n* strada maestra; **the information** ~ l'autostrada telematica.

Highway Code *n* (*BRIT*) codice *m* della strada.

highwayman ['haɪweɪmən] *n* bandito.

hijack ['haɪdʒæk] *vt* dirottare ♦ *n* dirottamento; (*also*: ~**ing**) pirateria aerea.

hijacker ['haɪdʒækə*] *n* dirottatore/trice.

hike [haɪk] *vi* fare un'escursione a piedi ♦ *n* escursione *f* a piedi; (*col: in prices etc*) aumento ♦ *vt* (*col*) aumentare.

hiker ['haɪkə*] *n* escursionista *m/f*.

hiking ['haɪkɪŋ] *n* escursioni *fpl* a piedi.

hilarious [hɪ'lɛərɪəs] *adj* che fa schiantare dal ridere.

hilarity [hɪ'lærɪtɪ] *n* ilarità.

hill [hɪl] *n* collina, colle *m*; (*fairly high*) montagna; (*on road*) salita.

hillbilly ['hɪlbɪlɪ] *n* (*US*) montanaro/a dal sud degli Stati Uniti; (*pej*) zotico/a.

hillock ['hɪlək] *n* collinetta, poggio.

hillside ['hɪlsaɪd] *n* fianco della collina.

hill start *n* (*AUT*) partenza in salita.

hilly ['hɪlɪ] *adj* collinoso(a); montagnoso(a).

hilt [hɪlt] *n* (*of sword*) elsa; **to the** ~ (*fig: support*) fino in fondo.

him [hɪm] *pron* (*direct*) lo, l' + *vowel*; (*indirect*) gli; (*stressed, after prep*) lui; **I see** ~ lo vedo; **give** ~ **a book** gli dia un libro; **after** ~ dopo (di) lui.

Himalayas [hɪmə'leɪəz] *npl:* **the ~** l'Himalaia *m.*

himself [hɪm'sɛlf] *pron* (*reflexive*) si; (*emphatic*) lui stesso; (*after prep*) se stesso, sé.

hind [haɪnd] *adj* posteriore ♦ *n* cerva.

hinder ['hɪndə*] *vt* ostacolare; (*delay*) tardare; (*prevent*): **to ~ sb from doing** impedire a qn di fare.

hindquarters ['haɪndkwɔːtəz] *npl* (*ZOOL*) posteriore *m.*

hindrance ['hɪndrəns] *n* ostacolo, impedimento.

hindsight ['haɪndsaɪt] *n* senno di poi; **with the benefit of ~** con il senno di poi.

Hindu ['hɪnduː] *n* indù *m/f inv.*

hinge [hɪndʒ] *n* cardine *m* ♦ *vi* (*fig*): **to ~ on** dipendere da.

hint [hɪnt] *n* accenno, allusione *f;* (*advice*) consiglio ♦ *vt:* **to ~ that** lasciar capire che ♦ *vi:* **to ~ at** accennare a; **to drop a ~** lasciar capire; **give me a ~** (*clue*) dammi almeno un'idea, dammi un'indicazione.

hip [hɪp] *n* anca, fianco; (*BOT*) frutto della rosa canina.

hip flask *n* fiaschetta da liquore tascabile.

hip hop *n* hip-hop *m.*

hippie ['hɪpɪ] *n* hippy *m/f inv.*

hip pocket *n* tasca posteriore dei calzoni.

hippopotamus, *pl* **~es** *or* **hippopotami** [hɪpə'pɔtəməs, -'pɔtəmaɪ] *n* ippopotamo.

hippy ['hɪpɪ] *n* = **hippie.**

hire ['haɪə*] *vt* (*BRIT: car, equipment*) noleggiare; (*worker*) assumere, dare lavoro a ♦ *n* nolo, noleggio; **for ~** da nolo; (*taxi*) libero/a; **on ~** a nolo.

▶**hire out** *vt* noleggiare, dare a nolo *or* noleggio, affittare.

hire(d) car *n* (*BRIT*) macchina a nolo.

hire purchase (HP) *n* (*BRIT*) acquisto (*or* vendita) rateale; **to buy sth on ~** comprare qc a rate.

his [hɪz] *adj, pron* il(la) suo(sua), i(le) suoi(sue); **this is ~** questo è (il) suo.

hiss [hɪs] *vi* fischiare; (*cat, snake*) sibilare ♦ *n* fischio; sibilo.

histogram ['hɪstəgræm] *n* istogramma *m.*

historian [hɪ'stɔːrɪən] *n* storico/a.

historic(al) [hɪ'stɔrɪk(l)] *adj* storico(a).

history ['hɪstərɪ] *n* storia; **there's a long ~ of that illness in his family** ci sono molti precedenti (della malattia) nella sua famiglia.

histrionics [hɪstrɪ'ɔnɪks] *n* istrionismo.

hit [hɪt] *vt* (*pt, pp* **hit**) colpire, picchiare; (*knock against*) battere; (*reach: target*) raggiungere; (*collide with: car*) urtare contro; (*fig: affect*) colpire; (*find: problem*)

incontrare ♦ *n* colpo; (*success, song*) successo; **to ~ the headlines** far titolo; **to ~ the road** (*col*) mettersi in cammino; **to ~ it off with sb** andare molto d'accordo con qn.

▶**hit back** *vi:* **to ~ back at sb** restituire il colpo a qn.

▶**hit out at** *vt fus* sferrare dei colpi contro; (*fig*) attaccare.

▶**hit (up)on** *vt fus* (*answer*) imbroccare, azzeccare; (*solution*) trovare (per caso).

hit-and-run driver ['hɪtænd'rʌn-] *n* pirata *m* della strada.

hitch [hɪtʃ] *vt* (*fasten*) attaccare; (*also: ~ up*) tirare su ♦ *n* (*difficulty*) intoppo, difficoltà *f inv;* **technical ~** difficoltà tecnica; **to ~ a lift** fare l'autostop.

▶**hitch up** *vt* (*horse, cart*) attaccare.

hitch-hike ['hɪtʃhaɪk] *vi* fare l'autostop.

hitch-hiker ['hɪtʃhaɪkə*] *n* autostoppista *m/f.*

hi-tech ['haɪ'tɛk] *adj* high-tech *inv,* a tecnologia avanzata.

hitherto ['hɪðə'tuː] *adv* finora.

hit list *n* libro nero.

hitman ['hɪtmæn] *n* (*col*) sicario.

hit-or-miss ['hɪtə'mɪs] *adj* casuale; **it's ~ whether ... or ...** è in dubbio se ...; **the service in this hotel is very ~** il servizio dell'albergo lascia a desiderare.

hit parade *n* hit-parade *f.*

HIV *n abbr* (= *human immunodeficiency virus*) virus *m inv* di immunodeficienza; **~-negative/-positive** sieronegativo(a)/sieropositivo(a).

hive [haɪv] *n* alveare *m;* **the shop was a ~ of activity** (*fig*) c'era una grande attività nel negozio.

▶**hive off** *vt* (*col*) separare.

hl *abbr* (= *hectolitre*) hl.

HM *abbr* (= *His (or Her) Majesty*) S.M. (= *Sua Maestà*).

HMG *abbr* (*BRIT*) = *His (or Her) Majesty's Government.*

HMI *n abbr* (*BRIT SCOL*: = *His (or Her) Majesty's Inspector*) ≈ ispettore *m* scolastico.

HMO *n abbr* (*US*: = *health maintenance organization*) organo per la salvaguardia della salute pubblica.

HMS *abbr* (*BRIT*) = *His (or Her) Majesty's Ship.*

HMSO *n abbr* (*BRIT*: = *His (or Her) Majesty's Stationery Office*) ≈ Poligrafici *mpl* dello Stato.

HNC *n abbr* (*BRIT*: = *Higher National Certificate*) diploma di istituto tecnico o professionale.

HND *n abbr* (*BRIT*: = *Higher National Diploma*)

diploma in materie tecniche equivalente ad una laurea.

hoard [hɔːd] *n (of food)* provviste *fpl*; *(of money)* gruzzolo ♦ *vt* ammassare.

hoarding ['hɔːdɪŋ] *n (BRIT)* tabellone *m* per affissioni.

hoarfrost ['hɔːfrɔst] *n* brina.

hoarse [hɔːs] *adj* rauco(a).

hoax [həuks] *n* scherzo; falso allarme.

hob [hɔb] *n* piastra (con fornelli).

hobble ['hɔbl] *vi* zoppicare.

hobby ['hɔbɪ] *n* hobby *m inv*, passatempo.

hobby-horse ['hɔbɪhɔːs] *n* cavallo a dondolo; *(fig)* chiodo fisso.

hobnail(ed) boots ['hɔbneɪl(d)-] *n* scarponi *mpl* chiodati.

hobnob ['hɔbnɔb] *vi*: **to ~ (with)** mescolarsi (con).

hobo ['həubəu] *n (US)* vagabondo.

hock [hɔk] *n (BRIT: wine)* vino del Reno; *(of animal, CULIN)* garretto; *(col)*: **to be in ~** avere debiti.

hockey ['hɔkɪ] *n* hockey *m*.

hocus-pocus ['həukəs'pəukəs] *n (trickery)* trucco; *(words: of magician)* abracadabra *m inv*; *(: jargon)* parolone *fpl*.

hod [hɔd] *n (TECH)* cassetta per portare i mattoni.

hodgepodge ['hɔdʒpɔdʒ] *n* = **hotchpotch**.

hoe [həu] *n* zappa ♦ *vt (ground)* zappare.

hog [hɔg] *n* maiale *m* ♦ *vt (fig)* arraffare; **to go the whole ~** farlo fino in fondo.

Hogmanay [hɔgmə'neɪ] *n (SCOTTISH)* ≈ San Silvestro.

hogwash ['hɔgwɔʃ] *n (col)* stupidaggini *fpl*.

hoist [hɔɪst] *n* paranco ♦ *vt* issare.

hoity-toity [hɔɪtɪ'tɔɪtɪ] *adj (col)* altezzoso(a).

hold [həuld] *vb (pt, pp* **held** [hɛld]*) vt* tenere; *(contain)* contenere; *(keep back)* trattenere; *(believe)* mantenere; considerare; *(possess)* avere, possedere; detenere ♦ *vi (withstand pressure)* tenere; *(be valid)* essere valido(a) ♦ *n presa; (fig)* potere *m*; *(NAUT)* stiva; **~ the line!** *(TEL)* resti in linea!; **to ~ office** *(POL)* essere in carica; **to ~ sb responsible for sth** considerare *or* ritenere qn responsabile di qc; **to ~ one's own** *(fig)* difendersi bene; **he ~s the view that ...** è del parere che ...; **to ~ firm** *or* **fast** resistere bene, tenere; **to catch** *or* **get (a) ~ of** afferrare; **to get ~ of** *(fig)* trovare; **to get ~ of o.s.** trattenersi.

▶**hold back** *vt* trattenere; *(secret)* tenere celato(a); **to ~ sb back from doing sth** impedire a qn di fare qc.

▶**hold down** *vt (person)* tenere a terra;

(job) tenere.

▶**hold forth** *vi* fare *or* tenere una concione.

▶**hold off** *vt* tener lontano ♦ *vi (rain)*: **if the rain ~s off** se continua a non piovere.

▶**hold on** *vi* tener fermo; *(wait)* aspettare; **~ on!** *(TEL)* resti in linea!

▶**hold on to** *vt fus* tenersi stretto(a) a; *(keep)* conservare.

▶**hold out** *vt* offrire ♦ *vi (resist)*: **to ~ out (against)** resistere (a).

▶**hold over** *vt (meeting etc)* rimandare, rinviare.

▶**hold up** *vt (raise)* alzare; *(support)* sostenere; *(delay)* ritardare; *(traffic)* rallentare; *(rob: bank)* assaltare.

holdall ['həuldɔːl] *n (BRIT)* borsone *m*.

holder ['həuldə*] *n (of ticket, title)* possessore/posseditrice; *(of office etc)* incaricato/a; *(of passport, post)* titolare; *(of record)* detentore/trice.

holding ['həuldɪŋ] *n (share)* azioni *fpl*, titoli *mpl*; *(farm)* podere *m*, tenuta.

holding company *n* holding *f inv*.

holdup ['həuldʌp] *n (robbery)* rapina a mano armata; *(delay)* ritardo; *(BRIT: in traffic)* blocco.

hole [həul] *n* buco, buca ♦ *vt* bucare; **~ in the heart** *(MED)* morbo blu; **to pick ~s in** *(fig)* trovare da ridire su.

▶**hole up** *vi* nascondersi, rifugiarsi.

holiday ['hɔlədɪ] *n* vacanza; *(from work)* ferie *fpl*; *(day off)* giorno di vacanza; *(public)* giorno festivo; **to be on ~** essere in vacanza; **tomorrow is a ~** domani è festa.

holiday camp *n (BRIT: for children)* colonia (di villeggiatura); *(also:* **holiday centre**) ≈ villaggio (di vacanze).

holiday-maker ['hɔlədɪmeɪkə*] *n (BRIT)* villeggiante *m/f*.

holiday pay *n* stipendio delle ferie.

holiday resort *n* luogo di villeggiatura.

holiday season *n* stagione *f* delle vacanze.

holiness ['həulɪnɪs] *n* santità.

holistic [həu'lɪstɪk] *adj* olistico(a).

Holland ['hɔlənd] *n* Olanda.

holler ['hɔlə*] *vi* gridare, urlare.

hollow ['hɔləu] *adj* cavo(a), vuoto(a); *(fig)* falso(a); vano(a) ♦ *n* cavità *f inv*; *(in land)* valletta, depressione *f*.

▶**hollow out** *vt* scavare.

holly ['hɔlɪ] *n* agrifoglio.

hollyhock ['hɔlɪhɔk] *n* malvone *m*.

holocaust ['hɔləkɔːst] *n* olocausto.

hologram ['hɔləgræm] *n* ologramma *m*.

hols [hɔlz] *npl*: **the ~** le vacanze.

holster ['həulstə*] *n* fondina (di pistola).

holy ['həʊlɪ] *adj* santo(a); (*bread*)
benedetto(a), consacrato(a); (*ground*)
consacrato(a); **the H~ Father** il Santo
Padre.
Holy Communion *n* la Santa Comunione.
Holy Ghost, Holy Spirit *n* Spirito Santo.
Holy Land *n*: **the ~** la Terra Santa.
holy orders *npl* ordini *mpl* (sacri).
homage ['hɔmɪdʒ] *n* omaggio; **to pay ~ to**
rendere omaggio a.
home [həʊm] *n* casa; (*country*) patria;
(*institution*) casa, ricovero ♦ *cpd* (*life*)
familiare; (*cooking etc*) casalingo(a);
(*ECON, POL*) nazionale, interno(a); (*SPORT:*
team) di casa; (: *match, win*) in casa ♦ *adv* a
casa; in patria; (*right in: nail etc*) fino in
fondo; **at ~** a casa; **to go** (*or* **come**) **~**
tornare a casa (*or* in patria); **it's near my
~** è vicino a casa mia; **make yourself at ~**
si metta a suo agio.
▶**home in on** *vt fus* (*missiles*) dirigersi
(automaticamente) verso.
home address *n* indirizzo di casa.
home-brew [həʊm'bruː] *n* birra *or* vino
fatto(a) in casa.
homecoming ['həʊmkʌmɪŋ] *n* ritorno.
home computer *n* home computer
m inv.
Home Counties *npl* contee *fpl* intorno a
Londra.
home economics *n* economia domestica.
home ground *n* (*fig*): **to be on ~** essere
sul proprio terreno.
home-grown [həʊm'grəʊn] *adj* nostrano(a),
di produzione locale.
home help *n* (*BRIT*) collaboratore
*familiare per persone bisognose
stipendiato dal comune*.
homeland ['həʊmlænd] *n* patria.
homeless ['həʊmlɪs] *adj* senza tetto;
spatriato(a); **the ~** *npl* i senzatetto.
home loan *n* prestito con garanzia
immobiliare.
homely ['həʊmlɪ] *adj* semplice, alla buona;
accogliente.
home-made [həʊm'meɪd] *adj* casalingo(a).
Home Office *n* (*BRIT*) ministero degli
Interni.
homeopathy *etc* [həʊmɪ'ɔpəθɪ] (*US*) =
homoeopathy *etc*.
home rule *n* autogoverno.
Home Secretary *n* (*BRIT*) ministro degli
Interni.
homesick ['həʊmsɪk] *adj*: **to be ~** avere la
nostalgia.
homestead ['həʊmstɛd] *n* fattoria e
terreni.
home town *n* città *f inv* natale.

home truth *n*: **to tell sb a few ~s** dire a qn
qualche amara verità.
homeward ['həʊmwəd] *adj* (*journey*) di
ritorno.
homeward(s) ['həʊmwəd(z)] *adv* verso
casa.
homework ['həʊmwɜːk] *n* compiti *mpl* (per
casa).
homicidal [hɔmɪ'saɪdl] *adj* omicida.
homicide ['hɔmɪsaɪd] *n* (*US*) omicidio.
homily ['hɔmɪlɪ] *n* omelia.
homing ['həʊmɪŋ] *adj* (*device, missile*)
autocercante; **~ pigeon** piccione *m*
viaggiatore.
homoeopath, (*US*) homeopath
['həʊmɪəʊpæθ] *n* omeopatico.
homoeopathic, (*US*) homeopathic
['həʊmɪəʊ'pæθɪk] *adj* omeopatico(a).
homoeopathy, (*US*) homeopathy
[həʊmɪ'ɔpəθɪ] *n* omeopatia.
homogeneous [hɔməʊ'dʒiːnɪəs] *adj*
omogeneo(a).
homogenize [hə'mɔdʒənaɪz] *vt*
omogenizzare.
homosexual [hɔməʊ'sɛksjʊəl] *adj, n*
omosessuale (*m/f*).
Hon. *abbr* = **honourable; honorary**.
Honduras [hɔn'djʊərəs] *n* Honduras *m*.
hone [həʊn] *vt* (*sharpen*) affilare; (*fig*)
affinare.
honest ['ɔnɪst] *adj* onesto(a); sincero(a); **to
be quite ~ with you ...** se devo dirle la
verità ....
honestly ['ɔnɪstlɪ] *adv* onestamente;
sinceramente.
honesty ['ɔnɪstɪ] *n* onestà.
honey ['hʌnɪ] *n* miele *m*; (*US col*) tesoro,
amore *m*.
honeycomb ['hʌnɪkəʊm] *n* favo ♦ *vt* (*fig*):
~ed with tunnels *etc* pieno(a) di gallerie
etc.
honeymoon ['hʌnɪmuːn] *n* luna di miele,
viaggio di nozze.
honeysuckle ['hʌnɪsʌkl] *n* caprifoglio.
Hong Kong ['hɔŋ'kɔŋ] *n* Hong Kong *f*.
honk [hɔŋk] *n* (*AUT*) colpo di clacson ♦ *vi*
suonare il clacson.
Honolulu [hɔnə'luːluː] *n* Honolulu *f*.
honorary ['ɔnərərɪ] *adj* onorario(a); (*duty,
title*) onorifico(a).
honour, (*US*) honor ['ɔnə*] *vt* onorare ♦ *n*
onore *m*; **in ~ of** in onore di.
hono(u)rable ['ɔnərəbl] *adj* onorevole.
hono(u)r-bound ['ɔnə'baʊnd] *adj*: **to be ~
to do** dover fare per una questione di
onore.
hono(u)rs degree *n* (*SCOL*) laurea (*con
corso di studi di 4 o 5 anni*).

Il corso universitario di studi che porta al conferimento del **Bachelor's degree** *può avere una durata diversa a seconda del profitto dello studente. Dopo quattro o cinque anni di corso si ottiene l'*honours degree, *il riconoscimento più alto, che, abbreviato in* Hons., *viene posto dopo il titolo ottenuto (ad esempio BA Hons); vedi anche* ordinary degree.

honours list n (BRIT) elenco ufficiale dei destinati al conferimento di onorificenze.

La honours list *è un elenco di cittadini britannici e del Commonwealth che si sono distinti in campo imprenditoriale, militare, sportivo, ecc, meritando il conferimento di un titolo o di una decorazione da parte del sovrano. Ogni anno vengono redatte dal primo ministro due* honours list, *una a Capodanno e una in occasione del compleanno del sovrano.*

Hons. [ɔnz] abbr (SCOL) = **hono(u)rs degree**.
hood [hud] n cappuccio; (BRIT AUT) capote f; (US AUT) cofano; (col) malvivente m/f.
hooded ['hudɪd] adj (robber) mascherato(a).
hoodlum ['huːdləm] n malvivente m/f.
hoodwink ['hudwɪŋk] vt infinocchiare.
hoof, pl ~s or **hooves** [huːf, huːvz] n zoccolo.
hook [huk] n gancio; (for fishing) amo ♦ vt uncinare; (dress) agganciare; **to be** ~**ed on** (col) essere fanatico di; ~**s and eyes** gancetti; **by** ~ **or by crook** in un modo o nell'altro.
▶**hook up** vt (RADIO, TV etc) allacciare, collegare.
hooligan ['huːlɪɡən] n giovinastro, teppista m.
hooliganism ['huːlɪɡənɪzəm] n teppismo.
hoop [huːp] n cerchio.
hoot [huːt] vi (AUT) suonare il clacson; (owl) gufare ♦ n colpo di clacson; **to** ~ **with laughter** farsi una gran risata.
hooter ['huːtə*] n (AUT) clacson m inv; (NAUT, at factory) sirena.
hoover ® ['huːvə*] n (BRIT) aspirapolvere m inv ♦ vt pulire con l'aspirapolvere.
hooves [huːvz] npl of **hoof**.
hop [hɔp] vi saltellare, saltare; (on one foot) saltare su una gamba ♦ n salto; see also **hops**.
hope [həup] vt, vi sperare ♦ n speranza; **I** ~ **so/not** spero di sì/no.
hopeful ['həupful] adj (person) pieno(a) di

speranza; (situation) promettente; **I'm** ~ **that she'll manage to come** ho buone speranze che venga.
hopefully ['həupfulɪ] adv con speranza; ~ **he will recover** speriamo che si riprenda.
hopeless ['həuplɪs] adj senza speranza, disperato(a); (useless) inutile.
hopelessly ['həuplɪslɪ] adv (live etc) senza speranza; (involved, complicated) spaventosamente; (late) disperatamente, irrimediabilmente; **I'm** ~ **confused/lost** sono completamente confuso/perso.
hopper ['hɔpə*] n (chute) tramoggia.
hops [hɔps] npl luppoli mpl.
horde [hɔːd] n orda.
horizon [hə'raɪzn] n orizzonte m.
horizontal [hɔrɪ'zɔntl] adj orizzontale.
hormone ['hɔːməun] n ormone m.
hormone replacement therapy n terapia ormonale (usata in menopausa).
horn [hɔːn] n corno; (AUT) clacson m inv.
horned [hɔːnd] adj (animal) cornuto(a).
hornet ['hɔːnɪt] n calabrone m.
horny ['hɔːnɪ] adj corneo(a); (hands) calloso(a).
horoscope ['hɔrəskəup] n oroscopo.
horrendous [hə'rendəs] adj orrendo(a).
horrible ['hɔrɪbl] adj orribile, tremendo(a).
horrid ['hɔrɪd] adj orrido(a); (person) antipatico(a).
horrific [hə'rɪfɪk] adj (accident) spaventoso(a); (film) orripilante.
horrify ['hɔrɪfaɪ] vt lasciare inorridito(a).
horrifying ['hɔrɪfaɪɪŋ] adj terrificante.
horror ['hɔrə*] n orrore m.
horror film n film m inv dell'orrore.
horror-struck ['hɔrəstrʌk], **horror-stricken** ['hɔrəstrɪkn] adj inorridito (a).
hors d'œuvre [ɔː'dəːvrə] n antipasto.
horse [hɔːs] n cavallo.
horseback ['hɔːsbæk]: **on** ~ adj, adv a cavallo.
horsebox ['hɔːsbɔks] n carro or furgone m per il trasporto di cavalli.
horse chestnut n ippocastano.
horse-drawn ['hɔːsdrɔːn] adj tirato(a) da cavallo.
horsefly ['hɔːsflaɪ] n tafano, mosca cavallina.
horseman ['hɔːsmən] n cavaliere m.
horsemanship ['hɔːsmənʃɪp] n equitazione f.
horseplay ['hɔːspleɪ] n giochi mpl scatenati.
horsepower (hp) ['hɔːspauə*] n cavallo (vapore) (c/v).
horse-racing ['hɔːsreɪsɪŋ] n ippica.
horseradish ['hɔːsrædɪʃ] n rafano.
horseshoe ['hɔːsʃuː] n ferro di cavallo.

horse show *n* concorso ippico, gare *fpl* ippiche.

horse-trading ['hɔːstreɪdɪŋ] *n* mercanteggiamento.

horse trials *npl* = **horse show**.

horsewhip ['hɔːswɪp] *vt* frustare.

horsewoman ['hɔːswumən] *n* amazzone *f*.

horsey ['hɔːsɪ] *adj* (*col: person*) che adora i cavalli; (*appearance*) cavallino(a), da cavallo.

horticulture ['hɔːtɪkʌltʃə*] *n* orticoltura.

hose [həuz] *n* (*also: ~pipe*) tubo; (*also: garden ~*) tubo per annaffiare.

►**hose down** *vt* lavare con un getto d'acqua.

hosepipe ['həuzpaɪp] *n see* **hose**.

hosiery ['həuzɪərɪ] *n* (*in shop*) (reparto di) calze *fpl* e calzini *mpl*.

hospice ['hɔspɪs] *n* ricovero, ospizio.

hospitable [hɔ'spɪtəbl] *adj* ospitale.

hospital ['hɔspɪtl] *n* ospedale *m*; **in ~**, (*US*) **in the ~** all'ospedale.

hospitality [hɔspɪ'tælɪtɪ] *n* ospitalità.

hospitalize ['hɔspɪtəlaɪz] *vt* ricoverare (in *or* all'ospedale).

host [həust] *n* ospite *m*; (*TV, RADIO*) presentatore/trice; (*REL*) ostia; (*large number*): **a ~ of** una schiera di ♦ *vt* (*TV programme, games*) presentare.

hostage ['hɔstɪdʒ] *n* ostaggio/a.

host country *n* paese *m* ospite, paese che ospita.

hostel ['hɔstl] *n* ostello; (*for students, nurses etc*) pensionato; (*for homeless people*) ospizio, ricovero; (*also: **youth ~***) ostello della gioventù.

hostelling ['hɔstəlɪŋ] *n*: **to go (youth) ~** passare le vacanze negli ostelli della gioventù.

hostess ['həustɪs] *n* ospite *f*; (*AVIAT*) hostess *f inv*; (*in nightclub*) entraineuse *f inv*.

hostile ['hɔstaɪl] *adj* ostile.

hostility [hɔ'stɪlɪtɪ] *n* ostilità *f inv*.

hot [hɔt] *adj* caldo(a); (*as opposed to only warm*) molto caldo(a); (*spicy*) piccante; (*fig*) accanito(a); ardente; violento(a), focoso(a); **to be ~** (*person*) aver caldo; (*thing*) essere caldo(a); (*METEOR*) far caldo.

►**hot up** (*BRIT col*) *vi* (*situation*) farsi più teso(a); (*party*) scaldarsi ♦ *vt* (*pace*) affrettare; (*engine*) truccare.

hot-air balloon [hɔt'ɛə-] *n* mongolfiera.

hotbed ['hɔtbɛd] *n* (*fig*) focolaio.

hotchpotch ['hɔtʃpɔtʃ] *n* (*BRIT*) pot-pourri *m*.

hot dog *n* hot dog *m inv*.

hotel [həu'tɛl] *n* albergo.

hotelier [həu'tɛljeɪ] *n* albergatore/trice.

hotel industry *n* industria alberghiera.

hotel room *n* camera d'albergo.

hot flush *n* (*BRIT*) scalmana, caldana.

hotfoot ['hɔtfut] *adv* di gran carriera.

hothead ['hɔthɛd] *n* (*fig*) testa calda.

hotheaded [hɔt'hɛdɪd] *adj* focoso(a), eccitabile.

hothouse ['hɔthaus] *n* serra.

hot line *n* (*POL*) telefono rosso.

hotly ['hɔtlɪ] *adv* violentemente.

hotplate ['hɔtpleɪt] *n* fornello; piastra riscaldante.

hotpot ['hɔtpɔt] *n* (*BRIT CULIN*) stufato.

hot potato *n* (*BRIT col*) patata bollente; **to drop sb/sth like a ~** mollare subito qn/qc.

hot seat *n* (*fig*) posto che scotta.

hot spot *n* (*fig*) zona calda.

hot spring *n* sorgente *f* termale.

hot-tempered [hɔt'tɛmpəd] *adj* irascibile.

hot-water bottle [hɔt'wɔːtə-] *n* borsa dell'acqua calda.

hot-wire ['hɔtwaɪə*] *vt* (*col: car*) avviare mettendo in contatto i fili dell'accensione.

hound [haund] *vt* perseguitare ♦ *n* segugio; **the ~s** la muta.

hour ['auə*] *n* ora; **at 30 miles an ~** a 30 miglia all'ora; **lunch ~** intervallo di pranzo; **to pay sb by the ~** pagare qn a ore.

hourly ['auəlɪ] *adj* (ad) ogni ora; (*rate*) orario(a) ♦ *adv* ogni ora; **~ paid** *adj* pagato(a) a ore.

house *n* [haus] (*pl ~s* ['hauzɪz]) (*also: firm*) casa; (*POL*) camera; (*THEAT*) sala; pubblico; spettacolo ♦ *vt* [hauz] (*person*) ospitare; **at** (*or* **to**) **my ~** a casa mia; **the H~** (**of Commons/Lords**) (*BRIT*) la Camera dei Comuni/Lords; **the H~** (**of Representatives**) (*US*) ≈ la Camera dei Deputati; **on the ~** (*fig*) offerto(a) dalla casa.

house arrest *n* arresti *mpl* domiciliari.

houseboat ['hausbəut] *n* house boat *f inv*.

housebound ['hausbaund] *adj* confinato(a) in casa.

housebreaking ['hausbreɪkɪŋ] *n* furto con scasso.

house-broken ['hausbrəukn] *adj* (*US*) = **house-trained**.

housecoat ['hauskəut] *n* vestaglia.

household ['haushəuld] *n* famiglia, casa.

householder ['haushəuldə*] *n* padrone/a di casa; (*head of house*) capofamiglia *m/f*.

household name *n* nome *m* che tutti conoscono.

househunting ['haushʌntɪŋ] *n*: **to go ~**

mettersi a cercar casa.

housekeeper ['hauski:pə*] n governante f.

housekeeping ['hauski:pɪŋ] n (work) governo della casa; (also: ~ **money**) soldi mpl per le spese di casa; (COMPUT) ausilio.

houseman ['hausmən] n (BRIT MED) ≈ interno.

house-owner ['hausəunə*] n possessore m/f di casa.

house plant n pianta da appartamento.

house-proud ['hauspraud] adj che è maniaco(a) della pulizia.

house-to-house ['haustə'haus] adj (collection) di porta in porta; (search) casa per casa.

house-train ['haustreɪn] vt (pet animal) addestrare a non sporcare in casa.

house-trained ['haustreɪnd] adj (BRIT: animal) che non sporca in casa.

house-warming party ['hauswɔ:mɪŋ-] n festa per inaugurare la casa nuova.

housewife ['hauswaɪf] n massaia, casalinga.

housework ['hauswə:k] n faccende fpl domestiche.

housing ['hauzɪŋ] n alloggio ♦ cpd (problem, shortage) degli alloggi.

housing association n cooperativa edilizia.

housing benefit n (BRIT) contributo abitativo (ad affittuari e a coloro che comprano una casa).

housing conditions npl condizioni fpl di abitazione.

housing development, (BRIT) housing estate n zona residenziale con case popolari e/o private.

hovel ['hɔvl] n casupola.

hover ['hɔvə*] vi (bird) librarsi; (helicopter) volare a punto fisso; **to ~ round sb** aggirarsi intorno a qn.

hovercraft ['hɔvəkrɑ:ft] n hovercraft m inv.

hoverport ['hɔvəpɔ:t] n porto per hovercraft.

how [hau] adv come; ~ **are you?** come sta?; ~ **do you do?** piacere!, molto lieto!; ~ **far is it to ...?** quanto è lontano ...?; ~ **long have you been here?** da quanto tempo sta qui?; ~ **lovely!** che bello!; ~ **many?** quanti(e)?; ~ **much?** quanto(a)?; ~ **many people/much milk?** quante persone/ quanto latte?; ~ **old are you?** quanti anni ha?; ~'**s life?** (col) come va (la vita)?; ~ **about a drink?** che ne diresti di andare a bere qualcosa?; ~ **is it that ...?** com'è che ... + sub?

however [hau'ɛvə*] adv in qualsiasi modo or maniera che; (+ adjective) per quanto

+ sub; (in questions) come ♦ conj comunque, però.

howitzer ['hauɪtsə*] n (MIL) obice m.

howl [haul] n ululato ♦ vi ululare.

howler ['haulə*] n marronata.

howling ['haulɪŋ] adj: **a ~ wind** or **gale** un vento terribile.

HP n abbr (BRIT) see **hire purchase**.

hp abbr (AUT) see **horsepower**.

HQ n abbr (= headquarters) Q.G.

HR n abbr (US) = **House of Representatives**.

HRH abbr (= His (or Her) Royal Highness) S.A.R.

hr(s) abbr (= hour(s)) h.

HRT n abbr = **hormone replacement therapy**.

HS abbr (US) = **high school**.

HST abbr (= Hawaiian Standard Time) fuso orario.

HT abbr (= high tension) A.T.

hub [hʌb] n (of wheel) mozzo; (fig) fulcro.

hubbub ['hʌbʌb] n baccano.

hubcap ['hʌbkæp] n (AUT) coprimozzo.

HUD n abbr (US) = Department of Housing and Urban Development.

huddle ['hʌdl] vi: **to ~ together** rannicchiarsi l'uno contro l'altro.

hue [hju:] n tinta; ~ **and cry** n clamore m.

huff [hʌf] n: **in a ~** stizzito(a); **to take the ~** mettere il broncio.

huffy ['hʌfɪ] adj (col) stizzito(a), indispettito(a).

hug [hʌg] vt abbracciare; (shore, kerb) stringere ♦ n abbraccio, stretta; **to give sb a ~** abbracciare qn.

huge [hju:dʒ] adj enorme, immenso(a).

hulk [hʌlk] n carcassa.

hulking ['hʌlkɪŋ] adj: ~ **(great)** grosso(a) e goffo(a).

hull [hʌl] n (of ship) scafo.

hullabaloo [hʌləbə'lu:] n (col: noise) fracasso.

hullo [hə'ləu] excl = **hello**.

hum [hʌm] vt (tune) canticchiare ♦ vi canticchiare; (insect, plane, tool) ronzare ♦ n (also ELEC) ronzio; (of traffic, machines) rumore m; (of voices etc) mormorio, brusio.

human ['hju:mən] adj umano(a) ♦ n (also: ~ **being**) essere m umano.

humane [hju:'meɪn] adj umanitario(a).

humanism ['hju:mənɪzəm] n umanesimo.

humanitarian [hju:mænɪ'tɛərɪən] adj umanitario(a).

humanity [hju:'mænɪtɪ] n umanità; **the humanities** gli studi umanistici.

humanly ['hju:mənlɪ] adv umanamente.

humanoid ['hju:mənɔɪd] adj che sembra

umano(a) ♦ *n* umanoide *m/f.*

human rights *npl* diritti *mpl* dell'uomo.

humble ['hʌmbl] *adj* umile, modesto(a) ♦ *vt* umiliare.

humbly ['hʌmblɪ] *adv* umilmente, modestamente.

humbug ['hʌmbʌg] *n* inganno; sciocchezze *fpl*; (*BRIT: sweet*) caramella alla menta.

humdrum ['hʌmdrʌm] *adj* monotono(a), tedioso(a).

humid ['hjuːmɪd] *adj* umido(a).

humidifier [hjuː'mɪdɪfaɪə*] *n* umidificatore *m*.

humidity [hjuː'mɪdɪtɪ] *n* umidità.

humiliate [hjuː'mɪlɪeɪt] *vt* umiliare.

humiliation [hjuːmɪlɪ'eɪʃən] *n* umiliazione *f.*

humility [hjuː'mɪlɪtɪ] *n* umiltà.

humorist ['hjuːmərɪst] *n* umorista *m/f.*

humorous ['hjuːmərəs] *adj* umoristico(a); (*person*) buffo(a).

humour, (*US*) **humor** ['hjuːmə*] *n* umore *m* ♦ *vt* (*person*) compiacere; (*sb's whims*) assecondare; **sense of** ~ senso dell'umorismo; **to be in a good/bad** ~ essere di buon/cattivo umore.

humo(u)rless ['hjuːməlɪs] *adj* privo(a) di umorismo.

hump [hʌmp] *n* gobba.

humpback ['hʌmpbæk] *n* schiena d'asino; (*BRIT: also*: ~ **bridge**) ponte *m* a schiena d'asino.

humus ['hjuːməs] *n* humus *m.*

hunch [hʌntʃ] *n* gobba; (*premonition*) intuizione *f*; **I have a** ~ **that** ho la vaga impressione che.

hunchback ['hʌntʃbæk] *n* gobbo/a.

hunched [hʌntʃt] *adj* incurvato(a).

hundred ['hʌndrəd] *num* cento; **about a** ~ **people** un centinaio di persone; ~**s of people** centinaia *fpl* di persone; **I'm a** ~ **per cent sure** sono sicuro al cento per cento.

hundredweight ['hʌndrɪdweɪt] *n* (*BRIT*) = *50.8 kg; 112 lb;* (*US*) = *45.3 kg; 100 lb.*

hung [hʌŋ] *pt, pp of* **hang.**

Hungarian [hʌŋ'gɛərɪən] *adj* ungherese ♦ *n* ungherese *m/f*; (*LING*) ungherese *m.*

Hungary ['hʌŋgərɪ] *n* Ungheria.

hunger ['hʌŋgə*] *n* fame *f* ♦ *vi*: **to** ~ **for** desiderare ardentemente.

hunger strike *n* sciopero della fame.

hungover [hʌŋ'əuvə*] *adj* (*col*): **to be** ~ avere i postumi della sbornia.

hungrily ['hʌŋgrəlɪ] *adv* voracemente; (*fig*) avidamente.

hungry ['hʌŋgrɪ] *adj* affamato(a); **to be** ~ aver fame; ~ **for** (*fig*) assetato di.

hung up *adj* (*col*) complessato(a).

hunk [hʌŋk] *n* bel pezzo.

hunt [hʌnt] *vt* (*seek*) cercare; (*SPORT*) cacciare ♦ *vi* andare a caccia ♦ *n* caccia.

►**hunt down** *vt* scovare.

hunter ['hʌntə*] *n* cacciatore *m*; (*BRIT: horse*) cavallo da caccia.

hunting ['hʌntɪŋ] *n* caccia.

hurdle ['həːdl] *n* (*SPORT, fig*) ostacolo.

hurl [həːl] *vt* lanciare con violenza.

hurling ['həːlɪŋ] *n* (*SPORT*) hurling *m.*

hurly-burly ['həːlɪ'bəːlɪ] *n* chiasso, baccano.

hurrah, hurray [hu'rɑː, hu'reɪ] *excl* urra!, evviva!

hurricane ['hʌrɪkən] *n* uragano.

hurried ['hʌrɪd] *adj* affrettato(a); (*work*) fatto(a) in fretta.

hurriedly ['hʌrɪdlɪ] *adv* in fretta.

hurry ['hʌrɪ] *n* fretta ♦ *vi* affrettarsi ♦ *vt* (*person*) affrettare; (*work*) far in fretta; **to be in a** ~ aver fretta; **to do sth in a** ~ fare qc in fretta; **to** ~ **in/out** entrare/ uscire in fretta; **to** ~ **back/home** affrettarsi a tornare indietro/a casa.

►**hurry along** *vi* camminare in fretta.

►**hurry away, hurry off** *vi* andarsene in fretta.

►**hurry up** *vi* sbrigarsi.

hurt [həːt] *vb* (*pt, pp* **hurt**) *vt* (*cause pain to*) far male a; (*injure, fig*) ferire; (*business, interests etc*) colpire, danneggiare ♦ *vi* far male ♦ *adj* ferito(a); **I** ~ **my arm** mi sono fatto male al braccio; **where does it** ~? dove ti fa male?

hurtful ['həːtful] *adj* (*remark*) che ferisce.

hurtle ['həːtl] *vt* scagliare ♦ *vi*: **to** ~ **past/ down** passare/scendere a razzo.

husband ['hʌzbənd] *n* marito.

hush [hʌʃ] *n* silenzio, calma ♦ *vt* zittire; ~! zitto(a)!

►**hush up** *vt* (*fact*) cercare di far passare sotto silenzio.

hush-hush ['hʌʃ'hʌʃ] *adj* (*col*) segretissimo(a).

husk [hʌsk] *n* (*of wheat*) cartoccio; (*of rice, maize*) buccia.

husky ['hʌskɪ] *adj* roco(a) ♦ *n* cane *m* eschimese.

hustings ['hʌstɪŋz] *npl* (*BRIT POL*) comizi *mpl* elettorali.

hustle ['hʌsl] *vt* spingere, incalzare ♦ *n* pigia pigia *m inv*; ~ **and bustle** trambusto.

hut [hʌt] *n* rifugio; (*shed*) ripostiglio.

hutch [hʌtʃ] *n* gabbia.

hyacinth ['haɪəsɪnθ] *n* giacinto.

hybrid ['haɪbrɪd] *adj* ibrido(a) ♦ *n* ibrido.

hydrant ['haɪdrənt] *n* (*also*: **fire** ~) idrante *m.*

hydraulic [haɪ'drɔlɪk] *adj* idraulico(a).

hydraulics [haɪ'drɔlɪks] *n* idraulica.
hydrochloric [haɪdrə'klɔrɪk] *adj*: ~ **acid**
acido cloridrico.
hydroelectric [haɪdrəʊɪ'lɛktrɪk] *adj*
idroelettrico(a).
hydrofoil ['haɪdrəfɔɪl] *n* aliscafo.
hydrogen ['haɪdrədʒən] *n* idrogeno.
hydrogen bomb *n* bomba all'idrogeno.
hydrophobia [haɪdrə'fəʊbɪə] *n* idrofobia.
hydroplane ['haɪdrəʊpleɪn] *n* idrovolante *m*.
hyena [haɪ'iːnə] *n* iena.
hygiene ['haɪdʒiːn] *n* igiene *f*.
hygienic [haɪ'dʒiːnɪk] *adj* igienico(a).
hymn [hɪm] *n* inno; cantica.
hype [haɪp] *n* (*col*) clamorosa pubblicità.
hyperactive [haɪpər'æktɪv] *adj*
iperattivo(a).
hypermarket ['haɪpəmɑːkɪt] *n* (*BRIT*)
ipermercato.
hypertension [haɪpə'tɛnʃən] *n* (*MED*)
ipertensione *f*.
hyphen ['haɪfn] *n* trattino.
hypnosis [hɪp'nəʊsɪs] *n* ipnosi *f*.
hypnotic [hɪp'nɔtɪk] *adj* ipnotico(a).
hypnotism ['hɪpnətɪzəm] *n* ipnotismo.
hypnotist ['hɪpnətɪst] *n* ipnotizzatore/trice.
hypnotize ['hɪpnətaɪz] *vt* ipnotizzare.
hypoallergenic [haɪpəʊælə'dʒɛnɪk] *adj*
ipoallergico(a).
hypochondriac [haɪpə'kɔndriæk] *n*
ipocondriaco/a.
hypocrisy [hɪ'pɔkrɪsɪ] *n* ipocrisia.
hypocrite ['hɪpəkrɪt] *n* ipocrita *m/f*.
hypocritical [hɪpə'krɪtɪkl] *adj* ipocrita.
hypodermic [haɪpə'dəːmɪk] *adj*
ipodermico(a) ♦ *n* (*syringe*) siringa
ipodermica.
hypotenuse [haɪ'pɔtɪnjuːz] *n* ipotenusa.
hypothermia [haɪpəʊ'θəːmɪə] *n* ipotermia.
hypothesis, *pl* **hypotheses** [haɪ'pɔθɪsɪs,
-siːz] *n* ipotesi *f inv*.
hypothetical [haɪpəʊ'θɛtɪkl] *adj*
ipotetico(a).
hysterectomy [hɪstə'rɛktəmɪ] *n*
isterectomia.
hysteria [hɪ'stɪərɪə] *n* isteria.
hysterical [hɪ'stɛrɪkl] *adj* isterico(a); **to
become** ~ avere una crisi isterica.
hysterics [hɪ'stɛrɪks] *npl* accesso di isteria;
(*laughter*) attacco di riso; **to have** ~ avere
una crisi isterica.

I i

I, i [aɪ] *n* (*letter*) I, i *f or m inv*; **I for Isaac,** (*US*)
I for Item ≈ I come Imola.
I [aɪ] *pron* io ♦ *abbr* (= *island, isle*) Is.
IA *abbr* (*US*) = *Iowa*.
IAEA *n abbr* = **International Atomic Energy
Agency**.
IBA *n abbr* (*BRIT*: = *Independent Broadcasting
Authority*) *organo di controllo sulle reti
televisive*.
Iberian [aɪ'bɪərɪən] *adj* iberico(a).
Iberian Peninsula *n*: **the** ~ la Penisola
iberica.
IBEW *n abbr* (*US*: = *International Brotherhood
of Electrical Workers*) *associazione
internazionale degli elettrotecnici*.
ib(id). ['ɪb(ɪd)] *abbr* (= *ibidem*: *from the same
source*) ibid.
i/c *abbr* (*BRIT*) = **in charge**.
ICBM *n abbr* (= *intercontinental ballistic
missile*) ICBM *m inv*.
ICC *n abbr* (= *International Chamber of
Commerce*) C.C.I. *f*; (*US*: = *Interstate
Commerce Commission*) *commissione per
il commercio tra gli stati degli USA*.
ice [aɪs] *n* ghiaccio; (*on road*) gelo ♦ *vt* (*cake*)
glassare; (*drink*) mettere in fresco ♦ *vi*
(*also*: ~ **over**) ghiacciare; (*also*: ~ **up**)
gelare; **to keep sth on** ~ (*fig*: *plan, project*)
mettere da parte (per il momento),
accantonare.
Ice Age *n* era glaciale.
ice axe *n* piccozza da ghiaccio.
iceberg ['aɪsbəːg] *n* iceberg *m inv*; **tip of the**
~ (*also fig*) punta dell'iceberg.
icebox ['aɪsbɔks] *n* (*US*) frigorifero; (*BRIT*)
reparto ghiaccio; (*insulated box*) frigo
portatile.
icebreaker ['aɪsbreɪkə*] *n* rompighiaccio *m
inv*.
ice bucket *n* secchiello del ghiaccio.
ice-cap ['aɪskæp] *n* calotta polare.
ice-cold [aɪs'kəʊld] *adj* gelato(a).
ice cream *n* gelato.
ice-cream soda *n* (*gelato*) affogato al
seltz.
ice cube *n* cubetto di ghiaccio.
iced [aɪst] *adj* (*drink*) ghiacciato(a); (*coffee,
tea*) freddo(a); (*cake*) glassato(a).

ice hockey *n* hockey *m* su ghiaccio.
Iceland ['aɪslənd] *n* Islanda.
Icelander ['aɪsləndə*] *n* islandese *m/f*.
Icelandic [aɪs'lændɪk] *adj* islandese ♦ *n*
(*LING*) islandese *m*.
ice lolly *n* (*BRIT*) ghiacciolo.
ice pick *n* piccone *m* per ghiaccio.
ice rink *n* pista di pattinaggio.
ice-skate ['aɪsskeɪt] *n* pattino da ghiaccio
♦ *vi* pattinare sul ghiaccio.
ice-skating ['aɪsskeɪtɪŋ] *n* pattinaggio sul
ghiaccio.
icicle ['aɪsɪkl] *n* ghiacciolo.
icing ['aɪsɪŋ] *n* (*AVIAT etc*) patina di
ghiaccio; (*CULIN*) glassa.
icing sugar *n* zucchero a velo.
ICJ *n abbr see* **International Court of
Justice.**
icon ['aɪkɔn] *n* icona; (*COMPUT*) immagine *f.*
ICR *n abbr* (*US*) = *Institute for Cancer
Research.*
ICRC *n abbr* (= *International Committee of the
Red Cross*) CICR *m.*
ICU *n abbr see* **intensive care unit.**
icy ['aɪsɪ] *adj* ghiacciato(a); (*weather,
temperature*) gelido(a).
ID *abbr* (*US*) = *Idaho.*
I'd [aɪd] = **I would; I had.**
Ida. *abbr* (*US*) = *Idaho.*
ID card *n* = **identity card.**
IDD *n abbr* (*BRIT TEL:* = *International direct
dialling*) teleselezione *f* internazionale.
idea [aɪ'dɪə] *n* idea; **good** ~! buon'idea!; **to
have an** ~ **that** ... aver l'impressione che
...; **I haven't the least** ~ non ne ho la
minima idea.
ideal [aɪ'dɪəl] *adj, n* ideale (*m*).
idealist [aɪ'dɪəlɪst] *n* idealista *m/f.*
ideally [aɪ'dɪəlɪ] *adv* perfettamente,
assolutamente; ~ **the book should have** ...
l'ideale sarebbe che il libro avesse ....
identical [aɪ'dɛntɪkl] *adj* identico(a).
identification [aɪdɛntɪfɪ'keɪʃən] *n*
identificazione *f*; **means of** ~ carta
d'identità.
identify [aɪ'dɛntɪfaɪ] *vt* identificare ♦ *vi:* **to
** ~ **with** identificarsi con.
Identikit ® [aɪ'dɛntɪkɪt] *n:* ~ **(picture)**
identikit *m inv.*
identity [aɪ'dɛntɪtɪ] *n* identità *f inv.*
identity card *n* carta d'identità.
identity parade *n* (*BRIT*) confronto
all'americana.
ideological [aɪdɪə'lɔdʒɪkəl] *adj*
ideologico(a).
ideology [aɪdɪ'ɔlədʒɪ] *n* ideologia.
idiocy ['ɪdɪəsɪ] *n* idiozia.
idiom ['ɪdɪəm] *n* idioma *m*; (*phrase*)

espressione *f* idiomatica.
idiomatic [ɪdɪə'mætɪk] *adj* idiomatico(a).
idiosyncrasy [ɪdɪəu'sɪŋkrəsɪ] *n*
idiosincrasia.
idiot ['ɪdɪət] *n* idiota *m/f.*
idiotic [ɪdɪ'ɔtɪk] *adj* idiota.
idle ['aɪdl] *adj* inattivo(a); (*lazy*) pigro(a),
ozioso(a); (*unemployed*) disoccupato(a);
(*question, pleasures*) ozioso(a) ♦ *vi* (*engine*)
girare al minimo; **to lie** ~ stare fermo,
non funzionare.
►**idle away** *vt* (*time*) sprecare, buttar via.
idleness ['aɪdlnɪs] *n* ozio; pigrizia.
idler ['aɪdlə*] *n* ozioso/a, fannullone/a.
idle time *n* tempi *mpl* morti.
idol ['aɪdl] *n* idolo.
idolize ['aɪdəlaɪz] *vt* idoleggiare.
idyllic [ɪ'dɪlɪk] *adj* idillico(a).
i.e. *abbr* (= *id est: that is*) cioè.
if [ɪf] *conj* se ♦ *n:* **there are a lot of** ~**s
and buts** ci sono molti se e ma; **I'd be
pleased** ~ **you could do it** sarei molto
contento se potesse farlo; ~ **necessary** se
(è) necessario; ~ **only he were here** se
solo fosse qui; ~ **only to show him my
gratitude** se non altro per esprimergli la
mia gratitudine.
iffy ['ɪfɪ] *adj* (*col*) incerto(a).
igloo ['ɪgluː] *n* igloo *m inv.*
ignite [ɪg'naɪt] *vt* accendere ♦ *vi*
accendersi.
ignition [ɪg'nɪʃən] *n* (*AUT*) accensione *f*; **to
switch on/off the** ~ accendere/spegnere
il motore.
ignition key *n* (*AUT*) chiave *f*
dell'accensione.
ignoble [ɪg'nəubl] *adj* ignobile.
ignominious [ɪgnə'mɪnɪəs] *adj*
vergognoso(a), ignominioso(a).
ignoramus [ɪgnə'reɪməs] *n* ignorante *m/f.*
ignorance ['ɪgnərəns] *n* ignoranza; **to keep
sb in** ~ **of sth** tenere qn all'oscuro di qc.
ignorant ['ɪgnərənt] *adj* ignorante; **to be** ~
of (*subject*) essere ignorante in; (*events*)
essere ignaro(a) di.
ignore [ɪg'nɔː*] *vt* non tener conto di;
(*person, fact*) ignorare.
ikon ['aɪkɔn] *n* = **icon.**
IL *abbr* (*US*) = *Illinois.*
ILA *n abbr* (*US:* = *International
Longshoremen's Association*) *associazione
internazionale degli scaricatori di porto.*
ill [ɪl] *adj* (*sick*) malato(a); (*bad*) cattivo(a)
♦ *n* male *m*; **to take** *or* **be taken** ~
ammalarsi; **to feel** ~ star male; **to
speak/think** ~ **of sb** parlar/pensar male
di qn.
I'll [aɪl] = **I will, I shall.**

Ill. abbr (US) = Illinois.

ill-advised [ɪləd'vaɪzd] adj (decision) poco giudizioso(a); (person) mal consigliato(a).

ill-at-ease [ɪlət'iːz] adj a disagio.

ill-considered [ɪlkən'sɪdəd] adj (plan) avventato(a).

ill-disposed [ɪldɪs'pəuzd] adj: **to be ~ towards sb/sth** essere maldisposto(a) verso qn/qc or nei riguardi di qn/qc.

illegal [ɪ'liːgl] adj illegale.

illegally [ɪ'liːgəlɪ] adv illegalmente.

illegible [ɪ'lɛdʒɪbl] adj illeggibile.

illegitimate [ɪlɪ'dʒɪtɪmət] adj illegittimo(a).

ill-fated [ɪl'feɪtɪd] adj nefasto(a).

ill-favoured, (US) **ill-favored** [ɪl'feɪvəd] adj sgraziato(a), brutto(a).

ill feeling n rancore m.

ill-gotten ['ɪlgɒtn] adj: **~ gains** maltolto.

ill health n problemi mpl di salute.

illicit [ɪ'lɪsɪt] adj illecito(a).

ill-informed [ɪlɪn'fɔːmd] adj (judgement, speech) pieno(a) di inesattezze; (person) male informato(a).

illiterate [ɪ'lɪtərət] adj analfabeta, illetterato(a); (letter) scorretto(a).

ill-mannered [ɪl'mænəd] adj maleducato(a), sgarbato(a).

illness ['ɪlnɪs] n malattia.

illogical [ɪ'lɒdʒɪkl] adj illogico(a).

ill-suited [ɪl'suːtɪd] adj (couple) mal assortito(a); **he is ~ to the job** è inadatto a quel lavoro.

ill-timed [ɪl'taɪmd] adj intempestivo(a), inopportuno(a).

ill-treat [ɪl'triːt] vt maltrattare.

ill-treatment [ɪl'triːtmənt] n maltrattamenti mpl.

illuminate [ɪ'luːmɪneɪt] vt illuminare; **~d sign** insegna luminosa.

illuminating [ɪ'luːmɪneɪtɪŋ] adj chiarificatore(trice).

illumination [ɪluːmɪ'neɪʃən] n illuminazione f.

illusion [ɪ'luːʒən] n illusione f; **to be under the ~ that** avere l'impressione che.

illusive [ɪ'luːsɪv], **illusory** [ɪ'luːsərɪ] adj illusorio(a).

illustrate ['ɪləstreɪt] vt illustrare.

illustration [ɪlə'streɪʃən] n illustrazione f.

illustrator ['ɪləstreɪtə*] n illustratore/trice.

illustrious [ɪ'lʌstrɪəs] adj illustre.

ill will n cattiva volontà.

ILO n abbr (= International Labour Organization) OIL f.

ILWU n abbr (US: = International Longshoremen's and Warehousemen's Union) sindacato internazionale degli scaricatori di porto e magazzinieri.

I'm [aɪm] = **I am.**

image ['ɪmɪdʒ] n immagine f; (public face) immagine (pubblica).

imagery ['ɪmɪdʒərɪ] n immagini fpl.

imaginable [ɪ'mædʒɪnəbl] adj immaginabile, che si possa immaginare.

imaginary [ɪ'mædʒɪnərɪ] adj immaginario(a).

imagination [ɪmædʒɪ'neɪʃən] n immaginazione f, fantasia.

imaginative [ɪ'mædʒɪnətɪv] adj immaginoso(a).

imagine [ɪ'mædʒɪn] vt immaginare.

imbalance [ɪm'bæləns] n squilibrio.

imbecile ['ɪmbəsiːl] n imbecille m/f.

imbue [ɪm'bjuː] vt: **to ~ sth with** impregnare qc di.

IMF n abbr see **International Monetary Fund.**

imitate ['ɪmɪteɪt] vt imitare.

imitation [ɪmɪ'teɪʃən] n imitazione f.

imitator ['ɪmɪteɪtə*] n imitatore/trice.

immaculate [ɪ'mækjulət] adj immacolato(a); (dress, appearance) impeccabile.

immaterial [ɪmə'tɪərɪəl] adj immateriale, indifferente; **it is ~ whether** poco importa se or che + sub.

immature [ɪmə'tjuə*] adj immaturo(a).

immaturity [ɪmə'tjuərɪtɪ] n immaturità, mancanza di maturità.

immeasurable [ɪ'mɛʒərəbl] adj incommensurabile.

immediacy [ɪ'miːdɪəsɪ] n immediatezza.

immediate [ɪ'miːdɪət] adj immediato(a).

immediately [ɪ'miːdɪətlɪ] adv (at once) subito, immediatamente; **~ next to** proprio accanto a.

immense [ɪ'mɛns] adj immenso(a); enorme.

immensity [ɪ'mɛnsɪtɪ] n (of size, difference) enormità; (of problem etc) vastità.

immerse [ɪ'məːs] vt immergere.

immersion heater [ɪ'məːʃən-] n (BRIT) scaldaacqua m inv a immersione.

immigrant ['ɪmɪgrənt] n immigrante m/f; (already established) immigrato/a.

immigration [ɪmɪ'greɪʃən] n immigrazione f.

immigration authorities npl ufficio stranieri.

immigration laws npl leggi fpl relative all'immigrazione.

imminent ['ɪmɪnənt] adj imminente.

immobile [ɪ'məubaɪl] adj immobile.

immobilize [ɪ'məubɪlaɪz] vt immobilizzare.

immoderate [ɪ'mɒdərɪt] adj (person) smodato(a), sregolato(a); (opinion, reaction, demand) eccessivo(a).

immodest [ɪ'mɒdɪst] adj (indecent)

indecente, impudico(a); (*boasting*) presuntuoso(a).

immoral [ɪ'mɔrl] *adj* immorale.

immorality [ɪmə'rælɪtɪ] *n* immoralità.

immortal [ɪ'mɔːtl] *adj, n* immortale (*m/f*).

immortalize [ɪ'mɔːtəlaɪz] *vt* rendere immortale.

immovable [ɪ'muːvəbl] *adj* (*object*) non movibile; (*person*) irremovibile.

immune [ɪ'mjuːn] *adj*: ~ (**to**) immune (da).

immune system *n* sistema *m* immunitario.

immunity [ɪ'mjuːnɪtɪ] *n* (*also fig*: *of diplomat*) immunità; **diplomatic** ~ immunità diplomatica.

immunization [ɪmjunaɪ'zeɪʃən] *n* immunizzazione *f*.

immunize ['ɪmjunaɪz] *vt* immunizzare.

imp [ɪmp] *n* folletto, diavoletto; (*child*) diavoletto.

impact ['ɪmpækt] *n* impatto.

impair [ɪm'pɛə*] *vt* danneggiare.

impaired [ɪm'pɛəd] *adj* indebolito(a).

-impaired [ɪm'pɛəd] *suffix*: **visually**~ videoleso(a).

impale [ɪm'peɪl] *vt* impalare.

impart [ɪm'paːt] *vt* (*make known*) comunicare; (*bestow*) impartire.

impartial [ɪm'paːʃl] *adj* imparziale.

impartiality [ɪmpaːʃɪ'ælɪtɪ] *n* imparzialità.

impassable [ɪm'paːsəbl] *adj* insuperabile; (*road*) impraticabile.

impasse [æm'paːs] *n* impasse *f inv*.

impassioned [ɪm'pæʃənd] *adj* appassionato(a).

impassive [ɪm'pæsɪv] *adj* impassibile.

impatience [ɪm'peɪʃəns] *n* impazienza.

impatient [ɪm'peɪʃənt] *adj* impaziente; **to get** *or* **grow** ~ perdere la pazienza.

impeach [ɪm'piːtʃ] *vt* accusare, attaccare; (*public official*) mettere sotto accusa.

impeachment [ɪm'piːtʃmənt] *n* (*LAW*) imputazione *f*.

impeccable [ɪm'pɛkəbl] *adj* impeccabile.

impecunious [ɪmpɪ'kjuːnɪəs] *adj* povero(a).

impede [ɪm'piːd] *vt* impedire.

impediment [ɪm'pɛdɪmənt] *n* impedimento; (*also*: **speech** ~) difetto di pronuncia.

impel [ɪm'pɛl] *vt* (*force*): **to** ~ **sb** (**to do sth**) costringere *or* obbligare qn (a fare qc).

impending [ɪm'pɛndɪŋ] *adj* imminente.

impenetrable [ɪm'pɛnɪtrəbl] *adj* impenetrabile.

imperative [ɪm'pɛrətɪv] *adj* imperativo(a); necessario(a), urgente; (*voice*) imperioso(a) ♦ *n* (*LING*) imperativo.

imperceptible [ɪmpə'sɛptɪbl] *adj* impercettibile.

imperfect [ɪm'pəːfɪkt] *adj* imperfetto(a); (*goods etc*) difettoso(a) ♦ *n* (*LING*: *also*: ~ **tense**) imperfetto.

imperfection [ɪmpəː'fɛkʃən] *n* imperfezione *f*; (*flaw*) difetto.

imperial [ɪm'pɪərɪəl] *adj* imperiale; (*measure*) legale.

imperialism [ɪm'pɪərɪəlɪzəm] *n* imperialismo.

imperil [ɪm'pɛrɪl] *vt* mettere in pericolo.

imperious [ɪm'pɪərɪəs] *adj* imperioso(a).

impersonal [ɪm'pəːsənl] *adj* impersonale.

impersonate [ɪm'pəːsəneɪt] *vt* impersonare; (*THEAT*) imitare.

impersonation [ɪmpəːsə'neɪʃən] *n* (*LAW*) usurpazione *f* d'identità; (*THEAT*) imitazione *f*.

impersonator [ɪm'pəːsəneɪtə*] *n* (*gen, THEAT*) imitatore/trice.

impertinence [ɪm'pəːtɪnəns] *n* impertinenza.

impertinent [ɪm'pəːtɪnənt] *adj* impertinente.

imperturbable [ɪmpə'təːbəbl] *adj* imperturbabile.

impervious [ɪm'pəːvɪəs] *adj* impermeabile; (*fig*): ~ **to** insensibile a; impassibile di fronte a.

impetuous [ɪm'pɛtjuəs] *adj* impetuoso(a), precipitoso(a).

impetus ['ɪmpətəs] *n* impeto.

impinge [ɪm'pɪndʒ]: **to** ~ **on** *vt fus* (*person*) colpire; (*rights*) ledere.

impish ['ɪmpɪʃ] *adj* malizioso(a), birichino(a).

implacable [ɪm'plækəbl] *adj* implacabile.

implant [ɪm'plaːnt] *vt* (*MED*) innestare; (*fig*: *idea, principle*) inculcare.

implausible [ɪm'plɔːzɪbl] *adj* non plausibile.

implement *n* ['ɪmplɪmənt] attrezzo; (*for cooking*) utensile *m* ♦ *vt* ['ɪmplɪmɛnt] effettuare.

implicate ['ɪmplɪkeɪt] *vt* implicare.

implication [ɪmplɪ'keɪʃən] *n* implicazione *f*; **by** ~ implicitamente.

implicit [ɪm'plɪsɪt] *adj* implicito(a); (*complete*) completo(a).

implicitly [ɪm'plɪsɪtlɪ] *adv* implicitamente.

implore [ɪm'plɔː*] *vt* implorare.

imply [ɪm'plaɪ] *vt* insinuare; suggerire.

impolite [ɪmpə'laɪt] *adj* scortese.

imponderable [ɪm'pɔndərəbl] *adj* imponderabile.

import *vt* [ɪm'pɔːt] importare ♦ *n* ['ɪmpɔːt] (*COMM*) importazione *f*; (*meaning*) significato, senso ♦ *cpd* (*duty, licence etc*) d'importazione.

importance [ɪm'pɔːtns] *n* importanza; **to be**

of great/little ~ importare molto/poco,
essere molto/poco importante.
important [ɪm'pɔːtnt] *adj* importante; **it's
not** ~ non ha importanza; **it is** ~ **that** è
importante che + *sub*.
importantly [ɪm'pɔːtəntlɪ] *adv* (*pej*) con
(un'aria d')importanza; **but, more** ~, ...
ma, quel che più conta *or* importa, ...
importation [ɪmpɔː'teɪʃən] *n* importazione
f.
imported [ɪm'pɔːtɪd] *adj* importato(a).
importer [ɪm'pɔːtə*] *n* importatore/trice.
impose [ɪm'pəuz] *vt* imporre ♦ *vi*: **to** ~ **on
sb** sfruttare la bontà di qn.
imposing [ɪm'pəuzɪŋ] *adj* imponente.
imposition [ɪmpə'zɪʃən] *n* imposizione *f*; **to
be an** ~ **on** (*person*) abusare della
gentilezza di.
impossibility [ɪmpɔsə'bɪlɪtɪ] *n*
impossibilità.
impossible [ɪm'pɔsɪbl] *adj* impossibile; **it is**
~ **for me to leave now** mi è impossibile
venir via adesso.
impostor [ɪm'pɔstə*] *n* impostore/a.
impotence ['ɪmpətns] *n* impotenza.
impotent ['ɪmpətnt] *adj* impotente.
impound [ɪm'paund] *vt* confiscare.
impoverished [ɪm'pɔvərɪʃt] *adj*
impoverito(a).
impracticable [ɪm'præktɪkəbl] *adj*
impraticabile.
impractical [ɪm'præktɪkl] *adj* non
pratico(a).
imprecise [ɪmprɪ'saɪs] *adj* impreciso(a).
impregnable [ɪm'prɛgnəbl] *adj* (*fortress*)
inespugnabile; (*fig*) inoppugnabile;
irrefutabile.
impregnate ['ɪmprɛgneɪt] *vt* impregnare;
(*fertilize*) fecondare.
impresario [ɪmprɪ'sɑːrɪəu] *n* impresario/a.
impress [ɪm'prɛs] *vt* impressionare; (*mark*)
imprimere, stampare; **to** ~ **sth on sb** far
capire qc a qn.
impression [ɪm'prɛʃən] *n* impressione *f*; **to
be under the** ~ **that** avere l'impressione
che; **to make a good/bad** ~ **on sb** fare
una buona/cattiva impressione a *or* su
qn.
impressionable [ɪm'prɛʃnəbl] *adj*
impressionabile.
impressionist [ɪm'prɛʃənɪst] *n*
impressionista *m/f*.
impressive [ɪm'prɛsɪv] *adj* impressionante.
imprint ['ɪmprɪnt] *n* (*PUBLISHING*) sigla
editoriale.
imprinted [ɪm'prɪntɪd] *adj*: ~ **on**
impresso(a) in.
imprison [ɪm'prɪzn] *vt* imprigionare.

imprisonment [ɪm'prɪznmənt] *n*
imprigionamento.
improbable [ɪm'prɔbəbl] *adj* improbabile;
(*excuse*) inverosimile.
impromptu [ɪm'prɔmptjuː] *adj*
improvvisato(a) ♦ *adv* improvvisando,
così su due piedi.
improper [ɪm'prɔpə*] *adj* scorretto(a);
(*unsuitable*) inadatto(a), improprio(a);
sconveniente, indecente.
impropriety [ɪmprə'praɪətɪ] *n*
sconvenienza; (*of expression*)
improprietà.
improve [ɪm'pruːv] *vt* migliorare ♦ *vi*
migliorare; (*pupil etc*) fare progressi.
▶**improve (up)on** *vt fus* (*offer*) aumentare.
improvement [ɪm'pruːvmənt] *n*
miglioramento; progresso; **to make** ~**s to**
migliorare, apportare dei miglioramenti
a.
improvisation [ɪmprəvaɪ'zeɪʃən] *n*
improvvisazione *f*.
improvise ['ɪmprəvaɪz] *vt, vi* improvvisare.
imprudence [ɪm'pruːdns] *n* imprudenza.
imprudent [ɪm'pruːdnt] *adj* imprudente.
impudence ['ɪmpjudns] *n* impudenza.
impudent ['ɪmpjudnt] *adj* impudente,
sfacciato(a).
impugn [ɪm'pjuːn] *vt* impugnare.
impulse ['ɪmpʌls] *n* impulso; **to act on** ~
agire d'impulso *or* impulsivamente.
impulse buy *n* acquisto fatto d'impulso.
impulsive [ɪm'pʌlsɪv] *adj* impulsivo(a).
impunity [ɪm'pjuːnɪtɪ] *n*: **with** ~
impunemente.
impure [ɪm'pjuə*] *adj* impuro(a).
impurity [ɪm'pjuərɪtɪ] *n* impurità *f inv*.
IN *abbr* (*US*) = *Indiana*.

═══════════════════ *KEYWORD*

in [ɪn] *prep* **1** (*indicating place, position*) in; ~
the house/garden in casa/giardino; ~ **the
box** nella scatola; ~ **the fridge** nel
frigorifero; **I have it** ~ **my hand** ce l'ho in
mano; ~ **town/the country** in città/
campagna; ~ **school** a scuola; ~ **here/
there** qui/lì dentro
2 (*with place names: of town, region,
country*): ~ **London** a Londra; ~ **England**
in Inghilterra; ~ **the United States** negli
Stati Uniti; ~ **Yorkshire** nello Yorkshire
3 (*indicating time: during, in the space of*)
in; ~ **spring/summer** in primavera/
estate; ~ **1988** nel 1988; ~ **May** in *or* a
maggio; **I'll see you** ~ **July** ci vediamo a
luglio; ~ **the afternoon** nel pomeriggio; **at
4 o'clock** ~ **the afternoon** alle 4 del
pomeriggio; **I did it** ~ **3 hours/days** l'ho

fatto in 3 ore/giorni; **I'll see you ~ 2 weeks** *or* **~ 2 weeks' time** ci vediamo tra 2 settimane; **once ~ a hundred years** una volta ogni cento anni

4 (*indicating manner etc*) a; **~ a loud/soft voice** a voce alta/bassa; **~ pencil** a matita; **~ English/French** in inglese/francese; **~ writing** per iscritto; **the boy ~ the blue shirt** il ragazzo con la camicia blu

5 (*indicating circumstances*): **~ the sun** al sole; **~ the shade** all'ombra; **~ the rain** sotto la pioggia; **a rise ~ prices** un aumento dei prezzi

6 (*indicating mood, state*): **~ tears** in lacrime; **~ anger** per la rabbia; **~ despair** disperato(a); **~ good condition** in buono stato, in buone condizioni; **to live ~ luxury** vivere nel lusso

7 (*with ratios, numbers*): **1 ~ 10** 1 su 10; **20 pence ~ the pound** 20 pence per sterlina; **they lined up ~ twos** si misero in fila per due; **~ hundreds** a centinaia

8 (*referring to people, works*) in; **the disease is common ~ children** la malattia è comune nei bambini; **~ (the works of) Dickens** in Dickens, nelle opere di Dickens

9 (*indicating profession etc*) in; **to be ~ teaching** fare l'insegnante, insegnare; **to be ~ publishing** lavorare nell'editoria

10 (*after superlative*) di; **the best ~ the class** il migliore della classe

11 (*with present participle*): **~ saying this** dicendo questo, nel dire questo

12: **~ that** *conj* poiché

♦ *adv*: **to be ~** (*person: at home, work*) esserci; (*train, ship, plane*) essere arrivato(a); (*in fashion*) essere di moda; **their party is ~** il loro partito è al potere; **to ask sb ~** invitare qn ad entrare; **to run/limp** *etc* **~** entrare di corsa/zoppicando *etc*

♦ *n*: **the ~s and outs of the problem** tutti gli aspetti del problema.

in., ins *abbr* = **inch(es)**.

inability [ɪnə'bɪlɪtɪ] *n* inabilità, incapacità; **~ to pay** impossibilità di pagare.

inaccessible [ɪnək'sɛsɪbl] *adj* inaccessibile.

inaccuracy [ɪn'ækjurəsɪ] *n* inaccuratezza; inesattezza; imprecisione *f*.

inaccurate [ɪn'ækjurət] *adj* inaccurato(a); (*figures*) inesatto(a); (*translation*) impreciso(a).

inaction [ɪn'ækʃən] *n* inazione *f*.

inactivity [ɪnæk'tɪvɪtɪ] *n* inattività.

inadequacy [ɪn'ædɪkwəsɪ] *n* insufficienza.

inadequate [ɪn'ædɪkwət] *adj* insufficiente.

inadmissible [ɪnəd'mɪsəbl] *adj* inammissibile.

inadvertent [ɪnəd'vɜːtənt] *adj* involontario(a).

inadvertently [ɪnəd'vɜːtntlɪ] *adv* senza volerlo.

inadvisable [ɪnəd'vaɪzəbl] *adj* sconsigliabile.

inane [ɪ'neɪn] *adj* vacuo(a), stupido(a).

inanimate [ɪn'ænɪmət] *adj* inanimato(a).

inapplicable [ɪn'æplɪkəbl] *adj* inapplicabile.

inappropriate [ɪnə'prəuprɪət] *adj* disadatto(a); (*word, expression*) improprio(a).

inapt [ɪn'æpt] *adj* maldestro(a); fuori luogo.

inaptitude [ɪn'æptɪtjuːd] *n* improprietà.

inarticulate [ɪnɑː'tɪkjulət] *adj* (*person*) che si esprime male; (*speech*) inarticolato(a).

inasmuch as [ɪnəz'mʌtʃæz] *adv* in quanto che; (*seeing that*) poiché.

inattention [ɪnə'tɛnʃən] *n* mancanza di attenzione.

inattentive [ɪnə'tɛntɪv] *adj* disattento(a), distratto(a); negligente.

inaudible [ɪn'ɔːdɪbl] *adj* che non si riesce a sentire.

inaugural [ɪ'nɔːgjurəl] *adj* inaugurale.

inaugurate [ɪ'nɔːgjureɪt] *vt* inaugurare; (*president, official*) insediare.

inauguration [ɪnɔːgju'reɪʃən] *n* inaugurazione *f*; insediamento in carica.

inauspicious [ɪnɔːs'pɪʃəs] *adj* poco propizio(a).

in-between [ɪnbɪ'twiːn] *adj* fra i (*or* le) due.

inborn [ɪn'bɔːn] *adj* (*feeling*) innato(a); (*defect*) congenito(a).

inbred [ɪn'brɛd] *adj* innato(a); (*family*) connaturato(a).

inbreeding [ɪn'briːdɪŋ] *n* incrocio ripetuto di animali consanguinei; unioni *fpl* fra consanguinei.

Inc. *abbr see* **incorporated**.

Inca ['ɪŋkə] *adj* (*also*: **~n**) inca *inv* ♦ *n* inca *m/f inv*.

incalculable [ɪn'kælkjuləbl] *adj* incalcolabile.

incapability [ɪnkeɪpə'bɪlɪtɪ] *n* incapacità.

incapable [ɪn'keɪpəbl] *adj*: **~ (of doing sth)** incapace (di fare qc).

incapacitate [ɪnkə'pæsɪteɪt] *vt*: **to ~ sb from doing** rendere qn incapace di fare.

incapacitated [ɪnkə'pæsɪteɪtɪd] *adj* (*LAW*) inabilitato(a).

incapacity [ɪnkə'pæsɪtɪ] *n* incapacità.

incarcerate [ɪn'kɑːsəreɪt] *vt* imprigionare.

incarnate *adj* [ɪn'kɑːnɪt] incarnato(a) ♦ *vt* ['ɪnkɑːneɪt] incarnare.

incarnation [ɪnkɑː'neɪʃən] *n* incarnazione *f*.

incendiary [ɪnˈsɛndɪərɪ] *adj* incendiario(a) ♦ *n* (*bomb*) bomba incendiaria.

incense *n* [ˈɪnsɛns] incenso ♦ *vt* [ɪnˈsɛns] (*anger*) infuriare.

incense burner *n* incensiere *m*.

incentive [ɪnˈsɛntɪv] *n* incentivo.

incentive scheme *n* piano di incentivazione.

inception [ɪnˈsɛpʃən] *n* inizio, principio.

incessant [ɪnˈsɛsnt] *adj* incessante.

incessantly [ɪnˈsɛsntlɪ] *adv* di continuo, senza sosta.

incest [ˈɪnsɛst] *n* incesto.

inch [ɪntʃ] *n* pollice *m* (= 25 *mm*; 12 *in a foot*); **within an** ~ **of** a un pelo da; **he wouldn't give an** ~ (*fig*) non ha ceduto di un millimetro.

▶**inch forward** *vi* avanzare pian piano.

inch tape *n* (*BRIT*) metro a nastro (da sarto).

incidence [ˈɪnsɪdns] *n* incidenza.

incident [ˈɪnsɪdnt] *n* incidente *m*; (*in book*) episodio.

incidental [ɪnsɪˈdɛntl] *adj* accessorio(a), d'accompagnamento; (*unplanned*) incidentale; ~ **to** marginale a; ~ **expenses** *npl* spese *fpl* accessorie.

incidentally [ɪnsɪˈdɛntəlɪ] *adv* (*by the way*) a proposito.

incidental music *n* sottofondo (musicale), musica di sottofondo.

incident room *n* (*POLICE*) centrale *f* delle operazioni (*per indagini*).

incinerate [ɪnˈsɪnəreɪt] *vt* incenerire.

incinerator [ɪnˈsɪnəreɪtə*] *n* inceneritore *m*.

incipient [ɪnˈsɪpɪənt] *adj* incipiente.

incision [ɪnˈsɪʒən] *n* incisione *f*.

incisive [ɪnˈsaɪsɪv] *adj* incisivo(a); tagliante; acuto(a).

incisor [ɪnˈsaɪzə*] *n* incisivo.

incite [ɪnˈsaɪt] *vt* incitare.

incl. *abbr* = **including, inclusive (of)**.

inclement [ɪnˈklɛmnt] *adj* inclemente.

inclination [ɪnklɪˈneɪʃən] *n* inclinazione *f*.

incline *n* [ˈɪnklaɪn] pendenza, pendio ♦ *vb* [ɪnˈklaɪn] *vt* inclinare ♦ *vi*: **to** ~ **to** tendere a; **to be** ~**d to do** tendere a fare; essere propenso(a) a fare; **to be well** ~**d towards sb** essere ben disposto(a) verso qn.

include [ɪnˈkluːd] *vt* includere, comprendere; **the tip is/is not** ~**d** la mancia è compresa/esclusa.

including [ɪnˈkluːdɪŋ] *prep* compreso(a), incluso(a); ~ **tip** mancia compresa, compresa la mancia.

inclusion [ɪnˈkluːʒən] *n* inclusione *f*.

inclusive [ɪnˈkluːsɪv] *adj* incluso(a),

compreso(a); **£50,** ~ **of all surcharges** 50 sterline, incluse tutte le soprattasse.

inclusive terms *npl* (*BRIT*) prezzo tutto compreso.

incognito [ɪnkɔgˈniːtəu] *adv* in incognito.

incoherent [ɪnkəuˈhɪərənt] *adj* incoerente.

income [ˈɪnkʌm] *n* reddito; **gross/net** ~ reddito lordo/netto; ~ **and expenditure account** conto entrate ed uscite.

income support *n* (*BRIT*) sussidio di indigenza *or* povertà.

income tax *n* imposta sul reddito.

income tax inspector *n* ispettore *m* delle imposte dirette.

income tax return *n* dichiarazione *f* annuale dei redditi.

incoming [ˈɪnkʌmɪŋ] *adj* (*passengers*) in arrivo; (*government, tenant*) subentrante; ~ **tide** marea montante.

incommunicado [ɪnkəmjunɪˈkɑːdəu] *adj*: **to hold sb** ~ tenere qn in segregazione.

incomparable [ɪnˈkɔmpərəbl] *adj* incomparabile.

incompatible [ɪnkəmˈpætɪbl] *adj* incompatibile.

incompetence [ɪnˈkɔmpɪtns] *n* incompetenza, incapacità.

incompetent [ɪnˈkɔmpɪtnt] *adj* incompetente, incapace.

incomplete [ɪnkəmˈpliːt] *adj* incompleto(a).

incomprehensible [ɪnkɔmprɪˈhɛnsɪbl] *adj* incomprensibile.

inconceivable [ɪnkənˈsiːvəbl] *adj* inimmaginabile.

inconclusive [ɪnkənˈkluːsɪv] *adj* improduttivo(a); (*argument*) poco convincente.

incongruous [ɪnˈkɔŋgruəs] *adj* poco appropriato(a); (*remark, act*) incongruo(a).

inconsequential [ɪnkɔnsɪˈkwɛnʃl] *adj* senza importanza.

inconsiderable [ɪnkənˈsɪdərəbl] *adj*: **not** ~ non trascurabile.

inconsiderate [ɪnkənˈsɪdərət] *adj* sconsiderato(a).

inconsistency [ɪnkənˈsɪstənsɪ] *n* (*of actions etc*) incongruenza; (*of work*) irregolarità; (*of statement etc*) contraddizione *f*.

inconsistent [ɪnkənˈsɪstnt] *adj* incoerente; poco logico(a); contraddittorio(a); ~ **with** in contraddizione con.

inconsolable [ɪnkənˈsəuləbl] *adj* inconsolabile.

inconspicuous [ɪnkənˈspɪkjuəs] *adj* incospicuo(a); (*colour*) poco appariscente; (*dress*) dimesso(a); **to make o.s.** ~ cercare di passare inosservato(a).

inconstant [ɪnˈkɔnstnt] *adj* incostante; mutevole.

incontinence [ɪnˈkɔntɪnəns] *n* incontinenza.

incontinent [ɪnˈkɔntɪnənt] *adj* incontinente.

incontrovertible [ɪnkɔntrəˈvəːtəbl] *adj* incontrovertibile.

inconvenience [ɪnkənˈviːnjəns] *n* inconveniente *m*; (*trouble*) disturbo ♦ *vt* disturbare; **to put sb to great ~** creare degli inconvenienti a qn; **don't ~ yourself** non si disturbi.

inconvenient [ɪnkənˈviːnjənt] *adj* scomodo(a); **that time is very ~ for me** quell'ora mi è molto scomoda, non è un'ora adatta per me.

incorporate [ɪnˈkɔːpəreɪt] *vt* incorporare; (*contain*) contenere.

incorporated [ɪnˈkɔːpəreɪtɪd] *adj*: **~ company** (*US*: *abbr* **Inc.**) società *f inv* registrata.

incorrect [ɪnkəˈrɛkt] *adj* scorretto(a); (*statement*) impreciso(a).

incorrigible [ɪnˈkɔrɪdʒəbl] *adj* incorreggibile.

incorruptible [ɪnkəˈrʌptɪbl] *adj* incorruttibile.

increase *n* [ˈɪnkriːs] aumento ♦ *vi* [ɪnˈkriːs] aumentare; **to be on the ~** essere in aumento; **an ~ of £5/10%** un aumento di 5 sterline/del 10%.

increasing [ɪnˈkriːsɪŋ] *adj* (*number*) crescente.

increasingly [ɪnˈkriːsɪŋlɪ] *adv* sempre più.

incredible [ɪnˈkrɛdɪbl] *adj* incredibile.

incredulous [ɪnˈkrɛdjuləs] *adj* incredulo(a).

increment [ˈɪnkrɪmənt] *n* aumento, incremento.

incriminate [ɪnˈkrɪmɪneɪt] *vt* compromettere.

incriminating [ɪnˈkrɪmɪneɪtɪŋ] *adj* incriminante.

incubate [ˈɪnkjubeɪt] *vt* (*eggs*) covare ♦ *vi* (*egg*) essere in incubazione; (*disease*) avere un'incubazione.

incubation [ɪnkjuˈbeɪʃən] *n* incubazione *f*.

incubation period *n* (periodo di) incubazione *f*.

incubator [ˈɪnkjubeɪtə*] *n* incubatrice *f*.

inculcate [ˈɪnkʌlkeɪt] *vt*: **to ~ sth in sb** inculcare qc a qn, instillare qc a qn.

incumbent [ɪnˈkʌmbənt] *adj*: **it is ~ on him to do ...** è suo dovere fare ... ♦ *n* titolare *m/f*.

incur [ɪnˈkəː*] *vt* (*expenses*) incorrere; (*debt*) contrarre; (*loss*) subire; (*anger, risk*) esporsi a.

incurable [ɪnˈkjuərəbl] *adj* incurabile.

incursion [ɪnˈkəːʃən] *n* incursione *f*.

Ind. *abbr* (*US*) = *Indiana*.

indebted [ɪnˈdɛtɪd] *adj*: **to be ~ to sb (for)** essere obbligato(a) verso qn (per).

indecency [ɪnˈdiːsnsɪ] *n* indecenza.

indecent [ɪnˈdiːsnt] *adj* indecente.

indecent assault *n* (*BRIT*) aggressione *f* a scopo di violenza sessuale.

indecent exposure *n* atti *mpl* osceni in luogo pubblico.

indecipherable [ɪndɪˈsaɪfərəbl] *adj* indecifrabile.

indecision [ɪndɪˈsɪʒən] *n* indecisione *f*.

indecisive [ɪndɪˈsaɪsɪv] *adj* indeciso(a); (*discussion*) non decisivo(a).

indeed [ɪnˈdiːd] *adv* infatti; veramente; **yes ~!** certamente!

indefatigable [ɪndɪˈfætɪgəbl] *adj* infaticabile, instancabile.

indefensible [ɪndɪˈfɛnsəbl] *adj* (*conduct*) ingiustificabile.

indefinable [ɪndɪˈfaɪnəbl] *adj* indefinibile.

indefinite [ɪnˈdɛfɪnɪt] *adj* indefinito(a); (*answer*) vago(a); (*period, number*) indeterminato(a).

indefinitely [ɪnˈdɛfɪnɪtlɪ] *adv* (*wait*) indefinitamente.

indelible [ɪnˈdɛlɪbl] *adj* indelebile.

indelicate [ɪnˈdɛlɪkɪt] *adj* (*tactless*) indelicato(a), privo(a) di tatto; (*not polite*) sconveniente.

indemnify [ɪnˈdɛmnɪfaɪ] *vt* indennizzare.

indemnity [ɪnˈdɛmnɪtɪ] *n* (*insurance*) assicurazione *f*; (*compensation*) indennità, indennizzo.

indent [ɪnˈdɛnt] *vt* (*TYP: text*) far rientrare dal margine.

indentation [ɪndɛnˈteɪʃən] *n* dentellatura; (*TYP*) rientranza; (*dent*) tacca.

indented [ɪnˈdɛntɪd] *adj* (*TYP*) rientrante.

indenture [ɪnˈdɛntʃə*] *n* contratto *m* formazione *inv*.

independence [ɪndɪˈpɛndns] *n* indipendenza.

*Negli Stati Uniti il 4 luglio si festeggia l'***Independence Day**, *il giorno in cui è stata firmata, nel 1776, la Dichiarazione di Indipendenza con la quale tredici colonie britanniche dichiaravano la propria autonomia dalla Gran Bretagna e la propria appartenenza agli Stati Uniti d'America.*

independent [ɪndɪˈpɛndnt] *adj* indipendente.

independently [ɪndɪˈpɛndntlɪ] *adv* indipendentemente; separatamente; **~ of** indipendentemente da.

in-depth ['ɪn'dɛpθ] *adj* approfondito(a).
indescribable [ɪndɪ'skraɪbəbl] *adj* indescrivibile.
indestructible [ɪndɪ'strʌktəbl] *adj* indistruttibile.
indeterminate [ɪndɪ'tə:mɪnɪt] *adj* indeterminato(a).
index ['ɪndɛks] *n* (*pl* ~**es**: *in book*) indice *m*; (: *in library etc*) catalogo; (*pl* **indices** ['ɪndɪsi:z]: *ratio, sign*) indice *m*.
index card *n* scheda.
index finger *n* (dito) indice *m*.
index-linked ['ɪndɛks'lɪŋkt], (*US*) **indexed** ['ɪndɛkst] *adj* legato(a) al costo della vita.
India ['ɪndɪə] *n* India.
Indian ['ɪndɪən] *adj, n* indiano(a).
Indian ink *n* inchiostro di china.
Indian Ocean *n*: **the** ~ l'Oceano Indiano.
Indian Summer *n* (*fig*) estate *f* di San Martino.
India paper *n* carta d'India, carta bibbia.
India rubber *n* caucciù *m*.
indicate ['ɪndɪkeɪt] *vt* indicare ♦ *vi* (*BRIT AUT*): **to** ~ **left/right** mettere la freccia a sinistra/a destra.
indication [ɪndɪ'keɪʃən] *n* indicazione *f*, segno.
indicative [ɪn'dɪkətɪv] *adj* indicativo(a) ♦ *n* (*LING*) indicativo; **to be** ~ **of sth** essere indicativo(a) *or* un indice di qc.
indicator ['ɪndɪkeɪtə*] *n* (*sign*) segno; (*AUT*) indicatore *m* di direzione, freccia.
indices ['ɪndɪsi:z] *npl of* **index**.
indict [ɪn'daɪt] *vt* accusare.
indictable [ɪn'daɪtəbl] *adj* passibile di pena; ~ **offence** atto che costituisce reato.
indictment [ɪn'daɪtmənt] *n* accusa.
indifference [ɪn'dɪfrəns] *n* indifferenza.
indifferent [ɪn'dɪfrənt] *adj* indifferente; (*poor*) mediocre.
indigenous [ɪn'dɪdʒɪnəs] *adj* indigeno(a).
indigestible [ɪndɪ'dʒɛstɪbl] *adj* indigeribile.
indigestion [ɪndɪ'dʒɛstʃən] *n* indigestione *f*.
indignant [ɪn'dɪgnənt] *adj*: ~ **(at sth/with sb)** indignato(a) (per qc/contro qn).
indignation [ɪndɪg'neɪʃən] *n* indignazione *f*.
indignity [ɪn'dɪgnɪtɪ] *n* umiliazione *f*.
indigo ['ɪndɪgəʊ] *adj, n* indaco (*inv*).
indirect [ɪndɪ'rɛkt] *adj* indiretto(a).
indirectly [ɪndɪ'rɛktlɪ] *adv* indirettamente.
indiscreet [ɪndɪ'skri:t] *adj* indiscreto(a); (*rash*) imprudente.
indiscretion [ɪndɪ'skrɛʃən] *n* indiscrezione *f*; imprudenza.
indiscriminate [ɪndɪ'skrɪmɪnət] *adj* (*person*) che non sa discernere; (*admiration*) cieco(a); (*killings*) indiscriminato(a).
indispensable [ɪndɪ'spɛnsəbl] *adj* indispensabile.
indisposed [ɪndɪ'spəʊzd] *adj* (*unwell*) indisposto(a).
indisposition [ɪndɪspə'zɪʃən] *n* (*illness*) indisposizione *f*.
indisputable [ɪndɪ'spju:təbl] *adj* incontestabile, indiscutibile.
indistinct [ɪndɪ'stɪŋkt] *adj* indistinto(a); (*memory, noise*) vago(a).
indistinguishable [ɪndɪ'stɪŋgwɪʃəbl] *adj* indistinguibile.
individual [ɪndɪ'vɪdjuəl] *n* individuo ♦ *adj* individuale; (*characteristic*) particolare, originale.
individualist [ɪndɪ'vɪdjuəlɪst] *n* individualista *m/f*.
individuality [ɪndɪvɪdju'ælɪtɪ] *n* individualità.
individually [ɪndɪ'vɪdjuəlɪ] *adv* singolarmente, uno(a) per uno(a).
indivisible [ɪndɪ'vɪzɪbl] *adj* indivisibile.
Indochina ['ɪndəʊ'tʃaɪnə] *n* Indocina.
indoctrinate [ɪn'dɒktrɪneɪt] *vt* indottrinare.
indoctrination [ɪndɒktrɪ'neɪʃən] *n* indottrinamento.
indolent ['ɪndələnt] *adj* indolente.
Indonesia [ɪndəʊ'ni:zɪə] *n* Indonesia.
Indonesian [ɪndəʊ'ni:zɪən] *adj, n* indonesiano(a); (*LING*) indonesiano.
indoor ['ɪndɔ:*] *adj* da interno; (*plant*) d'appartamento; (*swimming pool*) coperto(a); (*sport, games*) fatto(a) al coperto.
indoors [ɪn'dɔ:z] *adv* all'interno; (*at home*) in casa.
indubitable [ɪn'dju:bɪtəbl] *adj* indubitabile.
induce [ɪn'dju:s] *vt* persuadere; (*bring about*) provocare; **to** ~ **sb to do sth** persuadere qn a fare qc.
inducement [ɪn'dju:smənt] *n* incitamento; (*incentive*) stimolo, incentivo.
induct [ɪn'dʌkt] *vt* insediare; (*fig*) iniziare.
induction [ɪn'dʌkʃən] *n* (*MED: of birth*) parto indotto.
induction course *n* (*BRIT*) corso di avviamento.
indulge [ɪn'dʌldʒ] *vt* (*whim*) compiacere, soddisfare; (*child*) viziare ♦ *vi*: **to** ~ **in sth** concedersi qc; abbandonarsi a qc.
indulgence [ɪn'dʌldʒəns] *n* lusso (che uno si permette); (*leniency*) indulgenza.
indulgent [ɪn'dʌldʒənt] *adj* indulgente.
industrial [ɪn'dʌstrɪəl] *adj* industriale; (*injury*) sul lavoro; (*dispute*) di lavoro.
industrial action *n* azione *f* rivendicativa.
industrial estate *n* zona industriale.
industrialist [ɪn'dʌstrɪəlɪst] *n* industriale *m*.
industrialize [ɪn'dʌstrɪəlaɪz] *vt*

industrializzare.

industrial park *n* (*US*) zona industriale.

industrial relations *npl* relazioni *fpl* industriali.

industrial tribunal *n* (*BRIT*) ≈ Tribunale *m* Amministrativo Regionale.

industrial unrest *n* (*BRIT*) agitazione *f* (sindacale).

industrious [ɪn'dʌstrɪəs] *adj* industrioso(a), assiduo(a).

industry ['ɪndəstrɪ] *n* industria; (*diligence*) operosità.

inebriated [ɪ'niːbrɪeɪtɪd] *adj* ubriaco(a).

inedible [ɪn'ɛdɪbl] *adj* immangiabile; non commestibile.

ineffective [ɪnɪ'fɛktɪv] *adj* inefficace.

ineffectual [ɪnɪ'fɛktʃuəl] *adj* inefficace; incompetente.

inefficiency [ɪnɪ'fɪʃənsɪ] *n* inefficienza.

inefficient [ɪnɪ'fɪʃənt] *adj* inefficiente.

inelegant [ɪn'ɛlɪgənt] *adj* poco elegante.

ineligible [ɪn'ɛlɪdʒɪbl] *adj* (*candidate*) ineleggibile; **to be ~ for sth** non avere il diritto a qc.

inept [ɪ'nɛpt] *adj* inetto(a).

ineptitude [ɪ'nɛptɪtjuːd] *n* inettitudine *f*, stupidità.

inequality [ɪnɪ'kwɔlɪtɪ] *n* ineguaglianza.

inequitable [ɪn'ɛkwɪtəbl] *adj* iniquo(a).

ineradicable [ɪnɪ'rædɪkəbl] *adj* inestirpabile.

inert [ɪ'nɜːt] *adj* inerte.

inertia [ɪ'nɜːʃə] *n* inerzia.

inertia-reel seat belt [ɪ'nɜːʃə'riːl-] *n* cintura di sicurezza con arrotolatore.

inescapable [ɪnɪ'skeɪpəbl] *adj* inevitabile.

inessential [ɪnɪ'sɛnʃl] *adj* non essenziale.

inestimable [ɪn'ɛstɪməbl] *adj* inestimabile, incalcolabile.

inevitable [ɪn'ɛvɪtəbl] *adj* inevitabile.

inevitably [ɪn'ɛvɪtəblɪ] *adv* inevitabilmente; **as ~ happens** ... come immancabilmente succede ....

inexact [ɪnɪg'zækt] *adj* inesatto(a).

inexcusable [ɪnɪks'kjuːzəbl] *adj* imperdonabile.

inexhaustible [ɪnɪg'zɔːstɪbl] *adj* inesauribile; (*person*) instancabile.

inexorable [ɪn'ɛksərəbl] *adj* inesorabile.

inexpensive [ɪnɪk'spɛnsɪv] *adj* poco costoso(a).

inexperience [ɪnɪk'spɪərɪəns] *n* inesperienza.

inexperienced [ɪnɪk'spɪərɪənst] *adj* inesperto(a), senza esperienza; **to be ~ in sth** essere poco pratico di qc.

inexplicable [ɪnɪk'splɪkəbl] *adj* inesplicabile.

inexpressible [ɪnɪk'sprɛsəbl] *adj* inesprimibile.

inextricable [ɪnɪk'strɪkəbl] *adj* inestricabile.

infallibility [ɪnfælə'bɪlɪtɪ] *n* infallibilità.

infallible [ɪn'fælɪbl] *adj* infallibile.

infamous ['ɪnfəməs] *adj* infame.

infamy ['ɪnfəmɪ] *n* infamia.

infancy ['ɪnfənsɪ] *n* infanzia.

infant ['ɪnfənt] *n* bambino/a.

infantile ['ɪnfəntaɪl] *adj* infantile.

infant mortality *n* mortalità infantile.

infantry ['ɪnfəntrɪ] *n* fanteria.

infantryman ['ɪnfəntrɪmən] *n* fante *m*.

infant school *n* (*BRIT*) scuola elementare (*per bambini dall'età di 5 a 7 anni*).

infatuated [ɪn'fætjueɪtɪd] *adj*: **~ with** infatuato(a) di; **to become ~ (with sb)** infatuarsi (di qn).

infatuation [ɪnfætju'eɪʃən] *n* infatuazione *f*.

infect [ɪn'fɛkt] *vt* infettare; **~ed with** (*illness*) affetto(a) da; **to become ~ed** (*wound*) infettarsi.

infection [ɪn'fɛkʃən] *n* infezione *f*.

infectious [ɪn'fɛkʃəs] *adj* (*disease*) infettivo(a), contagioso(a); (*person, laughter*) contagioso(a).

infer [ɪn'fɜː*] *vt*: **to ~ (from)** dedurre (da), concludere (da).

inference ['ɪnfərəns] *n* deduzione *f*, conclusione *f*.

inferior [ɪn'fɪərɪə*] *adj* inferiore; (*goods*) di qualità scadente ♦ *n* inferiore *m/f*; (*in rank*) subalterno/a; **to feel ~** sentirsi inferiore.

inferiority [ɪnfɪərɪ'ɒrətɪ] *n* inferiorità.

inferiority complex *n* complesso di inferiorità.

infernal [ɪn'fɜːnl] *adj* infernale.

inferno [ɪn'fɜːnəu] *n* inferno.

infertile [ɪn'fɜːtaɪl] *adj* sterile.

infertility [ɪnfɜː'tɪlɪtɪ] *n* sterilità.

infested [ɪn'fɛstɪd] *adj*: **~ (with)** infestato(a) (di).

infidelity [ɪnfɪ'dɛlɪtɪ] *n* infedeltà.

in-fighting ['ɪnfaɪtɪŋ] *n* lotte *fpl* intestine.

infiltrate ['ɪnfɪltreɪt] *vt* (*troops etc*) far penetrare; (*enemy line etc*) infiltrare ♦ *vi* infiltrarsi.

infinite ['ɪnfɪnɪt] *adj* infinito(a); **an ~ amount of time/money** un'illimitata quantità di tempo/denaro.

infinitely ['ɪnfɪnɪtlɪ] *adv* infinitamente.

infinitesimal [ɪnfɪnɪ'tɛsɪməl] *adj* infinitesimale.

infinitive [ɪn'fɪnɪtɪv] *n* infinito.

infinity [ɪn'fɪnɪtɪ] *n* infinità; (*also MATH*) infinito.

infirm [ɪn'fɜːm] *adj* infermo(a).

infirmary [ɪn'fɜːmərɪ] *n* ospedale *m*; (*in*

school, factory) infermeria.
infirmity [ɪn'fɔːmɪtɪ] *n* infermità *f inv.*
inflamed [ɪn'fleɪmd] *adj* infiammato(a).
inflammable [ɪn'flæməbl] *adj* infiammabile.
inflammation [ɪnflə'meɪʃən] *n*
infiammazione *f.*
inflammatory [ɪn'flæmətərɪ] *adj (speech)*
incendiario(a).
inflatable [ɪn'fleɪtəbl] *adj* gonfiabile.
inflate [ɪn'fleɪt] *vt (tyre, balloon)* gonfiare;
(fig) esagerare; gonfiare; **to ~ the
currency** far ricorso all'inflazione.
inflated [ɪn'fleɪtɪd] *adj (style)* gonfio(a);
(value) esagerato(a).
inflation [ɪn'fleɪʃən] *n (ECON)* inflazione *f.*
inflationary [ɪn'fleɪʃənərɪ] *adj*
inflazionistico(a).
inflexible [ɪn'flɛksɪbl] *adj* inflessibile,
rigido(a).
inflict [ɪn'flɪkt] *vt:* **to ~ on** infliggere a.
infliction [ɪn'flɪkʃən] *n* inflizione *f*; afflizione
f.
in-flight ['ɪnflaɪt] *adj* a bordo.
inflow ['ɪnfləu] *n* afflusso.
influence ['ɪnfluəns] *n* influenza ♦ *vt*
influenzare; **under the ~ of** sotto
l'influenza di; **under the ~ of drink** sotto
l'influenza *or* l'effetto dell'alcool.
influential [ɪnflu'ɛnʃl] *adj* influente.
influenza [ɪnflu'ɛnzə] *n (MED)* influenza.
influx ['ɪnflʌks] *n* afflusso.
inform [ɪn'fɔːm] *vt:* **to ~ sb (of)** informare
qn (di) ♦ *vi:* **to ~ on sb** denunciare qn; **to
~ sb about** mettere qn al corrente di.
informal [ɪn'fɔːml] *adj (person, manner)* alla
buona, semplice; *(visit, discussion)*
informale; *(announcement, invitation)* non
ufficiale; "**dress ~**" "non è richiesto
l'abito scuro"; **~ language** linguaggio
colloquiale.
informality [ɪnfɔː'mælɪtɪ] *n* semplicità,
informalità; carattere *m* non ufficiale.
informally [ɪn'fɔːməlɪ] *adv* senza cerimonie;
(invite) in modo non ufficiale.
informant [ɪn'fɔːmənt] *n* informatore/trice.
informatics [ɪnfə'mætɪks] *n* informatica.
information [ɪnfə'meɪʃən] *n* informazioni
fpl; particolari *mpl*; **to get ~ on** informarsi
su; **a piece of ~** un'informazione; **for your
~** a titolo d'informazione, per sua
informazione.
information bureau *n* ufficio *m*
informazioni *inv.*
information processing *n* elaborazione *f*
delle informazioni.
information retrieval *n* ricupero delle
informazioni.
information technology (IT) *n*

informatica.
informative [ɪn'fɔːmətɪv] *adj* istruttivo(a).
informed [ɪn'fɔːmd] *adj (observer)* (ben)
informato(a); **an ~ guess** un'ipotesi
fondata.
informer [ɪn'fɔːmə*] *n* informatore/trice.
infra dig ['ɪnfrə'dɪg] *adj abbr (col: = infra
dignitatem: beneath one's dignity)*
indecoroso(a).
infra-red [ɪnfrə'rɛd] *adj* infrarosso(a).
infrastructure ['ɪnfrəstrʌktʃə*] *n*
infrastruttura.
infrequent [ɪn'friːkwənt] *adj* infrequente,
raro(a).
infringe [ɪn'frɪndʒ] *vt* infrangere ♦ *vi:* **to ~
on** calpestare.
infringement [ɪn'frɪndʒmənt] *n:* **~ (of)**
infrazione *f* (di).
infuriate [ɪn'fjuərieɪt] *vt* rendere
furioso(a).
infuriating [ɪn'fjuərieɪtɪŋ] *adj* molto
irritante.
infuse [ɪn'fjuːz] *vt (with courage,
enthusiasm):* **to ~ sb with sth** infondere
qc a qn, riempire qn di qc.
infusion [ɪn'fjuːʒən] *n (tea etc)* infuso,
infusione *f.*
ingenious [ɪn'dʒiːnjəs] *adj* ingegnoso(a).
ingenuity [ɪndʒɪ'njuːɪtɪ] *n* ingegnosità.
ingenuous [ɪn'dʒɛnjuəs] *adj* ingenuo(a).
ingot ['ɪŋgət] *n* lingotto.
ingrained [ɪn'greɪnd] *adj* radicato(a).
ingratiate [ɪn'greɪʃɪeɪt] *vt:* **to ~ o.s. with sb**
ingraziarsi qn.
ingratiating [ɪn'greɪʃɪeɪtɪŋ] *adj (smile,
speech)* suadente, cattivante; *(person)*
compiacente.
ingratitude [ɪn'grætɪtjuːd] *n* ingratitudine *f.*
ingredient [ɪn'griːdɪənt] *n* ingrediente *m*;
elemento.
ingrowing ['ɪngrəuɪŋ], **ingrown** ['ɪngrəun]
adj: **~ (toe)nail** unghia incarnita.
inhabit [ɪn'hæbɪt] *vt* abitare.
inhabitable [ɪn'hæbɪtəbl] *adj* abitabile.
inhabitant [ɪn'hæbɪtnt] *n* abitante *m/f.*
inhale [ɪn'heɪl] *vt* inalare ♦ *vi (in smoking)*
aspirare.
inhaler [ɪn'heɪlə*] *n* inalatore *m.*
inherent [ɪn'hɪərənt] *adj:* **~ (in or to)**
inerente (a).
inherently [ɪn'hɪərəntlɪ] *adv (easy, difficult)*
di per sé, di per se stesso(a); **~ lazy** pigro
di natura.
inherit [ɪn'hɛrɪt] *vt* ereditare.
inheritance [ɪn'hɛrɪtəns] *n* eredità.
inhibit [ɪn'hɪbɪt] *vt (PSYCH)* inibire; **to ~ sb
from doing** impedire a qn di fare.
inhibited [ɪn'hɪbɪtɪd] *adj (person)* inibito(a).

inhibiting [ɪn'hɪbɪtɪŋ] _adj_ che inibisce.
inhibition [ɪnhɪ'bɪʃən] _n_ inibizione _f._
inhospitable [ɪnhɔs'pɪtəbl] _adj_ inospitale.
in-house ['ɪn'haus] _adj_ effettuato(a) da
personale interno, interno(a) ♦ _adv_
(_training_) all'interno dell'azienda.
inhuman [ɪn'hju:mən] _adj_ inumano(a),
disumano(a).
inhumane [ɪnhju:'meɪn] _adj_ inumano(a),
disumano(a).
inimitable [ɪ'nɪmɪtəbl] _adj_ inimitabile.
iniquity [ɪ'nɪkwɪtɪ] _n_ iniquità _f inv._
initial [ɪ'nɪʃl] _adj_ iniziale ♦ _n_ iniziale _f_ ♦ _vt_
siglare; ~**s** _npl_ iniziali _fpl_; (_as signature_)
sigla.
initialize [ɪ'nɪʃəlaɪz] _vt_ (COMPUT)
inizializzare.
initially [ɪ'nɪʃəlɪ] _adv_ inizialmente, all'inizio.
initiate [ɪ'nɪʃɪeɪt] _vt_ (_start_) avviare;
intraprendere; iniziare; (_person_) iniziare;
to ~ sb into sth iniziare qn a qc; **to ~
proceedings against sb** (LAW) intentare
causa a _or_ contro qn.
initiation [ɪnɪʃɪ'eɪʃən] _n_ iniziazione _f._
initiative [ɪ'nɪʃətɪv] _n_ iniziativa; **to take the
~** prendere l'iniziativa.
inject [ɪn'dʒɛkt] _vt_ (_liquid_) iniettare; (_person_)
fare una puntura a; (_fig: money_): **to ~ into**
immettere in.
injection [ɪn'dʒɛkʃən] _n_ iniezione _f_, puntura;
to have an ~ farsi fare un'iniezione _or_
una puntura.
injudicious [ɪndʒu'dɪʃəs] _adj_ poco saggio(a).
injunction [ɪn'dʒʌŋkʃən] _n_ (LAW)
ingiunzione _f_, intimazione _f._
injure ['ɪndʒə*] _vt_ ferire; (_wrong_) fare male
_or_ torto a; (_damage: reputation etc_)
nuocere a; (_feelings_) offendere; **to ~ o.s.**
farsi male.
injured ['ɪndʒəd] _adj_ (_person, leg etc_)
ferito(a); (_tone, feelings_) offeso(a); ~
party (LAW) parte _f_ lesa.
injurious [ɪn'dʒuərɪəs] _adj_: ~ (**to**) nocivo(a)
(a), pregiudizievole (per).
injury ['ɪndʒərɪ] _n_ ferita; (_wrong_) torto; **to
escape without ~** rimanere illeso.
injury time _n_ (SPORT) tempo di recupero.
injustice [ɪn'dʒʌstɪs] _n_ ingiustizia; **you do
me an ~** mi fa un torto, è ingiusto verso
di me.
ink [ɪŋk] _n_ inchiostro.
ink-jet printer ['ɪŋkdʒɛt-] _n_ stampante _f_ a
getto d'inchiostro.
inkling ['ɪŋklɪŋ] _n_ sentore _m_, vaga idea.
inkpad ['ɪŋkpæd] _n_ tampone _m_, cuscinetto
per timbri.
inky ['ɪŋkɪ] _adj_ macchiato(a) _or_ sporco(a)
d'inchiostro.

inlaid ['ɪnleɪd] _adj_ incrostato(a); (_table etc_)
intarsiato(a).
inland _adj_ ['ɪnlənd] interno(a) ♦ _adv_ [ɪn'lænd]
all'interno; ~ **waterways** canali e fiumi
mpl navigabili.
Inland Revenue _n_ (BRIT) Fisco.
in-laws ['ɪnlɔ:z] _npl_ suoceri _mpl_; famiglia
del marito (_or_ della moglie).
inlet ['ɪnlɛt] _n_ (GEO) insenatura, baia.
inlet pipe _n_ (TECH) tubo d'immissione.
inmate ['ɪnmeɪt] _n_ (_in prison_) carcerato/a;
(_in asylum_) ricoverato/a.
inmost ['ɪnməust] _adj_ più profondo(a), più
intimo(a).
inn [ɪn] _n_ locanda.
innards ['ɪnədz] _npl_ (_col_) interiora _fpl_,
budella _fpl._
innate [ɪ'neɪt] _adj_ innato(a).
inner ['ɪnə*] _adj_ interno(a), interiore.
inner city _n_ centro di una zona urbana.
innermost ['ɪnəməust] _adj_ = **inmost**.
inner tube _n_ camera d'aria.
innings ['ɪnɪŋz] _n_ (CRICKET) turno di
battuta; (_BRIT fig_): **he has had a good ~** ha
avuto molto dalla vita.
innocence ['ɪnəsns] _n_ innocenza.
innocent ['ɪnəsnt] _adj_ innocente.
innocuous [ɪ'nɔkjuəs] _adj_ innocuo(a).
innovation [ɪnəu'veɪʃən] _n_ innovazione _f._
innuendo, ~es [ɪnju'ɛndəu] _n_ insinuazione
_f._
innumerable [ɪ'nju:mrəbl] _adj_
innumerevole.
inoculate [ɪ'nɔkjuleɪt] _vt_: **to ~ sb with sth/
against sth** inoculare qc a qn/qn contro
qc.
inoculation [ɪnɔkju'leɪʃən] _n_ inoculazione _f._
inoffensive [ɪnə'fɛnsɪv] _adj_ inoffensivo(a),
innocuo(a).
inopportune [ɪn'ɔpətju:n] _adj_
inopportuno(a).
inordinate [ɪ'nɔ:dɪnɪt] _adj_ eccessivo(a).
inordinately [ɪ'nɔ:dɪnətlɪ] _adv_
smoderatamente.
inorganic [ɪnɔ:'gænɪk] _adj_ inorganico(a).
in-patient ['ɪnpeɪʃənt] _n_ ricoverato/a.
input ['ɪnput] _n_ (ELEC) energia, potenza; (_of
machine_) alimentazione _f_; (_of computer_)
input _m_ ♦ _vt_ (COMPUT) inserire,
introdurre.
inquest ['ɪnkwɛst] _n_ inchiesta.
inquire [ɪn'kwaɪə*] _vi_ informarsi ♦ _vt_
domandare, informarsi di _or_ su; **to ~
about** informarsi di _or_ su, chiedere
informazioni su; **to ~ when/where/
whether** informarsi di quando/su dove/
se.
▶**inquire after** _vt fus_ (_person_) chiedere di;

(*sb's health*) informarsi di.
▶**inquire into** *vt fus* indagare su, fare delle indagini *or* ricerche su.
inquiring [ɪn'kwaɪərɪŋ] *adj* (*mind*) inquisitivo(a).
inquiry [ɪn'kwaɪərɪ] *n* domanda; (*LAW*) indagine *f*, investigazione *f*; **to hold an ~ into sth** fare un'inchiesta su qc.
inquiry desk *n* (*BRIT*) banco delle informazioni.
inquiry office *n* (*BRIT*) ufficio *m* informazioni *inv*.
inquisition [ɪnkwɪ'zɪʃən] *n* inquisizione *f*, inchiesta; (*REL*): **the I~** l'Inquisizione.
inquisitive [ɪn'kwɪzɪtɪv] *adj* curioso(a).
inroads ['ɪnrəʊdz] *npl*: **to make ~ into** (*savings, supplies*) intaccare (seriamente).
insane [ɪn'seɪn] *adj* matto(a), pazzo(a); (*MED*) alienato(a).
insanitary [ɪn'sænɪtərɪ] *adj* insalubre.
insanity [ɪn'sænɪtɪ] *n* follia; (*MED*) alienazione *f* mentale.
insatiable [ɪn'seɪʃəbl] *adj* insaziabile.
inscribe [ɪn'skraɪb] *vt* iscrivere; (*book etc*): **to ~ (to sb)** dedicare (a qn).
inscription [ɪn'skrɪpʃən] *n* iscrizione *f*; (*in book*) dedica.
inscrutable [ɪn'skruːtəbl] *adj* imperscrutabile.
inseam ['ɪnsiːm] *n* (*US*): **~ measurement** lunghezza interna.
insect ['ɪnsɛkt] *n* insetto.
insect bite *n* puntura *or* morsicatura di insetto.
insecticide [ɪn'sɛktɪsaɪd] *n* insetticida *m*.
insect repellent *n* insettifugo.
insecure [ɪnsɪ'kjʊə*] *adj* malsicuro(a); (*person*) insicuro(a).
insecurity [ɪnsɪ'kjʊərɪtɪ] *n* mancanza di sicurezza.
insensible [ɪn'sɛnsɪbl] *adj* insensibile; (*unconscious*) privo(a) di sensi.
insensitive [ɪn'sɛnsɪtɪv] *adj* insensibile.
insensitivity [ɪnsɛnsɪ'tɪvɪtɪ] *n* mancanza di sensibilità.
inseparable [ɪn'sɛprəbl] *adj* inseparabile.
insert *vt* [ɪn'səːt] inserire, introdurre ♦ *n* ['ɪnsəːt] inserto.
insertion [ɪn'səːʃən] *n* inserzione *f*.
in-service ['ɪn'səːvɪs] *adj* (*course, training*) dopo l'assunzione.
inshore [ɪn'ʃɔː*] *adj* costiero(a) ♦ *adv* presso la riva; verso la riva.
inside ['ɪn'saɪd] *n* interno, parte *f* interiore; (*of road*: *BRIT*) sinistra; (: *US, in Europe etc*) destra ♦ *adj* interno(a), interiore ♦ *adv* dentro, all'interno ♦ *prep* dentro, all'interno di; (*of time*): **~ 10 minutes**

entro 10 minuti; **~s** *npl* (*col*) ventre *m*; **~ out** *adv* alla rovescia; **to turn sth ~ out** rivoltare qc; **to know sth ~ out** conoscere qc a fondo; **~ information** informazioni *fpl* riservate; **~ story** storia segreta.
inside forward *n* (*SPORT*) mezzala, interno.
inside lane *n* (*AUT*) corsia di marcia.
inside leg measurement *n* (*BRIT*) lunghezza interna.
insider [ɪn'saɪdə*] *n* uno(a) che ha le mani in pasta.
insider dealing, insider trading *n* (*STOCK EXCHANGE*) insider trading *m inv*.
insidious [ɪn'sɪdɪəs] *adj* insidioso(a).
insight ['ɪnsaɪt] *n* acume *m*, perspicacia; (*glimpse, idea*) percezione *f*; **to gain** *or* **get an ~ into sth** potersi render conto di qc.
insignia [ɪn'sɪgnɪə] *npl* insegne *fpl*.
insignificant [ɪnsɪg'nɪfɪknt] *adj* insignificante.
insincere [ɪnsɪn'sɪə*] *adj* insincero(a).
insincerity [ɪnsɪn'sɛrɪtɪ] *n* falsità, insincerità.
insinuate [ɪn'sɪnjʊeɪt] *vt* insinuare.
insinuation [ɪnsɪnjʊ'eɪʃən] *n* insinuazione *f*.
insipid [ɪn'sɪpɪd] *adj* insipido(a), insulso(a).
insist [ɪn'sɪst] *vi* insistere; **to ~ on doing** insistere per fare; **to ~ that** insistere perché + *sub*; (*claim*) sostenere che.
insistence [ɪn'sɪstəns] *n* insistenza.
insistent [ɪn'sɪstənt] *adj* insistente.
insofar [ɪnsəʊ'fɑː*] *conj*: **~ as** in quanto.
insole ['ɪnsəʊl] *n* soletta; (*fixed part of shoe*) tramezza.
insolence ['ɪnsələns] *n* insolenza.
insolent ['ɪnsələnt] *adj* insolente.
insoluble [ɪn'sɔljʊbl] *adj* insolubile.
insolvency [ɪn'sɔlvənsɪ] *n* insolvenza.
insolvent [ɪn'sɔlvənt] *adj* insolvente.
insomnia [ɪn'sɔmnɪə] *n* insonnia.
insomniac [ɪn'sɔmnɪæk] *n* chi soffre di insonnia.
inspect [ɪn'spɛkt] *vt* ispezionare; (*BRIT*: *ticket*) controllare.
inspection [ɪn'spɛkʃən] *n* ispezione *f*; controllo.
inspector [ɪn'spɛktə*] *n* ispettore/trice; controllore *m*.
inspiration [ɪnspə'reɪʃən] *n* ispirazione *f*.
inspire [ɪn'spaɪə*] *vt* ispirare.
inspired [ɪn'spaɪəd] *adj* (*writer, book etc*) ispirato(a); **in an ~ moment** in un momento d'ispirazione.
inspiring [ɪn'spaɪərɪŋ] *adj* stimolante.
inst. [ɪnst] *abbr* (*BRIT COMM*: = *instant*) c.m. (=*corrente mese*).

instability [ɪnstə'bɪlɪtɪ] *n* instabilità.
install [ɪn'stɔːl] *vt* installare.
installation [ɪnstə'leɪʃən] *n* installazione *f*.
installment plan *n* (*US*) acquisto a rate.
instalment, (*US*) **installment**
[ɪn'stɔːlmənt] *n* rata; (*of TV serial etc*)
puntata; **to pay in** ~**s** pagare a rate.
instance ['ɪnstəns] *n* esempio, caso; **for** ~
per *or* ad esempio; **in that** ~ in quel caso;
in the first ~ in primo luogo.
instant ['ɪnstənt] *n* istante *m*, attimo ♦ *adj*
immediato(a); urgente; (*coffee, food*) in
polvere; **the 10th** ~ il 10 corrente (mese).
instantaneous [ɪnstən'teɪnɪəs] *adj*
istantaneo(a).
instantly ['ɪnstəntlɪ] *adv* immediatamente,
subito.
instant replay *n* (*US TV*) replay *m inv*.
instead [ɪn'stɛd] *adv* invece; ~ **of** invece di;
~ **of sb** al posto di qn.
instep ['ɪnstɛp] *n* collo del piede; (*of shoe*)
collo della scarpa.
instigate ['ɪnstɪgeɪt] *vt* (*rebellion, strike,
crime*) istigare a; (*new ideas etc*)
promuovere.
instigation [ɪnstɪ'geɪʃən] *n* istigazione *f*; **at
sb's** ~ per *or* in seguito al suggerimento
di qn.
instil [ɪn'stɪl] *vt*: **to** ~ **(into)** inculcare (in).
instinct ['ɪnstɪŋkt] *n* istinto.
instinctive [ɪn'stɪŋktɪv] *adj* istintivo(a).
instinctively [ɪn'stɪŋktɪvlɪ] *adv* per istinto.
institute ['ɪnstɪtjuːt] *n* istituto ♦ *vt* istituire,
stabilire; (*inquiry*) avviare; (*proceedings*)
iniziare.
institution [ɪnstɪ'tjuːʃən] *n* istituzione *f*;
istituto (d'istruzione); istituto
(psichiatrico).
institutional [ɪnstɪ'tjuːʃənl] *adj*
istituzionale; ~ **care** assistenza presso un
istituto.
instruct [ɪn'strʌkt] *vt* istruire; **to** ~ **sb in
sth** insegnare qc a qn; **to** ~ **sb to do** dare
ordini a qn di fare.
instruction [ɪn'strʌkʃən] *n* istruzione *f*; ~**s
(for use)** istruzioni per l'uso.
instruction book *n* libretto di istruzioni.
instructive [ɪn'strʌktɪv] *adj* istruttivo(a).
instructor [ɪn'strʌktə*] *n* istruttore/trice;
(*for skiing*) maestro/a.
instrument ['ɪnstrumənt] *n* strumento.
instrumental [ɪnstru'mɛntl] *adj* (*MUS*)
strumentale; **to be** ~ **in sth/in doing sth**
avere un ruolo importante in qc/nel fare
qc.
instrumentalist [ɪnstru'mɛntəlɪst] *n*
strumentista *m/f*.
instrument panel *n* quadro *m*
portastrumenti *inv*.
insubordinate [ɪnsə'bɔːdənɪt] *adj*
insubordinato(a).
insubordination [ɪnsəbɔːdə'neɪʃən] *n*
insubordinazione *f*.
insufferable [ɪn'sʌfrəbl] *adj* insopportabile.
insufficient [ɪnsə'fɪʃənt] *adj* insufficiente.
insufficiently [ɪnsə'fɪʃəntlɪ] *adv* in modo
insufficiente.
insular ['ɪnsjulə*] *adj* insulare; (*person*) di
mente ristretta.
insulate ['ɪnsjuleɪt] *vt* isolare.
insulating tape ['ɪnsjuleɪtɪŋ-] *n* nastro
isolante.
insulation [ɪnsju'leɪʃən] *n* isolamento.
insulin ['ɪnsjulɪn] *n* insulina.
insult *n* ['ɪnsʌlt] insulto, affronto ♦ *vt*
[ɪn'sʌlt] insultare.
insulting [ɪn'sʌltɪŋ] *adj* offensivo(a),
ingiurioso(a).
insuperable [ɪn'sjuːprəbl] *adj*
insormontabile, insuperabile.
insurance [ɪn'ʃuərəns] *n* assicurazione *f*;
fire/life ~ assicurazione contro gli
incendi/sulla vita; **to take out** ~ **(against)**
fare un'assicurazione (contro),
assicurarsi (contro).
insurance agent *n* agente *m*
d'assicurazioni.
insurance broker *n* broker *m inv*
d'assicurazioni.
insurance policy *n* polizza
d'assicurazione.
insurance premium *n* premio
assicurativo.
insure [ɪn'ʃuə*] *vt* assicurare; **to** ~ **sb** *or*
sb's life assicurare qn sulla vita; **to be** ~**d
for £5000** essere assicurato per 5000
sterline.
insured [ɪn'ʃuəd] *n*: **the** ~ l'assicurato/a.
insurer [ɪn'ʃuərə*] *n* assicuratore/trice.
insurgent [ɪn'sɔːdʒənt] *adj* ribelle ♦ *n*
insorto/a, rivoltoso/a.
insurmountable [ɪnsə'mauntəbl] *adj*
insormontabile.
insurrection [ɪnsə'rɛkʃən] *n* insurrezione *f*.
intact [ɪn'tækt] *adj* intatto(a).
intake ['ɪnteɪk] *n* (*TECH*) immissione *f*; (*of
food*) consumo; (*of pupils etc*) afflusso.
intangible [ɪn'tændʒɪbl] *adj* intangibile.
integral ['ɪntɪgrəl] *adj* integrale; (*part*)
integrante.
integrate ['ɪntɪgreɪt] *vt* integrare.
integrated circuit *n* (*COMPUT*) circuito
integrato.
integration [ɪntɪ'greɪʃən] *n* integrazione *f*;
racial ~ integrazione razziale.
integrity [ɪn'tɛgrɪtɪ] *n* integrità.

intellect ['ɪntəlɛkt] n intelletto.
intellectual [ɪntə'lɛktjuəl] adj, n intellettuale (m/f).
intelligence [ɪn'tɛlɪdʒəns] n intelligenza; (MIL etc) informazioni fpl.
intelligence quotient (IQ) n quoziente m d'intelligenza (Q.I.).
Intelligence Service n servizio segreto.
intelligence test n test m inv d'intelligenza.
intelligent [ɪn'tɛlɪdʒənt] adj intelligente.
intelligible [ɪn'tɛlɪdʒɪbl] adj intelligibile.
intemperate [ɪn'tɛmpərət] adj immoderato(a); (drinking too much) intemperante nel bere.
intend [ɪn'tɛnd] vt (gift etc): **to ~ sth for** destinare qc a; **to ~ to do** aver l'intenzione di fare.
intended [ɪn'tɛndɪd] adj (insult) intenzionale; (effect) voluto(a); (journey, route) progettato(a).
intense [ɪn'tɛns] adj intenso(a); (person) di forti sentimenti.
intensely [ɪn'tɛnslɪ] adv intensamente; profondamente.
intensify [ɪn'tɛnsɪfaɪ] vt intensificare.
intensity [ɪn'tɛnsɪtɪ] n intensità.
intensive [ɪn'tɛnsɪv] adj intensivo(a).
intensive care n terapia intensiva; **~ unit (ICU)** n reparto terapia intensiva.
intent [ɪn'tɛnt] n intenzione f ♦ adj: **~ (on)** intento(a) (a), immerso(a) (in); **to all ~s and purposes** a tutti gli effetti; **to be ~ on doing sth** essere deciso a fare qc.
intention [ɪn'tɛnʃən] n intenzione f.
intentional [ɪn'tɛnʃənl] adj intenzionale, deliberato(a).
intentionally [ɪn'tɛnʃənəlɪ] adv apposta.
intently [ɪn'tɛntlɪ] adv attentamente.
inter [ɪn'tə:*] vt sotterrare.
interact [ɪntər'ækt] vi agire reciprocamente, interagire.
interaction [ɪntər'ækʃən] n azione f reciproca, interazione f.
interactive [ɪntər'æktɪv] adj interattivo(a).
intercede [ɪntə'si:d] vi: **to ~ (with sb/on behalf of sb)** intercedere (presso qn/a favore di qn).
intercept [ɪntə'sɛpt] vt intercettare; (person) fermare.
interception [ɪntə'sɛpʃən] n intercettamento.
interchange n ['ɪntətʃeɪndʒ] (exchange) scambio; (on motorway) incrocio pluridirezionale ♦ vt [ɪntə'tʃeɪndʒ] scambiare; sostituire l'uno(a) per l'altro(a).
interchangeable [ɪntə'tʃeɪndʒəbl] adj intercambiabile.

intercity [ɪntə'sɪtɪ] adj: **~ (train)** ≈ (treno) rapido.
intercom ['ɪntəkɔm] n interfono.
interconnect [ɪntəkə'nɛkt] vi (rooms) essere in comunicazione.
intercontinental ['ɪntəkɔntɪ'nɛntl] adj intercontinentale.
intercourse ['ɪntəkɔ:s] n rapporti mpl; (sexual ~) rapporti sessuali.
interdependent [ɪntədɪ'pɛndənt] adj interdipendente.
interest ['ɪntrɪst] n interesse m; (COMM: stake, share) interessi mpl ♦ vt interessare; **compound/simple ~** interesse composto/semplice; **business ~s** attività fpl commerciali; **British ~s in the Middle East** gli interessi (commerciali) britannici nel Medio Oriente.
interested ['ɪntrɪstɪd] adj interessato(a); **to be ~ in** interessarsi di.
interest-free ['ɪntrɪst'fri:] adj senza interesse.
interesting ['ɪntrɪstɪŋ] adj interessante.
interest rate n tasso di interesse.
interface ['ɪntəfeɪs] n (COMPUT) interfaccia.
interfere [ɪntə'fɪə*] vi: **to ~ (in)** (quarrel, other people's business) immischiarsi (in); **to ~ with** (object) toccare; (plans) ostacolare; (duty) interferire con.
interference [ɪntə'fɪərəns] n interferenza.
interfering [ɪntə'fɪərɪŋ] adj invadente.
interim ['ɪntərɪm] adj provvisorio(a) ♦ n: **in the ~** nel frattempo; **~ dividend** (COMM) acconto di dividendo.
interior [ɪn'tɪərɪə*] n interno; (of country) entroterra ♦ adj interiore, interno(a).
interior decorator, interior designer n decoratore/trice (d'interni).
interjection [ɪntə'dʒɛkʃən] n interiezione f.
interlock [ɪntə'lɔk] vi ingranarsi ♦ vt ingranare.
interloper ['ɪntələupə*] n intruso/a.
interlude ['ɪntəlu:d] n intervallo; (THEAT) intermezzo.
intermarry [ɪntə'mærɪ] vi imparentarsi per mezzo di matrimonio; sposarsi tra parenti.
intermediary [ɪntə'mi:dɪərɪ] n intermediario/a.
intermediate [ɪntə'mi:dɪət] adj intermedio(a); (SCOL: course, level) medio(a).
interment [ɪn'tə:mənt] n (formal) inumazione f.
interminable [ɪn'tə:mɪnəbl] adj interminabile.
intermission [ɪntə'mɪʃən] n pausa; (THEAT,

CINE) intermissione *f*, intervallo.
intermittent [ɪntəˈmɪtnt] *adj* intermittente.
intermittently [ɪntəˈmɪtntlɪ] *adv* a
intermittenza.
intern *vt* [ɪnˈtəːn] internare ♦ *n* [ˈɪntəːn] (*US*)
medico interno.
internal [ɪnˈtəːnl] *adj* interno(a); ~ **injuries**
lesioni *fpl* interne.
internally [ɪnˈtəːnəlɪ] *adv* all'interno; "**not
to be taken** ~" "per uso esterno".
Internal Revenue (Service) (IRS) *n* (*US*)
Fisco.
international [ɪntəˈnæʃənl] *adj*
internazionale ♦ *n* (*BRIT SPORT*) partita
internazionale.
**International Atomic Energy Agency
(IAEA)** *n* Agenzia Internazionale per
l'Energia Atomica (IAEA).
International Court of Justice (ICJ) *n*
Corte *f* Internazionale di Giustizia.
international date line *n* linea del
cambiamento di data.
internationally [ɪntəˈnæʃnəlɪ] *adv* a livello
internazionale.
International Monetary Fund (IMF) *n*
Fondo monetario internazionale (F.M.I.).
international relations *npl* rapporti *mpl*
internazionali.
internecine [ɪntəˈniːsaɪn] *adj* sanguinoso(a).
internee [ɪntəːˈniː] *n* internato/a.
internment [ɪnˈtəːnmənt] *n* internamento.
interplay [ˈɪntəpleɪ] *n* azione e reazione *f*.
Interpol [ˈɪntəpɔl] *n* Interpol *f*.
interpret [ɪnˈtəːprɪt] *vt* interpretare ♦ *vi*
fare da interprete.
interpretation [ɪntəːprɪˈteɪʃən] *n*
interpretazione *f*.
interpreter [ɪnˈtəːprɪtə*] *n* interprete *m/f*.
interpreting [ɪnˈtəːprɪtɪŋ] *n* (*profession*)
interpretariato.
interrelated [ɪntərɪˈleɪtɪd] *adj* correlato(a).
interrogate [ɪnˈtɛrəugeɪt] *vt* interrogare.
interrogation [ɪntɛrəuˈgeɪʃən] *n*
interrogazione *f*; (*of suspect etc*)
interrogatorio.
interrogative [ɪntəˈrɔgətɪv] *adj*
interrogativo(a) ♦ *n* (*LING*) interrogativo.
interrogator [ɪnˈtɛrəgeɪtə*] *n* interrogante
m/f.
interrupt [ɪntəˈrʌpt] *vt* interrompere.
interruption [ɪntəˈrʌpʃən] *n* interruzione *f*.
intersect [ɪntəˈsɛkt] *vt* intersecare ♦ *vi*
(*roads*) intersecarsi.
intersection [ɪntəˈsɛkʃən] *n* intersezione *f*;
(*of roads*) incrocio.
intersperse [ɪntəˈspəːs] *vt*: **to** ~ **with**
costellare di.
intertwine [ɪntəˈtwaɪn] *vt* intrecciare ♦ *vi*

intrecciarsi.
interval [ˈɪntəvl] *n* intervallo; (*BRIT SCOL*)
ricreazione *f*, intervallo; **bright** ~**s** (*in
weather*) schiarite *fpl*; **at** ~**s** a intervalli.
intervene [ɪntəˈviːn] *vi* (*time*) intercorrere;
(*event, person*) intervenire.
intervention [ɪntəˈvɛnʃən] *n* intervento.
interview [ˈɪntəvjuː] *n* (*RADIO, TV etc*)
intervista; (*for job*) colloquio ♦ *vt*
intervistare; avere un colloquio con.
interviewee [ɪntəvjuˈiː] *n* (*TV*)
intervistato/a; (*for job*) chi si presenta ad
un colloquio di lavoro.
interviewer [ˈɪntəvjuːə*] *n* intervistatore/
trice.
intestate [ɪnˈtɛsteɪt] *adj* intestato(a).
intestinal [ɪnˈtɛstɪnl] *adj* intestinale.
intestine [ɪnˈtɛstɪn] *n* intestino; **large/small**
~ intestino crasso/tenue.
intimacy [ˈɪntɪməsɪ] *n* intimità.
intimate *adj* [ˈɪntɪmət] intimo(a);
(*knowledge*) profondo(a) ♦ *vt* [ˈɪntɪmeɪt]
lasciar capire.
intimately [ˈɪntɪmɪtlɪ] *adv* intimamente.
intimation [ɪntɪˈmeɪʃən] *n* annuncio.
intimidate [ɪnˈtɪmɪdeɪt] *vt* intimidire,
intimorire.
intimidation [ɪntɪmɪˈdeɪʃən] *n*
intimidazione *f*.
into [ˈɪntu] *prep* dentro, in; **come** ~ **the
house** vieni dentro la casa; ~ **pieces** a
pezzi; ~ **Italian** in italiano; **to change
pounds** ~ **dollars** cambiare delle sterline
in dollari.
intolerable [ɪnˈtɔlərəbl] *adj* intollerabile.
intolerance [ɪnˈtɔlərns] *n* intolleranza.
intolerant [ɪnˈtɔlərnt] *adj*: ~ (**of**)
intollerante (di).
intonation [ɪntəuˈneɪʃən] *n* intonazione *f*.
intoxicate [ɪnˈtɔksɪkeɪt] *vt* inebriare.
intoxicated [ɪnˈtɔksɪkeɪtɪd] *adj* inebriato(a).
intoxication [ɪntɔksɪˈkeɪʃən] *n* ebbrezza.
intractable [ɪnˈtræktəbl] *adj* intrattabile;
(*illness*) difficile da curare; (*problem*)
insolubile.
intransigence [ɪnˈtrænsɪdʒəns] *n*
intransigenza.
intransigent [ɪnˈtrænsɪdʒənt] *adj*
intransigente.
intransitive [ɪnˈtrænsɪtɪv] *adj*
intransitivo(a).
intra-uterine device (IUD)
[ɪntrəˈjuːtəraɪn-] *n* dispositivo intrauterino
(IUD).
intravenous [ɪntrəˈviːnəs] *adj*
endovenoso(a).
in-tray [ˈɪntreɪ] *n* raccoglitore *m* per le
carte in arrivo.

intrepid [ɪn'trɛpɪd] *adj* intrepido(a).

intricacy ['ɪntrɪkəsɪ] *n* complessità *f inv.*

intricate ['ɪntrɪkət] *adj* intricato(a), complicato(a).

intrigue [ɪn'triːg] *n* intrigo ♦ *vt* affascinare ♦ *vi* complottare, tramare.

intriguing [ɪn'triːgɪŋ] *adj* affascinante.

intrinsic [ɪn'trɪnsɪk] *adj* intrinseco(a).

introduce [ɪntrə'djuːs] *vt* introdurre; **to ~ sb (to sb)** presentare qn (a qn); **to ~ sb to** (*pastime, technique*) iniziare qn a; **may I ~ ...?** permette che le presenti ...?

introduction [ɪntrə'dʌkʃən] *n* introduzione *f*; (*of person*) presentazione *f*; **a letter of ~** una lettera di presentazione.

introductory [ɪntrə'dʌktərɪ] *adj* introduttivo(a); **an ~ offer** un'offerta di lancio; **~ remarks** osservazioni *fpl* preliminari.

introspection [ɪntrəu'spɛkʃən] *n* introspezione *f*.

introspective [ɪntrəu'spɛktɪv] *adj* introspettivo(a).

introvert ['ɪntrəuvəːt] *adj, n* introverso(a).

intrude [ɪn'truːd] *vi* (*person*) intromettersi; **to ~ on** (*person*) importunare; **~ on** *or* **into** (*conversation*) intromettersi in; **am I intruding?** disturbo?

intruder [ɪn'truːdə*] *n* intruso/a.

intrusion [ɪn'truːʒən] *n* intrusione *f*.

intrusive [ɪn'truːsɪv] *adj* importuno(a).

intuition [ɪntjuː'ɪʃən] *n* intuizione *f*.

intuitive [ɪn'tjuːɪtɪv] *adj* intuitivo(a); dotato(a) di intuito.

inundate ['ɪnʌndeɪt] *vt*: **to ~ with** inondare di.

inure [ɪn'juə*] *vt*: **to ~ (to)** assuefare (a).

invade [ɪn'veɪd] *vt* invadere.

invader [ɪn'veɪdə*] *n* invasore *m.*

invalid *n* ['ɪnvəlɪd] malato/a; (*with disability*) invalido/a ♦ *adj* [ɪn'vælɪd] (*not valid*) invalido(a), non valido(a).

invalidate [ɪn'vælɪdeɪt] *vt* invalidare.

invalid chair *n* (*BRIT*) sedia a rotelle.

invaluable [ɪn'væljuəbl] *adj* prezioso(a); inestimabile.

invariable [ɪn'vɛərɪəbl] *adj* costante, invariabile.

invariably [ɪn'vɛərɪəblɪ] *adv* invariabilmente; **she is ~ late** è immancabilmente in ritardo.

invasion [ɪn'veɪʒən] *n* invasione *f.*

invective [ɪn'vɛktɪv] *n* invettiva.

inveigle [ɪn'viːgl] *vt*: **to ~ sb into (doing) sth** circuire qn per (fargli fare) qc.

invent [ɪn'vɛnt] *vt* inventare.

invention [ɪn'vɛnʃən] *n* invenzione *f.*

inventive [ɪn'vɛntɪv] *adj* inventivo(a).

inventiveness [ɪn'vɛntɪvnɪs] *n* inventiva.

inventor [ɪn'vɛntə*] *n* inventore *m.*

inventory ['ɪnvəntrɪ] *n* inventario.

inventory control *n* (*COMM*) controllo delle giacenze.

inverse [ɪn'vəːs] *adj* inverso(a) ♦ *n* inverso, contrario; **in ~ proportion (to)** in modo inversamente proporzionale (a).

inversely [ɪn'vəːslɪ] *adv* inversamente.

invert [ɪn'vəːt] *vt* invertire; (*object*) rovesciare.

invertebrate [ɪn'vəːtɪbrɪt] *n* invertebrato.

inverted commas [ɪn'vəːtɪd-] *npl* (*BRIT*) virgolette *fpl.*

invest [ɪn'vɛst] *vt* investire; (*fig: time, effort*) impiegare; (*endow*): **to ~ sb with sth** investire qn di qc ♦ *vi* fare investimenti; **to ~ in** investire in, fare (degli) investimenti in; (*acquire*) comprarsi.

investigate [ɪn'vɛstɪgeɪt] *vt* investigare, indagare; (*crime*) fare indagini su.

investigation [ɪnvɛstɪ'geɪʃən] *n* investigazione *f*; (*of crime*) indagine *f.*

investigative [ɪn'vɛstɪgətɪv] *adj*: **~ journalism** giornalismo investigativo.

investigator [ɪn'vɛstɪgeɪtə*] *n* investigatore/trice; **a private ~** un investigatore privato, un detective.

investiture [ɪn'vɛstɪtʃə*] *n* investitura.

investment [ɪn'vɛstmənt] *n* investimento.

investment income *n* reddito da investimenti.

investment trust *n* fondo comune di investimento.

investor [ɪn'vɛstə*] *n* investitore/trice; (*shareholder*) azionista *m/f.*

inveterate [ɪn'vɛtərət] *adj* inveterato(a).

invidious [ɪn'vɪdɪəs] *adj* odioso(a); (*task*) spiacevole.

invigilate [ɪn'vɪdʒɪleɪt] *vt, vi* (*BRIT SCOL*) sorvegliare.

invigilator [ɪn'vɪdʒɪleɪtə*] *n* (*BRIT*) chi sorveglia agli esami.

invigorating [ɪn'vɪgəreɪtɪŋ] *adj* stimolante; vivificante.

invincible [ɪn'vɪnsɪbl] *adj* invincibile.

inviolate [ɪn'vaɪələt] *adj* inviolato(a).

invisible [ɪn'vɪzɪbl] *adj* invisibile.

invisible assets *npl* (*BRIT*) beni *mpl* immateriali.

invisible ink *n* inchiostro simpatico.

invisible mending *n* rammendo invisibile.

invitation [ɪnvɪ'teɪʃən] *n* invito; **by ~ only** esclusivamente su *or* per invito; **at sb's ~** dietro invito di qn.

invite [ɪn'vaɪt] *vt* invitare; (*opinions etc*) sollecitare; (*trouble*) provocare; **to ~ sb**

(to do) invitare qn (a fare); **to ~ sb to dinner** invitare qn a cena.
▶**invite out** vt invitare fuori.
▶**invite over** vt invitare (a casa).
inviting [ɪn'vaɪtɪŋ] adj invitante, attraente.
invoice ['ɪnvɔɪs] n fattura ♦ vt fatturare; **to ~ sb for goods** inviare a qn la fattura per le or delle merci.
invoke [ɪn'vəuk] vt invocare.
involuntary [ɪn'vɔləntrɪ] adj involontario(a).
involve [ɪn'vɔlv] vt (entail) richiedere, comportare; (associate): **to ~ sb (in)** implicare qn (in); coinvolgere qn (in); **to involve o.s. in sth** (politics etc) impegnarsi in qc.
involved [ɪn'vɔlvd] adj involuto(a), complesso(a); **to feel ~** sentirsi coinvolto(a); **to become ~ with sb** (socially) legarsi a qn; (emotionally) legarsi sentimentalmente a qn.
involvement [ɪn'vɔlvmənt] n implicazione f; coinvolgimento; impegno; partecipazione f.
invulnerable [ɪn'vʌlnərəbl] adj invulnerabile.
inward ['ɪnwəd] adj (movement) verso l'interno; (thought, feeling) interiore, intimo(a); see also **inward(s)**.
inwardly ['ɪnwədlɪ] adv (feel, think etc) nell'intimo, entro di sé.
inward(s) ['ɪnwəd(z)] adv verso l'interno.
I/O abbr (COMPUT: = input/output) I/O.
IOC n abbr (= International Olympic Committee) CIO m (= Comitato Internazionale Olimpico).
iodine ['aɪəudiːn] n iodio.
IOM abbr (BRIT) = Isle of Man.
ion ['aɪən] n ione m.
Ionian Sea [aɪ'əunɪən-] n: **the ~** il mare Ionio.
ioniser ['aɪənaɪzə*] n ionizzatore m.
iota [aɪ'əutə] n (fig) briciolo.
IOU n abbr (= I owe you) pagherò m inv.
IOW abbr (BRIT) = Isle of Wight.
IPA n abbr (= International Phonetic Alphabet) I.P.A. m.
IQ n abbr = **intelligence quotient.**
IRA n abbr (= Irish Republican Army) I.R.A. f; (US) = individual retirement account.
Iran [ɪ'rɑːn] n Iran m.
Iranian [ɪ'reɪnɪən] adj iraniano(a) ♦ n iraniano/a; (LING) iranico.
Iraq [ɪ'rɑːk] n Iraq m.
Iraqi [ɪ'rɑːkɪ] adj iracheno(a) ♦ n iracheno/a.
irascible [ɪ'ræsɪbl] adj irascibile.
irate [aɪ'reɪt] adj irato(a).

Ireland ['aɪələnd] n Irlanda; **Republic of ~** Repubblica d'Irlanda, Eire f.
iris, ~es ['aɪrɪs, -ɪz] n iride f; (BOT) giaggiolo, iride.
Irish ['aɪrɪʃ] adj irlandese ♦ npl: **the ~** gli Irlandesi.
Irishman ['aɪrɪʃmən] n irlandese m.
Irish Sea n: **the ~** il mar d'Irlanda.
Irishwoman ['aɪrɪʃwumən] n irlandese f.
irk [əːk] vt seccare.
irksome ['əːksəm] adj seccante.
IRN n abbr (= Independent Radio News) agenzia d'informazioni per la radio.
IRO n abbr (US: = International Refugee Organization) O.I.R. f (= Organizzazione Internazionale per i Rifugiati).
iron ['aɪən] n ferro; (for clothes) ferro da stiro ♦ adj di or in ferro ♦ vt (clothes) stirare; see also **irons**.
▶**iron out** vt (crease) appianare; (fig) spianare; far sparire.
Iron Curtain n: **the ~** la cortina di ferro.
iron foundry n fonderia.
ironic(al) [aɪ'rɔnɪk(l)] adj ironico(a).
ironically [aɪ'rɔnɪklɪ] adv ironicamente.
ironing ['aɪənɪŋ] n (act) stirare m; (clothes) roba da stirare.
ironing board n asse f da stiro.
iron lung n (MED) polmone m d'acciaio.
ironmonger ['aɪənmʌŋɡə*] n (BRIT) negoziante m in ferramenta; **~'s (shop)** n negozio di ferramenta.
iron ore n minerale m di ferro.
irons ['aɪənz] npl (chains) catene fpl.
ironworks ['aɪənwəːks] n ferriera.
irony ['aɪrənɪ] n ironia.
irrational [ɪ'ræʃənl] adj irrazionale; irragionevole; illogico(a).
irreconcilable [ɪrekən'saɪləbl] adj irreconciliabile; (opinion): **~ with** inconciliabile con.
irredeemable [ɪrɪ'diːməbl] adj (COMM) irredimibile.
irrefutable [ɪrɪ'fjuːtəbl] adj irrefutabile.
irregular [ɪ'reɡjulə*] adj irregolare.
irregularity [ɪreɡju'lærɪtɪ] n irregolarità f inv.
irrelevance [ɪ'reləvəns] n inappropriatezza f.
irrelevant [ɪ'reləvənt] adj non pertinente.
irreligious [ɪrɪ'lɪdʒəs] adj irreligioso(a).
irreparable [ɪ'reprəbl] adj irreparabile.
irreplaceable [ɪrɪ'pleɪsəbl] adj insostituibile.
irrepressible [ɪrɪ'presəbl] adj irrefrenabile.
irreproachable [ɪrɪ'prəutʃəbl] adj irreprensibile.
irresistible [ɪrɪ'zɪstɪbl] adj irresistibile.
irresolute [ɪ'rezəluːt] adj irresoluto(a),

indeciso(a).

irrespective [ɪrɪ'spɛktɪv]: ~ **of** *prep* senza riguardo a.

irresponsible [ɪrɪ'spɔnsɪbl] *adj* irresponsabile.

irretrievable [ɪrɪ'triːvəbl] *adj* (*object*) irrecuperabile; (*loss, damage*) irreparabile.

irreverent [ɪ'rɛvərnt] *adj* irriverente.

irrevocable [ɪ'rɛvəkəbl] *adj* irrevocabile.

irrigate ['ɪrɪgeɪt] *vt* irrigare.

irrigation [ɪrɪ'geɪʃən] *n* irrigazione *f*.

irritable ['ɪrɪtəbl] *adj* irritabile.

irritant ['ɪrɪtənt] *n* sostanza irritante.

irritate ['ɪrɪteɪt] *vt* irritare.

irritation [ɪrɪ'teɪʃən] *n* irritazione *f*.

IRS *n abbr* (*US*) *see* **Internal Revenue Service**.

is [ɪz] *vb see* **be**.

ISBN *n abbr* (= *International Standard Book Number*) I.S.B.N. *m*.

Islam ['ɪzlɑːm] *n* Islam *m*.

island ['aɪlənd] *n* isola; (*also*: **traffic** ~) salvagente *m*.

islander ['aɪləndə*] *n* isolano/a.

isle [aɪl] *n* isola.

isn't ['ɪznt] = **is not**.

isolate ['aɪsəleɪt] *vt* isolare.

isolated ['aɪsəleɪtɪd] *adj* isolato(a).

isolation [aɪsə'leɪʃən] *n* isolamento.

isolationism [aɪsə'leɪʃənɪzəm] *n* isolazionismo.

isotope ['aɪsəutəup] *n* isotopo.

Israel ['ɪzreɪl] *n* Israele *m*.

Israeli [ɪz'reɪlɪ] *adj, n* israeliano(a).

issue ['ɪʃjuː] *n* questione *f*, problema *m*; (*outcome*) esito, risultato; (*of banknotes etc*) emissione *f*; (*of newspaper etc*) numero; (*offspring*) discendenza ♦ *vt* (*rations, equipment*) distribuire; (*orders*) dare; (*book*) pubblicare; (*banknotes, cheques, stamps*) emettere ♦ *vi*: **to ~ (from)** uscire (da), venir fuori (da); **at ~** in gioco, in discussione; **to avoid the ~** evitare la discussione; **to take ~ with sb (over sth)** prendere posizione contro qn (riguardo a qc); **to confuse** *or* **obscure the ~** confondere le cose; **to make an ~ of sth** fare un problema di qc; **to ~ sth to sb,** ~ **sb with sth** consegnare qc a qn.

Istanbul [ɪstæn'buːl] *n* Istanbul *f*.

isthmus ['ɪsməs] *n* istmo.

IT *n abbr see* **information technology**.

=========== *KEYWORD*

it [ɪt] *pron* **1** (*specific: subject*) esso(a) (*mostly omitted in Italian*); (: *direct object*) lo(la), l'; (: *indirect object*) gli(le); **where's my book?**

— ~**'s on the table** dov'è il mio libro? — è sulla tavola; **what is** ~**?** che cos'è?; (*what's the matter?*) cosa c'è?; **where is** ~**?** dov'è?; **I can't find** ~ non lo (*or* la) trovo; **give** ~ **to me** dammelo (*or* dammela); **about/from/of** ~ ne; **I spoke to him about** ~ gliene ho parlato; **what did you learn from** ~**?** quale insegnamento ne hai tratto?; **I'm proud of** ~ ne sono fiero; **in/ to/at** ~ ci; **put the book in** ~ mettici il libro; **did you go to** ~**?** ci sei andato?; **I wasn't at** ~ non c'ero; **above/over** ~ sopra; **below/under** ~ sotto; **in front of/ behind** ~ lì davanti/dietro

2 (*impers*): ~**'s raining** piove; ~**'s Friday tomorrow** domani è venerdì; ~**'s 6 o'clock** sono le 6; ~**'s 2 hours on the train** sono *or* ci vogliono 2 ore di treno; **who is** ~**?** — ~**'s me** chi è? — sono io.

ITA *n abbr* (*BRIT*. = *initial teaching alphabet*) *alfabeto fonetico semplificato per insegnare a leggere*.

Italian [ɪ'tæljən] *adj* italiano(a) ♦ *n* italiano/a; (*LING*) italiano; **the** ~**s** gli Italiani.

italic [ɪ'tælɪk] *adj* corsivo(a); ~**s** *npl* corsivo.

Italy ['ɪtəlɪ] *n* Italia.

itch [ɪtʃ] *n* prurito ♦ *vi* (*person*) avere il prurito; (*part of body*) prudere; **to be** ~**ing to do** non veder l'ora di fare.

itchy ['ɪtʃɪ] *adj* che prude; **my back is** ~ ho prurito alla schiena.

it'd ['ɪtd] = **it would; it had**.

item ['aɪtəm] *n* articolo; (*on agenda*) punto; (*in programme*) numero; (*also*: **news** ~) notizia; ~**s of clothing** capi *mpl* di abbigliamento.

itemize ['aɪtəmaɪz] *vt* specificare, dettagliare.

itemized bill ['aɪtəmaɪzd-] *n* conto dettagliato.

itinerant [ɪ'tɪnərənt] *adj* ambulante.

itinerary [aɪ'tɪnərərɪ] *n* itinerario.

it'll ['ɪtl] = **it will, it shall**.

ITN *n abbr* (*BRIT*. = *Independent Television News*) *agenzia d'informazioni per la televisione*.

its [ɪts] *adj, pron* il(la) suo(a), i(le) suoi(sue).

it's [ɪts] = **it is; it has**.

itself [ɪt'sɛlf] *pron* (*emphatic*) esso(a) stesso(a); (*reflexive*) si.

ITV *n abbr* (*BRIT*. = *Independent Television*) *rete televisiva indipendente*.

La **ITV** *è un'azienda televisiva privata che comprende una serie di emittenti regionali, la prima delle quali è stata aperta nel 1955. Si autofinanzia tramite la pubblicità ed è* *sottoposta al controllo di un ente ufficiale,* la **IBA**; *vedi anche* **BBC**.

IUD *n abbr* = **intra-uterine device**.
I've [aɪv] = **I have**.
ivory ['aɪvərɪ] *n* avorio.
Ivory Coast *n* Costa d'Avorio.
ivory tower *n* torre *f* d'avorio.
ivy ['aɪvɪ] *n* edera.

Ivy League *è il termine usato per indicare le otto università più prestigiose degli Stati Uniti nordorientali (Brown, Columbia, Cornell, Dartmouth College, Harvard, Princeton, University of Pennsylvania e Yale).*

J j

J, j [dʒeɪ] *n (letter)* J, j *f or m inv*; **J for Jack,** *(US)* **J for Jig** ≈ J come Jersey.
JA *n abbr see* **judge advocate**.
J/A *abbr see* **joint account**.
jab [dʒæb] *vt*: **to ~ sth into** affondare *or* piantare qc dentro ♦ *vi*: **to ~ at** dare colpi a ♦ *n* colpo; *(MED: col)* puntura.
jabber ['dʒæbə*] *vt, vi* borbottare.
jack [dʒæk] *n (AUT)* cricco; *(BOWLS)* boccino, pallino; *(CARDS)* fante *m*.
►**jack in** *vt (col)* mollare.
►**jack up** *vt* sollevare sul cricco; *(raise: prices etc)* alzare.
jackal ['dʒækl] *n* sciacallo.
jackass ['dʒækæs] *n (also fig)* asino, somaro.
jackdaw ['dʒækdɔː] *n* taccola.
jacket ['dʒækɪt] *n* giacca; *(of book)* copertura; **potatoes in their ~s** *(BRIT)* patate *fpl* con la buccia.
jacket potato *n patata cotta al forno con la buccia.*
jack-in-the-box ['dʒækɪnðəbɔks] *n* scatola a sorpresa (con pupazzo a molla).
jack-knife ['dʒæknaɪf] *vi*: **the lorry ~d** l'autotreno si è piegato su se stesso.
jack-of-all-trades [dʒækəv'ɔːltreɪdz] *n* uno che fa un po' di tutto.
jack plug *n (BRIT)* jack plug *f inv*.
jackpot ['dʒækpɔt] *n* primo premio (in denaro).
Jacuzzi ® [dʒə'kuːzɪ] *n* vasca per

idromassaggio Jacuzzi ®.
jade [dʒeɪd] *n (stone)* giada.
jaded ['dʒeɪdɪd] *adj* sfinito(a), spossato(a).
jagged ['dʒægɪd] *adj* sbocconcellato(a); *(cliffs etc)* frastagliato(a).
jaguar ['dʒægjuə*] *n* giaguaro.
jail [dʒeɪl] *n* prigione *f* ♦ *vt* mandare in prigione.
jailbird ['dʒeɪlbɔːd] *n* avanzo di galera.
jailbreak ['dʒeɪlbreɪk] *n* evasione *f*.
jailer ['dʒeɪlə*] *n* custode *m* del carcere.
jalopy [dʒə'lɔpɪ] *n (col)* macinino.
jam [dʒæm] *n* marmellata; *(of shoppers etc)* ressa; *(also: traffic ~)* ingorgo ♦ *vt* *(passage etc)* ingombrare, ostacolare; *(mechanism, drawer etc)* bloccare; *(RADIO)* disturbare con interferenze ♦ *vi* *(mechanism, sliding part)* incepparsi, bloccarsi; *(gun)* incepparsi; **to get sb out of a ~** tirare qn fuori dai pasticci; **to ~ sth into** forzare qc dentro; infilare qc a forza dentro; **the telephone lines are ~med** le linee sono sovraccariche.
Jamaica [dʒə'meɪkə] *n* Giamaica.
Jamaican [dʒə'meɪkən] *adj, n* giamaicano(a).
jamb [dʒæm] *n* stipite *m*.
jam-packed [dʒæm'pækt] *adj*: **~ (with)** pieno(a) zeppo(a) (di), strapieno(a) (di).
jam session *n* improvvisazione *f* jazzistica.
Jan. *abbr (= January)* gen., genn.
jangle ['dʒæŋgl] *vi* risuonare; *(bracelet)* tintinnare.
janitor ['dʒænɪtə*] *n (caretaker)* portiere *m*; *(SCOL)* bidello.
January ['dʒænjuərɪ] *n* gennaio; *for phrases see also* **July**.
Japan [dʒə'pæn] *n* Giappone *m*.
Japanese [dʒæpə'niːz] *adj* giapponese ♦ *n (pl inv)* giapponese *m/f*; *(LING)* giapponese *m*.
jar [dʒɑː*] *n (container)* barattolo, vasetto ♦ *vi (sound)* stridere; *(colours etc)* stonare ♦ *vt (shake)* scuotere.
jargon ['dʒɑːgən] *n* gergo.
jarring ['dʒɑːrɪŋ] *adj (sound, colour)* stonato(a).
Jas. *abbr* = **James**.
jasmin(e) ['dʒæzmɪn] *n* gelsomino.
jaundice ['dʒɔːndɪs] *n* itterizia.
jaundiced ['dʒɔːndɪst] *adj (fig)* invidioso(a) e critico(a).
jaunt [dʒɔːnt] *n* gita.
jaunty ['dʒɔːntɪ] *adj* vivace; disinvolto(a), spigliato(a).
Java ['dʒɑːvə] *n* Giava.
javelin ['dʒævlɪn] *n* giavellotto.

jaw [dʒɔː] *n* mascella; **~s** (*TECH: of vice etc*) morsa.

jawbone ['dʒɔːbəun] *n* mandibola.

jay [dʒeɪ] *n* ghiandaia.

jaywalker ['dʒeɪwɔːkə*] *n* pedone(a) indisciplinato(a).

jazz [dʒæz] *n* jazz *m*.

►**jazz up** *vt* rendere vivace.

jazz band *n* banda *f* jazz *inv*.

jazzy ['dʒæzɪ] *adj* vistoso(a), chiassoso(a).

JCB ® *n* scavatrice *f*.

JCS *n abbr* (*US*) = Joint Chiefs of Staff.

JD *n abbr* (*US:* = Doctor of Laws) titolo di studio; (: = Justice Department) ministero della Giustizia.

jealous ['dʒɛləs] *adj* geloso(a).

jealously ['dʒɛləslɪ] *adv* (*enviously*) con gelosia; (*watchfully*) gelosamente.

jealousy ['dʒɛləsɪ] *n* gelosia.

jeans [dʒiːnz] *npl* (blue-)jeans *mpl*.

Jeep ® [dʒiːp] *n* jeep *m inv*.

jeer [dʒɪə*] *vi*: **to ~** (**at**) fischiare; beffeggiare; *see also* **jeers**.

jeering ['dʒɪərɪŋ] *adj* (*crowd*) che urla e fischia ♦ *n* fischi *mpl*; parole *fpl* di scherno.

jeers ['dʒɪəz] *npl* fischi *mpl*.

jelly ['dʒɛlɪ] *n* gelatina.

jellyfish ['dʒɛlɪfɪʃ] *n* medusa.

jeopardize ['dʒɛpədaɪz] *vt* mettere in pericolo.

jeopardy ['dʒɛpədɪ] *n*: **in ~** in pericolo.

jerk [dʒɜːk] *n* sobbalzo, scossa; sussulto; (*col*) povero scemo ♦ *vt* dare una scossa a ♦ *vi* (*vehicles*) sobbalzare.

jerkin ['dʒɜːkɪn] *n* giubbotto.

jerky ['dʒɜːkɪ] *adj* a scatti; a sobbalzi.

jerry-built ['dʒɛrɪbɪlt] *adj* fatto(a) di cartapesta.

jerry can ['dʒɛrɪ-] *n* tanica.

Jersey ['dʒɜːzɪ] *n* Jersey *m*.

jersey ['dʒɜːzɪ] *n* maglia, jersey *m*.

Jerusalem [dʒəˈruːsələm] *n* Gerusalemme *f*.

jest [dʒɛst] *n* scherzo; **in ~** per scherzo.

jester ['dʒɛstə*] *n* (*HISTORY*) buffone *m*.

Jesus ['dʒiːzəs] *n* Gesù *m*; **~ Christ** Gesù Cristo.

jet [dʒɛt] *n* (*of gas, liquid*) getto; (*AUT*) spruzzatore *m*; (*AVIAT*) aviogetto.

jet-black ['dʒɛt'blæk] *adj* nero(a) come l'ebano, corvino(a).

jet engine *n* motore *m* a reazione.

jet lag *n* (problemi *mpl* dovuti allo) sbalzo dei fusi orari.

jetsam ['dʒɛtsəm] *n* relitti *mpl* di mare.

jet-setter ['dʒɛtsɛtə*] *n* membro del jet set.

jettison ['dʒɛtɪsn] *vt* gettare in mare.

jetty ['dʒɛtɪ] *n* molo.

Jew [dʒuː] *n* ebreo.

jewel ['dʒuːəl] *n* gioiello.

jeweller, (*US*) **jeweler** ['dʒuːələ*] *n* orefice *m*, gioielliere/a; **~'s** (**shop**) *n* oreficeria, gioielleria.

jewellery, (*US*) **jewelry** ['dʒuːəlrɪ] *n* gioielli *mpl*.

Jewess ['dʒuːɪs] *n* ebrea.

Jewish ['dʒuːɪʃ] *adj* ebreo(a), ebraico(a).

JFK *n abbr* (*US*) = John Fitzgerald Kennedy International Airport.

jib [dʒɪb] *n* (*NAUT*) fiocco; (*of crane*) braccio ♦ *vi* (*horse*) impennarsi; **to ~ at doing sth** essere restio a fare qc.

jibe [dʒaɪb] *n* beffa.

jiffy ['dʒɪfɪ] *n* (*col*): **in a ~** in un batter d'occhio.

jig [dʒɪg] *n* (*dance, tune*) giga.

jigsaw ['dʒɪgsɔː] *n* (*tool*) sega da traforo; (*also:* **~ puzzle**) puzzle *m inv*.

jilt [dʒɪlt] *vt* piantare in asso.

jingle ['dʒɪŋgl] *n* (*advert*) sigla pubblicitaria ♦ *vi* tintinnare, scampanellare.

jingoism ['dʒɪŋgəuɪzəm] *n* scivinismo.

jinx [dʒɪŋks] *n* (*col*) iettatura; (*person*) iettatore/trice.

jitters ['dʒɪtəz] *npl* (*col*): **to get the ~** aver fifa.

jittery ['dʒɪtərɪ] *adj* (*col*) teso(a), agitato(a); **to be ~** aver fifa.

jiujitsu [dʒuː'dʒɪtsuː] *n* jujitsu *m*.

job [dʒɔb] *n* lavoro; (*employment*) impiego, posto; **a part-time/full-time ~** un lavoro a mezza giornata/a tempo pieno; **that's not my ~** non è compito mio; **he's only doing his ~** non fa che il suo dovere; **it's a good ~ that ...** meno male che ...; **just the ~!** proprio quello che ci vuole!

jobber ['dʒɔbə*] *n* (*BRIT STOCK EXCHANGE*) intermediario tra agenti di cambio.

jobbing ['dʒɔbɪŋ] *adj* (*BRIT: workman*) a ore, a giornata.

Jobcentre ['dʒɔbsɛntə*] *n* ufficio di collocamento.

job creation scheme *n* progetto per la creazione di nuovi posti di lavoro.

job description *n* caratteristiche *fpl* (di un lavoro).

jobless ['dʒɔblɪs] *adj* senza lavoro, disoccupato(a) ♦ *npl*: **the ~** i senza lavoro.

job lot *n* partita di articoli disparati.

job satisfaction *n* soddisfazione *f* nel lavoro.

job security *n* sicurezza del posto di lavoro.

job specification *n* caratteristiche *fpl* (di un lavoro).

Jock [dʒɔk] *n* (*col*) termine colloquiale per chiamare uno scozzese.

jockey ['dʒɔkɪ] *n* fantino, jockey *m inv* ♦ *vi*: **to ~ for position** manovrare per una posizione di vantaggio.

jockey box *n* (*US AUT*) vano portaoggetti.

jockstrap ['dʒɔkstræp] *n* conchiglia (*per atleti*).

jocular ['dʒɔkjulə*] *adj* gioviale; scherzoso(a).

jog [dʒɔg] *vt* urtare ♦ *vi* (*SPORT*) fare footing, fare jogging; **to ~ along** andare trottare; (*fig*) andare avanti pian piano; **to ~ sb's memory** stimolare la memoria di qn.

jogger ['dʒɔgə*] *n* persona che fa footing *or* jogging.

jogging ['dʒɔgɪŋ] *n* footing *m*, jogging *m*.

john [dʒɔn] *n* (*US col*): **the ~** il gabinetto.

join [dʒɔɪn] *vt* unire, congiungere; (*become member of*) iscriversi a; (*meet*) raggiungere; riunirsi a ♦ *vi* (*roads, rivers*) confluire ♦ *n* giuntura; **to ~ forces (with)** allearsi (con *or* a); (*fig*) mettersi insieme (a); **will you ~ us for dinner?** viene a cena con noi?; **I'll ~ you later** vi raggiungo più tardi.

►**join in** *vt fus* unirsi a, prendere parte a, partecipare a ♦ *vi* partecipare.

►**join up** *vi* arruolarsi.

joiner ['dʒɔɪnə*] *n* falegname *m*.

joinery ['dʒɔɪnərɪ] *n* falegnameria.

joint [dʒɔɪnt] *n* (*TECH*) giuntura; giunto; (*ANAT*) articolazione *f*, giuntura; (*BRIT CULIN*) arrosto; (*col: place*) locale *m* ♦ *adj* comune; (*responsibility*) collettivo(a); (*committee*) misto(a).

joint account (J/A) *n* (*at bank etc*) conto in comune.

jointly ['dʒɔɪntlɪ] *adv* in comune, insieme.

joint ownership *n* comproprietà.

joint-stock company ['dʒɔɪntstɔk-] *n* società *f inv* per azioni.

joist [dʒɔɪst] *n* trave *f*.

joke [dʒəuk] *n* scherzo; (*funny story*) barzelletta ♦ *vi* scherzare; **to play a ~ on** fare uno scherzo a.

joker ['dʒəukə*] *n* buffone/a, burlone/a; (*CARDS*) matta, jolly *m inv*.

joking ['dʒəukɪŋ] *n* scherzi *mpl*.

jollity ['dʒɔlɪtɪ] *n* allegria.

jolly ['dʒɔlɪ] *adj* allegro(a), gioioso(a) ♦ *adv* (*BRIT col*) veramente, proprio ♦ *vt* (*BRIT*): **to ~ sb along** cercare di tenere qn su (di morale); **~ good!** (*BRIT*) benissimo!

jolt [dʒəult] *n* scossa, sobbalzo ♦ *vt* urtare.

Jordan ['dʒɔːdən] *n* (*country*) Giordania; (*river*) Giordano.

Jordanian [dʒɔːˈdeɪnɪən] *adj, n* giordano(a).

joss stick ['dʒɔs-] *n* bastoncino d'incenso.

jostle ['dʒɔsl] *vt* spingere coi gomiti ♦ *vi* farsi spazio coi gomiti.

jot [dʒɔt] *n*: **not one ~** nemmeno un po'.

►**jot down** *vt* annotare in fretta, buttare giù.

jotter ['dʒɔtə*] *n* (*BRIT*) quaderno; blocco.

journal ['dʒəːnl] *n* (*newspaper*) giornale *m*; (*periodical*) rivista; (*diary*) diario.

journalese [dʒəːnəˈliːz] *n* (*pej*) stile *m* giornalistico.

journalism ['dʒəːnəlɪzəm] *n* giornalismo.

journalist ['dʒəːnəlɪst] *n* giornalista *m/f*.

journey ['dʒəːnɪ] *n* viaggio; (*distance covered*) tragitto; **a 5-hour ~** un viaggio *or* un tragitto di 5 ore.

jovial ['dʒəuvɪəl] *adj* gioviale, allegro(a).

jowl [dʒaul] *n* mandibola; guancia.

joy [dʒɔɪ] *n* gioia.

joyful ['dʒɔɪful], **joyous** ['dʒɔɪəs] *adj* gioioso(a), allegro(a).

joyride ['dʒɔɪraɪd] *n*: **to go for a ~** rubare una macchina per farsi un giro.

joyrider ['dʒɔɪraɪdə*] *n chi ruba una macchina per andare a farsi un giro.*

joystick ['dʒɔɪstɪk] *n* (*AVIAT*) barra di comando; (*COMPUT*) joystick *m inv*.

JP *n abbr see* **Justice of the Peace.**

Jr. *abbr* = **junior.**

JTPA *n abbr* (*US*: = *Job Training Partnership Act*) *piano governativo di parziale sovvenzione per l'addestramento sul lavoro di apprendisti.*

jubilant ['dʒuːbɪlnt] *adj* giubilante; trionfante.

jubilation [dʒuːbɪˈleɪʃən] *n* giubilo.

jubilee ['dʒuːbɪliː] *n* giubileo; **silver ~** venticinquesimo anniversario.

judge [dʒʌdʒ] *n* giudice *m/f* ♦ *vt* giudicare; (*consider*) ritenere; (*estimate: weight, size etc*) calcolare, valutare ♦ *vi*: **judging** *or* **to ~ by his expression** a giudicare dalla sua espressione; **as far as I can ~** a mio giudizio; **I ~d it necessary to inform him** ho ritenuto necessario informarlo.

judge advocate (JA) *n* (*MIL*) magistrato militare.

judg(e)ment ['dʒʌdʒmənt] *n* giudizio; (*punishment*) punizione *f*; **in my ~** a mio giudizio; **to pass ~ (on)** (*LAW*) pronunciare un giudizio (su); (*fig*) dare giudizi affrettati (su).

judicial [dʒuːˈdɪʃl] *adj* giudiziale, giudiziario(a).

judiciary [dʒuːˈdɪʃɪərɪ] *n* magistratura.

judicious [dʒuːˈdɪʃəs] *adj* giudizioso(a).

judo ['dʒuːdəu] *n* judo.

jug [dʒʌg] *n* brocca, bricco.

jugged hare [dʒʌgd-] *n* (*BRIT*) lepre *f* in salmì.

juggernaut ['dʒʌgənɔːt] *n* (*BRIT*: *huge truck*) bestione *m*.

juggle ['dʒʌgl] *vi* fare giochi di destrezza.

juggler ['dʒʌglə*] *n* giocoliere/a.

Jugoslav ['juːgəuˈslɑːv] *adj*, *n* = **Yugoslav**.

jugular ['dʒʌgjulə*] *adj*: ~ **(vein)** vena giugulare.

juice [dʒuːs] *n* succo; (*of meat*) sugo; **we've run out of** ~ (*col*: *petrol*) siamo rimasti a secco.

juicy ['dʒuːsɪ] *adj* succoso(a).

jukebox ['dʒuːkbɔks] *n* juke-box *m inv*.

Jul. *abbr* (= *July*) lug., lu.

July [dʒuːˈlaɪ] *n* luglio; **the first of** ~ il primo luglio; **(on) the eleventh of** ~ l'undici luglio; **in the month of** ~ nel mese di luglio; **at the beginning/end of** ~ all'inizio/alla fine di luglio; **in the middle of** ~ a metà luglio; **during** ~ durante (il mese di) luglio; **in** ~ **of next year** a luglio dell'anno prossimo; **each** *or* **every** ~ ogni anno a luglio; ~ **was wet this year** ha piovuto molto a luglio quest'anno.

jumble ['dʒʌmbl] *n* miscuglio ♦ *vt* (*also*: ~ **up**, ~ **together**) mischiare, mettere alla rinfusa.

jumble sale *n* ≈ vendita di beneficenza.

> *La* **jumble sale** *è un mercatino dove vengono venduti vari oggetti, per lo più di seconda mano; viene organizzata in chiese, scuole o circoli ricreativi. I proventi delle vendite vengono devoluti in beneficenza o usati per una giusta causa.*

jumbo ['dʒʌmbəu] *adj*: ~ **jet** jumbo-jet *m inv*; ~ **size** formato gigante.

jump [dʒʌmp] *vi* saltare, balzare; (*start*) sobbalzare; (*increase*) rincarare ♦ *vt* saltare ♦ *n* salto; balzo; sobbalzo; (*SHOWJUMPING*) salto; (*fence*) ostacolo; **to** ~ **the queue** (*BRIT*) passare davanti agli altri (*in una coda*).

▸**jump about** *vi* fare salti, saltellare.

▸**jump at** *vt fus* (*fig*) cogliere *or* afferrare al volo; **he** ~**ed at the offer** si affrettò ad accettare l'offerta.

▸**jump down** *vi* saltare giù.

▸**jump up** *vi* saltare in piedi.

jumped-up ['dʒʌmptʌp] *adj* (*BRIT pej*) presuntuoso(a).

jumper ['dʒʌmpə*] *n* (*BRIT*: *pullover*) maglia; (*US*: *pinafore dress*) scamiciato; (*SPORT*) saltatore/trice.

jump leads, (*US*) **jumper cables** *npl* cavi *mpl* per batteria.

jump-start ['dʒʌmpstɑːt] *vt* (*car*) far partire spingendo; (*fig*) dare una spinta a,

rimettere in moto.

jump suit *n* tuta.

jumpy ['dʒʌmpɪ] *adj* nervoso(a), agitato(a).

Jun. *abbr* (= *June*) giu.

Jun., Junr *abbr* = **junior**.

junction ['dʒʌŋkʃən] *n* (*BRIT*: *of roads*) incrocio; (*of rails*) nodo ferroviario.

juncture ['dʒʌŋktʃə*] *n*: **at this** ~ in questa congiuntura.

June [dʒuːn] *n* giugno; *for phrases see also* **July**.

jungle ['dʒʌŋgl] *n* giungla.

junior ['dʒuːnɪə*] *adj*, *n*: **he's** ~ **to me (by 2 years), he's my** ~ **(by 2 years)** è più giovane di me (di 2 anni); **he's** ~ **to me** (*seniority*) è al di sotto di me, ho più anzianità di lui.

junior executive *n* giovane dirigente *m*.

junior high school *n* (*US*) scuola media (*da 12 a 15 anni*).

junior minister *n* (*BRIT POL*) ministro che non fa parte del Cabinet.

junior partner *n* socio meno anziano.

junior school *n* (*BRIT*) scuola elementare (*da 8 a 11 anni*).

junior sizes *npl* (*COMM*) taglie *fpl* per ragazzi.

juniper ['dʒuːnɪpə*] *n*: ~ **berry** bacca di ginepro.

junk [dʒʌŋk] *n* (*rubbish*) chincaglia; (*ship*) giunca ♦ *vt* disfarsi di.

junk bond *n* (*COMM*) titolo *m* spazzatura *inv*.

junk dealer *n* rigattiere *m*.

junket ['dʒʌŋkɪt] *n* (*CULIN*) giuncata; (*BRIT col: also*: ~**ing**): **to go on a** ~, **go** ~**ing** fare bisboccia.

junk food *n* porcherie *fpl*, cibo a scarso valore nutritivo.

junkie ['dʒʌŋkɪ] *n* (*col*) drogato/a.

junk mail *n* posta *f* spazzatura *inv*.

junk room *n* (*US*) ripostiglio.

junk shop *n* chincaglieria.

junta ['dʒʌntə] *n* giunta.

Jupiter ['dʒuːpɪtə*] *n* (*planet*) Giove *m*.

jurisdiction [dʒuərɪsˈdɪkʃən] *n* giurisdizione *f*; **it falls** *or* **comes within/outside our** ~ è/non è di nostra competenza.

jurisprudence [dʒuərɪsˈpruːdəns] *n* giurisprudenza.

juror ['dʒuərə*] *n* giurato/a.

jury ['dʒuərɪ] *n* giuria.

jury box *n* banco della giuria.

juryman ['dʒuərɪmən] *n* = **juror**.

just [dʒʌst] *adj* giusto(a) ♦ *adv*: **he's** ~ **done it/left** lo ha appena fatto/è appena partito; ~ **as I expected** proprio come me lo aspettavo; ~ **right** proprio giusto; ~ **2 o'clock** le 2 precise; **we were ~ going** stavamo uscendo; **I was ~ about to phone** stavo proprio per telefonare; ~ **as he was leaving** proprio mentre se ne stava andando; **it was ~ before/enough/ here** era poco prima/appena assai/ proprio qui; **it's ~ me** sono solo io; **it's ~ a mistake** non è che uno sbaglio; ~ **missed/caught** appena perso/preso; ~ **listen to this!** senta un po' questo!; ~ **ask someone the way** basta che tu chieda la strada a qualcuno; **it's ~ as good** è altrettanto buono; **it's ~ as well you didn't go** per fortuna non ci sei andato; **not ~ now** non proprio adesso; ~ **a minute!**, ~ **one moment!** un attimo!

justice ['dʒʌstɪs] n giustizia; **Lord Chief J~** (BRIT) presidente m della Corte d'Appello; **this photo doesn't do you ~** questa foto non ti fa giustizia.

Justice of the Peace (JP) n giudice m conciliatore.

justifiable [dʒʌstɪ'faɪəbl] adj giustificabile.

justifiably [dʒʌstɪ'faɪəblɪ] adv legittimamente, con ragione.

justification [dʒʌstɪfɪ'keɪʃən] n giustificazione f; (TYP) giustezza.

justify ['dʒʌstɪfaɪ] vt giustificare; (TYP etc) allineare, giustificare; **to be justified in doing sth** avere ragione di fare qc.

justly ['dʒʌstlɪ] adv giustamente.

justness ['dʒʌstnɪs] n giustezza.

jut [dʒʌt] vi (also: ~ **out**) sporgersi.

jute [dʒuːt] n iuta.

juvenile ['dʒuːvənaɪl] adj giovane, giovanile; (court) dei minorenni; (books) per ragazzi ♦ n giovane m/f, minorenne m/f.

juvenile delinquency n delinquenza minorile.

juvenile delinquent n delinquente m/f minorenne.

juxtapose ['dʒʌkstəpəuz] vt giustapporre.

juxtaposition [dʒʌkstəpə'zɪʃən] n giustapposizione f.

Kk

K, k [keɪ] n (letter) K, k f or m inv; **K for King** ≈ K come Kursaal.

K n abbr (= one thousand) mille ♦ abbr (BRIT: = Knight) titolo; (= kilobyte) K.

kaftan ['kæftæn] n caffettano.

Kalahari Desert [kælə'hɑːrɪ-] n Deserto di Calahari.

kale [keɪl] n cavolo verde.

kaleidoscope [kə'laɪdəskəup] n caleidoscopio.

kamikaze [kæmɪ'kɑːzɪ] adj da kamikaze.

Kampala [kæm'pɑːlə] n Kampala f.

Kampuchea [kæmpu'tʃɪə] n Kampuchea f.

kangaroo [kæŋgə'ruː] n canguro.

Kans. abbr (US) = Kansas.

kaput [kə'put] adj (col) kaputt inv.

karaoke [kɑːrə'əukɪ] n karaoke m inv.

karate [kə'rɑːtɪ] n karate m.

Kashmir [kæʃ'mɪə*] n Kashmir m.

Kazakhstan [kæzæk'stɑːn] n Kazakistan m.

KC n abbr (BRIT LAW: = King's Counsel) avvocato della Corona; see also **QC**.

kd abbr (US: = knocked down) da montare.

kebab [kə'bæb] n spiedino.

keel [kiːl] n chiglia; **on an even ~** (fig) in uno stato normale.

▶**keel over** vi (NAUT) capovolgersi; (person) crollare.

keen [kiːn] adj (interest, desire) vivo(a); (eye, intelligence) acuto(a); (competition) serrato(a); (edge) affilato(a); (eager) entusiasta; **to be ~ to do** or **on doing sth** avere una gran voglia di fare qc; **to be ~ on sth** essere appassionato(a) di qc; **to be ~ on sb** avere un debole per qn; **I'm not ~ on going** non mi va di andare.

keenly ['kiːnlɪ] adv (enthusiastically) con entusiasmo; (acutely) vivamente; in modo penetrante.

keenness ['kiːnnɪs] n (eagerness) entusiasmo.

keep [kiːp] vb (pt, pp **kept** [kept]) vt tenere; (hold back) trattenere; (feed: one's family etc) mantenere, sostentare; (a promise) mantenere; (chickens, bees, pigs etc) allevare ♦ vi (food) mantenersi; (remain: in a certain state or place) restare ♦ n (of *castle*) maschio; (*food etc*): **enough for his ~** abbastanza per vitto e alloggio; **to ~ doing sth** continuare a fare qc; fare qc di continuo; **to ~ sb from doing/sth from happening** impedire a qn di fare/che qc succeda; **to ~ sb busy/a place tidy** tenere qn occupato(a)/un luogo in ordine; **to ~ sb waiting** far aspettare qn; **to ~ an appointment** andare ad un appuntamento; **to ~ a record *or* note of sth** prendere nota di qc; **to ~ sth to o.s.** tenere qc per sé; **to ~ sth (back) from sb** celare qc a qn; **to ~ time** (*clock*) andar bene; **~ the change** tenga il resto; *see also* **keeps.**

▶**keep away** *vt*: **to ~ sth/sb away from sb** tenere qc/qn lontano da qn ♦ *vi*: **to ~ away (from)** stare lontano (da).

▶**keep back** *vt* (*crowds, tears, money*) trattenere ♦ *vi* tenersi indietro.

▶**keep down** *vt* (*control: prices, spending*) contenere, ridurre; (*retain: food*) trattenere, ritenere ♦ *vi* tenersi giù, stare giù.

▶**keep in** *vt* (*invalid, child*) tenere a casa; (*SCOL*) trattenere a scuola ♦ *vi* (*col*): **to ~ in with sb** tenersi buono qn.

▶**keep off** *vt* (*dog, person*) tenere lontano da ♦ *vi* stare alla larga; **~ your hands off!** non toccare!, giù le mani!; **"~ off the grass"** "non calpestare l'erba".

▶**keep on** *vi* continuare; **to ~ on doing** continuare a fare.

▶**keep out** *vt* tener fuori ♦ *vi* restare fuori; **"~ out"** "vietato l'accesso".

▶**keep up** *vi* mantenersi ♦ *vt* continuare, mantenere; **to ~ up with** tener dietro a, andare di pari passo con; (*work etc*) farcela a seguire; **to ~ up with sb** (*in race etc*) mantenersi al passo con qn.

keeper ['ki:pə*] *n* custode *m/f*, guardiano/a.

keep-fit [ki:p'fit] *n* ginnastica.

keeping ['ki:piŋ] *n* (*care*) custodia; **in ~ with** in armonia con; in accordo con.

keeps [ki:ps] *n*: **for ~** (*col*) per sempre.

keepsake ['ki:pseik] *n* ricordo.

keg [kɛg] *n* barilotto.

Ken. *abbr* (*US*) = **Kentucky.**

kennel ['kɛnl] *n* canile *m*.

Kenya ['kɛnjə] *n* Kenia *m*.

Kenyan ['kɛnjən] *adj*, *n* Keniano(a), Keniota (*m/f*).

kept [kɛpt] *pt*, *pp of* **keep.**

kerb [kə:b] *n* (*BRIT*) orlo del marciapiede.

kerb crawler [-'krɔ:lə*] *n* chi va in macchina in cerca di una prostituta.

kernel ['kə:nl] *n* nocciolo.

kerosene ['kɛrəsi:n] *n* cherosene *m*.

ketchup ['kɛtʃəp] *n* ketchup *m inv.*

kettle ['kɛtl] *n* bollitore *m*.

kettle drum *n* timpano.

key [ki:] *n* (*gen, MUS*) chiave *f*; (*of piano, typewriter*) tasto; (*on map*) leg(g)enda ♦ *cpd* (*vital: position, industry etc*) chiave *inv.*

▶**key in** *vt* (*text*) introdurre da tastiera.

keyboard ['ki:bɔ:d] *n* tastiera ♦ *vt* (*text*) comporre su tastiera.

keyboarder ['ki:bɔ:də*] *n* dattilografo(a).

keyed up [ki:d'ʌp] *adj*: **to be ~** essere agitato(a).

keyhole ['ki:həul] *n* buco della serratura.

keyhole surgery *n* chirurgia mininvasiva.

keynote ['ki:nəut] *n* (*MUS*) tonica; (*fig*) nota dominante.

keypad ['ki:pæd] *n* tastierino numerico.

key ring *n* portachiavi *m inv.*

keystroke ['ki:strəuk] *n* battuta (di un tasto).

kg *abbr* (= *kilogram*) Kg.

KGB *n abbr* KGB *m*.

khaki ['kɑ:kɪ] *adj*, *n* cachi (*m*).

kibbutz [kɪ'buts] *n* kibbutz *m inv.*

kick [kɪk] *vt* calciare, dare calci a ♦ *vi* (*horse*) tirar calci ♦ *n* calcio; (*of rifle*) contraccolpo; (*thrill*): **he does it for ~s** lo fa giusto per il piacere di farlo.

▶**kick around** *vi* (*col*) essere in giro.

▶**kick-off** *vi* (*SPORT*) dare il primo calcio.

kick-off ['kɪkɔf] *n* (*SPORT*) calcio d'inizio.

kick-start ['kɪkstɑ:t] *n* (*also*: **~er**) pedale *m* d'avviamento.

kid [kɪd] *n* ragazzino/a; (*animal, leather*) capretto ♦ *vi* (*col*) scherzare ♦ *vt* (*col*) prendere in giro.

kid gloves *npl*: **to treat sb with ~** trattare qn coi guanti.

kidnap ['kɪdnæp] *vt* rapire, sequestrare.

kidnapper ['kɪdnæpə*] *n* rapitore/trice.

kidnapping ['kɪdnæpiŋ] *n* sequestro (di persona).

kidney ['kɪdnɪ] *n* (*ANAT*) rene *m*; (*CULIN*) rognone *m*.

kidney bean *n* fagiolo borlotto.

kidney machine *n* rene *m* artificiale.

Kilimanjaro [kɪlɪmən'dʒɑ:rəu] *n*: **Mount ~** il monte Kilimangiaro.

kill [kɪl] *vt* uccidere, ammazzare; (*fig*) sopprimere; sopraffare; ammazzare ♦ *n* uccisione *f*; **to ~ time** ammazzare il tempo.

▶**kill off** *vt* sterminare; (*fig*) eliminare, soffocare.

killer ['kɪlə*] *n* uccisore *m*, killer *m inv*; assassino/a.

killer instinct *n*: **to have a/the ~** essere

spietato(a).
killing ['kɪlɪŋ] *n* assassinio; (*massacre*)
strage *f*; (*col*): **to make a ~** fare un bel
colpo.
kill-joy ['kɪldʒɔɪ] *n* guastafeste *m/f inv*.
kiln [kɪln] *n* forno.
kilo ['kiːləʊ] *n abbr* (= *kilogram*) chilo.
kilobyte ['kɪləbaɪt] *n* kilobyte *m inv*.
kilogram(me) ['kɪləʊgræm] *n* chilogrammo.
kilometre, (*US*) **kilometer** ['kɪləmiːtə*] *n*
chilometro.
kilowatt ['kɪləʊwɔt] *n* chilowatt *m inv*.
kilt [kɪlt] *n* gonnellino scozzese.
kilter ['kɪltə*] *n*: **out of ~** fuori fase.
kimono [kɪ'məʊnəʊ] *n* chimono.
kin [kɪn] *n see* **next of kin, kith.**
kind [kaɪnd] *adj* gentile, buono(a) ♦ *n* sorta,
specie *f*; (*species*) genere *m*; **to be two of a
~** essere molto simili; **would you be ~
enough to ...?, would you be so ~ as to
...?** sarebbe così gentile da ...?; **it's very
~ of you (to do)** è molto gentile da parte
sua (di fare); **in ~** (*COMM*) in natura; (*fig*):
to repay sb in ~ ripagare qn della stessa
moneta.
kindergarten ['kɪndəgɑːtn] *n* giardino
d'infanzia.
kind-hearted [kaɪnd'hɑːtɪd] *adj* di buon
cuore.
kindle ['kɪndl] *vt* accendere, infiammare.
kindling ['kɪndlɪŋ] *n* frasche *fpl*, ramoscelli
mpl.
kindly ['kaɪndlɪ] *adj* pieno(a) di bontà,
benevolo(a) ♦ *adv* con bontà, gentilmente;
will you ~ ... vuole ... per favore; **he
didn't take it ~** se l'è presa a male.
kindness ['kaɪndnɪs] *n* bontà, gentilezza.
kindred ['kɪndrɪd] *adj* imparentato(a); **~
spirit** spirito affine.
kinetic [kɪ'nɛtɪk] *adj* cinetico(a).
king [kɪŋ] *n* re *m inv*.
kingdom ['kɪŋdəm] *n* regno, reame *m*.
kingfisher ['kɪŋfɪʃə*] *n* martin *m inv*
pescatore.
kingpin ['kɪŋpɪn] *n* (*TECH, fig*) perno.
king-size(d) ['kɪŋsaɪz(d)] *adj* super *inv*;
gigante; (*cigarette*) extra lungo(a).
kink [kɪŋk] *n* (*of rope*) attorcigliamento; (*in
hair*) ondina; (*fig*) aberrazione *f*.
kinky ['kɪŋkɪ] *adj* (*fig*) eccentrico(a); dai
gusti particolari.
kinship ['kɪnʃɪp] *n* parentela.
kinsman ['kɪnzmən] *n* parente *m*.
kinswoman ['kɪnzwumən] *n* parente *f*.
kiosk ['kiːɔsk] *n* edicola, chiosco; (*BRIT: also*:
telephone ~) cabina (telefonica); (: *also*:
newspaper ~) edicola.
kipper ['kɪpə*] *n* aringa affumicata.

Kirghizia [kəːˈgɪzɪə] *n* Kirghizistan.
kiss [kɪs] *n* bacio ♦ *vt* baciare; **to ~ (each
other)** baciarsi; **to ~ sb goodbye**
congedarsi da qn con un bacio; **~ of life**
(*BRIT*) respirazione *f* bocca a bocca.
kissagram ['kɪsəgræm] *n* servizio di
recapito a domicilio di messaggi e baci
augurali.
kit [kɪt] *n* equipaggiamento, corredo; (*set of
tools etc*) attrezzi *mpl*; (*for assembly*)
scatola di montaggio; **tool ~** cassetta *or*
borsa degli attrezzi.
▶**kit out** *vt* (*BRIT*) attrezzare, equipaggiare.
kitbag ['kɪtbæg] *n* zaino; sacco militare.
kitchen ['kɪtʃɪn] *n* cucina.
kitchen garden *n* orto.
kitchen sink *n* acquaio.
kitchen unit *n* (*BRIT*) elemento da cucina.
kitchenware ['kɪtʃɪnwɛə*] *n* stoviglie *fpl*;
utensili *mpl* da cucina.
kite [kaɪt] *n* (*toy*) aquilone *m*; (*ZOOL*) nibbio.
kith [kɪθ] *n*: **~ and kin** amici e parenti *mpl*.
kitten ['kɪtn] *n* gattino/a, micino/a.
kitty ['kɪtɪ] *n* (*money*) fondo comune.
kiwi fruit ['kiːwiː-] *n* kiwi *m inv*.
KKK *n abbr* (*US*) = **Ku Klux Klan.**
Kleenex ® ['kliːnɛks] *n* fazzolettino di
carta.
kleptomaniac [klɛptəʊ'meɪnɪæk] *n*
cleptomane *m/f*.
km *abbr* (= *kilometre*) km.
km/h *abbr* (= *kilometres per hour*) km/h.
knack [næk] *n*: **to have a ~ (for doing)**
avere una pratica (per fare); **to have the
~ of** avere l'abilità di; **there's a ~ to
doing this** c'è un trucco per fare questo.
knackered ['nækəd] *adj* (*col*) fuso(a).
knapsack ['næpsæk] *n* zaino, sacco da
montagna.
knave [neɪv] *n* (*CARDS*) fante *m*.
knead [niːd] *vt* impastare.
knee [niː] *n* ginocchio.
kneecap ['niːkæp] *n* rotula ♦ *vt* gambizzare.
knee-deep ['niːˈdiːp] *adj*: **the water was ~**
l'acqua ci arrivava alle ginocchia.
kneel [niːl] *vi* (*pt, pp* **knelt** [nɛlt])
inginocchiarsi.
kneepad ['niːpæd] *n* ginocchiera.
knell [nɛl] *n* rintocco.
knelt [nɛlt] *pt, pp of* **kneel.**
knew [njuː] *pt of* **know.**
knickers ['nɪkəz] *npl* (*BRIT*) mutandine *fpl*.
knick-knack ['nɪknæk] *n* ninnolo.
knife [naɪf] *n* (*pl* **knives**) coltello ♦ *vt*
accoltellare, dare una coltellata a; **~, fork
and spoon** coperto.
knife edge *n*: **to be on a ~** (*fig*) essere
appeso(a) a un filo.

knight [naɪt] *n* cavaliere *m*; (*CHESS*) cavallo.

knighthood ['naɪthud] *n* cavalleria; (*title*): **to get a** ~ essere fatto cavaliere.

knit [nɪt] *vt* fare a maglia; (*fig*): **to** ~ **together** unire ♦ *vi* lavorare a maglia; (*broken bones*) saldarsi.

knitted ['nɪtɪd] *adj* lavorato(a) a maglia.

knitting ['nɪtɪŋ] *n* lavoro a maglia.

knitting machine *n* macchina per maglieria.

knitting needle *n* ferro (da calza).

knitting pattern *n* modello (per maglia).

knitwear ['nɪtwɛə*] *n* maglieria.

knives [naɪvz] *npl of* **knife**.

knob [nɔb] *n* bottone *m*; manopola; (*BRIT*): **a** ~ **of butter** una noce di burro.

knobbly ['nɔblɪ], (*US*) **knobby** ['nɔbɪ] *adj* (*wood, surface*) nodoso(a); (*knee*) ossuto(a).

knock [nɔk] *vt* (*strike*) colpire; urtare; (*fig: col*) criticare ♦ *vi* (*engine*) battere; (*at door etc*): **to** ~ **at/on** bussare a ♦ *n* bussata; colpo, botta; **he** ~**ed at the door** ha bussato alla porta; **to** ~ **a nail into sth** conficcare un chiodo in qc.

▶**knock down** *vt* abbattere; (*pedestrian*) investire; (*price*) abbassare.

▶**knock off** *vi* (*col: finish*) smettere (di lavorare) ♦ *vt* (*strike off*) far cadere; (*col: steal*) sgraffignare, grattare; **to** ~ **off £10** fare uno sconto di 10 sterline.

▶**knock out** *vt* stendere; (*BOXING*) mettere K.O., mettere fuori combattimento.

▶**knock over** *vt* (*object*) far cadere; (*pedestrian*) investire.

knockdown ['nɔkdaun] *adj* (*price*) fortemente scontato(a).

knocker ['nɔkə*] *n* (*on door*) battente *m*.

knocking ['nɔkɪŋ] *n* colpi *mpl*.

knock-kneed [nɔk'niːd] *adj* che ha le gambe ad x.

knockout ['nɔkaut] *n* (*BOXING*) knock out *m inv*.

knockout competition *n* (*BRIT*) gara ad eliminazione.

knock-up ['nɔkʌp] *n* (*TENNIS etc*) palleggio; **to have a** ~ palleggiare.

knot [nɔt] *n* nodo ♦ *vt* annodare; **to tie a** ~ fare un nodo.

knotty ['nɔtɪ] *adj* (*fig*) spinoso(a).

know [nəu] *vt* (*pt* **knew**, *pp* **known** [njuː, nəun]) sapere; (*person, author, place*) conoscere ♦ *vi* sapere; **to** ~ **that** ... sapere che ...; **to** ~ **how to do** sapere fare; **to get to** ~ **sth** venire a sapere qc; **I** ~ **nothing about it** non ne so niente; **I don't** ~ **him** non lo conosco; **to** ~ **right from wrong** distinguere il bene dal male; **as far as I** ~ ... che io sappia ..., per quanto io ne sappia ...; **yes, I** ~ sì, lo so; **I don't** ~ non lo so.

know-all ['nəuɔːl] *n* (*BRIT pej*) sapientone/a.

know-how ['nəuhau] *n* tecnica; pratica.

knowing ['nəuɪŋ] *adj* (*look etc*) d'intesa.

knowingly ['nəuɪŋlɪ] *adv* consapevolmente; di complicità.

know-it-all ['nəuɪtɔːl] *n* (*US*) = **know-all**.

knowledge ['nɔlɪdʒ] *n* consapevolezza; (*learning*) conoscenza, sapere *m*; **to have no** ~ **of** ignorare, non sapere; **not to my** ~ che io sappia, no; **to have a working** ~ **of Italian** avere una conoscenza pratica dell'italiano; **without my** ~ a mia insaputa; **it is common** ~ **that** ... è risaputo che ...; **it has come to my** ~ **that** ... sono venuto a sapere che ....

knowledgeable ['nɔlɪdʒəbl] *adj* ben informato(a).

known [nəun] *pp of* **know** ♦ *adj* (*thief, facts*) noto(a); (*expert*) riconosciuto(a).

knuckle ['nʌkl] *n* nocca.

▶**knuckle down** *vi* (*col*): **to** ~ **down to some hard work** mettersi sotto a lavorare.

▶**knuckle under** *vi* (*col*) cedere.

knuckleduster ['nʌkldʌstə*] *n* tirapugni *m inv*.

KO *abbr* (= knock out) *n* K.O. *m* ♦ *vt* mettere K.O.

koala [kəu'ɑːlə] *n* (*also*: ~ **bear**) koala *m inv*.

kook [kuːk] *n* (*US col*) svitato/a.

Koran [kɔ'rɑːn] *n* Corano.

Korea [kə'riːə] *n* Corea; **North/South** ~ Corea del Nord/Sud.

Korean [kə'riːən] *adj*, *n* coreano(a).

kosher ['kəuʃə*] *adj* kasher *inv*.

kowtow ['kau'tau] *vi*: **to** ~ **to sb** mostrarsi ossequioso(a) verso qn.

Kremlin ['krɛmlɪn] *n*: **the** ~ il Cremlino.

KS *abbr* (*US*) = **Kansas**.

Kt *abbr* (*BRIT*: = Knight) titolo.

Kuala Lumpur ['kwɑːlə'lumpuə*] *n* Kuala Lumpur *f*.

kudos ['kjuːdɔs] *n* gloria, fama.

Kurd [kəːd] *n* curdo/a.

Kuwait [ku'weɪt] *n* Kuwait *m*.

Kuwaiti [ku'weɪtɪ] *adj*, *n* kuwaitiano(a).

kw *abbr* (= kilowatt) kw.

KY, Ky. *abbr* (*US*) = **Kentucky**.

Ll

L, l [εl] *n* (*letter*) L, l *f or m inv*; **L for Lucy**, (*US*) **L for Love** ≈ L come Livorno.

L *abbr* (= *lake*) l; (= *large*) taglia grande; (= *left*) sin.; (*BRIT AUT*) = **learner**.

l *abbr* (= *litre*) l.

LA *n abbr* (*US*) = *Los Angeles* ♦ *abbr* (*US*) = *Louisiana*.

La. *abbr* (*US*) = *Louisiana*.

lab [læb] *n abbr* (= *laboratory*) laboratorio.

Lab. *abbr* (*Canada*) = *Labrador*.

label ['leɪbl] *n* etichetta, cartellino; (*brand*: *of record*) casa ♦ *vt* etichettare; classificare.

labor *etc* = ['leɪbə*] (*US*) = **labour** *etc*.

laboratory [lə'bɔrətərɪ] *n* laboratorio.

Labor Day *n* (*US*) festa del lavoro.

Negli Stati Uniti e nel Canada il **Labor Day**, *la festa del lavoro, cade il primo lunedì di settembre, contrariamente a quanto accade nella maggior parte dei paesi europei dove tale celebrazione ha luogo il primo maggio.*

---

laborious [lə'bɔːrɪəs] *adj* laborioso(a).

labor union *n* (*US*) sindacato.

Labour ['leɪbə*] *n* (*BRIT POL*: *also*: **the ~ Party**) il partito laburista, i laburisti.

labour, (*US*) **labor** ['leɪbə*] *n* (*task*) lavoro; (*workmen*) manodopera; (*MED*) travaglio del parto, doglie *fpl* ♦ *vi*: **to ~ (at)** lavorare duro (a); **to be in ~** (*MED*) avere le doglie.

labo(u)r camp *n* campo dei lavori forzati.

labo(u)r cost *n* costo del lavoro.

labo(u)r dispute *n* conflitto tra lavoratori e datori di lavoro.

labo(u)red ['leɪbəd] *adj* (*breathing*) affaticato(a), affannoso(a); (*style*) elaborato(a), pesante.

labo(u)rer ['leɪbərə*] *n* manovale *m*; (*on farm*) lavoratore *m* agricolo.

labo(u)r force *n* manodopera.

labo(u)r-intensive [leɪbərɪn'tɛnsɪv] *adj* che assorbe molta manodopera.

labo(u)r market *n* mercato del lavoro.

labo(u)r pains *npl* doglie *fpl*.

labo(u)r relations *npl* relazioni *fpl* industriali.

labo(u)r-saving ['leɪbəseɪvɪŋ] *adj* che fa risparmiare fatica *or* lavoro.

labo(u)r unrest *n* agitazioni *fpl* degli operai.

labyrinth ['læbɪrɪnθ] *n* labirinto.

lace [leɪs] *n* merletto, pizzo; (*of shoe etc*) laccio ♦ *vt* (*shoe*) allacciare; (*drink*: *fortify with spirits*) correggere.

lacemaking ['leɪsmeɪkɪŋ] *n* fabbricazione *f* dei pizzi *or* dei merletti.

laceration [læsə'reɪʃən] *n* lacerazione *f*.

lace-up ['leɪsʌp] *adj* (*shoes etc*) con i lacci, con le stringhe.

lack [læk] *n* mancanza, scarsità ♦ *vt* mancare di; **through** *or* **for ~ of** per mancanza di; **to be ~ing** mancare; **to be ~ing in** mancare di.

lackadaisical [lækə'deɪzɪkl] *adj* disinteressato(a), noncurante.

lackey ['lækɪ] *n* (*also fig*) lacchè *m inv*.

lacklustre, (*US*) **lackluster** ['læklʌstə*] *adj* (*surface*) opaco(a); (*style*) scialbo(a); (*eyes*) spento(a).

laconic [lə'kɔnɪk] *adj* laconico(a).

lacquer ['lækə*] *n* lacca; **hair ~** lacca per (i) capelli.

lacy ['leɪsɪ] *adj* (*like lace*) che sembra un pizzo.

lad [læd] *n* ragazzo, giovanotto; (*BRIT*: *in stable etc*) mozzo *or* garzone *m* di stalla.

ladder ['lædə*] *n* scala; (*BRIT*: *in tights*) smagliatura ♦ *vt* smagliare ♦ *vi* smagliarsi.

laden ['leɪdn] *adj*: **~ (with)** carico(a) *or* caricato(a) (di); **fully ~** (*truck, ship*) a pieno carico.

ladle ['leɪdl] *n* mestolo.

lady ['leɪdɪ] *n* signora; **L~ Smith** lady Smith; **the ladies' (toilets)** i gabinetti per signore; **a ~ doctor** una dottoressa.

ladybird ['leɪdɪbəːd], (*US*) **ladybug** ['leɪdɪbʌg] *n* coccinella.

lady-in-waiting ['leɪdɪɪn'weɪtɪŋ] *n* dama di compagnia.

ladykiller ['leɪdɪkɪlə*] *n* dongiovanni *m inv*.

ladylike ['leɪdɪlaɪk] *adj* da signora, distinto(a).

ladyship ['leɪdɪʃɪp] *n*: **your L~** signora contessa *etc*.

lag [læg] *n* = **time ~** ♦ *vi* (*also*: **~ behind**) trascinarsi ♦ *vt* (*pipes*) rivestire di materiale isolante.

lager ['lɑːgə*] *n* lager *m inv*.

lager lout *n* (*BRIT col*) giovinastro ubriaco.

lagging ['lægɪŋ] *n* rivestimento di materiale isolante.

lagoon [lə'guːn] *n* laguna.

Lagos ['leɪgɔs] *n* Lagos *f*.

laid [leɪd] *pt, pp of* **lay**.

laid-back [leɪd'bæk] *adj* (*col*) rilassato(a).
lain [leɪn] *pp of* **lie.**
lair [lɛə*] *n* covo, tana.
laissez-faire [lɛseɪ'fɛə*] *n* liberismo.
laity ['leɪətɪ] *n* laici *mpl.*
lake [leɪk] *n* lago.
Lake District *n:* **the ~** (*BRIT*) la regione dei laghi.
lamb [læm] *n* agnello.
lamb chop *n* cotoletta d'agnello.
lambskin ['læmskɪn] *n* (pelle *f* d')agnello.
lambswool ['læmzwul] *n* lamb's wool *m.*
lame [leɪm] *adj* zoppo(a); **~ duck** (*fig: person*) persona inetta; (: *firm*) azienda traballante.
lamely ['leɪmlɪ] *adv* (*fig*) in modo poco convincente.
lament [lə'mɛnt] *n* lamento ♦ *vt* lamentare, piangere.
lamentable ['læməntəbl] *adj* doloroso(a); deplorevole.
laminated ['læmɪneɪtɪd] *adj* laminato(a).
lamp [læmp] *n* lampada.
lamplight ['læmplaɪt] *n:* **by ~** a lume della lampada.
lampoon [læm'puːn] *n* satira.
lamppost ['læmppəust] *n* lampione *m.*
lampshade ['læmpʃeɪd] *n* paralume *m.*
lance [lɑːns] *n* lancia ♦ *vt* (*MED*) incidere.
lance corporal *n* (*BRIT*) caporale *m.*
lancet ['lɑːnsɪt] *n* (*MED*) bisturi *m inv.*
Lancs [læŋks] *abbr* (*BRIT*) = Lancashire.
land [lænd] *n* (*as opposed to sea*) terra (ferma); (*country*) paese *m;* (*soil*) terreno; (*estate*) terreni *mpl,* terre *fpl* ♦ *vi* (*from ship*) sbarcare; (*AVIAT*) atterrare; (*fig: fall*) cadere ♦ *vt* (*obtain*) acchiappare; (*passengers*) sbarcare; (*goods*) scaricare; **to go/travel by ~** andare/viaggiare per via di terra; **to own ~** possedere dei terreni, avere delle proprietà (terriere); **to ~ on one's feet** cadere in piedi; (*fig: to be lucky*) cascar bene.
►**land up** *vi* andare a finire.
landed gentry ['lændɪd-] *n* proprietari *mpl* terrieri.
landfill site ['lændfɪl-] *n* discarica dove i rifiuti vengono sepolti.
landing ['lændɪŋ] *n* (*from ship*) sbarco; (*AVIAT*) atterraggio; (*of staircase*) pianerottolo.
landing card *n* carta di sbarco.
landing craft *n* mezzo da sbarco.
landing gear *n* (*AVIAT*) carrello d'atterraggio.
landing stage *n* pontile *m* da sbarco.
landing strip *n* pista d'atterraggio.
landlady ['lændleɪdɪ] *n* padrona *or*
proprietaria di casa.
landlocked ['lændlɔkt] *adj* senza sbocco sul mare.
landlord ['lændlɔːd] *n* padrone *m or* proprietario di casa; (*of pub etc*) oste *m.*
landlubber ['lændlʌbə*] *n* marinaio d'acqua dolce.
landmark ['lændmɑːk] *n* punto di riferimento; (*fig*) pietra miliare.
landowner ['lændəunə*] *n* proprietario(a) terriero(a).
landscape ['lænskeɪp] *n* paesaggio.
landscape architect, landscape gardener *n* paesaggista *m/f.*
landscape painting *n* (*ART*) paesaggistica.
landslide ['lændslaɪd] *n* (*GEO*) frana; (*fig: POL*) valanga.
lane [leɪn] *n* (*in country*) viottolo; (*in town*) stradetta; (*AUT, in race*) corsia; **shipping ~** rotta (marittima).
language ['læŋgwɪdʒ] *n* lingua; (*way one speaks*) linguaggio; **bad ~** linguaggio volgare.
language laboratory *n* laboratorio linguistico.
languid ['læŋgwɪd] *adj* languente; languido(a).
languish ['læŋgwɪʃ] *vi* languire.
lank [læŋk] *adj* (*hair*) liscio(a) e opaco(a).
lanky ['læŋkɪ] *adj* allampanato(a).
lanolin(e) ['lænəlɪn] *n* lanolina.
lantern ['læntn] *n* lanterna.
Laos [lauz] *n* Laos *m.*
lap [læp] *n* (*of track*) giro; (*of body*): **in** *or* **on one's ~** in grembo ♦ *vt* (*also:* **~ up**) papparsi, leccare ♦ *vi* (*waves*) sciabordare.
►**lap up** *vt* (*fig: compliments, attention*) bearsi di.
La Paz [læ'pæz] *n* La Paz *f.*
lapdog ['læpdɔg] *n* cane *m* da grembo.
lapel [lə'pɛl] *n* risvolto.
Lapland ['læplænd] *n* Lapponia.
Lapp [læp] *adj* lappone ♦ *n* lappone *m/f;* (*LING*) lappone *m.*
lapse [læps] *n* lapsus *m inv;* (*longer*) caduta; (*fault*) mancanza; (*in behaviour*) scorrettezza ♦ *vi* (*law, act*) cadere; (*ticket, passport*) scadere; **to ~ into bad habits** pigliare cattive abitudini; **~ of time** spazio di tempo; **a ~ of memory** un vuoto di memoria.
laptop ['læptɔp] *n* (*also:* **~ computer**) laptop *m inv.*
larceny ['lɑːsənɪ] *n* furto.
lard [lɑːd] *n* lardo.
larder ['lɑːdə*] *n* dispensa.

large [lɑːdʒ] *adj* grande; (*person, animal*) grosso(a) ♦ *adv*: **by and** ~ generalmente; **at** ~ (*free*) in libertà; (*generally*) in generale; nell'insieme; **to make** ~**r** ingrandire; **a** ~ **number of people** molta gente; **on a** ~ **scale** su vasta scala.

largely ['lɑːdʒlɪ] *adv* in gran parte.

large-scale ['lɑːdʒ'skeɪl] *adj* (*map, drawing etc*) in grande scala; (*reforms, business activities*) su vasta scala.

lark [lɑːk] *n* (*bird*) allodola; (*joke*) scherzo, gioco.

▶**lark about** *vi* fare lo stupido.

larva, *pl* **larvae** ['lɑːvə, -iː] *n* larva.

laryngitis [lærɪn'dʒaɪtɪs] *n* laringite *f.*

larynx ['lærɪŋks] *n* laringe *f.*

lasagne [lə'zænjə] *n* lasagne *fpl.*

lascivious [lə'sɪvɪəs] *adj* lascivo(a).

laser ['leɪzə*] *n* laser *m.*

laser beam *n* raggio *m* laser *inv.*

laser printer *n* stampante *f* laser *inv.*

lash [læʃ] *n* frustata; (*also*: **eye**~) ciglio ♦ *vt* frustare; (*tie*) legare.

▶**lash down** *vt* assicurare (con corde) ♦ *vi* (*rain*) scrosciare.

▶**lash out** *vi*: **to** ~ **out** (**at** *or* **against sb/sth**) attaccare violentemente (qn/qc); **to** ~ **out (on sth)** (*col*: *spend*) spendere un sacco di soldi (per qc).

lashing ['læʃɪŋ] *n* (*beating*) frustata, sferzata; ~**s of** (*BRIT col*) un mucchio di, una montagna di.

lass [læs] *n* ragazza.

lasso [læ'suː] *n* laccio ♦ *vt* acchiappare con il laccio.

last [lɑːst] *adj* ultimo(a); (*week, month, year*) scorso(a), passato(a) ♦ *adv* per ultimo ♦ *vi* durare; ~ **week** la settimana scorsa; ~ **night** ieri sera, la notte scorsa; **at** ~ finalmente, alla fine; ~ **but one** penultimo(a); **the** ~ **time** l'ultima volta; **it** ~**s (for) 2 hours** dura 2 ore.

last-ditch ['lɑːst'dɪtʃ] *adj* ultimo(a) e disperato(a).

lasting ['lɑːstɪŋ] *adj* durevole.

lastly ['lɑːstlɪ] *adv* infine, per finire, per ultimo.

last-minute ['lɑːstmɪnɪt] *adj* fatto(a) (*or* preso(a) *etc*) all'ultimo momento.

latch [lætʃ] *n* serratura a scatto.

▶**latch on to** *vt fus* (*cling to*: *person*) attaccarsi a, appiccicarsi a; (: *idea*) afferrare, capire.

latchkey ['lætʃkiː] *n* chiave *f* di casa.

late [leɪt] *adj* (*not on time*) in ritardo; (*far on in day etc*) tardi *inv*; tardo(a); (*recent*) recente, ultimo(a); (*former*) ex; (*dead*) defunto(a) ♦ *adv* tardi; (*behind time,*

schedule) in ritardo; **to be (10 minutes)** ~ essere in ritardo (di 10 minuti); **to work** ~ lavorare fino a tardi; ~ **in life** in età avanzata; **of** ~ di recente; **in the** ~ **afternoon** nel tardo pomeriggio; **in** ~ **May** verso la fine di maggio; **the** ~ **Mr X** il defunto Signor X.

latecomer ['leɪtkʌmə*] *n* ritardatario/a.

lately ['leɪtlɪ] *adv* recentemente.

lateness ['leɪtnɪs] *n* (*of person*) ritardo; (*of event*) tardezza, ora tarda.

latent ['leɪtnt] *adj* latente; ~ **defect** vizio occulto.

later ['leɪtə*] *adj* (*date etc*) posteriore; (*version etc*) successivo(a) ♦ *adv* più tardi; ~ **on today** oggi più tardi.

lateral ['lætərl] *adj* laterale.

latest ['leɪtɪst] *adj* ultimo(a), più recente; **at the** ~ al più tardi; **the** ~ **news** le ultime notizie.

latex ['leɪtɛks] *n* latice *m.*

lath, ~**s** [læθ, læðz] *n* assicella.

lathe [leɪð] *n* tornio.

lather ['lɑːðə*] *n* schiuma di sapone ♦ *vt* insaponare ♦ *vi* far schiuma.

Latin ['lætɪn] *n* latino ♦ *adj* latino(a).

Latin America *n* America Latina.

Latin American *adj* sudamericano(a).

latitude ['lætɪtjuːd] *n* latitudine *f;* (*fig*: *freedom*) libertà d'azione.

latrine [lə'triːn] *n* latrina.

latter ['lætə*] *adj* secondo(a); più recente ♦ *n*: **the** ~ quest'ultimo, il secondo.

latterly ['lætəlɪ] *adv* recentemente, negli ultimi tempi.

lattice ['lætɪs] *n* traliccio; graticolato.

lattice window *n* finestra con vetrata a losanghe.

Latvia ['lætvɪə] *n* Lettonia.

Latvian ['lætvɪən] *adj* lettone *inv* ♦ *n* lettone *m/f*; (*LING*) lettone *m.*

laudable ['lɔːdəbl] *adj* lodevole.

laudatory ['lɔːdətrɪ] *adj* elogiativo(a).

laugh [lɑːf] *n* risata ♦ *vi* ridere.

▶**laugh at** *vt fus* (*misfortune etc*) ridere di; **I** ~**ed at his joke** la sua barzelletta mi fece ridere.

▶**laugh off** *vt* prendere alla leggera.

laughable ['lɑːfəbl] *adj* ridicolo(a).

laughing ['lɑːfɪŋ] *adj* (*face*) ridente; **this is no** ~ **matter** non è una cosa da ridere.

laughing gas *n* gas *m* esilarante.

laughing stock *n*: **the** ~ **of** lo zimbello di.

laughter ['lɑːftə*] *n* riso; risate *fpl.*

launch [lɔːntʃ] *n* (*of rocket, product etc*) lancio; (*of new ship*) varo; (*boat*) scialuppa; (*also*: **motor** ~) lancia ♦ *vt* (*rocket, product*) lanciare; (*ship, plan*) varare.

►**launch out** *vi*: **to ~ out (into)** lanciarsi (in).

launching ['lɔːntʃɪŋ] *n* lancio; varo.

launch(ing) pad *n* rampa di lancio.

launder ['lɔːndə*] *vt* lavare e stirare.

Launderette ® [lɔːn'drɛt], (*US*) **Laundromat** ® ['lɔːndrəmæt] *n* lavanderia (automatica).

laundry ['lɔːndrɪ] *n* lavanderia; (*clothes*) biancheria; **to do the ~** fare il bucato.

laureate ['lɔːrɪət] *adj see* **poet laureate**.

laurel ['lɔrl] *n* lauro, alloro; **to rest on one's ~s** riposare *or* dormire sugli allori.

Lausanne [ləu'zæn] *n* Losanna.

lava ['lɑːvə] *n* lava.

lavatory ['lævətərɪ] *n* gabinetto.

lavatory paper *n* (*BRIT*) carta igienica.

lavender ['lævəndə*] *n* lavanda.

lavish ['lævɪʃ] *adj* abbondante; sontuoso(a); (*giving freely*): **~ with** prodigo(a) di, largo(a) in ♦ *vt*: **to ~ sth on sb/sth** profondere qc a qn/qc.

lavishly ['lævɪʃlɪ] *adv* (*give, spend*) generosamente; (*furnished*) sontuosamente, lussuosamente.

law [lɔː] *n* legge *f*; **against the ~** contro la legge; **to study ~** studiare diritto; **to go to ~** (*BRIT*) ricorrere alle vie legali; **civil/criminal ~** diritto civile/penale.

law-abiding ['lɔːəbaɪdɪŋ] *adj* ubbidiente alla legge.

law and order *n* l'ordine *m* pubblico.

lawbreaker ['lɔːbreɪkə*] *n* violatore/trice della legge.

law court *n* tribunale *m*, corte *f* di giustizia.

lawful ['lɔːful] *adj* legale.

lawfully ['lɔːfəlɪ] *adv* legalmente.

lawless ['lɔːlɪs] *adj* senza legge; illegale.

Law Lords *npl* ≈ Corte *f* Suprema.

lawmaker ['lɔːmeɪkə*] *n* legislatore *m*.

lawn [lɔːn] *n* tappeto erboso.

lawnmower ['lɔːnməuə*] *n* tosaerba *m or f inv*.

lawn tennis *n* tennis *m* su prato.

law school *n* facoltà *f inv* di legge.

law student *n* studente/essa di legge.

lawsuit ['lɔːsuːt] *n* processo, causa; **to bring a ~ against** intentare causa a.

lawyer ['lɔːjə*] *n* (*consultant, with company*) giurista *m/f*; (*for sales, wills etc*) ≈ notaio; (*partner, in court*) ≈ avvocato/essa.

lax [læks] *adj* (*conduct*) rilassato(a); (*person: careless*) negligente; (*: on discipline*) permissivo(a).

laxative ['læksətɪv] *n* lassativo.

laxity ['læksɪtɪ] *n* rilassatezza; negligenza.

lay [leɪ] *pt of* **lie** ♦ *adj* laico(a); secolare ♦ *vt* (*pt, pp* **laid** [leɪd]) posare, mettere; (*eggs*) fare; (*trap*) tendere; (*plans*) fare, elaborare; **to ~ the table** apparecchiare la tavola; **to ~ the facts/one's proposals before sb** presentare i fatti/delle proposte a qn; **to get laid** (*col!*) scopare (*!*); essere scopato(a) (*!*).

►**lay aside, lay by** *vt* mettere da parte.

►**lay down** *vt* mettere giù; **to ~ down the law** (*fig*) dettar legge.

►**lay in** *vt* fare una scorta di.

►**lay into** *vt fus* (*col: attack, scold*) aggredire.

►**lay off** *vt* (*workers*) licenziare.

►**lay on** *vt* (*water, gas*) installare, mettere; (*provide: meal etc*) fornire; (*paint*) applicare.

►**lay out** *vt* (*design*) progettare; (*display*) presentare; (*spend*) sborsare.

►**lay up** *vt* (*to store*) accumulare; (*ship*) mettere in disarmo; (*subj: illness*) costringere a letto.

layabout ['leɪəbaut] *n* sfaccendato/a, fannullone/a.

lay-by ['leɪbaɪ] *n* (*BRIT*) piazzola (di sosta).

lay days *npl* (*NAUT*) stallie *fpl*.

layer ['leɪə*] *n* strato.

layette [leɪ'ɛt] *n* corredino (per neonato).

layman ['leɪmən] *n* laico; profano.

lay-off ['leɪɔf] *n* sospensione *f*, licenziamento.

layout ['leɪaut] *n* lay-out *m inv*, disposizione *f*; (*PRESS*) impaginazione *f*.

laze [leɪz] *vi* oziare.

laziness ['leɪzɪnɪs] *n* pigrizia.

lazy ['leɪzɪ] *adj* pigro(a).

lb. *abbr* (= *libra: pound*) lb.

lbw *abbr* (*CRICKET*: = *leg before wicket*) *fallo dovuto al fatto che il giocatore ha la gamba davanti alla porta.*

LC *n abbr* (*US*) = *Library of Congress*.

lc *abbr* (*TYP*) = **lower case**.

L/C *abbr* = **letter of credit**.

LCD *n abbr see* **liquid crystal display**.

Ld *abbr* (*BRIT*: = *lord*) titolo.

LDS *n abbr* (= *Licentiate in Dental Surgery*) *specializzazione dopo la laurea*; (= *Latter-day Saints*) *Chiesa di Gesù Cristo dei Santi dell'Ultimo Giorno.*

LEA *n abbr* (*BRIT*: = *local education authority*) ≈ Provveditorato degli Studi.

lead [liːd] *n* (*front position*) posizione *f* di testa; (*distance, time ahead*) vantaggio; (*clue*) indizio; (*ELEC*) filo (elettrico); (*for dog*) guinzaglio; (*THEAT*) parte *f* principale; [lɛd] (*metal*) piombo; (*in pencil*) mina ♦ *vb* (*pt, pp* **led** [lɛd]) *vt* menare, guidare, condurre; (*induce*) indurre; (*be*

leader of) essere a capo di; (: *orchestra*: *BRIT*) essere il primo violino di; (: *US*) dirigere; (*SPORT*) essere in testa a ♦ *vi* condurre, essere in testa; **to be in the ~** (*SPORT*) essere in testa; **to take the ~** (*SPORT*) passare in testa; (*fig*) prendere l'iniziativa; **to ~ to** menare a; condurre a; portare a; **to ~ astray** sviare; **to ~ sb to believe that ...** far credere a qn che ...; **to ~ sb to do sth** portare qn a fare qc.
▶**lead away** *vt* condurre via.
▶**lead back** *vt* riportare, ricondurre.
▶**lead off** *vt* portare ♦ *vi* partire da.
▶**lead on** *vt* (*tease*) tenere sulla corda.
▶**lead on to** *vt* (*induce*) portare a.
▶**lead up to** *vt fus* portare a; (*fig*) preparare la strada per.
leaded ['lɛdɪd] *adj*: **~ windows** vetrate *fpl* (artistiche).
leaden ['lɛdn] *adj* di piombo.
leader ['liːdə*] *n* capo; leader *m inv*; (*in newspaper*) articolo di fondo; **they are ~s in their field** (*fig*) sono all'avanguardia nel loro campo; **the L~ of the House** (*BRIT*) il capo della maggioranza ministeriale.
leadership ['liːdəʃɪp] *n* direzione *f*; **under the ~ of ...** sotto la direzione *or* guida di ...; **qualities of ~** qualità *fpl* di un capo.
lead-free ['lɛdfriː] *adj* senza piombo.
leading ['liːdɪŋ] *adj* primo(a); principale; **a ~ question** una domanda tendenziosa; **~ role** ruolo principale.
leading lady *n* (*THEAT*) prima attrice.
leading light *n* (*person*) personaggio di primo piano.
leading man *n* (*THEAT*) primo attore.
lead pencil [lɛd-] *n* matita con la mina di grafite.
lead poisoning [lɛd-] *n* saturnismo.
lead time [liːd-] *n* (*COMM*) tempo di consegna.
lead weight [lɛd-] *n* piombino, piombo.
leaf [liːf] *n* (*pl* **leaves**) foglia; (*of table*) ribalta; **to turn over a new ~** (*fig*) cambiar vita; **to take a ~ out of sb's book** (*fig*) prendere esempio da qn.
▶**leaf through** *vt* (*book*) sfogliare.
leaflet ['liːflɪt] *n* dépliant *m inv*; (*POL, REL*) volantino.
leafy ['liːfɪ] *adj* ricco(a) di foglie.
league [liːg] *n* lega; (*FOOTBALL*) campionato; **to be in ~ with** essere in lega con.
league table *n* classifica.
leak [liːk] *n* (*out*) fuga; (*in*) infiltrazione *f*; (*fig: of information*) fuga di notizie ♦ *vi* (*roof, bucket*) perdere; (*liquid*) uscire; (*shoes*) lasciar passare l'acqua ♦ *vt* (*liquid*) spandere; (*information*) divulgare.

▶**leak out** *vi* uscire; (*information*) trapelare.
leakage ['liːkɪdʒ] *n* (*of water, gas etc*) perdita.
leaky ['liːkɪ] *adj* (*pipe, bucket, roof*) che perde; (*shoe*) che lascia passare l'acqua; (*boat*) che fa acqua.
lean [liːn] *adj* magro(a) ♦ *n* (*of meat*) carne *f* magra ♦ *vb* (*pt, pp* **leaned** *or* **leant** [lɛnt]) *vt*: **to ~ sth on** appoggiare qc su ♦ *vi* (*slope*) pendere; (*rest*): **to ~ against** appoggiarsi contro; essere appoggiato(a) a; **to ~ on** appoggiarsi a.
▶**lean back** *vi* sporgersi indietro.
▶**lean forward** *vi* sporgersi in avanti.
▶**lean out** *vi*: **to ~ out (of)** sporgersi (da).
▶**lean over** *vi* inclinarsi.
leaning ['liːnɪŋ] *n*: **~ (towards)** propensione *f* (per) ♦ *adj* inclinato(a), pendente; **the L~ Tower of Pisa** la torre (pendente) di Pisa.
leant [lɛnt] *pt, pp of* **lean**.
lean-to ['liːntuː] *n* (*roof*) tettoia; (*building*) edificio con tetto appoggiato ad altro edificio.
leap [liːp] *n* salto, balzo ♦ *vi* (*pt, pp* **leaped** *or* **leapt** [lɛpt]) saltare, balzare; **to ~ at an offer** afferrare al volo una proposta.
▶**leap up** *vi* (*person*) alzarsi d'un balzo, balzare su.
leapfrog ['liːpfrɔg] *n* gioco della cavallina ♦ *vi*: **to ~ over sb/sth** saltare (alla cavallina) qn/qc.
leapt [lɛpt] *pt, pp of* **leap**.
leap year *n* anno bisestile.
learn, *pt, pp* **learned** *or* **learnt** [ləːn, -t] *vt, vi* imparare; **to ~ how to do sth** imparare a fare qc; **to ~ that ...** apprendere che ...; **to ~ about sth** (*SCOL*) studiare qc; (*hear*) apprendere qc; **we were sorry to ~ that it was closing down** la notizia della chiusura ci ha fatto dispiacere.
learned ['ləːnɪd] *adj* erudito(a), dotto(a).
learner ['ləːnə*] *n* principiante *m/f*; apprendista *m/f*; **he's a ~ (driver)** (*BRIT*) sta imparando a guidare.
learning ['ləːnɪŋ] *n* erudizione *f*, sapienza.
learnt [ləːnt] *pt, pp of* **learn**.
lease [liːs] *n* contratto d'affitto ♦ *vt* affittare; **on ~** in affitto.
▶**lease back** *vt* effettuare un lease-back *inv*.
leaseback ['liːsbæk] *n* lease-back *m inv*.
leasehold ['liːshəuld] *n* (*contract*) contratto di affitto (*a lungo termine con responsabilità simili a quelle di un proprietario*) ♦ *adj* in affitto.
leash [liːʃ] *n* guinzaglio.
least [liːst] *adj*: **the ~ + noun** il(la) più piccolo(a), il(la) minimo(a); (*smallest*

amount of) il(la) meno ♦ *adv*: **the ~ + adjective: the ~ beautiful girl** la ragazza meno bella; **the ~ expensive** il(la) meno caro(a); **I have the ~ money** ho meno denaro di tutti; **at ~** almeno; **not in the ~** affatto, per nulla.

leather ['lɛðə*] *n (soft)* pelle *f*; *(hard)* cuoio ♦ *cpd* di *or* in pelle; di cuoio; **~ goods** pelletteria, pelletterie *fpl*.

leave [liːv] *vb (pt, pp* **left** [lɛft]) *vt* lasciare; *(go away from)* partire da ♦ *vi* partire, andarsene ♦ *n (time off)* congedo; *(MIL, also: consent)* licenza; **to be left** rimanere; **there's some milk left over** c'è rimasto del latte; **to take one's ~ of** congedarsi di; **he's already left for the airport** è già uscito per andare all'aeroporto; **to ~ school** finire la scuola; **~ it to me!** ci penso io!, lascia fare a me!; **on ~** in congedo; **on ~ of absence** in permesso; *(public employee)* in congedo; *(MIL)* in licenza.

▶**leave behind** *vt (also fig)* lasciare indietro; *(forget)* dimenticare.

▶**leave off** *vt* non mettere; *(BRIT col: stop)*: **to ~ off doing sth** smetterla *or* piantarla di fare qc.

▶**leave on** *vt* lasciare su; *(light, fire, cooker)* lasciare acceso(a).

▶**leave out** *vt* omettere, tralasciare.

leaves [liːvz] *npl of* **leaf**.

leavetaking ['liːvteɪkɪŋ] *n* commiato, addio.

Lebanese [lɛbə'niːz] *adj, n (pl inv)* libanese *(m/f)*.

Lebanon ['lɛbənən] *n* Libano.

lecherous ['lɛtʃərəs] *adj* lascivo(a), lubrico(a).

lectern ['lɛktəːn] *n* leggio.

lecture ['lɛktʃə*] *n* conferenza; *(SCOL)* lezione *f* ♦ *vi* fare conferenze; fare lezioni; *(reprove)* rimproverare, fare una ramanzina a; **to ~ on** fare una conferenza su; **to give a ~ (on)** *(BRIT)* fare una conferenza (su); fare lezione (su).

lecture hall *n* aula magna.

lecturer ['lɛktʃərə*] *n (speaker)* conferenziere/a; *(BRIT: at university)* professore/essa, docente *m/f*; **assistant ~** *(BRIT)* ≈ professore(essa) associato(a); **senior ~** *(BRIT)* ≈ professore(essa) ordinario(a).

lecture theatre *n* = **lecture hall**.

LED *n abbr (ELEC: = light-emitting diode)* diodo a emissione luminosa.

led [lɛd] *pt, pp of* **lead**.

ledge [lɛdʒ] *n (of window)* davanzale *m*; *(on wall etc)* sporgenza; *(of mountain)* cornice *f*, cengia.

ledger ['lɛdʒə*] *n* libro maestro, registro.

lee [liː] *n* lato sottovento; **in the ~ of** a ridosso di, al riparo di.

leech [liːtʃ] *n* sanguisuga.

leek [liːk] *n* porro.

leer [lɪə*] *vi*: **to ~ at sb** gettare uno sguardo voglioso *(or* maligno) su qn.

leeward ['liːwəd] *adj* sottovento *inv* ♦ *n* lato sottovento; **to ~** sottovento.

leeway ['liːweɪ] *n (fig)*: **to have some ~** avere una certa libertà di agire.

left [lɛft] *pt, pp of* **leave** ♦ *adj* sinistro(a) ♦ *adv* a sinistra ♦ *n* sinistra; **on the ~**, **to the ~** a sinistra; **the L~** *(POL)* la sinistra.

left-hand drive ['lɛfthænd-] *n (BRIT)* guida a sinistra.

left-handed [lɛft'hændɪd] *adj* mancino(a); **~ scissors** forbici *fpl* per mancini.

left-hand side ['lɛfthænd-] *n* lato *or* fianco sinistro.

leftie ['lɛftɪ] *n*: **a ~** *(col)* uno/a di sinistra.

leftist ['lɛftɪst] *adj (POL)* di sinistra.

left-luggage (office) [lɛft'lʌgɪdʒ-] *n* deposito *m* bagagli *inv*.

left-overs ['lɛftəuvəz] *npl* avanzi *mpl*, resti *mpl*.

left wing *n (MIL, SPORT)* ala sinistra; *(POL)* sinistra ♦ *adj*: **left-wing** *(POL)* di sinistra.

left-winger [lɛft'wɪŋə*] *n (POL)* uno/a di sinistra; *(SPORT)* ala sinistra.

lefty ['lɛftɪ] *n* = **leftie**.

leg [lɛg] *n* gamba; *(of animal)* zampa; *(of furniture)* piede *m*; *(CULIN: of chicken)* coscia; *(of journey)* tappa; **1st/2nd ~** *(SPORT)* partita di andata/ritorno; **~ of lamb** *(CULIN)* cosciotto d'agnello; **to stretch one's ~s** sgranchirsi le gambe.

legacy ['lɛgəsɪ] *n* eredità *f inv*; *(fig)* retaggio.

legal ['liːgl] *adj* legale; **to take ~ action** *or* **proceedings against sb** intentare un'azione legale contro qn, far causa a qn.

legal adviser *n* consulente *m/f* legale.

legality [lɪ'gælɪtɪ] *n* legalità.

legalize ['liːgəlaɪz] *vt* legalizzare.

legally ['liːgəlɪ] *adv* legalmente; **~ binding** legalmente vincolante.

legal tender *n* moneta legale.

legation [lɪ'geɪʃən] *n* legazione *f*.

legend ['lɛdʒənd] *n* leggenda.

legendary ['lɛdʒəndərɪ] *adj* leggendario(a).

-legged ['lɛgɪd] *suffix*: **two~** a due gambe *(or* zampe), bipede.

leggings ['lɛgɪŋz] *npl* ghette *fpl*.

leggy ['lɛgɪ] *adj* dalle gambe lunghe.

legibility [lɛdʒɪ'bɪlɪtɪ] *n* leggibilità.

legible ['lɛdʒəbl] *adj* leggibile.

legibly ['lɛdʒəblɪ] *adv* in modo leggibile.

legion ['liːdʒən] *n* legione *f.*
legionnaire [liːdʒə'nɛə*] *n* legionario; ~'s **disease** morbo del legionario.
legislate ['lɛdʒɪsleɪt] *vi* legiferare.
legislation [lɛdʒɪs'leɪʃən] *n* legislazione *f*; a **piece of** ~ una legge.
legislative ['lɛdʒɪslətɪv] *adj* legislativo(a).
legislator ['lɛdʒɪsleɪtə*] *n* legislatore/trice.
legislature ['lɛdʒɪslətʃə*] *n* corpo legislativo.
legitimacy [lɪ'dʒɪtɪməsɪ] *n* legittimità.
legitimate [lɪ'dʒɪtɪmət] *adj* legittimo(a).
legitimize [lɪ'dʒɪtɪmaɪz] *vt (gen)* legalizzare, rendere legale; *(child)* legittimare.
legless ['lɛglɪs] *adj (BRIT col)* sbronzo(a), fatto(a).
leg-room ['lɛgruːm] *n* spazio per le gambe.
Leics *abbr (BRIT)* = Leicestershire.
leisure ['lɛʒə*] *n* agio, tempo libero; ricreazioni *fpl*; **at** ~ all'agio; a proprio comodo.
leisure centre *n* centro di ricreazione.
leisurely ['lɛʒəlɪ] *adj* tranquillo(a); fatto(a) con comodo *or* senza fretta.
leisure suit *n (BRIT)* tuta (da ginnastica).
lemon ['lɛmən] *n* limone *m.*
lemonade [lɛmə'neɪd] *n* limonata.
lemon cheese, lemon curd *n* crema di limone *(che si spalma sul pane etc).*
lemon juice *n* succo di limone.
lemon squeezer *n* spremiagrumi *m inv.*
lemon tea *n* tè *m inv* al limone.
lend, pt, pp lent [lɛnd, lɛnt] *vt*: **to** ~ **sth (to sb)** prestare qc (a qn); **to** ~ **a hand** dare una mano.
lender ['lɛndə*] *n* prestatore/trice.
lending library ['lɛndɪŋ-] *n* biblioteca circolante.
length [lɛŋθ] *n* lunghezza; *(section: of road, pipe etc)* pezzo, tratto; ~ **of time** periodo (di tempo); **what** ~ **is it?** quant'è lungo?; **it is 2 metres in** ~ è lungo 2 metri; **to fall full** ~ cadere lungo disteso; **at** ~ *(at last)* finalmente, alla fine; *(lengthily)* a lungo; **to go to any** ~(s) **to do sth** fare qualsiasi cosa pur di *or* per fare qc.
lengthen ['lɛŋθən] *vt* allungare, prolungare ♦ *vi* allungarsi.
lengthways ['lɛŋθweɪz] *adv* per il lungo.
lengthy ['lɛŋθɪ] *adj* molto lungo(a).
leniency ['liːnɪənsɪ] *n* indulgenza, clemenza.
lenient ['liːnɪənt] *adj* indulgente, clemente.
leniently ['liːnɪəntlɪ] *adv* con indulgenza.
lens [lɛnz] *n* lente *f*; *(of camera)* obiettivo.
Lent [lɛnt] *n* Quaresima.
lent [lɛnt] *pt, pp of* **lend.**

lentil ['lɛntl] *n* lenticchia.
Leo ['liːəu] *n* Leone *m*; **to be** ~ essere del Leone.
leopard ['lɛpəd] *n* leopardo.
leotard ['liːətɑːd] *n* calzamaglia.
leper ['lɛpə*] *n* lebbroso/a.
leper colony *n* lebbrosario.
leprosy ['lɛprəsɪ] *n* lebbra.
lesbian ['lɛzbɪən] *n* lesbica ♦ *adj* lesbico(a).
lesion ['liːʒən] *n (MED)* lesione *f.*
Lesotho [lɪ'suːtu] *n* Lesotho *m.*
less [lɛs] *adj, pron, adv* meno; ~ **than you/ ever** meno di lei/che mai; ~ **than half** meno della metà; ~ **and** ~ sempre meno; **the** ~ **he works** ... meno lavora ...; ~ **than £1/a kilo/3 metres** meno di una sterlina/ un chilo/3 metri; ~ **5%** meno il 5%.
lessee [lɛ'siː] *n* affittuario/a, locatario/a.
lessen ['lɛsn] *vi* diminuire, attenuarsi ♦ *vt* diminuire, ridurre.
lesser ['lɛsə*] *adj* minore, più piccolo(a); **to a** ~ **extent** *or* **degree** in grado *or* misura minore.
lesson ['lɛsn] *n* lezione *f*; **a maths** ~ una lezione di matematica; **to give** ~s **in** dare *or* impartire lezioni di; **it taught him a** ~ *(fig)* gli è servito da lezione.
lessor ['lɛsɔː*, lɛ'sɔː*] *n* locatore/trice.
lest [lɛst] *conj* per paura di + *infinitive*, per paura che + *sub.*
let, pt, pp let [lɛt] *vt* lasciare; *(BRIT: lease)* dare in affitto; **to** ~ **sb do sth** lasciar fare qc a qn, lasciare che qn faccia qc; **to** ~ **sb know sth** far sapere qc a qn; **to** ~ **sb have sth** dare qc a qn; **he** ~ **me go** mi ha lasciato andare; ~ **the water boil and** ... fate bollire l'acqua e ...; ~'**s go** andiamo; ~ **him come** lo lasci venire; **"to** ~" "affittasi".
► **let down** *vt (lower)* abbassare; *(dress)* allungare; *(hair)* sciogliere; *(disappoint)* deludere; *(BRIT: tyre)* sgonfiare.
► **let go** *vi* mollare ♦ *vt* mollare; *(allow to go)* lasciare andare.
► **let in** *vt* lasciare entrare; *(visitor etc)* far entrare; **what have you** ~ **yourself in for?** in che guai *or* pasticci sei andato a cacciarti?
► **let off** *vt (allow to go)* lasciare andare; *(firework etc)* far partire; *(smell etc)* emettere; *(subj: taxi driver, bus driver)* far scendere; **to** ~ **off steam** *(fig col)* sfogarsi, scaricarsi.
► **let on** *vi (col)*: **to** ~ **on that** ... lasciar capire che ....
► **let out** *vt* lasciare uscire; *(dress)* allargare; *(scream)* emettere; *(rent out)* affittare, dare in affitto.

▶**let up** vi diminuire.
let-down ['lɛtdaun] n (disappointment)
delusione f.
lethal ['li:θl] adj letale, mortale.
lethargic [lɛ'θɑːdʒɪk] adj letargico(a).
lethargy ['lɛθədʒɪ] n letargia.
letter ['lɛtə*] n lettera; ~**s** npl (LITERATURE)
lettere; **small/capital** ~ lettera
minuscola/maiuscola; ~ **of credit** lettera
di credito; **documentary** ~ **of credit**
lettera di credito documentata.
letter bomb n lettera esplosiva.
letterbox ['lɛtəbɔks] n buca delle lettere.
letterhead ['lɛtəhɛd] n intestazione f.
lettering ['lɛtərɪŋ] n iscrizione f; caratteri
mpl.
letter-opener ['lɛtərəupnə*] n tagliacarte m
inv.
letterpress ['lɛtəprɛs] n (method)
rilievografia.
letter quality n (of printer) qualità di
stampa.
letters patent npl brevetto di invenzione.
lettuce ['lɛtɪs] n lattuga, insalata.
let-up ['lɛtʌp] n (col) interruzione f.
leukaemia, (US) **leukemia** [luː'kiːmɪə] n
leucemia.
level ['lɛvl] adj piatto(a), piano(a);
orizzontale ♦ n livello; (also: spirit ~)
livella (a bolla d'aria) ♦ vt livellare,
spianare; (gun) puntare (verso);
(accusation): **to** ~ (**against**) lanciare (a or
contro) ♦ vi (col): **to** ~ **with sb** essere
franco(a) con qn; **to be** ~ **with** essere alla
pari di; **a** ~ **spoonful** (CULIN) un cucchiaio
raso; **to draw** ~ **with** (team) mettersi alla
pari di; (runner, car) affiancarsi a; **A** ~**s**
npl (BRIT) ≈ esami mpl di maturità; **O** ~**s**
npl (BRIT: formerly) diploma di istruzione
secondaria conseguito a 16 anni in
Inghilterra e Galles, ora sostituito dal
GCSE; **on the** ~ piatto(a); (fig) onesto(a).
▶**level off, level out** vi (prices etc)
stabilizzarsi; (ground) diventare
pianeggiante; (aircraft) volare in quota.
level crossing n (BRIT) passaggio a livello.
level-headed [lɛvl'hɛdɪd] adj
equilibrato(a).
levelling, (US) **leveling** ['lɛvlɪŋ] adj
(process, effect) di livellamento.
level playing field n: **to compete on a** ~
(fig) competere ad armi pari.
lever ['liːvə*] n leva ♦ vt: **to** ~ **up/out**
sollevare/estrarre con una leva.
leverage ['liːvərɪdʒ] n: ~ (**on** or **with**)
ascendente m (su).
levity ['lɛvɪtɪ] n leggerezza, frivolità.
levy ['lɛvɪ] n tassa, imposta ♦ vt imporre.

lewd [luːd] adj osceno(a), lascivo(a).
lexicographer [lɛksɪ'kɔgrəfə*] n
lessicografo/a.
lexicography [lɛksɪ'kɔgrəfɪ] n lessicografia.
LGV n abbr (= Large Goods Vehicle)
automezzo pesante.
LI abbr (US) = Long Island.
liabilities [laɪə'bɪlətɪz] npl debiti mpl; (on
balance sheet) passivo.
liability [laɪə'bɪlətɪ] n responsabilità f inv;
(handicap) peso.
liable ['laɪəbl] adj (subject): ~ **to** soggetto(a)
a; passibile di; (responsible): ~ (**for**)
responsabile (di); (likely): ~ **to do**
propenso(a) a fare; **to be** ~ **to a fine**
essere passibile di multa.
liaise [liː'eɪz] vi: **to** ~ (**with**) mantenere i
contatti (con).
liaison [liː'eɪzɔn] n relazione f; (MIL)
collegamento.
liar ['laɪə*] n bugiardo/a.
libel ['laɪbl] n libello, diffamazione f ♦ vt
diffamare.
libellous, (US) **libelous** ['laɪbləs] adj
diffamatorio(a).
liberal ['lɪbərl] adj liberale; (generous): **to be**
~ **with** distribuire liberalmente ♦ n (POL):
L~ liberale m/f.
Liberal Democrat n liberal-
democratico(a).
liberality [lɪbə'rælɪtɪ] n (generosity)
generosità, liberalità.
liberalize ['lɪbərəlaɪz] vt liberalizzare.
liberal-minded [lɪbərl'maɪndɪd] adj
tollerante.
liberate ['lɪbəreɪt] vt liberare.
liberation [lɪbə'reɪʃən] n liberazione f.
liberation theology n teologia della
liberazione.
Liberia [laɪ'bɪərɪə] n Liberia.
Liberian [laɪ'bɪərɪən] adj, n liberiano(a).
liberty ['lɪbətɪ] n libertà f inv; **at** ~ **to do**
libero(a) di fare; **to take the** ~ **of**
prendersi la libertà di, permettersi di.
libido [lɪ'biːdəu] n libido f.
Libra ['liːbrə] n Bilancia; **to be** ~ essere
della Bilancia.
librarian [laɪ'brɛərɪən] n bibliotecario/a.
library ['laɪbrərɪ] n biblioteca.
library book n libro della biblioteca.
libretto [lɪ'brɛtəu] n libretto.
Libya ['lɪbɪə] n Libia.
Libyan ['lɪbɪən] adj, n libico(a).
lice [laɪs] npl of louse.
licence, (US) **license** ['laɪsns] n
autorizzazione f, permesso; (COMM)
licenza; (RADIO, TV) canone m,
abbonamento; (also: **driving** ~, (US)

driver's ~) patente *f* di guida; (*excessive freedom*) licenza; **import** ~ licenza di importazione; **produced under** ~ prodotto su licenza.

licence number *n* (*BRIT AUT*) numero di targa.

license ['laɪsns] *n* (*US*) = **licence** ♦ *vt* dare una licenza a; (*car*) pagare la tassa di circolazione *or* il bollo di.

licensed ['laɪsnst] *adj* (*for alcohol*) che ha la licenza di vendere bibite alcoliche.

licensed trade *n* commercio di bevande alcoliche con licenza speciale.

licensee [laɪsən'siː] *n* (*BRIT: of pub*) detentore/trice di autorizzazione alla vendita di bevande alcoliche.

license plate *n* (*esp US AUT*) targa (automobilistica).

licentious [laɪ'sɛnʃəs] *adj* licenzioso(a).

lichen ['laɪkən] *n* lichene *m*.

lick [lɪk] *vt* leccare; (*col: defeat*) suonarle a, stracciare ♦ *n* leccata; **a** ~ **of paint** una passata di vernice.

licorice ['lɪkərɪs] *n* = **liquorice**.

lid [lɪd] *n* coperchio; **to take the** ~ **off sth** (*fig*) smascherare qc.

lido ['laɪdəʊ] *n* piscina all'aperto; (*part of the beach*) lido, stabilimento balneare.

lie [laɪ] *n* bugia, menzogna ♦ *vi* mentire, dire bugie; (*pt* **lay**, *pp* **lain** [leɪ, leɪn]) (*rest*) giacere, star disteso(a); (*in grave*) giacere, riposare; (*of object: be situated*) trovarsi, essere; **to tell** ~**s** raccontare *or* dire bugie; **to** ~ **low** (*fig*) latitare.

▶**lie about, lie around** *vi* (*things*) essere in giro; (*person*) bighellonare.

▶**lie back** *vi* stendersi.

▶**lie down** *vi* stendersi, sdraiarsi.

▶**lie up** *vi* (*hide*) nascondersi.

Liechtenstein ['lɪktənstaɪn] *n* Liechtenstein *m*.

lie detector *n* macchina della verità.

lie-down ['laɪdaʊn] *n* (*BRIT*): **to have a** ~ sdraiarsi, riposarsi.

lie-in ['laɪɪn] *n* (*BRIT*): **to have a** ~ rimanere a letto.

lieu [luː] *n*: **in** ~ **of** invece di, al posto di.

Lieut. *abbr* (= *lieutenant*) Ten.

lieutenant [lɛf'tɛnənt, (*US*) luː'tɛnənt] *n* tenente *m*.

lieutenant-colonel [lɛf'tɛnənt'kəːnl, (*US*) luː'tɛnənt'kəːnl] *n* tenente colonnello.

life [laɪf] *n* (*pl* **lives**) vita ♦ *cpd* di vita; della vita; a vita; **country/city** ~ vita di campagna/di città; **to be sent to prison for** ~ essere condannato all'ergastolo; **true to** ~ fedele alla realtà; **to paint from** ~ dipingere dal vero.

life annuity *n* rendita vitalizia.

life assurance *n* (*BRIT*) = **life insurance**.

lifebelt ['laɪfbɛlt] *n* (*BRIT*) salvagente *m*.

lifeblood ['laɪfblʌd] *n* (*fig*) linfa vitale.

lifeboat ['laɪfbəʊt] *n* scialuppa di salvataggio.

life expectancy *n* durata media della vita.

lifeguard ['laɪfgɑːd] *n* bagnino.

life imprisonment *n* ergastolo.

life insurance *n* assicurazione *f* sulla vita.

life jacket *n* giubbotto di salvataggio.

lifeless ['laɪflɪs] *adj* senza vita.

lifelike ['laɪflaɪk] *adj* che sembra vero(a); rassomigliante.

lifeline ['laɪflaɪn] *n* cavo di salvataggio.

lifelong ['laɪflɔŋ] *adj* per tutta la vita.

life preserver *n* (*US*) salvagente *m*; giubbotto di salvataggio; (*BRIT*) sfollagente *m inv*.

lifer ['laɪfə*] *n* (*col*) ergastolano/a.

life-raft ['laɪfrɑːft] *n* zattera di salvataggio.

life-saver ['laɪfseɪvə*] *n* bagnino.

life sentence *n* (condanna all')ergastolo.

life-sized ['laɪfsaɪzd] *adj* a grandezza naturale.

life span *n* (durata della) vita.

life style *n* stile *m* di vita.

life support system *n* (*MED*) respiratore *m* automatico.

lifetime ['laɪftaɪm] *n*: **in his** ~ durante la sua vita; **in a** ~ nell'arco della vita; **in** tutta la vita; **the chance of a** ~ un'occasione unica.

lift [lɪft] *vt* sollevare, levare; (*steal*) prendere, rubare ♦ *vi* (*fog*) alzarsi ♦ *n* (*BRIT: elevator*) ascensore *m*; **to give sb a** ~ (*BRIT*) dare un passaggio a qn.

▶**lift off** *vt* togliere ♦ *vi* (*rocket*) partire; (*helicopter*) decollare.

▶**lift out** *vt* tirar fuori; (*troops, evacuees etc*) far evacuare per mezzo di elicotteri (*or* aerei).

▶**lift up** *vt* sollevare, alzare.

lift-off ['lɪftɔf] *n* decollo.

ligament ['lɪgəmənt] *n* legamento.

light [laɪt] *n* luce, lume *m*; (*daylight*) luce, giorno; (*lamp*) lampada; (*AUT: lamp*) ~) luce di posizione; (: *headlamp*) fanale *m*; (*for cigarette etc*): **have you got a** ~**?** ha da accendere? ♦ *vt* (*pt, pp* **lighted** *or* **lit** [lɪt]) (*candle, cigarette, fire*) accendere; (*room*) illuminare ♦ *adj* (*room, colour*) chiaro(a); (*not heavy, also fig*) leggero(a) ♦ *adv* (*travel*) con poco bagaglio; ~**s** *npl* (*AUT: traffic* ~**s**) semaforo; **in the** ~ **of** alla luce di; **to turn the** ~ **on/off** accendere/ spegnere la luce; **to come to** ~ venire in luce; **to cast** *or* **shed** *or* **throw** ~ **on**

light bulb – line

gettare luce su; **to make ~ of sth** (*fig*) prendere alla leggera qc, non dar peso a qc.
▶**light up** *vi* illuminarsi ♦ *vt* illuminare.
light bulb *n* lampadina.
lighten ['laɪtn] *vi* schiarirsi ♦ *vt* (*give light to*) illuminare; (*make lighter*) schiarire; (*make less heavy*) alleggerire.
lighter ['laɪtə*] *n* (*also:* **cigarette ~**) accendino; (*boat*) chiatta.
light-fingered [laɪt'fɪŋgəd] *adj* lesto(a) di mano.
light-headed ['laɪt'hɛdɪd] *adj* stordito(a).
light-hearted ['laɪt'hɑːtɪd] *adj* gioioso(a), gaio(a).
lighthouse ['laɪthaus] *n* faro.
lighting ['laɪtɪŋ] *n* illuminazione *f*.
lighting-up time ['laɪtɪŋʌp-] *n* (*BRIT*) *orario per l'accensione delle luci.*
lightly ['laɪtlɪ] *adv* leggermente; **to get off ~** cavarsela a buon mercato.
light meter *n* (*PHOT*) esposimetro.
lightness ['laɪtnɪs] *n* chiarezza; (*in weight*) leggerezza.
lightning ['laɪtnɪŋ] *n* lampo, fulmine *m*; **a flash of ~** un lampo, un fulmine.
lightning conductor, (*US*) **lightning rod** *n* parafulmine *m*.
lightning strike *n* (*BRIT*) sciopero *m* lampo *inv.*
light pen *n* penna luminosa.
lightship ['laɪtʃɪp] *n* battello *m* faro *inv.*
lightweight ['laɪtweɪt] *adj* (*suit*) leggero(a); (*boxer*) peso leggero *inv.*
light year ['laɪtjɪə*] *n* anno *m* luce *inv.*
Ligurian [lɪ'gjuərɪən] *adj*, *n* ligure (*m/f*).
like [laɪk] *vt* (*person*) volere bene a; (*activity, object, food*): **I ~ swimming/that book/ chocolate** mi piace nuotare/quel libro/il cioccolato ♦ *prep* come ♦ *adj* simile, uguale ♦ *n*: **the ~** uno(a) uguale; **I would ~, I'd ~** mi piacerebbe, vorrei; **would you ~ a coffee?** gradirebbe un caffè?; **if you ~** se vuoi; **to be/look ~ sb/sth** somigliare a qn/qc; **what's he ~?** che tipo è?, com'è?; **what's the weather ~?** che tempo fa?; **that's just ~ him** è proprio da lui; **something ~ that** qualcosa del genere; **I feel ~ a drink** avrei voglia di bere qualcosa; **there's nothing ~ ...** non c'è niente di meglio di *or* niente come ...; **his ~s and dislikes** i suoi gusti.
likeable ['laɪkəbl] *adj* simpatico(a).
likelihood ['laɪklɪhud] *n* probabilità; **in all ~** con ogni probabilità, molto probabilmente.
likely ['laɪklɪ] *adj* probabile; plausibile; **he's ~ to leave** probabilmente partirà, è

probabile che parta; **not ~!** (*col*) neanche per sogno!
like-minded ['laɪk'maɪndɪd] *adj* che pensa allo stesso modo.
liken ['laɪkən] *vt*: **to ~ sth to** paragonare qc a.
likeness ['laɪknɪs] *n* (*similarity*) somiglianza.
likewise ['laɪkwaɪz] *adv* similmente, nello stesso modo.
liking ['laɪkɪŋ] *n*: **~ (for)** simpatia (per); debole *m* (per); **to be to sb's ~** essere di gusto *or* gradimento di qn; **to take a ~ to sb** prendere qn in simpatia.
lilac ['laɪlək] *n* lilla *m inv* ♦ *adj* lilla *inv.*
Lilo ® ['laɪləu] *n* materassino gonfiabile.
lilt [lɪlt] *n* cadenza.
lilting ['lɪltɪŋ] *adj* melodioso(a).
lily ['lɪlɪ] *n* giglio; **~ of the valley** mughetto.
Lima ['liːmə] *n* Lima.
limb [lɪm] *n* membro; **to be out on a ~** (*fig*) sentirsi spaesato *or* tagliato fuori.
limber ['lɪmbə*]: **to ~ up** *vi* riscaldarsi i muscoli.
limbo ['lɪmbəu] *n*: **to be in ~** (*fig*) essere lasciato(a) nel dimenticatoio.
lime [laɪm] *n* (*tree*) tiglio; (*fruit*) limetta; (*GEO*) calce *f*.
lime juice *n* succo di limetta.
limelight ['laɪmlaɪt] *n*: **in the ~** (*fig*) alla ribalta, in vista.
limerick ['lɪmərɪk] *n* poesiola umoristica di cinque versi.
limestone ['laɪmstəun] *n* pietra calcarea; (*GEO*) calcare *m*.
limit ['lɪmɪt] *n* limite *m* ♦ *vt* limitare; **weight/speed ~** limite di peso/di velocità; **within ~s** entro certi limiti.
limitation [lɪmɪ'teɪʃən] *n* limitazione *f*, limite *m*.
limited ['lɪmɪtɪd] *adj* limitato(a), ristretto(a); **~ edition** edizione *f* a bassa tiratura.
limited (liability) company (Ltd) *n* (*BRIT*) ≈ società *f inv* a responsabilità limitata (S.r.l.).
limitless ['lɪmɪtlɪs] *adj* illimitato(a).
limousine ['lɪməziːn] *n* limousine *f inv.*
limp [lɪmp] *n*: **to have a ~** zoppicare ♦ *vi* zoppicare ♦ *adj* floscio(a), flaccido(a).
limpet ['lɪmpɪt] *n* patella.
limpid ['lɪmpɪd] *adj* (*poet*) limpido(a).
linchpin ['lɪntʃpɪn] *n* acciarino, bietta; (*fig*) perno.
Lincs *abbr* (*BRIT*) = Lincolnshire.
line [laɪn] *n* (*gen, COMM*) linea; (*rope*) corda; (*wire*) filo; (*of poem*) verso; (*row, series*) fila, riga; coda ♦ *vt* (*clothes*): **to ~ (with)** foderare (di); (*box*): **to ~ (with)** rivestire

or foderare (di); (*subj: trees, crowd*) fiancheggiare; **to cut in** ~ (*US*) passare avanti; **in his** ~ **of business** nel suo ramo (di affari); **on the right** ~**s** sulla buona strada; **a new** ~ **in cosmetics** una nuova linea di cosmetici; **hold the** ~ **please** (*BRIT TEL*) resti in linea per cortesia; **to be in** ~ **for sth** (*fig*) essere in lista per qc; **in** ~ **with** d'accordo con, in linea con; **to bring sth into** ~ **with sth** mettere qc al passo con qc; **to draw the** ~ **at (doing) sth** (*fig*) rifiutarsi di fare qc; **to take the** ~ **that** ... essere del parere che ....

▶**line up** *vi* allinearsi, mettersi in fila ♦ *vt* mettere in fila; **to have sth** ~**d up** avere qc in programma; **to have sb** ~**d up** avere qn in mente.

linear ['lɪnɪə*] *adj* lineare.

lined [laɪnd] *adj* (*paper*) a righe, rigato(a); (*face*) rugoso(a); (*clothes*) foderato(a).

line feed *n* (*COMPUT*) avanzamento di una interlinea.

linen ['lɪnɪn] *n* biancheria, panni *mpl*; (*cloth*) tela di lino.

line printer *n* stampante *f* parallela.

liner ['laɪnə*] *n* nave *f* di linea; **dustbin** ~ sacchetto per la pattumiera.

linesman ['laɪnzmən] *n* guardalinee *m inv*, segnalinee *m inv*.

line-up ['laɪnʌp] *n* allineamento, fila; (*also: police* ~) confronto all'americana; (*SPORT*) formazione *f* di gioco.

linger ['lɪŋɡə*] *vi* attardarsi; indugiare; (*smell, tradition*) persistere.

lingerie ['lænʒəriː] *n* biancheria intima (femminile).

lingering ['lɪŋɡərɪŋ] *adj* lungo(a); persistente; (*death*) lento(a).

lingo, ~**es** ['lɪŋɡəu] *n* (*pej*) gergo.

linguist ['lɪŋɡwɪst] *n* linguista *m/f*; poliglotta *m/f*.

linguistic [lɪŋ'ɡwɪstɪk] *adj* linguistico(a).

linguistics [lɪŋ'ɡwɪstɪks] *n* linguistica.

lining ['laɪnɪŋ] *n* fodera; (*TECH*) rivestimento (interno); (*of brake*) guarnizione *f*.

link [lɪŋk] *n* (*of a chain*) anello; (*connection*) legame *m*, collegamento ♦ *vt* collegare, unire, congiungere; **rail** ~ collegamento ferroviario; *see also* **links**.

▶**link up** *vt* collegare, unire ♦ *vi* riunirsi; associarsi.

links [lɪŋks] *npl* pista *or* terreno da golf.

link-up ['lɪŋkʌp] *n* legame *m*; (*of roads*) nodo; (*of spaceships*) aggancio; (*RADIO, TV*) collegamento.

linoleum [lɪ'nəulɪəm] *n* linoleum *m inv*.

linseed oil ['lɪnsiːd-] *n* olio di semi di lino.

lint [lɪnt] *n* garza.

lintel ['lɪntl] *n* architrave *f*.

lion ['laɪən] *n* leone *m*.

lion cub *n* leoncino.

lioness ['laɪənɪs] *n* leonessa.

lip [lɪp] *n* labbro; (*of cup etc*) orlo; (*insolence*) sfacciataggine *f*.

liposuction ['lɪpəusʌkʃən] *n* liposuzione *f*.

lipread ['lɪpriːd] *vi* leggere sulle labbra.

lip salve *n* burro di cacao.

lip service *n*: **to pay** ~ **to sth** essere favorevole a qc solo a parole.

lipstick ['lɪpstɪk] *n* rossetto.

liquefy ['lɪkwɪfaɪ] *vt* liquefare ♦ *vi* liquefarsi.

liqueur [lɪ'kjuə*] *n* liquore *m*.

liquid ['lɪkwɪd] *n* liquido ♦ *adj* liquido(a).

liquid assets *npl* attività *fpl* liquide, crediti *mpl* liquidi.

liquidate ['lɪkwɪdeɪt] *vt* liquidare.

liquidation [lɪkwɪ'deɪʃən] *n* liquidazione *f*; **to go into** ~ andare in liquidazione.

liquidator ['lɪkwɪdeɪtə*] *n* liquidatore *m*.

liquid crystal display (LCD) *n* visualizzazione *f* a cristalli liquidi.

liquidity [lɪ'kwɪdɪtɪ] *n* (*COMM*) liquidità.

liquidize ['lɪkwɪdaɪz] *vt* (*BRIT CULIN*) passare al frullatore.

liquidizer ['lɪkwɪdaɪzə*] *n* (*BRIT CULIN*) frullatore *m* (a brocca).

liquor ['lɪkə*] *n* alcool *m*.

liquorice ['lɪkərɪs] *n* liquirizia.

Lisbon ['lɪzbən] *n* Lisbona.

lisp [lɪsp] *n* difetto nel pronunciare le sibilanti.

lissom ['lɪsəm] *adj* leggiadro(a).

list [lɪst] *n* lista, elenco; (*of ship*) sbandamento ♦ *vt* (*write down*) mettere in lista; fare una lista di; (*enumerate*) elencare; (*COMPUT*) stampare (un prospetto di) ♦ *vi* (*ship*) sbandare; **shopping** ~ lista *or* nota della spesa.

listed building ['lɪstəd-] *n* (*ARCHIT*) edificio sotto la protezione delle Belle Arti.

listed company *n* società quotata in Borsa.

listen ['lɪsn] *vi* ascoltare; **to** ~ **to** ascoltare.

listener ['lɪsnə*] *n* ascoltatore/trice.

listeria [lɪs'tɪərɪə] *n* listeria.

listing ['lɪstɪŋ] *n* (*COMPUT*) lista stampata.

listless ['lɪstlɪs] *adj* svogliato(a); apatico(a).

listlessly ['lɪstlɪslɪ] *adv* svogliatamente; apaticamente.

list price *n* prezzo di listino.

lit [lɪt] *pt, pp of* **light**.

litany ['lɪtənɪ] *n* litania.

liter ['liːtə*] *n* (*US*) = **litre**.

literacy ['lɪtərəsɪ] *n* il sapere leggere e

scrivere.
literacy campaign n lotta contro
l'analfabetismo.
literal ['lɪtərl] adj letterale.
literally ['lɪtərəlɪ] adv alla lettera,
letteralmente.
literary ['lɪtərərɪ] adj letterario(a).
literate ['lɪtərɪt] adj che sa leggere e
scrivere.
literature ['lɪtərɪtʃə*] n letteratura;
(brochures etc) materiale m.
lithe [laɪð] adj agile, snello(a).
lithography [lɪ'θɔgrəfɪ] n litografia.
Lithuania [lɪθju'eɪnɪə] n Lituania.
Lithuanian [lɪθju'eɪnɪən] adj lituano(a) ♦ n
lituano/a; (LING) lituano.
litigate ['lɪtɪgeɪt] vt muovere causa a ♦ vi
litigare.
litigation [lɪtɪ'geɪʃən] n causa.
litmus ['lɪtməs] n: ~ **paper** cartina di
tornasole.
litre, (US) **liter** ['liːtə*] n litro.
litter ['lɪtə*] n (rubbish) rifiuti mpl; (young
animals) figliata ♦ vt sparpagliare;
lasciare rifiuti in; ~**ed with** coperto(a) di.
litter bin n (BRIT) cestino per rifiuti.
litter lout, (US) **litterbug** ['lɪtəbʌg] n
persona che butta per terra le cartacce o
i rifiuti.
little ['lɪtl] adj (small) piccolo(a); (not much)
poco(a) ♦ adv poco; **a** ~ un po' (di); **a** ~
milk un po' di latte; **with** ~ **difficulty**
senza fatica or difficoltà; ~ **by** ~ a poco a
poco; **as** ~ **as possible** il meno possibile;
for a ~ **while** per un po'; **to make** ~ **of**
dare poca importanza a; ~ **finger**
mignolo.
little-known ['lɪtl'nəun] adj poco noto(a).
liturgy ['lɪtədʒɪ] n liturgia.
live vi [lɪv] vivere; (reside) vivere, abitare
♦ adj [laɪv] (animal) vivo(a); (issue)
scottante, d'attualità; (wire) sotto
tensione; (broadcast) diretto(a);
(ammunition: not blank) carico(a);
(unexploded) inesploso(a); **to** ~ **in London**
abitare a Londra; **to** ~ **together** vivere
insieme, convivere.
►**live down** vt far dimenticare (alla
gente).
►**live in** vi essere interno(a); avere vitto e
alloggio.
►**live off** vi (land, fish etc) vivere di; (pej:
parents etc) vivere alle spalle or a spese
di.
►**live on** vt fus (food) vivere di ♦ vi
sopravvivere, continuare a vivere; **to** ~
on £50 a week vivere con 50 sterline la
settimana.

►**live out** vi (BRIT: students) essere
esterno(a) ♦ vt: **to** ~ **out one's days** or **life**
trascorrere gli ultimi anni.
►**live up** vt: **to** ~ **it up** (col) fare la bella
vita.
►**live up to** vt fus tener fede a, non venir
meno a.
live-in ['lɪvɪn] adj (col: partner) convivente;
(servant) che vive in casa; **he has a** ~
girlfriend la sua ragazza vive con lui.
livelihood ['laɪvlɪhud] n mezzi mpl di
sostentamento.
liveliness ['laɪvlɪnəs] n vivacità.
lively ['laɪvlɪ] adj vivace, vivo(a).
liven up ['laɪvn-] vt (room etc) ravvivare;
(discussion, evening) animare.
liver ['lɪvə*] n fegato.
liverish ['lɪvərɪʃ] adj che soffre di mal di
fegato; (fig) scontroso(a).
Liverpudlian [lɪvə'pʌdlɪən] adj di Liverpool
♦ n abitante m/f di Liverpool; originario/a
di Liverpool.
livery ['lɪvərɪ] n livrea.
lives [laɪvz] npl of **life**.
livestock ['laɪvstɔk] n bestiame m.
live wire [laɪv-] n (col: fig): **to be a** ~ essere
pieno(a) di vitalità.
livid ['lɪvɪd] adj livido(a); (furious) livido(a)
di rabbia, furibondo(a).
living ['lɪvɪŋ] adj vivo(a), vivente ♦ n: **to
earn** or **make a** ~ guadagnarsi la vita;
cost of ~ costo della vita, carovita m;
within ~ **memory** a memoria d'uomo.
living conditions npl condizioni fpl di vita.
living expenses npl spese fpl di
mantenimento.
living room n soggiorno.
living standards npl tenore m di vita.
living wage n salario sufficiente per
vivere.
lizard ['lɪzəd] n lucertola.
llama ['lɑːmə] n lama m inv.
LLB n abbr (= Bachelor of Laws) ≈ laurea in
legge.
LLD n abbr (= Doctor of Laws) titolo di
studio.
LMT abbr (US: = Local Mean Time) tempo
medio locale.
load [ləud] n (weight) peso; (ELEC, TECH,
thing carried) carico ♦ vt: **to** ~ **(with)** (lorry,
ship) caricare (di); (gun, camera) caricare
(con); **a** ~ **of,** ~**s of** (fig) un sacco di; **to** ~
a program (COMPUT) caricare un
programma.
loaded ['ləudɪd] adj (dice) falsato(a);
(question, word) capzioso(a); (col: rich)
pieno(a) di soldi.
loading bay ['ləudɪŋ-] n piazzola di carico.

loaf [ləuf] *n* (*pl* **loaves**) pane *m*, pagnotta ♦ *vi* (*also*: ~ **about**, ~ **around**) bighellonare.
loam [ləum] *n* terra di marna.
loan [ləun] *n* prestito ♦ *vt* dare in prestito; **on** ~ in prestito.
loan account *n* conto dei prestiti.
loan capital *n* capitale *m* di prestito.
loan shark *n* (*col*: *pej*) strozzino(a).
loath [ləuθ] *adj*: **to be** ~ **to do** essere restio(a) a fare.
loathe [ləuð] *vt* detestare, aborrire.
loathing ['ləuðɪŋ] *n* aborrimento, disgusto.
loathsome ['ləuðsəm] *adj* (*gen*) ripugnante; (*person*) detestabile, odioso(a).
loaves [ləuvz] *npl of* **loaf**.
lob [lɔb] *vt* (*ball*) lanciare.
lobby ['lɔbɪ] *n* atrio, vestibolo; (*POL*: *pressure group*) gruppo di pressione ♦ *vt* fare pressione su.
lobbyist ['lɔbɪɪst] *n* appartenente *m/f* ad un gruppo di pressione.
lobe [ləub] *n* lobo.
lobster ['lɔbstə*] *n* aragosta.
lobster pot *n* nassa per aragoste.
local ['ləukl] *adj* locale ♦ *n* (*BRIT*: *pub*) ≈ bar *m inv* all'angolo; **the** ~**s** *npl* la gente della zona.
local anaesthetic *n* anestesia locale.
local authority *n* autorità locale.
local call *n* (*TEL*) telefonata urbana.
local government *n* amministrazione *f* locale.
locality [ləu'kælɪtɪ] *n* località *f inv*; (*position*) posto, luogo.
localize ['ləukəlaɪz] *vt* localizzare.
locally ['ləukəlɪ] *adv* da queste parti; nel vicinato.
locate [ləu'keɪt] *vt* (*find*) trovare; (*situate*) collocare.
location [ləu'keɪʃən] *n* posizione *f*; **on** ~ (*CINE*) all'esterno.
loch [lɔx] *n* lago.
lock [lɔk] *n* (*of door, box*) serratura; (*of canal*) chiusa; (*of hair*) ciocca, riccio ♦ *vt* (*with key*) chiudere a chiave; (*immobilize*) bloccare ♦ *vi* (*door etc*) chiudersi; (*wheels*) bloccarsi, incepparsi; ~ **stock and barrel** (*fig*) in blocco; **on full** ~ (*BRIT AUT*) a tutto sterzo.
►**lock away** *vt* (*valuables*) tenere (rinchiuso(a)) al sicuro; (*criminal*) metter dentro.
►**lock out** *vt* chiudere fuori; **to** ~ **workers out** fare una serrata.
►**lock up** *vi* chiudere tutto (a chiave).
locker ['lɔkə*] *n* armadietto.
locket ['lɔkɪt] *n* medaglione *m*.
lockjaw ['lɔkdʒɔ:] *n* tetano.

lockout ['lɔkaut] *n* (*INDUSTRY*) serrata.
locksmith ['lɔksmɪθ] *n* magnano.
lock-up ['lɔkʌp] *n* (*prison*) prigione *f*; (*cell*) guardina; (*also*: ~ **garage**) box *m inv*.
locomotive [ləukə'məutɪv] *n* locomotiva.
locum ['ləukəm] *n* (*MED*) medico sostituto.
locust ['ləukəst] *n* locusta.
lodge [lɔdʒ] *n* casetta, portineria; (*FREEMASONRY*) loggia ♦ *vi* (*person*): **to** ~ (**with**) essere a pensione (presso *or* da) ♦ *vt* (*appeal etc*) presentare, fare; **to** ~ **a complaint** presentare un reclamo; **to** ~ (**itself**) **in/between** piantarsi dentro/fra.
lodger ['lɔdʒə*] *n* affittuario/a; (*with room and meals*) pensionante *m/f*.
lodging ['lɔdʒɪŋ] *n* alloggio; *see also* **board**; **lodgings**.
lodging house *n* (*BRIT*) casa con camere in affitto.
lodgings ['lɔdʒɪŋz] *npl* camera d'affitto; camera ammobiliata.
loft [lɔft] *n* soffitta; (*AGR*) granaio; (*US*) appartamento ricavato da solaio (*or* granaio *etc*).
lofty ['lɔftɪ] *adj* alto(a); (*haughty*) altezzoso(a); (*sentiments, aims*) nobile.
log [lɔg] *n* (*of wood*) ceppo; (*book*) = **logbook** ♦ *n abbr* = **logarithm** ♦ *vt* registrare.
►**log in, log on** *vi* (*COMPUT*) aprire una sessione (*con codice di riconoscimento*).
►**log off, log out** *vi* (*COMPUT*) terminare una sessione.
logarithm ['lɔgərɪðm] *n* logaritmo.
logbook ['lɔgbuk] *n* (*NAUT, AVIAT*) diario di bordo; (*AUT*) libretto di circolazione; (*of lorry driver*) registro di viaggio; (*of events, movement of goods etc*) registro.
log cabin *n* capanna di tronchi.
log fire *n* fuoco di legna.
logger ['lɔgə*] *n* boscaiolo, taglialegna *m inv*.
loggerheads ['lɔgəhɛdz] *npl*: **at** ~ (**with**) ai ferri corti (con).
logic ['lɔdʒɪk] *n* logica.
logical ['lɔdʒɪkəl] *adj* logico(a).
logically ['lɔdʒɪkəlɪ] *adv* logicamente.
logistics [lɔ'dʒɪstɪks] *n* logistica.
logjam ['lɔgdʒæm] *n*: **to break the** ~ superare l'impasse.
logo ['ləugəu] *n* logo *m inv*.
loin [lɔɪn] *n* (*CULIN*) lombata; ~**s** *npl* reni *fpl*.
loin cloth *n* perizoma *m*.
loiter ['lɔɪtə*] *vi* attardarsi; **to** ~ (**about**) indugiare, bighellonare.
loll [lɔl] *vi* (*also*: ~ **about**) essere stravaccato(a).
lollipop ['lɔlɪpɔp] *n* lecca lecca *m inv*.

In Gran Bretagna il **lollipop man** e la **lollipop lady** sono persone incaricate di regolare il traffico in prossimità delle scuole e di aiutare i bambini ad attraversare la strada; usano una paletta la cui forma ricorda quella di un lecca lecca, in inglese, appunto, **lollipop**.

lollop ['lɔləp] vi (BRIT) camminare (or correre) goffamente.
lolly ['lɔlɪ] (col) n lecca lecca m inv; (also: **ice** ~) ghiacciolo; (money) grana.
Lombardy ['lɔmbədɪ] n Lombardia.
London ['lʌndən] n Londra.
Londoner ['lʌndənə*] n londinese m/f.
lone [ləun] adj solitario(a).
loneliness ['ləunlɪnɪs] n solitudine f, isolamento.
lonely ['ləunlɪ] adj solitario(a); (place) isolato(a); **to feel** ~ sentirsi solo(a).
lonely hearts adj: ~ **ads**, ~ **column** messaggi mpl personali; ~ **club** club m inv dei cuori solitari.
lone parent n (unmarried: mother) ragazza madre; (: father) ragazzo padre; (divorced) genitore m divorziato(a); (widowed) genitore rimasto vedovo.
loner ['ləunə*] n solitario/a.
lonesome ['ləunsəm] adj solo(a).
long [lɔŋ] adj lungo(a) ♦ adv a lungo, per molto tempo ♦ n: **the** ~ **and the short of it is that** ... (fig) a farla breve ... ♦ vi: **to** ~ **for sth/to do** desiderare qc/di fare; non veder l'ora di aver qc/di fare; **he had** ~ **understood that** ... aveva capito da molto tempo che ...; **how** ~ **is this river/course?** quanto è lungo questo fiume/corso?; **6 metres** ~ lungo 6 metri; **6 months** ~ che dura 6 mesi, di 6 mesi; **all night** ~ tutta la notte; **he no** ~**er comes** non viene più; ~ **before** molto tempo prima; **before** ~ (+ future) presto, fra poco; (+ past) poco tempo dopo; ~ **ago** molto tempo fa; **don't be** ~! faccia presto!; **I shan't be** ~ non ne avrò per molto; **at** ~ **last** finalmente; **in the** ~ **run** alla fin fine; **so** or **as** ~ **as** sempre che + sub.
long-distance [lɔŋ'dɪstəns] adj (race) di fondo; (call) interurbano(a).
long-haired ['lɔŋ'hɛəd] adj (person) dai capelli lunghi; (animal) dal pelo lungo.
longhand ['lɔŋhænd] n scrittura normale.
longing ['lɔŋɪŋ] n desiderio, voglia, brama ♦ adj di desiderio; pieno(a) di nostalgia.
longingly ['lɔŋɪŋlɪ] adv con desiderio (or nostalgia).
longitude ['lɔŋgɪtjuːd] n longitudine f.

long johns [-dʒɔnz] npl mutande fpl lunghe.
long jump n salto in lungo.
long-lost ['lɔŋlɔst] adj perduto(a) da tempo.
long-playing ['lɔŋpleɪɪŋ] adj: ~ **record (LP)** (disco) 33 giri m inv.
long-range [lɔŋ'reɪndʒ] adj a lunga portata; (weather forecast) a lungo termine.
longshoreman ['lɔŋʃɔːmən] n (US) scaricatore m (di porto), portuale m.
long-sighted [lɔŋ'saɪtɪd] adj (BRIT) presbite; (fig) lungimirante.
long-standing ['lɔŋstændɪŋ] adj di vecchia data.
long-suffering [lɔŋ'sʌfərɪŋ] adj estremamente paziente; infinitamente tollerante.
long-term ['lɔŋtəːm] adj a lungo termine.
long wave n (RADIO) onde fpl lunghe.
long-winded [lɔŋ'wɪndɪd] adj prolisso(a), interminabile.
loo [luː] n (BRIT col) W.C. m inv, cesso.
loofah ['luːfə] n luffa.
look [luk] vi guardare; (seem) sembrare, parere; (building etc) **to** ~ **south/on to the sea** dare a sud/sul mare ♦ n sguardo; (appearance) aspetto, aria; ~**s** npl aspetto; bellezza; **to** ~ **like** assomigliare a; **to** ~ **ahead** guardare avanti; **it** ~**s about 4 metres long** sarà lungo un 4 metri; **it** ~**s all right to me** a me pare che vada bene; **to have a** ~ **at sth** dare un'occhiata a qc; **to have a** ~ **for sth** cercare qc.
►**look after** vt fus occuparsi di, prendersi cura di; (keep an eye on) guardare, badare a.
►**look around** vi guardarsi intorno.
►**look at** vt fus guardare.
►**look back** vi: **to** ~ **back at sth/sb** voltarsi a guardare qc/qn; **to** ~ **back on** (event, period) ripensare a.
►**look down on** vt fus (fig) guardare dall'alto, disprezzare.
►**look for** vt fus cercare.
►**look forward to** vt fus non veder l'ora di; **I'm not** ~**ing forward to it** non ne ho nessuna voglia; ~**ing forward to hearing from you** (in letter) aspettando tue notizie.
►**look in** vi: **to** ~ **in on sb** (visit) fare un salto da qn.
►**look into** vt fus (matter, possibility) esaminare.
►**look on** vi fare da spettatore.
►**look out** vi (beware): **to** ~ **out (for)** stare in guardia (per).
►**look out for** vt fus cercare; (watch out for): **to** ~ **out for sb/sth** guardare se arriva qn/qc.
►**look over** vt (essay) dare un'occhiata a,

riguardare; (*town, building*) vedere; (*person*) esaminare.

▶**look round** *vi* (*turn*) girarsi, voltarsi; (*in shops*) dare un'occhiata; **to ~ round for sth** guardarsi intorno cercando qc.

▶**look through** *vt fus* (*papers, book*) scorrere; (*telescope*) guardare attraverso.

▶**look to** *vt fus* stare attento(a) a; (*rely on*) contare su.

▶**look up** *vi* alzare gli occhi; (*improve*) migliorare ♦ *vt* (*word*) cercare; (*friend*) andare a trovare.

▶**look up to** *vt fus* avere rispetto per.

look-out ['lukaut] *n* posto d'osservazione; guardia; **to be on the ~ (for)** stare in guardia (per).

look-up table ['lukʌp-] *n* (*COMPUT*) tabella di consultazione.

LOOM *n abbr* (*US: = Loyal Order of Moose*) *organizzazione filantropica.*

loom [luːm] *n* telaio ♦ *vi* sorgere; (*fig*) minacciare.

loony ['luːnɪ] *adj, n* (*col*) pazzo(a).

loop [luːp] *n* cappio; (*COMPUT*) anello.

loophole ['luːphəul] *n* via d'uscita; scappatoia.

loose [luːs] *adj* (*knot*) sciolto(a); (*screw*) allentato(a); (*stone*) cadente; (*clothes*) ampio(a), largo(a); (*animal*) in libertà, scappato(a); (*life, morals*) dissoluto(a); (*discipline*) allentato(a); (*thinking*) poco rigoroso(a), vago(a) ♦ *vt* (*untie*) sciogliere; (*slacken*) allentare; (*free*) liberare; (*BRIT: arrow*) scoccare; **~ connection** (*ELEC*) filo che fa contatto; **to be at a ~ end** *or* (*US*) **at ~ ends** (*fig*) non saper che fare; **to tie up ~ ends** (*fig*) avere ancora qualcosa da sistemare.

loose change *n* spiccioli *mpl*, moneta.

loose-fitting ['luːsfɪtɪŋ] *adj* ampio(a).

loose-leaf ['luːsliːf] *adj*: **~ binder** *or* **folder** raccoglitore *m*.

loose-limbed [luːs'lɪmd] *adj* snodato(a), agile.

loosely ['luːslɪ] *adv* lentamente; approssimativamente.

loosely-knit ['luːslɪ'nɪt] *adj* non rigidamente strutturato(a).

loosen ['luːsn] *vt* sciogliere.

▶**loosen up** *vi* (*before game*) sciogliere i muscoli, scaldarsi; (*col: relax*) rilassarsi.

loot [luːt] *n* bottino ♦ *vt* saccheggiare.

looter ['luːtə*] *n* saccheggiatore/trice.

looting ['luːtɪŋ] *n* saccheggio.

lop [lɔp] *vt* (*also:* **~ off**) tagliare via, recidere.

lop-sided ['lɔp'saɪdɪd] *adj* non

equilibrato(a), asimmetrico(a).

lord [lɔːd] *n* signore *m*; **L~ Smith** lord Smith; **the L~** (*REL*) il Signore; **the (House of) L~s** (*BRIT*) la Camera dei Lord.

lordly ['lɔːdlɪ] *adj* nobile, maestoso(a); (*arrogant*) altero(a).

lordship ['lɔːdʃɪp] *n* (*BRIT*): **your L~** Sua Eccellenza.

lore [lɔː*] *n* tradizioni *fpl*.

lorry ['lɔrɪ] *n* (*BRIT*) camion *m inv*.

lorry driver *n* (*BRIT*) camionista *m*.

lose, *pt, pp* **lost** [luːz, lɔst] *vt* perdere; (*pursuers*) distanziare ♦ *vi* perdere; **to ~ (time)** (*clock*) ritardare; **to ~ no time (in doing sth)** non perdere tempo (a fare qc); **to get lost** (*person*) perdersi, smarrirsi; (*object*) andare perso *or* perduto.

loser ['luːzə*] *n* perdente *m/f*; **to be a good/ bad ~** saper/non saper perdere.

loss [lɔs] *n* perdita; **to cut one's ~es** rimetterci il meno possibile; **to make a ~** subire una perdita; **to sell sth at a ~** vendere qc in perdita; **to be at a ~** essere perplesso(a); **to be at a ~ to explain sth** non saper come fare a spiegare qc.

loss adjuster *n* (*INSURANCE*) responsabile *m/f* della valutazione dei danni.

loss leader *n* (*COMM*) articolo a prezzo ridottissimo per attirare la clientela.

lost [lɔst] *pt, pp of* **lose** ♦ *adj* perduto(a); **~ in thought** immerso *or* perso nei propri pensieri; **~ and found property** *n* (*US*) oggetti *mpl* smarriti; **~ and found** *n* (*US*) ufficio oggetti smarriti.

lost property *n* (*BRIT*) oggetti *mpl* smarriti; **~ office** *or* **department** ufficio oggetti smarriti.

lot [lɔt] *n* (*at auctions*) lotto; (*destiny*) destino, sorte *f*; **the ~** tutto(a) quanto(a); **tutti(e) quanti(e); a ~** molto; **a ~ of** una gran quantità di, un sacco di; **~s of** molto(a); **to draw ~s (for sth)** tirare a sorte (per qc).

lotion ['ləuʃən] *n* lozione *f*.

lottery ['lɔtərɪ] *n* lotteria.

loud [laud] *adj* forte, alto(a); (*gaudy*) vistoso(a), sgargiante ♦ *adv* (*speak etc*) forte; **out ~** ad alta voce.

loudhailer [laud'heɪlə*] *n* (*BRIT*) portavoce *m inv*.

loudly ['laudlɪ] *adv* fortemente, ad alta voce.

loudspeaker [laud'spiːkə*] *n* altoparlante *m*.

lounge [laundʒ] *n* salotto, soggiorno; (*of hotel*) salone *m*; (*of airport*) sala d'attesa ♦ *vi* oziare; starsene colle mani in mano.

lounge bar *n* bar *m inv* con servizio a

tavolino.
lounge suit n (BRIT) completo da uomo.
louse [laus] n (pl **lice**) pidocchio.
►**louse up** vt (col) rovinare.
lousy ['lauzɪ] adj (fig) orrendo(a),
  schifoso(a).
lout [laut] n zoticone m.
louvre, (US) **louver** ['luːvəˀ] adj (door,
  window) con apertura a gelosia.
lovable ['lʌvəbl] adj simpatico(a),
  carino(a); amabile.
love [lʌv] n amore m ♦ vt amare; voler bene
  a; **to ~ to do: I ~ to do** mi piace fare; **I'd
  ~ to come** mi piacerebbe molto venire;
  to be in ~ with essere innamorato(a) di;
  to fall in ~ with innamorarsi di; **to make
  ~** fare l'amore; **~ at first sight** amore a
  prima vista, colpo di fulmine; **to send
  one's ~ to sb** mandare i propri saluti a
  qn; **~ from Anne, ~, Anne** con affetto,
  Anne; **"15 ~"** (TENNIS) "15 a zero".
love affair n relazione f.
love child n figlio/a dell'amore.
loved ones [lʌvd-] npl: **my ~** i miei cari.
love-hate relationship ['lʌv'heɪt-] n
  rapporto amore-odio inv.
love letter n lettera d'amore.
love life n vita sentimentale.
lovely ['lʌvlɪ] adj bello(a); (delicious: smell,
  meal) buono(a); **we had a ~ time** ci siamo
  divertiti molto.
lover ['lʌvəˀ] n amante m/f; (amateur): **a ~ of**
  un(un')amante di; un(un')appassionato(a)
  di.
lovesick ['lʌvsɪk] adj malato(a) d'amore.
lovesong ['lʌvsɔŋ] n canzone f d'amore.
loving ['lʌvɪŋ] adj affettuoso(a),
  amoroso(a), tenero(a).
low [ləu] adj basso(a) ♦ adv in basso ♦ n
  (METEOR) depressione f ♦ vi (cow)
  muggire; **to feel ~** sentirsi giù; **he's very
  ~** (ill) è molto debole; **to reach a new or
  an all-time ~** toccare il livello più basso
  or il minimo; **to turn (down) ~** vt
  abbassare.
low-alcohol [ləu'ælkəhɔl] adj a basso
  contenuto alcolico.
lowbrow ['ləubrau] adj (person) senza
  pretese intellettuali.
low-calorie ['ləu'kælərɪ] adj a basso
  contenuto calorico.
low-cut ['ləukʌt] adj (dress) scollato(a).
low-down ['ləudaun] adj (mean) ignobile
  ♦ n (col): **he gave me the ~ on it** mi ha
  messo al corrente dei fatti.
lower ['ləuəˀ] adj, adv comparative of **low** ♦ vt
  (gen) calare; (reduce: price) abbassare,
  ridurre; (resistance) indebolire ♦ vi ['lauəˀ]

(person): **to ~ (at sb)** dare un'occhiataccia
  (a qn); (sky) minacciare.
lower case n minuscolo.
low-fat ['ləu'fæt] adj magro(a).
low-key ['ləu'kiː] adj moderato(a);
  (operation) condotto(a) con discrezione.
lowland ['ləulənd] n bassopiano, pianura.
low-level ['ləulɛvl] adj a basso livello;
  (flying) a bassa quota.
low-loader ['ləuləudəˀ] n camion m a
  pianale basso.
lowly ['ləulɪ] adj umile, modesto(a).
low-lying [ləu'laɪɪŋ] adj a basso livello.
low-paid [ləu'peɪd] adj mal pagato(a).
low-rise ['ləuraɪz] adj di altezza contenuta.
low-tech ['ləu'tɛk] adj a basso contenuto
  tecnologico.
loyal ['lɔɪəl] adj fedele, leale.
loyalist ['lɔɪəlɪst] n lealista m/f.
loyalty ['lɔɪəltɪ] n fedeltà, lealtà.
lozenge ['lɔzɪndʒ] n (MED) pastiglia;
  (GEOM) losanga.
LP n abbr (= long-playing record) LP m.
L-plate n ≈ contrassegno P principiante.

Le **L-plate** sono delle tabelle bianche con
una L rossa che in Gran Bretagna i
guidatori principianti, **learners**, in possesso
di una **provisional licence**, che corrisponde
al nostro foglio rosa, devono applicare
davanti e dietro alla loro autovettura finché
non ottengono la patente.

LPN n abbr (US: = Licensed Practical Nurse)
  ≈ infermiera diplomata.
LRAM n abbr (BRIT: = Licentiate of the Royal
  Academy of Music) specializzazione dopo
  la laurea.
LSAT n abbr (US) = Law School Admission
  Test.
LSD n abbr (= lysergic acid diethylamide)
  L.S.D. m; (BRIT: = pounds, shillings and
  pence) sistema monetario in vigore in
  Gran Bretagna fino al 1971.
LSE n abbr = London School of Economics.
LT abbr (ELEC: = low tension) B.T.
Lt. abbr (= lieutenant) Ten.
Ltd abbr (COMM) = **limited**.
lubricant ['luːbrɪkənt] n lubrificante m.
lubricate ['luːbrɪkeɪt] vt lubrificare.
lucid ['luːsɪd] adj lucido(a).
lucidity [luː'sɪdɪtɪ] n lucidità.
luck [lʌk] n fortuna, sorte f; **bad ~** sfortuna,
  mala sorte; **good ~** (buona) fortuna; **to
  be in ~** essere fortunato(a); **to be out of
  ~** essere sfortunato(a).
luckily ['lʌkɪlɪ] adv fortunatamente, per
  fortuna.

luckless ['lʌklɪs] *adj* sventurato(a).
lucky ['lʌkɪ] *adj* fortunato(a); (*number etc*) che porta fortuna.
lucrative ['lu:krətɪv] *adj* lucrativo(a), lucroso(a), profittevole.
ludicrous ['lu:dɪkrəs] *adj* ridicolo(a), assurdo(a).
ludo ['lu:dəu] *n* ≈ gioco dell'oca.
lug [lʌg] *vt* trascinare.
luggage ['lʌgɪdʒ] *n* bagagli *mpl.*
luggage rack *n* portabagagli *m inv.*
luggage van, (*US*) **luggage car** *n* (*RAIL*) bagagliaio.
lugubrious [lu'gu:brɪəs] *adj* lugubre.
lukewarm ['lu:kwɔ:m] *adj* tiepido(a).
lull [lʌl] *n* intervallo di calma ♦ *vt* (*child*) cullare; (*person, fear*) acquietare, calmare.
lullaby ['lʌləbaɪ] *n* ninnananna.
lumbago [lʌm'beɪgəu] *n* lombaggine *f.*
lumber ['lʌmbə*] *n* roba vecchia ♦ *vt* (*BRIT col*): **to ~ sb with sth/sb** affibbiare *or* rifilare qc/qn a qn ♦ *vi* (*also*: **~ about, ~ along**) muoversi pesantemente.
lumberjack ['lʌmbədʒæk] *n* boscaiolo.
lumber room *n* (*BRIT*) sgabuzzino.
lumber yard *n* segheria.
luminous ['lu:mɪnəs] *adj* luminoso(a).
lump [lʌmp] *n* pezzo; (*in sauce*) grumo; (*swelling*) gonfiore *m* ♦ *vt* (*also*: **~ together**) riunire, mettere insieme.
lump sum *n* somma globale.
lumpy ['lʌmpɪ] *adj* (*sauce*) grumoso(a).
lunacy ['lu:nəsɪ] *n* demenza, follia, pazzia.
lunar ['lu:nə*] *adj* lunare.
lunatic ['lu:nətɪk] *adj*, *n* pazzo(a), matto(a).
lunatic asylum *n* manicomio.
lunch [lʌntʃ] *n* pranzo, colazione *f*; **to invite sb to** *or* **for ~** invitare qn a pranzo *or* a colazione.
lunch break *n* intervallo del pranzo.
luncheon ['lʌntʃən] *n* pranzo.
luncheon meat *n* ≈ mortadella.
luncheon voucher *n* buono *m* pasto *inv.*
lunch hour *n* = **lunch break.**
lunchtime ['lʌntʃtaɪm] *n* ora di pranzo.
lung [lʌŋ] *n* polmone *m.*
lung cancer *n* cancro del polmone.
lunge [lʌndʒ] *vi* (*also*: **~ forward**) fare un balzo in avanti; **to ~ at sb** balzare su qn.
lupin ['lu:pɪn] *n* lupino.
lurch [lə:tʃ] *vi* vacillare, barcollare ♦ *n* scatto improvviso; **to leave sb in the ~** piantare in asso qn.
lure [luə*] *n* richiamo; lusinga ♦ *vt* attirare (con l'inganno).
lurid ['luərɪd] *adj* sgargiante; (*details etc*) impressionante.

lurk [lə:k] *vi* stare in agguato.
luscious ['lʌʃəs] *adj* succulento(a); delizioso(a).
lush [lʌʃ] *adj* lussureggiante.
lust [lʌst] *n* lussuria; cupidigia; desiderio; (*fig*): **~ for** sete *f* di.
►**lust after** *vt fus* bramare, desiderare.
luster ['lʌstə*] *n* (*US*) = **lustre.**
lustful ['lʌstful] *adj* lascivo(a), voglioso(a).
lustre, (*US*) **luster** ['lʌstə*] *n* lustro, splendore *m.*
lusty ['lʌstɪ] *adj* vigoroso(a), robusto(a).
lute [lu:t] *n* liuto.
Luxembourg ['lʌksəmbə:g] *n* (*state*) Lussemburgo *m*; (*city*) Lussemburgo *f.*
luxuriant [lʌg'zjuərɪənt] *adj* lussureggiante.
luxurious [lʌg'zjuərɪəs] *adj* sontuoso(a), di lusso.
luxury ['lʌkʃərɪ] *n* lusso ♦ *cpd* di lusso.
LV *n abbr* (*BRIT*) = **luncheon voucher.**
LW *abbr* (*RADIO*: = *long wave*) O.L.
Lycra ® ['laɪkrə] *n* lycra ® *f inv.*
lying ['laɪɪŋ] *n* bugie *fpl*, menzogne *fpl* ♦ *adj* (*statement, story*) falso(a); (*person*) bugiardo(a).
lynch [lɪntʃ] *vt* linciare.
lynx [lɪŋks] *n* lince *f.*
Lyons ['laɪənz] *n* Lione *f.*
lyre ['laɪə*] *n* lira.
lyric ['lɪrɪk] *adj* lirico(a); **~s** *npl* (*of song*) parole *fpl.*
lyrical ['lɪrɪkl] *adj* lirico(a).
lyricism ['lɪrɪsɪzəm] *n* lirismo.

M m

M, m [ɛm] *n* (*letter*) M, m *f or m inv*; **M for Mary**, (*US*) **M for Mike** ≈ M come Milano.
M *n abbr* (*BRIT*: = *motorway*): **the M8** ≈ l'A8 ♦ *abbr* (= *medium*) taglia media.
m *abbr* (= *metre*) m; = **mile**; **million.**
MA *n abbr* (*SCOL*) *see* **Master of Arts**; (*US*) = *military academy* ♦ (*US*) = *Massachusetts.*
mac [mæk] *n* (*BRIT*) impermeabile *m.*
macabre [mə'kɑ:brə] *adj* macabro(a).
macaroni [mækə'rəunɪ] *n* maccheroni *mpl.*
macaroon [mækə'ru:n] *n* amaretto (*biscotto*).
mace [meɪs] *n* mazza; (*spice*) macis *m or f.*
Macedonia [mæsɪ'dəunɪə] *n* Macedonia.
Macedonian [mæsɪ'dəunɪən] *adj* macedone

♦ *n* macedone *m/f*; (*LING*) macedone *m*.

machinations [mækɪ'neɪʃənz] *npl* macchinazioni *fpl*, intrighi *mpl*.

machine [mə'ʃiːn] *n* macchina ♦ *vt* (*dress etc*) cucire a macchina; (*TECH*) lavorare (a macchina).

machine code *n* (*COMPUT*) codice *m* di macchina, codice assoluto.

machine gun *n* mitragliatrice *f*.

machine language *n* (*COMPUT*) linguaggio *m* macchina *inv*.

machine-readable [mə'ʃiːnriːdəbl] *adj* (*COMPUT*) leggibile dalla macchina.

machinery [mə'ʃiːnərɪ] *n* macchinario, macchine *fpl*; (*fig*) macchina.

machine shop *n* officina meccanica.

machine tool *n* macchina utensile.

machine washable *adj* lavabile in lavatrice.

machinist [mə'ʃiːnɪst] *n* macchinista *m/f*.

macho ['mætʃəu] *adj* macho *inv*.

mackerel ['mækrəl] *n* (*pl inv*) sgombro.

mackintosh ['mækɪntɔʃ] *n* impermeabile *m*.

macro... ['mækrəu] *prefix* macro....

macroeconomics ['mækrəui:kə'nɔmɪks] *n* macroeconomia.

mad [mæd] *adj* matto(a), pazzo(a); (*foolish*) sciocco(a); (*angry*) furioso(a); **to go** ~ impazzire, diventar matto; ~ (**at** *or* **with sb**) furibondo(a) (con qn); **to be** ~ (**keen**) **about** *or* **on sth** (*col*) andar pazzo *or* matto per qc.

madam ['mædəm] *n* signora; **M**~ **Chairman** Signora Presidentessa.

madcap ['mædkæp] *adj* (*col*) senza senso, assurdo(a).

mad cow disease *n* encefalite *f* bovina spongiforme.

madden ['mædn] *vt* fare infuriare.

maddening ['mædnɪŋ] *adj* esasperante.

made [meɪd] *pt*, *pp* *of* **make**.

Madeira [mə'dɪərə] *n* (*GEO*) Madera; (*wine*) madera *m*.

made-to-measure ['meɪdtə'mɛʒə*] *adj* (*BRIT*) fatto(a) su misura.

madhouse ['mædhaus] *n* (*also fig*) manicomio.

madly ['mædlɪ] *adv* follemente; (*love*) alla follia.

madman ['mædmən] *n* pazzo, alienato.

madness ['mædnɪs] *n* pazzia.

Madrid [mə'drɪd] *n* Madrid *f*.

Mafia ['mæfɪə] *n* mafia *f*.

mag. [mæg] *n* *abbr* (*BRIT col*) = **magazine** (*PRESS*).

magazine [mægə'ziːn] *n* (*PRESS*) rivista; (*MIL: store*) magazzino, deposito; (*of firearm*) caricatore *m*.

maggot ['mægət] *n* baco, verme *m*.

magic ['mædʒɪk] *n* magia ♦ *adj* magico(a).

magical ['mædʒɪkəl] *adj* magico(a).

magician [mə'dʒɪʃən] *n* mago/a.

magistrate ['mædʒɪstreɪt] *n* magistrato; giudice *m/f*.

magistrates' court *n* *see* **crown court**.

magnanimous [mæg'nænɪməs] *adj* magnanimo(a).

magnate ['mægneɪt] *n* magnate *m*.

magnesium [mæg'niːzɪəm] *n* magnesio.

magnet ['mægnɪt] *n* magnete *m*, calamita.

magnetic [mæg'nɛtɪk] *adj* magnetico(a).

magnetic disk *n* (*COMPUT*) disco magnetico.

magnetic tape *n* nastro magnetico.

magnetism ['mægnɪtɪzəm] *n* magnetismo.

magnification [mægnɪfɪ'keɪʃən] *n* ingrandimento.

magnificence [mæg'nɪfɪsns] *n* magnificenza.

magnificent [mæg'nɪfɪsnt] *adj* magnifico(a).

magnify ['mægnɪfaɪ] *vt* ingrandire.

magnifying glass ['mægnɪfaɪɪŋ-] *n* lente *f* d'ingrandimento.

magnitude ['mægnɪtjuːd] *n* grandezza; importanza.

magnolia [mæg'nəulɪə] *n* magnolia.

magpie ['mægpaɪ] *n* gazza.

mahogany [mə'hɔgənɪ] *n* mogano ♦ *cpd* di *or* in mogano.

maid [meɪd] *n* domestica; (*in hotel*) cameriera; **old** ~ (*pej*) vecchia zitella.

maiden ['meɪdn] *n* fanciulla ♦ *adj* (*aunt etc*) nubile; (*speech, voyage*) inaugurale.

maiden name *n* nome *m* nubile *or* da ragazza.

mail [meɪl] *n* posta ♦ *vt* spedire (per posta); **by** ~ per posta.

mailbox ['meɪlbɔks] *n* (*US*) cassetta delle lettere; (*COMPUT*) mailbox *f inv*.

mailing list ['meɪlɪŋ-] *n* elenco d'indirizzi.

mailman ['meɪlmæn] *n* (*US*) portalettere *m inv*, postino.

mail-order ['meɪlɔːdə*] *n* vendita (*or* acquisto) per corrispondenza ♦ *cpd*: ~ **firm** *or* **house** ditta di vendita per corrispondenza.

mailshot ['meɪlʃɔt] *n* mailing *m inv*.

mail train *n* treno postale.

mail truck *n* (*US AUT*) = **mail van**.

mail van *n* (*BRIT: AUT*) furgone *m* postale; (*:RAIL*) vagone *m* postale.

maim [meɪm] *vt* mutilare.

main [meɪn] *adj* principale ♦ *n* (*pipe*) conduttura principale; **the** ~**s** (*ELEC*) la linea principale; ~**s operated** *adj* che funziona a elettricità; **in the** ~ nel complesso, nell'insieme.

main course *n* (*CULIN*) piatto principale, piatto forte.

mainframe ['meɪnfreɪm] *n* (*also:* ~ **computer**) mainframe *m inv*.

mainland ['meɪnlənd] *n* continente *m*.

mainline ['meɪnlaɪn] *adj* (*RAIL*) della linea principale ♦ *vb* (*drugs slang*) *vt* bucarsi di ♦ *vi* bucarsi.

main line *n* (*RAIL*) linea principale.

mainly ['meɪnlɪ] *adv* principalmente, soprattutto.

main road *n* strada principale.

mainstay ['meɪnsteɪ] *n* (*fig*) sostegno principale.

mainstream ['meɪnstriːm] *n* (*fig*) corrente *f* principale.

maintain [meɪn'teɪn] *vt* mantenere; (*affirm*) sostenere; **to** ~ **that** ... sostenere che ....

maintenance ['meɪntənəns] *n* manutenzione *f*; (*alimony*) alimenti *mpl*.

maintenance contract *n* contratto di manutenzione.

maintenance order *n* (*LAW*) obbligo degli alimenti.

maisonette [meɪzə'nɛt] *n* (*BRIT*) appartamento a due piani.

maize [meɪz] *n* granturco, mais *m*.

Maj. *abbr* (*MIL*) = **major**.

majestic [mə'dʒɛstɪk] *adj* maestoso(a).

majesty ['mædʒɪstɪ] *n* maestà *f inv*.

major ['meɪdʒə*] *n* (*MIL*) maggiore *m* ♦ *adj* (*greater, MUS*) maggiore; (*in importance*) principale, importante ♦ *vi* (*US SCOL*): **to** ~ **(in)** specializzarsi (in); **a** ~ **operation** (*MED*) una grossa operazione.

Majorca [mə'jɔːkə] *n* Maiorca.

major general *n* (*MIL*) generale *m* di divisione.

majority [mə'dʒɔrɪtɪ] *n* maggioranza ♦ *cpd* (*verdict*) maggioritario(a).

majority holding *n* (*COMM*): **to have a** ~ essere maggiore azionista.

make [meɪk] *vt* (*pt, pp* **made** [meɪd]) fare; (*manufacture*) fare, fabbricare; (*cause to be*): **to** ~ **sb sad** *etc* rendere qn triste *etc*; (*force*): **to** ~ **sb do sth** costringere qn a fare qc, far fare qc a qn; (*equal*): **2 and 2** ~ **4** 2 più 2 fa 4 ♦ *n* fabbricazione *f*; (*brand*) marca; **to** ~ **it** (*in time etc*) arrivare; (*succeed*) farcela; **what time do you** ~ **it?** che ora fai?; **to** ~ **good** *vi* (*succeed*) aver successo ♦ *vt* (*deficit*) colmare; (*losses*) compensare; **to** ~ **do with** arrangiarsi con.

▶**make for** *vt fus* (*place*) avviarsi verso.

▶**make off** *vi* svignarsela.

▶**make out** *vt* (*write out*) scrivere;

(*understand*) capire; (*see*) distinguere; (: *numbers*) decifrare; (*claim, imply*): **to** ~ **out (that)** voler far credere (che); **to** ~ **out a case for sth** presentare delle valide ragioni in favore di qc.

▶**make over** *vt* (*assign*): **to** ~ **over (to)** passare (a), trasferire (a).

▶**make up** *vt* (*invent*) inventare; (*parcel*) fare ♦ *vi* conciliarsi; (*with cosmetics*) truccarsi; **to be made up of** essere composto di *or* formato da.

▶**make up for** *vt fus* compensare; ricuperare.

make-believe ['meɪkbɪliːv] *n*: **a world of** ~ un mondo di favole; **it's just** ~ è tutta un'invenzione.

maker ['meɪkə*] *n* fabbricante *m*; creatore/trice, autore/trice.

makeshift ['meɪkʃɪft] *adj* improvvisato(a).

make-up ['meɪkʌp] *n* trucco.

make-up bag *n* borsa del trucco.

make-up remover *n* struccatore *m*.

making ['meɪkɪŋ] *n* (*fig*): **in the** ~ in formazione; **he has the** ~**s of an actor** ha la stoffa dell'attore.

maladjusted [mælə'dʒʌstɪd] *adj* disadattato(a).

maladroit [mælə'drɔɪt] *adj* maldestro(a).

malaise [mæ'leɪz] *n* malessere *m*.

malaria [mə'lɛərɪə] *n* malaria.

Malawi [mə'lɑːwɪ] *n* Malawi *m*.

Malay [mə'leɪ] *adj* malese ♦ *n* malese *m/f*; (*LING*) malese *m*.

Malaya [mə'leɪə] *n* Malesia.

Malayan [mə'leɪən] *adj, n* = **Malay**.

Malaysia [mə'leɪzɪə] *n* Malaysia.

Malaysian [mə'leɪzɪən] *adj, n* malaysiano(a).

Maldives ['mɔːldaɪvz] *npl*: **the** ~ le (isole) Maldive.

male [meɪl] *n* (*BIO, ELEC*) maschio ♦ *adj* (*gen, sex*) maschile; (*animal, child*) maschio(a); ~ **and female students** studenti e studentesse.

male chauvinist *n* maschilista *m*.

male nurse *n* infermiere *m*.

malevolence [mə'lɛvələns] *n* malevolenza.

malevolent [mə'lɛvələnt] *adj* malevolo(a).

malfunction [mæl'fʌŋkʃən] *n* funzione *f* difettosa.

malice ['mælɪs] *n* malevolenza.

malicious [mə'lɪʃəs] *adj* malevolo(a); (*LAW*) doloso(a).

malign [mə'laɪn] *vt* malignare su; calunniare.

malignant [mə'lɪgnənt] *adj* (*MED*) maligno(a).

malingerer [mə'lɪŋgərə*] *n* scansafatiche *m/f inv*.

mall [mɔːl] n (also: **shopping** ~) centro commerciale.
malleable ['mælɪəbl] adj malleabile.
mallet ['mælɪt] n maglio.
malnutrition [mælnjuː'trɪʃən] n denutrizione f.
malpractice [mæl'præktɪs] n prevaricazione f; negligenza.
malt [mɔːlt] n malto ♦ cpd (whisky) di malto.
Malta ['mɔːltə] n Malta.
Maltese [mɔːl'tiːz] adj, n (pl inv) maltese (m/f); (LING) maltese m.
maltreat [mæl'triːt] vt maltrattare.
mammal ['mæml] n mammifero.
mammoth ['mæməθ] n mammut m inv ♦ adj enorme, gigantesco(a).
man [mæn] n (pl **men**) uomo m; (CHESS) pezzo; (DRAUGHTS) pedina ♦ vt fornire d'uomini; stare a; essere di servizio a.
Man. abbr (Canada) = Manitoba.
manacles ['mænəklz] npl manette fpl.
manage ['mænɪdʒ] vi farcela ♦ vt (be in charge of) occuparsi di; (shop, restaurant) gestire; **to** ~ **without sth/sb** fare a meno di qc/qn; **to** ~ **to do sth** riuscire a far qc.
manageable ['mænɪdʒəbl] adj maneggevole; (task etc) fattibile.
management ['mænɪdʒmənt] n amministrazione f, direzione f; gestione f; (persons: of business, firm) dirigenti mpl; (: of hotel, shop, theatre) direzione f; **"under new** ~**"** "sotto nuova gestione".
management accounting n contabilità di gestione.
management consultant n consulente m/f aziendale.
manager ['mænɪdʒə*] n direttore m; (of shop, restaurant) gerente m; (of artist) manager m inv; **sales** ~ direttore m delle vendite.
manageress [mænɪdʒə'rɛs] n direttrice f; gerente f.
managerial [mænə'dʒɪərɪəl] adj dirigenziale.
managing director (MD) ['mænɪdʒɪŋ-] n amministratore m delegato.
Mancunian [mæŋ'kjuːnɪən] adj di Manchester ♦ n abitante m/f di Manchester; originario/a di Manchester.
mandarin ['mændərɪn] n (person, fruit) mandarino.
mandate ['mændeɪt] n mandato.
mandatory ['mændətərɪ] adj obbligatorio(a); ingiuntivo(a).
mandolin(e) ['mændəlɪn] n mandolino.
mane [meɪn] n criniera.
maneuver [mə'nuːvə*] etc (US) = manoeuvre etc.

manful ['mænful] adj coraggioso(a), valoroso(a).
manfully ['mænfəlɪ] adv valorosamente.
manganese [mæŋgə'niːz] n manganese m.
mangetout ['mɔnʒ'tuː] n pisello dolce, taccola.
mangle ['mæŋgl] vt straziare; mutilare ♦ n strizzatoio.
mango, ~es ['mæŋgəu] n mango.
mangrove ['mæŋgrəuv] n mangrovia.
mangy ['meɪndʒɪ] adj rognoso(a).
manhandle ['mænhændl] vt (treat roughly) malmenare; (move by hand: goods) spostare a mano.
manhole ['mænhəul] n botola stradale.
manhood ['mænhud] n età virile; virilità.
man-hour ['mænauə*] n ora di lavoro.
manhunt ['mænhʌnt] n caccia all'uomo.
mania ['meɪnɪə] n mania.
maniac ['meɪnɪæk] n maniaco/a.
manic ['mænɪk] adj maniacale.
manic-depressive ['mænɪkdɪ'prɛsɪv] adj maniaco-depressivo(a) ♦ n persona affetta da mania depressiva.
manicure ['mænɪkjuə*] n manicure f inv.
manicure set n trousse f inv della manicure.
manifest ['mænɪfɛst] vt manifestare ♦ adj manifesto(a), palese ♦ n (AVIAT, NAUT) manifesto.
manifestation [mænɪfɛs'teɪʃən] n manifestazione f.
manifesto [mænɪ'fɛstəu] n manifesto.
manifold ['mænɪfəuld] adj molteplice ♦ n (AUT etc): **exhaust** ~ collettore m di scarico.
Manila [mə'nɪlə] n Manila.
manil(l)a [mə'nɪlə] adj (paper, envelope) manilla inv.
manipulate [mə'nɪpjuleɪt] vt (tool) maneggiare; (controls) azionare; (limb, facts) manipolare.
manipulation [mənɪpju'leɪʃən] n maneggio m; capacità di azionare; manipolazione f.
mankind [mæn'kaɪnd] n umanità, genere m umano.
manliness ['mænlɪnɪs] n virilità.
manly ['mænlɪ] adj virile; coraggioso(a).
man-made ['mæn'meɪd] adj sintetico(a); artificiale.
manna ['mænə] n manna.
mannequin ['mænɪkɪn] n (dummy) manichino; (fashion model) indossatrice f.
manner ['mænə*] n maniera, modo; ~**s** npl maniere fpl; **(good)** ~**s** buona educazione f, buone maniere; **bad** ~**s** maleducazione f; **all** ~ **of** ogni sorta di.

mannerism ['mænərɪzəm] *n* vezzo, tic *m inv*.
mannerly ['mænəlɪ] *adj* educato(a), civile.
manoeuvrable, (*US*) **maneuverable**
[mə'nuːvrəbl] *adj* facile da manovrare;
(*car*) maneggevole.
manoeuvre, (*US*) **maneuver** [mə'nuːvə*]
vt manovrare ♦ *vi* far manovre ♦ *n*
manovra; **to ~ sb into doing sth**
costringere abilmente qn a fare qc.
manor ['mænə*] *n* (*also*: ~ **house**) maniero.
manpower ['mænpauə*] *n* manodopera.
Manpower Services Commission
(MSC) *n* (*BRIT*) *ente nazionale per*
l'occupazione.
manservant, *pl* **menservants**
['mænsəːvənt, 'men-] *n* domestico.
mansion ['mænʃən] *n* casa signorile.
manslaughter ['mænslɔːtə*] *n* omicidio
preterintenzionale.
mantelpiece ['mæntlpiːs] *n* mensola del
caminetto.
mantle ['mæntl] *n* mantello.
man-to-man ['mæntə'mæn] *adj, adv* da
uomo a uomo.
Mantua ['mæntjuə] *n* Mantova.
manual ['mænjuəl] *adj, n* manuale (*m*).
manual worker *n* manovale *m*.
manufacture [mænju'fæktʃə*] *vt*
fabbricare ♦ *n* fabbricazione *f*,
manifattura.
manufactured goods *npl* manufatti *mpl*.
manufacturer [mænju'fæktʃərə*] *n*
fabbricante *m*.
manufacturing industries
[mænju'fæktʃərɪŋ-] *npl* industrie *fpl*
manifatturiere.
manure [mə'njuə*] *n* concime *m*.
manuscript ['mænjuskrɪpt] *n* manoscritto.
many ['menɪ] *adj* molti(e) ♦ *pron* molti(e),
un gran numero; **a great** ~ moltissimi(e),
un gran numero (di); **~ a ...** molti(e) ...,
più di un(a) ...; **too ~ difficulties** troppe
difficoltà; **twice as** ~ due volte tanto;
how ~? quanti(e)?
Maori ['maurɪ] *adj, n* maori (*m/f*) *inv*.
map [mæp] *n* carta (geografica) ♦ *vt* fare
una carta di.
▶**map out** *vt* tracciare un piano di; (*fig*:
career, holiday, essay) pianificare.
maple ['meɪpl] *n* acero.
mar [maː*] *vt* sciupare.
Mar. *abbr* (= *March*) mar.
marathon ['mærəθən] *n* maratona ♦ *adj*: **a ~**
session una seduta fiume.
marathon runner *n* maratoneta *m/f*.
marauder [mə'rɔːdə*] *n* saccheggiatore *m*;
predatore *m*.
marble ['maːbl] *n* marmo; (*toy*) pallina,

bilia; **~s** *n* (*game*) palline, bilie.
March [maːtʃ] *n* marzo; *for phrases see also*
July.
march [maːtʃ] *vi* marciare; sfilare ♦ *n*
marcia; (*demonstration*) dimostrazione *f*;
to ~ into a room entrare a passo deciso
in una stanza.
marcher ['maːtʃə*] *n* dimostrante *m/f*.
marching ['maːtʃɪŋ] *n*: **to give sb his ~**
orders (*fig*) dare il benservito a qn.
march-past ['maːtʃpaːst] *n* sfilata.
mare [mɛə*] *n* giumenta.
marg. [maːdʒ] *n abbr* (*col*) = **margarine**.
margarine [maːdʒə'riːn] *n* margarina.
margin ['maːdʒɪn] *n* margine *m*.
marginal ['maːdʒɪnl] *adj* marginale; **~ seat**
(*POL*) *seggio elettorale ottenuto con una*
stretta maggioranza.
marginally ['maːdʒɪnəlɪ] *adv* (*bigger, better*)
lievemente, di poco; (*different*) un po'.
marigold ['mærɪgəuld] *n* calendola.
marijuana [mærɪ'waːnə] *n* marijuana.
marina [mə'riːnə] *n* marina.
marinade *n* [mærɪ'neɪd] marinata ♦ *vt*
['mærɪneɪd] = **marinate**.
marinate ['mærɪneɪt] *vt* marinare.
marine [mə'riːn] *adj* (*animal, plant*)
marino(a); (*forces, engineering*)
marittimo(a) ♦ *n* fante *m* di marina; (*US*)
marine *m inv*.
marine insurance *n* assicurazione *f*
marittima.
marital ['mærɪtl] *adj* maritale, coniugale; **~**
status stato coniugale.
maritime ['mærɪtaɪm] *adj* marittimo(a).
maritime law *n* diritto marittimo.
marjoram ['maːdʒərəm] *n* maggiorana.
mark [maːk] *n* segno; (*stain*) macchia; (*of*
skid etc) traccia; (*BRIT SCOL*) voto; (*SPORT*)
bersaglio; (*currency*) marco; (*BRIT TECH*):
M~ 2/3 1a/2a serie *f* ♦ *vt* segnare; (*stain*)
macchiare; (*BRIT SCOL*) dare un voto a;
correggere; (*SPORT: player*) marcare;
punctuation ~s segni di punteggiatura;
to be quick off the ~ (in doing) (*fig*) non
perdere tempo (per fare); **up to the ~** (*in*
efficiency) all'altezza; **to ~ time** segnare il
passo.
▶**mark down** *vt* (*reduce: prices, goods*)
ribassare, ridurre.
▶**mark off** *vt* (*tick off*) spuntare, cancellare.
▶**mark out** *vt* delimitare.
▶**mark up** *vt* (*price*) aumentare.
marked ['maːkt] *adj* spiccato(a), chiaro(a).
markedly ['maːkɪdlɪ] *adv* visibilmente,
notevolmente.
marker ['maːkə*] *n* (*sign*) segno; (*bookmark*)
segnalibro.

market ['mɑːkɪt] n mercato ♦ vt (COMM) mettere in vendita; (promote) lanciare sul mercato; **to play the ~** giocare or speculare in borsa; **to be on the ~** essere (messo) in vendita or in commercio; **open ~** mercato libero.

marketable ['mɑːkɪtəbl] adj commercializzabile.

market analysis n analisi f di mercato.

market day n giorno di mercato.

market demand n domanda del mercato.

market economy n economia di mercato.

market forces npl forze fpl di mercato.

market garden n (BRIT) orto industriale.

marketing ['mɑːkɪtɪŋ] n marketing m.

marketplace ['mɑːkɪtpleɪs] n (piazza del) mercato; (world of trade) piazza, mercato.

market price n prezzo di mercato.

market research n indagine f or ricerca di mercato.

market value n valore m di mercato.

marking ['mɑːkɪŋ] n (on animal) marcatura di colore; (on road) segnaletica orizzontale.

marksman ['mɑːksmən] n tiratore m scelto.

marksmanship ['mɑːksmənʃɪp] n abilità nel tiro.

mark-up ['mɑːkʌp] n (COMM: margin) margine m di vendita; (: increase) aumento.

marmalade ['mɑːməleɪd] n marmellata d'arance.

maroon [mə'ruːn] vt (fig): **to be ~ed (in or at)** essere abbandonato(a) (in) ♦ adj bordeaux inv.

marquee [mɑː'kiː] n padiglione m.

marquess, marquis ['mɑːkwɪs] n marchese m.

Marrakech, Marrakesh [mærə'keʃ] n Marrakesh f.

marriage ['mærɪdʒ] n matrimonio.

marriage bureau n agenzia matrimoniale.

marriage certificate n certificato di matrimonio.

marriage guidance, (US) marriage counseling n consulenza matrimoniale.

marriage of convenience n matrimonio di convenienza.

married ['mærɪd] adj sposato(a); (life, love) coniugale, matrimoniale.

marrow ['mærəu] n midollo; (vegetable) zucca.

marry ['mærɪ] vt sposare, sposarsi con; (subj: father, priest etc) dare in matrimonio ♦ vi (also: **get married**) sposarsi.

Mars [mɑːz] n (planet) Marte m.

Marseilles [mɑː'seɪlz] n Marsiglia.

marsh [mɑːʃ] n palude f.

marshal ['mɑːʃl] n maresciallo; (US: fire ~) capo; (: police ~) capitano; (for demonstration, meeting) membro del servizio d'ordine ♦ vt adunare.

marshalling yard ['mɑːʃlɪŋ-] n scalo smistamento.

marshmallow [mɑːʃ'mæləu] n (BOT) altea; (sweet) caramella soffice e gommosa.

marshy ['mɑːʃɪ] adj paludoso(a).

marsupial [mɑː'suːpɪəl] adj, n marsupiale (m).

martial ['mɑːʃl] adj marziale.

martial arts npl arti fpl marziali.

martial law n legge f marziale.

Martian ['mɑːʃən] n marziano/a.

martin ['mɑːtɪn] n (also: **house ~**) balestruccio.

martyr ['mɑːtə*] n martire m/f ♦ vt martirizzare.

martyrdom ['mɑːtədəm] n martirio.

marvel ['mɑːvl] n meraviglia ♦ vi: **to ~ (at)** meravigliarsi (di).

marvellous, (US) marvelous ['mɑːvələs] adj meraviglioso(a).

Marxism ['mɑːksɪzəm] n marxismo.

Marxist ['mɑːksɪst] adj, n marxista (m/f).

marzipan ['mɑːzɪpæn] n marzapane m.

mascara [mæs'kɑːrə] n mascara m inv.

mascot ['mæskət] n mascotte f inv.

masculine ['mæskjulɪn] adj maschile ♦ n genere m maschile.

masculinity [mæskju'lɪnɪtɪ] n mascolinità.

MASH [mæʃ] n abbr (US MIL: = mobile army surgical hospital) ospedale di campo di unità mobile dell'esercito.

mash [mæʃ] vt (CULIN) passare, schiacciare.

mashed [mæʃt] adj: **~ potatoes** purè m di patate.

mask [mɑːsk] n (gen, ELEC) maschera ♦ vt mascherare.

masochism ['mæsəkɪzəm] n masochismo.

masochist ['mæsəkɪst] n masochista m/f.

mason ['meɪsn] n (also: **stone~**) scalpellino; (also: **free~**) massone m.

masonic [mə'sɔnɪk] adj massonico(a).

masonry ['meɪsnrɪ] n muratura.

masquerade [mæskə'reɪd] n ballo in maschera; (fig) mascherata ♦ vi: **to ~ as** farsi passare per.

mass [mæs] n moltitudine f, massa; (PHYSICS) massa; (REL) messa ♦ vi ammassarsi; **the ~es** le masse; **to go to ~** andare a or alla messa.

Mass. abbr (US) = Massachusetts.

massacre ['mæsəkə*] n massacro ♦ vt massacrare.

massage ['mæsɑːʒ] n massaggio ♦ vt

massaggiare.
masseur [mæˈsəː*] n massaggiatore m.
masseuse [mæˈsəːz] n massaggiatrice f.
massive [ˈmæsɪv] adj enorme,
massiccio(a).
mass market n mercato di massa.
mass media npl mass media mpl.
mass meeting n (of everyone concerned)
riunione f generale; (huge) adunata
popolare.
mass-produce [ˈmæsprəˈdjuːs] vt produrre
in serie.
mass production n produzione f in serie.
mast [mɑːst] n albero; (RADIO, TV) pilone m
(a traliccio).
mastectomy [mæsˈtɛktəmɪ] n
mastectomia.
master [ˈmɑːstə*] n padrone m; (ART etc,
teacher: in primary school) maestro; (: in
secondary school) professore m; (title for
boys): **M~ X** Signorino X ♦ vt domare;
(learn) imparare a fondo; (understand)
conoscere a fondo; **~ of ceremonies (MC)**
n maestro di cerimonie.

> *Il* **Master's degree** *è il riconoscimento che
> viene conferito a chi segue un corso di
> specializzazione dopo aver conseguito un*
> **Bachelor's degree.** *Vi sono diversi tipi di
> Master's Degree; i più comuni sono il
> Master of Arts (MA) e il Master of Science
> (MSc) che si ottengono dopo aver seguito un
> corso e aver presentato una tesi originale.
> Per il Master of Letters (MLitt) e il Master
> of Philosophy (MPhil) è invece sufficiente
> presentare la tesi; vedi anche* **doctorate.**

master disk n (COMPUT) disco m master
inv, disco principale.
masterful [ˈmɑːstəful] adj autoritario(a),
imperioso(a).
master key n chiave f maestra.
masterly [ˈmɑːstəlɪ] adj magistrale.
mastermind [ˈmɑːstəmaɪnd] n mente f
superiore ♦ vt essere il cervello di.
masterpiece [ˈmɑːstəpiːs] n capolavoro.
master plan n piano generale.
master stroke n colpo maestro.
mastery [ˈmɑːstərɪ] n dominio; padronanza.
mastiff [ˈmæstɪf] n mastino inglese.
masturbate [ˈmæstəbeɪt] vi masturbare.
masturbation [mæstəˈbeɪʃən] n
masturbazione f.
mat [mæt] n stuoia; (also: door~) stoino,
zerbino ♦ adj = **matt.**
match [mætʃ] n fiammifero; (game) partita,
incontro; (fig) uguale m/f; matrimonio;
partito ♦ vt intonare; (go well with) andare

benissimo con; (equal) uguagliare ♦ vi
intonarsi; **to be a good ~** andare bene.
▶**match up** vt intonare.
matchbox [ˈmætʃbɒks] n scatola per
fiammiferi.
matching [ˈmætʃɪŋ] adj ben assortito(a).
matchless [ˈmætʃlɪs] adj senza pari.
mate [meɪt] n compagno/a di lavoro; (col:
friend) amico/a; (animal) compagno/a; (in
merchant navy) secondo ♦ vi accoppiarsi
♦ vt accoppiare.
material [məˈtɪərɪəl] n (substance)
materiale m, materia; (cloth) stoffa ♦ adj
materiale; (important) essenziale; **~s** npl
(equipment etc) materiali mpl; occorrente
m.
materialistic [mətɪərɪəˈlɪstɪk] adj
materialistico(a).
materialize [məˈtɪərɪəlaɪz] vi
materializzarsi, realizzarsi.
materially [məˈtɪərɪəlɪ] adv dal punto di
vista materiale; sostanzialmente.
maternal [məˈtəːnl] adj materno(a).
maternity [məˈtəːnɪtɪ] n maternità ♦ cpd di
maternità; (clothes) pre-maman inv.
maternity benefit n sussidio di
maternità.
maternity hospital n ≈ clinica ostetrica.
matey [ˈmeɪtɪ] adj (BRIT col) amicone(a).
math. [mæθ] n abbr (US) = **mathematics.**
mathematical [mæθəˈmætɪkl] adj
matematico(a).
mathematician [mæθəməˈtɪʃən] n
matematico/a.
mathematics [mæθəˈmætɪks] n
matematica.
maths [mæθs] n abbr (BRIT) = **mathematics.**
matinée [ˈmætɪneɪ] n matinée f inv.
mating [ˈmeɪtɪŋ] n accoppiamento.
mating call n chiamata all'accoppiamento.
mating season n stagione f degli amori.
matriarchal [meɪtrɪˈɑːkl] adj matriarcale.
matrices [ˈmeɪtrɪsiːz] npl of **matrix.**
matriculation [mətrɪkjuˈleɪʃən] n
immatricolazione f.
matrimonial [mætrɪˈməunɪəl] adj
matrimoniale, coniugale.
matrimony [ˈmætrɪmənɪ] n matrimonio.
matrix, pl **matrices** [ˈmeɪtrɪks, ˈmeɪtrɪsiːz] n
matrice f.
matron [ˈmeɪtrən] n (in hospital)
capoinfermiera; (in school) infermiera.
matronly [ˈmeɪtrənlɪ] adj da matrona.
matt [mæt] adj opaco(a).
matted [ˈmætɪd] adj ingarbugliato(a).
matter [ˈmætə*] n questione f; (PHYSICS)
materia, sostanza; (content) contenuto;
(MED: pus) pus m ♦ vi importare; **it doesn't**

~ non importa; (*I don't mind*) non fa niente; **what's the** ~**?** che cosa c'è?; **no** ~ **what** qualsiasi cosa accada; **that's another** ~ quello è un altro affare; **as a** ~ **of course** come cosa naturale; **as a** ~ **of fact** in verità; **it's a** ~ **of habit** è una questione di abitudine; **printed** ~ stampe *fpl*; **reading** ~ (*BRIT*) qualcosa da leggere.

matter-of-fact [mætərəv'fækt] *adj* prosaico(a).

matting ['mætɪŋ] *n* stuoia.

mattress ['mætrɪs] *n* materasso.

mature [mə'tjuə*] *adj* maturo(a); (*cheese*) stagionato(a) ♦ *vi* maturare; stagionare; (*COMM*) scadere.

mature student *n studente universitario che ha più di 25 anni.*

maturity [mə'tjuərɪtɪ] *n* maturità.

maudlin ['mɔːdlɪn] *adj* lacrimoso(a).

maul [mɔːl] *vt* lacerare.

Mauritania [mɔrɪ'teɪnɪə] *n* Mauritania.

Mauritius [mə'rɪʃəs] *n* Maurizio.

mausoleum [mɔːsə'lɪəm] *n* mausoleo.

mauve [məuv] *adj* malva *inv*.

maverick ['mævərɪk] *n* (*fig*) chi sta fuori del branco.

mawkish ['mɔːkɪʃ] *adj* sdolcinato(a); insipido(a).

max. *abbr* = **maximum**.

maxim ['mæksɪm] *n* massima.

maxima ['mæksɪmə] *npl of* **maximum**.

maximize ['mæksɪmaɪz] *vt* (*profits etc*) massimizzare; (*chances*) aumentare al massimo.

maximum ['mæksɪməm] *adj* massimo(a) ♦ *n* (*pl* **maxima**) massimo.

May [meɪ] *n* maggio; *for phrases see also* **July**.

may [meɪ] *vi* (*conditional*: **might**) (*indicating possibility*): **he** ~ **come** può darsi che venga; (*be allowed to*): ~ **I smoke?** posso fumare?; ~ **I sit here?** le dispiace se mi siedo qua?; (*wishes*): ~ **God bless you!** Dio la benedica!; **he might be there** può darsi che ci sia; **he might come** potrebbe venire, può anche darsi che venga; **I might as well go** potrei anche andarmene; **you might like to try** forse le piacerebbe provare.

maybe ['meɪbiː] *adv* forse, può darsi; ~ **he'll** ... può darsi che lui ... +*sub*, forse lui ...; ~ **not** forse no, può darsi di no.

mayday ['meɪdeɪ] *n* S.O.S. *m*, mayday *m inv*.

May Day *n* il primo maggio.

mayhem ['meɪhɛm] *n* cagnara.

mayonnaise [meɪə'neɪz] *n* maionese *f*.

mayor [mɛə*] *n* sindaco.

mayoress ['mɛərɛs] *n* sindaco (*donna*); moglie *f* del sindaco.

maypole ['meɪpəul] *n palo ornato di fiori attorno a cui si danza durante la festa di maggio.*

maze [meɪz] *n* labirinto, dedalo.

MB *abbr* (*COMPUT*) = megabyte; (*Canada*) = Manitoba.

MBA *n abbr* (= *Master of Business Administration*) *titolo di studio.*

MBBS, MBChB *n abbr* (*BRIT*: = *Bachelor of Medicine and Surgery*) *titolo di studio.*

MBE *n abbr* (*BRIT*: = *Member of the Order of the British Empire*) *titolo.*

MC *n abbr see* **master of ceremonies**; (*US*: = *Member of Congress*) *membro del Congresso.*

MCAT *n abbr* (*US*: = *Medical College Admissions Test*) *esame di ammissione a studi superiori di medicina.*

MCP *n abbr* (*BRIT col*: = *male chauvinist pig*) *sporco maschilista m.*

MD *n abbr* (= *Doctor of Medicine*) *titolo di studio;* (*COMM*) *see* **managing director** ♦ *abbr* (*US*) = Maryland.

Md. *abbr* (*US*) = Maryland.

MDT *abbr* (*US*: = *Mountain Daylight Time*) *ora legale delle Montagne Rocciose.*

ME *abbr* (*US*) = Maine ♦ *n abbr* (*MED*: = *myalgic encephalomyelitis*) *sindrome f da affaticamento cronico;* (*US*) *see* **medical examiner**.

me [miː] *pron* mi, m' + *vowel*; (*stressed, after prep*) me; **it's** ~ sono io; **it's for** ~ è per me.

meadow ['mɛdəu] *n* prato.

meagre, (*US*) **meager** ['miːgə*] *adj* magro(a).

meal [miːl] *n* pasto; (*flour*) farina; **to go out for a** ~ mangiare fuori.

meals on wheels *n* (*BRIT*) distribuzione *f* di pasti caldi a domicilio (*per persone malate o anziane*).

mealtime ['miːltaɪm] *n* l'ora di mangiare.

mealy-mouthed ['miːlɪmauðd] *adj* che parla attraverso eufemismi.

mean [miːn] *adj* (*with money*) avaro(a), gretto(a); (*unkind*) meschino(a), maligno(a); (*US*: *vicious*: *animal*) cattivo(a); (: *person*) perfido(a); (*average*) medio(a) ♦ *vt* (*pt*, *pp* **meant** [mɛnt]) (*signify*) significare, voler dire; (*intend*): **to** ~ **to do** aver l'intenzione di fare ♦ *n* mezzo; (*MATH*) media; **to be meant for** essere destinato(a) a; **do you** ~ **it?** dice sul serio?; **what do you** ~**?** che cosa vuol dire?; *see also* **means**.

meander [mɪ'ændə*] *vi* far meandri; (*fig*) divagare.

meaning ['miːnɪŋ] *n* significato, senso.

meaningful ['miːnɪŋful] adj significativo(a); (relationship) valido(a).

meaningless ['miːnɪŋlɪs] adj senza senso.

meanness ['miːnnɪs] n avarizia; meschinità.

means [miːnz] npl mezzi mpl; **by ~ of** per mezzo di; (person) a mezzo di; **by all ~** ma certo, prego.

means test n (ADMIN) accertamento dei redditi (per una persona che ha chiesto un aiuto finanziario).

meant [mɛnt] pt, pp of **mean**.

meantime ['miːntaɪm], **meanwhile** ['miːnwaɪl] adv (also: **in the ~**) nel frattempo.

measles ['miːzlz] n morbillo.

measly ['miːzlɪ] adj (col) miserabile.

measurable ['mɛʒərəbl] adj misurabile.

measure ['mɛʒə*] vt, vi misurare ♦ n misura; (ruler) metro; **a litre ~** una misura da un litro; **some ~ of success** un certo successo; **to take ~s to do sth** prendere provvedimenti per fare qc.
►**measure up** vi: **to ~ up (to)** dimostrarsi or essere all'altezza (di).

measured ['mɛʒəd] adj misurato(a).

measurement ['mɛʒəmənt] n (act) misurazione f; (measure) misura; **chest/hip ~** giro petto/fianchi; **to take sb's ~s** prendere le misure di qn.

meat [miːt] n carne f; **cold ~s** (BRIT) affettati mpl; **crab ~** polpa di granchio.

meatball ['miːtbɔːl] n polpetta di carne.

meat pie n torta salata in pasta frolla con ripieno di carne.

meaty ['miːtɪ] adj che sa di carne; (fig) sostanzioso(a); (of person) corpulento(a); (of part of body) carnoso(a); **~ meal** pasto a base di carne.

Mecca ['mɛkə] n La Mecca; (fig): **a ~ (for)** la Mecca (di).

mechanic [mɪ'kænɪk] n meccanico; see also **mechanics**.

mechanical [mɪ'kænɪkəl] adj meccanico(a).

mechanical engineering n (science) ingegneria meccanica; (industry) costruzioni fpl meccaniche.

mechanics [mə'kænɪks] n meccanica ♦ npl meccanismo.

mechanism ['mɛkənɪzəm] n meccanismo.

mechanization [mɛkənaɪ'zeɪʃən] n meccanizzazione f.

MEd n abbr (= Master of Education) titolo di studio.

medal ['mɛdl] n medaglia.

medallion [mɪ'dælɪən] n medaglione m.

medallist, (US) **medalist** ['mɛdəlɪst] n (SPORT) vincitore/trice di medaglia.

meddle ['mɛdl] vi: **to ~ in** immischiarsi in, mettere le mani in; **to ~ with** toccare.

meddlesome ['mɛdlsəm], **meddling** ['mɛdlɪŋ] adj (interfering) che mette il naso dappertutto; (touching things) che tocca tutto.

media ['miːdɪə] npl (PRESS, RADIO, TV) media mpl; (means) pl of **medium**.

media circus n carrozzone m dell'informazione.

mediaeval [mɛdɪ'iːvl] adj = **medieval**.

median ['miːdɪən] n (US: also: **~ strip**) banchina f spartitraffico inv.

media research n sondaggio tra gli utenti dei mass media.

mediate ['miːdɪeɪt] vi interporsi; fare da mediatore/trice.

mediation [miːdɪ'eɪʃən] n mediazione f.

mediator ['miːdɪeɪtə*] n mediatore/trice.

Medicaid ['mɛdɪkeɪd] n (US) assistenza medica ai poveri.

medical ['mɛdɪkl] adj medico(a); **~ (examination)** visita medica.

medical certificate n certificato medico.

medical examiner (ME) n (US) medico incaricato di indagare la causa di morte in circostanze sospette.

medical student n studente/essa di medicina.

Medicare ['mɛdɪkeə*] n (US) assistenza medica agli anziani.

medicated ['mɛdɪkeɪtɪd] adj medicato(a).

medication [mɛdɪ'keɪʃən] n (drugs etc) medicinali mpl, farmaci mpl.

medicinal [mɛ'dɪsɪnl] adj medicinale.

medicine ['mɛdsɪn] n medicina.

medicine chest n armadietto farmaceutico.

medicine man n stregone m.

medieval [mɛdɪ'iːvl] adj medievale.

mediocre [miːdɪ'əukə*] adj mediocre.

mediocrity [miːdɪ'ɔkrɪtɪ] n mediocrità.

meditate ['mɛdɪteɪt] vi: **to ~ (on)** meditare (su).

meditation [mɛdɪ'teɪʃən] n meditazione f.

Mediterranean [mɛdɪtə'reɪnɪən] adj mediterraneo(a); **the ~ (Sea)** il (mare) Mediterraneo.

medium ['miːdɪəm] adj medio(a) ♦ n (pl media: means) mezzo; (pl mediums: person) medium m inv; **the happy ~** una giusta via di mezzo; see also **media**.

medium-dry ['miːdɪəm'draɪ] adj demisec inv.

medium-sized ['miːdɪəmsaɪzd] adj (tin etc) di grandezza media; (clothes) di taglia media.

medium wave n (RADIO) onde fpl medie.

medley – mental

medley ['mɛdlı] n selezione f.

meek [miːk] adj dolce, umile.

meet, pt, pp **met** [miːt, mɛt] vt incontrare; (for the first time) fare la conoscenza di; (fig) affrontare; far fronte a; soddisfare; raggiungere ♦ vi incontrarsi; (in session) riunirsi; (join: objects) unirsi ♦ n (BRIT HUNTING) raduno (dei partecipanti alla caccia alla volpe); (US SPORT) raduno (sportivo); **I'll ~ you at the station** verrò a prenderla alla stazione; **pleased to ~ you!** lieto di conoscerla!, piacere!

►**meet up** vi: **to ~ up with sb** incontrare qn.

►**meet with** vt fus incontrare; **he met with an accident** ha avuto un incidente.

meeting ['miːtıŋ] n incontro; (session: of club etc) riunione f; (interview) intervista; (formal) colloquio; (SPORT: rally) raduno; **she's at a ~** (COMM) è in riunione; **to call a ~** convocare una riunione.

meeting place n luogo d'incontro.

megabyte ['mɛgəbaıt] n megabyte m inv.

megalomaniac [mɛgələu'meınıæk] n megalomane m/f.

megaphone ['mɛgəfəun] n megafono.

megawatt ['mɛgəwɔt] n megawatt m inv.

melancholy ['mɛlənkəlı] n malinconia ♦ adj malinconico(a).

mellow ['mɛləu] adj (wine, sound) ricco(a); (person, light) dolce; (colour) caldo(a); (fruit) maturo(a) ♦ vi (person) addolcirsi.

melodious [mı'ləudıəs] adj melodioso(a).

melodrama ['mɛləudrɑːmə] n melodramma m.

melodramatic [mɛlədrə'mætık] adj melodrammatico(a).

melody ['mɛlədı] n melodia.

melon ['mɛlən] n melone m.

melt [mɛlt] vi (gen) sciogliersi, struggersi; (metals) fondersi; (fig) intenerirsi ♦ vt sciogliere, struggere; fondere; (person) commuovere; **~ed butter** burro fuso.

►**melt away** vi sciogliersi completamente.

►**melt down** vt fondere.

meltdown ['mɛltdaun] n melt-down m inv.

melting point ['mɛltıŋ-] n punto di fusione.

melting pot ['mɛltıŋ-] n (fig) crogiolo; **to be in the ~** essere ancora in discussione.

member ['mɛmbə*] n membro; (of club) socio/a, iscritto/a; (of political party) iscritto/a; **~ country/state** n paese m/stato membro; **M~ of Parliament (MP)** n (BRIT) deputato; **M~ of the European Parliament (MEP)** n eurodeputato; **M~ of the House of Representatives (MHR)** n (US) membro della Camera dei Rappresentanti.

membership ['mɛmbəʃıp] n iscrizione f;

(numero d')iscritti mpl, membri mpl.

membership card n tessera (di iscrizione).

membrane ['mɛmbreın] n membrana.

memento [mə'mɛntəu] n ricordo, souvenir m inv.

memo ['mɛməu] n appunto; (COMM etc) comunicazione f di servizio.

memoir ['mɛmwɑː*] n memoria; **~s** npl memorie fpl, ricordi mpl.

memo pad n blocchetto per appunti.

memorable ['mɛmərəbl] adj memorabile.

memorandum, pl **memoranda** [mɛmə'rændəm, -də] n appunto; (COMM etc) comunicazione f di servizio; (DIPLOMACY) memorandum m inv.

memorial [mı'mɔːrıəl] n monumento commemorativo ♦ adj commemorativo(a).

Negli Stati Uniti il **Memorial Day** è una festa nazionale per la commemorazione di tutti i soldati americani caduti in guerra. Le celebrazioni sono tenute ogni anno l'ultimo lunedì di maggio.

memorize ['mɛməraız] vt imparare a memoria.

memory ['mɛmərı] n (gen, COMPUT) memoria; (recollection) ricordo; **in ~ of** in memoria di; **to have a good/bad ~** aver buona/cattiva memoria; **loss of ~** amnesia.

men [mɛn] npl of **man.**

menace ['mɛnıs] n minaccia; (col: nuisance) peste f ♦ vt minacciare; **a public ~** un pericolo pubblico.

menacing ['mɛnısıŋ] adj minaccioso(a).

menagerie [mı'nædʒərı] n serraglio.

mend [mɛnd] vt aggiustare, riparare; (darn) rammendare ♦ n rammendo; **on the ~** in via di guarigione.

mending ['mɛndıŋ] n rammendo; (items to be mended) roba da rammendare.

menial ['miːnıəl] adj da servo, domestico(a); umile.

meningitis [mɛnın'dʒaıtıs] n meningite f.

menopause ['mɛnəupɔːz] n menopausa.

menservants ['mɛnsəːvənts] npl of **manservant.**

men's room n: **the ~** (esp US) la toilette degli uomini.

menstruate ['mɛnstrueıt] vi mestruare.

menstruation [mɛnstru'eıʃən] n mestruazione f.

menswear ['mɛnzwɛə*] n abbigliamento maschile.

mental ['mɛntl] adj mentale; **~ illness**

malattia mentale.
mental hospital *n* ospedale *m*
psichiatrico.
mentality [mɛn'tælɪtɪ] *n* mentalità *f inv*.
mentally ['mɛntlɪ] *adv*: **to be** ~
handicapped essere minorato psichico.
menthol ['mɛnθɔl] *n* mentolo.
mention ['mɛnʃən] *n* menzione *f* ♦ *vt*
menzionare, far menzione di; **don't** ~ **it!**
non c'è di che!, prego!; **I need hardly** ~
that ... inutile dire che ...; **not to** ~,
without ~**ing** per non parlare di, senza
contare.
mentor ['mɛntɔ:*] *n* mentore *m*.
menu ['mɛnju:] *n* (*set* ~, *COMPUT*) menù *m*
inv; (*printed*) carta.
menu-driven ['mɛnju:drɪvn] *adj* (*COMPUT*)
guidato(a) da menù.
MEP *n abbr see* **Member of the European
Parliament**.
mercantile ['mɔːkəntaɪl] *adj* mercantile;
(*law*) commerciale.
mercenary ['mɔːsɪnərɪ] *adj* venale ♦ *n*
mercenario.
merchandise ['mɔːtʃəndaɪz] *n* merci *fpl* ♦ *vt*
commercializzare.
merchandiser ['mɔːtʃəndaɪzə*] *n*
merchandiser *m inv*.
merchant ['mɔːtʃənt] *n* (*trader*)
commerciante *m*; (*shopkeeper*) negoziante
m; **timber/wine** ~ negoziante di legno/
vino.
merchant bank *n* (*BRIT*) banca d'affari.
merchantman ['mɔːtʃəntmən] *n*
mercantile *m*.
merchant navy, (*US*) **merchant marine**
n marina mercantile.
merciful ['mɔːsɪful] *adj* pietoso(a),
clemente.
mercifully ['mɔːsɪflɪ] *adv* con clemenza;
(*fortunately*) per fortuna.
merciless ['mɔːsɪlɪs] *adj* spietato(a).
mercurial [mɔː'kjuərɪəl] *adj* (*unpredictable*)
volubile.
mercury ['mɔːkjurɪ] *n* mercurio.
mercy ['mɔːsɪ] *n* pietà; (*REL*) misericordia;
to have ~ **on sb** aver pietà di qn; **at the** ~
of alla mercè di.
mercy killing *n* eutanasia.
mere [mɪə*] *adj* semplice; **by a** ~ **chance**
per mero caso.
merely ['mɪəlɪ] *adv* semplicemente, non ...
che.
merge [mɔːdʒ] *vt* unire; (*COMPUT: files, text*)
fondere ♦ *vi* fondersi, unirsi; (*COMM*)
fondersi.
merger ['mɔːdʒə*] *n* (*COMM*) fusione *f*.
meridian [mə'rɪdɪən] *n* meridiano.

meringue [mə'ræŋ] *n* meringa.
merit ['mɛrɪt] *n* merito, valore *m* ♦ *vt*
meritare.
meritocracy [mɛrɪ'tɔkrəsɪ] *n* meritocrazia.
mermaid ['mɔːmeɪd] *n* sirena.
merriment ['mɛrɪmənt] *n* gaiezza, allegria.
merry ['mɛrɪ] *adj* gaio(a), allegro(a); **M~
Christmas!** Buon Natale!
merry-go-round ['mɛrɪgəuraund] *n*
carosello.
mesh [mɛʃ] *n* maglia; rete *f* ♦ *vi* (*gears*)
ingranarsi; **wire** ~ rete metallica.
mesmerize ['mɛzməraɪz] *vt* ipnotizzare;
affascinare.
mess [mɛs] *n* confusione *f*, disordine *m*; (*fig*)
pasticcio; (*MIL*) mensa; **to be (in) a** ~
(*house, room*) essere in disordine (*or*
molto sporco); (*fig: marriage, life*) essere
un caos; **to be/get o.s. in a** ~ (*fig*) essere/
cacciarsi in un pasticcio.
▶**mess about, mess around** *vi* (*col*)
trastullarsi.
▶**mess about** *or* **around with** *vt fus* (*col*)
gingillarsi con; (*plans*) fare un pasticcio
di.
▶**mess up** *vt* sporcare; fare un pasticcio
di; rovinare.
message ['mɛsɪdʒ] *n* messaggio; **to get the**
~ (*fig col*) capire l'antifona.
message switching *n* (*COMPUT*)
smistamento messaggi.
messenger ['mɛsɪndʒə*] *n* messaggero/a.
Messiah [mɪ'saɪə] *n* Messia *m*.
Messrs, Messrs. ['mɛsəz] *abbr* (*on letters*:
= *messieurs*) Spett.
messy ['mɛsɪ] *adj* sporco(a); disordinato(a);
(*confused: situation etc*) ingarbugliato(a).
Met [mɛt] *n abbr* (*US*) = *Metropolitan Opera*.
met [mɛt] *pt, pp of* **meet** ♦ *adj abbr*
(= *meteorological*): **the M~ Office** l'Ufficio
Meteorologico.
metabolism [mɛ'tæbəlɪzəm] *n*
metabolismo.
metal ['mɛtl] *n* metallo ♦ *vt* massicciare.
metallic
[mɛ'tælɪk] *adj* metallico(a).
metallurgy [mɛ'tælədʒɪ] *n* metallurgia.
metalwork ['mɛtlwɔːk] *n* (*craft*) lavorazione
f del metallo.
metamorphosis, *pl* **-phoses**
[mɛtə'mɔːfəsɪs, -iːz] *n* metamorfosi *f inv*.
metaphor ['mɛtəfə*] *n* metafora.
metaphysics [mɛtə'fɪzɪks] *n* metafisica.
mete [miːt]: **to** ~ **out** *vt fus* infliggere.
meteor ['miːtɪə*] *n* meteora.
meteoric [miːtɪ'ɔrɪk] *adj* (*fig*) fulmineo(a).
meteorite ['miːtɪəraɪt] *n* meteorite *m*.
meteorological [miːtɪərə'lɔdʒɪkl] *adj*

meteorologico(a).
meteorology [miːtɪə'rɔlədʒɪ] *n* meteorologia.
meter ['miːtə*] *n* (*instrument*) contatore *m*; (*parking* ~) parchimetro; (*US*) = **metre**.
methane ['miːθeɪn] *n* metano.
method ['mɛθəd] *n* metodo; ~ **of payment** modo *or* modalità *f inv* di pagamento.
methodical [mɪ'θɔdɪkl] *adj* metodico(a).
Methodist ['mɛθədɪst] *adj*, *n* metodista (*m/f*).
methylated spirits ['mɛθɪleɪtɪd-] *n* (*BRIT*: *also*: **meths**) alcool *m* denaturato.
meticulous [mɛ'tɪkjuləs] *adj* meticoloso(a).
metre, (*US*) meter ['miːtə*] *n* metro.
metric ['mɛtrɪk] *adj* metrico(a); **to go ~** adottare il sistema metrico decimale.
metrical ['mɛtrɪkl] *adj* metrico(a).
metrication [mɛtrɪ'keɪʃən] *n* conversione *f* al sistema metrico.
metric system *n* sistema *m* metrico decimale.
metric ton *n* tonnellata.
metronome ['mɛtrənəum] *n* metronomo.
metropolis [mɪ'trɔpəlɪs] *n* metropoli *f inv*.
metropolitan [mɛtrə'pɔlɪtən] *adj* metropolitano(a).
Metropolitan Police *n* (*BRIT*): **the ~** la polizia di Londra.
mettle ['mɛtl] *n* coraggio.
mew [mjuː] *vi* (*cat*) miagolare.
mews [mjuːz] *n* (*BRIT*): ~ **flat** *appartamentino ricavato da una vecchia scuderia.*
Mexican ['mɛksɪkən] *adj*, *n* messicano(a).
Mexico ['mɛksɪkəu] *n* Messico.
Mexico City *n* Città del Messico.
mezzanine ['mɛtsəniːn] *n* mezzanino.
MFA *n abbr* (*US*: = *Master of Fine Arts*) *titolo di studio.*
mfr *abbr* = **manufacture; manufacturer.**
mg *abbr* (= *milligram*) mg.
Mgr *abbr* (= *Monseigneur, Monsignor*) mons.; (*COMM*) = **manager.**
MHR *n abbr* (*US*) *see* **Member of the House of Representatives.**
MHz *abbr* (= *megahertz*) MHz.
MI *abbr* (*US*) = **Michigan.**
MI5 *n abbr* (*BRIT*: = *Military Intelligence 5*) *agenzia di controspionaggio.*
MI6 *n abbr* (*BRIT*: = *Military Intelligence 6*) *agenzia di spionaggio.*
MIA *abbr* = **missing in action.**
miaow [miː'au] *vi* miagolare.
mice [maɪs] *npl of* **mouse.**
Mich. *abbr* (*US*) = **Michigan.**
microbe ['maɪkrəub] *n* microbio.
microbiology [maɪkrəubaɪ'ɔlədʒɪ] *n* microbiologia.

microchip ['maɪkrəutʃɪp] *n* microcircuito integrato, chip *m inv*.
microcomputer [maɪkrəukəm'pjuːtə*] *n* microcomputer *m inv*.
microcosm ['maɪkrəukɔzəm] *n* microcosmo.
microeconomics [maɪkrəuiːkə'nɔmɪks] *n* microeconomia.
microfiche ['maɪkrəufiːʃ] *n* microfiche *f inv*.
microfilm ['maɪkrəufɪlm] *n* microfilm *m inv* ♦ *vt* microfilmare.
microlight ['maɪkrəulaɪt] *n* aereo *m* biposto *inv*.
micrometer [maɪ'krɔmɪtə*] *n* micrometro, palmer *m inv*.
microphone ['maɪkrəfəun] *n* microfono.
microprocessor [maɪkrəu'prəusɛsə*] *n* microprocessore *m*.
microscope ['maɪkrəskəup] *n* microscopio; **under the ~** al microscopio.
microscopic [maɪkrə'skɔpɪk] *adj* microscopico(a).
microwave ['maɪkrəuweɪv] *n* (*also*: ~ **oven**) forno a microonde.
mid [mɪd] *adj*: ~ **May** metà maggio; ~ **afternoon** metà pomeriggio; **in ~ air** a mezz'aria; **he's in his ~ thirties** avrà circa trentacinque anni.
midday [mɪd'deɪ] *n* mezzogiorno.
middle ['mɪdl] *n* mezzo; centro; (*waist*) vita ♦ *adj* di mezzo; **I'm in the ~ of reading it** sto proprio leggendolo ora; **in the ~ of the night** nel mezzo della notte.
middle age *n* mezza età.
middle-aged [mɪdl'eɪdʒd] *adj* di mezza età.
Middle Ages *npl*: **the ~** il Medioevo.
middle class *adj* (*also*: **middle-class**) ≈ borghese ♦ *n*: **the ~(es)** ≈ la borghesia.
Middle East *n*: **the ~** il Medio Oriente.
middleman ['mɪdlmæn] *n* intermediario; agente *m* rivenditore.
middle management *n* quadri *mpl* intermedi.
middle name *n* secondo nome *m*.
middle-of-the-road ['mɪdləvðə'rəud] *adj* moderato(a).
middleweight ['mɪdlweɪt] *n* (*BOXING*) peso medio.
middling ['mɪdlɪŋ] *adj* medio(a).
midge [mɪdʒ] *n* moscerino.
midget ['mɪdʒɪt] *n* nano/a.
midi system ['mɪdɪ-] *n* (*hi-fi*) compatto.
Midlands ['mɪdləndz] *npl* contee del centro dell'Inghilterra.
midnight ['mɪdnaɪt] *n* mezzanotte *f*; **at ~** a mezzanotte.
midriff ['mɪdrɪf] *n* diaframma *m*.

midst [mɪdst] *n*: **in the ~ of** in mezzo a.
midsummer [mɪd'sʌmə*] *n* mezza *or* piena estate *f.*
midway [mɪd'weɪ] *adj, adv*: **~ (between)** a mezza strada (fra).
midweek [mɪd'wi:k] *adv, adj* a metà settimana.
midwife, *pl* **midwives** ['mɪdwaɪf, -vz] *n* levatrice *f.*
midwifery ['mɪdwɪfərɪ] *n* ostetrica.
midwinter [mɪd'wɪntə*] *n* pieno inverno.
miffed [mɪft] *adj (col)* seccato(a), stizzito(a).
might [maɪt] *vb see* **may** ♦ *n* potere *m*, forza.
mighty ['maɪtɪ] *adj* forte, potente ♦ *adv (col)* molto.
migraine ['mi:greɪn] *n* emicrania.
migrant ['maɪgrənt] *n (bird, animal)* migratore *m*; *(person)* migrante *m/f*; nomade *m/f* ♦ *adj* migratore(trice); nomade; *(worker)* emigrato(a).
migrate [maɪ'greɪt] *vi* migrare.
migration [maɪ'greɪʃən] *n* migrazione *f.*
mike [maɪk] *n abbr* (= *microphone*) microfono.
Milan [mɪ'læn] *n* Milano *f.*
mild [maɪld] *adj* mite; *(person, voice)* dolce; *(flavour)* delicato(a); *(illness)* leggero(a) ♦ *n* birra leggera.
mildew ['mɪldju:] *n* muffa.
mildly ['maɪldlɪ] *adv* mitemente; dolcemente; delicatamente; leggermente; **to put it ~** a dire poco.
mildness ['maɪldnɪs] *n* mitezza; dolcezza; delicatezza; non gravità.
mile [maɪl] *n* miglio; **to do 20 ~s per gallon** ≈ usare 14 litri per cento chilometri.
mileage ['maɪlɪdʒ] *n* distanza in miglia, ≈ chilometraggio.
mileage allowance *n* rimborso per miglio.
mileometer [maɪ'lɔmɪtə*] *n (BRIT)* = **milometer.**
milestone ['maɪlstəun] *n* pietra miliare.
milieu ['mi:ljə:] *n* ambiente *m.*
militant ['mɪlɪtnt] *adj, n* militante *(m/f).*
militarism ['mɪlɪtərɪzəm] *n* militarismo.
militaristic [mɪlɪtə'rɪstɪk] *adj* militaristico(a).
military ['mɪlɪtərɪ] *adj* militare ♦ *n*: **the ~** i militari, l'esercito.
military service *n* servizio militare.
militate ['mɪlɪteɪt] *vi*: **to ~ against** essere d'ostacolo a.
militia [mɪ'lɪʃə] *n* milizia.
milk [mɪlk] *n* latte *m* ♦ *vt (cow)* mungere; *(fig)* sfruttare.
milk chocolate *n* cioccolato al latte.

milk float⁄n *(BRIT)* furgone *m* del lattaio.
milking ['mɪlkɪŋ] *n* mungitura.
milkman ['mɪlkmən] *n* lattaio.
milk shake *n* frappé *m inv.*
milk tooth *n* dente *m* di latte.
milk truck *n (US)* = **milk float.**
milky ['mɪlkɪ] *adj* lattiginoso(a); *(colour)* latteo(a).
Milky Way *n* Via Lattea.
mill [mɪl] *n* mulino; *(small: for coffee, pepper etc)* macinino; *(factory)* fabbrica; *(spinning ~)* filatura ♦ *vt* macinare ♦ *vi (also: ~ about)* formicolare.
millennium, *pl* **~s** *or* **millennia** [mɪ'lenɪəm, -'lenɪə] *n* millennio.
miller ['mɪlə*] *n* mugnaio.
millet ['mɪlɪt] *n* miglio.
milli... ['mɪlɪ] *prefix* milli....
milligram(me) ['mɪlɪgræm] *n* milligrammo.
millilitre, *(US)* **milliliter** ['mɪlɪli:tə*] *n* millilitro.
millimetre, *(US)* **millimeter** ['mɪlɪmi:tə*] *n* millimetro.
milliner ['mɪlɪnə*] *n* modista.
millinery ['mɪlɪnərɪ] *n* modisteria.
million ['mɪljən] *n* milione *m.*
millionaire [mɪljə'nɛə*] *n* milionario, ≈ miliardario.
millipede ['mɪlɪpi:d] *n* millepiedi *m inv.*
millstone ['mɪlstəun] *n* macina.
millwheel ['mɪlwi:l] *n* ruota di mulino.
milometer [maɪ'lɔmɪtə*] *n* ≈ contachilometri *m inv.*
mime [maɪm] *n* mimo ♦ *vt, vi* mimare.
mimic ['mɪmɪk] *n* imitatore/trice ♦ *vt (subj: comedian)* imitare; (: *animal, person)* scimmiottare.
mimicry ['mɪmɪkrɪ] *n* imitazioni *fpl*; *(ZOOL)* mimetismo.
Min. *abbr (BRIT POL:* = *ministry)* Min.
min. *abbr* (= *minute, minimum)* min.
minaret [mɪnə'rɛt] *n* minareto.
mince [mɪns] *vt* tritare, macinare ♦ *vi (in walking)* camminare a passettini ♦ *n (BRIT CULIN)* carne *f* tritata *or* macinata; **he does not ~ (his) words** parla chiaro e tondo.
mincemeat ['mɪnsmi:t] *n frutta secca tritata per uso in pasticceria.*
mince pie *n specie di torta con frutta secca.*
mincer ['mɪnsə*] *n* tritacarne *m inv.*
mincing ['mɪnsɪŋ] *adj* lezioso(a).
mind [maɪnd] *n* mente *f* ♦ *vt (attend to, look after)* badare a, occuparsi di; *(be careful)* fare attenzione a, stare attento(a) a; *(object to)*: **I don't ~ the noise** il rumore non mi dà alcun fastidio; **do you ~ if ...?**

le dispiace se ...?; **I don't** ~ non
m'importa; ~ **you,** ... sì, però va detto che
...; **never** ~ non importa, non fa niente; **it
is on my** ~ mi preoccupa; **to change
one's** ~ cambiare idea; **to be in two** ~**s
about sth** essere incerto su qc; **to my** ~
secondo me, a mio parere; **to be out of
one's** ~ essere uscito(a) di mente; **to
keep sth in** ~ non dimenticare qc; **to bear
sth in** ~ tener presente qc; **to have sb/sth
in** ~ avere in mente qn/qc; **to have in** ~
to do aver l'intenzione di fare; **it went
right out of my** ~ mi è completamente
passato di mente, me ne sono
completamente dimenticato; **to bring** or
call sth to ~ riportare or richiamare qc
alla mente; **to make up one's** ~ decidersi;
"~ **the step**" "attenzione allo scalino".

mind-boggling ['maɪndbɒglɪŋ] adj (col)
sconcertante.

-minded ['maɪndɪd] adj: **fair**~ imparziale;
an industrially~ **nation** una nazione
orientata verso l'industria.

minder ['maɪndə*] n (child ~) bambinaia;
(bodyguard) guardia del corpo.

mindful ['maɪndful] adj: ~ **of** attento(a) a;
memore di.

mindless ['maɪndlɪs] adj idiota; (violence,
crime) insensato(a).

mine [maɪn] pron il(la) mio(a), pl i(le)
miei(mie); **this book is** ~ questo libro è
mio ♦ n miniera; (explosive) mina ♦ vt
(coal) estrarre; (ship, beach) minare.

mine detector n rivelatore m di mine.

minefield ['maɪnfiːld] n campo minato.

miner ['maɪnə*] n minatore m.

mineral ['mɪnərəl] adj minerale ♦ n
minerale m; ~**s** npl (BRIT: soft drinks)
bevande fpl gasate.

mineralogy [mɪnə'rælədʒɪ] n mineralogia.

mineral water n acqua minerale.

minesweeper ['maɪnswiːpə*] n dragamine
m inv.

mingle ['mɪŋgl] vt mescolare, mischiare
♦ vi: **to** ~ **with** mescolarsi a, mischiarsi
con.

mingy ['mɪndʒɪ] adj (col: amount) misero(a);
(: person) spilorcio(a).

miniature ['mɪnətʃə*] adj in miniatura ♦ n
miniatura.

minibus ['mɪnɪbʌs] n minibus m inv.

minicab ['mɪnɪkæb] n (BRIT) ≈ taxi m inv.

minicomputer ['mɪnɪkəm'pjuːtə*] n
minicomputer m inv.

minim ['mɪnɪm] n (MUS) minima.

minima ['mɪnɪmə] npl of **minimum**.

minimal ['mɪnɪml] adj minimo(a).

minimalist ['mɪnɪməlɪst] adj, n minimalista

(m/f).

minimize ['mɪnɪmaɪz] vt minimizzare.

minimum ['mɪnɪməm] n (pl **minima**)
minimo ♦ adj minimo(a); **to reduce to a** ~
ridurre al minimo; ~ **wage** salario
minimo garantito.

minimum lending rate (MLR) n (BRIT)
≈ tasso ufficiale di sconto (T.U.S.).

mining ['maɪnɪŋ] n industria mineraria
♦ adj minerario(a); di minatori.

minion ['mɪnjən] n (pej) caudatario;
favorito/a.

mini-series ['mɪnɪsɪəriːz] n miniserie f inv.

miniskirt ['mɪnɪskəːt] n minigonna.

minister ['mɪnɪstə*] n (BRIT POL) ministro;
(REL) pastore m ♦ vi: **to** ~ **to sb** assistere
qn; **to** ~ **to sb's needs** provvedere ai
bisogni di qn.

ministerial [mɪnɪs'tɪərɪəl] adj (BRIT POL)
ministeriale.

ministry ['mɪnɪstrɪ] n (BRIT POL) ministero;
(REL): **to go into the** ~ diventare pastore.

mink [mɪŋk] n visone m.

mink coat n pelliccia di visone.

Minn. abbr (US) = Minnesota.

minnow ['mɪnəu] n pesciolino d'acqua
dolce.

minor ['maɪnə*] adj minore, di poca
importanza; (MUS) minore ♦ n (LAW)
minorenne m/f.

Minorca [mɪ'nɔːkə] n Minorca.

minority [maɪ'nɔrɪtɪ] n minoranza; **to be in
a** ~ essere in minoranza.

minster ['mɪnstə*] n cattedrale f (annessa a
monastero).

minstrel ['mɪnstrəl] n giullare m,
menestrello.

mint [mɪnt] n (plant) menta; (sweet)
pasticca di menta ♦ vt (coins) battere; **the
(Royal) M**~, (US) **the (US) M**~ la Zecca; **in**
~ **condition** come nuovo(a) di zecca.

mint sauce n salsa di menta.

minuet [mɪnju'et] n minuetto.

minus ['maɪnəs] n (also: ~ **sign**) segno
meno ♦ prep meno.

minuscule ['mɪnəskjuːl] adj minuscolo(a).

minute adj [maɪ'njuːt] minuscolo(a); (detail)
minuzioso(a) ♦ n ['mɪnɪt] minuto; (official
record) processo verbale, resoconto
sommario; ~**s** npl verbale m, verbali mpl;
it is 5 ~**s past 3** sono le 3 e 5 (minuti);
wait a ~! (aspetta) un momento!; **at the
last** ~ all'ultimo momento; **up to the** ~
ultimissimo; modernissimo; **in** ~ **detail**
minuziosamente.

minute book n libro dei verbali.

minute hand n lancetta dei minuti.

minutely [maɪ'njuːtlɪ] adv (by a small

amount) di poco; *(in detail)* minuziosamente.

minutiae [mɪˈnjuːʃiː] *npl* minuzie *fpl*.

miracle [ˈmɪrəkl] *n* miracolo.

miraculous [mɪˈrækjuləs] *adj* miracoloso(a).

mirage [ˈmɪrɑːʒ] *n* miraggio.

mire [ˈmaɪə*] *n* pantano, melma.

mirror [ˈmɪrə*] *n* specchio ♦ *vt* rispecchiare, riflettere.

mirror image *n* immagine *f* speculare.

mirth [mɜːθ] *n* gaiezza.

misadventure [mɪsədˈvɛntʃə*] *n* disavventura; **death by** ~ (*BRIT*) morte *f* accidentale.

misanthropist [mɪˈzænθrəpɪst] *n* misantropo/a.

misapply [mɪsəˈplaɪ] *vt* impiegare male.

misapprehension [ˈmɪsæprɪˈhɛnʃən] *n* malinteso.

misappropriate [mɪsəˈprəuprɪeɪt] *vt* appropriarsi indebitamente di.

misappropriation [ˈmɪsəprəuprɪˈeɪʃən] *n* appropriazione *f* indebita.

misbehave [mɪsbɪˈheɪv] *vi* comportarsi male.

misbehaviour, (*US*) **misbehavior** [mɪsbɪˈheɪvjə*] *n* comportamento scorretto.

misc. *abbr* = **miscellaneous**.

miscalculate [mɪsˈkælkjuleɪt] *vt* calcolare male.

miscalculation [ˈmɪskælkjuˈleɪʃən] *n* errore *m* di calcolo.

miscarriage [ˈmɪskærɪdʒ] *n* (*MED*) aborto spontaneo; ~ **of justice** errore *m* giudiziario.

miscarry [mɪsˈkærɪ] *vi* (*MED*) abortire; (*fail: plans*) andare a monte, fallire.

miscellaneous [mɪsɪˈleɪnɪəs] *adj* (*items*) vario(a); (*selection*) misto(a); ~ **expenses** spese varie.

miscellany [mɪˈsɛlənɪ] *n* raccolta.

mischance [mɪsˈtʃɑːns] *n*: **by (some)** ~ per sfortuna.

mischief [ˈmɪstʃɪf] *n* (*naughtiness*) birichineria; (*harm*) male *m*, danno; (*maliciousness*) malizia.

mischievous [ˈmɪstʃɪvəs] *adj* (*naughty*) birichino(a); (*harmful*) dannoso(a).

misconception [mɪskənˈsɛpʃən] *n* idea sbagliata.

misconduct [mɪsˈkɔndʌkt] *n* cattiva condotta; **professional** ~ reato professionale.

misconstrue [mɪskənˈstruː] *vt* interpretare male.

miscount [mɪsˈkaunt] *vt, vi* contare male.

misdeed [mɪsˈdiːd] *n* (*old*) misfatto.

misdemeanour, (*US*) **misdemeanor** [mɪsdɪˈmiːnə*] *n* misfatto; infrazione *f*.

misdirect [mɪsdɪˈrɛkt] *vt* mal indirizzare.

miser [ˈmaɪzə*] *n* avaro.

miserable [ˈmɪzərəbl] *adj* infelice; (*wretched*) miserabile; (*weather*) deprimente; **to feel** ~ sentirsi avvilito *or* giù di morale.

miserably [ˈmɪzərəblɪ] *adv* (*fail, live, pay*) miseramente; (*smile, answer*) tristemente.

miserly [ˈmaɪzəlɪ] *adj* avaro(a).

misery [ˈmɪzərɪ] *n* (*unhappiness*) tristezza; (*pain*) sofferenza; (*wretchedness*) miseria.

misfire [mɪsˈfaɪə*] *vi* far cilecca; (*car engine*) perdere colpi.

misfit [ˈmɪsfɪt] *n* (*person*) spostato/a.

misfortune [mɪsˈfɔːtʃən] *n* sfortuna.

misgiving(s) [mɪsˈgɪvɪŋ(z)] *n(pl)* dubbi *mpl*, sospetti *mpl*; **to have** ~**s about sth** essere diffidente *or* avere dei dubbi per quanto riguarda qc.

misguided [mɪsˈgaɪdɪd] *adj* sbagliato(a); poco giudizioso(a).

mishandle [mɪsˈhændl] *vt* (*treat roughly*) maltrattare; (*mismanage*) trattare male.

mishap [ˈmɪshæp] *n* disgrazia.

mishear [mɪsˈhɪə*] *vt, vi irreg* capire male.

mishmash [ˈmɪʃmæʃ] *n* (*col*) minestrone *m*, guazzabuglio.

misinform [mɪsɪnˈfɔːm] *vt* informare male.

misinterpret [mɪsɪnˈtəːprɪt] *vt* interpretare male.

misinterpretation [ˈmɪsɪntəːprɪˈteɪʃən] *n* errata interpretazione *f*.

misjudge [mɪsˈdʒʌdʒ] *vt* giudicare male.

mislay [mɪsˈleɪ] *vt irreg* smarrire.

mislead [mɪsˈliːd] *vt irreg* sviare.

misleading [mɪsˈliːdɪŋ] *adj* ingannevole.

misled [mɪsˈlɛd] *pt, pp of* **mislead**.

mismanage [mɪsˈmænɪdʒ] *vt* gestire male; trattare male.

mismanagement [mɪsˈmænɪdʒmənt] *n* cattiva amministrazione *f*.

misnomer [mɪsˈnəumə*] *n* termine *m* sbagliato *or* improprio.

misogynist [mɪˈsɔdʒɪnɪst] *n* misogino.

misplace [mɪsˈpleɪs] *vt* smarrire; collocare fuori posto; **to be** ~**d** (*trust etc*) essere malriposto(a).

misprint [ˈmɪsprɪnt] *n* errore *m* di stampa.

mispronounce [mɪsprəˈnauns] *vt* pronunziare male.

misquote [mɪsˈkwəut] *vt* citare erroneamente.

misread [mɪsˈriːd] *vt irreg* leggere male.

misrepresent [mɪsrɛprɪˈzɛnt] *vt* travisare.

Miss – mk

Miss [mɪs] n Signorina; **Dear ~ Smith** Cara Signorina; (*more formal*) Gentile Signorina.

miss [mɪs] vt (*fail to get*) perdere; (*appointment, class*) mancare a; (*escape, avoid*) evitare; (*notice loss of: money etc*) accorgersi di non avere più; (*regret the absence of*): **I ~ him/it** sento la sua mancanza, lui/esso mi manca ♦ vi mancare ♦ n (*shot*) colpo mancato; (*fig*): **that was a near ~** c'è mancato poco; **the bus just ~ed the wall** l'autobus per un pelo non è andato a finire contro il muro; **you're ~ing the point** non capisce.

▶**miss out** vt (*BRIT*) omettere.

▶**miss out on** vt fus (*fun, party*) perdersi; (*chance, bargain*) lasciarsi sfuggire.

Miss. abbr (*US*) = Mississippi.

missal ['mɪsl] n messale m.

misshapen [mɪs'ʃeɪpən] adj deforme.

missile ['mɪsaɪl] n (*AVIAT*) missile m; (*object thrown*) proiettile m.

missile base n base f missilistica.

missile launcher n lancia-missili m inv.

missing ['mɪsɪŋ] adj perso(a), smarrito(a); **to go ~** sparire; **~ person** scomparso/a, disperso/a; **~ in action** (*MIL*) disperso/a.

mission ['mɪʃən] n missione f; **on a ~ to sb** in missione da qn.

missionary ['mɪʃənrɪ] n missionario/a.

misspell [mɪs'spɛl] vt (*irreg: like* spell) sbagliare l'ortografia di.

misspent [mɪs'spɛnt] adj: **his ~ youth** la sua gioventù sciupata.

mist [mɪst] n nebbia, foschia ♦ vi (*also: ~ over, ~ up*) annebbiarsi; (*BRIT: windows*) appannarsi.

mistake [mɪs'teɪk] n sbaglio, errore m ♦ vt (*irreg: like* take) sbagliarsi di; fraintendere; **to ~ for** prendere per; **by ~** per sbaglio; **to make a ~** (*in writing, calculating etc*) fare uno sbaglio or un errore; **to make a ~ about sb/sth** sbagliarsi sul conto di qn/su qc.

mistaken [mɪs'teɪkən] pp of **mistake** ♦ adj (*idea etc*) sbagliato(a); **to be ~** sbagliarsi.

mistaken identity n errore m di persona.

mistakenly [mɪs'teɪkənlɪ] adv per errore.

mister ['mɪstə*] n (*col*) signore m; see **Mr.**

mistletoe ['mɪsltəu] n vischio.

mistook [mɪs'tuk] pt of **mistake**.

mistranslation [mɪstræns'leɪʃən] n traduzione f errata.

mistreat [mɪs'triːt] vt maltrattare.

mistress ['mɪstrɪs] n padrona; (*lover*) amante f; (*BRIT SCOL*) insegnante f.

mistrust [mɪs'trʌst] vt diffidare di ♦ n: **~ (of)** diffidenza (nei confronti di).

mistrustful [mɪs'trʌstful] adj: **~ (of)** diffidente (nei confronti di).

misty ['mɪstɪ] adj nebbioso(a), brumoso(a).

misty-eyed ['mɪstɪ'aɪd] adj trasognato(a).

misunderstand [mɪsʌndə'stænd] vt, vi irreg capire male, fraintendere.

misunderstanding [mɪsʌndə'stændɪŋ] n malinteso, equivoco.

misunderstood [mɪsʌndə'stud] pt, pp of **misunderstand**.

misuse n [mɪs'juːs] cattivo uso; (*of power*) abuso ♦ vt [mɪs'juːz] far cattivo uso di; abusare di.

MIT n abbr (*US*) = Massachusetts Institute of Technology.

mite [maɪt] n (*small quantity*) briciolo; (*BRIT: small child*): **poor ~!** povera creaturina!

miter ['maɪtə*] n (*US*) = **miter**.

mitigate ['mɪtɪgeɪt] vt mitigare; (*suffering*) alleviare; **mitigating circumstances** circostanze fpl attenuanti.

mitigation [mɪtɪ'geɪʃən] n mitigazione f; alleviamento.

mitre, (US) miter ['maɪtə*] n mitra; (*CARPENTRY*) giunto ad angolo retto.

mitt(en) ['mɪt(n)] n mezzo guanto; manopola.

mix [mɪks] vt mescolare ♦ vi mescolarsi ♦ n mescolanza; preparato; **to ~ sth with sth** mischiare qc a qc; **to ~ business with pleasure** unire l'utile al dilettevole; **cake ~** preparato per torta.

▶**mix in** vt (*eggs etc*) incorporare.

▶**mix up** vt mescolare; (*confuse*) confondere; **to be ~ed up in sth** essere coinvolto in qc.

mixed [mɪkst] adj misto(a).

mixed-ability ['mɪkstə'bɪlɪtɪ] adj (*class etc*) con alunni di capacità diverse.

mixed bag n miscuglio, accozzaglia; **it's a ~** c'è un po' di tutto.

mixed blessing n: **it's a ~** ha i suoi lati positivi e negativi.

mixed doubles npl (*SPORT*) doppio misto.

mixed economy n economia mista.

mixed grill n (*BRIT*) misto alla griglia.

mixed marriage n matrimonio misto.

mixed-up [mɪkst'ʌp] adj (*confused*) confuso(a).

mixer ['mɪksə*] n (*for food: electric*) frullatore m; (: *hand*) frullino; (*person*): **he is a good ~** è molto socievole.

mixer tap n miscelatore m.

mixture ['mɪkstʃə*] n mescolanza; (*blend: of tobacco etc*) miscela; (*MED*) sciroppo.

mix-up ['mɪksʌp] n confusione f.

MK abbr (*BRIT TECH*) = **mark**.

mk abbr = **mark** (*currency*).

mkt *abbr* = **market**.
MLitt *n abbr* (= *Master of Literature, Master of Letters*) *titolo di studio*.
MLR *n abbr* (*BRIT*) *see* **minimum lending rate**.
mm *abbr* (= *millimetre*) mm.
MN *abbr* (*BRIT*) = **Merchant Navy**; (*US*) = *Minnesota*.
MO *n abbr* = *medical officer*; (*US col*: = *modus operandi*) modo d'agire ♦ *abbr* (*US*) = *Missouri*.
m.o. *abbr* = **money order**.
moan [məun] *n* gemito ♦ *vi* gemere; (*col: complain*): **to ~ (about)** lamentarsi (di).
moaner ['məunə*] *n* (*col*) uno/a che si lamenta sempre.
moaning ['məunɪŋ] *n* gemiti *mpl*.
moat [məut] *n* fossato.
mob [mɔb] *n* folla; (*disorderly*) calca; (*pej*): **the ~** la plebaglia ♦ *vt* accalcarsi intorno a.
mobile ['məubaɪl] *adj* mobile ♦ *n* (*ART*) mobile *m inv*; **applicants must be ~** (*BRIT*) i candidati devono essere disposti a viaggiare.
mobile home *n* grande roulotte *f inv* (*utilizzata come domicilio*).
mobile phone *n* telefonino.
mobile shop *n* (*BRIT*) negozio ambulante.
mobility [məu'bɪlɪtɪ] *n* mobilità; (*of applicant*) disponibilità a viaggiare.
mobilize ['məubɪlaɪz] *vt* mobilitare ♦ *vi* mobilitarsi.
moccasin ['mɔkəsɪn] *n* mocassino.
mock [mɔk] *vt* deridere, burlarsi di ♦ *adj* falso(a).
mockery ['mɔkərɪ] *n* derisione *f*; **to make a ~ of** rendere ridicolo.
mocking ['mɔkɪŋ] *adj* derisorio(a).
mockingbird ['mɔkɪŋbə:d] *n* mimo (*uccello*).
mock-up ['mɔkʌp] *n* modello dimostrativo; abbozzo.
MOD *n abbr* (*BRIT*) = **Ministry of Defence**; *see* **defence**.
mod cons ['mɔd'kɔnz] *npl abbr* (*BRIT*) = **modern conveniences**.
mode [məud] *n* modo; (*of transport*) mezzo; (*COMPUT*) modalità *f inv*.
model ['mɔdl] *n* modello; (*person: for fashion*) indossatore/trice; (*: for artist*) modello/a ♦ *vt* modellare ♦ *vi* fare l'indossatore (*or* l'indossatrice) ♦ *adj* (*small-scale: railway etc*) in miniatura; (*child, factory*) modello *inv*; **to ~ clothes** presentare degli abiti; **to ~ sb/sth on** modellare qn/qc su.
modem ['məudɛm] *n* modem *m inv*.
moderate ['mɔdərɪt] *adj* moderato(a) ♦ *n*

(*POL*) moderato/a ♦ *vb* ['mɔdəreɪt] *vi* moderarsi, placarsi ♦ *vt* moderare.
moderately ['mɔdərɪtlɪ] *adv* (*act*) con moderazione; (*expensive, difficult*) non troppo; (*pleased, happy*) abbastanza, discretamente; **~ priced** a prezzo modico.
moderation [mɔdə'reɪʃən] *n* moderazione *f*, misura; **in ~** in quantità moderata, con moderazione.
moderator ['mɔdəreɪtə*] *n* moderatore/ trice; (*REL*) *moderatore in importanti riunioni ecclesiastiche*.
modern ['mɔdən] *adj* moderno(a); **~ conveniences** comodità *fpl* moderne; **~ languages** lingue *fpl* moderne.
modernization [mɔdənaɪ'zeɪʃən] *n* rimodernamento, modernizzazione *f*.
modernize ['mɔdənaɪz] *vt* modernizzare.
modest ['mɔdɪst] *adj* modesto(a).
modesty ['mɔdɪstɪ] *n* modestia.
modicum ['mɔdɪkəm] *n*: **a ~ of** un minimo di.
modification [mɔdɪfɪ'keɪʃən] *n* modificazione *f*; **to make ~s** fare *or* apportare delle modifiche.
modify ['mɔdɪfaɪ] *vt* modificare.
modish ['məudɪʃ] *adj* (*liter*) à la page *inv*.
Mods [mɔdz] *n abbr* (*BRIT*: = *(Honour) Moderations*) *esame all'università di Oxford*.
modular ['mɔdjulə*] *adj* (*filing, unit*) modulare.
modulate ['mɔdjuleɪt] *vt* modulare.
modulation [mɔdju'leɪʃən] *n* modulazione *f*.
module ['mɔdju:l] *n* modulo.
Mogadishu [mɔgə'dɪʃu:] *n* Mogadiscio *f*.
mogul ['məugl] *n* (*fig*) magnate *m*, pezzo grosso; (*SKI*) cunetta.
MOH *n abbr* (*BRIT*: = *Medical Officer of Health*) ≈ ufficiale *m* sanitario.
mohair ['məuhɛə*] *n* mohair *m*.
Mohammed [məu'hæmɪd] *n* Maometto.
moist [mɔɪst] *adj* umido(a).
moisten ['mɔɪsn] *vt* inumidire.
moisture ['mɔɪstʃə*] *n* umidità; (*on glass*) goccioline *fpl* di vapore.
moisturize ['mɔɪstʃəraɪz] *vt* (*skin*) idratare.
moisturizer ['mɔɪstʃəraɪzə*] *n* idratante *f*.
molar ['məulə*] *n* molare *m*.
molasses [məu'læsɪz] *n* molassa.
mold [məuld] *etc* (*US*) = **mould** *etc*.
Moldavia [mɔl'deɪvɪə], **Moldova** [mɔl'dəuvə] *n* Moldavia.
Moldavian [mɔl'deɪvɪən], **Moldovan** [mɔl'dəuvən] *adj* moldavo(a).
mole [məul] *n* (*animal*) talpa; (*spot*) neo.
molecule ['mɔlɪkju:l] *n* molecola.
molehill ['məulhɪl] *n* cumulo di terra sulla

tana di una talpa.
molest [məu'lɛst] *vt* molestare.
mollusc, *(US)* **mollusk** ['mɔləsk] *n* mollusco.
mollycoddle ['mɔlɪkɔdl] *vt* coccolare, vezzeggiare.
Molotov cocktail ['mɔlətɔf-] *n* (bottiglia) Molotov *f inv*.
molt [məult] *vi (US)* = **moult**.
molten ['məultən] *adj* fuso(a).
mom [mɔm] *n (US)* = **mum**.
moment ['məumənt] *n* momento, istante *m*; importanza; **at the** ~ al momento, in questo momento; **for the** ~ per il momento, per ora; **in a** ~ tra un momento; **"one** ~ **please"** *(TEL)* "attenda, prego".
momentarily ['məuməntərɪlɪ] *adv* per un momento; *(US: very soon)* da un momento all'altro.
momentary ['məuməntərɪ] *adj* momentaneo(a), passeggero(a).
momentous [məu'mɛntəs] *adj* di grande importanza.
momentum [məu'mɛntəm] *n* velocità acquisita, slancio; *(PHYSICS)* momento; **to gather** ~ aumentare di velocità; *(fig)* prendere *or* guadagnare terreno.
mommy ['mɔmɪ] *n (US)* mamma.
Mon. *abbr* (= *Monday*) lun.
Monaco ['mɔnəkəu] *n* Monaco *f*.
monarch ['mɔnək] *n* monarca *m*.
monarchist ['mɔnəkɪst] *n* monarchico/a.
monarchy ['mɔnəkɪ] *n* monarchia.
monastery ['mɔnəstərɪ] *n* monastero.
monastic [mə'næstɪk] *adj* monastico(a).
Monday ['mʌndɪ] *n* lunedì *m inv*; *for phrases see also* **Tuesday**.
Monegasque [mɔnə'gæsk] *adj, n* monegasco(a).
monetarist ['mʌnɪtərɪst] *n* monetarista *m/f*.
monetary ['mʌnɪtərɪ] *adj* monetario(a).
money ['mʌnɪ] *n* denaro, soldi *mpl*; **to make** ~ *(person)* fare (i) soldi; *(business)* rendere; **danger** ~ *(BRIT)* indennità di rischio; **I've got no** ~ **left** non ho più neanche una lira.
moneyed ['mʌnɪd] *adj* ricco(a).
moneylender ['mʌnɪlɛndə*] *n* prestatore *m* di denaro.
moneymaker ['mʌnɪmeɪkə*] *n (BRIT col: business)* affare *m* d'oro.
moneymaking ['mʌnɪmeɪkɪŋ] *adj* che rende (bene *or* molto), lucrativo(a).
money market *n* mercato monetario.
money order *n* vaglia *m inv*.
money-spinner ['mʌnɪspɪnə*] *n (col)* miniera d'oro *(fig)*.

money supply *n* liquidità monetaria.
Mongol ['mɔŋgəl] *n* mongolo/a; *(LING)* mongolo.
mongol ['mɔŋgəl] *adj, n (MED)* mongoloide *(m/f)*.
Mongolia [mɔŋ'gəulɪə] *n* Mongolia.
Mongolian [mɔŋ'gəulɪən] *adj* mongolico(a) ♦ *n* mongolo/a; *(LING)* mongolo.
mongoose ['mɔŋguːs] *n* mangusta.
mongrel ['mʌŋgrəl] *n (dog)* cane *m* bastardo.
monitor ['mɔnɪtə*] *n (BRIT SCOL)* capoclasse *m/f*; *(US SCOL)* chi sorveglia agli esami; *(TV, COMPUT)* monitor *m inv* ♦ *vt* controllare; *(foreign station)* ascoltare le trasmissioni di.
monk [mʌŋk] *n* monaco.
monkey ['mʌŋkɪ] *n* scimmia.
monkey business *n (col)* scherzi *mpl*.
monkey nut *n (BRIT)* nocciolina americana.
monkey wrench *n* chiave *f* a rullino.
mono ['mɔnəu] *adj* mono *inv*; *(broadcast)* in mono.
mono... ['mɔnəu] *prefix* mono....
monochrome ['mɔnəkrəum] *adj* monocromo(a).
monocle ['mɔnəkl] *n* monocolo.
monogamous [mə'nɔgəməs] *adj* monogamo(a).
monogamy [mə'nɔgəmɪ] *n* monogamia.
monogram ['mɔnəgræm] *n* monogramma *m*.
monolith ['mɔnəlɪθ] *n* monolito.
monologue ['mɔnəlɔg] *n* monologo.
monoplane ['mɔnəupleɪn] *n* monoplano.
monopolize [mə'nɔpəlaɪz] *vt* monopolizzare.
monopoly [mə'nɔpəlɪ] *n* monopolio; **Monopolies and Mergers Commission** *(BRIT)* commissione *f* antimonopoli.
monorail ['mɔnəureɪl] *n* monorotaia.
monosodium glutamate (MSG) [mɔnə'səudɪəm'gluːtəmeɪt] *n* glutammato di sodio.
monosyllabic [mɔnəsɪ'læbɪk] *adj* monosillabico(a); *(person)* che parla a monosillabi.
monosyllable ['mɔnəsɪləbl] *n* monosillabo.
monotone ['mɔnətəun] *n* pronunzia *(or* voce *f)* monotona; **to speak in a** ~ parlare con voce monotona.
monotonous [mə'nɔtənəs] *adj* monotono(a).
monotony [mə'nɔtənɪ] *n* monotonia.
monoxide [mɔ'nɔksaɪd] *n*: **carbon** ~ ossido di carbonio.
monsoon [mɔn'suːn] *n* monsone *m*.

monster ['mɔnstə*] *n* mostro.
monstrosity [mɔn'strɔsɪtɪ] *n* mostruosità *f*
inv.
monstrous ['mɔnstrəs] *adj* mostruoso(a).
Mont. *abbr* (*US*) = *Montana.*
montage [mɔn'tɑːʒ] *n* montaggio.
Mont Blanc [mɔ̃blɑ̃] *n* Monte *m* Bianco.
month [mʌnθ] *n* mese *m*; **300 dollars a** ~
300 dollari al mese; **every** ~ (*happen*)
tutti i mesi; (*pay*) mensilmente, ogni
mese.
monthly ['mʌnθlɪ] *adj* mensile ♦ *adv* al
mese; ogni mese ♦ *n* (*magazine*) rivista
mensile; **twice** ~ due volte al mese.
monument ['mɔnjumənt] *n* monumento.
monumental [mɔnju'mɛntl] *adj*
monumentale; (*fig*) colossale.
monumental mason *n* lapidario.
moo [muː] *vi* muggire, mugghiare.
mood [muːd] *n* umore *m*; **to be in a good/
bad** ~ essere di buon/cattivo umore; **to
be in the** ~ **for** essere disposto(a) a, aver
voglia di.
moody ['muːdɪ] *adj* (*variable*)
capriccioso(a), lunatico(a); (*sullen*)
imbronciato(a).
moon [muːn] *n* luna.
moonbeam ['muːnbiːm] *n* raggio di
luna.
moon landing *n* allunaggio.
moonlight ['muːnlaɪt] *n* chiaro di luna ♦ *vi*
fare del lavoro nero.
moonlighting ['muːnlaɪtɪŋ] *n* lavoro nero.
moonlit ['muːnlɪt] *adj* illuminato(a) dalla
luna; **a** ~ **night** una notte rischiarata
dalla luna.
moonshot ['muːnʃɔt] *n* lancio sulla luna.
moonstruck ['muːnstrʌk] *adj* lunatico(a).
moony ['muːnɪ] *adj* (*eyes*) sognante.
Moor [muə*] *n* moro/a.
moor [muə*] *n* brughiera ♦ *vt* (*ship*)
ormeggiare ♦ *vi* ormeggiarsi.
moorings ['muərɪŋz] *npl* (*chains*) ormeggi
mpl; (*place*) ormeggio.
Moorish ['muərɪʃ] *adj* moresco(a).
moorland ['muələnd] *n* brughiera.
moose [muːs] *n* (*pl inv*) alce *m.*
moot [muːt] *vt* sollevare ♦ *adj*: ~ **point**
punto discutibile.
mop [mɔp] *n* lavapavimenti *m inv*; (*also*: ~
of hair) zazzera ♦ *vt* lavare con lo
straccio; **to** ~ **one's brow** asciugarsi la
fronte.
►**mop up** *vt* asciugare con uno straccio.
mope [məup] *vi* fare il broncio.
►**mope about, mope around** *vi*
trascinarsi *or* aggirarsi con aria avvilita.
moped ['məupɛd] *n* (*BRIT*) ciclomotore *m.*

MOR *adj abbr* (*MUS*: = *middle-of-the-road*): ~
music musica leggera.
moral ['mɔrəl] *adj* morale ♦ *n* morale *f*; ~**s**
npl moralità.
morale [mɔ'rɑːl] *n* morale *m.*
morality [mə'rælɪtɪ] *n* moralità.
moralize ['mɔrəlaɪz] *vi*: **to** ~ (**about**) fare il
(*or* la) moralista (riguardo),
moraleggiare (riguardo).
morally ['mɔrəlɪ] *adv* moralmente.
moral victory *n* vittoria morale.
morass [mə'ræs] *n* palude *f*, pantano.
moratorium [mɔrə'tɔːrɪəm] *n* moratoria.
morbid ['mɔːbɪd] *adj* morboso(a).

=================================== *KEYWORD*

more [mɔː*] *adj* **1** (*greater in number etc*) più;
~ **people/letters than we expected** più
persone/lettere di quante ne
aspettavamo; **I have** ~ **wine/money than
you** ho più vino/soldi di te; **I have** ~ **wine
than beer** ho più vino che birra
2 (*additional*) altro(a), ancora; **do you
want (some)** ~ **tea?** vuole dell'altro tè?,
vuole ancora del tè?; **I have no** *or* **I don't
have any** ~ **money** non ho più soldi
♦ *pron* **1** (*greater amount*) più; ~ **than 10** più
di 10; **it cost** ~ **than we expected** è
costato più di quanto ci aspettassimo;
and what's ~ ... e per di più ...
2 (*further or additional amount*) ancora; **is
there any** ~? ce n'è ancora?; **there's no** ~
non ce n'è più; **a little** ~ ancora un po';
many/much ~ molti(e)/molto(a) di più
♦ *adv*: ~ **dangerous/easily (than)** più
pericoloso/facilmente (di); ~ **and** ~
sempre di più; ~ **and** ~ **difficult** sempre
più difficile; ~ **or less** più o meno; ~ **than
ever** più che mai; **once** ~ ancora (una
volta), un'altra volta; **no** ~, **not any** ~
non ... più; **I have no** ~ **money, I haven't
any** ~ **money** non ho più soldi.

moreover [mɔː'rəuvə*] *adv* inoltre, di più.
morgue [mɔːg] *n* obitorio.
MORI ['mɔːrɪ] *n abbr* (*BRIT*: = *Market &
Opinion Research Institute*) *istituto di
sondaggio.*
moribund ['mɔrɪbʌnd] *adj* moribondo(a).
morning ['mɔːnɪŋ] *n* mattina, mattino;
(*duration*) mattinata; **in the** ~ la mattina;
this ~ stamattina; **7 o'clock in the** ~ le 7
di *or* della mattina.
morning-after pill ['mɔːnɪŋ'ɑːftə-] *n* pillola
del giorno dopo.
morning sickness *n* nausee *fpl* mattutine.
Moroccan [mə'rɔkən] *adj*, *n* marocchino(a).
Morocco [mə'rɔkəu] *n* Marocco.

moron ['mɔːrɔn] n deficiente m/f.
moronic [mə'rɔnɪk] adj deficiente.
morose [mə'rəus] adj cupo(a), tetro(a).
morphine ['mɔːfiːn] n morfina.
morris dancing ['mɔrɪs-] n (BRIT) antica danza tradizionale inglese.
Morse [mɔːs] n (also: ~ code) alfabeto Morse.
morsel ['mɔːsl] n boccone m.
mortal ['mɔːtl] adj, n mortale (m).
mortality [mɔː'tælɪtɪ] n mortalità.
mortality rate n tasso di mortalità.
mortar ['mɔːtə*] n (CONSTR) malta; (dish) mortaio.
mortgage ['mɔːgɪdʒ] n ipoteca; (in house buying) mutuo ipotecario ♦ vt ipotecare; **to take out a** ~ contrarre un mutuo (or un'ipoteca).
mortgage company n (US) società f inv immobiliare.
mortgagee [mɔːgɪ'dʒiː] n creditore m ipotecario.
mortgagor ['mɔːgɪdʒə*] n debitore m ipotecario.
mortician [mɔː'tɪʃən] n (US) impresario di pompe funebri.
mortified ['mɔːtɪfaɪd] adj umiliato(a).
mortise lock ['mɔːtɪs-] n serratura incastrata.
mortuary ['mɔːtjuərɪ] n camera mortuaria; obitorio.
mosaic [məu'zeɪɪk] n mosaico.
Moscow ['mɔskəu] n Mosca.
Moslem ['mɔzləm] adj, n = Muslim.
mosque [mɔsk] n moschea.
mosquito, ~es [mɔs'kiːtəu] n zanzara.
mosquito net n zanzariera.
moss [mɔs] n muschio.
mossy ['mɔsɪ] adj muscoso(a).
most [məust] adj la maggior parte di; il più di ♦ pron la maggior parte ♦ adv più; (work, sleep etc) di più; (very) molto, estremamente; **the** ~ (also: + adjective) il(la) più; ~ **fish** la maggior parte dei pesci; ~ **of** la maggior parte di; ~ **of them** quasi tutti; **I saw** ~ ho visto più io; **at the (very)** ~ al massimo; **to make the** ~ **of** trarre il massimo vantaggio da.
mostly ['məustlɪ] adv per lo più.
MOT n abbr (BRIT: = Ministry of Transport): **the** ~ **(test)** revisione obbligatoria degli autoveicoli.
motel [məu'tɛl] n motel m inv.
moth [mɔθ] n farfalla notturna; tarma.
mothball ['mɔθbɔːl] n pallina di naftalina.
moth-eaten ['mɔθiːtn] adj tarmato(a).
mother ['mʌðə*] n madre f ♦ vt (care for) fare da madre a.

mother board n (COMPUT) scheda madre.
motherhood ['mʌðəhud] n maternità.
mother-in-law ['mʌðərɪnlɔː] n suocera.
mother-of-pearl [mʌðərəv'pəːl] n madreperla.
mother's help n bambinaia.
mother-to-be [mʌðətə'biː] n futura mamma.
mother tongue n madrelingua.
mothproof ['mɔθpruːf] adj antitarmico(a).
motif [məu'tiːf] n motivo.
motion ['məuʃən] n movimento, moto; (gesture) gesto; (at meeting) mozione f; (BRIT: also: bowel ~) evacuazione f ♦ vt, vi: **to** ~ **(to) sb to do** fare cenno a qn di fare; **to be in** ~ (vehicle) essere in moto; **to set in** ~ avviare; **to go through the ~s of doing sth** (fig) fare qc pro forma.
motionless ['məuʃənlɪs] adj immobile.
motion picture n film m inv.
motivate ['məutɪveɪt] vt (act, decision) dare origine a, motivare; (person) spingere.
motivated ['məutɪveɪtɪd] adj motivato(a).
motivation [məutɪ'veɪʃən] n motivazione f.
motive ['məutɪv] n motivo ♦ adj motore(trice); **from the best** ~s con le migliori intenzioni.
motley ['mɔtlɪ] adj eterogeneo(a), molto vario(a).
motor ['məutə*] n motore m; (BRIT col: vehicle) macchina ♦ adj motore(trice).
motorbike ['məutəbaɪk] n moto f inv.
motorboat ['məutəbəut] n motoscafo.
motorcade ['məutəkeɪd] n corteo di macchine.
motorcar ['məutəkaː] n automobile f.
motorcoach ['məutəkəutʃ] n (BRIT) pullman m inv.
motorcycle ['məutəsaɪkl] n motocicletta.
motorcyclist ['məutəsaɪklɪst] n motociclista m/f.
motoring ['məutərɪŋ] n (BRIT) turismo automobilistico ♦ adj (accident) d'auto, automobilistico(a); (offence) di guida; ~ **holiday** vacanza in macchina.
motorist ['məutərɪst] n automobilista m/f.
motorize ['məutəraɪz] vt motorizzare.
motor oil n olio lubrificante.
motor racing n (BRIT) corse fpl automobilistiche.
motor scooter n motorscooter m inv.
motor vehicle n autoveicolo.
motorway ['məutəweɪ] n (BRIT) autostrada.
mottled ['mɔtld] adj chiazzato(a), marezzato(a).
motto, ~es ['mɔtəu] n motto.
mould, (US) mold [məuld] n forma, stampo; (mildew) muffa ♦ vt formare; (fig)

foggiare.

mo(u)lder ['məuldə*] *vi* (*decay*) ammuffire.

mo(u)lding ['məuldɪŋ] *n* (*ARCHIT*) modanatura.

mo(u)ldy ['məuldɪ] *adj* ammuffito(a).

moult, (*US*) **molt** [məult] *vi* far la muta.

mound [maund] *n* rialzo, collinetta.

mount [maunt] *n* monte *m*, montagna; (*horse*) cavalcatura; (*for jewel etc*) montatura ♦ *vt* montare; (*horse*) montare a; (*exhibition*) organizzare; (*attack*) sferrare, condurre; (*picture, stamp*) sistemare ♦ *vi* salire; (*get on a horse*) montare a cavallo; (*also:* ~ **up**) aumentare.

mountain ['mauntɪn] *n* montagna ♦ *cpd* di montagna; **to make a** ~ **out of a molehill** fare di una mosca un elefante.

mountain bike *n* mountain bike *f inv*.

mountaineer [mauntɪ'nɪə*] *n* alpinista *m/f*.

mountaineering [mauntɪ'nɪərɪŋ] *n* alpinismo; **to go** ~ fare dell'alpinismo.

mountainous ['mauntɪnəs] *adj* montagnoso(a).

mountain range *n* catena montuosa.

mountain rescue team *n* ≈ squadra di soccorso alpino.

mountainside ['mauntɪnsaɪd] *n* fianco della montagna.

mounted ['mauntɪd] *adj* a cavallo.

mourn [mɔːn] *vt* piangere, lamentare ♦ *vi*: **to** ~ (**for sb**) piangere (la morte di qn).

mourner ['mɔːnə*] *n* parente *m/f* (*or* amico/a) del defunto.

mourning ['mɔːnɪŋ] *n* lutto ♦ *cpd* (*dress*) da lutto; **in** ~ in lutto.

mouse, *pl* **mice** [maus, maɪs] *n* topo; (*COMPUT*) mouse *m inv*.

mousetrap ['maustræp] *n* trappola per i topi.

moussaka [mu'sɑːkə] *n* moussaka.

mousse [muːs] *n* mousse *f inv*.

moustache [məs'tɑːʃ] *n* baffi *mpl*.

mousy ['mausɪ] *adj* (*person*) timido(a); (*hair*) né chiaro(a) né scuro(a).

mouth, ~**s** [mauθ, -ðz] *n* bocca; (*of river*) bocca, foce *f*; (*opening*) orifizio.

mouthful ['mauθful] *n* boccata.

mouth organ *n* armonica.

mouthpiece ['mauθpiːs] *n* (*MUS*) bocchino; (*TEL*) microfono; (*of breathing apparatus*) boccaglio; (*person*) portavoce *m/f*.

mouth-to-mouth ['mauθtə'mauθ] *adj*: ~ **resuscitation** respirazione *f* bocca a bocca.

mouthwash ['mauθwɔʃ] *n* collutorio.

mouth-watering ['mauθwɔːtərɪŋ] *adj* che fa venire l'acquolina in bocca.

movable ['muːvəbl] *adj* mobile.

move [muːv] *n* (*movement*) movimento; (*in game*) mossa; (: *turn to play*) turno; (*change of house*) trasloco ♦ *vt* muovere, spostare; (*emotionally*) commuovere; (*POL: resolution etc*) proporre ♦ *vi* (*gen*) muoversi, spostarsi; (*traffic*) circolare; (*also:* ~ **house**) cambiar casa, traslocare; **to** ~ **towards** andare verso; **to** ~ **sb to do sth** indurre *or* spingere qn a fare qc; **to get a** ~ **on** affrettarsi, sbrigarsi; **to be** ~**d** (*emotionally*) essere commosso(a).

▶**move about, move around** *vi* (*fidget*) agitarsi; (*travel*) viaggiare.

▶**move along** *vi* muoversi avanti.

▶**move away** *vi* allontanarsi, andarsene.

▶**move back** *vi* indietreggiare; (*return*) ritornare.

▶**move forward** *vi* avanzare ♦ *vt* avanzare, spostare in avanti; (*people*) far avanzare.

▶**move in** *vi* (*to a house*) entrare (*in una nuova casa*).

▶**move off** *vi* partire.

▶**move on** *vi* riprendere la strada ♦ *vt* (*onlookers*) far circolare.

▶**move out** *vi* (*of house*) sgombrare.

▶**move over** *vi* spostarsi.

▶**move up** *vi* avanzare.

movement ['muːvmənt] *n* (*gen*) movimento; (*gesture*) gesto; (*of stars, water, physical*) moto; ~ (**of the bowels**) (*MED*) evacuazione *f*.

mover ['muːvə*] *n* proponente *m/f*.

movie ['muːvɪ] *n* film *m inv*; **the** ~**s** il cinema.

movie camera *n* cinepresa.

moviegoer ['muːvɪɡəuə*] *n* (*US*) frequentatore/trice di cinema.

moving ['muːvɪŋ] *adj* mobile; (*causing emotion*) commovente; (*instigating*) animatore(trice).

mow, *pt* **mowed,** *pp* **mowed** *or* **mown** [məu, -n] *vt* falciare; (*grass*) tagliare.

▶**mow down** *vt* falciare.

mower ['məuə*] *n* (*also:* **lawn** ~) tagliaerba *m inv*.

mown [məun] *pp of* **mow**.

Mozambique [məuzəm'biːk] *n* Mozambico.

MP *n abbr* = *Military Police*; (*Canada*) = *Mounted Police*; (*BRIT*) *see* **Member of Parliament**.

mpg *n abbr* = *miles per gallon* (*30 mpg* = *9.4 l. per 100 km*).

mph *n abbr* = *miles per hour* (*60 mph* = *96 km/h*).

MPhil *n abbr* (*US*: = *Master of Philosophy*) titolo di studio.

MPS *n abbr* (*BRIT*) = *Member of the*

Pharmaceutical Society.

Mr, Mr. ['mɪstə*] n: ~ **X** Signor X, Sig. X.

MRC n abbr (BRIT: = Medical Research Council) ufficio governativo per la ricerca medica in Gran Bretagna e nel Commonwealth.

MRCP n abbr (BRIT) = Member of the Royal College of Physicians.

MRCS n abbr (BRIT) = Member of the Royal College of Surgeons.

MRCVS n abbr (BRIT) = Member of the Royal College of Veterinary Surgeons.

Mrs, Mrs. ['mɪsɪz] n: ~ **X** Signora X, Sig.ra X.

MS n abbr (US: = Master of Science) titolo di studio; (= manuscript) ms; (MED) = **multiple sclerosis** ♦ abbr (US) = Mississippi.

Ms, Ms. [mɪz] n (= Miss or Mrs): ~ **X** ≈ Signora X, Sig.ra X.

MSA n abbr (US: = Master of Science in Agriculture) titolo di studio.

MSc n abbr see **Master of Science**.

MSG abbr see **monosodium glutamate**.

MST abbr (US: = Mountain Standard Time) ora invernale delle Montagne Rocciose.

MSW n abbr (US: = Master of Social Work) titolo di studio.

MT n abbr = machine translation ♦ (US) = Montana.

Mt abbr (GEO: = mount) M.

mth abbr (= month) m.

MTV n abbr = **music television**.

=================================== *KEYWORD*

much [mʌtʃ] adj, pron molto(a); **he's done so ~ work** ha lavorato così tanto; **I have as ~ money as you** ho tanti soldi quanti ne hai tu; **how ~ is it?** quant'è?; **it's not ~** non è tanto; **it costs too ~** costa troppo; **as ~ as you want** quanto vuoi
♦ adv **1** (greatly) molto, tanto; **thank you very ~** molte grazie; **I like it very/so ~** mi piace moltissimo/così tanto; **~ to my amazement** con mio enorme stupore; **he's very ~ the gentleman** è il vero gentiluomo; **I read as ~ as I can** leggo quanto posso; **as ~ as you** tanto quanto te
2 (by far) molto; **it's ~ the biggest company in Europe** è di gran lunga la più grossa società in Europa
3 (almost) grossomodo, praticamente; **they're ~ the same** sono praticamente uguali.

muck [mʌk] n (mud) fango; (dirt) sporcizia.
▶**muck about, muck around** vi (col) fare lo stupido; (: waste time) gingillarsi; (tinker) armeggiare.

▶**muck in** vi (BRIT col) mettersi insieme.
▶**muck out** vt (stable) pulire.
▶**muck up** vt (col: dirty) sporcare; (: spoil) rovinare.

muckraking ['mʌkreɪkɪŋ] n (fig col) caccia agli scandali ♦ adj scandalistico(a).

mucky ['mʌkɪ] adj (dirty) sporco(a), lordo(a).

mucus ['mjuːkəs] n muco.

mud [mʌd] n fango.

muddle ['mʌdl] n confusione f, disordine m; pasticcio ♦ vt (also: ~ up) mettere sottosopra; confondere; **to be in a ~** (person) non riuscire a raccapezzarsi; **to get in a ~** (while explaining etc) imbrogliarsi.
▶**muddle along** vi andare avanti a casaccio.
▶**muddle through** vi cavarsela alla meno peggio.

muddle-headed [mʌdl'hɛdɪd] adj (person) confusionario(a).

muddy ['mʌdɪ] adj fangoso(a).

mud flats npl distesa fangosa.

mudguard ['mʌdgɑːd] n parafango.

mudpack ['mʌdpæk] n maschera di fango.

mud-slinging ['mʌdslɪŋɪŋ] n (fig) infangamento.

muesli ['mjuːzlɪ] n müsli m inv.

muff [mʌf] n manicotto ♦ vt (shot, catch etc) mancare, sbagliare; **to ~ it** sbagliare tutto.

muffin ['mʌfɪn] n specie di pasticcino soffice da tè.

muffle ['mʌfl] vt (sound) smorzare, attutire; (against cold) imbacuccare.

muffled ['mʌfld] adj smorzato(a), attutito(a).

muffler ['mʌflə*] n (scarf) sciarpa (pesante); (US AUT) marmitta; (on motorbike) silenziatore m.

mufti ['mʌftɪ] n: **in ~** in borghese.

mug [mʌg] n (cup) tazzone m; (for beer) boccale m; (col: face) muso; (: fool) scemo/a ♦ vt (assault) assalire; **it's a ~'s game** (BRIT) è proprio (una cosa) da fessi.
▶**mug up** vt (BRIT col: also: ~ **up on**) studiare bene.

mugger ['mʌgə*] n aggressore m.

mugging ['mʌgɪŋ] n aggressione f (a scopo di rapina).

muggins ['mʌgɪnz] n (col) semplicione/a, sprovveduto/a.

muggy ['mʌgɪ] adj afoso(a).

mug shot n (col) foto f inv segnaletica.

mulatto, ~es [mjuː'lætəu] n mulatto/a.

mulberry ['mʌlbərɪ] n (fruit) mora (di gelso); (tree) gelso, moro.

mule [mjuːl] *n* mulo.

mull [mʌl]: **to ~ over** *vt* rimuginare.

mulled [mʌld] *adj*: **~ wine** vino caldo.

multi... ['mʌltɪ] *prefix* multi....

multi-access [mʌltɪ'æksɛs] *adj* (*COMPUT*) ad accesso multiplo.

multicoloured, (*US*) **multicolored** ['mʌltɪkʌləd] *adj* multicolore, variopinto(a).

multifarious [mʌltɪ'fɛərɪəs] *adj* molteplice, svariato(a).

multilateral [mʌltɪ'lætərəl] *adj* (*POL*) multilaterale.

multi-level ['mʌltɪlɛvl] *adj* (*US*) = **multistorey**.

multimillionaire [mʌltɪmɪljə'nɛə*] *n* multimiliardario/a.

multinational [mʌltɪ'næʃənl] *adj, n* multinazionale (*f*).

multiple ['mʌltɪpl] *adj* multiplo(a); molteplice ♦ *n* multiplo; (*BRIT: also:* ~ **store**) *grande magazzino che fa parte di una catena.*

multiple choice *n* esercizi *mpl* a scelta multipla.

multiple crash *n* serie *f inv* di incidenti a catena.

multiple sclerosis *n* sclerosi *f* a placche.

multiplex ['mʌltɪplɛks] *n* (*also:* ~ **cinema**) cinema *m inv* multisale *inv*.

multiplication [mʌltɪplɪ'keɪʃən] *n* moltiplicazione *f*.

multiplication table *n* tavola pitagorica.

multiplicity [mʌltɪ'plɪsɪtɪ] *n* molteplicità.

multiply ['mʌltɪplaɪ] *vt* moltiplicare ♦ *vi* moltiplicarsi.

multiracial [mʌltɪ'reɪʃəl] *adj* multirazziale.

multistorey ['mʌltɪ'stɔːrɪ] *adj* (*BRIT: building, car park*) a più piani.

multitude ['mʌltɪtjuːd] *n* moltitudine *f*.

mum [mʌm] *n* (*BRIT*) mamma ♦ *adj*: **to keep ~** non aprire bocca; **~'s the word!** acqua in bocca!

mumble ['mʌmbl] *vt, vi* borbottare.

mumbo jumbo ['mʌmbəu-] *n* (*col*) parole *fpl* incomprensibili.

mummify ['mʌmɪfaɪ] *vt* mummificare.

mummy ['mʌmɪ] *n* (*BRIT: mother*) mamma; (*embalmed*) mummia.

mumps [mʌmps] *n* orecchioni *mpl*.

munch [mʌntʃ] *vt, vi* sgranocchiare.

mundane [mʌn'deɪn] *adj* terra a terra *inv*.

Munich ['mjuːnɪk] *n* Monaco *f* (di Baviera).

municipal [mjuː'nɪsɪpl] *adj* municipale.

municipality [mjuːnɪsɪ'pælɪtɪ] *n* municipio.

munitions [mjuː'nɪʃənz] *npl* munizioni *fpl*.

mural ['mjuərəl] *n* dipinto murale.

murder ['məːdə*] *n* assassinio, omicidio

♦ *vt* assassinare; **to commit ~** commettere un omicidio.

murderer ['məːdərə*] *n* omicida *m*, assassino.

murderess ['məːdərɪs] *n* omicida *f*, assassina.

murderous ['məːdərəs] *adj* micidiale.

murk [məːk] *n* oscurità, buio.

murky ['məːkɪ] *adj* tenebroso(a), buio(a).

murmur ['məːmə*] *n* mormorio ♦ *vt, vi* mormorare; **heart ~** (*MED*) soffio al cuore.

MusB(ac) *n abbr* (= *Bachelor of Music*) *titolo di studio.*

muscle ['mʌsl] *n* muscolo.

▶**muscle in** *vi* immischiarsi.

muscular ['mʌskjulə*] *adj* muscolare; (*person, arm*) muscoloso(a).

muscular dystrophy *n* distrofia muscolare.

MusD(oc) *n abbr* (= *Doctor of Music*) *titolo di studio.*

muse [mjuːz] *vi* meditare, sognare ♦ *n* musa.

museum [mjuː'zɪəm] *n* museo.

mush [mʌʃ] *n* pappa.

mushroom ['mʌʃrum] *n* fungo ♦ *vi* (*fig*) svilupparsi rapidamente.

mushy ['mʌʃɪ] *adj* (*of food*) spappolato(a); (*sentimental*) sdolcinato(a).

music ['mjuːzɪk] *n* musica.

musical ['mjuːzɪkəl] *adj* musicale ♦ *n* (*show*) commedia musicale.

music(al) box *n* carillon *m inv*.

musical chairs *n* gioco delle sedie (*in cui bisogna sedersi non appena cessa la musica*); (*fig*) scambio delle poltrone.

musical instrument *n* strumento musicale.

music centre *n* impianto *m* stereo *inv* monoblocco *inv*.

music hall *n* teatro di varietà.

musician [mjuː'zɪʃən] *n* musicista *m/f*.

music stand *n* leggio.

musk [mʌsk] *n* muschio.

musket ['mʌskɪt] *n* moschetto.

muskrat ['mʌskræt] *n* topo muschiato.

musk rose *n* (*BOT*) rosa muschiata.

Muslim ['mʌzlɪm] *adj, n* musulmano(a).

muslin ['mʌzlɪn] *n* mussola.

musquash ['mʌskwɔʃ] *n* (*fur*) rat musqué *m inv*.

mussel ['mʌsl] *n* cozza.

must [mʌst] *aux vb* (*obligation*): **I ~ do it** devo farlo; (*probability*): **he ~ be there by now** dovrebbe essere arrivato ormai; **I ~ have made a mistake** devo essermi sbagliato ♦ *n*: **this programme/trip is a ~**

è un programma/viaggio da non perdersi.

mustache ['mʌstæʃ] n (US) = **moustache**.

mustard ['mʌstəd] n senape f, mostarda.

mustard gas n iprite f.

muster ['mʌstə*] vt radunare; (also: ~ up: strength, courage) fare appello a.

mustiness ['mʌstɪnɪs] n odor di muffa or di stantio.

mustn't ['mʌsnt] = **must not**.

musty ['mʌstɪ] adj che sa di muffa or di rinchiuso.

mutant ['mjuːtənt] adj, n mutante (m).

mutate [mjuːˈteɪt] vi subire una mutazione.

mutation [mjuːˈteɪʃən] n mutazione f.

mute [mjuːt] adj, n muto(a).

muted ['mjuːtɪd] adj (noise) attutito(a), smorzato(a); (criticism) attenuato(a); (MUS) in sordina; (: trumpet) con sordina.

mutilate ['mjuːtɪleɪt] vt mutilare.

mutilation [mjuːtɪˈleɪʃən] n mutilazione f.

mutinous ['mjuːtɪnəs] adj (troops) ammutinato(a); (attitude) ribelle.

mutiny ['mjuːtɪnɪ] n ammutinamento ♦ vi ammutinarsi.

mutter ['mʌtə*] vt, vi borbottare, brontolare.

mutton ['mʌtn] n carne f di montone.

mutual ['mjuːtʃuəl] adj mutuo(a), reciproco(a).

mutually ['mjuːtʃuəlɪ] adv reciprocamente.

Muzak ® ['mjuːzæk] n (often pej) musica di sottofondo.

muzzle ['mʌzl] n muso; (protective device) museruola; (of gun) bocca ♦ vt mettere la museruola a.

MV abbr (= motor vessel) M/N, m/n.

MVP n abbr (US SPORT: = most valuable player) titolo olimpico da sportivo.

MW abbr (RADIO: = medium wave) O.M.

my [maɪ] adj il(la) mio(a), pl i(le) miei(mie).

Myanmar ['maɪænmɑː*] n Myanmar m.

myopic [maɪˈɔpɪk] adj miope.

myriad ['mɪrɪəd] n miriade f.

myself [maɪˈsɛlf] pron (reflexive) mi; (emphatic) io stesso(a); (after prep) me.

mysterious [mɪsˈtɪərɪəs] adj misterioso(a).

mystery ['mɪstərɪ] n mistero.

mystery story n racconto del mistero.

mystic ['mɪstɪk] adj, n mistico(a).

mystical ['mɪstɪkəl] adj mistico(a).

mystify ['mɪstɪfaɪ] vt mistificare; (puzzle) confondere.

mystique [mɪsˈtiːk] n fascino.

myth [mɪθ] n mito.

mythical ['mɪθɪkl] adj mitico(a).

mythological [mɪθəˈlɔdʒɪkl] adj mitologico(a).

mythology [mɪˈθɔlədʒɪ] n mitologia.

N n

N, n [ɛn] n (letter) N, n f or m inv; **N for Nellie,** (US) **N for Nan** ≈ N come Napoli.

N abbr (= north) N.

NA n abbr (US: = Narcotics Anonymous) associazione in aiuto dei tossicodipendenti; (US) = National Academy.

n/a abbr (= not applicable) non pertinente; (COMM etc) = no account.

NAACP n abbr (US) = National Association for the Advancement of Colored People.

NAAFI ['næfɪ] n abbr (BRIT: = Navy, Army & Air Force Institute) organizzazione che gestisce negozi, mense ecc. per il personale militare.

nab [næb] vt (col) beccare, acchiappare.

NACU n abbr (US) = National Association of Colleges and Universities.

nadir ['neɪdɪə*] n (ASTRONOMY) nadir m; (fig) punto più basso.

nag [næg] n (pej: horse) ronzino; (person) brontolone/a ♦ vt tormentare ♦ vi brontolare in continuazione.

nagging ['nægɪŋ] adj (doubt, pain) persistente ♦ n brontolii mpl, osservazioni fpl continue.

nail [neɪl] n (human) unghia; (metal) chiodo ♦ vt inchiodare; **to ~ sb down to a date/ price** costringere qn a un appuntamento/ ad accettare un prezzo; **to pay cash on the ~** (BRIT) pagare a tamburo battente.

nailbrush ['neɪlbrʌʃ] n spazzolino da or per unghie.

nailfile ['neɪlfaɪl] n lima da or per unghie.

nail polish n smalto da or per unghie.

nail polish remover n acetone m, solvente m.

nail scissors npl forbici fpl da or per unghie.

nail varnish n (BRIT) = nail polish.

Nairobi [naɪˈrəubɪ] n Nairobi f.

naïve [naɪˈiːv] adj ingenuo(a).

naïveté [nɑːiːvˈteɪ], **naivety** [naɪˈiːvtɪ] n ingenuità f inv.

naked ['neɪkɪd] adj nudo(a); **with the ~ eye** a occhio nudo.

nakedness ['neɪkɪdnɪs] n nudità.

NAM *n abbr* (*US*) = *National Association of Manufacturers.*

name [neɪm] *n* nome *m*; (*reputation*) nome, reputazione *f* ♦ *vt* (*baby etc*) chiamare; (*person, object*) identificare; (*price, date*) fissare; **by** ~ di nome; **she knows them all by** ~ li conosce tutti per nome; **in the** ~ **of** in nome di; **what's your** ~? come si chiama?; **my** ~ **is Peter** mi chiamo Peter; **to take sb's** ~ **and address** prendere nome e indirizzo di qn; **to make a** ~ **for o.s.** farsi un nome; **to get (o.s.) a bad** ~ farsi una cattiva fama *or* una brutta reputazione; **to call sb** ~s insultare qn.

name dropping *n menzionare qualcuno per fare bella figura.*

nameless ['neɪmlɪs] *adj* senza nome.

namely ['neɪmlɪ] *adv* cioè.

nameplate ['neɪmpleɪt] *n* (*on door etc*) targa.

namesake ['neɪmseɪk] *n* omonimo.

nan bread [nɑ:n-] *n tipo di pane indiano poco lievitato di forma allungata.*

nanny ['nænɪ] *n* bambinaia.

nanny goat *n* capra.

nap [næp] *n* (*sleep*) pisolino; (*of cloth*) peluria ♦ *vi:* **to be caught** ~**ping** essere preso alla sprovvista; **to have a** ~ schiacciare un pisolino.

NAPA *n abbr* (*US:* = *National Association of Performing Artists*) *associazione nazionale degli artisti di palcoscenico.*

napalm ['neɪpɑːm] *n* napalm *m.*

nape [neɪp] *n:* ~ **of the neck** nuca.

napkin ['næpkɪn] *n* tovagliolo; (*BRIT: for baby*) pannolino.

Naples ['neɪplz] *n* Napoli *f.*

Napoleonic [nəpəʊlɪ'ɒnɪk] *adj* napoleonico(a).

nappy ['næpɪ] *n* (*BRIT*) pannolino.

nappy liner *n* (*BRIT*) fogliettino igienico.

narcissistic [nɑ:sɪ'sɪstɪk] *adj* narcisistico(a).

narcissus, *pl* **narcissi** [nɑ:'sɪsəs, -saɪ] *n* narciso.

narcotic [nɑ:'kɒtɪk] *n* (*MED*) narcotico; ~**s** *npl* (*drugs*) narcotici, stupefacenti *mpl.*

nark [nɑ:k] *vt* (*BRIT col*) scocciare.

narrate [nə'reɪt] *vt* raccontare, narrare.

narration [nə'reɪʃən] *n* narrazione *f.*

narrative ['nærətɪv] *n* narrativa ♦ *adj* narrativo(a).

narrator [nə'reɪtə*] *n* narratore/trice.

narrow ['nærəʊ] *adj* stretto(a); (*resources, means*) limitato(a), modesto(a); (*fig*): **to take a** ~ **view of** avere una visione limitata di ♦ *vi* restringersi; **to have a** ~ **escape** farcela per un pelo; **to** ~ **sth**

down to ridurre qc a.

narrow gauge *adj* (*RAIL*) a scartamento ridotto.

narrowly ['nærəʊlɪ] *adv:* **Maria** ~ **escaped drowning** per un pelo Maria non è affogata; **he** ~ **missed hitting the cyclist** per poco non ha investito il ciclista.

narrow-minded [nærəʊ'maɪndɪd] *adj* meschino(a).

NAS *n abbr* (*US*) = *National Academy of Sciences.*

NASA ['næsə] *n abbr* (*US:* = *National Aeronautics and Space Administration*) N.A.S.A. *f.*

nasal ['neɪzl] *adj* nasale.

Nassau ['næsɔ:] *n* Nassau *f.*

nastily ['nɑ:stɪlɪ] *adv* con cattiveria.

nastiness ['nɑ:stɪnɪs] *n* (*of person, remark*) cattiveria; (: *spitefulness*) malignità.

nasturtium [nəs'tə:ʃəm] *n* cappuccina, nasturzio (indiano).

nasty ['nɑ:stɪ] *adj* (*person, remark*) cattivo(a); (: *spiteful*) maligno(a); (*smell, wound, situation*) brutto(a); **to turn** ~ (*situation*) mettersi male; (*weather*) guastarsi; (*person*) incattivirsi; **it's a** ~ **business** è una brutta faccenda, è un brutto affare.

NAS/UWT *n abbr* (*BRIT:* = *National Association of Schoolmasters/Union of Women Teachers*) *sindacato di insegnanti in Inghilterra e Galles.*

nation ['neɪʃən] *n* nazione *f.*

national ['næʃənl] *adj* nazionale ♦ *n* cittadino/a.

national anthem *n* inno nazionale.

National Curriculum *n* (*BRIT*) ≈ programma *m* scolastico ministeriale (*in Inghilterra e Galles*).

national debt *n* debito pubblico.

national dress *n* costume *m* nazionale.

National Guard *n* (*US*) milizia nazionale (*volontaria, in ogni stato*).

National Health Service (NHS) *n* (*BRIT*) *servizio nazionale di assistenza sanitaria,* ≈ S.A.U.B. *f.*

National Insurance *n* (*BRIT*) ≈ Previdenza Sociale.

nationalism ['næʃnəlɪzəm] *n* nazionalismo.

nationalist ['næʃnəlɪst] *adj, n* nazionalista (*m/f*).

nationality [næʃə'nælɪtɪ] *n* nazionalità *f inv.*

nationalization [næʃnəlaɪ'zeɪʃən] *n* nazionalizzazione *f.*

nationalize ['næʃnəlaɪz] *vt* nazionalizzare.

nationally ['næʃnəlɪ] *adv* a livello nazionale.

national park *n* parco nazionale.

national press *n* stampa a diffusione

nazionale.
National Security Council n (US) consiglio nazionale di sicurezza.
national service n (MIL) servizio militare.
National Trust n sovrintendenza ai beni culturali e ambientali.

---

*Fondato nel 1895, il **National Trust** è un'organizzazione che si occupa della tutela e salvaguardia di edifici e monumenti di interesse storico e di territori di interesse ambientale.*

---

nation-wide ['neɪʃənwaɪd] adj diffuso(a) in tutto il paese ♦ adv in tutto il paese.
native ['neɪtɪv] n abitante m/f del paese; (in colonies) indigeno/a ♦ adj indigeno(a); (country) natio(a); (ability) innato(a); **a ~ of Russia** un nativo della Russia; **a ~ speaker of French** una persona di madrelingua francese; ~ **language** madrelingua.
Native American n discendente di tribù dell'America settentrionale.
Nativity [nə'tɪvɪtɪ] n (REL): **the ~** la Natività.
nativity play n recita sulla Natività.
NATO ['neɪtəʊ] n abbr (= North Atlantic Treaty Organization) N.A.T.O. f.
natter ['nætə*] (BRIT col) vi chiacchierare ♦ n chiacchierata.
natural ['nætʃrəl] adj naturale; (ability) innato(a); (manner) semplice; **death from ~ causes** (LAW) morte f per cause naturali.
natural childbirth n parto indolore.
natural gas n gas m metano.
natural history n storia naturale.
naturalist ['nætʃrəlɪst] n naturalista m/f.
naturalization [nætʃrəlaɪ'zeɪʃən] n naturalizzazione f; acclimatazione f.
naturalize ['nætʃrəlaɪz] vt: **to be ~d** (person) naturalizzarsi; **to become ~d** (animal, plant) acclimatarsi.
naturally ['nætʃrəlɪ] adv naturalmente; (by nature: gifted) di natura.
naturalness ['nætʃrəlnɪs] n naturalezza.
natural resources npl risorse fpl naturali.
natural selection n selezione f naturale.
natural wastage n (INDUSTRY) diminuzione f di manodopera (per pensionamento, decesso etc).
nature ['neɪtʃə*] n natura; (character) natura, indole f; **by ~** di natura; **documents of a confidential ~** documenti mpl di natura privata.
-natured ['neɪtʃəd] suffix: **ill~** maldisposto(a).

nature reserve n (BRIT) parco naturale.
nature trail n percorso tracciato in parchi nazionali ecc con scopi educativi.
naturist ['neɪtʃərɪst] n naturista m/f, nudista m/f.
naught [nɔːt] n = **nought**.
naughtiness ['nɔːtɪnɪs] n cattiveria.
naughty ['nɔːtɪ] adj (child) birichino(a), cattivello(a); (story, film) spinto(a).
nausea ['nɔːsɪə] n (MED) nausea; (fig: disgust) schifo.
nauseate ['nɔːsɪeɪt] vt nauseare; far schifo a.
nauseating ['nɔːsɪeɪtɪŋ] adj nauseante; (fig) disgustoso(a).
nauseous ['nɔːsɪəs] adj nauseabondo(a); (feeling sick): **to be ~** avere la nausea.
nautical ['nɔːtɪkl] adj nautico(a).
nautical mile n miglio nautico or marino.
naval ['neɪvl] adj navale.
naval officer n ufficiale m di marina.
nave [neɪv] n navata centrale.
navel ['neɪvl] n ombelico.
navigable ['nævɪɡəbl] adj navigabile.
navigate ['nævɪɡeɪt] vt percorrere navigando ♦ vi navigare; (AUT) fare da navigatore.
navigation [nævɪ'ɡeɪʃən] n navigazione f.
navigator ['nævɪɡeɪtə*] n (NAUT, AVIAT) ufficiale m di rotta; (explorer) navigatore m; (AUT) copilota m/f.
navvy ['nævɪ] n manovale m.
navy ['neɪvɪ] n marina; **Department of the N~** (US) Ministero della Marina.
navy(-blue) ['neɪvɪ('bluː)] adj blu scuro inv.
Nazareth ['næzərɪθ] n Nazareth f.
Nazi ['nɑːtsɪ] adj, n nazista (m/f).
NB abbr (= nota bene) N.B.; (Canada) = New Brunswick.
NBA n abbr (US: = National Basketball Association) ≈ F.I.P. f (= Federazione Italiana Pallacanestro); = National Boxing Association.
NBC n abbr (US: = National Broadcasting Company) compagnia nazionale di radiodiffusione.
NBS n abbr (US: = National Bureau of Standards) ufficio per la normalizzazione.
NC abbr (COMM etc: = no charge) gratis; (US) = North Carolina.
NCC n abbr (= Nature Conservancy Council) organismo di protezione dei beni naturali; (US) = National Council of Churches.
NCCL n abbr (BRIT: = National Council for Civil Liberties) associazione per la difesa delle libertà civili.
NCO n abbr see **non-commissioned**.

ND, N. Dak. *abbr (US)* = *North Dakota.*
NE *abbr (US)* = *Nebraska; New England.*
NEA *n abbr (US)* = *National Education Association.*
neap [niːp] *n (also:* ~**tide**) marea di quadratura.
Neapolitan [nɪəˈpɒlɪtən] *adj, n* napoletano(a).
near [nɪə*] *adj* vicino(a); (*relation*) prossimo(a) ♦ *adv* vicino ♦ *prep (also:* ~ **to**) vicino a, presso; (*time*) verso ♦ *vt* avvicinarsi a; **to come** ~ avvicinarsi; ~ **here/there** qui/lì vicino; **£25,000 or** ~**est offer** (*BRIT*) 25.000 sterline trattabili; **in the** ~ **future** in un prossimo futuro; **the building is** ~**ing completion** il palazzo è quasi terminato *or* ultimato.
nearby [nɪəˈbaɪ] *adj* vicino(a) ♦ *adv* vicino.
Near East *n:* **the** ~ il Medio Oriente.
nearer [ˈnɪərə*] *adj* più vicino(a) ♦ *adv* più vicino.
nearly [ˈnɪəlɪ] *adv* quasi; **not** ~ non ... affatto; **I** ~ **lost it** per poco non lo perdevo; **she was** ~ **crying** era lì lì per piangere.
near miss *n:* **that was a** ~ c'è mancato poco.
nearness [ˈnɪənɪs] *n* vicinanza.
nearside [ˈnɪəsaɪd] *n (right-hand drive)* lato sinistro; (*left-hand drive*) lato destro ♦ *adj* sinistro(a); destro(a).
near-sighted [nɪəˈsaɪtɪd] *adj* miope.
neat [niːt] *adj (person, room)* ordinato(a); (*work*) pulito(a); (*solution, plan*) ben indovinato(a), azzeccato(a); (*spirits*) liscio(a).
neatly [ˈniːtlɪ] *adv* con ordine; (*skilfully*) abilmente.
neatness [ˈniːtnɪs] *n (tidiness)* ordine *m;* (*skilfulness*) abilità.
Nebr. *abbr (US)* = *Nebraska.*
nebulous [ˈnɛbjuləs] *adj* nebuloso(a); (*fig*) vago(a).
necessarily [ˈnɛsɪsrɪlɪ] *adv* necessariamente; **not** ~ non è detto, non necessariamente.
necessary [ˈnɛsɪsrɪ] *adj* necessario(a); **if** ~ se necessario.
necessitate [nɪˈsɛsɪteɪt] *vt* rendere necessario(a).
necessity [nɪˈsɛsɪtɪ] *n* necessità *f inv;* **in case of** ~ in caso di necessità.
neck [nɛk] *n* collo; (*of garment*) colletto ♦ *vi* (*col*) pomiciare, sbaciucchiarsi; ~ **and** ~ testa a testa; **to stick one's** ~ **out** (*col*) rischiare (forte).
necklace [ˈnɛklɪs] *n* collana.
neckline [ˈnɛklaɪn] *n* scollatura.

necktie [ˈnɛktaɪ] *n (esp US)* cravatta.
nectar [ˈnɛktə*] *n* nettare *m.*
nectarine [ˈnɛktərɪn] *n* nocepesca.
NEDC *n abbr (BRIT: = National Economic Development Council)* ≈ C.N.E.L. *m* (= *Consiglio Nazionale dell'Economia e del Lavoro*).
Neddy [ˈnɛdɪ] *n abbr (BRIT col)* = **NEDC.**
née [neɪ] *adj:* ~ **Scott** nata Scott.
need [niːd] *n* bisogno ♦ *vt* aver bisogno di; **I** ~ **to do it** lo devo fare, bisogna che io lo faccia; **you don't** ~ **to go** non deve andare, non c'è bisogno che lei vada; **a signature is** ~**ed** occorre *or* ci vuole una firma; **to be in** ~ **of, have** ~ **of** aver bisogno di; **£10 will meet my immediate** ~**s** 10 sterline mi basteranno per le necessità più urgenti; **in case of** ~ in caso di bisogno *or* necessità; **there's no** ~ **for ...** non c'è bisogno *or* non occorre che ...; **there's no** ~ **to do ...** non occorre fare ...; **the** ~**s of industry** le esigenze dell'industria.
needle [ˈniːdl] *n* ago; (*on record player*) puntina ♦ *vt* punzecchiare.
needlecord [ˈniːdlkɔːd] *n (BRIT)* velluto a coste sottili.
needless [ˈniːdlɪs] *adj* inutile; ~ **to say, ...** inutile dire che ....
needlessly [ˈniːdlɪslɪ] *adv* inutilmente.
needlework [ˈniːdlwəːk] *n* cucito.
needn't [ˈniːdnt] = **need not.**
needy [ˈniːdɪ] *adj* bisognoso(a).
negation [nɪˈgeɪʃən] *n* negazione *f.*
negative [ˈnɛgətɪv] *n (PHOT)* negativa, negativo; (*ELEC*) polo negativo; (*LING*) negazione *f* ♦ *adj* negativo(a); **to answer in the** ~ rispondere negativamente *or* di no.
negative equity *n* situazione in cui l'ammontare del mutuo su un immobile supera il suo valore sul mercato.
neglect [nɪˈglɛkt] *vt* trascurare ♦ *n (of person, duty)* negligenza; **state of** ~ stato di abbandono; **to** ~ **to do sth** trascurare *or* tralasciare di fare qc.
neglected [nɪˈglɛktɪd] *adj* trascurato(a).
neglectful [nɪˈglɛktful] *adj (gen)* negligente; **to be** ~ **of sb/sth** trascurare qn/qc.
negligee [ˈnɛglɪʒeɪ] *n* négligé *m inv.*
negligence [ˈnɛglɪdʒəns] *n* negligenza.
negligent [ˈnɛglɪdʒənt] *adj* negligente.
negligently [ˈnɛglɪdʒəntlɪ] *adv* con negligenza.
negligible [ˈnɛglɪdʒɪbl] *adj* insignificante, trascurabile.
negotiable [nɪˈgəuʃɪəbl] *adj* negoziabile; (*cheque*) trasferibile; (*road*) transitabile.
negotiate [nɪˈgəuʃɪeɪt] *vi* negoziare ♦ *vt*

(*COMM*) negoziare; (*obstacle*) superare; (*bend in road*) prendere; **to ~ with sb for sth** trattare con qn per ottenere qc.

negotiating table [nɪ'gəʊʃɪeɪtɪŋ-] *n* tavolo delle trattative.

negotiation [nɪgəʊʃɪ'eɪʃən] *n* trattativa; (*POL*) negoziato; **to enter into ~s with sb** entrare in trattative (*or* intavolare i negoziati) con qn.

negotiator [nɪ'gəʊʃɪeɪtə*] *n* negoziatore/ trice.

Negress ['niːgrɪs] *n* negra.

Negro ['niːgrəʊ] *adj, n* (*pl* ~**es**) negro(a).

neigh [neɪ] *vi* nitrire.

neighbour, (*US*) **neighbor** ['neɪbə*] *n* vicino/a.

neighbo(u)rhood ['neɪbəhud] *n* vicinato.

neighbourhood watch *n* (*BRIT: also:* ~ **scheme**) *sistema di vigilanza reciproca in un quartiere.*

neighbo(u)ring ['neɪbərɪŋ] *adj* vicino(a).

neighbo(u)rly ['neɪbəlɪ] *adj:* **he is a ~ person** è un buon vicino.

neither ['naɪðə*] *adj, pron* né l'uno(a) né l'altro(a), nessuno(a) dei(delle) due ♦ *conj* neanche, nemmeno, neppure ♦ *adv:* ~ **good nor bad** né buono né cattivo; **I didn't move and ~ did Claude** io non mi mossi e nemmeno Claude; ... ~ **did I refuse** ..., ma non ho nemmeno rifiutato.

neo... ['niːəʊ] *prefix* neo....

neolithic [niːəʊ'lɪθɪk] *adj* neolitico(a).

neologism [nɪ'ɒlədʒɪzəm] *n* neologismo.

neon ['niːɒn] *n* neon *m*.

neon light *n* luce *f* al neon.

neon sign *n* insegna al neon.

Nepal [nɪ'pɔːl] *n* Nepal *m*.

nephew ['nɛvjuː] *n* nipote *m*.

nepotism ['nɛpətɪzəm] *n* nepotismo.

nerd [nəːd] *n* (*col*) sfigato/a, povero(a) fesso/a.

nerve [nəːv] *n* nervo; (*fig*) coraggio; (*impudence*) faccia tosta; **he gets on my ~s** mi dà ai nervi, mi fa venire i nervi; **a fit of ~s** una crisi di nervi; **to lose one's ~** (*self-confidence*) perdere fiducia in se stesso; **I lost my ~** (*courage*) mi è mancato il coraggio.

nerve centre *n* (*ANAT*) centro nervoso; (*fig*) cervello, centro vitale.

nerve gas *n* gas *m* nervino.

nerve-racking ['nəːvrækɪŋ] *adj* che spezza i nervi.

nervous ['nəːvəs] *adj* nervoso(a).

nervous breakdown *n* esaurimento nervoso.

nervously ['nəːvəslɪ] *adv* nervosamente.

nervousness ['nəːvəsnɪs] *n* nervosismo.

nervous wreck *n:* **to be a ~** (*col*) essere nevrastenico(a).

nervy ['nəːvɪ] *adj* agitato(a), nervoso(a).

nest [nɛst] *n* nido; ~ **of tables** tavolini *mpl* cicogna *inv.*

nest egg *n* (*fig*) gruzzolo.

nestle ['nɛsl] *vi* accoccolarsi.

nestling ['nɛslɪŋ] *n* uccellino di nido.

net [nɛt] *n* rete *f*; (*fabric*) tulle *m* ♦ *adj* netto(a) ♦ *vt* (*subj: person*) ricavare un utile netto di; (*deal, sale*) dare un utile netto di; ~ **of tax** netto, al netto di tasse; **he earns £10,000 ~ per year** guadagna 10.000 sterline nette all'anno.

netball ['nɛtbɔːl] *n specie di pallacanestro.*

net curtains *npl* tende *fpl* di tulle.

Netherlands ['nɛðələndz] *npl:* **the ~** i Paesi Bassi.

net profit *n* utile *m* netto.

nett [nɛt] *adj* = **net**.

netting ['nɛtɪŋ] *n* (*for fence etc*) reticolato; (*fabric*) tulle *m*.

nettle ['nɛtl] *n* ortica.

network ['nɛtwɔːk] *n* rete *f*.

neuralgia [njʊə'rældʒə] *n* nevralgia.

neurological [njʊərə'lɒdʒɪkl] *adj* neurologico(a).

neurosis, *pl* **neuroses** [njʊə'rəʊsɪs, -siːz] *n* nevrosi *f inv.*

neurotic [njʊə'rɒtɪk] *adj, n* nevrotico(a).

neuter ['njuːtə*] *adj* neutro(a) ♦ *n* neutro ♦ *vt* (*cat etc*) castrare.

neutral ['njuːtrəl] *adj* neutro(a); (*person, nation*) neutrale ♦ *n* (*AUT*): **in ~** in folle.

neutrality [njuː'trælɪtɪ] *n* neutralità.

neutralize ['njuːtrəlaɪz] *vt* neutralizzare.

neutron bomb ['njuːtrɔn-] *n* bomba al neutrone.

Nev. *abbr* (*US*) = *Nevada.*

never ['nɛvə*] *adv* (*non...*) mai; ~ **again** mai più; **I'll ~ go there again** non ci vado più; ~ **in my life** mai in vita mia; *see also* **mind**.

never-ending [nɛvər'ɛndɪŋ] *adj* interminabile.

nevertheless [nɛvəðə'lɛs] *adv* tuttavia, ciò nonostante, ciò nondimeno.

new [njuː] *adj* nuovo(a); (*brand new*) nuovo(a) di zecca; **as good as ~** come nuovo.

New Age *adj, n* New Age (*f*) *inv.*

newborn ['njuːbɔːn] *adj* neonato(a).

newcomer ['njuːkʌmə*] *n* nuovo(a) venuto(a).

new-fangled ['njuːfæŋgld] *adj* (*pej*) stramoderno(a).

new-found ['njuːfaund] *adj* nuovo(a).

Newfoundland ['njuːfənlənd] *n* Terranova.

New Guinea *n* Nuova Guinea.

newly ['nju:lɪ] _adv_ di recente.
newly-weds ['nju:lɪwɛdz] _npl_ sposini _mpl_, sposi _mpl_ novelli.
new moon _n_ luna nuova.
newness ['nju:nɪs] _n_ novità.
news [nju:z] _n_ notizie _fpl_; (_RADIO_) giornale _m_ radio; (_TV_) telegiornale _m_; **a piece of** ~ una notizia; **good/bad** ~ buone/cattive notizie; **financial** ~ (_PRESS_) pagina economica e finanziaria; (_RADIO, TV_) notiziario economico.
news agency _n_ agenzia di stampa.
newsagent ['nju:zeɪdʒənt] _n_ (_BRIT_) giornalaio.
news bulletin _n_ (_RADIO, TV_) notiziario.
newscaster ['nju:zkɑːstə*] _n_ (_RADIO, TV_) annunciatore/trice.
newsdealer ['nju:zdi:lə*] _n_ (_US_) = **newsagent**.
newsflash ['nju:zflæʃ] _n_ notizia _f_ lampo _inv_.
newsletter ['nju:zlɛtə*] _n_ bollettino (_di ditta, associazione_).
newspaper ['nju:zpeɪpə*] _n_ giornale _m_; **daily** ~ quotidiano; **weekly** ~ settimanale _m_.
newsprint ['nju:zprɪnt] _n_ carta da giornale.
newsreader ['nju:zri:də*] _n_ = **newscaster**.
newsreel ['nju:zri:l] _n_ cinegiornale _m_.
newsroom ['nju:zrum] _n_ (_PRESS_) redazione _f_; (_RADIO, TV_) studio.
news stand _n_ edicola.
newsworthy ['nju:zwə:ðɪ] _adj_ degno(a) di menzione (_per radio, TV ecc_); **to be** ~ fare notizia.
newt [nju:t] _n_ tritone _m_.
new town _n_ (_BRIT_) nuovo centro urbano creato con fondi pubblici.
New Year _n_ Anno Nuovo; **Happy** ~! Buon Anno!; **to wish sb a happy** ~ augurare Buon Anno a qn.
New Year's Day _n_ il Capodanno.
New Year's Eve _n_ la vigilia di Capodanno.
New York [-'jɔ:k] _n_ New York _f_, Nuova York _f_; (_also:_ ~ **State**) stato di New York.
New Zealand [-'zi:lənd] _n_ Nuova Zelanda ♦ _adj_ neozelandese.
New Zealander [-'zi:ləndə*] _n_ neozelandese _m/f_.
next [nɛkst] _adj_ prossimo(a) ♦ _adv_ accanto; (_in time_) dopo; ~ **to** _prep_ accanto a; ~ **to nothing** quasi niente; ~ **time** _adv_ la prossima volta; ~ **week** la settimana prossima; **the** ~ **week** la settimana dopo _or_ seguente; **the week after** ~ fra due settimane; **the** ~ **day** il giorno dopo, l'indomani; ~ **year** l'anno prossimo _or_ venturo; "**turn to the** ~ **page**" "vedi pagina seguente"; **who's** ~? a chi tocca?;

when do we meet ~? quando ci rincontriamo?
next door _adv_ accanto.
next of kin _n_ parente _m/f_ prossimo(a).
NF _n abbr_ (_BRIT POL_: = _National Front_) partito di estrema destra ♦ _abbr_ (_Canada_) = **Newfoundland**.
NFL _n abbr_ (_US_) = _National Football League_.
Nfld. _abbr_ (_Canada_) = **Newfoundland**.
NG _abbr_ (_US_) = **National Guard**.
NGO _n abbr_ (_US_) = _non-governmental organization_.
NH _abbr_ (_US_) = _New Hampshire_.
NHL _n abbr_ (_US_: = _National Hockey League_) ≈ F.I.H.P. _f_ (= _Federazione Italiana Hockey e Pattinaggio_).
NHS _n abbr_ (_BRIT_) _see_ **National Health Service**.
NI _abbr_ = _Northern Ireland_; (_BRIT_) = _National Insurance_.
Niagara Falls [naɪˈægərə-] _npl_: **the** ~ le cascate del Niagara.
nib [nɪb] _n_ (_of pen_) pennino.
nibble ['nɪbl] _vt_ mordicchiare.
Nicaragua [nɪkəˈrægjuə] _n_ Nicaragua _m_.
Nicaraguan [nɪkəˈrægjuən] _adj, n_ nicaraguense (_m/f_).
Nice [ni:s] _n_ Nizza.
nice [naɪs] _adj_ (_holiday, trip_) piacevole; (_flat, picture_) bello(a); (_person_) simpatico(a), gentile; (_taste, smell, meal_) buono(a); (_distinction, point_) sottile.
nice-looking ['naɪslukɪŋ] _adj_ bello(a).
nicely ['naɪslɪ] _adv_ bene; **that will do** ~ andrà benissimo.
niceties ['naɪsɪtɪz] _npl_ finezze _fpl_.
nick [nɪk] _n_ tacca ♦ _vt_ intaccare; tagliare; (_col: steal_) rubare; (: _BRIT: arrest_) beccare; **in the** ~ **of time** appena in tempo; **in good** ~ (_BRIT col_) decente, in buono stato; **to** ~ **o.s.** farsi un taglietto.
nickel ['nɪkl] _n_ nichel _m_; (_US_) moneta da cinque centesimi di dollaro.
nickname ['nɪkneɪm] _n_ soprannome _m_ ♦ _vt_ soprannominare.
Nicosia [nɪkəˈsi:ə] _n_ Nicosia.
nicotine ['nɪkəti:n] _n_ nicotina.
nicotine patch _n_ cerotto antifumo (_a base di nicotina_).
niece [ni:s] _n_ nipote _f_.
nifty ['nɪftɪ] _adj_ (_col: car, jacket_) chic _inv_; (: _gadget, tool_) ingegnoso(a).
Niger ['naɪdʒə*] _n_ Niger _m_.
Nigeria [naɪˈdʒɪərɪə] _n_ Nigeria.
Nigerian [naɪˈdʒɪərɪən] _adj, n_ nigeriano(a).
niggardly ['nɪgədlɪ] _adj_ (_person_) tirchio(a), spilorcio(a); (_allowance, amount_) misero(a).

nigger ['nɪgə*] n (col!: highly offensive) negro/a.

niggle ['nɪgl] vt assillare ♦ vi fare il(la) pignolo(a).

niggling ['nɪglɪŋ] adj pignolo(a); (detail) insignificante; (doubt, pain) persistente.

night [naɪt] n notte f; (evening) sera; **at** ~ **la** notte; la sera; **by** ~ di notte; **in the** ~, **during the** ~ durante la notte; **the** ~ **before last** l'altro ieri notte; l'altro ieri sera.

night-bird ['naɪtbɔːd] n uccello notturno; (fig) nottambulo/a.

nightcap ['naɪtkæp] n bicchierino prima di andare a letto.

night club n locale m notturno.

nightdress ['naɪtdrɛs] n camicia da notte.

nightfall ['naɪtfɔːl] n crepuscolo.

nightie ['naɪtɪ] n camicia da notte.

nightingale ['naɪtɪŋgeɪl] n usignolo.

night life n vita notturna.

nightly ['naɪtlɪ] adj di ogni notte or sera; (by night) notturno(a) ♦ adv ogni notte or sera.

nightmare ['naɪtmɛə*] n incubo.

night porter n portiere m di notte.

night safe n cassa continua.

night school n scuola serale.

nightshade ['naɪtʃeɪd] n: **deadly** ~ (BOT) belladonna.

nightshift ['naɪtʃɪft] n turno di notte.

night-time ['naɪttaɪm] n notte f.

night watchman n guardiano notturno.

nihilism ['naɪɪlɪzəm] n nichilismo.

nil [nɪl] n nulla m; (SPORT) zero.

Nile [naɪl] n: **the** ~ il Nilo.

nimble ['nɪmbl] adj agile.

nine [naɪn] num nove.

nineteen [naɪn'tiːn] num diciannove.

ninety ['naɪntɪ] num novanta.

ninth [naɪnθ] num nono(a).

nip [nɪp] vt pizzicare ♦ vi (BRIT col): **to** ~ **out/down/up** fare un salto fuori/giù/di sopra ♦ n (pinch) pizzico; (drink) goccio, bicchierino.

nipple ['nɪpl] n (ANAT) capezzolo.

nippy ['nɪpɪ] adj (weather) pungente; (BRIT: car, person) svelto(a).

nit [nɪt] n (of louse) lendine m; (col: idiot) cretino/a, scemo/a.

nit-pick ['nɪtpɪk] vi (col) cercare il pelo nell'uovo.

nitrogen ['naɪtrədʒən] n azoto.

nitroglycerin(e) [naɪtrəu'glɪsəriːn] n nitroglicerina.

nitty-gritty ['nɪtɪ'grɪtɪ] n (col): **to get down to the** ~ venire al sodo.

nitwit ['nɪtwɪt] n (col) scemo/a.

NJ abbr (US) = New Jersey.

NLF n abbr (= National Liberation Front) ≈ F.L.N. m.

NLQ abbr (= near letter quality) qualità quasi di corrispondenza.

NLRB n abbr (US: = National Labor Relations Board) organismo per la tutela dei lavoratori.

NM, N. Mex. abbr (US) = New Mexico.

═══════════════════ KEYWORD

no [nəu] adv (opposite of "yes") no; **are you coming?** — ~ (**I'm not**) viene? — no (non vengo); **would you like some more?** — ~ **thank you** ne vuole ancora un po'? — no, grazie; **I have** ~ **more wine** non ho più vino
♦ adj (not any) nessuno(a); **I have** ~ **money/time/books** non ho soldi/tempo/ libri; ~ **student would have done it** nessuno studente lo avrebbe fatto; **there is** ~ **reason to believe** ... non c'è nessuna ragione per credere ...; "~ **parking**" "divieto di sosta"; "~ **smoking**" "vietato fumare"; "~ **entry**" "ingresso vietato"; "~ **dogs**" "vietato l'accesso ai cani"
♦ n (pl ~es) no m inv; **I won't take** ~ **for an answer** non accetterò un rifiuto.

no. abbr (= number) n.

nobble ['nɔbl] vt (BRIT col: bribe: person) comprare, corrompere; (: person to speak to, criminal) bloccare, beccare; (RACING: horse, dog) drogare.

Nobel prize [nəu'bɛl-] n premio Nobel.

nobility [nəu'bɪlɪtɪ] n nobiltà.

noble ['nəubl] adj, n nobile (m).

nobleman ['nəublmən] n nobile m, nobiluomo.

nobly ['nəublɪ] adv (selflessly) generosamente.

nobody ['nəubədɪ] pron nessuno.

no-claims bonus ['nəukleɪmz-] n bonus malus m inv.

nocturnal [nɔk'təːnl] adj notturno(a).

nod [nɔd] vi accennare col capo, fare un cenno; (sleep) sonnecchiare ♦ vt: **to** ~ **one's head** fare di sì col capo ♦ n cenno; **they** ~**ded their agreement** accennarono di sì (col capo).

▶**nod off** vi assopirsi.

no-fly zone [nəu'flaɪ-] n zona di interdizione aerea.

noise [nɔɪz] n rumore m; (din, racket) chiasso.

noiseless ['nɔɪzlɪs] adj silenzioso(a).

noisily ['nɔɪzɪlɪ] adv rumorosamente.

noisy ['nɔɪzɪ] adj (street, car) rumoroso(a); (person) chiassoso(a).

nomad ['nəumæd] *n* nomade *m/f*.

nomadic [nəu'mædɪk] *adj* nomade.

no man's land *n* terra di nessuno.

nominal ['nɔmɪnl] *adj* nominale.

nominate ['nɔmɪneɪt] *vt* (*propose*) proporre come candidato; (*elect*) nominare.

nomination [nɔmɪ'neɪʃən] *n* nomina; candidatura.

nominee [nɔmɪ'niː] *n* persona nominata; candidato/a.

non... [nɔn] *prefix* non....

non-alcoholic ['nɔnælkə'hɔlɪk] *adj* analcolico(a).

non-breakable [nɔn'breɪkəbl] *adj* infrangibile.

nonce word ['nɔns-] *n* parola coniata per l'occasione.

nonchalant ['nɔnʃələnt] *adj* incurante, indifferente.

non-commissioned [nɔnkə'mɪʃnd] *adj*: ~ **officer (NCO)** sottufficiale *m*.

non-committal [nɔnkə'mɪtl] *adj* evasivo(a).

nonconformist [nɔnkən'fɔːmɪst] *n* anticonformista *m/f*; (*BRIT REL*) dissidente *m/f* ♦ *adj* anticonformista.

non-contributory [nɔnkən'trɪbjutərɪ] *adj*: ~ **pension scheme** *or* (*US*) **plan** *sistema di pensionamento con i contributi interamente a carico del datore di lavoro.*

non-cooperation ['nɔnkəuɔpə'reɪʃən] *n* non cooperazione *f*, non collaborazione *f*.

nondescript ['nɔndɪskrɪpt] *adj* qualunque *inv*.

none [nʌn] *pron* (*not one thing*) niente; (*not one person*) nessuno(a); ~ **of you** nessuno(a) di voi; **I have** ~ non ne ho nemmeno uno; **I have** ~ **left** non ne ho più; ~ **at all** proprio niente; (*not one*) nemmeno uno; **he's** ~ **the worse for it** non ne ha risentito.

nonentity [nɔ'nentɪtɪ] *n* persona insignificante.

non-essential [nɔnɪ'senʃl] *adj* non essenziale ♦ *n*: ~s superfluo, cose *fpl* superflue.

nonetheless ['nʌnðə'les] *adv* nondimeno.

non-event [nɔnɪ'vent] *n* delusione *f*.

non-executive [nɔnɪg'zekjutɪv] *adj*: ~ **director** direttore *m* senza potere esecutivo.

non-existent [nɔnɪg'zɪstənt] *adj* inesistente.

non-fiction [nɔn'fɪkʃən] *n* saggistica.

non-flammable [nɔn'flæməbl] *adj* ininfiammabile.

non-intervention ['nɔnɪntə'venʃən] *n* non intervento.

no-no ['nəunəu] *n*: **it's a** ~! (*undesirable*) è inaccettabile!; (*forbidden*) non si può fare!

non obst. *abbr* (= *non obstante*: *notwithstanding*) nonostante.

no-nonsense [nəu'nɔnsəns] *adj* che va al sodo.

non-payment [nɔn'peɪmənt] *n* mancato pagamento.

nonplussed [nɔn'plʌst] *adj* sconcertato(a).

non-profit-making [nɔn'prɔfɪtmeɪkɪŋ] *adj* senza scopo di lucro.

nonsense ['nɔnsəns] *n* sciocchezze *fpl*; ~! che sciocchezze!, che assurdità!; **it is** ~ **to say that ...** è un'assurdità *or* non ha senso dire che ....

nonsensical [nɔn'sensɪkl] *adj* assurdo(a), ridicolo(a).

non-shrink [nɔn'ʃrɪŋk] *adj* (*BRIT*) irrestringibile.

non-skid [nɔn'skɪd] *adj* antisdrucciolo(a).

non-smoker ['nɔn'sməukə*] *n* non fumatore/trice.

non-starter [nɔn'stɑːtə*] *n*: **it's a** ~ è fallito in partenza.

non-stick ['nɔn'stɪk] *adj* antiaderente, antiadesivo(a).

non-stop ['nɔn'stɔp] *adj* continuo(a); (*train, bus*) direttissimo(a) ♦ *adv* senza sosta.

non-taxable [nɔn'tæksəbl] *adj*: ~ **income** reddito non imponibile.

non-U [nɔn'juː] *adj abbr* (*BRIT col*) = *non-upper class.*

non-volatile [nɔn'vɔlətaɪl] *adj*: ~ **memory** (*COMPUT*) memoria permanente.

non-voting [nɔn'vəutɪŋ] *adj*: ~ **shares** azioni *fpl* senza diritto di voto.

non-white ['nɔn'waɪt] *adj* di colore ♦ *n* persona di colore.

noodles ['nuːdlz] *npl* taglierini *mpl*.

nook [nuk] *n*: ~s **and crannies** angoli *mpl*.

noon [nuːn] *n* mezzogiorno.

no one ['nəuwʌn] *pron* = **nobody**.

noose [nuːs] *n* nodo scorsoio, cappio; (*hangman's*) cappio.

nor [nɔː*] *conj* = **neither** ♦ *adv see* **neither**.

Norf *abbr* (*BRIT*) = *Norfolk*.

norm [nɔːm] *n* norma.

normal ['nɔːml] *adj* normale ♦ *n*: **to return to** ~ tornare alla normalità.

normality [nɔː'mælɪtɪ] *n* normalità.

normally ['nɔːməlɪ] *adv* normalmente.

Normandy ['nɔːməndɪ] *n* Normandia.

north [nɔːθ] *n* nord *m*, settentrione *m* ♦ *adj* nord *inv*, del nord, settentrionale ♦ *adv* verso nord.

North Africa *n* Africa del Nord.

North African *adj*, *n* nordafricano(a).

North America n America del Nord.
North American adj, n nordamericano(a).
Northants [nɔː'θænts] abbr (BRIT)
= Northamptonshire.
northbound ['nɔːθbaund] adj (traffic)
diretto(a) a nord; (carriageway) nord inv.
Northd abbr (BRIT) = Northumberland.
north-east [nɔːθ'iːst] n nord-est m.
northerly ['nɔːðəlɪ] adj (wind) del nord;
(direction) verso nord.
northern ['nɔːðən] adj del nord,
settentrionale.
Northern Ireland n Irlanda del Nord.
North Pole n: the ~ il Polo Nord.
North Sea n: the ~ il mare del Nord.
North Sea oil n petrolio del mare del
Nord.
northward(s) ['nɔːθwəd(z)] adv verso nord.
north-west [nɔːθ'wɛst] n nord-ovest m.
Norway ['nɔːweɪ] n Norvegia.
Norwegian [nɔː'wiːdʒən] adj norvegese ♦ n
norvegese m/f; (LING) norvegese m.
nos. abbr (= numbers) nn.
nose [nəuz] n naso; (of animal) muso ♦ vi
(also: ~ one's way) avanzare cautamente;
to pay through the ~ (for sth) (col) pagare
(qc) un occhio della testa.
► **nose about, nose around** vi aggirarsi.
nosebleed ['nəuzbliːd] n emorragia nasale.
nose-dive ['nəuzdaɪv] n picchiata.
nose drops npl gocce fpl per il naso.
nosey ['nəuzɪ] adj curioso(a).
nostalgia [nɔs'tældʒɪə] n nostalgia.
nostalgic [nɔs'tældʒɪk] adj nostalgico(a).
nostril ['nɔstrɪl] n narice f; (of horse) frogia.
nosy ['nəuzɪ] adj = nosey.
not [nɔt] adv non; ~ at all niente affatto;
(after thanks) prego, s'immagini; you must
~ or mustn't do this non deve fare
questo; he isn't ... egli non è ...; I hope ~
spero di no.
notable ['nəutəbl] adj notevole.
notably ['nəutəblɪ] adv notevolmente; (in
particular) in particolare.
notary ['nəutərɪ] n (also: ~ public) notaio.
notation [nəu'teɪʃən] n notazione f.
notch [nɔtʃ] n tacca.
► **notch up** vt (score, victory) marcare,
segnare.
note [nəut] n nota; (letter, banknote)
biglietto ♦ vt prendere nota di; to take ~
of prendere nota di; to take ~s prendere
appunti; to compare ~s (fig) scambiarsi
le impressioni; of ~ eminente,
importante; just a quick ~ to let you
know ... ti scrivo solo due righe per
informarti ....
notebook ['nəutbuk] n taccuino; (for

shorthand) bloc-notes m inv.
note-case ['nəutkeɪs] n (BRIT) portafoglio.
noted ['nəutɪd] adj celebre.
notepad ['nəutpæd] n bloc-notes m inv,
blocchetto.
notepaper ['nəutpeɪpə*] n carta da lettere.
noteworthy ['nəutwəːðɪ] adj degno(a) di
nota, importante.
nothing ['nʌθɪŋ] n nulla m, niente m; he
does ~ non fa niente; ~ new niente di
nuovo; for ~ (free) per niente; ~ at all
proprio niente.
notice ['nəutɪs] n avviso; (of leaving)
preavviso; (BRIT: review: of play etc)
critica, recensione f ♦ vt notare,
accorgersi di; to take ~ of fare
attenzione a; to bring sth to sb's ~ far
notare qc a qn; to give sb ~ of sth
avvisare qn di qc; to give ~, hand in
one's ~ (subj: employee) licenziarsi;
without ~ senza preavviso; at short ~
con un breve preavviso; until further ~
fino a nuovo avviso; advance ~
preavviso; to escape or avoid ~ passare
inosservato; it has come to my ~ that ...
sono venuto a sapere che ....
noticeable ['nəutɪsəbl] adj evidente.
notice board n (BRIT) tabellone m per
affissi.
notification [nəutɪfɪ'keɪʃən] n annuncio;
notifica; denuncia.
notify ['nəutɪfaɪ] vt: to ~ sth to sb notificare
qc a qn; to ~ sb of sth avvisare qn di qc;
(police) denunciare qc a qn.
notion ['nəuʃən] n idea; (concept) nozione f.
notions ['nəuʃənz] npl (US: haberdashery)
merceria.
notoriety [nəutə'raɪətɪ] n notorietà.
notorious [nəu'tɔːrɪəs] adj famigerato(a).
notoriously [nəu'tɔːrɪəslɪ] adv
notoriamente.
Notts [nɔts] abbr (BRIT) = Nottinghamshire.
notwithstanding [nɔtwɪθ'stændɪŋ] adv
nondimeno ♦ prep nonostante, malgrado.
nougat ['nuːgaː] n torrone m.
nought [nɔːt] n zero.
noun [naun] n nome m, sostantivo.
nourish ['nʌrɪʃ] vt nutrire.
nourishing ['nʌrɪʃɪŋ] adj nutriente.
nourishment ['nʌrɪʃmənt] n nutrimento.
Nov. abbr (= November) nov.
Nova Scotia ['nəuvə'skəuʃə] n Nuova
Scozia.
novel ['nɔvl] n romanzo ♦ adj nuovo(a).
novelist ['nɔvəlɪst] n romanziere/a.
novelty ['nɔvəltɪ] n novità f inv.
November [nəu'vɛmbə*] n novembre m; for
phrases see also **July**.

novice ['nɒvɪs] *n* principiante *m/f*; (*REL*) novizio/a.

NOW [nau] *n abbr* (*US*: = *National Organization for Women*) ≈ U.D.I. *f* (= *Unione Donne Italiane*).

now [nau] *adv* ora, adesso ♦ *conj*: ~ (**that**) adesso che, ora che; **right** ~ subito; **by** ~ ormai; **just** ~: **that's the fashion just** ~ è la moda del momento; **I saw her just** ~ l'ho vista proprio adesso; **I'll read it just** ~ lo leggo subito; ~ **and then**, ~ **and again** ogni tanto; **from** ~ **on** da ora in poi; **in 3 days from** ~ fra 3 giorni; **between** ~ **and Monday** da qui a lunedì, entro lunedì; **that's all for** ~ per ora basta.

nowadays ['nauədeɪz] *adv* oggidì.

nowhere ['nəuwɛə*] *adv* in nessun luogo, da nessuna parte; ~ **else** in nessun altro posto.

no-win situation [nəu'wɪn-] *n*: **to be in a** ~ aver perso in partenza.

noxious ['nɒkʃəs] *adj* nocivo(a).

nozzle ['nɒzl] *n* (*of hose etc*) boccaglio.

NP *n abbr* = **notary public**.

NS *abbr* (*Canada*) = **Nova Scotia**.

NSC *n abbr* (*US*) = **National Security Council**.

NSF *n abbr* (*US*) = *National Science Foundation*.

NSPCC *n abbr* (*BRIT*) = *National Society for the Prevention of Cruelty to Children*.

NSW *abbr* (*Australia*) = **New South Wales**.

NT *n abbr* (= *New Testament*) N.T. ♦ *abbr* (*Canada*) = *Northwest Territories*.

nth [ɛnθ] *adj*: **for the** ~ **time** (*col*) per l'ennesima volta.

nuance ['njuːɑːns] *n* sfumatura.

nubile ['njuːbaɪl] *adj* nubile; (*attractive*) giovane e desiderabile.

nuclear ['njuːklɪə*] *adj* nucleare; (*warfare*) atomico(a).

nuclear disarmament *n* disarmo nucleare.

nuclear family *n* famiglia nucleare.

nuclear-free zone ['njuːklɪə'friː-] *n* zona denuclearizzata.

nucleus, pl nuclei ['njuːklɪəs, 'njuːklɪaɪ] *n* nucleo.

NUCPS *n abbr* (*BRIT*) = *National Union of Civil and Public Servants*.

nude [njuːd] *adj* nudo(a) ♦ *n* (*ART*) nudo; **in the** ~ tutto(a) nudo(a).

nudge [nʌdʒ] *vt* dare una gomitata a.

nudist ['njuːdɪst] *n* nudista *m/f*.

nudity ['njuːdɪtɪ] *n* nudità.

nugget ['nʌgɪt] *n* pepita.

nuisance ['njuːsns] *n*: **it's a** ~ è una seccatura; **he's a** ~ lui dà fastidio; **what a** ~! che seccatura!

NUJ *n abbr* (*BRIT*: = *National Union of Journalists*) sindacato nazionale dei giornalisti.

nuke [njuːk] *n* (*col*) bomba atomica.

null [nʌl] *adj*: ~ **and void** nullo(a).

nullify ['nʌlɪfaɪ] *vt* annullare.

NUM *n abbr* (*BRIT*: = *National Union of Mineworkers*) sindacato nazionale dei dipendenti delle miniere.

numb [nʌm] *adj* intorpidito(a) ♦ *vt* intorpidire; ~ **with** (*fear*) paralizzato(a) da; (*grief*) impietrito(a) da; ~ **with cold** intirizzito(a) (dal freddo).

number ['nʌmbə*] *n* numero ♦ *vt* numerare; (*include*) contare; **a** ~ **of** un certo numero di; **telephone** ~ numero di telefono; **wrong** ~ (*TEL*) numero sbagliato; **the staff** ~**s 20** gli impiegati sono in 20.

numbered account ['nʌmbəd-] *n* (*in bank*) conto numerato.

number plate *n* (*BRIT AUT*) targa.

Number Ten *n* (*BRIT*: = *10 Downing Street*) residenza del Primo Ministro del Regno Unito.

numbness ['nʌmnɪs] *n* intorpidimento; (*due to cold*) intirizzimento.

numbskull ['nʌmskʌl] *n* (*col*) imbecille *m/f*, idiota *m/f*.

numeral ['njuːmərəl] *n* numero, cifra.

numerate ['njuːmərɪt] *adj* (*BRIT*): **to be** ~ saper far di conto.

numerical [njuː'mɛrɪkl] *adj* numerico(a).

numerous ['njuːmərəs] *adj* numeroso(a).

nun [nʌn] *n* suora, monaca.

nunnery ['nʌnərɪ] *n* convento.

nuptial ['nʌpʃəl] *adj* nuziale.

nurse [nəːs] *n* infermiere/a; (*also:* ~**maid**) bambinaia ♦ *vt* (*patient, cold*) curare; (*baby: BRIT*) cullare; (: *US*) allattare, dare il latte a; (*hope*) nutrire.

nursery ['nəːsərɪ] *n* (*room*) camera dei bambini; (*institution*) asilo; (*for plants*) vivaio.

nursery rhyme *n* filastrocca.

nursery school *n* scuola materna.

nursery slope *n* (*BRIT SKI*) pista per principianti.

nursing ['nəːsɪŋ] *n* (*profession*) professione *f* di infermiere (*or* di infermiera) ♦ *adj* (*mother*) che allatta.

nursing home *n* casa di cura.

nurture ['nəːtʃə*] *vt* allevare; nutrire.

NUS *n abbr* (*BRIT*: = *National Union of Students*) sindacato nazionale degli studenti.

NUT *n abbr* (*BRIT*: = *National Union of Teachers*) sindacato nazionale degli *insegnanti.*

nut [nʌt] *n* (*of metal*) dado; (*fruit*) noce *f* (*or* nocciola *or* mandorla *etc*) ♦ *adj* (*chocolate etc*) alla nocciola *etc*; **he's ~s** (*col*) è matto.

nutcase ['nʌtkeɪs] *n* (*col*) mattarello/a.

nutcrackers ['nʌtkrækəz] *npl* schiaccianoci *m inv.*

nutmeg ['nʌtmɛg] *n* noce *f* moscata.

nutrient ['njuːtrɪənt] *adj* nutriente ♦ *n* sostanza nutritiva.

nutrition [njuː'trɪʃən] *n* nutrizione *f.*

nutritionist [njuː'trɪʃənɪst] *n* nutrizionista *m/f.*

nutritious [njuː'trɪʃəs] *adj* nutriente.

nutshell ['nʌtʃɛl] *n* guscio di noce; **in a ~** in poche parole.

nutty ['nʌtɪ] *adj* di noce (*or* nocciola *or* mandorla *etc*); (*BRIT col*) tocco(a), matto(a).

nuzzle ['nʌzl] *vi*: **to ~ up to** strofinare il muso contro.

NV *abbr* (*US*) = Nevada.

NWT *abbr* (*Canada*) = Northwest Territories.

NY *abbr* (*US*) = New York.

NYC *abbr* (*US*) = New York City.

nylon ['naɪlɔn] *n* nailon *m*; **~s** *npl* calze *fpl* di nailon.

nymph [nɪmf] *n* ninfa.

nymphomaniac [nɪmfəu'meɪnɪæk] *adj, n* ninfomane (*f*).

NYSE *abbr* (*US*) = New York Stock Exchange.

O o

O, o [əu] *n* (*letter*) O, o *f or m inv*; (*US SCOL*: = *outstanding*) ≈ ottimo; (*number: TEL etc*) zero; **O for Oliver,** (*US*) **O for Oboe** ≈ O come Otranto.

oaf [əuf] *n* zoticone *m.*

oak [əuk] *n* quercia ♦ *cpd* di quercia.

OAP *n abbr* (*BRIT*) see **old-age pensioner.**

oar [ɔː*] *n* remo; **to put** *or* **shove one's ~ in** (*fig col*) intromettersi.

oarsman ['ɔːzmən], **oarswoman** ['ɔːzwumən] *n* rematore/trice.

OAS *n abbr* (= Organization of American States) O.S.A. *f* (= Organizzazione degli Stati Americani).

oasis, *pl* **oases** [əu'eɪsɪs, əu'eɪsiːz] *n* oasi *f inv.*

oath [əuθ] *n* giuramento; (*swear word*) bestemmia; **to take the ~** giurare; **on ~** (*BRIT*) *or* **under ~** sotto giuramento.

oatmeal ['əutmiːl] *n* farina d'avena.

oats [əuts] *npl* avena.

OAU *n abbr* (= Organization of African Unity) O.A.U. *f.*

obdurate ['ɔbdjurɪt] *adj* testardo(a); incallito(a); ostinato(a), irremovibile.

OBE *n abbr* (*BRIT*: = Order of the British Empire*) titolo.

obedience [ə'biːdɪəns] *n* ubbidienza; **in ~ to** conformemente a.

obedient [ə'biːdɪənt] *adj* ubbidiente; **to be ~ to sb/sth** ubbidire a qn/qc.

obelisk ['ɔbɪlɪsk] *n* obelisco.

obese [əu'biːs] *adj* obeso(a).

obesity [əu'biːsɪtɪ] *n* obesità.

obey [ə'beɪ] *vt* ubbidire a; (*instructions, regulations*) osservare ♦ *vi* ubbidire.

obituary [ə'bɪtjuərɪ] *n* necrologia.

object *n* ['ɔbdʒɪkt] oggetto; (*purpose*) scopo, intento; (*LING*) complemento oggetto ♦ *vi* [əb'dʒɛkt]: **to ~ to** (*attitude*) disapprovare; (*proposal*) protestare contro, sollevare delle obiezioni contro; **I ~!** mi oppongo!; **he ~ed that ...** obiettò che ...; **do you ~ to my smoking?** la disturba se fumo?; **what's the ~ of doing that?** a che serve farlo?; **expense is no ~** non si bada a spese.

objection [əb'dʒɛkʃən] *n* obiezione *f*; (*drawback*) inconveniente *m*; **if you have no ~** se non ha obiezioni; **to make** *or* **raise an ~** sollevare un'obiezione.

objectionable [əb'dʒɛkʃənəbl] *adj* antipatico(a); (*smell*) sgradevole; (*language*) scostumato(a).

objective [əb'dʒɛktɪv] *n* obiettivo ♦ *adj* obiettivo(a).

objectivity [ɔbdʒɪk'tɪvɪtɪ] *n* obiettività.

object lesson *n*: **~ (in)** dimostrazione *f* (di).

objector [əb'dʒɛktə*] *n* oppositore/trice.

obligation [ɔblɪ'geɪʃən] *n* obbligo, dovere *m*; (*debt*) obbligo (di riconoscenza); **"without ~"** "senza impegno"; **to be under an ~ to sb/to do sth** essere in dovere verso qn/di fare qc.

obligatory [ə'blɪgətərɪ] *adj* obbligatorio(a).

oblige [ə'blaɪdʒ] *vt* (*force*): **to ~ sb to do** costringere qn a fare; (*do a favour*) fare una cortesia a; **to be ~d to sb for sth** essere grato a qn per qc; **anything to ~!** (*col*) questo e altro!

obliging [ə'blaɪdʒɪŋ] *adj* servizievole, compiacente.

oblique [ə'bliːk] *adj* obliquo(a); (*allusion*)

indiretto(a) ♦ n (BRIT TYP): ~ **(stroke)** barra.

obliterate [ə'blɪtəreɪt] vt cancellare.

oblivion [ə'blɪvɪən] n oblio.

oblivious [ə'blɪvɪəs] adj: ~ **of** incurante di; inconscio(a) di.

oblong ['ɔblɔŋ] adj oblungo(a) ♦ n rettangolo.

obnoxious [əb'nɔkʃəs] adj odioso(a); (smell) disgustoso(a), ripugnante.

o.b.o. abbr (US: = or best offer: in classified ads) o al miglior offerente.

oboe ['əubəu] n oboe m.

obscene [əb'siːn] adj osceno(a).

obscenity [əb'sɛnɪtɪ] n oscenità f inv.

obscure [əb'skjuə*] adj oscuro(a) ♦ vt oscurare; (hide: sun) nascondere.

obscurity [əb'skjuərɪtɪ] n oscurità f; (obscure point) punto oscuro; (lack of fame) anonimato.

obsequious [əb'siːkwɪəs] adj ossequioso(a).

observable [əb'zɜːvəbl] adj osservabile; (appreciable) notevole.

observance [əb'zɜːvns] n osservanza; **religious** ~s pratiche fpl religiose.

observant [əb'zɜːvnt] adj attento(a).

observation [ɔbzə'veɪʃən] n osservazione f; (by police etc) sorveglianza.

observation post n (MIL) osservatorio.

observatory [əb'zɜːvətrɪ] n osservatorio.

observe [əb'zɜːv] vt osservare.

observer [əb'zɜːvə*] n osservatore/trice.

obsess [əb'sɛs] vt ossessionare; **to be ~ed by** or **with sb/sth** essere ossessionato da qn/qc.

obsession [əb'sɛʃən] n ossessione f.

obsessive [əb'sɛsɪv] adj ossessivo(a).

obsolescence [ɔbsə'lɛsns] n obsolescenza; **built-in** or **planned** ~ (COMM) obsolescenza programmata.

obsolescent [ɔbsə'lɛsnt] adj obsolescente.

obsolete ['ɔbsəliːt] adj obsoleto(a); (word) desueto(a).

obstacle ['ɔbstəkl] n ostacolo.

obstacle race n corsa agli ostacoli.

obstetrician [ɔbstə'trɪʃən] n ostetrico/a.

obstetrics [ɔb'stɛtrɪks] n ostetrica.

obstinacy ['ɔbstɪnəsɪ] n ostinatezza.

obstinate ['ɔbstɪnɪt] adj ostinato(a).

obstreperous [əb'strɛpərəs] adj turbolento(a).

obstruct [əb'strʌkt] vt (block) ostruire, ostacolare; (halt) fermare; (hinder) impedire.

obstruction [əb'strʌkʃən] n ostruzione f; ostacolo.

obstructive [əb'strʌktɪv] adj ostruttivo(a); che crea impedimenti.

obtain [əb'teɪn] vt ottenere ♦ vi essere in uso; **to** ~ **sth (for o.s.)** procurarsi qc.

obtainable [əb'teɪnəbl] adj ottenibile.

obtrusive [əb'truːsɪv] adj (person) importuno(a); (smell) invadente; (building etc) imponente e invadente.

obtuse [əb'tjuːs] adj ottuso(a).

obverse ['ɔbvɜːs] n opposto, inverso.

obviate ['ɔbvɪeɪt] vt ovviare a, evitare.

obvious ['ɔbvɪəs] adj ovvio(a), evidente.

obviously ['ɔbvɪəslɪ] adv ovviamente; ~! certo!; ~ **not!** certo che no!; **he was** ~ **not drunk** si vedeva che non era ubriaco; **he was not** ~ **drunk** non si vedeva che era ubriaco.

OCAS n abbr = Organization of Central American States.

occasion [ə'keɪʒən] n occasione f; (event) avvenimento ♦ vt cagionare; **on that** ~ in quell'occasione, quella volta; **to rise to the** ~ mostrarsi all'altezza della situazione.

occasional [ə'keɪʒənl] adj occasionale; **I smoke an** ~ **cigarette** ogni tanto fumo una sigaretta.

occasionally [ə'keɪʒənəlɪ] adv ogni tanto; **very** ~ molto raramente.

occasional table n tavolino.

occult [ɔ'kʌlt] adj occulto(a) ♦ n: **the** ~ l'occulto.

occupancy ['ɔkjupənsɪ] n occupazione f.

occupant ['ɔkjupənt] n occupante m/f; (of boat, car etc) persona a bordo.

occupation [ɔkju'peɪʃən] n occupazione f; (job) mestiere m, professione f; **unfit for** ~ (house) inabitabile.

occupational [ɔkju'peɪʃənl] adj (disease) professionale; (hazard) del mestiere; ~ **accident** infortunio sul lavoro.

occupational guidance n (BRIT) orientamento professionale.

occupational pension scheme n sistema pensionistico programmato dal datore di lavoro.

occupational therapy n ergoterapia.

occupier ['ɔkjupaɪə*] n occupante m/f.

occupy ['ɔkjupaɪ] vt occupare; **to** ~ **o.s. by doing** occuparsi a fare; **to be occupied with sth/in doing sth** essere preso da qc/ occupato a fare qc.

occur [ə'kɜː*] vi accadere; (difficulty, opportunity) capitare; (phenomenon, error) trovarsi; **to** ~ **to sb** venire in mente a qn.

occurrence [ə'kʌrəns] n caso, fatto; presenza.

ocean ['əuʃən] n oceano; ~**s of** (col) un sacco di.

ocean bed n fondale m oceanico.

ocean-going ['əuʃəngəuiŋ] *adj* d'alto mare.
Oceania [əuʃi'ɑːniə] *n* Oceania.
ocean liner *n* transatlantico.
ochre, (*US*) **ocher** ['əukə*] *adj* ocra *inv.*
o'clock [ə'klɔk] *adv:* **it is one** ~ è l'una; **it is 5** ~ sono le 5.
OCR *n abbr see* **optical character reader;** **optical character recognition.**
Oct. *abbr* (= *October*) ott.
octagonal [ɔk'tægənl] *adj* ottagonale.
octane ['ɔktein] *n* ottano; **high-~ petrol** *or* (*US*) **gas** benzina ad alto numero di ottani.
octave ['ɔktiv] *n* ottava.
October [ɔk'təubə*] *n* ottobre *m; for phrases see also* **July.**
octogenarian [ɔktəudʒɪ'nɛəriən] *n* ottuagenario/a.
octopus ['ɔktəpəs] *n* polpo, piovra.
odd [ɔd] *adj* (*strange*) strano(a), bizzarro(a); (*number*) dispari *inv*; (*left over*) in più; (*not of a set*) spaiato(a); **60-~** 60 e oltre; **at ~ times** di tanto in tanto; **the ~ one out** l'eccezione *f.*
oddball ['ɔdbɔːl] *n* (*col*) eccentrico/a.
oddity ['ɔditi] *n* bizzarria; (*person*) originale *m/f.*
odd-job man [ɔd'dʒɔb-] *n* tuttofare *m inv.*
odd jobs *npl* lavori *mpl* occasionali.
oddly ['ɔdli] *adv* stranamente.
oddments ['ɔdmənts] *npl* (*BRIT COMM*) rimanenze *fpl.*
odds [ɔdz] *npl* (*in betting*) quota; **the ~ are against his coming** c'è poca probabilità che venga; **it makes no ~** non importa; **at ~** in contesa; **to succeed against all the ~** riuscire contro ogni aspettativa; **~ and ends** avanzi *mpl.*
odds-on [ɔdz'ɔn] *adj* (*col*) probabile; **~ favourite** (*RACING*) favorito(a).
ode [əud] *n* ode *f.*
odious ['əudiəs] *adj* odioso(a), ripugnante.
odometer [ɔ'dɔmitə*] *n* odometro.
odour, (*US*) **odor** ['əudə*] *n* odore *m.*
odo(u)rless ['əudəlis] *adj* inodoro(a).
OECD *n abbr* (= *Organization for Economic Cooperation and Development*) O.C.S.E. *f* (= *Organizzazione per la Cooperazione e lo Sviluppo Economico*).
oesophagus, (*US*) **esophagus** [iː'sɔfəgəs] *n* esofago.
oestrogen, (*US*) **estrogen** ['iːstrəudʒən] *n* estrogeno.

━━━━━━━━━━━━━━━━ *KEYWORD*

of [ɔv, əv] *prep* **1** (*gen*) di; **a boy ~ 10** un ragazzo di 10 anni; **a friend ~ ours** un nostro amico; **that was kind ~ you** è stato molto gentile da parte sua
2 (*expressing quantity, amount, dates etc*) di; **a kilo ~ flour** un chilo di farina; **how much ~ this do you need?** quanto gliene serve?; **there were four ~ them** (*people*) erano in quattro; (*objects*) ce n'erano quattro; **three ~ us went** tre di noi sono andati; **the 5th ~ July** il 5 luglio; **a quarter ~ 4** (*US*) le 4 meno un quarto
3 (*from, out of*) di, in; **made ~ wood** (fatto) di *or* in legno.

━━━━━━━━━━━━━━━━ *KEYWORD*

off [ɔf] *adv* **1** (*distance, time*): **it's a long way ~** è lontano; **the game is 3 days ~** la partita è tra 3 giorni
2 (*departure, removal*) via; **to go ~ to Paris** andarsene a Parigi; **I must be ~** devo andare via; **to take ~ one's coat** togliersi il cappotto; **the button came ~** il bottone è venuto via *or* si è staccato; **10% ~** con lo sconto del 10%
3 (*not at work*): **to have a day ~** avere un giorno libero; **to be ~ sick** essere assente per malattia
♦ *adj* (*engine*) spento(a); (*tap*) chiuso(a); (*cancelled*) sospeso(a); (*BRIT: food*) andato(a) a male; **to be well/badly ~** essere/non essere benestante; **the lid was ~** non c'era il coperchio; **I'm afraid the chicken is ~** (*BRIT: not available*) purtroppo il pollo è finito; **on the ~ chance** nel caso; **to have an ~ day** non essere in forma; **that's a bit ~, isn't it?** (*fig col*) non è molto carino, vero?
♦ *prep* **1** (*motion, removal etc*) da; (*distant from*) a poca distanza da; **a street ~ the square** una strada che parte dalla piazza; **5km ~ the road** a 5km dalla strada; **~ the coast** al largo della costa; **a house ~ the main road** una casa che non è sulla strada principale
2: to be ~ meat non mangiare più la carne.

offal ['ɔfl] *n* (*CULIN*) frattaglie *fpl.*
offbeat ['ɔfbiːt] *adj* eccentrico(a).
off-centre, (*US*) **off-center** [ɔf'sɛntə*] *adj* storto(a), fuori centro.
off-colour ['ɔf'kʌlə*] *adj* (*BRIT: ill*) malato(a), indisposto(a); **to feel ~** sentirsi poco bene.
offence, (*US*) **offense** [ə'fɛns] *n* (*LAW*) contravvenzione *f*; (: *more serious*) reato; **to give ~ to** offendere; **to take ~ at** offendersi per; **to commit an ~** commettere un reato.

offend [ə'fɛnd] *vt* (*person*) offendere ♦ *vi*: **to ~ against** (*law, rule*) trasgredire.

offender [ə'fɛndə*] *n* delinquente *m/f*; (*against regulations*) contravventore/trice.

offending [ə'fɛndɪŋ] *adj* (*often hum*): **the ~ word/object** la parola incriminata/ l'oggetto incriminato.

offense [ə'fɛns] *n* (*US*) = **offence**.

offensive [ə'fɛnsɪv] *adj* offensivo(a); (*smell etc*) sgradevole, ripugnante ♦ *n* (*MIL*) offensiva.

offer ['ɔfə*] *n* offerta, proposta ♦ *vt* offrire; **"on ~"** (*COMM*) "in offerta speciale"; **to make an ~ for sth** fare un'offerta per qc; **to ~ sth to sb, ~ sb sth** offrire qc a qn; **to ~ to do sth** offrirsi di fare qc.

offering ['ɔfərɪŋ] *n* offerta.

offhand [ɔf'hænd] *adj* disinvolto(a), noncurante ♦ *adv* all'impronto; **I can't tell you ~** non posso dirglielo su due piedi.

office ['ɔfɪs] *n* (*place*) ufficio; (*position*) carica; **doctor's ~** (*US*) ambulatorio; **to take ~** entrare in carica; **through his good ~s** con il suo prezioso aiuto; **O~ of Fair Trading** (*BRIT*) *organismo di protezione contro le pratiche commerciali abusive.*

office automation *n* automazione *f* d'ufficio, burotica.

office bearer *n* (*of club etc*) membro dell'amministrazione.

office block, (*US*) **office building** *n* complesso di uffici.

office boy *n* garzone *m*.

office hours *npl* orario d'ufficio; (*US MED*) orario di visite.

office manager *n* capoufficio *m/f*.

officer ['ɔfɪsə*] *n* (*MIL etc*) ufficiale *m*; (*of organization*) funzionario; (*also*: **police ~**) agente *m* di polizia.

office work *n* lavoro d'ufficio.

office worker *n* impiegato/a d'ufficio.

official [ə'fɪʃl] *adj* (*authorized*) ufficiale ♦ *n* ufficiale *m*; (*civil servant*) impiegato/a statale; funzionario.

officialdom [ə'fɪʃəldəm] *n* burocrazia.

officially [ə'fɪʃəlɪ] *adv* ufficialmente.

official receiver *n* curatore *m* fallimentare.

officiate [ə'fɪʃɪeɪt] *vi* (*REL*) ufficiare; **to ~ as Mayor** esplicare le funzioni di sindaco; **to ~ at a marriage** celebrare un matrimonio.

officious [ə'fɪʃəs] *adj* invadente.

offing ['ɔfɪŋ] *n*: **in the ~** (*fig*) in vista.

off-key [ɔf'kiː] *adj* stonato(a) ♦ *adv* fuori tono.

off-licence ['ɔflaɪsns] *n* (*BRIT*) spaccio di

bevande alcoliche.

In Gran Bretagna e in Irlanda, gli **off-licence** *sono esercizi pubblici specializzati nella vendita strettamente regolamentata di bevande alcoliche, per la quale è necessario avere un'apposita licenza. In genere sono aperti fino a tarda sera.*

off-limits [ɔf'lɪmɪts] *adj* (*esp US*) in cui vige il divieto d'accesso.

off line *adj, adv* (*COMPUT*) off line *inv*, fuori linea; (: *switched off*) spento(a).

off-load ['ɔfləud] *vt* scaricare.

off-peak ['ɔf'piːk] *adj* (*ticket etc*) a tariffa ridotta; (*time*) non di punta.

off-putting ['ɔfputɪŋ] *adj* (*BRIT*) un po' scostante.

off-season ['ɔfsiːzn] *adj, adv* fuori stagione.

offset ['ɔfsɛt] *vt irreg* (*counteract*) controbilanciare, compensare ♦ *n* (*also*: **~ printing**) offset *m*.

offshoot ['ɔfʃuːt] *n* (*fig*) diramazione *f*.

offshore [ɔf'ʃɔː*] *adj* (*breeze*) di terra; (*island*) vicino alla costa; (*fishing*) costiero(a); **~ oilfield** giacimento petrolifero in mare aperto.

offside ['ɔf'saɪd] *adj* (*SPORT*) fuori gioco; (*AUT*: *with right-hand drive*) destro(a); (: *with left-hand drive*) sinistro(a) ♦ *n* destra; sinistra.

offspring ['ɔfsprɪŋ] *n* prole *f*, discendenza.

offstage [ɔf'steɪdʒ] *adv* dietro le quinte.

off-the-cuff [ɔfðə'kʌf] *adv* improvvisando.

off-the-job ['ɔfðə'dʒɔb] *adj*: **~ training** addestramento fuori sede.

off-the-peg ['ɔfðə'pɛg], (*US*) **off-the-rack** ['ɔfðə'ræk] *adv* prêt-à-porter.

off-the-record ['ɔfðə'rɛkɔːd] *adj* ufficioso(a) ♦ *adv* in via ufficiosa.

off-white ['ɔfwaɪt] *adj* bianco sporco *inv*.

Ofgas ['ɔfgæs] *n abbr* (*BRIT*: *Office of Gas Supply*) *organo indipendente di controllo per la tutela dei consumatori.*

Oftel ['ɔftɛl] *n abbr* (*BRIT*: *Office of Telecommunications*) *organo indipendente di controllo per la tutela dei consumatori.*

often ['ɔfn] *adv* spesso; **how ~ do you go?** quanto spesso ci va?; **as ~ as not** quasi sempre.

Ofwat ['ɔfwɔt] *n abbr* (*BRIT*: = *Office of Water Services*) *in Inghilterra e Galles, organo indipendente di controllo per la tutela dei consumatori.*

ogle ['əugl] *vt* occhieggiare.

ogre ['əugə*] *n* orco.

OH *abbr* (*US*) = Ohio.

oh [əu] *excl* oh!

OHMS *abbr* (*BRIT*) = On His (or Her) Majesty's Service.

oil [ɔɪl] *n* olio; (*petroleum*) petrolio; (*for central heating*) nafta ♦ *vt* (*machine*) lubrificare.

oilcan ['ɔɪlkæn] *n* oliatore *m* a mano; (*for storing*) latta da olio.

oil change *n* cambio dell'olio.

oilfield ['ɔɪfiːld] *n* giacimento petrolifero.

oil filter *n* (*AUT*) filtro dell'olio.

oil-fired ['ɔɪfaɪəd] *adj* a nafta.

oil gauge *n* indicatore *m* del livello dell'olio.

oil industry *n* industria del petrolio.

oil level *n* livello dell'olio.

oil painting *n* quadro a olio.

oil refinery *n* raffineria di petrolio.

oil rig *n* derrick *m inv*; (*at sea*) piattaforma per trivellazioni subacquee.

oilskins ['ɔɪlskɪnz] *npl* indumenti *mpl* di tela cerata.

oil slick *n* chiazza d'olio.

oil tanker *n* petroliera.

oil well *n* pozzo petrolifero.

oily ['ɔɪlɪ] *adj* unto(a), oleoso(a); (*food*) untuoso(a).

ointment ['ɔɪntmənt] *n* unguento.

OK *abbr* (*US*) = Oklahoma.

O.K., okay [əu'keɪ] *excl* d'accordo! ♦ *vt* approvare ♦ *n*: **to give sth one's ~** approvare qc ♦ *adj*: **is it ~?, are you ~?** tutto bene?; **it's ~ with** *or* **by me** per me va bene; **are you ~ for money?** sei a posto coi soldi?

Okla. *abbr* (*US*) = Oklahoma.

old [əuld] *adj* vecchio(a); (*ancient*) antico(a), vecchio(a); (*person*) vecchio(a), anziano(a); **how ~ are you?** quanti anni ha?; **he's 10 years ~** ha 10 anni; **~er brother/sister** fratello/sorella maggiore; **any ~ thing will do** va bene qualsiasi cosa.

old age *n* vecchiaia.

old-age pensioner (OAP) ['əuldeɪdʒ-] *n* (*BRIT*) pensionato/a.

old-fashioned ['əuld'fæʃnd] *adj* antiquato(a), fuori moda; (*person*) all'antica.

old maid *n* zitella.

old people's home *n* ricovero per anziani.

old-style ['əuldstaɪl] *adj* (di) vecchio stampo *inv*.

old-time ['əuldtaɪm] *adj* di una volta.

old-timer [əuld'taɪmə*] *n* veterano/a.

old wives' tale *n* vecchia superstizione *f.*

O levels *npl* (*BRIT: formerly*) diploma di istruzione secondaria conseguito a 16 anni in Inghilterra e Galles, ora sostituito dal GCSE.

olive ['ɔlɪv] *n* (*fruit*) oliva; (*tree*) olivo ♦ *adj* (*also:* **~-green**) verde oliva *inv*.

olive oil *n* olio d'oliva.

Olympic [əu'lɪmpɪk] *adj* olimpico(a); **the ~ Games, the ~s** i giochi olimpici, le Olimpiadi.

OM *n abbr* (*BRIT*: = Order of Merit) titolo.

O & M *abbr* = organization and method.

Oman [əu'mɑːn] *n* Oman *m.*

OMB *n abbr* (*US*: = Office of Management and Budget*) servizio di consulenza al Presidente in materia di bilancio.

omelet(te) ['ɔmlɪt] *n* omelette *f inv*; **ham/ cheese ~** omelette al prosciutto/al formaggio.

omen ['əumən] *n* presagio, augurio.

ominous ['ɔmɪnəs] *adj* minaccioso(a); (*event*) di malaugurio.

omission [əu'mɪʃən] *n* omissione *f.*

omit [əu'mɪt] *vt* omettere; **to ~ to do sth** tralasciare *or* trascurare di fare qc.

omnivorous [ɔm'nɪvərəs] *adj* onnivoro(a).

ON *abbr* (*Canada*) = Ontario.

─────────── *KEYWORD*

on [ɔn] *prep* **1** (*indicating position*) su; **~ the wall** sulla parete; **~ the left** a *or* sulla sinistra; **I haven't any money ~ me** non ho soldi con me

2 (*indicating means, method, condition etc*): **~ foot** a piedi; **~ the train/plane** in treno/ aereo; **~ the telephone** al telefono; **~ the radio/television** alla radio/televisione; **to be ~ drugs** drogarsi; **~ holiday** in vacanza; **he's ~ £16,000 a year** guadagna 16.000 sterline all'anno; **this round's ~ me** questo giro lo offro io

3 (*referring to time*): **~ Friday** venerdì; **~ Fridays** il *or* di venerdì; **~ June 20th** il 20 giugno; **~ Friday, June 20th** venerdì, 20 giugno; **a week ~ Friday** venerdì a otto; **~ his arrival** al suo arrivo; **~ seeing this** vedendo ciò

4 (*about, concerning*) su, di; **information ~ train services** informazioni sui collegamenti ferroviari; **a book ~ Goldoni/physics** un libro su Goldoni/di *or* sulla fisica

♦ *adv* **1** (*referring to dress, covering*): **to have one's coat ~** avere indosso il cappotto; **to put one's coat ~** mettersi il

cappotto; **what's she got ~?** cosa
indossa?; **she put her boots/gloves/hat ~**
si mise gli stivali/i guanti/il cappello;
screw the lid ~ tightly avvita bene il
coperchio
2 (*further, continuously*): **to walk ~, go ~**
etc continuare, proseguire; **to read ~**
continuare a leggere; **~ and off** ogni
tanto; **from that day ~** da quel giorno in
poi; **it was well ~ in the evening** era sera
inoltrata
♦ *adj* 1 (*in operation: machine, TV, light*)
acceso(a); (: *tap*) aperto(a); (: *brake*)
inserito(a); **is the meeting still ~?** (*in
progress*) la riunione è ancora in corso?;
(*not cancelled*) è confermato l'incontro?;
there's a good film ~ at the cinema danno
un buon film al cinema; **when is the film
~?** quando c'è questo film?; **my father's
always ~ at me to get a job** (*col*) mio
padre mi tormenta sempre perché trovi
un lavoro
2 (*col*): **that's not ~!** (*not acceptable*) non
si fa così!; (*not possible*) non se ne parla
neanche!

ONC *n abbr* (*BRIT*: = *Ordinary National
Certificate*) diploma in materie tecniche a
livello di maturità.
once [wʌns] *adv* una volta ♦ *conj* non
appena, quando; **~ he had left/it was
done** dopo che se n'era andato/fu fatto; **at
~** subito; (*simultaneously*) a un tempo; **all
at ~** (tutto) ad un tratto; **~ a week** una
volta alla settimana; **~ more** ancora una
volta; **I knew him ~** un tempo *or* in
passato lo conoscevo; **~ and for all** una
volta per sempre; **~ upon a time there
was ...** c'era una volta ....
oncoming [ˈɔnkʌmɪŋ] *adj* (*traffic*) che viene
in senso opposto.
OND *n abbr* (*BRIT*: = *Ordinary National
Diploma*) diploma in materie tecniche
conseguito dopo un corso biennale.

===================== *KEYWORD*

one [wʌn] *num* uno(a); **~ hundred and fifty**
centocinquanta; **it's ~
(o'clock)** è l'una; **to be ~ up on sb** essere
avvantaggiato(a) rispetto a qn; **to be at ~
(with sb)** andare d'accordo (con qn)
♦ *adj* 1 (*sole*) unico(a); **the ~ book which**
l'unico libro che; **the ~ man who** l'unico
che
2 (*same*) stesso(a); **they came in the ~
car** sono venuti nella stessa macchina
♦ *pron* 1: **this ~** questo(a); **that ~**
quello(a); **which ~ do you want?** quale

vuole?; **I've already got ~/a red ~** ne ho
già uno/uno rosso; **~ by ~** uno per uno
2: **~ another** l'un l'altro; **to look at ~
another** guardarsi; **to help ~ another**
aiutarsi l'un l'altro *or* a vicenda
3 (*impersonal*) si; **~ never knows** non si
sa mai; **to cut ~'s finger** tagliarsi un dito;
to express ~'s opinion esprimere la
propria opinione; **~ needs to eat** bisogna
mangiare.

one-armed bandit [ˈwʌnɑːmd-] *n* slot-
machine *f inv*.
one-day excursion [ˈwʌndeɪ-] *n* (*US*)
biglietto giornaliero di andata e ritorno.
One-hundred share index [ˈwʌnhʌndrəd-]
n indice borsistico del Financial Times.
one-man [ˈwʌnˈmæn] *adj* (*business*)
diretto(a) *etc* da un solo uomo.
one-man band *n suonatore ambulante
con vari strumenti*.
one-off [wʌnˈɔf] (*BRIT col*) *n* fatto
eccezionale. ♦ *adj* eccezionale.
one-parent family [ˈwʌnpɛərənt-] *n*
famiglia monogenitore.
one-piece [ˈwʌnpiːs] *adj* (*bathing suit*)
intero(a).
onerous [ˈɔnərəs] *adj* (*task, duty*)
gravoso(a); (*responsibility*) pesante.
oneself [wʌnˈsɛlf] *pron* si; (*after prep*) sé, se
stesso(a); **to do sth (by) ~** fare qc da sé.
one-shot [wʌnˈʃɔt] *n* (*US*) = **one-off**.
one-sided [wʌnˈsaɪdɪd] *adj* (*decision, view*)
unilaterale; (*judgement, account*) parziale;
(*game, contest*) impari *inv*.
one-time [ˈwʌntaɪm] *adj* ex *inv*.
one-to-one [ˈwʌntəwʌn] *adj* (*relationship*)
univoco(a).
one-upmanship [wʌnˈʌpmənʃɪp] *n*: **the art
of ~** l'arte *f* di primeggiare.
one-way [ˈwʌnweɪ] *adj* (*street, traffic*) a
senso unico.
ongoing [ˈɔngəʊɪŋ] *adj* in corso; in
attuazione.
onion [ˈʌnjən] *n* cipolla.
on line *adj* (*COMPUT*) on line *inv*, in linea;
(*: switched on*) acceso(a).
onlooker [ˈɔnlʊkə*] *n* spettatore/trice.
only [ˈəʊnlɪ] *adv* solo, soltanto ♦ *adj* solo(a),
unico(a) ♦ *conj* solo che, ma; **an ~ child** un
figlio unico; **not ~** non solo; **I ~ took one**
ne ho preso soltanto uno, non ne ho preso
che uno; **I saw her ~ yesterday** l'ho vista
appena ieri; **I'd be ~ too pleased to help**
sarei proprio felice di essere d'aiuto; **I
would come, ~ I'm very busy** verrei
volentieri, solo che sono molto occupato.
ono *abbr* = **or nearest offer**; *see* **near**.

onset ['ɔnsɛt] *n* inizio; (*of winter*) arrivo.
onshore ['ɔnʃɔː*] *adj* (*wind*) di mare.
onslaught ['ɔnslɔːt] *n* attacco, assalto.
Ont. *abbr* (*Canada*) = Ontario.
on-the-job ['ɔnðə'dʒɔb] *adj*: ~ **training** addestramento in sede.
onto ['ɔntu] *prep* su, sopra.
onus ['əunəs] *n* onere *m*, peso; **the ~ is upon him to prove it** sta a lui dimostrarlo.
onward(s) ['ɔnwəd(z)] *adv* (*move*) in avanti; **from this time ~** d'ora in poi.
onyx ['ɔnɪks] *n* onice *f.*
oops [ups] *excl* ops! (*esprime rincrescimento per un piccolo contrattempo*); ~-**a-daisy!** oplà!
ooze [uːz] *vi* stillare.
opacity [əu'pæsɪtɪ] *n* opacità.
opal ['əupl] *n* opale *m or f.*
opaque [əu'peɪk] *adj* opaco(a).
OPEC ['əupɛk] *n abbr* (= *Organization of Petroleum-Exporting Countries*) O.P.E.C. *f.*
open ['əupn] *adj* aperto(a); (*road*) libero(a); (*meeting*) pubblico(a); (*admiration*) evidente, franco(a); (*question*) insoluto(a); (*enemy*) dichiarato(a) ♦ *vt* aprire ♦ *vi* (*eyes, door, debate*) aprirsi; (*flower*) sbocciare; (*shop, bank, museum*) aprire; (*book etc: commence*) cominciare; **in the ~ (air)** all'aperto; **the ~ sea** il mare aperto, l'alto mare; ~ **ground** (*among trees*) radura; (*waste ground*) terreno non edificato; **to have an ~ mind (on sth)** non avere ancora deciso (su qc).
▶**open on to** *vt fus* (*subj: room, door*) dare su.
▶**open out** *vt* aprire ♦ *vi* aprirsi.
▶**open up** *vt* aprire; (*blocked road*) sgombrare ♦ *vi* aprirsi.
open-air [əupn'ɛə*] *adj* all'aperto.
open-and-shut ['əupnən'ʃʌt] *adj*: ~ **case** caso indubbio.
open day *n* (*BRIT*) giornata di apertura al pubblico.
open-ended [əupn'ɛndɪd] *adj* (*fig*) aperto(a), senza limiti.
opener ['əupnə*] *n* (*also:* **can ~**, **tin ~**) apriscatole *m inv.*
open-heart [əupn'hɑːt] *adj*: ~ **surgery** chirurgia a cuore aperto.
opening ['əupnɪŋ] *n* apertura; (*opportunity*) occasione *f*, opportunità *f inv*; sbocco; (*job*) posto vacante.
opening night *n* (*THEAT*) prima.
open learning *n* sistema educativo secondo il quale lo studente ha maggior controllo e gestione delle modalità di apprendimento.
openly ['əupnlɪ] *adv* apertamente.

open-minded [əupn'maɪndɪd] *adj* che ha la mente aperta.
open-necked ['əupnnɛkt] *adj* col collo slacciato.
openness ['əupnnɪs] *n* (*frankness*) franchezza, sincerità.
open-plan ['əupn'plæn] *adj* senza pareti divisorie.
open prison *n* istituto di pena dove viene data maggiore libertà ai detenuti.
open sandwich *n* canapè *m inv.*
open shop *n* fabbrica o ditta dove sono accolti anche operai non iscritti ai sindacati.

La **Open University (OU)**, *fondata in Gran Bretagna nel 1969, organizza corsi universitari per corrispondenza, basati anche su lezioni che vengono trasmesse dalla* **BBC** *per radio e per televisione e su corsi estivi.*

opera ['ɔpərə] *n* opera.
opera glasses *npl* binocolo da teatro.
opera house *n* opera.
opera singer *n* cantante *m/f* d'opera *or* lirico(a).
operate ['ɔpəreɪt] *vt* (*machine*) azionare, far funzionare; (*system*) usare ♦ *vi* funzionare; (*drug, person*) agire; **to ~ on sb (for)** (*MED*) operare qn (di).
operatic [ɔpə'rætɪk] *adj* dell'opera, lirico(a).
operating ['ɔpəreɪtɪŋ] *adj* (*COMM: costs etc*) di gestione; (*MED*) operatorio(a).
operating room *n* (*US*) = **operating theatre**.
operating system *n* (*COMPUT*) sistema *m* operativo.
operating theatre *n* (*MED*) sala operatoria.
operation [ɔpə'reɪʃən] *n* operazione *f*; **to be in ~** (*machine*) essere in azione *or* funzionamento; (*system*) essere in vigore; **to have an ~ (for)** (*MED*) essere operato(a) (di).
operational [ɔpə'reɪʃənl] *adj* operativo(a); (*COMM*) di gestione, d'esercizio; (*ready for use or action*) in attività, in funzione; **when the service is fully ~** quando il servizio sarà completamente in funzione.
operative ['ɔpərətɪv] *adj* (*measure*) operativo(a) ♦ *n* (*in factory*) operaio/a; **the ~ word** la parola chiave.
operator ['ɔpəreɪtə*] *n* (*of machine*) operatore/trice; (*TEL*) centralinista *m/f.*
operetta [ɔpə'rɛtə] *n* operetta.
ophthalmologist [ɔfθæl'mɔlədʒɪst] *n*

oftalmologo/a.

opinion [ə'pɪnjən] n opinione f, parere m; **in my ~** secondo me, a mio avviso; **to seek a second ~** (MED etc) consultarsi con un altro medico etc.

opinionated [ə'pɪnjəneɪtɪd] adj dogmatico(a).

opinion poll n sondaggio di opinioni.

opium ['əupɪəm] n oppio.

opponent [ə'pəunənt] n avversario/a.

opportune ['ɔpətjuːn] adj opportuno(a).

opportunist [ɔpə'tjuːnɪst] n opportunista m/f.

opportunity [ɔpə'tjuːnɪtɪ] n opportunità f inv, occasione f; **to take the ~ to do** or **of doing** cogliere l'occasione per fare.

oppose [ə'pəuz] vt opporsi a; **~d to** contrario(a) a; **as ~d to** in contrasto con.

opposing [ə'pəuzɪŋ] adj opposto(a); (team) avversario(a).

opposite ['ɔpəzɪt] adj opposto(a); (house etc) di fronte ♦ adv di fronte, dirimpetto ♦ prep di fronte a ♦ n opposto, contrario; (of word) contrario; **"see ~ page"** "vedere pagina a fronte".

opposite number n controparte f, corrispondente m/f.

opposite sex n: **the ~** l'altro sesso.

opposition [ɔpə'zɪʃən] n opposizione f.

oppress [ə'prɛs] vt opprimere.

oppression [ə'prɛʃən] n oppressione f.

oppressive [ə'prɛsɪv] adj oppressivo(a).

opprobrium [ə'prəubrɪəm] n (formal) obbrobrio.

opt [ɔpt] vi: **to ~ for** optare per; **to ~ to do** scegliere di fare; **to ~ out of** (BRIT: of NHS) scegliere di non far più parte di; (of agreement, arrangement) scegliere di non partecipare a.

optical ['ɔptɪkl] adj ottico(a).

optical character reader/recognition (OCR) n lettore m ottico/lettura ottica di caratteri.

optical fibre n fibra ottica.

optician [ɔp'tɪʃən] n ottico.

optics ['ɔptɪks] n ottica.

optimism ['ɔptɪmɪzəm] n ottimismo.

optimist ['ɔptɪmɪst] n ottimista m/f.

optimistic [ɔptɪ'mɪstɪk] adj ottimistico(a).

optimum ['ɔptɪməm] adj ottimale.

option ['ɔpʃən] n scelta; (SCOL) materia facoltativa; (COMM) opzione f; **to keep one's ~s open** (fig) non impegnarsi; **I have no ~** non ho scelta.

optional ['ɔpʃənl] adj facoltativo(a); (COMM) a scelta; **~ extra** optional m inv.

opulence ['ɔpjuləns] n opulenza.

opulent ['ɔpjulənt] adj opulento(a).

OR abbr (US) = Oregon.

or [ɔː*] conj o, oppure; (with negative): **he hasn't seen ~ heard anything** non ha visto né sentito niente; **~ else** se no, altrimenti; oppure.

oracle ['ɔrəkl] n oracolo.

oral ['ɔːrəl] adj orale ♦ n esame m orale.

orange ['ɔrɪndʒ] n (fruit) arancia ♦ adj arancione.

orangeade [ɔrɪndʒ'eɪd] n aranciata.

oration [ɔː'reɪʃən] n orazione f.

orator ['ɔrətə*] n oratore/trice.

oratorio [ɔrə'tɔːrɪəu] n oratorio.

orb [ɔːb] n orbe m.

orbit ['ɔːbɪt] n orbita ♦ vt orbitare intorno a; **to be in/go into ~ (round)** essere/entrare in orbita (attorno a).

orbital ['ɔːbɪtl] n (also: **~ motorway**) raccordo anulare.

orchard ['ɔːtʃəd] n frutteto; **apple ~** meleto.

orchestra ['ɔːkɪstrə] n orchestra; (US: seating) platea.

orchestral [ɔː'kɛstrəl] adj orchestrale; (concert) sinfonico(a).

orchestrate ['ɔːkɪstreɪt] vt (MUS, fig) orchestrare.

orchid ['ɔːkɪd] n orchidea.

ordain [ɔː'deɪn] vt (REL) ordinare; (decide) decretare.

ordeal [ɔː'diːl] n prova, travaglio.

order ['ɔːdə*] n ordine m; (COMM) ordinazione f ♦ vt ordinare; **to ~ sb to do** ordinare a qn di fare; **in ~** in ordine; (of document) in regola; **in ~ of size** in ordine di grandezza; **in ~ to do** per fare; **in ~ that** affinché +sub; **a machine in working ~** una macchina che funziona bene; **to be out of ~** (machine, toilets) essere guasto(a); (telephone) essere fuori servizio; **to place an ~ for sth with sb** ordinare qc a qn; **to the ~ of** (BANKING) all'ordine di; **to be under ~s to do sth** avere l'ordine di fare qc; **a point of ~** una questione di procedura; **to be on ~** essere stato ordinato; **made to ~** fatto su commissione; **the lower ~s** (pej) i ceti inferiori.

order book n copiacommissioni m inv.

order form n modulo d'ordinazione.

orderly ['ɔːdəlɪ] n (MIL) attendente m ♦ adj (room) in ordine; (mind) metodico(a); (person) ordinato(a), metodico(a).

order number n numero di ordinazione.

ordinal ['ɔːdɪnl] adj (number) ordinale.

ordinary ['ɔːdnrɪ] adj normale, comune; (pej) mediocre ♦ n: **out of the ~** diverso dal solito, fuori dell'ordinario.

ordinary degree *n* laurea (*con corso di studi di 3 anni*).

Il corso universitario di studi che porta al conferimento del **Bachelor's degree** *può avere una durata diversa, a seconda del profitto dello studente. Chi non è interessato a proseguire gli studi oltre tre anni di corso può optare per l'***ordinary degree**; *vedi anche* **honours degree**.

---

ordinary seaman (OS) *n* (*BRIT*) marinaio semplice.
ordinary shares *npl* azioni *fpl* ordinarie.
ordination [ɔːdɪˈneɪʃən] *n* ordinazione *f*.
ordnance [ˈɔːdnəns] *n* (*MIL: unit*) (reparto di) sussistenza.
Ordnance Survey map *n* (*BRIT*) ≈ carta topografica dell'IGM.
ore [ɔː*] *n* minerale *m* grezzo.
Ore(g). *abbr* (*US*) = *Oregon*.
organ [ˈɔːgən] *n* organo.
organic [ɔːˈgænɪk] *adj* organico(a).
organism [ˈɔːgənɪzəm] *n* organismo.
organist [ˈɔːgənɪst] *n* organista *m/f*.
organization [ɔːgənaɪˈzeɪʃən] *n* organizzazione *f*.
organization chart *n* organigramma *m*.
organize [ˈɔːgənaɪz] *vt* organizzare; **to get ~d** organizzarsi.
organized crime [ˈɔːgənaɪzd-] *n* criminalità organizzata.
organized labour [ˈɔːgənaɪzd-] *n* manodopera organizzata.
organizer [ˈɔːgənaɪzə*] *n* organizzatore/trice.
orgasm [ˈɔːgæzəm] *n* orgasmo.
orgy [ˈɔːdʒɪ] *n* orgia.
Orient [ˈɔːrɪənt] *n*: **the ~** l'Oriente *m*.
oriental [ɔːrɪˈɛntl] *adj, n* orientale (*m/f*).
orientate [ˈɔːrɪənteɪt] *vt* orientare.
orifice [ˈɔrɪfɪs] *n* orifizio.
origin [ˈɔrɪdʒɪn] *n* origine *f*; **country of ~** paese *m* d'origine.
original [əˈrɪdʒɪnl] *adj* originale; (*earliest*) originario(a) ♦ *n* originale *m*.
originality [ərɪdʒɪˈnælɪtɪ] *n* originalità.
originally [əˈrɪdʒnəlɪ] *adv* (*at first*) all'inizio.
originate [əˈrɪdʒɪneɪt] *vi*: **to ~ from** venire da, essere originario(a) di; (*suggestion*) provenire da; **to ~ in** nascere in; (*custom*) avere origine in.
originator [əˈrɪdʒɪneɪtə*] *n* iniziatore/trice.
Orkneys [ˈɔːknɪz] *npl*: **the ~** (*also*: **the Orkney Islands**) le (isole) Orcadi.
ornament [ˈɔːnəmənt] *n* ornamento; (*trinket*) ninnolo.
ornamental [ɔːnəˈmɛntl] *adj* ornamentale.

ornamentation [ɔːnəmɛnˈteɪʃən] *n* decorazione *f*, ornamento.
ornate [ɔːˈneɪt] *adj* molto ornato(a).
ornithologist [ɔːnɪˈθɔlədʒɪst] *n* ornitologo/a.
ornithology [ɔːnɪˈθɔlədʒɪ] *n* ornitologia.
orphan [ˈɔːfn] *n* orfano/a ♦ *vt*: **to be ~ed** diventare orfano.
orphanage [ˈɔːfənɪdʒ] *n* orfanotrofio.
orthodox [ˈɔːθədɔks] *adj* ortodosso(a).
orthopaedic, (US) orthopedic [ɔːθəˈpiːdɪk] *adj* ortopedico(a).
OS *abbr* (*BRIT*: = *Ordnance Survey*) ≈ IGM *m* (= *Istituto Geografico Militare*); (: *NAUT*) *see* **ordinary seaman**; (: *DRESS*) = **outsize**.
O/S *abbr* = **out of stock**.
Oscar [ˈɔskə*] *n* Oscar *m inv*.
oscillate [ˈɔsɪleɪt] *vi* oscillare.
OSHA *n abbr* (*US*: = *Occupational Safety and Health Administration*) amministrazione per la sicurezza e la salute sul lavoro.
Oslo [ˈɔzləu] *n* Oslo *f*.
ostensible [ɔsˈtɛnsɪbl] *adj* preteso(a); apparente.
ostensibly [ɔsˈtɛnsɪblɪ] *adv* all'apparenza.
ostentation [ɔstɛnˈteɪʃən] *n* ostentazione *f*.
ostentatious [ɔstɛnˈteɪʃəs] *adj* pretenzioso(a); ostentato(a).
osteopath [ˈɔstɪəpæθ] *n* specialista *m/f* di osteopatia.
ostracize [ˈɔstrəsaɪz] *vt* dare l'ostracismo a.
ostrich [ˈɔstrɪtʃ] *n* struzzo.
OT *abbr* (= *Old Testament*) V.T.
OTB *n abbr* (*US*: = *off-track betting*) puntate effettuate fuori dagli ippodromi.
OTE *abbr* (= *on-target earnings*) stipendio compreso le commissioni.
other [ˈʌðə*] *adj* altro(a) ♦ *pron*: **the ~** l'altro(a); **the ~s** gli altri; **the ~ day** l'altro giorno; **some ~ people have still to arrive** (alcuni) altri devono ancora arrivare; **some actor or ~** un certo attore; **somebody or ~** qualcuno; **~ than** altro che; a parte; **the car was none ~ than Roberta's** la macchina era proprio di Roberta.
otherwise [ˈʌðəwaɪz] *adv, conj* altrimenti; **an ~ good piece of work** un lavoro comunque buono.
OTT *abbr* (*col*) = **over the top**; *see* **top**.
otter [ˈɔtə*] *n* lontra.
OU *n abbr* (*BRIT*) *see* **Open University**.
ouch [autʃ] *excl* ohi!, ahi!
ought [ɔːt], *pt* **ought** *aux vb*: **I ~ to do it** dovrei farlo; **this ~ to have been corrected** questo avrebbe dovuto essere corretto; **he ~ to win** dovrebbe vincere; **you ~ to go and see it** dovreste andare a

vederlo, fareste bene ad andarlo a vedere.

ounce [auns] *n* oncia (= *28.35 g; 16 in a pound*).

our [auə*] *adj* il(la) nostro(a), *pl* i(le) nostri(e).

ours [auəz] *pron* il(la) nostro(a), *pl* i(le) nostri(e).

ourselves [auə'sɛlvz] *pron pl* (*reflexive*) ci; (*after preposition*) noi stessi(e); **we did it (all) by** ~ l'abbiamo fatto (tutto) da soli.

oust [aust] *vt* cacciare, espellere.

==================================== *KEYWORD*

out [aut] *adv* (*gen*) fuori; ~ **here/there** qui/là fuori; **to speak** ~ **loud** parlare forte; **to have a night** ~ uscire una sera; **to be** ~ **and about** *or* (*US*) **around again** essere di nuovo in piedi; **the boat was 10 km** ~ la barca era a 10 km dalla costa; **the journey** ~ l'andata; **3 days** ~ **from Plymouth** a 3 giorni da Plymouth
♦ *adj*: **to be** ~ (*gen*) essere fuori; (*unconscious*) aver perso i sensi; (*style, singer*) essere fuori moda; **before the week was** ~ prima che la settimana fosse finita; **to be** ~ **to do sth** avere intenzione di fare qc; **he's** ~ **for all he can get** sta cercando di trarne il massimo profitto; **to be** ~ **in one's calculations** aver sbagliato i calcoli
♦ **out of** *prep* **1** (*outside, beyond*) fuori di; **to go** ~ **of the house** uscire di casa; **to look** ~ **of the window** guardare fuori dalla finestra
2 (*because of*) per; ~ **of pity** per pietà; ~ **of boredom** per noia
3 (*origin*) da; **made** ~ **of wood** (fatto) di *or* in legno; **to drink** ~ **of a cup** bere da una tazza
4 (*from among*): ~ **of 10** su 10
5 (*without*) senza; ~ **of petrol** senza benzina; **it's** ~ **of stock** (*COMM*) è esaurito.

outage ['autɪdʒ] *n* (*esp US: power failure*) interruzione *f or* mancanza di corrente elettrica.

out-and-out ['autəndaut] *adj* vero(a) e proprio(a).

outback ['autbæk] *n* zona isolata; (*in Australia*) interno, entroterra.

outbid, *pt, pp* **outbid** [aut'bɪd] *vt* fare un'offerta più alta di.

outboard ['autbɔːd] *n*: ~ **(motor)** (motore *m*) fuoribordo.

outbound ['autbaund] *adj*: ~ **(for** *or* **from)** in partenza (per *or* da).

outbreak ['autbreɪk] *n* scoppio; epidemia.

outbuilding ['autbɪldɪŋ] *n* dipendenza.

outburst ['autbəːst] *n* scoppio.

outcast ['autkɑːst] *n* esule *m/f*; (*socially*) paria *m inv*.

outclass [aut'klɑːs] *vt* surclassare.

outcome ['autkʌm] *n* esito, risultato.

outcrop ['autkrɔp] *n* affioramento.

outcry ['autkraɪ] *n* protesta, clamore *m*.

outdated [aut'deɪtɪd] *adj* (*custom, clothes*) fuori moda; (*idea*) sorpassato(a).

outdistance [aut'dɪstəns] *vt* distanziare.

outdo [aut'duː] *vt irreg* sorpassare.

outdoor [aut'dɔː*] *adj* all'aperto.

outdoors [aut'dɔːz] *adv* fuori; all'aria aperta.

outer ['autə*] *adj* esteriore; ~ **suburbs** estrema periferia.

outer space *n* spazio cosmico.

outfit ['autfɪt] *n* equipaggiamento; (*clothes*) abito; (*col: organization*) organizzazione *f*.

outfitter ['autfɪtə*] *n* (*BRIT*): **"(gent's)** ~**s"** "confezioni da uomo".

outgoing ['autgəuɪŋ] *adj* (*president, tenant*) uscente; (*means of transport*) in partenza; (*character*) socievole.

outgoings ['autgəuɪŋz] *npl* (*BRIT: expenses*) spese *fpl*.

outgrow [aut'grəu] *vt irreg* (*clothes*) diventare troppo grande per.

outhouse ['authaus] *n* costruzione *f* annessa.

outing ['autɪŋ] *n* gita; escursione *f*.

outlandish [aut'lændɪʃ] *adj* strano(a).

outlast [aut'lɑːst] *vt* sopravvivere a.

outlaw ['autlɔː] *n* fuorilegge *m/f* ♦ *vt* (*person*) mettere fuori della legge; (*practice*) proscrivere.

outlay ['autleɪ] *n* spesa.

outlet ['autlɛt] *n* (*for liquid etc*) sbocco, scarico; (*for emotion*) sfogo; (*for goods*) sbocco, mercato; (*also:* **retail** ~) punto di vendita; (*US ELEC*) presa di corrente.

outline ['autlaɪn] *n* contorno, profilo; (*summary*) abbozzo, grandi linee *fpl*.

outlive [aut'lɪv] *vt* sopravvivere a.

outlook ['autluk] *n* prospettiva, vista.

outlying ['autlaɪɪŋ] *adj* periferico(a).

outmanoeuvre, (*US*) **outmaneuver** [autmə'nuːvə*] *vt* (*rival etc*) superare in strategia.

outmoded [aut'məudɪd] *adj* passato(a) di moda; antiquato(a).

outnumber [aut'nʌmbə*] *vt* superare in numero.

out-of-court [autəv'kɔːt] *adj* extragiudiziale ♦ *adv* (*settle*) senza ricorrere al tribunale.

out-of-date [autəv'deɪt] *adj (passport, ticket)*
scaduto(a); *(theory, idea)* sorpassato(a),
superato(a); *(custom)* antiquato(a);
(clothes) fuori moda.

out-of-the-way ['autəvðə'weɪ] *adj (remote)*
fuori mano; *(unusual)* originale,
insolito(a).

outpatient ['autpeɪʃənt] *n* paziente *m/f*
esterno(a).

outpost ['autpəust] *n* avamposto.

outpouring ['autpɔːrɪŋ] *n (fig)* torrente *m*.

output ['autput] *n* produzione *f*; *(COMPUT)*
output *m inv* ♦ *vt* emettere.

outrage ['autreɪdʒ] *n* oltraggio; scandalo
♦ *vt* oltraggiare.

outrageous [aut'reɪdʒəs] *adj* oltraggioso(a);
scandaloso(a).

outrider ['autraɪdə*] *n (on motorcycle)*
battistrada *m inv*.

outright *adv* [aut'raɪt] completamente;
schiettamente; apertamente; sul colpo
♦ *adj* ['autraɪt] completo(a); schietto(a) e
netto(a).

outrun [aut'rʌn] *vt irreg* superare (nella
corsa).

outset ['autset] *n* inizio.

outshine [aut'ʃaɪn] *vt irreg (fig)* eclissare.

outside [aut'saɪd] *n* esterno, esteriore *m*
♦ *adj* esterno(a), esteriore; *(remote,*
unlikely): **an ~ chance** una vaga
possibilità ♦ *adv* fuori, all'esterno ♦ *prep*
fuori di, all'esterno di; **at the ~** *(fig)* al
massimo; **~ left/right** *n (FOOTBALL)* ala
sinistra/destra.

outside broadcast *n (RADIO, TV)*
trasmissione *f* in esterno.

outside lane *n (AUT)* corsia di sorpasso.

outside line *n (TEL)* linea esterna.

outsider [aut'saɪdə*] *n (in race etc)* outsider
m inv; *(stranger)* straniero/a.

outsize ['autsaɪz] *adj* enorme; *(clothes)* per
taglie forti.

outskirts ['autskəːts] *npl* sobborghi *mpl*.

outsmart [aut'smɑːt] *vt* superare in
astuzia.

outspoken [aut'spəukən] *adj* molto
franco(a).

outspread ['autspred] *adj (wings)* aperto(a),
spiegato(a).

outstanding [aut'stændɪŋ] *adj* eccezionale,
di rilievo; *(unfinished)* non completo(a);
non evaso(a); non regolato(a); **your**
account is still ~ deve ancora saldare il
conto.

outstay [aut'steɪ] *vt*: **to ~ one's welcome**
diventare un ospite sgradito.

outstretched [aut'stretʃt] *adj (hand)*

teso(a); *(body)* disteso(a).

outstrip [aut'strɪp] *vt (also fig)* superare.

out-tray ['auttreɪ] *n* raccoglitore *m* per le
carte da spedire.

outvote [aut'vəut] *vt*: **to ~ sb (by)** avere la
maggioranza rispetto a qn (per); **to ~ sth**
(by) respingere qc (per).

outward ['autwəd] *adj (sign, appearances)*
esteriore; *(journey)* d'andata.

outwardly ['autwədlɪ] *adv* esteriormente;
in apparenza.

outweigh [aut'weɪ] *vt* avere maggior peso
di.

outwit [aut'wɪt] *vt* superare in astuzia.

oval ['əuvl] *adj, n* ovale *(m)*.

L'**Oval Office** *è una grande stanza di forma*
ovale nella **White House**, *la Casa Bianca,*
dove ha sede l'ufficio del Presidente degli
Stati Uniti. Spesso il termine è usato per
indicare la stessa presidenza degli Stati
Uniti.

ovarian [əu'vɛərɪən] *adj* ovarico(a).

ovary ['əuvərɪ] *n* ovaia.

ovation [əu'veɪʃən] *n* ovazione *f*.

oven ['ʌvn] *n* forno.

ovenproof ['ʌvnpruːf] *adj* da forno.

oven-ready ['ʌvnredɪ] *adj* pronto(a) da
infornare.

ovenware ['ʌvnwɛə*] *n* vasellame *m* da
mettere in forno.

over ['əuvə*] *adv* al di sopra; *(excessively)*
molto, troppo ♦ *adj (or adv) (finished)*
finito(a), terminato(a); *(too much)* troppo;
(remaining) che avanza ♦ *prep* su; sopra;
(above) al di sopra di; *(on the other side of)*
di là di; *(more than)* più di; *(during)*
durante; **~ here** qui; **~ there** là; **all ~**
(everywhere) dappertutto; *(finished)*
tutto(a) finito(a); **~ and ~ (again)** più e
più volte; **~ and above** oltre (a); **to ask**
sb ~ invitare qn (a passare); **now ~ to**
our Rome correspondent diamo ora la
linea al nostro corrispondente da Roma;
the world ~ in tutto il mondo; **she's not ~**
intelligent *(BRIT)* non è troppo
intelligente; **they fell out ~ money**
litigarono per una questione di denaro.

over... ['əuvə*] *prefix*: **~abundant**
sovrabbondante.

overact [əuvər'ækt] *vi (THEAT)* esagerare *or*
strafare la propria parte.

overall *adj, n* ['əuvərɔːl] *adj* totale ♦ *n (BRIT)*
grembiule *m* ♦ *adv* [əuvər'ɔːl] nell'insieme,
complessivamente; **~s** *npl* tuta (da
lavoro).

overall majority *n* maggioranza assoluta.

overanxious [əuvər'æŋkʃəs] *adj* troppo ansioso(a).

overawe [əuvər'ɔː] *vt* intimidire.

overbalance [əuvə'bæləns] *vi* perdere l'equilibrio.

overbearing [əuvə'bɛərɪŋ] *adj* imperioso(a), prepotente.

overboard ['əuvəbɔːd] *adv* (*NAUT*) fuori bordo, in acqua; **to go ~ for sth** (*fig*) impazzire per qc.

overbook [əuvə'buk] *vt* sovrapprenotare.

overcapitalize [əuvə'kæpɪtəlaɪz] *vt* sovraccapitalizzare.

overcast ['əuvəkɑːst] *adj* coperto(a).

overcharge [əuvə'tʃɑːdʒ] *vt*: **to ~ sb for sth** far pagare troppo caro a qn per qc.

overcoat ['əuvəkəut] *n* soprabito, cappotto.

overcome [əuvə'kʌm] *vt irreg* superare; sopraffare; **~ with grief** sopraffatto(a) dal dolore.

overconfident [əuvə'kɔnfɪdənt] *adj* troppo sicuro(a) (di sé), presuntuoso(a).

overcrowded [əuvə'kraudɪd] *adj* sovraffollato(a).

overcrowding [əuvə'kraudɪŋ] *n* sovraffollamento; (*in bus*) calca.

overdo [əuvə'duː] *vt irreg* esagerare; (*overcook*) cuocere troppo; **to ~ it, to ~ things** (*work too hard*) lavorare troppo.

overdose ['əuvədəus] *n* dose *f* eccessiva.

overdraft ['əuvədrɑːft] *n* scoperto (di conto).

overdrawn [əuvə'drɔːn] *adj* (*account*) scoperto(a).

overdrive ['əuvədraɪv] *n* (*AUT*) overdrive *m inv*.

overdue [əuvə'djuː] *adj* in ritardo; (*recognition*) tardivo(a); (*bill*) insoluto(a); **that change was long ~** quel cambiamento ci voleva da tempo.

overemphasis [əuvər'ɛmfəsɪs] *n*: **~ on sth** importanza eccessiva data a qc.

overemphasize [əuvər'ɛmfəsaɪz] *vt* dare un'importanza eccessiva a.

overestimate [əuvər'ɛstɪmeɪt] *vt* sopravvalutare.

overexcited [əuvərɪk'saɪtɪd] *adj* sovraeccitato(a).

overexertion [əuvərɪg'zəːʃən] *n* logorio (fisico).

overexpose [əuvərɪk'spəuz] *vt* (*PHOT*) sovraesporre.

overflow *vi* [əuvə'fləu] traboccare ♦ *n* ['əuvəfləu] eccesso; (*also*: **~ pipe**) troppopieno.

overfly [əuvə'flaɪ] *vt irreg* sorvolare.

overgenerous [əuvə'dʒənərəs] *adj* troppo generoso(a).

overgrown [əuvə'grəun] *adj* (*garden*) ricoperto(a) di vegetazione; **he's just an ~ schoolboy** è proprio un bambinone.

overhang [əuvə'hæŋ] *irreg vt* sporgere da ♦ *vi* sporgere.

overhaul *vt* [əuvə'hɔːl] revisionare ♦ *n* ['əuvəhɔːl] revisione *f*.

overhead *adv* [əuvə'hɛd] di sopra ♦ *adj* ['əuvəhɛd] aereo(a); (*lighting*) verticale ♦ *n* (*US*) = **overheads**.

overheads ['əuvəhɛdz] *npl* (*BRIT*) spese *fpl* generali.

overhear [əuvə'hɪə*] *vt irreg* sentire (per caso).

overheat [əuvə'hiːt] *vi* surriscaldarsi.

overjoyed [əuvə'dʒɔɪd] *adj* pazzo(a) di gioia.

overkill ['əuvəkɪl] *n* (*fig*) strafare *m*.

overland ['əuvəlænd] *adj, adv* per via di terra.

overlap *vi* [əuvə'læp] sovrapporsi ♦ *n* ['əuvəlæp] sovrapposizione *f*.

overleaf [əuvə'liːf] *adv* a tergo.

overload [əuvə'ləud] *vt* sovraccaricare.

overlook [əuvə'luk] *vt* (*have view of*) dare su; (*miss*) trascurare; (*forgive*) passare sopra a.

overlord ['əuvəlɔːd] *n* capo supremo.

overmanning [əuvə'mænɪŋ] *n* eccedenza di manodopera.

overnight *adv* [əuvə'naɪt] (*happen*) durante la notte; (*fig*) tutto ad un tratto ♦ *adj* ['əuvənaɪt] di notte; fulmineo(a); **he stayed there ~** ci ha passato la notte; **if you travel ~ ...** se viaggia di notte ...; **he'll be away ~** passerà la notte fuori.

overpass ['əuvəpɑːs] *n* cavalcavia *m inv*.

overpay [əuvə'peɪ] *vt*: **to ~ sb by £50** pagare 50 sterline in più a qn.

overplay [əuvə'pleɪ] *vt* dare troppa importanza a; **to ~ one's hand** sopravvalutare la propria posizione.

overpower [əuvə'pauə*] *vt* sopraffare.

overpowering [əuvə'pauərɪŋ] *adj* irresistibile; (*heat, stench*) soffocante.

overproduction ['əuvəprə'dʌkʃən] *n* sovrapproduzione *f*.

overrate [əuvə'reɪt] *vt* sopravvalutare.

overreach [əuvə'riːtʃ] *vt*: **to ~ o.s.** volere strafare.

overreact [əuvəriː'ækt] *vi* reagire in modo esagerato.

override [əuvə'raɪd] *vt* (*irreg: like* ride) (*order, objection*) passar sopra a; (*decision*) annullare.

overriding [əuvə'raɪdɪŋ] *adj* preponderante.

overrule [əuvə'ruːl] *vt* (*decision*) annullare; (*claim*) respingere.

overrun [əuvə'rʌn] *vt irreg* (MIL: *country etc*) invadere; (*time limit etc*) superare, andare al di là di ♦ *vi* protrarsi; **the town is ~ with tourists** la città è invasa dai turisti.

overseas [əuvə'siːz] *adv* oltremare; (*abroad*) all'estero ♦ *adj* (*trade*) estero(a); (*visitor*) straniero(a).

oversee [əuvə'siː] *vt irreg* sorvegliare.

overseer ['əuvəsiə*] *n* (*in factory*) caposquadra *m*.

overshadow [əuvə'ʃædəu] *vt* (*fig*) eclissare.

overshoot [əuvə'ʃuːt] *vt irreg* superare.

oversight ['əuvəsait] *n* omissione *f*, svista; **due to an ~** per una svista.

oversimplify [əuvə'simplifai] *vt* rendere troppo semplice.

oversleep [əuvə'sliːp] *vi irreg* dormire troppo a lungo.

overspend [əuvə'spɛnd] *vi irreg* spendere troppo; **we have overspent by 5000 dollars** abbiamo speso 5000 dollari di troppo.

overspill ['əuvəspil] *n* eccedenza di popolazione.

overstaffed [əuvə'stɑːft] *adj*: **to be ~** avere troppo personale.

overstate [əuvə'steit] *vt* esagerare.

overstatement [əuvə'steitmənt] *n* esagerazione *f*.

overstay [əuvə'stei] *vt*: **to ~ one's welcome** trattenersi troppo a lungo (come ospite).

overstep [əuvə'stɛp] *vt*: **to ~ the mark** superare ogni limite.

overstock [əuvə'stɔk] *vt* sovrapprovvigionare, sovraimmagazzinare.

overstretched [əuvə'strɛtʃt] *adj* sovraccarico(a); (*budget*) arrivato(a) al limite.

overstrike *n* ['əuvəstraik] (*on printer*) sovrapposizione *f* (di caratteri) ♦ *vt irreg* [əuvə'straik] sovrapporre.

overt [əu'vɜːt] *adj* palese.

overtake [əuvə'teik] *vt irreg* sorpassare.

overtaking [əuvə'teikiŋ] *n* (AUT) sorpasso.

overtax [əuvə'tæks] *vt* (ECON) imporre tasse eccessive a, tassare eccessivamente; (*fig: strength, patience*) mettere alla prova, abusare di; **to ~ o.s.** chiedere troppo alle proprie forze.

overthrow [əuvə'θrəu] *vt irreg* (*government*) rovesciare.

overtime ['əuvətaim] *n* (*lavoro*) straordinario; **to do** *or* **work ~** fare lo straordinario.

overtime ban *n* rifiuto sindacale a fare gli straordinari.

overtone ['əuvətəun] *n* (*also:* ~**s**) sfumatura.

overture ['əuvətʃuə*] *n* (MUS) ouverture *f inv*; (*fig*) approccio.

overturn [əuvə'tɜːn] *vt* rovesciare ♦ *vi* rovesciarsi.

overview ['əuvəvjuː] *n* visione *f* d'insieme.

overweight [əuvə'weit] *adj* (*person*) troppo grasso(a); (*luggage*) troppo pesante.

overwhelm [əuvə'wɛlm] *vt* sopraffare; sommergere; schiacciare.

overwhelming [əuvə'wɛlmiŋ] *adj* (*victory, defeat*) schiacciante; (*desire*) irresistibile; **one's ~ impression is of heat** l'impressione dominante è quella di caldo.

overwhelmingly [əuvə'wɛlmiŋli] *adv* in massa.

overwork [əuvə'wɜːk] *vt* far lavorare troppo ♦ *vi* lavorare troppo, strapazzarsi.

overwrite [əuvə'rait] *vt* (COMPUT) ricoprire.

overwrought [əuvə'rɔːt] *adj* molto agitato(a).

ovulation [ɔvju'leiʃən] *n* ovulazione *f*.

owe [əu] *vt* dovere; **to ~ sb sth, to ~ sth to sb** dovere qc a qn.

owing to ['əuiŋtuː] *prep* a causa di.

owl [aul] *n* gufo.

own [əun] *adj* proprio(a) ♦ *vt* possedere ♦ *vi* (BRIT): **to ~ to sth** ammettere qc; **to ~ to having done sth** ammettere di aver fatto qc; **a room of my ~** la mia propria camera; **to get one's ~ back** vendicarsi; **on one's ~** tutto(a) solo(a); **can I have it for my (very) ~?** posso averlo tutto per me?; **to come into one's ~** mostrare le proprie qualità.

▶**own up** *vi* confessare.

own brand *n* (COMM) etichetta propria.

owner ['əunə*] *n* proprietario/a.

owner-occupier ['əunər'ɔkjupaiə*] *n* proprietario/a della casa in cui abita.

ownership ['əunəʃip] *n* possesso; **it's under new ~** ha un nuovo proprietario.

own goal *n* (*also fig*) autogol *m inv*.

ox, *pl* **oxen** [ɔks, 'ɔksn] *n* bue *m*.

Oxbridge ['ɔksbridʒ] *n* le *università di Oxford e/o Cambridge.*

La parola **Oxbridge** *deriva dalla fusione dei nomi Ox(ford) e (Cam)bridge e fa riferimento a queste due antiche università e a coloro che le frequentano o le hanno frequentate.*

Oxfam ['ɔksfæm] *n abbr* (BRIT: = Oxford Committee for Famine Relief) *organizzazione per aiuti al terzo mondo.*

oxide ['ɔksaɪd] *n* ossido.

Oxon. ['ɔksn] *abbr* (*BRIT*: = *Oxoniensis*) = *of Oxford.*

oxtail ['ɔksteɪl] *n*: ~ **soup** minestra di coda di bue.

oxyacetylene ['ɔksɪə'sɛtɪliːn] *adj* ossiacetilenico(a); ~ **burner,** ~ **lamp** cannello ossiacetilenico.

oxygen ['ɔksɪdʒən] *n* ossigeno.

oxygen mask *n* maschera ad ossigeno.

oxygen tent *n* tenda ad ossigeno.

oyster ['ɔɪstə*] *n* ostrica.

oz. *abbr* = **ounce**.

ozone ['əuzəun] *n* ozono.

P p

P, p [piː] *n* (*letter*) P, p *f or m inv*; **P for Peter** ≈ P come Padova.

P *abbr* = **president; prince**.

p *abbr* (= *page*) p; (*BRIT*) = **penny, pence**.

PA *n abbr see* **personal assistant; public address system** ♦ *abbr* (*US*) = *Pennsylvania*.

pa [pɑː] *n* (*col*) papà *m inv*, babbo.

p.a. *abbr* = **per annum**.

PAC *n abbr* (*US*) = *political action committee.*

pace [peɪs] *n* passo; (*speed*) passo; velocità ♦ *vi*: **to** ~ **up and down** camminare su e giù; **to keep** ~ **with** camminare di pari passo a; (*events*) tenersi al corrente di; **to put sb through his** ~s (*fig*) mettere qn alla prova; **to set the** ~ (*running*) fare l'andatura; (*fig*) dare il la *or* il tono.

pacemaker ['peɪsmeɪkə*] *n* (*MED*) pacemaker *m inv*, stimolatore *m* cardiaco; (*SPORT*) chi fa l'andatura.

pacific [pə'sɪfɪk] *adj* pacifico(a) ♦ *n*: **the P~ (Ocean)** il Pacifico, l'Oceano Pacifico.

pacification [pæsɪfɪ'keɪʃən] *n* pacificazione *f*.

pacifier ['pæsɪfaɪə*] *n* (*US*: *dummy*) succhiotto, ciuccio (*col*).

pacifist ['pæsɪfɪst] *n* pacifista *m/f*.

pacify ['pæsɪfaɪ] *vt* pacificare; (*soothe*) calmare.

pack [pæk] *n* (*packet*) pacco; (*COMM*) confezione *f*; (*US*: *of cigarettes*) pacchetto; (*of goods*) balla; (*of hounds*) muta; (*of wolves*) branco; (*of thieves etc*) banda; (*of cards*) mazzo ♦ *vt* (*goods*) impaccare, imballare; (*in suitcase etc*) mettere; (*box*)

riempire; (*cram*) stipare, pigiare; (*press down*) tamponare; turare; (*COMPUT*) comprimere, impaccare ♦ *vi*: **to** ~ (*one's bags*) fare la valigia; **to send sb** ~**ing** (*col*) spedire via qn.

►**pack in** (*BRIT col*) *vi* (*watch, car*) guastarsi ♦ *vt* mollare, piantare; ~ **it in!** piantala!

►**pack off** *vt* (*person*) spedire.

►**pack up** *vi* (*BRIT col*: *machine*) guastarsi; (: *person*) far fagotto ♦ *vt* (*belongings, clothes*) mettere in una valigia; (*goods, presents*) imballare.

package ['pækɪdʒ] *n* pacco; balla; (*also*: ~ **deal**) pacchetto; forfait *m inv* ♦ *vt* (*goods*) confezionare.

package holiday *n* (*BRIT*) vacanza organizzata.

package tour *n* viaggio organizzato.

packaging ['pækɪdʒɪŋ] *n* confezione *f*, imballo.

packed [pækt] *adj* (*crowded*) affollato(a); ~ **lunch** (*BRIT*) pranzo al sacco.

packer ['pækə*] *n* (*person*) imballatore/trice.

packet ['pækɪt] *n* pacchetto.

packet switching [-swɪtʃɪŋ] *n* (*COMPUT*) commutazione *f* di pacchetto.

pack ice ['pækaɪs] *n* banchisa.

packing ['pækɪŋ] *n* imballaggio.

packing case *n* cassa da imballaggio.

pact [pækt] *n* patto, accordo; trattato.

pad [pæd] *n* blocco; (*for inking*) tampone *m*; (*col*: *flat*) appartamentino ♦ *vt* imbottire ♦ *vi*: **to** ~ **about/in** *etc* camminare/entrare *etc* a passi felpati.

padded cell ['pædɪd-] *n* cella imbottita.

padding ['pædɪŋ] *n* imbottitura; (*fig*) riempitivo.

paddle ['pædl] *n* (*oar*) pagaia ♦ *vi* sguazzare ♦ *vt* (*boat*) fare andare a colpi di pagaia.

paddle steamer *n* battello a ruote.

paddling pool ['pædlɪŋ-] *n* piscina per bambini.

paddock ['pædək] *n* recinto; paddock *m inv*.

paddy ['pædɪ] *n* (*also*: ~ **field**) risaia.

padlock ['pædlɔk] *n* lucchetto ♦ *vt* chiudere con il lucchetto.

padre ['pɑːdrɪ] *n* cappellano.

Padua ['pædʒuə] *n* Padova.

paediatrician, (*US*) **pediatrician** [piːdɪə'trɪʃən] *n* pediatra *m/f*.

paediatrics, (*US*) **pediatrics** [piːdɪ'ætrɪks] *n* pediatria.

paedophile, (*US*) **pedophile** ['piːdəufaɪl] *adj, n* pedofilo(a).

pagan ['peɪgən] *adj, n* pagano(a).

page [peɪdʒ] *n* pagina; (*also*: ~ **boy**) fattorino; (: *at wedding*) paggio ♦ *vt* (*in*

hotel etc) (*far*) chiamare.
pageant ['pædʒənt] *n* spettacolo storico;
grande cerimonia.
pageantry ['pædʒəntrɪ] *n* pompa.
page break *n* interruzione *f* di pagina.
pager ['peɪdʒə*] *n* cicalino, cercapersone
m.
paginate ['pædʒɪneɪt] *vt* impaginare.
pagination [pædʒɪ'neɪʃən] *n* impaginazione
f.
pagoda [pə'gəʊdə] *n* pagoda.
paid [peɪd] *pt, pp of* **pay** ♦ *adj* (*work, official*)
rimunerato(a); **to put** ~ **to** (*BRIT*) mettere
fine a.
paid-up ['peɪdʌp], (*US*) **paid in** ['peɪdɪn] *adj*
(*member*) che ha pagato la sua quota;
(*share*) interamente pagato(a); ~ **capital**
capitale *m* interamente versato.
pail [peɪl] *n* secchio.
pain [peɪn] *n* dolore *m*; **to be in** ~ soffrire,
aver male; **to have a** ~ **in** aver male *or* un
dolore a; **to take** ~**s to do** mettercela
tutta per fare; **on** ~ **of death** sotto pena
di morte.
pained [peɪnd] *adj* addolorato(a), afflitto(a).
painful ['peɪnful] *adj* doloroso(a), che fa
male; (*difficult*) difficile, penoso(a).
painfully ['peɪnfəlɪ] *adv* (*fig: very*) fin troppo.
painkiller ['peɪnkɪlə*] *n* antalgico,
antidolorifico.
painstaking ['peɪnzteɪkɪŋ] *adj* sollecito(a).
paint [peɪnt] *n* (*for house etc*) tinta, vernice
f; (*ART*) colore *m* ♦ *vt* (*ART, walls*)
dipingere; (*door etc*) verniciare; **a tin of** ~
un barattolo di tinta *or* vernice; **to** ~ **the
door blue** verniciare la porta di azzurro;
to ~ **in oils** dipingere a olio.
paintbox ['peɪntbɒks] *n* scatola di colori.
paintbrush ['peɪntbrʌʃ] *n* pennello.
painter ['peɪntə*] *n* (*artist*) pittore *m*;
(*decorator*) imbianchino.
painting ['peɪntɪŋ] *n* (*activity: of artist*)
pittura; (: *of decorator*) imbiancatura;
verniciatura; (*picture*) dipinto, quadro.
paint-stripper ['peɪntstrɪpə*] *n* prodotto
sverniciante.
paintwork ['peɪntwɜːk] *n* (*BRIT*) tinta; (: *of
car*) vernice *f*.
pair [pɛə*] *n* (*of shoes, gloves etc*) paio; (*of
people*) coppia; duo *m inv*; **a** ~ **of scissors/
trousers** un paio di forbici/pantaloni.
►**pair off** *vi*: **to** ~ **off (with sb)** fare coppia
(con qn).
pajamas [pə'dʒɑːməz] *npl* (*US*) pigiama *m*.
Pakistan [pɑːkɪ'stɑːn] *n* Pakistan *m*.
Pakistani [pɑːkɪ'stɑːnɪ] *adj, n* pakistano(a).
PAL [pæl] *n abbr* (*TV*: = *phase alternation line*)
PAL *m*.

pal [pæl] *n* (*col*) amico/a, compagno/a.
palace ['pæləs] *n* palazzo.
palatable ['pælɪtəbl] *adj* gustoso(a).
palate ['pælɪt] *n* palato.
palatial [pə'leɪʃəl] *adj* sontuoso(a),
sfarzoso(a).
palaver [pə'lɑːvə*] *n* chiacchiere *fpl*; storie
fpl.
pale [peɪl] *adj* pallido(a) ♦ *vi* impallidire ♦ *n*:
to be beyond the ~ aver oltrepassato
ogni limite; **to grow** *or* **turn** ~ (*person*)
diventare pallido(a), impallidire; **to** ~
into insignificance (beside) perdere
d'importanza (nei confronti di); ~ **blue**
azzurro *or* blu pallido *inv*.
paleness ['peɪlnɪs] *n* pallore *m*.
Palestine ['pælɪstaɪn] *n* Palestina.
Palestinian [pælɪs'tɪnɪən] *adj, n* palestinese
(*m/f*).
palette ['pælɪt] *n* tavolozza.
paling ['peɪlɪŋ] *n* (*stake*) palo; (*fence*)
palizzata.
palisade [pælɪ'seɪd] *n* palizzata.
pall [pɔːl] *n* (*of smoke*) cappa ♦ *vi*: **to** ~ (**on**)
diventare noioso(a) (a).
pallet ['pælɪt] *n* (*for goods*) paletta.
pallid ['pælɪd] *adj* pallido(a), smorto(a).
pallor ['pælə*] *n* pallore *m*.
pally ['pælɪ] *adj* (*col*) amichevole.
palm [pɑːm] *n* (*ANAT*) palma, palmo; (*also*:
~ **tree**) palma ♦ *vt*: **to** ~ **sth off on sb** (*col*)
rifilare qc a qn.
palmist ['pɑːmɪst] *n* chiromante *m/f*.
Palm Sunday *n* Domenica delle Palme.
palpable ['pælpəbl] *adj* palpabile.
palpitation [pælpɪ'teɪʃən] *n* palpitazione *f*;
to have ~**s** avere le palpitazioni.
paltry ['pɔːltrɪ] *adj* derisorio(a);
insignificante.
pamper ['pæmpə*] *vt* viziare, accarezzare.
pamphlet ['pæmflət] *n* dépliant *m inv*;
(*political etc*) volantino, manifestino.
pan [pæn] *n* (*also*: **sauce**~) casseruola;
(*also*: **frying** ~) padella ♦ *vi* (*CINE*) fare una
panoramica; **to** ~ **for gold** (lavare le
sabbie aurifere per) cercare l'oro.
panacea [pænə'sɪə] *n* panacea.
panache [pə'næʃ] *n* stile *m*.
Panama ['pænəmɑː] *n* Panama *m*.
Panama Canal *n* canale *m* di Panama.
Panamanian [pænə'meɪnɪən] *adj, n*
panamense (*m/f*).
pancake ['pænkeɪk] *n* frittella.
Pancake Day *n* (*BRIT*) martedì *m* grasso.
pancake roll *n* crêpe ripiena di verdure
alla cinese.
pancreas ['pæŋkrɪəs] *n* pancreas *m inv*.
panda ['pændə] *n* panda *m inv*.

panda car *n* (*BRIT*) auto *f* della polizia.
pandemonium [pændɪ'məʊnɪəm] *n* pandemonio.
pander ['pændə*] *vi*: **to ~ to** lusingare; concedere tutto a.
p & h *abbr* (*US*: = *postage and handling*) affrancatura e trasporto.
P & L *abbr* (= *profit and loss*) P.P.
p & p *abbr* (*BRIT*: = *postage and packing*) affrancatura ed imballaggio.
pane [peɪn] *n* vetro.
panel ['pænl] *n* (*of wood, cloth etc*) pannello; (*RADIO, TV*) giuria.
panel game *n* (*BRIT*) quiz *m inv* a squadre.
panelling, (*US*) **paneling** ['pænəlɪŋ] *n* rivestimento a pannelli.
panellist, (*US*) **panelist** ['pænəlɪst] *n* partecipante *m/f* (al quiz, alla tavola rotonda *etc*).
pang [pæŋ] *n*: **to feel ~s of remorse** essere torturato(a) dal rimorso; **~s of hunger** spasimi *mpl* della fame; **~s of conscience** morsi *mpl* di coscienza.
panhandler ['pænhændlə*] *n* (*US col*) accattone/a.
panic ['pænɪk] *n* panico ♦ *vi* perdere il sangue freddo.
panic buying [-baɪɪŋ] *n* accaparramento (*di generi alimentari etc*).
panicky ['pænɪkɪ] *adj* (*person*) pauroso(a).
panic-stricken ['pænɪkstrɪkən] *adj* (*person*) preso(a) dal panico, in preda al panico; (*look*) terrorizzato(a).
pannier ['pænɪə*] *n* (*on animal*) bisaccia; (*on bicycle*) borsa.
panorama [pænə'rɑːmə] *n* panorama *m*.
panoramic [pænə'ræmɪk] *adj* panoramico(a).
pansy ['pænzɪ] *n* (*BOT*) viola del pensiero, pensée *f inv*; (*col*) femminuccia.
pant [pænt] *vi* ansare.
pantechnicon [pæn'tɛknɪkən] *n* (*BRIT*) grosso furgone *m* per traslochi.
panther ['pænθə*] *n* pantera.
panties ['pæntɪz] *npl* slip *m*, mutandine *fpl*.
pantihose ['pæntɪhəʊz] *n* (*US*) collant *m inv*.
panto ['pæntəʊ] *n* (*BRIT col*) *see* **pantomime**.
pantomime ['pæntəmaɪm] *n* (*at Christmas*) spettacolo natalizio; (*tecnica*) pantomima.

In Gran Bretagna la **pantomime** *(abbreviata in* **panto***) è una sorta di libera interpretazione delle favole più conosciute che vengono messe in scena nei teatri durante il periodo natalizio. Gli attori principali sono la dama,* **dame**, *che è un uomo vestito da donna, il protagonista,* **principal boy**, *che è una donna travestita da*

uomo, e il cattivo, **villain**. È uno spettacolo per tutta la famiglia, che prevede la partecipazione del pubblico.

pantry ['pæntrɪ] *n* dispensa.
pants [pænts] *npl* (*BRIT*) mutande *fpl*, slip *m*; (*US*: *trousers*) pantaloni *mpl*.
pantsuit ['pæntsuːt] *n* (*US*) completo *m or* tailleur *m inv* pantalone *inv*.
papacy ['peɪpəsɪ] *n* papato.
papal ['peɪpəl] *adj* papale, pontificio(a).
paparazzi [pæpə'rætsiː] *npl* paparazzi *mpl*.
paper ['peɪpə*] *n* carta; (*also*: **wall~**) carta da parati, tappezzeria; (*also*: **news~**) giornale *m*; (*study, article*) saggio; (*exam*) prova scritta ♦ *adj* di carta ♦ *vt* tappezzare; **a piece of ~** (*odd bit*) un pezzo di carta; (*sheet*) un foglio (di carta); **to put sth down on ~** mettere qc per iscritto; *see also* **papers**.
paper advance *n* (*on printer*) avanzamento della carta.
paperback ['peɪpəbæk] *n* tascabile *m*; edizione *f* economica ♦ *adj*: **~ edition** edizione *f* tascabile.
paper bag *n* sacchetto di carta.
paperboy ['peɪpəbɔɪ] *n* (*selling*) strillone *m*; (*delivering*) ragazzo che recapita i giornali.
paper clip *n* graffetta, clip *f inv*.
paper handkerchief *n* fazzolettino di carta.
paper mill *n* cartiera.
paper money *n* cartamoneta, moneta cartacea.
paper profit *n* utile *m* teorico.
papers ['peɪpəz] *npl* (*also*: **identity ~**) carte *fpl*, documenti *mpl*.
paper shop *n* (*BRIT*) giornalaio (*negozio*).
paperweight ['peɪpəweɪt] *n* fermacarte *m inv*.
paperwork ['peɪpəwəːk] *n* lavoro amministrativo.
papier-mâché ['pæpɪeɪ'mæʃeɪ] *n* cartapesta.
paprika ['pæprɪkə] *n* paprica.
Pap test, Pap smear ['pæp-] *n* (*MED*) pap-test *m inv*.
par [pɑː*] *n* parità, pari *f*; (*GOLF*) norma; **on a ~ with** alla pari con; **at/above/below ~** (*COMM*) alla/sopra la/sotto la pari; **above/below ~** (*gen, GOLF*) al di sopra/al di sotto della norma; **to feel below or under or not up to ~** non sentirsi in forma.
parable ['pærəbl] *n* parabola (*REL*).
parabola [pə'ræbələ] *n* parabola (*MATH*).
parachute ['pærəʃuːt] *n* paracadute *m inv* ♦ *vi* scendere col paracadute.

parachute jump n lancio col paracadute.
parachutist ['pærəʃuːtɪst] n paracadutista
m/f.
parade [pə'reɪd] n parata; (*inspection*)
rivista, rassegna ♦ vt (*fig*) fare sfoggio di
♦ vi sfilare in parata; **a fashion** ~ (*BRIT*)
una sfilata di moda.
parade ground n piazza d'armi.
paradise ['pærədaɪs] n paradiso.
paradox ['pærədɔks] n paradosso.
paradoxical [pærə'dɔksɪkl] adj paradossale.
paradoxically [pærə'dɔksɪklɪ] adv
paradossalmente.
paraffin ['pærəfɪn] n (*BRIT*): ~ (**oil**)
paraffina; **liquid** ~ olio di paraffina.
paraffin heater n (*BRIT*) stufa al
cherosene.
paraffin lamp n (*BRIT*) lampada al
cherosene.
paragon ['pærəgən] n modello di
perfezione *or* di virtù.
paragraph ['pærəgrɑːf] n paragrafo; **to
begin a new** ~ andare a capo.
Paraguay ['pærəgwaɪ] n Paraguay m.
Paraguayan [pærə'gwaɪən] adj, n
paraguaiano(a).
parallel ['pærəlɛl] adj (*also COMPUT*)
parallelo(a); (*fig*) analogo(a) ♦ n (*line*)
parallela; (*fig, GEO*) parallelo; ~ (**with** *or*
to) parallelo(a) (a).
paralysis, pl **paralyses** [pə'rælɪsɪs, -siːz] n
paralisi f inv.
paralytic [pærə'lɪtɪk] adj paralitico(a); (*BRIT
col: drunk*) ubriaco(a) fradicio(a).
paralyze ['pærəlaɪz] vt paralizzare.
paramedic [pærə'mɛdɪk] n paramedico.
parameter [pə'ræmɪtə*] n parametro.
paramilitary [pærə'mɪlɪtərɪ] adj
paramilitare.
paramount ['pærəmaʊnt] adj: **of** ~
importance di capitale importanza.
paranoia [pærə'nɔɪə] n paranoia.
paranoid ['pærənɔɪd] adj paranoico(a).
paranormal [pærə'nɔːml] adj paranormale.
paraphernalia [pærəfə'neɪlɪə] n attrezzi mpl,
roba.
paraphrase ['pærəfreɪz] vt parafrasare.
paraplegic [pærə'pliːdʒɪk] n paraplegico(a).
parapsychology [pærəsaɪ'kɔlədʒɪ] n
parapsicologia.
parasite ['pærəsaɪt] n parassita m.
parasol ['pærəsɔl] n parasole m inv.
paratrooper ['pærətruːpə*] n paracadutista
m (*soldato*).
parcel ['pɑːsl] n pacco, pacchetto ♦ vt (*also:
~ **up**) impaccare.
▶**parcel out** vt spartire.
parcel bomb n (*BRIT*) pacchetto esplosivo.

parcel post n servizio pacchi.
parch [pɑːtʃ] vt riardere.
parched ['pɑːtʃt] adj (*person*) assetato(a).
parchment ['pɑːtʃmənt] n pergamena.
pardon ['pɑːdn] n perdono; grazia ♦ vt
perdonare; (*LAW*) graziare; ~! scusi!; ~
me! mi scusi!; **I beg your** ~! scusi!; (**I beg
your**) ~?, (*US*) ~ **me?** prego?
pare [pɛə*] vt (*BRIT: nails*) tagliarsi; (: *fruit
etc*) sbucciare, pelare.
parent ['pɛərənt] n padre m (*or* madre f); ~**s**
npl genitori mpl.
parentage ['pɛərəntɪdʒ] n natali mpl; **of
unknown** ~ di genitori sconosciuti.
parental [pə'rɛntl] adj dei genitori.
parent company n società madre
f inv.
parenthesis, pl **parentheses** [pə'rɛnθɪsɪs,
-siːz] n parentesi f inv; **in parentheses** fra
parentesi.
parenthood ['pɛərənthud] n paternità *or*
maternità.
parenting ['pɛərəntɪŋ] n mestiere m di
genitore.
Paris ['pærɪs] n Parigi f.
parish ['pærɪʃ] n parrocchia; (*civil*)
≈ municipio ♦ adj parrocchiale.
parish council n (*BRIT*) ≈ consiglio
comunale.
parishioner [pə'rɪʃənə*] n parrocchiano/a.
Parisian [pə'rɪzɪən] adj, n parigino(a).
parity ['pærɪtɪ] n parità.
park [pɑːk] n parco; (*public*) giardino
pubblico ♦ vt, vi parcheggiare.
parka ['pɑːkə] n eskimo.
parking ['pɑːkɪŋ] n parcheggio; "**no** ~"
"sosta vietata".
parking lights npl luci fpl di posizione.
parking lot n (*US*) posteggio, parcheggio.
parking meter n parchimetro.
parking offence n (*BRIT*) infrazione f al
divieto di sosta.
parking place n posto di parcheggio.
parking ticket n multa per sosta vietata.
parking violation n (*US*) = **parking
offence.**
Parkinson's ['pɑːkɪnsənz] n (*also*: ~
disease) morbo di Parkinson.
parkway ['pɑːkweɪ] n (*US*) viale m.
parlance ['pɑːləns] n: **in common/modern**
~ nel gergo *or* linguaggio comune/
moderno.
parliament ['pɑːləmənt] n parlamento.

*Nel Regno Unito il Parlamento, the
Parliament, è formato da due camere: la
House of Commons, e la House of Lords.
Nella House of Commons siedono 650*

parlamentari, chiamati **MP,** *eletti per votazione diretta del popolo nelle rispettive circoscrizioni elettorali, le* **constituency.** *Le sessioni del Parlamento sono presiedute e moderate dal presidente della Camera, lo* **Speaker.** *Alla House of Lords, i cui poteri sono più limitati, si accede tramite nomina o carica ereditaria e non per elezione.*

parliamentary [pɑːlə'mɛntərɪ] *adj* parlamentare.

parlour, *(US)* **parlor** ['pɑːlə*] *n* salotto.

parlous ['pɑːləs] *adj* periglioso(a).

Parmesan [pɑːmɪ'zæn] *n (also*: ~ **cheese**) parmigiano.

parochial [pə'rəukɪəl] *adj* parrocchiale; *(pej)* provinciale.

parody ['pærədɪ] *n* parodia.

parole [pə'rəul] *n*: **on** ~ in libertà per buona condotta.

paroxysm ['pærəksɪzəm] *n (MED)* parossismo; *(of anger, laughter, coughing)* convulso; *(of grief)* attacco.

parquet ['pɑːkeɪ] *n*: ~ **floor(ing)** parquet *m*.

parrot ['pærət] *n* pappagallo.

parrot fashion *adv* in modo pappagallesco.

parry ['pærɪ] *vt* parare.

parsimonious [pɑːsɪ'məunɪəs] *adj* parsimonioso(a).

parsley ['pɑːslɪ] *n* prezzemolo.

parsnip ['pɑːsnɪp] *n* pastinaca.

parson ['pɑːsn] *n* prete *m*; *(Church of England)* parroco.

part [pɑːt] *n* parte *f*; *(of machine)* pezzo; *(THEAT etc)* parte, ruolo; *(MUS)* voce *f*; parte ♦ *adj* in parte ♦ *adv* = **partly** ♦ *vt* separare ♦ *vi (people)* separarsi; *(roads)* dividersi; **to take** ~ **in** prendere parte a; **to take sb's** ~ parteggiare per qn, prendere le parti di qn; **on his** ~ da parte sua; **for my** ~ per parte mia; **for the most** ~ in generale; nella maggior parte dei casi; **for the better** ~ **of the day** per la maggior parte della giornata; **to be** ~ **and parcel of** essere parte integrante di; **to take sth in good/bad** ~ prendere bene/male qc; ~ **of speech** *(LING)* parte del discorso.
  ▶**part with** *vt fus* separarsi da; rinunciare a.

partake [pɑː'teɪk] *vi irreg (formal)*: **to** ~ **of sth** consumare qc, prendere qc.

part exchange *n (BRIT)*: **in** ~ in pagamento parziale.

partial ['pɑːʃl] *adj* parziale; **to be** ~ **to** avere un debole per.

partially ['pɑːʃəlɪ] *adv* in parte, parzialmente.

participant [pɑː'tɪsɪpənt] *n*: ~ **(in)** partecipante *m/f* (a).

participate [pɑː'tɪsɪpeɪt] *vi*: **to** ~ **(in)** prendere parte (a), partecipare (a).

participation [pɑːtɪsɪ'peɪʃən] *n* partecipazione *f*.

participle ['pɑːtɪsɪpl] *n* participio.

particle ['pɑːtɪkl] *n* particella.

particular [pə'tɪkjulə*] *adj* particolare; speciale; *(fussy)* difficile; meticoloso(a); ~**s** *npl* particolari *mpl*, dettagli *mpl*; *(information)* informazioni *fpl*; **in** ~ in particolare, particolarmente; **to be very** ~ **about** essere molto pignolo(a) su; **I'm not** ~ per me va bene tutto.

particularly [pə'tɪkjuləlɪ] *adv* particolarmente; in particolare.

parting ['pɑːtɪŋ] *n* separazione *f*; *(BRIT: in hair)* scriminatura ♦ *adj* d'addio; ~ **shot** *(fig)* battuta finale.

partisan [pɑːtɪ'zæn] *n* partigiano/a ♦ *adj* partigiano(a); di parte.

partition [pɑː'tɪʃən] *n (POL)* partizione *f*; *(wall)* tramezzo.

partly ['pɑːtlɪ] *adv* parzialmente; in parte.

partner ['pɑːtnə*] *n (COMM)* socio/a; *(SPORT)* compagno/a; *(at dance)* cavaliere/dama.

partnership ['pɑːtnəʃɪp] *n* associazione *f*; *(COMM)* società *f inv*; **to go into** ~ **(with),** **form a** ~ **(with)** mettersi in società (con), associarsi (a).

part payment *n* acconto.

partridge ['pɑːtrɪdʒ] *n* pernice *f*.

part-time ['pɑːt'taɪm] *adj, adv* a orario ridotto, part-time *(inv)*.

part-timer ['pɑːt'taɪmə*] *n (also*: **part-time worker)** lavoratore/trice part-time.

party ['pɑːtɪ] *n (POL)* partito; *(team)* squadra; gruppo; *(LAW)* parte *f*; *(celebration)* ricevimento; serata; festa; **dinner** ~ cena; **to give** *or* **throw a** ~ dare una festa *or* un party; **to be a** ~ **to a crime** essere coinvolto in un reato.

party line *n (POL)* linea del partito; *(TEL)* duplex *m inv*.

party piece *n*: **to do one's** ~ *(BRIT col)* esibirsi nel proprio pezzo forte a una festa, cena etc*.

party political broadcast *n* comunicato radiotelevisivo di propaganda.

pass [pɑːs] *vt (gen)* passare; *(place)* passare davanti a; *(exam)* passare, superare; *(candidate)* promuovere; *(overtake, surpass)* sorpassare, superare; *(approve)* approvare ♦ *vi* passare; *(SCOL)* essere promosso(a) ♦ *n (permit)* lasciapassare *m inv*; permesso; *(in mountains)* passo, gola;

(SPORT) passaggio; (SCOL: also: ~ **mark**): **to get a** ~ prendere la sufficienza; **to** ~ **for** passare per; **could you** ~ **the vegetables round?** potrebbe far passare i contorni?; **to make a** ~ **at sb** (col) fare delle proposte or delle avances a qn; **things have come to a pretty** ~ (BRIT) ecco a cosa siamo arrivati.

▶**pass away** vi morire.

▶**pass by** vi passare ♦ vt trascurare.

▶**pass down** vt (customs, inheritance) tramandare, trasmettere.

▶**pass on** vi (die) spegnersi, mancare ♦ vt (hand on): **to** ~ **on (to)** (news, information, object) passare (a); (cold, illness) attaccare (a); (benefits) trasmettere (a); (price rises) riversare (su).

▶**pass out** vi svenire; (BRIT MIL) uscire dall'accademia.

▶**pass over** vi (die) spirare ♦ vt lasciare da parte.

▶**pass up** vt (opportunity) lasciarsi sfuggire, perdere.

passable ['pɑːsəbl] adj (road) praticabile; (work) accettabile.

passage ['pæsɪdʒ] n (gen) passaggio; (also: ~**way**) corridoio; (in book) brano, passo; (by boat) traversata.

passenger ['pæsɪndʒə*] n passeggero/a.

passer-by [pɑːsə'baɪ] n passante m/f.

passing ['pɑːsɪŋ] adj (fig) fuggevole; **to mention sth in** ~ accennare a qc di sfuggita.

passing place n (AUT) piazzola (di sosta).

passion ['pæʃən] n passione f; amore m; **to have a** ~ **for sth** aver la passione di or per qc.

passionate ['pæʃənɪt] adj appassionato(a).

passion fruit n frutto della passione.

passion play n rappresentazione f della Passione di Cristo.

passive ['pæsɪv] adj (also LING) passivo(a).

passive smoking n fumo passivo.

passkey ['pɑːskiː] n passe-partout m inv.

Passover ['pɑːsəuvə*] n Pasqua ebraica.

passport ['pɑːspɔːt] n passaporto.

passport control n controllo m passaporti inv.

password ['pɑːswɜːd] n parola d'ordine.

past [pɑːst] prep (further than) oltre, di là di; dopo; (later than) dopo ♦ adv: **to run** ~ passare di corsa; **to walk** ~ passare ♦ adj passato(a); (president etc) ex inv ♦ n passato; **quarter/half** ~ **four** le quattro e un quarto/e mezzo; **ten/twenty** ~ **four** le quattro e dieci/venti; **he's** ~ **forty** ha più di quarant'anni; **it's** ~ **midnight** è mezzanotte passata; **for the** ~ **few days**

da qualche giorno; in questi ultimi giorni; **for the** ~ **3 days** negli ultimi 3 giorni; **in the** ~ in or nel passato; (LING) al passato; **I'm** ~ **caring** non me ne importa più nulla; **to be** ~ **it** (BRIT col: person) essere finito(a).

pasta ['pæstə] n pasta.

paste [peɪst] n (glue) colla; (CULIN) pâté m inv; pasta ♦ vt collare; **tomato** ~ concentrato di pomodoro.

pastel ['pæstl] adj pastello inv.

pasteurized ['pæstəraɪzd] adj pastorizzato(a).

pastille ['pæstl] n pastiglia.

pastime ['pɑːstaɪm] n passatempo.

past master n (BRIT): **to be a** ~ **at** essere molto esperto(a) in.

pastor ['pɑːstə*] n pastore m.

pastoral ['pɑːstərl] adj pastorale.

pastry ['peɪstrɪ] n pasta.

pasture ['pɑːstʃə*] n pascolo.

pasty n ['pæstɪ] pasticcio di carne ♦ adj ['peɪstɪ] pastoso(a); (complexion) pallido(a).

pat [pæt] vt accarezzare, dare un colpetto (affettuoso) a ♦ n: a ~ **of butter** un panetto di burro; **to give sb/o.s. a** ~ **on the back** (fig) congratularsi or compiacersi con qn/se stesso; **he knows it (off)** ~, (US) **he has it down** ~ lo conosce or sa a menadito.

patch [pætʃ] n (of material) toppa; (spot) macchia; (of land) pezzo ♦ vt (clothes) rattoppare; **a bad** ~ (BRIT) un brutto periodo.

▶**patch up** vt rappezzare.

patchwork ['pætʃwɜːk] n patchwork m.

patchy ['pætʃɪ] adj irregolare.

pate [peɪt] n: **a bald** ~ una testa pelata.

pâté ['pæteɪ] n pâté m inv.

patent ['peɪtnt] n brevetto ♦ vt brevettare ♦ adj patente, manifesto(a).

patent leather n cuoio verniciato.

patently ['peɪtntlɪ] adv palesemente.

patent medicine n specialità f inv medicinale.

patent office n ufficio brevetti.

paternal [pə'tɜːnl] adj paterno(a).

paternity [pə'tɜːnɪtɪ] n paternità.

paternity suit n (LAW) causa di riconoscimento della paternità.

path [pɑːθ] n sentiero, viottolo; viale m; (fig) via, strada; (of planet, missile) traiettoria.

pathetic [pə'θetɪk] adj (pitiful) patetico(a); (very bad) penoso(a).

pathological [pæθə'lɔdʒɪkl] adj patologico(a).

pathologist [pə'θɒlədʒɪst] n patologo/a.
pathology [pə'θɒlədʒɪ] n patologia.
pathos ['peɪθɒs] n pathos m.
pathway ['pɑ:θweɪ] n sentiero, viottolo.
patience ['peɪʃns] n pazienza; (BRIT CARDS) solitario; **to lose one's ~** spazientirsi.
patient ['peɪʃnt] n paziente m/f; malato/a ♦ adj paziente; **to be ~ with sb** essere paziente or aver pazienza con qn.
patiently ['peɪʃntlɪ] adv pazientemente.
patio ['pætɪəu] n terrazza.
patriot ['peɪtrɪət] n patriota m/f.
patriotic [pætrɪ'ɒtɪk] adj patriottico(a).
patriotism ['pætrɪətɪzəm] n patriottismo.
patrol [pə'trəul] n pattuglia ♦ vt pattugliare; **to be on ~** fare la ronda; essere in ricognizione; essere in perlustrazione.
patrol boat n guardacoste m inv.
patrol car n autoradio f inv (della polizia).
patrolman [pə'trəulmən] n (US) poliziotto.
patron ['peɪtrən] n (in shop) cliente m/f; (of charity) benefattore/trice; **~ of the arts** mecenate m/f.
patronage ['pætrənɪdʒ] n patronato.
patronize ['pætrənaɪz] vt essere cliente abituale di; (fig) trattare con condiscendenza.
patronizing ['pætrənaɪzɪŋ] adj condiscendente.
patron saint n patrono.
patter ['pætə*] n picchiettio; (sales talk) propaganda di vendita ♦ vi picchiettare.
pattern ['pætən] n modello; (SEWING etc) modello (di carta), cartamodello; (design) disegno, motivo; (sample) campione m; **behaviour ~s** tipi mpl di comportamento.
patterned ['pætənd] adj a disegni, a motivi; (material) fantasia inv.
paucity ['pɔ:sɪtɪ] n scarsità.
paunch [pɔ:ntʃ] n pancione m.
pauper ['pɔ:pə*] n indigente m/f; **~'s grave** fossa comune.
pause [pɔ:z] n pausa ♦ vi fare una pausa, arrestarsi; **to ~ for breath** fermarsi un attimo per riprender fiato.
pave [peɪv] vt pavimentare; **to ~ the way for** aprire la via a.
pavement ['peɪvmənt] n (BRIT) marciapiede m; (US) pavimentazione f stradale.
pavilion [pə'vɪlɪən] n padiglione m; tendone m; (SPORT) edificio annesso ad un campo sportivo.
paving ['peɪvɪŋ] n pavimentazione f.
paving stone n lastra di pietra.
paw [pɔ:] n zampa ♦ vt dare una zampata a; (subj: person: pej) palpare.
pawn [pɔ:n] n pegno; (CHESS) pedone m; (fig) pedina ♦ vt dare in pegno.

pawnbroker ['pɔ:nbrəukə*] n prestatore m su pegno.
pawnshop ['pɔ:nʃɒp] n monte m di pietà.
pay [peɪ] n (gen) paga ♦ vb (pt, pp **paid** [peɪd]) vt pagare; (be profitable to: also fig) convenire a ♦ vi pagare; (be profitable) rendere; **to ~ attention (to)** fare attenzione (a); **I paid £5 for that record** quel disco l'ho pagato 5 sterline; **how much did you ~ for it?** quanto l'ha pagato?; **to ~ one's way** pagare la propria parte; (company) coprire le spese; **to ~ dividends** (fig) dare buoni frutti.
▶**pay back** vt rimborsare.
▶**pay for** vt fus pagare.
▶**pay in** vt versare.
▶**pay off** vt (debts) saldare; (creditor) pagare; (mortgage) estinguere; (workers) licenziare ♦ vi (scheme) funzionare; (patience) dare dei frutti; **to ~ sth off in instalments** pagare qc a rate.
▶**pay out** vt (money) sborsare, tirar fuori; (rope) far allentare.
▶**pay up** vt saldare.
payable ['peɪəbl] adj pagabile; **to make a cheque ~ to sb** intestare un assegno a (nome di) qn.
pay award n aumento salariale.
pay day n giorno di paga.
PAYE n abbr (BRIT: = pay as you earn) pagamento di imposte tramite ritenute alla fonte.
payee [peɪ'i:] n beneficiario/a.
pay envelope n (US) busta f paga inv.
paying ['peɪɪŋ] adj: **~ guest** ospite m/f pagante, pensionante m/f.
payload ['peɪləud] n carico utile.
payment ['peɪmənt] n pagamento; **advance ~** (part sum) anticipo, acconto; (total sum) pagamento anticipato; **deferred ~, ~ by instalments** pagamento dilazionato or a rate; **in ~ for, in ~ of** in pagamento di; **on ~ of £5** dietro pagamento di 5 sterline.
pay packet n (BRIT) busta f paga inv.
payphone ['peɪfəun] n cabina telefonica.
payroll ['peɪrəul] n ruolo (organico); **to be on a firm's ~** far parte del personale di una ditta.
pay slip n (BRIT) foglio m paga inv.
pay station n (US) cabina telefonica.
PBS n abbr (US: = Public Broadcasting Service) servizio che collabora alla realizzazione di programmi per la rete televisiva nazionale.
PBX abbr (= private branch exchange) sistema telefonico con centralino.
PC n abbr see **personal computer**; (BRIT) see

police constable ♦ abbr (BRIT) = **Privy Councillor** ♦ adj abbr = **politically correct.**
pc abbr = **per cent**; (= postcard) C.P.
p/c abbr = **petty cash.**
PCB n abbr see **printed circuit board.**
pcm abbr = per calendar month.
PD n abbr (US) = **police department.**
pd abbr = **paid.**
PDQ abbr (col) = pretty damn quick.
PDSA n abbr (BRIT: = People's Dispensary for Sick Animals) assistenza veterinaria gratuita.
PDT abbr (US: = Pacific Daylight Time) ora legale del Pacifico.
PE n abbr (= physical education) ed. fisica ♦ abbr (Canada) = Prince Edward Island.
pea [piː] n pisello.
peace [piːs] n pace f; (calm) calma, tranquillità; **to be at** ~ **with sb/sth** essere in pace con qn/qc; **to keep the** ~ (subj: policeman) mantenere l'ordine pubblico; (: citizen) rispettare l'ordine pubblico.
peaceable ['piːsəbl] adj pacifico(a).
peaceful ['piːsful] adj pacifico(a), calmo(a).
peacekeeping ['piːskiːpɪŋ] n mantenimento della pace; ~ **force** forza di pace.
peace offering n (fig) dono in segno di riconciliazione.
peach [piːtʃ] n pesca.
peacock ['piːkɔk] n pavone m.
peak [piːk] n (of mountain) cima, vetta; (mountain itself) picco m; (fig) massimo; (: of career) acme f.
peak-hour ['piːkauə*] adj (traffic etc) delle ore di punta.
peak hours npl ore fpl di punta.
peak period n periodo di punta.
peak rate n tariffa massima.
peaky ['piːkɪ] adj (BRIT col) sbattuto(a).
peal [piːl] n (of bells) scampanio, carillon m inv; ~**s of laughter** scoppi mpl di risa.
peanut ['piːnʌt] n arachide f, nocciolina americana.
peanut butter n burro di arachidi.
pear [pɛə*] n pera.
pearl [pəːl] n perla.
peasant ['pɛznt] n contadino/a.
peat [piːt] n torba.
pebble ['pɛbl] n ciottolo.
peck [pɛk] vt (also: ~ **at**) beccare; (: food) mangiucchiare ♦ n colpo di becco; (kiss) bacetto.
pecking order ['pɛkɪŋ-] n (fig) ordine m gerarchico.
peckish ['pɛkɪʃ] adj (BRIT col): **I feel** ~ ho un languorino.
peculiar [pɪ'kjuːlɪə*] adj strano(a), bizzarro(a); (particular: importance, qualities) particolare; ~ **to** tipico(a) di, caratteristico(a) di.
peculiarity [pɪkjuːlɪ'ærɪtɪ] n peculiarità f inv; (oddity) bizzarria.
pecuniary [pɪ'kjuːnɪərɪ] adj pecuniario(a).
pedal ['pɛdl] n pedale m ♦ vi pedalare.
pedal bin n (BRIT) pattumiera a pedale.
pedantic [pɪ'dæntɪk] adj pedantesco(a).
peddle ['pɛdl] vt (goods) andare in giro a vendere; (drugs) spacciare; (gossip) mettere in giro.
peddler ['pɛdlə*] n venditore m ambulante.
pedestal ['pɛdəstl] n piedestallo.
pedestrian [pɪ'dɛstrɪən] n pedone/a ♦ adj pedonale; (fig) prosaico(a), pedestre.
pedestrian crossing n (BRIT) passaggio pedonale.
pedestrian precinct n (BRIT) zona pedonale.
pediatrics [piːdɪ'ætrɪks] n (US) = **paediatrics.**
pedigree ['pɛdɪgriː] n stirpe f; (of animal) pedigree m inv ♦ cpd (animal) di razza.
pedlar ['pɛdlə*] n = **peddler.**
pee [piː] vi (col) pisciare.
peek [piːk] vi guardare furtivamente.
peel [piːl] n buccia; (of orange, lemon) scorza ♦ vt sbucciare ♦ vi (paint etc) staccarsi.
▶**peel back** vt togliere, levare.
peeler [piːlə*] n: **potato** ~ sbucciapatate m inv.
peelings ['piːlɪŋz] npl bucce fpl.
peep [piːp] n (BRIT: look) sguardo furtivo, sbirciata; (sound) pigolio ♦ vi (BRIT) guardare furtivamente.
▶**peep out** vi (BRIT) mostrarsi furtivamente.
peephole ['piːphəul] n spioncino.
peer [pɪə*] vi: **to** ~ **at** scrutare ♦ n (noble) pari m inv; (equal) pari m/f inv, uguale m/f.
peerage ['pɪərɪdʒ] n dignità di pari; pari mpl.
peerless ['pɪəlɪs] adj impareggiabile, senza pari.
peeved [piːvd] adj stizzito(a).
peevish ['piːvɪʃ] adj stizzoso(a).
peg [pɛg] n (tent ~) picchetto; (for coat etc) attaccapanni m inv; (BRIT: also: **clothes** ~) molletta ♦ vt (clothes) appendere con le mollette; (BRIT: groundsheet) fissare con i picchetti; (fig: prices, wages) fissare, stabilizzare; **off the** ~ confezionato(a).
pejorative [pɪ'dʒɔrətɪv] adj peggiorativo(a).
Pekin [piː'kɪn], **Peking** [piː'kɪŋ] n Pechino f.
pekin(g)ese [piːkɪ'niːz] n pechinese m.
pelican ['pɛlɪkən] n pellicano.
pelican crossing n (BRIT AUT)

attraversamento pedonale con semaforo a controllo manuale.
pellet ['pɛlɪt] *n* pallottola, pallina.
pell-mell ['pɛl'mɛl] *adv* disordinatamente, alla rinfusa.
pelmet ['pɛlmɪt] *n* mantovana; cassonetto.
pelt [pɛlt] *vt*: **to ~ sb (with)** bombardare qn (con) ♦ *vi* (*rain*) piovere a dirotto ♦ *n* pelle *f.*
pelvis ['pɛlvɪs] *n* pelvi *f inv*, bacino.
pen [pɛn] *n* penna; (*for sheep*) recinto; (*US col*: *prison*) galera; **to put ~ to paper** prendere la penna in mano.
penal ['piːnl] *adj* penale.
penalize ['piːnəlaɪz] *vt* punire; (*SPORT*) penalizzare; (*fig*) svantaggiare.
penal servitude [-'səːvɪtjuːd] *n* lavori *mpl* forzati.
penalty ['pɛnltɪ] *n* penalità *f inv*; sanzione *f* penale; (*fine*) ammenda; (*SPORT*) penalizzazione *f*; (*FOOTBALL*: *also*: **~ kick**) calcio di rigore.
penalty area *n* (*BRIT SPORT*) area di rigore.
penalty clause *n* penale *f.*
penalty kick *n* (*FOOTBALL*) calcio di rigore.
penalty shoot-out [-'ʃuːtaut] *n* (*FOOTBALL*) rigori *mpl*; **to beat a team in a ~** battere una squadra ai rigori.
penance ['pɛnəns] *n* penitenza.
pence [pɛns] *npl* (*BRIT*) *of* **penny.**
penchant ['pãːʃãːŋ] *n* debole *m.*
pencil ['pɛnsl] *n* matita ♦ *vt* (*also*: **~ in**) scrivere a matita.
pencil case *n* astuccio per matite.
pencil sharpener *n* temperamatite *m inv.*
pendant ['pɛndnt] *n* pendaglio.
pending ['pɛndɪŋ] *prep* in attesa di ♦ *adj* in sospeso.
pendulum ['pɛndjuləm] *n* pendolo.
penetrate ['pɛnɪtreɪt] *vt* penetrare.
penetrating ['pɛnɪtreɪtɪŋ] *adj* penetrante.
penetration [pɛnɪ'treɪʃən] *n* penetrazione *f.*
penfriend ['pɛnfrend] *n* (*BRIT*) corrispondente *m/f.*
penguin ['pɛŋgwɪn] *n* pinguino.
penicillin [pɛnɪ'sɪlɪn] *n* penicillina.
peninsula [pə'nɪnsjulə] *n* penisola.
penis ['piːnɪs] *n* pene *m.*
penitence ['pɛnɪtns] *n* penitenza.
penitent ['pɛnɪtnt] *adj* penitente.
penitentiary [pɛnɪ'tɛnʃərɪ] *n* (*US*) carcere *m.*
penknife ['pɛnnaɪf] *n* temperino.
Penn(a). *abbr* (*US*) = *Pennsylvania.*
pen name *n* pseudonimo.
pennant ['pɛnənt] *n* banderuola.
penniless ['pɛnɪlɪs] *adj* senza un soldo.
Pennines ['pɛnaɪnz] *npl*: **the ~** i Pennini.

penny, *pl* **pennies** *or* **pence** ['pɛnɪ, 'pɛnɪz, pɛns] *n* penny *m* (*pl* pence); (*US*) centesimo.
penpal ['pɛnpæl] *n* corrispondente *m/f.*
penpusher ['pɛnpuʃə*] *n* (*pej*) scribacchino/a.
pension ['pɛnʃən] *n* pensione *f.*
▶**pension off** *vt* mandare in pensione.
pensionable ['pɛnʃənəbl] *adj* (*person*) che ha diritto a una pensione, pensionabile; (*age*) pensionabile.
pensioner ['pɛnʃənə*] *n* (*BRIT*) pensionato/a.
pension fund *n* fondo pensioni.
pensive ['pɛnsɪv] *adj* pensoso(a).
pentagon ['pɛntəgən] *n* pentagono; **the P~** (*US POL*) il Pentagono.

> *Il* **Pentagon** *è un edificio a pianta pentagonale che si trova ad Arlington, in Virginia, nel quale hanno sede gli uffici del Ministero della Difesa degli Stati Uniti. Il termine Pentagon è usato anche per indicare la dirigenza militare del paese.*

Pentecost ['pɛntɪkɔst] *n* Pentecoste *f.*
penthouse ['pɛnthaus] *n* appartamento (di lusso) nell'attico.
pent-up ['pɛntʌp] *adj* (*feelings*) represso(a).
penultimate [pɪ'nʌltɪmət] *adj* penultimo(a).
penury ['pɛnjurɪ] *n* indigenza.
people ['piːpl] *npl* gente *f*; persone *fpl*; (*citizens*) popolo ♦ *n* (*nation, race*) popolo ♦ *vt* popolare; **old ~** i vecchi; **young ~** i giovani; **~ at large** il grande pubblico; **a man of the ~** un uomo del popolo; **4/ several ~ came** 4/parecchie persone sono venute; **the room was full of ~** la stanza era piena di gente; **~ say that ...** si dice *or* la gente dice che ....
PEP [pɛp] *n* = *personal equity plan.*
pep [pɛp] *n* (*col*) dinamismo.
▶**pep up** *vt* vivacizzare; (*food*) rendere più gustoso(a).
pepper ['pɛpə*] *n* pepe *m*; (*vegetable*) peperone *m* ♦ *vt* pepare.
peppermint ['pɛpəmɪnt] *n* (*plant*) menta peperita; (*sweet*) pasticca di menta.
pepperoni [pɛpə'rəunɪ] *n* salsiccia piccante.
pepperpot ['pɛpəpɔt] *n* pepaiola.
peptalk ['pɛptɔːk] *n* (*col*) discorso di incoraggiamento.
per [pəː*] *prep* per; a; **~ hour** all'ora; **~ kilo** *etc* il chilo *etc*; **~ day** al giorno; **~ week** alla settimana; **~ person** a testa, a *or* per persona; **as ~ your instructions** secondo le vostre istruzioni.

per annum *adv* all'anno.

per capita *adj*, *adv* pro capite.

perceive [pə'siːv] *vt* percepire; (*notice*) accorgersi di.

per cent *adv* per cento; **a 20 ~ discount** uno sconto del 20 per cento.

percentage [pə'sɛntɪdʒ] *n* percentuale *f*; **on a ~ basis** a percentuale.

percentage point *n* punto percentuale.

perceptible [pə'sɛptɪbl] *adj* percettibile.

perception [pə'sɛpʃən] *n* percezione *f*; sensibilità; perspicacia.

perceptive [pə'sɛptɪv] *adj* percettivo(a); perspicace.

perch [pəːtʃ] *n* (*fish*) pesce *m* persico; (*for bird*) sostegno, ramo ♦ *vi* appollaiarsi.

percolate ['pəːkəleɪt] *vt* filtrare.

percolator ['pəːkəleɪtə*] *n* caffettiera a pressione; caffettiera elettrica.

percussion [pə'kʌʃən] *n* percussione *f*; (*MUS*) strumenti *mpl* a percussione.

peremptory [pə'rɛmptərɪ] *adj* perentorio(a).

perennial [pə'rɛnɪəl] *adj* perenne ♦ *n* pianta perenne.

perfect *adj*, *n* ['pəːfɪkt] *adj* perfetto(a) ♦ *n* (*also*: ~ **tense**) perfetto, passato prossimo ♦ *vt* [pə'fɛkt] perfezionare; mettere a punto; **he's a ~ stranger to me** mi è completamente sconosciuto.

perfection [pə'fɛkʃən] *n* perfezione *f*.

perfectionist [pə'fɛkʃənɪst] *n* perfezionista *m/f*.

perfectly ['pəːfɪktlɪ] *adv* perfettamente; **I'm ~ happy with the situation** sono completamente soddisfatta della situazione; **you know ~ well** sa benissimo.

perforate ['pəːfəreɪt] *vt* perforare.

perforated ulcer ['pəːfəreɪtɪd-] *n* (*MED*) ulcera perforata.

perforation [pəːfə'reɪʃən] *n* perforazione *f*; (*line of holes*) dentellatura.

perform [pə'fɔːm] *vt* (*carry out*) eseguire, fare; (*symphony etc*) suonare; (*play, ballet*) dare; (*opera*) fare ♦ *vi* suonare; recitare.

performance [pə'fɔːməns] *n* esecuzione *f*; (*at theatre etc*) rappresentazione *f*, spettacolo; (*of an artist*) interpretazione *f*; (*of player etc*) performance *f*; (*of car, engine*) prestazione *f*; **the team put up a good ~** la squadra ha giocato una bella partita.

performer [pə'fɔːmə*] *n* artista *m/f*.

performing [pə'fɔːmɪŋ] *adj* (*animal*) ammaestrato(a).

performing arts *npl*: **the ~** le arti dello spettacolo.

perfume ['pəːfjuːm] *n* profumo ♦ *vt* profumare.

perfunctory [pə'fʌŋktərɪ] *adj* superficiale, per la forma.

perhaps [pə'hæps] *adv* forse; **~ he'll come** forse verrà, può darsi che venga; **~ so/ not** forse sì/no, può darsi di sì/di no.

peril ['pɛrɪl] *n* pericolo.

perilous ['pɛrɪləs] *adj* pericoloso(a).

perilously ['pɛrɪləslɪ] *adv*: **they came ~ close to being caught** sono stati a un pelo dall'esser presi.

perimeter [pə'rɪmɪtə*] *n* perimetro.

perimeter wall *n* muro di cinta.

period ['pɪərɪəd] *n* periodo; (*HISTORY*) epoca; (*SCOL*) lezione *f*; (*full stop*) punto; (*US FOOTBALL*) tempo; (*MED*) mestruazioni *fpl* ♦ *adj* (*costume, furniture*) d'epoca; **for a ~ of three weeks** per un periodo di *or* per la durata di tre settimane; **the holiday ~** (*BRIT*) il periodo delle vacanze.

periodic [pɪərɪ'ɔdɪk] *adj* periodico(a).

periodical [pɪərɪ'ɔdɪkl] *adj* periodico(a) ♦ *n* periodico.

periodically [pɪərɪ'ɔdɪklɪ] *adv* periodicamente.

period pains *npl* (*BRIT*) dolori *mpl* mestruali.

peripatetic [pɛrɪpə'tɛtɪk] *adj* (*salesman*) ambulante; (*BRIT*: *teacher*) peripatetico(a).

peripheral [pə'rɪfərəl] *adj* periferico(a) ♦ *n* (*COMPUT*) unità *f inv* periferica.

periphery [pə'rɪfərɪ] *n* periferia.

periscope ['pɛrɪskəup] *n* periscopio.

perish ['pɛrɪʃ] *vi* perire, morire; (*decay*) deteriorarsi.

perishable ['pɛrɪʃəbl] *adj* deperibile.

perishables ['pɛrɪʃəblz] *npl* merci *fpl* deperibili.

perishing ['pɛrɪʃɪŋ] *adj* (*BRIT col*): **it's ~ (cold)** fa un freddo da morire.

peritonitis [pɛrɪtə'naɪtɪs] *n* peritonite *f*.

perjure ['pəːdʒə*] *vt*: **to ~ o.s.** spergiurare.

perjury ['pəːdʒərɪ] *n* (*LAW*: *in court*) falso giuramento; (*breach of oath*) spergiuro.

perk [pəːk] *n* vantaggio.

▶**perk up** *vi* (*cheer up*) rianimarsi.

perky ['pəːkɪ] *adj* (*cheerful*) vivace, allegro(a).

perm [pəːm] *n* (*for hair*) permanente *f* ♦ *vt*: **to have one's hair ~ed** farsi fare la permanente.

permanence ['pəːmənəns] *n* permanenza.

permanent ['pəːmənənt] *adj* permanente; (*job, position*) fisso(a); (*dye, ink*) indelebile; **~ address** residenza fissa; **I'm not ~ here** non sono fisso qui.

permanently ['pəːmənəntlɪ] *adv*

definitivamente.

permeable ['pɜːmɪəbl] *adj* permeabile.

permeate ['pɜːmɪeɪt] *vi* penetrare ♦ *vt* permeare.

permissible [pə'mɪsɪbl] *adj* permissibile, ammissibile.

permission [pə'mɪʃən] *n* permesso; **to give sb ~ to do sth** dare a qn il permesso di fare qc.

permissive [pə'mɪsɪv] *adj* tollerante; **the ~ society** la società permissiva.

permit *n* ['pɜːmɪt] permesso; (*entrance pass*) lasciapassare *m* ♦ *vt*, *vi* [pə'mɪt] permettere; **fishing ~** licenza di pesca; **to ~ sb to do** permettere a qn di fare, dare il permesso a qn di fare; **weather ~ting** tempo permettendo.

permutation [pɜːmju'teɪʃən] *n* permutazione *f*.

pernicious [pɜː'nɪʃəs] *adj* pernicioso(a), nocivo(a).

pernickety [pə'nɪkɪtɪ] *adj* (*col: person*) pignolo(a); (*: task*) da certosino.

perpendicular [pɜːpən'dɪkjulə*] *adj, n* perpendicolare (*f*).

perpetrate ['pɜːpɪtreɪt] *vt* perpetrare, commettere.

perpetual [pə'pɛtjuəl] *adj* perpetuo(a).

perpetuate [pə'pɛtjueɪt] *vt* perpetuare.

perpetuity [pɜːpɪ'tjuːɪtɪ] *n*: **in ~** in perpetuo.

perplex [pə'plɛks] *vt* lasciare perplesso(a).

perplexing [pə'plɛksɪŋ] *adj* che lascia perplesso(a).

perquisites ['pɜːkwɪzɪts] *npl* (*also:* **perks**) benefici *mpl* collaterali.

persecute ['pɜːsɪkjuːt] *vt* perseguitare.

persecution [pɜːsɪ'kjuːʃən] *n* persecuzione *f*.

perseverance [pɜːsɪ'vɪərəns] *n* perseveranza.

persevere [pɜːsɪ'vɪə*] *vi* perseverare.

Persia ['pɜːʃə] *n* Persia.

Persian ['pɜːʃən] *adj* persiano(a) ♦ *n* (*LING*) persiano; **the (~) Gulf** il Golfo Persico.

Persian cat *n* gatto persiano.

persist [pə'sɪst] *vi*: **to ~ (in doing)** persistere (nel fare); ostinarsi (a fare).

persistence [pə'sɪstəns] *n* persistenza; ostinazione *f*.

persistent [pə'sɪstənt] *adj* persistente; ostinato(a); (*lateness, rain*) continuo(a); **~ offender** (*LAW*) delinquente *m/f* abituale.

persnickety [pə'snɪkɪtɪ] *adj* (*US col*) = **pernickety**.

person ['pɜːsn] *n* persona; **in ~** di *or* in persona, personalmente; **on** *or* **about**

one's ~ (*weapon*) su di sé; (*money*) con sé; **a ~ to ~ call** (*TEL*) una chiamata con preavviso.

personable ['pɜːsnəbl] *adj* di bell'aspetto.

personal ['pɜːsnl] *adj* personale; individuale; **~ belongings, ~ effects** oggetti *mpl* d'uso personale; **a ~ interview** un incontro privato.

personal allowance *n* (*TAX*) quota del reddito non imponibile.

personal assistant (PA) *n* segretaria personale.

personal call *n* (*TEL*) chiamata con preavviso.

personal column *n* messaggi *mpl* personali.

personal computer (PC) *n* personal computer *m inv*.

personal details *npl* dati *mpl* personali.

personal equity plan *n* (*FINANCE*) *fondo di investimento azionario con agevolazioni fiscali destinato al piccolo risparmiatore.*

personal identification number (PIN) *n* (*COMPUT, BANKING*) numero di codice segreto.

personality [pɜːsə'nælɪtɪ] *n* personalità *f inv*.

personally ['pɜːsnəlɪ] *adv* personalmente.

personal organizer *n* agenda; (*electronic*) agenda elettronica.

personal property *n* beni *mpl* personali.

personal stereo *n* walkman ® *m inv*.

personify [pɜː'sɒnɪfaɪ] *vt* personificare.

personnel [pɜːsə'nɛl] *n* personale *m*.

personnel department *n* ufficio del personale.

personnel manager *n* direttore/trice del personale.

perspective [pə'spɛktɪv] *n* prospettiva; **to get sth into ~** ridimensionare qc.

Perspex ® ['pɜːspɛks] *n* (*BRIT*) *tipo di resina termoplastica.*

perspicacity [pɜːspɪ'kæsɪtɪ] *n* perspicacia.

perspiration [pɜːspɪ'reɪʃən] *n* traspirazione *f*, sudore *m*.

perspire [pə'spaɪə*] *vi* traspirare.

persuade [pə'sweɪd] *vt*: **to ~ sb to do sth** persuadere qn a fare qc; **to ~ sb of sth/ that** persuadere qn di qc/che.

persuasion [pə'sweɪʒən] *n* persuasione *f*; (*creed*) convinzione *f*, credo.

persuasive [pə'sweɪsɪv] *adj* persuasivo(a).

pert [pɜːt] *adj* (*bold*) sfacciato(a), impertinente; (*hat*) spiritoso(a).

pertaining [pɜː'teɪnɪŋ]: **~ to** *prep* che riguarda.

pertinent ['pɜːtɪnənt] *adj* pertinente.

perturb [pə'tɜːb] *vt* turbare.

perturbing [pə'tə:bɪŋ] adj inquietante.
Peru [pə'ru:] n Perù m.
perusal [pə'ru:zl] n attenta lettura.
Peruvian [pə'ru:vjən] adj, n peruviano(a).
pervade [pə'veɪd] vt pervadere.
pervasive [pə'veɪsɪv] adj (smell)
penetrante; (influence) dilagante; (gloom,
feelings) diffuso(a).
perverse [pə'və:s] adj perverso(a).
perversion [pə'və:ʃən] n pervertimento,
perversione f.
perversity [pə'və:sɪtɪ] n perversità.
pervert n ['pə:və:t] pervertito/a ♦ vt
[pə'və:t] pervertire.
pessimism ['pɛsɪmɪzəm] n pessimismo.
pessimist ['pɛsɪmɪst] n pessimista m/f.
pessimistic [pɛsɪ'mɪstɪk] adj
pessimistico(a).
pest [pɛst] n animale m (or insetto)
pestifero; (fig) peste f.
pest control n disinfestazione f.
pester ['pɛstə*] vt tormentare, molestare.
pesticide ['pɛstɪsaɪd] n pesticida m.
pestilence ['pɛstɪləns] n pestilenza.
pestle ['pɛsl] n pestello.
pet [pɛt] n animale m domestico; (favourite)
favorito/a ♦ vt accarezzare ♦ vi (col) fare
il petting; ~ **lion** etc leone m etc
ammaestrato.
petal ['pɛtl] n petalo.
peter ['pi:tə*]: **to ~ out** vi esaurirsi,
estinguersi.
petite [pə'ti:t] adj piccolo(a) e
aggraziato(a).
petition [pə'tɪʃən] n petizione f ♦ vi
richiedere; **to ~ for divorce** presentare
un'istanza di divorzio.
pet name n (BRIT) nomignolo.
petrified ['pɛtrɪfaɪd] adj (fig) morto(a) di
paura.
petrify ['pɛtrɪfaɪ] vt pietrificare; (fig)
terrorizzare.
petrochemical [pɛtrə'kɛmɪkl] adj
petrolchimico(a).
petrodollars ['pɛtrəudɔləz] npl petrodollari
mpl.
petrol ['pɛtrəl] n (BRIT) benzina.
petrol bomb n (BRIT) (bottiglia) molotov
f inv.
petrol can n (BRIT) tanica per benzina.
petrol engine n (BRIT) motore m a benzina.
petroleum [pə'trəulɪəm] n petrolio.
petroleum jelly n vaselina.
petrol pump n (BRIT: in car, at garage)
pompa di benzina.
petrol station n (BRIT) stazione f di
rifornimento.
petrol tank n (BRIT) serbatoio della

benzina.
petticoat ['pɛtɪkəut] n sottana.
pettifogging ['pɛtɪfɔgɪŋ] adj cavilloso(a).
pettiness ['pɛtɪnɪs] n meschinità.
petty ['pɛtɪ] adj (mean) meschino(a);
(unimportant) insignificante.
petty cash n piccola cassa.
petty officer n sottufficiale m di marina.
petulant ['pɛtjulənt] adj irritabile.
pew [pju:] n panca (di chiesa).
pewter ['pju:tə*] n peltro.
Pfc abbr (US MIL) = private first class.
PG n abbr (CINE: = parental guidance)
consenso dei genitori richiesto.
PGA n abbr (= Professional Golfers
Association) associazione dei giocatori di
golf professionisti.
PH n abbr (US MIL: = Purple Heart)
decorazione per ferite riportate in
guerra.
PHA n abbr (US: = Public Housing
Administration) amministrazione per
l'edilizia pubblica.
phallic ['fælɪk] adj fallico(a).
phantom ['fæntəm] n fantasma m.
Pharaoh ['fɛərəu] n faraone m.
pharmaceutical [fɑːməˈsjuːtɪkl] adj
farmaceutico(a) ♦ n: ~**s** prodotti mpl
farmaceutici.
pharmacist ['fɑːməsɪst] n farmacista m/f.
pharmacy ['fɑːməsɪ] n farmacia.
phase [feɪz] n fase f, periodo ♦ vt: **to ~ sth
in/out** introdurre/eliminare qc
progressivamente.
PhD n abbr = Doctor of Philosophy.
pheasant ['fɛznt] n fagiano.
phenomenon, pl **phenomena**
[fə'nɔmɪnən, -nə] n fenomeno.
phew [fju:] excl uff!
phial ['faɪəl] n fiala.
philanderer [fɪ'lændərə*] n donnaiolo.
philanthropic [fɪlən'θrɔpɪk] adj
filantropico(a).
philanthropist [fɪ'lænθrəpɪst] n filantropo.
philatelist [fɪ'lætəlɪst] n filatelico/a.
philately [fɪ'lætəlɪ] n filatelia.
Philippines ['fɪlɪpi:nz] npl (also: Philippine
Islands): **the ~** le Filippine.
philosopher [fɪ'lɔsəfə*] n filosofo/a.
philosophical [fɪlə'sɔfɪkl] adj filosofico(a).
philosophy [fɪ'lɔsəfɪ] n filosofia.
phlegm [flɛm] n flemma.
phlegmatic [flɛg'mætɪk] adj flemmatico(a).
phobia ['fəubjə] n fobia.
phone [fəun] n telefono ♦ vt telefonare a
♦ vi telefonare; **to be on the ~** avere il
telefono; (be calling) essere al telefono.
▶**phone back** vt, vi richiamare.

phone book n guida del telefono, elenco telefonico.

phone box, phone booth n cabina telefonica.

phone call n telefonata.

phonecard ['fəʊnkɑːd] n scheda telefonica.

phone-in ['fəʊnɪn] n (*BRIT RADIO, TV*) *trasmissione radiofonica o televisiva con intervento telefonico degli ascoltatori.*

phone tapping [-tæpɪŋ] n intercettazioni *fpl* telefoniche.

phonetics [fə'nɛtɪks] n fonetica.

phoney ['fəʊnɪ] *adj* falso(a), fasullo(a) ♦ n (*person*) ciarlatano.

phonograph ['fəʊnəɡrɑːf] n (*US*) giradischi *m inv.*

phony ['fəʊnɪ] *adj, n* = **phoney**.

phosphate ['fɔsfeɪt] n fosfato.

phosphorus ['fɔsfərəs] n fosforo.

photo ['fəʊtəʊ] n foto *f inv.*

photo... ['fəʊtəʊ] *prefix* foto....

photocall ['fəʊtəʊkɔːl] n *convocazione di fotoreporter a scopo pubblicitario.*

photocopier ['fəʊtəʊkɒpɪə*] n fotocopiatrice *f.*

photocopy ['fəʊtəʊkɒpɪ] n fotocopia ♦ vt fotocopiare.

photoelectric [fəʊtəʊɪ'lɛktrɪk] *adj*: ~ **cell** cellula fotoelettrica.

Photofit ® ['fəʊtəʊfɪt] n photofit *m inv.*

photogenic [fəʊtəʊ'dʒɛnɪk] *adj* fotogenico(a).

photograph ['fəʊtəɡræf] n fotografia ♦ vt fotografare; **to take a ~ of sb** fare una fotografia a *or* fotografare qn.

photographer [fə'tɒɡrəfə*] n fotografo.

photographic [fəʊtə'ɡræfɪk] *adj* fotografico(a).

photography [fə'tɒɡrəfɪ] n fotografia.

photo opportunity n *opportunità di scattare delle foto ad un personaggio importante.*

Photostat ® ['fəʊtəʊstæt] n fotocopia.

photosynthesis [fəʊtəʊ'sɪnθəsɪs] n fotosintesi *f.*

phrase [freɪz] n espressione *f*; (*LING*) locuzione *f*; (*MUS*) frase *f* ♦ vt esprimere; (*letter*) redigere.

phrasebook ['freɪzbʊk] n vocabolarietto.

physical ['fɪzɪkl] *adj* fisico(a); ~ **examination** visita medica; ~ **education** educazione *f* fisica; ~ **exercises** ginnastica.

physically [fɪzɪklɪ] *adv* fisicamente.

physician [fɪ'zɪʃən] n medico.

physicist ['fɪzɪsɪst] n fisico.

physics ['fɪzɪks] n fisica.

physiological [fɪzɪə'lɒdʒɪkəl] *adj*

fisiologico(a).

physiology [fɪzɪ'ɒlədʒɪ] n fisiologia.

physiotherapist [fɪzɪəʊ'θɛrəpɪst] n fisioterapista *m/f.*

physiotherapy [fɪzɪəʊ'θɛrəpɪ] n fisioterapia.

physique [fɪ'ziːk] n fisico.

pianist ['piːənɪst] n pianista *m/f.*

piano [pɪ'ænəʊ] n pianoforte *m.*

piano accordion n (*BRIT*) fisarmonica (a tastiera).

piccolo ['pɪkələʊ] n ottavino.

pick [pɪk] n (*tool: also*: ~-**axe**) piccone *m* ♦ vt scegliere; (*gather*) cogliere; (*scab, spot*) grattarsi ♦ vi: **to ~ and choose** scegliere con cura; **take your ~** scelga; **the ~ of** il fior fiore di; **to ~ one's nose** mettersi le dita nel naso; **to ~ one's teeth** stuzzicarsi i denti; **to ~ sb's brains** farsi dare dei suggerimenti da qn; **to ~ pockets** borseggiare; **to ~ a fight/quarrel with sb** attaccar rissa/briga con qn; **to ~ one's way through** attraversare stando ben attento a dove mettere i piedi.

▶**pick off** vt (*kill*) abbattere.

▶**pick on** vt fus (*person*) avercela con.

▶**pick out** vt scegliere; (*distinguish*) distinguere.

▶**pick up** vi (*improve*) migliorarsi ♦ vt raccogliere; (*collect*) passare a prendere; (*AUT: give lift to*) far salire; (*learn*) imparare; (*RADIO, TV, TEL*) captare; **to ~ o.s. up** rialzarsi; **to ~ up where one left off** riprendere dal punto in cui ci si era fermati; **to ~ up speed** acquistare velocità.

pickaxe, (*US*) **pickax** ['pɪkæks] n piccone *m.*

picket ['pɪkɪt] n (*in strike*) scioperante *m/f* che fa parte di un picchetto; picchetto ♦ vt picchettare.

picket line n cordone *m* degli scioperanti.

pickings ['pɪkɪŋz] *npl* (*pilferings*): **there are good ~ to be had here** qui ci sono buone possibilità di intascare qualcosa sottobanco.

pickle ['pɪkl] n (*also*: ~**s**: *as condiment*) sottaceti *mpl*; (*fig*): **in a ~** nei pasticci ♦ vt mettere sottaceto; mettere in salamoia.

pick-me-up ['pɪkmiːʌp] n tiramisù *m inv.*

pickpocket ['pɪkpɒkɪt] n borsaiolo.

pickup ['pɪkʌp] n (*BRIT: on record player*) pick-up *m inv*; (*small truck: also*: ~ **truck,** ~ **van**) camioncino.

picnic ['pɪknɪk] n picnic *m inv* ♦ vi fare un picnic.

picnicker ['pɪknɪkə*] n chi partecipa a un picnic.

pictorial [pɪk'tɔːrɪəl] *adj* illustrato(a).

picture ['pɪktʃə*] *n* quadro; (*painting*) pittura; (*photograph*) foto(grafia); (*drawing*) disegno; (*TV*) immagine *f*; (*film*) film *m inv* ♦ *vt* raffigurarsi; **the ~s** (*BRIT*) il cinema; **to take a ~ of sb/sth** fare una foto a qn/di qc; **we get a good ~ here** (*TV*) la ricezione qui è buona; **the overall ~** il quadro generale; **to put sb in the ~** mettere qn al corrente.

picture book *n* libro illustrato.

picturesque [pɪktʃə'rɛsk] *adj* pittoresco(a).

picture window *n* finestra panoramica.

piddling ['pɪdlɪŋ] *adj* (*col*) insignificante.

pidgin English ['pɪdʒɪn-] *n inglese semplificato misto ad elementi indigeni*.

pie [paɪ] *n* torta; (*of meat*) pasticcio.

piebald ['paɪbɔːld] *adj* pezzato(a).

piece [piːs] *n* pezzo; (*of land*) appezzamento; (*DRAUGHTS etc*) pedina; (*item*): **a ~ of furniture/advice** un mobile/consiglio ♦ *vt*: **to ~ together** mettere insieme; **in ~s** (*broken*) in pezzi; (*not yet assembled*) smontato(a); **to take to ~s** smontare; **~ by ~** poco alla volta; **a 10p ~** (*BRIT*) una moneta da 10 pence; **a six-~ band** un complesso di sei strumentisti; **in one ~** (*object*) intatto; **to get back all in one ~** (*person*) tornare a casa incolume *or* sano e salvo; **to say one's ~** dire la propria.

piecemeal ['piːsmiːl] *adv* pezzo a pezzo, a spizzico.

piece rate *n* tariffa a cottimo.

piecework ['piːswəːk] *n* (lavoro a) cottimo.

pie chart *n* grafico a torta.

Piedmont ['piːdmɔnt] *n* Piemonte *m*.

pier [pɪə*] *n* molo; (*of bridge etc*) pila.

pierce [pɪəs] *vt* forare; (*with arrow etc*) trafiggere; **to have one's ears ~d** farsi fare i buchi per gli orecchini.

piercing ['pɪəsɪŋ] *adj* (*cry*) acuto(a).

piety ['paɪətɪ] *n* pietà, devozione *f*.

piffling ['pɪflɪŋ] *adj* insignificante.

pig [pɪg] *n* maiale *m*, porco.

pigeon ['pɪdʒən] *n* piccione *m*.

pigeonhole ['pɪdʒənhəul] *n* casella ♦ *vt* classificare.

pigeon-toed ['pɪdʒən'təud] *adj* che cammina con i piedi in dentro.

piggy bank ['pɪgɪ-] *n* salvadanaio.

pigheaded ['pɪg'hɛdɪd] *adj* caparbio(a), cocciuto(a).

piglet ['pɪglɪt] *n* porcellino.

pigment ['pɪgmənt] *n* pigmento.

pigmentation [pɪgmən'teɪʃən] *n* pigmentazione *f*.

pigmy ['pɪgmɪ] *n* = **pygmy**.

pigskin ['pɪgskɪn] *n* cinghiale *m*.

pigsty ['pɪgstaɪ] *n* porcile *m*.

pigtail ['pɪgteɪl] *n* treccina.

pike [paɪk] *n* (*spear*) picca; (*fish*) luccio.

pilchard ['pɪltʃəd] *n specie di sardina*.

pile [paɪl] *n* (*pillar, of books*) pila; (*heap*) mucchio; (*of carpet*) pelo ♦ *vb* (*also*: **~ up**) *vt* ammucchiare ♦ *vi* ammucchiarsi; **in a ~** ammucchiato; *see also* **piles**.

▶**pile on** *vt*: **to ~ it on** (*col*) esagerare, drammatizzare.

piles [paɪlz] *npl* (*MED*) emorroidi *fpl*.

pileup ['paɪlʌp] *n* (*AUT*) tamponamento a catena.

pilfer ['pɪlfə*] *vt* rubacchiare ♦ *vi* fare dei furtarelli.

pilfering ['pɪlfərɪŋ] *n* rubacchiare *m*.

pilgrim ['pɪlgrɪm] *n* pellegrino/a.

pilgrimage ['pɪlgrɪmɪdʒ] *n* pellegrinaggio.

pill [pɪl] *n* pillola; **to be on the ~** prendere la pillola.

pillage ['pɪlɪdʒ] *vt* saccheggiare.

pillar ['pɪlə*] *n* colonna.

pillar box *n* (*BRIT*) cassetta delle lettere (a colonnina).

pillion ['pɪljən] *n* (*of motor cycle*) sellino posteriore; **to ride ~** viaggiare dietro.

pillory ['pɪlərɪ] *n* berlina ♦ *vt* mettere alla berlina.

pillow ['pɪləu] *n* guanciale *m*.

pillowcase ['pɪləukeɪs], **pillowslip** ['pɪləuslɪp] *n* federa.

pilot ['paɪlət] *n* pilota *m/f* ♦ *cpd* (*scheme etc*) pilota *inv* ♦ *vt* pilotare.

pilot boat *n* pilotina.

pilot light *n* fiammella di sicurezza.

pimento [pɪ'mɛntəu] *n* peperoncino.

pimp [pɪmp] *n* mezzano.

pimple ['pɪmpl] *n* foruncolo.

pimply ['pɪmplɪ] *adj* foruncoloso(a).

PIN *n abbr see* **personal identification number**.

pin [pɪn] *n* spillo; (*TECH*) perno; (*BRIT*: *drawing ~*) puntina da disegno; (*BRIT ELEC*: *of plug*) spinotto ♦ *vt* attaccare con uno spillo; **~s and needles** formicolio; **to ~ sb against/to** inchiodare qn contro/a; **to ~ sth on sb** (*fig*) addossare la colpa di qc a qn.

▶**pin down** *vt* (*fig*): **to ~ sb down** obbligare qn a pronunziarsi; **there's something strange here but I can't quite ~ it down** c'è qualcosa di strano qua ma non riesco a capire cos'è.

pinafore ['pɪnəfɔː*] *n* grembiule *m* (senza maniche).

pinafore dress *n* scamiciato.

pinball ['pɪnbɔːl] *n* flipper *m inv*.

pincers ['pɪnsəz] *npl* pinzette *fpl.*
pinch [pɪntʃ] *n* pizzicotto, pizzico ♦ *vt*
pizzicare; (*col: steal*) grattare ♦ *vi* (*shoe*)
stringere; **at a** ~ in caso di bisogno; **to
feel the** ~ (*fig*) trovarsi nelle ristrettezze.
pinched [pɪntʃt] *adj* (*drawn*) dai lineamenti
tirati; (*short*): ~ **for money/space** a corto
di soldi/di spazio; ~ **with cold** raggrinzito
dal freddo.
pincushion ['pɪnkuʃən] *n* puntaspilli *m inv.*
pine [paɪn] *n* (*also:* ~ **tree**) pino ♦ *vi:* **to** ~ **for**
struggersi dal desiderio di.
▶**pine away** *vi* languire.
pineapple ['paɪnæpl] *n* ananas *m inv.*
pine cone *n* pigna.
pine needles *npl* aghi *mpl* di pino.
ping [pɪŋ] *n* (*noise*) tintinnio.
Ping-Pong ® ['pɪŋpɔŋ] *n* ping-pong ® *m.*
pink [pɪŋk] *adj* rosa *inv* ♦ *n* (*colour*) rosa *m
inv;* (*BOT*) garofano.
pinking shears ['pɪŋkɪŋ-] *n* forbici *fpl* a
zigzag.
pin money *n* (*BRIT*) denaro per le piccole
spese.
pinnacle ['pɪnəkl] *n* pinnacolo.
pinpoint ['pɪnpɔɪnt] *vt* indicare con
precisione.
pinstripe ['pɪnstraɪp] *n* stoffa gessata; (*also:*
~ **suit**) gessato.
pint [paɪnt] *n* pinta (*BRIT* = 0.57 l; *US* =
0.47 l); (*BRIT col: of beer*) ≈ birra piccola.
pinup ['pɪnʌp] *n* pin-up girl *f inv.*
pioneer [paɪə'nɪə*] *n* pioniere/a ♦ *vt* essere
un pioniere in.
pious ['paɪəs] *adj* pio(a).
pip [pɪp] *n* (*seed*) seme *m;* (*time signal on
radio*) segnale *m* orario.
pipe [paɪp] *n* tubo; (*for smoking*) pipa; (*MUS*)
piffero ♦ *vt* portare per mezzo di
tubazione; ~**s** *npl* (*also:* **bag**~**s**)
cornamusa (scozzese).
▶**pipe down** *vi* (*col*) calmarsi.
pipe cleaner *n* scovolino.
piped music [paɪpt-] *n* musica di
sottofondo.
pipe dream *n* vana speranza.
pipeline ['paɪplaɪn] *n* conduttura; (*for oil*)
oleodotto; (*for natural gas*) metanodotto; **it
is in the** ~ (*fig*) è in arrivo.
piper ['paɪpə*] *n* piffero; suonatore/trice di
cornamusa.
pipe tobacco *n* tabacco da pipa.
piping ['paɪpɪŋ] *adv:* ~ **hot** bollente.
piquant ['piːkənt] *adj* (*sauce*) piccante;
(*conversation*) stimolante.
pique [piːk] *n* picca.
piracy ['paɪərəsɪ] *n* pirateria.
pirate ['paɪərət] *n* pirata *m* ♦ *vt* (*record,*

video, book) riprodurre abusivamente.
pirate radio *n* (*BRIT*) radio pirata *f inv.*
pirouette [pɪru'ɛt] *n* piroetta ♦ *vi*
piroettare.
Pisces ['paɪsiːz] *n* Pesci *mpl;* **to be** ~ essere
dei Pesci.
piss [pɪs] *vi* (*col!*) pisciare; ~ **off!**
vaffanculo! (*!*).
pissed [pɪst] *adj* (*BRIT col: drunk*) ubriaco(a)
fradicio(a).
pistol ['pɪstl] *n* pistola.
piston ['pɪstən] *n* pistone *m.*
pit [pɪt] *n* buca, fossa; (*also:* **coal** ~)
miniera; (*also:* **orchestra** ~) orchestra
♦ *vt:* **to** ~ **sb against sb** opporre qn a qn;
~**s** *npl* (*AUT*) box *m;* **to** ~ **o.s. against**
opporsi a.
pitapat ['pɪtə'pæt] *adv* (*BRIT*): **to go** ~ (*heart*)
palpitare, battere forte; (*rain*)
picchiettare.
pitch [pɪtʃ] *n* (*throw*) lancia; (*MUS*) tono; (*of
voice*) altezza; (*fig: degree*) grado, punto;
(*also:* **sales** ~) discorso di vendita,
imbonimento; (*BRIT SPORT*) campo; (*NAUT*)
beccheggio; (*tar*) pece *f* ♦ *vt* (*throw*)
lanciare ♦ *vi* (*fall*) cascare; (*NAUT*)
beccheggiare; **to** ~ **a tent** piantare una
tenda; **at this** ~ a questo ritmo.
pitch-black [pɪtʃ'blæk] *adj* nero(a) come la
pece.
pitched battle [pɪtʃt-] *n* battaglia campale.
pitcher ['pɪtʃə*] *n* brocca.
pitchfork ['pɪtʃfɔːk] *n* forcone *m.*
piteous ['pɪtɪəs] *adj* pietoso(a).
pitfall ['pɪtfɔːl] *n* trappola.
pith [pɪθ] *n* (*of plant*) midollo; (*of orange*)
parte *f* interna della scorza; (*fig*) essenza,
succo; vigore *m.*
pithead ['pɪthɛd] *n* (*BRIT*) imbocco della
miniera.
pithy ['pɪθɪ] *adj* conciso(a); vigoroso(a).
pitiable ['pɪtɪəbl] *adj* pietoso(a).
pitiful ['pɪtɪful] *adj* (*touching*) pietoso(a);
(*contemptible*) miserabile.
pitifully ['pɪtɪfəlɪ] *adv* pietosamente; **it's** ~
obvious è penosamente chiaro.
pitiless ['pɪtɪlɪs] *adj* spietato(a).
pittance ['pɪtns] *n* miseria, magro salario.
pitted ['pɪtɪd] *adj:* ~ **with** (*potholes*)
pieno(a) di; (*chickenpox*) butterato(a) da.
pity ['pɪtɪ] *n* pietà ♦ *vt* aver pietà di,
compatire, commiserare; **to have** *or* **take**
~ **on sb** aver pietà di qn; **it is a** ~ **that
you can't come** è un peccato che non
possa venire; **what a** ~! che peccato!
pitying ['pɪtɪɪŋ] *adj* compassionevole.
pivot ['pɪvət] *n* perno ♦ *vi* imperniarsi.
pixel ['pɪksl] *n* (*COMPUT*) pixel *m inv.*

pixie ['pɪksɪ] *n* folletto.
pizza ['piːtsə] *n* pizza.
placard ['plækɑːd] *n* affisso.
placate [plə'keɪt] *vt* placare, calmare.
placatory [plə'keɪtərɪ] *adj* conciliante.
place [pleɪs] *n* posto, luogo; (*proper position, rank, seat*) posto; (*house*) casa, alloggio; (*home*): **at/to his ~** a casa sua; (*in street names*): **Laurel P~** via dei Lauri ♦ *vt* (*object*) posare, mettere; (*identify*) riconoscere; individuare; (*goods*) piazzare; **to take ~** aver luogo; succedere; **out of ~** (*not suitable*) inopportuno(a); **I feel rather out of ~ here** qui mi sento un po' fuori posto; **in the first ~** in primo luogo; **to change ~s with sb** scambiare il posto con qn; **to put sb in his ~** (*fig*) mettere a posto qn, mettere qn al suo posto; **from ~ to ~** da un posto all'altro; **all over the ~** dappertutto; **he's going ~s** (*fig col*) si sta facendo strada; **it is not my ~ to do it** non sta a me farlo; **how are you ~d next week?** com'è messo la settimana prossima?; **to ~ an order with sb (for)** (*COMM*) fare un'ordinazione a qn (di).
placebo [plə'siːbəu] *n* placebo *m inv*.
place mat *n* sottopiatto; (*in linen etc*) tovaglietta.
placement ['pleɪsmənt] *n* collocamento; (*job*) lavoro.
place name *n* toponimo.
placenta [plə'sɛntə] *n* placenta.
placid ['plæsɪd] *adj* placido(a), calmo(a).
placidity [plə'sɪdɪtɪ] *n* placidità.
plagiarism ['pleɪdʒərɪzəm] *n* plagio.
plagiarist ['pleɪdʒjərɪst] *n* plagiario/a.
plagiarize ['pleɪdʒjəraɪz] *vt* plagiare.
plague [pleɪg] *n* peste *f* ♦ *vt* tormentare; **to ~ sb with questions** assillare qn di domande.
plaice [pleɪs] *n* (*pl inv*) pianuzza.
plaid [plæd] *n* plaid *m inv*.
plain [pleɪn] *adj* (*clear*) chiaro(a), palese; (*simple*) semplice; (*frank*) franco(a), aperto(a); (*not handsome*) bruttino(a); (*without seasoning etc*) scondito(a); naturale; (*in one colour*) tinta unita *inv* ♦ *adv* francamente, chiaramente ♦ *n* pianura; **to make sth ~ to sb** far capire chiaramente qc a qn; **in ~ clothes** (*police*) in borghese.
plain chocolate *n* cioccolato fondente.
plainly ['pleɪnlɪ] *adv* chiaramente; (*frankly*) francamente.
plainness ['pleɪnnɪs] *n* semplicità.
plain speaking *n*: **there has been some ~ between the two leaders** i due leader si

sono parlati chiaro.
plaintiff ['pleɪntɪf] *n* attore/trice.
plaintive ['pleɪntɪv] *adj* (*voice, song*) lamentoso(a); (*look*) struggente.
plait [plæt] *n* treccia ♦ *vt* intrecciare; **to ~ one's hair** farsi una treccia (*or* le trecce).
plan [plæn] *n* pianta; (*scheme*) progetto, piano ♦ *vt* (*think in advance*) progettare; (*prepare*) organizzare; (*intend*) avere in progetto ♦ *vi*: **to ~ (for)** far piani *or* progetti (per); **to ~ to do** progettare di fare, avere l'intenzione di fare; **how long do you ~ to stay?** quanto conta di restare?
plane [pleɪn] *n* (*AVIAT*) aereo; (*tree*) platano; (*tool*) pialla; (*ART, MATH etc*) piano ♦ *adj* piano(a), piatto(a) ♦ *vt* (*with tool*) piallare.
planet ['plænɪt] *n* pianeta *m*.
planetarium [plænɪ'tɛərɪəm] *n* planetario.
plank [plæŋk] *n* tavola, asse *f*.
plankton ['plæŋktən] *n* plancton *m*.
planned economy [plænd-] *n* economia pianificata.
planner ['plænə*] *n* pianificatore/trice; (*chart*) calendario; **town** *or* (*US*) **city ~** urbanista *m/f*.
planning ['plænɪŋ] *n* progettazione *f*; (*POL, ECON*) pianificazione *f*; **family ~** pianificazione delle nascite.
planning permission *n* (*BRIT*) permesso di costruzione.
plant [plɑːnt] *n* pianta; (*machinery*) impianto; (*factory*) fabbrica ♦ *vt* piantare; (*bomb*) mettere.
plantation [plæn'teɪʃən] *n* piantagione *f*.
plant pot *n* (*BRIT*) vaso (di fiori).
plaque [plæk] *n* placca.
plasma ['plæzmə] *n* plasma *m*.
plaster ['plɑːstə*] *n* intonaco; (*also*: **~ of Paris**) gesso; (*BRIT*: *also*: **sticking ~**) cerotto ♦ *vt* intonacare; ingessare; (*cover*): **to ~ with** coprire di; (*col*: *mud etc*) impiastricciare; **in ~** (*BRIT*: *leg etc*) ingessato(a).
plasterboard ['plɑːstəbɔːd] *n* lastra di cartone ingessato.
plaster cast *n* (*MED*) ingessatura, gesso; (*model, statue*) modello in gesso.
plastered ['plɑːstəd] *adj* (*col*) ubriaco(a) fradicio(a).
plasterer ['plɑːstərə*] *n* intonacatore *m*.
plastic ['plæstɪk] *n* plastica ♦ *adj* (*made of plastic*) di *or* in plastica; (*flexible*) plastico(a), malleabile; (*art*) plastico(a).
plastic bag *n* sacchetto di plastica.
plastic bullet *n* pallottola di plastica.
plastic explosive *n* esplosivo al plastico.
plasticine ® ['plæstɪsiːn] *n* plastilina ®.

plastic surgery n chirurgia plastica.

plate [pleɪt] n (*dish*) piatto; (*sheet of metal*) lamiera; (*PHOT*) lastra; (*TYP*) cliché m inv; (*in book*) tavola; (*on door*) targa, targhetta; (*AUT: number* ~) targa; (*dishes*): **gold** ~ vasellame m d'oro; **silver** ~ argenteria.

plateau, ~**s** or ~**x** ['plætəu, -z] n altipiano.

plateful ['pleɪtful] n piatto.

plate glass n vetro piano.

platen ['plætən] n (*on typewriter, printer*) rullo.

plate rack n scolapiatti m inv.

platform ['plætfɔːm] n (*stage, at meeting*) palco; (*BRIT: on bus*) piattaforma; (*RAIL*) marciapiede m; **the train leaves from** ~ **7** il treno parte dal binario 7.

platform ticket n (*BRIT*) biglietto d'ingresso ai binari.

platinum ['plætɪnəm] n platino.

platitude ['plætɪtjuːd] n luogo comune.

platoon [plə'tuːn] n plotone m.

platter ['plætə*] n piatto.

plaudits ['plɔːdɪts] npl plauso.

plausible ['plɔːzɪbl] adj plausibile, credibile; (*person*) convincente.

play [pleɪ] n gioco; (*THEAT*) commedia ♦ vt (*game*) giocare a; (*team, opponent*) giocare contro; (*instrument, piece of music*) suonare; (*play, part*) interpretare ♦ vi giocare; suonare; recitare; **to bring** or **call into** ~ (*plan*) mettere in azione; (*emotions*) esprimere; ~ **on words** gioco di parole; **to** ~ **a trick on sb** fare uno scherzo a qn; **they're** ~**ing at soldiers** stanno giocando ai soldati; **to** ~ **for time** (*fig*) cercare di guadagnar tempo; **to** ~ **into sb's hands** (*fig*) fare il gioco di qn.

▶**play about, play around** vi (*person*) divertirsi; **to** ~ **about** or **around with** (*fiddle with*) giocherellare con; (*idea*) accarezzare.

▶**play along** vi: **to** ~ **along with** (*fig: person*) stare al gioco di; (: *plan, idea*) fingere di assecondare ♦ vt (*fig*): **to** ~ **sb along** tenere qn in sospeso.

▶**play back** vt riascoltare, risentire.

▶**play down** vt minimizzare.

▶**play on** vt fus (*sb's feelings, credulity*) giocare su; **to** ~ **on sb's nerves** dare sui nervi a qn.

▶**play up** vi (*cause trouble*) fare i capricci.

playact ['pleɪækt] vi fare la commedia.

playboy ['pleɪbɔɪ] n playboy m inv.

played-out ['pleɪd'aut] adj spossato(a).

player ['pleɪə*] n giocatore/trice; (*THEAT*) attore/trice; (*MUS*) musicista m/f.

playful ['pleɪful] adj giocoso(a).

playgoer ['pleɪgəuə*] n assiduo(a) frequentatore(trice) di teatri.

playground ['pleɪgraund] n (*in school*) cortile m per la ricreazione; (*in park*) parco m giochi inv.

playgroup ['pleɪgruːp] n giardino d'infanzia.

playing card ['pleɪɪŋ-] n carta da gioco.

playing field ['pleɪɪŋ-] n campo sportivo.

playmaker ['pleɪmeɪkə*] n (*SPORT*) playmaker m inv.

playmate ['pleɪmeɪt] n compagno/a di gioco.

play-off ['pleɪɔf] n (*SPORT*) bella.

playpen ['pleɪpɛn] n box m inv.

playroom ['pleɪruːm] n stanza dei giochi.

plaything ['pleɪθɪŋ] n giocattolo.

playtime ['pleɪtaɪm] n (*SCOL*) ricreazione f.

playwright ['pleɪraɪt] n drammaturgo/a.

plc abbr (*BRIT*) see **public limited company**.

plea [pliː] n (*request*) preghiera, domanda; (*excuse*) scusa; (*LAW*) (argomento di) difesa.

plea bargaining n (*LAW*) patteggiamento.

plead [pliːd] vt patrocinare; (*give as excuse*) addurre a pretesto ♦ vi (*LAW*) perorare la causa; (*beg*): **to** ~ **with sb** implorare qn; **to** ~ **for sth** implorare qc; **to** ~ **guilty/not guilty** (*defendant*) dichiararsi colpevole/ innocente.

pleasant ['plɛznt] adj piacevole, gradevole.

pleasantly ['plɛzntlɪ] adv piacevolmente.

pleasantry ['plɛzntrɪ] n (*joke*) scherzo; (*polite remark*): **to exchange pleasantries** scambiarsi i convenevoli.

please [pliːz] vt piacere a ♦ vi (*think fit*): **do as you** ~ faccia come le pare; ~! per piacere!; **my bill,** ~ il conto, per piacere; ~ **yourself!** come ti (or le) pare!; ~ **don't cry!** ti prego, non piangere!

pleased [pliːzd] adj (*happy*) felice, lieto(a); ~ (**with**) (*satisfied*) contento(a) (di); **we are** ~ **to inform you that** ... abbiamo il piacere di informarla che ...; ~ **to meet you!** piacere!

pleasing ['pliːzɪŋ] adj piacevole, che fa piacere.

pleasurable ['plɛʒərəbl] adj molto piacevole, molto gradevole.

pleasure ['plɛʒə*] n piacere m; **with** ~ con piacere, volentieri; "**it's a** ~" "prego"; **is this trip for business or** ~? è un viaggio d'affari o di piacere?

pleasure cruise n crociera.

pleat [pliːt] n piega.

plebiscite ['plɛbɪsɪt] n plebiscito.

plebs [plɛbz] npl (*pej*) plebe f.

plectrum ['plɛktrəm] n plettro.

pledge [plɛdʒ] *n* pegno; (*promise*) promessa ♦ *vt* impegnare; promettere; **to ~ support for sb** impegnarsi a sostenere qn; **to ~ sb to secrecy** far promettere a qn di mantenere il segreto.

plenary ['pliːnərɪ] *adj* plenario(a); **in ~ session** in seduta plenaria.

plentiful ['plɛntɪful] *adj* abbondante, copioso(a).

plenty ['plɛntɪ] *n* abbondanza; **~ of** tanto(a), molto(a); un'abbondanza di; **we've got ~ of time to get there** abbiamo un sacco di tempo per arrivarci.

pleurisy ['pluərɪsɪ] *n* pleurite *f*.

Plexiglas ® ['plɛksɪɡlɑːs] *n* (*US*) plexiglas ® *m*.

pliable ['plaɪəbl] *adj* flessibile; (*person*) malleabile.

pliers ['plaɪəz] *npl* pinza.

plight [plaɪt] *n* situazione *f* critica.

plimsolls ['plɪmsəlz] *npl* (*BRIT*) scarpe *fpl* da tennis.

plinth [plɪnθ] *n* plinto; piedistallo.

PLO *n abbr* (= *Palestine Liberation Organization*) O.L.P. *f*.

plod [plɒd] *vi* camminare a stento; (*fig*) sgobbare.

plodder ['plɒdə*] *n* sgobbone *m*.

plodding ['plɒdɪŋ] *adj* lento(a) e pesante.

plonk [plɒŋk] (*col*) *n* (*BRIT*: *wine*) vino da poco ♦ *vt*: **to ~ sth down** buttare giù qc bruscamente.

plot [plɒt] *n* congiura, cospirazione *f*; (*of story, play*) trama; (*of land*) lotto ♦ *vt* (*mark out*) fare la pianta di; rilevare; (: *diagram etc*) tracciare; (*conspire*) congiurare, cospirare ♦ *vi* congiurare; **a vegetable ~** (*BRIT*) un orticello.

plotter ['plɒtə*] *n* cospiratore/trice; (*COMPUT*) plotter *m inv*, tracciatore *m* di curve.

plough, (*US*) **plow** [plau] *n* aratro ♦ *vt* (*earth*) arare.

▶**plough back** *vt* (*COMM*) reinvestire.

▶**plough through** *vt fus* (*snow etc*) procedere a fatica in.

ploughing, (*US*) **plowing** ['plauɪŋ] *n* aratura.

ploughman, (*US*) **plowman** ['plaumən] *n* aratore *m*; **~'s lunch** (*BRIT*) *semplice pasto a base di pane e formaggio*.

ploy [plɔɪ] *n* stratagemma *m*.

pluck [plʌk] *vt* (*fruit*) cogliere; (*musical instrument*) pizzicare; (*bird*) spennare ♦ *n* coraggio, fegato; **to ~ one's eyebrows** depilarsi le sopracciglia; **to ~ up courage** farsi coraggio.

plucky ['plʌkɪ] *adj* coraggioso(a).

plug [plʌɡ] *n* tappo; (*ELEC*) spina; (*AUT*: *also*: **spark(ing) ~**) candela ♦ *vt* (*hole*) tappare; (*col*: *advertise*) spingere; **to give sb/sth a ~** fare pubblicità a qn/qc.

▶**plug in** (*ELEC*) *vi* inserire la spina ♦ *vt* attaccare a una presa.

plughole ['plʌɡhəul] *n* (*BRIT*) scarico.

plum [plʌm] *n* (*fruit*) susina ♦ *cpd*: **~ job** (*col*) impiego ottimo *or* favoloso.

plumage ['pluːmɪdʒ] *n* piume *fpl*, piumaggio.

plumb [plʌm] *adj* verticale ♦ *n* piombo ♦ *adv* (*exactly*) esattamente ♦ *vt* sondare.

▶**plumb in** *vt* (*washing machine*) collegare all'impianto idraulico.

plumber ['plʌmə*] *n* idraulico.

plumbing ['plʌmɪŋ] *n* (*trade*) lavoro di idraulico; (*piping*) tubature *fpl*.

plumbline ['plʌmlaɪn] *n* filo a piombo.

plume [pluːm] *n* piuma, penna; (*decorative*) pennacchio.

plummet ['plʌmɪt] *vi* cadere a piombo.

plump [plʌmp] *adj* grassoccio(a) ♦ *vt*: **to ~ sth (down) on** lasciar cadere qc di peso su.

▶**plump for** *vt fus* (*col*) decidersi per.

▶**plump up** *vt* sprimacciare.

plunder ['plʌndə*] *n* saccheggio ♦ *vt* saccheggiare.

plunge [plʌndʒ] *n* tuffo ♦ *vt* immergere ♦ *vi* (*dive*) tuffarsi; (*fall*) cadere, precipitare; **to take the ~** (*fig*) saltare il fosso; **to ~ a room into darkness** far piombare una stanza nel buio.

plunger ['plʌndʒə*] *n* (*for blocked sink*) sturalavandini *m inv*.

plunging ['plʌndʒɪŋ] *adj* (*neckline*) profondo(a).

pluperfect [pluː'pəːfɪkt] *n* piuccheperfetto.

plural ['pluərl] *adj*, *n* plurale (*m*).

plus [plʌs] *n* (*also*: **~ sign**) segno più ♦ *prep* più ♦ *adj* (*MATH*, *ELEC*) positivo(a); **ten/ twenty ~** più di dieci/venti; **it's a ~** (*fig*) è un vantaggio.

plus fours *npl* calzoni *mpl* alla zuava.

plush [plʌʃ] *adj* lussuoso(a) ♦ *n* felpa.

plutonium [pluː'təunɪəm] *n* plutonio.

ply [plaɪ] *n* (*of wool*) capo; (*of wood*) strato ♦ *vt* (*tool*) maneggiare; (*a trade*) esercitare ♦ *vi* (*ship*) fare il servizio; **three ~ (wool)** lana a tre capi; **to ~ sb with drink** dare da bere continuamente a qn.

plywood ['plaɪwud] *n* legno compensato.

PM *n abbr* (*BRIT*) *see* **prime minister**.

p.m. *adv abbr* (= *post meridiem*) del pomeriggio.

PMS *n abbr* (= *premenstrual syndrome*) sindrome *f* premestruale.

PMT *n abbr* (= *premenstrual tension*) sindrome *f* premestruale.
pneumatic [njuː'mætɪk] *adj* pneumatico(a); ~ **drill** martello pneumatico.
pneumonia [njuː'məunɪə] *n* polmonite *f*.
PO *n abbr* (= *Post Office*) ≈ P.T. (= *Poste e Telegrafi*) ♦ *abbr* (*NAUT*) = **petty officer**.
po *abbr* = **postal order**.
POA *n abbr* (*BRIT*: = *Prison Officers' Association*) sindacato delle guardie carcerarie.
poach [pəutʃ] *vt* (*cook*) affogare; (*steal*) cacciare (*or* pescare) di frodo ♦ *vi* fare il bracconiere.
poached [pəutʃt] *adj* (*egg*) affogato(a).
poacher ['pəutʃə*] *n* bracconiere *m*.
poaching ['pəutʃɪŋ] *n* caccia (*or* pesca) di frodo.
PO box *n abbr see* **post office box**.
pocket ['pɔkɪt] *n* tasca ♦ *vt* intascare; **to be out of** ~ rimetterci; **to be £5 in/out of** ~ (*BRIT*) trovarsi con 5 sterline in più/in meno; **air** ~ vuoto d'aria.
pocketbook ['pɔkɪtbuk] *n* (*wallet*) portafoglio; (*notebook*) taccuino; (*US*: *handbag*) busta.
pocket knife *n* temperino.
pocket money *n* paghetta, settimana.
pockmarked ['pɔkmɑːkt] *adj* (*face*) butterato(a).
pod [pɔd] *n* guscio ♦ *vt* sgusciare.
podgy ['pɔdʒɪ] *adj* grassoccio(a).
podiatrist [pɔ'diːətrɪst] *n* (*US*) callista *m/f*, pedicure *m/f*.
podiatry [pɔ'diːətrɪ] *n* (*US*) mestiere *m* di callista.
podium ['pəudɪəm] *n* podio.
POE *n abbr* = *port of embarkation*; *port of entry*.
poem ['pəuɪm] *n* poesia.
poet ['pəuɪt] *n* poeta/essa.
poetic [pəu'ɛtɪk] *adj* poetico(a).
poet laureate *n* (*BRIT*) poeta *m* laureato.

In Gran Bretagna un **poet laureate** è un poeta che riceve un vitalizio dalla casa reale britannica e che ha l'incarico di scrivere delle poesie commemorative in occasione delle festività ufficiali.

poetry ['pəuɪtrɪ] *n* poesia.
poignant ['pɔɪnjənt] *adj* struggente.
point [pɔɪnt] *n* (*gen*) punto; (*tip: of needle etc*) punta; (*BRIT ELEC: also*: **power** ~) presa (di corrente); (*in time*) punto, momento; (*SCOL*) voto; (*main idea, important part*) nocciolo; (*also*: **decimal** ~): **2** ~ **3 (2.3)** 2 virgola 3 (2,3) ♦ *vt* (*show*)

indicare; (*gun etc*): **to** ~ **sth at** puntare qc contro ♦ *vi* mostrare a dito; ~**s** *npl* (*AUT*) puntine *fpl*; (*RAIL*) scambio; **to** ~ **to** indicare; (*fig*) dimostrare; **to make a** ~ fare un'osservazione; **to get the** ~ capire; **to come to the** ~ venire al fatto; **when it comes to the** ~ quando si arriva al dunque; **to be on the** ~ **of doing sth** essere sul punto di *or* stare (proprio) per fare qc; **to be beside the** ~ non entrarci; **to make a** ~ **of doing sth** non mancare di fare qc; **there's no** ~ **(in doing)** è inutile (fare); **in** ~ **of fact** a dire il vero; **that's the whole** ~! precisamente!, sta tutto lì!; **you've got a** ~ **there!** giusto!, ha ragione!; **the train stops at Carlisle and all** ~**s south** il treno ferma a Carlisle e in tutte le stazioni a sud di Carlisle; **good** ~**s** vantaggi *mpl*; (*of person*) qualità *fpl*; ~ **of departure** (*also fig*) punto di partenza; ~ **of order** mozione *f* d'ordine; ~ **of sale** (*COMM*) punto di vendita; ~ **of view** punto di vista.
▶**point out** *vt* far notare.
point-blank ['pɔɪnt'blæŋk] *adv* (*also*: **at** ~ **range**) a bruciapelo; (*fig*) categoricamente.
point duty *n* (*BRIT*): **to be on** ~ dirigere il traffico.
pointed ['pɔɪntɪd] *adj* (*shape*) aguzzo(a), appuntito(a); (*remark*) specifico(a).
pointedly ['pɔɪntɪdlɪ] *adv* in maniera inequivocabile.
pointer ['pɔɪntə*] *n* (*stick*) bacchetta; (*needle*) lancetta; (*clue*) indizio; (*advice*) consiglio; (*dog*) pointer *m*, cane *m* da punta.
pointless ['pɔɪntlɪs] *adj* inutile, vano(a).
poise [pɔɪz] *n* (*balance*) equilibrio; (*of head, body*) portamento; (*calmness*) calma ♦ *vt* tenere in equilibrio; **to be** ~**d for** (*fig*) essere pronto(a) a.
poison ['pɔɪzn] *n* veleno ♦ *vt* avvelenare.
poisoning ['pɔɪznɪŋ] *n* avvelenamento.
poisonous ['pɔɪznəs] *adj* velenoso(a); (*fumes*) venefico(a), tossico(a); (*ideas, literature*) pernicioso(a); (*rumours, individual*) perfido(a).
poke [pəuk] *vt* (*fire*) attizzare; (*jab with finger, stick etc*) punzecchiare; (*put*): **to** ~ **sth in(to)** spingere qc dentro ♦ *n* (*jab*) colpetto; (*with elbow*) gomitata; **to** ~ **one's head out of the window** mettere la testa fuori dalla finestra; **to** ~ **fun at sb** prendere in giro qn.
▶**poke about** *vi* frugare.
poker ['pəukə*] *n* attizzatoio; (*CARDS*) poker *m*.
poker-faced ['pəukə'feɪst] *adj* dal viso

impassibile.

poky ['pəʊkɪ] *adj* piccolo(a) e stretto(a).

Poland ['pəʊlənd] *n* Polonia.

polar ['pəʊlə*] *adj* polare.

polar bear *n* orso bianco.

polarize ['pəʊləraɪz] *vt* polarizzare.

Pole [pəʊl] *n* polacco/a.

pole [pəʊl] *n (of wood)* palo; (*ELEC, GEO*) polo.

poleaxe, (*US*) **poleax** ['pəʊlæks] *vt (fig)* stendere.

pole bean *n (US)* fagiolino.

polecat ['pəʊlkæt] *n* puzzola; (*US*) moffetta.

Pol. Econ. ['pɒlɪkɔn] *n abbr = political economy.*

polemic [pɒ'lɛmɪk] *n* polemica.

pole star *n* stella polare.

pole vault *n* salto con l'asta.

police [pə'liːs] *n* polizia ♦ *vt* mantenere l'ordine in; (*streets, city, frontier*) presidiare; **a large number of** ~ **were hurt** molti poliziotti sono rimasti feriti.

police car *n* macchina della polizia.

police constable (PC) *n* (*BRIT*) agente *m* di polizia.

police department *n* (*US*) dipartimento di polizia.

police force *n* corpo di polizia, polizia.

policeman [pə'liːsmən] *n* poliziotto, agente *m* di polizia.

police officer *n = police constable.*

police record *n*: **to have a** ~ avere precedenti penali.

police state *n* stato di polizia.

police station *n* posto di polizia.

policewoman [pə'liːswʊmən] *n* donna *f* poliziotto *inv*.

policy ['pɒlɪsɪ] *n* politica; (*of newspaper, company*) linea di condotta, prassi *f inv*; (*also:* **insurance** ~) polizza (d'assicurazione); **to take out a** ~ (*INSURANCE*) stipulare una polizza di assicurazione.

policy holder *n* assicurato/a.

policy-making ['pɒlɪsɪmeɪkɪŋ] *n* messa a punto di programmi.

polio ['pəʊlɪəʊ] *n* polio *f*.

Polish ['pəʊlɪʃ] *adj* polacco(a) ♦ *n* (*LING*) polacco.

polish ['pɒlɪʃ] *n (for shoes)* lucido; (*for floor*) cera; (*for nails*) smalto; (*shine*) lucentezza, lustro; (*fig: refinement*) raffinatezza ♦ *vt* lucidare; (*fig: improve*) raffinare.

▶**polish off** *vt (work)* sbrigare; (*food*) mangiarsi.

polished ['pɒlɪʃt] *adj (fig)* raffinato(a).

polite [pə'laɪt] *adj* cortese; **it's not** ~ **to do**

that non è educato *or* buona educazione fare questo.

politely [pə'laɪtlɪ] *adv* cortesemente.

politeness [pə'laɪtnɪs] *n* cortesia.

politic ['pɒlɪtɪk] *adj* diplomatico(a).

political [pə'lɪtɪkl] *adj* politico(a).

political asylum *n* asilo politico.

politically [pə'lɪtɪklɪ] *adv* politicamente.

politically correct *adj* politicamente corretto(a).

politician [pɒlɪ'tɪʃən] *n* politico.

politics ['pɒlɪtɪks] *n* politica ♦ *npl* idee *fpl* politiche.

polka ['pɒlkə] *n* polca.

polka dot *n* pois *m inv.*

poll [pəʊl] *n* scrutinio; (*votes cast*) voti *mpl*; (*also:* **opinion** ~) sondaggio (d'opinioni) ♦ *vt* ottenere; **to go to the** ~**s** (*voters*) andare alle urne; (*government*) indire le elezioni.

pollen ['pɒlən] *n* polline *m*.

pollen count *n* tasso di polline nell'aria.

pollination [pɒlɪ'neɪʃən] *n* impollinazione *f*.

polling ['pəʊlɪŋ] *n* (*BRIT POL*) votazione *f*, votazioni *fpl*; (*TEL*) interrogazione *f* ciclica.

polling booth *n* (*BRIT*) cabina elettorale.

polling day *n* (*BRIT*) giorno delle elezioni.

polling station *n* (*BRIT*) sezione *f* elettorale.

pollster ['pəʊlstə*] *n* chi esegue sondaggi d'opinione.

poll tax *n* (*BRIT*) *imposta locale sulla persona fisica* (*non più in vigore*).

pollutant [pə'luːtənt] *n* sostanza inquinante.

pollute [pə'luːt] *vt* inquinare.

pollution [pə'luːʃən] *n* inquinamento.

polo ['pəʊləʊ] *n* polo.

polo neck *n* collo alto; (*also:* ~ **sweater**) dolcevita ♦ *adj* a collo alto.

poly ['pɒlɪ] *n abbr* (*BRIT*) = **polytechnic.**

poly bag *n* (*BRIT col*) borsa di plastica.

polyester [pɒlɪ'ɛstə*] *n* poliestere *m*.

polygamy [pə'lɪgəmɪ] *n* poligamia.

polygraph ['pɒlɪgrɑːf] *n* macchina della verità.

Polynesia [pɒlɪ'niːzɪə] *n* Polinesia.

Polynesian [pɒlɪ'niːzɪən] *adj, n* polinesiano(a).

polyp ['pɒlɪp] *n* (*MED*) polipo.

polystyrene [pɒlɪ'staɪriːn] *n* polistirolo.

polytechnic [pɒlɪ'tɛknɪk] *n* (*college*) istituto superiore ad indirizzo tecnologico.

polythene ['pɒlɪθiːn] *n* politene *m*.

polythene bag *n* borsa di plastica.

polyurethane ['pɒlɪ'jʊərɪθeɪn] *n* poliuretano.

pomegranate ['pɒmɪgrænɪt] *n* melagrana.
pommel ['pɒml] *n* pomo ♦ *vt* = **pummel**.
pomp [pɒmp] *n* pompa, fasto.
pompom ['pɒmpɒm] *n* pompon *m inv*.
pompous ['pɒmpəs] *adj* pomposo(a);
(*person*) pieno(a) di boria.
pond [pɒnd] *n* stagno; (*in park*) laghetto.
ponder ['pɒndə*] *vi* riflettere, meditare ♦ *vt*
ponderare, riflettere su.
ponderous ['pɒndərəs] *adj* ponderoso(a),
pesante.
pong [pɒŋ] (*BRIT col*) *n* puzzo ♦ *vi* puzzare.
pontiff ['pɒntɪf] *n* pontefice *m*.
pontificate [pɒn'tɪfɪkeɪt] *vi* (*fig*): **to ~**
(**about**) pontificare (su).
pontoon [pɒn'tuːn] *n* pontone *m*; (*BRIT
CARDS*) ventuno.
pony ['pəʊnɪ] *n* pony *m inv*.
ponytail ['pəʊnɪteɪl] *n* coda di cavallo.
pony trekking [-trɛkɪŋ] *n* (*BRIT*) escursione
f a cavallo.
poodle ['puːdl] *n* barboncino, barbone *m*.
pooh-pooh [puː'puː] *vt* deridere.
pool [puːl] *n* (*of rain*) pozza; (*pond*) stagno;
(*artificial*) vasca; (*also*: **swimming ~**)
piscina; (*sth shared*) fondo comune;
(*COMM: consortium*) pool *m inv*; (*US:
monopoly trust*) trust *m inv*; (*billiards*)
specie di biliardo a buca ♦ *vt* mettere in
comune; **typing ~**, (*US*) **secretary ~**
servizio comune di dattilografia; **to do
the (football) ~s** ≈ fare la schedina,
giocare al totocalcio.
poor [puə*] *adj* povero(a); (*mediocre*)
mediocre, cattivo(a) ♦ *npl*: **the ~** i poveri.
poorly ['puəlɪ] *adv* poveramente; (*badly*)
male ♦ *adj* indisposto(a), malato(a).
pop [pɒp] *n* (*noise*) schiocco; (*MUS*) musica
pop; (*US col: father*) babbo; (*col: drink*)
bevanda gasata ♦ *vt* (*put*) mettere (in
fretta) ♦ *vi* scoppiare; (*cork*) schioccare;
she ~ped her head out (*of the window*)
sporse fuori la testa.
▶**pop in** *vi* passare.
▶**pop out** *vi* fare un salto fuori.
▶**pop up** *vi* apparire, sorgere.
pop concert *n* concerto *m* pop *inv*.
popcorn ['pɒpkɔːn] *n* pop-corn *m*.
pope [pəʊp] *n* papa *m*.
poplar ['pɒplə*] *n* pioppo.
poplin ['pɒplɪn] *n* popeline *f*.
popper ['pɒpə*] *n* (*BRIT*) bottone *m*
automatico, bottone a pressione.
poppy ['pɒpɪ] *n* papavero.
poppycock ['pɒpɪkɔk] *n* (*col*) scempiaggini
fpl.
Popsicle ® ['pɒpsɪkl] *n* (*US*) ghiacciolo.
populace ['pɒpjuləs] *n* popolo.

popular ['pɒpjulə*] *adj* popolare;
(*fashionable*) in voga; **to be ~** (**with**)
(*person*) essere benvoluto(a) *or* ben
visto(a) (da); (*decision*) essere gradito(a)
(a); **a ~ song** una canzone di successo.
popularity [pɒpju'lærɪtɪ] *n* popolarità.
popularize ['pɒpjuləraɪz] *vt* divulgare;
(*science*) volgarizzare.
populate ['pɒpjuleɪt] *vt* popolare.
population [pɒpju'leɪʃən] *n* popolazione *f*.
population explosion *n* forte espansione
f demografica.
populous ['pɒpjuləs] *adj* popolato(a).
porcelain ['pɔːslɪn] *n* porcellana.
porch [pɔːtʃ] *n* veranda.
porcupine ['pɔːkjupaɪn] *n* porcospino.
pore [pɔː*] *n* poro ♦ *vi*: **to ~ over** essere
immerso(a) in.
pork [pɔːk] *n* carne *f* di maiale.
pork chop *n* braciola *or* costoletta di
maiale.
porn [pɔːn] (*col*) *n* pornografia ♦ *adj* porno
inv.
pornographic [pɔːnə'græfɪk] *adj*
pornografico(a).
pornography [pɔː'nɔgrəfɪ] *n* pornografia.
porous ['pɔːrəs] *adj* poroso(a).
porpoise ['pɔːpəs] *n* focena.
porridge ['pɒrɪdʒ] *n* porridge *m*.
port[1] [pɔːt] *n* porto; (*opening in ship*)
portello; (*NAUT: left side*) babordo;
(*COMPUT*) porta; **to ~** (*NAUT*) a babordo; **~
of call** (porto di) scalo.
port[2] [pɔːt] *n* (*wine*) porto.
portable ['pɔːtəbl] *adj* portatile.
portal ['pɔːtl] *n* portale *m*.
portcullis [pɔːt'kʌlɪs] *n* saracinesca.
portent ['pɔːtɛnt] *n* presagio.
porter ['pɔːtə*] *n* (*for luggage*) facchino,
portabagagli *m inv*; (*doorkeeper*) portiere
m, portinaio; (*US RAIL*) addetto ai vagoni
letto.
portfolio [pɔːt'fəʊlɪəu] *n* (*POL: office*; *ECON*)
portafoglio; (*of artist*) raccolta dei propri
lavori.
porthole ['pɔːthəʊl] *n* oblò *m inv*.
portico ['pɔːtɪkəu] *n* portico.
portion ['pɔːʃən] *n* porzione *f*.
portly ['pɔːtlɪ] *adj* corpulento(a).
portrait ['pɔːtreɪt] *n* ritratto.
portray [pɔː'treɪ] *vt* fare il ritratto di;
(*character on stage*) rappresentare; (*in
writing*) ritrarre.
portrayal ['pɔːtreɪəl] *n* ritratto;
rappresentazione *f*.
Portugal ['pɔːtjugl] *n* Portogallo.
Portuguese [pɔːtju'giːz] *adj* portoghese ♦ *n*
(*pl inv*) portoghese *m/f*; (*LING*) portoghese *m*.

Portuguese man-of-war [-mænəv'wɔ:*] n (*jellyfish*) medusa.

pose [pəuz] n posa ♦ vi posare; (*pretend*): **to ~ as** atteggiarsi a, posare a ♦ vt porre; **to strike a ~** mettersi in posa.

poser ['pəuzə*] n domanda difficile; (*person*) = **poseur**.

poseur [pəu'zə:*] n (*pej*) persona affettata.

posh [pɔʃ] adj (*col*) elegante; (*family*) per bene ♦ adv (*col*): **to talk ~** parlare in modo snob.

position [pə'zɪʃən] n posizione f; (*job*) posto ♦ vt mettere in posizione, collocare; **to be in a ~ to do sth** essere nella posizione di fare qc.

positive ['pɔzɪtɪv] adj positivo(a); (*certain*) sicuro(a), certo(a); (*definite*) preciso(a); definitivo(a).

posse ['pɔsɪ] n (*US*) drappello.

possess [pə'zɛs] vt possedere; **like one ~ed** come un ossesso; **whatever can have ~ed you?** cosa ti ha preso?

possession [pə'zɛʃən] n possesso; (*object*) bene m; **to take ~ of sth** impossessarsi or impadronirsi di qc.

possessive [pə'zɛsɪv] adj possessivo(a).

possessiveness [pə'zɛsɪvnɪs] n possessività.

possessor [pə'zɛsə*] n possessore/ posseditrice.

possibility [pɔsɪ'bɪlɪtɪ] n possibilità f inv; **he's a ~ for the part** è uno dei candidati per la parte.

possible ['pɔsɪbl] adj possibile; **it is ~ to do it** è possibile farlo; **if ~** se possibile; **as big as ~** il più grande possibile; **as far as ~** nei limiti del possibile.

possibly ['pɔsɪblɪ] adv (*perhaps*) forse; **if you ~ can** se le è possibile; **I cannot ~ come** proprio non posso venire.

post [pəust] n (*BRIT: mail, letters, delivery*) posta; (*: collection*) levata; (*job, situation*) posto; (*pole*) palo; (*trading ~*) stazione f commerciale ♦ vt (*BRIT: send by post*) impostare; (*MIL*) appostare; (*notice*) affiggere; (*BRIT: appoint*): **to ~ to** assegnare a; **by ~** (*BRIT*) per posta; **by return of ~** (*BRIT*) a giro di posta; **to keep sb ~ed** tenere qn al corrente.

post... [pəust] prefix post...; **~-1990** dopo il 1990.

postage ['pəustɪdʒ] n affrancatura.

postage stamp n francobollo.

postal ['pəustəl] adj postale.

postal order n vaglia m inv postale.

postbag ['pəustbæg] n (*BRIT*) sacco postale, sacco della posta.

postbox ['pəustbɔks] n cassetta delle lettere.

postcard ['pəustkɑ:d] n cartolina.

postcode ['pəustkəud] n (*BRIT*) codice m (di avviamento) postale.

postdate ['pəust'deɪt] vt (*cheque*) postdatare.

poster ['pəustə*] n manifesto, affisso.

poste restante [pəust'rɛstɑ:nt] n (*BRIT*) fermo posta m.

posterior [pɔs'tɪərɪə*] n (*col*) deretano, didietro.

posterity [pɔs'tɛrɪtɪ] n posterità.

poster paint n tempera.

post exchange (PX) n (*US MIL*) spaccio militare.

post-free [pəust'fri:] adj, adv (*BRIT*) franco di porto.

postgraduate ['pəust'grædjuət] n laureato/a che continua gli studi.

posthumous ['pɔstjuməs] adj postumo(a).

posthumously ['pɔstjuməslɪ] adv dopo la mia (*or* sua *etc*) morte.

posting ['pəustɪŋ] n (*BRIT*) incarico.

postman ['pəustmən] n postino.

postmark ['pəustmɑ:k] n bollo or timbro postale.

postmaster ['pəustmɑ:stə*] n direttore m di un ufficio postale.

Postmaster General n ≈ ministro delle Poste.

postmistress ['pəustmɪstrɪs] n direttrice f di un ufficio postale.

post-mortem [pəust'mɔ:təm] n autopsia; (*fig*) analisi f inv a posteriori.

postnatal ['pəust'neɪtl] adj post-parto inv.

post office n (*building*) ufficio postale; (*organization*) poste fpl.

post office box (PO box) n casella postale (C.P.).

post-paid ['pəust'peɪd] adj già affrancato(a).

postpone [pəust'pəun] vt rinviare.

postponement [pəust'pəunmənt] n rinvio.

postscript ['pəustskrɪpt] n poscritto.

postulate ['pɔstjuleɪt] vt postulare.

posture ['pɔstʃə*] n portamento; (*pose*) posa, atteggiamento ♦ vi posare.

postwar ['pəust'wɔ:*] adj del dopoguerra.

posy ['pəuzɪ] n mazzetto di fiori.

pot [pɔt] n (*for cooking*) pentola; casseruola; (*for plants, jam*) vaso; (*piece of pottery*) ceramica; (*col: marijuana*) erba ♦ vt (*plant*) piantare in vaso; **to go to ~** (*col*) andare in malora; **~s of** (*BRIT col*) un sacco di.

potash ['pɔtæʃ] n potassa.

potassium [pə'tæsɪəm] n potassio.

potato, ~es [pə'teɪtəu] n patata.

potato crisps, (*US*) potato chips npl

patatine *fpl.*
potato flour *n* fecola di patate.
potato peeler *n* sbucciapatate *m inv.*
potbellied ['pɒtbɛlɪd] *adj (from overeating)* panciuto(a); *(from malnutrition)* dal ventre gonfio.
potency ['pəʊtnsɪ] *n* potenza; *(of drink)* forza.
potent ['pəʊtnt] *adj* potente, forte.
potentate ['pəʊtnteɪt] *n* potentato.
potential [pə'tɛnʃl] *adj* potenziale ♦ *n* possibilità *fpl;* **to have** ~ essere promettente.
potentially [pə'tɛnʃəlɪ] *adv* potenzialmente.
pothole ['pɒthəʊl] *n (in road)* buca; *(BRIT: underground)* marmitta.
potholer ['pɒthəʊlə*] *n (BRIT)* speleologo/a.
potholing ['pɒthəʊlɪŋ] *n (BRIT):* **to go** ~ fare la speleologia.
potion ['pəʊʃən] *n* pozione *f.*
potluck [pɒt'lʌk] *n:* **to take** ~ tentare la sorte.
potpourri [pəʊ'pʊriː] *n (dried petals etc)* miscuglio di petali essiccati profumati; *(fig)* pot-pourri *m inv.*
pot roast *n* brasato.
potshot ['pɒtʃɒt] *n:* **to take** ~s **at** tirare a casaccio contro.
potted ['pɒtɪd] *adj (food)* in conserva; *(plant)* in vaso; *(fig: shortened)* condensato(a).
potter ['pɒtə*] *n* vasaio ♦ *vi (BRIT):* **to** ~ **around,** ~ **about** lavoracchiare; **to** ~ **round the house** sbrigare con calma le faccende di casa; ~**'s wheel** tornio (da vasaio).
pottery ['pɒtərɪ] *n* ceramiche *fpl;* **a piece of** ~ una ceramica.
potty ['pɒtɪ] *adj (BRIT col: mad)* tocco(a) ♦ *n (child's)* vasino.
potty-trained ['pɒtɪtreɪnd] *adj* che ha imparato a farla nel vasino.
pouch [paʊtʃ] *n* borsa; *(ZOOL)* marsupio.
pouf(fe) [puːf] *n (stool)* pouf *m inv.*
poultice ['pəʊltɪs] *n* impiastro, cataplasma *m.*
poultry ['pəʊltrɪ] *n* pollame *m.*
poultry farm *n* azienda avicola.
poultry farmer *n* pollicoltore/trice.
pounce [paʊns] *vi:* **to** ~ **(on)** balzare addosso (a), piombare (su) ♦ *n* balzo.
pound [paʊnd] *n (weight: = 453g, 16 ounces)* libbra; *(money: = 100 pence)* (lira) sterlina; *(for dogs)* canile *m* municipale ♦ *vt (beat)* battere; *(crush)* pestare, polverizzare ♦ *vi (beat)* battere, martellare; **half a** ~ mezza libbra; **a five-**~ **note** una banconota da cinque sterline.

pounding ['paʊndɪŋ] *n:* **to take a** ~ *(fig)* prendere una batosta.
pound sterling *n* sterlina.
pour [pɔː*] *vt* versare ♦ *vi* riversarsi; *(rain)* piovere a dirotto.
▶**pour away, pour off** *vt* vuotare.
▶**pour in** *vi (people)* entrare in fiotto; **to come** ~**ing in** *(water)* entrare a fiotti; *(letters)* arrivare a valanghe; *(cars, people)* affluire in gran quantità.
▶**pour out** *vi (people)* riversarsi fuori ♦ *vt* vuotare; versare.
pouring ['pɔːrɪŋ] *adj:* ~ **rain** pioggia torrenziale.
pout [paʊt] *vi* sporgere le labbra; fare il broncio.
poverty ['pɒvətɪ] *n* povertà, miseria.
poverty line *n* soglia di povertà.
poverty-stricken ['pɒvətɪstrɪkən] *adj* molto povero(a), misero(a).
poverty trap *n (BRIT)* circolo vizioso della povertà.
POW *n abbr* = **prisoner of war.**
powder ['paʊdə*] *n* polvere *f* ♦ *vt* spolverizzare; *(face)* incipriare; ~**ed milk** latte *m* in polvere; **to** ~ **one's nose** incipriarsi il naso; *(euphemism)* andare alla toilette.
powder compact *n* portacipria *m inv.*
powder keg *n (fig: area)* polveriera; *(: situation)* situazione *f* esplosiva.
powder puff *n* piumino della cipria.
powder room *n* toilette *f inv* (per signore).
powdery ['paʊdərɪ] *adj* polveroso(a).
power ['paʊə*] *n (strength)* potenza, forza; *(ability, POL: of party, leader)* potere *m;* *(MATH)* potenza; *(ELEC)* corrente *f* ♦ *vt* fornire di energia; azionare; **to be in** ~ essere al potere; **to do all in one's** ~ **to help sb** fare tutto quello che si può per aiutare qn; **the world** ~**s** le grandi potenze; **mental** ~**s** capacità *fpl* mentali.
powerboat ['paʊəbəʊt] *n (BRIT)* motobarca, imbarcazione *f* a motore.
power cut *n (BRIT)* interruzione *f or* mancanza di corrente.
powered ['paʊəd] *adj:* ~ **by** azionato(a) da; **nuclear-**~ **submarine** sottomarino a propulsione atomica.
power failure *n* guasto alla linea elettrica.
powerful ['paʊəful] *adj* potente, forte.
powerhouse ['paʊəhaʊs] *n (fig: person)* persona molto dinamica; **a** ~ **of ideas** una miniera di idee.
powerless ['paʊəlɪs] *adj* impotente, senza potere.
power line *n* linea elettrica.
power of attorney *n* procura.

power point n (BRIT) presa di corrente.
power station n centrale f elettrica.
power steering n (AUT: also: **power-assisted steering**) servosterzo.
powwow ['pauwau] n riunione f.
pp abbr (= pages) pp.; (= per procurationem: by proxy): ~ **J. Smith** per il Signor J. Smith.
PPE n abbr (BRIT SCOL: = philosophy, politics and economics) corso di laurea.
PPS n abbr (BRIT: = parliamentary private secretary) parlamentare che assiste un ministro; = post postscriptum.
PQ abbr (Canada) = Province of Quebec.
PR n abbr see **proportional representation**; **public relations** ♦ abbr (US) = Puerto Rico.
Pr. abbr = **prince**.
practicability [præktɪkə'bɪlɪtɪ] n praticabilità.
practicable ['præktɪkəbl] adj (scheme) praticabile.
practical ['præktɪkl] adj pratico(a).
practicality [præktɪ'kælɪtɪ] n (of plan) fattibilità; (of person) senso pratico; **practicalities** dettagli mpl pratici.
practical joke n beffa.
practically ['præktɪklɪ] adv (almost) quasi, praticamente.
practice ['præktɪs] n pratica; (of profession) esercizio; (at football etc) allenamento; (business) gabinetto; clientela ♦ vt, vi (US) = **practise**; **in** ~ (in reality) in pratica; **out of** ~ fuori esercizio; **2 hours' piano** ~ 2 ore di esercizio al pianoforte; **it's common** ~ è d'uso; **to put sth into** ~ mettere qc in pratica; **target** ~ pratica di tiro.
practice match n partita di allenamento.
practise, (US) **practice** ['præktɪs] vt (work at: piano, one's backhand etc) esercitarsi a; (train for: skiing, running etc) allenarsi a; (a sport, religion) praticare; (method) usare; (profession) esercitare ♦ vi esercitarsi; (train) allenarsi; **to** ~ **for a match** allenarsi per una partita.
practised ['præktɪst] adj (BRIT: person) esperto(a); (: performance) da virtuoso(a); (: liar) matricolato(a); **with a** ~ **eye** con occhio esperto.
practising ['præktɪsɪŋ] adj (Christian etc) praticante; (lawyer) che esercita la professione; (homosexual) attivo(a).
practitioner [præk'tɪʃənə*] n professionista m/f; (MED) medico.
pragmatic [præg'mætɪk] adj prammatico(a).
Prague [prɑːg] n Praga.
prairie ['prɛərɪ] n prateria.

praise [preɪz] n elogio, lode f ♦ vt elogiare, lodare.
praiseworthy ['preɪzwəːðɪ] adj lodevole.
pram [præm] n (BRIT) carrozzina.
prance [prɑːns] vi (horse) impennarsi.
prank [præŋk] n burla.
prat [præt] n (BRIT col) cretino/a.
prattle ['prætl] vi cinguettare.
prawn [prɔːn] n gamberetto.
pray [preɪ] vi pregare.
prayer [prɛə*] n preghiera.
prayer book n libro di preghiere.
pre... [priː] prefix pre...; ~**-1970** prima del 1970.
preach [priːtʃ] vt, vi predicare; **to** ~ **at sb** fare la predica a qn.
preacher ['priːtʃə*] n predicatore/trice; (US: minister) pastore m.
preamble [prɪ'æmbl] n preambolo.
prearranged [priːə'reɪndʒd] adj organizzato(a) in anticipo.
precarious [prɪ'kɛərɪəs] adj precario(a).
precaution [prɪ'kɔːʃən] n precauzione f.
precautionary [prɪ'kɔːʃənərɪ] adj (measure) precauzionale.
precede [prɪ'siːd] vt, vi precedere.
precedence ['prɛsɪdəns] n precedenza; **to take** ~ **over** avere la precedenza su.
precedent ['prɛsɪdənt] n precedente m; **to establish** or **set a** ~ creare un precedente.
preceding [prɪ'siːdɪŋ] adj precedente.
precept ['priːsɛpt] n precetto.
precinct ['priːsɪŋkt] n (round cathedral) recinto; (US: district) circoscrizione f; ~**s** npl (neighbourhood) dintorni mpl, vicinanze fpl; **pedestrian** ~ zona pedonale; **shopping** ~ (BRIT) centro commerciale.
precious ['prɛʃəs] adj prezioso(a) ♦ adv (col): ~ **little/few** ben poco/pochi; **your** ~ **dog** (ironic) il suo amatissimo cane.
precipice ['prɛsɪpɪs] n precipizio.
precipitate adj [prɪ'sɪpɪtɪt] (hasty) precipitoso(a) ♦ vt [prɪ'sɪpɪteɪt] accelerare.
precipitation [prɪsɪpɪ'teɪʃən] n precipitazione f.
precipitous [prɪ'sɪpɪtəs] adj (steep) erto(a), ripido(a).
précis, pl **précis** ['preɪsiː, -z] n riassunto.
precise [prɪ'saɪs] adj preciso(a).
precisely [prɪ'saɪslɪ] adv precisamente; ~**!** appunto!
precision [prɪ'sɪʒən] n precisione f.
preclude [prɪ'kluːd] vt precludere, impedire; **to** ~ **sb from doing** impedire a qn di fare.
precocious [prɪ'kəuʃəs] adj precoce.

preconceived [priːkən'siːvd] *adj* (*idea*) preconcetto(a).
preconception [priːkən'sɛpʃən] *n* preconcetto.
precondition [priːkən'dɪʃən] *n* condizione *f* necessaria.
precursor [priː'kəːsə*] *n* precursore *m*.
predate [priː'deɪt] *vt* (*precede*) precedere.
predator ['prɛdətə*] *n* predatore *m*.
predatory ['prɛdətərɪ] *adj* predatore(trice).
predecessor ['priːdɪsɛsə*] *n* predecessore/a.
predestination [priːdɛstɪ'neɪʃən] *n* predestinazione *f*.
predetermine [priːdɪ'təːmɪn] *vt* predeterminare.
predicament [prɪ'dɪkəmənt] *n* situazione *f* difficile.
predicate ['prɛdɪkɪt] *n* (*LING*) predicativo.
predict [prɪ'dɪkt] *vt* predire.
predictable [prɪ'dɪktəbl] *adj* prevedibile.
predictably [prɪ'dɪktəblɪ] *adv* (*behave*, *react*) in modo prevedibile; ~ **she didn't arrive** come era da prevedere, non è arrivata.
prediction [prɪ'dɪkʃən] *n* predizione *f*.
predispose [priːdɪs'pəuz] *vt* predisporre.
predominance [prɪ'dɒmɪnəns] *n* predominanza.
predominant [prɪ'dɒmɪnənt] *adj* predominante.
predominantly [prɪ'dɒmɪnəntlɪ] *adv* in maggior parte; soprattutto.
predominate [prɪ'dɒmɪneɪt] *vi* predominare.
pre-eminent [priː'ɛmɪnənt] *adj* preminente.
pre-empt [prɪ'ɛmpt] *vt* acquistare per diritto di prelazione; (*fig*) anticipare.
pre-emptive [prɪ'ɛmptɪv] *adj*: ~ **strike** azione *f* preventiva.
preen [priːn] *vt*: **to** ~ **itself** (*bird*) lisciarsi le penne; **to** ~ **o.s.** agghindarsi.
prefab ['priːfæb] *n* casa prefabbricata.
prefabricated [priː'fæbrɪkeɪtɪd] *adj* prefabbricato(a).
preface ['prɛfəs] *n* prefazione *f*.
prefect ['priːfɛkt] *n* (*BRIT: in school*) studente/essa con funzioni disciplinari; (*in Italy*) prefetto.
prefer [prɪ'fəː*] *vt* preferire; (*LAW: charges*, *complaint*) sporgere; (*: action*) intentare; **to** ~ **coffee to tea** preferire il caffè al tè.
preferable ['prɛfrəbl] *adj* preferibile.
preferably ['prɛfrəblɪ] *adv* preferibilmente.
preference ['prɛfrəns] *n* preferenza; **in** ~ **to sth** piuttosto che qc.
preference shares *npl* (*BRIT*) azioni *fpl* privilegiate.
preferential [prɛfə'rɛnʃəl] *adj*

preferenziale; ~ **treatment** trattamento di favore.
preferred stock [prɪ'fəːd-] *npl* (*US*) = **preference shares**.
prefix ['priːfɪks] *n* prefisso.
pregnancy ['prɛgnənsɪ] *n* gravidanza.
pregnancy test *n* test *m inv* di gravidanza.
pregnant ['prɛgnənt] *adj* incinta *adj f*; (*animal*) gravido(a); (*fig: remark*, *pause*) significativo(a); **3 months** ~ incinta di 3 mesi.
prehistoric ['priːhɪs'tɒrɪk] *adj* preistorico(a).
prehistory [priː'hɪstərɪ] *n* preistoria.
prejudge [priː'dʒʌdʒ] *vt* pregiudicare.
prejudice ['prɛdʒudɪs] *n* pregiudizio; (*harm*) torto, danno ♦ *vt* pregiudicare, ledere; (*bias*): **to** ~ **sb in favour of/against** disporre bene/male qn verso.
prejudiced ['prɛdʒudɪst] *adj* (*person*) pieno(a) di pregiudizi; (*view*) prevenuto(a); **to be** ~ **against sb/sth** essere prevenuto contro qn/qc.
prelate ['prɛlət] *n* prelato.
preliminaries [prɪ'lɪmɪnərɪz] *npl* preliminari *mpl*.
preliminary [prɪ'lɪmɪnərɪ] *adj* preliminare.
prelude ['prɛljuːd] *n* preludio.
premarital ['priː'mærɪtl] *adj* prematrimoniale.
premature ['prɛmətʃuə*] *adj* prematuro(a); (*arrival*) (molto) anticipato(a); **you are being a little** ~ è un po' troppo precipitoso.
premeditated [priː'mɛdɪteɪtɪd] *adj* premeditato(a).
premeditation [priːmɛdɪ'teɪʃən] *n* premeditazione *f*.
premenstrual tension [priː'mɛnstruəl-] *n* (*MED*) tensione *f* premestruale.
premier ['prɛmɪə*] *adj* primo(a) ♦ *n* (*POL*) primo ministro.
première ['prɛmɪɛə*] *n* prima.
premise ['prɛmɪs] *n* premessa.
premises ['prɛmɪsɪz] *npl* locale *m*; **on the** ~ sul posto; **business** ~ locali commerciali.
premium ['priːmɪəm] *n* premio; **to be at a** ~ (*fig: housing etc*) essere ricercatissimo; **to sell at a** ~ (*shares*) vendere sopra la pari.
premium bond *n* (*BRIT*) obbligazione *f* a premio.

I **premium bonds** *sono delle obbligazioni emesse dal Tesoro britannico fin dal 1956. Non fruttano interessi, ma un premio periodico in denaro.*

---

premium deal *n* (*COMM*) offerta speciale.

premium gasoline n (US) super f.
premonition [prɛmə'nɪʃən] n premonizione f.
preoccupation [priːɔkju'peɪʃən] n preoccupazione f.
preoccupied [priː'ɔkjupaɪd] adj preoccupato(a).
prep [prɛp] n abbr (SCOL: = preparation) studio ♦ adj abbr: ~ **school** = **preparatory school**.
prepackaged [priː'pækɪdʒd] adj già impacchettato(a).
prepaid [priː'peɪd] adj pagato(a) in anticipo; (envelope) affrancato(a).
preparation [prɛpə'reɪʃən] n preparazione f; ~**s** npl (for trip, war) preparativi mpl; in ~ **for sth** in vista di qc.
preparatory [prɪ'pærətərɪ] adj preparatorio(a); ~ **to sth/to doing sth** prima di qc/di fare qc.
preparatory school n (BRIT) scuola elementare privata; (US) scuola superiore privata.

In Gran Bretagna, la prep(aratory) school è una scuola, generalmente privata, frequentata da bambini dai 7 ai 13 anni in vista dell'iscrizione alla public school. Negli Stati Uniti, invece, è una scuola superiore privata che prepara i ragazzi che si iscriveranno al college.

---

prepare [prɪ'pɛə*] vt preparare ♦ vi: **to ~ for** prepararsi a.
prepared [prɪ'pɛəd] adj: ~ **for** preparato(a) a; ~ **to** pronto(a) a; **to be ~ to help sb** (willing) essere disposto or pronto ad aiutare qn.
preponderance [prɪ'pɔndərns] n preponderanza.
preposition [prɛpə'zɪʃən] n preposizione f.
prepossessing [priːpə'zɛsɪŋ] adj simpatico(a), attraente.
preposterous [prɪ'pɔstərəs] adj assurdo(a).
prerecord ['priːrɪ'kɔːd] vt registrare in anticipo; ~**ed broadcast** trasmissione f registrata; ~**ed cassette** (musi)cassetta.
prerequisite [priː'rɛkwɪzɪt] n requisito indispensabile.
prerogative [prɪ'rɔgətɪv] n prerogativa.
presbyterian [prɛzbɪ'tɪərɪən] adj, n presbiteriano(a).
presbytery ['prɛzbɪtərɪ] n presbiterio.
preschool ['priː'skuːl] adj (age) prescolastico(a); (child) in età prescolastica.
prescribe [prɪ'skraɪb] vt prescrivere; (MED) ordinare; ~**d books** (BRIT SCOL) testi mpl

in programma.
prescription [prɪ'skrɪpʃən] n prescrizione f; (MED) ricetta; **to make up** or (US) **fill a** ~ preparare or fare una ricetta; "**only available on** ~" "ottenibile solo dietro presentazione di ricetta medica".
prescription charges npl (BRIT) ticket m inv.
prescriptive [prɪ'skrɪptɪv] adj normativo(a).
presence ['prɛzns] n presenza; ~ **of mind** presenza di spirito.
present ['prɛznt] adj presente; (wife, residence, job) attuale ♦ n regalo; (also: ~ **tense**) tempo presente ♦ vt [prɪ'zɛnt] presentare; (give): **to ~ sb with sth** offrire qc a qn; **to be ~ at** essere presente a; **those** ~ i presenti; **at** ~ al momento; **to make sb a** ~ **of sth** regalare qc a qn.
presentable [prɪ'zɛntəbl] adj presentabile.
presentation [prɛzn'teɪʃən] n presentazione f; (gift) regalo, dono; (ceremony) consegna ufficiale; **on** ~ **of the voucher** dietro presentazione del buono.
present-day ['prɛzntdeɪ] adj attuale, d'oggigiorno.
presenter [prɪ'zɛntə*] n (BRIT RADIO, TV) presentatore/trice.
presently ['prɛzntlɪ] adv (soon) fra poco, presto; (at present) al momento; (US: now) adesso, ora.
preservation [prɛzə'veɪʃən] n preservazione f, conservazione f.
preservative [prɪ'zəːvətɪv] n conservante m.
preserve [prɪ'zəːv] vt (keep safe) preservare, proteggere; (maintain) conservare; (food) mettere in conserva ♦ n (for game, fish) riserva; (often pl: jam) marmellata; (: fruit) frutta sciroppata.
preshrunk [priː'ʃrʌŋk] adj irrestringibile.
preside [prɪ'zaɪd] vi presiedere.
presidency ['prɛzɪdənsɪ] n presidenza; (US: of company) direzione f.
president ['prɛzɪdənt] n presidente m; (US: of company) direttore/trice generale.
presidential [prɛzɪ'dɛnʃl] adj presidenziale.
press [prɛs] n (tool, machine) pressa; (for wine) torchio; (newspapers) stampa; (crowd) folla ♦ vt (push) premere, pigiare; (doorbell) suonare; (squeeze) spremere; (: hand) stringere; (clothes: iron) stirare; (pursue) incalzare; (insist): **to ~ sth on sb** far accettare qc da qn; (urge, entreat): **to ~ sb to do** or **into doing sth** fare pressione su qn affinché faccia qc ♦ vi premere; accalcare; **to go to** ~

(*newspaper*) andare in macchina; **to be in the ~** (*in the newspapers*) essere sui giornali; **we are ~ed for time** ci manca il tempo; **to ~ for sth** insistere per avere qc; **to ~ sb for an answer** insistere perché qn risponda; **to ~ charges against sb** (*LAW*) sporgere una denuncia contro qn.

►**press ahead** *vi:* **to ~ ahead (with)** andare avanti (con).

►**press on** *vi* continuare.

press agency *n* agenzia di stampa.

press clipping *n* ritaglio di giornale.

press conference *n* conferenza stampa.

press cutting *n* = **press clipping**.

press-gang ['prɛsgæŋ] *vt:* **to ~ sb into doing sth** costringere qn a viva forza a fare qc.

pressing ['prɛsɪŋ] *adj* urgente ♦ *n* stiratura.

press officer *n* addetto/a stampa *inv*.

press release *n* comunicato stampa.

press stud *n* (*BRIT*) bottone *m* a pressione.

press-up ['prɛsʌp] *n* (*BRIT*) flessione *f* sulle braccia.

pressure ['prɛʃə*] *n* pressione *f* ♦ *vt* = **to put ~ on; high/low ~** alta/bassa pressione; **to put ~ on sb** fare pressione su qn.

pressure cooker *n* pentola a pressione.

pressure gauge *n* manometro.

pressure group *n* gruppo di pressione.

pressurize ['prɛʃəraɪz] *vt* pressurizzare; (*fig*): **to ~ sb (into doing sth)** fare delle pressioni su qn (per costringerlo a fare qc).

pressurized ['prɛʃəraɪzd] *adj* pressurizzato(a).

Prestel ® ['prɛstɛl] *n* Videotel ® *m inv*.

prestige [prɛs'tiːʒ] *n* prestigio.

prestigious [prɛs'tɪdʒəs] *adj* prestigioso(a).

presumably [prɪ'zjuːməblɪ] *adv* presumibilmente; **~ he did it** penso *or* presumo che l'abbia fatto.

presume [prɪ'zjuːm] *vt* supporre; **to ~ to do** (*dare*) permettersi di fare.

presumption [prɪ'zʌmpʃən] *n* presunzione *f*; (*boldness*) audacia.

presumptuous [prɪ'zʌmpʃəs] *adj* presuntuoso(a).

presuppose [priːsə'pəuz] *vt* presupporre.

pre-tax [priː'tæks] *adj* al lordo d'imposta.

pretence, (*US*) **pretense** [prɪ'tɛns] *n* (*claim*) pretesa; (*pretext*) pretesto, scusa; **to make a ~ of doing** far finta di fare; **on** *or* **under the ~ of doing sth** con il pretesto *or* la scusa di fare qc; **she is devoid of all ~** non si nasconde dietro false apparenze.

pretend [prɪ'tɛnd] *vt* (*feign*) fingere ♦ *vi* far finta; (*claim*): **to ~ to sth** pretendere a qc; **to ~ to do** far finta di fare.

pretense [prɪ'tɛns] *n* (*US*) = **pretence**.

pretension [prɪ'tɛnʃən] *n* (*claim*) pretesa; **to have no ~s to sth/to being sth** non avere la pretesa di avere qc/di essere qc.

pretentious [prɪ'tɛnʃəs] *adj* pretenzioso(a).

preterite ['prɛtərɪt] *n* preterito.

pretext ['priːtɛkst] *n* pretesto; **on** *or* **under the ~ of doing sth** col pretesto di fare qc.

pretty ['prɪtɪ] *adj* grazioso(a), carino(a) ♦ *adv* abbastanza, assai.

prevail [prɪ'veɪl] *vi* (*win, be usual*) prevalere; (*persuade*): **to ~ (up)on sb to do** persuadere qn a fare.

prevailing [prɪ'veɪlɪŋ] *adj* dominante.

prevalent ['prɛvələnt] *adj* (*belief*) predominante; (*customs*) diffuso(a); (*fashion*) corrente; (*disease*) comune.

prevarication [prɪværɪ'keɪʃən] *n* tergiversazione *f*.

prevent [prɪ'vɛnt] *vt* prevenire; **to ~ sb from doing** impedire a qn di fare.

preventable [prɪ'vɛntəbl] *adj* evitabile.

preventative [prɪ'vɛntətɪv] *adj* preventivo(a).

prevention [prɪ'vɛnʃən] *n* prevenzione *f*.

preventive [prɪ'vɛntɪv] *adj* preventivo(a).

preview ['priːvjuː] *n* (*of film*) anteprima.

previous ['priːvɪəs] *adj* precedente; anteriore; **I have a ~ engagement** ho già (preso) un impegno; **~ to doing** prima di fare.

previously ['priːvɪəslɪ] *adv* prima.

prewar ['priː'wɔː*] *adj* anteguerra *inv*.

prey [preɪ] *n* preda ♦ *vi:* **to ~ on** far preda di; **it was ~ing on his mind** gli rodeva la mente.

price [praɪs] *n* prezzo; (*BETTING: odds*) quotazione *f* ♦ *vt* (*goods*) fissare il prezzo di; valutare; **what is the ~ of ...?** quanto costa ...?; **to go up** *or* **rise in ~** salire *or* aumentare di prezzo; **to put a ~ on sth** valutare *or* stimare qc; **he regained his freedom, but at a ~** ha riconquistato la sua libertà, ma a caro prezzo; **what ~ his promises now?** (*BRIT*) a che valgono ora le sue promesse?; **to be ~d out of the market** (*article*) essere così caro da diventare invendibile; (*producer, nation*) non poter sostenere la concorrenza.

price control *n* controllo dei prezzi.

price-cutting ['praɪskʌtɪŋ] *n* riduzione *f* dei prezzi.

priceless ['praɪslɪs] *adj* di valore

inestimabile; (col: amusing) impagabile, spassosissimo(a).
price list n listino (dei) prezzi.
price range n gamma di prezzi; **it's within my** ~ rientra nelle mie possibilità.
price tag n cartellino del prezzo.
price war n guerra dei prezzi.
pricey ['praɪsɪ] adj (col) caruccio(a).
prick [prɪk] n puntura ♦ vt pungere; **to** ~ **up one's ears** drizzare gli orecchi.
prickle ['prɪkl] n (of plant) spina; (sensation) pizzicore m.
prickly ['prɪklɪ] adj spinoso(a); (fig: person) permaloso(a).
prickly heat n sudamina.
prickly pear n fico d'India.
pride [praɪd] n orgoglio; superbia ♦ vt: **to** ~ **o.s. on** essere orgoglioso(a) di; vantarsi di; **to take (a)** ~ **in** tenere molto a; essere orgoglioso di; **to take a** ~ **in doing** andare orgoglioso di fare; **to have** ~ **of place** (BRIT) essere al primo posto.
priest [priːst] n prete m, sacerdote m.
priestess ['priːstɪs] n sacerdotessa.
priesthood ['priːsthud] n sacerdozio.
prig [prɪg] n: **he's a** ~ è compiaciuto di se stesso.
prim [prɪm] adj pudico(a); contegnoso(a).
primacy ['praɪməsɪ] n primato.
prima facie ['praɪmə'feɪʃɪ] adj: **to have a** ~ **case** (LAW) presentare una causa in apparenza fondata.
primal ['praɪməl] adj primitivo(a), originario(a).
primarily ['praɪmərɪlɪ] adv principalmente, essenzialmente.
primary ['praɪmərɪ] adj primario(a); (first in importance) primo(a) ♦ n (US: election) primarie fpl.

Negli Stati Uniti, attraverso le **primary** viene fatta una prima scrematura dei candidati dei partiti alle elezioni presidenziali. La scelta definitiva del candidato da presentare alla presidenza si basa sui risultati delle primary e ha luogo durante le Convention dei partiti, che si tengono in luglio e in agosto.

primary colour n colore m fondamentale.
primary school n (BRIT) scuola elementare.

In Gran Bretagna la **primary school** è la scuola elementare, frequentata dai bambini dai 5 agli 11 anni di età. È suddivisa in **infant school** (5-7 anni) e **junior school** (7-11 anni); vedi anche **secondary school**.

primate n (REL: ['praɪmɪt], ZOOL: ['praɪmeɪt]) primate m.
prime [praɪm] adj primario(a), fondamentale; (excellent) di prima qualità ♦ n: **in the** ~ **of life** nel fiore della vita ♦ vt (gun) innescare; (pump) adescare; (fig) mettere al corrente.
prime minister (PM) n primo ministro.
primer ['praɪmə*] n (book) testo elementare; (paint) vernice f base inv.
prime time n (RADIO, TV) fascia di massimo ascolto.
primeval [praɪ'miːvl] adj primitivo(a).
primitive ['prɪmɪtɪv] adj primitivo(a).
primrose ['prɪmrəuz] n primavera.
primus (stove) ® ['praɪməs-] n (BRIT) fornello a petrolio.
prince [prɪns] n principe m.
prince charming n principe m azzurro.
princess [prɪn'sɛs] n principessa.
principal ['prɪnsɪpl] adj principale ♦ n (of school, college etc) preside m/f; (money) capitale m; (in play) protagonista m/f.
principality [prɪnsɪ'pælɪtɪ] n principato.
principally ['prɪnsɪplɪ] adv principalmente.
principle ['prɪnsɪpl] n principio; **in** ~ in linea di principio; **on** ~ per principio.
print [prɪnt] n (mark) impronta; (letters) caratteri mpl; (fabric) tessuto stampato; (ART, PHOT) stampa ♦ vt imprimere; (publish) stampare, pubblicare; (write in capitals) scrivere in stampatello; **out of** ~ esaurito(a).
▶**print out** vt (COMPUT) stampare.
printed circuit board (PCB) [prɪntɪd-] n circuito stampato.
printed matter [prɪntɪd-] n stampe fpl.
printer ['prɪntə*] n tipografo; (machine) stampante m.
printhead ['prɪnthɛd] n testa di stampa.
printing ['prɪntɪŋ] n stampa.
printing press n macchina tipografica.
print-out ['prɪntaut] n tabulato.
print wheel n margherita.
prior ['praɪə*] adj precedente ♦ n (REL) priore m; ~ **to doing** prima di fare; **without** ~ **notice** senza preavviso; **to have a** ~ **claim to sth** avere un diritto di precedenza su qc.
priority [praɪ'ɔrɪtɪ] n priorità f inv, precedenza; **to have** ~ **over sth** avere la precedenza su qc.
priory ['praɪərɪ] n monastero.
prise [praɪz] vt: **to** ~ **open** forzare.
prism ['prɪzəm] n prisma m.
prison ['prɪzn] n prigione f.
prison camp n campo di prigionia.

prisoner ['prɪznə*] *n* prigioniero/a; **to take sb ~ far** prigioniero qn; **the ~ at the bar** l'accusato, l'imputato; **~ of war** prigioniero/a di guerra.
prissy ['prɪsɪ] *adj* per benino.
pristine ['prɪstiːn] *adj* originario(a); intatto(a); puro(a).
privacy ['prɪvəsɪ] *n* solitudine *f*, intimità.
private ['praɪvɪt] *adj* privato(a); personale ♦ *n* soldato semplice; "~" (*on envelope*) "riservata"; **in ~** in privato; **in (his) ~ life** nella vita privata; **he is a very ~ person** è una persona molto riservata; **~ hearing** (*LAW*) udienza a porte chiuse; **to be in ~ practice** essere medico non convenzionato (con la mutua).
private enterprise *n* iniziativa privata.
private eye *n* investigatore *m* privato.
private limited company *n* (*BRIT*) società per azioni non quotata in Borsa.
privately ['praɪvɪtlɪ] *adv* in privato; (*within o.s.*) dentro di sé.
private parts *npl* (*ANAT*) parti *fpl* intime.
private property *n* proprietà privata.
private school *n* scuola privata.
privation [praɪ'veɪʃən] *n* (*state*) privazione *f*; (*hardship*) privazioni *fpl*, stenti *mpl*.
privatize ['praɪvɪtaɪz] *vt* privatizzare.
privet ['prɪvɪt] *n* ligustro.
privilege ['prɪvɪlɪdʒ] *n* privilegio.
privileged ['prɪvɪlɪdʒd] *adj* privilegiato(a); **to be ~ to do sth** avere il privilegio *or* l'onore di fare qc.
privy ['prɪvɪ] *adj*: **to be ~ to** essere al corrente di.
Privy Council *n* (*BRIT*) Consiglio della Corona.

Il **Privy Council**, *un gruppo di consiglieri del re, era il principale organo di governo durante il regno dei Tudor e degli Stuart. Col tempo ha perso la sua importanza e oggi è un organo senza potere effettivo formato da ministri e altre personalità politiche ed ecclesiastiche.*

Privy Councillor *n* (*BRIT*) Consigliere *m* della Corona.
prize [praɪz] *n* premio ♦ *adj* (*example, idiot*) perfetto(a); (*bull, novel*) premiato(a) ♦ *vt* apprezzare, pregiare.
prize-fighter ['praɪzfaɪtə*] *n* pugile *m* (*che si batte per conquistare un premio*).
prize giving *n* premiazione *f*.
prize money *n* soldi *mpl* del premio.
prizewinner ['praɪzwɪnə*] *n* premiato/a.
prizewinning ['praɪzwɪnɪŋ] *adj* vincente; (*novel, essay etc*) premiato(a).

PRO *n abbr* = **public relations officer.**
pro [prəu] *n* (*SPORT*) professionista *m/f*; **the ~s and cons** il pro e il contro.
pro- [prəu] *prefix* (*in favour of*) filo...; **~Soviet** *adj* filosovietico(a).
pro-active [prəu'æktɪv] *adj*: **to be ~** agire d'iniziativa.
probability [prɔbə'bɪlɪtɪ] *n* probabilità *f inv*; **in all ~** con ogni probabilità.
probable ['prɔbəbl] *adj* probabile; **it is ~/ hardly ~ that ...** è probabile/poco probabile che ... + *sub*.
probably ['prɔbəblɪ] *adv* probabilmente.
probate ['prəubɪt] *n* (*LAW*) omologazione *f* (*di un testamento*).
probation [prə'beɪʃən] *n* (*in employment*) periodo di prova; (*LAW*) libertà vigilata; (*REL*) probandato; **on ~** (*employee*) in prova; (*LAW*) in libertà vigilata.
probationary [prəu'beɪʃənərɪ] *adj*: **~ period** periodo di prova.
probe [prəub] *n* (*MED, SPACE*) sonda; (*enquiry*) indagine *f*, investigazione *f* ♦ *vt* sondare, esplorare; indagare.
probity ['prəubɪtɪ] *n* probità.
problem ['prɔbləm] *n* problema *m*; **to have ~s with the car** avere dei problemi con la macchina; **what's the ~?** che cosa c'è?; **I had no ~ in finding her** non mi è stato difficile trovarla; **no ~!** ma certamente!, non c'è problema!
problematic [prɔblə'mætɪk] *adj* problematico(a).
problem-solving ['prɔbləmsɒlvɪŋ] *n* risoluzione *f* di problemi.
procedure [prə'siːdʒə*] *n* (*ADMIN, LAW*) procedura; (*method*) metodo, procedimento.
proceed [prə'siːd] *vi* (*go forward*) avanzare, andare avanti; (*go about it*) procedere; (*continue*): **to ~ (with)** continuare; **to ~ to** andare a; passare a; **to ~ to do** mettersi a fare; **to ~ against sb** (*LAW*) procedere contro qn; **I am not sure how to ~** non so bene come fare.
proceedings [prə'siːdɪŋz] *npl* misure *fpl*; (*LAW*) procedimento; (*meeting*) riunione *f*; (*records*) rendiconti *mpl*; atti *mpl*.
proceeds ['prəusiːdz] *npl* profitto, incasso.
process ['prəusɛs] *n* processo; (*method*) metodo, sistema *m* ♦ *vt* trattare; (*information*) elaborare ♦ *vi* [prə'sɛs] (*BRIT formal: go in procession*) sfilare, procedere in corteo; **we are in the ~ of moving to ...** stiamo per trasferirci a ....
processed cheese, (*US*) **process cheese** *n* formaggio fuso.
processing ['prəusɛsɪŋ] *n* trattamento;

elaborazione f.

procession [prə'sɛʃən] n processione f, corteo; **funeral** ~ corteo funebre.

pro-choice [prəu'tʃɔɪs] adj per la libertà di scelta di gravidanza.

proclaim [prə'kleɪm] vt proclamare, dichiarare.

proclamation [prɔklə'meɪʃən] n proclamazione f.

proclivity [prə'klɪvɪtɪ] n tendenza, propensione f.

procrastination [prəukræstɪ'neɪʃən] n procrastinazione f.

procreation [prəukrɪ'eɪʃən] n procreazione f.

Procurator Fiscal ['prɔkjureɪtə-] n (Scottish) procuratore m.

procure [prə'kjuə*] vt (for o.s.) procurarsi; (for sb) procurare.

procurement [prə'kjuəmənt] n approvvigionamento.

prod [prɔd] vt dare un colpetto a ♦ n (push, jab) colpetto.

prodigal ['prɔdɪgl] adj prodigo(a).

prodigious [prə'dɪdʒəs] adj prodigioso(a).

prodigy ['prɔdɪdʒɪ] n prodigio.

produce n ['prɔdjuːs] (AGR) prodotto, prodotti mpl ♦ vt [prə'djuːs] produrre; (to show) esibire, mostrare; (proof of identity) produrre, fornire; (cause) cagionare, causare; (THEAT) mettere in scena.

producer [prə'djuːsə*] n (THEAT) direttore/ trice; (AGR, CINE) produttore m.

product ['prɔdʌkt] n prodotto.

production [prə'dʌkʃən] n produzione f; (THEAT) messa in scena; **to put into** ~ mettere in produzione.

production agreement n (US) accordo sui tempi di produzione.

production line n catena di lavorazione.

production manager n production manager m inv, direttore m della produzione.

productive [prə'dʌktɪv] adj produttivo(a).

productivity [prɔdʌk'tɪvɪtɪ] n produttività.

productivity agreement n (BRIT) accordo sui tempi di produzione.

productivity bonus n premio di produzione.

Prof. abbr (= professor) Prof.

profane [prə'feɪn] adj profano(a); (language) empio(a).

profess [prə'fɛs] vt professare; **I do not** ~ **to be an expert** non pretendo di essere un esperto.

professed [prə'fɛst] adj (self-declared) dichiarato(a).

profession [prə'fɛʃən] n professione f; **the**

~**s** le professioni liberali.

professional [prə'fɛʃənl] n (SPORT) professionista m/f ♦ adj professionale; (work) da professionista; **he's a** ~ **man** è un professionista; **to take** ~ **advice** consultare un esperto.

professionalism [prə'fɛʃnəlɪzəm] n professionismo.

professionally [prə'fɛʃnəlɪ] adv professionalmente, in modo professionale; (SPORT: play) come professionista; **I only know him** ~ con lui ho solo rapporti di lavoro.

professor [prə'fɛsə*] n professore m (titolare di una cattedra); (US: teacher) professore/essa.

professorship [prə'fɛsəʃɪp] n cattedra.

proffer ['prɔfə*] vt (remark) profferire; (apologies) porgere, presentare; (one's hand) porgere.

proficiency [prə'fɪʃənsɪ] n competenza, abilità.

proficient [prə'fɪʃənt] adj competente, abile.

profile ['prəufaɪl] n profilo; **to keep a low** ~ (fig) cercare di passare inosservato or di non farsi notare troppo; **to maintain a high** ~ mettersi in mostra.

profit ['prɔfɪt] n profitto; beneficio ♦ vi: **to** ~ (**by** or **from**) approfittare (di); ~ **and loss account** conto perdite e profitti; **to make a** ~ realizzare un profitto; **to sell sth at a** ~ vendere qc con un utile.

profitability [prɔfɪtə'bɪlɪtɪ] n redditività.

profitable ['prɔfɪtəbl] adj redditizio(a); (fig: beneficial) vantaggioso(a); (: meeting, visit) fruttuoso(a).

profit centre n centro di profitto.

profiteering [prɔfɪ'tɪərɪŋ] n (pej) affarismo.

profit-making ['prɔfɪtmeɪkɪŋ] adj a scopo di lucro.

profit margin n margine m di profitto.

profit-sharing ['prɔfɪtʃɛərɪŋ] n compartecipazione f agli utili.

profits tax n (BRIT) imposta sugli utili.

profligate ['prɔflɪgɪt] adj (dissolute: behaviour) dissipato(a); (: person) debosciato(a); (extravagant): **he's very** ~ **with his money** è uno che sperpera i suoi soldi.

pro forma ['prəu'fɔːmə] adv: ~ **invoice** fattura proforma.

profound [prə'faund] adj profondo(a).

profuse [prə'fjuːs] adj infinito(a), abbondante.

profusely [prə'fjuːslɪ] adv con grande effusione.

profusion [prə'fjuːʒən] n profusione f,

abbondanza.

progeny ['prɔdʒɪnɪ] n progenie f;
discendenti mpl.

programme, (US) **program** ['prəʊgræm] n
programma m ♦ vt programmare.

program(m)er ['prəʊgræmə*] n
programmatore/trice.

program(m)ing ['prəʊgræmɪŋ] n
programmazione f.

program(m)ing language n linguaggio di
programmazione.

progress n ['prəʊgrɛs] progresso ♦ vi
[prə'grɛs] (go forward) avanzare,
procedere; (in time) procedere; (also:
make ~) far progressi; **in** ~ in corso.

progression [prə'grɛʃən] n progressione
f.

progressive [prə'grɛsɪv] adj progressivo(a);
(person) progressista.

progressively [prə'grɛsɪvlɪ] adv
progressivamente.

progress report n (MED) bollettino
medico; (ADMIN) rendiconto dei
lavori.

prohibit [prə'hɪbɪt] vt proibire, vietare; **to**
~ **sb from doing sth** vietare or proibire a
qn di fare qc; "**smoking ~ed**" "vietato
fumare".

prohibition [prəʊɪ'bɪʃən] n (US)
proibizionismo.

prohibitive [prə'hɪbɪtɪv] adj (price etc)
proibitivo(a).

project n ['prɔdʒɛkt] (plan) piano; (venture)
progetto; (SCOL) studio, ricerca ♦ vb
[prə'dʒɛkt] vt proiettare ♦ vi (stick out)
sporgere.

projectile [prə'dʒɛktaɪl] n proiettile m.

projection [prə'dʒɛkʃən] n proiezione f;
sporgenza.

projectionist [prə'dʒɛkʃənɪst] n (CINE)
proiezionista m/f.

projection room n (CINE) cabina or sala di
proiezione.

projector [prə'dʒɛktə*] n proiettore m.

proletarian [prəʊlɪ'tɛərɪən] adj, n
proletario(a).

proletariat [prəʊlɪ'tɛərɪət] n proletariato.

pro-life [prəʊ'laɪf] adj per il diritto alla
vita.

proliferate [prə'lɪfəreɪt] vi proliferare.

proliferation [prəlɪfə'reɪʃən] n
proliferazione f.

prolific [prə'lɪfɪk] adj prolifico(a).

prologue, (US) **prolog** ['prəʊlɔg] n prologo.

prolong [prə'lɔŋ] vt prolungare.

prom [prɔm] n abbr = **promenade,**
promenade concert; (US: ball) ballo
studentesco.

In Gran Bretagna i **Prom** (= promenade
concert) sono concerti di musica classica, i
più noti dei quali sono quelli eseguiti nella
Royal Albert Hall a Londra. Prendono il
nome dal fatto che in origine il pubblico li
ascoltava stando in piedi o passeggiando.
Negli Stati Uniti, invece, con prom si
intende il ballo studentesco di un'università
o di un college.

promenade [prɔmə'nɑːd] n (by sea)
lungomare m.

promenade concert n concerto (con posti
in piedi).

promenade deck n (NAUT) ponte m di
passeggiata.

prominence ['prɔmɪnəns] n prominenza;
importanza.

prominent ['prɔmɪnənt] adj (standing out)
prominente; (important) importante; **he is**
~ **in the field of** ... è un'autorità nel
campo di ....

prominently ['prɔmɪnəntlɪ] adv (display, set)
ben in vista; **he figured** ~ **in the case** ha
avuto una parte di primo piano nella
faccenda.

promiscuity [prɔmɪs'kjuːɪtɪ] n (sexual)
rapporti mpl multipli.

promiscuous [prə'mɪskjuəs] adj (sexually)
di facili costumi.

promise ['prɔmɪs] n promessa ♦ vt, vi
promettere; **to make sb a** ~ fare una
promessa a qn; **a young man of** ~ un
giovane promettente; **to** ~ **(sb) to do sth**
promettere (a qn) di fare qc.

promising ['prɔmɪsɪŋ] adj promettente.

promissory note ['prɔmɪsərɪ-] n pagherò m
inv.

promontory ['prɔməntrɪ] n promontorio.

promote [prə'məʊt] vt promuovere;
(venture, event) organizzare; (product)
lanciare, reclamizzare; **the team was** ~**d**
to the second division (BRIT FOOTBALL) la
squadra è stata promossa in serie B.

promoter [prə'məʊtə*] n (of sporting event)
organizzatore/trice; (of cause etc)
sostenitore/trice.

promotion [prə'məʊʃən] n promozione f.

prompt [prɔmpt] adj rapido(a), svelto(a);
puntuale; (reply) sollecito(a) ♦ adv
(punctually) in punto ♦ n (COMPUT) guida
♦ vt incitare; provocare; (THEAT)
suggerire a; **at 8 o'clock** ~ alle 8 in punto;
to be ~ **to do sth** essere sollecito nel fare
qc; **to** ~ **sb to do** spingere qn a fare.

prompter ['prɔmptə*] n (THEAT)
suggeritore m.

promptly ['prɔmptlɪ] adv prontamente; puntualmente.

promptness ['prɔmptnɪs] n prontezza; puntualità.

prone [prəun] adj (lying) prono(a); ~ **to** propenso(a) a, incline a; **to be** ~ **to illness** essere soggetto(a) a malattie; **she is** ~ **to burst into tears if** ... può facilmente scoppiare in lacrime se ....

prong [prɔŋ] n rebbio, punta.

pronoun ['prəunaun] n pronome m.

pronounce [prə'nauns] vt pronunziare ♦ vi: **to** ~ **(up)on** pronunziare su; **they** ~**d him unfit to drive** lo hanno dichiarato inabile alla guida.

pronounced [prə'naunst] adj (marked) spiccato(a).

pronouncement [prə'naunsmənt] n dichiarazione f.

pronunciation [prənʌnsɪ'eɪʃən] n pronunzia.

proof [pru:f] n prova; (of book) bozza; (PHOT) provino; (of alcohol): **70%** ~ ≈ 40° in volume ♦ vt (tent, anorak) impermeabilizzare ♦ adj: ~ **against** a prova di.

proofreader ['pru:fri:də*] n correttore/trice di bozze.

prop [prɔp] n sostegno, appoggio ♦ vt (also: ~ **up**) sostenere, appoggiare; (lean): **to** ~ **sth against** appoggiare qc contro or a.

Prop. abbr (COMM) = **proprietor**.

propaganda [prɔpə'gændə] n propaganda.

propagation [prɔpə'geɪʃən] n propagazione f.

propel [prə'pɛl] vt spingere (in avanti), muovere.

propeller [prə'pɛlə*] n elica.

propelling pencil [prə'pɛlɪŋ-] n (BRIT) matita a mina.

propensity [prə'pɛnsɪtɪ] n tendenza.

proper ['prɔpə*] adj (suited, right) adatto(a), appropriato(a); (seemly) decente; (authentic) vero(a); (col: real) n + vero(a) e proprio(a); **to go through the** ~ **channels** (ADMIN) seguire la regolare procedura.

properly ['prɔpəlɪ] adv decentemente; (really, thoroughly) veramente.

proper noun n nome m proprio.

property ['prɔpətɪ] n (things owned) beni mpl; (land, building, CHEM etc) proprietà f inv.

property developer n (BRIT) costruttore m edile.

property owner n proprietario/a.

property tax n imposta patrimoniale.

prophecy ['prɔfɪsɪ] n profezia.

prophesy ['prɔfɪsaɪ] vt predire, profetizzare.

prophet ['prɔfɪt] n profeta m.

prophetic [prə'fɛtɪk] adj profetico(a).

proportion [prə'pɔːʃən] n proporzione f; (share) parte f ♦ vt proporzionare, commisurare; **to be in/out of** ~ **to** or **with sth** essere in proporzione/sproporzionato rispetto a qc; **to see sth in** ~(fig) dare il giusto peso a qc.

proportional [prə'pɔːʃənl] adj proporzionale.

proportional representation (PR) n rappresentanza proporzionale.

proportionate [prə'pɔːʃənɪt] adj proporzionato(a).

proposal [prə'pəuzl] n proposta; (plan) progetto; (of marriage) proposta di matrimonio.

propose [prə'pəuz] vt proporre, suggerire ♦ vi fare una proposta di matrimonio; **to** ~ **to do** proporsi di fare, aver l'intenzione di fare.

proposer [prə'pəuzə*] n (BRIT: of motion) proponente m/f.

proposition [prɔpə'zɪʃən] n proposizione f; (proposal) proposta; **to make sb a** ~ proporre qualcosa a qn.

propound [prə'paund] vt proporre, presentare.

proprietary [prə'praɪətərɪ] adj: ~ **article** prodotto con marchio depositato; ~ **brand** marchio di fabbrica.

proprietor [prə'praɪətə*] n proprietario/a.

propriety [prə'praɪətɪ] n (seemliness) decoro, rispetto delle convenienze sociali.

propulsion [prə'pʌlʃən] n propulsione f.

pro rata [prəu'rɑːtə] adv in proporzione.

prosaic [prəu'zeɪɪk] adj prosaico(a).

Pros. Atty. abbr (US) = **prosecuting attorney**.

proscribe [prə'skraɪb] vt proscrivere.

prose [prəuz] n prosa; (SCOL: translation) traduzione f dalla madrelingua.

prosecute ['prɔsɪkjuːt] vt intentare azione contro.

prosecuting attorney ['prɔsɪkjuːtɪŋ-] n (US) ≈ procuratore m.

prosecution [prɔsɪ'kjuːʃən] n (LAW) azione f giudiziaria; (accusing side) accusa.

prosecutor ['prɔsɪkjuːtə*] n (also: public ~) ≈ procuratore m della Repubblica.

prospect n ['prɔspɛkt] prospettiva; (hope) speranza ♦ vb [prə'spɛkt] vt esplorare ♦ vi: **to** ~ **for gold** cercare l'oro; **there is every** ~ **of an early victory** tutto lascia prevedere una rapida vittoria; see also **prospects**.

prospecting [prə'spɛktɪŋ] n prospezione f.

prospective [prə'spɛktɪv] *adj* (*buyer*) probabile; (*legislation, son-in-law*) futuro(a).

prospector [prə'spɛktə*] *n* prospettore *m*; **gold** ~ cercatore *m* d'oro.

prospects ['prɔspɛkts] *npl* (*for work etc*) prospettive *fpl*.

prospectus [prə'spɛktəs] *n* prospetto, programma *m*.

prosper ['prɔspə*] *vi* prosperare.

prosperity [prɔ'spɛrɪtɪ] *n* prosperità.

prosperous ['prɔspərəs] *adj* prospero(a).

prostate ['prɔsteɪt] *n* (*also:* ~ **gland**) prostata, ghiandola prostatica.

prostitute ['prɔstɪtjuːt] *n* prostituta; **male** ~ uomo che si prostituisce.

prostitution [prɔstɪ'tjuːʃən] *n* prostituzione *f*.

prostrate *adj* ['prɔstreɪt] prostrato(a) ♦ *vt* [prɔ'streɪt]: **to** ~ **o.s.** (*before sb*) prostrarsi.

protagonist [prə'tægənɪst] *n* protagonista *m/f*.

protect [prə'tɛkt] *vt* proteggere, salvaguardare.

protection [prə'tɛkʃən] *n* protezione *f*; **to be under sb's** ~ essere sotto la protezione di qn.

protectionism [prə'tɛkʃənɪzəm] *n* protezionismo.

protection racket *n* racket *m inv*.

protective [prə'tɛktɪv] *adj* protettivo(a); ~ **custody** (*LAW*) protezione *f*.

protector [prə'tɛktə*] *n* protettore/trice.

protégé ['prəutɪʒeɪ] *n* protetto.

protégée ['prəutɪʒeɪ] *n* protetta.

protein ['prəutiːn] *n* proteina.

pro tem [prəu'tɛm] *adv abbr* (= *pro tempore*: *for the time being*) pro tempore.

protest *n* ['prəutɛst] protesta ♦ *vt, vi* [prə'tɛst] protestare; **to do sth under** ~ fare qc protestando; **to** ~ **against/about** protestare contro/per.

Protestant ['prɔtɪstənt] *adj, n* protestante (*m/f*).

protester, protestor [prə'tɛstə*] *n* (*in demonstration*) dimostrante *m/f*.

protest march *n* marcia di protesta.

protocol ['prəutəkɔl] *n* protocollo.

prototype ['prəutətaɪp] *n* prototipo.

protracted [prə'træktɪd] *adj* tirato(a) per le lunghe.

protractor [prə'træktə*] *n* (*GEOM*) goniometro.

protrude [prə'truːd] *vi* sporgere.

protuberance [prə'tjuːbərəns] *n* sporgenza.

proud [praud] *adj* fiero(a), orgoglioso(a); (*pej*) superbo(a); **to be** ~ **to do sth** essere onorato(a) di fare qc; **to do sb** ~ non far

mancare nulla a qn; **to do o.s.** ~ trattarsi bene.

proudly ['praudlɪ] *adv* con orgoglio, fieramente.

prove [pruːv] *vt* provare, dimostrare ♦ *vi*: **to** ~ **correct** *etc* risultare vero(a) *etc*; **to** ~ **o.s.** mostrare le proprie capacità; **to** ~ **o.s./itself (to be)** useful *etc* mostrarsi or rivelarsi utile *etc*; **he was** ~**d right in the end** alla fine i fatti gli hanno dato ragione.

Provence [prɔvɑ̃s] *n* Provenza.

proverb ['prɔvəːb] *n* proverbio.

proverbial [prə'vəːbɪəl] *adj* proverbiale.

provide [prə'vaɪd] *vt* fornire, provvedere; **to** ~ **sb with sth** fornire or provvedere qn di qc; **to be** ~**d with** essere dotato or munito di.

▶**provide for** *vt fus* provvedere a.

provided [prə'vaɪdɪd] *conj*: ~ **(that)** purché + *sub*, a condizione che + *sub*.

Providence ['prɔvɪdəns] *n* Provvidenza.

providing [prə'vaɪdɪŋ] *conj* purché + *sub*, a condizione che + *sub*.

province ['prɔvɪns] *n* provincia.

provincial [prə'vɪnʃəl] *adj* provinciale.

provision [prə'vɪʒən] *n* (*supply*) riserva; (*supplying*) provvista; (*stipulation*) condizione *f*; ~**s** *npl* (*food*) provviste *fpl*; **to make** ~ **for** (*one's family, future*) pensare a; **there's no** ~ **for this in the contract** il contratto non lo prevede.

provisional [prə'vɪʒənl] *adj* provvisorio(a) ♦ *n*: **P**~ (*Irish POL*) provisional *m inv*.

provisional licence *n* (*BRIT AUT*) ≈ foglio *m* rosa *inv*.

provisionally [prə'vɪʒnəlɪ] *adv* provvisoriamente; (*appoint*) a titolo provvisorio.

proviso [prə'vaɪzəu] *n* condizione *f*; **with the** ~ **that** a condizione che + *sub*, a patto che + *sub*.

Provo ['prɔvəu] *n abbr* (*col*) = **Provisional**.

provocation [prɔvə'keɪʃən] *n* provocazione *f*.

provocative [prə'vɔkətɪv] *adj* (*aggressive*) provocatorio(a); (*thought-provoking*) stimolante; (*seductive*) provocante.

provoke [prə'vəuk] *vt* provocare; incitare; **to** ~ **sb to sth/to do** or **into doing sth** spingere qn a qc/a fare qc.

provoking [prə'vəukɪŋ] *adj* irritante, esasperante.

provost ['prɔvəst] *n* (*BRIT: of university*) rettore *m*; (*Scottish*) sindaco.

prow [prau] *n* prua.

prowess ['prauɪs] *n* prodezza; **his** ~ **as a footballer** le sue capacità di calciatore.

prowl [praul] *vi* (*also*: ~ **about**, ~ **around**) aggirarsi furtivamente ♦ *n*: **on the** ~ in cerca di preda.
prowler ['praulə*] *n* tipo sospetto (*che s'aggira con l'intenzione di rubare, aggredire etc*).
proximity [prɔk'sɪmɪtɪ] *n* prossimità.
proxy ['prɔksɪ] *n* procura; **by** ~ per procura.
PRP *n abbr* (= *performance related pay*) retribuzione *f* commensurata al rendimento.
prude [pruːd] *n* puritano/a.
prudence ['pruːdns] *n* prudenza.
prudent ['pruːdnt] *adj* prudente.
prudish ['pruːdɪʃ] *adj* puritano(a).
prune [pruːn] *n* prugna secca ♦ *vt* potare.
pry [praɪ] *vi*: **to** ~ **into** ficcare il naso in.
PS *n abbr* (= *postscript*) P.S.
psalm [sɑːm] *n* salmo.
PSAT *n abbr* (*US*) = *Preliminary Scholastic Aptitude Test.*
PSBR *n abbr* (*BRIT*: = *public sector borrowing requirement*) fabbisogno di prestiti per il settore pubblico.
pseud ['sjuːd] *n* (*BRIT col*: *intellectually*) intellettualoide *m/f*; (: *socially*) snob *m/f inv*.
pseudo- ['sjuːdəu] *prefix* pseudo....
pseudonym ['sjuːdənɪm] *n* pseudonimo.
PST *abbr* (*US*: = *Pacific Standard Time*) ora invernale del Pacifico.
PSV *n abbr* (*BRIT*) *see* **public service vehicle.**
psyche ['saɪkɪ] *n* psiche *f.*
psychedelic [saɪkɪ'dɛlɪk] *adj* psichedelico(a).
psychiatric [saɪkɪ'ætrɪk] *adj* psichiatrico(a).
psychiatrist [saɪ'kaɪətrɪst] *n* psichiatra *m/f.*
psychiatry [saɪ'kaɪətrɪ] *n* psichiatria.
psychic ['saɪkɪk] *adj* (*also*: ~**al**) psichico(a); (*person*) dotato(a) di qualità telepatiche.
psycho ['saɪkəu] *n* (*col*) folle *m/f*, psicopatico/a.
psychoanalyse [saɪkəu'ænəlaɪz] *vt* psicanalizzare.
psychoanalysis, pl -ses [saɪkəuə'nælɪsɪs, -siːz] *n* psicanalisi *f inv.*
psychoanalyst [saɪkəu'ænəlɪst] *n* psicanalista *m/f.*
psychological [saɪkə'lɔdʒɪkl] *adj* psicologico(a).
psychologist [saɪ'kɔlədʒɪst] *n* psicologo/a.
psychology [saɪ'kɔlədʒɪ] *n* psicologia.
psychopath ['saɪkəupæθ] *n* psicopatico/a.
psychosis, pl psychoses [saɪ'kəusɪs, -siːz] *n* psicosi *f inv.*
psychosomatic [saɪkəusə'mætɪk] *adj* psicosomatico(a).
psychotherapy [saɪkəu'θɛrəpɪ] *n* psicoterapia.
psychotic [saɪ'kɔtɪk] *adj*, *n* psicotico(a).
PT *n abbr* (*BRIT*: = *physical training*) ed. fisica.
pt *abbr* (= *pint*, *point*) pt.
Pt. *abbr* (*in place names*: = *Point*) Pt.
PTA *n abbr* (= *Parent-Teacher Association*) associazione genitori e insegnanti.
Pte. *abbr* (*BRIT MIL*) = *private.*
PTO *abbr* (= *please turn over*) v.r. (= *vedi retro*).
PTV *n abbr* (*US*) = *pay television, public television.*
pub [pʌb] *n abbr* (= *public house*) pub *m inv.*

In Gran Bretagna e in Irlanda i **pub** *sono locali dove vengono servite bibite alcoliche ed analcoliche e dove è anche possibile mangiare. Sono punti di ritrovo dove spesso si può giocare a biliardo, a freccette o guardare la televisione. Le leggi che regolano la vendita degli alcolici sono molto severe in Gran Bretagna e quindi gli orari di apertura e di chiusura vengono osservati scrupolosamente.*

pub crawl *n*: **to go on a** ~ (*BRIT col*) fare il giro dei pub.
puberty ['pjuːbətɪ] *n* pubertà.
pubic ['pjuːbɪk] *adj* pubico(a), del pube.
public ['pʌblɪk] *adj* pubblico(a) ♦ *n* pubblico; **in** ~ in pubblico; **the general** ~ il pubblico; **to make sth** ~ render noto *or* di pubblico dominio qc; **to be** ~ **knowledge** essere di dominio pubblico; **to go** ~ (*COMM*) emettere le azioni sul mercato.
public address system (PA) *n* impianto di amplificazione.
publican ['pʌblɪkən] *n* (*BRIT*) gestore *m* (*or* proprietario) di un pub.
publication [pʌblɪ'keɪʃən] *n* pubblicazione *f.*
public company *n* ≈ società *f inv* per azioni (*costituita tramite pubblica sottoscrizione*).
public convenience *n* (*BRIT*) gabinetti *mpl.*
public holiday *n* (*BRIT*) giorno festivo, festa nazionale.
public house *n* (*BRIT*) pub *m inv.*
publicity [pʌb'lɪsɪtɪ] *n* pubblicità.
publicize ['pʌblɪsaɪz] *vt* fare (della) pubblicità a, reclamizzare.
public limited company (plc) *n* ≈ società per azioni a responsabilità limitata (*quotata in Borsa*).
publicly ['pʌblɪklɪ] *adv* pubblicamente.
public opinion *n* opinione *f* pubblica.
public ownership *n* proprietà pubblica *or*

sociale; **to be taken into** ~ essere
statalizzato(a).
public prosecutor n pubblico ministero;
~'s **office** ufficio del pubblico ministero.
public relations n pubbliche relazioni *fpl*.
public relations officer n addetto/a alle
pubbliche relazioni.
public school n (*BRIT*) scuola privata; (*US*)
scuola statale.

In Inghilterra le **public school** *sono scuole o
collegi privati di istruzione secondaria,
spesso di un certo prestigio. In Scozia e
negli Stati Uniti, invece, le public school
sono scuole pubbliche gratuite
amministrate dallo stato.*

public sector n settore *m* pubblico.
public service vehicle (PSV) n (*BRIT*)
mezzo pubblico.
public-spirited [pʌblɪk'spɪrɪtɪd] *adj* che ha
senso civico.
public transport, (*US*) **public
transportation** n mezzi *mpl* pubblici.
public utility n servizio pubblico.
public works *npl* lavori *mpl* pubblici.
publish ['pʌblɪʃ] *vt* pubblicare.
publisher ['pʌblɪʃə*] n editore *m*; (*firm*)
casa editrice.
publishing ['pʌblɪʃɪŋ] n (*industry*) editoria;
(*of a book*) pubblicazione *f*.
publishing company n casa *or* società
editrice.
puce [pjuːs] *adj* color pulce *inv*.
puck [pʌk] n (*ICE HOCKEY*) disco.
pucker ['pʌkə*] *vt* corrugare.
pudding ['pudɪŋ] n budino; (*dessert*) dolce
m; **black** ~, (*US*) **blood** ~ sanguinaccio;
rice ~ budino di riso.
puddle ['pʌdl] n pozza, pozzanghera.
puerile ['pjuəraɪl] *adj* puerile.
Puerto Rico ['pwəːtəu'riːkəu] n Portorico.
puff [pʌf] n sbuffo; (*also:* **powder** ~)
piumino ♦ *vt* (*also:* ~ **out:** *sails, cheeks*)
gonfiare ♦ *vi* uscire a sbuffi; (*pant*) ansare;
to ~ **out smoke** mandar fuori sbuffi di
fumo; **to** ~ **one's pipe** tirare sboccate di
fumo.
puffed [pʌft] *adj* (*col: out of breath*) senza
fiato.
puffin ['pʌfɪn] n puffino.
puff pastry, (*US*) **puff paste** n pasta
sfoglia.
puffy ['pʌfɪ] *adj* gonfio(a).
pugnacious [pʌg'neɪʃəs] *adj* combattivo(a).
pull [pul] n (*tug*) strattone *m*, tirata; (*of
moon, magnet, the sea etc*) attrazione *f*;
(*fig*) influenza ♦ *vt* tirare; (*muscle*)

strappare, farsi uno strappo a ♦ *vi* tirare;
to give sth a ~ tirare su qc; **to** ~ **a face**
fare una smorfia; **to** ~ **to pieces** fare a
pezzi; **to** ~ **one's punches** (*BOXING*)
risparmiare l'avversario; **not to** ~ **one's
punches** (*fig*) non avere peli sulla lingua;
to ~ **one's weight** dare il proprio
contributo; **to** ~ **o.s. together** ricomporsi,
riprendersi; **to** ~ **sb's leg** prendere in
giro qn; **to** ~ **strings (for sb)** muovere
qualche pedina (per qn).
▶**pull about** *vt* (*BRIT: handle roughly: object*)
strapazzare; (*: person*) malmenare.
▶**pull apart** *vt* (*break*) fare a pezzi.
▶**pull down** *vt* (*house*) demolire; (*tree*)
abbattere.
▶**pull in** *vi* (*AUT: at the kerb*) accostarsi;
(*RAIL*) entrare in stazione.
▶**pull off** *vt* (*deal etc*) portare a
compimento.
▶**pull out** *vi* partire; (*withdraw*) ritirarsi;
(*AUT: come out of line*) spostarsi sulla
mezzeria ♦ *vt* staccare; far uscire;
(*withdraw*) ritirare.
▶**pull over** *vi* (*AUT*) accostare.
▶**pull round** *vi* (*unconscious person*)
rinvenire; (*sick person*) ristabilirsi.
▶**pull through** *vi* farcela.
▶**pull up** *vi* (*stop*) fermarsi ♦ *vt* (*uproot*)
sradicare; (*stop*) fermare.
pulley ['pulɪ] n puleggia, carrucola.
pull-out ['pulaut] n inserto ♦ *cpd* staccabile.
pullover ['puləuvə*] n pullover *m inv*.
pulp [pʌlp] n (*of fruit*) polpa; (*for paper*)
pasta per carta; (*magazines, books*)
stampa di qualità e di tono scadenti; **to
reduce sth to** ~ spappolare qc.
pulpit ['pulpɪt] n pulpito.
pulsate [pʌl'seɪt] *vi* battere, palpitare.
pulse [pʌls] n polso; **to feel** *or* **take sb's** ~
sentire *or* tastare il polso a qn.
pulses ['pʌlsəz] *npl* (*CULIN*) legumi *mpl*.
pulverize ['pʌlvəraɪz] *vt* polverizzare.
puma ['pjuːmə] n puma *m inv*.
pumice (stone) ['pʌmɪs-] n (pietra) pomice
f.
pummel ['pʌml] *vt* dare pugni a.
pump [pʌmp] n pompa; (*shoe*) scarpetta
♦ *vt* pompare; (*fig: col*) far parlare; **to** ~
sb for information cercare di strappare
delle informazioni a qn.
▶**pump up** *vt* gonfiare.
pumpkin ['pʌmpkɪn] n zucca.
pun [pʌn] n gioco di parole.
punch [pʌntʃ] n (*blow*) pugno; (*fig: force*)
forza; (*tool*) punzone *m*; (*drink*) ponce
m ♦ *vt* (*hit*): **to** ~ **sb/sth** dare un pugno a qn/
qc; **to** ~ **a hole (in)** fare un buco (in).

▶**punch in** vi (US) timbrare il cartellino (all'entrata).

▶**punch out** vi (US) timbrare il cartellino (all'uscita).

punch-drunk ['pʌntʃdrʌŋk] adj (BRIT) stordito(a).

punch(ed) card ['pʌntʃ(t)-] n scheda perforata.

punch line n (of joke) battuta finale.

punch-up ['pʌntʃʌp] n (BRIT col) rissa.

punctual ['pʌŋktjuəl] adj puntuale.

punctuality [pʌŋktju'ælɪtɪ] n puntualità.

punctually [pʌŋktjuəlɪ] adv puntualmente; it will start ~ at 6 comincerà alle 6 precise or in punto.

punctuate ['pʌŋktjueɪt] vt punteggiare.

punctuation [pʌŋktju'eɪʃən] n interpunzione f, punteggiatura.

punctuation mark n segno d'interpunzione.

puncture ['pʌŋktʃə*] n (BRIT) foratura ♦ vt forare; **to have a** ~ (AUT) forare (una gomma).

pundit ['pʌndɪt] n sapientone/a.

pungent ['pʌndʒənt] adj piccante; (fig) mordace, caustico(a).

punish ['pʌnɪʃ] vt punire; **to** ~ **sb for sth/ for doing sth** punire qn per qc/per aver fatto qc.

punishable ['pʌnɪʃəbl] adj punibile.

punishing ['pʌnɪʃɪŋ] adj (fig: exhausting) sfiancante.

punishment ['pʌnɪʃmənt] n punizione f; (fig col): **to take a lot of** ~ (boxer) incassare parecchi colpi; (car) essere messo(a) a dura prova.

punk [pʌŋk] n (person: also: ~ **rocker**) punk m/f inv; (music: also: ~ **rock**) musica punk, punk rock m; (US col: hoodlum) teppista m.

punt [pʌnt] n (boat) barchino; (FOOTBALL) colpo a volo; (Irish) sterlina irlandese ♦ vi (BRIT: bet) scommettere.

punter ['pʌntə*] n (BRIT: gambler) scommettitore/trice.

puny ['pjuːnɪ] adj gracile.

pup [pʌp] n cucciolo/a.

pupil ['pjuːpl] n allievo/a; (ANAT) pupilla.

puppet ['pʌpɪt] n burattino.

puppet government n governo fantoccio.

puppy ['pʌpɪ] n cucciolo/a, cagnolino/a.

purchase ['pɜːtʃɪs] n acquisto, compera; (grip) presa ♦ vt comprare; **to get a** ~ **on** (grip) trovare un appoggio su.

purchase order n ordine m d'acquisto, ordinazione f.

purchase price n prezzo d'acquisto.

purchaser ['pɜːtʃɪsə*] n compratore/trice.

purchase tax n (BRIT) tassa d'acquisto.

purchasing power ['pɜːtʃɪsɪŋ-] n potere m d'acquisto.

pure [pjuə*] adj puro(a); **a** ~ **wool jumper** un golf di pura lana; **it's laziness** ~ **and simple** è pura pigrizia.

purebred ['pjuəbrɛd] adj di razza pura.

purée ['pjuəreɪ] n purè m inv.

purely ['pjuəlɪ] adv puramente.

purge [pɜːdʒ] n (MED) purga; (POL) epurazione f ♦ vt purgare; (fig) epurare.

purification [pjuərɪfɪ'keɪʃən] n purificazione f.

purify ['pjuərɪfaɪ] vt purificare.

purist ['pjuərɪst] n purista m/f.

puritan ['pjuərɪtən] adj, n puritano(a).

puritanical [pjuərɪ'tænɪkl] adj puritano(a).

purity ['pjuərɪtɪ] n purità.

purl [pɜːl] n punto rovescio ♦ vt lavorare a rovescio.

purloin [pɜː'lɔɪn] vt rubare.

purple ['pɜːpl] adj di porpora; viola inv.

purport [pɜː'pɔːt] vi: **to** ~ **to be/do** pretendere di essere/fare.

purpose ['pɜːpəs] n intenzione f, scopo; **on** ~ apposta, di proposito; **for illustrative ~s** a titolo illustrativo; **for teaching ~s** per l'insegnamento; **for the ~s of this meeting** agli effetti di questa riunione; **to no** ~ senza nessun risultato, inutilmente.

purpose-built ['pɜːpəs'bɪlt] adj (BRIT) costruito(a) allo scopo.

purposeful ['pɜːpəsful] adj deciso(a), risoluto(a).

purposely ['pɜːpəslɪ] adv apposta.

purr [pɜː*] n fusa fpl ♦ vi fare le fusa.

purse [pɜːs] n borsellino; (US: handbag) borsetta, borsa ♦ vt contrarre.

purser ['pɜːsə*] n (NAUT) commissario di bordo.

purse snatcher [-'snætʃə*] n (US) scippatore m.

pursue [pə'sjuː] vt inseguire; essere alla ricerca di; (inquiry, matter) approfondire.

pursuer [pə'sjuːə*] n inseguitore/trice.

pursuit [pə'sjuːt] n inseguimento; (occupation) occupazione f, attività f inv; **in (the)** ~ **of sth** alla ricerca di qc; **scientific ~s** ricerche fpl scientifiche.

purveyor [pə'veɪə*] n fornitore/trice.

pus [pʌs] n pus m.

push [puʃ] n spinta; (effort) grande sforzo; (drive) energia ♦ vt spingere; (button) premere; (thrust): **to** ~ **sth (into)** ficcare qc (in); (fig) fare pubblicità a ♦ vi spingere; premere; **to** ~ **a door open/ shut** aprire/chiudere una porta con una spinta or spingendola; **to be ~ed for time/money** essere a corto di tempo/

soldi; **she is** ~**ing 50** (*col*) va per i 50; **to** ~
for (*better pay, conditions etc*) fare
pressione per ottenere; "~" (*on door*)
"spingere"; (*on bell*) "suonare"; **at a** ~
(*BRIT col*) in caso di necessità.
►**push aside** *vt* scostare.
►**push in** *vi* introdursi a forza.
►**push off** *vi* (*col*) filare.
►**push on** *vi* (*continue*) continuare.
►**push over** *vt* far cadere.
►**push through** *vt* (*measure*) far
approvare.
►**push up** *vt* (*total, prices*) far salire.
push-bike ['puʃbaɪk] *n* (*BRIT*) bicicletta.
push-button ['puʃbʌtn] *adj* a pulsante.
pushchair ['puʃtʃɛə*] *n* passeggino.
pusher ['puʃə*] *n* (*also*: **drug** ~)
spacciatore/trice (di droga).
pushover ['puʃəuvə*] *n* (*col*): **it's a** ~ è un
lavoro da bambini.
push-up ['puʃʌp] *n* (*US*) flessione *f* sulle
braccia.
pushy ['puʃɪ] *adj* (*pej*) troppo
intraprendente.
puss, pussy(-cat) [pus, 'pusɪ(kæt)] *n* micio.
put, *pt, pp* **put** [put] *vt* mettere, porre; (*say*)
dire, esprimere; (*a question*) fare;
(*estimate*) stimare ♦ *adv*: **to stay** ~ non
muoversi; **to** ~ **sb to bed** mettere qn a
letto; **to** ~ **sb in a good/bad mood**
mettere qn di buon/cattivo umore; **to** ~
sb to a lot of trouble scomodare qn; **to** ~
a lot of time into sth dedicare molto
tempo a qc; **to** ~ **money on a horse**
scommettere su un cavallo; **how shall I** ~
it? come dire?; **I** ~ **it to you that** ... (*BRIT*)
io sostengo che ....
►**put about** *vi* (*NAUT*) virare di bordo ♦ *vt*
(*rumour*) diffondere.
►**put across** *vt* (*ideas etc*) comunicare, far
capire.
►**put aside** *vt* (*lay down: book etc*) mettere
da una parte, posare; (*save*) mettere da
parte; (*in shop*) tenere da parte.
►**put away** *vt* (*clothes, toys etc*) mettere
via.
►**put back** *vt* (*replace*) rimettere (a posto);
(*postpone*) rinviare; (*delay*) ritardare; (*set
back: watch, clock*) mettere indietro; **this
will** ~ **us back 10 years** questo ci farà
tornare indietro di 10 anni.
►**put by** *vt* (*money*) mettere da parte.
►**put down** *vt* (*parcel etc*) posare, mettere
giù; (*pay*) versare; (*in writing*) mettere
per iscritto; (*suppress: revolt etc*)
reprimere, sopprimere; (*attribute*)
attribuire.
►**put forward** *vt* (*ideas*) avanzare,

proporre; (*date*) anticipare.
►**put in** *vt* (*application, complaint*)
presentare.
►**put in for** *vt fus* (*job*) far domanda per;
(*promotion*) far domanda di.
►**put off** *vt* (*postpone*) rimandare, rinviare;
(*discourage*) dissuadere.
►**put on** *vt* (*clothes, lipstick etc*) mettere;
(*light etc*) accendere; (*play etc*) mettere in
scena; (*concert, exhibition etc*) allestire,
organizzare; (*extra bus, train etc*) mettere
in servizio; (*food, meal*) servire; (*brake*)
mettere; (*assume: accent, manner*)
affettare; (*col: tease*) prendere in giro;
(*inform, indicate*): **to** ~ **sb on to sb/sth**
indicare qn/qc a qn; **to** ~ **on weight**
ingrassare; **to** ~ **on airs** darsi delle arie.
►**put out** *vt* mettere fuori; (*one's hand*)
porgere; (*light etc*) spegnere; (*person:
inconvenience*) scomodare; (*dislocate:
shoulder, knee*) lussarsi; (: *back*) farsi uno
strappo a ♦ *vi* (*NAUT*): **to** ~ **out to sea**
prendere il largo; **to** ~ **out from**
Plymouth partire da Plymouth.
►**put through** *vt* (*caller*) mettere in
comunicazione; (*call*) passare; ~ **me**
through to Miss Blair mi passi la
signorina Blair.
►**put together** *vt* mettere insieme,
riunire; (*assemble: furniture*) montare;
(: *meal*) improvvisare.
►**put up** *vt* (*raise*) sollevare, alzare; (*pin up*)
affiggere; (*hang*) appendere; (*build*)
costruire, erigere; (*increase*) aumentare;
(*accommodate*) alloggiare; (*incite*): **to** ~ **sb**
up to doing sth istigare qn a fare qc; **to** ~
sth up for sale mettere in vendita qc.
►**put upon** *vt fus*: **to be** ~ **upon** (*imposed
on*) farsi mettere sotto i piedi.
►**put up with** *vt fus* sopportare.
putrid ['pju:trɪd] *adj* putrido(a).
putt [pʌt] *vt* (*ball*) colpire leggermente ♦ *n*
colpo leggero.
putter ['pʌtə*] *n* (*GOLF*) putter *m inv* ♦ *vi* (*US*)
= **potter**.
putting green ['pʌtɪŋ-] *n* green *m inv*;
campo da putting.
putty ['pʌtɪ] *n* stucco.
put-up ['putʌp] *adj*: ~ **job** montatura.
puzzle ['pʌzl] *n* enigma *m*, mistero; (*jigsaw*)
puzzle *m* ♦ *vt* confondere, rendere
perplesso(a) ♦ *vi* scervellarsi; **to be** ~**d**
about sth domandarsi il perché di qc; **to**
~ **over** (*sb's actions*) cercare di capire;
(*mystery, problem*) cercare di risolvere.
puzzling ['pʌzlɪŋ] *adj* (*question*) poco
chiaro(a); (*attitude, set of instructions*)
incomprensibile.

PVC *n abbr* (= *polyvinyl chloride*) P.V.C. *m*.
Pvt. *abbr* (*US MIL*) = **private**.
PW *n abbr* (*US*) = **prisoner of war**.
pw *abbr* = *per week*.
PX *n abbr* (*US MIL*) *see* **post exchange**.
pygmy ['pɪgmɪ] *n* pigmeo/a.
pyjamas, (*US*) **pajamas** [pə'dʒɑːməz] *npl* pigiama *m*; **a pair of** ~ un pigiama.
pylon ['paɪlən] *n* pilone *m*.
pyramid ['pɪrəmɪd] *n* piramide *f*.
Pyrenean [pɪrə'niːən] *adj* pirenaico(a).
Pyrenees [pɪrə'niːz] *npl*: **the** ~ i Pirenei.
Pyrex ® ['paɪrɛks] *n* Pirex ® *m inv* ♦ *cpd*: ~ **dish** pirofila.
python ['paɪθən] *n* pitone *m*.

Q q

Q, q [kjuː] *n* (*letter*) Q, q *f or m inv*; **Q for Queen** ≈ Q come Quarto.
Qatar [kæ'tɑː*] *n* Qatar *m*.
QC *n abbr* (*BRIT*: = *Queen's Counsel*) avvocato della Corona.
QED *abbr* (= *quod erat demonstrandum*) qed.
QM *n abbr see* **quartermaster**.
q.t. *n abbr* (*col*: = *quiet*): **on the** ~ di nascosto.
qty *abbr* = **quantity**.
quack [kwæk] *n* (*of duck*) qua qua *m inv*; (*pej*: *doctor*) ciarlatano/a.
quad [kwɔd] *n abbr* = **quadrangle**; **quadruple**; **quadruplet**.
quadrangle ['kwɔdræŋgl] *n* (*MATH*) quadrilatero; (*courtyard*: *abbr* **quad**) cortile *m*.
quadruped ['kwɔdrupɛd] *n* quadrupede *m*.
quadruple [kwɔ'drupl] *adj* quadruplo(a) ♦ *n* quadruplo ♦ *vt* quadruplicare ♦ *vi* quadruplicarsi.
quadruplet [kwɔ'druːplɪt] *n* uno/a di quattro gemelli.
quagmire ['kwægmaɪə*] *n* pantano.
quail [kweɪl] *n* (*ZOOL*) quaglia ♦ *vi*: **to** ~ **at** *or* **before** perdersi d'animo davanti a.
quaint [kweɪnt] *adj* bizzarro(a); (*old-fashioned*) antiquato(a) e pittoresco(a).
quake [kweɪk] *vi* tremare ♦ *n abbr* = **earthquake**.
Quaker ['kweɪkə*] *n* quacchero/a.
qualification [kwɔlɪfɪ'keɪʃən] *n* (*degree etc*) qualifica, titolo; (*ability*) competenza,

qualificazione *f*; (*limitation*) riserva, restrizione *f*; **what are your** ~**s?** quali sono le sue qualifiche?
qualified ['kwɔlɪfaɪd] *adj* qualificato(a); (*able*) competente, qualificato(a); (*limited*) condizionato(a); ~ **for/to do** qualificato(a) per/per fare; **he's not** ~ **for the job** non ha i requisiti necessari per questo lavoro; **it was a** ~ **success** è stato un successo parziale.
qualify ['kwɔlɪfaɪ] *vt* abilitare; (*limit*: *statement*) modificare, precisare ♦ *vi*: **to** ~ **(as)** qualificarsi (come); **to** ~ **(for)** acquistare i requisiti necessari (per); (*SPORT*) qualificarsi (per *or* a); **to** ~ **as an engineer** diventare un perito tecnico.
qualifying ['kwɔlɪfaɪɪŋ] *adj* (*exam*) di ammissione; (*round*) eliminatorio(a).
qualitative ['kwɔlɪtətɪv] *adj* qualitativo(a).
quality ['kwɔlɪtɪ] *n* qualità *f inv* ♦ *cpd* di qualità; **of good** ~ di buona qualità; **of poor** ~ scadente; ~ **of life** qualità della vita.
quality control *n* controllo di qualità.
quality papers *npl*, **quality press** *n* (*BRIT*): **the** ~ la stampa d'informazione.

> *Il termine* **quality press** *si riferisce ai quotidiani o ai settimanali che offrono un'informazione seria ed approfondita. Questi giornali si differenziano da quelli popolari, i* **tabloid**, *per formato e contenuti. Questa divisione tra tipi di giornali riflette il tradizionale divario tra classi sociali nella società britannica; vedi anche* **tabloid press**.

qualm [kwɑːm] *n* dubbio; scrupolo; **to have** ~**s about sth** avere degli scrupoli per qc.
quandary ['kwɔndrɪ] *n*: **in a** ~ in un dilemma.
quango ['kwæŋgəu] *n abbr* (*BRIT*: = *quasi-autonomous non-governmental organization*) commissione consultiva di nomina governativa.
quantifiable ['kwɔntɪfaɪəbl] *adj* quantificabile.
quantitative ['kwɔntɪtətɪv] *adj* quantitativo(a).
quantity ['kwɔntɪtɪ] *n* quantità *f inv*; **in** ~ in grande quantità.
quantity surveyor *n* (*BRIT*) geometra *m* (*specializzato nel calcolare la quantità e il costo del materiale da costruzione*).
quantum leap ['kwɔntəm-] *n* (*fig*) enorme cambiamento.
quarantine ['kwɔrntiːn] *n* quarantena.
quark [kwɑːk] *n* quark *m inv*.

quarrel ['kwɔrl] n lite f, disputa ♦ vi litigare; **to have a ~ with sb** litigare con qn; **I've no ~ with him** non ho niente contro di lui; **I can't ~ with that** non ho niente da ridire su questo.

quarrelsome ['kwɔrəlsəm] adj litigioso(a).

quarry ['kwɔrɪ] n (for stone) cava; (animal) preda ♦ vt (marble etc) estrarre.

quart [kwɔːt] n due pinte fpl, ≈ litro.

quarter ['kwɔːtə*] n quarto; (of year) trimestre m; (district) quartiere m; (US, Canada: 25 cents) quarto di dollaro, 25 centesimi ♦ vt dividere in quattro; (MIL) alloggiare; **~s** npl alloggio; (MIL) alloggi mpl, quadrato; **to pay by the ~** pagare trimestralmente; **a ~ of an hour** un quarto d'ora; **it's a ~ to 3**, (US) **it's a ~ of 3** sono le 3 meno un quarto, manca un quarto alle 3; **it's a ~ past 3**, (US) **it's a ~ after 3** sono le 3 e un quarto; **from all ~s** da tutte la parti or direzioni; **at close ~s** a distanza ravvicinata.

quarterback ['kwɔːtəbæk] n (US FOOTBALL) quarterback m inv.

quarter-deck ['kwɔːtədɛk] n (NAUT) cassero.

quarter final n quarto di finale.

quarterly ['kwɔːtəlɪ] adj trimestrale ♦ adv trimestralmente ♦ n periodico trimestrale.

quartermaster (QM) ['kwɔːtəmɑːstə*] n (MIL) furiere m.

quartet(te) [kwɔːˈtɛt] n quartetto.

quarto ['kwɔːtəu] adj, n in quarto (m) inv.

quartz [kwɔːts] n quarzo ♦ cpd di quarzo; (watch, clock) al quarzo.

quash [kwɔʃ] vt (verdict) annullare.

quasi- ['kweɪzaɪ] prefix quasi + noun; quasi, pressoché + adjective.

quaver ['kweɪvə*] n (BRIT MUS) croma ♦ vi tremolare.

quay [kiː] n (also: ~side) banchina.

Que. abbr (Canada) = **Quebec**.

queasy ['kwiːzɪ] adj (stomach) delicato(a); **to feel ~** aver la nausea.

Quebec [kwɪˈbɛk] n Quebec m.

queen [kwiːn] n (gen) regina; (CARDS etc) regina, donna.

queen mother n regina madre.

Durante la sessione di apertura del Parlamento britannico il sovrano legge un discorso redatto dal primo ministro, il **Queen's speech** *(se si tratta della regina), che contiene le linee generali del nuovo programma politico.*

queer [kwɪə*] adj strano(a), curioso(a);

(suspicious) dubbio(a), sospetto(a); (BRIT: sick): **I feel ~** mi sento poco bene ♦ n (col) finocchio.

quell [kwɛl] vt domare.

quench [kwɛntʃ] vt (flames) spegnere; **to ~ one's thirst** dissetarsi.

querulous ['kwɛrʊləs] adj querulo(a).

query ['kwɪərɪ] n domanda, questione f; (doubt) dubbio ♦ vt mettere in questione; (disagree with, dispute) contestare.

quest [kwɛst] n cerca, ricerca.

question ['kwɛstʃən] n domanda, questione f ♦ vt (person) interrogare; (plan, idea) mettere in questione or in dubbio; **to ask sb a ~, put a ~ to sb** fare una domanda a qn; **to bring** or **call sth into ~** mettere in dubbio qc; **the ~ is ...** il problema è ...; **it's a ~ of doing** si tratta di fare; **there's some ~ of doing** c'è chi suggerisce di fare; **beyond ~** fuori di dubbio; **out of the ~** fuori discussione, impossibile.

questionable ['kwɛstʃənəbl] adj discutibile.

questioner ['kwɛstʃənə*] n interrogante m/f.

questioning ['kwɛstʃənɪŋ] adj interrogativo(a) ♦ n interrogatorio.

question mark n punto interrogativo.

questionnaire [kwɛstʃəˈnɛə*] n questionario.

queue [kjuː] n coda, fila ♦ vi fare la coda; **to jump the ~** passare davanti agli altri (in una coda).

quibble ['kwɪbl] vi cavillare.

quick [kwɪk] adj rapido(a), veloce; (reply) pronto(a); (mind) pronto(a), acuto(a) ♦ adv rapidamente, presto ♦ n: **cut to the ~** (fig) toccato(a) sul vivo; **be ~!** fa presto!; **to be ~ to act** agire prontamente; **she was ~ to see that ...** ha visto subito che ....

quicken ['kwɪkn] vt accelerare, affrettare; (rouse) animare, stimolare ♦ vi accelerare, affrettarsi.

quick fix n soluzione f tampone inv.

quicklime ['kwɪklaɪm] n calce f viva.

quickly ['kwɪklɪ] adv rapidamente, velocemente; **we must act ~** dobbiamo agire tempestivamente.

quickness ['kwɪknɪs] n rapidità; prontezza; acutezza.

quicksand ['kwɪksænd] n sabbie fpl mobili.

quickstep ['kwɪkstɛp] n tipo di ballo simile al fox-trot.

quick-tempered [kwɪkˈtɛmpəd] adj che si arrabbia facilmente.

quick-witted [kwɪkˈwɪtɪd] adj pronto(a) d'ingegno.

quid [kwɪd] n (pl inv: BRIT col) sterlina.

quid pro quo ['kwɪdprəuˈkwəu] n

contraccambio.

quiet ['kwaɪət] *adj* tranquillo(a), quieto(a); (*reserved*) quieto(a), taciturno(a); (*ceremony*) semplice; (*not noisy: engine*) silenzioso(a); (*not busy: day*) calmo(a), tranquillo(a); (*colour*) discreto(a) ♦ *n* tranquillità, calma ♦ *vt*, *vi* (*US*) = **quieten; keep ~!** sta zitto!; **on the ~** di nascosto; **I'll have a ~ word with him** gli dirò due parole in privato; **business is ~ at this time of year** questa è la stagione morta.

quieten ['kwaɪətn] (*BRIT: also:* **~ down**) *vi* calmarsi, chetarsi ♦ *vt* calmare, chetare.

quietly ['kwaɪətlɪ] *adv* tranquillamente, calmamente; silenziosamente.

quietness ['kwaɪətnɪs] *n* tranquillità, calma; silenzio.

quill [kwɪl] *n* penna d'oca.

quilt [kwɪlt] *n* trapunta; **continental ~** piumino.

quin [kwɪn] *n abbr* = **quintuplet**.

quince [kwɪns] *n* (mela) cotogna; (*tree*) cotogno.

quinine [kwɪ'niːn] *n* chinino.

quintet(te) [kwɪn'tɛt] *n* quintetto.

quintuplet [kwɪn'tjuːplɪt] *n* uno/a di cinque gemelli.

quip [kwɪp] *n* battuta di spirito.

quire ['kwaɪə*] *n* ventesima parte di una risma.

quirk [kwəːk] *n* ghiribizzo; **by some ~ of fate** per un capriccio della sorte.

quit, *pt*, *pp* **quit** *or* **quitted** [kwɪt] *vt* lasciare, partire da ♦ *vi* (*give up*) mollare; (*resign*) dimettersi; **to ~ doing** smettere di fare; **~ stalling!** (*US col*) non tirarla per le lunghe!; **notice to ~** (*BRIT*) preavviso (*dato all'inquilino*).

quite [kwaɪt] *adv* (*rather*) assai; (*entirely*) completamente, del tutto; **I ~ understand** capisco perfettamente; **~ a few of them** non pochi di loro; **~ (so)!** esatto!; **~ new** proprio nuovo; **that's not ~ right** non è proprio esatto; **she's ~ pretty** è piuttosto carina.

Quito ['kiːtəu] *n* Quito *m*.

quits [kwɪts] *adj*: **~ (with)** pari (con); **let's call it ~** adesso siamo pari.

quiver ['kwɪvə*] *vi* tremare, fremere ♦ *n* (*for arrows*) faretra.

quiz [kwɪz] *n* (*game*) quiz *m inv*; indovinello ♦ *vt* interrogare.

quizzical ['kwɪzɪkəl] *adj* enigmatico(a).

quoits [kwɔɪts] *npl* gioco degli anelli.

quorum ['kwɔːrəm] *n* quorum *m*.

quota ['kwəutə] *n* quota.

quotation [kwəu'teɪʃən] *n* citazione *f*; (*of shares etc*) quotazione *f*; (*estimate*)

preventivo.

quotation marks *npl* virgolette *fpl*.

quote [kwəut] *n* citazione *f* ♦ *vt* (*sentence*) citare; (*price*) dare, indicare, fissare; (*shares*) quotare ♦ *vi*: **to ~ from** citare; **to ~ for a job** dare un preventivo per un lavoro; **~s** *npl* (*col*) = **quotation marks; in ~s** tra virgolette; **~ ... unquote** (*in dictation*) aprire le virgolette ... chiudere le virgolette.

quotient ['kwəuʃənt] *n* quoziente *m*.

qv *abbr* (= *quod vide: which see*) v.

qwerty keyboard ['kwəːtɪ-] *n* tastiera qwerty *inv*.

R r

R, r [ɑː*] *n* (*letter*) R, r *f or m inv*; **R for Robert**, (*US*) **R for Roger** ≈ R come Roma.

R *abbr* (= *Réaumur* (*scale*)) R; (= *river*) F; (= *right*) D; (*US CINE: = restricted*) ≈ vietato; (*US POL*) = **republican**; (*BRIT*) = *Rex*, *Regina*.

RA *n abbr* (*BRIT*) = *Royal Academy*, *Royal Academician* ♦ *abbr* = **rear admiral**.

RAAF *n abbr* = *Royal Australian Air Force*.

Rabat [rə'bɑːt] *n* Rabat *f*.

rabbi ['ræbaɪ] *n* rabbino.

rabbit ['ræbɪt] *n* coniglio ♦ *vi*: **to ~ (on)** (*BRIT*) blaterare.

rabbit hole *n* tana di coniglio.

rabbit hutch *n* conigliera.

rabble ['ræbl] *n* (*pej*) canaglia, plebaglia.

rabid ['ræbɪd] *adj* rabbioso(a); (*fig*) fanatico(a).

rabies ['reɪbiːz] *n* rabbia.

RAC *n abbr* (*BRIT*: = *Royal Automobile Club*) ≈ A.C.I. *m* (= *Automobile Club d'Italia*).

raccoon [rə'kuːn] *n* procione *m*.

race [reɪs] *n* razza; (*competition*, *rush*) corsa ♦ *vt* (*person*) gareggiare (in corsa) con; (*horse*) far correre; (*engine*) imballare ♦ *vi* correre; **the human ~** la razza umana; **he ~d across the road** ha attraversato la strada di corsa; **to ~ in/out** *etc* precipitarsi dentro/fuori *etc*.

race car *n* (*US*) = **racing car**.

race car driver *n* (*US*) = **racing driver**.

racecourse ['reɪskɔːs] *n* campo di corse, ippodromo.

racehorse ['reɪshɔːs] *n* cavallo da corsa.
race relations *npl* rapporti razziali.
racetrack ['reɪstræk] *n* pista.
racial ['reɪʃl] *adj* razziale.
racial discrimination *n* discriminazione *f* razziale.
racialism ['reɪʃəlɪzəm] *n* razzismo.
racialist ['reɪʃəlɪst] *adj, n* razzista (*m/f*).
racing ['reɪsɪŋ] *n* corsa.
racing car *n* (*BRIT*) macchina da corsa.
racing driver *n* (*BRIT*) corridore *m* automobilista.
racism ['reɪsɪzəm] *n* razzismo.
racist ['reɪsɪst] *adj, n* (*pej*) razzista (*m/f*).
rack [ræk] *n* rastrelliera; (*also*: **luggage** ~) rete *f*, portabagagli *m inv*; (*also*: **roof** ~) portabagagli ♦ *vt* torturare, tormentare; **magazine** ~ portariviste *m inv*; **shoe** ~ scarpiera; **toast** ~ portatoast *m inv*; **to go to** ~ **and ruin** (*building*) andare in rovina; (*business*) andare in malora *or* a catafascio; **to** ~ **one's brains** scervellarsi.
► **rack up** *vt* accumulare.
racket ['rækɪt] *n* (*for tennis*) racchetta; (*noise*) fracasso, baccano; (*swindle*) imbroglio, truffa; (*organized crime*) racket *m inv*.
racketeer [rækɪ'tɪə*] *n* (*US*) trafficante *m/f*.
racoon [rə'kuːn] *n* = **raccoon**.
racquet ['rækɪt] *n* racchetta.
racy ['reɪsɪ] *adj* brioso(a); piccante.
RADA ['rɑːdə] *n abbr* (*BRIT*) = *Royal Academy of Dramatic Art*.
radar ['reɪdɑ:*] *n* radar *m* ♦ *cpd* radar *inv*.
radar trap *n* controllo della velocità con radar.
radial ['reɪdɪəl] *adj* (*also*: ~**-ply**) radiale.
radiance ['reɪdɪəns] *n* splendore *m*, radiosità.
radiant ['reɪdɪənt] *adj* raggiante; (*PHYSICS*) radiante.
radiate ['reɪdɪeɪt] *vt* (*heat*) irraggiare, irradiare ♦ *vi* (*lines*) irradiarsi.
radiation [reɪdɪ'eɪʃən] *n* irradiamento; (*radioactive*) radiazione *f*.
radiation sickness *n* malattia da radiazioni.
radiator ['reɪdɪeɪtə*] *n* radiatore *m*.
radiator cap *n* tappo del radiatore.
radiator grill *n* (*AUT*) mascherina, calandra.
radical ['rædɪkl] *adj* radicale.
radii ['reɪdɪaɪ] *npl of* **radius**.
radio ['reɪdɪəu] *n* radio *f inv* ♦ *vt* (*information*) trasmettere per radio; (*one's position*) comunicare via radio; (*person*) chiamare via radio ♦ *vi*: **to** ~ **to sb** comunicare via radio con qn; **on the** ~ alla radio.

radio... ['reɪdɪəu] *prefix* radio....
radioactive ['reɪdɪəu'æktɪv] *adj* radioattivo(a).
radioactivity ['reɪdɪəuæk'tɪvɪtɪ] *n* radioattività.
radio announcer *n* annunciatore/trice della radio.
radio-controlled ['reɪdɪəukən'trəuld] *adj* radiocomandato(a), radioguidato(a).
radiographer [reɪdɪ'ɔɡrəfə*] *n* radiologo/a (*tecnico*).
radiography [reɪdɪ'ɔɡrəfɪ] *n* radiografia.
radiologist [reɪdɪ'ɔlədʒɪst] *n* radiologo/a (*medico*).
radiology [reɪdɪ'ɔlədʒɪ] *n* radiologia.
radio station *n* stazione *f* radio *inv*.
radio taxi *n* radiotaxi *m inv*.
radiotelephone ['reɪdɪəu'telɪfəun] *n* radiotelefono.
radiotherapist ['reɪdɪəu'θɛrəpɪst] *n* radioterapista *m/f*.
radiotherapy ['reɪdɪəu'θɛrəpɪ] *n* radioterapia.
radish ['rædɪʃ] *n* ravanello.
radium ['reɪdɪəm] *n* radio.
radius, *pl* **radii** ['reɪdɪəs, -ɪaɪ] *n* raggio; (*ANAT*) radio; **within a** ~ **of 50 miles** in un raggio di 50 miglia.
RAF *n abbr* (*BRIT*) *see* **Royal Air Force**.
raffia ['ræfɪə] *n* rafia.
raffish ['ræfɪʃ] *adj* dal look trasandato.
raffle ['ræfl] *n* lotteria ♦ *vt* (*object*) mettere in palio.
raft [rɑ:ft] *n* zattera.
rafter ['rɑ:ftə*] *n* trave *f*.
rag [ræg] *n* straccio, cencio; (*pej: newspaper*) giornalaccio; (*for charity*) iniziativa studentesca a scopo benefico ♦ *vt* (*BRIT*) prendere in giro; ~**s** *npl* stracci *mpl*, brandelli *mpl*; **in** ~**s** stracciato.

Durante il **rag day/week**, *gli studenti universitari organizzano vari spettacoli e manifestazioni i cui proventi vengono devoluti in beneficenza.*

---

rag-and-bone man ['rægən'bəun-] *n* straccivendolo.
ragbag ['rægbæg] *n* (*fig*) guazzabuglio.
rag doll *n* bambola di pezza.
rage [reɪdʒ] *n* (*fury*) collera, furia ♦ *vi* (*person*) andare su tutte le furie; (*storm*) infuriare; **it's all the** ~ fa furore; **to fly into a** ~ andare *or* montare su tutte le furie.
ragged ['rægɪd] *adj* (*edge*) irregolare; (*cuff*) logoro(a); (*appearance*) pezzente.
raging ['reɪdʒɪŋ] *adj* (*all senses*) furioso(a);

in a ~ **temper** su tutte le furie.

rag trade n (col): **the** ~ l'abbigliamento.

raid [reɪd] n (MIL) incursione f; (criminal) rapina; (by police) irruzione f ♦ vt fare un'incursione in; rapinare; fare irruzione in.

raider ['reɪdə*] n rapinatore/trice; (plane) aeroplano da incursione.

rail [reɪl] n (on stair) ringhiera; (on bridge, balcony) parapetto; (of ship) battagliola; (for train) rotaia; ~**s** npl binario, rotaie fpl; **by** ~ per ferrovia, in treno.

railcard ['reɪlkɑːd] n (BRIT) tessera di riduzione ferroviaria.

railing(s) ['reɪlɪŋ(z)] n(pl) ringhiere fpl.

railway ['reɪlweɪ], (US) **railroad** ['reɪlrəud] n ferrovia.

railway engine n (BRIT) locomotiva.

railway line n (BRIT) linea ferroviaria.

railwayman ['reɪlweɪmən] n (BRIT) ferroviere m.

railway station n (BRIT) stazione f ferroviaria.

rain [reɪn] n pioggia ♦ vi piovere; **in the** ~ sotto la pioggia; **it's** ~**ing** piove; **it's** ~**ing cats and dogs** piove a catinelle.

rainbow ['reɪnbəu] n arcobaleno.

raincoat ['reɪnkəut] n impermeabile m.

raindrop ['reɪndrɔp] n goccia di pioggia.

rainfall ['reɪnfɔːl] n pioggia; (measurement) piovosità.

rainforest ['reɪnfɔrɪst] n foresta pluviale or equatoriale.

rainproof ['reɪnpruːf] adj impermeabile.

rainstorm ['reɪnstɔːm] n pioggia torrenziale.

rainwater ['reɪnwɔːtə*] n acqua piovana.

rainy ['reɪnɪ] adj piovoso(a).

raise [reɪz] n aumento ♦ vt (lift) alzare, sollevare; (build) erigere; (increase) aumentare; (a protest, doubt, question) sollevare; (cattle, family) allevare; (crop) coltivare; (army, funds) raccogliere; (loan) ottenere; (end: siege, embargo) togliere; **to** ~ **one's voice** alzare la voce; **to** ~ **sb's hopes** accendere le speranze di qn; **to** ~ **one's glass to sb/sth** brindare a qn/qc; **to** ~ **a laugh/a smile** far ridere/sorridere.

raisin ['reɪzn] n uva secca.

Raj [rɑːdʒ] n: **the** ~ l'impero britannico (in India).

rajah ['rɑːdʒə] n ragià m inv.

rake [reɪk] n (tool) rastrello; (person) libertino ♦ vt (garden) rastrellare; (with machine gun) spazzare ♦ vi: **to** ~ **through** frugare tra.

rake-off ['reɪkɔf] n (col) parte f percentuale, fetta.

rakish ['reɪkɪʃ] adj dissoluto(a); disinvolto(a).

rally ['rælɪ] n (POL etc) riunione f; (AUT) rally m inv; (TENNIS) scambio ♦ vt riunire, radunare ♦ vi raccogliersi, radunarsi; (sick person, STOCK EXCHANGE) riprendersi.

▶**rally round** vt fus raggrupparsi intorno a; venire in aiuto di.

rallying point ['rælɪɪŋ-] n (POL, MIL) punto di riunione, punto di raduno.

RAM [ræm] n abbr (COMPUT: = random access memory) RAM f.

ram [ræm] n montone m, ariete m; (device) ariete ♦ vt conficcare; (crash into) cozzare, sbattere contro; percuotere; speronare.

ramble ['ræmbl] n escursione f ♦ vi (pej: also: ~ **on**) divagare.

rambler ['ræmblə*] n escursionista m/f; (BOT) rosa rampicante.

rambling ['ræmblɪŋ] adj (speech) sconnesso(a); (BOT) rampicante; (house) tutto(a) nicchie e corridoi.

rambunctious [ræm'bʌŋkʃəs] adj (US) = **rumbustious**.

RAMC n abbr (BRIT) = Royal Army Medical Corps.

ramification [ræmɪfɪ'keɪʃən] n ramificazione f.

ramp [ræmp] n rampa; (AUT) dosso artificiale.

rampage [ræm'peɪdʒ] n: **to go on the** ~ scatenarsi in modo violento ♦ vi: **they went rampaging through the town** si sono scatenati in modo violento per la città.

rampant ['ræmpənt] adj (disease etc) che infierisce.

rampart ['ræmpɑːt] n bastione m.

ram raiding [-reɪdɪŋ] n il rapinare un negozio sfondandone la vetrina con un veicolo rubato.

ramshackle ['ræmʃækl] adj (house) cadente; (car etc) sgangherato(a).

RAN n abbr = Royal Australian Navy.

ran [ræn] pt of **run**.

ranch [rɑːntʃ] n ranch m inv.

rancher ['rɑːntʃə*] n (owner) proprietario di un ranch; (ranch hand) cowboy m inv.

rancid ['rænsɪd] adj rancido(a).

rancour, (US) **rancor** ['ræŋkə*] n rancore m.

R&B n abbr = rhythm and blues.

R&D n abbr see **research and development**.

random ['rændəm] adj fatto(a) or detto(a) per caso; (COMPUT, MATH) casuale ♦ n: **at** ~ a casaccio.

random access n (COMPUT) accesso

casuale.

randy ['rændɪ] adj (col) arrapato(a); lascivo(a).

rang [ræŋ] pt of **ring**.

range [reɪndʒ] n (of mountains) catena; (of missile, voice) portata; (of products) gamma; (MIL: also: **shooting** ~) campo di tiro; (also: **kitchen** ~) fornello, cucina economica ♦ vt (place) disporre, allineare; (roam) vagare per ♦ vi: **to** ~ **over** coprire; **to** ~ **from … to** andare da … a; **price** ~ gamma di prezzi; **do you have anything else in this price** ~? ha nient'altro su or di questo prezzo?; **within** (firing) ~ a portata di tiro; ~**d left/right** (text) allineato(a) a destra/sinistra.

ranger ['reɪndʒə*] n guardia forestale.

Rangoon [ræŋ'guːn] n Rangun f.

rank [ræŋk] n fila; (MIL) grado; (BRIT: also: **taxi** ~) posteggio di taxi ♦ vi: **to** ~ **among** essere nel numero di ♦ adj (smell) puzzolente; (hypocrisy, injustice) vero(a) e proprio(a); **the** ~**s** (MIL) la truppa; **the** ~ **and file** (fig) la gran massa; **to close** ~**s** (MIL, fig) serrare i ranghi; **I** ~ **him sixth** gli do il sesto posto, lo metto al sesto posto.

rankle ['ræŋkl] vi: **to** ~ (with sb) bruciare (a qn).

rank outsider n outsider m/f inv.

ransack ['rænsæk] vt rovistare; (plunder) saccheggiare.

ransom ['rænsəm] n riscatto; **to hold sb to** ~ (fig) esercitare pressione su qn.

rant [rænt] vi vociare.

ranting ['ræntɪŋ] n vociare m.

rap [ræp] n (noise) colpetti mpl; (at a door) bussata ♦ vt dare dei colpetti a; bussare a.

rape [reɪp] n violenza carnale, stupro ♦ vt violentare.

rape(seed) oil ['reɪp(siːd)-] n olio di ravizzone.

rapid ['ræpɪd] adj rapido(a).

rapidity [rə'pɪdɪtɪ] n rapidità.

rapidly ['ræpɪdlɪ] adv rapidamente.

rapids ['ræpɪdz] npl (GEO) rapida.

rapist ['reɪpɪst] n violentatore m.

rapport [ræ'pɔː*] n rapporto.

rapt [ræpt] adj (attention) rapito(a), profondo(a); **to be** ~ **in contemplation** essere in estatica contemplazione.

rapture ['ræptʃə*] n estasi f inv; **to go into** ~**s over** andare in solluchero per.

rapturous ['ræptʃərəs] adj estatico(a).

rare [rɛə*] adj raro(a); (CULIN: steak) al sangue; **it is** ~ **to find that** … capita di rado or raramente che … + sub.

rarebit ['rɛəbɪt] n see **Welsh rarebit**.

rarefied ['rɛərɪfaɪd] adj (air, atmosphere) rarefatto(a).

rarely ['rɛəlɪ] adv raramente.

raring ['rɛərɪŋ] adj: **to be** ~ **to go** (col) non veder l'ora di cominciare.

rarity ['rɛərɪtɪ] n rarità f inv.

rascal ['rɑːskl] n mascalzone m.

rash [ræʃ] adj imprudente, sconsiderato(a) ♦ n (MED) eruzione f; **to come out in a** ~ avere uno sfogo.

rasher ['ræʃə*] n fetta sottile (di lardo or prosciutto).

rasp [rɑːsp] n (tool) lima ♦ vt (speak: also: ~ **out**) gracchiare.

raspberry ['rɑːzbərɪ] n lampone m.

raspberry bush n lampone m (pianta).

rasping ['rɑːspɪŋ] adj stridulo(a).

Rastafarian [ræstə'fɛərɪən] adj, n rastafariano(a).

rat [ræt] n ratto.

ratable ['reɪtəbl] adj = **rateable**.

ratchet ['rætʃɪt] n: ~ **wheel** ruota dentata.

rate [reɪt] n (proportion) tasso, percentuale f; (speed) velocità f inv; (price) tariffa ♦ vt valutare; stimare; **to** ~ **sb/sth as** valutare qn/qc come; **to** ~ **sb/sth among** annoverare qn/qc tra; **to** ~ **sb/sth highly** stimare molto qn/qc; **at a** ~ **of 60 kph** alla velocità di 60 km all'ora; ~ **of exchange** tasso di cambio; ~ **of flow** flusso medio; ~ **of growth** tasso di crescita; ~ **of return** tasso di rendimento; **pulse** ~ frequenza delle pulsazioni; see also **rates**.

rateable value ['reɪtəbl-] n (BRIT) valore m imponibile (agli effetti delle imposte comunali).

ratepayer ['reɪtpeɪə*] n (BRIT) contribuente m/f (che paga le imposte comunali).

rates [reɪts] npl (BRIT) imposte fpl comunali.

rather ['rɑːðə*] adv piuttosto; (somewhat) abbastanza; (to some extent) un po'; **it's** ~ **expensive** è piuttosto caro; (too much) è un po' caro; **there's** ~ **a lot** ce n'è parecchio; **I would** or **I'd** ~ **go** preferirei andare; **I had** ~ **go** farei meglio ad andare; **I'd** ~ **not leave** preferirei non partire; **or** ~ (more accurately) anzi, per essere (più) precisi; **I** ~ **think he won't come** credo proprio che non verrà.

ratification [rætɪfɪ'keɪʃən] n ratificazione f.

ratify ['rætɪfaɪ] vt ratificare.

rating ['reɪtɪŋ] n classificazione f; punteggio di merito; (NAUT: category) classe f; (: sailor: BRIT) marinaio semplice.

ratings ['reɪtɪŋz] npl (RADIO, TV) indice m di ascolto.

ratio ['reɪʃɪəʊ] n proporzione f; **in the** ~ **of 2**

to 1 in rapporto di 2 a 1.
ration ['ræʃən] *n* razione *f* ♦ *vt* razionare.
rational ['ræʃənl] *adj* razionale, ragionevole; (*solution, reasoning*) logico(a).
rationale [ræʃə'nɑːl] *n* fondamento logico; giustificazione *f*.
rationalization [ræʃnəlaɪ'zeɪʃən] *n* razionalizzazione *f*.
rationalize ['ræʃnəlaɪz] *vt* razionalizzare.
rationally ['ræʃnəlɪ] *adv* razionalmente; logicamente.
rationing ['ræʃnɪŋ] *n* razionamento.
ratpack ['rætpæk] *n* (*BRIT col*) stampa scandalistica.
rat poison *n* veleno per topi.
rat race *n* carrierismo, corsa al successo.
rattan [ræ'tæn] *n* malacca.
rattle ['rætl] *n* tintinnio; (*louder*) rumore *m* di ferraglia; (*object: of baby*) sonaglino; (: *of sports fan*) raganella ♦ *vi* risuonare, tintinnare; fare un rumore di ferraglia ♦ *vt* agitare; far tintinnare; (*col: disconcert*) sconcertare.
rattlesnake ['rætlsneɪk] *n* serpente *m* a sonagli.
ratty ['rætɪ] *adj* (*col*) incavolato(a).
raucous ['rɔːkəs] *adj* sguaiato(a).
raucously ['rɔːkəslɪ] *adv* sguaiatamente.
raunchy ['rɔːntʃɪ] *adj* (*col: person*) allupato(a); (: *voice, song*) libidinoso(a).
ravage ['rævɪdʒ] *vt* devastare.
ravages ['rævɪdʒɪz] *npl* danni *mpl*.
rave [reɪv] *vi* (*in anger*) infuriarsi; (*with enthusiasm*) andare in estasi; (*MED*) delirare ♦ *n*: **a ~ (party)** un rave ♦ *adj* (*scene, culture, music*) del fenomeno rave ♦ *cpd*: **~ review** (*col*) critica entusiastica.
raven ['reɪvən] *n* corvo.
ravenous ['rævənəs] *adj* affamato(a).
ravine [rə'viːn] *n* burrone *m*.
raving ['reɪvɪŋ] *adj*: **~ lunatic** pazzo(a) furioso(a).
ravings ['reɪvɪŋz] *npl* vaneggiamenti *mpl*.
ravioli [rævɪ'əʊlɪ] *n* ravioli *mpl*.
ravish ['rævɪʃ] *vt* (*delight*) estasiare.
ravishing ['rævɪʃɪŋ] *adj* incantevole.
raw [rɔː] *adj* (*uncooked*) crudo(a); (*not processed*) greggio(a); (*sore*) vivo(a); (*inexperienced*) inesperto(a); **to get a ~ deal** (*col: bad bargain*) prendere un bidone; (: *harsh treatment*) venire trattato ingiustamente.
Rawalpindi [rɔːl'pɪndɪ] *n* Rawalpindi *f*.
raw material *n* materia prima.
ray [reɪ] *n* raggio.
rayon ['reɪɔn] *n* raion *m*.
raze [reɪz] *vt* radere, distruggere; (*also:* ~

to the ground) radere al suolo.
razor ['reɪzə*] *n* rasoio.
razor blade *n* lama di rasoio.
razzle(-dazzle) ['ræzl('dæzl)] *n* (*BRIT col*): **to be/go on the ~** darsi alla pazza gioia.
razzmatazz ['ræzmə'tæz] *n* (*col*) clamore *m*.
RC *abbr* = **Roman Catholic**.
RCAF *n abbr* = *Royal Canadian Air Force*.
RCMP *n abbr* = *Royal Canadian Mounted Police*.
RCN *n abbr* = *Royal Canadian Navy*.
RD *abbr* (*US POST*) = *rural delivery*.
Rd *abbr* = **road**.
RDC *n abbr* (*BRIT*) *see* **rural district council**.
RE *n abbr* (*BRIT MIL*: = *Royal Engineers*) ≈ G.M. (= *Genio Militare*); (*BRIT*) = **religious education**.
re [riː] *prep* con riferimento a.
reach [riːtʃ] *n* portata; (*of river etc*) tratto ♦ *vt* raggiungere; arrivare a ♦ *vi* stendersi; (*stretch out hand: also:* **~ down**, **~ over**, **~ across** *etc*) allungare una mano; **out of/within ~** (*object*) fuori/a portata di mano; **within easy ~ (of)** (*place*) a breve distanza (di), vicino (a); **to ~ sb by phone** contattare qn per telefono; **can I ~ you at your hotel?** la posso contattare al suo albergo?
▶**reach out** *vi*: **to ~ out for** stendere la mano per prendere.
react [riː'ækt] *vi* reagire.
reaction [riː'ækʃən] *n* reazione *f*.
reactionary [riː'ækʃənrɪ] *adj, n* reazionario(a).
reactor [riː'æktə*] *n* reattore *m*.
read, *pt, pp* **read** [riːd, rɛd] *vi* leggere ♦ *vt* leggere; (*understand*) intendere, interpretare; (*study*) studiare; **do you ~ me?** (*TEL*) mi ricevete?; **to take sth as read** (*fig*) dare qc per scontato.
▶**read out** *vt* leggere ad alta voce.
▶**read over** *vt* rileggere attentamente.
▶**read through** *vt* (*quickly*) dare una scorsa a; (*thoroughly*) leggere da cima a fondo.
▶**read up** *vt*, **read up on** *vt fus* studiare bene.
readable ['riːdəbl] *adj* leggibile; che si legge volentieri.
reader ['riːdə*] *n* lettore/trice; (*book*) libro di lettura; (*BRIT: at university*) professore *con funzioni preminenti di ricerca*.
readership ['riːdəʃɪp] *n* (*of paper etc*) numero di lettori.
readily ['rɛdɪlɪ] *adv* volentieri; (*easily*) facilmente.
readiness ['rɛdɪnɪs] *n* prontezza; **in ~** (*prepared*) pronto(a).

reading ['ri:dɪŋ] *n* lettura; (*understanding*) interpretazione *f*; (*on instrument*) indicazione *f*.

reading lamp *n* lampada da studio.

reading room *n* sala di lettura.

readjust [ri:ə'dʒʌst] *vt* raggiustare ♦ *vi* (*person*): **to ~ (to)** riadattarsi (a).

ready ['rɛdɪ] *adj* pronto(a); (*willing*) pronto(a), disposto(a); (*quick*) rapido(a); (*available*) disponibile ♦ *n*: **at the ~** (*MIL*) pronto a sparare; (*fig*) tutto(a) pronto(a); **~ for use** pronto per l'uso; **to be ~ to do sth** essere pronto a fare qc; **to get ~** *vi* prepararsi ♦ *vt* preparare.

ready cash *n* denaro in contanti.

ready-cooked [rɛdɪ'kukt] *adj* già cotto(a).

ready-made [rɛdɪ'meɪd] *adj* prefabbricato(a); (*clothes*) confezionato(a).

ready reckoner [-'rɛkənə*] *n* (*BRIT*) prontuario di calcolo.

ready-to-wear [rɛdɪtə'wɛə*] *adj* prêt-à-porter *inv*.

reagent [ri:'eɪdʒənt] *n*: **chemical ~** reagente *m* chimico.

real [rɪəl] *adj* reale; vero(a) ♦ *adv* (*US col*: *very*) veramente, proprio; **in ~ terms** in realtà; **in ~ life** nella realtà.

real ale *n birra ad effervescenza naturale*.

real estate *n* beni *mpl* immobili.

realism ['rɪəlɪzəm] *n* (*also ART*) realismo.

realist ['rɪəlɪst] *n* realista *m/f*.

realistic [rɪə'lɪstɪk] *adj* realistico(a).

reality [ri:'ælɪtɪ] *n* realtà *f inv*; **in ~** in realtà, in effetti.

realization [rɪəlaɪ'zeɪʃən] *n* (*awareness*) presa di coscienza; (*of hopes, project etc*) realizzazione *f*.

realize ['rɪəlaɪz] *vt* (*understand*) rendersi conto di; (*a project, COMM: asset*) realizzare; **I ~ that** ... mi rendo conto *or* capisco che ....

really ['rɪəlɪ] *adv* veramente, davvero.

realm [rɛlm] *n* reame *m*, regno.

real time *n* (*COMPUT*) tempo reale.

Realtor ® ['rɪəltɔ:*] *n* (*US*) agente *m* immobiliare.

ream [ri:m] *n* risma; **~s** (*fig col*) pagine e pagine *fpl*.

reap [ri:p] *vt* mietere; (*fig*) raccogliere.

reaper ['ri:pə*] *n* (*machine*) mietitrice *f*.

reappear [ri:ə'pɪə*] *vi* ricomparire, riapparire.

reappearance [ri:ə'pɪərəns] *n* riapparizione *f*.

reapply [ri:ə'plaɪ] *vi*: **to ~ for** fare un'altra domanda per.

reappraisal [ri:ə'preɪzl] *n* riesame *m*.

rear [rɪə*] *adj* di dietro; (*AUT: wheel etc*) posteriore ♦ *n* didietro, parte *f* posteriore ♦ *vt* (*cattle, family*) allevare ♦ *vi* (*also*: **~ up**: *animal*) impennarsi.

rear admiral *n* contrammiraglio.

rear-engined ['rɪər'ɛndʒɪnd] *adj* (*AUT*) con motore posteriore.

rearguard ['rɪəgɑ:d] *n* retroguardia.

rearm [ri:'ɑ:m] *vt*, *vi* riarmare.

rearmament [ri:'ɑ:məmənt] *n* riarmo.

rearrange [ri:ə'reɪndʒ] *vt* riordinare.

rear-view mirror ['rɪəvju:-] *n* (*AUT*) specchio retrovisivo.

reason ['ri:zn] *n* ragione *f*; (*cause, motive*) ragione, motivo ♦ *vi*: **to ~ with sb** far ragionare qn; **to have ~ to think** avere motivi per pensare; **it stands to ~ that** è ovvio che; **the ~ for/why** la ragione *or* il motivo di/per cui; **with good ~** a ragione; **all the more ~ why you should not sell it** ragione di più per non venderlo.

reasonable ['ri:znəbl] *adj* ragionevole; (*not bad*) accettabile.

reasonably ['ri:znəblɪ] *adv* ragionevolmente; **one can ~ assume that** ... uno può facilmente supporre che ....

reasoned ['ri:znd] *adj* (*argument*) ponderato(a).

reasoning ['ri:znɪŋ] *n* ragionamento.

reassemble [ri:ə'sɛmbl] *vt* riunire; (*machine*) rimontare.

reassert [ri:ə'sə:t] *vt* riaffermare.

reassurance [ri:ə'ʃuərəns] *n* rassicurazione *f*.

reassure [ri:ə'ʃuə*] *vt* rassicurare; **to ~ sb of** rassicurare qn di *or* su.

reassuring [ri:ə'ʃuərɪŋ] *adj* rassicurante.

reawakening [ri:ə'weɪknɪŋ] *n* risveglio.

rebate ['ri:beɪt] *n* rimborso.

rebel *n* ['rɛbl] ribelle *m/f* ♦ *vi* [rɪ'bɛl] ribellarsi.

rebellion [rɪ'bɛljən] *n* ribellione *f*.

rebellious [rɪ'bɛljəs] *adj* ribelle.

rebirth [ri:'bə:θ] *n* rinascita.

rebound *vi* [rɪ'baund] (*ball*) rimbalzare ♦ *n* ['ri:baund] rimbalzo.

rebuff [rɪ'bʌf] *n* secco rifiuto ♦ *vt* respingere.

rebuild [ri:'bɪld] *vt irreg* ricostruire.

rebuke [rɪ'bju:k] *n* rimprovero ♦ *vt* rimproverare.

rebut [rɪ'bʌt] *vt* rifiutare.

rebuttal [rɪ'bʌtl] *n* rifiuto.

recalcitrant [rɪ'kælsɪtrənt] *adj* recalcitrante.

recall [rɪ'kɔ:l] *vt* (*gen, COMPUT*) richiamare; (*remember*) ricordare, richiamare alla mente ♦ *n* richiamo; **beyond ~**

irrevocabile.

recant [rɪ'kænt] *vi* ritrattarsi; (*REL*) fare abiura.

recap ['riːkæp] *n* ricapitolazione *f* ♦ *vt* ricapitolare ♦ *vi* riassumere.

recapture [riː'kæptʃə*] *vt* riprendere; (*atmosphere*) ricreare.

recd. *abbr* = received.

recede [rɪ'siːd] *vi* allontanarsi; ritirarsi; calare.

receding [rɪ'siːdɪŋ] *adj* (*forehead, chin*) sfuggente; **he's got a ~ hairline** è stempiato.

receipt [rɪ'siːt] *n* (*document*) ricevuta; (*act of receiving*) ricevimento; **to acknowledge ~ of** accusare ricevuta di; **we are in ~ of** ... abbiamo ricevuto ....

receipts [rɪ'siːts] *npl* (*COMM*) introiti *mpl*.

receivable [rɪ'siːvəbl] *adj* (*COMM*) esigibile; (*: owed*) dovuto/a.

receive [rɪ'siːv] *vt* ricevere; (*guest*) ricevere, accogliere; "**~d with thanks**" (*COMM*) "per quietanza".

Si chiama **Received Pronunciation (RP)** *l'accento dell'inglese parlato in alcune parti del sud-est dell'Inghilterra. In esso si identifica l'inglese "standard" delle classi colte, privo di inflessioni regionali e adottato tradizionalmente dagli annunciatori della* **BBC**. *È anche l'accento standard dell'inglese insegnato come lingua straniera.*

---

receiver [rɪ'siːvə*] *n* (*TEL*) ricevitore *m*; (*RADIO*) apparecchio ricevente; (*of stolen goods*) ricettatore/trice; (*LAW*) curatore *m* fallimentare.

receivership [rɪ'siːvəʃɪp] *n* curatela; **to go into ~** andare in amministrazione controllata.

recent ['riːsnt] *adj* recente; **in ~ years** negli ultimi anni.

recently ['riːsntlɪ] *adv* recentemente; **as ~ as** ... soltanto ...; **until ~** fino a poco tempo fa.

receptacle [rɪ'sɛptɪkl] *n* recipiente *m*.

reception [rɪ'sɛpʃən] *n* (*gen*) ricevimento; (*welcome*) accoglienza; (*TV etc*) ricezione *f*.

reception centre *n* (*BRIT*) centro di raccolta.

reception desk *n* (*in hotel*) reception *f inv*; (*in hospital, at doctor's*) accettazione *f*; (*in large building, offices*) portineria.

receptionist [rɪ'sɛpʃənɪst] *n* receptionist *m/f inv*.

receptive [rɪ'sɛptɪv] *adj* ricettivo/a(a).

recess [rɪ'sɛs] *n* (*in room*) alcova; (*POL etc: holiday*) vacanze *fpl*; (*US LAW: short break*) sospensione *f*; (*US SCOL*) intervallo.

recession [rɪ'sɛʃən] *n* (*ECON*) recessione *f*.

recharge [riː'tʃɑːdʒ] *vt* (*battery*) ricaricare.

rechargeable ['riː'tʃɑːdʒəbl] *adj* ricaricabile.

recipe ['rɛsɪpɪ] *n* ricetta.

recipient [rɪ'sɪpɪənt] *n* beneficiario/a; (*of letter*) destinatario/a.

reciprocal [rɪ'sɪprəkl] *adj* reciproco(a).

reciprocate [rɪ'sɪprəkeɪt] *vt* ricambiare, contraccambiare.

recital [rɪ'saɪtl] *n* recital *m inv*; concerto (di solista).

recite [rɪ'saɪt] *vt* (*poem*) recitare.

reckless ['rɛkləs] *adj* (*driver etc*) spericolato/a(a); (*spender*) incosciente.

recklessly ['rɛkləslɪ] *adv* in modo spericolato; da incosciente.

reckon ['rɛkən] *vt* (*count*) calcolare; (*consider*) considerare, stimare; (*think*): **I ~ that ...** penso che ... ♦ *vi* contare, calcolare; **to ~ without sb/sth** non tener conto di qn/qc; **he is somebody to be ~ed with** è uno da non sottovalutare.

▶**reckon on** *vt fus* contare su.

reckoning ['rɛknɪŋ] *n* conto; stima; **the day of ~** il giorno del giudizio.

reclaim [rɪ'kleɪm] *vt* (*land*) bonificare; (*demand back*) richiedere, reclamare.

reclamation [rɛklə'meɪʃən] *n* bonifica.

recline [rɪ'klaɪn] *vi* stare sdraiato/a(a).

reclining [rɪ'klaɪnɪŋ] *adj* (*seat*) ribaltabile.

recluse [rɪ'kluːs] *n* eremita *m*, recluso/a.

recognition [rɛkəg'nɪʃən] *n* riconoscimento; **to gain ~** essere riconosciuto/a(a); **in ~ of** in *or* come segno di riconoscimento per; **transformed beyond ~** irriconoscibile.

recognizable ['rɛkəgnaɪzəbl] *adj*: **~ (by)** riconoscibile (a *or* da).

recognize ['rɛkəgnaɪz] *vt*: **to ~ (by/as)** riconoscere (a *or* da/come).

recoil [rɪ'kɔɪl] *vi* (*gun*) rinculare; (*spring*) balzare indietro; (*person*): **to ~ (from)** indietreggiare (davanti a) ♦ *n* (*of gun*) rinculo.

recollect [rɛkə'lɛkt] *vt* ricordare.

recollection [rɛkə'lɛkʃən] *n* ricordo; **to the best of my ~** per quello che mi ricordo.

recommend [rɛkə'mɛnd] *vt* raccomandare; (*advise*) consigliare; **she has a lot to ~ her** ha molti elementi a suo favore.

recommendation [rɛkəmɛn'deɪʃən] *n* raccomandazione *f*; consiglio.

recommended retail price (RRP) [rɛkə'mɛndɪd-] *n* (*BRIT*) prezzo raccomandato al dettaglio.

recompense ['rɛkəmpɛns] *vt* ricompensare; (*compensate*) risarcire ♦ *n* ricompensa; risarcimento.

reconcilable ['rɛkənsaɪləbl] *adj* conciliabile.

reconcile ['rɛkənsaɪl] *vt* (*two people*) riconciliare; (*two facts*) conciliare, quadrare; **to ~ o.s. to** rassegnarsi a.

reconciliation [rɛkənsɪlɪ'eɪʃən] *n* riconciliazione *f*; conciliazione *f*.

recondite [rɪ'kɔndaɪt] *adj* recondito(a).

recondition [riːkən'dɪʃən] *vt* rimettere a nuovo; rifare.

reconnaissance [rɪ'kɔnɪsns] *n* (MIL) ricognizione *f*.

reconnoitre, (US) **reconnoiter** [rɛkə'nɔɪtə*] (MIL) *vt* fare una ricognizione di ♦ *vi* fare una ricognizione.

reconsider [riːkən'sɪdə*] *vt* riconsiderare.

reconstitute [riː'kɔnstɪtjuːt] *vt* ricostituire.

reconstruct [riːkən'strʌkt] *vt* ricostruire.

reconstruction [riːkən'strʌkʃən] *n* ricostruzione *f*.

reconvene [riːkən'viːn] *vt* riconvocare ♦ *vi* radunarsi.

record *n* ['rɛkɔːd] ricordo, documento; (*of meeting etc*) nota, verbale *m*; (*register*) registro; (*file*) pratica, dossier *m inv*; (COMPUT) record *m inv*, registrazione *f*; (*also*: **police ~**) fedina penale sporca; (MUS: *disc*) disco; (SPORT) record *m inv*, primato ♦ *vt* [rɪ'kɔːd] (*set down*) prendere nota di, registrare; (*relate*) raccontare; (COMPUT, MUS: *song etc*) registrare; **public ~s** archivi *mpl*; **Italy's excellent ~ in** brillanti successi italiani; **in ~ time** a tempo di record; **to keep a ~ of** tener nota di; **to set the ~ straight** mettere le cose in chiaro; **off the ~** *adj* ufficioso(a) ♦ *adv* ufficiosamente; **he is on ~ as saying that ...** ha dichiarato pubblicamente che ....

record card *n* (*in file*) scheda.

recorded delivery letter [rɪ'kɔːdɪd-] *n* (BRIT POST) lettera raccomandata.

recorder [rɪ'kɔːdə*] *n* (LAW) *avvocato che funge da giudice*; (MUS) flauto diritto.

record holder *n* (SPORT) primatista *m/f*.

recording [rɪ'kɔːdɪŋ] *n* (MUS) registrazione *f*.

recording studio *n* studio di registrazione.

record library *n* discoteca.

record player *n* giradischi *m inv*.

recount [rɪ'kaunt] *vt* raccontare, narrare.

re-count *n* ['riːkaunt] (POL: *of votes*) nuovo conteggio ♦ *vt* [riː'kaunt] ricontare.

recoup [rɪ'kuːp] *vt* ricuperare; **to ~ one's losses** ricuperare le perdite, rifarsi.

recourse [rɪ'kɔːs] *n*: **to have ~ to** ricorrere a.

recover [rɪ'kʌvə*] *vt* ricuperare ♦ *vi* (*from illness*) rimettersi (in salute), ristabilirsi; (*country, person: from shock*) riprendersi.

re-cover [riː'kʌvə*] *vt* (*chair etc*) ricoprire.

recovery [rɪ'kʌvərɪ] *n* ricupero; ristabilimento; ripresa.

recreate [riːkrɪ'eɪt] *vt* ricreare.

recreation [rɛkrɪ'eɪʃən] *n* ricreazione *f*; svago.

recreational [rɛkrɪ'eɪʃənəl] *adj* ricreativo(a).

recreational drug *n* *droga usata saltuariamente*.

recreational vehicle (RV) *n* (US) camper *m inv*.

recrimination [rɪkrɪmɪ'neɪʃən] *n* recriminazione *f*.

recruit [rɪ'kruːt] *n* recluta ♦ *vt* reclutare.

recruiting office [rɪ'kruːtɪŋ-] *n* ufficio di reclutamento.

recruitment [rɪ'kruːtmənt] *n* reclutamento.

rectangle ['rɛktæŋgl] *n* rettangolo.

rectangular [rɛk'tæŋgjulə*] *adj* rettangolare.

rectify ['rɛktɪfaɪ] *vt* (*error*) rettificare; (*omission*) riparare.

rector ['rɛktə*] *n* (REL) parroco (*anglicano*); (*in Scottish universities*) *personalità eletta dagli studenti per rappresentarli*.

rectory ['rɛktərɪ] *n* presbiterio.

rectum ['rɛktəm] *n* (ANAT) retto.

recuperate [rɪ'kjuːpəreɪt] *vi* ristabilirsi.

recur [rɪ'kə:*] *vi* riaccadere; (*idea, opportunity*) riapparire; (*symptoms*) ripresentarsi.

recurrence [rɪ'kʌrəns] *n* ripresentarsi *m*; riapparizione *f*.

recurrent [rɪ'kʌrənt] *adj* ricorrente, periodico(a).

recurring [rɪ'kʌrɪŋ] *adj* (MATH) periodico(a).

recycle [riː'saɪkl] *vt* riciclare.

red [rɛd] *n* rosso; (POL: *pej*) rosso/a ♦ *adj* rosso(a); **in the ~** (*account*) scoperto; (*business*) in deficit.

red alert *n* allarme *m* rosso.

red-blooded ['rɛd'blʌdɪd] *adj* (*col*) gagliardo(a).

red-brick university ['rɛdbrɪk-] *n* *università di recente formazione*.

In Gran Bretagna, con **red-brick university** *(letteralmente, università di mattoni rossi) si indicano le università di recente formazione, cioè quelle istituite tra la fine dell'Ottocento e i primi del Novecento, per* *contraddistinguerle dalle università più antiche, i cui edifici sono di pietra; vedi anche* **Oxbridge**.

red carpet treatment *n* cerimonia col gran pavese.

Red Cross *n* Croce *f* Rossa.

redcurrant ['rɛdkʌrənt] *n* ribes *m inv*.

redden ['rɛdn] *vt* arrossare ♦ *vi* arrossire.

reddish ['rɛdɪʃ] *adj* rossiccio(a).

redecorate [riː'dɛkəreɪt] *vt* tinteggiare (e tappezzare) di nuovo.

redeem [rɪ'diːm] *vt* (*debt*) riscattare; (*sth in pawn*) ritirare; (*fig, also REL*) redimere.

redeemable [rɪ'diːməbl] *adj* con diritto di riscatto; redimibile.

redeeming [rɪ'diːmɪŋ] *adj* (*feature*) che salva.

redefine [riːdɪ'faɪn] *vt* ridefinire.

redemption [rɪ'dɛmpʃən] *n* (*REL*) redenzione *f*; **past** *or* **beyond** ~ irrecuperabile.

redeploy [riːdɪ'plɔɪ] *vt* (*MIL*) riorganizzare lo schieramento di; (*resources*) riorganizzare.

redeployment [riːdɪ'plɔɪmənt] *n* riorganizzazione *f*.

redevelop [riːdɪ'vɛləp] *vt* ristrutturare.

redevelopment [riːdɪ'vɛləpmənt] *n* ristrutturazione *f*.

red-handed [rɛd'hændɪd] *adj*: **to be caught** ~ essere preso(a) in flagrante *or* con le mani nel sacco.

redhead ['rɛdhɛd] *n* rosso/a.

red herring *n* (*fig*) falsa pista.

red-hot [rɛd'hɔt] *adj* arroventato(a).

redirect [riːdaɪ'rɛkt] *vt* (*mail*) far seguire.

redistribute [riːdɪ'strɪbjuːt] *vt* ridistribuire.

red-letter day ['rɛdlɛtə-] *n* giorno memorabile.

red light *n*: **to go through a** ~ (*AUT*) passare col rosso.

red-light district [rɛd'laɪt-] *n* quartiere *m* luce rossa *inv*.

red meat *n* carne *f* rossa.

redness ['rɛdnɪs] *n* rossore *m*; (*of hair*) rosso.

redo [riː'duː] *vt irreg* rifare.

redolent ['rɛdələnt] *adj*: ~ **of** che sa di; (*fig*) che ricorda.

redouble [riː'dʌbl] *vt*: **to** ~ **one's efforts** raddoppiare gli sforzi.

redraft [riː'drɑːft] *vt* fare una nuova stesura di.

redress [rɪ'drɛs] *n* riparazione *f* ♦ *vt* riparare; **to** ~ **the balance** ristabilire l'equilibrio.

Red Sea *n*: **the** ~ il mar Rosso.

redskin ['rɛdskɪn] *n* pellerossa *m/f*.

red tape *n* (*fig*) burocrazia.

reduce [rɪ'djuːs] *vt* ridurre; (*lower*) ridurre, abbassare; **"~ speed now"** (*AUT*) "rallentare"; **to** ~ **sth by/to** ridurre qc di/a; **to** ~ **sb to silence/despair/tears** ridurre qn al silenzio/alla disperazione/in lacrime.

reduced [rɪ'djuːst] *adj* (*decreased*) ridotto(a); **at a** ~ **price** a prezzo ribassato *or* ridotto; **"greatly** ~ **prices"** "grandi ribassi".

reduction [rɪ'dʌkʃən] *n* riduzione *f*; (*of price*) ribasso; (*discount*) sconto.

redundancy [rɪ'dʌndənsɪ] *n* licenziamento (per eccesso di personale); **compulsory** ~ licenziamento; **voluntary** ~ *forma di cassa integrazione volontaria*.

redundancy payment *n* (*BRIT*) indennità *f inv* di licenziamento.

redundant [rɪ'dʌndnt] *adj* (*BRIT: worker*) licenziato(a); (*detail, object*) superfluo(a); **to make** ~ (*BRIT*) licenziare (per eccesso di personale).

reed [riːd] *n* (*BOT*) canna; (*MUS: of clarinet etc*) ancia.

re-educate [riː'ɛdjukeɪt] *vt* rieducare.

reedy ['riːdɪ] *adj* (*voice, instrument*) acuto(a).

reef [riːf] *n* (*at sea*) scogliera; **coral** ~ barriera corallina.

reek [riːk] *vi*: **to** ~ **(of)** puzzare (di).

reel [riːl] *n* bobina, rocchetto; (*TECH*) aspo; (*FISHING*) mulinello; (*CINE*) rotolo ♦ *vt* (*TECH*) annaspare; (*also*: ~ **up**) avvolgere ♦ *vi* (*sway*) barcollare, vacillare; **my head is** ~**ing** mi gira la testa.

▶**reel off** *vt* snocciolare.

re-election [riːɪ'lɛkʃən] *n* rielezione *f*.

re-enter [riː'ɛntə*] *vt* rientrare in.

re-entry [riː'ɛntrɪ] *n* rientro.

re-export *vt* [riːɪk'spɔːt] riesportare ♦ *n* [riː'ɛkspɔːt] merce *f* riesportata, riesportazione *f*.

ref [rɛf] *n abbr* (*col*: = *referee*) arbitro.

ref. *abbr* (*COMM*: = *with reference to*) sogg.

refectory [rɪ'fɛktərɪ] *n* refettorio.

refer [rɪ'fəː*] *vt*: **to** ~ **sth to** (*dispute, decision*) deferire qc a; **to** ~ **sb to** (*inquirer: for information*) indirizzare qn a; (*reader: to text*) rimandare qn a; **he** ~**red me to the manager** mi ha detto di rivolgermi al direttore.

▶**refer to** *vt fus* (*allude to*) accennare a; (*apply to*) riferire a; (*consult*) rivolgersi a; ~**ring to your letter** (*COMM*) in riferimento alla Vostra lettera.

referee [rɛfə'riː] *n* arbitro; (*TENNIS*) giudice *m* di gara; (*BRIT: for job application*) referenza ♦ *vt* arbitrare.

reference ['rɛfrəns] *n* riferimento; (*mention*) menzione *f*, allusione *f*; (*for job application: letter*) referenza; lettera di raccomandazione; (: *person*) referenza; (*in book*) rimando; **with ~ to** riguardo a; (*COMM: in letter*) in *or* con riferimento a; **"please quote this ~"** (*COMM*) "si prega di far riferimento al numero di protocollo".

reference book *n* libro di consultazione.

reference library *n* biblioteca per la consultazione.

reference number *n* (*COMM*) numero di riferimento.

referendum, *pl* **referenda** [rɛfə'rɛndəm, -də] *n* referendum *m inv.*

referral [rɪ'fəːrəl] *n* deferimento; (*MED*) richiesta (di visita specialistica).

refill *vt* [riː'fɪl] riempire di nuovo; (*pen, lighter etc*) ricaricare ♦ *n* ['riːfɪl] (*for pen etc*) ricambio.

refine [rɪ'faɪn] *vt* raffinare.

refined [rɪ'faɪnd] *adj* raffinato(a).

refinement [rɪ'faɪnmənt] *n* (*of person*) raffinatezza.

refinery [rɪ'faɪnərɪ] *n* raffineria.

refit *n* ['riːfɪt] (*NAUT*) raddobbo ♦ *vt* [riː'fɪt] (*ship*) raddobbare.

reflate [riː'fleɪt] *vt* (*economy*) rilanciare.

reflation [riː'fleɪʃən] *n* rilancio.

reflationary [riː'fleɪʃənərɪ] *adj* nuovamente inflazionario(a).

reflect [rɪ'flɛkt] *vt* (*light, image*) riflettere; (*fig*) rispecchiare ♦ *vi* (*think*) riflettere, considerare.

▸**reflect on** *vt fus* (*discredit*) rispecchiarsi su.

reflection [rɪ'flɛkʃən] *n* riflessione *f*; (*image*) riflesso; (*criticism*): ~ **on** giudizio su; attacco a; **on** ~ pensandoci sopra.

reflector [rɪ'flɛktə*] *n* (*also AUT*) catarifrangente *m.*

reflex ['riːflɛks] *adj* riflesso(a) ♦ *n* riflesso.

reflexive [rɪ'flɛksɪv] *adj* (*LING*) riflessivo(a).

reform [rɪ'fɔːm] *n* riforma ♦ *vt* riformare.

reformat [rɪ'fɔːmæt] *vt* (*COMPUT*) riformattare.

Reformation [rɛfə'meɪʃən] *n*: **the** ~ la Riforma.

reformatory [rɪ'fɔːmətərɪ] *n* (*US*) riformatorio.

reformed [rɪ'fɔːmd] *adj* cambiato(a) (per il meglio).

reformer [rɪ'fɔːmə*] *n* riformatore/trice.

refrain [rɪ'freɪn] *vi*: **to** ~ **from doing** trattenersi dal fare ♦ *n* ritornello.

refresh [rɪ'frɛʃ] *vt* rinfrescare; (*subj: food, sleep*) ristorare.

refresher course [rɪ'frɛʃə-] *n* (*BRIT*) corso di aggiornamento.

refreshing [rɪ'frɛʃɪŋ] *adj* (*drink*) rinfrescante; (*sleep*) riposante, ristoratore(trice); (*change etc*) piacevole; (*idea, point of view*) originale.

refreshment [rɪ'frɛʃmənt] *n* (*eating, resting etc*) ristoro; ~**(s)** rinfreschi *mpl.*

refrigeration [rɪfrɪdʒə'reɪʃən] *n* refrigerazione *f.*

refrigerator [rɪ'frɪdʒəreɪtə*] *n* frigorifero.

refuel [riː'fjuəl] *vt* rifornire (di carburante) ♦ *vi* far rifornimento (di carburante).

refuge ['rɛfjuːdʒ] *n* rifugio; **to take** ~ **in** rifugiarsi in.

refugee [rɛfju'dʒiː] *n* rifugiato/a, profugo/a.

refugee camp *n* campo (di) profughi.

refund *n* ['riːfʌnd] rimborso ♦ *vt* [rɪ'fʌnd] rimborsare.

refurbish [riː'fəːbɪʃ] *vt* rimettere a nuovo.

refurnish [riː'fəːnɪʃ] *vt* ammobiliare di nuovo.

refusal [rɪ'fjuːzəl] *n* rifiuto; **to have first** ~ **on sth** avere il diritto d'opzione su qc.

refuse *n* ['rɛfjuːs] rifiuti *mpl* ♦ *vt, vi* [rɪ'fjuːz] rifiutare; **to** ~ **to do sth** rifiutare *or* rifiutarsi di fare qc.

refuse collection *n* raccolta di rifiuti.

refuse disposal *n* sistema *m* di scarico dei rifiuti.

refusenik [rɪ'fjuːznɪk] *n* ebreo a cui il governo sovietico impedìva di lasciare il paese.

refute [rɪ'fjuːt] *vt* confutare.

regain [rɪ'geɪn] *vt* riguadagnare; riacquistare, recuperare.

regal ['riːgl] *adj* regale.

regale [rɪ'geɪl] *vt*: **to** ~ **sb with sth** intrattenere qn con qc.

regalia [rɪ'geɪlɪə] *n* insegne *fpl* reali.

regard [rɪ'gɑːd] *n* riguardo, stima ♦ *vt* considerare, stimare; **to give one's** ~**s to** porgere i suoi saluti a; **(kind)** ~**s** cordiali saluti; **as** ~**s, with** ~ **to** riguardo a.

regarding [rɪ'gɑːdɪŋ] *prep* riguardo a, per quanto riguarda.

regardless [rɪ'gɑːdlɪs] *adv* lo stesso; ~ **of** a dispetto di, nonostante.

regatta [rɪ'gætə] *n* regata.

regency ['riːdʒənsɪ] *n* reggenza.

regenerate [rɪ'dʒɛnəreɪt] *vt* rigenerare; (*feelings, enthusiasm*) far rinascere ♦ *vi* rigenerarsi; rinascere.

regent ['riːdʒənt] *n* reggente *m.*

reggae ['rɛgeɪ] *n* reggae *m.*

régime [reɪ'ʒiːm] *n* regime *m.*

regiment *n* ['rɛdʒɪmənt] reggimento ♦ *vt*

['rɛdʒɪmɛnt] irreggimentare.
regimental [rɛdʒɪ'mɛntl] adj reggimentale.
regimentation [rɛdʒɪmɛn'teɪʃən] n
irreggimentazione f.
region ['riːdʒən] n regione f; **in the ~ of** (fig)
all'incirca di.
regional ['riːdʒənl] adj regionale.
regional development n sviluppo
regionale.
register ['rɛdʒɪstə*] n registro; (also:
electoral ~) lista elettorale ♦ vt
registrare; (vehicle) immatricolare;
(luggage) spedire assicurato(a); (letter)
assicurare; (subj: instrument) segnare ♦ vi
iscriversi; (at hotel) firmare il registro;
(make impression) entrare in testa; **to ~ a
protest** fare un esposto; **to ~ for a course**
iscriversi a un corso.
registered ['rɛdʒɪstəd] adj (design)
depositato(a); (BRIT: letter) assicurato(a);
(student, voter) iscritto(a).
registered company n società iscritta al
registro.
registered nurse n (US) infermiere(a)
diplomato(a).
registered office n sede f legale.
registered trademark n marchio
depositato.
registrar ['rɛdʒɪstrɑː*] n ufficiale m di stato
civile; segretario.
registration [rɛdʒɪs'treɪʃən] n (act)
registrazione f; iscrizione f; (AUT: also: ~
number) numero di targa.
registry ['rɛdʒɪstrɪ] n ufficio del registro.
registry office n (BRIT) anagrafe f; **to get
married in a ~** ≈ sposarsi in municipio.
regret [rɪ'grɛt] n rimpianto, rincrescimento
♦ vt rimpiangere; **I ~ that I/he cannot
help** mi rincresce di non poter aiutare/
che lui non possa aiutare; **we ~ to inform
you that ...** siamo spiacenti di informarla
che ....
regretfully [rɪ'grɛtfəlɪ] adv con
rincrescimento.
regrettable [rɪ'grɛtəbl] adj deplorevole.
regrettably [rɪ'grɛtəblɪ] adv purtroppo,
sfortunatamente.
regroup [riː'gruːp] vt raggruppare ♦ vi
raggrupparsi.
regt abbr (= regiment) Reg.
regular ['rɛgjulə*] adj regolare; (usual)
abituale, normale; (listener, reader) fedele;
(soldier) dell'esercito regolare; (COMM:
size) normale ♦ n (client etc) cliente m/f
abituale.
regularity [rɛgju'lærɪtɪ] n regolarità f inv.
regularly ['rɛgjuləlɪ] adv regolarmente.
regulate ['rɛgjuleɪt] vt regolare.

regulation [rɛgju'leɪʃən] n (rule) regola,
regolamento; (adjustment) regolazione f
♦ cpd (MIL) di ordinanza.
rehabilitate [riːə'bɪlɪteɪt] vt (criminal, drug
addict, invalid) ricuperare, reinserire.
rehabilitation ['riːəbɪlɪ'teɪʃən] n (see vb)
ricupero, reinserimento.
rehash [riː'hæʃ] vt (col) rimaneggiare.
rehearsal [rɪ'həːsəl] n prova; **dress ~** prova
generale.
rehearse [rɪ'həːs] vt provare.
rehouse [riː'hauz] vt rialloggiare.
reign [reɪn] n regno ♦ vi regnare.
reigning ['reɪnɪŋ] adj (monarch) regnante;
(champion) attuale.
reimburse [riːɪm'bəːs] vt rimborsare.
rein [reɪn] n (for horse) briglia; **to give sb
free ~** (fig) lasciare completa libertà a
qn.
reincarnation [riːɪnkɑː'neɪʃən] n
reincarnazione f.
reindeer ['reɪndɪə*] n (pl inv) renna.
reinforce [riːɪn'fɔːs] vt rinforzare.
reinforced concrete [riːɪn'fɔːst-] n
cemento armato.
reinforcement [riːɪn'fɔːsmənt] n (action)
rinforzamento; **~s** npl (MIL) rinforzi mpl.
reinstate [riːɪn'steɪt] vt reintegrare.
reinstatement [riːɪn'steɪtmənt] n
reintegrazione f.
reissue [riː'ɪʃjuː] vt (book) ristampare,
ripubblicare; (film) distribuire di nuovo.
reiterate [riː'ɪtəreɪt] vt reiterare, ripetere.
reject n ['riːdʒɛkt] (COMM) scarto ♦ vt
[rɪ'dʒɛkt] rifiutare, respingere; (COMM:
goods) scartare.
rejection [rɪ'dʒɛkʃən] n rifiuto.
rejoice [rɪ'dʒɔɪs] vi: **to ~ (at or over)**
provare diletto (in).
rejoinder [rɪ'dʒɔɪndə*] n (retort) replica.
rejuvenate [rɪ'dʒuːvəneɪt] vt ringiovanire.
rekindle [riː'kɪndl] vt riaccendere.
relapse [rɪ'læps] n (MED) ricaduta.
relate [rɪ'leɪt] vt (tell) raccontare; (connect)
collegare ♦ vi: **to ~ to** (refer to) riferirsi a;
(get on with) stabilire un rapporto con.
related [rɪ'leɪtɪd] adj imparentato(a);
collegato(a), connesso(a); **~ to**
imparentato(a) con; collegato(a) or
connesso(a) con.
relating [rɪ'leɪtɪŋ]: **~ to** prep che riguarda,
rispetto a.
relation [rɪ'leɪʃən] n (person) parente m/f;
(link) rapporto, relazione f; **in ~ to** con
riferimento a; **diplomatic/international
~s** rapporti diplomatici/internazionali; **to
bear a ~ to** corrispondere a.
relationship [rɪ'leɪʃənʃɪp] n rapporto;

(*personal ties*) rapporti *mpl*, relazioni *fpl*; (*also*: **family** ~) legami *mpl* di parentela; (*affair*) relazione *f*; **they have a good** ~ vanno molto d'accordo.
relative ['rɛlətɪv] *n* parente *m/f* ♦ *adj* relativo(a); (*respective*) rispettivo(a).
relatively ['rɛlətɪvlɪ] *adv* relativamente; (*fairly, rather*) abbastanza.
relax [rɪ'læks] *vi* rilasciarsi; (*person*: *unwind*) rilassarsi ♦ *vt* rilasciare; (*mind, person*) rilassare; ~! (*calm down*) calma!
relaxation [riːlæk'seɪʃən] *n* rilasciamento; rilassamento; (*entertainment*) ricreazione *f*, svago.
relaxed [rɪ'lækst] *adj* rilasciato(a); rilassato(a).
relaxing [rɪ'læksɪŋ] *adj* rilassante.
relay ['riːleɪ] *n* (*SPORT*) corsa a staffetta ♦ *vt* (*message*) trasmettere.
release [rɪ'liːs] *n* (*from prison*) rilascio; (*from obligation*) liberazione *f*; (*of gas etc*) emissione *f*; (*of film etc*) distribuzione *f*; (*record*) disco; (*device*) disinnesto ♦ *vt* (*prisoner*) rilasciare; (*from obligation, wreckage etc*) liberare; (*book, film*) fare uscire; (*news*) rendere pubblico(a); (*gas etc*) emettere; (*TECH: catch, spring etc*) disinnestare; (*let go*) rilasciare; lasciar andare; sciogliere; **to** ~ **one's grip** mollare la presa; **to** ~ **the clutch** (*AUT*) staccare la frizione.
relegate ['rɛləgeɪt] *vt* relegare; (*SPORT*): **to be** ~**d** essere retrocesso(a).
relent [rɪ'lɛnt] *vi* cedere.
relentless [rɪ'lɛntlɪs] *adj* implacabile.
relevance ['rɛləvəns] *n* pertinenza; ~ **of sth to sth** rapporto tra qc e qc.
relevant ['rɛləvənt] *adj* pertinente; (*chapter*) in questione; ~ **to** pertinente a.
reliability [rɪlaɪə'bɪlɪtɪ] *n* (*of person*) serietà; (*of machine*) affidabilità.
reliable [rɪ'laɪəbl] *adj* (*person, firm*) fidato(a), che dà affidamento; (*method*) sicuro(a); (*machine*) affidabile.
reliably [rɪ'laɪəblɪ] *adv*: **to be** ~ **informed** sapere da fonti sicure.
reliance [rɪ'laɪəns] *n*: ~ (**on**) dipendenza (da).
reliant [rɪ'laɪənt] *adj*: **to be** ~ **on sth/sb** dipendere da qc/qn.
relic ['rɛlɪk] *n* (*REL*) reliquia; (*of the past*) resto.
relief [rɪ'liːf] *n* (*from pain, anxiety*) sollievo; (*help, supplies*) soccorsi *mpl*; (*of guard*) cambio; (*ART, GEO*) rilievo; **by way of light** ~ come diversivo.
relief map *n* carta in rilievo.
relief road *n* (*BRIT*) circonvallazione *f*.

relieve [rɪ'liːv] *vt* (*pain, patient*) sollevare; (*bring help*) soccorrere; (*take over from*: *gen*) sostituire; (: *guard*) rilevare; **to** ~ **sb of sth** (*load*) alleggerire qn di qc; **to** ~ **sb of his command** (*MIL*) esonerare qn dal comando; **to** ~ **o.s.** (*euphemism*) fare i propri bisogni.
relieved [rɪ'liːvd] *adj* sollevato(a); **to be** ~ **that** ... essere sollevato(a) (dal fatto) che ...; **I'm** ~ **to hear it** mi hai tolto un peso con questa notizia.
religion [rɪ'lɪdʒən] *n* religione *f*.
religious [rɪ'lɪdʒəs] *adj* religioso(a).
religious education *n* religione *f*.
relinquish [rɪ'lɪŋkwɪʃ] *vt* abbandonare; (*plan, habit*) rinunziare a.
relish ['rɛlɪʃ] *n* (*CULIN*) condimento; (*enjoyment*) gran piacere *m* ♦ *vt* (*food etc*) godere; **to** ~ **doing** adorare fare.
relive [riː'lɪv] *vt* rivivere.
reload [riː'ləud] *vt* ricaricare.
relocate [riːləu'keɪt] *vt* (*business*) trasferire ♦ *vi*: **to** ~ **in** trasferire la propria sede a.
reluctance [rɪ'lʌktəns] *n* riluttanza.
reluctant [rɪ'lʌktənt] *adj* riluttante, mal disposto(a); **to be** ~ **to do sth** essere restio a fare qc.
reluctantly [rɪ'lʌktəntlɪ] *adv* di mala voglia, a malincuore.
rely [rɪ'laɪ]: **to** ~ **on** *vt fus* contare su; (*be dependent*) dipendere da.
remain [rɪ'meɪn] *vi* restare, rimanere; **to** ~ **silent** restare in silenzio; **I** ~, **yours faithfully** (*BRIT: in letters*) distinti saluti.
remainder [rɪ'meɪndə*] *n* resto; (*COMM*) rimanenza.
remaining [rɪ'meɪnɪŋ] *adj* che rimane.
remains [rɪ'meɪnz] *npl* resti *mpl*.
remand [rɪ'mɑːnd] *n*: **on** ~ in detenzione preventiva ♦ *vt*: **to** ~ **in custody** rinviare in carcere; trattenere a disposizione della legge.
remand home *n* (*BRIT*) riformatorio, casa di correzione.
remark [rɪ'mɑːk] *n* osservazione *f* ♦ *vt* osservare, dire; (*notice*) notare ♦ *vi*: **to** ~ **on sth** fare dei commenti su qc.
remarkable [rɪ'mɑːkəbl] *adj* notevole; eccezionale.
remarry [riː'mærɪ] *vi* risposarsi.
remedial [rɪ'miːdɪəl] *adj* (*tuition, classes*) di riparazione.
remedy ['rɛmədɪ] *n*: ~ (**for**) rimedio (per) ♦ *vt* rimediare a.
remember [rɪ'mɛmbə*] *vt* ricordare, ricordarsi di; **I** ~ **seeing it, I** ~ **having seen it** (mi) ricordo di averlo visto; **she** ~**ed to do it** si è ricordata di farlo; ~ **me**

to your wife and children! saluti sua moglie e i bambini da parte mia!
remembrance [rɪˈmɛmbrəns] *n* memoria; ricordo.

Nel Regno Unito, la domenica più vicina all'11 di novembre, data in cui fu firmato l'armistizio con la Germania nel 1918, ricorre il **Remembrance Sunday**, *giorno in cui vengono commemorati i caduti in guerra. In questa occasione molti portano un papavero di carta appuntato al petto in segno di rispetto.*

---

remind [rɪˈmaɪnd] *vt*: **to ~ sb of sth** ricordare qc a qn; **to ~ sb to do** ricordare a qn di fare; **that ~s me!** a proposito!
reminder [rɪˈmaɪndə*] *n* richiamo; (*note etc*) promemoria *m inv*.
reminisce [rɛmɪˈnɪs] *vi*: **to ~ (about)** abbandonarsi ai ricordi (di).
reminiscences [rɛmɪˈnɪsnsɪz] *npl* reminiscenze *fpl*, memorie *fpl*.
reminiscent [rɛmɪˈnɪsnt] *adj*: **~ of** che fa pensare a, che richiama.
remiss [rɪˈmɪs] *adj* negligente; **it was ~ of me** è stata una negligenza da parte mia.
remission [rɪˈmɪʃən] *n* remissione *f*; (*of fee*) esonero.
remit [rɪˈmɪt] *vt* rimettere.
remittance [rɪˈmɪtəns] *n* rimessa.
remnant [ˈrɛmnənt] *n* resto, avanzo; **~s** *npl* (*COMM*) scampoli *mpl*; fine *f* serie.
remonstrate [ˈrɛmənstreɪt] *vi* protestare; **to ~ with sb about sth** fare le proprie rimostranze a qn circa qc.
remorse [rɪˈmɔːs] *n* rimorso.
remorseful [rɪˈmɔːsful] *adj* pieno(a) di rimorsi.
remorseless [rɪˈmɔːslɪs] *adj* (*fig*) spietato(a).
remote [rɪˈməut] *adj* remoto(a), lontano(a); (*person*) distaccato(a); **there is a ~ possibility that ...** c'è una vaga possibilità che ... + *sub*.
remote control *n* telecomando.
remote-controlled [rɪˈməutkənˈtrəuld] *adj* telecomandato(a).
remotely [rɪˈməutlɪ] *adv* remotamente; (*slightly*) vagamente.
remoteness [rɪˈməutnɪs] *n* lontananza.
remould [ˈriːməuld] *n* (*BRIT: tyre*) gomma rivestita.
removable [rɪˈmuːvəbl] *adj* (*detachable*) staccabile.
removal [rɪˈmuːvəl] *n* (*taking away*) rimozione *f*; soppressione *f*; (*from house*) trasloco; (*from office: sacking*) destituzione *f*; (*MED*) ablazione *f*.
removal man *n* (*BRIT*) addetto ai traslochi.
removal van *n* (*BRIT*) furgone *m* per traslochi.
remove [rɪˈmuːv] *vt* togliere, rimuovere; (*employee*) destituire; (*stain*) far sparire; (*doubt, abuse*) sopprimere, eliminare; **first cousin once ~d** cugino di secondo grado.
remover [rɪˈmuːvə*] *n* (*for paint*) prodotto sverniciante; (*for varnish*) solvente *m*; **make-up ~** struccatore *m*.
remunerate [rɪˈmjuːnəreɪt] *vt* rimunerare.
remuneration [rɪmjuːnəˈreɪʃən] *n* rimunerazione *f*.
Renaissance [rəˈneɪsəns] *n*: **the ~** il Rinascimento.
rename [riːˈneɪm] *vt* ribattezzare.
rend [rɛnd], *pt, pp* **rent** [rɛnd, rɛnt] *vt* lacerare.
render [ˈrɛndə*] *vt* rendere; (*CULIN: fat*) struggere.
rendering [ˈrɛndərɪŋ] *n* (*MUS etc*) interpretazione *f*.
rendez-vous [ˈrɔndɪvuː] *n* appuntamento; (*place*) luogo d'incontro; (*meeting*) incontro ♦ *vi* ritrovarsi; (*spaceship*) effettuare un rendez-vous.
rendition [rɛnˈdɪʃən] *n* (*MUS*) interpretazione *f*.
renegade [ˈrɛnɪgeɪd] *n* rinnegato/a.
renew [rɪˈnjuː] *vt* rinnovare; (*negotiations*) riprendere.
renewable [rɪˈnjuːəbl] *adj* riutilizzabile; **~ energy, ~s** fonti *mpl* di energia rinnovabile.
renewal [rɪˈnjuːəl] *n* rinnovamento; ripresa.
renounce [rɪˈnauns] *vt* rinunziare a; (*disown*) ripudiare.
renovate [ˈrɛnəveɪt] *vt* rinnovare; (*art work*) restaurare.
renovation [rɛnəˈveɪʃən] *n* rinnovamento; restauro.
renown [rɪˈnaun] *n* rinomanza.
renowned [rɪˈnaund] *adj* rinomato(a).
rent [rɛnt] *pt, pp of* **rend** ♦ *n* affitto ♦ *vt* (*take for rent*) prendere in affitto; (*car, TV*) noleggiare, prendere a noleggio; (*also: ~ out*) dare in affitto; (*car, TV*) noleggiare, dare a noleggio.
rental [ˈrɛntl] *n* (*cost: on TV, telephone*) abbonamento; (: *on car*) nolo, noleggio.
rent boy *n* (*BRIT col*) giovane prostituto.
renunciation [rɪnʌnsɪˈeɪʃən] *n* rinnegamento; (*self-denial*) rinunzia.
reopen [riːˈəupən] *vt* riaprire.
reopening [riːˈəupnɪŋ] *n* riapertura.

reorder [riː'ɔːdə*] *vt* ordinare di nuovo; (*rearrange*) riorganizzare.

reorganize [riː'ɔːɡənaɪz] *vt* riorganizzare.

Rep *abbr* (*US POL*) = **representative**; **republican**.

rep [rɛp] *n abbr* (*COMM*: = *representative*) rappresentante *m/f*; (*THEAT*: = *repertory*) teatro di repertorio.

repair [rɪ'pɛə*] *n* riparazione *f* ♦ *vt* riparare; **in good/bad** ~ in buona/cattiva condizione; **under** ~ in riparazione.

repair kit *n* corredo per riparazioni.

repair man *n* riparatore *m*.

repair shop *n* (*AUT etc*) officina.

repartee [rɛpɑː'tiː] *n* risposta pronta.

repast [rɪ'pɑːst] *n* (*formal*) pranzo.

repatriate [riː'pætrɪeɪt] *vt* rimpatriare.

repay [riː'peɪ] *vt irreg* (*money, creditor*) rimborsare, ripagare; (*sb's efforts*) ricompensare.

repayment [riː'peɪmənt] *n* rimborsamento; ricompensa.

repeal [rɪ'piːl] *n* (*of law*) abrogazione *f*, (*of sentence*) annullamento ♦ *vt* abrogare; annullare.

repeat [rɪ'piːt] *n* (*RADIO, TV*) replica ♦ *vt* ripetere; (*pattern*) riprodurre; (*promise, attack, also COMM*: *order*) rinnovare ♦ *vi* ripetere.

repeatedly [rɪ'piːtɪdlɪ] *adv* ripetutamente, spesso.

repeat order *n* (*COMM*): **to place a** ~ **(for)** rinnovare l'ordinazione (di).

repel [rɪ'pɛl] *vt* respingere.

repellent [rɪ'pɛlənt] *adj* repellente ♦ *n*: **insect** ~ prodotto *m* anti-insetti *inv*; **moth** ~ anti-tarmico.

repent [rɪ'pɛnt] *vi*: **to** ~ **(of)** pentirsi (di).

repentance [rɪ'pɛntəns] *n* pentimento.

repercussion [riːpə'kʌʃən] *n* (*consequence*) ripercussione *f*.

repertoire ['rɛpətwɑː*] *n* repertorio.

repertory ['rɛpətərɪ] *n* (*also*: ~ **theatre**) teatro di repertorio.

repertory company *n* compagnia di repertorio.

repetition [rɛpɪ'tɪʃən] *n* ripetizione *f*; (*COMM*: *of order etc*) rinnovo.

repetitious [rɛpɪ'tɪʃəs] *adj* (*speech*) pieno(a) di ripetizioni.

repetitive [rɪ'pɛtɪtɪv] *adj* (*movement*) che si ripete; (*work*) monotono(a); (*speech*) pieno(a) di ripetizioni.

replace [rɪ'pleɪs] *vt* (*put back*) rimettere a posto; (*take the place of*) sostituire; (*TEL*): "~ **the receiver**" "riattaccare".

replacement [rɪ'pleɪsmənt] *n* rimessa; sostituzione *f*; (*person*) sostituto/a.

replacement part *n* pezzo di ricambio.

replay ['riːpleɪ] *n* (*of match*) partita ripetuta; (*of tape, film*) replay *m inv*.

replenish [rɪ'plɛnɪʃ] *vt* (*glass*) riempire; (*stock etc*) rifornire.

replete [rɪ'pliːt] *adj*: ~ **(with)** ripieno(a) (di); (*well-fed*) sazio(a) (di).

replica ['rɛplɪkə] *n* replica, copia.

reply [rɪ'plaɪ] *n* risposta ♦ *vi* rispondere; **in** ~ in risposta; **there's no** ~ (*TEL*) non risponde (nessuno).

reply coupon *n* buono di risposta.

report [rɪ'pɔːt] *n* rapporto; (*PRESS etc*) cronaca; (*BRIT*: *also*: **school** ~) pagella ♦ *vt* riportare; (*PRESS etc*) fare una cronaca su; (*bring to notice*: *occurrence*) segnalare; (: *person*) denunciare ♦ *vi* (*make a report*) fare un rapporto (*or* una cronaca); (*present o.s.*): **to** ~ **(to sb)** presentarsi (a qn); **to** ~ **(on)** fare un rapporto (su); **it is** ~**ed that** si dice che; **it is** ~**ed from Berlin that** ... ci è stato riferito da Berlino che ....

report card *n* (*US, Scottish*) pagella.

reportedly [rɪ'pɔːtɪdlɪ] *adv*: **she is** ~ **living in Spain** si dice che vive in Spagna.

reported speech [rɪ'pɔːtɪd-] *n* (*LING*) discorso indiretto.

reporter [rɪ'pɔːtə*] *n* (*PRESS*) cronista *m/f*, reporter *m inv*; (*RADIO*) radiocronista *m/f*; (*TV*) telecronista *m/f*.

repose [rɪ'pəuz] *n*: **in** ~ in riposo.

repossess [riːpə'zɛs] *vt* rientrare in possesso di.

repossession order [riːpə'zɛʃən-] *n* ordine *m* di espropriazione.

reprehensible [rɛprɪ'hɛnsɪbl] *adj* riprensibile.

represent [rɛprɪ'zɛnt] *vt* rappresentare.

representation [rɛprɪzɛn'teɪʃən] *n* rappresentazione *f*; ~**s** *npl* (*protest*) protesta.

representative [rɛprɪ'zɛntətɪv] *n* rappresentativo/a; (*COMM*) rappresentante *m* (di commercio); (*US*: *POL*) deputato/a ♦ *adj*: ~ **(of)** rappresentativo(a) (di).

repress [rɪ'prɛs] *vt* reprimere.

repression [rɪ'prɛʃən] *n* repressione *f*.

repressive [rɪ'prɛsɪv] *adj* repressivo(a).

reprieve [rɪ'priːv] *n* (*LAW*) sospensione *f* dell'esecuzione della condanna; (*fig*) dilazione *f* ♦ *vt* sospendere l'esecuzione della condanna a; accordare una dilazione a.

reprimand ['rɛprɪmɑːnd] *n* rimprovero ♦ *vt* rimproverare, redarguire.

reprint ['riːprɪnt] *n* ristampa ♦ *vt*

ristampare.

reprisal [rɪ'praɪzl] n rappresaglia; **to take ~s** fare delle rappresaglie.

reproach [rɪ'prəʊtʃ] n rimprovero ♦ vt: **to ~ sb with sth** rimproverare qn di qc; **beyond ~** irreprensibile.

reproachful [rɪ'prəʊtʃful] adj di rimprovero.

reproduce [riːprə'djuːs] vt riprodurre ♦ vi riprodursi.

reproduction [riːprə'dʌkʃən] n riproduzione f.

reproductive [riːprə'dʌktɪv] adj riproduttore(trice); riproduttivo(a).

reproof [rɪ'pruːf] n riprovazione f.

reprove [rɪ'pruːv] vt (action) disapprovare; (person): **to ~ (for)** biasimare (per).

reproving [rɪ'pruːvɪŋ] adj di disapprovazione.

reptile ['rɛptaɪl] n rettile m.

Repub. abbr (US POL) = **republican**.

republic [rɪ'pʌblɪk] n repubblica.

republican [rɪ'pʌblɪkən] adj, n repubblicano(a).

repudiate [rɪ'pjuːdɪeɪt] vt ripudiare.

repugnant [rɪ'pʌgnənt] adj ripugnante.

repulse [rɪ'pʌls] vt respingere.

repulsion [rɪ'pʌlʃən] n ripulsione f.

repulsive [rɪ'pʌlsɪv] adj ripugnante, ripulsivo(a).

reputable ['rɛpjutəbl] adj di buona reputazione; (occupation) rispettabile.

reputation [rɛpju'teɪʃən] n reputazione f; **he has a ~ for being awkward** ha la fama di essere un tipo difficile.

repute [rɪ'pjuːt] n reputazione f.

reputed [rɪ'pjuːtɪd] adj reputato(a); **to be ~ to be rich/intelligent** etc essere ritenuto(a) ricco(a)/intelligente etc.

reputedly [rɪ'pjuːtɪdlɪ] adv secondo quanto si dice.

request [rɪ'kwɛst] n domanda; (formal) richiesta ♦ vt: **to ~ (of or from sb)** chiedere (a qn); **at the ~ of** su richiesta di; **"you are ~ed not to smoke"** "si prega di non fumare".

request stop n (BRIT: for bus) fermata facoltativa or a richiesta.

requiem ['rɛkwɪəm] n requiem m or f inv.

require [rɪ'kwaɪə*] vt (need: subj: person) aver bisogno di; (: thing, situation) richiedere; (want) volere; esigere; (order) obbligare; **to ~ sb to do sth/sth of sb** esigere che qn faccia qc/qc da qn; **what qualifications are ~d?** che requisiti ci vogliono?; **~d by law** prescritto dalla legge; **if ~d** in caso di bisogno.

required [rɪ'kwaɪəd] adj richiesto(a).

requirement [rɪ'kwaɪəmənt] n (need) esigenza; (condition) requisito; **to meet sb's ~s** soddisfare le esigenze di qn.

requisite ['rɛkwɪzɪt] n cosa necessaria ♦ adj necessario(a); **toilet ~s** articoli mpl da toletta.

requisition [rɛkwɪ'zɪʃən] n: ~ **(for)** richiesta (di) ♦ vt (MIL) requisire.

reroute [riː'ruːt] vt (train etc) deviare.

resale ['riːseɪl] n rivendita.

resale price maintenance (RPM) n prezzo minimo di vendita imposto.

rescind [rɪ'sɪnd] vt annullare; (law) abrogare; (judgement) rescindere.

rescue ['rɛskjuː] n salvataggio; (help) soccorso ♦ vt salvare; **to come/go to sb's ~** venire/andare in aiuto a or di qn.

rescue party n squadra di salvataggio.

rescuer ['rɛskjuə*] n salvatore/trice.

research [rɪ'səːtʃ] n ricerca, ricerche fpl ♦ vt fare ricerche su ♦ vi: **to ~ (into sth)** fare ricerca (su qc); **a piece of ~** un lavoro di ricerca; **~ and development (R&D)** ricerca e sviluppo.

researcher [rɪ'səːtʃə*] n ricercatore/trice.

research work n ricerche fpl.

resell [riː'sɛl] vt irreg rivendere.

resemblance [rɪ'zɛmbləns] n somiglianza; **to bear a strong ~ to** somigliare moltissimo a.

resemble [rɪ'zɛmbl] vt assomigliare a.

resent [rɪ'zɛnt] vt risentirsi di.

resentful [rɪ'zɛntful] adj pieno(a) di risentimento.

resentment [rɪ'zɛntmənt] n risentimento.

reservation [rɛzə'veɪʃən] n (booking) prenotazione f; (doubt) dubbio; (protected area) riserva; (BRIT AUT: also: **central ~**) spartitraffico m inv; **to make a ~ (in an hotel/a restaurant/on a plane)** prenotare (una camera/una tavola/un posto); **with ~s** (doubts) con le dovute riserve.

reservation desk n (US: in hotel) reception f inv.

reserve [rɪ'zəːv] n riserva ♦ vt (seats etc) prenotare; **~s** npl (MIL) riserve fpl; **in ~** in serbo.

reserve currency n valuta di riserva.

reserved [rɪ'zəːvd] adj (shy) riservato(a); (seat) prenotato(a).

reserve price n (BRIT) prezzo di riserva, prezzo m base inv.

reserve team n (BRIT SPORT) seconda squadra.

reservist [rɪ'zəːvɪst] n (MIL) riservista m.

reservoir ['rɛzəvwɑː*] n serbatoio; (artificial lake) bacino idrico.

reset [riː'sɛt] vt (COMPUT) azzerare.

reshape [riː'ʃeɪp] *vt* (*policy*) ristrutturare.
reshuffle [riː'ʃʌfl] *n*: **Cabinet** ~ (*POL*) rimpasto governativo.
reside [rɪ'zaɪd] *vi* risiedere.
residence ['rɛzɪdəns] *n* residenza; **to take up** ~ prendere residenza; **in** ~ (*queen etc*) in sede; (*doctor*) fisso.
residence permit *n* (*BRIT*) permesso di soggiorno.
resident ['rɛzɪdənt] *n* (*gen, COMPUT*) residente *m/f*; (*in hotel*) cliente *m/f* fisso(a)
♦ *adj* residente.
residential [rɛzɪ'dɛnʃəl] *adj* di residenza; (*area*) residenziale.
residue ['rɛzɪdjuː] *n* resto; (*CHEM, PHYSICS*) residuo.
resign [rɪ'zaɪn] *vt* (*one's post*) dimettersi da
♦ *vi*: **to** ~ (**from**) dimettersi (da), dare le dimissioni (da); **to** ~ **o.s. to** rassegnarsi a.
resignation [rɛzɪg'neɪʃən] *n* dimissioni *fpl*; rassegnazione *f*; **to tender one's** ~ dare le dimissioni.
resilience [rɪ'zɪlɪəns] *n* (*of material*) elasticità, resilienza; (*of person*) capacità di recupero.
resilient [rɪ'zɪlɪənt] *adj* elastico(a); (*person*) che si riprende facilmente.
resin ['rɛzɪn] *n* resina.
resist [rɪ'zɪst] *vt* resistere a.
resistance [rɪ'zɪstəns] *n* resistenza.
resistant [rɪ'zɪstənt] *adj*: ~ (**to**) resistente (a).
resolute ['rɛzəluːt] *adj* risoluto(a).
resolution [rɛzə'luːʃən] *n* (*resolve*) fermo proposito, risoluzione *f*; (*determination*) risolutezza; (*on screen*) risoluzione *f*; **to make a** ~ fare un proposito.
resolve [rɪ'zɔlv] *n* risoluzione *f* ♦ *vi* (*decide*): **to** ~ **to do** decidere di fare ♦ *vt* (*problem*) risolvere.
resolved [rɪ'zɔlvd] *adj* risoluto(a).
resonance ['rɛzənəns] *n* risonanza.
resonant ['rɛzənənt] *adj* risonante.
resort [rɪ'zɔːt] *n* (*town*) stazione *f*; (*place*) località *f inv*; (*recourse*) ricorso ♦ *vi*: **to** ~ **to** far ricorso a; **seaside/winter sports** ~ stazione *f* balneare/di sport invernali; **as a last** ~ come ultima risorsa.
resound [rɪ'zaund] *vi*: **to** ~ (**with**) risonare (di).
resounding [rɪ'zaundɪŋ] *adj* risonante.
resource [rɪ'sɔːs] *n* risorsa; ~**s** *npl* risorse *fpl*; **natural** ~**s** risorse naturali; **to leave sb to his** (*or* **her**) **own** ~**s** (*fig*) lasciare che qn si arrangi (per conto suo).
resourceful [rɪ'sɔːsful] *adj* pieno(a) di risorse, intraprendente.

resourcefulness [rɪ'sɔːsfəlnɪs] *n* intraprendenza.
respect [rɪs'pɛkt] *n* rispetto; (*point, detail*): **in some** ~**s** sotto certi aspetti ♦ *vt* rispettare; ~**s** *npl* ossequi *mpl*; **to have** *or* **show** ~ **for** aver rispetto per; **out of** ~ **for** per rispetto *or* riguardo a; **with** ~ **to** rispetto a, riguardo a; **in** ~ **of** quanto a; **in this** ~ per questo riguardo; **with (all) due** ~ **I** ... con rispetto parlando, io ....
respectability [rɪspɛktə'bɪlɪtɪ] *n* rispettabilità.
respectable [rɪs'pɛktəbl] *adj* rispettabile; (*quite big: amount etc*) considerevole; (*quite good: player, result etc*) niente male *inv*.
respectful [rɪs'pɛktful] *adj* rispettoso(a).
respective [rɪs'pɛktɪv] *adj* rispettivo(a).
respectively [rɪs'pɛktɪvlɪ] *adv* rispettivamente.
respiration [rɛspɪ'reɪʃən] *n* respirazione *f*.
respirator ['rɛspɪreɪtə*] *n* respiratore *m*.
respiratory ['rɛspərətərɪ] *adj* respiratorio(a).
respite ['rɛspaɪt] *n* respiro, tregua.
resplendent [rɪs'plɛndənt] *adj* risplendente.
respond [rɪs'pɔnd] *vi* rispondere.
respondent [rɪs'pɔndənt] *n* (*LAW*) convenuto/a.
response [rɪs'pɔns] *n* risposta; **in** ~ **to** in risposta a.
responsibility [rɪspɔnsɪ'bɪlɪtɪ] *n* responsabilità *f inv*; **to take** ~ **for sth/sb** assumersi *or* prendersi la responsabilità di qc/per qn.
responsible [rɪs'pɔnsɪbl] *adj* (*liable*): ~ (**for**) responsabile (di); (*trustworthy*) fidato(a); (*job*) di (grande) responsabilità; **to be** ~ **to sb (for sth)** dover rispondere a qn (di qc).
responsibly [rɪs'pɔnsəblɪ] *adv* responsabilmente.
responsive [rɪs'pɔnsɪv] *adj* che reagisce.
rest [rɛst] *n* riposo; (*stop*) sosta, pausa; (*MUS*) pausa; (*support*) appoggio, sostegno; (*remainder*) resto, avanzi *mpl* ♦ *vi* riposarsi; (*remain*) rimanere, restare; (*be supported*): **to** ~ **on** appoggiarsi su ♦ *vt* (*lean*): **to** ~ **sth on/against** appoggiare qc su/contro; **to set sb's mind at** ~ tranquillizzare qn; **the** ~ **of them** gli altri; **to** ~ **one's eyes** *or* **gaze on** posare lo sguardo su; ~ **assured that** ... stia tranquillo che ...; **it** ~**s with him to decide** sta a lui decidere.
restart [riː'stɑːt] *vt* (*engine*) rimettere in marcia; (*work*) ricominciare.
restaurant ['rɛstərɔŋ] *n* ristorante *m*.

restaurant car n (BRIT) vagone m ristorante.

rest cure n cura del riposo.

restful ['rɛstful] adj riposante.

rest home n casa di riposo.

restitution [rɛstɪ'tjuːʃən] n (act) restituzione f; (reparation) riparazione f.

restive ['rɛstɪv] adj agitato(a), impaziente; (horse) restio(a).

restless ['rɛstlɪs] adj agitato(a), irrequieto(a); **to get** ~ spazientirsi.

restlessly ['rɛstlɪslɪ] adv in preda all'agitazione.

restock [riː'stɔk] vt rifornire.

restoration [rɛstə'reɪʃən] n restauro; restituzione f.

restorative [rɪ'stɔrətɪv] adj corroborante, ristorativo(a) ♦ n ricostituente m.

restore [rɪ'stɔː*] vt (building) restaurare; (sth stolen) restituire; (peace, health) ristorare.

restorer [rɪs'tɔːrə*] n (ART etc) restauratore/trice.

restrain [rɪs'treɪn] vt (feeling) contenere, frenare; (person): **to** ~ **(from doing)** trattenere (dal fare).

restrained [rɪs'treɪnd] adj (style) contenuto(a), sobrio(a); (manner) riservato(a).

restraint [rɪs'treɪnt] n (restriction) limitazione f; (moderation) ritegno; **wage** ~ restrizioni fpl salariali.

restrict [rɪs'trɪkt] vt restringere, limitare.

restricted area [rɪs'trɪktɪd-] n (AUT) zona a velocità limitata.

restriction [rɪs'trɪkʃən] n restrizione f, limitazione f.

restrictive [rɪs'trɪktɪv] adj restrittivo(a).

restrictive practices npl (INDUSTRY) pratiche restrittive di produzione.

rest room n (US) toletta.

restructure [riː'strʌktʃə*] vt ristrutturare.

result [rɪ'zʌlt] n risultato ♦ vi: **to** ~ **in** avere per risultato; **as a** ~ **(of)** in or di conseguenza (a), in seguito (a); **to** ~ **(from)** essere una conseguenza (di), essere causato(a) (da).

resultant [rɪ'zʌltənt] adj risultante, conseguente.

resume [rɪ'zjuːm] vt, vi (work, journey) riprendere; (sum up) riassumere.

résumé ['reɪzjuːmeɪ] n riassunto; (US: curriculum vitae) curriculum vitae m inv.

resumption [rɪ'zʌmpʃən] n ripresa.

resurgence [rɪ'sɔːdʒəns] n rinascita.

resurrection [rɛzə'rɛkʃən] n risurrezione f.

resuscitate [rɪ'sʌsɪteɪt] vt (MED) risuscitare.

resuscitation [rɪsʌsɪ'teɪʃən] n rianimazione f.

retail ['riːteɪl] n (vendita al) minuto ♦ cpd al minuto ♦ vt vendere al minuto ♦ vi: **to** ~ **at** essere in vendita al pubblico al prezzo di.

retailer ['riːteɪlə*] n commerciante m/f al minuto, dettagliante m/f.

retail outlet n punto di vendita al dettaglio.

retail price n prezzo al minuto.

retail price index n indice m dei prezzi al consumo.

retain [rɪ'teɪn] vt (keep) tenere, serbare.

retainer [rɪ'teɪnə*] n (servant) servitore m; (fee) onorario.

retaliate [rɪ'tælɪeɪt] vi: **to** ~ **(against)** vendicarsi (di); **to** ~ **on sb** fare una rappresaglia contro qn.

retaliation [rɪtælɪ'eɪʃən] n rappresaglie fpl; **in** ~ **for** per vendicarsi di.

retaliatory [rɪ'tælɪətərɪ] adj di rappresaglia, di ritorsione.

retarded [rɪ'tɑːdɪd] adj ritardato(a); (also: **mentally** ~) tardo(a) (di mente).

retch [rɛtʃ] vi aver conati di vomito.

retentive [rɪ'tɛntɪv] adj ritentivo(a).

rethink ['riː'θɪŋk] vt ripensare.

reticence ['rɛtɪsns] n reticenza.

reticent ['rɛtɪsnt] adj reticente.

retina ['rɛtɪnə] n retina.

retinue ['rɛtɪnjuː] n seguito, scorta.

retire [rɪ'taɪə*] vi (give up work) andare in pensione; (withdraw) ritirarsi, andarsene; (go to bed) andare a letto, ritirarsi.

retired [rɪ'taɪəd] adj (person) pensionato(a).

retirement [rɪ'taɪəmənt] n pensione f.

retirement age n età del pensionamento.

retiring [rɪ'taɪərɪŋ] adj (person) riservato(a); (departing: chairman) uscente.

retort [rɪ'tɔːt] n (reply) rimbecco; (container) storta ♦ vi rimbeccare.

retrace [riː'treɪs] vt ricostruire; **to** ~ **one's steps** tornare sui propri passi.

retract [rɪ'trækt] vt (statement) ritrattare; (claws, undercarriage, aerial) ritrarre, ritirare ♦ vi ritrarsi.

retractable [rɪ'træktəbl] adj retrattile.

retrain [riː'treɪn] vt (worker) riaddestrare.

retraining [rɪ'treɪnɪŋ] n riaddestramento.

retread vt [riː'trɛd] (AUT: tyre) rigenerare ♦ n ['riːtrɛd] gomma rigenerata.

retreat [rɪ'triːt] n (place) rifugio ♦ vi battere in ritirata; (flood) ritirarsi; **to beat a hasty** ~ (fig) battersela.

retrial [riː'traɪəl] n nuovo processo.

retribution [rɛtrɪ'bjuːʃən] n castigo.

retrieval [rɪ'triːvəl] n ricupero.

retrieve [rɪ'triːv] *vt* (*sth lost*) ricuperare, ritrovare; (*situation, honour*) salvare; (*COMPUT*) ricuperare.

retriever [rɪ'triːvə*] *n* cane *m* da riporto.

retroactive [rɛtrəu'æktɪv] *adj* retroattivo(a).

retrograde ['rɛtrəugreɪd] *adj* retrogrado(a).

retrospect ['rɛtrəspɛkt] *n*: **in ~** guardando indietro.

retrospective [rɛtrə'spɛktɪv] *adj* retrospettivo(a); (*law*) retroattivo(a) ♦ *n* (*ART*) retrospettiva.

return [rɪ'təːn] *n* (*going or coming back*) ritorno; (*of sth stolen etc*) restituzione *f*; (*COMM: from land, shares*) profitto, reddito; (*: of merchandise*) resa; (*report*) rapporto; (*reward*): **in ~ (for)** in cambio (di) ♦ *cpd* (*journey, match*) di ritorno; (*BRIT: ticket*) di andata e ritorno ♦ *vi* tornare, ritornare ♦ *vt* rendere, restituire; (*bring back*) riportare; (*send back*) mandare indietro; (*put back*) rimettere; (*POL: candidate*) eleggere; **~s** *npl* (*COMM*) incassi *mpl*; profitti *mpl*; **by ~ of post** a stretto giro di posta; **many happy ~s (of the day)!** auguri!, buon compleanno!

returnable [rɪ'təːnəbl] *adj*: **~ bottle** vuoto a rendere.

returner [rɪ'təːnə*] *n donna che ritorna al lavoro dopo la maternità.*

returning officer [rɪ'təːnɪŋ-] *n* (*BRIT POL*) *funzionario addetto all'organizzazione delle elezioni in un distretto.*

return key *n* (*COMPUT*) tasto di ritorno.

reunion [riː'juːnɪən] *n* riunione *f*.

reunite [riːjuː'naɪt] *vt* riunire.

rev [rɛv] *n abbr* (= *revolution: AUT*) giro ♦ *vb* (*also: ~ up*) *vt* imballare ♦ *vi* imballarsi.

revaluation [riːvæljuː'eɪʃən] *n* rivalutazione *f*.

revamp ['riː'væmp] *vt* rinnovare; riorganizzare.

rev counter *n* contagiri *m inv*.

Rev(d). *abbr* = **reverend.**

reveal [rɪ'viːl] *vt* (*make known*) rivelare, svelare; (*display*) rivelare, mostrare.

revealing [rɪ'viːlɪŋ] *adj* rivelatore(trice); (*dress*) scollato(a).

reveille [rɪ'vælɪ] *n* (*MIL*) sveglia.

revel ['rɛvl] *vi*: **to ~ in sth/in doing** dilettarsi di qc/a fare.

revelation [rɛvə'leɪʃən] *n* rivelazione *f*.

reveller ['rɛvlə*] *n* festaiolo/a.

revelry ['rɛvlrɪ] *n* baldoria.

revenge [rɪ'vɛndʒ] *n* vendetta; (*in game etc*) rivincita ♦ *vt* vendicare; **to take ~** vendicarsi; **to get one's ~ (for sth)** vendicarsi (di qc).

revengeful [rɪ'vɛndʒful] *adj* vendicatore(trice); vendicativo(a).

revenue ['rɛvənjuː] *n* reddito.

reverberate [rɪ'vəːbəreɪt] *vi* (*sound*) rimbombare; (*light*) riverberarsi.

reverberation [rɪvəːbə'reɪʃən] *n* (*of light, sound*) riverberazione *f*.

revere [rɪ'vɪə*] *vt* venerare.

reverence ['rɛvərəns] *n* venerazione *f*, riverenza.

Reverend ['rɛvərənd] *adj* (*in titles*) reverendo(a).

reverent ['rɛvərənt] *adj* riverente.

reverie ['rɛvərɪ] *n* fantasticheria.

reversal [rɪ'vəːsl] *n* capovolgimento.

reverse [rɪ'vəːs] *n* contrario, opposto; (*back*) rovescio; (*AUT: also: ~ gear*) marcia indietro ♦ *adj* (*order*) inverso(a); (*direction*) opposto(a) ♦ *vt* (*turn*) invertire, rivoltare; (*change*) capovolgere, rovesciare; (*LAW: judgement*) cassare ♦ *vi* (*BRIT AUT*) fare marcia indietro; **in ~ order** in ordine inverso; **to go into ~** fare marcia indietro.

reversed charge call *n* (*BRIT TEL*) telefonata con addebito al ricevente.

reverse video *n* reverse video *m*.

reversible [rɪ'vəːsəbl] *adj* (*garment*) double-face *inv*; (*procedure*) reversibile.

reversing lights [rɪ'vəːsɪŋ-] *npl* (*BRIT AUT*) luci *fpl* per la retromarcia.

reversion [rɪ'vəːʃən] *n* ritorno.

revert [rɪ'vəːt] *vi*: **to ~ to** tornare a.

review [rɪ'vjuː] *n* rivista; (*of book, film*) recensione *f* ♦ *vt* passare in rivista; fare la recensione di; **to come under ~** essere preso in esame.

reviewer [rɪ'vjuːə*] *n* recensore/a.

revile [rɪ'vaɪl] *vt* insultare.

revise [rɪ'vaɪz] *vt* (*manuscript*) rivedere, correggere; (*opinion*) emendare, modificare; (*study: subject, notes*) ripassare; **~d edition** edizione riveduta.

revision [rɪ'vɪʒən] *n* revisione *f*; ripasso; (*revised version*) versione *f* riveduta e corretta.

revitalize [riː'vaɪtəlaɪz] *vt* ravvivare.

revival [rɪ'vaɪvəl] *n* ripresa; ristabilimento; (*of faith*) risveglio.

revive [rɪ'vaɪv] *vt* (*person*) rianimare; (*custom*) far rivivere; (*hope, courage*) ravvivare; (*play, fashion*) riesumare ♦ *vi* (*person*) rianimarsi; (*hope*) ravvivarsi; (*activity*) riprendersi.

revoke [rɪ'vəuk] *vt* revocare; (*promise, decision*) rinvenire su.

revolt [rɪ'vəult] *n* rivolta, ribellione *f* ♦ *vi* rivoltarsi, ribellarsi; **to ~ (against sb/**

sth) ribellarsi (a qn/qc).

revolting [rɪˈvəʊltɪŋ] adj ripugnante.

revolution [rɛvəˈluːʃən] n rivoluzione f; (of wheel etc) rivoluzione, giro.

revolutionary [rɛvəˈluːʃənrɪ] adj, n rivoluzionario(a).

revolutionize [rɛvəˈluːʃənaɪz] vt rivoluzionare.

revolve [rɪˈvɒlv] vi girare.

revolver [rɪˈvɒlvə*] n rivoltella.

revolving [rɪˈvɒlvɪŋ] adj girevole.

revolving door n porta girevole.

revue [rɪˈvjuː] n (THEAT) rivista.

revulsion [rɪˈvʌlʃən] n ripugnanza.

reward [rɪˈwɔːd] n ricompensa, premio ♦ vt: to ~ (for) ricompensare (per).

rewarding [rɪˈwɔːdɪŋ] adj (fig) soddisfacente; **financially** ~ conveniente dal punto di vista economico.

rewind [riːˈwaɪnd] vt irreg (watch) ricaricare; (ribbon etc) riavvolgere.

rewire [riːˈwaɪə*] vt (house) rifare l'impianto elettrico di.

reword [riːˈwɜːd] vt formulare or esprimere con altre parole.

rewrite [riːˈraɪt] vt irreg riscrivere.

Reykjavik [ˈreɪkjəviːk] n Reykjavik f.

RFD abbr (US POST) = rural free delivery.

Rh abbr (= rhesus) Rh.

rhapsody [ˈræpsədɪ] n (MUS) rapsodia; (fig) elogio stravagante.

rhesus negative [ˈriːsəs-] adj (MED) Rh-negativo(a).

rhesus positive adj (MED) Rh-positivo(a).

rhetoric [ˈrɛtərɪk] n retorica.

rhetorical [rɪˈtɒrɪkl] adj retorico(a).

rheumatic [ruːˈmætɪk] adj reumatico(a).

rheumatism [ˈruːmətɪzəm] n reumatismo.

rheumatoid arthritis [ˈruːmətɔɪd-] n artrite f reumatoide.

Rhine [raɪn] n: **the** ~ il Reno.

rhinestone [ˈraɪnstəʊn] n diamante m falso.

rhinoceros [raɪˈnɒsərəs] n rinoceronte m.

Rhodes [rəʊdz] n Rodi f.

Rhodesia [rəʊˈdiːʒə] n Rhodesia.

Rhodesian [rəʊˈdiːʒən] adj, n Rhodesiano(a).

rhododendron [rəʊdəˈdɛndrn] n rododendro.

Rhone [rəʊn] n: **the** ~ il Rodano.

rhubarb [ˈruːbɑːb] n rabarbaro.

rhyme [raɪm] n rima; (verse) poesia ♦ vi: to ~ (with) fare rima (con); **without** ~ or **reason** senza capo né coda.

rhythm [ˈrɪðm] n ritmo.

rhythmic(al) [ˈrɪðmɪk(əl)] adj ritmico(a).

rhythmically [ˈrɪðmɪkəlɪ] adv con ritmo.

rhythm method n metodo Ogino-Knauss.

RI abbr (US POST) = Rhode Island ♦ n abbr (BRIT) = religious instruction.

rib [rɪb] n (ANAT) costola ♦ vt (tease) punzecchiare.

ribald [ˈrɪbəld] adj licenzioso(a), volgare.

ribbed [rɪbd] adj (knitting) a coste.

ribbon [ˈrɪbən] n nastro; **in** ~s (torn) a brandelli.

rice [raɪs] n riso.

ricefield [ˈraɪsfiːld] n risaia.

rice pudding n budino di riso.

rich [rɪtʃ] adj ricco(a); (clothes) sontuoso(a); **the** ~ npl i ricchi; ~**es** npl ricchezze fpl; **to be** ~ **in sth** essere ricco di qc.

richly [ˈrɪtʃlɪ] adv riccamente; (dressed) sontuosamente; (deserved) pienamente.

rickets [ˈrɪkɪts] n rachitismo.

rickety [ˈrɪkɪtɪ] adj zoppicante.

rickshaw [ˈrɪkʃɔː] n risciò m inv.

ricochet [ˈrɪkəʃeɪ] n rimbalzo ♦ vi rimbalzare.

rid, pt, pp rid [rɪd] vt: **to** ~ **sb of** sbarazzare or liberare qn di; **to get** ~ **of** sbarazzarsi di.

riddance [ˈrɪdns] n: **good** ~! che liberazione!

ridden [ˈrɪdn] pp of ride.

riddle [ˈrɪdl] n (puzzle) indovinello ♦ vt: to be ~**d with** essere crivellato(a) di.

ride [raɪd] n (on horse) cavalcata; (outing) passeggiata; (distance covered) cavalcata; corsa ♦ vb (pt rode, pp ridden [rəʊd, ˈrɪdn]) vi (as sport) cavalcare; (go somewhere: on horse, bicycle) andare (a cavallo or in bicicletta etc); (journey: on bicycle, motorcycle, bus) andare, viaggiare ♦ vt (a horse) montare, cavalcare; **to go for a** ~ andare a fare una cavalcata; andare a fare un giro; **can you** ~ **a bike?** sai andare in bicicletta?; **we rode all day/all the way** abbiamo cavalcato tutto il giorno/per tutto il tragitto; **to** ~ **a horse/ bicycle/camel** montare a cavallo/in bicicletta/in groppa a un cammello; **to** ~ **at anchor** (NAUT) essere alla fonda; **horse** ~ cavalcata; **car** ~ passeggiata in macchina; **to take sb for a** ~ (fig) prendere in giro qn; fregare qn.

▶**ride out** vt: **to** ~ **out the storm** (fig) mantenersi a galla.

rider [ˈraɪdə*] n cavalcatore/trice; (jockey) fantino; (on bicycle) ciclista m/f; (on motorcycle) motociclista m/f; (in document) clausola addizionale, aggiunta.

ridge [rɪdʒ] n (of hill) cresta; (of roof) colmo; (of mountain) giogo; (on object) riga (in rilievo).

ridicule [ˈrɪdɪkjuːl] n ridicolo ♦ vt mettere in

ridicolo; **to hold sb/sth up to** ~ mettere in ridicolo qn/qc.
ridiculous [rɪ'dɪkjuləs] *adj* ridicolo(a).
riding ['raɪdɪŋ] *n* equitazione *f*.
riding school *n* scuola d'equitazione.
rife [raɪf] *adj* diffuso(a); **to be** ~ **with** abbondare di.
riffraff ['rɪfræf] *n* canaglia, gentaglia.
rifle ['raɪfl] *n* carabina ♦ *vt* vuotare.
►**rifle through** *vt fus* frugare.
rifle range *n* campo di tiro; (*at fair*) tiro a segno.
rift [rɪft] *n* fessura, crepatura; (*fig*: *disagreement*) incrinatura.
rig [rɪg] *n* (*also*: **oil** ~: *on land*) derrick *m inv*; (: *at sea*) piattaforma di trivellazione ♦ *vt* (*election etc*) truccare.
►**rig out** *vt* (*BRIT*) attrezzare; (*pej*) abbigliare, agghindare.
►**rig up** *vt* allestire.
rigging ['rɪgɪŋ] *n* (*NAUT*) attrezzatura.
right [raɪt] *adj* giusto(a); (*suitable*) appropriato(a); (*not left*) destro(a) ♦ *n* (*title*, *claim*) diritto; (*not left*) destra ♦ *adv* (*answer*) correttamente; (*not on the left*) a destra ♦ *vt* raddrizzare; (*fig*) riparare ♦ *excl* bene!; **the** ~ **time** l'ora esatta; **to be** ~ (*person*) aver ragione; (*answer*) essere giusto(a) *or* corretto(a); **to get sth** ~ far giusto qc; **you did the** ~ **thing** ha fatto bene; **let's get it** ~ **this time!** cerchiamo di farlo bene stavolta!; **to put a mistake** ~ (*BRIT*) correggere un errore; ~ **now** proprio adesso; subito; ~ **away** subito; ~ **before/after** subito prima/dopo; **to go** ~ **to the end of sth** andare fino in fondo a qc; ~ **against the wall** proprio contro il muro; ~ **ahead** sempre diritto; proprio davanti; ~ **in the middle** proprio nel mezzo; **by** ~s di diritto; **on the** ~, **to the** ~ a destra; ~ **and wrong** il bene e il male; **to have a** ~ **to sth** aver diritto a qc; **film** ~s diritti di riproduzione cinematografica; ~ **of way** diritto di passaggio; (*AUT*) precedenza.
right angle *n* angolo retto.
righteous ['raɪtʃəs] *adj* retto(a), virtuoso(a); (*anger*) giusto(a), giustificato(a).
righteousness ['raɪtʃəsnɪs] *n* rettitudine *f*, virtù *f*.
rightful ['raɪtful] *adj* (*heir*) legittimo(a).
rightfully ['raɪtfəlɪ] *adv* legittimamente.
right-handed [raɪt'hændɪd] *adj* (*person*) che adopera la mano destra.
right-hand man ['raɪthænd-] *n* braccio destro (*fig*).
right-hand side *n* lato destro.

rightly ['raɪtlɪ] *adv* bene, correttamente; (*with reason*) a ragione; **if I remember** ~ se mi ricordo bene.
right-minded [raɪt'maɪndɪd] *adj* sensato(a).
rights issue *n* (*STOCK EXCHANGE*) emissione *f* di azioni riservate agli azionisti.
right wing *n* (*MIL*, *SPORT*) ala destra; (*POL*) destra ♦ *adj*: **right-wing** (*POL*) di destra.
right-winger [raɪt'wɪŋə*] *n* (*POL*) uno/a di destra; (*SPORT*) ala destra.
rigid ['rɪdʒɪd] *adj* rigido(a); (*principle*) rigoroso(a).
rigidity [rɪ'dʒɪdɪtɪ] *n* rigidità.
rigidly ['rɪdʒɪdlɪ] *adv* rigidamente.
rigmarole ['rɪgmərəʊl] *n* tiritera; commedia.
rigor ['rɪgə*] *n* (*US*) = **rigour**.
rigor mortis ['rɪgə'mɔːtɪs] *n* rigidità cadaverica.
rigorous ['rɪgərəs] *adj* rigoroso(a).
rigorously ['rɪgərəslɪ] *adv* rigorosamente.
rigour, (*US*) **rigor** ['rɪgə*] *n* rigore *m*.
rig-out ['rɪgaut] *n* (*BRIT col*) tenuta.
rile [raɪl] *vt* irritare, seccare.
rim [rɪm] *n* orlo; (*of spectacles*) montatura; (*of wheel*) cerchione *m*.
rimless ['rɪmlɪs] *adj* (*spectacles*) senza montatura.
rimmed [rɪmd] *adj* bordato(a); cerchiato(a).
rind [raɪnd] *n* (*of bacon*) cotenna; (*of lemon etc*) scorza.
ring [rɪŋ] *n* anello; (*also*: **wedding** ~) fede *f*; (*of people, objects*) cerchio; (*of spies*) giro; (*of smoke etc*) spirale *f*; (*arena*) pista, arena; (*for boxing*) ring *m inv*; (*sound of bell*) scampanio; (*telephone call*) colpo di telefono ♦ *vb* (*pt* **rang**, *pp* **rung** [ræŋ, rʌŋ]) *vi* (*person, bell, telephone*) suonare; (*also*: ~ **out**: *voice, words*) risuonare; (*TEL*) telefonare ♦ *vt* (*BRIT TEL*: *also*: ~ **up**) telefonare a; **to give sb a** ~ (*TEL*) dare un colpo di telefono a qn; **that has the** ~ **of truth about it** questo ha l'aria di essere vero; **to** ~ **the bell** suonare il campanello; **the name doesn't** ~ **a bell (with me)** questo nome non mi dice niente.
►**ring back** *vt*, *vi* (*BRIT TEL*) richiamare.
►**ring off** *vi* (*BRIT TEL*) mettere giù, riattaccare.
ring binder *n* classificatore *m* a anelli.
ring finger *n* anulare *m*.
ringing ['rɪŋɪŋ] *n* (*of bell*) scampanio; (: *louder*) scampanellata; (*of telephone*) squillo; (*in ears*) fischio, ronzio.
ringing tone *n* (*BRIT TEL*) segnale *m* di libero.
ringleader ['rɪŋliːdə*] *n* (*of gang*)

capobanda *m*.

ringlets ['rɪŋlɪts] *npl* boccoli *mpl*.

ring road *n* (*BRIT*) raccordo anulare.

rink [rɪŋk] *n* (*also*: **ice** ~) pista di pattinaggio; (*for roller-skating*) pista di pattinaggio (a rotelle).

rinse [rɪns] *n* risciacquatura; (*hair tint*) cachet *m inv* ♦ *vt* sciacquare.

Rio (de Janeiro) ['riːəu(dədʒə'nɪərəu)] *n* Rio de Janeiro *f*.

riot ['raɪət] *n* sommossa, tumulto ♦ *vi* tumultuare; **a** ~ **of colours** un'orgia di colori; **to run** ~ creare disordine.

rioter ['raɪətə*] *n* dimostrante *m/f* (*durante dei disordini*).

riot gear *n*: **in** ~ in assetto di guerra.

riotous ['raɪətəs] *adj* tumultuoso(a); che fa crepare dal ridere.

riotously ['raɪətəslɪ] *adv*: ~ **funny** che fa crepare dal ridere.

riot police *n* ≈ la Celere.

RIP *abbr* (= *rest in peace*) R.I.P.

rip [rɪp] *n* strappo ♦ *vt* strappare ♦ *vi* strapparsi.

▶**rip up** *vt* stracciare.

ripcord ['rɪpkɔːd] *n* cavo di spiegamento.

ripe [raɪp] *adj* (*fruit*) maturo(a); (*cheese*) stagionato(a).

ripen ['raɪpən] *vt* maturare ♦ *vi* maturarsi; stagionarsi.

ripeness ['raɪpnɪs] *n* maturità.

rip-off ['rɪpɔf] *n* (*col*): **it's a** ~! è un furto!

riposte [rɪ'pɔst] *n* risposta per le rime.

ripple ['rɪpl] *n* increspamento, ondulazione *f*; mormorio ♦ *vi* incresparsi ♦ *vt* increspare.

rise [raɪz] *n* (*slope*) salita, pendio; (*hill*) altura; (*increase: in wages*) aumento; (: *in prices, temperature*) rialzo, aumento; (*fig: to power etc*) ascesa ♦ *vi* (*pt rose, pp risen* [rəuz, 'rɪzn]) alzarsi, levarsi; (*prices*) aumentare; (*waters, river*) crescere; (*sun, wind*) levarsi; (*also*: ~ **up**: *rebel*) insorgere; ribellarsi; **to give** ~ **to** provocare, dare origine a; **to** ~ **to the occasion** dimostrarsi all'altezza della situazione.

rising ['raɪzɪŋ] *adj* (*increasing: number*) sempre crescente; (*prices*) in aumento; (*tide*) montante; (*sun, moon*) nascente, che sorge ♦ *n* (*uprising*) sommossa.

rising damp *n* infiltrazioni *fpl* d'umidità.

rising star *n* (*also fig*) astro nascente.

risk [rɪsk] *n* rischio ♦ *vt* rischiare; **to take** *or* **run the** ~ **of doing** correre il rischio di fare; **at** ~ in pericolo; **at one's own** ~ a proprio rischio e pericolo; **fire/health** ~ rischio d'incendio/per la salute; **I'll** ~ **it** ci

proverò lo stesso.

risk capital *n* capitale *m* di rischio.

risky ['rɪskɪ] *adj* rischioso(a).

risqué ['riːskeɪ] *adj* (*joke*) spinto(a).

rissole ['rɪsəul] *n* crocchetta.

rite [raɪt] *n* rito; **last** ~**s** l'estrema unzione.

ritual ['rɪtjuəl] *adj, n* rituale (*m*).

rival ['raɪvl] *n* rivale *m/f*; (*in business*) concorrente *m/f* ♦ *adj* rivale; che fa concorrenza ♦ *vt* essere in concorrenza con; **to** ~ **sb/sth in** competere con qn/qc in.

rivalry ['raɪvəlrɪ] *n* rivalità; concorrenza.

river ['rɪvə*] *n* fiume *m* ♦ *cpd* (*port, traffic*) fluviale; **up/down** ~ a monte/valle.

riverbank ['rɪvəbæŋk] *n* argine *m*.

riverbed ['rɪvəbɛd] *n* alveo (fluviale).

riverside ['rɪvəsaɪd] *n* sponda del fiume.

rivet ['rɪvɪt] *n* ribattino, rivetto ♦ *vt* ribadire; (*fig*) concentrare, fissare.

riveting ['rɪvɪtɪŋ] *adj* (*fig*) avvincente.

Riviera [rɪvɪ'ɛərə] *n*: **the (French)** ~ la Costa Azzurra; **the Italian** ~ la Riviera.

Riyadh [rɪ'jɑːd] *n* Riad *f*.

RMT *n abbr* (= *Rail, Maritime and Transport*) sindacato dei Ferrovieri, Marittimi e Trasportatori.

RN *n abbr* (*BRIT*) = **Royal Navy**; (*US*) = **registered nurse**.

RNA *n abbr* (= *ribonucleic acid*) R.N.A. *m*.

RNLI *n abbr* (*BRIT*: = *Royal National Lifeboat Institution*) associazione volontaria che organizza e dispone di scialuppe di salvataggio.

RNZAF *n abbr* = *Royal New Zealand Air Force*.

RNZN *n abbr* = *Royal New Zealand Navy*.

road [rəud] *n* strada; (*small*) cammino; (*in town*) via; **main** ~ strada principale; **major/minor** ~ strada con/senza diritto di precedenza; **it takes 4 hours by** ~ sono 4 ore di macchina (*or* in camion *etc*); **on the** ~ **to success** sulla via del successo; "~ **up**" (*BRIT*) "attenzione: lavori in corso".

roadblock ['rəudblɔk] *n* blocco stradale.

road haulage *n* autotrasporti *mpl*.

roadhog ['rəudhɔg] *n* pirata *m* della strada.

road map *n* carta stradale.

road safety *n* sicurezza sulle strade.

roadside ['rəudsaɪd] *n* margine *m* della strada; **by the** ~ a lato della strada.

roadsign ['rəudsaɪn] *n* cartello stradale.

roadsweeper ['rəudswiːpə*] *n* (*BRIT*: *person*) spazzino.

road user *n* utente *m/f* della strada.

roadway ['rəudweɪ] *n* carreggiata.

roadworks ['rəudwɜːks] *npl* lavori *mpl* stradali.

roadworthy ['rəudwəːði] *adj* in buono stato di marcia.

roam [rəum] *vi* errare, vagabondare ♦ *vt* vagare per.

roar [rɔː*] *n* ruggito; (*of crowd*) tumulto; (*of thunder, storm*) muggito ♦ *vi* ruggire; tumultuare; muggire; **to ~ with laughter** scoppiare dalle risa.

roaring ['rɔːrɪŋ] *adj*: **a ~ fire** un bel fuoco; **to do a ~ trade** fare affari d'oro; **a ~ success** un successo strepitoso.

roast [rəust] *n* arrosto ♦ *vt* (*meat*) arrostire.

roast beef *n* arrosto di manzo.

roasting ['rəustɪŋ] *n* (*col*): **to give sb a ~** dare una lavata di capo a qn.

rob [rɔb] *vt* (*person*) rubare; (*bank*) svaligiare; **to ~ sb of sth** derubare qn di qc; (*fig: deprive*) privare qn di qc.

robber ['rɔbə*] *n* ladro; (*armed*) rapinatore *m*.

robbery ['rɔbərɪ] *n* furto; rapina.

robe [rəub] *n* (*for ceremony etc*) abito; (*also*: **bath~**) accappatoio ♦ *vt* vestire.

robin ['rɔbɪn] *n* pettirosso.

robot ['rəubɔt] *n* robot *m inv.*

robotics ['rəubɔtɪks] *n* robotica.

robust [rəu'bʌst] *adj* robusto(a); (*material*) solido(a).

rock [rɔk] *n* (*substance*) roccia; (*boulder*) masso; roccia; (*in sea*) scoglio; (*BRIT: sweet*) zucchero candito ♦ *vt* (*swing gently: cradle*) dondolare; (: *child*) cullare; (*shake*) scrollare, far tremare ♦ *vi* dondolarsi; oscillare; **on the ~s** (*drink*) col ghiaccio; (*ship*) sugli scogli; (*marriage etc*) in crisi; **to ~ the boat** (*fig*) piantare grane.

rock and roll *n* rock and roll *m*.

rock-bottom ['rɔk'bɔtəm] *n* (*fig*) stremo; **to reach** *or* **touch ~** (*price*) raggiungere il livello più basso; (*person*) toccare il fondo.

rock climber *n* rocciatore/trice, scalatore/trice.

rock climbing *n* roccia.

rockery ['rɔkərɪ] *n* giardino roccioso.

rocket ['rɔkɪt] *n* razzo; (*MIL*) razzo, missile *m* ♦ *vi* (*prices*) salire alle stelle.

rocket launcher [-lɔːnt fə*] *n* lanciarazzi *m inv.*

rock face *n* parete *f* della roccia.

rock fall *n* caduta di massi.

rocking chair ['rɔkɪŋ-] *n* sedia a dondolo.

rocking horse *n* cavallo a dondolo.

rocky ['rɔkɪ] *adj* (*hill*) roccioso(a); (*path*) sassoso(a); (*unsteady: table*) traballante.

Rocky Mountains *npl*: **the ~** le Montagne Rocciose.

rod [rɔd] *n* (*metallic, TECH*) asta; (*wooden*) bacchetta; (*also*: **fishing ~**) canna da pesca.

rode [rəud] *pt of* **ride.**

rodent ['rəudnt] *n* roditore *m*.

rodeo ['rəudɪəu] *n* rodeo.

roe [rəu] *n* (*species: also*: **~ deer**) capriolo; (*of fish: also*: **hard ~**) uova *fpl* di pesce; **soft ~** latte *m* di pesce.

roe deer *n* (*species*) capriolo; (*female deer: pl inv*) capriolo femmina.

rogue [rəug] *n* mascalzone *m*.

roguish ['rəugɪʃ] *adj* birbantesco(a).

role [rəul] *n* ruolo.

role model *n* modello (di comportamento).

role-play ['rəulpleɪ], **role-playing** ['rəulpleɪɪŋ] *n* il recitare un ruolo, role-playing *m inv.*

roll [rəul] *n* rotolo; (*of banknotes*) mazzo; (*also*: **bread ~**) panino; (*register*) lista; (*sound: of drums etc*) rullo; (*movement: of ship*) rullio ♦ *vt* rotolare; (*also*: **~ up**: *string*) aggomitolare; (*also*: **~ out**: *pastry*) stendere ♦ *vi* rotolare; (*wheel*) girare; **cheese ~** panino al formaggio.

▶**roll about, roll around** *vi* rotolare qua e là; (*person*) rotolarsi.

▶**roll by** *vi* (*time*) passare.

▶**roll in** *vi* (*mail, cash*) arrivare a bizzeffe.

▶**roll over** *vi* rivoltarsi.

▶**roll up** *vi* (*col: arrive*) arrivare ♦ *vt* (*carpet, cloth, map*) arrotolare; (*sleeves*) rimboccare; **to ~ o.s. up into a ball** raggomitolarsi.

roll call *n* appello.

rolled gold [rəuld-] *adj* d'oro laminato.

roller ['rəulə*] *n* rullo; (*wheel*) rotella.

roller blind *n* (*BRIT*) avvolgibile *m*.

roller coaster *n* montagne *fpl* russe.

roller skates *npl* pattini *mpl* a rotelle.

rollicking ['rɔlɪkɪŋ] *adj* allegro(a) e chiassoso(a); **to have a ~ time** divertirsi pazzamente.

rolling ['rəulɪŋ] *adj* (*landscape*) ondulato(a).

rolling mill *n* fabbrica di laminati.

rolling pin *n* matterello.

rolling stock *n* (*RAIL*) materiale *m* rotabile.

roll-on-roll-off ['rəulɒn'rəulɔf] *adj* (*BRIT: ferry*) roll-on roll-off *inv.*

roly-poly ['rəulɪ'pəulɪ] *n* (*BRIT CULIN*) rotolo di pasta con ripieno di marmellata.

ROM [rɔm] *n abbr* (*COMPUT*: = *read-only memory*) ROM *f*.

Roman ['rəumən] *adj, n* romano(a).

Roman Catholic *adj, n* cattolico(a).

romance [rə'mæns] *n* storia (*or* avventura *or* film *m inv*) romantico(a); (*charm*) poesia; (*love affair*) idillio.

Romanesque [rəumə'nɛsk] *adj* romanico(a).
Romania [rəu'meɪnɪə] *n* Romania.
Romanian [rəu'meɪnɪən] *adj* romeno(a) ♦ *n* romeno/a; (*LING*) romeno.
Roman numeral *n* numero romano.
romantic [rə'mæntɪk] *adj* romantico(a); sentimentale.
romanticism [rə'mæntɪsɪzəm] *n* romanticismo.
Romany ['rɔmənɪ] *adj* zingaresco(a) ♦ *n* (*person*) zingaro/a; (*LING*) lingua degli zingari.
Rome [rəum] *n* Roma.
romp [rɔmp] *n* gioco chiassoso ♦ *vi* (*also*: ~ **about**) giocare chiassosamente; **to ~ home** (*horse*) vincere senza difficoltà, stravincere.
rompers ['rɔmpəz] *npl* pagliaccetto.
rondo ['rɔndəu] *n* (*MUS*) rondò *m inv.*
roof [ru:f] *n* tetto; (*of tunnel, cave*) volta ♦ *vt* coprire (con un tetto); ~ **of the mouth** palato.
roof garden *n* giardino pensile.
roofing ['ru:fɪŋ] *n* materiale *m* per copertura.
roof rack *n* (*AUT*) portabagagli *m inv.*
rook [ruk] *n* (*bird*) corvo nero; (*CHESS*) torre *f* ♦ *vt* (*cheat*) truffare, spennare.
rookie ['rukɪ] *n* (*col: esp MIL*) pivellino/a.
room [ru:m] *n* (*in house*) stanza, camera; (*in school etc*) sala; (*space*) posto, spazio; ~**s** *npl* (*lodging*) alloggio; "~**s to let**", (*US*) "~**s for rent**" "si affittano camere"; **is there ~ for this?** c'è spazio per questo?, ci sta anche questo?; **to make ~ for sb** far posto a qn; **there is ~ for improvement** si potrebbe migliorare.
rooming house ['ru:mɪŋ-] *n* (*US*) casa in cui si affittano camere o appartamentini ammobiliati.
roommate ['ru:mmeɪt] *n* compagno/a di stanza.
room service *n* servizio da camera.
room temperature *n* temperatura ambiente.
roomy ['ru:mɪ] *adj* spazioso(a); (*garment*) ampio(a).
roost [ru:st] *n* appollaiato ♦ *vi* appollaiarsi.
rooster ['ru:stə*] *n* gallo.
root [ru:t] *n* radice *f* ♦ *vt* (*plant, belief*) far radicare; **to take ~** (*plant*) attecchire, prendere; (*idea*) far presa; **the ~ of the problem is that** ... il problema deriva dal fatto che ....
▶**root about** *vi* (*fig*) frugare.
▶**root for** *vt fus* (*col*) fare il tifo per.
▶**root out** *vt* estirpare.

root beer *n* (*US*) bibita dolce a base di estratti di erbe e radici.
rope [rəup] *n* corda, fune *f*; (*NAUT*) cavo ♦ *vt* (*box*) legare; (*climbers*) legare in cordata; **to ~ sb in** (*fig*) coinvolgere qn; **to know the ~s** (*fig*) conoscere i trucchi del mestiere.
rope ladder *n* scala di corda.
ropey ['rəupɪ] *adj* (*col*) scadente, da quattro soldi; **to feel ~** (*ill*) sentirsi male.
rosary ['rəuzərɪ] *n* rosario; roseto.
rose [rəuz] *pt of* **rise** ♦ *n* rosa; (*also*: ~ **bush** rosaio; (*on watering can*) rosetta ♦ *adj* rosa *inv.*
rosé ['rəuzeɪ] *n* vino rosato.
rosebed ['rəuzbɛd] *n* roseto.
rosebud ['rəuzbʌd] *n* bocciolo di rosa.
rosebush ['rəuzbuʃ] *n* rosaio.
rosemary ['rəuzmərɪ] *n* rosmarino.
rosette [rəu'zɛt] *n* coccarda.
ROSPA ['rɔspə] *n abbr* (*BRIT*: = *Royal Society for the Prevention of Accidents*) ≈ E.N.P.I. *m* (= *Ente Nazionale Prevenzione Infortuni*).
roster ['rɔstə*] *n*: **duty ~** ruolino di servizio.
rostrum ['rɔstrəm] *n* tribuna.
rosy ['rəuzɪ] *adj* roseo(a).
rot [rɔt] *n* (*decay*) putrefazione *f*; (*col: nonsense*) stupidaggini *fpl* ♦ *vt, vi* imputridire, marcire; **dry/wet ~** *funghi parassiti del legno*; **to stop the ~** (*BRIT fig*) salvare la situazione.
rota ['rəutə] *n* tabella dei turni; **on a ~ basis** a turno.
rotary ['rəutərɪ] *adj* rotante.
rotate [rəu'teɪt] *vt* (*revolve*) far girare; (*change round: crops*) avvicendare; (: *jobs*) fare a turno ♦ *vi* (*revolve*) girare.
rotating [rəu'teɪtɪŋ] *adj* (*movement*) rotante.
rotation [rəu'teɪʃən] *n* rotazione *f*; **in ~** a turno, in rotazione.
rote [rəut] *n*: **to learn sth by ~** imparare qc a memoria.
rotor ['rəutə*] *n* rotore *m.*
rotten ['rɔtn] *adj* (*decayed*) putrido(a), marcio(a); (: *teeth*) cariato(a); (*dishonest*) corrotto(a); (*col: bad*) brutto(a); (: *action*) vigliacco(a); **to feel ~** (*ill*) sentirsi proprio male.
rotting ['rɔtɪŋ] *adj* in putrefazione.
rotund [rəu'tʌnd] *adj* grassoccio(a); tondo(a).
rouble, (*US*) **ruble** ['ru:bl] *n* rublo.
rouge [ru:ʒ] *n* belletto.
rough [rʌf] *adj* aspro(a); (*person, manner: coarse*) rozzo(a), aspro(a); (: *violent*) brutale; (*district*) malfamato(a); (*weather*) cattivo(a); (*plan*) abbozzato(a); (*guess*)

approssimativo(a) ♦ *n* (*GOLF*) macchia; ~
estimate approssimazione *f*; **to** ~ **it** far
vita dura; **to play** ~ far il gioco pesante;
to sleep ~ (*BRIT*) dormire all'addiaccio; **to
feel** ~ (*BRIT*) sentirsi male; **to have a** ~
time (of it) passare un periodaccio; **the
sea is** ~ **today** c'è mare grosso oggi.
▶**rough out** *vt* (*draft*) abbozzare.
roughage ['rʌfɪdʒ] *n* alimenti *mpl* ricchi di
cellulosa.
rough-and-ready ['rʌfən'rɛdɪ] *adj*
rudimentale.
rough-and-tumble ['rʌfən'tʌmbl] *n* zuffa.
roughcast ['rʌfkɑːst] *n* intonaco grezzo.
rough copy, rough draft *n* brutta copia.
roughen ['rʌfn] *vt* (*a surface*) rendere
ruvido(a).
rough justice *n* giustizia sommaria.
roughly ['rʌflɪ] *adv* (*handle*) rudemente,
brutalmente; (*make*) grossolanamente;
(*approximately*) approssimativamente; ~
speaking grosso modo, ad occhio e croce.
roughness ['rʌfnɪs] *n* asprezza; rozzezza;
brutalità.
roughshod ['rʌfʃɔd] *adv*: **to ride** ~ **over**
(*person*) mettere sotto i piedi; (*objection*)
passare sopra a.
rough work *n* (*at school etc*) brutta copia.
roulette [ruːˈlɛt] *n* roulette *f*.
Roumania *etc* [ruːˈmeɪnɪə] = **Romania** *etc*.
round [raund] *adj* rotondo(a) ♦ *n* tondo,
cerchio; (*BRIT*: *of toast*) fetta; (*duty*: *of
policeman, milkman etc*) giro; (: *of doctor*)
visite *fpl*; (*game*: *of cards, in competition*)
partita; (*BOXING*) round *m inv*; (*of talks*)
serie *f inv* ♦ *vt* (*corner*) girare; (*bend*)
prendere; (*cape*) doppiare ♦ *prep* intorno a
♦ *adv*: **right** ~, **all** ~ tutt'attorno; **the long
way** ~ il giro più lungo; **all the year** ~
tutto l'anno; **in** ~ **figures** in cifra tonda;
it's just ~ **the corner** (*also fig*) è dietro
l'angolo; **to ask sb** ~ invitare qn (a casa
propria); **I'll be** ~ **at 6 o'clock** ci sarò alle
6; **to go** ~ fare il giro; **to go** ~ **to sb's
(house)** andare da qn; **to go** ~ **an obstacle**
aggirare un ostacolo; **go** ~ **the back** passi
da dietro; **to go** ~ **a house** visitare una
casa; **enough to go** ~ abbastanza per
tutti; **she arrived** ~ (**about**) **noon** è
arrivata intorno a mezzogiorno; ~ **the
clock** 24 ore su 24; **to go the** ~**s** (*illness*)
diffondersi; (*story*) circolare, passare di
bocca in bocca; **the daily** ~ (*fig*) la routine
quotidiana; ~ **of ammunition** cartuccia;
~ **of applause** applausi *mpl*; ~ **of drinks**
giro di bibite; ~ **of sandwiches** (*BRIT*)
sandwich *m inv*.
▶**round off** *vt* (*speech etc*) finire.

▶**round up** *vt* radunare; (*criminals*) fare
una retata di; (*prices*) arrotondare.
roundabout ['raundəbaut] *n* (*BRIT AUT*)
rotatoria; (*at fair*) giostra ♦ *adj* (*route,
means*) indiretto(a).
rounded ['raundɪd] *adj* arrotondato(a);
(*style*) armonioso(a).
rounders ['raundəz] *npl* (*game*) gioco simile
al baseball.
roundly ['raundlɪ] *adv* (*fig*) chiaro e tondo.
round robin *n* (*SPORT*: *also*: ~ **tournament**)
≈ torneo all'italiana.
round-shouldered [raund'ʃəuldəd] *adj*
dalle spalle tonde.
round trip *n* (viaggio di) andata e ritorno.
roundup ['raundʌp] *n* raduno; (*of criminals*)
retata; **a** ~ **of the latest news** un
sommario *or* riepilogo delle ultime
notizie.
rouse [rauz] *vt* (*wake up*) svegliare; (*stir up*)
destare; provocare; risvegliare.
rousing ['rauzɪŋ] *adj* (*speech, applause*)
entusiastico(a).
rout [raut] *n* (*MIL*) rotta ♦ *vt* mettere in
rotta.
route [ruːt] *n* itinerario; (*of bus*) percorso;
(*of trade, shipping*) rotta; "**all** ~**s**" (*AUT*)
"tutte le direzioni"; **the best** ~ **to London**
la strada migliore per andare a Londra;
en ~ **for** in viaggio verso; **en** ~ **from ... to**
viaggiando da ... a.
route map *n* (*BRIT*: *for journey*) cartina di
itinerario; (*for trains etc*) pianta dei
collegamenti.
routine [ruːˈtiːn] *adj* (*work*) corrente,
abituale; (*procedure*) solito(a) ♦ *n*
(*pej*) routine *f*, tran tran *m*; (*THEAT*)
numero; (*COMPUT*) sottoprogramma *m*;
daily ~ orario quotidiano; ~ **procedure**
prassi *f*.
roving ['rəuvɪŋ] *adj* (*life*) itinerante.
roving reporter *n* reporter *m inv*
volante.
row[1] [rəu] *n* (*line*) riga, fila; (*KNITTING*)
ferro; (*behind one another*: *of cars, people*)
fila ♦ *vi* (*in boat*) remare; (*as sport*) vogare
♦ *vt* (*boat*) manovrare a remi; **in a** ~ (*fig*)
di fila.
row[2] [rau] *n* (*noise*) baccano, chiasso;
(*dispute*) lite *f* ♦ *vi* litigare; **to make a** ~
far baccano; **to have a** ~ litigare.
rowboat ['rəubəut] *n* (*US*) barca a remi.
rowdiness ['raudɪnɪs] *n* baccano; (*fighting*)
zuffa.
rowdy ['raudɪ] *adj* chiassoso(a);
turbolento(a) ♦ *n* teppista *m/f*.
rowdyism ['raudɪɪzəm] *n* teppismo.
rowing ['rəuɪŋ] *n* canottaggio.

rowing boat *n* (*BRIT*) barca a remi.
rowlock ['rɔlək] *n* scalmo.
royal ['rɔɪəl] *adj* reale.

L'Accademia Reale d'Arte britannica, **Royal Academy (of the Arts),** *è un'istituzione fondata nel 1768 al fine di incoraggiare la pittura, la scultura e l'architettura. Ogni anno organizza una mostra estiva d'arte contemporanea.*

Royal Air Force (RAF) *n* (*BRIT*) *aeronautica militare britannica.*
royal blue *adj* blu reale *inv.*
royalist ['rɔɪəlɪst] *adj, n* realista (*m/f*).
Royal Navy (RN) *n* (*BRIT*) *marina militare britannica.*
royalty ['rɔɪəltɪ] *n* (*royal persons*) (membri *mpl* della) famiglia reale; (*payment: to author*) diritti *mpl* d'autore; (: *to inventor*) diritti di brevetto.
RP *n abbr* (*BRIT*: = *received pronunciation*) pronuncia standard.
RPM *abbr* = **resale price maintenance.**
rpm *abbr* (= *revolutions per minute*) giri/min.
RR *abbr* (*US* = *railroad*) Ferr.
R&R *n abbr* (*US MIL*: = *rest and recreation*) permesso per militari.
RRP *n abbr* (*BRIT*) *see* **recommended retail price.**
RSA *n abbr* (*BRIT*) = *Royal Society of Arts*; *Royal Scottish Academy.*
RSI *n abbr* (*MED*: = *repetitive strain injury*) *lesione al braccio tipica di violinisti e terminalisti.*
RSPB *n abbr* (*BRIT*: = *Royal Society for the Protection of Birds*) ≈ L.I.P.U. *f* (= *Lega Italiana Protezione Uccelli*).
RSPCA *n abbr* (*BRIT*: = *Royal Society for the Prevention of Cruelty to Animals*) ≈ E.N.P.A. *m* (= *Ente Nazionale per la Protezione degli Animali*).
RSVP *abbr* (= *répondez s'il vous plaît*) R.S.V.P.
RTA *n abbr* (= *road traffic accident*) incidente *m* stradale.
Rt Hon. *abbr* (*BRIT*: = *Right Honourable*) ≈ On. (= *Onorevole*).
Rt Rev. *abbr* (= *Right Reverend*) Rev.
rub [rʌb] *n* (*with cloth*) fregata, strofinata; (*on person*) frizione *f*, massaggio ♦ *vt* fregare, strofinare; frizionare; **to** ~ **sb up** *or* (*US*) ~ **sb the wrong way** lisciare qn contro pelo.
▶**rub down** *vt* (*body*) strofinare, frizionare; (*horse*) strigliare.
▶**rub in** *vt* (*ointment*) far penetrare (massaggiando *or* frizionando).

▶**rub off** *vi* andare via; **to** ~ **off on** lasciare una traccia su.
▶**rub out** *vt* cancellare ♦ *vi* cancellarsi.
rubber ['rʌbə*] *n* gomma.
rubber band *n* elastico.
rubber bullet *n* pallottola di gomma.
rubber plant *n* ficus *m inv.*
rubber ring *n* (*for swimming*) ciambella.
rubber stamp *n* timbro di gomma.
rubber-stamp [rʌbə'stæmp] *vt* (*fig*) approvare senza discussione.
rubbery ['rʌbərɪ] *adj* gommoso(a).
rubbish ['rʌbɪʃ] *n* (*from household*) immondizie *fpl*, rifiuti *mpl*; (*fig: pej*) cose *fpl* senza valore; robaccia; (*nonsense*) sciocchezze *fpl* ♦ *vt* (*col*) sputtanare; **what you've just said is** ~ quello che ha appena detto è una sciocchezza.
rubbish bin *n* (*BRIT*) pattumiera.
rubbish dump *n* luogo di scarico.
rubbishy ['rʌbɪʃɪ] *adj* (*BRIT col*) scadente, che non vale niente.
rubble ['rʌbl] *n* macerie *fpl*; (*smaller*) pietrisco.
ruble ['ruːbl] *n* (*US*) = **rouble.**
ruby ['ruːbɪ] *n* rubino.
RUC *n abbr* (*BRIT*: = *Royal Ulster Constabulary*) *forza di polizia dell'Irlanda del Nord.*
rucksack ['rʌksæk] *n* zaino.
ructions ['rʌkʃənz] *npl* putiferio, finimondo.
rudder ['rʌdə*] *n* timone *m.*
ruddy ['rʌdɪ] *adj* (*face*) fresco(a); (*col: damned*) maledetto(a).
rude [ruːd] *adj* (*impolite: person*) scortese, rozzo(a); (: *word, manners*) grossolano(a), rozzo(a); (*shocking*) indecente; **to be** ~ **to sb** essere maleducato con qn.
rudely ['ruːdlɪ] *adv* scortesemente; grossolanamente.
rudeness ['ruːdnɪs] *n* scortesia; grossolanità.
rudiment ['ruːdɪmənt] *n* rudimento.
rudimentary [ruːdɪ'mɛntərɪ] *adj* rudimentale.
rue [ruː] *vt* pentirsi amaramente di.
rueful ['ruːful] *adj* mesto(a), triste.
ruff [rʌf] *n* gorgiera.
ruffian ['rʌfɪən] *n* briccone *m*, furfante *m.*
ruffle ['rʌfl] *vt* (*hair*) scompigliare; (*clothes, water*) increspare; (*fig: person*) turbare.
rug [rʌg] *n* tappeto; (*BRIT: for knees*) coperta.
rugby ['rʌgbɪ] *n* (*also:* ~ **football**) rugby *m.*
rugged ['rʌgɪd] *adj* (*landscape*) aspro(a); (*features, determination*) duro(a); (*character*) brusco(a).
rugger ['rʌgə*] *n* (*col*) rugby *m.*

ruin ['ru:ɪn] *n* rovina ♦ *vt* rovinare; (*spoil: clothes*) sciupare; **~s** *npl* rovine *fpl*, ruderi *mpl*; **in ~s** in rovina.
ruination [ru:ɪ'neɪʃən] *n* rovina.
ruinous ['ru:ɪnəs] *adj* rovinoso(a); (*expenditure*) inverosimile.
rule [ru:l] *n* (*gen*) regola; (*regulation*) regolamento, regola; (*government*) governo; (*dominion etc*): **under British ~** sotto la sovranità britannica ♦ *vt* (*country*) governare; (*person*) dominare; (*decide*) decidere ♦ *vi* regnare; decidere; (*LAW*) dichiarare; **to ~ against/in favour of/on** (*LAW*) pronunciarsi a sfavore di/in favore di/su; **it's against the ~s** è contro le regole *or* il regolamento; **by ~ of thumb** a lume di naso; **as a ~** normalmente, di regola.
▶**rule out** *vt* escludere; **murder cannot be ~d out** non si esclude che si tratti di omicidio.
ruled [ru:ld] *adj* (*paper*) vergato(a).
ruler ['ru:lə*] *n* (*sovereign*) sovrano/a; (*leader*) capo (dello Stato); (*for measuring*) regolo, riga.
ruling ['ru:lɪŋ] *adj* (*party*) al potere; (*class*) dirigente ♦ *n* (*LAW*) decisione *f*.
rum [rʌm] *n* rum *m* ♦ *adj* (*BRIT col*) strano(a).
Rumania *etc* [ru:'meɪnɪə] = **Romania** *etc*.
rumble ['rʌmbl] *n* rimbombo; brontolio ♦ *vi* rimbombare; (*stomach, pipe*) brontolare.
rumbustious [rʌm'bʌstʃəs] *adj* (*person*): **to be ~** essere un terremoto.
rummage ['rʌmɪdʒ] *vi* frugare.
rumour, (*US*) **rumor** ['ru:mə*] *n* voce *f* ♦ *vt*: **it is ~ed that** corre voce che.
rump [rʌmp] *n* (*of animal*) groppa.
rumple ['rʌmpl] *vt* (*hair*) arruffare, scompigliare; (*clothes*) spiegazzare, sgualcire.
rump steak *n* bistecca di girello.
rumpus ['rʌmpəs] *n* (*col*) baccano; (: *quarrel*) rissa; **to kick up a ~** fare un putiferio.
run [rʌn] *n* corsa; (*outing*) gita (in macchina); (*distance travelled*) percorso, tragitto; (*series*) serie *f inv*; (*THEAT*) periodo di rappresentazione; (*SKI*) pista ♦ *vb* (*pt* **ran**, *pp* **run** [ræn, rʌn]) *vt* (*operate: business*) gestire, dirigere; (: *competition, course*) organizzare; (: *hotel*) gestire; (: *house*) governare; (*COMPUT: program*) eseguire; (*water, bath*) far scorrere; (*force through: rope, pipe*): **to ~ sth through** far passare qc attraverso; (*to pass: hand, finger*): **to ~ sth over** passare qc su ♦ *vi* correre; (*pass: road etc*) passare; (*work: machine, factory*) funzionare, andare; (*bus,*

train: operate) far servizio; (: *travel*) circolare; (*continue: play, contract*) durare; (*slide: drawer, flow: river, bath*) scorrere; (*colours, washing*) stemperarsi; (*in election*) presentarsi come candidato; **to go for a ~** andare a correre; (*in car*) fare un giro (in macchina); **to break into a ~** mettersi a correre; **a ~ of luck** un periodo di fortuna; **to have the ~ of sb's house** essere libero di andare e venire in casa di qn; **there was a ~ on ...** c'era una corsa a ...; **in the long ~** alla lunga; in fin dei conti; **in the short ~** sulle prime; **on the ~** in fuga; **to make a ~ for it** scappare, tagliare la corda; **I'll ~ you to the station** la porto alla stazione; **to ~ a risk** correre un rischio; **to ~ errands** andare a fare commissioni; **the train ~s between Gatwick and Victoria** il treno collega Gatwick alla stazione Victoria; **the bus ~s every 20 minutes** c'è un autobus ogni 20 minuti; **it's very cheap to ~ comporta poche spese; **to ~ on petrol** *or* (*US*) **gas/on diesel/off batteries** andare a benzina/a diesel/a batterie; **to ~ for the bus** fare una corsa per prendere l'autobus; **to ~ for president** presentarsi come candidato per la presidenza; **their losses ran into millions** le loro perdite hanno raggiunto i milioni; **to be ~ off one's feet** (*BRIT*) doversi fare in quattro.
▶**run about** *vi* (*children*) correre qua e là.
▶**run across** *vt fus* (*find*) trovare per caso.
▶**run away** *vi* fuggire.
▶**run down** *vi* (*clock*) scaricarsi ♦ *vt* (*AUT*) investire; (*criticize*) criticare; (*BRIT: reduce: production*) ridurre gradualmente; (: *factory, shop*) rallentare l'attività di; **to be ~ down** (*battery*) essere scarico(a); (*person*) essere giù (di corda).
▶**run in** *vt* (*BRIT: car*) rodare, fare il rodaggio di.
▶**run into** *vt fus* (*meet: person*) incontrare per caso; (: *trouble*) incontrare, trovare; (*collide with*) andare a sbattere contro; **to ~ into debt** trovarsi nei debiti.
▶**run off** *vi* fuggire ♦ *vt* (*water*) far defluire; (*copies*) fare.
▶**run out** *vi* (*person*) uscire di corsa; (*liquid*) colare; (*lease*) scadere; (*money*) esaurirsi.
▶**run out of** *vt fus* rimanere a corto di; **I've ~ out of petrol** *or* (*US*) **gas** sono rimasto senza benzina.
▶**run over** *vt* (*AUT*) investire, mettere sotto ♦ *vt fus* (*revise*) rivedere.
▶**run through** *vt fus* (*instructions*) dare una scorsa a.

▶**run up** *vt* (*debt*) lasciar accumulare; **to ~ up against** (*difficulties*) incontrare.

runaround ['rʌnəraund] *n* (*col*): **to give sb the ~** far girare a vuoto qn.

runaway ['rʌnəweɪ] *adj* (*person*) fuggiasco(a); (*horse*) in libertà; (*truck*) fuori controllo; (*inflation*) galoppante.

rundown ['rʌndaun] *n* (*BRIT: of industry etc*) riduzione *f* graduale dell'attività di.

rung [rʌŋ] *pp of* **ring** ♦ *n* (*of ladder*) piolo.

run-in ['rʌnɪn] *n* (*col*) scontro.

runner ['rʌnə*] *n* (*in race*) corridore *m*; (*on sledge*) pattino; (*for drawer etc, carpet*) guida.

runner bean *n* (*BRIT*) fagiolino.

runner-up [rʌnər'ʌp] *n* secondo(a) arrivato(a).

running ['rʌnɪŋ] *n* corsa; direzione *f*; organizzazione *f*; funzionamento ♦ *adj* (*water*) corrente; (*commentary*) simultaneo(a); **6 days ~** 6 giorni di seguito; **to be in/out of the ~ for sth** essere/non essere più in lizza per qc.

running costs *npl* (*of business*) costi *mpl* d'esercizio; (*of car*) spese *fpl* di mantenimento.

running head *n* (*TYP, WORD PROCESSING*) testata, titolo corrente.

running mate *n* (*US POL*) candidato alla vicepresidenza.

runny ['rʌnɪ] *adj* che cola.

run-off ['rʌnɔf] *n* (*in contest, election*) confronto definitivo; (*extra race*) spareggio.

run-of-the-mill ['rʌnəvðə'mɪl] *adj* solito(a), banale.

runt [rʌnt] *n* (*also pej*) omuncolo; (*ZOOL*) animale *m* più piccolo del normale.

run-through ['rʌnθruː] *n* prova.

run-up ['rʌnʌp] *n* (*BRIT*): **~ to sth** periodo che precede qc.

runway ['rʌnweɪ] *n* (*AVIAT*) pista (di decollo).

rupture ['rʌptʃə*] *n* (*MED*) ernia ♦ *vt*: **to ~ o.s.** farsi venire un'ernia.

rural ['ruərl] *adj* rurale.

rural district council (RDC) *n* (*BRIT*) consiglio (amministrativo) di distretto rurale.

ruse [ruːz] *n* trucco.

rush [rʌʃ] *n* corsa precipitosa; (*of crowd*) afflusso; (*hurry*) furia, fretta; (*current*) flusso; (*BOT*) giunco ♦ *vt* mandare *or* spedire velocemente; (*attack: town etc*) prendere d'assalto ♦ *vi* precipitarsi; **is there any ~ for this?** è urgente?; **we've had a ~ of orders** abbiamo avuto una valanga di ordinazioni; **I'm in a ~ (to do)**

ho fretta *or* premura (di fare); **gold ~** corsa all'oro; **to ~ sth off** spedire con urgenza qc; **don't ~ me!** non farmi fretta!

▶**rush through** *vt* (*meal*) mangiare in fretta; (*book*) dare una scorsa frettolosa a; (*town*) attraversare in fretta; (*COMM: order*) eseguire d'urgenza ♦ *vt fus* (*work*) sbrigare frettolosamente.

rush hour *n* ora di punta.

rush job *n* (*urgent*) lavoro urgente.

rush matting *n* stuoia.

rusk [rʌsk] *n* fetta biscottata.

Russia ['rʌʃə] *n* Russia.

Russian ['rʌʃən] *adj* russo(a) ♦ *n* russo/a; (*LING*) russo.

rust [rʌst] *n* ruggine *f* ♦ *vi* arrugginirsi.

rustic ['rʌstɪk] *adj* rustico(a) ♦ *n* (*pej*) cafone/a.

rustle ['rʌsl] *vi* frusciare ♦ *vt* (*paper*) far frusciare; (*US: cattle*) rubare.

rustproof ['rʌstpruːf] *adj* inossidabile.

rustproofing ['rʌstpruːfɪŋ] *n* trattamento antiruggine.

rusty ['rʌstɪ] *adj* arrugginito(a).

rut [rʌt] *n* solco; (*ZOOL*) fregola; **to be in a ~** (*fig*) essersi fossilizzato/a.

rutabaga [ruːtə'beɪgə] *n* (*US*) rapa svedese.

ruthless ['ruːθlɪs] *adj* spietato(a).

ruthlessness ['ruːθlɪsnɪs] *n* spietatezza.

RV *abbr* (= *revised version*) versione riveduta della Bibbia ♦ *n abbr* (*US*) *see* **recreational vehicle**.

rye [raɪ] *n* segale *f*.

S s

S, s [ɛs] *n* (*letter*) S, s *f or m inv*; (*US SCOL: = satisfactory*) ≈ sufficiente; **S for Sugar** ≈ S come Savona.

S *abbr* (= *saint*) S.; (= *south*) S; (*on clothes*) = *small*.

SA *abbr* = **South Africa; South America.**

Sabbath ['sæbəθ] *n* (*Jewish*) sabato; (*Christian*) domenica.

sabbatical [sə'bætɪkl] *adj*: **~ year** anno sabbatico.

sabotage ['sæbətɑːʒ] *n* sabotaggio ♦ *vt* sabotare.

saccharin(e) ['sækərɪn] *n* saccarina.

sachet ['sæʃeɪ] *n* bustina.

sack [sæk] n (*bag*) sacco ♦ vt (*dismiss*) licenziare, mandare a spasso; (*plunder*) saccheggiare; **to get the** ~ essere mandato a spasso; **to give sb the** ~ licenziare qn, mandare qn a spasso.

sackful ['sækful] n: **a** ~ **of** un sacco di.

sacking ['sækɪŋ] n tela di sacco; (*dismissal*) licenziamento.

sacrament ['sækrəmənt] n sacramento.

sacred ['seɪkrɪd] adj sacro(a).

sacred cow n (*fig: person*) intoccabile m/f; (: *institution*) caposaldo; (: *idea, belief*) dogma m.

sacrifice ['sækrɪfaɪs] n sacrificio ♦ vt sacrificare; **to make** ~**s (for sb)** fare (dei) sacrifici (per qn).

sacrilege ['sækrɪlɪdʒ] n sacrilegio.

sacrosanct ['sækrəusæŋkt] adj sacrosanto(a).

sad [sæd] adj triste; (*deplorable*) deplorevole.

sadden ['sædn] vt rattristare.

saddle ['sædl] n sella ♦ vt (*horse*) sellare; **to be** ~**d with sth** (*col*) avere qc sulle spalle.

saddlebag ['sædlbæg] n bisaccia; (*on bicycle*) borsa.

sadism ['seɪdɪzəm] n sadismo.

sadist ['seɪdɪst] n sadico/a.

sadistic [sə'dɪstɪk] adj sadico(a).

sadly ['sædlɪ] adv tristemente; (*regrettably*) sfortunatamente; ~ **lacking in** penosamente privo di.

sadness ['sædnɪs] n tristezza.

sadomasochism [seɪdəu'mæsəkɪzəm] n sadomasochismo.

sae abbr (*BRIT*) = **stamped addressed envelope**; see **stamp**.

safari [sə'fɑːrɪ] n safari m inv.

safari park n zoosafari m inv.

safe [seɪf] adj sicuro(a); (*out of danger*) salvo(a), al sicuro; (*cautious*) prudente ♦ n cassaforte f; ~ **from** al sicuro da; ~ **and sound** sano(a) e salvo(a); ~ **journey!** buon viaggio!; **(just) to be on the** ~ **side** per non correre rischi; **to play** ~ giocare sul sicuro; **it is** ~ **to say that** ... si può affermare con sicurezza che ....

safe bet n: **it's a** ~ è una cosa sicura.

safe-breaker ['seɪfbreɪkə*] n (*BRIT*) scassinatore m.

safe-conduct [seɪf'kɔndʌkt] n salvacondotto.

safe-cracker ['seɪfkrækə*] n = **safe-breaker**.

safe-deposit ['seɪfdɪpɔzɪt] n (*vault*) caveau m inv; (*box*) cassetta di sicurezza.

safeguard ['seɪfgɑːd] n salvaguardia ♦ vt salvaguardare.

safe haven n zona sicura or protetta.

safekeeping ['seɪf'kiːpɪŋ] n custodia.

safely ['seɪflɪ] adv sicuramente; sano(a) e salvo(a); prudentemente; **I can** ~ **say** ... posso tranquillamente asserire ....

safe passage n passaggio sicuro.

safe sex n sesso sicuro.

safety ['seɪftɪ] n sicurezza; ~ **first!** la prudenza innanzitutto!

safety belt n cintura di sicurezza.

safety catch n sicura.

safety net n rete f di protezione.

safety pin n spilla di sicurezza.

safety valve n valvola di sicurezza.

saffron ['sæfrən] n zafferano.

sag [sæg] vi incurvarsi; afflosciarsi.

saga ['sɑːgə] n saga; (*fig*) odissea.

sage [seɪdʒ] n (*herb*) salvia; (*man*) saggio.

Sagittarius [sædʒɪ'tɛərɪəs] n Sagittario; **to be** ~ essere del Sagittario.

sago ['seɪgəu] n sagù m.

Sahara [sə'hɑːrə] n: **the** ~ **Desert** il Deserto del Sahara.

Sahel [sæ'hɛl] n Sahel m.

said [sɛd] pt, pp of **say**.

Saigon [saɪ'gɔn] n Saigon f.

sail [seɪl] n (*on boat*) vela; (*trip*): **to go for a** ~ fare un giro in barca a vela ♦ vt (*boat*) condurre, governare ♦ vi (*travel: ship*) navigare; (: *passenger*) viaggiare per mare; (*set off*) salpare; (*SPORT*) fare della vela; **they** ~**ed into Genoa** entrarono nel porto di Genova.

▶**sail through** vt fus (*fig*) superare senza difficoltà ♦ vi farcela senza difficoltà.

sailboat ['seɪlbəut] n (*US*) barca a vela.

sailing ['seɪlɪŋ] n (*sport*) vela; **to go** ~ fare della vela.

sailing boat n barca a vela.

sailing ship n veliero.

sailor ['seɪlə*] n marinaio.

saint [seɪnt] n santo/a.

saintly ['seɪntlɪ] adj da santo(a); santo(a).

sake [seɪk] n: **for the** ~ **of** per, per amore di; **for pity's** ~ per pietà; **for the** ~ **of argument** tanto per fare un esempio; **art for art's** ~ l'arte per l'arte.

salad ['sæləd] n insalata; **tomato** ~ insalata di pomodori.

salad bowl n insalatiera.

salad cream n (*BRIT*) (tipo di) maionese f.

salad dressing n condimento per insalata.

salad oil n olio da tavola.

salami [sə'lɑːmɪ] n salame m.

salaried ['sælərɪd] adj stipendiato(a).

salary ['sælərɪ] n stipendio.

salary scale n scala dei salari.

sale [seɪl] n vendita; (*at reduced prices*) svendita, liquidazione f; "**for** ~" "in vendita"; **on** ~ in vendita; **on** ~ **or return** da vendere o rimandare; **a closing-down** *or* (*US*) **liquidation** ~ una liquidazione; ~ **and lease back** *n* lease back *m inv.*

saleroom ['seɪlrum] *n* sala delle aste.

sales assistant *n* (*BRIT*) commesso/a.

sales clerk *n* (*US*) commesso/a.

sales conference *n* riunione *f* marketing e vendite.

sales drive *n* campagna di vendita, sforzo promozionale.

sales force *n* personale *m* addetto alle vendite.

salesman ['seɪlzmən] *n* commesso; (*representative*) rappresentante *m.*

sales manager *n* direttore *m* commerciale.

salesmanship ['seɪlzmənʃɪp] *n* arte *f* del vendere.

sales tax *n* (*US*) imposta sulle vendite.

saleswoman ['seɪlzwumən] *n* commessa.

salient ['seɪlɪənt] *adj* saliente.

saline ['seɪlaɪn] *adj* salino(a).

saliva [sə'laɪvə] *n* saliva.

sallow ['sæləu] *adj* giallastro(a).

sally forth, sally out ['sælɪ-] *vi* uscire di gran carriera.

salmon ['sæmən] *n* (*pl inv*) salmone *m.*

salmon trout *n* trota (di mare).

saloon [sə'luːn] *n* (*US*) saloon *m inv*, bar *m inv*; (*BRIT AUT*) berlina; (*ship's lounge*) salone *m.*

SALT [sɔːlt] *n abbr* (= *Strategic Arms Limitation Talks/Treaty*) S.A.L.T. *m.*

salt [sɔːlt] *n* sale *m* ♦ *vt* salare ♦ *cpd* di sale; (*CULIN*) salato(a); **an old** ~ un lupo di mare.

▶**salt away** *vt* ammucchiare, mettere via.

salt cellar *n* saliera.

salt-free ['sɔːlt'friː] *adj* senza sale.

saltwater ['sɔːltwɔːtə*] *adj* (*fish etc*) di mare.

salty ['sɔːltɪ] *adj* salato(a).

salubrious [sə'luːbrɪəs] *adj* salubre; (*fig: district etc*) raccomandabile.

salutary ['sæljutərɪ] *adj* salutare.

salute [sə'luːt] *n* saluto ♦ *vt* salutare.

salvage ['sælvɪdʒ] *n* (*saving*) salvataggio; (*things saved*) beni *mpl* salvati *or* recuperati ♦ *vt* salvare, mettere in salvo.

salvage vessel *n* scialuppa di salvataggio.

salvation [sæl'veɪʃən] *n* salvezza.

Salvation Army *n* Esercito della Salvezza.

salver ['sælvə*] *n* vassoio.

salvo, ~es ['sælvəu] *n* salva.

Samaritan [sə'mærɪtən] *n*: **the ~s** (*organization*) ≈ telefono amico.

same [seɪm] *adj* stesso(a), medesimo(a) ♦ *pron*: **the** ~ lo(la) stesso(a), gli(le) stessi(e); **the** ~ **book as** lo stesso libro di (*or* che); **on the** ~ **day** lo stesso giorno; **at the** ~ **time** allo stesso tempo; **all** *or* **just the** ~ tuttavia; **to do the** ~ fare la stessa cosa; **to do the** ~ **as sb** fare come qn; **the** ~ **again** (*in bar etc*) un altro; **they're one and the** ~ (*person/thing*) sono la stessa persona/cosa; **and the** ~ **to you!** altrettanto a lei!; ~ **here!** anch'io!

sample ['sɑːmpl] *n* campione *m* ♦ *vt* (*food*) assaggiare; (*wine*) degustare; **to take a** ~ prelevare un campione; **free** ~ campione omaggio.

sanatorium, *pl* **sanatoria** [sænə'tɔːrɪəm, -rɪə] *n* sanatorio.

sanctify ['sæŋktɪfaɪ] *vt* santificare.

sanctimonious [sæŋktɪ'məunɪəs] *adj* bigotto(a), bacchettone(a).

sanction ['sæŋkʃən] *n* sanzione *f* ♦ *vt* sancire, sanzionare; **to impose economic** ~**s on** *or* **against** adottare sanzioni economiche contro.

sanctity ['sæŋktɪtɪ] *n* santità.

sanctuary ['sæŋktjuərɪ] *n* (*holy place*) santuario; (*refuge*) rifugio; (*for wildlife*) riserva.

sand [sænd] *n* sabbia ♦ *vt* cospargere di sabbia; (*also*: ~ **down**: *wood etc*) cartavetrare; *see also* **sands**.

sandal ['sændl] *n* sandalo.

sandbag ['sændbæg] *n* sacco di sabbia.

sandblast ['sændblɑːst] *vt* sabbiare.

sandbox ['sændbɔks] *n* (*US: for children*) buca di sabbia.

sandcastle ['sændkɑːsl] *n* castello di sabbia.

sand dune *n* duna di sabbia.

sander ['sændə*] *n* levigatrice *f.*

sandpaper ['sændpeɪpə*] *n* carta vetrata.

sandpit ['sændpɪt] *n* (*BRIT: for children*) buca di sabbia.

sands [sændz] *npl* spiaggia.

sandstone ['sændstəun] *n* arenaria.

sandstorm ['sændstɔːm] *n* tempesta di sabbia.

sandwich ['sændwɪtʃ] *n* tramezzino, panino, sandwich *m inv* ♦ *vt* (*also*: ~ **in**) infilare; **cheese/ham** ~ sandwich al formaggio/prosciutto; **to be** ~**ed between** essere incastrato(a) fra.

sandwich board *n* cartello pubblicitario (*portato da un uomo sandwich*).

sandwich course *n* (*BRIT*) corso di formazione professionale.

sandwich man *n* uomo *m* sandwich *inv.*

sandy ['sændɪ] *adj* sabbioso(a); (*colour*)

color sabbia *inv*, biondo(a) rossiccio(a).
sane [seɪn] *adj (person)* sano(a) di mente; *(outlook)* sensato(a).
sang [sæŋ] *pt of* **sing**.
sanguine ['sæŋgwɪn] *adj* ottimista.
sanitarium, *pl* **sanitaria** [sænɪ'tɛərɪəm, -rɪə] *n (US)* = **sanatorium**.
sanitary ['sænɪtərɪ] *adj (system, arrangements)* sanitario(a); *(clean)* igienico(a).
sanitary towel, *(US)* **sanitary napkin** *n* assorbente *m* (igienico).
sanitation [sænɪ'teɪʃən] *n (in house)* impianti *mpl* sanitari; *(in town)* fognature *fpl*.
sanitation department *n (US)* nettezza urbana.
sanity ['sænɪtɪ] *n* sanità mentale; *(common sense)* buon senso.
sank [sæŋk] *pt of* **sink**.
San Marino [sænmə'riːnəu] *n* San Marino *f*.
Santa Claus [sæntə'klɔːz] *n* Babbo Natale.
Santiago [sæntɪ'ɑːgəu] *n (also: ~ de Chile)* Santiago (del Cile) *f*.
sap [sæp] *n (of plants)* linfa ♦ *vt (strength)* fiaccare.
sapling ['sæplɪŋ] *n* alberello.
sapphire ['sæfaɪə*] *n* zaffiro.
sarcasm ['sɑːkæzm] *n* sarcasmo.
sarcastic [sɑː'kæstɪk] *adj* sarcastico(a); **to be ~** fare del sarcasmo.
sarcophagus, *pl* **sarcophagi** [sɑː'kɔfəgəs, -gaɪ] *n* sarcofago.
sardine [sɑː'diːn] *n* sardina.
Sardinia [sɑː'dɪnɪə] *n* Sardegna.
Sardinian [sɑː'dɪnɪən] *adj*, *n* sardo(a).
sardonic [sɑː'dɔnɪk] *adj* sardonico(a).
sari ['sɑːrɪ] *n* sari *m inv*.
sartorial [sɑː'tɔːrɪəl] *adj* di sartoria.
SAS *n abbr (BRIT MIL:* = *Special Air Service) reparto dell'esercito britannico specializzato in operazioni clandestine.*
SASE *n abbr (US:* = *self-addressed stamped envelope) busta affrancata e con indirizzo.*
sash [sæʃ] *n* fascia.
sash window *n* finestra a ghigliottina.
Sask. *abbr (Canada)* = *Saskatchewan.*
SAT *n abbr (US)* = *Scholastic Aptitude Test.*
sat [sæt] *pt, pp of* **sit**.
Sat. *abbr (*= *Saturday)* sab.
Satan ['seɪtən] *n* Satana *m*.
satanic [sə'tænɪk] *adj* satanico(a).
satchel ['sætʃl] *n* cartella.
sated ['seɪtɪd] *adj* soddisfatto(a); sazio(a).
satellite ['sætəlaɪt] *adj*, *n* satellite *(m)*.
satellite television *n* televisione *f* via satellite.
satiate ['seɪʃɪeɪt] *vt* saziare.

satin ['sætɪn] *n* satin *m* ♦ *adj* di *or* in satin; **with a ~ finish** satinato(a).
satire ['sætaɪə*] *n* satira.
satirical [sə'tɪrɪkl] *adj* satirico(a).
satirist ['sætərɪst] *n (writer etc)* scrittore(trice) *etc* satirico(a); *(cartoonist)* caricaturista *m/f*.
satirize ['sætɪraɪz] *vt* satireggiare.
satisfaction [sætɪs'fækʃən] *n* soddisfazione *f*; **has it been done to your ~?** ne è rimasto soddisfatto?
satisfactory [sætɪs'fæktərɪ] *adj* soddisfacente.
satisfied ['sætɪsfaɪd] *adj (customer)* soddisfatto(a); **to be ~ (with sth)** essere soddisfatto(a) (di qc).
satisfy ['sætɪsfaɪ] *vt* soddisfare; *(convince)* convincere; **to ~ the requirements** rispondere ai requisiti; **to ~ sb (that)** convincere qn (che), persuadere qn (che); **to ~ o.s. of sth** accertarsi di qc.
satisfying ['sætɪsfaɪɪŋ] *adj* soddisfacente.
satsuma [sæt'suːmə] *n agrume di provenienza giapponese.*
saturate ['sætʃəreɪt] *vt:* **to ~ (with)** saturare (di).
saturated fat ['sætʃəreɪtɪd-] *n* grassi *mpl* saturi.
saturation [sætʃə'reɪʃən] *n* saturazione *f*.
Saturday ['sætədɪ] *n* sabato; *for phrases see also* **Tuesday**.
sauce [sɔːs] *n* salsa; *(containing meat, fish)* sugo.
saucepan ['sɔːspən] *n* casseruola.
saucer ['sɔːsə*] *n* piattino.
saucy ['sɔːsɪ] *adj* impertinente.
Saudi Arabia ['saudi-] *n* Arabia Saudita.
Saudi (Arabian) *adj*, *n* saudita *(m/f)*.
sauna ['sɔːnə] *n* sauna.
saunter ['sɔːntə*] *vi* andare a zonzo, bighellonare.
sausage ['sɔsɪdʒ] *n* salsiccia; *(salami etc)* salame *m*.
sausage roll *n* rotolo di pasta sfoglia ripieno di salsiccia.
sauté ['səuteɪ] *adj (CULIN: potatoes)* saltato(a); *(: onions)* soffritto(a) ♦ *vt* far saltare; far soffriggere.
savage ['sævɪdʒ] *adj (cruel, fierce)* selvaggio(a), feroce; *(primitive)* primitivo(a) ♦ *n* selvaggio/a ♦ *vt* attaccare selvaggiamente.
savagery ['sævɪdʒrɪ] *n* crudeltà, ferocia.
save [seɪv] *vt (person, belongings, COMPUT)* salvare; *(money)* risparmiare, mettere da parte; *(time)* risparmiare; *(food)* conservare; *(avoid: trouble)* evitare ♦ *vi (also: ~ up)* economizzare ♦ *n (SPORT)*

parata ♦ *prep* salvo, a eccezione di; **it will ~ me an hour** mi farà risparmiare un'ora; **to ~ face** salvare la faccia; **God ~ the Queen!** Dio salvi la Regina!

saving ['seɪvɪŋ] *n* risparmio ♦ *adj*: **the ~ grace of** l'unica cosa buona di; **~s** *npl* risparmi *mpl*; **to make ~s** fare economia.

savings account *n* libretto di risparmio.

savings bank *n* cassa di risparmio.

saviour, (*US*) **savior** ['seɪvjə*] *n* salvatore *m*.

savour, (*US*) **savor** ['seɪvə*] *n* sapore *m*, gusto ♦ *vt* gustare.

savoury, (*US*) **savory** ['seɪvərɪ] *adj* saporito(a); (*dish: not sweet*) salato(a).

savvy ['sævɪ] *n* (*col*) arguzia.

saw [sɔ:] *pt of* **see** ♦ *n* (*tool*) sega ♦ *vt* (*pt* **sawed,** *pp* **sawed** *or* **sawn** [sɔ:n]) segare; **to ~ sth up** fare a pezzi qc con la sega.

sawdust ['sɔ:dʌst] *n* segatura.

sawmill ['sɔ:mɪl] *n* segheria.

sawn [sɔ:n] *pp of* **saw.**

sawn-off ['sɔ:nɔf], (*US*) **sawed-off** ['sɔ:dɔf] *adj*: **~ shotgun** fucile *m* a canne mozze.

saxophone ['sæksəfəʊn] *n* sassofono.

say [seɪ] *n*: **to have one's ~** fare sentire il proprio parere; **to have a** *or* **some ~** avere voce in capitolo ♦ *vt* (*pt, pp* **said** [sɛd]) dire; **could you ~ that again?** potrebbe ripeterlo?; **to ~ yes/no** dire di sì/di no; **she said (that) I was to give you this** ha detto di darle questo; **my watch ~s 3 o'clock** il mio orologio fa le 3; **shall we ~ Tuesday?** facciamo martedì?; **that doesn't ~ much for him** non torna a suo credito; **when all is said and done** a conti fatti; **there is something** *or* **a lot to be said for it** ha i suoi lati positivi; **that is to ~** cioè, vale a dire; **to ~ nothing of** per non parlare di; **~ that ...** mettiamo *or* diciamo che ...; **that goes without ~ing** va da sé.

saying ['seɪɪŋ] *n* proverbio, detto.

SBA *n abbr* (*US*: = *Small Business Administration*) organismo ausiliario per piccole imprese.

SC *n abbr* (*US*) = **supreme court** ♦ *abbr* (*US*) = *South Carolina.*

s/c *abbr* (= *self-contained*) indipendente.

scab [skæb] *n* crosta; (*pej*) crumiro/a.

scabby ['skæbɪ] *adj* crostoso(a).

scaffold ['skæfəʊld] *n* impalcatura; (*gallows*) patibolo.

scaffolding ['skæfəldɪŋ] *n* impalcatura.

scald [skɔ:ld] *n* scottatura ♦ *vt* scottare.

scalding ['skɔ:ldɪŋ] *adj* (*also*: **~ hot**) bollente.

scale [skeɪl] *n* scala; (*of fish*) squama ♦ *vt*

(*mountain*) scalare; **pay ~** scala dei salari; **~ of charges** tariffa; **on a large ~** su vasta scala; **to draw sth to ~** disegnare qc in scala; **small-~ model** modello in scala ridotta; *see also* **scales.**

▶**scale down** *vt* ridurre (proporzionalmente).

scaled-down [skeɪld'daun] *adj* su scala ridotta.

scale drawing *n* disegno in scala.

scale model *n* modello in scala.

scales [skeɪlz] *npl* bilancia.

scallion ['skæljən] *n* cipolla; (*US: shallot*) scalogna; (: *leek*) porro.

scallop ['skɔləp] *n* pettine *m*.

scalp [skælp] *n* cuoio capelluto ♦ *vt* scotennare.

scalpel ['skælpl] *n* bisturi *m inv.*

scalper ['skælpə*] *n* (*US col: of tickets*) bagarino.

scam [skæm] *n* (*col*) truffa.

scamp [skæmp] *n* (*col: child*) peste *f.*

scamper ['skæmpə*] *vi*: **to ~ away, ~ off** darsela a gambe.

scampi ['skæmpɪ] *npl* scampi *mpl.*

scan [skæn] *vt* scrutare; (*glance at quickly*) scorrere, dare un'occhiata a; (*poetry*) scandire; (*TV*) analizzare; (*RADAR*) esplorare ♦ *n* (*MED*) ecografia.

scandal ['skændl] *n* scandalo; (*gossip*) pettegolezzi *mpl.*

scandalize ['skændəlaɪz] *vt* scandalizzare.

scandalous ['skændələs] *adj* scandaloso(a).

Scandinavia [skændɪ'neɪvɪə] *n* Scandinavia.

Scandinavian [skændɪ'neɪvɪən] *adj, n* scandinavo(a).

scanner ['skænə*] *n* (*RADAR, MED*) scanner *m inv.*

scant [skænt] *adj* scarso(a).

scantily ['skæntɪlɪ] *adv*: **~ clad** *or* **dressed** succintamente vestito(a).

scanty ['skæntɪ] *adj* insufficiente; (*swimsuit*) ridotto(a).

scapegoat ['skeɪpgəʊt] *n* capro espiatorio.

scar [skɑ:*] *n* cicatrice *f* ♦ *vt* sfregiare.

scarce [skɛəs] *adj* scarso(a); (*copy, edition*) raro(a).

scarcely ['skɛəslɪ] *adv* appena; **~ anybody** quasi nessuno; **I can ~ believe it** faccio fatica a crederci.

scarcity ['skɛəsɪtɪ] *n* scarsità, mancanza.

scarcity value *n* valore *m* di rarità.

scare [skɛə*] *n* spavento, paura ♦ *vt* spaventare, atterrire; **to ~ sb stiff** spaventare a morte qn; **bomb ~** evacuazione *f* per sospetta presenza di un ordigno esplosivo.

▶**scare away, scare off** *vt* mettere in

fuga.

scarecrow ['skɛəkrəu] *n* spaventapasseri *m inv.*

scared [skɛəd] *adj*: **to be** ~ aver paura.

scaremonger ['skɛəmʌŋgə*] *n* allarmista *m/f.*

scarf, *pl* **scarves** [skɑːf, skɑːvz] *n* (*long*) sciarpa; (*square*) fazzoletto da testa, foulard *m inv.*

scarlet ['skɑːlɪt] *adj* scarlatto(a).

scarlet fever *n* scarlattina.

scarper ['skɑːpə*] *vi* (*BRIT col*) darsela a gambe.

scarves [skɑːvz] *npl of* **scarf**.

scary ['skɛərɪ] *adj* (*col*) che fa paura.

scathing ['skeɪðɪŋ] *adj* aspro(a); **to be** ~ **about sth** essere molto critico rispetto a qc.

scatter ['skætə*] *vt* spargere; (*crowd*) disperdere ♦ *vi* disperdersi.

scatterbrained ['skætəbreɪnd] *adj* scervellato(a), sbadato(a).

scattered ['skætəd] *adj* sparso(a), sparpagliato(a).

scatty ['skætɪ] *adj* (*col*) scervellato(a), sbadato(a).

scavenge ['skævɪndʒ] *vi* (*person*): **to** ~ (**for**) frugare tra i rifiuti (alla ricerca di); (*hyenas etc*) nutrirsi di carogne.

scavenger ['skævəndʒə*] *n* spazzino.

SCE *n abbr* = *Scottish Certificate of Education.*

scenario [sɪ'nɑːrɪəu] *n* (*THEAT, CINE*) copione *m*; (*fig*) situazione *f.*

scene [siːn] *n* (*THEAT, fig etc*) scena; (*of crime, accident*) scena, luogo; (*sight, view*) vista, veduta; **behind the** ~**s** (*also fig*) dietro le quinte; **to appear** *or* **come on the** ~ (*also fig*) entrare in scena; **the political** ~ **in Italy** il quadro politico in Italia; **to make a** ~ (*col: fuss*) fare una scenata.

scenery ['siːnərɪ] *n* (*THEAT*) scenario; (*landscape*) panorama *m.*

scenic ['siːnɪk] *adj* scenico(a); panoramico(a).

scent [sɛnt] *n* odore *m*, profumo; (*sense of smell*) olfatto, odorato; (*fig: track*) pista; **to put** *or* **throw sb off the** ~ (*fig*) far perdere le tracce a qn, sviare qn.

sceptic, (*US*) **skeptic** ['skɛptɪk] *n* scettico/a.

sceptical, (*US*) **skeptical** ['skɛptɪkl] *adj* scettico(a).

scepticism, (*US*) **skepticism** ['skɛptɪsɪzm] *n* scetticismo.

sceptre, (*US*) **scepter** ['sɛptə*] *n* scettro.

schedule ['ʃɛdjuːl, (*US*) 'skɛdjuːl] *n* programma *m*, piano; (*of trains*) orario; (*of prices etc*) lista, tabella ♦ *vt* fissare; **as** ~**d** come stabilito; **on** ~ in orario; **to be ahead of/behind** ~ essere in anticipo/ ritardo sul previsto; **we are working to a very tight** ~ il nostro programma di lavoro è molto intenso; **everything went according to** ~ tutto è andato secondo i piani *or* secondo il previsto.

scheduled ['ʃɛdjuːld, (*US*) 'skɛdjuːld] *adj* (*date, time*) fissato(a); (*visit, event*) programmato(a); (*train, bus, stop*) previsto(a) (sull'orario); ~ **flight** volo di linea.

schematic [skɪ'mætɪk] *adj* schematico(a).

scheme [skiːm] *n* piano, progetto; (*method*) sistema *m*; (*dishonest plan, plot*) intrigo, trama; (*arrangement*) disposizione *f*, sistemazione *f* ♦ *vt* progettare; (*plot*) ordire ♦ *vi* fare progetti; (*intrigue*) complottare; **colour** ~ combinazione *f* di colori.

scheming ['skiːmɪŋ] *adj* intrigante ♦ *n* intrighi *mpl*, macchinazioni *fpl.*

schism ['skɪzəm] *n* scisma *m.*

schizophrenia [skɪtsə'friːnɪə] *n* schizofrenia.

schizophrenic [skɪtsə'frɛnɪk] *adj, n* schizofrenico(a).

scholar ['skɔlə*] *n* erudito/a.

scholarly ['skɔləlɪ] *adj* dotto(a), erudito(a).

scholarship ['skɔləʃɪp] *n* erudizione *f*; (*grant*) borsa di studio.

school [skuːl] *n* scuola; (*in university*) scuola, facoltà *f inv* ♦ *cpd* scolare, scolastico(a) ♦ *vt* (*animal*) addestrare.

school age *n* età scolare.

schoolbook ['skuːlbuk] *n* libro scolastico.

schoolboy ['skuːlbɔɪ] *n* scolaro.

schoolchild, *pl* **-children** ['skuːltʃaɪld, -'tʃɪldrən] *n* scolaro/a.

schooldays ['skuːldeɪz] *npl* giorni *mpl* di scuola.

schoolgirl ['skuːlgəːl] *n* scolara.

schooling ['skuːlɪŋ] *n* istruzione *f.*

school-leaver ['skuːlliːvə*] *n* (*BRIT*) ≈ neodiplomato(a).

schoolmaster ['skuːlmɑːstə*] *n* (*primary*) maestro; (*secondary*) insegnante *m.*

schoolmistress ['skuːlmɪstrɪs] *n* (*primary*) maestra; (*secondary*) insegnante *f.*

school report *n* (*BRIT*) pagella.

schoolroom ['skuːlruːm] *n* classe *f*, aula.

schoolteacher ['skuːltiːtʃə*] *n* insegnante *m/f*, docente *m/f*; (*primary*) maestro/a.

schoolyard ['skuːljɑːd] *n* (*US*) cortile *m* della scuola.

schooner ['skuːnə*] *n* (*ship*) goletta, schooner *m inv*; (*glass*) bicchiere *m* alto da sherry.

sciatica [saɪ'ætɪkə] n sciatica.
science ['saɪəns] n scienza; **the ~s** le scienze; (SCOL) le materie scientifiche.
science fiction n fantascienza.
scientific [saɪən'tɪfɪk] adj scientifico(a).
scientist ['saɪəntɪst] n scienziato/a.
sci-fi ['saɪfaɪ] n abbr (col) = **science fiction**.
Scilly Isles ['sɪlɪ'aɪlz] npl, **Scillies** ['sɪlɪz] npl: **the ~** le isole Scilly.
scintillating ['sɪntɪleɪtɪŋ] adj scintillante; (wit, conversation, company) brillante.
scissors ['sɪzəz] npl forbici fpl; **a pair of ~** un paio di forbici.
sclerosis [sklɪ'rəʊsɪs] n sclerosi f.
scoff [skɒf] vt (BRIT col: eat) tranguigare, ingozzare ♦ vi: **to ~ (at)** (mock) farsi beffe (di).
scold [skəʊld] vt rimproverare.
scolding ['skəʊldɪŋ] n lavata di capo, sgridata.
scone [skɒn] n focaccina da tè.
scoop [skuːp] n mestolo; (for ice cream) cucchiaio dosatore; (PRESS) colpo giornalistico, notizia (in) esclusiva.
▶**scoop out** vt scavare.
▶**scoop up** vt tirare su, sollevare.
scooter ['skuːtə*] n (motor cycle) motoretta, scooter m inv; (toy) monopattino.
scope [skəʊp] n (capacity: of plan, undertaking) portata; (: of person) capacità fpl; (opportunity) possibilità fpl; **to be within the ~ of** rientrare nei limiti di; **it's well within his ~ to ...** è perfettamente in grado di ...; **there is plenty of ~ for improvement** (BRIT) ci sono notevoli possibilità di miglioramento.
scorch [skɔːtʃ] vt (clothes) strinare, bruciacchiare; (earth, grass) seccare, bruciare.
scorched earth policy [skɔːtʃt-] n tattica della terra bruciata.
scorcher ['skɔːtʃə*] n (col: hot day) giornata torrida.
scorching ['skɔːtʃɪŋ] adj cocente, scottante.
score [skɔː*] n punti mpl, punteggio; (MUS) partitura, spartito; (twenty): **a ~** venti ♦ vt (goal, point) segnare, fare; (success) ottenere; (cut: leather, wood, card) incidere ♦ vi segnare; (FOOTBALL) fare un goal; (keep score) segnare i punti; **on that ~** a questo riguardo; **to have an old ~ to settle with sb** (fig) avere un vecchio conto da saldare con qn; **~s of people** (fig) un sacco di gente; **to ~ 6 out of 10** prendere 6 su 10.
▶**score out** vt cancellare con un segno.
scoreboard ['skɔːbɔːd] n tabellone m segnapunti.

scorecard ['skɔːkɑːd] n cartoncino segnapunti.
scoreline ['skɔːlaɪn] n (SPORT) risultato.
scorer ['skɔːrə*] n marcatore/trice; (keeping score) segnapunti m inv.
scorn [skɔːn] n disprezzo ♦ vt disprezzare.
scornful ['skɔːnful] adj sprezzante.
Scorpio ['skɔːpɪəʊ] n Scorpione m; **to be ~** essere dello Scorpione.
scorpion ['skɔːpɪən] n scorpione m.
Scot [skɒt] n scozzese m/f.
Scotch [skɒtʃ] n whisky m scozzese, scotch m.
scotch [skɒtʃ] vt (rumour etc) soffocare.
Scotch tape ® n scotch ® m.
scot-free ['skɒt'friː] adj impunito(a); **to get off ~** (unpunished) farla franca; (unhurt) uscire illeso(a).
Scotland ['skɒtlənd] n Scozia.
Scots [skɒts] adj scozzese.
Scotsman ['skɒtsmən] n scozzese m.
Scotswoman ['skɒtswumən] n scozzese f.
Scottish ['skɒtɪʃ] adj scozzese; **the ~ National Party** partito nazionalista scozzese.
scoundrel ['skaundrl] n farabutto/a; (child) furfantello/a.
scour ['skauə*] vt (clean) pulire strofinando, raschiare via; ripulire; (search) battere, perlustrare.
scourer ['skauərə*] n (pad) paglietta; (powder) (detersivo) abrasivo.
scourge [skəːdʒ] n flagello.
scout [skaut] n (MIL) esploratore m; (also: **boy ~**) giovane esploratore, scout m inv.
▶**scout around** vi cercare in giro.
scowl [skaul] vi acciarsi, aggrottare le sopracciglia; **to ~ at** guardare torvo.
scrabble ['skræbl] vi (claw): **to ~ (at)** graffiare, grattare; **to ~ about or around for sth** cercare affannosamente qc ♦ n: **S~** ® Scarabeo ®.
scraggy ['skrægɪ] adj scarno(a), molto magro(a).
scram [skræm] vi (col) filare via.
scramble ['skræmbl] n arrampicata ♦ vi inerpicarsi; **to ~ out** etc uscire etc in fretta; **to ~ for** azzuffarsi per; **to go scrambling** (SPORT) fare il motocross.
scrambled eggs npl uova fpl strapazzate.
scrap [skræp] n pezzo, pezzetto; (fight) zuffa; (also: **~ iron**) rottami mpl di ferro, ferraglia ♦ vt demolire; (fig) scartare; **~s** npl (waste) scarti mpl; **to sell sth for ~** vendere qc come ferro vecchio.
scrapbook ['skræpbuk] n album m inv di ritagli.
scrap dealer n commerciante m di

ferraglia.

scrape [skreɪp] *vt, vi* raschiare, grattare ♦ *n*: **to get into a** ~ cacciarsi in un guaio.

▶**scrape through** *vi* (*succeed*) farcela per un pelo, cavarsela ♦ *vt fus* (*exam*) passare per miracolo, passare per il rotto della cuffia.

scraper ['skreɪpə*] *n* raschietto.

scrap heap *n* mucchio di rottami; **to throw sth on the** ~ (*fig*) mettere qc nel dimenticatoio.

scrap merchant *n* (*BRIT*) commerciante *m* di ferraglia.

scrap metal *n* ferraglia.

scrap paper *n* cartaccia.

scrappy ['skræpɪ] *adj* frammentario(a), sconnesso(a).

scrap yard *n* deposito di rottami; (*for cars*) cimitero delle macchine.

scratch [skrætʃ] *n* graffio ♦ *cpd*: ~ **team** squadra raccogliticcia ♦ *vt* graffiare, rigare; (*COMPUT*) cancellare ♦ *vi* grattare, graffiare; **to start from** ~ cominciare *or* partire da zero; **to be up to** ~ essere all'altezza.

scratch pad *n* (*US*) notes *m inv*, blocchetto.

scrawl [skrɔːl] *n* scarabocchio ♦ *vi* scarabocchiare.

scrawny ['skrɔːnɪ] *adj* scarno(a), pelle e ossa *inv*.

scream [skriːm] *n* grido, urlo ♦ *vi* urlare, gridare; **to** ~ **at sb (to do sth)** gridare a qn (di fare qc); **it was a** ~ (*fig col*) era da crepar dal ridere; **he's a** ~ (*fig col*) è una sagoma, è uno spasso.

scree [skriː] *n* ghiaione *m*.

screech [skriːtʃ] *n* strido; (*of tyres, brakes*) stridore *m* ♦ *vi* stridere.

screen [skriːn] *n* schermo; (*fig*) muro, cortina, velo ♦ *vt* schermare, fare schermo a; (*from the wind etc*) riparare; (*film*) proiettare; (*book*) adattare per lo schermo; (*candidates etc*) passare al vaglio; (*for illness*) sottoporre a controlli medici.

screen editing [-ɛdɪtɪŋ] *n* (*COMPUT*) correzione *f* e modifica su schermo.

screening ['skriːnɪŋ] *n* (*MED*) dépistage *m inv*; (*of film*) proiezione *f*; (*for security*) controlli *mpl* (di sicurezza).

screen memory *n* (*COMPUT*) memoria di schermo.

screenplay ['skriːnpleɪ] *n* sceneggiatura.

screen test *n* provino (cinematografico).

screw [skruː] *n* vite *f*; (*propeller*) elica ♦ *vt* avvitare; **to** ~ **sth to the wall** fissare qc al muro con viti.

▶**screw up** *vt* (*paper, material*) spiegazzare;

(*col: ruin*) mandare a monte; **to** ~ **up one's face** fare una smorfia.

screwdriver ['skruːdraɪvə*] *n* cacciavite *m*.

screwed-up ['skruːd'ʌp] *adj* (*col*): **she's totally** ~ è nel pallone.

screwy ['skruːɪ] *adj* (*col*) svitato(a).

scribble ['skrɪbl] *n* scarabocchio ♦ *vt* scribacchiare ♦ *vi* scarabocchiare; **to** ~ **sth down** scribacchiare qc.

scribe [skraɪb] *n* scriba *m*.

script [skrɪpt] *n* (*CINE etc*) copione *m*; (*in exam*) elaborato *or* compito d'esame; (*writing*) scrittura.

scripted ['skrɪptɪd] *adj* (*RADIO, TV*) preparato(a).

Scripture ['skrɪptʃə*] *n* Sacre Scritture *fpl*.

scriptwriter ['skrɪptraɪtə*] *n* soggettista *m/f*.

scroll [skrəul] *n* rotolo di carta ♦ *vt* (*COMPUT*) scorrere.

scrotum ['skrəutəm] *n* scroto.

scrounge [skraundʒ] *vt* (*col*): **to** ~ **sth (off** *or* **from sb)** scroccare qc (a qn) ♦ *vi*: **to** ~ **on sb** vivere alle spalle di qn.

scrounger ['skraundʒə*] *n* scroccone/a.

scrub [skrʌb] *n* (*clean*) strofinata; (*land*) boscaglia ♦ *vt* pulire strofinando; (*reject*) annullare.

scrubbing brush ['skrʌbɪŋ-] *n* spazzolone *m*.

scruff [skrʌf] *n*: **by the** ~ **of the neck** per la collottola.

scruffy ['skrʌfɪ] *adj* sciatto(a).

scrum(mage) ['skrʌm(ɪdʒ)] *n* mischia.

scruple ['skruːpl] *n* scrupolo; **to have no** ~**s about doing sth** non avere scrupoli a fare qc.

scrupulous ['skruːpjuləs] *adj* scrupoloso(a).

scrupulously ['skruːpjuləslɪ] *adv* scrupolosamente; **he tries to be** ~ **fair/honest** cerca di essere più imparziale/onesto che può.

scrutinize ['skruːtɪnaɪz] *vt* scrutare, esaminare attentamente.

scrutiny ['skruːtɪnɪ] *n* esame *m* accurato; **under the** ~ **of sb** sotto la sorveglianza di qn.

scuba ['skuːbə] *n* autorespiratore *m*.

scuba diving *n* immersioni *fpl* subacquee.

scuff [skʌf] *vt* (*shoes*) consumare strascicando.

scuffle ['skʌfl] *n* baruffa, tafferuglio.

scullery ['skʌlərɪ] *n* retrocucina *m or f*.

sculptor ['skʌlptə*] *n* scultore *m*.

sculpture ['skʌlptʃə*] *n* scultura.

scum [skʌm] *n* schiuma; (*pej: people*) feccia.

scupper ['skʌpə*] *vt* (*BRIT*) autoaffondare; (*fig*) far naufragare.

scurrilous ['skʌrɪləs] *adj* scurrile, volgare.

scurry ['skʌrɪ] *vi* sgambare, affrettarsi.

scurvy ['skə:vɪ] *n* scorbuto.

scuttle ['skʌtl] *n* (*NAUT*) portellino; (*also:* **coal** ~) secchio del carbone ♦ *vt* (*ship*) autoaffondare ♦ *vi* (*scamper*): **to** ~ **away,** ~ **off** darsela a gambe, scappare.

scythe [saɪð] *n* falce *f*.

SD, S. Dak. *abbr* (*US*) = *South Dakota*.

SDI *n abbr* (= *Strategic Defense Initiative*) S.D.I. *f*.

SDLP *n abbr* (*BRIT POL*) = *Social Democratic and Labour Party*.

SDP *n abbr* (*BRIT POL*) = *Social Democratic Party*.

sea [si:] *n* mare *m* ♦ *cpd* marino(a), del mare; (*ship, port*) marittimo(a), di mare; **on the** ~ (*boat*) in mare; (*town*) di mare; **to go by** ~ andare per mare; **by** *or* **beside the** ~ (*holiday*) al mare; (*village*) sul mare; **to look out to** ~ guardare il mare; **(out) at** ~ al largo; **heavy** *or* **rough** ~(s) mare grosso *or* agitato; **a** ~ **of faces** (*fig*) una marea di gente; **to be all at** ~ (*fig*) non sapere che pesci pigliare.

sea bed *n* fondo marino.

sea bird *n* uccello di mare.

seaboard ['si:bɔ:d] *n* costa.

sea breeze *n* brezza di mare.

seafarer ['si:fɛərə*] *n* navigante *m*.

seafaring ['si:fɛərɪŋ] *adj* (*community*) marinaro(a); (*life*) da marinaio.

seafood ['si:fu:d] *n* frutti *mpl* di mare.

sea front *n* lungomare *m*.

seagoing ['si:gəʊɪŋ] *adj* (*ship*) d'alto mare.

seagull ['si:gʌl] *n* gabbiano.

seal [si:l] *n* (*animal*) foca; (*stamp*) sigillo; (*impression*) impronta del sigillo ♦ *vt* sigillare; (*decide: sb's fate*) segnare; (*: bargain*) concludere; ~ **of approval** beneplacito.

▶**seal off** *vt* (*close*) sigillare; (*forbid entry to*) bloccare l'accesso a.

sea level *n* livello del mare.

sealing wax ['si:lɪŋ-] *n* ceralacca.

sea lion *n* leone *m* marino.

sealskin ['si:lskɪn] *n* pelle *f* di foca.

seam [si:m] *n* cucitura; (*of coal*) filone *m*; **the hall was bursting at the** ~**s** l'aula era piena zeppa.

seaman ['si:mən] *n* marinaio.

seamanship ['si:mənʃɪp] *n* tecnica di navigazione.

seamless ['si:mlɪs] *adj* senza cucitura.

seamy ['si:mɪ] *adj* malfamato(a); squallido(a).

seance ['seɪɔns] *n* seduta spiritica.

seaplane ['si:pleɪn] *n* idrovolante *m*.

seaport ['si:pɔ:t] *n* porto di mare.

search [sə:tʃ] *n* (*for person, thing*) ricerca; (*of drawer, pockets*) esame *m* accurato; (*LAW: at sb's home*) perquisizione *f* ♦ *vt* perlustrare, frugare; (*scan, examine*) esaminare minuziosamente; (*COMPUT*) ricercare ♦ *vi*: **to** ~ **for** ricercare; **in** ~ **of** alla ricerca di; "~ **and replace**" (*COMPUT*) "ricercare e sostituire".

▶**search through** *vt fus* frugare.

searcher ['sə:tʃə*] *n* chi cerca.

searching ['sə:tʃɪŋ] *adj* minuzioso(a); penetrante; (*question*) pressante.

searchlight ['sə:tʃlaɪt] *n* proiettore *m*.

search party *n* squadra di soccorso.

search warrant *n* mandato di perquisizione.

searing ['sɪərɪŋ] *adj* (*heat*) rovente; (*pain*) acuto(a).

seashore ['si:ʃɔ:*] *n* spiaggia; **on the** ~ sulla riva del mare.

seasick ['si:sɪk] *adj* che soffre il mal di mare; **to be** ~ avere il mal di mare.

seaside ['si:saɪd] *n* spiaggia; **to go to the** ~ andare al mare.

seaside resort *n* stazione *f* balneare.

season ['si:zn] *n* stagione *f* ♦ *vt* condire, insaporire; **to be in/out of** ~ essere di/ fuori stagione; **the busy** ~ (*for shops*) il periodo di punta; (*for hotels etc*) l'alta stagione; **the open** ~ (*HUNTING*) la stagione della caccia.

seasonal ['si:zənl] *adj* stagionale.

seasoned ['si:znd] *adj* (*wood*) stagionato(a); (*fig: worker, actor, troops*) con esperienza; **a** ~ **campaigner** un veterano.

seasoning ['si:znɪŋ] *n* condimento.

season ticket *n* abbonamento.

seat [si:t] *n* sedile *m*; (*in bus, train: place*) posto; (*PARLIAMENT*) seggio; (*centre: of government etc, of infection*) sede *f*; (*buttocks*) didietro; (*of trousers*) fondo ♦ *vt* far sedere; (*have room for*) avere or essere fornito(a) di posti a sedere per; **are there any** ~**s left?** ci sono posti?; **to take one's** ~ prendere posto; **to be** ~**ed** essere seduto(a); **please be** ~**ed** accomodatevi per favore.

seat belt *n* cintura di sicurezza.

seating arrangements ['si:tɪŋ-] *npl* sistemazione *f* or disposizione *f* dei posti.

seating capacity *n* posti *mpl* a sedere.

SEATO ['si:təʊ] *n abbr* (= *Southeast Asia Treaty Organization*) SEATO *f*.

sea water *n* acqua di mare.

seaweed ['si:wi:d] *n* alghe *fpl*.

seaworthy ['si:wə:ðɪ] *adj* atto(a) alla

navigazione.

SEC *n abbr* (*US*: = *Securities and Exchange Commission*) *commissione di controllo sulle operazioni in Borsa.*

sec. *abbr* = **second.**

secateurs [sɛkəˈtəːz] *npl* forbici *fpl* per potare.

secede [sɪˈsiːd] *vi*: **to ~ (from)** ritirarsi (da).

secluded [sɪˈkluːdɪd] *adj* isolato(a), appartato(a).

seclusion [sɪˈkluːʒən] *n* isolamento.

second [ˈsɛkənd] *num* secondo(a) ♦ *adv* (*in race etc*) al secondo posto; (*RAIL*) in seconda ♦ *n* (*unit of time*) secondo; (*in series, position*) secondo/a; (*BRIT SCOL*) *laurea con punteggio discreto*; (*AUT*: *also*: **~ gear**) seconda; (*COMM*: *imperfect*) scarto ♦ *vt* (*motion*) appoggiare; [sɪˈkɔnd] (*employee*) distaccare; **Charles the S~** Carlo Secondo; **just a ~!** un attimo!; **~ floor** (*BRIT*) secondo piano; (*US*) primo piano; **to ask for a ~ opinion** (*MED*) chiedere un altro *or* ulteriore parere; **to have ~ thoughts (about doing sth)** avere dei ripensamenti (quanto a fare qc); **on ~ thoughts** *or* (*US*) **thought** a ripensarci, ripensandoci bene.

secondary [ˈsɛkəndərɪ] *adj* secondario(a).

secondary school *n* scuola secondaria.

In Gran Bretagna la **secondary school** *è la scuola frequentata dai ragazzi dagli 11 ai 18 anni. L'età scolare nel paese va fino ai 16 anni. vedi anche* **primary school, high school.**

---

second-best [sɛkəndˈbɛst] *n* ripiego; **as a ~** in mancanza di meglio.

second-class [sɛkəndˈklɑːs] *adj* di seconda classe ♦ *adv*: **to travel ~** viaggiare in seconda (classe); **to send sth ~** spedire qc per posta ordinaria; **~ citizen** cittadino di second'ordine.

second cousin *n* cugino di secondo grado.

seconder [ˈsɛkəndə*] *n* sostenitore/trice.

second-guess [ˈsɛkəndˈgɛs] *vt* (*predict*) anticipare; (*after the event*) giudicare col senno di poi.

second hand *n* (*on clock*) lancetta dei secondi.

second-hand [sɛkəndˈhænd] *adj* di seconda mano, usato(a) ♦ *adv* (*buy*) di seconda mano; **to hear sth ~** venire a sapere qc da terze persone.

second-in-command [ˈsɛkəndɪnkəˈmɑːnd] *n* (*MIL*) comandante *m* in seconda; (*ADMIN*) aggiunto.

secondly [ˈsɛkəndlɪ] *adv* in secondo luogo.

secondment [sɪˈkɔndmənt] *n* (*BRIT*)

distaccamento.

second-rate [sɛkəndˈreɪt] *adj* scadente.

Second World War *n*: **the ~** la seconda guerra mondiale.

secrecy [ˈsiːkrəsɪ] *n* segretezza.

secret [ˈsiːkrɪt] *adj* segreto(a) ♦ *n* segreto; **in ~** in segreto, segretamente; **to keep sth ~ (from sb)** tenere qc segreto (a qn), tenere qc nascosto (a qn); **keep it ~** che rimanga un segreto; **to make no ~ of sth** non far mistero di qc.

secret agent *n* agente *m* segreto.

secretarial [sɛkrɪˈtɛərɪəl] *adj* (*work*) da segretario/a; (*college, course*) di segretariato.

secretariat [sɛkrɪˈtɛərɪət] *n* segretariato.

secretary [ˈsɛkrətrɪ] *n* segretario/a; **S~ of State** (*US POL*) ≈ Ministro degli Esteri; **S~ of State (for)** (*BRIT POL*) ministro (di).

secretary-general [ˈsɛkrətrɪˈdʒɛnərl] *n* segretario generale.

secrete [sɪˈkriːt] *vt* (*MED, ANAT, BIOL*) secernere; (*hide*) nascondere.

secretion [sɪˈkriːʃən] *n* secrezione *f*.

secretive [ˈsiːkrətɪv] *adj* riservato(a).

secretly [ˈsiːkrɪtlɪ] *adv* in segreto, segretamente.

secret police *n* polizia segreta.

secret service *n* servizi *mpl* segreti.

sect [sɛkt] *n* setta.

sectarian [sɛkˈtɛərɪən] *adj* settario(a).

section [ˈsɛkʃən] *n* sezione *f*; (*of document*) articolo ♦ *vt* sezionare, dividere in sezioni; **the business ~** (*PRESS*) la pagina economica.

sector [ˈsɛktə*] *n* settore *m*.

secular [ˈsɛkjulə*] *adj* secolare.

secure [sɪˈkjuə*] *adj* (*free from anxiety*) sicuro(a); (*firmly fixed*) assicurato(a), ben fermato(a); (*in safe place*) al sicuro ♦ *vt* (*fix*) fissare, assicurare; (*get*) ottenere, assicurarsi; (*COMM*: *loan*) garantire; **to make sth ~** fissare bene qc; **to ~ sth for sb** procurare qc per *or* a qn.

secured creditor [sɪˈkjuəd-] *n* creditore *m* privilegiato.

security [sɪˈkjuərɪtɪ] *n* sicurezza; (*for loan*) garanzia; **securities** *npl* (*STOCK EXCHANGE*) titoli *mpl*; **to increase/tighten ~** aumentare/intensificare la sorveglianza; **~ of tenure** garanzia del posto di lavoro, garanzia di titolo *or* di godimento.

Security Council *n*: **the ~** il Consiglio di Sicurezza.

security forces *npl* forze *fpl* dell'ordine.

security guard *n* guardia giurata.

security risk *n* rischio per la sicurezza.

secy. *abbr* = **secretary.**

sedan [sə'dæn] *n* (*US AUT*) berlina.

sedate [sɪ'deɪt] *adj* posato(a); calmo(a) ♦ *vt* calmare.

sedation [sɪ'deɪʃən] *n* (*MED*): **to be under ~** essere sotto l'azione di sedativi.

sedative ['sɛdɪtɪv] *n* sedativo, calmante *m*.

sedentary ['sɛdntrɪ] *adj* sedentario(a).

sediment ['sɛdɪmənt] *n* sedimento.

sedition [sɪ'dɪʃən] *n* sedizione *f*.

seduce [sɪ'djuːs] *vt* sedurre.

seduction [sɪ'dʌkʃən] *n* seduzione *f*.

seductive [sɪ'dʌktɪv] *adj* seducente.

see [siː] *vb* (*pt* **saw,** *pp* **seen** [sɔː, siːn]) *vt* vedere; (*accompany*): **to ~ sb to the door** accompagnare qn alla porta ♦ *vi* vedere; (*understand*) capire ♦ *n* sede *f* vescovile; **to ~ that** (*ensure*) badare che + *sub*, fare in modo che + *sub*; **to go and ~ sb** andare a trovare qn; **~ you soon/later/ tomorrow!** a presto/più tardi/domani!; **as far as I can ~** da quanto posso vedere; **there was nobody to be ~**n non c'era anima viva; **let me ~** (*show me*) fammi vedere; (*let me think*) vediamo (un po'); **~ for yourself** vai a vedere con i tuoi occhi; **I don't know what she ~s in him** non so che cosa ci trovi in lui.

▶**see about** *vt fus* (*deal with*) occuparsi di.

▶**see off** *vt* salutare alla partenza.

▶**see through** *vt* portare a termine ♦ *vt fus* non lasciarsi ingannare da.

▶**see to** *vt fus* occuparsi di.

seed [siːd] *n* seme *m*; (*fig*) germe *m*; (*TENNIS*) testa di serie; **to go to ~** fare seme; (*fig*) scadere.

seedless ['siːdlɪs] *adj* senza semi.

seedling ['siːdlɪŋ] *n* piantina di semenzaio.

seedy ['siːdɪ] *adj* (*shabby: person*) sciatto(a); (*: place*) cadente.

seeing ['siːɪŋ] *conj*: **~ (that)** visto che.

seek [siːk], *pt, pp* **sought** *vt* cercare; **to ~ advice/help from sb** chiedere consiglio/ aiuto a qn.

▶**seek out** *vt* (*person*) andare a cercare.

seem [siːm] *vi* sembrare, parere; **there ~s to be ...** sembra che ci sia ...; **it ~s (that) ...** sembra *or* pare che ... + *sub*; **what ~s to be the trouble?** cosa c'è che non va?

seemingly ['siːmɪŋlɪ] *adv* apparentemente.

seen [siːn] *pp of* **see.**

seep [siːp] *vi* filtrare, trapelare.

seer [sɪə*] *n* profeta/essa, veggente *m/f*.

seersucker ['sɪəsʌkə*] *n* cotone *m* indiano.

seesaw ['siːsɔː] *n* altalena a bilico.

seethe [siːð] *vi* ribollire; **to ~ with anger** fremere di rabbia.

see-through ['siːθruː] *adj* trasparente.

segment ['sɛgmənt] *n* segmento.

segregate ['sɛgrɪgeɪt] *vt* segregare, isolare.

segregation [sɛgrɪ'geɪʃən] *n* segregazione *f*.

Seine [seɪn] *n* Senna.

seismic ['saɪzmɪk] *adj* sismico(a).

seize [siːz] *vt* (*grasp*) afferrare; (*take possession of*) impadronirsi di; (*LAW*) sequestrare.

▶**seize up** *vi* (*TECH*) grippare.

▶**seize (up)on** *vt fus* ricorrere a.

seizure ['siːʒə*] *n* (*MED*) attacco; (*LAW*) confisca, sequestro.

seldom ['sɛldəm] *adv* raramente.

select [sɪ'lɛkt] *adj* scelto(a); (*hotel, restaurant*) chic *inv*; (*club*) esclusivo(a) ♦ *vt* scegliere, selezionare; **a ~ few** pochi eletti *mpl*.

selection [sɪ'lɛkʃən] *n* selezione *f*, scelta.

selection committee *n* comitato di selezione.

selective [sɪ'lɛktɪv] *adj* selettivo(a).

selector [sɪ'lɛktə*] *n* (*person*) selezionatore/trice; (*TECH*) selettore *m*.

self [sɛlf] *n* (*pl* **selves** [sɛlvz]): **the ~** l'io *m* ♦ *prefix* auto....

self-addressed ['sɛlfə'drɛst] *adj*: **~ envelope** busta col proprio nome e indirizzo.

self-adhesive [sɛlfəd'hiːzɪv] *adj* autoadesivo(a).

self-assertive [sɛlfə'səːtɪv] *adj* autoritario(a).

self-assurance [sɛlfə'ʃuərəns] *n* sicurezza di sé.

self-assured [sɛlfə'ʃuəd] *adj* sicuro(a) di sé.

self-catering [sɛlf'keɪtərɪŋ] *adj* (*BRIT*) in cui ci si cucina da sé; **~ apartment** appartamento (per le vacanze).

self-centred, (*US*) **self-centered** [sɛlf'sɛntəd] *adj* egocentrico(a).

self-cleaning [sɛlf'kliːnɪŋ] *adj* autopulente.

self-confessed [sɛlfkən'fɛst] *adj* (*alcoholic etc*) dichiarato(a).

self-confidence [sɛlf'kɒnfɪdəns] *n* sicurezza di sé.

self-conscious [sɛlf'kɒnʃəs] *adj* timido(a).

self-contained [sɛlfkən'teɪnd] *adj* (*BRIT: flat*) indipendente.

self-control [sɛlfkən'trəul] *n* autocontrollo.

self-defeating [sɛlfdɪ'fiːtɪŋ] *adj* futile.

self-defence, (*US*) **self-defense** [sɛlfdɪ'fɛns] *n* autodifesa; (*LAW*) legittima difesa.

self-discipline [sɛlf'dɪsɪplɪn] *n* autodisciplina.

self-employed [sɛlfɪm'plɔɪd] *adj* che lavora

in proprio.

self-esteem [sɛlfɪ'stiːm] *n* amor proprio *m*.

self-evident [sɛlf'ɛvɪdənt] *adj* evidente.

self-explanatory [sɛlfɪk'splænətərɪ] *adj* ovvio(a).

self-governing [sɛlf'gʌvənɪŋ] *adj* autonomo(a).

self-help ['sɛlf'hɛlp] *n* iniziativa individuale.

self-importance [sɛlfim'pɔːtns] *n* sufficienza.

self-indulgent [sɛlfɪn'dʌldʒənt] *adj* indulgente verso se stesso(a).

self-inflicted [sɛlfɪn'flɪktɪd] *adj* autoinflitto(a).

self-interest [sɛlf'ɪntrɪst] *n* interesse *m* personale.

selfish ['sɛlfɪʃ] *adj* egoista.

selfishly ['sɛlfɪʃlɪ] *adv* egoisticamente.

selfishness ['sɛlfɪʃnɪs] *n* egoismo.

selfless ['sɛlflɪs] *adj* altruista.

selflessly ['sɛlflɪslɪ] *adv* altruisticamente.

selflessness ['sɛlflɪsnɪs] *n* altruismo.

self-made man ['sɛlfmeɪd-] *n* self-made man *m inv*, uomo che si è fatto da sé.

self-pity [sɛlf'pɪtɪ] *n* autocommiserazione *f*.

self-portrait [sɛlf'pɔːtrɪt] *n* autoritratto.

self-possessed [sɛlfpə'zɛst] *adj* controllato(a).

self-preservation ['sɛlfprɛzə'veɪʃən] *n* istinto di conservazione.

self-raising [sɛlf'reɪzɪŋ], (*US*) **self-rising** [sɛlf'raɪzɪŋ] *adj*: ~ **flour** miscela di farina e lievito.

self-reliant [sɛlfrɪ'laɪənt] *adj* indipendente.

self-respect [sɛlfrɪs'pɛkt] *n* rispetto di sé, amor proprio.

self-respecting [sɛlfrɪs'pɛktɪŋ] *adj* che ha rispetto di sé.

self-righteous [sɛlf'raɪtʃəs] *adj* soddisfatto(a) di sé.

self-rising [sɛlf'raɪzɪŋ] *adj* (*US*) = **self-raising**.

self-sacrifice [sɛlf'sækrɪfaɪs] *n* abnegazione *f*.

self-same ['sɛlfseɪm] *adj* stesso(a).

self-satisfied [sɛlf'sætɪsfaɪd] *adj* compiaciuto(a) di sé.

self-sealing [sɛlf'siːlɪŋ] *adj* autosigillante.

self-service [sɛlf'səːvɪs] *n* autoservizio, self-service *m*.

self-styled [sɛlf'staɪld] *adj* sedicente.

self-sufficient [sɛlfsə'fɪʃənt] *adj* autosufficiente.

self-supporting [sɛlfsə'pɔːtɪŋ] *adj* economicamente indipendente.

self-taught [sɛlf'tɔːt] *adj* autodidatta.

self-test ['sɛlftɛst] *n* (*COMPUT*) autoverifica.

sell, *pt, pp* **sold** [sɛl, səuld] *vt* vendere ♦ *vi* vendersi; **to** ~ **at** *or* **for 1000 lire** essere in vendita a 1000 lire; **to** ~ **sb an idea** (*fig*) far accettare un'idea a qn.

▶**sell off** *vt* svendere, liquidare.

▶**sell out** *vi*: **to** ~ **out (to sb/sth)** (*COMM*) vendere (tutto) (a qn/qc) ♦ *vt* esaurire; **the tickets are all sold out** i biglietti sono esauriti.

▶**sell up** *vi* vendere (tutto).

sell-by date ['sɛlbaɪ-] *n* scadenza.

seller ['sɛlə*] *n* venditore/trice; ~**'s market** mercato favorevole ai venditori.

selling price ['sɛlɪŋ-] *n* prezzo di vendita.

Sellotape ® ['sɛləuteɪp] *n* (*BRIT*) nastro adesivo, scotch ® *m*.

sellout ['sɛlaut] *n* (*betrayal*) tradimento; (*of tickets*): **it was a** ~ registrò un tutto esaurito.

selves [sɛlvz] *npl of* **self**.

semantic [sɪ'mæntɪk] *adj* semantico(a).

semantics [sɪ'mæntɪks] *n* semantica.

semaphore ['sɛməfɔː*] *n* segnali *mpl* con bandiere; (*RAIL*) semaforo.

semblance ['sɛmbləns] *n* parvenza, apparenza.

semen ['siːmən] *n* sperma *m*.

semester [sɪ'mɛstə*] *n* (*US*) semestre *m*.

semi... ['sɛmɪ] *prefix* semi... ♦ *n*: **semi** = **semidetached (house)**.

semi-breve ['sɛmɪbriːv] *n* (*BRIT*) semibreve *f*.

semicircle ['sɛmɪsəːkl] *n* semicerchio.

semicircular ['sɛmɪ'səːkjulə*] *adj* semicircolare.

semicolon [sɛmɪ'kəulən] *n* punto e virgola.

semiconductor [sɛmɪkən'dʌktə*] *n* semiconduttore *m*.

semiconscious [sɛmɪ'kɔnʃəs] *adj* parzialmente cosciente.

semidetached (house) [sɛmɪdɪ'tætʃt-] *n* (*BRIT*) casa gemella.

semifinal [sɛmɪ'faɪnl] *n* semifinale *f*.

seminar ['sɛmɪnɑː*] *n* seminario.

seminary ['sɛmɪnərɪ] *n* (*REL: for priests*) seminario.

semiprecious [sɛmɪ'prɛʃəs] *adj* semiprezioso(a).

semiquaver ['sɛmɪkweɪvə*] *n* (*BRIT*) semicroma.

semiskilled ['sɛmɪ'skɪld] *adj*: ~ **worker** operaio(a) non specializzato(a).

semi-skimmed ['sɛmɪ'skɪmd] *adj* parzialmente scremato(a).

semitone ['sɛmɪtəun] *n* (*MUS*) semitono.

semolina [sɛmə'liːnə] *n* semolino.

SEN *n abbr* (*BRIT*: = *State Enrolled Nurse*) *infermiera diplomata (dopo corso* *biennale).*

Sen., sen. *abbr* = **senator; senior.**

senate ['sɛnɪt] *n* senato.

senator ['sɛnɪtə*] *n* senatore/trice.

send [sɛnd], *pt*, *pp* **sent** *vt* mandare; **to ~ by post** *or* (*US*) **mail** spedire per posta; **to ~ sb for sth** mandare qn a prendere qc; **to ~ word that ...** mandare a dire che ...; **she ~s (you) her love** ti saluta affettuosamente; **to ~ sb to Coventry** (*BRIT*) dare l'ostracismo a qn; **to ~ sb to sleep/into fits of laughter** far addormentare/scoppiare dal ridere qn; **to ~ sth flying** far volare via qc.

►**send away** *vt* (*letter, goods*) spedire; (*person*) mandare via.

►**send away for** *vt fus* richiedere per posta, farsi spedire.

►**send back** *vt* rimandare.

►**send for** *vt fus* mandare a chiamare, far venire; (*by post*) ordinare per posta.

►**send in** *vt* (*report, application, resignation*) presentare.

►**send off** *vt* (*goods*) spedire; (*BRIT SPORT: player*) espellere.

►**send on** *vt* (*BRIT: letter*) inoltrare; (*luggage etc: in advance*) spedire in anticipo.

►**send out** *vt* (*invitation*) diramare; (*emit: light, heat*) mandare, emanare; (: *signals*) emettere.

►**send round** *vt* (*letter, document etc*) far circolare.

►**send up** *vt* (*person, price*) far salire; (*BRIT: parody*) mettere in ridicolo.

sender ['sɛndə*] *n* mittente *m/f*.

send-off ['sɛndɔf] *n*: **to give sb a good ~** festeggiare la partenza di qn.

Senegal [sɛnɪ'gɔːl] *n* Senegal *m*.

Senegalese [sɛnɪgə'liːz] *adj*, *n* senegalese (*m/f*).

senile ['siːnaɪl] *adj* senile.

senility [sɪ'nɪlɪtɪ] *n* senilità *f*.

senior ['siːnɪə*] *adj* (*older*) più vecchio(a); (*of higher rank*) di grado più elevato ♦ *n* persona più anziana; (*in service*) persona con maggiore anzianità; **P. Jones ~** P. Jones senior, P. Jones padre.

senior citizen *n* anziano/a.

senior high school *n* (*US*) ≈ liceo.

seniority [siːnɪ'ɔrɪtɪ] *n* anzianità; (*in rank*) superiorità.

sensation [sɛn'seɪʃən] *n* sensazione *f*; **to create a ~** fare scalpore.

sensational [sɛn'seɪʃənl] *adj* sensazionale; (*marvellous*) eccezionale.

sense [sɛns] *n* senso; (*feeling*) sensazione *f*, senso; (*meaning*) senso, significato; (*wisdom*) buonsenso ♦ *vt* sentire,

percepire; **~s** *npl* (*sanity*) ragione *f*; **it makes ~** ha senso; **there is no ~ in (doing) that** non ha senso (farlo); **~ of humour** (senso dell')umorismo; **to come to one's ~s** (*regain consciousness*) riprendere i sensi; (*become reasonable*) tornare in sé; **to take leave of one's ~s** perdere il lume *or* l'uso della ragione.

senseless ['sɛnslɪs] *adj* sciocco(a); (*unconscious*) privo(a) di sensi.

sensibilities [sɛnsɪ'bɪlɪtɪz] *npl* sensibilità *fsg*.

sensible ['sɛnsɪbl] *adj* sensato(a), ragionevole.

sensitive ['sɛnsɪtɪv] *adj*: **~ (to)** sensibile (a); **he is very ~ about it** è un tasto che è meglio non toccare con lui.

sensitivity [sɛnsɪ'tɪvɪtɪ] *n* sensibilità.

sensual ['sɛnsjuəl] *adj* sensuale.

sensuous ['sɛnsjuəs] *adj* sensuale.

sent [sɛnt] *pt*, *pp* *of* **send**.

sentence ['sɛntns] *n* (*LING*) frase *f*; (*LAW: judgement*) sentenza; (: *punishment*) condanna ♦ *vt*: **to ~ sb to death/to 5 years** condannare qn a morte/a 5 anni; **to pass ~ on sb** condannare qn.

sentiment ['sɛntɪmənt] *n* sentimento; (*opinion*) opinione *f*.

sentimental [sɛntɪ'mɛntl] *adj* sentimentale.

sentimentality [sɛntɪmɛn'tælɪtɪ] *n* sentimentalità, sentimentalismo.

sentry ['sɛntrɪ] *n* sentinella.

sentry duty *n*: **to be on ~** essere di sentinella.

Seoul [səul] *n* Seul *f*.

separable ['sɛprəbl] *adj* separabile.

separate *adj* ['sɛprɪt] separato(a) ♦ *vb* ['sɛpəreɪt] *vt* separare ♦ *vi* separarsi; **~ from** separato da; **under ~ cover** (*COMM*) in plico a parte; **to ~ into** dividere in; *see also* **separates.**

separately ['sɛprɪtlɪ] *adv* separatamente.

separates ['sɛprɪts] *npl* (*clothes*) coordinati *mpl*.

separation [sɛpə'reɪʃən] *n* separazione *f*.

Sept. *abbr* (= *September*) sett., set.

September [sɛp'tɛmbə*] *n* settembre *m*; *for phrases see also* **July.**

septic ['sɛptɪk] *adj* settico(a); (*wound*) infettato(a); **to go ~** infettarsi.

septicaemia, (*US*) **septicemia** [sɛptɪ'siːmɪə] *n* setticemia.

septic tank *n* fossa settica.

sequel ['siːkwl] *n* conseguenza; (*of story*) seguito.

sequence ['siːkwəns] *n* (*series*) serie *f inv*; (*order*) ordine *m*; **in ~** in ordine, di seguito; **~ of tenses** concordanza dei tempi.

sequential [sɪ'kwɛnʃəl] *adj:* ~ **access** (*COMPUT*) accesso sequenziale.

sequin ['siːkwɪn] *n* lustrino, paillette *f inv*.

Serb [səːb] *adj, n* = **Serbian**.

Serbia ['səːbɪə] *n* Serbia.

Serbian ['səːbɪən] *adj* serbo(a) ♦ *n* serbo/a; (*LING*) serbo.

Serbo-Croat ['səːbəu'krəuæt] *n* (*LING*) serbocroato.

serenade [sɛrə'neɪd] *n* serenata ♦ *vt* fare la serenata a.

serene [sɪ'riːn] *adj* sereno(a), calmo(a).

serenity [sɪ'rɛnɪtɪ] *n* serenità, tranquillità.

sergeant ['sɑːdʒənt] *n* sergente *m*; (*POLICE*) brigadiere *m*.

sergeant major *n* maresciallo.

serial ['sɪərɪəl] *n* (*PRESS*) romanzo a puntate; (*RADIO, TV*) trasmissione *f* a puntate ♦ *cpd* (*number*) di serie; (*COMPUT*) seriale.

serialize ['sɪərɪəlaɪz] *vt* pubblicare a puntate; trasmettere a puntate.

serial killer *n* serial killer *m inv*.

serial number *n* numero di serie.

series ['sɪəriːz] *n* (*pl inv*) serie *f inv*; (*PUBLISHING*) collana.

serious ['sɪərɪəs] *adj* serio(a), grave; **are you ~ (about it)?** parla sul serio?

seriously ['sɪərɪəslɪ] *adv* seriamente; **he's ~ rich** (*col: extremely*) ha un casino di soldi; **to take sth/sb ~** prendere qc/qn sul serio.

seriousness ['sɪərɪəsnɪs] *n* serietà, gravità.

sermon ['səːmən] *n* sermone *m*.

serrated [sɪ'reɪtɪd] *adj* seghettato(a).

serum ['sɪərəm] *n* siero.

servant ['səːvənt] *n* domestico/a.

serve [səːv] *vt* (*employer etc*) servire, essere a servizio di; (*purpose*) servire a; (*customer, food, meal*) servire; (*apprenticeship*) fare; (*prison term*) scontare ♦ *vi* (*also TENNIS*) servire; (*soldier etc*) prestare servizio; (*be useful*): **to ~ as/for/to do** servire da/per/per fare ♦ *n* (*TENNIS*) servizio; **are you being ~d?** la stanno servendo?; **to ~ on a committee/ jury** far parte di un comitato/una giuria; **it ~s him right** ben gli sta, se l'è meritata; **it ~s my purpose** fa al caso mio, serve al mio scopo.

▶**serve out, serve up** *vt* (*food*) servire.

service ['səːvɪs] *n* servizio; (*AUT: maintenance*) revisione *f*; (*REL*) funzione *f* ♦ *vt* (*car, washing machine*) revisionare; **the S~s** *npl* le forze armate; **to be of ~ to sb, to do sb a ~** essere d'aiuto a qn; **to put one's car in for (a) ~** portare la

macchina in officina per una revisione; **dinner ~** servizio da tavola.

serviceable ['səːvɪsəbl] *adj* pratico(a), utile; (*usable, working*) usabile.

service area *n* (*on motorway*) area di servizio.

service charge *n* (*BRIT*) servizio.

service industries *npl* settore *m* terziario.

serviceman ['səːvɪsmən] *n* militare *m*.

service station *n* stazione *f* di servizio.

serviette [səːvɪ'ɛt] *n* (*BRIT*) tovagliolo.

servile ['səːvaɪl] *adj* servile.

session ['sɛʃən] *n* (*sitting*) seduta, sessione *f*; (*SCOL*) anno scolastico (*or* accademico); **to be in ~** essere in seduta.

session musician *n* musicista *m/f* di studio.

set [sɛt] *n* serie *f inv*; (*RADIO, TV*) apparecchio; (*TENNIS*) set *m inv*; (*group of people*) mondo, ambiente *m*; (*CINE*) scenario; (*THEAT: stage*) scene *fpl*; (*: scenery*) scenario; (*MATH*) insieme *m*; (*HAIRDRESSING*) messa in piega ♦ *adj* (*fixed*) stabilito(a), determinato(a); (*ready*) pronto(a) ♦ *vb* (*pt, pp* **set**) (*place*) posare, mettere; (*fix*) fissare; (*assign: task, homework*) dare, assegnare; (*adjust*) regolare; (*decide: rules etc*) stabilire, fissare; (*TYP*) comporre ♦ *vi* (*sun*) tramontare; (*jam, jelly*) rapprendersi; (*concrete*) fare presa; **to be ~ on doing** essere deciso a fare; **to be all ~ to do sth** essere pronto a fare qc; **to be (dead) ~ against** essere completamente contrario a; **~ in one's ways** abitudinario; **a novel ~ in Rome** un romanzo ambientato a Roma; **to ~ to music** mettere in musica; **to ~ on fire** dare fuoco a; **to ~ free** liberare; **to ~ sth going** mettere in moto qc; **to ~ sail** prendere il mare; **a ~ phrase** una frase fatta; **a ~ of false teeth** una dentiera; **a ~ of dining-room furniture** una camera da pranzo.

▶**set about** *vt fus* (*task*) intraprendere, mettersi a; **to ~ about doing sth** mettersi a fare qc.

▶**set aside** *vt* mettere da parte.

▶**set back** *vt* (*progress*) ritardare; **to ~ back (by)** (*in time*) mettere indietro (di); **a house ~ back from the road** una casa a una certa distanza dalla strada.

▶**set in** *vi* (*infection*) svilupparsi; (*complications*) intervenire; **the rain has ~ in for the day** ormai pioverà tutto il giorno.

▶**set off** *vi* partire ♦ *vt* (*bomb*) far scoppiare; (*cause to start*) mettere in moto; (*show up well*) dare risalto a.

▶**set out** vi partire; (aim): **to ~ out to do** proporsi di fare ♦ vt (arrange) disporre; (state) esporre, presentare.

▶**set up** vt (organization) fondare, costituire; (record) stabilire; (monument) innalzare.

setback ['sɛtbæk] n (hitch) contrattempo, inconveniente m; (in health) ricaduta.

set menu n menù m inv fisso.

set square n squadra.

settee [sɛ'tiː] n divano, sofà m inv.

setting ['sɛtɪŋ] n ambiente m; (scenery) sfondo; (of jewel) montatura.

setting lotion n fissatore m.

settle ['sɛtl] vt (argument, matter) appianare; (problem) risolvere; (pay: bill, account) regolare, saldare; (MED: calm) calmare; (colonize: land) colonizzare ♦ vi (bird, dust etc) posarsi; (sediment) depositarsi; (also: ~ **down**) sistemarsi, stabilirsi; (become calmer) calmarsi; **to ~ to sth** applicarsi a qc; **to ~ for sth** accontentarsi di qc; **to ~ on sth** decidersi per qc; **that's ~d then** allora è deciso; **to ~ one's stomach** calmare il mal di stomaco.

▶**settle in** vi sistemarsi.

▶**settle up** vi: **to ~ up with sb** regolare i conti con qn.

settlement ['sɛtlmənt] n (payment) pagamento, saldo; (agreement) accordo; (colony) colonia; (village etc) villaggio, comunità f inv; **in ~ of our account** (COMM) a saldo del nostro conto.

settler ['sɛtlə*] n colonizzatore/trice.

setup ['sɛtʌp] n (arrangement) sistemazione f; (situation) situazione f.

seven ['sɛvn] num sette.

seventeen [sɛvn'tiːn] num diciassette.

seventh ['sɛvnθ] num settimo(a).

seventy ['sɛvntɪ] num settanta.

sever ['sɛvə*] vt recidere, tagliare; (relations) troncare.

several ['sɛvərl] adj, pron alcuni(e), diversi(e); ~ **of us** alcuni di noi; ~ **times** diverse volte.

severance ['sɛvərəns] n (of relations) rottura.

severance pay n indennità di licenziamento.

severe [sɪ'vɪə*] adj severo(a); (serious) serio(a), grave; (hard) duro(a); (plain) semplice, sobrio(a).

severely [sɪ'vɪəlɪ] adv (gen) severamente; (wounded, ill) gravemente.

severity [sɪ'vɛrɪtɪ] n severità; gravità; (of weather) rigore m.

sew, pt **sewed**, pp **sewn** [səu, səud, səun] vt,

vi cucire.

▶**sew up** vt ricucire; **it is all sewn up** (fig) è tutto apposto.

sewage ['suːɪdʒ] n acque fpl di scolo.

sewage works n stabilimento per la depurazione dei liquami.

sewer ['suːə*] n fogna.

sewing ['səuɪŋ] n cucito.

sewing machine n macchina da cucire.

sewn [səun] pp of **sew**.

sex [sɛks] n sesso; **to have ~ with** avere rapporti sessuali con.

sex act n atto sessuale.

sex appeal n sex appeal m inv.

sex education n educazione f sessuale.

sexism ['sɛksɪzəm] n sessismo.

sexist ['sɛksɪst] adj sessista.

sex life n vita sessuale.

sex object n oggetto sessuale; **to be treated like a ~** (woman) essere trattata da donna oggetto.

sextet [sɛks'tɛt] n sestetto.

sexual ['sɛksjuəl] adj sessuale; ~ **assault** violenza carnale; ~ **harassment** molestie fpl sessuali; ~ **intercourse** rapporti mpl sessuali.

sexy ['sɛksɪ] adj provocante, sexy inv.

Seychelles [seɪ'ʃɛlz] npl: **the ~** le Seicelle.

SF n abbr = **science fiction**.

SG n abbr (US) = **Surgeon General**.

Sgt. abbr (= sergeant) serg.

shabbiness ['ʃæbɪnɪs] n trasandatezza; squallore m; meschinità.

shabby ['ʃæbɪ] adj trasandato(a); (building) squallido(a), malandato(a); (behaviour) meschino(a).

shack [ʃæk] n baracca, capanna.

shackles ['ʃæklz] npl ferri mpl, catene fpl.

shade [ʃeɪd] n ombra; (for lamp) paralume m; (of colour) tonalità f inv; (US: window ~) veneziana; (small quantity): **a ~ of** un po' **or** un'ombra di ♦ vt ombreggiare, fare ombra a; ~**s** npl (US: sunglasses) occhiali mpl da sole; **in the ~** all'ombra; **a ~ smaller** un tantino più piccolo.

shadow ['ʃædəu] n ombra ♦ vt (follow) pedinare; **without or beyond a ~ of doubt** senz'ombra di dubbio.

shadow cabinet n (BRIT POL) governo m ombra inv.

shadowy ['ʃædəuɪ] adj ombreggiato(a), ombroso(a); (dim) vago(a), indistinto(a).

shady ['ʃeɪdɪ] adj ombroso(a); (fig: dishonest) losco(a), equivoco(a).

shaft [ʃɑːft] n (of arrow, spear) asta; (AUT, TECH) albero; (of mine) pozzo; (of lift) tromba; (of light) raggio; **ventilator ~** condotto di ventilazione.

shaggy ['ʃægɪ] *adj* ispido(a).

shake [ʃeɪk] *vb* (*pt* **shook**, *pp* **shaken** [ʃuk, 'ʃeɪkn]) *vt* scuotere; (*bottle, cocktail*) agitare ♦ *vi* tremare ♦ *n* scossa; **to ~ one's head** scuotere la testa; **to ~ hands with sb** stringere *or* dare la mano a qn.
►**shake off** *vt* scrollare (via); (*fig*) sbarazzarsi di.
►**shake up** *vt* scuotere.

shake-up ['ʃeɪkʌp] *n* riorganizzazione *f* drastica.

shakily ['ʃeɪkɪlɪ] *adv* (*reply*) con voce tremante; (*walk*) con passo malfermo; (*write*) con mano tremante.

shaky ['ʃeɪkɪ] *adj* (*hand, voice*) tremante; (*memory*) labile; (*knowledge*) incerto(a); (*building*) traballante.

shale [ʃeɪl] *n* roccia scistosa.

shall [ʃæl] *aux vb*: **I ~ go** andrò.

shallot [ʃə'lɔt] *n* (*BRIT*) scalogna.

shallow ['ʃæləu] *adj* poco profondo(a); (*fig*) superficiale.

sham [ʃæm] *n* finzione *f*, messinscena; (*jewellery, furniture*) imitazione *f* ♦ *adj* finto(a) ♦ *vt* fingere, simulare.

shambles ['ʃæmblz] *n* confusione *f*, baraonda, scompiglio; **the economy is (in) a complete ~** l'economia è nel caos più totale.

shambolic [ʃæm'bɔlɪk] *adj* (*col*) incasinato(a).

shame [ʃeɪm] *n* vergogna ♦ *vt* far vergognare; **it is a ~ (that/to do)** è un peccato (che + *sub*/fare); **what a ~!** che peccato!; **to put sb/sth to ~** (*fig*) far sfigurare qn/qc.

shamefaced ['ʃeɪmfeɪst] *adj* vergognoso(a).

shameful ['ʃeɪmful] *adj* vergognoso(a).

shameless ['ʃeɪmlɪs] *adj* sfrontato(a); (*immodest*) spudorato(a).

shampoo [ʃæm'pu:] *n* shampoo *m inv* ♦ *vt* fare lo shampoo a; **~ and set** shampoo e messa in piega.

shamrock ['ʃæmrɔk] *n* trifoglio (*simbolo nazionale dell'Irlanda*).

shandy ['ʃændɪ] *n* birra con gassosa.

shan't [ʃɑ:nt] = **shall not**.

shanty town ['ʃæntɪ-] *n* bidonville *f inv*.

SHAPE [ʃeɪp] *n abbr* (= *Supreme Headquarters Allied Powers, Europe*) *supremo quartier generale delle Potenze Alleate in Europa*.

shape [ʃeɪp] *n* forma ♦ *vt* (*clay, stone*) dar forma a; (*fig: ideas, character*) formare; (: *course of events*) determinare, condizionare; (*statement*) formulare; (*sb's ideas*) condizionare ♦ *vi* (*also*: **~ up**: *events*) andare, mettersi; (: *person*) cavarsela; **to take ~** prendere forma; **in the ~ of a heart** a forma di cuore; **to get o.s. into ~** rimettersi in forma; **I can't bear gardening in any ~ or form** detesto il giardinaggio d'ogni genere e specie.

-shaped [ʃeɪpt] *suffix*: **heart-~** a forma di cuore.

shapeless ['ʃeɪplɪs] *adj* senza forma, informe.

shapely ['ʃeɪplɪ] *adj* ben proporzionato(a).

share [ʃɛə*] *n* (*thing received, contribution*) parte *f*; (*COMM*) azione *f* ♦ *vt* dividere; (*have in common*) condividere, avere in comune; **to ~ out (among *or* between)** dividere (tra); **to ~ in** partecipare a.

share capital *n* capitale *m* azionario.

share certificate *n* certificato azionario.

shareholder ['ʃɛəhəuldə*] *n* azionista *m/f*.

share index *n* listino di Borsa.

shark [ʃɑ:k] *n* squalo, pescecane *m*.

sharp [ʃɑ:p] *adj* (*razor, knife*) affilato(a); (*point*) acuto(a), acuminato(a); (*nose, chin*) aguzzo(a); (*outline*) netto(a); (*curve, bend*) stretto(a), accentuato(a); (*cold, pain*) pungente; (*voice*) stridulo(a); (*person: quick-witted*) sveglio(a); (: *unscrupulous*) disonesto(a); (*MUS*): **C ~** do diesis ♦ *n* (*MUS*) diesis *m inv* ♦ *adv*: **at 2 o'clock ~** alle due in punto; **turn ~ left** giri tutto a sinistra; **to be ~ with sb** rimproverare qn; **look ~!** sbrigati!

sharpen ['ʃɑ:pən] *vt* affilare; (*pencil*) fare la punta a; (*fig*) aguzzare.

sharpener ['ʃɑ:pnə*] *n* (*also*: **pencil ~**) temperamatite *m inv*; (*also*: **knife ~**) affilacoltelli *m inv*.

sharp-eyed [ʃɑ:p'aɪd] *adj* dalla vista acuta.

sharpish ['ʃɑ:pɪʃ] *adv* (*BRIT col: quickly*) subito.

sharply ['ʃɑ:plɪ] *adv* (*abruptly*) bruscamente; (*clearly*) nettamente; (*harshly*) duramente, aspramente.

sharp-tempered [ʃɑ:p'tɛmpəd] *adj* irascibile.

shatter ['ʃætə*] *vt* mandare in frantumi, frantumare; (*fig: upset*) distruggere; (: *ruin*) rovinare ♦ *vi* frantumarsi, andare in pezzi.

shattered ['ʃætəd] *adj* (*grief-stricken*) sconvolto(a); (*exhausted*) a pezzi, distrutto(a).

shatterproof ['ʃætəpru:f] *adj* infrangibile.

shave [ʃeɪv] *vt* radere, rasare ♦ *vi* radersi, farsi la barba ♦ *n*: **to have a ~** farsi la barba.

shaven ['ʃeɪvn] *adj* (*head*) rasato(a), tonsurato(a).

shaver ['ʃeɪvə*] *n* (*also*: **electric ~**) rasoio

elettrico.

shaving ['ʃeɪvɪŋ] n (action) rasatura; ~s npl (of wood etc) trucioli mpl.

shaving brush n pennello da barba.

shaving cream n crema da barba.

shaving soap n sapone m da barba.

shawl [ʃɔːl] n scialle m.

she [ʃiː] pron ella, lei; **there** ~ **is** eccola; ~**-bear** orsa; ~**-elephant** elefantessa; NB: for ships, countries follow the gender of your translation.

sheaf, pl sheaves [ʃiːf, ʃiːvz] n covone m.

shear [ʃɪə*] vt (pt ~ed, pp ~ed or **shorn** [ʃɔːn]) (sheep) tosare.

▶**shear off** vi (break off) spezzarsi.

shears ['ʃɪəz] npl (for hedge) cesoie fpl.

sheath [ʃiːθ] n fodero, guaina; (contraceptive) preservativo.

sheathe [ʃiːð] vt rivestire; (sword) rinfoderare.

sheath knife n coltello (con fodero).

sheaves [ʃiːvz] npl of **sheaf**.

shed [ʃɛd] n capannone m ♦ vt (pt, pp **shed**) (leaves, fur etc) perdere; (tears) versare; **to** ~ **light on** (problem, mystery) far luce su.

she'd [ʃiːd] = **she had; she would**.

sheen [ʃiːn] n lucentezza.

sheep [ʃiːp] n (pl inv) pecora.

sheepdog ['ʃiːpdɔg] n cane m da pastore.

sheep farmer n allevatore m di pecore.

sheepish ['ʃiːpɪʃ] adj vergognoso(a), timido(a).

sheepskin ['ʃiːpskɪn] n pelle f di pecora.

sheepskin jacket n (giacca di) montone m.

sheer [ʃɪə*] adj (utter) vero(a) (e proprio(a)); (steep) a picco, perpendicolare; (transparent) trasparente ♦ adv a picco; **by** ~ **chance** per puro caso.

sheet [ʃiːt] n (on bed) lenzuolo; (of paper) foglio; (of glass) lastra; (of metal) foglio, lamina.

sheet feed n (on printer) alimentazione f di fogli.

sheet lightning n lampo diffuso.

sheet metal n lamiera.

sheet music n fogli mpl di musica.

sheik(h) [ʃeɪk] n sceicco.

shelf, pl shelves [ʃɛlf, ʃɛlvz] n scaffale m, mensola.

shelf life n (COMM) durata di conservazione.

shell [ʃɛl] n (on beach) conchiglia; (of egg, nut etc) guscio; (explosive) granata; (of building) scheletro, struttura ♦ vt (peas) sgranare; (MIL) bombardare, cannoneggiare.

▶**shell out** vi (col): **to** ~ **out (for)** sganciare

soldi (per).

she'll [ʃiːl] = **she will; she shall**.

shellfish ['ʃɛlfɪʃ] n (pl inv) (crab etc) crostaceo; (scallop etc) mollusco; (pl: as food) crostacei; molluschi.

shellsuit ['ʃɛlsuːt] n tuta di acetato.

shelter ['ʃɛltə*] n riparo, rifugio ♦ vt riparare, proteggere; (give lodging to) dare rifugio or asilo a ♦ vi ripararsi, mettersi al riparo; **to take** ~ **(from)** mettersi al riparo (da).

sheltered ['ʃɛltəd] adj (life) ritirato(a); (spot) riparato(a), protetto(a).

shelve [ʃɛlv] vt (fig) accantonare, rimandare.

shelves [ʃɛlvz] npl of **shelf**.

shelving ['ʃɛlvɪŋ] n scaffalature fpl.

shepherd ['ʃɛpəd] n pastore m ♦ vt (guide) guidare.

shepherdess ['ʃɛpədɪs] n pastora.

shepherd's pie n timballo di carne macinata e purè di patate.

sherbet ['ʃəːbət] n (BRIT: powder) polvere effervescente al gusto di frutta; (US: water ice) sorbetto.

sheriff ['ʃɛrɪf] n sceriffo.

sherry ['ʃɛrɪ] n sherry m inv.

she's [ʃiːz] = **she is; she has**.

Shetland ['ʃɛtlənd] n (also: **the** ~**s, the** ~ **Isles**) le (isole) Shetland.

Shetland pony n pony m inv delle Shetland.

shield [ʃiːld] n scudo ♦ vt: **to** ~ **(from)** riparare (da), proteggere (da or contro).

shift [ʃɪft] n (change) cambiamento; (of workers) turno ♦ vt spostare, muovere; (remove) rimuovere ♦ vi spostarsi, muoversi; ~ **in demand** (COMM) variazione f della domanda; **the wind has** ~**ed to the south** il vento si è girato e soffia da sud.

shift key n (on typewriter) tasto delle maiuscole.

shiftless ['ʃɪftlɪs] adj fannullone(a).

shift work n lavoro a squadre; **to do** ~ fare i turni.

shifty ['ʃɪftɪ] adj ambiguo(a); (eyes) sfuggente.

Shiite ['ʃiːaɪt] adj, n sciita (m/f).

shilling ['ʃɪlɪŋ] n (BRIT) scellino (= 12 old pence; 20 in a pound).

shilly-shally ['ʃɪlɪʃælɪ] vi tentennare, esitare.

shimmer ['ʃɪmə*] vi brillare, luccicare.

shimmering ['ʃɪmərɪŋ] adj (gen) luccicante, scintillante; (haze) tremolante; (satin etc) cangiante.

shin [ʃɪn] n tibia ♦ vi: **to** ~ **up/down a tree**

arrampicarsi in cima a/scivolare giù da un albero.

shindig ['ʃɪndɪg] *n* (*col*) festa chiassosa.

shine [ʃaɪn] *n* splendore *m*, lucentezza ♦ *vb* (*pt, pp* **shone** [ʃɔn]) *vi* (ri)splendere, brillare ♦ *vt* far brillare, far risplendere; (*torch*): **to ~ sth on** puntare qc verso.

shingle ['ʃɪŋgl] *n* (*on beach*) ciottoli *mpl*; (*on roof*) assicella di copertura.

shingles ['ʃɪŋglz] *n* (*MED*) herpes zoster *m*.

shining ['ʃaɪnɪŋ] *adj* (*surface, hair*) lucente; (*light*) brillante.

shiny ['ʃaɪnɪ] *adj* lucente, lucido(a).

ship [ʃɪp] *n* nave *f* ♦ *vt* trasportare (via mare); (*send*) spedire (via mare); (*load*) imbarcare, caricare; **on board ~** a bordo.

shipbuilder ['ʃɪpbɪldə*] *n* costruttore *m* navale.

shipbuilding ['ʃɪpbɪldɪŋ] *n* costruzione *f* navale.

ship chandler [-'tʃɑːndlə*] *n* fornitore *m* marittimo.

shipment ['ʃɪpmənt] *n* carico.

shipowner ['ʃɪpəunə*] *n* armatore *m*.

shipper ['ʃɪpə*] *n* spedizioniere *m* (marittimo).

shipping ['ʃɪpɪŋ] *n* (*ships*) naviglio; (*traffic*) navigazione *f*.

shipping agent *n* agente *m* marittimo.

shipping company *n* compagnia di navigazione.

shipping lane *n* rotta (di navigazione).

shipping line *n* = **shipping company**.

shipshape ['ʃɪpʃeɪp] *adj* in perfetto ordine.

shipwreck ['ʃɪprɛk] *n* relitto; (*event*) naufragio ♦ *vt*: **to be ~ed** naufragare, fare naufragio.

shipyard ['ʃɪpjɑːd] *n* cantiere *m* navale.

shire ['ʃaɪə*] *n* (*BRIT*) contea.

shirk [ʃəːk] *vt* sottrarsi a, evitare.

shirt [ʃəːt] *n* (*man's*) camicia; **in ~ sleeves** in maniche di camicia.

shirty ['ʃəːtɪ] *adj* (*BRIT col*) incavolato(a).

shit [ʃɪt] *excl* (*col!*) merda(!).

shiver ['ʃɪvə*] *n* brivido ♦ *vi* rabbrividire, tremare.

shoal [ʃəul] *n* (*of fish*) banco.

shock [ʃɔk] *n* (*impact*) urto, colpo; (*ELEC*) scossa; (*emotional*) colpo, shock *m inv*; (*MED*) shock ♦ *vt* colpire, scioccare; scandalizzare; **to give sb a ~** far venire un colpo a qn; **to be suffering from ~** essere in stato di shock; **it came as a ~ to hear that ...** è stata una grossa sorpresa sentire che ....

shock absorber *n* ammortizzatore *m*.

shocker ['ʃɔkə*] *n*: **it was a real ~** (*col*) è stata una vera bomba.

shocking ['ʃɔkɪŋ] *adj* scioccante, traumatizzante; (*scandalous*) scandaloso(a); (*very bad*: *weather, handwriting*) orribile; (: *results*) disastroso(a).

shockproof ['ʃɔkpruːf] *adj* antiurto *inv*.

shock therapy, shock treatment *n* (*MED*) shockterapia.

shock wave *n* onda d'urto; (*fig*: *usually pl*) impatto *msg*.

shod [ʃɔd] *pt, pp of* **shoe**.

shoddy ['ʃɔdɪ] *adj* scadente.

shoe [ʃuː] *n* scarpa; (*also*: **horse~**) ferro di cavallo; (*brake ~*) ganascia (del freno) ♦ *vt* (*pt, pp* **shod** [ʃɔd]) (*horse*) ferrare.

shoebrush ['ʃuːbrʌʃ] *n* spazzola per le scarpe.

shoehorn ['ʃuːhɔːn] *n* calzante *m*.

shoelace ['ʃuːleɪs] *n* stringa.

shoemaker ['ʃuːmeɪkə*] *n* calzolaio.

shoe polish *n* lucido per scarpe.

shoeshop ['ʃuːʃɔp] *n* calzoleria.

shoestring ['ʃuːstrɪŋ] *n* stringa (delle scarpe); **on a ~** (*fig*: *do sth*) con quattro soldi.

shoetree ['ʃuːtriː] *n* forma per scarpe.

shone [ʃɔn] *pt, pp of* **shine**.

shoo [ʃuː] *excl* sciò!, via! ♦ *vt* (*also*: **~ away, ~ off**) cacciare (via).

shook [ʃuk] *pt of* **shake**.

shoot [ʃuːt] *n* (*on branch, seedling*) germoglio; (*shooting party*) partita di caccia; (*competition*) gara di tiro ♦ *vb* (*pt, pp* **shot** [ʃɔt]) *vt* (*game*: *BRIT*) cacciare, andare a caccia di; (*person*) sparare a; (*execute*) fucilare; (*film*) girare ♦ *vi* (*with gun*): **to ~ (at)** sparare (a), fare fuoco (su); (*with bow*): **to ~ (at)** tirare (su); (*FOOTBALL*) sparare, tirare (forte); **to ~ past sb** passare vicino a qn come un fulmine; **to ~ in/out** entrare/uscire come una freccia.

▶**shoot down** *vt* (*plane*) abbattere.

▶**shoot up** *vi* (*fig*) salire alle stelle.

shooting ['ʃuːtɪŋ] *n* (*shots*) sparatoria; (*murder*) uccisione *f* (a colpi d'arma da fuoco); (*HUNTING*) caccia; (*CINE*) riprese *fpl*.

shooting range *n* poligono (di tiro), tirassegno.

shooting star *n* stella cadente.

shop [ʃɔp] *n* negozio; (*workshop*) officina ♦ *vi* (*also*: **go ~ping**) fare spese; **repair ~** officina di riparazione; **to talk ~** (*fig*) parlare di lavoro.

▶**shop around** *vi* fare il giro dei negozi.

shopaholic ['ʃɔpə'hɔlɪk] *n* (*col*) maniaco/a dello shopping.

shop assistant n (BRIT) commesso/a.
shop floor n (BRIT: fig) operai mpl, maestranze fpl.
shopkeeper ['ʃɔpkiːpə*] n negoziante m/f, bottegaio/a.
shoplift ['ʃɔplɪft] vi taccheggiare.
shoplifter ['ʃɔplɪftə*] n taccheggiatore/trice.
shoplifting ['ʃɔplɪftɪŋ] n taccheggio.
shopper ['ʃɔpə*] n compratore/trice.
shopping ['ʃɔpɪŋ] n (goods) spesa, acquisti mpl.
shopping bag n borsa per la spesa.
shopping centre n centro commerciale.
shop-soiled ['ʃɔpsɔɪld] adj sciupato(a) a forza di stare in vetrina.
shop steward n (BRIT INDUSTRY) rappresentante m sindacale.
shop window n vetrina.
shore [ʃɔː*] n (of sea) riva, spiaggia; (of lake) riva ♦ vt: **to ~ (up)** puntellare; **on ~** a terra.
shore leave n (NAUT) franchigia.
shorn [ʃɔːn] pp of **shear**.
short [ʃɔːt] adj (not long) corto(a); (soon finished) breve; (person) basso(a); (curt) brusco(a), secco(a); (insufficient) insufficiente ♦ n (also: **~ film**) cortometraggio; **it is ~ for** è l'abbreviazione or il diminutivo di; **a ~ time ago** poco tempo fa; **in the ~ term** nell'immediato futuro; **to be ~ of sth** essere a corto di or mancare di qc; **to run ~ of sth** rimanere senza qc; **to be in ~ supply** scarseggiare; **I'm 3 ~** me ne mancano 3; **in ~** in breve; **~ of doing** a meno che non si faccia; **everything ~ of** tutto fuorché; **to cut ~** (speech, visit) accorciare, abbreviare; (person) interrompere; **to fall ~ of** venire meno a; non soddisfare; **to stop ~** fermarsi di colpo; **to stop ~ of** non arrivare fino a; see also **shorts**.
shortage ['ʃɔːtɪdʒ] n scarsezza, carenza.
shortbread ['ʃɔːtbrɛd] n biscotto di pasta frolla.
short-change [ʃɔːt'tʃeɪndʒ] vt: **to ~ sb** imbrogliare qn sul resto.
short-circuit [ʃɔːt'səːkɪt] n cortocircuito ♦ vt cortocircuitare ♦ vi fare cortocircuito.
shortcoming ['ʃɔːtkʌmɪŋ] n difetto.
short(crust) pastry ['ʃɔːt(krʌst)-] n (BRIT) pasta frolla.
shortcut ['ʃɔːtkʌt] n scorciatoia.
shorten ['ʃɔːtn] vt accorciare, ridurre.
shortening ['ʃɔːtnɪŋ] n grasso per pasticceria.
shortfall ['ʃɔːtfɔːl] n deficienza.

shorthand ['ʃɔːthænd] n (BRIT) stenografia; **to take sth down in ~** stenografare qc.
shorthand notebook n (BRIT) bloc-notes m inv per stenografia.
shorthand typist n (BRIT) stenodattilografo/a.
short list n (BRIT: for job) rosa dei candidati.
short-lived ['ʃɔːt'lɪvd] adj effimero(a), di breve durata.
shortly ['ʃɔːtlɪ] adv fra poco.
shortness ['ʃɔːtnɪs] n brevità; insufficienza.
shorts [ʃɔːts] npl (also: **a pair of ~**) i calzoncini.
short-sighted [ʃɔːt'saɪtɪd] adj (BRIT) miope; (fig) poco avveduto(a).
short-staffed [ʃɔːt'stɑːft] adj a corto di personale.
short story n racconto, novella.
short-tempered [ʃɔːt'tɛmpəd] adj irascibile.
short-term ['ʃɔːttəːm] adj (effect) di or a breve durata.
short time n (INDUSTRY): **to work ~, be on ~** essere or lavorare a orario ridotto.
short wave n (RADIO) onde fpl corte.
shot [ʃɔt] pt, pp of **shoot** ♦ n sparo, colpo; (shotgun pellets) pallottole fpl; (person) tiratore m; (try) prova; (injection) iniezione f; (PHOT) foto f inv; **like a ~** come un razzo; (very readily) immediatamente; **to fire a ~ at sb/sth** sparare un colpo a qn/qc; **to have a ~ at sth/doing sth** provarci con qc/a fare qc; **a big ~** (col) un pezzo grosso, un papavero; **to get ~ of sb/sth** (col) sbarazzarsi di qn/qc.
shotgun ['ʃɔtgʌn] n fucile m da caccia.
should [ʃud] aux vb: **I ~ go now** dovrei andare ora; **he ~ be there now** dovrebbe essere arrivato ora; **I ~ go if I were you** se fossi in lei andrei; **I ~ like to** mi piacerebbe; **~ he phone ...** se telefonasse ....
shoulder ['ʃəuldə*] n spalla; (BRIT: of road): **hard ~** corsia d'emergenza ♦ vt (fig) addossarsi, prendere sulle proprie spalle; **to look over one's ~** guardarsi alle spalle; **to rub ~s with sb** (fig) essere a contatto con qn; **to give sb the cold ~** (fig) trattare qn con freddezza.
shoulder bag n borsa a tracolla.
shoulder blade n scapola.
shoulder strap n bretella, spallina.
shouldn't ['ʃudnt] = **should not**.
shout [ʃaut] n urlo, grido ♦ vt gridare ♦ vi urlare, gridare; **to give sb a ~** chiamare qn gridando.
▶**shout down** vt zittire gridando.

shouting ['ʃautɪŋ] *n* urli *mpl.*
shouting match *n* (*col*) vivace scambio di opinioni.
shove [ʃʌv] *vt* spingere; (*col: put*): **to ~ sth in** ficcare qc in ♦ *n* spintone *m*; **he ~d me out of the way** mi ha spinto da parte.
▶**shove off** *vi* (*NAUT*) scostarsi.
shovel ['ʃʌvl] *n* pala ♦ *vt* spalare.
show [ʃəu] *n* (*of emotion*) dimostrazione *f*, manifestazione *f*; (*semblance*) apparenza; (*exhibition*) mostra, esposizione *f*; (*THEAT*, *CINE*) spettacolo; (*COMM*, *TECH*) salone *m*, fiera ♦ *vb* (*pt ~ed, pp* **shown** [ʃəun]) *vt* far vedere, mostrare; (*courage etc*) dimostrare, dar prova di; (*exhibit*) esporre ♦ *vi* vedersi, essere visibile; **to ~ sb to his seat/to the door** accompagnare qn al suo posto/alla porta; **to ~ a profit/loss** (*COMM*) registrare un utile/una perdita; **it just goes to ~ that** ... il che sta a dimostrare che ...; **to ask for a ~ of hands** chiedere che si voti per alzata di mano; **to be on ~** essere esposto; **it's just for ~** è solo per far scena; **who's running the ~ here?** (*col*) chi è il padrone qui?
▶**show in** *vt* far entrare.
▶**show off** *vi* (*pej*) esibirsi, mettersi in mostra ♦ *vt* (*display*) mettere in risalto; (*pej*) mettere in mostra.
▶**show out** *vt* accompagnare alla porta.
▶**show up** *vi* (*stand out*) essere ben visibile; (*col: turn up*) farsi vedere ♦ *vt* mettere in risalto; (*unmask*) smascherare.
showbiz ['ʃəubɪz] *n* (*col*) = **show business**.
show business *n* industria dello spettacolo.
showcase ['ʃəukeɪs] *n* vetrina, bacheca.
showdown ['ʃəudaun] *n* prova di forza.
shower ['ʃauə*] *n* (*also: ~ bath*) doccia; (*rain*) acquazzone *m*; (*of stones etc*) pioggia; (*US: party*) festa (*di fidanzamento etc*) in cui si fanno regali alla persona festeggiata ♦ *vi* fare la doccia ♦ *vt*: **to ~ sb with** (*gifts, abuse etc*) coprire qn di; (*missiles*) lanciare contro qn una pioggia di; **to have** *or* **take a ~** fare la doccia.
shower cap *n* cuffia da doccia.
showerproof ['ʃauəpruːf] *adj* impermeabile.
showery ['ʃauərɪ] *adj* (*weather*) con piogge intermittenti.
showground ['ʃəugraund] *n* terreno d'esposizione.
showing ['ʃəuɪŋ] *n* (*of film*) proiezione *f*.
show jumping *n* concorso ippico (di salto ad ostacoli).

showman ['ʃəumən] *n* (*at fair, circus*) impresario; (*fig*) attore *m*.
showmanship ['ʃəumənʃɪp] *n* abilità d'impresario.
shown [ʃəun] *pp of* **show**.
show-off ['ʃəuɒf] *n* (*col: person*) esibizionista *m/f*.
showpiece ['ʃəupiːs] *n* (*of exhibition*) pezzo forte; **that hospital is a ~** è un ospedale modello.
showroom ['ʃəurum] *n* sala d'esposizione.
show trial *n* processo a scopo dimostrativo (*spesso ideologico*).
showy ['ʃəuɪ] *adj* vistoso(a), appariscente.
shrank [ʃræŋk] *pt of* **shrink**.
shrapnel ['ʃræpnl] *n* shrapnel *m*.
shred [ʃrɛd] *n* (*gen pl*) brandello; (*fig: of truth, evidence*) briciola ♦ *vt* fare a brandelli; (*CULIN*) sminuzzare, tagliuzzare; (*documents*) distruggere, sminuzzare.
shredder ['ʃrɛdə*] *n* (*for documents, papers*) distruttore *m* di documenti, sminuzzatrice *f*.
shrew [ʃruː] *n* (*ZOOL*) toporagno; (*fig: pej: woman*) strega.
shrewd [ʃruːd] *adj* astuto(a), scaltro(a).
shrewdness ['ʃruːdnɪs] *n* astuzia.
shriek [ʃriːk] *n* strillo ♦ *vt, vi* strillare.
shrift [ʃrɪft] *n*: **to give sb short ~** sbrigare qn.
shrill [ʃrɪl] *adj* acuto(a), stridulo(a), stridente.
shrimp [ʃrɪmp] *n* gamberetto.
shrine [ʃraɪn] *n* reliquario; (*place*) santuario.
shrink [ʃrɪŋk] *vb* (*pt* **shrank**, *pp* **shrunk** [ʃræŋk, ʃrʌŋk]) *vi* restringersi; (*fig*) ridursi ♦ *vt* (*wool*) far restringere ♦ *n* (*col: pej*) psicanalista *m/f*; **to ~ from doing sth** rifuggire dal fare qc.
shrinkage ['ʃrɪŋkɪdʒ] *n* restringimento.
shrink-wrap ['ʃrɪŋkræp] *vt* confezionare con plastica sottile.
shrivel ['ʃrɪvl] (*also: ~ up*) *vt* raggrinzare, avvizzire ♦ *vi* raggrinzirsi, avvizzire.
shroud [ʃraud] *n* lenzuolo funebre ♦ *vt*: **~ed in mystery** avvolto(a) nel mistero.
Shrove Tuesday ['ʃrəuv-] *n* martedì *m* grasso.
shrub [ʃrʌb] *n* arbusto.
shrubbery ['ʃrʌbərɪ] *n* arbusti *mpl*.
shrug [ʃrʌg] *n* scrollata di spalle ♦ *vt, vi*: **to ~ (one's shoulders)** alzare le spalle, fare spallucce.
▶**shrug off** *vt* passare sopra a; (*cold, illness*) sbarazzarsi di.
shrunk [ʃrʌŋk] *pp of* **shrink**.

shrunken – sidle

shrunken ['ʃrʌŋkən] *adj* rattrappito(a).
shudder ['ʃʌdə*] *n* brivido ♦ *vi* rabbrividire.
shuffle ['ʃʌfl] *vt* (*cards*) mescolare; **to ~ (one's feet)** strascicare i piedi.
shun [ʃʌn] *vt* sfuggire, evitare.
shunt [ʃʌnt] *vt* (*RAIL: direct*) smistare; (: *divert*) deviare ♦ *vi*: **to ~ (to and fro)** fare la spola.
shunting yard *n* fascio di smistamento.
shush [ʃuʃ] *excl* zitto(a)!
shut, *pt, pp* **shut** [ʃʌt] *vt* chiudere ♦ *vi* chiudersi, chiudere.
►**shut down** *vt, vi* chiudere definitivamente.
►**shut off** *vt* (*stop: power*) staccare; (: *water*) chiudere; (: *engine*) spegnere; (*isolate*) isolare.
►**shut out** *vt* (*person, noise, cold*) non far entrare; (*block: view*) impedire, bloccare; (: *memory*) scacciare.
►**shut up** *vi* (*col: keep quiet*) stare zitto(a) ♦ *vt* (*close*) chiudere; (*silence*) far tacere.
shutdown ['ʃʌtdaun] *n* chiusura.
shutter ['ʃʌtə*] *n* imposta; (*PHOT*) otturatore *m*.
shuttle ['ʃʌtl] *n* spola, navetta; (*also: ~ service*) servizio *m* navetta *inv* ♦ *vi* (*subj: vehicle, person*) fare la spola ♦ *vt* (*to and fro: passengers*) portare (avanti e indietro).
shuttlecock ['ʃʌtlkɔk] *n* volano.
shuttle diplomacy *n* frequenti mediazioni *fpl* diplomatiche.
shy [ʃaɪ] *adj* timido(a) ♦ *vi*: **to ~ away from doing sth** rifuggire dal fare qc; **to fight ~ of** tenersi alla larga da; **to be ~ of doing sth** essere restio a fare qc.
shyness ['ʃaɪnɪs] *n* timidezza.
Siam [saɪ'æm] *n* Siam *m*.
Siamese [saɪə'miːz] *adj*: **~ cat** gatto siamese; **~ twins** fratelli *mpl* (*or* sorelle *fpl*) siamesi.
Siberia [saɪ'bɪərɪə] *n* Siberia.
sibling ['sɪblɪŋ] *n* (*formal*) fratello/sorella.
Sicilian [sɪ'sɪlɪən] *adj, n* siciliano(a).
Sicily ['sɪsɪlɪ] *n* Sicilia.
sick [sɪk] *adj* (*ill*) malato(a); (*vomiting*): **to be ~** vomitare; (*humour*) macabro(a); **to feel ~** avere la nausea; **to be ~ of** (*fig*) averne abbastanza di; **a ~ person** un malato; **to be (off) ~** essere assente perché malato; **to fall** *or* **take ~** ammalarsi.
sickbag ['sɪkbæg] *n* sacchetto (*da usarsi in caso di malessere*).
sick bay *n* infermeria.
sick building syndrome *n* malattia causata da mancanza di ventilazione e

luce naturale.
sicken ['sɪkn] *vt* nauseare ♦ *vi*: **to be ~ing for sth** (*cold, flu etc*) covare qc.
sickening ['sɪknɪŋ] *adj* (*fig*) disgustoso(a), rivoltante.
sickle ['sɪkl] *n* falcetto.
sick leave *n* congedo per malattia.
sickle-cell anaemia ['sɪklsɛl-] *n* anemia drepanocitica.
sickly ['sɪklɪ] *adj* malaticcio(a); (*causing nausea*) nauseante.
sickness ['sɪknɪs] *n* malattia; (*vomiting*) vomito.
sickness benefit *n* indennità di malattia.
sick pay *n* sussidio per malattia.
sickroom ['sɪkruːm] *n* stanza di malato.
side [saɪd] *n* (*gen*) lato; (*of person, animal*) fianco; (*of lake*) riva; (*face, surface: gen*) faccia; (: *of paper*) facciata; (*fig: aspect*) aspetto, lato; (*team: SPORT*) squadra; (: *POL etc*) parte *f* ♦ *cpd* (*door, entrance*) laterale ♦ *vi*: **to ~ with sb** parteggiare per qn, prendere le parti di qn; **by the ~ of** a fianco di; (*road*) sul ciglio di; **~ by ~** fianco a fianco; **to take ~s (with)** schierarsi (con); **the right/wrong ~** il dritto/rovescio; **from ~ to ~** da una parte all'altra; **~ of beef** quarto di bue.
sideboard ['saɪdbɔːd] *n* credenza.
sideboards ['saɪdbɔːdz] (*BRIT*), **sideburns** ['saɪdbəːnz] *npl* (*whiskers*) basette *fpl*.
sidecar ['saɪdkɑː*] *n* sidecar *m inv*.
side dish *n* contorno.
side drum *n* (*MUS*) piccolo tamburo.
side effect *n* (*MED*) effetto collaterale.
sidekick ['saɪdkɪk] *n* (*col*) compagno/a.
sidelight ['saɪdlaɪt] *n* (*AUT*) luce *f* di posizione.
sideline ['saɪdlaɪn] *n* (*SPORT*) linea laterale; (*fig*) attività secondaria.
sidelong ['saɪdlɔŋ] *adj* obliquo(a); **to give a ~ glance at sth** guardare qc con la coda dell'occhio.
side plate *n* piattino.
side road *n* strada secondaria.
sidesaddle ['saɪdsædl] *adv* all'amazzone.
side show *n* attrazione *f*.
sidestep ['saɪdstɛp] *vt* (*question*) eludere; (*problem*) scavalcare ♦ *vi* (*BOXING etc*) spostarsi di lato.
side street *n* traversa.
sidetrack ['saɪdtræk] *vt* (*fig*) distrarre.
sidewalk ['saɪdwɔːk] *n* (*US*) marciapiede *m*.
sideways ['saɪdweɪz] *adv* (*move*) di lato, di fianco; (*look*) con la coda dell'occhio.
siding ['saɪdɪŋ] *n* (*RAIL*) binario di raccordo.
sidle ['saɪdl] *vi*: **to ~ up (to)** avvicinarsi furtivamente (a).

SIDS *n* (= *sudden infant death syndrome*) *see* **cot death**.

siege [siːdʒ] *n* assedio; **to lay ~ to** porre l'assedio a.

siege economy *n* economia da stato d'assedio.

Sierra Leone [sɪ'ɛrəlɪ'əun] *n* Sierra Leone *f*.

sieve [sɪv] *n* setaccio ♦ *vt* setacciare.

sift [sɪft] *vt* passare al crivello; (*fig*) vagliare ♦ *vi*: **to ~ through** esaminare minuziosamente.

sigh [saɪ] *n* sospiro ♦ *vi* sospirare.

sight [saɪt] *n* (*faculty*) vista; (*spectacle*) spettacolo; (*on gun*) mira ♦ *vt* avvistare; **in ~** in vista; **out of ~** non visibile; **at first ~** a prima vista; **to catch ~ of sth/sb** scorgere qc/qn; **to lose ~ of sb/sth** perdere di vista qn/qc; **to set one's ~s on sth/on doing sth** mirare a qc/a fare qc; **at ~** a vista; **I know her by ~** la conosco di vista.

sighted ['saɪtɪd] *adj* che ha il dono della vista; **partially ~** parzialmente cieco.

sightseeing ['saɪtsiːɪŋ] *n* turismo; **to go ~** visitare una località.

sightseer ['saɪtsiːə*] *n* turista *m/f*.

sign [saɪn] *n* segno; (*with hand etc*) segno, gesto; (*notice*) insegna, cartello; (*road ~*) segnale *m* ♦ *vt* firmare; **as a ~ of** in segno di; **it's a good/bad ~ of** è buon/brutto segno; **to show ~s/no ~ of doing sth** accennare/non accennare a fare qc; **plus/minus ~** segno del più/meno; **to ~ one's name** firmare, apporre la propria firma.

▶**sign away** *vt* (*rights etc*) cedere (con una firma).

▶**sign in** *vi* firmare il registro (all'arrivo).

▶**sign off** *vi* (*RADIO, TV*) chiudere le trasmissioni.

▶**sign on** *vi* (*MIL etc: enlist*) arruolarsi; (*as unemployed*) iscriversi sulla lista (dell'ufficio di collocamento); (*begin work*) prendere servizio; (*enrol*): **to ~ on for a course** iscriversi a un corso.

▶**sign out** *vi* firmare il registro (alla partenza).

▶**sign over** *vt*: **to ~ sth over to sb** cedere qc con scrittura legale a qn.

▶**sign up** (*MIL*) *vt* arruolare ♦ *vi* arruolarsi.

signal ['sɪgnl] *n* segnale *m* ♦ *vt* (*person*) fare segno a; (*message*) comunicare per mezzo di segnali ♦ *vi*: **to ~ to sb (to do sth)** far segno a qn (di fare qc); **to ~ a left/right turn** (*AUT*) segnalare un cambiamento di direzione a sinistra/destra.

signal box *n* (*RAIL*) cabina di manovra.

signalman ['sɪgnlmən] *n* (*RAIL*) deviatore *m*.

signatory ['sɪgnətərɪ] *n* firmatario/a.

signature ['sɪgnətʃə*] *n* firma.

signature tune *n* sigla musicale.

signet ring ['sɪgnət-] *n* anello con sigillo.

significance [sɪg'nɪfɪkəns] *n* (*of remark*) significato; (*of event*) importanza; **that is of no ~** ciò non ha importanza.

significant [sɪg'nɪfɪkənt] *adj* (*improvement, amount*) notevole; (*discovery, event*) importante; (*evidence, smile*) significativo(a); **it is ~ that ...** è significativo che ....

significantly [sɪg'nɪfɪkəntlɪ] *adv* (*smile*) in modo eloquente; (*improve, increase*) considerevolmente, decisamente.

signify ['sɪgnɪfaɪ] *vt* significare.

sign language *n* linguaggio dei muti.

signpost ['saɪnpəust] *n* cartello indicatore.

silage ['saɪlɪdʒ] *n* insilato.

silence ['saɪlns] *n* silenzio ♦ *vt* far tacere, ridurre al silenzio.

silencer ['saɪlənsə*] *n* (*on gun, BRIT AUT*) silenziatore *m*.

silent ['saɪlnt] *adj* silenzioso(a); (*film*) muto(a); **to keep** *or* **remain ~** tacere, stare zitto(a).

silently ['saɪlntlɪ] *adv* silenziosamente, in silenzio.

silent partner *n* (*COMM*) socio accomandante.

silhouette [sɪluː'ɛt] *n* silhouette *f inv* ♦ *vt*: **to be ~d against** stagliarsi contro.

silicon ['sɪlɪkən] *n* silicio.

silicon chip *n* chip *m inv* al silicone.

silicone ['sɪlɪkəun] *n* silicone *m*.

silk [sɪlk] *n* seta ♦ *cpd* di seta.

silky ['sɪlkɪ] *adj* di seta, come la seta.

sill [sɪl] *n* (*window~*) davanzale *m*; (*AUT*) predellino.

silly ['sɪlɪ] *adj* stupido(a), sciocco(a); **to do something ~** fare una sciocchezza.

silo ['saɪləu] *n* silo.

silt [sɪlt] *n* limo.

silver ['sɪlvə*] *n* argento; (*money*) *monete da 5, 10, 20 o 50 pence*; (*also: ~ware*) argenteria ♦ *cpd* d'argento.

silver foil, (*BRIT*) **silver paper** *n* carta argentata, (carta) stagnola.

silver-plated [sɪlvə'pleɪtɪd] *adj* argentato(a).

silversmith ['sɪlvəsmɪθ] *n* argentiere *m*.

silverware ['sɪlvəwɛə*] *n* argenteria, argento.

silvery ['sɪlvərɪ] *adj* (*colour*) argenteo(a); (*sound*) argentino(a).

similar ['sɪmɪlə*] *adj*: **~ (to)** simile (a).

similarity [sɪmɪ'lærɪtɪ] *n* somiglianza,

rassomiglianza.

similarly ['sɪmɪləlɪ] adv (in a similar way) allo stesso modo; (as is similar) così pure.

simile ['sɪmɪlɪ] n similitudine f.

simmer ['sɪmə*] vi cuocere a fuoco lento.

▶**simmer down** vi (fig col) calmarsi.

simper ['sɪmpə*] vi fare lo(la) smorfioso(a).

simpering ['sɪmpərɪŋ] adj lezioso(a), smorfioso(a).

simple ['sɪmpl] adj semplice; **the ~ truth** la pura verità.

simple interest n (MATH, COMM) interesse m semplice.

simple-minded [sɪmpl'maɪndɪd] adj sempliciotto(a).

simpleton ['sɪmpltən] n semplicione/a, sempliciotto/a.

simplicity [sɪm'plɪsɪtɪ] n semplicità.

simplification [sɪmplɪfɪ'keɪʃən] n semplificazione f.

simplify ['sɪmplɪfaɪ] vt semplificare.

simply ['sɪmplɪ] adv semplicemente.

simulate ['sɪmjuleɪt] vt fingere, simulare.

simulation [sɪmju'leɪʃən] n simulazione f.

simultaneous [sɪməl'teɪnɪəs] adj simultaneo(a).

simultaneously [sɪməl'teɪnɪəslɪ] adv simultaneamente, contemporaneamente.

sin [sɪn] n peccato ♦ vi peccare.

Sinai ['saɪnaɪ] n Sinai m.

since [sɪns] adv da allora ♦ prep da ♦ conj (time) da quando; (because) poiché, dato che; **~ then** da allora; **~ Monday** da lunedì; **(ever) ~ I arrived** (fin) da quando sono arrivato.

sincere [sɪn'sɪə*] adj sincero(a).

sincerely [sɪn'sɪəlɪ] adv sinceramente; **Yours ~** (at end of letter) distinti saluti.

sincerity [sɪn'sɛrɪtɪ] n sincerità.

sine [saɪn] n (MATH) seno.

sinew ['sɪnjuː] n tendine m; **~s** npl (muscles) muscoli mpl.

sinful ['sɪnful] adj peccaminoso(a).

sing, pt **sang**, pp **sung** [sɪŋ, sæŋ, sʌŋ] vt, vi cantare.

Singapore [sɪŋgə'pɔː*] n Singapore f.

singe [sɪndʒ] vt bruciacchiare.

singer ['sɪŋə*] n cantante m/f.

Singhalese [sɪŋə'liːz] adj = **Sinhalese**.

singing ['sɪŋɪŋ] n (of person, bird) canto; (of kettle, bullet, in ears) fischio.

single ['sɪŋgl] adj solo(a), unico(a); (unmarried: man) celibe; (: woman) nubile; (not double) semplice ♦ n (BRIT: also: ~ ticket) biglietto di (sola) andata; (record) 45 giri m inv; **not a ~ one** non ne è rimasto nemmeno uno; **every ~ day** tutti i santi giorni; see also **singles**.

▶**single out** vt scegliere; (distinguish) distinguere.

single bed n letto a una piazza.

single-breasted ['sɪŋglbrɛstɪd] adj a un petto.

Single European Market n: **the ~** il Mercato Unico.

single file n: **in ~** in fila indiana.

single-handed [sɪŋgl'hændɪd] adv senza aiuto, da solo(a).

single-minded [sɪŋgl'maɪndɪd] adj tenace, risoluto(a).

single parent n ragazzo padre/ragazza madre; genitore m separato.

single room n camera singola.

singles ['sɪŋglz] npl (TENNIS) singolo; (US: single people) single m/fpl.

singles bar n (esp US) bar m inv per single.

single-sex school ['sɪŋgl'sɛks-] n (for boys) scuola maschile; (for girls) scuola femminile.

singlet ['sɪŋglɪt] n canottiera.

singly ['sɪŋglɪ] adv separatamente.

singsong ['sɪŋsɔŋ] adj (tone) cantilenante ♦ n (songs): **to have a ~** farsi una cantata.

singular ['sɪŋgjulə*] adj (LING) singolare; (unusual) strano(a), singolare ♦ n (LING) singolare m; **in the feminine ~** al femminile singolare.

singularly ['sɪŋgjuləlɪ] adv stranamente.

Sinhalese [sɪnhə'liːz] adj singalese.

sinister ['sɪnɪstə*] adj sinistro(a).

sink [sɪŋk] n lavandino, acquaio ♦ vb (pt **sank**, pp **sunk** [sæŋk, sʌŋk]) vt (ship) (fare) affondare, colare a picco; (foundations) scavare; (piles etc): **to ~ sth into** conficcare qc in ♦ vi affondare, andare a fondo; (ground etc) cedere, avvallarsi; **he sank into a chair/the mud** sprofondò in una poltrona/nel fango.

▶**sink in** vi penetrare; **it took a long time to ~ in** ci ho (or ha etc) messo molto a capirlo.

sinking ['sɪŋkɪŋ] adj: **that ~ feeling** una stretta allo stomaco.

sinking fund n (COMM) fondo d'ammortamento.

sink unit n blocco lavello.

sinner ['sɪnə*] n peccatore/trice.

Sinn Féin [ʃɪn'feɪn] n movimento separatista irlandese.

sinuous ['sɪnjuəs] adj sinuoso(a).

sinus ['saɪnəs] n (ANAT) seno.

sip [sɪp] n sorso ♦ vt sorseggiare.

siphon ['saɪfən] n sifone m ♦ vt (funds) trasferire.

▶**siphon off** vt travasare (con un sifone).

sir [sə*] n signore m; **S~ John Smith** Sir

John Smith; **yes** ~ sì, signore; **Dear S~**
(*in letter*) Egregio signor (*followed by
name*); **Dear S~s** Spettabile ditta.
siren ['saɪərn] *n* sirena.
sirloin ['səːlɔɪn] *n* controfiletto.
sirloin steak *n* bistecca di controfiletto.
sirocco [sɪ'rɔkəu] *n* scirocco.
sisal ['saɪsəl] *n* sisal *f inv*.
sissy ['sɪsɪ] *n* (*col*) femminuccia.
sister ['sɪstə*] *n* sorella; (*nun*) suora;
(*nurse*) infermiera *f* caposala *inv* ♦ *cpd*: ~
organization organizzazione *f* affine; ~
ship nave *f* gemella.
sister-in-law ['sɪstərɪnlɔː] *n* cognata.
sit, *pt*, *pp* **sat** [sɪt, sæt] *vi* sedere, sedersi;
(*dress etc*) cadere; (*assembly*) essere in
seduta ♦ *vt* (*exam*) sostenere, dare; **to** ~
on a committee far parte di una
commissione.
▶**sit about, sit around** *vi* star seduto(a)
(senza far nulla).
▶**sit back** *vi* (*in seat*) appoggiarsi allo
schienale.
▶**sit down** *vi* sedersi; **to be ~ting down**
essere seduto(a).
▶**sit in** *vi*: **to** ~ **in on a discussion** assistere
ad una discussione.
▶**sit up** *vi* tirarsi su a sedere; (*not go to
bed*) stare alzato(a) fino a tardi.
sitcom ['sɪtkɔm] *n abbr* (*TV*: = *situation
comedy*) sceneggiato a episodi (*comico*).
sit-down ['sɪtdaun] *adj*: ~ **strike** sciopero
bianco (con occupazione della fabbrica);
a ~ **meal** un pranzo.
site [saɪt] *n* posto; (*also*: **building** ~)
cantiere *m* ♦ *vt* situare.
sit-in ['sɪtɪn] *n* (*demonstration*) sit-in *m inv*.
siting ['saɪtɪŋ] *n* ubicazione *f*.
sitter ['sɪtə*] *n* (*for painter*) modello/a; (*also*:
baby ~) babysitter *m/f inv*.
sitting ['sɪtɪŋ] *n* (*of assembly etc*) seduta; (*in
canteen*) turno.
sitting member *n* (*POL*) deputato/a in
carica.
sitting room *n* soggiorno.
sitting tenant *n* (*BRIT*) attuale affittuario.
situate ['sɪtjueɪt] *vt* collocare.
situated ['sɪtjueɪtɪd] *adj* situato(a).
situation [sɪtju'eɪʃən] *n* situazione *f*; "~s
vacant/wanted" (*BRIT*) "offerte/domande
di impiego".
situation comedy *n* (*THEAT*) commedia di
situazione.
six [sɪks] *num* sei.
six-pack ['sɪkspæk] *n* (*esp US*) confezione *f*
da sei.
sixteen [sɪks'tiːn] *num* sedici.
sixth [sɪksθ] *num* sesto(a) ♦ *n*: **the upper/**

lower ~ (*BRIT SCOL*) l'ultimo/il penultimo
anno di scuola superiore.
sixty ['sɪkstɪ] *num* sessanta.
size [saɪz] *n* dimensioni *fpl*; (*of clothing*)
taglia, misura; (*of shoes*) numero; (*glue*)
colla; **I take** ~ **14 in a dress** ≈ porto la 44
di vestiti; **I'd like the small/large** ~ (*of
soap powder etc*) vorrei la confezione
piccola/grande.
▶**size up** *vt* giudicare, farsi un'idea di.
sizeable ['saɪzəbl] *adj* considerevole.
sizzle ['sɪzl] *vi* sfrigolare.
SK *abbr* (*Canada*) = Saskatchewan.
skate [skeɪt] *n* pattino; (*fish*: *pl inv*) razza
♦ *vi* pattinare.
▶**skate over, skate around** *vi* (*problem,
issue*) prendere alla leggera, prendere
sottogamba.
skateboard ['skeɪtbɔːd] *n* skateboard *m inv*.
skater ['skeɪtə*] *n* pattinatore/trice.
skating ['skeɪtɪŋ] *n* pattinaggio.
skating rink *n* pista di pattinaggio.
skeleton ['skɛlɪtn] *n* scheletro.
skeleton key *n* passe-partout *m inv*.
skeleton staff *n* personale *m* ridotto.
skeptic *etc* ['skɛptɪk] (*US*) = **sceptic** *etc*.
sketch [skɛtʃ] *n* (*drawing*) schizzo, abbozzo;
(*THEAT etc*) scenetta comica, sketch *m inv*
♦ *vt* abbozzare, schizzare.
sketch book *n* album *m inv* per schizzi.
sketch pad *n* blocco per schizzi.
sketchy ['skɛtʃɪ] *adj* incompleto(a),
lacunoso(a).
skew [skjuː] *n* (*BRIT*): **on the** ~ di traverso.
skewer ['skjuːə*] *n* spiedo.
ski [skiː] *n* sci *m inv* ♦ *vi* sciare.
ski boot *n* scarpone *m* da sci.
skid [skɪd] *n* slittamento; (*sideways slip*)
sbandamento ♦ *vi* slittare; sbandare; **to
go into a** ~ slittare; sbandare.
skid mark *n* segno della frenata.
skier ['skiːə*] *n* sciatore/trice.
skiing ['skiːɪŋ] *n* sci *m*.
ski instructor *n* maestro/a di sci.
ski jump *n* (*ramp*) trampolino; (*event*) salto
con gli sci.
skilful, **(*US*) **skillful ['skɪlful] *adj* abile.
ski lift *n* sciovia.
skill [skɪl] *n* abilità *f inv*, capacità *f inv*;
(*technique*) tecnica.
skilled [skɪld] *adj* esperto(a); (*worker*)
qualificato(a), specializzato(a).
skillet ['skɪlɪt] *n* padella.
skillful *etc* ['skɪlful] (*US*) = **skilful** *etc*.
skil(l)fully ['skɪlfəlɪ] *adv* abilmente.
skim [skɪm] *vt* (*milk*) scremare; (*soup*)
schiumare; (*glide over*) sfiorare ♦ *vi*: **to** ~
through (*fig*) scorrere, dare una scorsa a.

skimmed milk n latte m scremato.
skimp [skɪmp] vi: **to ~ on**, vt (work) fare alla carlona; (cloth etc) lesinare.
skimpy ['skɪmpɪ] adj misero(a); striminzito(a); frugale.
skin [skɪn] n pelle f; (of fruit, vegetable) buccia; (on pudding, paint) crosta ♦ vt (fruit etc) sbucciare; (animal) scuoiare, spellare; **wet** or **soaked to the ~** bagnato fino al midollo.
skin cancer n cancro alla pelle.
skin-deep [skɪn'diːp] adj superficiale.
skin diver n subacqueo.
skin diving n nuoto subacqueo.
skinflint ['skɪnflɪnt] n taccagno/a, tirchio/a.
skin graft n innesto epidermico.
skinhead ['skɪnhɛd] n skinhead m/f inv.
skinny ['skɪnɪ] adj molto magro(a), pelle e ossa inv.
skin test n prova di reazione cutanea.
skintight ['skɪntaɪt] adj aderente.
skip [skɪp] n saltello, balzo; (container) benna ♦ vi saltare; (with rope) saltare la corda ♦ vt (pass over) saltare; **to ~ school** (US) marinare la scuola.
ski pants npl pantaloni mpl da sci.
ski pole n racchetta (da sci).
skipper ['skɪpə*] n (NAUT, SPORT) capitano.
skipping rope ['skɪpɪŋ-] n (BRIT) corda per saltare.
ski resort n località f inv sciistica.
skirmish ['skɜːmɪʃ] n scaramuccia.
skirt [skɜːt] n gonna, sottana ♦ vt fiancheggiare, costeggiare.
skirting board ['skɜːtɪŋ-] n (BRIT) zoccolo.
ski run n pista (da sci).
ski suit n tuta da sci.
skit [skɪt] n parodia; scenetta satirica.
ski tow n = **ski lift**.
skittle ['skɪtl] n birillo; **~s** n (game) (gioco dei) birilli mpl.
skive [skaɪv] vi (BRIT col) fare il lavativo.
skulk [skʌlk] vi muoversi furtivamente.
skull [skʌl] n cranio, teschio.
skullcap ['skʌlkæp] n (worn by Jews) zucchetto; (worn by Pope) papalina.
skunk [skʌŋk] n moffetta.
sky [skaɪ] n cielo; **to praise sb to the skies** portare alle stelle qn.
sky-blue [skaɪ'bluː] adj azzurro(a), celeste.
sky-diving ['skaɪdaɪvɪŋ] n caduta libera, paracadutismo acrobatico.
sky-high [skaɪ'haɪ] adv (throw) molto in alto ♦ adj (col) esorbitante; **prices have gone ~** (col) i prezzi sono saliti alle stelle.
skylark ['skaɪlɑːk] n allodola.
skylight ['skaɪlaɪt] n lucernario.
skyline ['skaɪlaɪn] n (horizon) orizzonte m;

(of city) profilo.
skyscraper ['skaɪskreɪpə*] n grattacielo.
slab [slæb] n lastra; (of wood) tavola; (of meat, cheese) pezzo.
slack [slæk] adj (loose) allentato(a); (slow) lento(a); (careless) negligente; (COMM: market) stagnante; (: demand) scarso(a); (period) morto(a) ♦ n (in rope etc) parte f non tesa; **business is ~** l'attività commerciale è scarsa; see also **slacks**.
slacken ['slækn] (also: **~ off**) vi rallentare, diminuire ♦ vt allentare; (pressure) diminuire.
slacks [slæks] npl pantaloni mpl.
slag [slæg] n scorie fpl.
slag heap n ammasso di scorie.
slain [sleɪn] pp of **slay**.
slake [sleɪk] vt (one's thirst) spegnere.
slalom ['slɑːləm] n slalom m.
slam [slæm] vt (door) sbattere; (throw) scaraventare; (criticize) stroncare ♦ vi sbattere.
slammer ['slæmə*] n: **the ~** (col) la gattabuia.
slander ['slɑːndə*] n calunnia; (LAW) diffamazione f ♦ vt calunniare; diffamare.
slanderous ['slɑːndrəs] adj calunnioso(a); diffamatorio(a).
slang [slæŋ] n gergo, slang m.
slanging match ['slæŋɪŋ-] n (BRIT col) rissa verbale.
slant [slɑːnt] n pendenza, inclinazione f; (fig) angolazione f, punto di vista.
slanted ['slɑːntɪd] adj tendenzioso(a).
slanting ['slɑːntɪŋ] adj in pendenza, inclinato(a).
slap [slæp] n manata, pacca; (on face) schiaffo ♦ vt dare una manata a; schiaffeggiare ♦ adv (directly) in pieno; **it fell ~ in the middle** cadde proprio nel mezzo.
slapdash ['slæpdæʃ] adj abborracciato(a).
slaphead ['slæphɛd] n (BRIT col) imbecille m/f.
slapstick ['slæpstɪk] n (comedy) farsa grossolana.
slap-up ['slæpʌp] adj (BRIT): **a ~ meal** un pranzo (or una cena) coi fiocchi.
slash [slæʃ] vt squarciare; (face) sfregiare; (fig: prices) ridurre drasticamente, tagliare.
slat [slæt] n (of wood) stecca.
slate [sleɪt] n ardesia ♦ vt (fig: criticize) stroncare, distruggere.
slaughter ['slɔːtə*] n (of animals) macellazione f; (of people) strage f, massacro ♦ vt macellare; trucidare, massacrare.

slaughterhouse ['slɔːtəhaus] *n* macello, mattatoio.

Slav [slɑːv] *adj, n* slavo(a).

slave [sleɪv] *n* schiavo/a ♦ *vi* (*also*: ~ **away**) lavorare come uno schiavo; **to** ~ **(away) at sth/at doing sth** ammazzarsi di fatica *or* sgobbare per qc/per fare qc.

slave driver *n* (*col, pej*) schiavista *m/f*.

slave labour *n* lavoro degli schiavi; (*fig*): **we're just** ~ **here** siamo solamente sfruttati qui dentro.

slaver ['slævə*] *vi* (*dribble*) sbavare.

slavery ['sleɪvərɪ] *n* schiavitù *f*.

Slavic ['slævɪk] *adj* slavo(a).

slavish ['sleɪvɪʃ] *adj* servile; pedissequo(a).

slavishly ['sleɪvɪʃlɪ] *adv* (*copy*) pedissequamente.

Slavonic [slə'vɔnɪk] *adj* slavo(a).

slay, *pt* **slew**, *pp* **slain** [sleɪ, sluː, sleɪn] *vt* (*formal*) uccidere.

SLD *n abbr* (*BRIT*) = Social and Liberal Democrats.

sleazy ['sliːzɪ] *adj* trasandato(a).

sledge [slɛdʒ] *n* slitta.

sledgehammer ['slɛdʒhæmə*] *n* martello da fabbro.

sleek [sliːk] *adj* (*hair, fur*) lucido(a), lucente; (*car, boat*) slanciato(a), affusolato(a).

sleep [sliːp] *n* sonno ♦ *vi* (*pt, pp* **slept** [slɛpt]) dormire ♦ *vt*: **we can** ~ **4** abbiamo 4 posti letto, possiamo alloggiare 4 persone; **to have a good night's** ~ farsi una bella dormita; **to go to** ~ addormentarsi; **to** ~ **lightly** avere il sonno leggero; **to put to** ~ (*patient*) far addormentare; (*animal: euphemistic: kill*) abbattere; ~ **to** ~ **with sb** (*euphemistic: have sex*) andare a letto con qn.

▶**sleep in** *vi* (*lie late*) alzarsi tardi; (*oversleep*) dormire fino a tardi.

sleeper ['sliːpə*] *n* (*person*) dormiente *m/f*; (*BRIT RAIL: on track*) traversina; (: *train*) treno di vagoni letto.

sleepily ['sliːpɪlɪ] *adv* con aria assonnata.

sleeping ['sliːpɪŋ] *adj* addormentato(a).

sleeping bag *n* sacco a pelo.

sleeping car *n* vagone *m* letto *inv*, carrozza *f* letto *inv*.

sleeping partner *n* (*BRIT COMM*) = silent partner.

sleeping pill *n* sonnifero.

sleeping sickness *n* malattia del sonno.

sleepless ['sliːplɪs] *adj* (*person*) insonne; **a** ~ **night** una notte in bianco.

sleeplessness ['sliːplɪsnɪs] *n* insonnia.

sleepwalk ['sliːpwɔːk] *vi* camminare nel sonno; (*as a habit*) essere sonnambulo(a).

sleepwalker ['sliːpwɔːkə*] *n* sonnambulo/a.

sleepy ['sliːpɪ] *adj* assonnato(a), sonnolento(a); (*fig*) addormentato(a); **to be** *or* **feel** ~ avere sonno.

sleet [sliːt] *n* nevischio.

sleeve [sliːv] *n* manica; (*of record*) copertina.

sleeveless ['sliːvlɪs] *adj* (*garment*) senza maniche.

sleigh [sleɪ] *n* slitta.

sleight [slaɪt] *n*: ~ **of hand** gioco di destrezza.

slender ['slɛndə*] *adj* snello(a), sottile; (*not enough*) scarso(a), esiguo(a).

slept [slɛpt] *pt, pp of* **sleep**.

sleuth [sluːθ] *n* (*col*) segugio.

slew [sluː] *vi* (*also*: ~ **round**) girare ♦ *pt of* **slay**.

slice [slaɪs] *n* fetta ♦ *vt* affettare, tagliare a fette; ~**d bread** pane a cassetta.

slick [slɪk] *adj* (*clever*) brillante; (*insincere*) untuoso(a), falso(a) ♦ *n* (*also*: **oil** ~) chiazza di petrolio.

slid [slɪd] *pt, pp of* **slide**.

slide [slaɪd] *n* (*in playground*) scivolo; (*PHOT*) diapositiva; (*microscope* ~) vetrino; (*BRIT: also*: **hair** ~) fermaglio (per capelli); (*in prices*) caduta ♦ *vb* (*pt, pp* **slid** [slɪd]) *vt* far scivolare ♦ *vi* scivolare; **to let things** ~ (*fig*) lasciare andare tutto, trascurare tutto.

slide projector *n* proiettore *m* per diapositive.

slide rule *n* regolo calcolatore.

sliding ['slaɪdɪŋ] *adj* (*door*) scorrevole; ~ **roof** (*AUT*) capotte *f inv*.

sliding scale *n* scala mobile.

slight [slaɪt] *adj* (*slim*) snello(a), sottile; (*frail*) delicato(a), fragile; (*trivial*) insignificante; (*small*) piccolo(a) ♦ *n* offesa, affronto ♦ *vt* (*offend*) offendere, fare un affronto a; **the** ~**est** il minimo (*or* la minima); **not in the** ~**est** affatto, neppure per sogno.

slightly ['slaɪtlɪ] *adv* lievemente, un po'; ~ **built** esile.

slim [slɪm] *adj* magro(a), snello(a) ♦ *vi* dimagrire, fare (*or* seguire) una dieta dimagrante.

slime [slaɪm] *n* limo, melma; viscidume *m*.

slimming ['slɪmɪŋ] *adj* (*diet, pills*) dimagrante.

slimy ['slaɪmɪ] *adj* (*also fig: person*) viscido(a); (*covered with mud*) melmoso(a).

sling [slɪŋ] *n* (*MED*) benda al collo ♦ *vt* (*pt, pp* **slung** [slʌŋ]) lanciare, tirare; **to have one's arm in a** ~ avere un braccio al collo.

slink, *pt, pp* **slunk** [slɪŋk, slʌŋk] *vi*: **to ~ away, ~ off** svignarsela.

slinky ['slɪŋkɪ] *adj* (*clothing*) aderente, attillato(a).

slip [slɪp] *n* scivolata, scivolone *m*; (*mistake*) errore *m*, sbaglio; (*underskirt*) sottoveste *f*; (*paper*) bigliettino, talloncino ♦ *vt* (*slide*) far scivolare ♦ *vi* (*slide*) scivolare; (*move smoothly*): **to ~ into/out of** scivolare in/ via da; (*decline*) declinare; **to give sb the ~** sfuggire qn; **a ~ of paper** un foglietto; **a ~ of the tongue** un lapsus linguae; **to ~ sth on/off** infilarsi/togliersi qc; **to let a chance ~ by** lasciarsi scappare un'occasione; **it ~ped from her hand** le sfuggì di mano.
▶**slip away** *vi* svignarsela.
▶**slip in** *vt* introdurre casualmente.
▶**slip out** *vi* uscire furtivamente.

slip-on ['slɪpɔn] *adj* (*gen*) comodo(a) da mettere; (*shoes*) senza allacciatura.

slipped disc ['slɪpt-] *n* spostamento delle vertebre.

slipper ['slɪpə*] *n* pantofola.

slippery ['slɪpərɪ] *adj* scivoloso(a); **it's ~** si scivola.

slip road *n* (*BRIT*: *to motorway*) rampa di accesso.

slipshod ['slɪpʃɔd] *adj* sciatto(a), trasandato(a).

slip-up ['slɪpʌp] *n* granchio (*fig*).

slipway ['slɪpweɪ] *n* scalo di costruzione.

slit [slɪt] *n* fessura, fenditura; (*cut*) taglio; (*tear*) strappo ♦ *vt* (*pt, pp* **slit**) tagliare; **to ~ sb's throat** tagliare la gola a qn.

slither ['slɪðə*] *vi* scivolare, sdrucciolare.

sliver ['slɪvə*] *n* (*of glass, wood*) scheggia; (*of cheese, sausage*) fettina.

slob [slɔb] *n* (*col*) sciattone/a.

slog [slɔg] (*BRIT*) *n* faticata ♦ *vi* lavorare con accanimento, sgobbare.

slogan ['sləugən] *n* motto, slogan *m inv.*

slop [slɔp] *vi* (*also*: **~ over**) traboccare; versarsi ♦ *vt* spandere; versare ♦ *npl*: **~s** acqua sporca; sbobba.

slope [sləup] *n* pendio; (*side of mountain*) versante *m*; (*of roof*) pendenza; (*of floor*) inclinazione *f* ♦ *vi*: **to ~ down** declinare; **to ~ up** essere in salita.

sloping ['sləupɪŋ] *adj* inclinato(a).

sloppy ['slɔpɪ] *adj* (*work*) tirato(a) via; (*appearance*) sciatto(a); (*film etc*) sdolcinato(a).

slosh [slɔʃ] *vi* (*col*): **to ~ about** or **around** (*person*) sguazzare; (*liquid*) guazzare.

sloshed [slɔʃt] *adj* (*col*: *drunk*) sbronzo(a).

slot [slɔt] *n* fessura; (*fig*: *in timetable, RADIO, TV*) spazio ♦ *vt*: **to ~ into** introdurre in

una fessura.

sloth [sləuθ] *n* (*vice*) pigrizia, accidia; (*ZOOL*) bradipo.

slot machine *n* (*BRIT*: *vending machine*) distributore *m* automatico; (*for amusement*) slot-machine *f inv*.

slot meter *n* contatore *m* a gettoni.

slouch [slautʃ] *vi* (*when walking*) camminare dinoccolato(a); **she was ~ed in a chair** era sprofondata in una poltrona.
▶**slouch about, slouch around** *vi* (*laze*) oziare.

Slovak ['sləuvæk] *adj* slovacco(a) ♦ *n* slovacco/a; (*LING*) slovacco; **the ~ Republic** la Repubblica Slovacca.

Slovakia [sləu'vækɪə] *n* Slovacchia.

Slovakian [sləu'vækɪən] *adj, n* = **Slovak**.

Slovene ['sləuviːn] *adj* sloveno(a) ♦ *n* sloveno/a; (*LING*) sloveno.

Slovenia [sləu'viːnɪə] *n* Slovenia.

Slovenian [sləu'viːnɪən] *adj, n* = **Slovene**.

slovenly ['slʌvənlɪ] *adj* sciatto(a), trasandato(a).

slow [sləu] *adj* lento(a); (*watch*): **to be ~** essere indietro ♦ *adv* lentamente ♦ *vt, vi* (*also*: **~ down**, **~ up**) rallentare; **"~"** (*road sign*) "rallentare"; **at a ~ speed** a bassa velocità; **to be ~ to act/decide** essere lento ad agire/a decidere; **my watch is 20 minutes ~** il mio orologio è indietro di 20 minuti; **business is ~** (*COMM*) gli affari procedono a rilento; **to go ~** (*driver*) andare piano; (*in industrial dispute*) fare uno sciopero bianco.

slow-acting ['sləu'æktɪŋ] *adj* che agisce lentamente, ad azione lenta.

slowly ['sləulɪ] *adv* lentamente; **to drive ~** andare piano.

slow motion *n*: **in ~** al rallentatore.

slowness ['sləunɪs] *n* lentezza.

sludge [slʌdʒ] *n* fanghiglia.

slug [slʌg] *n* lumaca; (*bullet*) pallottola.

sluggish ['slʌgɪʃ] *adj* lento(a); (*business, market, sales*) stagnante, fiacco(a).

sluice [sluːs] *n* chiusa ♦ *vt*: **to ~ down** or **out** lavare (con abbondante acqua).

slum [slʌm] *n* catapecchia.

slumber ['slʌmbə*] *n* sonno.

slump [slʌmp] *n* crollo, caduta; (*economic*) depressione *f*, crisi *f inv* ♦ *vi* crollare; **he was ~ed over the wheel** era curvo sul volante.

slung [slʌŋ] *pt, pp of* **sling**.

slunk [slʌŋk] *pt, pp of* **slink**.

slur [sləː*] *n* pronuncia indistinta; (*stigma*) diffamazione *f*, calunnia; (*MUS*) legatura; (*smear*): **~ (on)** macchia (su) ♦ *vt* pronunciare in modo indistinto; **to cast a ~ on sb** calunniare qn.

slurp [slə:p] *vt, vi* bere rumorosamente ♦ *n rumore fatto bevendo.*

slurred [slə:d] *adj* (*pronunciation*) inarticolato(a), disarticolato(a).

slush [slʌʃ] *n* neve *f* mista a fango.

slush fund *n* fondi *mpl* neri.

slushy ['slʌʃɪ] *adj* (*snow*) che si scioglie; (*BRIT: fig*) sdolcinato(a).

slut [slʌt] *n* donna trasandata, sciattona.

sly [slaɪ] *adj* furbo(a), scaltro(a); **on the ~** di soppiatto.

SM *n abbr* (= *sadomasochism*) sadomasochismo.

smack [smæk] *n* (*slap*) pacca; (*on face*) schiaffo ♦ *vt* schiaffeggiare; (*child*) picchiare ♦ *vi*: **to ~ of** puzzare di; **to ~ one's lips** fare uno schiocco con le labbra.

smacker ['smækə*] *n* (*col: kiss*) bacio; (: *BRIT: pound note*) sterlina; (: *US: dollar bill*) dollaro.

small [smɔ:l] *adj* piccolo(a); (*in height*) basso(a); (*letter*) minuscolo(a) ♦ *n*: **the ~ of the back** le reni; **to get** *or* **grow ~er** (*stain, town*) rimpicciolire; (*debt, organization, numbers*) ridursi; **to make ~er** (*amount, income*) ridurre; (*garden, object, garment*) rimpicciolire; **in the ~ hours** alle ore piccole; **a ~ shopkeeper** un piccolo negoziante.

small ads *npl* (*BRIT*) piccoli annunci *mpl*.

small arms *npl* armi *fpl* portatili *or* leggere.

small business *n* piccola impresa.

small change *n* moneta, spiccioli *mpl*.

smallholder ['smɔ:lhəuldə*] *n* (*BRIT*) piccolo proprietario.

smallholding ['smɔ:lhəuldɪŋ] *n* (*BRIT*) piccola tenuta.

smallish ['smɔ:lɪʃ] *adj* piccolino(a).

small-minded [smɔ:l'maɪndɪd] *adj* meschino(a).

smallpox ['smɔ:lpɔks] *n* vaiolo.

small print *n* caratteri *mpl* piccoli; (*on document*) parte scritta in piccolo.

small-scale ['smɔ:lskeɪl] *adj* (*map, model*) in scala ridotta; (*business, farming*) modesto(a).

small talk *n* chiacchiere *fpl*.

small-time ['smɔ:ltaɪm] *adj* (*col*) da poco; **a ~ thief** un ladro di polli.

small-town ['smɔ:ltaun] *adj* (*pej*) provinciale, di paese.

smarmy ['smɑ:mɪ] *adj* (*BRIT pej*) untuoso(a), strisciante.

smart [smɑ:t] *adj* elegante; (*also fig: clever*) intelligente; (*quick*) sveglio(a) ♦ *vi* bruciare; **the ~ set** il bel mondo; **to look ~** essere elegante; **my eyes are ~ing** mi bruciano gli occhi.

smartcard ['smɑ:tkɑ:d] *n* smartcard *f inv*, carta intelligente.

smarten up ['smɑ:tn-] *vi* farsi bello(a) ♦ *vt* (*people*) fare bello(a); (*things*) abbellire.

smash [smæʃ] *n* (*also*: **~-up**) scontro, collisione *f*; (*sound*) fracasso ♦ *vt* frantumare, fracassare; (*opponent*) annientare, schiacciare; (*hopes*) distruggere; (*SPORT: record*) battere ♦ *vi* frantumarsi, andare in pezzi.

▶**smash up** *vt* (*car*) sfasciare; (*room*) distruggere.

smash-hit [smæʃ'hɪt] *n* successone *m*.

smashing ['smæʃɪŋ] *adj* (*col*) favoloso(a), formidabile.

smattering ['smætərɪŋ] *n*: **a ~ of** un'infarinatura di.

smear [smɪə*] *n* macchia; (*MED*) striscio; (*insult*) calunnia ♦ *vt* ungere; (*fig*) denigrare, diffamare; **his hands were ~ed with oil/ink** aveva le mani sporche di olio/inchiostro.

smear campaign *n* campagna diffamatoria.

smear test *n* (*BRIT MED*) Pap-test *m inv*.

smell [smɛl] *n* odore *m*; (*sense*) olfatto, odorato ♦ *vb* (*pt, pp* **smelt** *or* **smelled** [smɛlt, smɛld]) *vt* sentire (l')odore di ♦ *vi* (*food etc*): **to ~ (of)** avere odore (di); (*pej*) puzzare, avere un cattivo odore; **it ~s good** ha un buon odore.

smelly ['smɛlɪ] *adj* puzzolente.

smelt [smɛlt] *pt, pp of* **smell** ♦ *vt* (*ore*) fondere.

smile [smaɪl] *n* sorriso ♦ *vi* sorridere.

smiling ['smaɪlɪŋ] *adj* sorridente.

smirk [smə:k] *n* sorriso furbo; sorriso compiaciuto.

smith [smɪθ] *n* fabbro.

smithy ['smɪðɪ] *n* fucina.

smitten ['smɪtn] *adj*: **~ with** colpito(a) da.

smock [smɔk] *n* grembiule *m*, camice *m*.

smog [smɔg] *n* smog *m*.

smoke [sməuk] *n* fumo ♦ *vt, vi* fumare; **to have a ~** fumarsi una sigaretta; **do you ~?** fumi?; **to go up in ~** (*house etc*) bruciare, andare distrutto dalle fiamme; (*fig*) andare in fumo.

smoked [sməukt] *adj* (*bacon, glass*) affumicato(a).

smokeless fuel ['sməuklɪs-] *n* carburante *m* che non dà fumo.

smokeless zone *n* (*BRIT*) zona dove sono vietati gli scarichi di fumo.

smoker ['sməukə*] n (*person*) fumatore/
trice; (*RAIL*) carrozza per fumatori.
smoke screen n cortina fumogena or di
fumo; (*fig*) copertura.
smoke shop n (*US*) tabaccheria.
smoking ['sməukɪŋ] n fumo; "**no ~**" (*sign*)
"vietato fumare"; **he's given up ~** ha
smesso di fumare.
smoking compartment, (*US*) **smoking
car** n carrozza (per) fumatori.
smoky ['sməukɪ] adj fumoso(a); (*surface*)
affumicato(a).
smolder ['sməuldə*] vi (*US*) = **smoulder**.
smoochy ['smu:tʃɪ] adj (*col*) romantico(a).
smooth [smu:ð] adj liscio(a); (*sauce*)
omogeneo(a); (*flavour, whisky*) amabile;
(*cigarette*) leggero(a); (*movement*)
regolare; (*person*) melliffluo(a); (*landing,
take-off, flight*) senza scosse ♦ vt lisciare,
spianare; (*also:* ~ **out:** *difficulties*)
appianare.
▶**smooth over** vt: **to ~ things over** (*fig*)
sistemare le cose.
smoothly ['smu:ðlɪ] adv (*easily*) liscio;
everything went ~ tutto andò liscio.
smother ['smʌðə*] vt soffocare.
smoulder, (*US*) **smolder** ['sməuldə*] vi
covare sotto la cenere.
smudge [smʌdʒ] n macchia; sbavatura ♦ vt
imbrattare, sporcare.
smug [smʌg] adj soddisfatto(a),
compiaciuto(a).
smuggle ['smʌgl] vt contrabbandare; **to ~
in/out** (*goods etc*) far entrare/uscire di
contrabbando.
smuggler ['smʌglə*] n contrabbandiere/a.
smuggling ['smʌglɪŋ] n contrabbando.
smut [smʌt] n (*grain of soot*) granello di
fuliggine; (*mark*) segno nero; (*in
conversation etc*) sconcezze fpl.
smutty ['smʌtɪ] adj (*fig*) osceno(a),
indecente.
snack [snæk] n spuntino; **to have a ~** fare
uno spuntino.
snack bar n tavola calda, snack bar m inv.
snag [snæg] n intoppo, ostacolo imprevisto.
snail [sneɪl] n chiocciola.
snake [sneɪk] n serpente m.
snap [snæp] n (*sound*) schianto, colpo
secco; (*photograph*) istantanea; (*game*)
rubamazzo ♦ adj improvviso(a) ♦ vt (*far*)
schioccare; (*break*) spezzare di netto;
(*photograph*) scattare un'istantanea di ♦ vi
spezzarsi con un rumore secco; (*fig:
person*) crollare; **to ~ at sb** rivolgersi a
qn con tono brusco; (*subj: dog*) cercare di
mordere qn; **to ~ open/shut** aprirsi/
chiudersi di scatto; **to ~ one's fingers at**

(*fig*) infischiarsi di; **a cold ~** (*of weather*)
un'improvvisa ondata di freddo.
▶**snap off** vt (*break*) schiantare.
▶**snap up** vt afferrare.
snap fastener n bottone m automatico.
snappy ['snæpɪ] adj rapido(a); **make it ~!**
(*col: hurry up*) sbrigati!, svelto!
snapshot ['snæpʃɔt] n istantanea.
snare [snɛə*] n trappola.
snarl [snɑ:l] vi ringhiare ♦ vt: **to get ~ed up**
(*wool, plans*) ingarbugliarsi; (*traffic*)
intasarsi.
snatch [snætʃ] n (*fig*) furto; (*BRIT: small
amount*): **~es of** frammenti mpl di ♦ vt
strappare (con violenza); (*steal*) rubare
♦ vi: **don't ~!** non strappare le cose di
mano!; **to ~ a sandwich** mangiarsi in
fretta un panino; **to ~ some sleep**
riuscire a dormire un po'.
▶**snatch up** vt raccogliere in fretta.
snazzy ['snæzɪ] adj (*col: clothes*) sciccoso(a).
sneak [sni:k] vi: **to ~ in/out** entrare/uscire
di nascosto ♦ vt: **to ~ a look at sth**
guardare di sottecchi qc.
sneakers ['sni:kəz] npl scarpe fpl da
ginnastica.
sneaking ['sni:kɪŋ] adj: **to have a ~ feeling/
suspicion that ...** avere la vaga
impressione/il vago sospetto che ....
sneaky ['sni:kɪ] adj falso(a), disonesto(a).
sneer [snɪə*] n ghigno, sogghigno ♦ vi
ghignare, sogghignare; **to ~ at sb/sth**
farsi beffe di qn/qc.
sneeze [sni:z] n starnuto ♦ vi starnutire.
snide [snaɪd] adj maligno(a).
sniff [snɪf] n fiutata, annusata ♦ vi fiutare,
annusare; tirare su col naso; (*in contempt*)
arricciare il naso ♦ vt fiutare, annusare;
(*glue, drug*) sniffare.
▶**sniff at** vt fus: **it's not to be ~ed at** non è
da disprezzare.
sniffer dog ['snɪfə-] n cane m poliziotto (*per
stupefacenti o esplosivi*).
snigger ['snɪgə*] n riso represso ♦ vi
ridacchiare, ridere sotto i baffi.
snip [snɪp] n pezzetto; (*bargain*) (buon)
affare m, occasione f ♦ vt tagliare.
sniper ['snaɪpə*] n franco tiratore m,
cecchino.
snippet ['snɪpɪt] n frammento.
snivelling ['snɪvlɪŋ] adj piagnucoloso(a).
snob [snɔb] n snob m/f inv.
snobbery ['snɔbərɪ] n snobismo.
snobbish ['snɔbɪʃ] adj snob inv.
snog [snɔg] vi (*col*) pomiciare.
snooker ['snu:kə*] n tipo di gioco del
biliardo.
snoop [snu:p] vi: **to ~ on sb** spiare qn; **to ~**

about curiosare.

snooper ['snu:pə*] *n* ficcanaso *m/f*.

snooty ['snu:tɪ] *adj* borioso(a), snob *inv.*

snooze [snu:z] *n* sonnellino, pisolino ♦ *vi* fare un sonnellino.

snore [snɔ:*] *vi* russare.

snoring ['snɔ:rɪŋ] *n* russare *m*.

snorkel ['snɔ:kl] *n* (*of swimmer*) respiratore *m* a tubo.

snort [snɔ:t] *n* sbuffo ♦ *vi* sbuffare ♦ *vt* (*drugs slang*) sniffare.

snotty ['snɔtɪ] *adj* moccioso(a).

snout [snaut] *n* muso.

snow [snəu] *n* neve *f* ♦ *vi* nevicare ♦ *vt*: **to be ~ed under with work** essere sommerso di lavoro.

snowball ['snəubɔ:l] *n* palla di neve.

snowbound ['snəubaund] *adj* bloccato(a) dalla neve.

snow-capped ['snəukæpt] *adj* (*mountain*) con la cima coperta di neve; (*peak*) coperto(a) di neve.

snowdrift ['snəudrɪft] *n* cumulo di neve (*ammucchiato dal vento*).

snowdrop ['snəudrɔp] *n* bucaneve *m inv.*

snowfall ['snəufɔ:l] *n* nevicata.

snowflake ['snəufleɪk] *n* fiocco di neve.

snowman ['snəumæn] *n* pupazzo di neve.

snowplough, (*US*) **snowplow** ['snəuplau] *n* spazzaneve *m inv.*

snowshoe ['snəuʃu:] *n* racchetta da neve.

snowstorm ['snəustɔ:m] *n* tormenta.

snowy ['snəuɪ] *adj* nevoso(a).

SNP *n abbr* (*BRIT POL*) = Scottish National Party.

snub [snʌb] *vt* snobbare ♦ *n* offesa, affronto.

snub-nosed [snʌb'nəuzd] *adj* dal naso camuso.

snuff [snʌf] *n* tabacco da fiuto ♦ *vt* (*also*: ~ **out**: *candle*) spegnere.

snuff movie *n* (*col*) film porno dove una persona viene uccisa realmente.

snug [snʌg] *adj* comodo(a); (*room, house*) accogliente, comodo(a); **it's a ~ fit** è attillato.

snuggle ['snʌgl] *vi*: **to ~ down in bed** accovacciarsi a letto; **to ~ up to sb** stringersi a qn.

snugly ['snʌglɪ] *adv* comodamente; **it fits ~** (*object in pocket etc*) entra giusto giusto; (*garment*) sta ben attillato.

SO *abbr* (*BANKING*) = standing order.

═══════════════ *KEYWORD*

so [səu] *adv* **1** (*thus, likewise*) così; **if ~** se è così, quand'è così; **I didn't do it — you did ~!** non l'ho fatto io — sì che l'hai fatto!;

~ **do I, ~ am I** anch'io; **it's 5 o'clock — ~ it is!** sono le 5 — davvero!; **I hope ~** lo spero; **I think ~** penso di sì; **quite ~!** esattamente!; **even ~** comunque; ~ **far** finora, fin qui; (*in past*) fino ad allora

2 (*in comparisons etc: to such a degree*) così; ~ **big (that)** così grande (che); **she's not ~ clever as her brother** lei non è (così) intelligente come suo fratello

3: ~ **much** *adj* tanto(a) ♦ *adv* tanto; **I've got ~ much work/money** ho tanto lavoro/ tanti soldi; **I love you ~ much** ti amo tanto; ~ **many** tanti(e)

4 (*phrases*): **10 or ~** circa 10; ~ **long!** (*col: goodbye*) ciao!, ci vediamo!; ~ **to speak** per così dire; ~ **what?** (*col*) e allora?, e con questo?

♦ *conj* **1** (*expressing purpose*): ~ **as to do** in modo *or* così da fare; **we hurried ~ as not to be late** ci affrettammo per non fare tardi; ~ **(that)** affinché + *sub*, perché + *sub*

2 (*expressing result*): **he didn't arrive ~ I left** non è venuto così me ne sono andata; ~ **you see, I could have gone** vedi, sarei potuto andare; ~ **that's the reason!** allora è questo il motivo!, ecco perché!

soak [səuk] *vt* inzuppare; (*clothes*) mettere a mollo ♦ *vi* inzupparsi; (*clothes*) essere a mollo; **to be ~ed through** essere fradicio.

▶**soak in** *vi* penetrare.

▶**soak up** *vt* assorbire.

soaking ['səukɪŋ] *adj* (*also*: ~ **wet**) fradicio(a).

so-and-so ['səuənsəu] *n* (*somebody*) un tale; **Mr/Mrs ~** signor/signora tal dei tali.

soap [səup] *n* sapone *m*.

soapbox ['səupbɔks] *n* palco improvvisato (*per orazioni pubbliche*).

soapflakes ['səupfleɪks] *npl* sapone *m* in scaglie.

soap opera *n* soap opera *f inv.*

soap powder *n* detersivo.

soapsuds ['səupsʌdz] *npl* saponata.

soapy ['səupɪ] *adj* insaponato(a).

soar [sɔ:*] *vi* volare in alto; (*price, morale, spirits*) salire alle stelle.

sob [sɔb] *n* singhiozzo ♦ *vi* singhiozzare.

s.o.b. *n abbr* (*US col!*: = son of a bitch) figlio di puttana (!).

sober ['səubə*] *adj* non ubriaco(a); (*sedate*) serio(a); (*moderate*) moderato(a); (*colour, style*) sobrio(a).

▶**sober up** *vt* far passare la sbornia ♦ *vi* farsi passare la sbornia.

sobriety [səu'braɪətɪ] *n* (*not being drunk*) sobrietà; (*seriousness, sedateness*) sobrietà, pacatezza.

sob story n (col, pej) storia lacrimosa.
Soc. abbr (= society) Soc.
so-called ['səu'kɔːld] adj cosiddetto(a).
soccer ['sɔkə*] n calcio.
soccer pitch n campo di calcio.
soccer player n calciatore m.
sociable ['səuʃəbl] adj socievole.
social ['səuʃl] adj sociale ♦ n festa, serata.
social climber n arrampicatore/trice sociale, arrivista m/f.
social club n club m inv sociale.
Social Democrat n socialdemocratico/a.
social insurance n (US) assicurazione f sociale.
socialism ['səuʃəlɪzəm] n socialismo.
socialist ['səuʃəlɪst] adj, n socialista (m/f).
socialite ['səuʃəlaɪt] n persona in vista nel bel mondo.
socialize ['səuʃəlaɪz] vi frequentare la gente; farsi degli amici; **to ~ with** socializzare con.
social life n vita sociale.
socially ['səuʃəlɪ] adv socialmente, in società.
social science n scienze fpl sociali.
social security n previdenza sociale; **Department of S~ S~ (DSS)** (BRIT) ≈ Istituto di Previdenza Sociale.
social services npl servizi mpl sociali.
social welfare n assistenza sociale.
social work n servizio sociale.
social worker n assistente m/f sociale.
society [sə'saɪətɪ] n società f inv; (club) società, associazione f; (also: **high ~**) alta società ♦ cpd (party, column) mondano(a).
socioeconomic ['səusɪəuiːkə'nɔmɪk] adj socio-economico(a).
sociological [səusɪə'lɔdʒɪkl] adj sociologico(a).
sociologist [səusɪ'ɔlədʒɪst] n sociologo/a.
sociology [səusɪ'ɔlədʒɪ] n sociologia.
sock [sɔk] n calzino ♦ vt (hit) dare un pugno a; **to pull one's ~s up** (fig) darsi una regolata.
socket ['sɔkɪt] n cavità f inv; (of eye) orbita; (ELEC: also: **wall ~**) presa di corrente; (: for light bulb) portalampada m inv.
sod [sɔd] n (of earth) zolla erbosa; (BRIT col!) bastardo/a (!).
▶**sod off** vi: **~ off!** (BRIT col!) levati dalle palle! (!).
soda ['səudə] n (CHEM) soda; (also: **~ water**) acqua di seltz; (US: also: **~ pop**) gassosa.
sodden ['sɔdn] adj fradicio(a).
sodium ['səudɪəm] n sodio.
sodium chloride n cloruro di sodio.
sofa ['səufə] n sofà m inv.
Sofia ['səufɪə] n Sofia.

soft [sɔft] adj (not rough) morbido(a); (not hard) soffice; (not loud) sommesso(a); (kind) gentile; (: look, smile) dolce; (not strict) indulgente; (weak) debole; (stupid) stupido(a).
soft-boiled ['sɔftbɔɪld] adj (egg) alla coque.
soft drink n analcolico.
soft drugs npl droghe fpl leggere.
soften ['sɔfn] vt ammorbidire; addolcire; attenuare ♦ vi ammorbidirsi; addolcirsi; attenuarsi.
softener ['sɔfnə*] n ammorbidente m.
soft fruit n (BRIT) ≈ frutti di bosco.
soft furnishings npl tessuti mpl d'arredo.
soft-hearted [sɔft'hɑːtɪd] adj sensibile.
softly ['sɔftlɪ] adv dolcemente; morbidamente.
softness ['sɔftnɪs] n dolcezza; morbidezza.
soft option n soluzione f (più) facile.
soft sell n persuasione f all'acquisto.
soft target n obiettivo civile (e quindi facile da colpire).
soft touch n (col): **to be a ~** lasciarsi spillare facilmente denaro.
soft toy n giocattolo di peluche.
software ['sɔftwɛə*] n software m.
software package n pacchetto di software.
soft water n acqua non calcarea.
soggy ['sɔgɪ] adj inzuppato(a).
soil [sɔɪl] n (earth) terreno, suolo ♦ vt sporcare; (fig) macchiare.
soiled [sɔɪld] adj sporco(a), sudicio(a).
sojourn ['sɔdʒəːn] n (formal) soggiorno.
solace ['sɔlɪs] n consolazione f.
solar ['səulə*] adj solare.
solarium, pl **solaria** [sə'lɛərɪəm, -rɪə] n solarium m inv.
solar plexus [-'plɛksəs] n (ANAT) plesso solare.
solar power n energia solare.
sold [səuld] pt, pp of **sell**.
solder ['səuldə*] vt saldare ♦ n saldatura.
soldier ['səuldʒə*] n soldato, militare m ♦ vi: **to ~ on** perseverare; **toy ~** soldatino.
sold out adj (COMM) esaurito(a).
sole [səul] n (of foot) pianta (del piede); (of shoe) suola; (fish: pl inv) sogliola ♦ adj solo(a), unico(a); (exclusive) esclusivo(a).
solely ['səullɪ] adv solamente, unicamente; **I will hold you ~ responsible** la considererò il solo responsabile.
solemn ['sɔləm] adj solenne; grave; serio(a).
sole trader n (COMM) commerciante m in proprio.
solicit [sə'lɪsɪt] vt (request) richiedere, sollecitare ♦ vi (prostitute) adescare i

passanti.
solicitor [sə'lɪsɪtə*] _n_ (_BRIT: for wills etc_) ≈
notaio; (_in court_) ≈ avvocato.

_Il **solicitor** appartiene a una delle due
branche della professione legale britannica
(vedi anche **barrister**). È compito dei
solicitor agire come consulenti in materia
legale, redigere pratiche, preparare la
documentazione legale per i barrister.
Contrariamente a questi ultimi, i solicitor
non sono qualificati a rappresentare una
parte nelle corti investite della potestà di
decidere sui reati più gravi._

solid ['sɒlɪd] _adj_ (_not hollow_) pieno(a);
(_strong, sound, reliable, not liquid_)
solido(a); (_meal_) sostanzioso(a); (_line_)
ininterrotto(a); (_vote_) unanime ♦ _n_ solido;
to be on ~ ground essere su terraferma;
(_fig_) muoversi su terreno sicuro; **we
waited 2 ~ hours** abbiamo aspettato due
ore buone.
solidarity [sɒlɪ'dærɪtɪ] _n_ solidarietà.
solid fuel _n_ combustibile _m_ solido.
solidify [sə'lɪdɪfaɪ] _vi_ solidificarsi ♦ _vt_
solidificare.
solidity [sə'lɪdɪtɪ] _n_ solidità.
solid-state ['sɒlɪdsteɪt] _adj_ (_ELEC_) a
transistor.
soliloquy [sə'lɪləkwɪ] _n_ soliloquio.
solitaire [sɒlɪ'tɛə*] _n_ (_game, gem_)
solitario.
solitary ['sɒlɪtərɪ] _adj_ solitario(a).
solitary confinement _n_ (_LAW_): **to be in ~**
essere in cella d'isolamento.
solitude ['sɒlɪtjuːd] _n_ solitudine _f_.
solo ['səuləu] _n_ (_MUS_) assolo.
soloist ['səuləuɪst] _n_ solista _m/f_.
Solomon Islands ['sɒləmən-] _n_: **the ~** le
isole Salomone.
solstice ['sɒlstɪs] _n_ solstizio.
soluble ['sɒljubl] _adj_ solubile.
solution [sə'luːʃən] _n_ soluzione _f_.
solve [sɒlv] _vt_ risolvere.
solvency ['sɒlvənsɪ] _n_ (_COMM_) solvenza,
solvibilità.
solvent ['sɒlvənt] _adj_ (_COMM_) solvibile ♦ _n_
(_CHEM_) solvente _m_.
solvent abuse _n_ abuso di colle e
solventi.
Som. _abbr_ (_BRIT_) = Somerset.
Somali [sə'mɑːlɪ] _adj_ somalo(a).
Somalia [səu'mɑːlɪə] _n_ Somalia.
Somaliland [səu'mɑːlɪlænd] _n_ paesi _mpl_ del
corno d'Africa.
sombre, (_US_) **somber** ['sɒmbə*] _adj_
scuro(a); (_mood, person_) triste.

some [sʌm] _adj_ **1** (_a certain amount or
number of_): **~ tea/water/cream** del tè/
dell'acqua/della panna; **there's ~ milk in
the fridge** c'è (del) latte nel frigo; **~
children/apples** dei bambini/delle mele;
after ~ time dopo un po'; **at ~ length** a
lungo
2 (_certain: in contrasts_) certo(a); **~ people
say that ...** alcuni dicono che ..., certa
gente dice che ...
3 (_unspecified_) un(a) certo(a), qualche; **~
woman was asking for you** una tale
chiedeva di lei; **~ day** un giorno; **~ day
next week** un giorno della prossima
settimana; **in ~ form or other** in una
forma o nell'altra
♦ _pron_ **1** (_a certain number_) alcuni(e),
certi(e); **I've got ~** (_books etc_) ne ho
alcuni; **~** (_of them_) **have been sold** alcuni
sono stati venduti
2 (_a certain amount_) un po'; **I've got ~**
(_money, milk_) ne ho un po'; **I've read ~ of
the book** ho letto parte del libro; **~** (_of it_)
was left ne è rimasto un po'; **could I have
~ of that cheese?** potrei avere un po' di
quel formaggio?
♦ _adv_: **~ 10 people** circa 10 persone.

somebody ['sʌmbədɪ] _pron_ qualcuno; **~ or
other** qualcuno.
someday ['sʌmdeɪ] _adv_ uno di questi
giorni, un giorno o l'altro.
somehow ['sʌmhau] _adv_ in un modo o
nell'altro, in qualche modo; (_for some
reason_) per qualche ragione.
someone ['sʌmwʌn] _pron_ = **somebody.**
someplace ['sʌmpleɪs] _adv_ (_US_) =
somewhere.
somersault ['sʌməsɔːlt] _n_ capriola; (_in air_)
salto mortale ♦ _vi_ fare una capriola (_or_ un
salto mortale); (_car_) cappottare.
something ['sʌmθɪŋ] _pron_ qualcosa; **~
interesting** qualcosa di interessante; **~ to
do** qualcosa da fare; **he's ~ like me** mi
assomiglia un po'; **it's ~ of a problem** è
un bel problema.
sometime ['sʌmtaɪm] _adv_ (_in future_) una
volta o l'altra; (_in past_): **~ last month**
durante il mese scorso; **I'll finish it ~** lo
finirò prima o poi.
sometimes ['sʌmtaɪmz] _adv_ qualche volta.
somewhat ['sʌmwɒt] _adv_ piuttosto.
somewhere ['sʌmwɛə*] _adv_ in _or_ da
qualche parte; **~ else** da qualche altra
parte.
son [sʌn] _n_ figlio.

sonar ['səʊnɑː*] n sonar m.
sonata [sə'nɑːtə] n sonata.
song [sɒŋ] n canzone f.
songbook ['sɒŋbuk] n canzoniere m.
songwriter ['sɒŋraɪtə*] n compositore/trice di canzoni.
sonic ['sɒnɪk] adj (boom) sonico(a).
son-in-law ['sʌnɪnlɔː] n genero.
sonnet ['sɒnɪt] n sonetto.
sonny ['sʌnɪ] n (col) ragazzo mio.
soon [suːn] adv presto, fra poco; (early) presto; ~ **afterwards** poco dopo; **very/ quite** ~ molto/abbastanza presto; **as** ~ **as possible** prima possibile; **I'll do it as** ~ **as I can** lo farò appena posso; **how** ~ **can you be ready?** fra quanto tempo sarà pronto?; **see you** ~**!** a presto!
sooner ['suːnə*] adv (time) prima; (preference): **I would** ~ **do** preferirei fare; ~ **or later** prima o poi; **no** ~ **said than done** detto fatto; **the** ~ **the better** prima è meglio è; **no** ~ **had we left than** ... eravamo appena partiti, quando ....
soot [sut] n fuliggine f.
soothe [suːð] vt calmare.
soothing ['suːðɪŋ] adj (ointment etc) calmante; (tone, words etc) rassicurante.
SOP n abbr = standard operating procedure.
sop [sɒp] n: **that's only a** ~ è soltanto un contentino.
sophisticated [sə'fɪstɪkeɪtɪd] adj sofisticato(a); raffinato(a); (film, mind) sottile.
sophistication [səfɪstɪ'keɪʃən] n raffinatezza; (of machine) complessità; (of argument etc) sottigliezza.
sophomore ['sɒfəmɔː*] n (US) studente/ essa del secondo anno.
soporific [sɒpə'rɪfɪk] adj soporifero(a).
sopping ['sɒpɪŋ] adj (also: ~ **wet**) bagnato(a) fradicio(a).
soppy ['sɒpɪ] adj (pej) sentimentale.
soprano [sə'prɑːnəʊ] n (voice) soprano m; (singer) soprano m/f.
sorbet ['sɔːbeɪ] n sorbetto.
sorcerer ['sɔːsərə*] n stregone m, mago.
sordid ['sɔːdɪd] adj sordido(a).
sore [sɔː*] adj (painful) dolorante; (col: offended) offeso(a) ♦ n piaga; **my eyes are** ~**, I have** ~ **eyes** mi fanno male gli occhi; ~ **throat** mal m di gola; **it's a** ~ **point** (fig) è un punto delicato.
sorely ['sɔːlɪ] adv (tempted) fortemente.
sorrel ['sɔrəl] n acetosa.
sorrow ['sɒrəʊ] n dolore m.
sorrowful ['sɒrəʊful] adj triste.
sorry ['sɒrɪ] adj spiacente; (condition, excuse) misero(a), pietoso(a); (sight,

failure) triste; ~**!** scusa! (or scusi! or scusate!); **to feel** ~ **for sb** rincrescersi per qn; **I'm** ~ **to hear that** ... mi dispiace (sentire) che ...; **to be** ~ **about sth** essere dispiaciuto or spiacente di qc.
sort [sɔːt] n specie f, genere m; (make: of coffee, car etc) tipo ♦ vt (also: ~ **out**: papers) classificare; ordinare; (: letters etc) smistare; (: problems) risolvere; (COMPUT) ordinare; **what** ~ **of car?** che tipo di macchina?; **I shall do nothing of the** ~**!** nemmeno per sogno!; **it's** ~ **of awkward** (col) è piuttosto difficile.
sortie ['sɔːtɪ] n sortita.
sorting office ['sɔːtɪŋ-] n ufficio m smistamento inv.
SOS n abbr (= save our souls) S.O.S. m inv.
so-so ['səʊsəʊ] adv così così.
soufflé ['suːfleɪ] n soufflé m inv.
sought [sɔːt] pt, pp of **seek**.
sought-after ['sɔːtɑːftə*] adj richiesto(a).
soul [səʊl] n anima; **the poor** ~ **had nowhere to sleep** il poveraccio non aveva dove dormire; **I didn't see a** ~ non ho visto anima viva.
soul-destroying ['səʊldɪstrɔɪɪŋ] adj demoralizzante.
soulful ['səʊlful] adj pieno(a) di sentimento.
soulless ['səʊllɪs] adj senz'anima, inumano(a).
soul mate n anima gemella.
soul-searching ['səʊlsɑːtʃɪŋ] n: **after much** ~ dopo un profondo esame di coscienza.
sound [saʊnd] adj (healthy) sano(a); (safe, not damaged) solido(a), in buono stato; (reliable, not superficial) solido(a); (sensible) giudizioso(a), di buon senso; (valid: argument, policy, claim) valido(a) ♦ adv: ~ **asleep** profondamente addormentato ♦ n (noise) suono; rumore m; (GEO) stretto ♦ vt (alarm) suonare; (also: ~ **out**: opinions) sondare ♦ vi suonare; (fig: seem) sembrare; **to be of** ~ **mind** essere sano di mente; **I don't like the** ~ **of it** (fig: of film etc) non mi dice niente; (: of news) è preoccupante; **it** ~**s as if** ... ho l'impressione che ...; **it** ~**s like French** somiglia al francese; **that** ~**s like them arriving** mi sembra di sentirli arrivare.
►**sound off** vi (col): **to** ~ **off (about)** (give one's opinions) fare dei grandi discorsi (su).
sound barrier n muro del suono.
soundbite ['saʊndbaɪt] n frase f incisiva.
sound effects npl effetti mpl sonori.
sound engineer n tecnico del suono.
sounding ['saʊndɪŋ] n (NAUT etc) scandagliamento.

sounding board n (MUS) cassa di risonanza; (fig): **to use sb as a ~ for one's ideas** provare le proprie idee su qn.

soundly ['saundlı] adv (sleep) profondamente; (beat) duramente.

soundproof ['saundpru:f] vt insonorizzare, isolare acusticamente ♦ adj insonorizzato(a), isolato(a) acusticamente.

sound system n impianto m audio inv.

soundtrack ['saundtræk] n (of film) colonna sonora.

soup [su:p] n minestra; (clear) brodo; (thick) zuppa; **in the ~** (fig) nei guai.

soup course n minestra.

soup kitchen n mensa per i poveri.

soup plate n piatto fondo.

soupspoon ['su:pspu:n] n cucchiaio da minestra.

sour ['sauə*] adj aspro(a); (fruit) acerbo(a); (milk) acido(a), fermentato(a); (fig) acido(a); **to go or turn ~** (milk, wine) inacidirsi; (fig: relationship, plans) guastarsi; **it's ~ grapes** (fig) è soltanto invidia.

source [sɔ:s] n fonte f, sorgente f; (fig) fonte; **I have it from a reliable ~ that** ... ho saputo da fonte sicura che ....

south [sauθ] n sud m, meridione m, mezzogiorno ♦ adj del sud, sud inv, meridionale ♦ adv verso sud; **(to the) ~ of** a sud di; **the S~ of France** il sud della Francia; **to travel ~** viaggiare verso sud.

South Africa n Sudafrica m.

South African adj, n sudafricano(a).

South America n Sudamerica m, America del sud.

South American adj, n sudamericano(a).

southbound ['sauθbaund] adj (gen) diretto(a) a sud; (carriageway) sud inv.

south-east [sauθ'i:st] n sud-est m.

South-East Asia n Asia sudorientale.

southerly ['sʌðəlı] adj del sud.

southern ['sʌðən] adj del sud, meridionale; (wall) esposto(a) a sud; **the ~ hemisphere** l'emisfero australe.

South Pole n Polo Sud.

South Sea Islands npl: **the ~** le isole dei Mari del Sud.

South Seas npl: **the ~** i Mari del Sud.

South Vietnam n Vietnam m del Sud.

southward(s) ['sauθwəd(z)] adv verso sud.

south-west [sauθ'wɛst] n sud-ovest m.

souvenir [su:və'nɪə*] n ricordo, souvenir m inv.

sovereign ['sɔvrın] adj, n sovrano(a).

sovereignty ['sɔvrəntı] n sovranità.

soviet ['səuvɪət] adj sovietico(a).

Soviet Union n: **the ~** l'Unione f Sovietica.

sow n [sau] scrofa ♦ vt [səu] (pt ~ed, pp **sown** [səun]) seminare.

soya ['sɔɪə], (US) **soy** [sɔɪ] n: ~ **bean** seme m di soia; ~ **sauce** salsa di soia.

sozzled ['sɔzld] adj (BRIT col) sbronzo(a).

spa [spɑ:] n (resort) stazione f termale; (US: also: **health ~**) centro di cure estetiche.

space [speɪs] n spazio; (room) posto; spazio; (length of time) intervallo ♦ cpd spaziale ♦ vt (also: ~ **out**) distanziare; **in a confined ~** in un luogo chiuso; **to clear a ~ for sth** fare posto per qc; **in a short ~ of time** in breve tempo; **(with)in the ~ of an hour/ three generations** nell'arco di un'ora/di tre generazioni.

space bar n (on typewriter) barra spaziatrice.

spacecraft ['speɪskrɑ:ft] n (pl inv) veicolo spaziale.

spaceman ['speɪsmæn] n astronauta m, cosmonauta m.

spaceship ['speɪsʃɪp] n astronave f, navicella spaziale.

space shuttle n shuttle m inv.

spacesuit ['speɪssu:t] n tuta spaziale.

spacewoman ['speɪswumən] n astronauta f, cosmonauta f.

spacing ['speɪsɪŋ] n spaziatura; **single/ double ~** (TYP etc) spaziatura singola/ doppia.

spacious ['speɪʃəs] adj spazioso(a), ampio(a).

spade [speɪd] n (tool) vanga; pala; (child's) paletta; ~**s** npl (CARDS) picche fpl.

spadework ['speɪdwə:k] n (fig) duro lavoro preparatorio.

spaghetti [spə'gɛtı] n spaghetti mpl.

Spain [speɪn] n Spagna.

span [spæn] n (of bird, plane) apertura alare; (of arch) campata; (in time) periodo; durata ♦ vt attraversare; (fig) abbracciare.

Spaniard ['spænjəd] n spagnolo/a.

spaniel ['spænjəl] n spaniel m inv.

Spanish ['spænɪʃ] adj spagnolo(a) ♦ n (LING) spagnolo; **the ~** npl gli Spagnoli; ~ **omelette** frittata di cipolle, pomodori e peperoni.

spank [spæŋk] vt sculacciare.

spanner ['spænə*] n (BRIT) chiave f inglese.

spar [spɑ:*] n asta, palo ♦ vi (BOXING) allenarsi.

spare [spɛə*] adj di riserva, di scorta; (surplus) in più, d'avanzo ♦ n (part) pezzo di ricambio ♦ vt (do without) fare a meno di; (afford to give) concedere; (refrain from hurting, using) risparmiare; **to ~** (surplus)

d'avanzo; **there are 2 going** ~ (*BRIT*) ce ne
sono 2 in più; **to** ~ **no expense** non
badare a spese; **can you** ~ **the time?** ha
tempo?; **I've a few minutes to** ~ ho un
attimino di tempo; **there is no time to** ~
non c'è tempo da perdere; **can you** ~
(me) £10? puoi prestarmi 10 sterline?
spare part *n* pezzo di ricambio.
spare room *n* stanza degli ospiti.
spare time *n* tempo libero.
spare tyre *n* (*AUT*) gomma di scorta.
spare wheel *n* (*AUT*) ruota di scorta.
sparing ['spɛərɪŋ] *adj* (*amount*) scarso(a);
(*use*) parsimonioso(a); **to be** ~ **with**
essere avaro(a) di.
sparingly ['spɛərɪŋlɪ] *adv* moderatamente.
spark [spɑːk] *n* scintilla.
spark(ing) plug ['spɑːk(ɪŋ)-] *n* candela.
sparkle ['spɑːkl] *n* scintillio, sfavillio ♦ *vi*
scintillare, sfavillare; (*bubble*)
spumeggiare, frizzare.
sparkler ['spɑːklə*] *n* fuoco d'artificio.
sparkling ['spɑːklɪŋ] *adj* scintillante,
sfavillante; (*wine*) spumante.
sparring partner ['spɑːrɪŋ-] *n* sparring
partner *m inv*; (*fig*) *interlocutore abituale
in discussioni, dibattiti, tavole rotonde
ecc.*
sparrow ['spærəu] *n* passero.
sparse [spɑːs] *adj* sparso(a), rado(a).
spartan ['spɑːtən] *adj* (*fig*) spartano(a).
spasm ['spæzəm] *n* (*MED*) spasmo; (*fig*)
accesso, attacco.
spasmodic [spæz'mɔdɪk] *adj*
spasmodico(a); (*fig*) intermittente.
spastic ['spæstɪk] *n* spastico/a.
spat [spæt] *pt, pp* of **spit** ♦ *n* (*US*) battibecco.
spate [speɪt] *n* (*fig*): ~ **of** diluvio *or* fiume *m*
di; **in** ~ (*river*) in piena.
spatial ['speɪʃəl] *adj* spaziale.
spatter ['spætə*] *vt, vi* schizzare.
spatula ['spætjulə] *n* spatola.
spawn [spɔːn] *vt* deporre; (*pej*) produrre
♦ *vi* deporre le uova ♦ *n* uova *fpl*.
SPCA *n abbr* (*US*: = *Society for the Prevention
of Cruelty to Animals*) ≈ E.N.P.A. *m* (= *Ente
Nazionale per la Protezione degli Animali*).
SPCC *n abbr* (*US*) = *Society for the Prevention
of Cruelty to Children.*
speak, *pt* **spoke,** *pp* **spoken** [spiːk, spəuk,
'spəukn] *vt* (*language*) parlare; (*truth*) dire
♦ *vi* parlare; **to** ~ **to sb/of** *or* **about sth**
parlare a qn/di qc; ~ **up!** parli più forte!;
to ~ **at a conference/in a debate**
partecipare ad una conferenza/ad un
dibattito; ~**ing!** (*on telephone*) sono io!; **to**
~ **one's mind** dire quello che si pensa; **he
has no money to** ~ **of** non si può proprio

dire che sia ricco.
▶**speak for** *vt fus*: **to** ~ **for sb** parlare a
nome di qn; **that picture is already spoken
for** (*in shop*) quel quadro è già stato
venduto.
speaker ['spiːkə*] *n* (*in public*) oratore/trice;
(*also*: **loud**~) altoparlante *m*; (*POL*): **the
S**~ il presidente della Camera dei
Comuni (*BRIT*) or dei Rappresentanti
(*US*); **are you a Welsh** ~? parla gallese?
speaking ['spiːkɪŋ] *adj* parlante; **Italian-
people** persone che parlano italiano; **to
be on** ~ **terms** parlarsi.
spear [spɪə*] *n* lancia.
spearhead ['spɪəhɛd] *n* punta di lancia;
(*MIL*) reparto d'assalto ♦ *vt* (*attack etc*)
condurre.
spearmint ['spɪəmɪnt] *n* (*BOT etc*) menta
verde.
spec [spɛk] *n* (*BRIT col*): **on** ~ sperando
bene; **to buy sth on** ~ comprare qc
sperando di fare un affare.
special ['spɛʃl] *adj* speciale ♦ *n* (*train*) treno
supplementare; **nothing** ~ niente di
speciale; **take** ~ **care** siate
particolarmente prudenti.
special agent *n* agente *m* segreto.
special correspondent *n* inviato speciale.
special delivery *n* (*POST*): **by** ~ per
espresso.
special effects *npl* (*CINE*) effetti *mpl*
speciali.
specialist ['spɛʃəlɪst] *n* specialista *m/f*; **a
heart** ~ (*MED*) un cardiologo.
speciality [spɛʃɪ'ælɪtɪ], (*esp US*) **specialty** *n*
specialità *f inv*.
specialize ['spɛʃəlaɪz] *vi*: **to** ~ **(in)**
specializzarsi (in).
specially ['spɛʃəlɪ] *adv* specialmente,
particolarmente.
special offer *n* (*COMM*) offerta speciale.
specialty ['spɛʃəltɪ] *n* (*esp US*) = **speciality**.
species ['spiːʃiːz] *n* (*pl inv*) specie *f inv*.
specific [spə'sɪfɪk] *adj* specifico(a);
preciso(a); **to be** ~ **to** avere un legame
specifico con.
specifically [spə'sɪfɪklɪ] *adv* (*explicitly*: *state,
warn*) chiaramente, esplicitamente;
(*especially*: *design, intend*) appositamente.
specification [spɛsɪfɪ'keɪʃən] *n*
specificazione *f*; ~**s** *npl* (*of car, machine*)
dati *mpl* caratteristici; (*for building*)
dettagli *mpl*.
specify ['spɛsɪfaɪ] *vt* specificare, precisare;
unless otherwise specified salvo
indicazioni contrarie.
specimen ['spɛsɪmən] *n* esemplare *m*,
modello; (*MED*) campione *m*.

specimen copy *n* campione *m*.
specimen signature *n* firma deposita.
speck [spɛk] *n* puntino, macchiolina; (*particle*) granello.
speckled ['spɛkld] *adj* macchiettato(a).
specs [spɛks] *npl* (*col*) occhiali *mpl*.
spectacle ['spɛktəkl] *n* spettacolo; *see also* **spectacles**.
spectacle case *n* (*BRIT*) fodero per gli occhiali.
spectacles ['spɛktəklz] *npl* (*BRIT*) occhiali *mpl*.
spectacular [spɛk'tækjulə*] *adj* spettacolare ♦ *n* (*CINE etc*) film *m inv etc* spettacolare.
spectator [spɛk'teɪtə*] *n* spettatore/trice.
spectator sport *n* sport *m inv* come spettacolo.
spectra ['spɛktrə] *npl of* **spectrum**.
spectre, (*US*) **specter** ['spɛktə*] *n* spettro.
spectrum, *pl* **spectra** ['spɛktrəm, -rə] *n* spettro; (*fig*) gamma.
speculate ['spɛkjuleɪt] *vi* speculare; (*try to guess*): **to ~ about** fare ipotesi su.
speculation [spɛkju'leɪʃən] *n* speculazione *f*; congetture *fpl*.
speculative ['spɛkjulətɪv] *adj* speculativo(a).
speculator ['spɛkjuleɪtə*] *n* speculatore/trice.
sped [spɛd] *pt, pp of* **speed**.
speech [spiːtʃ] *n* (*faculty*) parola; (*talk*) discorso; (*manner of speaking*) parlata; (*language*) linguaggio; (*enunciation*) elocuzione *f*.
speech day *n* (*BRIT SCOL*) giorno della premiazione.
speech impediment *n* difetto di pronuncia.
speechless ['spiːtʃlɪs] *adj* ammutolito(a), muto(a).
speech therapy *n* cura dei disturbi del linguaggio.
speed [spiːd] *n* velocità *f inv*; (*promptness*) prontezza; (*AUT: gear*) marcia ♦ *vi* (*pt, pp* **sped** [spɛd]): **to ~ along** procedere velocemente; **the years sped by** gli anni sono volati; (*AUT: exceed ~ limit*) andare a velocità eccessiva; **at ~** (*BRIT*) velocemente; **at full** *or* **top ~** a tutta velocità; **at a ~ of 70 km/h** a una velocità di 70 km l'ora; **shorthand/typing ~s** numero di parole al minuto in stenografia/dattilografia; **a five-~ gearbox** un cambio a cinque marce.
▶**speed up**, *pt, pp* **~ed up** *vi, vt* accelerare.
speedboat ['spiːdbəut] *n* motoscafo; fuoribordo *m inv*.

speedily ['spiːdɪlɪ] *adv* velocemente; prontamente.
speeding ['spiːdɪŋ] *n* (*AUT*) eccesso di velocità.
speed limit *n* limite *m* di velocità.
speedometer [spɪ'dɔmɪtə*] *n* tachimetro.
speed trap *n* (*AUT*) tratto di strada sul quale la polizia controlla la velocità dei veicoli.
speedway ['spiːdweɪ] *n* (*SPORT*) pista per motociclismo.
speedy ['spiːdɪ] *adj* veloce, rapido(a); (*reply*) pronto(a).
speleologist [spɛlɪ'ɔlədʒɪst] *n* speleologo/a.
spell [spɛl] *n* (*also: magic ~*) incantesimo; (*period of time*) (breve) periodo ♦ *vt* (*pt, pp* **spelt** *or* **~ed** [spɛlt, spɛld]) (*in writing*) scrivere (lettera per lettera); (*aloud*) dire lettera per lettera; (*fig*) significare; **to cast a ~ on sb** fare un incantesimo a qn; **he can't ~** fa errori di ortografia; **how do you ~ your name?** come si scrive il suo nome?; **can you ~ it for me?** me lo può dettare lettera per lettera?
spellbound ['spɛlbaund] *adj* incantato(a), affascinato(a).
spelling ['spɛlɪŋ] *n* ortografia.
spelt [spɛlt] *pt, pp of* **spell**.
spend [spɛnd], *pt, pp* **spent** [spɛnd, spɛnt] *vt* (*money*) spendere; (*time, life*) passare; **to ~ time/money/effort on sth** dedicare tempo/soldi/energie a qc.
spending ['spɛndɪŋ] *n*: **government ~** spesa pubblica.
spending money *n* denaro per le piccole spese.
spending power *n* potere *m* d'acquisto.
spendthrift ['spɛndθrɪft] *n* spendaccione/a.
spent [spɛnt] *pt, pp of* **spend** ♦ *adj* (*patience*) esaurito(a); (*cartridge, bullets, match*) usato(a).
sperm [spəːm] *n* sperma *m*.
sperm bank *n* banca dello sperma.
sperm whale *n* capodoglio.
spew [spjuː] *vt* vomitare.
sphere [sfɪə*] *n* sfera.
spherical ['sfɛrɪkl] *adj* sferico(a).
sphinx [sfɪŋks] *n* sfinge *f*.
spice [spaɪs] *n* spezia ♦ *vt* aromatizzare.
spick-and-span ['spɪkən'spæn] *adj* impeccabile.
spicy ['spaɪsɪ] *adj* piccante.
spider ['spaɪdə*] *n* ragno; **~'s web** ragnatela.
spiel [spiːl] *n* (*col*) tiritera.
spike [spaɪk] *n* punta; **~s** *npl* (*SPORT*) scarpe *fpl* chiodate.
spike heel *n* (*US*) tacco a spillo.

spiky ['spaɪkɪ] *adj* (*bush, branch*) spinoso(a); (*animal*) ricoperto(a) di aculei.

spill, *pt, pp* **spilt** *or* ~**ed** [spɪl, -t, -d] *vt* versare, rovesciare ♦ *vi* versarsi, rovesciarsi; **to** ~ **the beans** (*col*) vuotare il sacco.

▶**spill out** *vi* riversarsi fuori.

▶**spill over** *vi:* **to** ~ **over** (**into**) (*liquid*) versarsi (in); (*crowd*) riversarsi (in).

spillage ['spɪlɪdʒ] *n* (*event*) fuoriuscita; (*substance*) sostanza fuoriuscita.

spin [spɪn] *n* (*revolution of wheel*) rotazione *f*; (*AVIAT*) avvitamento; (*trip in car*) giretto ♦ *vb* (*pt, pp* **spun** [spʌn]) *vt* (*wool etc*) filare; (*wheel*) far girare; (*BRIT: clothes*) mettere nella centrifuga ♦ *vi* girare; **to** ~ **a yarn** raccontare una storia; **to** ~ **a coin** (*BRIT*) lanciare in aria una moneta.

▶**spin out** *vt* far durare.

spina bifida ['spaɪnə'bɪfɪdə] *n* spina bifida.

spinach ['spɪnɪtʃ] *n* spinacio; (*as food*) spinaci *mpl*.

spinal ['spaɪnl] *adj* spinale.

spinal column *n* colonna vertebrale, spina dorsale.

spinal cord *n* midollo spinale.

spindly ['spɪndlɪ] *adj* lungo(a) e sottile, filiforme.

spin doctor *n* (*col*) *pierre addetto alla difesa di provvedimenti impopolari con interviste, interventi in TV ecc.*

spin-dry ['spɪn'draɪ] *vt* asciugare con la centrifuga.

spin-dryer [spɪn'draɪə*] *n* (*BRIT*) centrifuga.

spine [spaɪn] *n* spina dorsale; (*thorn*) spina.

spine-chilling ['spaɪntʃɪlɪŋ] *adj* agghiacciante.

spineless ['spaɪnlɪs] *adj* invertebrato(a), senza spina dorsale; (*fig*) smidollato(a).

spinner ['spɪnə*] *n* (*of thread*) tessitore/ trice.

spinning ['spɪnɪŋ] *n* filatura.

spinning top *n* trottola.

spinning wheel *n* filatoio.

spin-off ['spɪnɔf] *n* applicazione *f* secondaria.

spinster ['spɪnstə*] *n* nubile *f*; zitella.

spiral ['spaɪərl] *n* spirale *f* ♦ *adj* a spirale ♦ *vi* (*prices*) salire vertiginosamente; **the inflationary** ~ la spirale dell'inflazione.

spiral staircase *n* scala a chiocciola.

spire ['spaɪə*] *n* guglia.

spirit ['spɪrɪt] *n* (*soul*) spirito, anima; (*ghost*) spirito, fantasma *m*; (*mood*) stato d'animo, umore *m*; (*courage*) coraggio; ~**s** *npl* (*drink*) alcolici *mpl*; **in good** ~**s** di buon umore; **in low** ~**s** triste, abbattuto(a); **community** ~, **public** ~ senso civico.

spirit duplicator *n* duplicatore *m* a spirito.

spirited ['spɪrɪtɪd] *adj* vivace, vigoroso(a); (*horse*) focoso(a).

spirit level *n* livella a bolla (d'aria).

spiritual ['spɪrɪtjuəl] *adj* spirituale ♦ *n* (*also:* **Negro** ~) spiritual *m inv*.

spiritualism ['spɪrɪtjuəlɪzəm] *n* spiritismo.

spit [spɪt] *n* (*for roasting*) spiedo; (*spittle*) sputo; (*saliva*) saliva ♦ *vi* (*pt, pp* **spat** [spæt]) sputare; (*fire, fat*) scoppiettare.

spite [spaɪt] *n* dispetto ♦ *vt* contrariare, far dispetto a; **in** ~ **of** nonostante, malgrado.

spiteful ['spaɪtful] *adj* dispettoso(a); (*tongue, remark*) maligno(a), velenoso(a).

spitroast ['spɪt'rəust] *vt* cuocere allo spiedo.

spitting ['spɪtɪŋ] *n:* "~ **prohibited**" "vietato sputare" ♦ *adj:* **to be the** ~ **image of sb** essere il ritratto vivente *or* sputato di qn.

spittle ['spɪtl] *n* saliva; sputo.

spiv [spɪv] *n* (*BRIT col*) imbroglione *m*.

splash [splæʃ] *n* spruzzo; (*sound*) tonfo; (*of colour*) schizzo ♦ *vt* spruzzare ♦ *vi* (*also:* ~ **about**) sguazzare; **to** ~ **paint on the floor** schizzare il pavimento di vernice.

splashdown ['splæʃdaun] *n* ammaraggio.

splay [spleɪ] *adj:* ~ **footed** che ha i piedi piatti.

spleen [spli:n] *n* (*ANAT*) milza.

splendid ['splɛndɪd] *adj* splendido(a), magnifico(a).

splendour, (*US*) **splendor** ['splɛndə*] *n* splendore *m*.

splice [splaɪs] *vt* (*rope*) impiombare; (*wood*) calettare.

splint [splɪnt] *n* (*MED*) stecca.

splinter ['splɪntə*] *n* scheggia ♦ *vi* scheggiarsi.

splinter group *n* gruppo dissidente.

split [splɪt] *n* spaccatura; (*fig: division, quarrel*) scissione *f* ♦ *vb* (*pt, pp* **split**) *vt* spaccare; (*party*) dividere; (*work, profits*) spartire, ripartire ♦ *vi* (*divide*) dividersi; **to do the** ~**s** fare la spaccata; **to** ~ **the difference** dividersi la differenza.

▶**split up** *vi* (*couple*) separarsi, rompere; (*meeting*) sciogliersi.

split-level ['splɪtlɛvl] *adj* (*house*) a piani sfalsati.

split peas *npl* piselli *mpl* secchi spaccati.

split personality *n* doppia personalità.

split second *n* frazione *f* di secondo.

splitting ['splɪtɪŋ] *adj:* **a** ~ **headache** un mal di testa da impazzire.

splutter ['splʌtə*] *vi* farfugliare; sputacchiare.

spoil, *pt, pp* **spoilt** *or* ~**ed** [spɔɪl, -t, -d] *vt* (*damage*) rovinare, guastare; (*mar*) sciupare; (*child*) viziare; (*ballot paper*) rendere nullo(a), invalidare; **to be ~ing for a fight** morire dalla voglia di litigare.

spoils [spɔɪlz] *npl* bottino.

spoilsport ['spɔɪlspɔːt] *n* guastafeste *m/f inv*.

spoilt [spɔɪlt] *pt, pp of* **spoil** ♦ *adj* (*child*) viziato(a); (*ballot paper*) nullo(a).

spoke [spəuk] *pt of* **speak** ♦ *n* raggio.

spoken ['spəukn] *pp of* **speak**.

spokesman ['spəuksmən], **spokeswoman** [-wumən] *n* portavoce *m/f inv*.

spokesperson ['spəukspəːsn] *n* portavoce *m/f*.

sponge [spʌndʒ] *n* spugna; (*CULIN: also:* ~ **cake**) pan *m* di Spagna ♦ *vt* spugnare, pulire con una spugna ♦ *vi*: **to ~ on** *or* (*US*) **off** *of* scroccare a.

sponge bag *n* (*BRIT*) nécessaire *m inv*.

sponge cake *n* pan *m* di Spagna.

sponger ['spʌndʒəʳ] *n* (*pej*) parassita *m/f*, scroccone/a.

spongy ['spʌndʒɪ] *adj* spugnoso(a).

sponsor ['spɔnsəʳ] *n* (*RADIO, TV, SPORT etc*) sponsor *m inv*; (*of enterprise, bill, for fund-raising*) promotore/trice ♦ *vt* sponsorizzare; patrocinare; (*POL: bill*) presentare; **I ~ed him at 3p a mile** (*in fund-raising race*) ho offerto in beneficenza 3 penny per ogni miglio che fa.

sponsorship ['spɔnsəʃɪp] *n* sponsorizzazione *f*; patrocinio.

spontaneity [spɔntə'neɪɪtɪ] *n* spontaneità.

spontaneous [spɔn'teɪnɪəs] *adj* spontaneo(a).

spoof [spuːf] *n* presa in giro, parodia.

spooky ['spuːkɪ] *adj* che fa accapponare la pelle.

spool [spuːl] *n* bobina.

spoon [spuːn] *n* cucchiaio.

spoon-feed ['spuːnfiːd] *vt* nutrire con il cucchiaio; (*fig*) imboccare.

spoonful ['spuːnful] *n* cucchiaiata.

sporadic [spə'rædɪk] *adj* sporadico(a).

sport [spɔːt] *n* sport *m inv*; (*person*) persona di spirito; (*amusement*) divertimento ♦ *vt* sfoggiare; **indoor/outdoor ~s** sport *mpl* al chiuso/all'aria aperta; **to say sth in ~** dire qc per scherzo.

sporting ['spɔːtɪŋ] *adj* sportivo(a); **to give sb a ~ chance** dare a qn una possibilità (di vincere).

sport jacket *n* (*US*) = **sports jacket**.

sports car *n* automobile *f* sportiva.

sports ground *n* campo sportivo.

sports jacket *n* giacca sportiva.

sportsman ['spɔːtsmən] *n* sportivo.

sportsmanship ['spɔːtsmənʃɪp] *n* spirito

sportivo.

sports page *n* pagina sportiva.

sportswear ['spɔːtsweəʳ] *n* abiti *mpl* sportivi.

sportswoman ['spɔːtswumən] *n* sportiva.

sporty ['spɔːtɪ] *adj* sportivo(a).

spot [spɔt] *n* punto; (*mark*) macchia; (*dot: on pattern*) pallino; (*pimple*) foruncolo; (*place*) posto; (*also:* ~ **advertisement**) spot *m inv*; (*small amount*): **a ~ of** un po' di ♦ *vt* (*notice*) individuare, distinguere; **on the ~** sul posto; **to do sth on the ~** fare qc immediatamente *or* lì per lì; **to put sb on the ~** mettere qn in difficoltà; **to come out in ~s** coprirsi di foruncoli.

spot check *n* controllo senza preavviso.

spotless ['spɔtlɪs] *adj* immacolato(a).

spotlight ['spɔtlaɪt] *n* proiettore *m*; (*AUT*) faro ausiliario.

spot-on [spɔt'ɔn] *adj* (*BRIT*) esatto(a).

spot price *n* (*COMM*) prezzo del pronto.

spotted ['spɔtɪd] *adj* macchiato(a); **a puntini, a pallini; ~ with** punteggiato(a) di.

spotty ['spɔtɪ] *adj* (*face*) foruncoloso(a).

spouse [spauz] *n* sposo/a.

spout [spaut] *n* (*of jug*) beccuccio; (*of liquid*) zampillo, getto ♦ *vi* zampillare.

sprain [spreɪn] *n* storta, distorsione *f* ♦ *vt*: **to ~ one's ankle** storcersi una caviglia.

sprang [spræŋ] *pt of* **spring**.

sprawl [sprɔːl] *vi* sdraiarsi (in modo scomposto) ♦ *n*: **urban ~** sviluppo urbanistico incontrollato; **to send sb ~ing** mandare qn a gambe all'aria.

spray [spreɪ] *n* spruzzo; (*container*) nebulizzatore *m*, spray *m inv*; (*of flowers*) mazzetto ♦ *cpd* (*deodorant*) spray *inv* ♦ *vt* spruzzare; (*crops*) irrorare.

spread [sprɛd] *n* diffusione *f*; (*distribution*) distribuzione *f*; (*PRESS, TYP: two pages*) doppia pagina; (*: across columns*) articolo a più colonne; (*CULIN*) pasta (da spalmare) ♦ *vb* (*pt, pp* **spread**) *vt* (*cloth*) stendere, distendere; (*butter etc*) spalmare; (*disease, knowledge*) propagare, diffondere ♦ *vi* stendersi, distendersi; spalmarsi; propagarsi, diffondersi; **middle-age ~** pancetta; **repayments will be ~ over 18 months** i versamenti saranno scaglionati lungo un periodo di 18 mesi.

spread-eagled ['sprɛdiːgld] *adj*: **to be** *or* **lie ~** essere disteso(a) a gambe e braccia aperte.

spreadsheet ['sprɛdʃiːt] *n* (*COMPUT*) foglio elettronico.

spree [spriː] *n*: **to go on a ~** fare baldoria.

sprig [sprɪg] n ramoscello.
sprightly ['spraɪtlɪ] adj vivace.
spring [sprɪŋ] n (leap) salto, balzo; (bounciness) elasticità; (coiled metal) molla; (season) primavera; (of water) sorgente f ♦ vi (pt **sprang**, pp **sprung** [spræŋ, sprʌŋ]) saltare, balzare ♦ vt: **to ~ a leak** (pipe etc) cominciare a perdere; **to walk with a ~ in one's step** camminare con passo elastico; **in ~**, **in the ~** in primavera; **to ~ from** provenire da; **to ~ into action** entrare (rapidamente) in azione; **he sprang the news on me** mi ha sorpreso con quella notizia.
►**spring up** vi (problem) presentarsi.
springboard ['sprɪŋbɔːd] n trampolino.
spring-clean [sprɪŋ'kliːn] n (also: ~ing) grandi pulizie fpl di primavera.
spring onion n (BRIT) cipollina.
spring roll n involtino fritto di verdure o carne tipico della cucina cinese.
springtime ['sprɪŋtaɪm] n primavera.
springy ['sprɪŋɪ] adj elastico(a).
sprinkle ['sprɪŋkl] vt spruzzare; spargere; **to ~ water** etc **on**, **~ with water** etc spruzzare dell'acqua etc su; **to ~ sugar** etc **on**, **~ with sugar** etc spolverizzare di zucchero etc; **~d with** (fig) cosparso(a) di.
sprinkler ['sprɪŋklə*] n (for lawn etc) irrigatore m; (for fire-fighting) sprinkler m inv.
sprinkling ['sprɪŋklɪŋ] n (of water) qualche goccia; (of salt, sugar) pizzico.
sprint [sprɪnt] n scatto ♦ vi scattare; **the 200-metres ~** i 200 metri piani.
sprinter ['sprɪntə*] n velocista m/f.
sprite [spraɪt] n elfo, folletto.
spritzer ['sprɪtsə*] n spritz m inv.
sprocket ['sprɔkɪt] n (on printer etc) dente m, rocchetto.
sprout [spraut] vi germogliare.
sprouts [sprauts] npl (also: **Brussels ~**) cavolini mpl di Bruxelles.
spruce [spruːs] n abete m rosso ♦ adj lindo(a); azzimato(a).
►**spruce up** vt (tidy) mettere in ordine; (smarten up: room etc) abbellire; **to ~ o.s. up** farsi bello(a).
sprung [sprʌŋ] pp of **spring**.
spry [spraɪ] adj arzillo(a), sveglio(a).
SPUC n abbr (= Society for the Protection of Unborn Children) associazione anti-abortista.
spun [spʌn] pt, pp of **spin**.
spur [spəː*] n sperone m; (fig) sprone m, incentivo ♦ vt (also: ~ **on**) spronare; **on the ~ of the moment** lì per lì.

spurious ['spjuərɪəs] adj falso(a).
spurn [spəːn] vt rifiutare con disprezzo, sdegnare.
spurt [spəːt] n getto; (of energy) esplosione f ♦ vi sgorgare; zampillare; **to put in** or **on a ~** (runner) fare uno scatto; (fig: in work etc) affrettarsi, sbrigarsi.
sputter ['spʌtə*] vi = **splutter**.
spy [spaɪ] n spia ♦ cpd (film, story) di spionaggio ♦ vi: **to ~ on** spiare ♦ vt (see) scorgere.
spying ['spaɪɪŋ] n spionaggio.
Sq. abbr (in address) = **square**.
sq. abbr (MATH etc) = **square**.
squabble ['skwɔbl] n battibecco ♦ vi bisticciarsi.
squad [skwɔd] n (MIL) plotone m; (POLICE) squadra; **flying ~** (POLICE) volante f.
squad car n (BRIT POLICE) automobile f della polizia.
squaddie ['skwɔdɪ] n (MIL col) burba.
squadron ['skwɔdrn] n (MIL) squadrone m; (AVIAT, NAUT) squadriglia.
squalid ['skwɔlɪd] adj sordido(a).
squall [skwɔːl] n burrasca.
squalor ['skwɔlə*] n squallore m.
squander ['skwɔndə*] vt dissipare.
square [skwɛə*] n quadrato; (in town) piazza; (US: block of houses) blocco, isolato; (instrument) squadra ♦ adj quadrato(a); (honest) onesto(a); (col: ideas, person) di vecchio stampo ♦ vt (arrange) regolare; (MATH) elevare al quadrato ♦ vi (agree) accordarsi; **a ~ meal** un pasto abbondante; **2 metres ~** di 2 metri per 2; **1 ~ metre** 1 metro quadrato; **we're back to ~ one** (fig) siamo al punto di partenza; **all ~** pari; **to get one's accounts ~** mettere in ordine i propri conti; **I'll ~ it with him** (col) sistemo io le cose con lui; **can you ~ it with your conscience?** (reconcile) puoi conciliarlo con la tua coscienza?
►**square up** vi (BRIT: settle) saldare, pagare; **to ~ up with sb** regolare i conti con qn.
square bracket n (TYP) parentesi f inv quadra.
squarely ['skwɛəlɪ] adv (directly) direttamente; (honestly, fairly) onestamente.
square root n radice f quadrata.
squash [skwɔʃ] n (BRIT: drink): **lemon/orange ~** sciroppo di limone/arancia; (vegetable) zucca; (SPORT) squash m ♦ vt schiacciare.
squat [skwɔt] adj tarchiato(a), tozzo(a) ♦ vi accovacciarsi; (on property) occupare

abusivamente.

squatter ['skwɔtə*] n occupante m/f abusivo(a).

squawk [skwɔːk] vi emettere strida rauche.

squeak [skwiːk] vi squittire ♦ n (of hinge, wheel etc) cigolio; (of shoes) scricchiolio; (of mouse etc) squittio.

squeaky ['skwiːkɪ] adj (col) cigolante; **to be ~ clean** (fig) avere un'immagine pulita.

squeal [skwiːl] vi strillare.

squeamish ['skwiːmɪʃ] adj schizzinoso(a); disgustato(a).

squeeze [skwiːz] n pressione f; (also ECON) stretta; (credit ~) stretta creditizia ♦ vt premere; (hand, arm) stringere ♦ vi: **to ~ in** infilarsi; **to ~ past/under sth** passare vicino/sotto a qc con difficoltà; **a ~ of lemon** una spruzzata di limone.

►**squeeze out** vt spremere.

squelch [skwɛltʃ] vi fare ciac; sguazzare.

squib [skwɪb] n petardo.

squid [skwɪd] n calamaro.

squint [skwɪnt] vi essere strabico(a); (in the sunlight) strizzare gli occhi ♦ n: **he has a ~** è strabico; **to ~ at sth** guardare qc di traverso; (quickly) dare un'occhiata a qc.

squire ['skwaɪə*] n (BRIT) proprietario terriero.

squirm [skwəːm] vi contorcersi.

squirrel ['skwɪrəl] n scoiattolo.

squirt [skwəːt] n schizzo ♦ vi schizzare; zampillare.

Sr abbr = **senior**; **sister** (REL).

SRC n abbr (BRIT: = Students' Representative Council) comitato di rappresentanza studenti.

Sri Lanka [srɪ'læŋkə] n Sri Lanka m.

SRN n abbr (BRIT: = State Registered Nurse) infermiera diplomata (dopo corso triennale).

SRO abbr (US: = standing room only) solo posti in piedi.

SS abbr = **steamship**.

SSA n abbr (US: = Social Security Administration) ≈ Previdenza Sociale.

SST n abbr (US) = supersonic transport.

ST abbr (US: = Standard Time) ora ufficiale.

St abbr = **saint**; **street**.

stab [stæb] n (with knife etc) pugnalata; (col: try): **to have a ~ at (doing) sth** provare a fare qc ♦ vt pugnalare; **to ~ sb to death** uccidere qn a coltellate.

stabbing ['stæbɪŋ] n: **there's been a ~** qualcuno è stato pugnalato ♦ adj (pain, ache) lancinante.

stability [stə'bɪlɪtɪ] n stabilità.

stabilization [steɪbəlaɪ'zeɪʃən] n

stabilizzazione f.

stabilize ['steɪbəlaɪz] vt stabilizzare ♦ vi stabilizzarsi.

stabilizer ['steɪbəlaɪzə*] n (AVIAT, NAUT) stabilizzatore m.

stable ['steɪbl] n (for horses) scuderia; (for cattle) stalla ♦ adj stabile; **riding ~s** maneggio.

staccato [stə'kɑːtəu] adv in modo staccato ♦ adj (MUS) staccato(a); (sound) scandito(a).

stack [stæk] n catasta, pila; (col) mucchio, sacco ♦ vt accatastare, ammucchiare; **there's ~s of time to finish it** (BRIT col) abbiamo un sacco di tempo per finirlo.

stadium ['steɪdɪəm] n stadio.

staff [stɑːf] n (work force: gen) personale m; (: BRIT: SCOL) personale insegnante; (: servants) personale di servizio; (MIL) stato maggiore; (stick) bastone m ♦ vt fornire di personale.

staffroom ['stɑːfruːm] n sala dei professori.

Staffs abbr (BRIT) = Staffordshire.

stag [stæg] n cervo; (BRIT STOCK EXCHANGE) rialzista m/f su nuove emissioni.

stage [steɪdʒ] n (platform) palco; (in theatre) palcoscenico; (profession): **the ~** il teatro, la scena; (point) fase f, stadio ♦ vt (play) allestire, mettere in scena; (demonstration) organizzare; (fig: perform: recovery etc) effettuare; **in ~s** per gradi; a tappe; **in the early/final ~s** negli stadi iniziali/finali; **to go through a difficult ~** attraversare un periodo difficile.

stagecoach ['steɪdʒkəutʃ] n diligenza.

stage door n ingresso degli artisti.

stage fright n paura del pubblico.

stagehand ['steɪdʒhænd] n macchinista m.

stage-manage ['steɪdʒmænɪdʒ] vt allestire le scene per; montare.

stage manager n direttore m di scena.

stagger ['stægə*] vi barcollare ♦ vt (person) sbalordire; (hours, holidays) scaglionare.

staggering ['stægərɪŋ] adj (amazing) incredibile, sbalorditivo(a).

staging post ['steɪdʒɪŋ-] n passaggio obbligato.

stagnant ['stægnənt] adj stagnante.

stagnate [stæg'neɪt] vi (also fig) stagnare.

stagnation [stæg'neɪʃən] n stagnazione f, ristagno.

stag night, stag party n festa di addio al celibato.

staid [steɪd] adj posato(a), serio(a).

stain [steɪn] n macchia; (colouring) colorante m ♦ vt macchiare; (wood) tingere.

stained glass window ['steɪnd-] *n* vetrata.
stainless ['steɪnlɪs] *adj* (*steel*) inossidabile.
stain remover *n* smacchiatore *m*.
stair [stɛə*] *n* (*step*) gradino; ~**s** *npl* (*flight of* ~*s*) scale *fpl*, scala.
staircase ['stɛəkeɪs], **stairway** ['stɛəweɪ] *n* scale *fpl*, scala.
stairwell ['stɛəwɛl] *n* tromba delle scale.
stake [steɪk] *n* palo, piolo; (*BETTING*) puntata, scommessa ♦ *vt* (*bet*) scommettere; (*risk*) rischiare; (*also*: ~ *out*: *area*) delimitare con paletti; **to be at** ~ essere in gioco; **to have a** ~ **in sth** avere un interesse in qc; **to** ~ **a claim (to sth)** rivendicare (qc).
stakeout ['steɪkaut] *n* sorveglianza.
stalactite ['stæləktaɪt] *n* stalattite *f*.
stalagmite ['stæləgmaɪt] *n* stalagmite *f*.
stale [steɪl] *adj* (*bread*) raffermo(a), stantio(a); (*beer*) svaporato(a); (*smell*) di chiuso.
stalemate ['steɪlmeɪt] *n* stallo; (*fig*) punto morto.
stalk [stɔ:k] *n* gambo, stelo ♦ *vt* inseguire ♦ *vi* camminare impettito(a).
stall [stɔ:l] *n* (*BRIT*: *in street, market etc*) bancarella; (*in stable*) box *m inv* di stalla ♦ *vt* (*AUT*) far spegnere ♦ *vi* (*AUT*) spegnersi, fermarsi; (*fig*) temporeggiare; ~**s** *npl* (*BRIT*: *in cinema, theatre*) platea; **newspaper/flower** ~ chiosco del giornalaio/del fioraio.
stallholder ['stɔ:lhəuldə*] *n* (*BRIT*) bancarellista *m/f*.
stallion ['stæljən] *n* stallone *m*.
stalwart ['stɔ:lwət] *n* membro fidato.
stamen ['steɪmɛn] *n* stame *m*.
stamina ['stæmɪnə] *n* vigore *m*, resistenza.
stammer ['stæmə*] *n* balbuzie *f* ♦ *vi* balbettare.
stamp [stæmp] *n* (*postage* ~) francobollo; (*implement*) timbro; (*mark, also fig*) marchio, impronta; (*on document*) bollo; timbro ♦ *vi* (*also*: ~ **one's foot**) battere il piede ♦ *vt* battere; (*letter*) affrancare; (*mark with a* ~) timbrare; ~**ed addressed envelope (sae)** busta affrancata per la risposta.
▶**stamp out** *vt* (*fire*) estinguere; (*crime*) eliminare; (*opposition*) soffocare.
stamp album *n* album *m inv* per francobolli.
stamp collecting *n* filatelia.
stamp duty *n* (*BRIT*) bollo.
stampede [stæm'pi:d] *n* fuggi fuggi *m inv*; (*of cattle*) fuga precipitosa.
stamp machine *n* distributore *m*

automatico di francobolli.
stance [stæns] *n* posizione *f*.
stand [stænd] *n* (*position*) posizione *f*; (*MIL*) resistenza; (*structure*) supporto, sostegno; (*at exhibition*) stand *m inv*; (*at market*) bancarella; (*booth*) chiosco; (*SPORT*) tribuna; (*also*: **music** ~) leggio *m* ♦ *vb* (*pt*, *pp* **stood** [stud]) *vi* stare in piedi; (*rise*) alzarsi in piedi; (*be placed*) trovarsi ♦ *vt* (*place*) mettere, porre; (*tolerate, withstand*) resistere, sopportare; **to make a** ~ prendere posizione; **to take a** ~ **on an issue** prendere posizione su un problema; **to** ~ **for parliament** (*BRIT*) presentarsi come candidato (per il parlamento); **to** ~ **guard** *or* **watch** (*MIL*) essere di guardia; **it** ~**s to reason** è logico; **as things** ~ stando così le cose; **to** ~ **sb a drink/meal** offrire da bere/un pranzo a qn; **I can't** ~ **him** non lo sopporto.
▶**stand aside** *vi* farsi da parte, scostarsi.
▶**stand by** *vi* (*be ready*) tenersi pronto(a) ♦ *vt fus* (*opinion*) sostenere.
▶**stand down** *vi* (*withdraw*) ritirarsi; (*LAW*) lasciare il banco dei testimoni.
▶**stand for** *vt fus* (*signify*) rappresentare, significare; (*tolerate*) sopportare, tollerare.
▶**stand in for** *vt fus* sostituire.
▶**stand out** *vi* (*be prominent*) spiccare.
▶**stand up** *vi* (*rise*) alzarsi in piedi.
▶**stand up for** *vt fus* difendere.
▶**stand up to** *vt fus* tener testa a, resistere a.
stand-alone ['stændələun] *adj* (*COMPUT*) stand-alone *inv*.
standard ['stændəd] *n* modello, standard *m inv*; (*level*) livello; (*flag*) stendardo ♦ *adj* (*size etc*) normale, standard *inv*; (*practice*) normale; (*model*) di serie; ~**s** *npl* (*morals*) principi *mpl*, valori *mpl*; **to be** *or* **come up to** ~ rispondere ai requisiti; **below** *or* **not up to** ~ (*work*) mediocre; **to apply a double** ~ usare metri diversi (nel giudicare *or* fare *etc*); ~ **of living** livello di vita.
standardization [stændədaɪ'zeɪʃən] *n* standardizzazione *f*.
standardize ['stændədaɪz] *vt* normalizzare, standardizzare.
standard lamp *n* (*BRIT*) lampada a stelo.
standard time *n* ora ufficiale.
stand-by ['stændbaɪ] *n* riserva, sostituto; **to be on** ~ (*gen*) tenersi pronto(a); (*doctor*) essere di guardia; **a** ~ **ticket** un biglietto standby; **to fly** ~ essere in lista d'attesa per un volo.

stand-by generator n generatore m d'emergenza.

stand-by passenger n (AVIAT) passeggero/a in lista d'attesa.

stand-by ticket n (AVIAT) biglietto senza garanzia.

stand-in ['stændɪn] n sostituto/a; (CINE) controfigura.

standing ['stændɪŋ] adj diritto(a), in piedi; (permanent: committee) permanente; (: rule) fisso(a); (: army) regolare; (grievance) continuo(a); (duration): **of 6 months'** ~ che dura da 6 mesi ♦ n rango, condizione f, posizione f; **it's a** ~ **joke** è diventato proverbiale; **he was given a** ~ **ovation** tutti si alzarono per applaudirlo; **a man of some** ~ un uomo di una certa importanza.

standing committee n commissione f permanente.

standing order n (BRIT: at bank) ordine m di pagamento (permanente); ~**s** npl (MIL) regolamento.

standing room n posto all'impiedi.

stand-off ['stændɔf] n (esp US: stalemate) situazione f di stallo.

standoffish [stænd'ɔfɪʃ] adj scostante, freddo(a).

standpat ['stændpæt] adj (US) irremovibile.

standpipe ['stændpaɪp] n fontanella.

standpoint ['stændpɔɪnt] n punto di vista.

standstill ['stændstɪl] n: **at a** ~ fermo(a); (fig) a un punto morto; **to come to a** ~ fermarsi; giungere a un punto morto.

stank [stæŋk] pt of **stink**.

stanza ['stænzə] n stanza (poesia).

staple ['steɪpl] n (for papers) graffetta; (chief product) prodotto principale ♦ adj (food etc) di base; (crop, industry) principale ♦ vt cucire.

stapler ['steɪplə*] n cucitrice f.

star [stɑː*] n stella; (celebrity) divo/a; (principal actor) vedette f inv ♦ vi: **to** ~ **(in)** essere il (or la) protagonista (di) ♦ vt (CINE) essere interpretato(a) da; **four-**~ **hotel** ≈ albergo di prima categoria; **2-**~ **petrol** (BRIT) ≈ benzina normale; **4-**~ **petrol** (BRIT) ≈ super f.

star attraction n numero principale.

starboard ['stɑːbəd] n dritta; **to** ~ a dritta.

starch [stɑːtʃ] n amido.

starched ['stɑːtʃt] adj (collar) inamidato(a).

starchy ['stɑːtʃɪ] adj (food) ricco(a) di amido.

stardom ['stɑːdəm] n celebrità.

stare [stɛə*] n sguardo fisso ♦ vi: **to** ~ **at** fissare.

starfish ['stɑːfɪʃ] n stella di mare.

stark [stɑːk] adj (bleak) desolato(a); (simplicity, colour) austero(a); (reality, poverty, truth) crudo(a) ♦ adv: ~ **naked** completamente nudo(a).

starkers ['stɑːkəz] adj: **to be** ~ (BRIT col) essere nudo(a) come un verme.

starlet ['stɑːlɪt] n (CINE) stellina.

starlight ['stɑːlaɪt] n: **by** ~ alla luce delle stelle.

starling ['stɑːlɪŋ] n storno.

starlit ['stɑːlɪt] adj stellato(a).

starry ['stɑːrɪ] adj stellato(a).

starry-eyed [stɑːrɪ'aɪd] adj (idealistic, gullible) ingenuo(a); (from wonder) meravigliato(a).

Stars and Stripes npl: **the** ~ la bandiera a stelle e strisce.

star sign n segno zodiacale.

star-studded ['stɑːstʌdɪd] adj: **a** ~ **cast** un cast di attori famosi.

start [stɑːt] n inizio m; (of race) partenza; (sudden movement) sobbalzo; (advantage) vantaggio ♦ vt cominciare, iniziare; (found: business, newspaper) fondare, creare ♦ vi cominciare; (on journey) partire, mettersi in viaggio; (jump) sobbalzare; **to** ~ **doing sth** (in)cominciare a fare qc; **at the** ~ all'inizio; **for a** ~ tanto per cominciare; **to make an early** ~ partire di buon'ora; **to** ~ **(off) with ...** (firstly) per prima cosa ...; (at the beginning) all'inizio; **to** ~ **a fire** provocare un incendio.

▶**start off** vi cominciare; (leave) partire.

▶**start over** vi (US) ricominciare.

▶**start up** vi cominciare; (car) avviarsi ♦ vt iniziare; (car) avviare.

starter ['stɑːtə*] n (AUT) motorino d'avviamento; (SPORT: official) starter m inv; (: runner, horse) partente m/f; (BRIT CULIN) primo piatto.

starting handle ['stɑːtɪŋ-] n (BRIT) manovella d'avviamento.

starting point n punto di partenza.

starting price n prezzo m base inv.

startle ['stɑːtl] vt far trasalire.

startling ['stɑːtlɪŋ] adj sorprendente, sbalorditivo(a).

star turn n (BRIT) attrazione f principale.

starvation [stɑː'veɪʃən] n fame f, inedia; **to die of** ~ morire d'inedia.

starve [stɑːv] vi morire di fame; soffrire la fame ♦ vt far morire di fame, affamare; **I'm starving** muoio di fame.

stash [stæʃ] vt: **to** ~ **sth away** (col) nascondere qc.

state [steɪt] n stato; (pomp): **in** ~ in pompa ♦ vt dichiarare, affermare; annunciare;

to be in a ~ essere agitato(a); **the** ~ **of the art** il livello di tecnologia (*or* cultura *etc*); ~ **of emergency** stato di emergenza; ~ **of mind** stato d'animo.

state control *n* controllo statale.

stated ['steɪtɪd] *adj* fissato(a), stabilito(a).

State Department *n* (*US*) Dipartimento di Stato, ≈ Ministero degli Esteri.

state education *n* (*BRIT*) istruzione *f* pubblica *or* statale.

stateless ['steɪtlɪs] *adj* apolide.

stately ['steɪtlɪ] *adj* maestoso(a), imponente.

statement ['steɪtmənt] *n* dichiarazione *f*; (*LAW*) deposizione *f*; (*FINANCE*) rendiconto; **official** ~ comunicato ufficiale; ~ **of account, bank** ~ estratto conto.

state-owned ['steɪt'əund] *adj* statalizzato(a).

States [steɪts] *npl*: **the** ~ (*USA*) gli Stati Uniti.

state school *n* scuola statale.

statesman ['steɪtsmən] *n* statista *m*.

statesmanship ['steɪtsmənʃɪp] *n* abilità politica.

static ['stætɪk] *n* (*RADIO*) scariche *fpl* ♦ *adj* statico(a); ~ **electricity** elettricità statica.

station ['steɪʃən] *n* stazione *f*; (*rank*) rango, condizione *f* ♦ *vt* collocare, disporre; **action** ~**s** posti *mpl* di combattimento; **to be** ~**ed in** (*MIL*) essere di stanza in.

stationary ['steɪʃənərɪ] *adj* fermo(a), immobile.

stationer ['steɪʃənə*] *n* cartolaio/a; ~**'s shop** cartoleria.

stationery ['steɪʃənərɪ] *n* articoli *mpl* di cancelleria; (*writing paper*) carta da lettere.

station master *n* (*RAIL*) capostazione *m*.

station wagon *n* (*US*) giardinetta.

statistic [stə'tɪstɪk] *n* statistica; *see also* **statistics**.

statistical [stə'tɪstɪkəl] *adj* statistico(a).

statistics [stə'tɪstɪks] *n* (*science*) statistica.

statue ['stætjuː] *n* statua.

statuesque [stætju'ɛsk] *adj* statuario(a).

statuette [stætju'ɛt] *n* statuetta.

stature ['stætʃə*] *n* statura.

status ['steɪtəs] *n* posizione *f*, condizione *f* sociale; (*prestige*) prestigio; (*legal, marital*) stato.

status quo [-'kwəu] *n*: **the** ~ lo statu quo.

status symbol *n* simbolo di prestigio.

statute ['stætjuːt] *n* legge *f*; ~**s** *npl* (*of club etc*) statuto.

statute book *n* codice *m*.

statutory ['stætjutərɪ] *adj* stabilito(a) dalla legge, statutario(a); ~ **meeting** (*COMM*) assemblea ordinaria.

staunch [stɔːntʃ] *adj* fidato(a), leale ♦ *vt* (*flow*) arrestare; (*blood*) arrestare il flusso di.

stave [steɪv] *n* (*MUS*) rigo ♦ *vt*: **to** ~ **off** (*attack*) respingere; (*threat*) evitare.

stay [steɪ] *n* (*period of time*) soggiorno, permanenza ♦ *vi* rimanere; (*reside*) alloggiare, stare; (*spend some time*) trattenersi, soggiornare; ~ **of execution** (*LAW*) sospensione *f* dell'esecuzione; **to** ~ **put** non muoversi; **to** ~ **with friends** stare presso amici; **to** ~ **the night** passare la notte.

►**stay behind** *vi* restare indietro.

►**stay in** *vi* (*at home*) stare in casa.

►**stay on** *vi* restare, rimanere.

►**stay out** *vi* (*of house*) rimanere fuori (di casa); (*strikers*) continuare lo sciopero.

►**stay up** *vi* (*at night*) rimanere alzato(a).

staying power ['steɪŋ-] *n* capacità di resistenza.

STD *n abbr* (*BRIT*: = *subscriber trunk dialling*) teleselezione *f*; (= *sexually transmitted disease*) malattia venerea.

stead [stɛd] *n* (*BRIT*): **in sb's** ~ al posto di qn; **to stand sb in good** ~ essere utile a qn.

steadfast ['stɛdfɑːst] *adj* fermo(a), risoluto(a).

steadily ['stɛdɪlɪ] *adv* continuamente; (*walk*) con passo sicuro.

steady ['stɛdɪ] *adj* stabile, solido(a), fermo(a); (*regular*) costante; (*boyfriend etc*) fisso(a); (*person*) calmo(a), tranquillo(a) ♦ *vt* stabilizzare; calmare; **to** ~ **o.s.** ritrovare l'equilibrio.

steak [steɪk] *n* (*meat*) bistecca; (*fish*) trancia.

steakhouse ['steɪkhaus] *n* *ristorante specializzato in bistecche*.

steal [stiːl], *pt* **stole**, *pp* **stolen** [stiːl, stəul, 'stəuln] *vt* rubare ♦ *vi* (*thieve*) rubare.

►**steal away, steal off** *vi* svignarsela, andarsene alla chetichella.

stealth [stɛlθ] *n*: **by** ~ furtivamente.

stealthy ['stɛlθɪ] *adj* furtivo(a).

steam [stiːm] *n* vapore *m* ♦ *vt* trattare con vapore; (*CULIN*) cuocere a vapore ♦ *vi* fumare; (*ship*): **to** ~ **along** filare; **to let off** ~ (*fig*) sfogarsi; **under one's own** ~ (*fig*) da solo, con i propri mezzi; **to run out of** ~ (*fig: person*) non farcela più.

►**steam up** *vi* (*window*) appannarsi; **to get** ~**ed up about sth** (*fig*) andare in bestia per qc.

steam engine *n* macchina a vapore; (*RAIL*) locomotiva a vapore.

steamer ['stiːmə*] *n* piroscafo, vapore *m*; (*CULIN*) pentola a vapore.

steam iron *n* ferro a vapore.

steamroller ['stiːmrəʊlə*] *n* rullo compressore.

steamship ['stiːmʃɪp] *n* piroscafo, vapore *m*.

steamy ['stiːmɪ] *adj* pieno(a) di vapore; (*window*) appannato(a).

steed [stiːd] *n* (*literary*) corsiero, destriero.

steel [stiːl] *n* acciaio ♦ *cpd* di acciaio.

steel band *n* banda di strumenti a percussione (*tipica dei Caribi*).

steel industry *n* industria dell'acciaio.

steel mill *n* acciaieria.

steelworks ['stiːlwəːks] *n* acciaieria.

steely ['stiːlɪ] *adj* (*determination*) inflessibile; (*gaze*) duro(a); (*eyes*) freddo(a) come l'acciaio.

steep [stiːp] *adj* ripido(a), scosceso(a); (*price*) eccessivo(a) ♦ *vt* inzuppare; (*washing*) mettere a mollo.

steeple ['stiːpl] *n* campanile *m*.

steeplechase ['stiːpltʃeɪs] *n* corsa a ostacoli, steeplechase *m inv*.

steeplejack ['stiːpldʒæk] *n* chi ripara campanili e ciminiere.

steer [stɪə*] *n* manzo ♦ *vt* (*ship*) governare; (*car*) guidare ♦ *vi* (*NAUT: person*) governare; (: *ship*) rispondere al timone; (*car*) guidarsi; **to ~ clear of sb/sth** (*fig*) tenersi alla larga da qn/qc.

steering ['stɪərɪŋ] *n* (*AUT*) sterzo.

steering column *n* piantone *m* dello sterzo.

steering committee *n* comitato direttivo.

steering wheel *n* volante *m*.

stem [stɛm] *n* (*of flower, plant*) stelo; (*of tree*) fusto; (*of glass*) gambo; (*of fruit, leaf*) picciolo ♦ *vt* contenere, arginare.

▶**stem from** *vt fus* provenire da, derivare da.

stench [stɛntʃ] *n* puzzo, fetore *m*.

stencil ['stɛnsl] *n* (*of metal, cardboard*) stampino, mascherina; (*in typing*) matrice *f*.

stenographer [stɛ'nɔgrəfə*] *n* (*US*) stenografo/a.

stenography [stɛ'nɔgrəfɪ] *n* (*US*) stenografia.

step [stɛp] *n* passo; (*stair*) gradino, scalino; (*action*) mossa, azione *f* ♦ *vi*: **to ~ forward** fare un passo avanti; **~s** *npl* (*BRIT*) = **stepladder**; **~ by ~** un passo dietro l'altro; (*fig*) poco a poco; **to be in/out of ~ with** (*also fig*) stare/non stare al passo con.

▶**step down** *vi* (*fig*) ritirarsi.

▶**step in** *vi* fare il proprio ingresso.

▶**step off** *vt fus* scendere da.

▶**step over** *vt fus* scavalcare.

▶**step up** *vt* aumentare; intensificare.

step aerobics *n* step *m inv*.

stepbrother ['stɛpbrʌðə*] *n* fratellastro.

stepchild ['stɛptʃaɪld] *n* figliastro/a.

stepdaughter ['stɛpdɔːtə*] *n* figliastra.

stepfather ['stɛpfɑːðə*] *n* patrigno.

stepladder ['stɛplædə*] *n* scala a libretto.

stepmother ['stɛpmʌðə*] *n* matrigna.

stepping stone ['stɛpɪŋ-] *n* pietra di un guado; (*fig*) trampolino.

step Reebok ® [-'riːbɔk] *n* step *m inv*.

stepsister ['stɛpsɪstə*] *n* sorellastra.

stepson ['stɛpsʌn] *n* figliastro.

stereo ['stɛrɪəʊ] *n* (*system*) sistema *m* stereofonico; (*record player*) stereo *m inv* ♦ *adj* (*also:* ~**phonic**) stereofonico(a); **in ~** in stereofonia.

stereotype ['stɪərɪətaɪp] *n* stereotipo.

sterile ['stɛraɪl] *adj* sterile.

sterility [stɛ'rɪlɪtɪ] *n* sterilità.

sterilization [stɛrɪlaɪ'zeɪʃən] *n* sterilizzazione *f*.

sterilize ['stɛrɪlaɪz] *vt* sterilizzare.

sterling ['stəːlɪŋ] *adj* (*gold, silver*) di buona lega; (*fig*) autentico(a), genuino(a) ♦ *n* (*ECON*) (lira) sterlina; **a pound ~** una lira sterlina.

sterling area *n* area della sterlina.

stern [stəːn] *adj* severo(a) ♦ *n* (*NAUT*) poppa.

sternum ['stəːnəm] *n* sterno.

steroid ['stɛrɔɪd] *n* steroide *m*.

stethoscope ['stɛθəskəʊp] *n* stetoscopio.

stevedore ['stiːvɪdɔː*] *n* scaricatore *m* di porto.

stew [stjuː] *n* stufato ♦ *vt, vi* cuocere in umido; ~**ed tea** *tè lasciato troppo in infusione*; ~**ed fruit** frutta cotta.

steward ['stjuːəd] *n* (*AVIAT, NAUT, RAIL*) steward *m inv*; (*in club etc*) dispensiere *m*; (*shop* ~) rappresentante *m/f* sindacale.

stewardess ['stjuːədɛs] *n* assistente *f* di volo, hostess *f inv*.

stewardship ['stjuːədʃɪp] *n* amministrazione *f*.

stewing steak ['stjuːɪŋ-], (*US*) **stew meat** *n* carne *f* (di manzo) per stufato.

St. Ex. *abbr* = **stock exchange**.

stg *abbr* = **sterling**.

stick [stɪk] *n* bastone *m*; (*of rhubarb, celery*) gambo ♦ *vb* (*pt, pp* **stuck** [stʌk]) *vt* (*glue*) attaccare; (*thrust*): **to ~ sth into** conficcare *or* piantare *or* infiggere qc in; (*col: put*) ficcare; (: *tolerate*) sopportare

♦ *vi* conficcarsi; tenere; (*remain*) restare, rimanere; (*get jammed*: door, lift) bloccarsi; **to ~ to** (*one's word, promise*) mantenere; (*principles*) tener fede a; **to get hold of the wrong end of the ~** (*fig*) capire male; **it stuck in my mind** mi è rimasto in mente.

►**stick around** *vi* (*col*) restare, fermarsi.

►**stick out, stick up** *vi* sporgere, spuntare ♦ *vt*: **to ~ it out** (*col*) tener duro.

►**stick up for** *vt fus* difendere.

sticker ['stɪkə*] *n* cartellino adesivo.

sticking plaster ['stɪkɪŋ-] *n* cerotto adesivo.

sticking point *n* (*fig*) punto di stallo, impasse *f inv*.

stickleback ['stɪklbæk] *n* spinarello.

stickler ['stɪklə*] *n*: **to be a ~ for** essere pignolo(a) su, tenere molto a.

stick-on ['stɪkɔn] *adj* (*label*) adesivo(a).

stick shift *n* (*US AUT*) cambio manuale.

stick-up ['stɪkʌp] *n* (*col*) rapina a mano armata.

sticky ['stɪkɪ] *adj* attaccaticcio(a), vischioso(a); (*label*) adesivo(a).

stiff [stɪf] *adj* rigido(a), duro(a); (*muscle*) legato(a), indolenzito(a); (*difficult*) difficile, arduo(a); (*cold*: manner etc) freddo(a), formale; (*strong*) forte; (*high*: price) molto alto(a); **to be** or **feel ~** (*person*) essere or sentirsi indolenzito; **to have a ~ neck/back** avere il torcicollo/ mal di schiena; **to keep a ~ upper lip** (*BRIT fig*) conservare il sangue freddo.

stiffen ['stɪfn] *vt* irrigidire; rinforzare ♦ *vi* irrigidirsi; indurirsi.

stiffness ['stɪfnɪs] *n* rigidità; indolenzimento; difficoltà; freddezza.

stifle ['staɪfl] *vt* soffocare.

stifling ['staɪflɪŋ] *adj* (*heat*) soffocante.

stigma, *pl* (*BOT, MED*) **~ta**, (*fig*) **~s** ['stɪgmə, stɪg'mɑːtə] *n* stigma *m*.

stigmata [stɪg'mɑːtə] *npl* (*REL*) stigmate *fpl*.

stile [staɪl] *n* cavalcasiepe *m*; cavalcasteccato.

stiletto [stɪ'lɛtəu] *n* (*also*: **~ heel**) tacco a spillo.

still [stɪl] *adj* fermo(a); (*quiet*) silenzioso(a); (*orange juice etc*) non gassato(a) ♦ *adv* (*up to this time, even*) ancora; (*nonetheless*) tuttavia, ciò nonostante ♦ *n* (*CINE*) fotogramma *m*; **keep ~!** stai fermo!; **he ~ hasn't arrived** non è ancora arrivato.

stillborn ['stɪlbɔːn] *adj* nato(a) morto(a).

still life *n* natura morta.

stilt [stɪlt] *n* trampolo; (*pile*) palo.

stilted ['stɪltɪd] *adj* freddo(a), formale; artificiale.

stimulant ['stɪmjulənt] *n* stimolante *m*.

stimulate ['stɪmjuleɪt] *vt* stimolare.

stimulating ['stɪmjuleɪtɪŋ] *adj* stimolante.

stimulation [stɪmju'leɪʃən] *n* stimolazione *f*.

stimulus, *pl* **stimuli** ['stɪmjuləs, 'stɪmjulaɪ] *n* stimolo.

sting [stɪŋ] *n* puntura; (*organ*) pungiglione *m*; (*col*) trucco ♦ *vt* (*pt, pp* **stung** [stʌŋ]) pungere ♦ *vi* bruciare; **my eyes are ~ing** mi bruciano gli occhi.

stingy ['stɪndʒɪ] *adj* spilorcio(a), tirchio(a).

stink [stɪŋk] *n* fetore *m*, puzzo ♦ *vi* (*pt* **stank**, *pp* **stunk** [stæŋk, stʌŋk]) puzzare.

stinker ['stɪŋkə*] *n* (*col*) porcheria; (*person*) fetente *m/f*.

stinking ['stɪŋkɪŋ] *adj* (*col*): **a ~ ...** uno schifo di ..., un(a) maledetto(a) ...; **~ rich** ricco(a) da far paura.

stint [stɪnt] *n* lavoro, compito ♦ *vi*: **to ~ on** lesinare su.

stipend ['staɪpɛnd] *n* stipendio, congrua.

stipendiary [staɪ'pɛndɪərɪ] *adj*: **~ magistrate** magistrato stipendiato.

stipulate ['stɪpjuleɪt] *vt* stipulare.

stipulation [stɪpju'leɪʃən] *n* stipulazione *f*.

stir [stə:*] *n* agitazione *f*, clamore *m* ♦ *vt* rimescolare; (*move*) smuovere, agitare ♦ *vi* muoversi; **to give sth a ~** mescolare qc; **to cause a ~** fare scalpore.

►**stir up** *vt* provocare, suscitare.

stir-fry ['stə:'fraɪ] *vt* saltare in padella ♦ *n* pietanza al salto.

stirring ['stə:rɪŋ] *adj* eccitante; commovente.

stirrup ['stɪrəp] *n* staffa.

stitch [stɪtʃ] *n* (*SEWING*) punto; (*KNITTING*) maglia; (*MED*) punto (di sutura); (*pain*) fitta ♦ *vt* cucire, attaccare; suturare.

stoat [stəut] *n* ermellino.

stock [stɔk] *n* riserva, provvista; (*COMM*) giacenza, stock *m inv*; (*AGR*) bestiame *m*; (*CULIN*) brodo; (*FINANCE*) titoli *mpl*, azioni *fpl*; (*RAIL*: *also*: **rolling ~**) materiale *m* rotabile; (*descent, origin*) stirpe *f* ♦ *adj* (*fig*: reply etc) consueto(a); solito(a), classico(a); (*greeting*) usuale; (*COMM*: goods, size) standard *inv* ♦ *vt* (*have in stock*) avere, vendere; **well-~ed** ben fornito(a); **to have sth in ~** avere qc in magazzino; **out of ~** esaurito(a); **to take ~** (*fig*) fare il punto; **~s and shares** valori *mpl* di borsa; **government ~** titoli di Stato.

►**stock up** *vi*: **to ~ up (with)** fare provvista (di).

stockade [stɔ'keɪd] *n* palizzata.

stockbroker ['stɔkbrəukə*] *n* agente *m* di cambio.

stock control *n* gestione *f* magazzino.

stock cube n (BRIT CULIN) dado.
stock exchange n Borsa (valori).
stockholder ['stɔkhəuldə*] n (FINANCE) azionista m/f.
Stockholm ['stɔkhəum] n Stoccolma.
stocking ['stɔkɪŋ] n calza.
stock-in-trade ['stɔkɪn'treɪd] n (fig): **it's his** ~ è la sua specialità.
stockist ['stɔkɪst] n (BRIT) fornitore m.
stock market n (BRIT) Borsa, mercato finanziario.
stock phrase n cliché m inv.
stockpile ['stɔkpaɪl] n riserva ♦ vt accumulare riserve di.
stockroom ['stɔkrum] n magazzino.
stocktaking ['stɔkteɪkɪŋ] n (BRIT COMM) inventario.
stocky ['stɔkɪ] adj tarchiato(a), tozzo(a).
stodgy ['stɔdʒɪ] adj pesante, indigesto(a).
stoic ['stəuɪk] n stoico/a.
stoical ['stəuɪkəl] adj stoico(a).
stoke [stəuk] vt alimentare.
stoker ['stəukə*] n fochista m.
stole [stəul] pt of **steal** ♦ n stola.
stolen ['stəuln] pp of **steal**.
stolid ['stɔlɪd] adj impassibile.
stomach ['stʌmək] n stomaco; (abdomen) ventre m ♦ vt sopportare, digerire.
stomach ache n mal m di stomaco.
stomach pump n pompa gastrica.
stomach ulcer n ulcera allo stomaco.
stomp [stɔmp] vi: **to** ~ **in/out** etc entrare/uscire etc con passo pesante.
stone [stəun] n pietra; (pebble) sasso, ciottolo; (in fruit) nocciolo; (MED) calcolo; (BRIT: weight) = 6.348 kg.; 14 libbre ♦ cpd di pietra ♦ vt lapidare; **within a** ~**'s throw of the station** a due passi dalla stazione.
Stone Age n: **the** ~ l'età della pietra.
stone-cold [stəun'kəuld] adj gelido(a).
stoned [stəund] adj (col: drunk) sbronzo(a); (on drugs) fuori inv.
stone-deaf [stəun'dɛf] adj sordo(a) come una campana.
stonemason ['stəunmeɪsn] n scalpellino.
stonewall [stəun'wɔːl] vi fare ostruzionismo ♦ vt ostacolare.
stonework ['stəunwɔːk] n muratura.
stony ['stəunɪ] adj pietroso(a), sassoso(a).
stood [stud] pt, pp of **stand**.
stooge [stuːdʒ] n (col) tirapiedi m/f inv.
stool [stuːl] n sgabello.
stoop [stuːp] vi (also: **have a** ~) avere una curvatura; (bend) chinarsi, curvarsi; **to** ~ **to sth/doing sth** abbassarsi a qc/a fare qc.
stop [stɔp] n arresto; (stopping place) fermata; (in punctuation) punto ♦ vt arrestare, fermare; (break off) interrompere; (also: **put a** ~ **to**) porre fine a; (prevent) impedire ♦ vi fermarsi; (rain, noise etc) cessare, finire; **to** ~ **doing sth** cessare or finire di fare qc; **to** ~ **sb (from) doing sth** impedire a qn di fare qc; **to** ~ **dead** fermarsi di colpo; ~ **it!** smettila!, basta!
▶**stop by** vi passare, fare un salto.
▶**stop off** vi sostare brevemente.
▶**stop up** vt (hole) chiudere, turare.
stopcock ['stɔpkɔk] n rubinetto di arresto.
stopgap ['stɔpgæp] n (person) tappabuchi m/f inv; (measure) ripiego ♦ cpd (measures, solution) di fortuna.
stoplights ['stɔplaɪts] npl (AUT) stop mpl.
stopover ['stɔpəuvə*] n breve sosta; (AVIAT) scalo.
stoppage ['stɔpɪdʒ] n arresto, fermata; (of pay) trattenuta; (strike) interruzione f del lavoro.
stopper ['stɔpə*] n tappo.
stop press n ultimissime fpl.
stopwatch ['stɔpwɔtʃ] n cronometro.
storage ['stɔːrɪdʒ] n immagazzinamento; (COMPUT) memoria.
storage heater n (BRIT) radiatore m elettrico che accumula calore.
store [stɔː*] n provvista, riserva; (depot) deposito; (BRIT: department ~) grande magazzino; (US: shop) negozio ♦ vt mettere da parte; conservare; (grain, goods) immagazzinare; (COMPUT) registrare; **to set great/little** ~ **by sth** dare molta/poca importanza a qc; **who knows what is in** ~ **for us?** chissà cosa ci riserva il futuro?
▶**store up** vt mettere in serbo, conservare.
storehouse ['stɔːhaus] n magazzino, deposito.
storekeeper ['stɔːkiːpə*] n (US) negoziante m/f.
storeroom ['stɔːrum] n dispensa.
storey, (US) **story** ['stɔːrɪ] n piano.
stork [stɔːk] n cicogna.
storm [stɔːm] n tempesta; (also: thunder~) temporale m ♦ vi (fig) infuriarsi ♦ vt prendere d'assalto.
storm cloud n nube f temporalesca.
storm door n controporta.
stormy ['stɔːmɪ] adj tempestoso(a), burrascoso(a).
story ['stɔːrɪ] n storia; racconto; (PRESS) articolo; (US) = **storey**.
storybook ['stɔːrɪbuk] n libro di racconti.
storyteller ['stɔːrɪtɛlə*] n narratore/trice.
stout [staut] adj solido(a), robusto(a);

(*brave*) coraggioso(a); (*fat*) corpulento(a), grasso(a) ♦ *n* birra scura.

stove [stəuv] *n* (*for cooking*) fornello; (: *small*) fornelletto; (*for heating*) stufa; **gas/electric** ~ cucina a gas/elettrica.

stow [stəu] *vt* mettere via.

stowaway ['stəuəwei] *n* passeggero(a) clandestino(a).

straddle ['strædl] *vt* stare a cavalcioni di.

strafe [strɑːf] *vt* mitragliare.

straggle ['strægl] *vi* crescere (*or* estendersi) disordinatamente; trascinarsi; rimanere indietro; ~**d along the coast** disseminati(e) lungo la costa.

straggler ['stræglə*] *n* sbandato/a.

straggling ['stræglɪŋ], **straggly** ['stræglɪ] *adj* (*hair*) in disordine.

straight [streit] *adj* (*continuous, direct*) dritto(a); (*frank*) onesto(a), franco(a); (*plain, uncomplicated*) semplice; (*THEAT: part, play*) serio(a); (*col: heterosexual*) eterosessuale ♦ *adv* diritto; (*drink*) liscio ♦ *n*: **the** ~ la linea retta; (*RAIL*) il rettilineo; (*SPORT*) la dirittura d'arrivo; **to put** *or* **get** ~ mettere in ordine, mettere ordine in; **to be (all)** ~ (*tidy*) essere a posto, essere sistemato; (*clarified*) essere chiaro; **ten** ~ **wins** dieci vittorie di fila; ~ **away**, ~ **off** (*at once*) immediatamente; ~ **off**, ~ **out** senza esitare; **I went** ~ **home** sono andato direttamente a casa.

straighten ['streitn] *vt* (*also*: ~ **out**) raddrizzare; **to** ~ **things out** mettere le cose a posto.

straight-faced [streit'feist] *adj* impassibile, imperturbabile ♦ *adv* con il viso serio.

straightforward [streit'fɔːwəd] *adj* semplice; (*frank*) onesto(a), franco(a).

strain [strein] *n* (*TECH*) sollecitazione *f*; (*physical*) sforzo; (*mental*) tensione *f*; (*MED*) strappo; (*streak, trace*) tendenza; elemento; (*breed*) razza; (*of virus*) tipo ♦ *vt* tendere; (*muscle*) slogare; (*ankle*) storcere; (*friendship, marriage*) mettere a dura prova; (*filter*) colare, filtrare ♦ *vi* sforzarsi; ~**s** *npl* (*MUS*) note *fpl*; **she's under a lot of** ~ è molto tesa, è sotto pressione.

strained [streind] *adj* (*laugh etc*) forzato(a); (*relations*) teso(a).

strainer ['streinə*] *n* passino, colino.

strait [streit] *n* (*GEO*) stretto; **to be in dire** ~**s** (*fig*) essere nei guai.

straitjacket ['streitdʒækit] *n* camicia di forza.

strait-laced [streit'leist] *adj* puritano(a).

strand [strænd] *n* (*of thread*) filo.

strange [streindʒ] *adj* (*not known*)

sconosciuto(a); (*odd*) strano(a), bizzarro(a).

strangely ['streindʒlɪ] *adv* stranamente. .

stranger ['streindʒə*] *n* (*unknown*) sconosciuto/a; (*from another place*) estraneo/a; **I'm a** ~ **here** non sono del posto.

strangle ['stræŋgl] *vt* strangolare.

stranglehold ['stræŋglhəuld] *n* (*fig*) stretta (mortale).

strangulation [stræŋgju'leiʃən] *n* strangolamento.

strap [stræp] *n* cinghia; (*of slip, dress*) spallina, bretella ♦ *vt* legare con una cinghia; (*child etc*) punire (con una cinghia).

straphanging ['stræphæŋɪŋ] *n* viaggiare *m* in piedi (*su mezzi pubblici reggendosi a un sostegno*).

strapless ['stræplis] *adj* (*bra, dress*) senza spalline.

strapped [stræpt] *adj*: ~ **for cash** a corto di soldi; **financially** ~ finanziariamente a terra.

strapping ['stræpɪŋ] *adj* ben piantato(a).

Strasbourg ['stræzbəːg] *n* Strasburgo *f*.

strata ['strɑːtə] *npl of* **stratum**.

stratagem ['strætidʒəm] *n* stratagemma *m*.

strategic [strə'tiːdʒik] *adj* strategico(a).

strategist ['strætidʒist] *n* stratega *m*.

strategy ['strætidʒi] *n* strategia.

stratosphere ['strætəsfiə*] *n* stratosfera.

stratum, pl strata ['strɑːtəm, 'strɑːtə] *n* strato.

straw [strɔː] *n* paglia; (*drinking* ~) cannuccia; **that's the last** ~! è la goccia che fa traboccare il vaso!

strawberry ['strɔːbəri] *n* fragola.

stray [strei] *adj* (*animal*) randagio(a) ♦ *vi* perdersi; allontanarsi, staccarsi (dal gruppo); ~ **bullet** proiettile *m* vagante.

streak [striːk] *n* striscia; (*fig: of madness etc*): **a** ~ **of** una vena di ♦ *vt* striare, screziare ♦ *vi*: **to** ~ **past** passare come un fulmine; **to have** ~**s in one's hair** avere le mèche nei capelli; **a winning/losing** ~ un periodo fortunato/sfortunato.

streaker ['striːkə*] *n* streaker *m/f inv*.

streaky ['striːki] *adj* screziato(a), striato(a).

streaky bacon *n* (*BRIT*) ≈ pancetta.

stream [striːm] *n* ruscello; corrente *f*; (*of people*) fiume *m* ♦ *vt* (*SCOL*) dividere in livelli di rendimento ♦ *vi* scorrere; **to** ~ **in/out** entrare/uscire a fiotti; **against the** ~ controcorrente; **on** ~ (*new power plant etc*) in funzione, in produzione.

streamer ['striːmə*] *n* (*of paper*) stella filante.

stream feed *n* (*on photocopier etc*) alimentazione *f* continua.

streamline ['stri:mlaɪn] *vt* dare una linea aerodinamica a; (*fig*) razionalizzare.

streamlined ['stri:mlaɪnd] *adj* aerodinamico(a), affusolato(a); (*fig*) razionalizzato(a).

street [stri:t] *n* strada, via; **the back** ~**s** le strade secondarie; **to be on the** ~**s** (*homeless*) essere senza tetto; (*as prostitute*) battere il marciapiede.

streetcar ['stri:tkɑː*] *n* (*US*) tram *m inv*.

street cred [-krɛd] *n* (*col*) credibilità presso i giovani.

street lamp *n* lampione *m*.

street lighting *n* illuminazione *f* stradale.

street map, street plan *n* pianta (di una città).

street market *n* mercato all'aperto.

streetwise ['stri:twaɪz] *adj* (*col*) esperto(a) dei bassifondi.

strength [strɛŋθ] *n* forza; (*of girder, knot etc*) resistenza, solidità; (*of chemical solution*) concentrazione *f*; (*of wine*) gradazione *f* alcolica; **on the** ~ **of** sulla base di, in virtù di; **below/at full** ~ con gli effettivi ridotti/al completo.

strengthen ['strɛŋθən] *vt* rinforzare; (*muscles*) irrobustire; (*economy, currency*) consolidare.

strenuous ['strɛnjuəs] *adj* vigoroso(a), energico(a); (*tiring*) duro(a), pesante.

stress [strɛs] *n* (*force, pressure*) pressione *f*; (*mental strain*) tensione *f*; (*accent*) accento; (*emphasis*) enfasi *f* ♦ *vt* insistere su, sottolineare; **to be under** ~ essere sotto tensione; **to lay great** ~ **on sth** dare grande importanza a qc.

stressful ['strɛsful] *adj* (*job*) difficile, stressante.

stretch [strɛtʃ] *n* (*of sand etc*) distesa; (*of time*) periodo ♦ *vi* stirarsi; (*extend*): **to** ~ **to** *or* **as far as** estendersi fino a; (*be enough: money, food*): **to** ~ (**to**) bastare (per) ♦ *vt* tendere, allungare; (*spread*) distendere; (*fig*) spingere (al massimo); **at a** ~ ininterrottamente; **to** ~ **a muscle** tendere un muscolo; **to** ~ **one's legs** sgranchirsi le gambe.

▶**stretch out** *vi* allungarsi, estendersi ♦ *vt* (*arm etc*) allungare, tendere; (*to spread*) distendere; **to** ~ **out for sth** allungare la mano per prendere qc.

stretcher ['strɛtʃə*] *n* barella, lettiga.

stretcher-bearer ['strɛtʃəbɛərə*] *n* barelliere *m*.

stretch marks *npl* smagliature *fpl*.

strewn [stru:n] *adj*: ~ **with** cosparso(a) di.

stricken ['strɪkən] *adj* provato(a); affranto(a); ~ **with** colpito(a) da.

strict [strɪkt] *adj* (*severe*) rigido(a), severo(a); (: *order, rule*) rigoroso(a); (: *supervision*) stretto(a); (*precise*) preciso(a), stretto(a); **in** ~ **confidence** in assoluta confidenza.

strictly ['strɪktlɪ] *adv* severamente; rigorosamente; strettamente; ~ **confidential** strettamente confidenziale; ~ **speaking** a rigor di termini; ~ **between ourselves** ... detto fra noi ....

stride [straɪd] *n* passo lungo ♦ *vi* (*pt* **strode**, *pp* **stridden** [strəud, 'strɪdn]) camminare a grandi passi; **to take in one's** ~ (*fig: changes etc*) prendere con tranquillità.

strident ['straɪdnt] *adj* stridente.

strife [straɪf] *n* conflitto; litigi *mpl*.

strike [straɪk] *n* sciopero; (*of oil etc*) scoperta; (*attack*) attacco ♦ *vb* (*pt, pp* **struck** [strʌk]) *vt* colpire; (*oil etc*) scoprire, trovare; (*produce, make: coin, medal*) coniare; (: *agreement, deal*) concludere ♦ *vi* far sciopero, scioperare; (*attack*) attaccare; (*clock*) suonare; **to go on** *or* **come out on** ~ mettersi in sciopero; **to** ~ **a match** accendere un fiammifero; **to** ~ **a balance** (*fig*) trovare il giusto mezzo.

▶**strike back** *vi* (*MIL*) fare rappresaglie; (*fig*) reagire.

▶**strike down** *vt* (*fig*) atterrare.

▶**strike off** *vt* (*from list*) cancellare; (: *doctor etc*) radiare.

▶**strike out** *vt* depennare.

▶**strike up** *vt* (*MUS*) attaccare; **to** ~ **up a friendship with** fare amicizia con.

strikebreaker ['straɪkbreɪkə*] *n* crumiro/a.

striker ['straɪkə*] *n* scioperante *m/f*; (*SPORT*) attaccante *m*.

striking ['straɪkɪŋ] *adj* impressionante.

Strimmer ® ['strɪmə*] *n* tagliabordi *m inv*.

string [strɪŋ] *n* spago; (*row*) fila; sequenza; catena; (*COMPUT*) stringa, sequenza; (*MUS*) corda ♦ *vt* (*pt, pp* **strung** [strʌŋ]): **to** ~ **out** disporre di fianco; **to** ~ **together** mettere insieme; **the** ~**s** *npl* (*MUS*) gli archi; ~ **of pearls** filo di perle; **with no** ~**s attached** (*fig*) senza vincoli, senza obblighi; **to get a job by pulling** ~**s** ottenere un lavoro a forza di raccomandazioni.

string bean *n* fagiolino.

string(ed) instrument *n* (*MUS*) strumento a corda.

stringent ['strɪndʒənt] *adj* rigoroso(a); (*reasons, arguments*) stringente, impellente.

string quartet *n* quartetto d'archi.

strip [strɪp] n striscia; (SPORT): **wearing the Celtic** ~ con la divisa del Celtic ♦ vt spogliare; (also: ~ **down**: machine) smontare ♦ vi spogliarsi.

strip cartoon n fumetto.

stripe [straɪp] n striscia, riga.

striped ['straɪpt] adj a strisce or righe.

strip light n (BRIT) tubo al neon.

stripper ['strɪpə*] n spogliarellista.

strip-search ['strɪpsɔːtʃ] vt: **to ~ sb** perquisire qn facendolo(a) spogliare ♦ n perquisizione f (facendo spogliare il perquisito).

striptease ['strɪptiːz] n spogliarello.

strive, pt **strove,** pp **striven** [straɪv, strəuv, 'strɪvn] vi: **to ~ to do** sforzarsi di fare.

strobe [strəub] n (also: ~ **light**) luce f stroboscopica.

strode [strəud] pt of **stride.**

stroke [strəuk] n colpo; (of piston) corsa; (MED) colpo apoplettico; (SWIMMING: style) nuoto; (caress) carezza ♦ vt accarezzare; **at a ~** in un attimo; **on the ~ of 5** alle 5 in punto, allo scoccare delle 5; **a ~ of luck** un colpo di fortuna; **two-~ engine** motore a due tempi.

stroll [strəul] n giretto, passeggiatina ♦ vi andare a spasso; **to go for a ~, have** or **take a ~** andare a fare un giretto or due passi.

stroller ['strəulə*] n (US) passeggino.

strong [strɔŋ] adj (gen) forte; (sturdy: table, fabric etc) solido(a); (concentrated, intense: bleach, acid) concentrato(a); (protest, letter, measures) energico(a) ♦ adv: **to be going** ~ (company) andare a gonfie vele; (person) essere attivo(a); **they are 50** ~ sono in 50; ~ **language** (swearing) linguaggio volgare.

strong-arm ['strɔŋɑːm] adj (tactics, methods) energico(a).

strongbox ['strɔŋbɔks] n cassaforte f.

stronghold ['strɔŋhəuld] n fortezza, roccaforte f.

strongly ['strɔŋlɪ] adv fortemente, con forza; solidamente; energicamente; **to feel ~ about sth** avere molto a cuore qc.

strongman ['strɔŋmæn] n personaggio di spicco.

strongroom ['strɔŋrum] n camera di sicurezza.

stroppy ['strɔpɪ] adj (BRIT col) scontroso(a), indisponente.

strove [strəuv] pt of **strive.**

struck [strʌk] pt, pp of **strike.**

structural ['strʌktʃərəl] adj strutturale; (CONSTR) di costruzione; di struttura.

structurally ['strʌktʃrəlɪ] adv dal punto di vista della struttura.

structure ['strʌktʃə*] n struttura; (building) costruzione f, fabbricato.

struggle ['strʌgl] n lotta ♦ vi lottare; **to have a ~ to do sth** avere dei problemi per fare qc.

strum [strʌm] vt (guitar) strimpellare.

strung [strʌŋ] pt, pp of **string.**

strut [strʌt] n sostegno, supporto ♦ vi pavoneggiarsi.

strychnine ['strɪkniːn] n stricnina.

stub [stʌb] n mozzicone m; (of ticket etc) matrice f, talloncino ♦ vt: **to ~ one's toe (on sth)** urtare or sbattere il dito del piede (contro qc).

▶**stub out** vt: **to ~ out a cigarette** spegnere una sigaretta.

stubble ['stʌbl] n stoppia; (on chin) barba ispida.

stubborn ['stʌbən] adj testardo(a), ostinato(a).

stubby ['stʌbɪ] adj tozzo(a).

stucco ['stʌkəu] n stucco.

stuck [stʌk] pt, pp of **stick** ♦ adj (jammed) bloccato(a); **to get** ~ bloccarsi.

stuck-up [stʌk'ʌp] adj presuntuoso(a).

stud [stʌd] n bottoncino; borchia; (of horses) scuderia, allevamento di cavalli; (also: ~ **horse**) stallone m ♦ vt (fig): ~**ded with** tempestato(a) di.

student ['stjuːdənt] n studente/essa ♦ cpd studentesco(a); universitario(a); degli studenti; **a law/medical** ~ uno studente di legge/di medicina.

student driver n (US) conducente m/f principiante.

students' union n (BRIT: association) circolo universitario; (: building) sede f del circolo universitario.

studied ['stʌdɪd] adj studiato(a), calcolato(a).

studio ['stjuːdɪəu] n studio.

studio flat, (US) **studio apartment** n appartamento monolocale.

studious ['stjuːdɪəs] adj studioso(a); (studied) studiato(a), voluto(a).

studiously ['stjuːdɪəslɪ] adv (carefully) deliberatamente, di proposito.

study ['stʌdɪ] n studio ♦ vt studiare; esaminare ♦ vi studiare; **to make a ~ of sth** fare uno studio su qc; **to ~ for an exam** prepararsi a un esame.

stuff [stʌf] n (substance) roba; (belongings) cose fpl, roba ♦ vt imbottire; (animal: for exhibition) impagliare; (CULIN) farcire; **my nose is ~ed up** ho il naso chiuso; **get ~ed!** (col!) va' a farti fottere! (!); ~**ed toy** giocattolo di peluche.

stuffing ['stʌfɪŋ] *n* imbottitura; (*CULIN*) ripieno.

stuffy ['stʌfɪ] *adj* (*room*) mal ventilato(a), senz'aria; (*ideas*) antiquato(a).

stumble ['stʌmbl] *vi* inciampare; **to ~ across** (*fig*) imbattersi in.

stumbling block ['stʌmblɪŋ-] *n* ostacolo, scoglio.

stump [stʌmp] *n* ceppo; (*of limb*) moncone *m* ♦ *vt*: **to be ~ed for an answer** essere incapace di rispondere.

stun [stʌn] *vt* stordire; (*amaze*) sbalordire.

stung [stʌŋ] *pt, pp of* **sting**.

stunk [stʌŋk] *pp of* **stink**.

stunning ['stʌnɪŋ] *adj* (*piece of news etc*) sbalorditivo(a); (*girl, dress*) favoloso(a), stupendo(a).

stunt [stʌnt] *n* bravata; trucco pubblicitario; (*AVIAT*) acrobazia ♦ *vt* arrestare.

stunted ['stʌntɪd] *adj* stentato(a), rachitico(a).

stuntman ['stʌntmæn] *n* cascatore *m*.

stupefaction [stjuːpɪˈfækʃən] *n* stupefazione *f*, stupore *m*.

stupefy ['stjuːpɪfaɪ] *vt* stordire; intontire; (*fig*) stupire.

stupendous [stjuːˈpɛndəs] *adj* stupendo(a), meraviglioso(a).

stupid ['stjuːpɪd] *adj* stupido(a).

stupidity [stjuːˈpɪdɪtɪ] *n* stupidità.

stupidly ['stjuːpɪdlɪ] *adv* stupidamente.

stupor ['stjuːpə*] *n* torpore *m*.

sturdy ['stəːdɪ] *adj* robusto(a), vigoroso(a); solido(a).

sturgeon ['stəːdʒən] *n* storione *m*.

stutter ['stʌtə*] *n* balbuzie *f* ♦ *vi* balbettare.

Stuttgart ['ʃtutgart] *n* Stoccarda.

sty [staɪ] *n* (*of pigs*) porcile *m*.

stye [staɪ] *n* (*MED*) orzaiolo.

style [staɪl] *n* stile *m*; (*distinction*) eleganza, classe *f*; (*hair ~*) pettinatura; (*of dress etc*) modello, linea; **in the latest ~** all'ultima moda.

styli ['staɪlaɪ] *npl of* **stylus**.

stylish ['staɪlɪʃ] *adj* elegante.

stylist ['staɪlɪst] *n*: **hair ~** parrucchiere/a.

stylized ['staɪlaɪzd] *adj* stilizzato(a).

stylus, *pl* styli *or* styluses ['staɪləs, -laɪ] *n* (*of record player*) puntina.

Styrofoam ® ['staɪrəfəum] *n* (*US*) = **polystyrene** ♦ *adj* (*cup*) di polistirene.

suave [swɑːv] *adj* untuoso(a).

sub [sʌb] *n abbr* = **submarine; subscription**.

sub... [sʌb] *prefix* sub..., sotto....

subcommittee ['sʌbkəmɪtɪ] *n* sottocomitato.

subconscious [sʌbˈkɒnʃəs] *adj, n*

subcosciente (*m*).

subcontinent [sʌbˈkɒntɪnənt] *n*: **the (Indian) ~** il subcontinente (indiano).

subcontract *n* [sʌbˈkɒntrækt] subappalto ♦ *vt* [sʌbkən'trækt] subappaltare.

subcontractor [sʌbkən'træktə*] *n* subappaltatore/trice.

subdivide [sʌbdɪ'vaɪd] *vt* suddividere.

subdivision ['sʌbdɪvɪʒən] *n* suddivisione *f*.

subdue [səb'djuː] *vt* sottomettere, soggiogare.

subdued [səb'djuːd] *adj* pacato(a); (*light*) attenuato(a); (*person*) poco esuberante.

sub-editor ['sʌb'ɛdɪtə*] *n* (*BRIT*) redattore(trice) aggiunto(a).

subject ['sʌbdʒɪkt] *n* soggetto; (*citizen etc*) cittadino/a; (*SCOL*) materia ♦ *adj* (*liable*): **~ to** soggetto(a) a ♦ *vt* [səb'dʒɛkt]: **to ~ to** sottomettere a; esporre a; **~ to confirmation in writing** a condizione di ricevere conferma scritta; **to change the ~** cambiare discorso.

subjection [səb'dʒɛkʃən] *n* sottomissione *f*, soggezione *f*.

subjective [səb'dʒɛktɪv] *adj* soggettivo(a).

subject matter *n* argomento; contenuto.

sub judice [sʌb'dʒuːdɪsɪ] *adj* (*LAW*) sub iudice.

subjugate ['sʌbdʒugeɪt] *vt* sottomettere, soggiogare.

subjunctive [səb'dʒʌŋktɪv] *adj* congiuntivo(a) ♦ *n* congiuntivo.

sublet [sʌb'lɛt] *vt, vi irreg* subaffittare.

sublime [sə'blaɪm] *adj* sublime.

subliminal [sʌb'lɪmɪnl] *adj* subliminale.

submachine gun ['sʌbmə'ʃiːn-] *n* mitra *m inv.*

submarine [sʌbmə'riːn] *n* sommergibile *m*.

submerge [səb'məːdʒ] *vt* sommergere; immergere ♦ *vi* immergersi.

submersion [səb'məːʃən] *n* sommersione *f*; immersione *f*.

submission [səb'mɪʃən] *n* sottomissione *f*; (*to committee etc*) richiesta, domanda.

submissive [səb'mɪsɪv] *adj* remissivo(a).

submit [səb'mɪt] *vt* sottomettere; (*proposal, claim*) presentare ♦ *vi* sottomettersi.

subnormal [sʌb'nɔːməl] *adj* subnormale.

subordinate [sə'bɔːdɪnət] *adj, n* subordinato(a).

subpoena [səb'piːnə] *n* (*LAW*) citazione *f*, mandato di comparizione ♦ *vt* (*LAW*) citare in giudizio.

subroutine ['sʌbruːtiːn] *n* (*COMPUT*) sottoprogramma *m*.

subscribe [səb'skraɪb] *vi* contribuire; **to ~ to** (*opinion*) approvare, condividere; (*fund*) sottoscrivere; (*newspaper*)

abbonarsi a; essere abbonato(a) a.
subscriber [səb'skraɪbə*] n (to periodical, telephone) abbonato/a.
subscript ['sʌbskrɪpt] n deponente m.
subscription [səb'skrɪpʃən] n sottoscrizione f; abbonamento; **to take out a ~ to** abbonarsi a.
subsequent ['sʌbsɪkwənt] adj (later) successivo(a); (further) ulteriore; **~ to** in seguito a.
subsequently ['sʌbsɪkwəntlɪ] adv in seguito, successivamente.
subservient [səb'sɜːvɪənt] adj: **~ (to)** remissivo(a) (a), sottomesso(a) (a).
subside [səb'saɪd] vi cedere, abbassarsi; (flood) decrescere; (wind) calmarsi.
subsidence [səb'saɪdns] n cedimento, abbassamento.
subsidiarity [səbsɪdɪ'ærɪtɪ] n (POL) principio del decentramento del potere.
subsidiary [səb'sɪdɪərɪ] adj sussidiario(a); accessorio(a); (BRIT SCOL: subject) complementare ♦ n filiale f.
subsidize ['sʌbsɪdaɪz] vt sovvenzionare.
subsidy ['sʌbsɪdɪ] n sovvenzione f.
subsist [səb'sɪst] vi: **to ~ on sth** vivere di qc.
subsistence [səb'sɪstəns] n esistenza; mezzi mpl di sostentamento.
subsistence allowance n indennità f inv di trasferta.
subsistence level n livello minimo di vita.
substance ['sʌbstəns] n sostanza; (fig) essenza; **to lack ~** (argument) essere debole.
substance abuse n abuso di sostanze tossiche.
substandard [sʌb'stændəd] adj (goods, housing) di qualità scadente.
substantial [səb'stænʃl] adj solido(a); (amount, progress etc) notevole; (meal) sostanzioso(a).
substantially [səb'stænʃəlɪ] adv sostanzialmente; **~ bigger** molto più grande.
substantiate [səb'stænʃɪeɪt] vt comprovare.
substitute ['sʌbstɪtjuːt] n (person) sostituto/a; (thing) succedaneo, surrogato ♦ vt: **to ~ sth/sb for** sostituire qc/qn a.
substitute teacher n (US) supplente m/f.
substitution [sʌbstɪ'tjuːʃən] n sostituzione f.
subterfuge ['sʌbtəfjuːdʒ] n sotterfugio.
subterranean [sʌbtə'reɪnɪən] adj sotterraneo(a).
subtitle ['sʌbtaɪtl] n (CINE) sottotitolo.
subtle ['sʌtl] adj sottile; (flavour, perfume)

delicato(a).
subtlety ['sʌtltɪ] n sottigliezza.
subtly ['sʌtlɪ] adv sottilmente; delicatamente.
subtotal [sʌb'təʊtl] n somma parziale.
subtract [səb'trækt] vt sottrarre.
subtraction [səb'trækʃən] n sottrazione f.
suburb ['sʌbɜːb] n sobborgo; **the ~s** la periferia.
suburban [sə'bɜːbən] adj suburbano(a).
suburbia [sə'bɜːbɪə] n periferia, sobborghi mpl.
subversion [səb'vɜːʃən] n sovversione f.
subversive [səb'vɜːsɪv] adj sovversivo(a).
subway ['sʌbweɪ] n (US: underground) metropolitana; (BRIT: underpass) sottopassaggio.
subzero [sʌb'zɪərəʊ] adj: **~ temperatures** temperature fpl sotto zero.
succeed [sək'siːd] vi riuscire, avere successo ♦ vt succedere a; **to ~ in doing** riuscire a fare.
succeeding [sək'siːdɪŋ] adj (following) successivo(a); **~ generations** generazioni fpl future.
success [sək'sɛs] n successo.
successful [sək'sɛsful] adj (venture) coronato(a) da successo, riuscito(a); **to be ~ (in doing)** riuscire (a fare).
successfully [sək'sɛsfəlɪ] adv con successo.
succession [sək'sɛʃən] n successione f; **in ~** di seguito.
successive [sək'sɛsɪv] adj successivo(a); consecutivo(a); **on 3 ~ days** per 3 giorni consecutivi or di seguito.
successor [sək'sɛsə*] n successore m.
succinct [sək'sɪŋkt] adj succinto(a), breve.
succulent ['sʌkjulənt] adj succulento(a) ♦ n (BOT): **~s** piante fpl grasse.
succumb [sə'kʌm] vi soccombere.
such [sʌtʃ] adj tale; (of that kind): **~ a book** un tale libro, un libro del genere; **~ books** tali libri, libri del genere; (so much): **~ courage** tanto coraggio ♦ adv: **~ a long trip** un viaggio così lungo; **~ good books** libri così buoni; **~ a lot of** talmente or così tanto(a); **making ~ a noise that** facendo un rumore tale che; **~ a long time ago** tanto tempo fa; **~ as** (like) come; **a noise ~ as to** un rumore tale da; **~ books as I have** quei pochi libri che ho; **as ~ come** or in quanto tale; **I said no ~ thing** non ho detto niente del genere.
such-and-such ['sʌtʃənsʌtʃ] adj tale (after noun).
suchlike ['sʌtʃlaɪk] pron (col): **and ~** e così via.
suck [sʌk] vt succhiare; (subj: baby)

poppare; (: *pump, machine*) aspirare.

sucker ['sʌkə*] n (*ZOOL, TECH*) ventosa; (*BOT*) pollone m; (*col*) gonzo/a, babbeo/a.

suckle ['sʌkl] vt allattare.

sucrose ['suːkrəuz] n saccarosio.

suction ['sʌkʃən] n succhiamento; (*TECH*) aspirazione f.

suction pump n pompa aspirante.

Sudan [suː'dɑːn] n Sudan m.

Sudanese [suːdə'niːz] adj, n sudanese (m/f).

sudden ['sʌdn] adj improvviso(a); **all of a ~** improvvisamente, all'improvviso.

sudden-death [sʌdn'dɛθ] n (*also*: ~ **playoff**) (*SPORT*) spareggio, bella.

suddenly ['sʌdnlɪ] adv bruscamente, improvvisamente, di colpo.

suds [sʌdz] npl schiuma (di sapone).

sue [suː] vt citare in giudizio ♦ vi: **to ~ (for)** intentare causa (per); **to ~ for divorce** intentare causa di divorzio; **to ~ sb for damages** citare qn per danni.

suede [sweɪd] n pelle f scamosciata ♦ cpd scamosciato(a).

suet ['suɪt] n grasso di rognone.

Suez ['suːɪz] n: **the ~ Canal** il Canale di Suez.

Suff. abbr (*BRIT*) = *Suffolk*.

suffer ['sʌfə*] vt soffrire, patire; (*bear*) sopportare, tollerare; (*undergo*: *loss*, *setback*) subire ♦ vi soffrire; **to ~ from** soffrire di; **to ~ from the effects of alcohol/a fall** risentire degli effetti dell'alcool/di una caduta.

sufferance ['sʌfərəns] n: **he was only there on ~** era più che altro sopportato lì.

sufferer ['sʌfərə*] n (*MED*): ~ **(from)** malato/a (di).

suffering ['sʌfərɪŋ] n sofferenza; (*hardship*, *deprivation*) privazione f.

suffice [sə'faɪs] vi essere sufficiente, bastare.

sufficient [sə'fɪʃənt] adj sufficiente; ~ **money** abbastanza soldi.

sufficiently [sə'fɪʃəntlɪ] adv sufficientemente, abbastanza.

suffix ['sʌfɪks] n suffisso.

suffocate ['sʌfəkeɪt] vi (*have difficulty breathing*) soffocare; (*die through lack of air*) asfissiare.

suffocation [sʌfə'keɪʃən] n soffocamento; (*MED*) asfissia.

suffrage ['sʌfrɪdʒ] n suffragio.

suffuse [sə'fjuːz] vt: **to ~ (with)** (*colour*) tingere (di); (*light*) soffondere (di); **her face was ~d with joy** la gioia si dipingeva sul suo volto.

sugar ['ʃugə*] n zucchero ♦ vt zuccherare.

sugar beet n barbabietola da zucchero.

sugar bowl n zuccheriera.

sugar cane n canna da zucchero.

sugar-coated ['ʃugəkəutɪd] adj ricoperto(a) di zucchero.

sugar lump n zolletta di zucchero.

sugar refinery n raffineria di zucchero.

sugary ['ʃugərɪ] adj zuccherino(a), dolce; (*fig*) sdolcinato(a).

suggest [sə'dʒɛst] vt proporre, suggerire; (*indicate*) indicare; **what do you ~ I do?** cosa mi suggerisce di fare?

suggestion [sə'dʒɛstʃən] n suggerimento, proposta.

suggestive [sə'dʒɛstɪv] adj suggestivo(a); (*indecent*) spinto(a), indecente.

suicidal [suɪ'saɪdl] adj suicida inv; (*fig*) fatale, disastroso(a).

suicide ['suɪsaɪd] n (*person*) suicida m/f; (*act*) suicidio; **to commit ~** suicidarsi.

suicide attempt, suicide bid n tentato suicidio.

suit [suːt] n (*man's*) completo; (*woman's*) completo, tailleur m inv; (*law~*) causa; (*CARDS*) seme m, colore m ♦ vt andar bene a or per; essere adatto(a) a or per; (*adapt*): **to ~ sth to** adattare qc a; **to be ~ed to sth** (*suitable for*) essere adatto a qc; **well ~ed** (*couple*) fatti l'uno per l'altro; **to bring a ~ against sb** intentare causa a qn; **to follow ~** (*fig*) fare altrettanto.

suitable ['suːtəbl] adj adatto(a); appropriato(a); **would tomorrow be ~?** andrebbe bene domani?; **we found somebody ~** abbiamo trovato la persona adatta.

suitably ['suːtəblɪ] adv (*dress*) in modo adatto; (*thank*) adeguatamente.

suitcase ['suːtkeɪs] n valigia.

suite [swiːt] n (*of rooms*) appartamento; (*MUS*) suite f inv; (*furniture*): **bedroom/ dining room ~** arredo or mobilia per la camera da letto/sala da pranzo; **a three-piece ~** un salotto comprendente un divano e due poltrone.

suitor ['suːtə*] n corteggiatore m, spasimante m.

sulfate ['sʌlfeɪt] n (*US*) = **sulphate**.

sulfur etc ['sʌlfə*] (*US*) = **sulphur** etc.

sulk [sʌlk] vi fare il broncio.

sulky ['sʌlkɪ] adj imbronciato(a).

sullen ['sʌlən] adj scontroso(a); cupo(a).

sulphate, (*US*) **sulfate** ['sʌlfeɪt] n solfato; **copper ~** solfato di rame.

sulphur, (*US*) **sulfur** ['sʌlfə*] n zolfo.

sulphur dioxide n biossido di zolfo.

sulphuric, (*US*) **sulfuric** [sʌl'fjuərɪk] adj: ~ **acid** acido solforico.

sultan ['sʌltən] n sultano.
sultana [sʌl'tɑːnə] n (fruit) uva (secca) sultanina.
sultry ['sʌltrɪ] adj afoso(a).
sum [sʌm] n somma; (SCOL etc) addizione f.
▶**sum up** vt riassumere; (evaluate rapidly) valutare, giudicare ♦ vi riassumere.
Sumatra [su'mɑːtrə] n Sumatra.
summarize ['sʌməraɪz] vt riassumere, riepilogare.
summary ['sʌmərɪ] n riassunto ♦ adj (justice) sommario(a).
summer ['sʌmə*] n estate f ♦ cpd d'estate, estivo(a); **in (the)** ~ d'estate.
summer camp n (US) colonia (estiva).
summerhouse ['sʌməhaus] n (in garden) padiglione m.
summertime ['sʌmətaɪm] n (season) estate f.
summer time n (by clock) ora legale (estiva).
summery ['sʌmərɪ] adj estivo(a).
summing-up [sʌmɪŋ'ʌp] n (LAW) ricapitolazione f del processo.
summit ['sʌmɪt] n cima, sommità; (POL) vertice m.
summit conference n conferenza al vertice.
summon ['sʌmən] vt chiamare, convocare; **to** ~ **a witness** citare un testimone.
▶**summon up** vt raccogliere, fare appello a.
summons n ordine m di comparizione ♦ vt citare; **to serve a** ~ **on sb** notificare una citazione a qn.
sumo ['suːməu] n (also: ~ **wrestling**) sumo.
sump [sʌmp] n (AUT) coppa dell'olio.
sumptuous ['sʌmptjuəs] adj sontuoso(a).
Sun. abbr (= Sunday) dom.
sun [sʌn] n sole m; **in the** ~ al sole; **to catch the** ~ prendere sole; **they have everything under the** ~ hanno tutto ciò che possono desiderare.
sunbathe ['sʌnbeɪð] vi prendere un bagno di sole.
sunbeam ['sʌnbiːm] n raggio di sole.
sunbed ['sʌnbɛd] n lettino solare.
sunburn ['sʌnbəːn] n (tan) abbronzatura; (painful) scottatura.
sunburnt ['sʌnbəːnt], **sunburned** ['sʌnbəːnd] adj abbronzato(a); (painfully) scottato(a) dal sole.
sun cream n crema solare.
sundae ['sʌndeɪ] n coppa di gelato guarnita.
Sunday ['sʌndɪ] n domenica; for phrases see also **Tuesday**.
Sunday paper n giornale m della domenica.

Sunday school n ≈ scuola di catechismo.
sundial ['sʌndaɪəl] n meridiana.
sundown ['sʌndaun] n tramonto.
sundries ['sʌndrɪz] npl articoli diversi, cose diverse.
sundry ['sʌndrɪ] adj vari(e), diversi(e); **all and** ~ tutti quanti.
sunflower ['sʌnflauə*] n girasole m.
sung [sʌŋ] pp of **sing**.
sunglasses ['sʌnglɑːsɪz] npl occhiali mpl da sole.
sunk [sʌŋk] pp of **sink**.
sunken ['sʌŋkən] adj sommerso(a); (eyes, cheeks) infossato(a); (bath) incassato(a).
sunlamp ['sʌnlæmp] n lampada a raggi ultravioletti.
sunlight ['sʌnlaɪt] n (luce f del) sole m.
sunlit ['sʌnlɪt] adj assolato(a), soleggiato(a).
sunny ['sʌnɪ] adj assolato(a), soleggiato(a); (fig) allegro(a), felice; **it is** ~ c'è il sole.
sunrise ['sʌnraɪz] n levata del sole, alba.
sunroof ['sʌnruːf] n (on building) tetto a terrazzo; (AUT) tetto apribile.
sunscreen ['sʌnskriːn] n crema solare protettiva.
sunset ['sʌnsɛt] n tramonto.
sunshade ['sʌnʃeɪd] n parasole m.
sunshine ['sʌnʃaɪn] n (luce f del) sole m.
sunspot ['sʌnspɔt] n macchia solare.
sunstroke ['sʌnstrəuk] n insolazione f, colpo di sole.
suntan ['sʌntæn] n abbronzatura.
suntanned ['sʌntænd] adj abbronzato(a).
suntan oil n olio solare.
suntrap ['sʌntræp] n luogo molto assolato, angolo pieno di sole.
super ['suːpə*] adj (col) fantastico(a).
superannuation [suːpərænju'eɪʃən] n contributi mpl pensionistici; pensione f.
superb [suː'pəːb] adj magnifico(a).
Super Bowl n (US SPORT) Super Bowl m inv.
supercilious [suːpə'sɪlɪəs] adj sprezzante, sdegnoso(a).
superconductor [suːpəkən'dʌktə*] n superconduttore m.
superficial [suːpə'fɪʃəl] adj superficiale.
superficially [suːpə'fɪʃəlɪ] adv superficialmente.

superfluous [su'pɔ:fluəs] *adj* superfluo(a).
superglue ['su:pəglu:] *n* colla a presa rapida.
superhighway ['su:pəhaɪweɪ] *n* (*US*) autostrada; **the information ~** l'autostrada telematica.
superhuman [su:pə'hju:mən] *adj* sovrumano(a).
superimpose ['su:pərɪm'pəuz] *vt* sovrapporre.
superintend [su:pərɪn'tɛnd] *vt* dirigere, sovraintendere.
superintendent [su:pərɪn'tɛndənt] *n* direttore/trice; (*POLICE*) ≈ commissario (capo).
superior [su'pɪərɪə*] *adj* superiore; (*COMM*: *goods, quality*) di prim'ordine, superiore; (*smug*: *person*) che fa il superiore ♦ *n* superiore *m/f*; **Mother S~** (*REL*) Madre *f* Superiora, Superiora.
superiority [supɪərɪ'ɔrɪtɪ] *n* superiorità.
superlative [su'pɔ:lətɪv] *adj* superlativo(a), supremo(a) ♦ *n* (*LING*) superlativo.
superman ['su:pəmæn] *n* superuomo.
supermarket ['su:pəmɑ:kɪt] *n* supermercato.
supermodel ['su:pəmɔdl] *n* top model *m/f inv*.
supernatural [su:pə'nætʃərəl] *adj* soprannaturale.
supernova [su:pə'nəuvə] *n* supernova.
superpower ['su:pəpauə*] *n* (*POL*) superpotenza.
superscript ['su:pəskrɪpt] *n* esponente *m*.
supersede [su:pə'si:d] *vt* sostituire, soppiantare.
supersonic ['su:pə'sɔnɪk] *adj* supersonico(a).
superstar ['su:pəstɑ:*] *adj, n* superstar (*f*) *inv*.
superstition [su:pə'stɪʃən] *n* superstizione *f*.
superstitious [su:pə'stɪʃəs] *adj* superstizioso(a).
superstore ['su:pəstɔ:*] *n* (*BRIT*) grande supermercato.
supertanker ['su:pətæŋkə*] *n* superpetroliera.
supertax ['su:pətæks] *n* soprattassa.
supervise ['su:pəvaɪz] *vt* (*person etc*) sorvegliare; (*organization*) soprintendere a.
supervision [su:pə'vɪʒən] *n* sorveglianza, supervisione *f*; **under medical ~** sotto controllo medico.
supervisor ['su:pəvaɪzə*] *n* sorvegliante *m/ f*, soprintendente *m/f*; (*in shop*) capocommesso/a; (*at university*) relatore/

trice.
supervisory ['su:pəvaɪzərɪ] *adj* di sorveglianza.
supine ['su:paɪn] *adj* supino(a).
supper ['sʌpə*] *n* cena; **to have ~** cenare.
supplant [sə'plɑ:nt] *vt* soppiantare.
supple ['sʌpl] *adj* flessibile; agile.
supplement *n* ['sʌplɪmənt] supplemento ♦ *vt* [sʌplɪ'mɛnt] completare, integrare.
supplementary [sʌplɪ'mɛntərɪ] *adj* supplementare.
supplementary benefit *n* (*BRIT*) *forma di indennità assistenziale*.
supplier [sə'plaɪə*] *n* fornitore *m*.
supply [sə'plaɪ] *vt* (*goods*): **to ~ sth (to sb)** fornire qc (a qn); (*people, organization*): **to ~ sb (with sth)** fornire a qn (qc); (*system, machine*): **to ~ sth (with sth)** alimentare qc (con qc); (*a need*) soddisfare ♦ *n* riserva, provvista; (*supplying*) approvvigionamento; (*TECH*) alimentazione *f*; **supplies** *npl* (*food*) viveri *mpl*; (*MIL*) sussistenza; **office supplies** forniture *fpl* per ufficio; **to be in short ~** scarseggiare, essere scarso(a); **the electricity/water/gas ~** l'erogazione *f* di corrente/d'acqua/di gas; **~ and demand** la domanda e l'offerta; **the car comes supplied with a radio** l'auto viene fornita completa di radio.
supply teacher *n* (*BRIT*) supplente *m/f*.
support [sə'pɔ:t] *n* (*moral, financial etc*) sostegno, appoggio; (*TECH*) supporto ♦ *vt* sostenere; (*financially*) mantenere; (*uphold*) sostenere, difendere; (*SPORT*: *team*) fare il tifo per; **they stopped work in ~ (of)** hanno smesso di lavorare per solidarietà (con); **to ~ o.s.** (*financially*) mantenersi.
supporter [sə'pɔ:tə*] *n* (*POL etc*) sostenitore/trice, fautore/trice; (*SPORT*) tifoso/a.
supporting [sə'pɔ:tɪŋ] *adj* (*wall*) di sostegno.
supporting actor *n* attore *m* non protagonista.
supporting actress *n* attrice *f* non protagonista.
supporting role *n* ruolo non protagonista.
supportive [sə'pɔ:tɪv] *adj* d'appoggio; **I have a ~ wife/family** mia moglie/la mia famiglia mi appoggia.
suppose [sə'pəuz] *vt, vi* supporre; immaginare; **to be ~d to do** essere tenuto(a) a fare; **always supposing (that) he comes** ammesso e non concesso che venga; **I don't ~ she'll come** non credo che venga; **he's ~d to be an expert**

dicono che sia un esperto, passa per un esperto.

supposedly [sə'pəʊzɪdlɪ] *adv* presumibilmente; (*seemingly*) apparentemente.

supposing [sə'pəʊzɪŋ] *conj* se, ammesso che + *sub*.

supposition [sʌpə'zɪʃən] *n* supposizione *f*, ipotesi *f inv*.

suppository [sə'pɒzɪtərɪ] *n* supposta, suppositorio.

suppress [sə'prɛs] *vt* reprimere; sopprimere; tenere segreto(a).

suppression [sə'prɛʃən] *n* repressione *f*; soppressione *f*.

suppressor [sə'prɛsə*] *n* (*ELEC etc*) soppressore *m*.

supremacy [su'prɛməsɪ] *n* supremazia.

supreme [su'priːm] *adj* supremo(a).

Supreme Court *n* (*US*) Corte *f* suprema; ~ **of Judicature** *corte di giudizio suprema dell'Inghilterra e del Galles.*

supremo [su'priːməʊ] *n* autorità *f inv* massima.

Supt. *abbr* (*POLICE*) = **superintendent**.

surcharge ['səːtʃɑːdʒ] *n* supplemento; (*extra tax*) soprattassa.

sure [ʃʊə*] *adj* sicuro(a); (*definite, convinced*) sicuro(a), certo(a) ♦ *adv* (*col: US*): **that ~ is pretty, that's ~ pretty** è veramente *or* davvero carino; **~!** (*of course*) senz'altro!, certo!; ~ **enough** infatti; **to make ~ of** assicurarsi di; **to be ~ of sth** essere sicuro di qc; **to be ~ of o.s.** essere sicuro di sé; **I'm not ~ how/ why/when** non so bene come/perché/ quando + *sub*.

sure-fire ['ʃʊəfaɪə*] *adj* (*col*) infallibile.

sure-footed [ʃʊə'fʊtɪd] *adj* dal passo sicuro.

surely ['ʃʊəlɪ] *adv* sicuramente; certamente; ~ **you don't mean that!** non parlerà sul serio!

surety ['ʃʊərətɪ] *n* garanzia; **to go** *or* **stand ~ for sb** farsi garante per qn.

surf [səːf] *n* (*waves*) cavalloni *mpl*; (*foam*) spuma.

surface ['səːfɪs] *n* superficie *f* ♦ *vt* (*road*) asfaltare ♦ *vi* risalire alla superficie; (*fig: person*) venire a galla, farsi vivo(a); **on the ~ it seems that ...** (*fig*) superficialmente sembra che ....

surface area *n* superficie *f*.

surface mail *n* posta ordinaria.

surface-to-surface ['səːfɪstə'səːfɪs] *adj* (*MIL*) terra-terra *inv*.

surfboard ['səːfbɔːd] *n* tavola per surfing.

surfeit ['səːfɪt] *n*: **a ~ of** un eccesso di;

un'indigestione di.

surfer ['səːfə*] *n* chi pratica il surfing.

surfing ['səːfɪŋ] *n* surfing *m*.

surge [səːdʒ] *n* (*strong movement*) ondata; (*of feeling*) impeto; (*ELEC*) sovracorrente *f* transitoria ♦ *vi* (*waves*) gonfiarsi; (*ELEC: power*) aumentare improvvisamente; **to ~ forward** buttarsi avanti.

surgeon ['səːdʒən] *n* chirurgo.

Surgeon General *n* (*US*) ≈ Ministro della Sanità.

surgery ['səːdʒərɪ] *n* chirurgia; (*BRIT MED: room*) studio *or* gabinetto medico, ambulatorio; (: *session*) visita ambulatoriale; (*BRIT: of MP etc*) incontri *mpl* con gli elettori; **to undergo ~** subire un intervento chirurgico.

surgery hours *npl* (*BRIT*) orario delle visite *or* di consultazione.

surgical ['səːdʒɪkl] *adj* chirurgico(a).

surgical spirit *n* (*BRIT*) alcool denaturato.

surly ['səːlɪ] *adj* scontroso(a), burbero(a).

surmise [səː'maɪz] *vt* supporre, congetturare.

surmount [səː'maʊnt] *vt* sormontare.

surname ['səːneɪm] *n* cognome *m*.

surpass [səː'pɑːs] *vt* superare.

surplus ['səːpləs] *n* eccedenza; (*ECON*) surplus *m inv* ♦ *adj* eccedente, d'avanzo; **it is ~ to our requirements** eccede i nostri bisogni; ~ **stock** merce *f* in sovrappiù.

surprise [sə'praɪz] *n* sorpresa; (*astonishment*) stupore *m* ♦ *vt* sorprendere; stupire; **to take by ~** (*person*) cogliere di sorpresa; (*MIL: town, fort*) attaccare di sorpresa.

surprising [sə'praɪzɪŋ] *adj* sorprendente, stupefacente.

surprisingly [se'praɪzɪŋlɪ] *adv* sorprendentemente; (*somewhat*) ~, **he agreed** cosa (alquanto) sorprendente, ha accettato.

surrealism [sə'rɪəlɪzəm] *n* surrealismo.

surrealist [sə'rɪəlɪst] *adj*, *n* surrealista (*m/f*).

surrender [sə'rɛndə*] *n* resa, capitolazione *f* ♦ *vi* arrendersi ♦ *vt* (*claim, right*) rinunciare a.

surrender value *n* (*COMM*) valore *m* di riscatto.

surreptitious [sʌrəp'tɪʃəs] *adj* furtivo(a).

surrogate ['sʌrəgɪt] *n* (*BRIT: substitute*) surrogato ♦ *adj* surrogato(a).

surrogate mother *n* madre *f* sostitutiva.

surround [sə'raʊnd] *vt* circondare; (*MIL etc*) accerchiare.

surrounding [sə'raʊndɪŋ] *adj* circostante.

surroundings [sə'raʊndɪŋz] *npl* dintorni *mpl*; (*fig*) ambiente *m*.

surtax ['sɔːtæks] n soprattassa.
surveillance [səː'veɪləns] n sorveglianza, controllo.
survey n ['sɔːveɪ] (*comprehensive view: of situation, development*) quadro generale; (*study*) indagine *f*, studio; (*in housebuying etc*) perizia; (*of land*) rilevamento, rilievo topografico ♦ vt [səː'veɪ] osservare; esaminare; (*SURVEYING: building*) fare una perizia di; (*: land*) fare il rilevamento di.
surveying [sə'veɪɪŋ] n (*of land*) agrimensura.
surveyor [sə'veɪə*] n perito; (*of land*) agrimensore *m*.
survival [sə'vaɪvl] n sopravvivenza; (*relic*) reliquia, vestigio.
survival course n corso di sopravvivenza.
survival kit n equipaggiamento di prima necessità.
survive [sə'vaɪv] vi sopravvivere ♦ vt sopravvivere a.
survivor [sə'vaɪvə*] n superstite *m/f*, sopravvissuto/a.
susceptible [sə'sɛptəbl] adj: ~ (**to**) sensibile (a); (*disease*) predisposto(a) (a).
suspect adj, n ['sʌspɛkt] adj sospetto(a) ♦ n persona sospetta ♦ vt [səs'pɛkt] sospettare; (*think likely*) supporre; (*doubt*) dubitare di.
suspected [səs'pɛktɪd] adj presunto(a); **to have a ~ facture** avere una sospetta frattura.
suspend [səs'pɛnd] vt sospendere.
suspended animation n: **in a state of ~** in stato comatoso.
suspended sentence n condanna con la condizionale.
suspender belt [səs'pɛndə*-] n (*BRIT*) reggicalze *m inv*.
suspenders [sə'spɛndəz] npl (*BRIT*) giarrettiere *fpl*; (*US*) bretelle *fpl*.
suspense [səs'pɛns] n apprensione *f*; (*in film etc*) suspense *m*.
suspension [səs'pɛnʃən] n (*gen, AUT*) sospensione *f*; (*of driving licence*) ritiro temporaneo.
suspension bridge n ponte *m* sospeso.
suspicion [səs'pɪʃən] n sospetto; **to be under ~** essere sospettato; **arrested on ~ of murder** arrestato come presunto omicida.
suspicious [səs'pɪʃəs] adj (*suspecting*) sospettoso(a); (*causing suspicion*) sospetto(a); **to be ~ of** *or* **about sb/sth** nutrire sospetti nei riguardi di qn/qc.
suss out vt (*BRIT col*): **I've ~ed it/him out** ho capito come stanno le cose/che tipo è.
sustain [səs'teɪn] vt sostenere; sopportare;

(*suffer*) subire.
sustainable [səs'teɪnəbl] adj sostenibile.
sustained [səs'teɪnd] adj (*effort*) prolungato(a).
sustenance ['sʌstɪnəns] n nutrimento; mezzi *mpl* di sostentamento.
suture ['suːtʃə*] n sutura.
SW abbr (*RADIO:* = *short wave*) O.C.
swab [swɔb] n (*MED*) tampone *m* ♦ vt (*NAUT: also:* ~ **down**) radazzare.
swagger ['swægə*] vi pavoneggiarsi.
swallow ['swɔləu] n (*bird*) rondine *f*; (*of food*) boccone *m*; (*of drink*) sorso ♦ vt inghiottire; (*fig: story*) bere.
▶**swallow up** vt inghiottire.
swam [swæm] pt of **swim**.
swamp [swɔmp] n palude *f* ♦ vt sommergere.
swampy ['swɔmpɪ] adj palludoso(a), pantanoso(a).
swan [swɔn] n cigno.
swank [swæŋk] vi (*col: talk boastfully*) fare lo spaccone; (*: show off*) mettersi in mostra.
swan song n (*fig*) canto del cigno.
swap [swɔp] n scambio ♦ vt: **to ~ (for)** scambiare (con).
SWAPO ['swɑːpəu] n abbr = *South-West Africa People's Organization*.
swarm [swɔːm] n sciame *m* ♦ vi formicolare; (*bees*) sciamare.
swarthy ['swɔːðɪ] adj di carnagione scura.
swashbuckling ['swɔʃbʌklɪŋ] adj (*role, hero*) spericolato(a).
swastika ['swɔstɪkə] n croce *f* uncinata, svastica.
SWAT [swɔt] n abbr (*US:* = *Special Weapons and Tactics*) reparto speciale di polizia; **a ~ team** uno squadrone del reparto speciale (di polizia).
swat [swɔt] vt schiacciare ♦ n (*BRIT: also:* **fly ~**) ammazzamosche *m inv*.
swathe [sweɪð] n fascio ♦ vt: **to ~ in** (*bandages, blankets*) avvolgere in.
swatter ['swɔtə*] n (*also:* **fly ~**) ammazzamosche *m inv*.
sway [sweɪ] vi (*building*) oscillare; (*tree*) ondeggiare; (*person*) barcollare ♦ vt (*influence*) influenzare ♦ n (*rule, power*): ~ (**over**) influenza (su); **to hold ~ over sb** dominare qn.
Swaziland ['swɑːzɪlænd] n Swaziland *m*.
swear, pt **swore**, pp **sworn** [swɛə*, swɔː*, swɔːn] vi (*witness etc*) giurare; (*curse*) bestemmiare, imprecare ♦ vt: **to ~ an oath** prestare giuramento; **to ~ to sth** giurare qc.
▶**swear in** vt prestare giuramento a.

swearword ['swɛəwəːd] n parolaccia.
sweat [swɛt] n sudore m, traspirazione f
♦ vi sudare; **in a ~** in un bagno di sudore.
sweatband ['swɛtbænd] n (SPORT) fascia
elastica (per assorbire il sudore).
sweater ['swɛtə*] n maglione m.
sweatshirt ['swɛtʃəːt] n maglione m in
cotone felpato.
sweatshop ['swɛtʃɔp] n azienda o fabbrica
dove i dipendenti sono sfruttati.
sweaty ['swɛtɪ] adj sudato(a); bagnato(a) di
sudore.
Swede [swiːd] n svedese m/f.
swede [swiːd] n (BRIT) rapa svedese.
Sweden ['swiːdn] n Svezia.
Swedish ['swiːdɪʃ] adj svedese ♦ n (LING)
svedese m.
sweep [swiːp] n spazzata; (curve) curva;
(expanse) distesa; (range) portata; (also:
chimney ~) spazzacamino ♦ vb (pt, pp
swept [swɛpt]) vt spazzare, scopare; (subj:
fashion, craze) invadere ♦ vi camminare
maestosamente; precipitarsi, lanciarsi;
(e)stendersi.
▶**sweep away** vt spazzare via; trascinare
via.
▶**sweep past** vi sfrecciare accanto;
passare accanto maestosamente.
▶**sweep up** vt, vi spazzare.
sweeper ['swiːpə*] n (person) spazzino/a;
(machine) spazzatrice f; (FOOTBALL)
libero.
sweeping ['swiːpɪŋ] adj (gesture) ampio(a);
(changes, reforms) ampio(a), radicale; **a ~**
statement un'affermazione generica.
sweepstake ['swiːpsteɪk] n lotteria (spesso
abbinata alle corse dei cavalli).
sweet [swiːt] n (BRIT) dolce m; (candy)
caramella ♦ adj dolce; (fresh) fresco(a);
(kind) gentile; (cute) carino(a) ♦ adv: **to**
smell/taste ~ avere un odore/sapore
dolce; **~ and sour** adj agrodolce.
sweetbread ['swiːtbrɛd] n animella.
sweetcorn ['swiːtkɔːn] n granturco dolce.
sweeten ['swiːtn] vt addolcire; zuccherare.
sweetener ['swiːtnə*] n (CULIN)
dolcificante m.
sweetheart ['swiːthɑːt] n innamorato/a.
sweetly ['swiːtlɪ] adv dolcemente.
sweetness ['swiːtnɪs] n sapore m dolce;
dolcezza.
sweet pea n pisello odoroso.
sweet potato n patata americana, patata
dolce.
sweetshop ['swiːtʃɔp] n (BRIT) ≈
pasticceria.
sweet tooth n: **to have a ~** avere un
debole per i dolci.

swell [swɛl] n (of sea) mare m lungo ♦ adj
(col: excellent) favoloso(a) ♦ vb (pt ~**ed**, pp
swollen, ~**ed** ['swəulən]) vt gonfiare,
ingrossare; (numbers, sales etc)
aumentare ♦ vi gonfiarsi, ingrossarsi;
(sound) crescere; (MED) gonfiarsi.
swelling ['swɛlɪŋ] n (MED) tumefazione f,
gonfiore m.
sweltering ['swɛltərɪŋ] adj soffocante.
swept [swɛpt] pt, pp of **sweep**.
swerve [swəːv] vi deviare; (driver) sterzare;
(boxer) scartare.
swift [swɪft] n (bird) rondone m ♦ adj
rapido(a), veloce.
swiftly ['swɪftlɪ] adv rapidamente,
velocemente.
swiftness ['swɪftnɪs] n rapidità, velocità.
swig [swɪg] n (col: drink) sorsata.
swill [swɪl] n broda ♦ vt (also: ~ **out**, ~
down) risciacquare.
swim [swɪm] n: **to go for a ~** andare a fare
una nuotata ♦ vb (pt **swam**, pp **swum**
[swæm, swʌm]) vi nuotare; (SPORT) fare
del nuoto; (head, room) girare ♦ vt (river,
channel) attraversare or percorrere a
nuoto; **to go ~ming** andare a nuotare; **to**
~ a length fare una vasca (a nuoto).
swimmer ['swɪmə*] n nuotatore/trice.
swimming ['swɪmɪŋ] n nuoto.
swimming baths npl (BRIT) piscina.
swimming cap n cuffia.
swimming costume n (BRIT) costume m
da bagno.
swimmingly ['swɪmɪŋlɪ] adv: **to go ~**
(wonderfully) andare a gonfie vele.
swimming pool n piscina.
swimming trunks npl costume m da
bagno (per uomo).
swimsuit ['swɪmsuːt] n costume m da
bagno.
swindle ['swɪndl] n truffa ♦ vt truffare.
swindler ['swɪndlə*] n truffatore/trice.
swine [swaɪn] n (pl inv) maiale m, porco;
(col!) porco (!).
swing [swɪŋ] n altalena; (movement)
oscillazione f; (MUS) ritmo; (also: ~
music) swing m ♦ vb (pt, pp **swung** [swʌŋ])
vt dondolare, far oscillare; (also: ~ **round**)
far girare ♦ vi oscillare, dondolare; (also:
~ **round**: object) roteare; (: person)
girarsi, voltarsi; **to be in full ~** (activity)
essere in piena attività; (party etc) essere
nel pieno; **a ~ to the left** (POL) una svolta
a sinistra; **to get into the ~ of things**
entrare nel pieno delle cose; **the road ~s**
south la strada prende la direzione sud.
swing bridge n ponte m girevole.
swing door n (BRIT) porta battente.

swingeing ['swɪndʒɪŋ] *adj* (*BRIT: defeat*) violento(a); (: *price increase*) enorme.

swinging ['swɪŋɪŋ] *adj* (*step*) cadenzato(a), ritmico(a); (*rhythm, music*) trascinante; ~ **door** (*US*) porta battente.

swipe [swaɪp] *n* forte colpo; schiaffo ♦ *vt* (*hit*) colpire con forza; dare uno schiaffo a; (*col: steal*) sgraffignare; (*credit card etc*) far passare (nell'apposita macchinetta).

swirl [swəːl] *n* turbine *m*, mulinello ♦ *vi* turbinare, far mulinello.

swish [swɪʃ] *adj* (*col: smart*) all'ultimo grido, alla moda ♦ *n* (*sound: of whip*) sibilo; (: *of skirts, grass*) fruscio ♦ *vi* sibilare.

Swiss [swɪs] *adj, n* (*pl inv*) svizzero(a).

Swiss French *adj* svizzero(a) francese.

Swiss German *adj* svizzero(a) tedesco(a).

switch [swɪtʃ] *n* (*for light, radio etc*) interruttore *m*; (*change*) cambiamento ♦ *vt* (*also*: ~ **round**, ~ **over**) cambiare; scambiare.

▶**switch off** *vt* spegnere.

▶**switch on** *vt* accendere; (*engine, machine*) mettere in moto, avviare; (*AUT: ignition*) inserire; (*BRIT: water supply*) aprire.

switchback ['swɪtʃbæk] *n* (*BRIT*) montagne *fpl* russe.

switchblade ['swɪtʃbleɪd] *n* (*also*: ~ **knife**) coltello a scatto.

switchboard ['swɪtʃbɔːd] *n* centralino.

switchboard operator *n* centralinista *m/f*.

Switzerland ['swɪtsələnd] *n* Svizzera.

swivel ['swɪvl] *vi* (*also*: ~ **round**) girare.

swollen ['swəulən] *pp of* **swell** ♦ *adj* (*ankle etc*) gonfio(a).

swoon [swuːn] *vi* svenire.

swoop [swuːp] *n* (*by police etc*) incursione *f*; (*of bird etc*) ♦ *vi* (*also*: ~ **down**) scendere in picchiata; (*police*): **to ~ (on)** fare un'incursione (in).

swop [swɔp] *n, vt* = **swap**.

sword [sɔːd] *n* spada.

swordfish ['sɔːdfɪʃ] *n* pesce *m* spada *inv*.

swore [swɔː*] *pt of* **swear**.

sworn [swɔːn] *pp of* **swear**.

swot [swɔt] *vt* sgobbare su ♦ *vi* sgobbare.

swum [swʌm] *pp of* **swim**.

swung [swʌŋ] *pt, pp of* **swing**.

sycamore ['sɪkəmɔː*] *n* sicomoro.

sycophant ['sɪkəfənt] *n* leccapiedi *m/f*.

sycophantic [sɪkə'fæntɪk] *adj* ossequioso(a), adulatore(trice).

Sydney ['sɪdnɪ] *n* Sydney *f*.

syllable ['sɪləbl] *n* sillaba.

syllabus ['sɪləbəs] *n* programma *m*; **on the ~** in programma d'esame.

symbol ['sɪmbl] *n* simbolo.

symbolic(al) [sɪm'bɔlɪk(l)] *adj* simbolico(a); **to be ~ of sth** simboleggiare qc.

symbolism ['sɪmbəlɪzəm] *n* simbolismo.

symbolize ['sɪmbəlaɪz] *vt* simbolizzare.

symmetrical [sɪ'mɛtrɪkl] *adj* simmetrico(a).

symmetry ['sɪmɪtrɪ] *n* simmetria.

sympathetic [sɪmpə'θɛtɪk] *adj* (*showing pity*) compassionevole; (*kind*) comprensivo(a); ~ **towards** ben disposto(a) verso; **to be ~ to a cause** (*well-disposed*) simpatizzare per una causa.

sympathetically [sɪmpə'θɛtɪklɪ] *adv* in modo compassionevole; con comprensione.

sympathize ['sɪmpəθaɪz] *vi*: **to ~ with sb** compatire qn; partecipare al dolore di qn; (*understand*) capire qn.

sympathizer ['sɪmpəθaɪzə*] *n* (*POL*) simpatizzante *m/f*.

sympathy ['sɪmpəθɪ] *n* compassione *f*; **in ~ with** d'accordo con; (*strike*) per solidarietà con; **with our deepest ~** con le nostre più sincere condoglianze.

symphonic [sɪm'fɔnɪk] *adj* sinfonico(a).

symphony ['sɪmfənɪ] *n* sinfonia.

symphony orchestra *n* orchestra sinfonica.

symposium [sɪm'pəuzɪəm] *n* simposio.

symptom ['sɪmptəm] *n* sintomo; indizio.

symptomatic [sɪmptə'mætɪk] *adj*: ~ **(of)** sintomatico(a) (di).

synagogue ['sɪnəgɔg] *n* sinagoga.

sync [sɪŋk] *n* (*col*): **in/out of ~** in/fuori sincronia; (*fig: people*) **they are in ~** sono in sintonia.

synchromesh [sɪŋkrəu'mɛʃ] *n* cambio sincronizzato.

synchronize ['sɪŋkrənaɪz] *vt* sincronizzare ♦ *vi*: **to ~ with** essere contemporaneo(a) a.

synchronized swimming *n* nuoto sincronizzato.

syncopated ['sɪŋkəpeɪtɪd] *adj* sincopato(a).

syndicate ['sɪndɪkɪt] *n* sindacato; (*PRESS*) agenzia di stampa.

syndrome ['sɪndrəum] *n* sindrome *f*.

synonym ['sɪnənɪm] *n* sinonimo.

synonymous [sɪ'nɔnɪməs] *adj*: ~ **(with)** sinonimo(a) (di).

synopsis, *pl* **synopses** [sɪ'nɔpsɪs, -siːz] *n* sommario, sinossi *f inv*.

syntax ['sɪntæks] *n* sintassi *f inv*.

synthesis, *pl* **syntheses** ['sɪnθəsɪs, -siːz] *n* sintesi *f inv*.

synthesizer ['sɪnθəsaɪzə*] *n* (*MUS*) sintetizzatore *m*.

synthetic [sɪn'θɛtɪk] *adj* sintetico(a) ♦ *n* prodotto sintetico; (*TEXTILES*) fibra sintetica.
syphilis ['sɪfɪlɪs] *n* sifilide *f*.
syphon ['saɪfən] *n, vb* = **siphon**.
Syria ['sɪrɪə] *n* Siria.
Syrian ['sɪrɪən] *adj, n* siriano(a).
syringe [sɪ'rɪndʒ] *n* siringa.
syrup ['sɪrəp] *n* sciroppo; (*also*: **golden** ~) melassa raffinata.
syrupy ['sɪrəpɪ] *adj* sciropposo(a).
system ['sɪstəm] *n* sistema *m*; (*network*) rete *f*; (*ANAT*) apparato; **it was a shock to his** ~ è stato uno shock per il suo organismo.
systematic [sɪstə'mætɪk] *adj* sistematico(a).
system disk *n* (*COMPUT*) disco del sistema.
systems analyst *n* analista *m/f* di sistemi.

T t

T, t [tiː] *n* (*letter*) T, t *m or f inv*; **T for Tommy** ≈ T come Taranto.
TA *n abbr* (*BRIT*) = Territorial Army.
ta [tɑː] *excl* (*BRIT col*) grazie!
tab [tæb] *n abbr* = **tabulator** ♦ *n* (*loop on coat etc*) laccetto; (*label*) etichetta; **to keep ~s on** (*fig*) tenere d'occhio.
tabby ['tæbɪ] *n* (*also*: ~ **cat**) (gatto) soriano, gatto tigrato.
tabernacle ['tæbənækl] *n* tabernacolo.
table ['teɪbl] *n* tavolo, tavola; (*chart*) tabella ♦ *vt* (*motion etc*) presentare; **to lay** *or* **set the** ~ apparecchiare *or* preparare la tavola; **to clear the** ~ sparecchiare; **league** ~ (*FOOTBALL, RUGBY*) classifica; ~ **of contents** indice *m*.
tablecloth ['teɪblklɔθ] *n* tovaglia.
table d'hôte [tɑːbl'dəut] *adj* (*meal*) a prezzo fisso.
table lamp *n* lampada da tavolo.
tablemat ['teɪblmæt] *n* sottopiatto.
table salt *n* sale *m* fino *or* da tavola.
tablespoon ['teɪblspuːn] *n* cucchiaio da tavola; (*also*: ~**ful**: *as measurement*) cucchiaiata.
tablet ['tæblɪt] *n* (*MED*) compressa; (: *for sucking*) pastiglia; (*for writing*) blocco; (*of stone*) targa; ~ **of soap** (*BRIT*) saponetta.
table tennis *n* tennis *m* da tavolo, ping-

pong ® *m*.
table wine *n* vino da tavola.
tabloid ['tæblɔɪd] *n* (*newspaper*) tabloid *m inv* (*giornale illustrato di formato ridotto*); **the ~s** i giornali popolari.

Il termine **tabloid press** *si riferisce ai quotidiani o ai settimanali popolari che, rispetto ai* **quality papers** *hanno un formato ridotto e presentano le notizie in modo più sensazionalistico e meno approfondito; vedi anche* **quality press**.

---

taboo [tə'buː] *adj, n* tabù (*m inv*).
tabulate ['tæbjuleɪt] *vt* (*data, figures*) tabulare, disporre in tabelle.
tabulator ['tæbjuleɪtə*] *n* tabulatore *m*.
tachograph ['tækəɡrɑːf] *n* tachigrafo.
tachometer [tæ'kɔmɪtə*] *n* tachimetro.
tacit ['tæsɪt] *adj* tacito(a).
taciturn ['tæsɪtəːn] *adj* taciturno(a).
tack [tæk] *n* (*nail*) bulletta; (*stitch*) punto d'imbastitura; (*NAUT*) bordo, bordata ♦ *vt* imbullettare; imbastire ♦ *vi* bordeggiare; **to change** ~ virare di bordo; **on the wrong** ~ (*fig*) sulla strada sbagliata; **to** ~ **sth on to (the end of) sth** (*of letter, book*) aggiungere qc alla fine di qc.
tackle ['tækl] *n* (*equipment*) attrezzatura, equipaggiamento; (*for lifting*) paranco; (*RUGBY*) placcaggio; (*FOOTBALL*) contrasto ♦ *vt* (*difficulty*) affrontare; (*RUGBY*) placcare; (*FOOTBALL*) contrastare.
tacky ['tækɪ] *adj* colloso(a), appiccicaticcio(a); ancora bagnato(a); (*col: shabby*) scadente.
tact [tækt] *n* tatto.
tactful ['tæktful] *adj* delicato(a), discreto(a); **to be** ~ avere tatto.
tactfully ['tæktfəlɪ] *adv* con tatto.
tactical ['tæktɪkl] *adj* tattico(a).
tactical voting *n* voto tattico.
tactician [tæk'tɪʃən] *n* tattico/a.
tactics ['tæktɪks] *n, npl* tattica.
tactless ['tæktlɪs] *adj* che manca di tatto.
tactlessly ['tæktlɪslɪ] *adv* senza tatto.
tadpole ['tædpəul] *n* girino.
taffy ['tæfɪ] *n* (*US*) caramella *f* mou *inv*.
tag [tæg] *n* etichetta; **price/name** ~ etichetta del prezzo/con il nome.
▶**tag along** *vi* seguire.
Tahiti [tə'hiːtɪ] *n* Tahiti *f*.
tail [teɪl] *n* coda; (*of shirt*) falda ♦ *vt* (*follow*) seguire, pedinare; **to turn** ~ voltare la schiena; *see also* **head**.
▶**tail away, tail off** *vi* (*in size, quality etc*) diminuire gradatamente.
tailback ['teɪlbæk] *n* (*BRIT*) ingorgo.

tail coat *n* marsina.
tail end *n* (*of train, procession etc*) coda; (*of meeting etc*) fine *f*.
tailgate ['teɪlɡeɪt] *n* (*AUT*) portellone *m* posteriore.
tail light *n* (*AUT*) fanalino di coda.
tailor ['teɪlə*] *n* sarto ♦ *vt*: **to ~ sth (to)** adattare qc (alle esigenze di); **~'s (shop)** sartoria (da uomo).
tailoring ['teɪlərɪŋ] *n* (*cut*) taglio.
tailor-made ['teɪlə'meɪd] *adj* (*also fig*) fatto(a) su misura.
tailwind ['teɪlwɪnd] *n* vento di coda.
taint [teɪnt] *vt* (*meat, food*) far avariare; (*fig: reputation*) infangare.
tainted ['teɪntɪd] *adj* (*food*) guasto(a); (*water, air*) infetto(a); (*fig*) corrotto(a).
Taiwan [taɪ'wɑːn] *n* Taiwan *m*.
Tajikistan [tɑːdʒɪkɪ'stɑːn] *n* Tagikistan *m*.
take [teɪk] *vb* (*pt* **took**, *pp* **taken** [tuk, 'teɪkn]) *vt* prendere; (*gain: prize*) ottenere, vincere; (*require: effort, courage*) occorrere, volerci; (*tolerate*) accettare, sopportare; (*hold: passengers etc*) contenere; (*accompany*) accompagnare; (*bring, carry*) portare; (*conduct: meeting*) condurre; (*exam*) sostenere, presentarsi a ♦ *vi* (*dye, fire etc*) prendere; (*injection*) fare effetto; (*plant*) attecchire ♦ *n* (*CINE*) ripresa; **I ~ it that** suppongo che; **to ~ for a walk** (*child, dog*) portare a fare una passeggiata; **to ~ sb's hand** prendere qn per mano; **to ~ it upon o.s. to do sth** prendersi la responsabilità di fare qc; **to be ~n ill** avere un malore; **to be ~n with sb/sth** (*attracted*) essere tutto preso da qn/qc; **it won't ~ long** non ci vorrà molto tempo; **it ~s a lot of time/courage** occorre *or* ci vuole molto tempo/coraggio; **it will ~ at least 5 litres** contiene almeno 5 litri; **~ the first on the left** prenda la prima a sinistra; **to ~ Russian at university** fare russo all'università; **I took him for a doctor** l'ho preso per un dottore.
▶**take after** *vt fus* assomigliare a.
▶**take apart** *vt* smontare.
▶**take away** *vt* portare via; togliere; **to ~ away (from)** sottrarre (da).
▶**take back** *vt* (*return*) restituire; riportare; (*one's words*) ritirare.
▶**take down** *vt* (*building*) demolire; (*dismantle: scaffolding*) smontare; (*letter etc*) scrivere.
▶**take in** *vt* (*lodger*) prendere, ospitare; (*orphan*) accogliere; (*stray dog*) raccogliere; (*SEWING*) stringere; (*deceive*) imbrogliare, abbindolare; (*understand*)
capire; (*include*) comprendere, includere.
▶**take off** *vi* (*AVIAT*) decollare ♦ *vt* (*remove*) togliere; (*imitate*) imitare.
▶**take on** *vt* (*work*) accettare, intraprendere; (*employee*) assumere; (*opponent*) sfidare, affrontare.
▶**take out** *vt* portare fuori; (*remove*) togliere; (*licence*) prendere, ottenere; **to ~ sth out of** tirare qc fuori da; estrarre qc da; **don't ~ it out on me!** non prendertela con me!
▶**take over** *vt* (*business*) rilevare ♦ *vi*: **to ~ over from sb** prendere le consegne *or* il controllo da qn.
▶**take to** *vt fus* (*person*) prendere in simpatia; (*activity*) prendere gusto a; (*form habit of*): **to ~ to doing sth** prendere *or* cominciare a fare qc.
▶**take up** *vt* (*one's story*) riprendere; (*dress*) accorciare; (*absorb: liquids*) assorbire; (*accept: offer, challenge*) accettare; (*occupy: time, space*) occupare; (*engage in: hobby etc*) mettersi a; **to ~ up with sb** fare amicizia con qn.
takeaway ['teɪkəweɪ] *adj* (*BRIT: food*) da portar via.
take-home pay ['teɪkhəum-] *n* stipendio netto.
taken ['teɪkn] *pp of* **take**.
takeoff ['teɪkɔf] *n* (*AVIAT*) decollo.
takeout ['teɪkaut] *adj* (*US*) = **takeaway**.
takeover ['teɪkəuvə*] *n* (*COMM*) assorbimento.
takeover bid *n* offerta di assorbimento.
takings ['teɪkɪŋz] *npl* (*COMM*) incasso.
talc [tælk] *n* (*also:* **~um powder**) talco.
tale [teɪl] *n* racconto, storia; (*pej*) fandonia; **to tell ~s** fare la spia.
talent ['tælənt] *n* talento.
talented ['tæləntɪd] *adj* di talento.
talent scout *n* talent scout *m/f inv*.
talisman ['tælɪzmən] *n* talismano.
talk [tɔːk] *n* discorso; (*gossip*) chiacchiere *fpl*; (*conversation*) conversazione *f*; (*interview*) discussione *f* ♦ *vi* parlare; (*chatter*) chiacchierare; **to give a ~** tenere una conferenza; **to ~ about** parlare di; (*converse*) discorrere *or* conversare su; **to ~ sb out of/into doing** dissuadere qn da/convincere qn a fare; **to ~ shop** parlare del lavoro *or* degli affari; **~ing of films, have you seen ...?** a proposito di film, ha visto ...?
▶**talk over** *vt* discutere.
talkative ['tɔːkətɪv] *adj* loquace, ciarliero(a).
talking point ['tɔːkɪŋ-] *n* argomento di conversazione.

talking-to ['tɔːkɪŋtuː] n: **to give sb a good ~** fare una bella paternale a qn.
talk show n (TV, RADIO) intervista (informale), talk show m inv.
tall [tɔːl] adj alto(a); **to be 6 feet ~** ≈ essere alto 1 metro e 80; **how ~ are you?** quanto è alto?
tallboy ['tɔːlbɔɪ] n (BRIT) cassettone m alto.
tallness ['tɔːlnɪs] n altezza.
tall story n panzana, frottola.
tally ['tælɪ] n conto, conteggio ♦ vi: **to ~ (with)** corrispondere (a); **to keep a ~ of** sth tener il conto di qc.
talon ['tælən] n artiglio.
tambourine [tæmbə'riːn] n tamburello.
tame [teɪm] adj addomesticato(a); (fig: story, style) insipido(a), scialbo(a).
Tamil ['tæmɪl] adj tamil inv ♦ n tamil m/f inv; (LING) tamil m.
tamper ['tæmpə*] vi: **to ~ with** manomettere.
tampon ['tæmpɔn] n tampone m.
tan [tæn] n (also: **sun~**) abbronzatura ♦ vt abbronzare ♦ vi abbronzarsi ♦ adj (colour) marrone rossiccio inv; **to get a ~** abbronzarsi.
tandem ['tændəm] n tandem m inv.
tandoori [tæn'duərɪ] adj nella cucina indiana, detto di carni o verdure cucinate allo spiedo in particolari forni.
tang [tæŋ] n odore m penetrante; sapore m piccante.
tangent ['tændʒənt] n (MATH) tangente f; **to go off at a ~** (fig) partire per la tangente.
tangerine [tændʒə'riːn] n mandarino.
tangible ['tændʒəbl] adj tangibile; **~ assets** patrimonio reale.
Tangier [tæn'dʒɪə*] n Tangeri f.
tangle ['tæŋgl] n groviglio ♦ vt aggrovigliare; **to get in(to) a ~** finire in un groviglio.
tango ['tæŋgəu] n tango.
tank [tæŋk] n serbatoio; (for processing) vasca; (for fish) acquario; (MIL) carro armato.
tankard ['tæŋkəd] n boccale m.
tanker ['tæŋkə*] n (ship) nave f cisterna inv; (for oil) petroliera; (truck) autobotte f, autocisterna.
tanned [tænd] adj abbronzato(a).
tannin ['tænɪn] n tannino.
tanning ['tænɪŋ] n (of leather) conciatura.
tannoy ® ['tænɔɪ] n (BRIT) altoparlante m; **over the ~** per altoparlante.
tantalizing ['tæntəlaɪzɪŋ] adj allettante.
tantamount ['tæntəmaunt] adj: **~ to** equivalente a.
tantrum ['tæntrəm] n accesso di collera; **to**

throw a ~ fare le bizze.
Tanzania [tænzə'nɪə] n Tanzania.
Tanzanian [tænzə'nɪən] adj, n tanzaniano(a).
tap [tæp] n (on sink etc) rubinetto; (gentle blow) colpetto ♦ vt dare un colpetto a; (resources) sfruttare, utilizzare; (telephone conversation) intercettare; (telephone) mettere sotto controllo; **on ~** (beer) alla spina; (fig: resources) a disposizione.
tap-dancing ['tæpdɑːnsɪŋ] n tip tap m.
tape [teɪp] n nastro; (also: **magnetic ~**) nastro (magnetico) ♦ vt (record) registrare (su nastro); **on ~** (song etc) su nastro.
tape deck n piastra di registrazione.
tape measure n metro a nastro.
taper ['teɪpə*] n candelina ♦ vi assottigliarsi.
tape-record ['teɪprɪkɔːd] vt registrare (su nastro).
tape recorder n registratore m (a nastro).
tape recording n registrazione f.
tapered ['teɪpəd], **tapering** ['teɪpərɪŋ] adj affusolato(a).
tapestry ['tæpɪstrɪ] n arazzo; tappezzeria.
tape-worm ['teɪpwɔːm] n tenia, verme m solitario.
tapioca [tæpɪ'əukə] n tapioca.
tappet ['tæpɪt] n punteria.
tar [tɑː*] n catrame m; **low-/middle-~ cigarettes** sigarette a basso/medio contenuto di nicotina.
tarantula [tə'ræntjulə] n tarantola.
tardy ['tɑːdɪ] adj tardo(a); tardivo(a).
target ['tɑːgɪt] n bersaglio; (fig: objective) obiettivo; **to be on ~** (project) essere nei tempi (di lavorazione).
target practice n tiro al bersaglio.
tariff ['tærɪf] n tariffa.
tarmac ['tɑːmæk] n (BRIT: on road) macadam m al catrame; (AVIAT) pista di decollo ♦ vt (BRIT) macadamizzare.
tarnish ['tɑːnɪʃ] vt offuscare, annerire; (fig) macchiare.
tarot ['tærəu] n tarocco.
tarpaulin [tɑː'pɔːlɪn] n tela incatramata.
tarragon ['tærəgən] n dragoncello.
tart [tɑːt] n (CULIN) crostata; (BRIT col: pej: woman) sgualdrina ♦ adj (flavour) aspro(a), agro(a).
▶**tart up** vt (col): **to ~ o.s. up** farsi bello(a); (pej) agghindarsi.
tartan ['tɑːtn] n tartan m inv.
tartar ['tɑːtə*] n (on teeth) tartaro.
tartar sauce n salsa tartara.
task [tɑːsk] n compito; **to take to ~**

rimproverare.

task force *n* (*MIL, POLICE*) unità operativa.

taskmaster ['tɑːskmɑːstəʳ] *n*: **he's a hard ~** è un vero tiranno.

Tasmania [tæz'meɪnɪə] *n* Tasmania.

tassel ['tæsl] *n* fiocco.

taste [teɪst] *n* gusto; (*flavour*) sapore *m*, gusto; (*fig: glimpse, idea*) idea ♦ *vt* gustare; (*sample*) assaggiare ♦ *vi*: **to ~ of** (*fish etc*) sapere di, avere sapore di; **what does it ~ like?** che sapore *or* gusto ha?; **it ~s like fish** sa di pesce; **you can ~ the garlic (in it)** (ci) si sente il sapore dell'aglio; **can I have a ~ of this wine?** posso assaggiare un po' di questo vino?; **to have a ~ of sth** assaggiare qc; **to have a ~ for sth** avere un'inclinazione per qc; **to be in bad** *or* **poor ~** essere di cattivo gusto.

taste bud *n* papilla gustativa.

tasteful ['teɪstful] *adj* di buon gusto.

tastefully ['teɪstfəlɪ] *adv* con gusto.

tasteless ['teɪstlɪs] *adj* (*food*) insipido(a); (*remark*) di cattivo gusto.

tasty ['teɪstɪ] *adj* saporito(a), gustoso(a).

tattered ['tætəd] *adj see* **tatters**.

tatters ['tætəz] *npl*: **in ~** (*also*: **tattered**) a brandelli, sbrindellato(a).

tattoo [tə'tuː] *n* tatuaggio; (*spectacle*) parata militare ♦ *vt* tatuare.

tatty ['tætɪ] *adj* (*BRIT col*) malandato(a).

taught [tɔːt] *pt, pp of* **teach**.

taunt [tɔːnt] *n* scherno ♦ *vt* schernire.

Taurus ['tɔːrəs] *n* Toro; **to be ~** essere del Toro.

taut [tɔːt] *adj* teso(a).

tavern ['tævən] *n* taverna.

tawdry ['tɔːdrɪ] *adj* pacchiano(a).

tawny ['tɔːnɪ] *adj* fulvo(a).

tax [tæks] *n* imposta, tassa; (*on income*) imposte *fpl*, tasse *fpl* ♦ *vt* tassare; (*fig: strain: patience etc*) mettere alla prova; **free of ~** esentasse *inv*, esente da imposte; **before/after ~** al lordo/netto delle tasse.

taxable ['tæksəbl] *adj* imponibile.

tax allowance *n* detrazione *f* d'imposta.

taxation [tæk'seɪʃən] *n* tassazione *f*; tasse *fpl*, imposte *fpl*; **system of ~** sistema *m* fiscale.

tax avoidance *n* l'evitare legalmente il pagamento di imposte.

tax collector *n* esattore *m* delle imposte.

tax disc *n* (*BRIT AUT*) ≈ bollo.

tax evasion *n* evasione *f* fiscale.

tax exemption *n* esenzione *f* fiscale.

tax exile *n* chi ripara all'estero per evadere le imposte.

tax-free [tæks'friː] *adj* esente da imposte.

tax haven *n* paradiso fiscale.

taxi ['tæksɪ] *n* taxi *m inv* ♦ *vi* (*AVIAT*) rullare.

taxidermist ['tæksɪdəːmɪst] *n* tassidermista *m/f*.

taxi driver *n* tassista *m/f*.

tax inspector *n* (*BRIT*) ispettore *m* delle tasse.

taxi rank, (*US*) **taxi stand** *n* posteggio dei taxi.

tax payer *n* contribuente *m/f*.

tax rebate *n* rimborso fiscale.

tax relief *n* sgravio fiscale.

tax return *n* dichiarazione *f* dei redditi.

tax shelter *n* paradiso fiscale.

tax year *n* anno fiscale.

TB *n abbr* (= *tuberculosis*) TBC *f*.

TD *n abbr* (*US*) = **Treasury Department**; (: *FOOTBALL*) = **touchdown**.

tea [tiː] *n* tè *m inv*; (*BRIT: snack: for children*) merenda; **high ~** (*BRIT*) cena leggera (*presa nel tardo pomeriggio*).

tea bag *n* bustina di tè.

tea break *n* (*BRIT*) intervallo per il tè.

teacake ['tiːkeɪk] *n* (*BRIT*) panino dolce all'uva.

teach, *pt, pp* **taught** [tiːtʃ, tɔːt] *vt*: **to ~ sb sth, ~ sth to sb** insegnare qc a qn ♦ *vi* insegnare; **it taught him a lesson** (*fig*) gli è servito da lezione.

teacher ['tiːtʃəʳ] *n* (*gen*) insegnante *m/f*; (*in secondary school*) professore/essa; (*in primary school*) maestro/a; **French ~** insegnante di francese.

teacher training college *n* (*for primary schools*) ≈ istituto magistrale; (*for secondary schools*) *scuola universitaria per l'abilitazione all'insegnamento nelle medie superiori*.

teaching ['tiːtʃɪŋ] *n* insegnamento.

teaching aids *npl* materiali *mpl* per l'insegnamento.

teaching hospital *n* (*BRIT*) clinica universitaria.

teaching staff *n* (*BRIT*) insegnanti *mpl*, personale *m* insegnante.

tea cosy *n* copriteiera *m inv*.

teacup ['tiːkʌp] *n* tazza da tè.

teak [tiːk] *n* teak *m*.

tea leaves *npl* foglie *fpl* di tè.

team [tiːm] *n* squadra; (*of animals*) tiro.

▶**team up** *vi*: **to ~ up (with)** mettersi insieme (a).

team games *npl* giochi *mpl* di squadra.

teamwork ['tiːmwəːk] *n* lavoro di squadra.

tea party *n* tè *m inv* (*ricevimento*).

teapot ['tiːpɔt] *n* teiera.

tear *n* [tɛəʳ] strappo; [tɪəʳ] lacrima ♦ *vb*

tearaway – telescopic

[tɛə*] (pt **tore**, pp **torn** [tɔː*, tɔːn]) vt
strappare ♦ vi strapparsi; **in ~s** in
lacrime; **to burst into ~s** scoppiare in
lacrime; **to ~ to pieces** or **to bits** or **to
shreds** (also fig) fare a pezzi or a
brandelli.
▶**tear along** vi (rush) correre
all'impazzata.
▶**tear apart** vt (also fig) distruggere.
▶**tear away** vt: **to ~ o.s. away (from sth)**
(fig) staccarsi (da qc).
▶**tear out** vt (sheet of paper, cheque)
staccare.
▶**tear up** vt (sheet of paper etc) strappare.
tearaway ['tɛərəweɪ] n (col) monello/a.
teardrop ['tɪədrɔp] n lacrima.
tearful ['tɪəful] adj piangente, lacrimoso(a).
tear gas n gas m lacrimogeno.
tearoom ['tiːruːm] n sala da tè.
tease [tiːz] vt canzonare; (unkindly)
tormentare.
tea set n servizio da tè.
teashop ['tiːʃɔp] n (BRIT) sala da tè.
Teasmaid ® ['tiːzmeɪd] n macchinetta per
fare il tè.
teaspoon ['tiːspuːn] n cucchiaino da tè;
(also: **~ful**: as measurement) cucchiaino.
tea strainer n colino da tè.
teat [tiːt] n capezzolo; (of bottle) tettarella.
teatime ['tiːtaɪm] n ora del tè.
tea towel n (BRIT) strofinaccio (per i
piatti).
tea urn n bollitore m per il tè.
tech [tɛk] n abbr (col) = **technical college**;
technology.
technical ['tɛknɪkl] adj tecnico(a).
technical college n ≈ istituto tecnico.
technicality [tɛknɪ'kælɪtɪ] n tecnicità;
(detail) dettaglio tecnico; **on a legal ~**
grazie a un cavillo legale.
technically ['tɛknɪklɪ] adv dal punto di vista
tecnico.
technician [tɛk'nɪʃən] n tecnico/a.
technique [tɛk'niːk] n tecnica.
techno ['tɛknəu] n (MUS) techno f inv.
technocrat ['tɛknəkræt] n tecnocrate m/f.
technological [tɛknə'lɔdʒɪkl] adj
tecnologico(a).
technologist [tɛk'nɔlədʒɪst] n tecnologo/a.
technology [tɛk'nɔlədʒɪ] n tecnologia.
teddy (bear) ['tɛdɪ-] n orsacchiotto.
tedious ['tiːdɪəs] adj noioso(a), tedioso(a).
tedium ['tiːdɪəm] n noia, tedio.
tee [tiː] n (GOLF) tee m inv.
teem [tiːm] vi abbondare, brulicare; **to ~
with** brulicare di; **it is ~ing (with rain)**
piove a dirotto.
teenage ['tiːneɪdʒ] adj (fashions etc) per

giovani, per adolescenti.
teenager ['tiːneɪdʒə*] n adolescente m/f.
teens [tiːnz] npl: **to be in one's ~** essere
adolescente.
tee-shirt ['tiːʃəːt] n = **T-shirt**.
teeter ['tiːtə*] vi barcollare, vacillare.
teeth [tiːθ] npl of **tooth**.
teethe [tiːð] vi mettere i denti.
teething ring ['tiːðɪŋ-] n dentaruolo.
teething troubles npl (fig) difficoltà fpl
iniziali.
teetotal ['tiː'təutl] adj astemio(a).
teetotaller, (US) **teetotaler** ['tiː'təutlə*] n
astemio/a.
TEFL ['tɛfl] n abbr = Teaching of English as a
Foreign Language.
Teflon ® ['tɛflɔn] n teflon ® m.
Tehran [tɛə'rɑːn] n Tehran f.
tel. abbr (= telephone) tel.
Tel Aviv ['tɛlə'viːv] n Tel Aviv f.
telecast ['tɛlɪkɑːst] vt, vi teletrasmettere.
telecommunications ['tɛlɪkəmjuːnɪ
'keɪʃənz] n telecomunicazioni fpl.
telegram ['tɛlɪgræm] n telegramma m.
telegraph ['tɛlɪgrɑːf] n telegrafo.
telegraphic [tɛlɪ'græfɪk] adj telegrafico(a).
telegraph pole n palo del telegrafo.
telegraph wire n filo del telegrafo.
telepathic [tɛlɪ'pæθɪk] adj telepatico(a).
telepathy [tə'lɛpəθɪ] n telepatia.
telephone ['tɛlɪfəun] n telefono ♦ vt
(person) telefonare a; (message)
telefonare; **to have a ~,** (BRIT) **to be on
the ~** (subscriber) avere il telefono; **to be
on the ~** (be speaking) essere al telefono.
telephone booth, (BRIT) **telephone box**
n cabina telefonica.
telephone call n telefonata.
telephone directory n elenco telefonico.
telephone exchange n centralino
telefonico.
telephone number n numero di telefono.
telephone operator n centralinista m/f.
telephone tapping n intercettazione f
telefonica.
telephonist [tə'lɛfənɪst] n (BRIT) telefonista
m/f.
telephoto lens ['tɛlɪfəutəu-] n
teleobiettivo.
teleprinter ['tɛlɪprɪntə*] n telescrivente f.
Teleprompter ® ['tɛlɪprɔmptə*] n (US)
gobbo.
telesales ['tɛlɪseɪlz] n vendita per telefono.
telescope ['tɛlɪskəup] n telescopio ♦ vi
chiudersi a telescopio; (fig: vehicles)
accartocciarsi.
telescopic [tɛlɪs'kɔpɪk] adj telescopico(a);
(umbrella) pieghevole.

Teletext ® ['tɛlɪtɛkst] *n* (*system*) teletext *m* *inv*; (*in Italy*) televideo.

telethon ['tɛlɪθɔn] *n* maratona televisiva.

televise ['tɛlɪvaɪz] *vt* teletrasmettere.

television ['tɛlɪvɪʒən] *n* televisione *f*; **on** ~ alla televisione.

television licence *n* (*BRIT*) abbonamento alla televisione.

television programme *n* programma *m* televisivo.

television set *n* televisore *m*.

telex ['tɛlɛks] *n* telex *m inv* ♦ *vt* trasmettere per telex ♦ *vi* mandare un telex; **to** ~ **sb (about sth)** informare qn via telex (di qc).

tell, *pt, pp* **told** [tɛl, təuld] *vt* dire; (*relate: story*) raccontare; (*distinguish*): **to** ~ **sth from** distinguere qc da ♦ *vi* (*have effect*) farsi sentire, avere effetto; **to** ~ **sb to do** dire a qn di fare; **to** ~ **sb about sth** dire a qn di qc; raccontare qc a qn; **to** ~ **the time** leggere l'ora; **can you** ~ **me the time?** può dirmi l'ora?; (**I**) ~ **you what ...** so io che cosa fare ...; **I couldn't** ~ **them apart** non riuscivo a distinguerli.

▶**tell off** *vt* rimproverare, sgridare.

▶**tell on** *vt fus* (*inform against*) denunciare.

teller ['tɛlə*] *n* (*in bank*) cassiere/a.

telling ['tɛlɪŋ] *adj* (*remark, detail*) rivelatore(trice).

telltale ['tɛlteɪl] *adj* (*sign*) rivelatore(trice) ♦ *n* malalingua, pettegolo/a.

telly ['tɛlɪ] *n abbr* (*BRIT col:* = *television*) tivù *f inv*.

temerity [tə'mɛrɪtɪ] *n* temerarietà.

temp [tɛmp] *abbr* (*BRIT col:* = *temporary*) *n* impiegato(a) straordinario(a) ♦ *vi* lavorare come impiegato(a) straordinario(a).

temper ['tɛmpə*] *n* (*nature*) carattere *m*; (*mood*) umore *m*; (*fit of anger*) collera ♦ *vt* (*moderate*) temperare, moderare; **to be in a** ~ essere in collera; **to keep one's** ~ restare calmo; **to lose one's** ~ andare in collera.

temperament ['tɛmprəmənt] *n* temperamento.

temperamental [tɛmprə'mɛntl] *adj* capriccioso(a).

temperance ['tɛmpərns] *n* moderazione *f*; (*in drinking*) temperanza nel bere.

temperate ['tɛmprət] *adj* moderato(a); (*climate*) temperato(a).

temperature ['tɛmprətʃə*] *n* temperatura; **to have** *or* **run a** ~ avere la febbre.

tempered ['tɛmpəd] *adj* (*steel*) temprato(a).

tempest ['tɛmpɪst] *n* tempesta.

tempestuous [tɛm'pɛstjuəs] *adj* (*relationship, meeting*) burrascoso(a).

tempi ['tɛmpiː] *npl of* **tempo.**

template, (*US*) **templet** ['tɛmplɪt] *n* sagoma.

temple ['tɛmpl] *n* (*building*) tempio; (*ANAT*) tempia.

templet ['tɛmplɪt] *n* (*US*) = **template.**

tempo, ~**s** *or* **tempi** ['tɛmpəu, 'tɛmpiː] *n* tempo; (*fig: of life etc*) ritmo.

temporal ['tɛmpərl] *adj* temporale.

temporarily ['tɛmpərərɪlɪ] *adv* temporaneamente.

temporary ['tɛmpərərɪ] *adj* temporaneo(a); (*job, worker*) avventizio(a), temporaneo(a); ~ **secretary** segretaria temporanea; ~ **teacher** supplente *m/f*.

temporize ['tɛmpəraɪz] *vi* temporeggiare.

tempt [tɛmpt] *vt* tentare; **to** ~ **sb into doing** indurre qn a fare; **to be** ~**ed to do sth** essere tentato di fare qc.

temptation [tɛmp'teɪʃən] *n* tentazione *f*.

tempting ['tɛmptɪŋ] *adj* allettante, seducente.

ten [tɛn] *num* dieci ♦ *n* dieci; ~**s of thousands** decine di migliaia.

tenable ['tɛnəbl] *adj* sostenibile.

tenacious [tə'neɪʃəs] *adj* tenace.

tenacity [tə'næsɪtɪ] *n* tenacia.

tenancy ['tɛnənsɪ] *n* affitto; condizione *f* di inquilino.

tenant ['tɛnənt] *n* inquilino/a.

tend [tɛnd] *vt* badare a, occuparsi di; (*sick etc*) prendersi cura di ♦ *vi*: **to** ~ **to do** tendere a fare; (*colour*): **to** ~ **to** tendere a.

tendency ['tɛndənsɪ] *n* tendenza.

tender ['tɛndə*] *adj* tenero(a); (*sore*) sensibile; (*fig: subject*) delicato(a) ♦ *n* (*COMM: offer*) offerta; (*money*): **legal** ~ valuta (a corso legale) ♦ *vt* offrire; **to put in a** ~ **(for)** fare un'offerta (per); **to put work out to** ~ (*BRIT*) dare lavoro in appalto; **to** ~ **one's resignation** presentare le proprie dimissioni.

tenderize ['tɛndəraɪz] *vt* (*CULIN*) far intenerire.

tenderly ['tɛndəlɪ] *adv* teneramente.

tenderness ['tɛndənɪs] *n* tenerezza; sensibilità.

tendon ['tɛndən] *n* tendine *m*.

tenement ['tɛnəmənt] *n* casamento.

Tenerife [tɛnə'riːf] *n* Tenerife *f*.

tenet ['tɛnət] *n* principio.

Tenn. *abbr* (*US*) = *Tennessee.*

tenner ['tɛnə*] *n* (*BRIT col*) (banconota da) dieci sterline *fpl*.

tennis ['tɛnɪs] *n* tennis *m*.

tennis ball *n* palla da tennis.

tennis court n campo da tennis.
tennis elbow n (MED) gomito del tennista.
tennis match n partita di tennis.
tennis player n tennista m/f.
tennis racket n racchetta da tennis.
tennis shoes npl scarpe fpl da tennis.
tenor ['tɛnə*] n (MUS, of speech etc) tenore m.
tenpin bowling ['tɛnpɪn-] n (BRIT) bowling m.
tense [tɛns] adj teso(a) ♦ n (LING) tempo ♦ vt (tighten: muscles) tendere.
tenseness ['tɛnsnɪs] n tensione f.
tension ['tɛnʃən] n tensione f.
tent [tɛnt] n tenda.
tentacle ['tɛntəkl] n tentacolo.
tentative ['tɛntətɪv] adj esitante, incerto(a); (conclusion) provvisorio(a).
tenterhooks ['tɛntəhuks] npl: **on ~** sulle spine.
tenth [tɛnθ] num decimo(a).
tent peg n picchetto da tenda.
tent pole n palo da tenda, montante m.
tenuous ['tɛnjuəs] adj tenue.
tenure ['tɛnjuə*] n (of property) possesso; (of job) incarico; (guaranteed employment): **to have ~** essere di ruolo.
tepid ['tɛpɪd] adj tiepido(a).
term [tə:m] n (limit) termine m; (word) vocabolo, termine; (SCOL) trimestre m; (LAW) sessione f ♦ vt chiamare, definire; **~s** npl (conditions) condizioni fpl; (COMM) prezzi mpl, tariffe fpl; **~ of imprisonment** periodo di prigionia; **during his ~ of office** durante il suo incarico; **in the short/long ~** a breve/lunga scadenza; **"easy ~s"** (COMM) "facilitazioni di pagamento"; **to be on good ~s with** essere in buoni rapporti con; **to come to ~s with** (person) arrivare a un accordo con; (problem) affrontare.
terminal ['tə:mɪnl] adj finale, terminale; (disease) nella fase terminale ♦ n (ELEC, COMPUT) terminale m; (AVIAT, for oil, ore etc) terminal m inv; (BRIT: also: **coach ~**) capolinea m.
terminate ['tə:mɪneɪt] vt mettere fine a ♦ vi: **to ~ in** finire in or con.
termination [tə:mɪ'neɪʃən] n fine f; (of contract) rescissione f; **~ of pregnancy** (MED) interruzione f della gravidanza.
termini ['tə:mɪnaɪ] npl of **terminus**.
terminology [tə:mɪ'nɔlədʒɪ] n terminologia.
terminus, pl **termini** ['tə:mɪnəs, 'tə:mɪnaɪ] n (for buses) capolinea m; (for trains) stazione f terminale.
termite ['tə:maɪt] n termite f.

term paper n (US UNIVERSITY) saggio scritto da consegnare a fine trimestre.
Ter(r). abbr = **terrace**.
terrace ['tɛrəs] n terrazza; (BRIT: row of houses) fila di case a schiera; **the ~s** npl (BRIT SPORT) le gradinate.
terraced ['tɛrɪst] adj (garden) a terrazze; (in a row: house, cottage etc) a schiera.
terrain [tɛ'reɪn] n terreno.
terrible ['tɛrɪbl] adj terribile; (weather) bruttissimo(a); (performance, report) pessimo(a).
terribly ['tɛrəblɪ] adv terribilmente; (very badly) malissimo.
terrier ['tɛrɪə*] n terrier m inv.
terrific [tə'rɪfɪk] adj incredibile, fantastico(a); (wonderful) formidabile, eccezionale.
terrify ['tɛrɪfaɪ] vt terrorizzare; **to be terrified** essere atterrito(a).
territorial [tɛrɪ'tɔ:rɪəl] adj territoriale.
territorial waters npl acque fpl territoriali.
territory ['tɛrɪtərɪ] n territorio.
terror ['tɛrə*] n terrore m.
terrorism ['tɛrərɪzəm] n terrorismo.
terrorist ['tɛrərɪst] n terrorista m/f.
terrorize ['tɛrəraɪz] vt terrorizzare.
terse [tə:s] adj (style) conciso(a); (reply) laconico(a).
tertiary ['tə:ʃərɪ] adj (gen) terziario(a); **~ education** (BRIT) educazione f superiore post-scolastica.
Terylene ® ['tɛrəli:n] n (BRIT) terital ® m, terilene ® m.
TESL ['tɛsl] n abbr = Teaching of English as a Second Language.
TESSA ['tɛsə] n abbr (BRIT: = Tax Exempt Special Savings Account) deposito a risparmio esente da tasse.
test [tɛst] n (trial, check) prova; (: of goods in factory) controllo, collaudo; (MED) esame m; (CHEM) analisi f inv; (exam: of intelligence etc) test m inv; (: in school) compito in classe; (also: **driving ~**) esame m di guida ♦ vt provare; controllare, collaudare; esaminare; analizzare; sottoporre ad esame; **to put sth to the ~** mettere qc alla prova; **to ~ sth for sth** analizzare qc alla ricerca di qc; **to ~ sb in history** esaminare qn in storia.
testament ['tɛstəmənt] n testamento; **the Old/New T~** il Vecchio/Nuovo testamento.
test ban n (also: **nuclear ~**) divieto di esperimenti nucleari.
test case n (LAW, fig) caso che farà testo.
testes ['tɛsti:z] npl testicoli mpl.
test flight n volo di prova.

testicle ['tɛstɪkl] *n* testicolo.

testify ['tɛstɪfaɪ] *vi* (*LAW*) testimoniare, deporre; **to ~ to sth** (*LAW*) testimoniare qc; (*gen*) comprovare *or* dimostrare qc; (*be sign of*) essere una prova di qc.

testimonial [tɛstɪ'məunɪəl] *n* (*BRIT*: *reference*) benservito; (*gift*) testimonianza di stima.

testimony ['tɛstɪmənɪ] *n* (*LAW*) testimonianza, deposizione *f*.

testing ['tɛstɪŋ] *adj* (*difficult*: *time*) duro(a).

test match *n* (*CRICKET, RUGBY*) partita internazionale.

testosterone [tɛs'tɔstərəun] *n* testosterone *m*.

test paper *n* (*SCOL*) interrogazione *f* scritta.

test pilot *n* pilota *m* collaudatore.

test tube *n* provetta.

test-tube baby ['tɛsttjuːb-] *n* bambino(a) concepito(a) in provetta.

testy ['tɛstɪ] *adj* irritabile.

tetanus ['tɛtənəs] *n* tetano.

tetchy ['tɛtʃɪ] *adj* irritabile, irascibile.

tether ['tɛðə*] *vt* legare ♦ *n*: **at the end of one's ~** al limite (della pazienza).

Tex. *abbr* (*US*) = *Texas*.

text [tɛkst] *n* testo.

textbook ['tɛkstbuk] *n* libro di testo.

textile ['tɛkstaɪl] *n* tessile *m*; **~s** *npl* tessuti *mpl*.

textual ['tɛkstjuəl] *adj* testuale, del testo.

texture ['tɛkstʃə*] *n* tessitura; (*of skin, paper etc*) struttura.

TGIF *abbr* (*col*) = *thank God it's Friday.*

TGWU *n abbr* (*BRIT*: = *Transport and General Workers' Union*) sindacato degli operai dei trasporti *e non specializzati*.

Thai [taɪ] *adj* tailandese ♦ *n* tailandese *m/f*; (*LING*) tailandese *m*.

Thailand ['taɪlænd] *n* Tailandia.

thalidomide ® [θə'lɪdəmaɪd] *n* talidomide ® *m*.

Thames [tɛmz] *n*: **the ~** il Tamigi.

than [ðæn, ðən] *conj* che; (*with numerals, pronouns, proper names*): **more ~ 10/me/ Maria** più di 10/me/Maria; **you know her better ~ I do** la conosce meglio di me *or* di quanto non la conosca io; **she has more apples ~ pears** ha più mele che pere; **it is better to phone ~ to write** è meglio telefonare che scrivere; **no sooner did he leave ~ the phone rang** non appena uscì il telefono suonò.

thank [θæŋk] *vt* ringraziare; **~ you (very much)** grazie (tante); **~ heavens/God!** grazie al cielo/a Dio!; *see also* **thanks.**

thankful ['θæŋkful] *adj*: **~ (for)** riconoscente

(per); **~ for/that** (*relieved*) sollevato(a) da/dal fatto che.

thankfully ['θæŋkfəlɪ] *adv* con riconoscenza; con sollievo; **~ there were few victims** grazie al cielo ci sono state poche vittime.

thankless ['θæŋklɪs] *adj* ingrato(a).

thanks [θæŋks] *npl* ringraziamenti *mpl*, grazie *fpl* ♦ *excl* grazie!; **~ to** *prep* grazie a.

Thanksgiving (Day) ['θæŋksgɪvɪŋ-] *n* giorno del ringraziamento.

> *Negli Stati Uniti il quarto giovedì di novembre ricorre il* **Thanksgiving (Day)**, *festa nazionale in ricordo della celebrazione con cui i Padri Pellegrini, i puritani inglesi che fondarono la colonia di Plymouth nel Massachusetts, ringraziarono Dio del buon raccolto del 1621.*

════════════════════ *KEYWORD*

that [ðæt](*pl* **those**) *adj* (*demonstrative*) quel(quell', quello) *m*; quella(quell') *f*; **~ man/woman/book** quell'uomo/quella donna/quel libro; (*not "this"*) quell'uomo/ quella donna/quel libro là; **~ one** quello(a) là

♦ *pron* **1** (*demonstrative*) ciò; (*not "this one"*) quello(a); **who's ~?** chi è quello là?; **what's ~?** cos'è quello?; **is ~ you?** sei tu?; **I prefer this to ~** preferisco questo a quello; **~'s what he said** questo è ciò che ha detto; **after ~** dopo; **what happened after ~?** che è successo dopo?; **~ is (to say)** cioè; **at *or* with ~ she** ... con ciò lei ...; **do it like ~** fallo così

2 (*relative*: *direct*) che; (: *indirect*) cui; **the book (~) I read** il libro che ho letto; **the box (~) I put it in** la scatola in cui l'ho messo; **the people (~) I spoke to** le persone con cui *or* con le quali ho parlato; **not ~ I know of** non che io sappia

3 (*relative*: *of time*) in cui; **the day (~) he came** il giorno in cui è venuto

♦ *conj* che; **he thought ~ I was ill** pensava che io fossi malato

♦ *adv* (*demonstrative*) così; **I can't work ~ much** non posso lavorare (così) tanto; **~ high** così alto; **the wall's about ~ high and ~ thick** il muro è alto circa così e spesso circa così.

thatched [θætʃt] *adj* (*roof*) di paglia; **~ cottage** cottage *m inv* col tetto di paglia.

Thatcherism ['θætʃərɪzəm] *n* thatcherismo.

thaw [θɔː] *n* disgelo ♦ *vi* (*ice*) sciogliersi;

(*food*) scongelarsi ♦ *vt* (*food*) (fare) scongelare; **it's** ~**ing** (*weather*) sta sgelando.

════════════ KEYWORD

the [ðiː, ðə] *def art* **1** (*gen*) il(lo, l') *m*; la(l') *f*; i(gli) *mpl*; le *fpl*; ~ **boy/girl/ink** il ragazzo/ la ragazza/l'inchiostro; ~ **books/pencils** i libri/le matite; ~ **history of** ~ **world** la storia del mondo; **give it to** ~ **postman** dallo al postino; **I haven't** ~ **time/money** non ho tempo/soldi; ~ **rich and** ~ **poor** i ricchi e i poveri; **1700 lire to** ~ **dollar** 1700 lire per un dollaro; **paid by** ~ **hour** pagato a ore
2 (*in titles*): **Elizabeth** ~ **First** Elisabetta prima; **Peter** ~ **Great** Pietro il Grande
3 (*in comparisons*): ~ **more he works,** ~ **more he earns** più lavora più guadagna; ~ **sooner** ~ **better** prima è meglio è.

theatre, (*US*) **theater** ['θɪətə*] *n* teatro.
theatre-goer ['θɪətəɡəuə*] *n* frequentatore/trice di teatri.
theatrical [θɪ'ætrɪkl] *adj* teatrale.
theft [θɛft] *n* furto.
their [ðɛə*] *adj* il(la) loro, *pl* i(le) loro.
theirs [ðɛəz] *pron* il(la) loro, *pl* i(le) loro; **it is** ~ è loro; **a friend of** ~ un loro amico.
them [ðɛm, ðəm] *pron* (*direct*) li(le); (*indirect*) gli, loro (*after vb*); (*stressed, after prep: people*) loro; (: *people, things*) essi(e); **I see** ~ li vedo; **give** ~ **the book** dà loro *or* dagli il libro; **give me a few of** ~ dammene un po' *or* qualcuno.
theme [θiːm] *n* tema *m*.
theme park *n* parco dei divertimenti a soggetto.
theme song, theme tune *n* tema musicale.
themselves [ðəm'sɛlvz] *pl pron* (*reflexive*) si; (*emphatic*) loro stessi(e); (*after prep*) se stessi(e); **between** ~ tra (di) loro.
then [ðɛn] *adv* (*at that time*) allora; (*next*) poi, dopo; (*and also*) e poi ♦ *conj* (*therefore*) perciò, dunque, quindi ♦ *adj*: **the** ~ **president** il presidente di allora; **from** ~ **on** da allora in poi; **until** ~ fino ad allora; **and** ~ **what?** e poi?, e allora?; **what do you want me to do** ~**?** allora cosa vuole che faccia?
theologian [θɪə'ləudʒən] *n* teologo/a.
theological [θɪə'lɔdʒɪkl] *adj* teologico(a).
theology [θɪ'ɔlədʒɪ] *n* teologia.
theorem ['θɪərəm] *n* teorema *m*.
theoretical [θɪə'rɛtɪkl] *adj* teorico(a).
theorize ['θɪəraɪz] *vi* teorizzare.
theory ['θɪərɪ] *n* teoria; **in** ~ in teoria.

therapeutic(al) [θɛrə'pjuːtɪk(l)] *adj* terapeutico(a).
therapist ['θɛrəpɪst] *n* terapista *m/f*.
therapy ['θɛrəpɪ] *n* terapia.

════════════ KEYWORD

there [ðɛə*] *adv* **1**: ~ **is,** ~ **are** c'è, ci sono; ~ **are 3 of them** (*people*) sono in 3; (*things*) ce ne sono 3; ~ **is no-one here** non c'è nessuno qui; ~ **has been an accident** c'è stato un incidente
2 (*referring to place*) là, lì; **it's** ~ è là *or* lì; **up/in/down** ~ lassù/là dentro/laggiù; **back** ~ là dietro; **on** ~ lassù; **over** ~ là; **through** ~ di là; **he went** ~ **on Friday** ci è andato venerdì; **it takes two hours to go** ~ **and back** ci vogliono due ore per andare e tornare; **I want that book** ~ voglio quel libro là *or* lì; ~ **he is!** eccolo!
3: ~, ~ (*esp to child*) su, su.

thereabouts ['ðɛərəbauts] *adv* (*place*) nei pressi, da quelle parti; (*amount*) giù di lì, all'incirca.
thereafter [ðɛər'ɑːftə*] *adv* da allora in poi.
thereby [ðɛə'baɪ] *adv* con ciò.
therefore ['ðɛəfɔː*] *adv* perciò, quindi.
there's [ðɛəz] = **there is; there has**.
thereupon [ðɛərə'pɔn] *adv* (*at that point*) a quel punto; (*formal: on that subject*) in merito.
thermal ['θəːml] *adj* (*currents, spring*) termale; (*underwear, printer*) termico(a); (*paper*) termosensibile.
thermodynamics [θəːməudaɪ'næmɪks] *n* termodinamica.
thermometer [θə'mɔmɪtə*] *n* termometro.
thermonuclear ['θəːməu'njuːklɪə*] *adj* termonucleare.
Thermos ® ['θəːməs] *n* (*also*: ~ **flask**) thermos ® *m inv*.
thermostat ['θəːməstæt] *n* termostato.
thesaurus [θɪ'sɔːrəs] *n* dizionario dei sinonimi.
these [ðiːz] *pl pron, adj* questi(e).
thesis, *pl* **theses** ['θiːsɪs, 'θiːsiːz] *n* tesi *f inv*.
they [ðeɪ] *pl pron* essi(esse); (*people only*) loro; ~ **say that** ... (*it is said that*) si dice che ....
they'd [ðeɪd] = **they would; they had**.
they'll [ðeɪl] = **they will; they shall**.
they're [ðeə*] = **they are**.
they've [ðeɪv] = **they have**.
thick [θɪk] *adj* spesso(a); (*crowd*) compatto(a); (*stupid*) ottuso(a), lento(a) ♦ *n*: **in the** ~ **of** nel folto di; **it's 20 cm** ~ ha uno spessore di 20 cm.
thicken ['θɪkən] *vi* ispessire ♦ *vt* (*sauce etc*)

ispessire, rendere più denso(a).
thicket ['θɪkɪt] *n* boscaglia.
thickly ['θɪklɪ] *adv* (*spread*) a strati spessi;
(*cut*) a fette grosse; (*populated*)
densamente.
thickness ['θɪknɪs] *n* spessore *m*.
thickset [θɪk'sɛt] *adj* tarchiato(a), tozzo(a).
thickskinned [θɪk'skɪnd] *adj* (*fig*)
insensibile.
thief, *pl* **thieves** [θiːf, θiːvz] *n* ladro/a.
thieving ['θiːvɪŋ] *n* furti *mpl*.
thigh [θaɪ] *n* coscia.
thighbone ['θaɪbəun] *n* femore *m*.
thimble ['θɪmbl] *n* ditale *m*.
thin [θɪn] *adj* sottile; (*person*) magro(a);
(*soup*) poco denso(a); (*hair, crowd*)
rado(a); (*fog*) leggero(a) ♦ *vt* (*hair*) sfoltire
♦ *vi* (*fog*) diradarsi; (*also:* ~ **out**: *crowd*)
disperdersi; **to** ~ (**down**) (*sauce, paint*)
diluire; **his hair is** ~**ning** sta perdendo i
capelli.
thing [θɪŋ] *n* cosa; (*object*) oggetto;
(*contraption*) aggeggio; ~**s** *npl* (*belongings*)
cose *fpl*; **for one** ~ tanto per cominciare;
the best ~ **would be to** la cosa migliore
sarebbe di; **the** ~ **is** ... il fatto è che ...; **the**
main ~ **is to** ... la cosa più importante è
di ...; **first** ~ (**in the morning**) come *or* per
prima cosa (di mattina); **last** ~ (**at night**)
come *or* per ultima cosa (di sera); **poor** ~
poveretto/a; **she's got a** ~ **about mice** è
terrorizzata dai topi; **how are** ~**s**? come
va?
think, *pt, pp* **thought** [θɪŋk, θɔːt] *vi* pensare,
riflettere ♦ *vt* pensare, credere; (*imagine*)
immaginare; **to** ~ **of** pensare a; **what did**
you ~ **of them**? cosa ne ha pensato?; **to** ~
about sth/sb pensare a qc/qn; **I'll** ~ **about**
it ci penserò; **to** ~ **of doing** pensare di
fare; **I** ~ **so** penso *or* credo di sì; **to** ~ **well**
of avere una buona opinione di; **to** ~
aloud pensare ad alta voce; ~ **again**!
rifletti!, pensaci su!
▶**think out** *vt* (*plan*) elaborare; (*solution*)
trovare.
▶**think over** *vt* riflettere su; **I'd like to** ~
things over vorrei pensarci su.
▶**think through** *vt* riflettere a fondo su.
▶**think up** *vt* ideare.
thinking ['θɪŋkɪŋ] *n*: **to my (way of)** ~ a mio
parere.
think tank *n* gruppo di esperti.
thinly ['θɪnlɪ] *adv* (*cut*) a fette sottili;
(*spread*) in uno strato sottile.
thinness ['θɪnnɪs] *n* sottigliezza; magrezza.
third [θɔːd] *n* terzo(a) ♦ *n* terzo/a; (*fraction*)
terzo, terza parte *f*; (*BRIT SCOL: degree*)
laurea col minimo dei voti.

third-degree burns ['θɔːddɪ'griː-] *npl*
ustioni *fpl* di terzo grado.
thirdly ['θɔːdlɪ] *adv* in terzo luogo.
third party insurance *n* (*BRIT*)
assicurazione *f* contro terzi.
third-rate [θɔːd'reɪt] *adj* di qualità
scadente.
Third World *n*: **the** ~ il Terzo Mondo.
thirst [θɔːst] *n* sete *f*.
thirsty ['θɔːstɪ] *adj* (*person*) assetato(a), che
ha sete; **to be** ~ aver sete.
thirteen [θɔː'tiːn] *num* tredici.
thirtieth ['θɔːtɪɪθ] *num* trentesimo(a).
thirty ['θɔːtɪ] *num* trenta.

=============== *KEYWORD*

this [ðɪs] (*pl* **these**) *adj* (*demonstrative*)
questo(a); ~ **man/woman/book**
quest'uomo/questa donna/questo libro;
(*not "that"*) quest'uomo/questa donna/
questo libro qui; ~ **one** questo(a) qui; ~
time questa volta; ~ **time last year** l'anno
scorso in questo periodo; ~ **way** (*in this*
direction) da questa parte; (*in this fashion*)
così
♦ *pron* (*demonstrative*) questo(a); (*not "that*
one") questo(a) qui; **who/what is** ~? chi
è/che cos'è questo?; **I prefer** ~ **to that**
preferisco questo a quello; ~ **is where I**
live io abito qui; ~ **is what he said** questo
è ciò che ha detto; **they were talking of** ~
and that stavano parlando del più e del
meno; ~ **is Mr Brown** (*in introductions,*
photo) questo è il signor Brown; (*on*
telephone) sono il signor Brown
♦ *adv* (*demonstrative*): ~ **high/long** *etc*
alto/lungo *etc* così; **it's about** ~ **high** è
alto circa così; **I didn't know things were**
~ **bad** non sapevo andasse così male.

thistle ['θɪsl] *n* cardo.
thong [θɔŋ] *n* cinghia.
thorn [θɔːn] *n* spina.
thorny ['θɔːnɪ] *adj* spinoso(a).
thorough ['θʌrə] *adj* (*person*) preciso(a),
accurato(a); (*search*) minuzioso(a);
(*knowledge, research*) approfondito(a),
profondo(a); (*cleaning*) a fondo.
thoroughbred ['θʌrəbrɛd] *n* (*horse*)
purosangue *m/f inv*.
thoroughfare ['θʌrəfɛə*] *n* strada
transitabile; **"no** ~**"** (*BRIT*) "divieto di
transito".
thoroughgoing ['θʌrəgəuɪŋ] *adj* (*analysis*)
approfondito(a); (*reform*) totale.
thoroughly ['θʌrəlɪ] *adv* accuratamente;
minuziosamente; in profondità; a fondo;
he ~ **agreed** fu completamente

d'accordo.

thoroughness ['θʌrənɪs] *n* precisione *f.*

those [ðəuz] *pl pron* quelli(e) ♦ *pl adj* quei(quegli) *mpl*; quelle *fpl.*

though [ðəu] *conj* benché, sebbene ♦ *adv* comunque, tuttavia; **even ~** anche se; **it's not so easy,** ~ tuttavia non è così facile.

thought [θɔːt] *pt, pp of* think ♦ *n* pensiero; (*opinion*) opinione *f*; (*intention*) intenzione *f*; **after much ~** dopo molti ripensamenti; **I've just had a ~** mi è appena venuta un'idea; **to give sth some ~** prendere qc in considerazione, riflettere su qc.

thoughtful ['θɔːtful] *adj* pensieroso(a), pensoso(a); ponderato(a); (*considerate*) premuroso(a).

thoughtfully ['θɔːtfəlɪ] *adv* (*pensively*) con aria pensierosa.

thoughtless ['θɔːtlɪs] *adj* sconsiderato(a); (*behaviour*) scortese.

thoughtlessly ['θɔːtlɪslɪ] *adv* sconsideratamente; scortesemente.

thought-provoking ['θɔːtprəvəukɪŋ] *adj* stimolante.

thousand ['θauzənd] *num* mille; **one ~** mille; **~s of** migliaia di.

thousandth ['θauzəntθ] *num* millesimo(a).

thrash [θræʃ] *vt* picchiare; bastonare; (*defeat*) battere.

▶**thrash about** *vi* dibattersi.

▶**thrash out** *vt* dibattere, sviscerare.

thrashing ['θræʃɪŋ] *n*: **to give sb a ~ =** to thrash sb.

thread [θrɛd] *n* filo; (*of screw*) filetto ♦ *vt* (*needle*) infilare; **to ~ one's way between** infilarsi tra.

threadbare ['θrɛdbɛə*] *adj* consumato(a), logoro(a).

threat [θrɛt] *n* minaccia; **to be under ~ of** (*closure, extinction*) rischiare di; (*exposure*) essere minacciato(a) di.

threaten ['θrɛtn] *vi* (*storm*) minacciare ♦ *vt*: **to ~ sb with sth/to do** minacciare qn con qc/di fare.

threatening ['θrɛtnɪŋ] *adj* minaccioso(a).

three [θriː] *num* tre.

three-dimensional [θriːdaɪˈmɛnʃənl] *adj* tridimensionale.

three-piece ['θriːpiːs]: **~ suit** *n* completo (con gilè); **~ suite** *n* salotto comprendente un divano e due poltrone.

three-ply [θriːˈplaɪ] *adj* (*wood*) a tre strati; (*wool*) a tre fili.

three-quarters [θriːˈkwɔːtəz] *npl* tre quarti *mpl*; **~ full** pieno per tre quarti.

three-wheeler [θriːˈwiːlə*] *n* (*car*) veicolo a tre ruote.

thresh [θrɛʃ] *vt* (*AGR*) trebbiare.

threshing machine ['θrɛʃɪŋ-] *n* trebbiatrice *f.*

threshold ['θrɛʃhəuld] *n* soglia; **to be on the ~ of** (*fig*) essere sulla soglia di.

threshold agreement *n* (*ECON*) ≈ scala mobile.

threw [θruː] *pt of* throw.

thrift [θrɪft] *n* parsimonia.

thrifty ['θrɪftɪ] *adj* economico(a), parsimonioso(a).

thrill [θrɪl] *n* brivido ♦ *vi* eccitarsi, tremare ♦ *vt* (*audience*) elettrizzare; **I was ~ed to get your letter** la tua lettera mi ha fatto veramente piacere.

thriller ['θrɪlə*] *n* film *m inv* (*or* dramma *m or* libro) del brivido.

thrilling ['θrɪlɪŋ] *adj* (*book, play etc*) pieno(a) di suspense; (*news, discovery*) entusiasmante.

thrive, *pt* thrived, throve, *pp* thrived, thriven [θraɪv, θrəuv, 'θrɪvn] *vi* crescere *or* svilupparsi bene; (*business*) prosperare; **he ~s on it** gli fa bene, ne gode.

thriving ['θraɪvɪŋ] *adj* (*industry etc*) fiorente.

throat [θrəut] *n* gola; **to have a sore ~** avere (un *or* il) mal di gola.

throb [θrɔb] *n* (*of heart*) battito; (*of engine*) vibrazione *f*; (*of pain*) fitta ♦ *vi* (*heart*) palpitare; (*engine*) vibrare; (*with pain*) pulsare; **my head is ~bing** mi martellano le tempie.

throes [θrəuz] *npl*: **in the ~ of** alle prese con; in preda a; **in the ~ of death** in agonia.

thrombosis [θrɔmˈbəusɪs] *n* trombosi *f.*

throne [θrəun] *n* trono.

throng [θrɔŋ] *n* moltitudine *f* ♦ *vt* affollare.

throttle ['θrɔtl] *n* (*AUT*) valvola a farfalla; (*on motorcycle*) (manopola del) gas ♦ *vt* strangolare.

through [θruː] *prep* attraverso; (*time*) per, durante; (*by means of*) per mezzo di; (*owing to*) a causa di ♦ *adj* (*ticket, train, passage*) diretto(a) ♦ *adv* attraverso; **(from) Monday ~ Friday** (*US*) da lunedì a venerdì; **I am halfway ~ the book** sono a metà libro; **to let sb ~** lasciar passare qn; **to put sb ~ to sb** (*TEL*) passare qn a a qn; **to be ~** (*TEL*) ottenere la comunicazione; (*have finished*) avere finito; **"no ~ traffic"** (*US*) "divieto d'accesso"; **"no ~ road"** (*BRIT*) "strada senza sbocco".

throughout [θruːˈaut] *prep* (*place*) dappertutto in; (*time*) per *or* durante tutto(a) ♦ *adv* dappertutto; sempre.

throughput ['θruːput] *n* (*of goods, materials*) materiale *m* in lavorazione; (*COMPUT*) volume *m* di dati immessi.

throve [θrəuv] *pt of* **thrive**.

throw [θrəu] *n* tiro, getto; (*SPORT*) lancio ♦ *vt* (*pt* **threw**, *pp* **thrown** [θru:, θrəun]) tirare, gettare; (*SPORT*) lanciare; (*rider*) disarcionare; (*fig*) confondere; (*pottery*) formare al tornio; **to ~ a party** dare una festa; **to ~ open** (*doors, windows*) spalancare; (*house, gardens etc*) aprire al pubblico; (*competition, race*) aprire a tutti.

▶**throw about, throw around** *vt* (*litter etc*) spargere.

▶**throw away** *vt* gettare *or* buttare via.

▶**throw off** *vt* sbarazzarsi di.

▶**throw out** *vt* buttare fuori; (*reject*) respingere.

▶**throw together** *vt* (*clothes, meal etc*) mettere insieme; (*essay*) buttar giù.

▶**throw up** *vi* vomitare.

throwaway ['θrəuəweɪ] *adj* da buttare.

throwback ['θrəubæk] *n*: **it's a ~ to** (*fig*) ciò risale a.

throw-in ['θrəuɪn] *n* (*SPORT*) rimessa in gioco.

thrown [θrəun] *pp of* **throw**.

thru [θru:] *prep, adj, adv* (*US*) = **through**.

thrush [θrʌʃ] *n* (*ZOOL*) tordo; (*MED: esp in children*) mughetto; (: *BRIT: in women*) candida.

thrust [θrʌst] *n* (*TECH*) spinta ♦ *vt* (*pt, pp* **thrust**) spingere con forza; (*push in*) conficcare.

thrusting ['θrʌstɪŋ] *adj* (troppo) intraprendente.

thud [θʌd] *n* tonfo.

thug [θʌg] *n* delinquente *m*.

thumb [θʌm] *n* (*ANAT*) pollice *m* ♦ *vt* (*book*) sfogliare; **to ~ a lift** fare l'autostop; **to give sb/sth the ~s up/down** approvare/disapprovare qn/qc.

thumb index *n* indice *m* a rubrica.

thumbnail ['θʌmneɪl] *n* unghia del pollice.

thumbnail sketch *n* descrizione *f* breve.

thumbtack ['θʌmtæk] *n* (*US*) puntina da disegno.

thump [θʌmp] *n* colpo forte; (*sound*) tonfo ♦ *vt* battere su ♦ *vi* picchiare, battere.

thunder ['θʌndə*] *n* tuono ♦ *vi* tuonare; (*train etc*): **to ~ past** passare con un rombo.

thunderbolt ['θʌndəbəult] *n* fulmine *m*.

thunderclap ['θʌndəklæp] *n* rombo di tuono.

thunderous ['θʌndərəs] *adj* fragoroso(a).

thunderstorm ['θʌndəstɔ:m] *n* temporale *m*.

thunderstruck ['θʌndəstrʌk] *adj* (*fig*) sbigottito(a).

thundery ['θʌndərɪ] *adj* temporalesco(a).

Thur(s). *abbr* (= *Thursday*) gio.

Thursday ['θə:zdɪ] *n* giovedì *m inv*; *for phrases see also* **Tuesday**.

thus [ðʌs] *adv* così.

thwart [θwɔ:t] *vt* contrastare.

thyme [taɪm] *n* timo.

thyroid ['θaɪrɔɪd] *n* tiroide *f*.

tiara [tɪ'ɑ:rə] *n* (*woman's*) diadema *m*.

Tiber ['taɪbə*] *n*: **the ~** il Tevere.

Tibet [tɪ'bɛt] *n* Tibet *m*.

Tibetan [tɪ'bɛtən] *adj* tibetano(a) ♦ *n* (*person*) tibetano/a; (*LING*) tibetano.

tibia ['tɪbɪə] *n* tibia.

tic [tɪk] *n* tic *m inv*.

tick [tɪk] *n* (*sound: of clock*) tic tac *m inv*; (*mark*) segno; spunta; (*ZOOL*) zecca; (*BRIT col*): **in a ~** in un attimo; (*BRIT col: credit*): **to buy sth on ~** comprare qc a credito ♦ *vi* fare tic tac ♦ *vt* spuntare; **to put a ~ against sth** fare un segno di fianco a qc.

▶**tick off** *vt* spuntare; (*person*) sgridare.

▶**tick over** *vi* (*BRIT: engine*) andare al minimo.

ticker tape ['tɪkə-] *n* nastro di telescrivente; (*US: in celebrations*) stelle *fpl* filanti.

ticket ['tɪkɪt] *n* biglietto; (*in shop: on goods*) etichetta; (: *from cash register*) scontrino; (*for library*) scheda; (*US POL*) lista dei candidati; **to get a (parking) ~** (*AUT*) prendere una multa (per sosta vietata).

ticket agency *n* (*THEAT*) agenzia di vendita di biglietti.

ticket collector *n* bigliettaio.

ticket holder *n* persona munita di biglietto.

ticket inspector *n* controllore *m*.

ticket office *n* biglietteria.

tickle ['tɪkl] *n* solletico ♦ *vt* fare il solletico a, solleticare; (*fig*) stuzzicare; piacere a; far ridere.

ticklish ['tɪklɪʃ] *adj* che soffre il solletico; (*which tickles: blanket, cough*) che provoca prurito.

tidal ['taɪdl] *adj* di marea.

tidal wave *n* onda anomala.

tidbit ['tɪdbɪt] *n* (*US*) = **titbit**.

tiddlywinks ['tɪdlɪwɪŋks] *n* gioco della pulce.

tide [taɪd] *n* marea; (*fig: of events*) corso ♦ *vt*: **will £20 ~ you over till Monday?** ti basteranno 20 sterline fino a lunedì?; **high/low ~** alta/bassa marea; **the ~ of public opinion** l'orientamento dell'opinione pubblica.

tidily ['taɪdɪlɪ] *adv* in modo ordinato; **to arrange ~** sistemare; **to dress ~** vestirsi per benino.

tidiness ['taɪdɪnɪs] *n* ordine *m*.

tidy ['taɪdɪ] *adj* (*room*) ordinato(a), lindo(a); (*dress, work*) curato(a), in ordine; (*person*) ordinato(a); (*mind*) organizzato(a) ♦ *vt* (*also*: ~ up) riordinare, mettere in ordine; **to** ~ **o.s. up** rassettarsi.

tie [taɪ] *n* (*string etc*) legaccio; (*BRIT: also*: **neck**~) cravatta; (*fig: link*) legame *m*; (*SPORT: draw*) pareggio (: *match*) incontro; (*US RAIL*) traversina ♦ *vt* (*parcel*) legare; (*ribbon*) annodare ♦ *vi* (*SPORT*) pareggiare; **"black/white ~"** "smoking/abito di rigore"; **family ~s** legami familiari; **to** ~ **sth in a bow** annodare qc; **to** ~ **a knot in sth** fare un nodo a qc.

▶**tie down** *vt* fissare con una corda; (*fig*): **to** ~ **sb down to** costringere qn ad accettare.

▶**tie in** *vi*: **to** ~ **in (with)** (*correspond*) corrispondere (a).

▶**tie on** *vt* (*BRIT: label etc*) attaccare.

▶**tie up** *vt* (*parcel, dog*) legare; (*boat*) ormeggiare; (*arrangements*) concludere; **to be** ~**d up** (*busy*) essere occupato *or* preso.

tie-break(er) ['taɪbreɪk(ə*)] *n* (*TENNIS*) tie-break *m inv*; (*in quiz*) spareggio.

tie-on ['taɪɔn] *adj* (*BRIT: label*) volante.

tie-pin ['taɪpɪn] *n* (*BRIT*) fermacravatta *m inv*.

tier [tɪə*] *n* fila; (*of cake*) piano, strato.

Tierra del Fuego [tɪ'ɛrədel'fweɪgəu] *n* Terra del Fuoco.

tie tack *n* (*US*) fermacravatta *m inv*.

tiff [tɪf] *n* battibecco.

tiger ['taɪgə*] *n* tigre *f*.

tight [taɪt] *adj* (*rope*) teso(a), tirato(a); (*clothes*) stretto(a); (*budget, programme, bend*) stretto(a); (*control*) severo(a), fermo(a); (*col: drunk*) sbronzo(a) ♦ *adv* (*squeeze*) fortemente; (*shut*) ermeticamente; **to be packed** ~ (*suitcase*) essere pieno zeppo; (*people*) essere pigiati; **everybody hold** ~! tenetevi stretti!; *see also* **tights**.

tighten ['taɪtn] *vt* (*rope*) tendere; (*screw*) stringere; (*control*) rinforzare ♦ *vi* tendersi; stringersi.

tight-fisted [taɪt'fɪstɪd] *adj* avaro(a).

tight-lipped ['taɪt'lɪpt] *adj*: **to be** ~ essere reticente; (*angry*) tenere le labbra serrate.

tightly ['taɪtlɪ] *adv* (*grasp*) bene, saldamente.

tightrope ['taɪtrəup] *n* corda (da acrobata).

tightrope walker *n* funambolo/a.

tights [taɪts] *npl* (*BRIT*) collant *m inv*.

tigress ['taɪgrɪs] *n* tigre *f* (femmina).

tilde ['tɪldə] *n* tilde *f*.

tile [taɪl] *n* (*on roof*) tegola; (*on floor*) mattonella; (*on wall*) piastrella ♦ *vt* (*floor, bathroom etc*) piastrellare.

tiled [taɪld] *adj* rivestito(a) di tegole; a mattonelle; a piastrelle.

till [tɪl] *n* registratore *m* di cassa ♦ *vt* (*land*) coltivare ♦ *prep, conj* = **until**.

tiller ['tɪlə*] *n* (*NAUT*) barra del timone.

tilt [tɪlt] *vt* inclinare, far pendere ♦ *vi* inclinarsi, pendere ♦ *n* (*slope*) pendio; **to wear one's hat at a** ~ portare il cappello sulle ventitré; **(at) full** ~ a tutta velocità.

timber ['tɪmbə*] *n* (*material*) legname *m*; (*trees*) alberi *mpl* da legname.

time [taɪm] *n* tempo; (*epoch: often pl*) epoca, tempo; (*by clock*) ora; (*moment*) momento; (*occasion, also MATH*) volta; (*MUS*) tempo ♦ *vt* (*race*) cronometrare; (*programme*) calcolare la durata di; (*remark etc*): **to** ~ **sth well/badly** scegliere il momento più/meno opportuno per qc; **a long** ~ molto tempo; **for the** ~ **being** per il momento; **from** ~ **to** ~ ogni tanto; ~ **after** ~, ~ **and again** mille volte; **in** ~ (*soon enough*) in tempo; (*after some time*) col tempo; (*MUS*) a tempo; **at** ~**s** a volte; **to take one's** ~ prenderla con calma; **in a week's** ~ fra una settimana; **in no** ~ in un attimo; **on** ~ puntualmente; **to be 30 minutes behind/ahead of** ~ avere 30 minuti di ritardo/anticipo; **by the** ~ **he arrived** quando è arrivato; **5** ~**s 5** 5 volte 5, 5 per 5; **what** ~ **is it?** che ora è?, che ore sono?; **what** ~ **do you make it?** che ora fa?; **to have a good** ~ divertirsi; **they had a hard** ~ **of it** è stato duro per loro; ~**'s up!** è (l')ora!; **to be behind the** ~**s** vivere nel passato; **I've no** ~ **for it** (*fig*) non ho tempo da perdere con cose del genere; **he'll do it in his own (good)** ~ (*without being hurried*) lo farà quando avrà (un minuto di) tempo; **he'll do it in** *or* (*US*) **on his own** ~ (*out of working hours*) lo farà nel suo tempo libero; **the bomb was** ~**d to explode 5 minutes later** la bomba era stata regolata in modo da esplodere 5 minuti più tardi.

time-and-motion study ['taɪmənd'məuʃən-] *n* analisi *f inv* dei tempi e dei movimenti.

time bomb *n* bomba a orologeria.

time card *n* cartellino (da timbrare).

time clock *n* orologio *m* marcatempo *inv*.

time-consuming ['taɪmkənsju:mɪŋ] *adj* che richiede molto tempo.

time difference *n* differenza di fuso orario.

time frame *n* tempi *mpl*.

time-honoured, (*US*) **time-honored** ['taɪmɔnəd] *adj* consacrato(a) dal tempo.

timekeeper ['taɪmkiːpə*] *n* (*SPORT*) cronometrista *m/f*.

time lag *n* intervallo, ritardo; (*in travel*) differenza di fuso orario.

timeless ['taɪmlɪs] *adj* eterno(a).

time limit *n* limite *m* di tempo.

timely ['taɪmlɪ] *adj* opportuno(a).

time off *n* tempo libero.

timer ['taɪmə*] *n* (*in kitchen*) contaminuti *m inv*; (*TECH*) timer *m inv*, temporizzatore *m*.

time-saving ['taɪmseɪvɪŋ] *adj* che fa risparmiare tempo.

time scale *n* tempi *mpl* d'esecuzione.

time-sharing ['taɪmʃɛərɪŋ] *n* (*COMPUT*) divisione *f* di tempo.

time sheet *n* = **time card**.

time signal *n* segnale *m* orario.

time switch *n* interruttore *m* a tempo.

timetable ['taɪmteɪbl] *n* orario; (*programme of events etc*) programma *m*.

time zone *n* fuso orario.

timid ['tɪmɪd] *adj* timido(a); (*easily scared*) pauroso(a).

timidity [tɪ'mɪdɪtɪ] *n* timidezza.

timing ['taɪmɪŋ] *n* sincronizzazione *f*; (*fig*) scelta del momento opportuno, tempismo; (*SPORT*) cronometraggio.

timing device *n* (*on bomb*) timer *m inv*.

timpani ['tɪmpənɪ] *npl* timpani *mpl*.

tin [tɪn] *n* stagno; (*also:* ~ **plate**) latta; (*BRIT: can*) barattolo (di latta), lattina, scatola; (*for baking*) teglia; **a** ~ **of paint** un barattolo di tinta *or* vernice.

tin foil *n* stagnola.

tinge [tɪndʒ] *n* sfumatura ♦ *vt:* ~**d with** tinto(a) di.

tingle ['tɪŋgl] *vi* (*cheeks, skin: from cold*) pungere, pizzicare; (*: from bad circulation*) formicolare.

tinker ['tɪŋkə*] *n* stagnino ambulante; (*gipsy*) zingaro/a.

▶**tinker with** *vt fus* armeggiare intorno a; cercare di riparare.

tinkle ['tɪŋkl] *vi* tintinnare ♦ *n* (*col*): **to give sb a** ~ dare un colpo di telefono a qn.

tin mine *n* miniera di stagno.

tinned [tɪnd] *adj* (*BRIT: food*) in scatola.

tinnitus [tɪ'naɪtəs] *n* (*MED*) ronzio auricolare.

tinny ['tɪnɪ] *adj* metallico(a).

tin-opener ['tɪnəupnə*] *n* (*BRIT*) apriscatole *m inv*.

tinsel ['tɪnsl] *n* decorazioni *fpl* natalizie (*argentate*).

tint [tɪnt] *n* tinta; (*for hair*) shampoo *m inv*

colorante ♦ *vt* (*hair*) fare uno shampoo colorante a.

tinted ['tɪntɪd] *adj* (*hair*) tinto(a); (*spectacles, glass*) colorato(a).

tiny ['taɪnɪ] *adj* minuscolo(a).

tip [tɪp] *n* (*end*) punta; (*protective: on umbrella etc*) puntale *m*; (*gratuity*) mancia; (*for coal*) discarica; (*for rubbish*) immondezzaio; (*advice*) suggerimento ♦ *vt* (*waiter*) dare la mancia a; (*tilt*) inclinare; (*overturn: also:* ~ **over**) capovolgere; (*empty: also:* ~ **out**) scaricare; (*predict: winner*) pronosticare; (*: horse*) dare vincente; **he** ~**ped out the contents of the box** ha rovesciato il contenuto della scatola.

▶**tip off** *vt* fare una soffiata a.

tip-off ['tɪpɔf] *n* (*hint*) soffiata.

tipped ['tɪpt] *adj* (*BRIT: cigarette*) col filtro; **steel-**~ con la punta d'acciaio.

Tipp-Ex ® ['tɪpɛks] *n* (*BRIT*) liquido correttore.

tipple ['tɪpl] (*BRIT*) *vi* sbevazzare ♦ *n:* **to have a** ~ prendere un bicchierino.

tipster ['tɪpstə*] *n* (*RACING*) *chi vende informazioni sulle corse e altre manifestazioni oggetto di scommesse.*

tipsy ['tɪpsɪ] *adj* brillo(a).

tiptoe ['tɪptəu] *n:* **on** ~ in punta di piedi.

tiptop ['tɪptɔp] *adj:* **in** ~ **condition** in ottime condizioni.

tirade [taɪ'reɪd] *n* filippica.

tire ['taɪə*] *vt* stancare ♦ *vi* stancarsi ♦ *n* (*US*) = **tyre**.

▶**tire out** *vt* sfinire, spossare.

tired ['taɪəd] *adj* stanco(a); **to be/feel/look** ~ essere/sentirsi/sembrare stanco; **to be** ~ **of** essere stanco *or* stufo di.

tiredness ['taɪədnɪs] *n* stanchezza.

tireless ['taɪəlɪs] *adj* instancabile.

tiresome ['taɪəsəm] *adj* noioso(a).

tiring ['taɪərɪŋ] *adj* faticoso(a).

tissue ['tɪʃuː] *n* tessuto; (*paper handkerchief*) fazzolettino di carta.

tissue paper *n* carta velina.

tit [tɪt] *n* (*bird*) cinciallegra; (*col: breast*) tetta; **to give** ~ **for tat** rendere pan per focaccia.

titanium [tɪ'teɪnɪəm] *n* titanio.

titbit ['tɪtbɪt], (*US*) **tidbit** ['tɪdbɪt] *n* (*food*) leccornia; (*news*) notizia ghiotta.

titillate ['tɪtɪleɪt] *vt* titillare.

titivate ['tɪtɪveɪt] *vt* agghindare.

title ['taɪtl] *n* titolo; (*LAW: right*): ~ (**to**) diritto (a).

title deed *n* (*LAW*) titolo di proprietà.

title page *n* frontespizio.
title role *n* ruolo *or* parte *f* principale.
titter ['tɪtə*] *vi* ridere scioccamente.
tittle-tattle ['tɪtltætl] *n* chiacchiere *fpl*, pettegolezzi *mpl*.
titular ['tɪtjulə*] *adj* (*in name only*) nominale.
tizzy ['tɪzɪ] *n* (*col*): **to be in a** ~ essere in agitazione.
T-junction ['tiː'dʒʌŋkʃən] *n* incrocio a T.
TM *n abbr* (= *transcendental meditation*) M.T. *f*; (*COMM*) = **trademark**.
TN *abbr* (*US*) = *Tennessee*.
TNT *n abbr* (= *trinitrotoluene*) T.N.T. *m*.

===== *KEYWORD* =====

to [tuː, tə] *prep* **1** (*direction*) a; **to go** ~ **France/London/school** andare in Francia/a Londra/a scuola; **to go** ~ **town** andare in città; **to go** ~ **Paul's/the doctor's** andare da Paul/dal dottore; **the road** ~ **Edinburgh** la strada per Edimburgo; ~ **the left/right** a sinistra/destra
2 (*as far as*) (fino) a; **from here** ~ **London** da qui a Londra; **to count** ~ **10** contare fino a 10; **from 40** ~ **50 people** da 40 a 50 persone
3 (*with expressions of time*): **a quarter** ~ **5** le 5 meno un quarto; **it's twenty** ~ **3** sono le 3 meno venti
4 (*for, of*): **the key** ~ **the front door** la chiave della porta d'ingresso; **a letter** ~ **his wife** una lettera per la moglie
5 (*expressing indirect object*) a; **to give sth** ~ **sb** dare qc a qn; **give it** ~ **me** dammelo; **to talk** ~ **sb** parlare a qn; **it belongs** ~ **him** gli appartiene, è suo; **to be a danger** ~ **sb/sth** rappresentare un pericolo per qn/qc
6 (*in relation to*) a; **3 goals** ~ **2** 3 goal a 2; **30 miles** ~ **the gallon** ≈ 11 chilometri con un litro; **4 apples** ~ **the kilo** 4 mele in un chilo
7 (*purpose, result*): **to come** ~ **sb's aid** venire in aiuto a qn; **to sentence sb** ~ **death** condannare a morte qn; ~ **my surprise** con mia sorpresa
♦ *with vb* **1** (*simple infinitive*): ~ **go/eat** *etc* andare/mangiare *etc*
2 (*following another vb*): **to want/try/start** ~ **do** volere/cercare di/cominciare a fare
3 (*with vb omitted*): **I don't want** ~ non voglio (farlo); **you ought** ~ devi (farlo)
4 (*purpose, result*) per; **I did it** ~ **help you** l'ho fatto per aiutarti
5 (*equivalent to relative clause*): **I have things** ~ **do** ho da fare; **the main thing is** ~ **try** la cosa più importante è provare
6 (*after adjective etc*): **ready** ~ **go** pronto(a) a partire; **too old/young** ~ ... troppo vecchio(a)/giovane per ...
♦ *adv*: **to push the door** ~ accostare la porta; **to go** ~ **and fro** andare e tornare.

toad [təud] *n* rospo.
toadstool ['təudstuːl] *n* fungo (velenoso).
toady ['təudɪ] *vi* adulare.
toast [təust] *n* (*CULIN*) toast *m*, pane *m* abbrustolito; (*drink, speech*) brindisi *m inv* ♦ *vt* (*CULIN*) abbrustolire; (*drink to*) brindare a; **a piece** *or* **slice of** ~ una fetta di pane abbrustolito.
toaster ['təustə*] *n* tostapane *m inv*.
toastmaster ['təustmɑːstə*] *n* direttore *m* dei brindisi.
toast rack *n* portatoast *m inv*.
tobacco [tə'bækəu] *n* tabacco; **pipe** ~ tabacco da pipa.
tobacconist [tə'bækənɪst] *n* tabaccaio/a; ~**'s (shop)** tabaccheria.
Tobago [tə'beɪgəu] *n see* **Trinidad and Tobago**.
toboggan [tə'bɔgən] *n* toboga *m inv*; (*child's*) slitta.
today [tə'deɪ] *adv, n* (*also fig*) oggi (*m inv*); **what day is it** ~? che giorno è oggi?; **what date is it** ~? quanti ne abbiamo oggi?; ~ **is the 4th of March** (oggi) è il 4 di marzo; ~**'s paper** il giornale di oggi; **a fortnight** ~ quindici giorni a oggi.
toddler ['tɔdlə*] *n* bambino/a che impara a camminare.
toddy ['tɔdɪ] *n* grog *m inv*.
to-do [tə'duː] *n* (*fuss*) storie *fpl*.
toe [təu] *n* dito del piede; (*of shoe*) punta ♦ *vt*: **to** ~ **the line** (*fig*) stare in riga, conformarsi; **big** ~ alluce *m*; **little** ~ mignolino.
TOEFL ['təufl] *n abbr* = *Test(ing) of English as a Foreign Language*.
toehold ['təuhəuld] *n* punto d'appoggio.
toenail ['təuneɪl] *n* unghia del piede.
toffee ['tɔfɪ] *n* caramella.
toffee apple *n* (*BRIT*) mela caramellata.
tofu ['təufuː] *n* tofu *m* (*latte di soia non fermentato*).
toga ['təugə] *n* toga.
together [tə'gɛðə*] *adv* insieme; (*at same time*) allo stesso tempo; ~ **with** insieme a.
togetherness [tə'gɛðənɪs] *n* solidarietà; intimità.
toggle switch ['tɔgl-] *n* (*COMPUT*) tasto bistabile.
Togo ['təugəu] *n* Togo.

togs [tɔgz] *npl* (*col: clothes*) vestiti *mpl*.

toil [tɔil] *n* travaglio, fatica ♦ *vi* affannarsi; sgobbare.

toilet ['tɔilət] *n* (*BRIT: lavatory*) gabinetto ♦ *cpd* (*soap etc*) da toletta; **to go to the ~** andare al gabinetto *or* al bagno.

toilet bag *n* (*BRIT*) nécessaire *m inv* da toilette.

toilet bowl *n* vaso *or* tazza del gabinetto.

toilet paper *n* carta igienica.

toiletries ['tɔilitriz] *npl* articoli *mpl* da toletta.

toilet roll *n* rotolo di carta igienica.

toilet water *n* acqua di colonia.

to-ing and fro-ing ['tu:iŋən'frəuiŋ] *n* (*BRIT*) andirivieni *m inv*.

token ['təukən] *n* (*sign*) segno; (*voucher*) buono ♦ *cpd* (*fee, strike*) simbolico(a); **book/record ~** (*BRIT*) buono-libro/-disco; **by the same ~** (*fig*) per lo stesso motivo.

tokenism ['təukənizəm] *n* (*POL*) concessione *f* pro forma *inv*.

Tokyo ['təukjəu] *n* Tokyo *f*.

told [təuld] *pt, pp of* **tell**.

tolerable ['tɔlərəbl] *adj* (*bearable*) tollerabile; (*fairly good*) passabile.

tolerably ['tɔlərəbli] *adv* (*good, comfortable*) abbastanza.

tolerance ['tɔlərns] *n* (*also TECH*) tolleranza.

tolerant ['tɔlərnt] *adj*: **~ (of)** tollerante (nei confronti di).

tolerate ['tɔləreit] *vt* sopportare; (*MED, TECH*) tollerare.

toleration [tɔlə'reiʃən] *n* tolleranza.

toll [təul] *n* (*tax, charge*) pedaggio ♦ *vi* (*bell*) suonare; **the accident ~ on the roads** il numero delle vittime della strada.

tollbridge ['təulbridʒ] *n* ponte *m* a pedaggio.

toll call *n* (*US TEL*) (telefonata) interurbana.

toll-free ['təul'fri:] (*US*) *adj* senza addebito, gratuito(a) ♦ *adv* gratuitamente; **~ number ≈** numero verde.

tomato, ~es [tə'mɑ:təu] *n* pomodoro.

tomb [tu:m] *n* tomba.

tombola [tɔm'bəulə] *n* tombola.

tomboy ['tɔmbɔi] *n* maschiaccio.

tombstone ['tu:mstəun] *n* pietra tombale.

tomcat ['tɔmkæt] *n* gatto.

tomorrow [tə'mɔrəu] *adv, n* (*also fig*) domani (*m inv*); **the day after ~** dopodomani; **a week ~** domani a otto; **~ morning** domani mattina.

ton [tʌn] *n* tonnellata (*BRIT*: = 1016 kg; 20 cwt; US = 907 kg; metric = 1000 kg); (*NAUT*: also: **register ~**) tonnellata di stazza (= 2.83 cu.m; 100 cu.ft); **~s of** (*col*) un

mucchio *or* sacco di.

tonal ['təunl] *adj* tonale.

tone [təun] *n* tono; (*of musical instrument*) timbro ♦ *vi* intonarsi.

▶**tone down** *vt* (*colour, criticism, sound*) attenuare.

▶**tone up** *vt* (*muscles*) tonificare.

tone-deaf [təun'dɛf] *adj* che non ha orecchio (musicale).

toner ['təunə*] *n* (*for photocopier*) colorante *m* organico, toner *m*.

Tonga ['tɔŋgə] *n* isole *fpl* Tonga.

tongs [tɔŋz] *npl* tenaglie *fpl*; (*for coal*) molle *fpl*; (*for hair*) arricciacapelli *m inv*.

tongue [tʌŋ] *n* lingua; **~ in cheek** (*fig*) ironicamente.

tongue-tied ['tʌŋtaid] *adj* (*fig*) muto(a).

tongue-twister ['tʌŋtwistə*] *n* scioglilingua *m inv*.

tonic ['tɔnik] *n* (*MED*) ricostituente *m*; (*skin ~*) tonico; (*MUS*) nota tonica; (*also: ~ water*) acqua tonica.

tonight [tə'nait] *adv* stanotte; (*this evening*) stasera ♦ *n* questa notte; questa sera; **I'll see you ~** ci vediamo stasera.

tonnage ['tʌnidʒ] *n* (*NAUT*) tonnellaggio, stazza.

tonne [tʌn] *n* (*BRIT: metric ton*) tonnellata.

tonsil ['tɔnsl] *n* tonsilla; **to have one's ~s out** farsi operare di tonsille.

tonsillitis [tɔnsi'laitis] *n* tonsillite *f*; **to have ~** avere la tonsillite.

too [tu:] *adv* (*excessively*) troppo; (*also*) anche; **it's ~ sweet** è troppo dolce; **I went ~** ci sono andato anch'io; **~ much** *adv* troppo ♦ *adj* troppo(a); **~ many** *adj* troppi(e); **~ bad!** tanto peggio!; peggio così!

took [tuk] *pt of* **take**.

tool [tu:l] *n* utensile *m*, attrezzo; (*fig: person*) strumento ♦ *vt* lavorare con un attrezzo.

tool box *n* cassetta *f* portautensili *inv*.

tool kit *n* cassetta di attrezzi.

toot [tu:t] *vi* suonare; (*with car horn*) suonare il clacson.

tooth, *pl* **teeth** [tu:θ, ti:θ] *n* (*ANAT, TECH*) dente *m*; **to clean one's teeth** lavarsi i denti; **to have a ~ out** *or* (*US*) **pulled** farsi togliere un dente; **by the skin of one's teeth** per il rotto della cuffia.

toothache ['tu:θeik] *n* mal *m* di denti; **to have ~** avere il mal di denti.

toothpaste ['tu:θpeist] *n* dentifricio.

toothpick ['tu:θpik] *n* stuzzicadenti *m inv*.

tooth powder *n* dentifricio in polvere.

top [tɔp] *n* (*of mountain, page, ladder*) cima; (*of box, cupboard, table*) sopra *m inv*, parte *f* superiore; (*lid*: *of box, jar*) coperchio; (: *of bottle*) tappo; (*toy*) trottola; (*DRESS*: *blouse etc*) camicia (*or* maglietta *etc*); (*of pyjamas*) giacca ♦ *adj* più alto(a); (*in rank*) primo(a); (*best*) migliore ♦ *vt* (*exceed*) superare; (*be first in*) essere in testa a; **on ~ of** sopra, in cima a; (*in addition to*) oltre a; **from ~ to toe** (*BRIT*) dalla testa ai piedi; **at the ~ of the stairs/page/street** in cima alle scale/alla pagina/alla strada; **the ~ of the milk** (*BRIT*) la panna; **at ~ speed** a tutta velocità; **at the ~ of one's voice** (*fig*) a squarciagola; **over the ~** (*col*: *behaviour etc*) eccessivo(a); **to go over the ~** esagerare.

▶**top up**, (*US*) **top off** *vt* riempire.

topaz ['təʊpæz] *n* topazio.

top-class ['tɔp'klɑːs] *adj* di prim'ordine.

topcoat ['tɔpkəʊt] *n* soprabito.

topflight ['tɔpflaɪt] *adj* di primaria importanza.

top floor *n* ultimo piano.

top hat *n* cilindro.

top-heavy [tɔp'hɛvɪ] *adj* (*object*) con la parte superiore troppo pesante.

topic ['tɔpɪk] *n* argomento.

topical ['tɔpɪkəl] *adj* d'attualità.

topless ['tɔplɪs] *adj* (*bather etc*) col seno scoperto; **~ swimsuit** topless *m inv*.

top-level ['tɔplɛvl] *adj* (*talks*) ad alto livello.

topmost ['tɔpməʊst] *adj* il(la) più alto(a).

top-notch ['tɔp'nɔtʃ] *adj* (*col*: *player, performer*) di razza; (: *school, car*) eccellente.

topography [tə'pɔɡrəfɪ] *n* topografia.

topping ['tɔpɪŋ] *n* (*CULIN*) guarnizione *f*.

topple ['tɔpl] *vt* rovesciare, far cadere ♦ *vi* cadere; traballare.

top-ranking ['tɔp'ræŋkɪŋ] *adj* di massimo grado.

top-secret ['tɔp'siːkrɪt] *adj* segretissimo(a).

top-security ['tɔpsɪ'kjʊərɪtɪ] *adj* (*BRIT*) di massima sicurezza.

topsy-turvy ['tɔpsɪ'təːvɪ] *adj, adv* sottosopra (*inv*).

top-up ['tɔpʌp] *n*: **would you like a ~?** vuole che le riempia il bicchiere (*or* la tazza *etc*)?

top-up loan *n* (*BRIT*) prestito integrativo.

torch [tɔːtʃ] *n* torcia; (*BRIT*: *electric*) lampadina tascabile.

tore [tɔː*] *pt of* tear.

torment *n* ['tɔːmɛnt] tormento ♦ *vt* [tɔː'mɛnt] tormentare; (*fig*: *annoy*) infastidire.

torn [tɔːn] *pp of* tear ♦ *adj*: **~ between** (*fig*) combattuto(a) tra.

tornado, ~es [tɔː'neɪdəʊ] *n* tornado.

torpedo, ~es [tɔː'piːdəʊ] *n* siluro.

torpedo boat *n* motosilurante *f*.

torpor ['tɔːpə*] *n* torpore *m*.

torrent ['tɔrnt] *n* torrente *m*.

torrential [tɔ'rɛnʃl] *adj* torrenziale.

torrid ['tɔrɪd] *adj* torrido(a); (*fig*) denso(a) di passione.

torso ['tɔːsəʊ] *n* torso.

tortoise ['tɔːtəs] *n* tartaruga.

tortoiseshell ['tɔːtəʃɛl] *adj* di tartaruga.

tortuous ['tɔːtjuəs] *adj* tortuoso(a).

torture ['tɔːtʃə*] *n* tortura ♦ *vt* torturare.

torturer ['tɔːtʃərə*] *n* torturatore/trice.

Tory ['tɔːrɪ] *adj* tory *inv*, conservatore(trice) ♦ *n* tory *m/f inv*, conservatore/trice.

toss [tɔs] *vt* gettare, lanciare; (*BRIT*: *pancake*) far saltare; (*head*) scuotere ♦ *n* (*movement*: *of head etc*) movimento brusco; (*of coin*) lancio; **to win/lose the ~** vincere/perdere a testa o croce; (*SPORT*) vincere/perdere il sorteggio; **to ~ a coin** fare a testa o croce; **to ~ up for sth** fare a testa o croce per qc; **to ~ and turn** (*in bed*) girarsi e rigirarsi.

tot [tɔt] *n* (*BRIT*: *drink*) bicchierino; (*child*) bimbo/a.

▶**tot up** *vt* (*BRIT*: *figures*) sommare.

total ['təʊtl] *adj* totale ♦ *n* totale *m* ♦ *vt* (*add up*) sommare; (*amount to*) ammontare a; **in ~** in tutto.

totalitarian [təʊtælɪ'tɛərɪən] *adj* totalitario(a).

totality [təʊ'tælɪtɪ] *n* totalità.

totally ['təʊtəlɪ] *adv* completamente.

tote bag ['təʊt-] *n* sporta.

totem pole ['təʊtəm-] *n* totem *m inv*.

totter ['tɔtə*] *vi* barcollare; (*object, government*) vacillare.

touch [tʌtʃ] *n* tocco; (*sense*) tatto; (*contact*) contatto; (*FOOTBALL*) fuori gioco *m* ♦ *vt* toccare; **a ~ of** (*fig*) un tocco di; un pizzico di; **to get in ~ with** mettersi in contatto con; **to lose ~** (*friends*) perdersi di vista; **I'll be in ~** mi farò sentire; **to be out of ~ with events** essere tagliato fuori; **the personal ~** una nota personale; **to put the finishing ~es to sth** dare gli ultimi ritocchi a qc.

▶**touch on** *vt fus* (*topic*) sfiorare, accennare a.

▶**touch up** *vt* (*improve*) ritoccare.

touch-and-go ['tʌtʃən'ɡəʊ] *adj* incerto(a); **it was ~ with the sick man** il malato era tra la vita e la morte.

touchdown ['tʌtʃdaʊn] *n* atterraggio; (*on sea*) ammaraggio; (*US FOOTBALL*) meta.

touched [tʌtʃt] *adj* commosso(a); (*col*)

tocco(a), toccato(a).

touching ['tʌtʃɪŋ] *adj* commovente.

touchline ['tʌtʃlaɪn] *n* (*SPORT*) linea laterale.

touch-sensitive ['tʌtʃ'sɛnsɪtɪv] *adj* sensibile al tatto.

touch-type ['tʌtʃtaɪp] *vi* dattilografare (senza guardare i tasti).

touchy ['tʌtʃɪ] *adj* (*person*) suscettibile.

tough [tʌf] *adj* duro(a); (*resistant*) resistente; (*meat*) duro(a), tiglioso(a); (*journey*) faticoso(a), duro(a); (*person: rough*) violento(a), brutale ♦ *n* (*gangster etc*) delinquente *m/f*; ~ **luck!** che sfortuna!

toughen ['tʌfn] *vt* indurire, rendere più resistente.

toughness ['tʌfnɪs] *n* durezza; resistenza.

toupee ['tuːpeɪ] *n* parrucchino.

tour [tuə*] *n* viaggio; (*also:* **package** ~) viaggio organizzato *or* tutto compreso; (*of town, museum*) visita; (*by artist*) tournée *f inv* ♦ *vt* visitare; **to go on a** ~ **of** (*region, country*) fare il giro di; (*museum, castle*) visitare; **to go on** ~ andare in tournée.

touring ['tuərɪŋ] *n* turismo.

tourism ['tuərɪzəm] *n* turismo.

tourist ['tuərɪst] *n* turista *m/f* ♦ *adv* (*travel*) in classe turistica ♦ *cpd* turistico(a); **the** ~ **trade** il turismo.

tourist class *n* (*AVIAT*) classe *f* turistica.

tourist office *n* pro loco *f inv*.

tournament ['tuənəmənt] *n* torneo.

tourniquet ['tuənɪkeɪ] *n* (*MED*) laccio emostatico, pinza emostatica.

tour operator *n* (*BRIT*) operatore *m* turistico.

tousled ['tauzld] *adj* (*hair*) arruffato(a).

tout [taut] *vi:* **to** ~ **for** procacciare, raccogliere; cercare clienti per ♦ *n* (*BRIT: also:* **ticket** ~) bagarino; **to** ~ **sth (around)** (*BRIT*) cercare di (ri)vendere qc.

tow [təu] *vt* rimorchiare ♦ *n* rimorchio; "**on** ~", (*US*) "**in** ~" (*AUT*) "veicolo rimorchiato"; **to give sb a** ~ rimorchiare qn.

toward(s) [tə'wɔːd(z)] *prep* verso; (*of attitude*) nei confronti di; (*of purpose*) per; ~ **noon/the end of the year** verso mezzogiorno/la fine dell'anno; **to feel friendly** ~ **sb** provare un sentimento d'amicizia per qn.

towel ['tauəl] *n* asciugamano; (*also:* **tea** ~) strofinaccio; **to throw in the** ~ (*fig*) gettare la spugna.

towelling ['tauəlɪŋ] *n* (*fabric*) spugna.

towel rail, (*US*) **towel rack** *n* portasciugamano.

tower ['tauə*] *n* torre *f* ♦ *vi* (*building, mountain*) innalzarsi; **to** ~ **above** *or* **over sb/sth** sovrastare qn/qc.

tower block *n* (*BRIT*) palazzone *m*.

towering ['tauərɪŋ] *adj* altissimo(a), imponente.

towline ['təulaɪn] *n* (cavo da) rimorchio.

town [taun] *n* città *f inv*; **to go to** ~ andare in città; (*fig*) mettercela tutta; **in (the)** ~ in città; **to be out of** ~ essere fuori città.

town centre *n* centro (città).

town clerk *n* segretario comunale.

town council *n* consiglio comunale.

town crier [-'kraɪə*] *n* (*BRIT*) banditore/ trice.

town hall *n* ≈ municipio.

townie ['taunɪ] *n* (*BRIT col*) uno/a di città.

town plan *n* pianta della città.

town planner *n* urbanista *m/f*.

town planning *n* urbanistica.

township ['taunʃɪp] *n* township *f inv*.

townspeople ['taunzpiːpl] *npl* cittadinanza, cittadini *mpl*.

towpath ['təupɑːθ] *n* alzaia.

towrope ['təurəup] *n* (cavo da) rimorchio.

tow truck *n* (*US*) carro *m* attrezzi *inv*.

toxic ['tɔksɪk] *adj* tossico(a).

toxin ['tɔksɪn] *n* tossina.

toy [tɔɪ] *n* giocattolo.

▶**toy with** *vt fus* giocare con; (*idea*) accarezzare, trastullarsi con.

toyshop ['tɔɪʃɔp] *n* negozio di giocattoli.

trace [treɪs] *n* traccia ♦ *vt* (*draw*) tracciare; (*follow*) seguire; (*locate*) rintracciare; **without** ~ (*disappear*) senza lasciare traccia; **there was no** ~ **of it** non ne restava traccia.

trace element *n* oligoelemento.

trachea [trə'kɪə] *n* (*ANAT*) trachea.

tracing paper ['treɪsɪŋ-] *n* carta da ricalco.

track [træk] *n* (*mark: of person, animal*) traccia; (*on tape, SPORT; path: gen*) pista; (: *of bullet etc*) traiettoria; (: *of suspect, animal*) pista, tracce *fpl*; (*RAIL*) binario, rotaie *fpl*; (*COMPUT*) traccia, pista ♦ *vt* seguire le tracce di; **to keep** ~ **of** seguire; **to be on the right** ~ (*fig*) essere sulla buona strada.

▶**track down** *vt* (*prey*) scovare; snidare; (*sth lost*) rintracciare.

tracker dog ['trækə-] *n* (*BRIT*) cane *m* poliziotto *inv*.

track events *npl* (*SPORT*) prove *fpl* su pista.

tracking station ['trækɪŋ-] *n* (*SPACE*) osservatorio spaziale.

track meet *n* (*US*) meeting *m inv* di atletica.

track record *n:* **to have a good** ~ (*fig*) avere un buon curriculum.

tracksuit ['træksuːt] n tuta sportiva.
tract [trækt] n (GEO) tratto, estensione f;
(pamphlet) opuscolo, libretto; **respiratory**
~ (ANAT) apparato respiratorio.
traction ['trækʃən] n trazione f.
tractor ['træktə*] n trattore m.
trade [treɪd] n commercio; (skill, job)
mestiere m; (industry) industria, settore m
♦ vi commerciare; **to** ~ **with/in**
commerciare con/in; **foreign** ~
commercio estero; **Department of T**~ **and
Industry (DTI)** (BRIT) ≈ Ministero del
Commercio.
▶**trade in** vt (old car etc) dare come
pagamento parziale.
trade barrier n barriera commerciale.
trade deficit n bilancio commerciale in
deficit.
Trade Descriptions Act n (BRIT) legge f a
tutela del consumatore.
trade discount n sconto sul listino.
trade fair n fiera campionaria.
trade-in ['treɪdɪn] n: **to take as a** ~
accettare in permuta.
trade-in price n prezzo di permuta.
trademark ['treɪdmɑːk] n marchio di
fabbrica.
trade mission n missione f commerciale.
trade name n marca, nome m depositato.
trade-off ['treɪdɔf] n compromesso,
accomodamento.
trader ['treɪdə*] n commerciante m/f.
trade secret n segreto di fabbricazione.
tradesman ['treɪdzmən] n fornitore m;
(shopkeeper) negoziante m.
trade union n sindacato.
trade unionist [-'juːnjənɪst] n sindacalista
m/f.
trade wind n aliseo.
trading ['treɪdɪŋ] n commercio.
trading estate n (BRIT) zona industriale.
trading stamp n bollo premio.
tradition [trə'dɪʃən] n tradizione f; ~**s** npl
tradizioni, usanze fpl.
traditional [trə'dɪʃənl] adj tradizionale.
traffic ['træfɪk] n traffico ♦ vi: **to** ~ **in** (pej:
liquor, drugs) trafficare in.
traffic calming [-'kɑːmɪŋ] n uso di
accorgimenti per rallentare il traffico in
zone abitate.
traffic circle n (US) isola rotatoria.
traffic island n salvagente m, isola f
spartitraffico inv.
traffic jam n ingorgo (del traffico).
trafficker ['træfɪkə*] n trafficante m/f.
traffic lights npl semaforo.
traffic offence n (BRIT) infrazione f al
codice stradale.

traffic sign n cartello stradale.
traffic violation n (US) = **traffic offence**.
traffic warden n addetto/a al controllo del
traffico e del parcheggio.
tragedy ['trædʒədɪ] n tragedia.
tragic ['trædʒɪk] adj tragico(a).
trail [treɪl] n (tracks) tracce fpl, pista; (path)
sentiero; (of smoke etc) scia ♦ vt
trascinare, strascicare; (follow) seguire
♦ vi essere al traino; (dress etc) strusciare;
(plant) arrampicarsi; strisciare; **to be on
sb's** ~ essere sulle orme di qn.
▶**trail away, trail off** vi (sound)
affievolirsi; (interest, voice) spegnersi a
poco a poco.
▶**trail behind** vi essere al traino.
trailer ['treɪlə*] n (AUT) rimorchio; (US)
roulotte f inv; (CINE) prossimamente m inv.
trailer truck n (US) autoarticolato.
train [treɪn] n treno; (of dress) coda,
strascico; (BRIT: series): ~ **of events** serie f
di avvenimenti a catena ♦ vt (apprentice,
doctor etc) formare; (sportsman) allenare;
(dog) addestrare; (memory) esercitare;
(point: gun etc): **to** ~ **sth on** puntare qc
contro ♦ vi formarsi; allenarsi; (learn a
skill) fare pratica, fare tirocinio; **to go by**
~ andare in or col treno; **one's** ~ **of
thought** il filo dei propri pensieri; **to** ~ **sb
to do sth** preparare qn a fare qc.
train attendant n (US) addetto/a ai vagoni
letto.
trained [treɪnd] adj qualificato(a);
allenato(a); addestrato(a).
trainee [treɪ'niː] n allievo/a; (in trade)
apprendista m/f; **he's a** ~ **teacher** sta
facendo tirocinio come insegnante.
trainer ['treɪnə*] n (SPORT) allenatore/trice;
(of dogs etc) addestratore/trice; ~**s** npl
(shoes) scarpe fpl da ginnastica.
training ['treɪnɪŋ] n formazione f;
allenamento; addestramento; **in** ~
(SPORT) in allenamento; (fit) in forma.
training college n istituto professionale.
training course n corso di formazione
professionale.
traipse [treɪps] vi: **to** ~ **in/out** etc entrare/
uscire etc trascinandosi.
trait [treɪt] n tratto.
traitor ['treɪtə*] n traditore/trice.
trajectory [trə'dʒɛktərɪ] n traiettoria.
tram [træm] n (BRIT: also: ~**car**) tram m inv.
tramline ['træmlaɪn] n linea tranviaria.
tramp [træmp] n (person) vagabondo/a; (col:
pej: woman) sgualdrina ♦ vi camminare
con passo pesante ♦ vt (walk through: town,
streets) percorrere a piedi.
trample ['træmpl] vt: **to** ~ **(underfoot)**

calpestare.

trampoline ['træmpəli:n] *n* trampolino.

trance [trɑ:ns] *n* trance *f inv*; (*MED*) catalessi *f inv*; **to go into a** ~ cadere in trance.

tranquil ['træŋkwɪl] *adj* tranquillo(a).

tranquillity, (*US*) **tranquility** [træŋ'kwɪlɪtɪ] *n* tranquillità.

tranquillizer, (*US*) **tranquilizer** ['træŋkwɪlaɪzə*] *n* (*MED*) tranquillante *m*.

transact [træn'zækt] *vt* (*business*) trattare.

transaction [træn'zækʃən] *n* transazione *f*; ~**s** *npl* (*minutes*) atti *mpl*; **cash** ~ operazione *f* in contanti.

transatlantic ['trænzət'læntɪk] *adj* transatlantico(a).

transcend [træn'sɛnd] *vt* trascendere; (*excel over*) superare.

transcendental [trænsɛn'dɛntl] *adj*: ~ **meditation** meditazione *f* trascendentale.

transcribe [træn'skraɪb] *vt* trascrivere.

transcript ['trænskrɪpt] *n* trascrizione *f*.

transcription [træn'skrɪpʃən] *n* trascrizione *f*.

transept ['trænsɛpt] *n* transetto.

transfer *n* ['trænsfə*] (*gen, also SPORT*) trasferimento; (*POL: of power*) passaggio; (*picture, design*) decalcomania; (: *stick-on*) autoadesivo ♦ *vt* [træns'fə:*] trasferire; passare; decalcare; **by bank** ~ tramite trasferimento bancario; **to** ~ **the charges** (*BRIT TEL*) telefonare con addebito al ricevente.

transferable [træns'fə:rəbl] *adj* trasferibile; **not** ~ non cedibile, personale.

transfix [træns'fɪks] *vt* trafiggere; (*fig*): ~**ed with fear** paralizzato dalla paura.

transform [træns'fɔ:m] *vt* trasformare.

transformation [trænsfə'meɪʃən] *n* trasformazione *f*.

transformer [træns'fɔ:mə*] *n* (*ELEC*) trasformatore *m*.

transfusion [træns'fju:ʒən] *n* trasfusione *f*.

transgress [træns'grɛs] *vt* (*go beyond*) infrangere; (*violate*) trasgredire, infrangere.

tranship [træn'ʃɪp] *vt* trasbordare.

transient ['trænzɪənt] *adj* transitorio(a), fugace.

transistor [træn'zɪstə*] *n* (*ELEC*) transistor *m inv*; (*also*: ~ **radio**) radio *f inv* a transistor.

transit ['trænzɪt] *n*: **in** ~ in transito.

transit camp *n* campo (di raccolta) profughi.

transition [træn'zɪʃən] *n* passaggio, transizione *f*.

transitional [træn'zɪʃənl] *adj* di transizione.

transitive ['trænzɪtɪv] *adj* (*LING*)

transitivo(a).

transit lounge *n* (*AVIAT*) sala di transito.

transitory ['trænzɪtərɪ] *adj* transitorio(a).

translate [trænz'leɪt] *vt* tradurre; **to** ~ **(from/into)** tradurre (da/in).

translation [trænz'leɪʃən] *n* traduzione *f*; (*SCOL: as opposed to prose*) versione *f*.

translator [trænz'leɪtə*] *n* traduttore/trice.

translucent [trænz'lu:snt] *adj* traslucido(a).

transmission [trænz'mɪʃən] *n* trasmissione *f*.

transmit [trænz'mɪt] *vt* trasmettere.

transmitter [trænz'mɪtə*] *n* trasmettitore *m*.

transparency [træns'pɛərnsɪ] *n* (*PHOT*) diapositiva.

transparent [træns'pærnt] *adj* trasparente.

transpire [træns'paɪə*] *vi* (*happen*) succedere; **it finally** ~**d that** ... alla fine si è venuto a sapere che ....

transplant *vt* [træns'plɑ:nt] trapiantare ♦ *n* ['trænsplɑ:nt] trapianto; **to have a heart** ~ subire un trapianto cardiaco.

transport *n* ['trænspɔ:t] trasporto ♦ *vt* [træns'pɔ:t] trasportare; **public** ~ mezzi *mpl* pubblici; **Department of T**~(*BRIT*) Ministero dei Trasporti.

transportation ['trænspɔ:'teɪʃən] *n* (*mezzo di*) trasporto; (*of prisoners*) deportazione *f*; **Department of T**~ (*US*) Ministero dei Trasporti.

transport café *n* (*BRIT*) trattoria per camionisti.

transpose [træns'pəuz] *vt* trasporre.

transsexual [trænz'sɛksjuəl] *adj, n* transessuale (*m/f*).

transverse ['trænzvə:s] *adj* trasversale.

transvestite [trænz'vɛstaɪt] *n* travestito/a.

trap [træp] *n* (*snare, trick*) trappola; (*carriage*) calesse *m* ♦ *vt* prendere in trappola, intrappolare; (*immobilize*) bloccare; (*jam*) chiudere, schiacciare; **to set** *or* **lay a** ~ **(for sb)** tendere una trappola (a qn); **to** ~ **one's finger in the door** chiudersi il dito nella porta; **shut your** ~! (*col*) chiudi quella boccaccia!

trap door *n* botola.

trapeze [trə'pi:z] *n* trapezio.

trapper ['træpə*] *n* cacciatore *m* di animali da pelliccia.

trappings ['træpɪŋz] *npl* ornamenti *mpl*; indoratura, sfarzo.

trash [træʃ] *n* (*pej: goods*) ciarpame *m*; (: *nonsense*) sciocchezze *fpl*; (*US: rubbish*) rifiuti *mpl*, spazzatura.

trash can *n* (*US*) secchio della spazzatura.

trashy ['træʃɪ] *adj* (*col*) scadente.

trauma ['trɔ:mə] *n* trauma *m*.

traumatic [trɔː'mætɪk] adj (PSYCH, fig) traumatico(a), traumatizzante.

travel ['trævl] n viaggio; viaggi mpl ♦ vi viaggiare; (move) andare, spostarsi ♦ vt (distance) percorrere; **this wine doesn't ~ well** questo vino non resiste agli spostamenti.

travel agency n agenzia (di) viaggi.

travel agent n agente m di viaggio.

travel brochure n dépliant m di viaggi.

traveller, (US) **traveler** ['trævlə*] n viaggiatore/trice; (COMM) commesso viaggiatore.

traveller's cheque, (US) **traveler's check** n assegno turistico.

travelling, (US) **traveling** ['trævlɪŋ] n viaggi mpl ♦ adj (circus, exhibition) itinerante ♦ cpd (bag, clock) da viaggio; (expenses) di viaggio.

travel(l)ing salesman n commesso viaggiatore.

travelogue ['trævəlɔg] n (book, film) diario or documentario di viaggio; (talk) conferenza sui viaggi.

travel sickness n mal m d'auto (or di mare or d'aria).

traverse ['trævəs] vt traversare, attraversare.

travesty ['trævəstɪ] n parodia.

trawler ['trɔːlə*] n peschereccio (a strascico).

tray [treɪ] n (for carrying) vassoio; (on desk) vaschetta.

treacherous ['trɛtʃərəs] adj traditore(trice); **road conditions today are ~** oggi il fondo stradale è pericoloso.

treachery ['trɛtʃərɪ] n tradimento.

treacle ['triːkl] n melassa.

tread [trɛd] n passo; (sound) rumore m di passi; (of tyre) battistrada m inv ♦ vi (pt **trod**, pp **trodden** [trɔd, 'trɔdn]) camminare.

►**tread on** vt fus calpestare.

treadle ['trɛdl] n pedale m.

treas. abbr = **treasurer**.

treason ['triːzn] n tradimento.

treasure ['trɛʒə*] n tesoro ♦ vt (value) tenere in gran conto, apprezzare molto; (store) custodire gelosamente.

treasure hunt n caccia al tesoro.

treasurer ['trɛʒərə*] n tesoriere/a.

treasury ['trɛʒərɪ] n tesoreria; (POL): **the T~**, (US) **the T~ Department** ≈ il Ministero del Tesoro.

treasury bill n buono del tesoro.

treat [triːt] n regalo ♦ vt trattare; (MED) curare; (consider) considerare; **it was a ~ mi** (or ci etc) **ha fatto veramente piacere; to ~ sb to sth** offrire qc a qn; **to ~ sth as**

a joke considerare qc uno scherzo.

treatise ['triːtɪz] n trattato.

treatment ['triːtmənt] n trattamento; **to have ~ for sth** (MED) farsi curare qc.

treaty ['triːtɪ] n patto, trattato.

treble [trɛbl] adj triplo(a), triplice ♦ n (MUS) soprano m/f ♦ vt triplicare ♦ vi triplicarsi.

treble clef n chiave f di violino.

tree [triː] n albero.

tree-lined ['triːlaɪnd] adj fiancheggiato(a) da alberi.

treetop ['triːtɔp] n cima di un albero.

tree trunk n tronco d'albero.

trek [trɛk] n (hike) spedizione f; (tiring walk) camminata sfiancante ♦ vi (as holiday) fare dell'escursionismo.

trellis ['trɛlɪs] n graticcio, pergola.

tremble ['trɛmbl] vi tremare; (machine) vibrare.

trembling ['trɛmblɪŋ] n tremito ♦ adj tremante.

tremendous [trɪ'mɛndəs] adj (enormous) enorme; (excellent) meraviglioso(a), formidabile.

tremendously [trɪ'mɛndəslɪ] adv incredibilmente; **he enjoyed it ~** gli è piaciuto da morire.

tremor ['trɛmə*] n tremore m, tremito; (also: **earth ~**) scossa sismica.

trench [trɛntʃ] n trincea.

trench coat n trench m inv.

trench warfare n guerra di trincea.

trend [trɛnd] n (tendency) tendenza; (of events) corso; (fashion) moda; **~ towards/ away from** tendenza a/ad allontanarsi da; **to set the ~** essere all'avanguardia; **to set a ~** lanciare una moda.

trendy ['trɛndɪ] adj (idea) di moda; (clothes) all'ultima moda.

trepidation [trɛpɪ'deɪʃən] n trepidazione f, agitazione f.

trespass ['trɛspəs] vi: **to ~ on** entrare abusivamente in; (fig) abusare di; **"no ~ing"** "proprietà privata", "vietato l'accesso".

trespasser ['trɛspəsə*] n trasgressore m; **"~s will be prosecuted"** "i trasgressori saranno puniti secondo i termini di legge".

trestle ['trɛsl] n cavalletto.

trestle table n tavola su cavalletti.

trial ['traɪəl] n (LAW) processo; (test: of machine etc) collaudo; (hardship) prova, difficoltà f inv; (worry) cruccio; **~s** npl (ATHLETICS) prove fpl di qualificazione; **horse ~s** concorso ippico; **to be on ~** essere sotto processo; **~ by jury** processo penale con giuria; **to be sent for ~** essere rinviato a giudizio; **to bring sb to ~ (for a crime)** portare qn in giudizio (per un reato); **by ~ and error** a tentoni.

trial balance n (COMM) bilancio di verifica.

trial basis n: **on a ~** in prova.

trial run n periodo di prova.

triangle ['traɪæŋgl] n (MATH, MUS) triangolo.

triangular [traɪ'æŋgjulə*] adj triangolare.

triathlon [traɪ'æθlən] n triathlon m inv.

tribal ['traɪbəl] adj tribale.

tribe [traɪb] n tribù f inv.

tribesman ['traɪbzmən] n membro della tribù.

tribulation [trɪbju'leɪʃən] n tribolazione f.

tribunal [traɪ'bjuːnl] n tribunale m.

tributary ['trɪbjuːtərɪ] n (river) tributario, affluente m.

tribute ['trɪbjuːt] n tributo, omaggio; **to pay ~ to** rendere omaggio a.

trice [traɪs] n: **in a ~** in un attimo.

trick [trɪk] n trucco; (clever act) stratagemma m; (joke) tiro; (CARDS) presa ♦ vt imbrogliare, ingannare; **to play a ~ on sb** giocare un tiro a qn; **it's a ~ of the light** è un effetto ottico; **that should do the ~** (col) vedrai che funziona; **to ~ sb into doing sth** convincere qn a fare qc con l'inganno; **to ~ sb out of sth** fregare qc a qn.

trickery ['trɪkərɪ] n inganno.

trickle ['trɪkl] n (of water etc) rivolo, gocciolio ♦ vi gocciolare; **to ~ in/out** (people) entrare/uscire alla spicciolata.

trick question n domanda f trabocchetto inv.

trickster ['trɪkstə*] n imbroglione/a.

tricky ['trɪkɪ] adj difficile, delicato(a).

tricycle ['traɪsɪkl] n triciclo.

trifle ['traɪfl] n sciocchezza; (BRIT CULIN) ≈ zuppa inglese ♦ adv: **a ~ long** un po' lungo ♦ vi: **to ~ with** prendere alla leggera.

trifling ['traɪflɪŋ] adj insignificante.

trigger ['trɪgə*] n (of gun) grilletto.

▶**trigger off** vt dare l'avvio a.

trigonometry [trɪgə'nɔmətrɪ] n trigonometria.

trilby ['trɪlbɪ] n (BRIT: also: ~ **hat**) cappello floscio di feltro.

trill [trɪl] n (of bird, MUS) trillo.

trilogy ['trɪlədʒɪ] n trilogia.

trim [trɪm] adj ordinato(a); (house, garden) ben tenuto(a); (figure) snello(a) ♦ n (haircut etc) spuntata, regolata; (embellishment) finiture fpl; (on car) guarnizioni fpl ♦ vt spuntare; (decorate): **to ~ (with)** decorare (con); (NAUT: a sail) orientare; **to keep in (good) ~**

mantenersi in forma.

trimmings ['trɪmɪŋz] npl decorazioni fpl; (extras: gen CULIN) guarnizione f.

Trinidad and Tobago ['trɪnɪdæd-] n Trinidad e Tobago m.

Trinity ['trɪnɪtɪ] n: **the ~** la Trinità.

trinket ['trɪŋkɪt] n gingillo; (piece of jewellery) ciondolo.

trio ['triːəu] n trio.

trip [trɪp] n viaggio; (excursion) gita, escursione f; (stumble) passo falso ♦ vi inciampare; (go lightly) camminare con passo leggero; **on a ~** in viaggio.

▶**trip up** vi inciampare ♦ vt fare lo sgambetto a.

tripartite [traɪ'pɑːtaɪt] adj (agreement) tripartito(a); (talks) a tre.

tripe [traɪp] n (CULIN) trippa; (pej: rubbish) sciocchezze fpl, fesserie fpl.

triple ['trɪpl] adj triplo(a) ♦ adv: **~ the distance/the speed** tre volte più lontano/ più veloce.

triple jump n triplo salto.

triplets ['trɪplɪts] npl bambini(e) trigemini(e).

triplicate ['trɪplɪkət] n: **in ~** in triplice copia.

tripod ['traɪpɔd] n treppiede m.

Tripoli ['trɪpəlɪ] n Tripoli f.

tripper ['trɪpə*] n (BRIT) gitante m/f.

tripwire ['trɪpwaɪə*] n filo in tensione che fa scattare una trappola, allarme etc.

trite [traɪt] adj banale, trito(a).

triumph ['traɪʌmf] n trionfo ♦ vi: **to ~ (over)** trionfare (su).

triumphal [traɪ'ʌmfl] adj trionfale.

triumphant [traɪ'ʌmfənt] adj trionfante.

trivia ['trɪvɪə] npl banalità fpl.

trivial ['trɪvɪəl] adj (matter) futile; (excuse, comment) banale; (amount) irrisorio(a); (mistake) di poco conto.

triviality [trɪvɪ'ælɪtɪ] n frivolezza; (trivial detail) futilità.

trivialize ['trɪvɪəlaɪz] vt sminuire.

trod [trɔd] pt of **tread**.

trodden ['trɔdn] pp of **tread**.

trolley ['trɔlɪ] n carrello; (in hospital) lettiga.

trolley bus n filobus m inv.

trollop ['trɔləp] n prostituta.

trombone [trɔm'bəun] n trombone m.

troop [truːp] n gruppo; (MIL) squadrone m; **~s** npl (MIL) truppe fpl; **~ing the colour** (BRIT: ceremony) sfilata della bandiera.

▶**troop in** vi entrare a frotte.

▶**troop out** vi uscire a frotte.

troop carrier n (plane) aereo per il trasporto (di) truppe; (NAUT: also:

troopship) nave *f* per il trasporto (di) truppe.

trooper ['tru:pɔ*] *n* (*MIL*) soldato di cavalleria; (*US*: *policeman*) poliziotto (della polizia di stato).

troopship ['tru:pʃɪp] *n* nave *f* per il trasporto (di) truppe.

trophy ['trɔufɪ] *n* trofeo.

tropic ['trɔpɪk] *n* tropico; **in the ~s** ai tropici; **T~ of Cancer/Capricorn** tropico del Cancro/Capricorno.

tropical ['trɔpɪkəl] *adj* tropicale.

trot [trɔt] *n* trotto ♦ *vi* trottare; **on the ~** (*BRIT fig*) di fila, uno(a) dopo l'altro(a).

▶**trot out** *vt* (*excuse, reason*) tirar fuori; (*names, facts*) recitare di fila.

trouble ['trʌbl] *n* (*problems*) difficoltà *fpl*, problemi *mpl*; (*worry*) preoccupazione *f*; (*bother, effort*) sforzo; (*with sth mechanical*) noie *fpl*; (*POL*) conflitti *mpl*, disordine *m*; (*MED*): **stomach** *etc* ~ disturbi *mpl* gastrici *etc* ♦ *vt* disturbare; (*worry*) preoccupare ♦ *vi*: **to** ~ **to do** disturbarsi a fare; **~s** *npl* (*POL etc*) disordini *mpl*; **to be in** ~ avere dei problemi; (*for doing wrong*) essere nei guai; **to go to the** ~ **of doing** darsi la pena di fare; **it's no ~!** di niente!; **what's the ~?** cosa c'è che non va?; **the ~ is ...** c'è che ..., il guaio è che ...; **to have** ~ **doing sth** avere delle difficoltà a fare qc; **please don't** ~ **yourself** non si disturbi.

troubled ['trʌbld] *adj* (*person*) preoccupato(a), inquieto(a); (*epoch, life*) agitato(a), difficile.

trouble-free ['trʌblfri:] *adj* senza problemi.

troublemaker ['trʌblmeɪkə*] *n* elemento disturbatore, agitatore/trice.

troubleshooter ['trʌblʃu:tə*] *n* (*in conflict*) conciliatore *m*.

troublesome ['trʌblsəm] *adj* fastidioso(a), seccante.

trouble spot *n* zona calda.

troubling ['trʌblɪŋ] *adj* (*thought*) preoccupante; **these are** ~ **times** questi sono tempi difficili.

trough [trɔf] *n* (*also*: **drinking** ~) abbeveratoio; (*also*: **feeding** ~) trogolo, mangiatoia; (*channel*) canale *m*; ~ **of low pressure** (*METEOROLOGY*) depressione *f*.

trounce [trauns] *vt* (*defeat*) sgominare.

troupe [tru:p] *n* troupe *f inv*.

trouser press *n* stirapantaloni *m inv*.

trousers ['trauzəz] *npl* pantaloni *mpl*, calzoni *mpl*; **short** ~ (*BRIT*) calzoncini *mpl*.

trouser suit *n* (*BRIT*) completo *m or* tailleur *m inv* pantalone *inv*.

trousseau, *pl* ~**x** *or* ~**s** ['tru:səu, -z] *n* corredo da sposa.

trout [traut] *n* (*pl inv*) trota.

trowel ['trauəl] *n* cazzuola.

truant ['tru:ənt] *n*: **to play** ~ (*BRIT*) marinare la scuola.

truce [tru:s] *n* tregua.

truck [trʌk] *n* autocarro, camion *m inv*; (*RAIL*) carro merci aperto; (*for luggage*) carrello *m* portabagagli *inv*.

truck driver, (*US*) **trucker** ['trʌkə*] *n* camionista *m/f*.

truck farm *n* (*US*) orto industriale.

trucking ['trʌkɪŋ] *n* (*esp US*) autotrasporto.

trucking company *n* (*esp US*) impresa di trasporti.

truculent ['trʌkjulənt] *adj* aggressivo(a), brutale.

trudge [trʌdʒ] *vi* trascinarsi pesantemente.

true [tru:] *adj* vero(a); (*accurate*) accurato(a), esatto(a); (*genuine*) reale; (*faithful*) fedele; (*wall, beam*) a piombo; (*wheel*) centrato(a); **to come** ~ avverarsi; ~ **to life** verosimile.

truffle ['trʌfl] *n* tartufo.

truly ['tru:lɪ] *adv* veramente; (*truthfully*) sinceramente; (*faithfully*) fedelmente; **yours** ~ (*in letter-writing*) distinti saluti.

trump [trʌmp] *n* (*CARDS*) atout *m inv*; **to turn up ~s** (*fig*) fare miracoli.

trump card *n* atout *m inv*; (*fig*) asso nella manica.

trumped-up [trʌmpt'ʌp] *adj* inventato(a).

trumpet ['trʌmpɪt] *n* tromba.

truncated [trʌŋ'keɪtɪd] *adj* tronco(a).

truncheon ['trʌntʃən] *n* sfollagente *m inv*.

trundle ['trʌndl] *vt*, *vi*: **to** ~ **along** rotolare rumorosamente.

trunk [trʌŋk] *n* (*of tree, person*) tronco; (*of elephant*) proboscide *f*; (*case*) baule *m*; (*US AUT*) bagagliaio.

trunk call *n* (*BRIT TEL*) (telefonata) interurbana.

trunk road *n* (*BRIT*) strada principale.

trunks [trʌŋks] *npl* (*also*: **swimming** ~) calzoncini *mpl* da bagno.

truss [trʌs] *n* (*MED*) cinto erniario ♦ *vt*: **to** ~ **(up)** (*CULIN*) legare.

trust [trʌst] *n* fiducia; (*LAW*) amministrazione *f* fiduciaria; (*COMM*) trust *m inv* ♦ *vt* (*have confidence in*) fidarsi di; (*rely on*) contare su; (*entrust*): **to** ~ **sth to sb** affidare qc a qn; (*hope*): **to** ~ **(that)** sperare (che); **you'll have to take it on** ~ deve credermi sulla parola; **in** ~ (*LAW*) in amministrazione fiduciaria.

trust company *n* trust *m inv*.

trusted ['trʌstɪd] *adj* fidato(a).

trustee [trʌs'ti:] *n* (*LAW*) amministratore(trice) fiduciario(a); (*of*

school etc) amministratore/trice.
trustful ['trʌstful] *adj* fiducioso(a).
trust fund *n* fondo fiduciario.
trusting ['trʌstɪŋ] *adj* = **trustful**.
trustworthy ['trʌstwɔːðɪ] *adj* fidato(a), degno(a) di fiducia.
trusty ['trʌstɪ] *adj* fidato(a).
truth, ~**s** [truːθ, truːðz] *n* verità *f inv*.
truthful ['truːθful] *adj* (*person*) sincero(a); (*description*) veritiero(a), esatto(a).
truthfully ['truːθfəlɪ] *adv* sinceramente.
truthfulness ['truːθfəlnɪs] *n* veracità.
try [traɪ] *n* prova, tentativo; (*RUGBY*) meta ♦ *vt* (*LAW*) giudicare; (*test: sth new*) provare; (*strain: patience, person*) mettere alla prova ♦ *vi* provare; **to ~ to do** provare a fare; (*seek*) cercare di fare; **to give sth a ~** provare qc; **to ~ one's (very) best** *or* **one's (very) hardest** mettercela tutta.
►**try on** *vt* (*clothes*) provare, mettere alla prova; **to ~ it on** (*fig*) cercare di farla.
►**try out** *vt* provare, mettere alla prova.
trying ['traɪɪŋ] *adj* (*day, experience*) logorante, pesante; (*child*) difficile, insopportabile.
tsar [zɑː*] *n* zar *m inv*.
T-shirt ['tiːʃəːt] *n* maglietta.
T-square ['tiːskwɛə*] *n* riga a T.
TT *adj abbr* (*BRIT col*) = **teetotal** ♦ *abbr* (*US*) = *Trust Territory*.
tub [tʌb] *n* tinozza; mastello; (*bath*) bagno.
tuba ['tjuːbə] *n* tuba.
tubby ['tʌbɪ] *adj* grassoccio(a).
tube [tjuːb] *n* tubo; (*BRIT: underground*) metropolitana; (*for tyre*) camera d'aria; (*col: television*): **the ~** la tele.
tubeless ['tjuːblɪs] *adj* (*tyre*) senza camera d'aria.
tuber ['tjuːbə*] *n* (*BOT*) tubero.
tuberculosis (TB) [tjubəːkjuːˈləusɪs] *n* tubercolosi *f*.
tube station *n* (*BRIT*) stazione *f* del metrò.
tubing ['tjuːbɪŋ] *n* tubazione *f*; **a piece of ~** un tubo.
tubular ['tjuːbjulə*] *adj* tubolare.
TUC *n abbr* (*BRIT*: = *Trades Union Congress*) confederazione *f* dei sindacati britannici.
tuck [tʌk] *n* (*SEWING*) piega ♦ *vt* (*put*) mettere.
►**tuck away** *vt* riporre.
►**tuck in** *vt* mettere dentro; (*child*) rimboccare ♦ *vi* (*eat*) mangiare di buon appetito; abbuffarsi.
►**tuck up** *vt* (*child*) rimboccare.
tuck shop *n* negozio di pasticceria (*in una scuola*).
Tue(s). *abbr* (= *Tuesday*) mar.
Tuesday ['tjuːzdɪ] *n* martedì *m inv*; (**the**

date) **today is ~ 23rd March** oggi è martedì 23 marzo; **on ~** martedì; **on ~s** di martedì; **every ~** tutti i martedì; **every other ~** ogni due martedì; **last/next ~** martedì scorso/prossimo; **~ next** martedì prossimo; **the following ~** (*in past*) il martedì successivo; (*in future*) il martedì dopo; **a week/fortnight on ~**, **~ week/ fortnight** martedì fra una settimana/ quindici giorni; **the ~ before last** martedì di due settimane fa; **the ~ after next** non questo martedì ma il prossimo; **~ morning/lunchtime/afternoon/evening** martedì mattina/all'ora di pranzo/ pomeriggio/sera; **~ night** martedì sera; (*overnight*) martedì notte; **~'s newspaper** il giornale di martedì.
tuft [tʌft] *n* ciuffo.
tug [tʌg] *n* (*ship*) rimorchiatore *m* ♦ *vt* tirare con forza.
tug-of-love [tʌgəvˈlʌv] *n* contesa per la custodia dei figli; **~ children** bambini *mpl* coinvolti nella contesa per la custodia.
tug-of-war [tʌgəvˈwɔː*] *n* tiro alla fune.
tuition [tjuːˈɪʃən] *n* (*BRIT: lessons*) lezioni *fpl*; (*US: fees*) tasse *fpl* scolastiche (*or* universitarie).
tulip ['tjuːlɪp] *n* tulipano.
tumble ['tʌmbl] *n* (*fall*) capitombolo ♦ *vi* capitombolare, ruzzolare; (*somersault*) fare capriole ♦ *vt* far cadere; **to ~ to sth** (*col*) realizzare qc.
tumbledown ['tʌmbldaun] *n* cadente, diroccato(a).
tumble dryer *n* (*BRIT*) asciugatrice *f*.
tumbler ['tʌmblə*] *n* bicchiere *m* (senza stelo).
tummy ['tʌmɪ] *n* (*col*) pancia.
tumour, (*US*) **tumor** ['tjuːmə*] *n* tumore *m*.
tumult ['tjuːmʌlt] *n* tumulto.
tumultuous [tjuːˈmʌltjuəs] *adj* tumultuoso(a).
tuna ['tjuːnə] *n* (*pl inv*) (*also:* ~ **fish**) tonno.
tune [tjuːn] *n* (*melody*) melodia, aria ♦ *vt* (*MUS*) accordare; (*RADIO, TV, AUT*) regolare, mettere a punto; **to be in/out of ~** (*instrument*) essere accordato(a)/ scordato(a); (*singer*) essere intonato(a)/ stonato(a); **to the ~ of** (*fig: amount*) per la modesta somma di; **in ~ with** (*fig*) in accordo con.
►**tune in** *vi* (*RADIO, TV*): **to ~ in (to)** sintonizzarsi (su).
►**tune up** *vi* (*musician*) accordare lo strumento.
tuneful ['tjuːnful] *adj* melodioso(a).
tuner ['tjuːnə*] *n* (*radio set*) sintonizzatore *m*; **piano ~** accordatore/trice di

pianoforte.

tuner amplifier *n* amplificatore *m* di sintonia.

tungsten ['tʌŋstn] *n* tungsteno.

tunic ['tju:nɪk] *n* tunica.

tuning ['tju:nɪŋ] *n* messa a punto.

tuning fork *n* diapason *m inv*.

Tunis ['tju:nɪs] *n* Tunisi *f*.

Tunisia [tju:'nɪzɪə] *n* Tunisia.

Tunisian [tju:'nɪzɪən] *adj, n* tunisino(a).

tunnel ['tʌnl] *n* galleria ♦ *vi* scavare una galleria.

tunnel vision *n* (*MED*) riduzione *f* del campo visivo; (*fig*) visuale *f* ristretta.

tunny ['tʌnɪ] *n* tonno.

turban ['tə:bən] *n* turbante *m*.

turbid ['tə:bɪd] *adj* torbido(a).

turbine ['tə:baɪn] *n* turbina.

turbo ['tə:bəʊ] *n* turbo *m inv*.

turbojet ['tə:bəʊ'dʒɛt] *n* turboreattore *m*.

turboprop ['tə:bəʊ'prɒp] *n* turboelica *m inv*.

turbot ['tə:bət] *n* (*pl inv*) rombo gigante.

turbulence ['tə:bjʊləns] *n* turbolenza.

turbulent ['tə:bjʊlənt] *adj* turbolento(a); (*sea*) agitato(a).

tureen [tə'ri:n] *n* zuppiera.

turf [tə:f] *n* terreno erboso; (*clod*) zolla ♦ *vt* coprire di zolle erbose; **the T**~ l'ippodromo.

▶**turf out** *vt* (*col*) buttar fuori.

turf accountant *n* (*BRIT*) allibratore *m*.

turgid ['tə:dʒɪd] *adj* (*speech*) ampolloso(a), pomposo(a).

Turin [tjuə'rɪn] *n* Torino *f*.

Turk [tə:k] *n* turco/a.

Turkey ['tə:kɪ] *n* Turchia.

turkey ['tə:kɪ] *n* tacchino.

Turkish ['tə:kɪʃ] *adj* turco(a) ♦ *n* (*LING*) turco.

Turkish bath *n* bagno turco.

Turkish delight *n* gelatine ricoperte di zucchero a velo.

turmeric ['tə:mərɪk] *n* curcuma.

turmoil ['tə:mɔɪl] *n* confusione *f*, tumulto.

turn [tə:n] *n* giro; (*in road*) curva; (*tendency: of mind, events*) tendenza; (*performance*) numero; (*MED*) crisi *f inv*, attacco ♦ *vt* girare, voltare; (*milk*) far andare a male; (*shape: wood, metal*) tornire; (*change*): **to ~ sth into** trasformare qc in ♦ *vi* girare; (*person: look back*) girarsi, voltarsi; (*reverse direction*) girarsi indietro; (*change*) cambiare; (*become*) diventare; **to ~ into** trasformarsi in; **a good ~** un buon servizio; **a bad ~** un brutto tiro; **it gave me quite a ~** mi ha fatto prendere un bello spavento; **"no left ~"** (*AUT*) "divieto di svolta a sinistra"; **it's your ~**

tocca a lei; **in ~** a sua volta; a turno; **to take ~s (at sth)** fare (qc) a turno; **at the ~ of the year/century** alla fine dell'anno/del secolo; **to take a ~ for the worse** (*situation, events*) volgere al peggio; (*patient, health*) peggiorare; **to ~ left/right** girare a sinistra/destra.

▶**turn about** *vi* girarsi indietro.

▶**turn away** *vi* girarsi (dall'altra parte) ♦ *vt* (*reject: person*) mandar via; (: *business*) rifiutare.

▶**turn back** *vi* ritornare, tornare indietro.

▶**turn down** *vt* (*refuse*) rifiutare; (*reduce*) abbassare; (*fold*) ripiegare.

▶**turn in** *vi* (*col: go to bed*) andare a letto ♦ *vt* (*fold*) voltare in dentro.

▶**turn off** *vi* (*from road*) girare, voltare ♦ *vt* (*light, radio, engine etc*) spegnere.

▶**turn on** *vt* (*light, radio etc*) accendere; (*engine*) avviare.

▶**turn out** *vt* (*light, gas*) chiudere, spegnere; (*produce: goods*) produrre; (: *novel, good pupils*) creare ♦ *vi* (*appear, attend: troops, doctor etc*) presentarsi; **to ~ out to be ...** rivelarsi ..., risultare ....

▶**turn over** *vi* (*person*) girarsi; (*car etc*) capovolgersi ♦ *vt* girare.

▶**turn round** *vi* girare; (*person*) girarsi.

▶**turn up** *vi* (*person*) arrivare, presentarsi; (*lost object*) saltar fuori ♦ *vt* (*collar, sound, gas etc*) alzare.

turnabout ['tə:nəbaʊt], **turnaround** ['tə:nəraʊnd] *n* (*fig*) dietrofront *m inv*.

turncoat ['tə:nkəʊt] *n* voltagabbana *m/f inv*.

turned-up ['tə:ndʌp] *adj* (*nose*) all'insù.

turning ['tə:nɪŋ] *n* (*in road*) curva; (*side road*) strada laterale; **the first ~ on the right** la prima a destra.

turning circle *n* (*BRIT*) diametro di sterzata.

turning point *n* (*fig*) svolta decisiva.

turning radius *n* (*US*) = **turning circle**.

turnip ['tə:nɪp] *n* rapa.

turnout ['tə:naʊt] *n* presenza, affluenza.

turnover ['tə:nəʊvə*] *n* (*COMM: amount of money*) giro di affari; (: *of goods*) smercio; (*CULIN*): **apple** *etc* ~ sfogliatella alle mele *etc*; **there is a rapid ~ in staff** c'è un ricambio molto rapido di personale.

turnpike ['tə:npaɪk] *n* (*US*) autostrada a pedaggio.

turnstile ['tə:nstaɪl] *n* tornella.

turntable ['tə:nteɪbl] *n* (*on record player*) piatto.

turn-up ['tə:nʌp] *n* (*BRIT: on trousers*) risvolto.

turpentine ['tə:pəntaɪn] *n* (*also*: **turps**)

acqua ragia.

turquoise [tə:kwɔɪz] n (*stone*) turchese m ♦ *adj* color turchese; di turchese.

turret ['tʌrɪt] n torretta.

turtle ['tə:tl] n testuggine f.

turtleneck (sweater) ['tə:tlnɛk-] n maglione m con il collo alto.

Tuscan ['tʌskən] *adj, n* toscano(a).

Tuscany ['tʌskənɪ] n Toscana.

tusk [tʌsk] n zanna.

tussle ['tʌsl] n baruffa, mischia.

tutor ['tju:tə*] n (*in college*) docente *m/f* (*responsabile di un gruppo di studenti*); (*private teacher*) precettore m.

tutorial [tju:'tɔ:rɪəl] n (*SCOL*) lezione f con discussione (*a un gruppo limitato*).

tuxedo [tʌk'si:dəu] n (*US*) smoking m inv.

TV [ti:'vi:] n abbr (= *television*) tivù f inv.

TV dinner n pasto surgelato pronto in due minuti.

twaddle ['twɔdl] n scemenze fpl.

twang [twæŋ] n (*of instrument*) suono vibrante; (*of voice*) accento nasale ♦ vi vibrare ♦ vt (*guitar*) pizzicare le corde di.

tweak [twi:k] vt (*nose*) pizzicare; (*ear, hair*) tirare.

tweed [twi:d] n tweed m inv.

tweezers ['twi:zəz] npl pinzette fpl.

twelfth [twelfθ] num dodicesimo(a).

Twelfth Night n la notte dell'Epifania.

twelve [twelv] num dodici; **at** ~ alle dodici, a mezzogiorno; (*midnight*) a mezzanotte.

twentieth ['twentɪɪθ] num ventesimo(a).

twenty ['twentɪ] num venti.

twerp [twə:p] n (*col*) idiota *m/f*.

twice [twaɪs] adv due volte; ~ **as much** due volte tanto; ~ **a week** due volte alla settimana; **she is** ~ **your age** ha il doppio dei suoi anni.

twiddle ['twɪdl] vt, vi: **to** ~ **(with)** sth giocherellare con qc; **to** ~ **one's thumbs** (*fig*) girarsi i pollici.

twig [twɪg] n ramoscello ♦ vt, vi (*col*) capire.

twilight ['twaɪlaɪt] n (*evening*) crepuscolo; (*morning*) alba; **in the** ~ nella penombra.

twill [twɪl] n spigato.

twin [twɪn] adj, n gemello(a).

twin(-bedded) room ['twɪn('bɛdɪd)-] n stanza con letti gemelli.

twin beds npl letti mpl gemelli.

twin-carburettor ['twɪnkɑ:bju'rɛtə*] adj a doppio carburatore.

twine [twaɪn] n spago, cordicella ♦ vi (*plant*) attorcigliarsi; (*road*) serpeggiare.

twin-engined ['twɪn'ɛndʒɪnd] adj a due motori; ~ **aircraft** bimotore m.

twinge [twɪndʒ] n (*of pain*) fitta; **a** ~ **of conscience/regret** un rimorso/rimpianto.

twinkle ['twɪŋkl] n scintillio ♦ vi scintillare; (*eyes*) brillare.

twin town n città f inv gemella.

twirl [twə:l] n piroetta ♦ vt far roteare ♦ vi roteare.

twist [twɪst] n torsione f; (*in wire, flex*) storta; (*in story*) colpo di scena; (*bend*) svolta, piega ♦ vt attorcigliare; (*weave*) intrecciare; (*roll around*) arrotolare; (*fig*) deformare ♦ vi attorcigliarsi; arrotolarsi; (*road*) serpeggiare; **to** ~ **one's ankle/wrist** (*MED*) slogarsi la caviglia/il polso.

twisted ['twɪstɪd] adj (*wire, rope*) attorcigliato(a); (*ankle, wrist*) slogato(a); (*fig: logic, mind*) contorto(a).

twit [twɪt] n (*col*) minchione/a.

twitch [twɪtʃ] n tiratina; (*nervous*) tic m inv ♦ vi contrarsi; avere un tic.

two [tu:] num due; ~ **by** ~, **in** ~**s** a due a due; **to put** ~ **and** ~ **together** (*fig*) trarre le conclusioni.

two-bit [tu:'bɪt] adj (*esp US: col, pej*) da quattro soldi.

two-door [tu:'dɔ:*] adj (*AUT*) a due porte.

two-faced [tu:'feɪst] adj (*pej: person*) falso(a).

twofold ['tu:fəuld] adv: **to increase** ~ aumentare del doppio ♦ adj (*increase*) doppio(a); (*reply*) in due punti.

two-piece [tu:'pi:s] n (*also:* ~ **suit**) due pezzi m inv; (*also:* ~ **swimsuit**) (costume m da bagno a) due pezzi m inv.

two-seater ['tu:'si:tə*] n (*plane*) biposto; (*car*) macchina a due posti.

twosome ['tu:səm] n (*people*) coppia.

two-stroke ['tu:strəuk] n (*engine*) due tempi m inv ♦ adj a due tempi.

two-tone ['tu:təun] adj (*colour*) bicolore.

two-way ['tu:weɪ] adj (*traffic*) a due sensi; ~ **radio** radio f inv ricetrasmittente.

TX abbr (*US*) = *Texas*.

tycoon [taɪ'ku:n] n: (*business*) ~ magnate m.

type [taɪp] n (*category*) genere m; (*model*) modello; (*example*) tipo; (*TYP*) tipo, carattere m ♦ vt (*letter etc*) battere (a macchina), dattilografare; **what** ~ **do you want?** che tipo vuole?; **in bold/italic** ~ in grassetto/corsivo.

type-cast ['taɪpkɑ:st] adj (*actor*) a ruolo fisso.

typeface ['taɪpfeɪs] n carattere m tipografico.

typescript ['taɪpskrɪpt] n dattiloscritto.

typeset ['taɪpset] vt comporre.

typesetter ['taɪpsetə*] n compositore m.

typewriter ['taɪpraɪtə*] *n* macchina da scrivere.
typewritten ['taɪprɪtn] *adj* dattiloscritto(a), battuto(a) a macchina.
typhoid ['taɪfɔɪd] *n* tifoidea.
typhoon [taɪ'fuːn] *n* tifone *m*.
typhus ['taɪfəs] *n* tifo.
typical ['tɪpɪkl] *adj* tipico(a).
typify ['tɪpɪfaɪ] *vt* essere tipico(a) di.
typing ['taɪpɪŋ] *n* dattilografia.
typing error *n* errore *m* di battitura.
typing pool *n* ufficio *m* dattilografia *inv*.
typist ['taɪpɪst] *n* dattilografo/a.
typo ['taɪpəu] *n abbr* (*col*: = *typographical error*) refuso.
typography [taɪ'pɔgrəfɪ] *n* tipografia.
tyranny ['tɪrənɪ] *n* tirannia.
tyrant ['taɪərnt] *n* tiranno.
tyre, (*US*) **tire** ['taɪə*] *n* pneumatico, gomma.
tyre pressure *n* pressione *f* (delle gomme).
Tyrol [tɪ'rəul] *n* Tirolo.
Tyrolean [tɪrə'liːən], **Tyrolese** [tɪrə'liːz] *adj*, *n* tirolese (*m/f*).
Tyrrhenian Sea [tɪ'riːnɪən-] *n*: **the** ~ il mar Tirreno.

U u

U, u [juː] *n* (*letter*) U, u *m or f inv*; **U for Uncle** ≈ U come Udine.
U *n abbr* (*BRIT CINE*: = *universal*) per tutti.
UAW *n abbr* (*US*: = *United Automobile Workers*) sindacato degli operai automobilistici.
UB40 *n abbr* (*BRIT*: = *unemployment benefit form 40*) modulo per la richiesta del sussidio di disoccupazione.
U-bend ['juːbɛnd] *n* (*in pipe*) sifone *m*.
ubiquitous [juː'bɪkwɪtəs] *adj* onnipresente.
UCAS ['juːkæs] *n abbr* (*BRIT*) = *Universities and Colleges Admissions Service*.
UDA *n abbr* (*BRIT*: = *Ulster Defence Association*) organizzazione paramilitare protestante.
UDC *n abbr* (*BRIT*) = *Urban District Council*.
udder ['ʌdə*] *n* mammella.
UDI *abbr* (*BRIT POL*) = *unilateral declaration of independence*.
UDR *n abbr* (*BRIT*: = *Ulster Defence Regiment*)

reggimento dell'esercito britannico in Irlanda del Nord.
UEFA [juː'eɪfə] *n abbr* (= *Union of European Football Associations*) U.E.F.A. *f*.
UFO ['juːfəu] *n abbr* (= *unidentified flying object*) UFO *m inv*.
Uganda [juː'gændə] *n* Uganda.
Ugandan [juː'gændən] *adj*, *n* ugandese (*m/f*).
UGC *n abbr* (*BRIT*: = *University Grants Committee*) organo che autorizza sovvenzioni alle università.
ugh [ə:h] *excl* puah!
ugliness ['ʌglɪnɪs] *n* bruttezza.
ugly ['ʌglɪ] *adj* brutto(a).
UHF *abbr* = *ultra-high frequency*.
UHT *adj abbr* (= *ultra-heat treated*): ~ **milk** *n* latte *m* UHT.
UK *n abbr see* **United Kingdom.**
Ukraine [juː'kreɪn] *n* Ucraina.
Ukrainian [juː'kreɪnɪən] *adj* ucraino(a) ♦ *n* (*person*) ucraino/a; (*LING*) ucraino.
ulcer ['ʌlsə*] *n* ulcera; **mouth** ~ afta.
Ulster ['ʌlstə*] *n* Ulster *m*.
ulterior [ʌl'tɪərɪə*] *adj* ulteriore; ~ **motive** secondo fine *m*.
ultimata [ʌltɪ'meɪtə] *npl of* **ultimatum.**
ultimate ['ʌltɪmɪt] *adj* ultimo(a), finale; (*authority*) massimo(a), supremo(a) ♦ *n*: **the** ~ **in luxury** il non plus ultra del lusso.
ultimately ['ʌltɪmɪtlɪ] *adv* alla fine; in definitiva, in fin dei conti.
ultimatum, *pl* ~**s** *or* **ultimata** [ʌltɪ'meɪtəm, -tə] *n* ultimatum *m inv*.
ultrasonic [ʌltrə'sɔnɪk] *adj* ultrasonico(a).
ultrasound [ʌltrə'saund] *n* (*MED*) ecografia.
ultraviolet ['ʌltrə'vaɪəlɪt] *adj* ultravioletto(a).
umbilical [ʌm'bɪlɪkl] *adj*: ~ **cord** cordone *m* ombelicale.
umbrage ['ʌmbrɪdʒ] *n*: **to take** ~ offendersi, impermalirsi.
umbrella [ʌm'brɛlə] *n* ombrello; **under the** ~ **of** (*fig*) sotto l'egida di.
umlaut ['umlaut] *n* Umlaut *m inv*.
umpire ['ʌmpaɪə*] *n* arbitro.
umpteen [ʌmp'tiːn] *adj* non so quanti(e); **for the** ~**th time** per l'ennesima volta.
UMW *n abbr* (= *United Mineworkers of America*) unione dei minatori d'America.
UN *n abbr see* **United Nations.**
unabashed [ʌnə'bæʃt] *adj* imperturbato(a).
unabated [ʌnə'beɪtɪd] *adj* non diminuito(a).
unable [ʌn'eɪbl] *adj*: **to be** ~ **to** non potere, essere nell'impossibilità di; (*not to know how to*) essere incapace di, non sapere.
unabridged [ʌnə'brɪdʒd] *adj* integrale.
unacceptable [ʌnək'sɛptəbl] *adj* (*proposal, behaviour*) inaccettabile; (*price*)

impossibile.

unaccompanied [ʌnə'kʌmpənɪd] *adj (child, lady)* non accompagnato(a); *(singing, song)* senza accompagnamento.

unaccountably [ʌnə'kauntəblɪ] *adv* inesplicabilmente.

unaccounted [ʌnə'kauntɪd] *adj:* **two passengers are ~ for** due passeggeri mancano all'appello.

unaccustomed [ʌnə'kʌstəmd] *adj* insolito(a); **to be ~ to sth** non essere abituato(a) a qc.

unacquainted [ʌnə'kweɪntɪd] *adj:* **to be ~ with** *(facts)* ignorare, non essere al corrente di.

unadulterated [ʌnə'dʌltəreɪtɪd] *adj (gen)* puro(a); *(wine)* non sofisticato(a).

unaffected [ʌnə'fɛktɪd] *adj (person, behaviour)* naturale, spontaneo(a); *(emotionally):* **to be ~ by** non essere toccato(a) da.

unafraid [ʌnə'freɪd] *adj:* **to be ~** non aver paura.

unaided [ʌn'eɪdɪd] *adv* senza aiuto.

unanimity [ju:nə'nɪmɪtɪ] *n* unanimità.

unanimous [ju:'nænɪməs] *adj* unanime.

unanimously [ju:'nænɪməslɪ] *adv* all'unanimità.

unanswered [ʌn'ɑ:nsəd] *adj (question, letter)* senza risposta; *(criticism)* non confutato(a).

unappetizing [ʌn'æpɪtaɪzɪŋ] *adj* poco appetitoso(a).

unappreciative [ʌnə'pri:ʃɪətɪv] *adj* che non apprezza.

unarmed [ʌn'ɑ:md] *adj (person)* disarmato(a); *(combat)* senz'armi.

unashamed [ʌnə'ʃeɪmd] *adj* sfacciato(a); senza vergogna.

unassisted [ʌnə'sɪstɪd] *adj, adv* senza nessun aiuto.

unassuming [ʌnə'sju:mɪŋ] *adj* modesto(a), senza pretese.

unattached [ʌnə'tætʃt] *adj* senza legami, libero(a).

unattended [ʌnə'tɛndɪd] *adj (car, child, luggage)* incustodito(a).

unattractive [ʌnə'træktɪv] *adj* privo(a) di attrattiva, poco attraente.

unauthorized [ʌn'ɔ:θəraɪzd] *adj* non autorizzato(a).

unavailable [ʌnə'veɪləbl] *adj (article, room, book)* non disponibile; *(person)* impegnato(a).

unavoidable [ʌnə'vɔɪdəbl] *adj* inevitabile.

unavoidably [ʌnə'vɔɪdəblɪ] *adv (detained)* per cause di forza maggiore.

unaware [ʌnə'wɛə*] *adj:* **to be ~ of** non

sapere, ignorare.

unawares [ʌnə'wɛəz] *adv* di sorpresa, alla sprovvista.

unbalanced [ʌn'bælənst] *adj* squilibrato(a).

unbearable [ʌn'bɛərəbl] *adj* insopportabile.

unbeatable [ʌn'bi:təbl] *adj* imbattibile.

unbeaten [ʌn'bi:tn] *adj (team, army)* imbattuto(a); *(record)* insuperato(a).

unbecoming [ʌnbɪ'kʌmɪŋ] *adj (unseemly: language, behaviour)* sconveniente; *(unflattering: garment)* che non dona.

unbeknown(st) [ʌnbɪ'nəun(st)] *adv:* **~ to** all'insaputa di.

unbelief [ʌnbɪ'li:f] *n* incredulità.

unbelievable [ʌnbɪ'li:vəbl] *adj* incredibile.

unbelievingly [ʌnbɪ'li:vɪŋlɪ] *adv* con aria incredula.

unbend [ʌn'bɛnd] *vb (irreg) vi* distendersi ♦ *vt (wire)* raddrizzare.

unbending [ʌn'bɛndɪŋ] *adj (fig)* inflessibile, rigido(a).

unbias(s)ed [ʌn'baɪəst] *adj* obiettivo(a), imparziale.

unblemished [ʌn'blɛmɪʃt] *adj* senza macchia.

unblock [ʌn'blɔk] *vt (pipe, road)* sbloccare.

unborn [ʌn'bɔ:n] *adj* non ancora nato(a).

unbounded [ʌn'baundɪd] *adj* sconfinato(a), senza limite.

unbreakable [ʌn'breɪkəbl] *adj* infrangibile.

unbridled [ʌn'braɪdld] *adj* sbrigliato(a).

unbroken [ʌn'brəukən] *adj (intact)* intero(a); *(continuous)* continuo(a); *(record)* insuperato(a).

unbuckle [ʌn'bʌkl] *vt* slacciare.

unburden [ʌn'bə:dn] *vt:* **to ~ o.s.** sfogarsi.

unbutton [ʌn'bʌtn] *vt* sbottonare.

uncalled-for [ʌn'kɔ:ldfɔ:*] *adj (remark)* fuori luogo *inv; (action)* ingiustificato(a).

uncanny [ʌn'kænɪ] *adj* misterioso(a), strano(a).

unceasing [ʌn'si:sɪŋ] *adj* incessante.

unceremonious [ʌnsɛrɪ'məunɪəs] *adj (abrupt, rude)* senza tante cerimonie.

uncertain [ʌn'sə:tn] *adj* incerto(a); **it's ~ whether ...** non è sicuro se ...; **in no ~ terms** chiaro e tondo, senza mezzi termini.

uncertainty [ʌn'sə:tntɪ] *n* incertezza.

unchallenged [ʌn'tʃælɪndʒd] *adj* incontestato(a); **to go ~** non venire contestato, non trovare opposizione.

unchanged [ʌn'tʃeɪndʒd] *adj* immutato(a).

uncharitable [ʌn'tʃærɪtəbl] *adj* duro(a), severo(a).

uncharted [ʌn'tʃɑ:tɪd] *adj* inesplorato(a).

unchecked [ʌn'tʃɛkt] *adj* incontrollato(a).

uncivilized [ʌn'sɪvɪlaɪzd] *adj (gen)*

selvaggio(a); (*fig*) incivile, barbaro(a).
uncle ['ʌŋkl] *n* zio.
unclear [ʌn'klɪə*] *adj* non chiaro(a); **I'm still
~ about what I'm supposed to do** non ho
ancora ben capito cosa dovrei fare.
uncoil [ʌn'kɔɪl] *vt* srotolare ♦ *vi* srotolarsi,
svolgersi.
uncomfortable [ʌn'kʌmfətəbl] *adj*
scomodo(a); (*uneasy*) a disagio,
agitato(a); (*situation*) sgradevole.
uncomfortably [ʌn'kʌmfətəblɪ] *adv*
scomodamente; (*uneasily:* say) con voce
inquieta; (: *think*) con inquietudine.
uncommitted [ʌnkə'mɪtɪd] *adj* (*attitude,
country*) neutrale.
uncommon [ʌn'kɔmən] *adj* raro(a),
insolito(a), non comune.
uncommunicative [ʌnkə'mjuːnɪkətɪv] *adj*
poco comunicativo(a), chiuso(a).
uncomplicated [ʌn'kɔmplɪkeɪtɪd] *adj*
semplice, poco complicato(a).
uncompromising [ʌn'kɔmprəmaɪzɪŋ] *adj*
intransigente, inflessibile.
unconcerned [ʌnkən'səːnd] *adj* (*unworried*)
tranquillo(a); **to be ~ about** non darsi
pensiero di, non preoccuparsi di *or* per.
unconditional [ʌn'kən'dɪʃənl] *adj*
incondizionato(a), senza condizioni.
uncongenial [ʌnkən'dʒiːnɪəl] *adj* (*work,
surroundings*) poco piacevole.
unconnected [ʌnkə'nɛktɪd] *adj* (*unrelated*)
senza connessione, senza rapporto; **to be
~ with** essere estraneo(a) a.
unconscious [ʌn'kɔnʃəs] *adj* privo(a) di
sensi, svenuto(a); (*unaware*)
inconsapevole, inconscio(a) ♦ *n:* **the ~**
l'inconscio; **to knock sb ~** far perdere i
sensi a qn con un pugno.
unconsciously [ʌn'kɔnʃəslɪ] *adv*
inconsciamente.
unconstitutional [ʌnkɔnstɪ'tjuːʃənl] *adj*
incostituzionale.
uncontested [ʌnkən'tɛstɪd] *adj* (*champion*)
incontestato(a); (*POL:* seat) non
disputato(a).
uncontrollable [ʌnkən'trəuləbl] *adj*
incontrollabile, indisciplinato(a).
uncontrolled [ʌnkən'trəuld] *adj* (*child, dog,
emotion*) sfrenato(a); (*inflation, price rises*)
che sfugge al controllo.
unconventional [ʌnkən'vɛnʃənl] *adj* poco
convenzionale.
unconvinced [ʌnkən'vɪnst] *adj:* **to be** *or*
remain ~ non essere convinto(a).
unconvincing [ʌnkən'vɪnsɪŋ] *adj* non
convincente, poco persuasivo(a).
uncork [ʌn'kɔːk] *vt* stappare.
uncorroborated [ʌnkə'rɔbəreɪtɪd] *adj* non

convalidato(a).
uncouth [ʌn'kuːθ] *adj* maleducato(a),
grossolano(a).
uncover [ʌn'kʌvə*] *vt* scoprire.
unctuous ['ʌŋktjuəs] *adj* untuoso(a).
undamaged [ʌn'dæmɪdʒd] *adj* (*goods*) in
buono stato; (*fig: reputation*) intatto(a).
undaunted [ʌn'dɔːntɪd] *adj* intrepido(a).
undecided [ʌndɪ'saɪdɪd] *adj* indeciso(a).
undelivered [ʌndɪ'lɪvəd] *adj* non
recapitato(a); **if ~ return to sender** in
caso di mancato recapito rispedire al
mittente.
undeniable [ʌndɪ'naɪəbl] *adj* innegabile,
indiscutibile.
under ['ʌndə*] *prep* sotto; (*less than*) meno
di; al disotto di; (*according to*) secondo, in
conformità a ♦ *adv* (al) disotto; **from ~
sth** da sotto a *or* dal disotto di qc; **~ there**
là sotto; **in ~ 2 hours** in meno di 2 ore; **~
anaesthetic** sotto anestesia; **~ discussion**
in discussione; **~ repair** in riparazione; **~
the circumstances** date le circostanze.
under... ['ʌndə*] *prefix* sotto..., sub....
under-age [ʌndər'eɪdʒ] *adj* minorenne.
underarm ['ʌndərɑːm] *n* ascella ♦ *adj*
ascellare ♦ *adv* da sotto in su.
undercapitalized [ʌndə'kæpɪtəlaɪzd] *adj*
carente di capitali.
undercarriage ['ʌndəkærɪdʒ] *n* (*BRIT AVIAT*)
carrello (d'atterraggio).
undercharge [ʌndə'tʃɑːdʒ] *vt* far pagare di
meno a.
underclass ['ʌndəklɑːs] *n* sottoproletariato.
underclothes ['ʌndəkləuðz] *npl* biancheria
(intima).
undercover ['ʌndəkʌvə*] *adj* segreto(a),
clandestino(a).
undercurrent ['ʌndəkʌrənt] *n* corrente *f*
sottomarina.
undercut [ʌndə'kʌt] *vt irreg* vendere a
prezzo minore di.
underdeveloped ['ʌndədɪ'vɛləpt] *adj*
sottosviluppato(a).
underdog ['ʌndədɔg] *n* oppresso/a.
underdone [ʌndə'dʌn] *adj* (*CULIN*) poco
cotto(a).
under-employment [ʌndərɪm'plɔɪmənt] *n*
sottoccupazione *f*.
underestimate [ʌndər'ɛstɪmeɪt] *vt*
sottovalutare.
underexposed [ʌndərɪks'pəuzd] *adj* (*PHOT*)
sottoesposto(a).
underfed [ʌndə'fɛd] *adj* denutrito(a).
underfoot [ʌndə'fut] *adv* sotto i piedi.
under-funded ['ʌndə'fʌndɪd] *adj*
insufficientemente sovvenzionato(a).
undergo [ʌndə'gəu] *vt irreg* subire;

(*treatment*) sottoporsi a; **the car is ~ing repairs** la macchina è in riparazione.

undergraduate [ʌndə'grædjuɪt] *n* studente(essa) universitario(a) ♦ *cpd:* ~ **courses** corsi *mpl* di laurea.

underground ['ʌndəgraund] *n* metropolitana; (*POL*) movimento clandestino ♦ *adj* sotterraneo(a); (*fig*) clandestino(a); (*ART, CINE*) underground *inv* ♦ *adv* sottoterra; clandestinamente.

undergrowth ['ʌndəgrəuθ] *n* sottobosco.

underhand(ed) [ʌndə'hænd(ɪd)] *adj* (*fig*) furtivo(a), subdolo(a).

underinsured [ʌndərɪn'ʃuəd] *adj* non sufficientemente assicurato(a).

underlie [ʌndə'laɪ] *vt irreg* essere alla base di; **the underlying cause** il motivo di fondo.

underline [ʌndə'laɪn] *vt* sottolineare.

underling ['ʌndəlɪŋ] *n* (*pej*) subalterno/a, tirapiedi *m/f inv*.

undermanning [ʌndə'mænɪŋ] *n* carenza di personale.

undermentioned [ʌndə'mɛnʃənd] *adj* (riportato(a)) qui sotto *or* qui di seguito.

undermine [ʌndə'maɪn] *vt* minare.

underneath [ʌndə'niːθ] *adv* sotto, disotto ♦ *prep* sotto, al di sotto di.

undernourished [ʌndə'nʌrɪʃt] *adj* denutrito(a).

underpaid [ʌndə'peɪd] *adj* mal pagato(a).

underpants ['ʌndəpænts] *npl* (*BRIT*) mutande *fpl*, slip *m inv*.

underpass ['ʌndəpɑːs] *n* (*BRIT*) sottopassaggio.

underpin [ʌndə'pɪn] *vt* puntellare; (*argument, case*) corroborare.

underplay [ʌndə'pleɪ] *vt* minimizzare.

underpopulated [ʌndə'pɔpjuleɪtɪd] *adj* scarsamente popolato(a), sottopopolato(a).

underprice [ʌndə'praɪs] *vt* vendere a un prezzo inferiore al dovuto.

underprivileged [ʌndə'prɪvɪlɪdʒd] *adj* svantaggiato(a).

underrate [ʌndə'reɪt] *vt* sottovalutare.

underscore [ʌndə'skɔː*] *vt* sottolineare.

underseal ['ʌndəsiːl] *vt* rendere stagno il fondo di.

undersecretary [ʌndə'sɛkrətrɪ] *n* sottosegretario.

undersell ['ʌndə'sɛl] *vt irreg* (*competitors*) vendere a prezzi più bassi di.

undershirt ['ʌndəʃəːt] *n* (*US*) maglietta.

undershorts ['ʌndəʃɔːts] *npl* (*US*) mutande *fpl*, slip *m inv*.

underside ['ʌndəsaɪd] *n* disotto.

undersigned ['ʌndəsaɪnd] *adj, n* sottoscritto(a).

underskirt ['ʌndəskəːt] *n* sottoveste *f*.

understaffed [ʌndə'stɑːft] *adj* a corto di personale.

understand [ʌndə'stænd] *vb* (*irreg: like* **stand**) *vt, vi* capire, comprendere; **I ~ that** ... sento che ...; credo di capire che ...; **to make o.s. understood** farsi capire.

understandable [ʌndə'stændəbl] *adj* comprensibile.

understanding [ʌndə'stændɪŋ] *adj* comprensivo(a) ♦ *n* comprensione *f*; (*agreement*) accordo; **on the ~ that** ... a patto che *or* a condizione che ...; **to come to an ~ with sb** giungere ad un accordo con qn.

understate [ʌndə'steɪt] *vt* minimizzare, sminuire.

understatement [ʌndə'steɪtmənt] *n*: **that's an ~!** a dire poco!

understood [ʌndə'stud] *pt, pp of* **understand** ♦ *adj* inteso(a); (*implied*) sottinteso(a).

understudy ['ʌndəstʌdɪ] *n* sostituto/a, attore/trice supplente.

undertake [ʌndə'teɪk] *vt irreg* intraprendere; **to ~ to do sth** impegnarsi a fare qc.

undertaker ['ʌndəteɪkə*] *n* impresario di pompe funebri.

undertaking [ʌndə'teɪkɪŋ] *n* impresa; (*promise*) promessa.

undertone ['ʌndətəun] *n* (*low voice*) tono sommesso; (*of criticism etc*) vena, sottofondo; **in an ~** sottovoce.

undervalue [ʌndə'vælju:] *vt* svalutare, sottovalutare.

underwater [ʌndə'wɔːtə*] *adv* sott'acqua ♦ *adj* subacqueo(a).

underwear ['ʌndəwɛə*] *n* biancheria (intima).

underweight [ʌndə'weɪt] *adj* al di sotto del giusto peso; (*person*) sottopeso *inv*.

underworld ['ʌndəwɔːld] *n* (*of crime*) malavita.

underwrite ['ʌndəraɪt] *vt* (*FINANCE*) sottoscrivere; (*INSURANCE*) assicurare.

underwriter ['ʌndəraɪtə*] *n* sottoscrittore/trice; assicuratore/trice.

undeserving [ʌndɪ'zəːvɪŋ] *adj*: **to be ~ of** non meritare, non essere degno di.

undesirable [ʌndɪ'zaɪərəbl] *adj* indesiderabile, sgradito(a).

undeveloped [ʌndɪ'vɛləpt] *adj* (*land, resources*) non sfruttato(a).

undies ['ʌndɪz] *npl* (*col*) robina, biancheria intima da donna.

undiluted [ʌndaɪ'luːtɪd] *adj* non diluito(a).

undiplomatic [ʌndɪplə'mætɪk] *adj* poco

diplomatico(a).

undischarged [ˈʌndɪsˈtʃɑːdʒd] *adj*: ~
bankrupt fallito non riabilitato.

undisciplined [ʌnˈdɪsɪplɪnd] *adj*
indisciplinato(a).

undisguised [ʌndɪsˈɡaɪzd] *adj* (*dislike,
amusement etc*) palese.

undisputed [ʌndɪsˈpjuːtɪd] *adj*
indiscusso(a).

undistinguished [ʌndɪsˈtɪŋɡwɪʃt] *adj*
mediocre, qualunque.

undisturbed [ʌndɪsˈtɜːbd] *adj* tranquillo(a);
to leave sth ~ lasciare qc così com'è.

undivided [ʌndɪˈvaɪdɪd] *adj*: **I want your** ~
attention esigo tutta la sua attenzione.

undo [ʌnˈduː] *vt irreg* disfare.

undoing [ʌnˈduːɪŋ] *n* rovina, perdita.

undone [ʌnˈdʌn] *pp of* **undo**; **to come** ~
slacciarsi.

undoubted [ʌnˈdautɪd] *adj* sicuro(a),
certo(a).

undoubtedly [ʌnˈdautɪdlɪ] *adv* senza alcun
dubbio.

undress [ʌnˈdrɛs] *vi* spogliarsi.

undrinkable [ʌnˈdrɪŋkəbl] *adj* (*unpalatable*)
imbevibile; (*poisonous*) non potabile.

undue [ʌnˈdjuː] *adj* eccessivo(a).

undulating [ˈʌndjuleɪtɪŋ] *adj* ondeggiante;
ondulato(a).

unduly [ʌnˈdjuːlɪ] *adv* eccessivamente.

undying [ʌnˈdaɪɪŋ] *adj* imperituro(a).

unearned [ʌnˈɜːnd] *adj* (*praise, respect*)
immeritato(a); ~ **income** rendita.

unearth [ʌnˈɜːθ] *vt* dissotterrare; (*fig*)
scoprire.

unearthly [ʌnˈɜːθlɪ] *adj* soprannaturale;
(*hour*) impossibile.

uneasy [ʌnˈiːzɪ] *adj* a disagio; (*worried*)
preoccupato(a); **to feel** ~ **about doing sth**
non sentirsela di fare qc.

uneconomic(al) [ˈʌniːkəˈnɔmɪk(l)] *adj* non
economico(a), antieconomico(a).

uneducated [ʌnˈɛdjukeɪtɪd] *adj* senza
istruzione, incolto(a).

unemployed [ʌnɪmˈplɔɪd] *adj*
disoccupato(a) ♦ *npl*: **the** ~ i disoccupati.

unemployment [ʌnɪmˈplɔɪmənt] *n*
disoccupazione *f*.

unemployment benefit, (*US*)
unemployment compensation *n*
sussidio di disoccupazione.

unending [ʌnˈɛndɪŋ] *adj* senza fine.

unenviable [ʌnˈɛnvɪəbl] *adj* poco
invidiabile.

unequal [ʌnˈiːkwəl] *adj* (*length, objects*)
disuguale; (*amounts*) diverso(a); (*division
of labour*) ineguale.

unequalled, (*US*) **unequaled** [ʌnˈiːkwəld]

adj senza pari, insuperato(a).

unequivocal [ʌnɪˈkwɪvəkəl] *adj* (*answer*)
inequivocabile; (*person*) esplicito(a),
chiaro(a).

unerring [ʌnˈɜːrɪŋ] *adj* infallibile.

UNESCO [juːˈnɛskəu] *n abbr* (= *United
Nations Educational, Scientific and Cultural
Organization*) U.N.E.S.C.O. *f*.

unethical [ʌnˈɛθɪkəl] *adj* (*methods*) poco
ortodosso(a), non moralmente
accettabile; (*doctor's behaviour*)
contrario(a) all'etica professionale.

uneven [ʌnˈiːvn] *adj* ineguale; (*ground*)
disuguale, accidentato(a); (*heartbeat*)
irregolare.

uneventful [ʌnɪˈvɛntful] *adj* senza
sorprese, tranquillo(a).

unexceptional [ʌnɪkˈsɛpʃənl] *adj* che non
ha niente d'eccezionale.

unexciting [ʌnɪkˈsaɪtɪŋ] *adj* (*news*) poco
emozionante; (*film, evening*) poco
interessante.

unexpected [ʌnɪkˈspɛktɪd] *adj* inatteso(a),
imprevisto(a).

unexpectedly [ʌnɪkˈspɛktɪdlɪ] *adv*
inaspettatamente.

unexplained [ʌnɪkˈspleɪnd] *adj*
inspiegato(a).

unexploded [ʌnɪkˈspləudɪd] *adj*
inesploso(a).

unfailing [ʌnˈfeɪlɪŋ] *adj* (*supply, energy*)
inesauribile; (*remedy*) infallibile.

unfair [ʌnˈfɛə*] *adj*: ~ (**to**) ingiusto(a) (nei
confronti di); **it's** ~ **that** ... non è giusto
che ... + *sub*.

unfair dismissal *n* licenziamento
ingiustificato.

unfairly [ʌnˈfɛəlɪ] *adv* ingiustamente.

unfaithful [ʌnˈfeɪθful] *adj* infedele.

unfamiliar [ʌnfəˈmɪlɪə*] *adj* sconosciuto(a),
strano(a); **to be** ~ **with sth** non essere
pratico di qc, non avere familiarità con
qc.

unfashionable [ʌnˈfæʃnəbl] *adj* (*clothes*)
fuori moda *inv*; (*district*) non alla moda.

unfasten [ʌnˈfɑːsn] *vt* slacciare; sciogliere.

unfathomable [ʌnˈfæðəməbl] *adj*
insondabile.

unfavourable, (*US*) **unfavorable**
[ʌnˈfeɪvərəbl] *adj* sfavorevole.

unfavo(u)rably [ʌnˈfeɪvərəblɪ] *adv*: **to look**
~ **upon** vedere di malocchio.

unfeeling [ʌnˈfiːlɪŋ] *adj* insensibile,
duro(a).

unfinished [ʌnˈfɪnɪʃt] *adj* incompiuto(a).

unfit [ʌnˈfɪt] *adj* inadatto(a); (*ill*) non in
forma; (*incompetent*): ~ (**for**)
incompetente (in); (: *work, MIL*) inabile

(a); ~ **for habitation** inabitabile.
unflagging [ʌn'flægɪŋ] *adj* instancabile.
unflappable [ʌn'flæpəbl] *adj* calmo(a),
composto(a).
unflattering [ʌn'flætərɪŋ] *adj* (*dress,
hairstyle*) che non dona.
unflinching [ʌn'flɪntʃɪŋ] *adj* che non
indietreggia, risoluto(a).
unfold [ʌn'fəuld] *vt* spiegare; (*fig*) rivelare
♦ *vi* (*view*) distendersi; (*story*) svelarsi.
unforeseeable ['ʌnfɔː'siːəbl] *adj*
imprevedibile.
unforeseen [ʌnfɔː'siːn] *adj* imprevisto(a).
unforgettable [ʌnfə'getəbl] *adj*
indimenticabile.
unforgivable [ʌnfə'gɪvəbl] *adj*
imperdonabile.
unformatted [ʌn'fɔːmætɪd] *adj* (*disk, text*)
non formattato(a).
unfortunate [ʌn'fɔːtʃnɪt] *adj* sfortunato(a);
(*event, remark*) infelice.
unfortunately [ʌn'fɔːtʃnɪtlɪ] *adv*
sfortunatamente, purtroppo.
unfounded [ʌn'faundɪd] *adj* infondato(a).
unfriendly [ʌn'frendlɪ] *adj* poco
amichevole, freddo(a).
unfulfilled [ʌnful'fɪld] *adj* (*ambition*) non
realizzato(a); (*prophecy*) che non si è
avverato(a); (*desire*) insoddisfatto(a);
(*promise*) non mantenuto(a); (*terms of
contract*) non rispettato(a); (*person*)
frustrato(a).
unfurl [ʌn'fɜːl] *vt* spiegare.
unfurnished [ʌn'fɜːnɪʃt] *adj* non
ammobiliato(a).
ungainly [ʌn'geɪnlɪ] *adj* goffo(a),
impacciato(a).
ungodly [ʌn'gɔdlɪ] *adj* empio(a); **at an** ~
hour a un'ora impossibile.
ungrateful [ʌn'greɪtful] *adj* ingrato(a).
unguarded [ʌn'gɑːdɪd] *adj*: **in an** ~ **moment**
in un momento di distrazione.
unhappily [ʌn'hæpɪlɪ] *adv* (*unfortunately*)
purtroppo, sfortunatamente.
unhappiness [ʌn'hæpɪnɪs] *n* infelicità.
unhappy [ʌn'hæpɪ] *adj* infelice; ~ **with**
(*arrangements etc*) insoddisfatto(a) di.
unharmed [ʌn'hɑːmd] *adj* incolume,
sano(a) e salvo(a).
UNHCR *n abbr* (= *United Nations High
Commission for Refugees*) Alto
Commissariato delle Nazioni Unite per
Rifugiati.
unhealthy [ʌn'hɛlθɪ] *adj* (*gen*) malsano(a);
(*person*) malaticcio(a).
unheard-of [ʌn'hɜːdɔv] *adj* inaudito(a),
senza precedenti.
unhelpful [ʌn'hɛlpful] *adj* poco disponibile.

unhesitating [ʌn'hɛzɪteɪtɪŋ] *adj* (*loyalty*)
che non vacilla; (*reply, offer*) pronto(a),
immediato(a).
unholy [ʌn'həulɪ] *adj*: **an** ~ **alliance**
un'alleanza nefasta; **he returned at an** ~
hour è tornato ad un'ora indecente.
unhook [ʌn'huk] *vt* sganciare; sfibbiare.
unhurt [ʌn'hɜːt] *adj* incolume, sano(a) e
salvo(a).
unhygienic [ʌnhaɪ'dʒiːnɪk] *adj* non
igienico(a).
UNICEF ['juːnɪsɛf] *n abbr* (= *United Nations
International Children's Emergency Fund*)
U.N.I.C.E.F. *m*.
unicorn ['juːnɪkɔːn] *n* unicorno.
unidentified [ʌnaɪ'dɛntɪfaɪd] *adj* non
identificato(a).
uniform ['juːnɪfɔːm] *n* uniforme *f*, divisa
♦ *adj* uniforme.
uniformity [juːnɪ'fɔːmɪtɪ] *n* uniformità.
unify ['juːnɪfaɪ] *vt* unificare.
unilateral [juːnɪ'lætərəl] *adj* unilaterale.
unimaginable [ʌnɪ'mædʒɪnəbl] *adj*
inimmaginabile, inconcepibile.
unimaginative [ʌnɪ'mædʒɪnətɪv] *adj*
privo(a) di fantasia, a corto di idee.
unimpaired [ʌnɪm'pɛəd] *adj* intatto(a), non
danneggiato(a).
unimportant [ʌnɪm'pɔːtənt] *adj* senza
importanza, di scarsa importanza.
unimpressed [ʌnɪm'prɛst] *adj* niente
affatto impressionato(a).
uninhabited [ʌnɪn'hæbɪtɪd] *adj*
disabitato(a).
uninhibited [ʌnɪn'hɪbɪtɪd] *adj* senza
inibizioni; senza ritegno.
uninjured [ʌn'ɪndʒəd] *adj* incolume.
uninspiring [ʌnɪn'spaɪərɪŋ] *adj* banale.
unintelligent [ʌnɪn'tɛlɪdʒənt] *adj* poco
intelligente.
unintentional [ʌnɪn'tɛnʃənəl] *adj*
involontario(a).
unintentionally [ʌnɪn'tɛnʃnəlɪ] *adv* senza
volerlo, involontariamente.
uninvited [ʌnɪn'vaɪtɪd] *adj* non invitato(a).
uninviting [ʌnɪn'vaɪtɪŋ] *adj* (*place, food*) non
invitante, poco invitante; (*offer*) poco
allettante.
union ['juːnjən] *n* unione *f*; (*also*: **trade** ~)
sindacato ♦ *cpd* sindacale; **the U**~ (*US*) gli
stati dell'Unione.
unionize ['juːnjənaɪz] *vt* sindacalizzare,
organizzare in sindacato.
Union Jack *n bandiera nazionale
britannica*.
**Union of Soviet Socialist Republics
(USSR)** *n* Unione *f* delle Repubbliche
Socialiste Sovietiche (U.R.S.S.).

union shop n stabilimento in cui tutti gli operai sono tenuti ad aderire ad un sindacato.

unique [ju:'ni:k] adj unico(a).

unisex ['ju:nɪsɛks] adj unisex inv.

Unison ['ju:nɪsn] n (trade union) sindacato generale dei funzionari.

unison ['ju:nɪsn] n: **in** ~ all'unisono.

unit ['ju:nɪt] n unità f inv; (section: of furniture etc) elemento; (team, squad) reparto, squadra; **production** ~ reparto m produzione inv; **sink** ~ blocco m lavello inv.

unit cost n costo unitario.

unite [ju:'naɪt] vt unire ♦ vi unirsi.

united [ju:'naɪtɪd] adj unito(a); (efforts) congiunto(a).

United Arab Emirates npl Emirati mpl Arabi Uniti.

United Kingdom (UK) n Regno Unito.

United Nations (Organization) (UN, UNO) n (Organizzazione f delle) Nazioni Unite (O.N.U.).

United States (of America) (US, USA) n Stati mpl Uniti (d'America) (USA).

unit price n prezzo unitario.

unit trust n (BRIT COMM) fondo d'investimento.

unity ['ju:nɪtɪ] n unità.

Univ. abbr = **university**.

universal [ju:nɪ'vɔ:sl] adj universale.

universe ['ju:nɪvɔ:s] n universo.

university [ju:nɪ'vɔ:sɪtɪ] n università f inv ♦ cpd (student, professor, education) universitario(a); (year) accademico(a).

university degree n laurea.

unjust [ʌn'dʒʌst] adj ingiusto(a).

unjustifiable ['ʌndʒʌstɪ'faɪəbl] adj ingiustificabile.

unjustified [ʌn'dʒʌstɪfaɪd] adj ingiustificato(a); (TYP) non allineato(a).

unkempt [ʌn'kɛmpt] adj trasandato(a); spettinato(a).

unkind [ʌn'kaɪnd] adj poco gentile, villano(a).

unkindly [ʌn'kaɪndlɪ] adv (speak) in modo sgarbato; (treat) male.

unknown [ʌn'nəun] adj sconosciuto(a); ~ **to me** ... a mia insaputa ...; ~ **quantity** (MATH, fig) incognita.

unladen [ʌn'leɪdn] adj (ship, weight) a vuoto.

unlawful [ʌn'lɔ:ful] adj illecito(a), illegale.

unleaded ['ʌn'lɛdɪd] adj senza piombo; ~ **petrol** benzina verde or senza piombo.

unleash [ʌn'li:ʃ] vt sguinzagliare; (fig) scatenare.

unleavened [ʌn'lɛvnd] adj non lievitato(a), azzimo(a).

unless [ʌn'lɛs] conj a meno che (non) + sub; ~ **otherwise stated** salvo indicazione contraria; ~ **I am mistaken** se non mi sbaglio.

unlicensed [ʌn'laɪsənst] adj (BRIT) senza licenza per la vendita di alcolici.

unlike [ʌn'laɪk] adj diverso(a) ♦ prep a differenza di, contrariamente a.

unlikelihood [ʌn'laɪklɪhud] adj improbabilità.

unlikely [ʌn'laɪklɪ] adj improbabile; (explanation) inverosimile.

unlimited [ʌn'lɪmɪtɪd] adj illimitato(a).

unlisted [ʌn'lɪstɪd] adj (US TEL): **to be** ~ non essere sull'elenco; (STOCK EXCHANGE) non quotato(a).

unlit [ʌn'lɪt] adj (room) senza luce; (road) non illuminato(a).

unload [ʌn'ləud] vt scaricare.

unlock [ʌn'lɔk] vt aprire.

unlucky [ʌn'lʌkɪ] adj sfortunato(a); (object, number) che porta sfortuna, di malaugurio; **to be** ~ (person) essere sfortunato, non avere fortuna.

unmanageable [ʌn'mænɪdʒəbl] adj (tool, vehicle) poco maneggevole; (situation) impossibile.

unmanned [ʌn'mænd] adj (spacecraft) senza equipaggio.

unmannerly [ʌn'mænəlɪ] adj maleducato(a).

unmarked [ʌn'mɑ:kt] adj (unstained) pulito(a), senza macchie; ~ **police car** civetta della polizia.

unmarried [ʌn'mærɪd] adj non sposato(a); (man only) scapolo, celibe; (woman only) nubile.

unmarried mother n ragazza f madre inv.

unmask [ʌn'mɑ:sk] vt smascherare.

unmatched [ʌn'mætʃt] adj senza uguali.

unmentionable [ʌn'mɛnʃnəbl] adj (vice, topic) innominabile; (word) irripetibile.

unmerciful [ʌn'mɔ:sɪful] adj spietato(a).

unmistakable [ʌnmɪs'teɪkəbl] adj indubbio(a); facilmente riconoscibile.

unmitigated [ʌn'mɪtɪgeɪtɪd] adj (disaster etc) totale, assoluto(a).

unnamed [ʌn'neɪmd] adj (nameless) senza nome; (anonymous) anonimo(a).

unnatural [ʌn'nætʃrəl] adj innaturale; contro natura.

unnecessary [ʌn'nɛsəsərɪ] adj inutile, superfluo(a).

unnerve [ʌn'nɔ:v] vt (subj: accident) sgomentare; (: hostile attitude) bloccare; (: long wait, interview) snervare.

unnoticed [ʌn'nəutɪst] adj: **to go** or **pass** ~ passare inosservato(a).

UNO ['juːnəu] *n abbr see* **United Nations Organization.**
unobservant [ʌnəb'zɔːvənt] *adj*: **to be ~** non avere spirito di osservazione.
unobtainable [ʌnəb'teɪnəbl] *adj* (*TEL*) non ottenibile.
unobtrusive [ʌnəb'truːsɪv] *adj* discreto(a).
unoccupied [ʌn'ɔkjupaɪd] *adj* (*house*) vuoto(a); (*seat, MIL: zone*) libero(a), non occupato(a).
unofficial [ʌnə'fɪʃl] *adj* non ufficiale; (*strike*) non dichiarato(a) dal sindacato.
unopened [ʌn'əupənd] *adj* (*letter*) non aperto(a); (*present*) ancora incartato(a).
unopposed [ʌnə'pəuzd] *adj* senza incontrare opposizione.
unorthodox [ʌn'ɔːθədɔks] *adj* non ortodosso(a).
unpack [ʌn'pæk] *vi* disfare la valigia (*or* le valigie).
unpaid [ʌn'peɪd] *adj* (*holiday*) non pagato(a); (*work*) non retribuito(a); (*bill, debt*) da pagare.
unpalatable [ʌn'pælətəbl] *adj* (*food*) immangiabile; (*drink*) imbevibile; (*truth*) sgradevole.
unparalleled [ʌn'pærəlɛld] *adj* incomparabile, impareggiabile.
unpatriotic ['ʌnpætrɪ'ɔtɪk] *adj* (*person*) poco patriottico(a); (*speech, attitude*) antipatriottico(a).
unplanned [ʌn'plænd] *adj* (*visit*) imprevisto(a); (*baby*) non previsto(a).
unpleasant [ʌn'plɛznt] *adj* spiacevole; (*person, remark*) antipatico(a); (*day, experience*) brutto(a).
unplug [ʌn'plʌg] *vt* staccare.
unpolluted [ʌnpə'luːtɪd] *adj* non inquinato(a).
unpopular [ʌn'pɔpjulə*] *adj* impopolare; **to make o.s. ~ (with)** rendersi antipatico (a); (*subj: politician etc*) alienarsi le simpatie (di).
unprecedented [ʌn'prɛsɪdəntɪd] *adj* senza precedenti.
unpredictable [ʌnprɪ'dɪktəbl] *adj* imprevedibile.
unprejudiced [ʌn'prɛdʒudɪst] *adj* (*not biased*) obiettivo(a), imparziale; (*having no prejudices*) senza pregiudizi.
unprepared [ʌnprɪ'pɛəd] *adj* (*person*) impreparato(a); (*speech*) improvvisato(a).
unprepossessing [ʌnpriːpə'zɛsɪŋ] *adj* insulso(a).
unpretentious [ʌnprɪ'tɛnʃəs] *adj* senza pretese.
unprincipled [ʌn'prɪnsɪpld] *adj* senza scrupoli.

unproductive [ʌnprə'dʌktɪv] *adj* improduttivo(a); (*discussion*) sterile.
unprofessional ['ʌnprə'fɛʃənl] *adj*: **~ conduct** scorrettezza professionale.
unprofitable [ʌn'prɔfɪtəbl] *adj* (*financially*) non redditizio(a); (*job, deal*) poco lucrativo(a).
UNPROFOR ['ʌnprəfɔː*] *n abbr* (= *United Nations Protection Force*) reparto di protezione dell'ONU.
unprotected ['ʌnprə'tɛktɪd] *adj* (*sex*) non protetto(a).
unprovoked [ʌnprə'vəukt] *adj* non provocato(a).
unpunished [ʌn'pʌnɪʃt] *adj*: **to go ~** restare impunito(a).
unqualified [ʌn'kwɔlɪfaɪd] *adj* (*worker*) non qualificato(a); (*in professions*) non abilitato(a); (*success*) assoluto(a), senza riserve.
unquestionably [ʌn'kwɛstʃənəblɪ] *adv* indiscutibilmente.
unquestioning [ʌn'kwɛstʃənɪŋ] *adj* (*obedience, acceptance*) cieco(a).
unravel [ʌn'rævl] *vt* dipanare, districare.
unreal [ʌn'rɪəl] *adj* irreale.
unrealistic [ʌnrɪə'lɪstɪk] *adj* (*idea*) illusorio(a); (*estimate*) non realistico(a).
unreasonable [ʌn'riːznəbl] *adj* irragionevole; **to make ~ demands on sb** voler troppo da qn.
unrecognizable [ʌn'rɛkəgnaɪzəbl] *adj* irriconoscibile.
unrecognized [ʌn'rɛkəgnaɪzd] *adj* (*talent, genius*) misconosciuto(a); (*POL: regime*) non ufficialmente riconosciuto(a).
unrecorded [ʌnrɪ'kɔːdɪd] *adj* non documentato(a), non registrato(a).
unrefined [ʌnrɪ'faɪnd] *adj* (*sugar, petroleum*) greggio(a); (*person*) rozzo(a).
unrehearsed [ʌnrɪ'həːst] *adj* (*THEAT etc*) improvvisato(a); (*spontaneous*) imprevisto(a).
unrelated [ʌnrɪ'leɪtɪd] *adj*: **~ (to)** senza rapporto (con); (*by family*) non imparentato(a) (con).
unrelenting [ʌnrɪ'lɛntɪŋ] *adj* implacabile; accanito(a).
unreliable [ʌnrɪ'laɪəbl] *adj* (*person, machine*) che non dà affidamento; (*news, source of information*) inattendibile.
unrelieved [ʌnrɪ'liːvd] *adj* (*monotony*) uniforme.
unremitting [ʌnrɪ'mɪtɪŋ] *adj* incessante, infaticabile.
unrepeatable [ʌnrɪ'piːtəbl] *adj* (*offer*) unico(a).

unrepentant [ʌnrɪ'pɛntənt] *adj* impenitente.

unrepresentative [ʌnrɛprɪ'zɛntətɪv] *adj* atipico(a), poco rappresentativo(a).

unreserved [ʌnrɪ'zə:vd] *adj* (*seat*) non prenotato(a), non riservato(a); (*approval, admiration*) senza riserve.

unresponsive [ʌnrɪs'pɔnsɪv] *adj* che non reagisce.

unrest [ʌn'rɛst] *n* agitazione *f*.

unrestricted [ʌnrɪ'strɪktɪd] *adj* (*power, time*) illimitato(a); (*access*) libero(a).

unrewarded [ʌnrɪ'wɔ:dɪd] *adj* non ricompensato(a).

unripe [ʌn'raɪp] *adj* acerbo(a).

unrivalled, (*US***) unrivaled** [ʌn'raɪvəld] *adj* senza pari.

unroll [ʌn'rəul] *vt* srotolare.

unruffled [ʌn'rʌfld] *adj* (*person*) calmo(a) e tranquillo(a), imperturbato(a); (*hair*) a posto.

unruly [ʌn'ru:lɪ] *adj* indisciplinato(a).

unsafe [ʌn'seɪf] *adj* pericoloso(a), rischioso(a); ~ **to drink** non potabile; ~ **to eat** non commestibile.

unsaid [ʌn'sɛd] *adj*: **to leave sth** ~ passare qc sotto silenzio.

unsaleable, (*US***) unsalable** [ʌn'seɪləbl] *adj* invendibile.

unsatisfactory ['ʌnsætɪs'fæktərɪ] *adj* che lascia a desiderare, insufficiente.

unsavoury, (*US***) unsavory** [ʌn'seɪvərɪ] *adj* (*fig: person*) losco(a); (: *reputation, subject*) disgustoso(a), ripugnante.

unscathed [ʌn'skeɪðd] *adj* incolume.

unscientific ['ʌnsaɪən'tɪfɪk] *adj* poco scientifico(a).

unscrew [ʌn'skru:] *vt* svitare.

unscrupulous [ʌn'skru:pjuləs] *adj* senza scrupoli.

unseat [ʌn'si:t] *vt* (*rider*) disarcionare; (*fig: an official*) spodestare.

unsecured [ʌnsɪ'kjuəd] *adj*: ~ **creditor** creditore *m* chirografario.

unseeded [ʌn'si:dɪd] *adj* (*SPORT*) che non è una testa di serie.

unseemly [ʌn'si:mlɪ] *adj* sconveniente.

unseen [ʌn'si:n] *adj* (*person*) inosservato(a); (*danger*) nascosto(a).

unselfish [ʌn'sɛlfɪʃ] *adj* (*person*) altruista; (*act*) disinteressato(a).

unsettled [ʌn'sɛtld] *adj* (*person, future*) incerto(a); (*question*) non risolto(a); (*weather, market*) instabile; **to feel** ~ sentirsi disorientato(a).

unsettling [ʌn'sɛtlɪŋ] *adj* inquietante.

unshak(e)able [ʌn'ʃeɪkəbl] *adj* irremovibile.

unshaven [ʌn'ʃeɪvn] *adj* non rasato(a).

unsightly [ʌn'saɪtlɪ] *adj* brutto(a), sgradevole a vedersi.

unskilled [ʌn'skɪld] *adj*: ~ **worker** manovale *m*.

unsociable [ʌn'səuʃəbl] *adj* (*person*) poco socievole; (*behaviour*) antipatico(a).

unsocial [ʌn'səuʃəl] *adj*: ~ **hours** orario sconveniente.

unsold [ʌn'səuld] *adj* invenduto(a).

unsolicited [ʌnsə'lɪsɪtɪd] *adj* non richiesto(a).

unsophisticated [ʌnsə'fɪstɪkeɪtɪd] *adj* semplice, naturale.

unsound [ʌn'saund] *adj* (*health*) debole, cagionevole; (*in construction: floor, foundations*) debole, malsicuro(a); (*policy, advice*) poco sensato(a); (*judgment, investment*) poco sicuro(a).

unspeakable [ʌn'spi:kəbl] *adj* (*bad*) abominevole.

unspoken [ʌn'spəukən] *adj* (*words*) non detto(a); (*agreement, approval*) tacito(a).

unsteady [ʌn'stɛdɪ] *adj* instabile, malsicuro(a).

unstinting [ʌn'stɪntɪŋ] *adj* (*support*) incondizionato(a); (*generosity*) illimitato(a); (*praise*) senza riserve.

unstuck [ʌn'stʌk] *adj*: **to come** ~ scollarsi; (*fig*) fare fiasco.

unsubstantiated [ʌnsəb'stænʃɪeɪtɪd] *adj* (*rumour, accusation*) infondato(a).

unsuccessful [ʌnsək'sɛsful] *adj* (*writer, proposal*) che non ha successo; (*marriage, attempt*) mal riuscito(a), fallito(a); **to be** ~ (*in attempting sth*) non riuscire; non avere successo; (*application*) non essere considerato(a).

unsuccessfully [ʌnsək'sɛsfəlɪ] *adv* senza successo.

unsuitable [ʌn'su:təbl] *adj* inadatto(a); (*moment*) inopportuno(a).

unsuited [ʌn'su:tɪd] *adj*: **to be** ~ **for** *or* **to** non essere fatto(a) per.

unsung ['ʌn'sʌŋ] *adj*: **an** ~ **hero** un eroe misconosciuto.

unsupported [ʌnsə'pɔ:tɪd] *adj* (*claim*) senza fondamento; (*theory*) non dimostrato(a).

unsure [ʌn'ʃuə*] *adj*: ~ (**of** *or* **about**) incerto(a) (su); **to be** ~ **of o.s.** essere insicuro(a).

unsuspecting [ʌnsə'spɛktɪŋ] *adj* che non sospetta niente.

unsweetened [ʌn'swi:tnd] *adj* senza zucchero.

unswerving [ʌn'swə:vɪŋ] *adj* fermo(a).

unsympathetic ['ʌnsɪmpə'θɛtɪk] *adj* (*attitude*) poco incoraggiante; (*person*) antipatico(a); ~ **(to)** non solidale (verso).

untangle [ʌn'tæŋgl] *vt* sbrogliare.

untapped [ʌn'tæpt] *adj* (*resources*) non sfruttato(a).

untaxed [ʌn'tækst] *adj* (*goods*) esente da imposte; (*income*) non imponibile.

unthinkable [ʌn'θɪŋkəbl] *adj* impensabile, inconcepibile.

unthinkingly ['ʌn'θɪŋkɪŋlɪ] *adv* senza pensare.

untidy [ʌn'taɪdɪ] *adj* (*room*) in disordine; (*appearance, work*) trascurato(a); (*person, writing*) disordinato(a).

untie [ʌn'taɪ] *vt* (*knot, parcel*) disfare; (*prisoner, dog*) slegare.

until [ʌn'tɪl] *prep* fino a; (*after negative*) prima di ♦ *conj* finché, fino a quando; (*in past, after negative*) prima che + *sub*, prima di + *infinitive*; ~ **now** finora; ~ **then** fino ad allora; **from morning** ~ **night** dalla mattina alla sera.

untimely [ʌn'taɪmlɪ] *adj* intempestivo(a), inopportuno(a); (*death*) prematuro(a).

untold [ʌn'təʊld] *adj* incalcolabile; indescrivibile.

untouched [ʌn'tʌtʃt] *adj* (*not used etc*) non toccato(a), intatto(a); (*safe: person*) incolume; (*unaffected*): ~ **by** insensibile a.

untoward [ʌntə'wɔːd] *adj* sfortunato(a), sconveniente.

untrained ['ʌn'treɪnd] *adj* (*worker*) privo(a) di formazione professionale; (*troops*) privo(a) di addestramento; **to the** ~ **eye** ad un occhio inesperto.

untrammelled [ʌn'træmld] *adj* illimitato(a).

untranslatable [ʌntrænz'leɪtəbl] *adj* intraducibile.

untrue [ʌn'truː] *adj* (*statement*) falso(a), non vero(a).

untrustworthy [ʌn'trʌstwɜːðɪ] *adj* di cui non ci si può fidare.

unusable [ʌn'juːzəbl] *adj* inservibile, inutilizzabile.

unused [ʌn'juːzd] *adj* (*new*) nuovo(a); (*not made use of*) non usato(a), non utilizzato(a); **to be** ~ **to sth/to doing sth** non essere abituato(a) a qc/a fare qc.

unusual [ʌn'juːʒʊəl] *adj* insolito(a), eccezionale, raro(a).

unusually [ʌn'juːʒʊəlɪ] *adv* insolitamente.

unveil [ʌn'veɪl] *vt* scoprire, svelare.

unwanted [ʌn'wɒntɪd] *adj* non desiderato(a).

unwarranted [ʌn'wɒrəntɪd] *adj* ingiustificato(a).

unwary [ʌn'wɛərɪ] *adj* incauto(a).

unwavering [ʌn'weɪvərɪŋ] *adj* fermo(a),

incrollabile.

unwelcome [ʌn'wɛlkəm] *adj* (*gen*) non gradito(a); **to feel** ~ sentire che la propria presenza non è gradita.

unwell [ʌn'wɛl] *adj* indisposto(a); **to feel** ~ non sentirsi bene.

unwieldy [ʌn'wiːldɪ] *adj* poco maneggevole.

unwilling [ʌn'wɪlɪŋ] *adj*: **to be** ~ **to do** non voler fare.

unwillingly [ʌn'wɪlɪŋlɪ] *adv* malvolentieri.

unwind [ʌn'waɪnd] *vb* (*irreg*) *vt* svolgere, srotolare ♦ *vi* (*relax*) rilassarsi.

unwise [ʌn'waɪz] *adj* (*decision, act*) avventato(a).

unwitting [ʌn'wɪtɪŋ] *adj* involontario(a).

unworkable [ʌn'wɜːkəbl] *adj* (*plan etc*) inattuabile.

unworthy [ʌn'wɜːðɪ] *adj* indegno(a); **to be** ~ **of sth/to do sth** non essere degno di qc/di fare qc.

unwrap [ʌn'ræp] *vt* disfare; (*present*) aprire.

unwritten [ʌn'rɪtn] *adj* (*agreement*) tacito(a).

unzip [ʌn'zɪp] *vt* aprire (la chiusura lampo di).

═══════════════════════ *KEYWORD*

up [ʌp] *prep* su; **he went** ~ **the stairs/the hill** è salito su per le scale/sulla collina; **the cat was** ~ **a tree** il gatto era su un albero; **they live further** ~ **the street** vivono un po' più su nella stessa strada

♦ *adv* **1** (*upwards, higher*) su, in alto; ~ **in the sky/the mountains** su nel cielo/in montagna; ~ **there** lassù; ~ **above** su in alto; ~ **with Leeds United!** viva il Leeds United!

2: **to be** ~ (*out of bed*) essere alzato(a); (*prices, level*) essere salito(a); (*building*) essere terminato(a); (*tent*) essere piantato(a); (*curtains, shutters, wallpaper*) essere su; "**this side** ~" "alto"; **to be** ~ **(by)** (*in price, value*) essere salito(a) *or* aumentato(a) (di); **when the year was** ~ (*finished*) finito l'anno; **time's** ~ il tempo è scaduto; **he's well** ~ **in** *or* **on politics** (*BRIT*) è molto informato di *or* sulla politica

3: ~ **to** (*as far as*) fino a; ~ **to now** finora

4: **to be** ~ **to** (*depending on*): **it's** ~ **to you** sta a lei, dipende da lei; (*equal to*): **he's not** ~ **to it** (*job, task etc*) non ne è all'altezza; (*col: be doing*): **what is he** ~ **to?** cosa sta combinando?; **what's** ~? (*col: wrong*) che c'è?; **what's** ~ **with him?** che ha?, che gli prende?

♦ *n*: ~**s and downs** alti e bassi *mpl*

♦ *vi* (*col*): she ~ped and left improvvisamente se ne andò.

up-and-coming ['ʌpənd'kʌmɪŋ] *adj* pieno(a) di promesse, promettente.

upbeat ['ʌpbiːt] *n* (*MUS*) tempo in levare; (*in economy, prosperity*) incremento ♦ *adj* (*col*) ottimistico(a).

upbraid [ʌp'breɪd] *vt* rimproverare.

upbringing ['ʌpbrɪŋɪŋ] *n* educazione *f*.

upcoming ['ʌpkʌmɪŋ] *adj* imminente, prossimo(a).

update [ʌp'deɪt] *vt* aggiornare.

upend [ʌp'ɛnd] *vt* rovesciare.

upfront [ʌp'frʌnt] *adj* (*col*) franco(a), aperto(a) ♦ *adv* (*pay*) subito.

upgrade [ʌp'greɪd] *vt* promuovere; (*job*) rivalutare; (*COMPUT*) far passare a potenza superiore.

upheaval [ʌp'hiːvl] *n* sconvolgimento; tumulto.

uphill [ʌp'hɪl] *adj* in salita; (*fig: task*) difficile ♦ *adv*: to go ~ andare in salita, salire.

uphold [ʌp'həuld] *vt irreg* approvare; sostenere.

upholstery [ʌp'həulstəri] *n* tappezzeria.

upkeep ['ʌpkiːp] *n* manutenzione *f*.

up-market [ʌp'mɑːkɪt] *adj* (*product*) che si rivolge ad una fascia di mercato superiore.

upon [ə'pɔn] *prep* su.

upper ['ʌpə*] *adj* superiore ♦ *n* (*of shoe*) tomaia; the ~ class ≈ l'alta borghesia.

upper case *n* maiuscolo.

upper-class [ʌpə'klɑːs] *adj* dell'alta borghesia; (*district*) signorile; (*accent*) aristocratico(a); (*attitude*) snob *inv*.

uppercut ['ʌpəkʌt] *n* uppercut *m inv*, montante *m*.

upper hand *n*: to have the ~ avere il coltello dalla parte del manico.

Upper House *n*: the ~ (*in Britain*) la Camera Alta, la Camera dei Lords; (*in US etc*) il Senato.

uppermost ['ʌpəməust] *adj* il(la) più alto(a); predominante; it was ~ in my mind è stata la mia prima preoccupazione.

Upper Volta [-'vɔltə] *n* Alto Volta *m*.

upright ['ʌpraɪt] *adj* diritto(a); verticale; (*fig*) diritto(a), onesto(a) ♦ *n* montante *m*.

uprising ['ʌpraɪzɪŋ] *n* insurrezione *f*, rivolta.

uproar ['ʌprɔː*] *n* tumulto, clamore *m*.

uproarious [ʌp'rɔːrɪəs] *adj* clamoroso(a); (*hilarious*) esilarante; ~ laughter risata sonora.

uproot [ʌp'ruːt] *vt* sradicare.

upset *n* ['ʌpsɛt] turbamento ♦ *vt* [ʌp'sɛt] (*irreg: like* set) (*glass etc*) rovesciare; (*plan, stomach*) scombussolare; (*person: offend*) contrariare; (: *grieve*) addolorare; sconvolgere ♦ *adj* [ʌp'sɛt] contrariato(a); addolorato(a); (*stomach*) scombussolato(a), disturbato(a); to have a stomach ~ (*BRIT*) avere lo stomaco in disordine *or* scombussolato; to get ~ contrariarsi; addolorarsi.

upset price *n* (*US, Scottish*) prezzo di riserva.

upsetting [ʌp'sɛtɪŋ] *adj* (*saddening*) sconvolgente; (*offending*) offensivo(a); (*annoying*) fastidioso(a).

upshot ['ʌpʃɔt] *n* risultato; the ~ of it all was that ... la conclusione è stata che ....

upside down ['ʌpsaɪd-] *adv* sottosopra; to turn ~ capovolgere; (*fig*) mettere sottosopra.

upstage ['ʌp'steɪdʒ] *vt*: to ~ sb rubare la scena a qn.

upstairs [ʌp'stɛəz] *adv, adj* di sopra, al piano superiore ♦ *n* piano di sopra.

upstart ['ʌpstɑːt] *n* parvenu *m inv*.

upstream [ʌp'striːm] *adv* a monte.

upsurge ['ʌpsɔːdʒ] *n* (*of enthusiasm etc*) ondata.

uptake ['ʌpteɪk] *n*: he is quick/slow on the ~ è pronto/lento di comprendonio.

uptight [ʌp'taɪt] *adj* (*col*) teso(a).

up-to-date ['ʌptə'deɪt] *adj* moderno(a); aggiornato(a).

upturn ['ʌptəːn] *n* (*in luck*) svolta favorevole; (*in value of currency*) rialzo.

upturned ['ʌptəːnd] *adj* (*nose*) all'insù.

upward ['ʌpwəd] *adj* ascendente; verso l'alto.

upwardly-mobile ['ʌpwədlɪ'məubaɪl] *n*: to be ~ salire nella scala sociale.

upward(s) ['ʌpwəd(z)] *adv* in su, verso l'alto.

URA *n abbr* (*US*: = Urban Renewal Administration) amministrazione per il rinnovamento urbano.

Ural Mountains ['juərəl-] *npl*: the ~ (*also*: the Urals) gli Urali, i Monti Urali.

uranium [juə'reɪnɪəm] *n* uranio.

Uranus [juə'reɪnəs] *n* (*planet*) Urano.

urban ['əːbən] *adj* urbano(a).

urbane [əː'beɪn] *adj* civile, urbano(a), educato(a).

urbanization [əːbənaɪ'zeɪʃən] *n* urbanizzazione *f*.

urchin ['əːtʃɪn] *n* monello; sea ~ riccio di mare.

Urdu ['uəduː] *n* urdu *m inv*.

urge [əːdʒ] *n* impulso, stimolo ♦ *vt* (*caution*

etc) raccomandare vivamente; **to ~ sb to do** esortare qn a fare, spingere qn a fare; raccomandare a qn di fare.
▶**urge on** *vt* spronare.
urgency ['ɔːdʒənsɪ] *n* urgenza; (*of tone*) insistenza.
urgent ['ɔːdʒənt] *adj* urgente; (*earnest, persistent: plea*) pressante; (: *tone*) insistente, incalzante.
urgently ['ɔːdʒəntlɪ] *adv* d'urgenza, urgentemente; con insistenza.
urinal ['juərɪnl] *n* (*BRIT: building*) vespasiano; (: *vessel*) orinale *m*, pappagallo.
urinate ['juərɪneɪt] *vi* orinare.
urine ['juərɪn] *n* orina.
urn [ɜːn] *n* urna; (*also: tea* ~) bollitore *m* per il tè.
Uruguay ['juərəgwaɪ] *n* Uruguay *m*.
Uruguayan [juərə'gwaɪən] *adj*, *n* uruguaiano(a).
US *n abbr see* **United States**.
us [ʌs] *pron* ci; (*stressed, after prep*) noi.
USA *n abbr* (*GEO*) *see* **United States (of America)**; (*MIL*) = *United States Army*.
usable ['juːzəbl] *adj* utilizzabile, usabile.
USAF *n abbr* = *United States Air Force*.
usage ['juːzɪdʒ] *n* uso.
USCG *n abbr* = *United States Coast Guard*.
USDA *n abbr* = *United States Department of Agriculture*.
USDAW ['ʌzdɔː] *n abbr* (*BRIT*: = *Union of Shop, Distributive and Allied Workers*) *sindacato dei dipendenti di negozi, reti di distribuzione e simili.*
USDI *n abbr* = *United States Department of the Interior.*
use *n* [juːs] uso; impiego, utilizzazione *f* ♦ *vt* [juːz] usare, utilizzare, servirsi di; **she ~d to do it** lo faceva (una volta), era solita farlo; **in ~** in uso; **out of ~** fuori uso; **to be of ~** essere utile, servire; **to make ~ of sth** far uso di qc, utilizzare qc; **ready for ~** pronto per l'uso; **it's no ~** non serve, è inutile; **to have the ~ of** poter usare; **what's this ~d for?** a che serve?; **to be ~d to** avere l'abitudine di; **to get ~d to** abituarsi a, fare l'abitudine a.
▶**use up** *vt* finire; (*supplies*) dare fondo a; (*left-overs*) utilizzare.
used [juːzd] *adj* (*car*) d'occasione.
useful ['juːsful] *adj* utile; **to come in ~** fare comodo, tornare utile.
usefulness ['juːsfəlnɪs] *n* utilità.
useless ['juːslɪs] *adj* inutile; (*unusable: object*) inservibile.
user ['juːzə*] *n* utente *m/f*; (*of petrol, gas etc*) consumatore/trice.

user-friendly ['juːzə'frɛndlɪ] *adj* orientato(a) all'utente.
USES *n abbr* = *United States Employment Service.*
usher ['ʌʃə*] *n* usciere *m*; (*in cinema*) maschera ♦ *vt*: **to ~ sb in** far entrare qn.
usherette [ʌʃə'rɛt] *n* (*in cinema*) maschera.
USIA *n abbr* = *United States Information Agency.*
USM *n abbr* = *United States Mint; United States Mail.*
USN *n abbr* = *United States Navy.*
USPHS *n abbr* = *United States Public Health Service.*
USPO *n abbr* = *United States Post Office.*
USS *abbr* = *United States Ship* (*or Steamer*).
USSR *n abbr see* **Union of Soviet Socialist Republics**.
usu. *abbr* = **usually**.
usual ['juːʒuəl] *adj* solito(a); **as ~** come al solito, come d'abitudine.
usually ['juːʒuəlɪ] *adv* di solito.
usurer ['juːʒərə*] *adj* usuraio/a.
usurp [juː'zɜːp] *vt* usurpare.
UT *abbr* (*US*) = *Utah.*
utensil [juː'tɛnsl] *n* utensile *m*.
uterus ['juːtərəs] *n* utero.
utilitarian [juːtɪlɪ'tɛərɪən] *adj* utilitario(a).
utility [juː'tɪlɪtɪ] *n* utilità; (*also:* **public ~**) servizio pubblico.
utility room *n locale adibito alla stiratura dei panni etc.*
utilization [juːtɪlaɪ'zeɪʃən] *n* utilizzazione *f.*
utilize ['juːtɪlaɪz] *vt* utilizzare; sfruttare.
utmost ['ʌtməust] *adj* estremo(a) ♦ *n*: **to do one's ~** fare il possibile *or* di tutto; **of the ~ importance** della massima importanza; **it is of the ~ importance that ...** è estremamente importante che ... + *sub*.
utter ['ʌtə*] *adj* assoluto(a), totale ♦ *vt* pronunciare, proferire; emettere.
utterance ['ʌtərəns] *n* espressione *f*; parole *fpl.*
utterly ['ʌtəlɪ] *adv* completamente, del tutto.
U-turn ['juːtɜːn] *n* inversione *f* a U; (*fig*) voltafaccia *m inv.*
Uzbekistan [ʌzbɛkɪ'stɑːn] *n* Uzbekistan.

V v

V, v [viː] *n* (*letter*) V, v *m or f inv*; **V for Victor** ≈ V come Venezia.

v *abbr* (= *verse*; = *vide*: *see*) v.; (= *volt*) V.; (= *versus*) contro.

VA, Va. *abbr* (*US*) = *Virginia*.

vac [væk] *n abbr* (*BRIT col*) = **vacation**.

vacancy ['veɪkənsɪ] *n* (*job*) posto libero; (*room*) stanza libera; **"no vacancies"** "completo"; **have you any vacancies?** (*office*) avete bisogno di personale?; (*hotel*) avete una stanza?

vacant ['veɪkənt] *adj* (*job, seat etc*) libero(a); (*expression*) assente.

vacant lot *n* terreno non occupato; (*for sale*) terreno in vendita.

vacate [və'keɪt] *vt* lasciare libero(a).

vacation [və'keɪʃən] *n* (*esp US*) vacanze *fpl*; **to take a** ~ prendere una vacanza, prendere le ferie; **on** ~ in vacanza, in ferie.

vacation course *n* corso estivo.

vaccinate ['væksɪneɪt] *vt* vaccinare.

vaccination [væksɪ'neɪʃən] *n* vaccinazione *f*.

vaccine ['væksiːn] *n* vaccino.

vacuum ['vækjum] *n* vuoto.

vacuum bottle *n* (*US*) = **vacuum flask**.

vacuum cleaner *n* aspirapolvere *m inv*.

vacuum flask *n* (*BRIT*) thermos ® *m inv*.

vacuum-packed ['vækjum'pækt] *adj* confezionato(a) sottovuoto.

vagabond ['vægəbɔnd] *n* vagabondo/a.

vagary ['veɪgərɪ] *n* capriccio.

vagina [və'dʒaɪnə] *n* vagina.

vagrancy ['veɪgrənsɪ] *n* vagabondaggio.

vagrant ['veɪgrənt] *n* vagabondo/a.

vague [veɪg] *adj* vago(a); (*blurred*: *photo, memory*) sfocato(a); **I haven't the** ~**st idea** non ho la minima *or* più pallida idea.

vaguely ['veɪglɪ] *adv* vagamente.

vain [veɪn] *adj* (*useless*) inutile, vano(a); (*conceited*) vanitoso(a); **in** ~ inutilmente, invano.

valance ['væləns] *n* volant *m inv*, balza.

valedictory [vælɪ'dɪktərɪ] *adj* di commiato.

valentine ['væləntaɪn] *n* (*also*: ~ **card**) cartolina *or* biglietto di San Valentino.

valet ['vælɪt] *n* cameriere *m* personale.

valet parking *n* parcheggio effettuato da un dipendente (dell'albergo etc).

valet service *n* (*for clothes*) servizio di lavanderia; (*for car*) servizio completo di lavaggio.

valiant ['vælɪənt] *adj* valoroso(a), coraggioso(a).

valid ['vælɪd] *adj* valido(a), valevole; (*excuse*) valido(a).

validate ['vælɪdeɪt] *vt* (*contract, document*) convalidare; (*argument, claim*) comprovare.

validity [və'lɪdɪtɪ] *n* validità.

valise [və'liːz] *n* borsa da viaggio.

valley ['vælɪ] *n* valle *f*.

valour, (*US*) **valor** ['vælə*] *n* valore *m*.

valuable ['væljuəbl] *adj* (*jewel*) di (grande) valore; (*time*) prezioso(a); ~**s** *npl* oggetti *mpl* di valore.

valuation [vælju'eɪʃən] *n* valutazione *f*, stima.

value ['væljuː] *n* valore *m* ♦ *vt* (*fix price*) valutare, dare un prezzo a; (*cherish*) apprezzare, tenere a; **to be of great** ~ **to sb** avere molta importanza per qn; **to lose (in)** ~ (*currency*) svalutarsi; (*property*) perdere (di) valore; **to gain (in)** ~ (*currency*) guadagnare; (*property*) aumentare di valore; **you get good** ~ **(for money) in that shop** si compra bene in quel negozio.

value added tax (VAT) *n* (*BRIT*) imposta sul valore aggiunto (I.V.A.).

valued ['væljuːd] *adj* (*appreciated*) stimato(a), apprezzato(a).

valuer ['væljuə*] *n* stimatore/trice.

valve [vælv] *n* valvola.

vampire ['væmpaɪə*] *n* vampiro.

van [væn] *n* (*AUT*) furgone *m*; (*BRIT RAIL*) vagone *m*.

V and A *n abbr* (*BRIT*) = *Victoria and Albert Museum*.

vandal ['vændl] *n* vandalo/a.

vandalism ['vændəlɪzəm] *n* vandalismo.

vandalize ['vændəlaɪz] *vt* vandalizzare.

vanguard ['vængɑːd] *n* avanguardia.

vanilla [və'nɪlə] *n* vaniglia ♦ *cpd* (*ice cream*) alla vaniglia.

vanish ['vænɪʃ] *vi* svanire, scomparire.

vanity ['vænɪtɪ] *n* vanità.

vanity case *n* valigetta per cosmetici.

vantage ['vɑːntɪdʒ] *n*: ~ **point** posizione *f or* punto di osservazione; (*fig*) posizione vantaggiosa.

vaporize ['veɪpəraɪz] *vt* vaporizzare ♦ *vi* vaporizzarsi.

vapour, (*US*) **vapor** ['veɪpə*] *n* vapore *m*.

variable ['vɛərɪəbl] *adj* variabile; (*mood*)

mutevole ♦ *n* fattore *m* variabile, variabile *f*.

variance ['vɛərɪəns] *n*: **to be at ~ (with)** essere in disaccordo (con); (*facts*) essere in contraddizione (con).

variant ['vɛərɪənt] *n* variante *f*.

variation [vɛərɪ'eɪʃən] *n* variazione *f*; (*in opinion*) cambiamento.

varicose ['værɪkəʊs] *adj*: **~ veins** varici *fpl*.

varied ['vɛərɪd] *adj* vario(a), diverso(a).

variety [və'raɪətɪ] *n* varietà *f inv*; (*quantity*): **a wide ~ of** ... una vasta gamma di ...; **for a ~ of reasons** per una serie di motivi.

variety show *n* spettacolo di varietà.

various ['vɛərɪəs] *adj* vario(a), diverso(a); (*several*) parecchi(e), molti(e); **at ~ times** in momenti diversi; (*several*) diverse volte.

varnish ['vɑːnɪʃ] *n* vernice *f*; (*for nails*) smalto ♦ *vt* verniciare; **to ~ one's nails** mettersi lo smalto sulle unghie.

vary ['vɛərɪ] *vt, vi* variare, mutare; **to ~ (with or according to)** variare (con or a seconda di).

varying ['vɛərɪɪŋ] *adj* variabile.

vase [vɑːz] *n* vaso.

vasectomy [væ'sɛktəmɪ] *n* vasectomia.

Vaseline ® ['væsɪliːn] *n* vaselina.

vast [vɑːst] *adj* vasto(a); (*amount, success*) enorme.

vastly ['vɑːstlɪ] *adv* enormemente.

vastness ['vɑːstnɪs] *n* vastità.

VAT [væt] *n abbr* (*BRIT*) *see* **value added tax**.

vat [væt] *n* tino.

Vatican ['vætɪkən] *n*: **the ~** il Vaticano.

vatman ['vætmæn] *n* (*BRIT col*): **the ~** ≈ l'ispettore *m* dell'IVA; (*Inland Revenue*) (il) fisco.

vault [vɔːlt] *n* (*of roof*) volta; (*tomb*) tomba; (*in bank*) camera blindata; (*jump*) salto ♦ *vt* (*also*: **~ over**) saltare (d'un balzo).

vaunted ['vɔːntɪd] *adj*: **much-~** tanto celebrato(a).

VC *n abbr* (*BRIT*: = *Victoria Cross*) medaglia al coraggio; = **vice-chairman**.

VCR *n abbr see* **video cassette recorder**.

VD *n abbr see* **venereal disease**.

VDU *n abbr see* **visual display unit**.

veal [viːl] *n* vitello.

veer [vɪə*] *vi* girare; virare.

veg. [vɛdʒ] *n abbr* (*BRIT col*: = *vegetable(s)*) ≈ contorno.

vegan ['viːgən] *n* (*BRIT*) vegetaliano/a.

vegeburger, veggieburger ['vɛdʒɪbəːgə*] *n* hamburger *m inv* vegetariano.

vegetable ['vɛdʒtəbl] *n* verdura, ortaggio ♦ *adj* vegetale.

vegetable garden *n* orto.

vegetarian [vɛdʒɪ'tɛərɪən] *adj, n* vegetariano(a).

vegetate ['vɛdʒɪteɪt] *vi* vegetare.

vegetation [vɛdʒɪ'teɪʃən] *n* vegetazione *f*.

vegetative ['vɛdʒɪtətɪv] *adj* (*also BOT*) vegetativo(a).

vehemence ['viːɪməns] *n* veemenza, violenza.

vehement ['viːɪmənt] *adj* veemente, violento(a); profondo(a).

vehicle ['viːɪkl] *n* veicolo; (*fig*) mezzo.

vehicular [vɪ'hɪkjʊlə*] *adj*: **"no ~ traffic"** "chiuso al traffico di veicoli".

veil [veɪl] *n* velo ♦ *vt* velare; **under a ~ of secrecy** (*fig*) protetto da una cortina di segretezza.

veiled [veɪld] *adj* (*also fig*) velato(a).

vein [veɪn] *n* vena; (*on leaf*) nervatura; (*fig: mood*) vena, umore *m*.

Velcro ® ['vɛlkrəʊ] *n* velcro ® *m inv*.

vellum ['vɛləm] *n* (*writing paper*) carta patinata.

velocity [vɪ'lɔsɪtɪ] *n* velocità *f inv*.

velour [və'lʊə*] *n* velours *m inv*.

velvet ['vɛlvɪt] *n* velluto.

vending machine ['vɛndɪŋ-] *n* distributore *m* automatico.

vendor ['vɛndə*] *n* venditore/trice; **street ~** venditore ambulante.

veneer [və'nɪə*] *n* impiallacciatura; (*fig*) vernice *f*.

venerable ['vɛnərəbl] *adj* venerabile.

venereal disease (VD) [vɪ'nɪərɪəl-] *n* malattia venerea.

Venetian [vɪ'niːʃən] *adj, n* veneziano(a).

Venetian blind *n* (tenda alla) veneziana.

Venezuela [vɛnɪ'zweɪlə] *n* Venezuela *m*.

Venezuelan [vɛnɪ'zweɪlən] *adj, n* venezuelano(a).

vengeance ['vɛndʒəns] *n* vendetta; **with a ~** (*fig*) davvero; furiosamente.

vengeful ['vɛndʒfʊl] *adj* vendicativo(a).

Venice ['vɛnɪs] *n* Venezia.

venison ['vɛnɪsn] *n* carne *f* di cervo.

venom ['vɛnəm] *n* veleno.

venomous ['vɛnəməs] *adj* velenoso(a).

vent [vɛnt] *n* foro, apertura; (*in dress, jacket*) spacco ♦ *vt* (*fig: one's feelings*) sfogare, dare sfogo a.

ventilate ['vɛntɪleɪt] *vt* (*room*) dare aria a, arieggiare.

ventilation [vɛntɪ'leɪʃən] *n* ventilazione *f*.

ventilation shaft *n* condotto di aerazione.

ventilator ['vɛntɪleɪtə*] *n* ventilatore *m*.

ventriloquist [vɛn'trɪləkwɪst] *n* ventriloquo/a.

venture ['vɛntʃə*] *n* impresa (rischiosa) ♦ *vt* rischiare, azzardare ♦ *vi* arrischiarsi, azzardarsi; **a business** ~ un'iniziativa commerciale; **to ~ to do sth** azzardarsi a fare qc.

venture capital n capitale m di rischio.

venue ['vɛnjuː] n luogo di incontro; (SPORT) luogo (designato) per l'incontro.

Venus ['viːnəs] n (planet) Venere m.

veracity [vəˈræsɪtɪ] n veridicità.

veranda(h) [vəˈrændə] n veranda.

verb [vɜːb] n verbo.

verbal ['vɜːbəl] adj verbale; (translation) letterale.

verbally ['vɜːbəlɪ] adv a voce.

verbatim [vɜːˈbeɪtɪm] adv, adj parola per parola.

verbose [vɜːˈbəus] adj verboso(a).

verdict ['vɜːdɪkt] n verdetto; (opinion) giudizio, parere m; ~ **of guilty/not guilty** verdetto di colpevolezza/non colpevolezza.

verge [vɜːdʒ] n bordo, orlo; **"soft ~s"** (BRIT) "banchina cedevole"; **on the ~ of doing** sul punto di fare.

▶**verge on** vt fus rasentare.

verger ['vɜːdʒə*] n (REL) sagrestano.

verification [vɛrɪfɪˈkeɪʃən] n verifica.

verify ['vɛrɪfaɪ] vt verificare; (prove the truth of) confermare.

veritable ['vɛrɪtəbl] adj vero(a).

vermin ['vɜːmɪn] npl animali mpl nocivi; (insects) insetti mpl parassiti.

vermouth ['vɜːməθ] n vermut m inv.

vernacular [vəˈnækjulə*] n vernacolo.

versatile ['vɜːsətaɪl] adj (person) versatile; (machine, tool etc) (che si presta) a molti usi.

verse [vɜːs] n (of poem) verso; (stanza) stanza, strofa; (in bible) versetto; (no pl: poetry) versi mpl; **in ~** in versi.

versed [vɜːst] adj: **(well-)~ in** versato(a) in.

version ['vɜːʃən] n versione f.

versus ['vɜːsəs] prep contro.

vertebra, pl ~**e** ['vɜːtɪbrə, -briː] n vertebra.

vertebrate ['vɜːtɪbrɪt] n vertebrato.

vertebrae ['vɜːtɪbriː] npl of **vertebra**.

vertical ['vɜːtɪkl] adj, n verticale (m).

vertically ['vɜːtɪklɪ] adv verticalmente.

vertigo ['vɜːtɪɡəu] n vertigine f; **to suffer from ~** soffrire di vertigini.

verve [vɜːv] n brio; entusiasmo.

very ['vɛrɪ] adv molto ♦ adj: **the ~ book which** proprio il libro che; ~ **much** moltissimo; ~ **well** molto bene; ~ **little** molto poco; **at the ~ end** proprio alla fine; **the ~ last** proprio l'ultimo; **at the ~ least** almeno; **the ~ thought (of it) alarms me** il solo pensiero mi spaventa, sono spaventato solo al pensiero.

vespers ['vɛspəz] npl vespro.

vessel ['vɛsl] n (ANAT) vaso; (NAUT) nave f; (container) recipiente m.

vest [vɛst] n (BRIT) maglia; (: sleeveless) canottiera; (US: waistcoat) gilè m inv ♦ vt: **to ~ sb with sth, to ~ sth in sb** conferire qc a qn.

vested interest n: **to have a ~ in doing** avere tutto l'interesse a fare; ~**s** npl (COMM) diritti mpl acquisiti.

vestibule ['vɛstɪbjuːl] n vestibolo.

vestige ['vɛstɪdʒ] n vestigio.

vestment ['vɛstmənt] n (REL) paramento liturgico.

vestry ['vɛstrɪ] n sagrestia.

Vesuvius [vɪˈsuːvɪəs] n Vesuvio.

vet [vɛt] n abbr (= veterinary surgeon) veterinario ♦ vt esaminare minuziosamente; (text) rivedere; **to ~ sb for a job** raccogliere delle informazioni dettagliate su qn prima di offrirgli un posto.

veteran ['vɛtərn] n veterano; (also: **war ~**) reduce m ♦ adj: **she's a ~ campaigner for ...** lotta da sempre per ....

veteran car n auto f inv d'epoca (anteriore al 1919).

veterinarian [vɛtrɪˈnɛərɪən] n (US) = **veterinary surgeon**.

veterinary ['vɛtrɪnərɪ] adj veterinario(a).

veterinary surgeon n (BRIT) veterinario.

veto ['viːtəu] n (pl ~**es**) veto ♦ vt opporre il veto a; **to put a ~ on** opporre il veto a.

vetting ['vɛtɪŋ] n: **positive ~** indagine per accertare l'idoneità di un aspirante ad una carica ufficiale.

vex [vɛks] vt irritare, contrariare.

vexed [vɛkst] adj (question) controverso(a), dibattuto(a).

VFD n abbr (US) = voluntary fire department.

VG abbr (BRIT: SCOL etc: = very good) ottimo.

VHF abbr (= very high frequency) VHF.

VI abbr (US) = Virgin Islands.

via ['vaɪə] prep (by way of) via; (by means of) tramite.

viability [vaɪəˈbɪlɪtɪ] n attuabilità.

viable ['vaɪəbl] adj attuabile; vitale.

viaduct ['vaɪədʌkt] n viadotto.

vial ['vaɪəl] n fiala.

vibes [vaɪbz] npl (col): **I got good/bad ~** ho trovato simpatica/antipatica l'atmosfera.

vibrant ['vaɪbrənt] adj (sound) vibrante; (colour) vivace, vivo(a).

vibraphone ['vaɪbrəfəun] n vibrafono.

vibrate [vaɪˈbreɪt] vi: **to ~ (with)** vibrare (di); (resound) risonare (di).

vibration [vaɪˈbreɪʃən] n vibrazione f.

vibrator [vaɪˈbreɪtə*] n vibratore m.

vicar ['vɪkə*] *n* pastore *m*.

vicarage ['vɪkərɪdʒ] *n* presbiterio.

vicarious [vɪ'kɛərɪəs] *adj* sofferto(a) al posto di un altro; **to get ~ pleasure out of sth** trarre piacere indirettamente da qc.

vice [vaɪs] *n* (*evil*) vizio; (*TECH*) morsa.

vice- [vaɪs] *prefix* vice ....

vice-chairman [vaɪs'tʃɛəmən] *n* vicepresidente *m*.

vice-chancellor [vaɪs'tʃɑːnsələ*] *n* (*BRIT SCOL*) rettore *m* (*per elezione*).

vice-president [vaɪs'prɛzɪdənt] *n* vicepresidente *m*.

viceroy ['vaɪsrɔɪ] *n* viceré *m inv*.

vice squad *n* (squadra del) buon costume *f*.

vice versa ['vaɪsɪ'vɜːsə] *adv* viceversa.

vicinity [vɪ'sɪnɪtɪ] *n* vicinanze *fpl*.

vicious ['vɪʃəs] *adj* (*remark*) maligno(a), cattivo(a); (*blow*) violento(a); **a ~ circle** un circolo vizioso.

viciousness ['vɪʃəsnɪs] *n* malignità, cattiveria; ferocia.

vicissitudes [vɪ'sɪsɪtjuːdz] *npl* vicissitudini *fpl*.

victim ['vɪktɪm] *n* vittima; **to be the ~ of** essere vittima di.

victimization [vɪktɪmaɪ'zeɪʃən] *n* persecuzione *f*; rappresaglie *fpl*.

victimize ['vɪktɪmaɪz] *vt* perseguitare; compiere delle rappresaglie contro.

victor ['vɪktə*] *n* vincitore *m*.

Victorian [vɪk'tɔːrɪən] *adj* vittoriano(a).

victorious [vɪk'tɔːrɪəs] *adj* vittorioso(a).

victory ['vɪktərɪ] *n* vittoria; **to win a ~ over sb** riportare una vittoria su qn.

video ['vɪdɪəu] *cpd* video... ♦ *n* (~ *film*) video *m inv*; (*also:* ~ **cassette**) videocassetta; (*also:* ~ **cassette recorder**) videoregistratore *m*.

video camera *n* videocamera.

video cassette *n* videocassetta.

video (cassette) recorder *n* videoregistratore *m*.

videodisc ['vɪdɪəudɪsk] *n* disco ottico.

video game *n* videogioco.

video nasty *n* video estremamente violento o porno.

videophone ['vɪdɪəufəun] *n* videotelefono.

video recording *n* registrazione *f* su video.

video tape *n* videotape *m inv*.

vie [vaɪ] *vi:* **to ~ with** competere con, rivaleggiare con.

Vienna [vɪ'ɛnə] *n* Vienna.

Vietnam, Viet Nam [vjɛt'næm] *n* Vietnam *m*.

Vietnamese [vjɛtnə'miːz] *adj* vietnamita

♦ *n* vietnamita *m/f*; (*LING*) vietnamita *m*.

view [vjuː] *n* vista, veduta; (*opinion*) opinione *f* ♦ *vt* (*situation*) considerare; (*house*) visitare; **on ~** (*in museum etc*) esposto(a); **to be in** *or* **within ~ (of sth)** essere in vista (di qc); **in full ~ of sb** sotto gli occhi di qn; **an overall ~ of the situation** una visione globale della situazione; **in my ~** a mio avviso, secondo me; **in ~ of the fact that** considerato che; **to take** *or* **hold the ~ that ...** essere dell'opinione che ...; **with a ~ to doing sth** con l'intenzione di fare qc.

viewdata ['vjuːdeɪtə] *n* (*BRIT*) *sistema di televideo*.

viewer ['vjuːə*] *n* (*viewfinder*) mirino; (*small projector*) visore *m*; (*TV*) telespettatore/trice.

viewfinder ['vjuːfaɪndə*] *n* mirino.

viewpoint ['vjuːpɔɪnt] *n* punto di vista.

vigil ['vɪdʒɪl] *n* veglia; **to keep ~** vegliare.

vigilance ['vɪdʒɪləns] *n* vigilanza.

vigilant ['vɪdʒɪlənt] *adj* vigile.

vigilante [vɪdʒɪ'læntɪ] *n* *cittadino che si fa giustizia da solo*.

vigorous ['vɪgərəs] *adj* vigoroso(a).

vigour, (*US*) **vigor** ['vɪgə*] *n* vigore *m*.

vile [vaɪl] *adj* (*action*) vile; (*smell*) disgustoso(a), nauseante; (*temper*) pessimo(a).

vilify ['vɪlɪfaɪ] *vt* diffamare.

villa ['vɪlə] *n* villa.

village ['vɪlɪdʒ] *n* villaggio.

villager ['vɪlɪdʒə*] *n* abitante *m/f* di villaggio.

villain ['vɪlən] *n* (*scoundrel*) canaglia; (*criminal*) criminale *m*; (*in novel etc*) cattivo.

VIN *n abbr* (*US*) = *vehicle identification number*.

vinaigrette [vɪneɪ'grɛt] *n* vinaigrette *f inv*.

vindicate ['vɪndɪkeɪt] *vt* comprovare; giustificare.

vindication [vɪndɪ'keɪʃən] *n:* **in ~ of** per giustificare; **a discolpa di.**

vindictive [vɪn'dɪktɪv] *adj* vendicativo(a).

vine [vaɪn] *n* vite *f*; (*climbing plant*) rampicante *m*.

vinegar ['vɪnɪgə*] *n* aceto.

vine grower *n* viticoltore *m*.

vine-growing ['vaɪngrəuɪŋ] *adj* viticolo(a)

♦ *n* viticoltura.

vineyard ['vɪnjɑːd] *n* vigna, vigneto.

vintage ['vɪntɪdʒ] *n* (*year*) annata, produzione *f*; **the 1970 ~** il vino del 1970.

vintage car *n* auto *f inv* d'epoca.

vintage wine *n* vino d'annata.

vinyl ['vaɪnl] *n* vinile *m*.

viola [vɪ'əulə] n viola.

violate ['vaɪəleɪt] vt violare.

violation [vaɪə'leɪʃən] n violazione f; **in ~ of sth** violando qc.

violence ['vaɪələns] n violenza; (POL etc) incidenti mpl violenti.

violent [vaɪələnt] adj violento(a); **a ~ dislike of sb/sth** una violenta avversione per qn/qc.

violently ['vaɪələntlɪ] adv violentemente; (ill, angry) terribilmente.

violet ['vaɪələt] adj (colour) viola inv, violetto(a) ♦ n (plant) violetta.

violin [vaɪə'lɪn] n violino.

violinist [vaɪə'lɪnɪst] n violinista m/f.

VIP n abbr (= very important person) V.I.P. m/f inv.

viper ['vaɪpə*] n vipera.

viral ['vaɪərəl] adj virale.

virgin ['vɜːdʒɪn] n vergine f ♦ adj vergine inv; **she is a ~** lei è vergine; **the Blessed V~** la Beatissima Vergine.

virginity [vɜː'dʒɪnɪtɪ] n verginità.

Virgo ['vɜːgəu] n (sign) Vergine f; **to be ~** essere della Vergine.

virile ['vɪraɪl] adj virile.

virility [vɪ'rɪlɪtɪ] n virilità.

virtual ['vɜːtjuəl] adj effettivo(a), vero(a); (COMPUT, PHYSICS) virtuale; (in effect): **it's a ~ impossibility** è praticamente impossibile; **the ~ leader** il capo all'atto pratico.

virtually ['vɜːtjuəlɪ] adv (almost) praticamente; **it is ~ impossible** è praticamente impossibile.

virtual reality n realtà f inv virtuale.

virtue ['vɜːtjuː] n virtù f inv; (advantage) pregio, vantaggio; **by ~ of** grazie a.

virtuosity [vɜːtju'ɔsɪtɪ] n virtuosismo.

virtuoso [vɜːtju'əuzəu] n virtuoso.

virtuous ['vɜːtjuəs] adj virtuoso(a).

virulent ['vɪrulənt] adj virulento(a).

virus ['vaɪərəs] n virus m inv.

visa ['viːzə] n visto.

vis-à-vis [viːzə'viː] prep rispetto a, nei riguardi di.

viscount ['vaɪkaunt] n visconte m.

viscous ['vɪskəs] adj viscoso(a).

vise [vaɪs] n (US TECH) = **vice**.

visibility [vɪzɪ'bɪlɪtɪ] n visibilità.

visible ['vɪzəbl] adj visibile; **~ exports/imports** esportazioni fpl/importazioni fpl visibili.

visibly ['vɪzəblɪ] adv visibilmente.

vision ['vɪʒən] n (sight) vista; (foresight, in dream) visione f.

visionary ['vɪʒənərɪ] n visionario/a.

visit ['vɪzɪt] n visita; (stay) soggiorno ♦ vt (person) andare a trovare; (place) visitare; **to pay a ~ to** (person) fare una visita a; (place) andare a visitare; **on a private/official ~** in visita privata/ufficiale.

visiting ['vɪzɪtɪŋ] adj (speaker, professor, team) ospite.

visiting card n biglietto da visita.

visiting hours npl orario delle visite.

visitor ['vɪzɪtə*] n visitatore/trice; (guest) ospite m/f.

visitors' book n libro d'oro; (in hotel) registro.

visor ['vaɪzə*] n visiera.

VISTA ['vɪstə] n abbr (= Volunteers in Service to America) volontariato in zone depresse degli Stati Uniti.

vista ['vɪstə] n vista, prospettiva.

visual ['vɪzjuəl] adj visivo(a); visuale; ottico(a).

visual aid n sussidio visivo.

visual arts npl arti fpl figurative.

visual display unit (VDU) n unità f inv di visualizzazione.

visualize ['vɪzjuəlaɪz] vt immaginare, figurarsi; (foresee) prevedere.

visually ['vɪzjuəlɪ] adv: **~ appealing** piacevole a vedersi; **~ handicapped** con una menomazione della vista.

vital ['vaɪtl] adj vitale; **of ~ importance (to sb/sth)** di vitale importanza (per qn/qc).

vitality [vaɪ'tælɪtɪ] n vitalità.

vitally ['vaɪtəlɪ] adv estremamente.

vital statistics npl (of population) statistica demografica; (col: woman's) misure fpl.

vitamin ['vɪtəmɪn] n vitamina.

vitiate ['vɪʃɪeɪt] vt viziare.

vitreous ['vɪtrɪəs] adj (rock) vetroso(a); (china, enamel) vetrificato(a).

vitriolic [vɪtrɪ'ɔlɪk] adj (fig) caustico(a).

viva ['vaɪvə] n (also: **~ voce**) (esame m) orale.

vivacious [vɪ'veɪʃəs] adj vivace.

vivacity [vɪ'væsɪtɪ] n vivacità.

vivid ['vɪvɪd] adj vivido(a).

vividly ['vɪvɪdlɪ] adv (describe) vividamente; (remember) con precisione.

vivisection [vɪvɪ'sɛkʃən] n vivisezione f.

vixen ['vɪksn] n volpe f femmina; (pej: woman) bisbetica.

viz abbr (= vide licet: namely) cioè.

VLF abbr (= very low frequency) bassissima frequenza.

V-neck ['viːnɛk] n maglione m con lo scollo a V.

VOA n abbr (= Voice of America) voce f dell'America (alla radio).

vocabulary [vəu'kæbjulərɪ] n vocabolario.

vocal ['vəukl] *adj* (*MUS*) vocale; (*communication*) verbale; (*noisy*) rumoroso(a).

vocal cords *npl* corde *fpl* vocali.

vocalist ['vəukəlɪst] *n* cantante *m/f* (*in un gruppo*).

vocation [vəu'keɪʃən] *n* vocazione *f*.

vocational [vəu'keɪʃənl] *adj* professionale; ~ **guidance** orientamento professionale; ~ **training** formazione *f* professionale.

vociferous [və'sɪfərəs] *adj* rumoroso(a).

vodka ['vɔdkə] *n* vodka *f inv*.

vogue [vəug] *n* moda; (*popularity*) popolarità, voga; **to be in** ~, **be the** ~ essere di moda.

voice [vɔɪs] *n* voce *f* ♦ *vt* (*opinion*) esprimere; **in a loud/soft** ~ a voce alta/bassa; **to give** ~ **to** esprimere.

voice-over ['vɔɪsəuvə*] *n* voce *f* fuori campo *inv*.

void [vɔɪd] *n* vuoto ♦ *adj*: ~ **of** privo(a) di.

voile [vɔɪl] *n* voile *m*.

vol. *abbr* (= *volume*) vol.

volatile ['vɔlətaɪl] *adj* volatile; (*fig*) volubile.

volcanic [vɔl'kænɪk] *adj* vulcanico(a).

volcano, ~**es** [vɔl'keɪnəu] *n* vulcano.

volition [və'lɪʃən] *n*: **of one's own** ~ di propria volontà.

volley ['vɔlɪ] *n* (*of gunfire*) salva; (*of stones etc*) raffica, gragnola; (*TENNIS etc*) volata.

volleyball ['vɔlɪbɔːl] *n* pallavolo *f*.

volt [vəult] *n* volt *m inv*.

voltage ['vəultɪdʒ] *n* tensione *f*, voltaggio; **high/low** ~ alta/bassa tensione.

voluble ['vɔljubl] *adj* loquace, ciarliero(a).

volume ['vɔljuːm] *n* volume *m*; (*of tank*) capacità *f inv*; ~ **one/two** (*of book*) volume primo/secondo; **his expression spoke** ~**s** la sua espressione lasciava capire tutto.

volume control *n* (*RADIO, TV*) regolatore *m* or manopola del volume.

volume discount *n* (*COMM*) vantaggio sul volume di vendita.

voluminous [və'luːmɪnəs] *adj* voluminoso(a); (*notes etc*) abbondante.

voluntarily ['vɔləntrɪlɪ] *adv* volontariamente; gratuitamente.

voluntary ['vɔləntərɪ] *adj* volontario(a); (*unpaid*) gratuito(a), non retribuito(a).

voluntary liquidation *n* (*COMM*) liquidazione *f* volontaria.

volunteer [vɔlən'tɪə*] *n* volontario/a ♦ *vi* (*MIL*) arruolarsi volontario; **to** ~ **to do** offrire (volontariamente) di fare.

voluptuous [və'lʌptjuəs] *adj* voluttuoso(a).

vomit ['vɔmɪt] *n* vomito ♦ *vt, vi* vomitare.

voracious [və'reɪʃəs] *adj* (*appetite*) smisurato(a); (*reader*) avido(a).

vote [vəut] *n* voto, suffragio; (*cast*) voto; (*franchise*) diritto di voto ♦ *vi* votare ♦ *vt* (*gen*) votare; (*sum of money etc*) votare a favore di; **to** ~ **to do sth** votare a favore di fare qc; **he was** ~**d secretary** è stato eletto segretario; **to put sth to the** ~, **to take a** ~ **on sth** mettere qc ai voti; ~ **for/against** voto a favore/contrario; **to pass a** ~ **of confidence/no confidence** dare il voto di fiducia/sfiducia; ~ **of thanks** discorso di ringraziamento.

voter ['vəutə*] *n* elettore/trice.

voting ['vəutɪŋ] *n* scrutinio.

voting paper *n* (*BRIT*) scheda elettorale.

voting right *n* diritto di voto.

vouch [vautʃ]: **to** ~ **for** *vt fus* farsi garante di.

voucher ['vautʃə*] *n* (*for meal, petrol*) buono; (*receipt*) ricevuta; **travel** ~ voucher *m inv*, tagliando.

vow [vau] *n* voto, promessa solenne ♦ *vi* giurare; **to take** *or* **make a** ~ **to do sth** fare voto di fare qc.

vowel ['vauəl] *n* vocale *f*.

voyage ['vɔɪɪdʒ] *n* viaggio per mare, traversata.

voyeur [vwɑː'jə:*] *n* guardone/a.

VP *n abbr* (= *vice-president*) V.P.

vs *abbr* (= *versus*) contro.

VSO *n abbr* (*BRIT*: = *Voluntary Service Overseas*) *servizio volontario in paesi sottosviluppati.*

VT, Vt. *abbr* (*US*) = *Vermont.*

vulgar ['vʌlgə*] *adj* volgare.

vulgarity [vʌl'gærɪtɪ] *n* volgarità.

vulnerability [vʌlnərə'bɪlɪtɪ] *n* vulnerabilità.

vulnerable ['vʌlnərəbl] *adj* vulnerabile.

vulture ['vʌltʃə*] *n* avvoltoio.

W w

W, w ['dʌbljuː] *n* (*letter*) W, w *m or f inv*; **W for William** ≈ W come Washington.

W *abbr* (= *west*) O; (*ELEC*: = *watt*) w.

WA *abbr* (*US*) = *Washington.*

wad [wɔd] *n* (*of cotton wool, paper*) tampone *m*; (*of banknotes etc*) fascio.

wadding ['wɔdɪŋ] *n* imbottitura.

waddle ['wɔdl] *vi* camminare come una papera.

wade [weɪd] *vi*: **to ~ through** camminare a stento in ♦ *vt* guadare.

wafer ['weɪfə*] *n* (*CULIN*) cialda; (*REL*) ostia; (*COMPUT*) wafer *m inv*.

wafer-thin ['weɪfə'θɪn] *adj* molto sottile.

waffle ['wɔfl] *n* (*CULIN*) cialda; (*col*) ciance *fpl*; riempitivo ♦ *vi* cianciare; parlare a vuoto.

waffle iron *n* stampo per cialde.

waft [wɔft] *vt* portare ♦ *vi* diffondersi.

wag [wæg] *vt* agitare, muovere ♦ *vi* agitarsi; **the dog ~ged its tail** il cane scodinzolò.

wage [weɪdʒ] *n* (*also*: ~**s**) salario, paga ♦ *vt*: **to ~ war** fare la guerra; **a day's ~s** un giorno di paga.

wage claim *n* rivendicazione *f* salariale.

wage differential *n* differenza di salario.

wage earner *n* salariato/a.

wage freeze *n* blocco dei salari.

wage packet *n* (*BRIT*) busta *f* paga *inv*.

wager ['weɪdʒə*] *n* scommessa.

waggle ['wægl] *vt* dimenare, agitare ♦ *vi* dimenarsi, agitarsi.

wag(g)on ['wægən] *n* (*horse-drawn*) carro; (*truck*) furgone *m*; (*BRIT RAIL*) vagone *m* (merci).

wail [weɪl] *n* gemito; (*of siren*) urlo ♦ *vi* gemere; urlare.

waist [weɪst] *n* vita, cintola.

waistcoat ['weɪskəut] *n* panciotto, gilè *m inv*.

waistline ['weɪstlaɪn] *n* (giro di) vita.

wait [weɪt] *n* attesa ♦ *vi* aspettare, attendere; **to ~ for** aspettare; **to keep sb ~ing** far aspettare qn; **~ a moment!** (aspetti) un momento!; **"repairs while you ~"** "riparazioni lampo"; **I can't ~ to** ... (*fig*) non vedo l'ora di ...; **to lie in ~ for** stare in agguato a.

▶**wait behind** *vi* rimanere (ad aspettare).

▶**wait on** *vt fus* servire.

▶**wait up** *vi* restare alzato(a) (ad aspettare); **don't ~ up for me** non rimanere alzato per me.

waiter ['weɪtə*] *n* cameriere *m*.

waiting ['weɪtɪŋ] *n*: **"no ~"** (*BRIT AUT*) "divieto di sosta".

waiting list *n* lista d'attesa.

waiting room *n* sala d'aspetto *or* d'attesa.

waitress ['weɪtrɪs] *n* cameriera.

waive [weɪv] *vt* rinunciare a, abbandonare.

waiver ['weɪvə*] *n* rinuncia.

wake [weɪk] *vb* (*pt* **woke**, ~**d**, *pp* **woken**, ~**d** [wəuk, 'wəukn]) *vt* (*also*: ~ **up**) svegliare ♦ *vi* (*also*: ~ **up**) svegliarsi ♦ *n* (*for dead person*) veglia funebre; (*NAUT*) scia; **to ~ up to sth** (*fig*) rendersi conto di qc; **in the**

~ of sulla scia di; **to follow in sb's ~** (*fig*) seguire le tracce di qn.

waken ['weɪkn] *vt, vi* = **wake**.

Wales [weɪlz] *n* Galles *m*.

walk [wɔːk] *n* passeggiata; (*short*) giretto; (*gait*) passo, andatura; (*path*) sentiero; (*in park etc*) sentiero, vialetto ♦ *vi* camminare; (*for pleasure, exercise*) passeggiare ♦ *vt* (*distance*) fare *or* percorrere a piedi; (*dog*) accompagnare, portare a passeggiare; **10 minutes' ~ from** 10 minuti di cammino *or* a piedi da; **to go for a ~** andare a fare quattro passi; andare a fare una passeggiata; **from all ~s of life** di tutte le condizioni sociali; **to ~ in one's sleep** essere sonnambulo(a); **I'll ~ you home** ti accompagno a casa.

▶**walk out** *vi* (*go out*) uscire; (*as protest*) uscire (in segno di protesta); (*strike*) scendere in sciopero; **to ~ out on sb** piantare in asso qn.

walkabout ['wɔːkəbaut] *n*: **to go (on a) ~** avere incontri informali col pubblico (*durante una visita ufficiale*).

walker ['wɔːkə*] *n* (*person*) camminatore/trice.

walkie-talkie ['wɔːkɪ'tɔːkɪ] *n* walkie-talkie *m inv*.

walking ['wɔːkɪŋ] *n* camminare *m*; **it's within ~ distance** ci si arriva a piedi.

walking holiday *n* vacanza fatta di lunghe camminate.

walking shoes *npl* scarpe *fpl* da passeggio.

walking stick *n* bastone *m* da passeggio.

Walkman ® ['wɔːkmən] *n* walkman ® *m inv*.

walk-on ['wɔːkɔn] *adj* (*THEAT*: *part*) da comparsa.

walkout ['wɔːkaut] *n* (*of workers*) sciopero senza preavviso *or* a sorpresa.

walkover ['wɔːkəuvə*] *n* (*col*) vittoria facile, gioco da ragazzi.

walkway ['wɔːkweɪ] *n* passaggio pedonale.

wall [wɔːl] *n* muro; (*internal, of tunnel, cave*) parete *f*; **to go to the ~** (*fig*: *firm etc*) fallire.

▶**wall in** *vt* (*garden etc*) circondare con un muro.

wall cupboard *n* pensile *m*.

walled [wɔːld] *adj* (*city*) fortificato(a).

wallet ['wɔlɪt] *n* portafoglio.

wallflower ['wɔːlflauə*] *n* violacciocca; **to be a ~** (*fig*) fare da tappezzeria.

wall hanging *n* tappezzeria.

wallop ['wɔləp] *vt* (*col*) pestare.

wallow ['wɔləu] *vi* sguazzare, rotolarsi; **to ~ in one's grief** crogiolarsi nel proprio dolore.

wallpaper ['wɔːlpeɪpə*] *n* carta da parati.

wall-to-wall ['wɔːltə'wɔːl] adj: ~ **carpeting** moquette f.

walnut ['wɔːlnʌt] n noce f; (tree) noce m.

walrus, pl ~ or ~**es** ['wɔːlrəs] n tricheco.

waltz [wɔːlts] n valzer m inv ♦ vi ballare il valzer.

wan [wɔn] adj pallido(a), smorto(a); triste.

wand [wɔnd] n (also: **magic** ~) bacchetta (magica).

wander ['wɔndə*] vi (person) girare senza meta, girovagare; (thoughts) vagare; (river) serpeggiare.

wanderer ['wɔndərə*] n vagabondo/a.

wandering ['wɔndrɪŋ] adj (tribe) nomade; (minstrel, actor) girovago(a); (path, river) tortuoso(a); (glance, mind) distratto(a).

wane [weɪn] vi (moon) calare; (reputation) declinare.

wangle ['wæŋgl] (BRIT col) vt procurare (con l'astuzia) ♦ n astuzia.

wanker ['wæŋkə*] n (col!) segaiolo (!); (as insult) coglione (!) m.

want [wɔnt] vt volere; (need) aver bisogno di; (lack) mancare di ♦ n (poverty) miseria, povertà; ~**s** npl (needs) bisogni mpl; **for** ~ **of** per mancanza di; **to** ~ **to do** volere fare; **to** ~ **sb to do** volere che qn faccia; **you're** ~**ed on the phone** la vogliono al telefono; "**cook** ~**ed**" "cercasi cuoco".

want ads npl (US) piccoli annunci mpl.

wanting ['wɔntɪŋ] adj: **to be** ~ **(in)** mancare (di); **to be found** ~ non risultare all'altezza.

wanton ['wɔntn] adj sfrenato(a); senza motivo.

war [wɔː*] n guerra; **to go to** ~ entrare in guerra.

warble ['wɔːbl] n (of bird) trillo ♦ vi trillare.

war cry n grido di guerra.

ward [wɔːd] n (in hospital: room) corsia; (: section) reparto; (POL) circoscrizione f; (LAW: child) pupillo/a.

▶**ward off** vt parare, schivare.

warden ['wɔːdn] n (of institution) direttore/trice; (of park, game reserve) guardiano/a; (BRIT: also: **traffic** ~) addetto/a al controllo del traffico e del parcheggio.

warder ['wɔːdə*] n (BRIT) guardia carceraria.

wardrobe ['wɔːdrəub] n (cupboard) guardaroba m inv, armadio; (clothes) guardaroba; (THEAT) costumi mpl.

warehouse ['wɛəhaus] n magazzino.

wares [wɛəz] npl merci fpl.

warfare ['wɔːfɛə*] n guerra.

war game n war game m inv.

warhead ['wɔːhɛd] n (MIL) testata, ogiva.

warily ['wɛərɪlɪ] adv cautamente, con prudenza.

warlike ['wɔːlaɪk] adj guerriero(a).

warm [wɔːm] adj caldo(a); (welcome, applause) caloroso(a); (person, greeting) cordiale; (heart) d'oro; (supporter) convinto(a); **it's** ~ fa caldo; **I'm** ~ ho caldo; **to keep sth** ~ tenere qc al caldo; **with my** ~**est thanks** con i miei più sentiti ringraziamenti.

▶**warm up** vi scaldarsi, riscaldarsi; (athlete, discussion) riscaldarsi ♦ vt scaldare, riscaldare; (engine) far scaldare.

warm-blooded ['wɔːm'blʌdɪd] adj a sangue caldo.

war memorial n monumento ai caduti.

warm-hearted [wɔːm'hɑːtɪd] adj affettuoso(a).

warmly ['wɔːmlɪ] adv caldamente; calorosamente; vivamente.

warmonger ['wɔːmʌŋgə*] n guerrafondaio.

warmongering ['wɔːmʌŋgrɪŋ] n bellicismo.

warmth [wɔːmθ] n calore m.

warm-up ['wɔːmʌp] n (SPORT) riscaldamento.

warn [wɔːn] vt avvertire, avvisare; **to** ~ **sb not to do sth** or **against doing sth** avvertire qn di non fare qc.

warning ['wɔːnɪŋ] n avvertimento; (notice) avviso; **without (any)** ~ senza preavviso; **gale** ~ avviso di burrasca.

warning light n spia luminosa.

warning triangle n (AUT) triangolo.

warp [wɔːp] n (TEXTILES) ordito ♦ vi deformarsi ♦ vt deformare; (fig) corrompere.

warpath ['wɔːpɑːθ] n: **to be on the** ~ (fig) essere sul sentiero di guerra.

warped [wɔːpt] adj (wood) curvo(a); (fig: character, sense of humour etc) contorto(a).

warrant ['wɔrnt] n (LAW: to arrest) mandato di cattura; (: to search) mandato di perquisizione ♦ vt (justify, merit) giustificare.

warrant officer (WO) n sottufficiale m.

warranty ['wɔrəntɪ] n garanzia; **under** ~ (COMM) in garanzia.

warren ['wɔrən] n (of rabbits) tana.

warring ['wɔːrɪŋ] adj (interests etc) opposto(a), in lotta; (nations) in guerra.

warrior ['wɔrɪə*] n guerriero/a.

Warsaw ['wɔːsɔː] n Varsavia.

warship ['wɔːʃɪp] n nave f da guerra.

wart [wɔːt] n verruca.

wartime ['wɔːtaɪm] n: **in** ~ in tempo di guerra.

wary ['wɛərɪ] adj prudente; **to be** ~ **about**

or **of doing sth** andare cauto nel fare qc.
was [wɔz] *pt of* **be**.
wash [wɔʃ] *vt* lavare; (*sweep, carry: sea etc*) portare, trascinare ♦ *vi* lavarsi ♦ *n*: **to give sth a** ~ lavare qc, dare una lavata a qc; **to have a** ~ lavarsi; **he was** ~**ed overboard** fu trascinato in mare (dalle onde).
▶**wash away** *vt* (*stain*) togliere lavando; (*subj: river etc*) trascinare via.
▶**wash down** *vt* lavare.
▶**wash off** *vi* andare via con il lavaggio.
▶**wash up** *vi* lavare i piatti; (*US: have a wash*) lavarsi.
Wash. *abbr* (*US*) = Washington.
washable ['wɔʃəbl] *adj* lavabile.
washbasin ['wɔʃbeɪsn] *n* lavabo.
washcloth ['wɔʃklɔθ] *n* (*US*) pezzuola (per lavarsi).
washer ['wɔʃə*] *n* (*TECH*) rondella.
washing ['wɔʃɪŋ] *n* (*BRIT: linen etc*) bucato; **dirty** ~ biancheria da lavare.
washing line *n* (*BRIT*) corda del bucato.
washing machine *n* lavatrice *f*.
washing powder *n* (*BRIT*) detersivo (in polvere).
Washington ['wɔʃɪŋtən] *n* Washington *f*.
washing-up [wɔʃɪŋ'ʌp] *n* (*dishes*) piatti *mpl* sporchi; **to do the** ~ lavare i piatti, rigovernare.
washing-up liquid *n* (*BRIT*) detersivo liquido (per stoviglie).
wash-out ['wɔʃaut] *n* (*col*) disastro.
washroom ['wɔʃrum] *n* gabinetto.
wasn't ['wɔznt] = **was not**.
Wasp, WASP [wɔsp] *n abbr* (*US*: = *White Anglo-Saxon Protestant*) W.A.S.P. *m* (*protestante bianco anglosassone*).
wasp [wɔsp] *n* vespa.
waspish ['wɔspɪʃ] *adj* litigioso(a).
wastage ['weɪstɪdʒ] *n* spreco; (*in manufacturing*) scarti *mpl*.
waste [weɪst] *n* spreco; (*of time*) perdita; (*rubbish*) rifiuti *mpl* ♦ *adj* (*material*) di scarto; (*food*) avanzato(a); (*energy, heat*) sprecato(a); (*land, ground: in city*) abbandonato(a); (: *in country*) incolto(a) ♦ *vt* sprecare; (*time, opportunity*) perdere; ~**s** *npl* distesa desolata; **it's a** ~ **of money** sono soldi sprecati; **to go to** ~ andare sprecato; **to lay** ~ devastare.
▶**waste away** *vi* deperire.
wastebasket ['weɪstbɑːskɪt] *n* = **wastepaper basket**.
waste disposal (unit) *n* (*BRIT*) eliminatore *m* di rifiuti.
wasteful ['weɪstful] *adj* sprecone(a); (*process*) dispendioso(a).

waste ground *n* (*BRIT*) terreno incolto *or* abbandonato.
wasteland ['weɪstlænd] *n* terra desolata.
wastepaper basket ['weɪstpeɪpə-] *n* cestino per la carta straccia.
waste pipe *n* tubo di scarico.
waste products *npl* (*INDUSTRY*) materiali *mpl* di scarto.
waster ['weɪstə*] *n* (*col*) buono/a a nulla.
watch [wɔtʃ] *n* (*wrist*~) orologio; (*act of watching*) sorveglianza; (*guard: MIL, NAUT*) guardia; (*NAUT: spell of duty*) quarto ♦ *vt* (*look at*) osservare; (: *match, programme*) guardare; (*spy on, guard*) sorvegliare, tenere d'occhio; (*be careful of*) fare attenzione a ♦ *vi* osservare, guardare; (*keep guard*) fare *or* montare la guardia; **to keep a close** ~ **on sb/sth** tener bene d'occhio qn/qc; ~ **how you drive/what you're doing** attento a come guidi/quel che fai.
▶**watch out** *vi* fare attenzione.
watchband ['wɔtʃbænd] *n* (*US*) cinturino da orologio.
watchdog ['wɔtʃdɔg] *n* cane *m* da guardia; (*fig*) sorvegliante *m/f*.
watchful ['wɔtʃful] *adj* attento(a), vigile.
watchmaker ['wɔtʃmeɪkə*] *n* orologiaio/a.
watchman ['wɔtʃmən] *n* guardiano; (*also: night* ~) guardiano notturno.
watch stem *n* (*US*) corona di carica.
watch strap *n* cinturino da orologio.
watchword ['wɔtʃwɔːd] *n* parola d'ordine.
water [wɔːtə*] *n* acqua ♦ *vt* (*plant*) annaffiare ♦ *vi* (*eyes*) piangere; **in British** ~**s** nelle acque territoriali britanniche; **I'd like a drink of** ~ vorrei un bicchier d'acqua; **to pass** ~ orinare; **to make sb's mouth** ~ far venire l'acquolina in bocca a qn.
▶**water down** *vt* (*milk*) diluire; (*fig: story*) edulcorare.
water closet *n* (*BRIT*) W.C. *m inv*, gabinetto.
watercolour, (*US*) watercolor ['wɔːtəkʌlə*] *n* (*picture*) acquerello; ~**s** *npl* colori *mpl* per acquerelli.
water-cooled ['wɔːtəkuːld] *adj* raffreddato(a) ad acqua.
watercress ['wɔːtəkrɛs] *n* crescione *m*.
waterfall ['wɔːtəfɔːl] *n* cascata.
waterfront ['wɔːtəfrʌnt] *n* (*seafront*) lungomare *m*; (*at docks*) banchina.
water heater *n* scaldabagno.
water hole *n* pozza d'acqua.
water ice *n* (*BRIT*) sorbetto.
watering can ['wɔːtərɪŋ-] *n* annaffiatoio.
water level *n* livello dell'acqua; (*of flood*) livello delle acque.

water lily *n* ninfea.
waterline ['wɔːtəlaɪn] *n* (*NAUT*) linea di galleggiamento.
waterlogged ['wɔːtəlɔgd] *adj* saturo(a) d'acqua; imbevuto(a) d'acqua; (*football pitch etc*) allagato(a).
watermark ['wɔːtəmɑːk] *n* (*on paper*) filigrana.
watermelon ['wɔːtəmɛlən] *n* anguria, cocomero.
water polo *n* pallanuoto *f*.
waterproof ['wɔːtəpruːf] *adj* impermeabile.
water-repellent ['wɔːtərɪ'pɛlənt] *adj* idrorepellente.
watershed ['wɔːtəʃɛd] *n* (*GEO, fig*) spartiacque *m*.
water-skiing ['wɔːtəskiːɪŋ] *n* sci *m* acquatico.
water softener *n* addolcitore *m*; (*substance*) anti-calcare *m*.
water tank *n* serbatoio d'acqua.
watertight ['wɔːtətaɪt] *adj* stagno(a).
water vapour *n* vapore *m* acqueo.
waterway ['wɔːtəweɪ] *n* corso d'acqua navigabile.
waterworks ['wɔːtəwɜːks] *npl* impianto idrico.
watery ['wɔːtərɪ] *adj* (*colour*) slavato(a); (*coffee*) acquoso(a).
watt [wɔt] *n* watt *m inv*.
wattage ['wɔtɪdʒ] *n* wattaggio.
wattle ['wɔtl] *n* graticcio.
wave [weɪv] *n* onda; (*of hand*) gesto, segno; (*in hair*) ondulazione *f*; (*fig: of enthusiasm, strikes etc*) ondata ♦ *vi* fare un cenno con la mano; (*flag*) sventolare ♦ *vt* (*handkerchief*) sventolare; (*stick*) brandire; (*hair*) ondulare; **short/medium/long ~** (*RADIO*) onde corte/medie/lunghe; **the new ~** (*CINE, MUS*) la new wave; **to ~ sb goodbye, to ~ goodbye to sb** fare un cenno d'addio a qn; **he ~d us over to his table** ci invitò con un cenno al suo tavolo.
▶**wave aside, wave away** *vt* (*person*): **to ~ sb aside** fare cenno a qn di spostarsi; (*fig: suggestion, objection*) respingere, rifiutare; (: *doubts*) scacciare.
waveband ['weɪvbænd] *n* gamma di lunghezze d'onda.
wavelength ['weɪvlɛŋθ] *n* lunghezza d'onda.
waver ['weɪvə*] *vi* vacillare; (*voice*) tremolare.
wavy ['weɪvɪ] *adj* ondulato(a); ondeggiante.
wax [wæks] *n* cera ♦ *vt* dare la cera a; (*car*) lucidare ♦ *vi* (*moon*) crescere.
waxworks ['wækswɜːks] *npl* cere *fpl*; museo delle cere.

way [weɪ] *n* via, strada; (*path, access*) passaggio; (*distance*) distanza; (*direction*) parte *f*, direzione *f*; (*manner*) modo, stile *m*; (*habit*) abitudine *f*; (*condition*) condizione *f*; **which ~? — this ~** da che parte or in quale direzione? — da questa parte or per di qua; **to crawl one's ~ to ...** raggiungere ... strisciando; **he lied his ~ out of it** se l'è cavata mentendo; **to lose one's ~** perdere la strada; **on the ~** (*en route*) per strada; (*expected*) in arrivo; **you pass it on your ~ home** ci passi davanti andando a casa; **to be on one's ~** essere in cammino or sulla strada; **to be in the ~** bloccare il passaggio; (*fig*) essere tra i piedi or d'impiccio; **to keep out of sb's ~** evitare qn; **it's a long ~ away** è molto lontano da qui; **the village is rather out of the ~** il villaggio è abbastanza fuori mano; **to go out of one's ~ to do** (*fig*) mettercela tutta or fare di tutto per fare; **to be under ~** (*work, project*) essere in corso; **to make ~ (for sb/sth)** far strada (a qn/qc); (*fig*) lasciare il posto or far largo (a qn/qc); **to get one's own ~** fare come si vuole; **put it the right ~ up** (*BRIT*) mettilo in piedi dalla parte giusta; **to be the wrong ~ round** essere al contrario; **he's in a bad ~** è ridotto male; **in a ~** in un certo senso; **in some ~s** sotto certi aspetti; **in the ~ of** come; **by ~ of** (*through*) attraverso; (*as a sort of*) come; **"~ in"** "entrata", "ingresso"; **"~ out"** "uscita"; **the ~ back** la via del ritorno; **this ~ and that** di qua e di là; **"give ~"** (*BRIT AUT*) "dare la precedenza"; **no ~!** (*col*) assolutamente no!
waybill ['weɪbɪl] *n* (*COMM*) bolla di accompagnamento.
waylay [weɪ'leɪ] *vt irreg* tendere un agguato a; attendere al passaggio; (*fig*): **I got waylaid** ho avuto un contrattempo.
wayside ['weɪsaɪd] *n* bordo della strada; **to fall by the ~** (*fig*) perdersi lungo la strada.
way station *n* (*US RAIL*) stazione *f* secondaria; (*fig*) tappa.
wayward ['weɪwəd] *adj* capriccioso(a); testardo(a).
WC *n abbr* (*BRIT*: = *water closet*) W.C. *m inv*, gabinetto.
WCC *n abbr* (= *World Council of Churches*) Consiglio Ecumenico delle Chiese.
we [wiː] *pl pron* noi; **here ~ are** eccoci.
weak [wiːk] *adj* debole; (*health*) precario(a); (*beam etc*) fragile; (*tea, coffee*) leggero(a); **to grow ~(er)** indebolirsi.

weaken ['wiːkən] *vi* indebolirsi ♦ *vt* indebolire.

weak-kneed ['wiːk'niːd] *adj* (*fig*) debole, codardo(a).

weakling ['wiːklɪŋ] *n* smidollato/a; debole *m/f*.

weakly ['wiːklɪ] *adj* deboluccio(a), gracile ♦ *adv* debolmente.

weakness ['wiːknɪs] *n* debolezza; (*fault*) punto debole, difetto.

wealth [wɛlθ] *n* (*money, resources*) ricchezza, richezze *fpl*; (*of details*) abbondanza, profusione *f*.

wealth tax *n* imposta sul patrimonio.

wealthy ['wɛlθɪ] *adj* ricco(a).

wean [wiːn] *vt* svezzare.

weapon ['wɛpən] *n* arma.

wear [wɛə*] *n* (*use*) uso; (*deterioration through use*) logorio, usura; (*clothing*): **sports/baby** ~ abbigliamento sportivo/ per neonati ♦ *vb* (*pt* **wore**, *pp* **worn** [wɔː*, wɔːn]) *vt* (*clothes*) portare; mettersi; (*look, smile, beard etc*) avere; (*damage: through use*) consumare ♦ *vi* (*last*) durare; (*rub etc through*) consumarsi; ~ **and tear** usura, consumo; **town/evening** ~ abiti *mpl or* tenuta da città/sera; **to** ~ **a hole in sth** bucare qc a furia di usarlo.

▶**wear away** *vt* consumare; erodere ♦ *vi* consumarsi; essere eroso(a).

▶**wear down** *vt* consumare; (*strength*) esaurire.

▶**wear off** *vi* sparire lentamente.

▶**wear on** *vi* passare.

▶**wear out** *vt* consumare; (*person, strength*) esaurire.

wearable ['wɛərəbl] *adj* indossabile.

wearily ['wɪərɪlɪ] *adv* stancamente.

weariness ['wɪərɪnɪs] *n* stanchezza.

wearisome ['wɪərɪsəm] *adj* (*tiring*) estenuante; (*boring*) noioso(a).

weary ['wɪərɪ] *adj* stanco(a); (*tiring*) faticoso(a) ♦ *vt* stancare ♦ *vi*: **to** ~ **of** stancarsi di.

weasel ['wiːzl] *n* (*ZOOL*) donnola.

weather ['wɛðə*] *n* tempo ♦ *vt* (*wood*) stagionare; (*storm, crisis*) superare; **what's the** ~ **like?** che tempo fa?; **under the** ~ (*fig: ill*) poco bene.

weather-beaten ['wɛðəbiːtn] *adj* (*person*) segnato(a) dalle intemperie; (*building*) logorato(a) dalle intemperie.

weather forecast *n* previsioni *fpl* del tempo, bollettino meteorologico.

weatherman ['wɛðəmæn] *n* meteorologo.

weatherproof ['wɛðəpruːf] *adj* (*garment*) impermeabile.

weather report *n* bollettino meteorologico.

weather vane *n* = **weather cock**.

weave, ** *pt* **wove, *pp* **woven** [wiːv, wəuv, 'wəuvn] *vt* (*cloth*) tessere; (*basket*) intrecciare ♦ *vi* (*fig: pt, pp* ~**d**: *move in and out*) zigzagare.

weaver ['wiːvə*] *n* tessitore/trice.

weaving ['wiːvɪŋ] *n* tessitura.

web [wɛb] *n* (*of spider*) ragnatela; (*on foot*) palma; (*fabric, also fig*) tessuto.

webbed [wɛbd] *adj* (*foot*) palmato(a).

webbing ['wɛbɪŋ] *n* (*on chair*) cinghie *fpl*.

wed [wɛd] *vt* (*pt, pp* **wedded**) sposare ♦ *n*: **the newly-**~**s** gli sposi novelli.

Wed. *abbr* (= *Wednesday*) mer.

we'd [wiːd] = **we had; we would**.

wedded ['wɛdɪd] *pt, pp of* **wed**.

wedding ['wɛdɪŋ] *n* matrimonio; **silver/ golden** ~ nozze *fpl* d'argento/d'oro.

wedding anniversary *n* anniversario di matrimonio.

wedding day *n* giorno delle nozze *or* del matrimonio.

wedding dress *n* abito nuziale.

wedding present *n* regalo di nozze.

wedding ring *n* fede *f*.

wedge [wɛdʒ] *n* (*of wood etc*) cuneo; (*under door etc*) zeppa; (*of cake*) spicchio, fetta ♦ *vt* mettere una zeppa sotto (*or* in); **to** ~ **a door open** tenere aperta una porta con un fermo.

wedge-heeled shoes ['wɛdʒhiːld-] *npl* scarpe *fpl* con tacco a zeppa.

wedlock ['wɛdlɔk] *n* vincolo matrimoniale.

Wednesday ['wɛdnzdɪ] *n* mercoledì *m inv*; *for phrases see also* **Tuesday**.

wee [wiː] *adj* (*Scottish*) piccolo(a).

weed [wiːd] *n* erbaccia ♦ *vt* diserbare.

▶**weed out** *vt* fare lo spoglio di.

weed-killer ['wiːdkɪlə*] *n* diserbante *m*.

weedy ['wiːdɪ] *adj* (*man*) allampanato.

week [wiːk] *n* settimana; **once/twice a** ~ una volta/due volte alla settimana; **in 2** ~**s' time** fra 2 settimane, fra 15 giorni; **Tuesday** ~, **a** ~ **on Tuesday** martedì a otto.

weekday ['wiːkdeɪ] *n* giorno feriale; (*COMM*) giornata lavorativa; **on** ~**s** durante la settimana.

weekend [wiːk'ɛnd] *n* fine settimana *m or f inv*, weekend *m inv*.

weekend case *n* borsa da viaggio.

weekly ['wiːklɪ] *adv* ogni settimana, settimanalmente ♦ *adj, n* settimanale (*m*).

weep, ** *pt, pp* **wept [wiːp, wɛpt] *vi* (*person*) piangere; (*MED: wound etc*) essudare.

weeping willow ['wiːpɪŋ-] *n* salice *m* piangente.

weepy ['wiːpɪ] n (col) film m inv or storia strappalacrime.

weft [wɛft] n (TEXTILES) trama.

weigh [weɪ] vt, vi pesare; **to ~ anchor** salpare or levare l'ancora; **to ~ the pros and cons** valutare i pro e i contro.

▸**weigh down** vt (branch) piegare; (fig: with worry) opprimere, caricare.

▸**weigh out** vt (goods) pesare.

▸**weigh up** vt valutare.

weighbridge ['weɪbrɪdʒ] n bascula.

weighing machine ['weɪɪŋ-] n pesa.

weight [weɪt] n peso; **sold by ~** venduto(a) a peso; **~s and measures** pesi e misure; **to put on/lose ~** ingrassare/dimagrire.

weighting ['weɪtɪŋ] n: **~ allowance** indennità f inv speciale (per carovita etc).

weightlessness ['weɪtlɪsnɪs] n mancanza di peso.

weightlifter ['weɪtlɪftə*] n pesista m.

weight training n: **to do ~** allenarsi con i pesi.

weighty ['weɪtɪ] adj pesante; (fig) importante, grave.

weir [wɪə*] n diga.

weird [wɪəd] adj strano(a), bizzarro(a); (eerie) soprannaturale.

weirdo ['wɪədəu] n (col) tipo/a allucinante.

welcome ['wɛlkəm] adj benvenuto(a) ♦ n accoglienza, benvenuto ♦ vt accogliere cordialmente; (also: **bid ~**) dare il benvenuto a; (be glad of) rallegrarsi di; **to be ~** essere il(la) benvenuto(a); **to make sb ~** accogliere bene qn; **you're ~** (after thanks) prego; **you're ~ to try** provi pure.

welcoming ['wɛlkəmɪŋ] adj accogliente.

weld [wɛld] n saldatura ♦ vt saldare.

welder ['wɛldə*] n (person) saldatore m.

welding ['wɛldɪŋ] n saldatura (autogena).

welfare ['wɛlfɛə*] n benessere m.

welfare state n stato sociale.

welfare work n assistenza sociale.

well [wɛl] n pozzo ♦ adv bene ♦ adj: **to be ~** (person) stare bene ♦ excl allora!; ma!; ebbene!; **~ done!** bravo(a)!; **get ~ soon!** guarisci presto!; **to do ~ in sth** riuscire in qc; **to be doing ~** stare bene; **to think ~ of sb** avere una buona opinione di qn; **I don't feel ~** non mi sento bene; **as ~** (in addition) anche; **X as ~ as Y** sia X che Y; **he did as ~ as he could** ha fatto come meglio poteva; **you might as ~ tell me** potresti anche dirmelo; **it would be as ~ to ask** sarebbe bene chiedere; **~, as I was saying ...** dunque, come stavo dicendo ....

▸**well up** vi (tears, emotions) sgorgare.

we'll [wiːl] = **we will; we shall**.

well-behaved ['wɛlbɪ'heɪvd] adj ubbidiente.

well-being ['wɛl'biːɪŋ] n benessere m.

well-bred ['wɛl'brɛd] adj educato(a), beneducato(a).

well-built ['wɛl'bɪlt] adj (person) ben fatto(a).

well-chosen ['wɛl't ʃəuzn] adj (remarks, words) ben scelto(a), appropriato(a).

well-developed ['wɛldɪ'vɛləpt] adj sviluppato(a).

well-disposed ['wɛldɪs'pəuzd] adj: **~ to(wards)** bendisposto(a) verso.

well-dressed ['wɛl'drɛst] adj ben vestito(a), vestito(a) bene.

well-earned ['wɛl'əːnd] adj (rest) meritato(a).

well-groomed ['wɛl'gruːmd] adj curato(a), azzimato(a).

well-heeled ['wɛl'hiːld] adj (col: wealthy) agiato(a), facoltoso(a).

well-informed ['wɛlɪn'fɔːmd] adj ben informato(a).

Wellington ['wɛlɪŋtən] n Wellington f.

wellingtons ['wɛlɪŋtənz] npl (also: **wellington boots**) stivali mpl di gomma.

well-kept ['wɛl'kɛpt] adj (house, grounds, secret) ben tenuto(a); (hair, hands) ben curato(a).

well-known ['wɛl'nəun] adj noto(a), famoso(a).

well-mannered ['wɛl'mænəd] adj ben educato(a).

well-meaning ['wɛl'miːnɪŋ] adj ben intenzionato(a).

well-nigh ['wɛl'naɪ] adv: **~ impossible** quasi impossibile.

well-off ['wɛl'ɔf] adj benestante, danaroso(a).

well-read ['wɛl'rɛd] adj colto(a).

well-spoken ['wɛl'spəukn] adj che parla bene.

well-stocked ['wɛl'stɔkt] adj (shop, larder) ben fornito(a).

well-timed ['wɛl'taɪmd] adj opportuno(a).

well-to-do ['wɛltə'duː] adj abbiente, benestante.

well-wisher ['wɛlwɪ ʃə*] n ammiratore/trice; **letters from ~s** lettere fpl di incoraggiamento.

well-woman clinic ['wɛlwumən-] n ≈ consultorio (familiare).

Welsh [wɛl ʃ] adj gallese ♦ n (LING) gallese m; **the ~** npl i gallesi.

Welshman, Welshwoman ['wɛl ʃmən, -wumən] n gallese m/f.

Welsh rarebit n crostino al formaggio.

welter ['wɛltə*] n massa, mucchio.

went [wɛnt] pt of **go**.

wept [wɛpt] pt, pp of **weep**.

were [wəː*] *pt of* **be.**

we're [wɪə*] = **we are.**

weren't [wəːnt] = **were not.**

werewolf, *pl* **-wolves** ['wɪəwulf, -wulvz] *n* licantropo, lupo mannaro (*col*).

west [wɛst] *n* ovest *m*, occidente *m*, ponente *m* ♦ *adj* (a) ovest *inv*, occidentale ♦ *adv* verso ovest; **the W~** l'Occidente.

westbound ['wɛstbaund] *adj* (*traffic*) diretto(a) a ovest; (*carriageway*) ovest *inv*.

West Country *n*: **the ~** il sud-ovest dell'Inghilterra.

westerly ['wɛstəlɪ] *adj* (*wind*) occidentale, da ovest.

western ['wɛstən] *adj* occidentale, dell'ovest ♦ *n* (*CINE*) western *m inv*.

westerner ['wɛstənə*] *n* occidentale *m/f*.

westernized ['wɛstənaɪzd] *adj* occidentalizzato(a).

West German *adj*, *n* tedesco(a) occidentale.

West Germany *n* Germania Occidentale.

West Indian *adj* delle Indie Occidentali ♦ *n* abitante *m/f* (*or* originario/a) delle Indie Occidentali.

West Indies [-'ɪndɪz] *npl*: **the ~** le Indie Occidentali.

Westminster ['wɛstmɪnstə*] *n* il parlamento (britannico).

westward(s) ['wɛstwəd(z)] *adv* verso ovest.

wet [wɛt] *adj* umido(a), bagnato(a); (*soaked*) fradicio(a); (*rainy*) piovoso(a) ♦ *vt*: **to ~ one's pants** *or* **o.s.** farsi la pipì addosso; **to get ~** bagnarsi; **"~ paint"** "vernice fresca".

wet blanket *n* (*fig*) guastafeste *m/f inv*.

wetness ['wɛtnɪs] *n* umidità.

wet suit *n* tuta da sub.

we've [wiːv] = **we have.**

whack [wæk] *vt* picchiare, battere.

whacked [wækt] *adj* (*col: tired*) sfinito(a), a pezzi.

whale [weɪl] *n* (*ZOOL*) balena.

whaler ['weɪlə*] *n* (*ship*) baleniera.

whaling ['weɪlɪŋ] *n* caccia alla balena.

wharf, *pl* **wharves** [wɔːf, wɔːvz] *n* banchina.

━━━━━━━━━━━━━━━━━ *KEYWORD*

what [wɔt] *adj* **1** (*in direct/indirect questions*) che; quale; **~ size is it?** che taglia è?; **~ colour is it?** di che colore è?; **~ books do you want?** quali *or* che libri vuole?; **for ~ reason?** per quale motivo?

2 (*in exclamations*) che; **~ a mess!** che disordine!

♦ *pron* **1** (*interrogative*) che cosa, cosa, che;

~'s in there? cosa c'è lì dentro?; **~ is his address?** qual è il suo indirizzo?; **~ will it cost?** quanto costerà?; **~ are you doing?** che *or* (che) cosa fai?; **~ are you talking about?** di che cosa parli?; **~'s happening?** che *or* (che) cosa succede?; **~ is it called?** come si chiama?; **~ about me?** e io?; **~ about doing ...?** e se facessimo ...?

2 (*relative*) ciò che, quello che; **I saw ~ you did** ho visto quello che hai fatto; **I saw ~ was on the table** ho visto cosa c'era sul tavolo; **~ I want is a cup of tea** ciò che voglio adesso è una tazza di tè

3 (*indirect use*) (che) cosa; **he asked me ~ she had said** mi ha chiesto che cosa avesse detto; **tell me ~ you're thinking about** dimmi a cosa stai pensando; **I don't know ~ to do** non so cosa fare

♦ *excl* (*disbelieving*) cosa!, come!

whatever [wɔt'ɛvə*] *adj*: **~ book** qualunque *or* qualsiasi libro + *sub* ♦ *pron*: **do ~ is necessary/you want** faccia qualunque *or* qualsiasi cosa sia necessaria/lei voglia; **~ happens** qualunque cosa accada; **no reason ~** *or* **whatsoever** nessuna ragione affatto *or* al mondo; **~ it costs** costi quello che costi.

whatsoever [wɔtsəu'ɛvə*] *adj*, *pron* = **whatever.**

wheat [wiːt] *n* grano, frumento.

wheatgerm ['wiːtdʒəːm] *n* germe *m* di grano.

wheatmeal ['wiːtmiːl] *n* farina integrale di frumento.

wheedle ['wiːdl] *vt*: **to ~ sb into doing sth** convincere qn a fare qc (con lusinghe); **to ~ sth out of sb** ottenere qc da qn (con lusinghe).

wheel [wiːl] *n* ruota; (*AUT: also*: **steering ~**) volante *m*; (*NAUT*) (ruota del) timone *m* ♦ *vt* spingere ♦ *vi* (*also*: **~ round**) girare.

wheelbarrow ['wiːlbærəu] *n* carriola.

wheelbase ['wiːlbeɪs] *n* interasse *m*.

wheelchair ['wiːltʃɛə*] *n* sedia a rotelle.

wheel clamp *n* (*AUT*) morsetto *m* bloccaruota *inv*.

wheeler-dealer ['wiːlə'diːlə*] *n* trafficone *m*, maneggione *m*.

wheelie-bin ['wiːlɪbɪn] *n* (*BRIT*) bidone *m* (della spazzatura) a rotelle.

wheeling ['wiːlɪŋ] *n*: **~ and dealing** maneggi *mpl*.

wheeze [wiːz] *n* respiro affannoso ♦ *vi* ansimare.

wheezy ['wiːzɪ] *adj* (*person*) che respira con affanno; (*breath*) sibilante.

========================== KEYWORD

when [wɛn] adv quando; ~ **did it happen?** quando è successo?

♦ conj 1 (at, during, after the time that) quando; **she was reading ~ I came in** quando sono entrato lei leggeva; **that was ~ I needed you** era allora che avevo bisogno di te

2 (on, at which): **on the day ~ I met him** il giorno in cui l'ho incontrato; **one day ~ it was raining** un giorno che pioveva

3 (whereas) quando, mentre; **you said I was wrong ~ in fact I was right** mi hai detto che avevo torto, quando in realtà avevo ragione.

whenever [wɛn'ɛvə*] adv quando mai ♦ conj quando; (every time that) ogni volta che; **I go ~ I can** ci vado ogni volta che posso.

where [wɛə*] adv, conj dove; **this is ~** è qui che; **~ are you from?** di dov'è?; **~ possible** quando è possibile, se possibile.

whereabouts ['wɛərəbauts] adv dove ♦ n: **sb's ~** luogo dove qn si trova.

whereas [wɛər'æz] conj mentre.

whereby [wɛə'baɪ] adv (formal) per cui.

whereupon [wɛərə'pɒn] adv al che.

wherever [wɛər'ɛvə*] adv dove mai ♦ conj dovunque + sub; **sit ~ you like** si sieda dove vuole.

wherewithal ['wɛərwɪðɔ:l] n: **the ~ (to do sth)** i mezzi (per fare qc).

whet [wɛt] vt (tool) affilare; (appetite etc) stimolare.

whether ['wɛðə*] conj se; **I don't know ~ to accept or not** non so se accettare o no; **it's doubtful ~** è poco probabile che; **~ you go or not** che lei vada o no.

whey [weɪ] n siero.

========================== KEYWORD

which [wɪtʃ] adj 1 (interrogative: direct, indirect) quale; **~ picture do you want?** quale quadro vuole?; **~ one?** quale?; **~ one of you did it?** chi di voi lo ha fatto?; **tell me ~ one you want** mi dica quale vuole

2: **in ~ case** nel qual caso; **by ~ time** e a quel punto

♦ pron 1 (interrogative) quale; **~ (of these) are yours?** quali di questi sono suoi?; **~ of you are coming?** chi di voi viene?

2 (relative) che; (: indirect) cui, il (la) quale; **the apple ~ you ate/~ is on the table** la mela che hai mangiato/che è sul tavolo; **the chair on ~ you are sitting** la sedia sulla quale or su cui sei seduto; **the**

book of ~ we were speaking il libro del quale stavamo parlando; **he said he knew, ~ is true** ha detto che lo sapeva, il che è vero; **I don't mind ~** non mi importa quale; **after ~** dopo di che.

whichever [wɪtʃ'ɛvə*] adj: **take ~ book you prefer** prenda qualsiasi libro che preferisce; **~ book you take** qualsiasi libro prenda; **~ way you** ... in qualunque modo lei ... + sub.

whiff [wɪf] n odore m; **to catch a ~ of sth** sentire l'odore di qc.

while [waɪl] n momento ♦ conj mentre; (as long as) finché; (although) sebbene + sub; **for a ~** per un po'; **in a ~** tra poco; **all the ~** tutto il tempo; **we'll make it worth your ~** faremo in modo che le valga la pena.

▶**while away** vt (time) far passare.

whilst [waɪlst] conj = while.

whim [wɪm] n capriccio.

whimper ['wɪmpə*] n piagnucolio ♦ vi piagnucolare.

whimsical ['wɪmzɪkl] adj (person) capriccioso(a); (look) strano(a).

whine [waɪn] n gemito ♦ vi gemere; uggiolare; piagnucolare.

whip [wɪp] n frusta; (for riding) frustino; (POL: person) capogruppo ♦ vt frustare; (CULIN: cream etc) sbattere; (snatch) sollevare (or estrarre) bruscamente.

▶**whip up** vt (cream) montare, sbattere; (col: meal) improvvisare; (: stir up: support, feeling) suscitare, stimolare.

Nel Parlamento britannico i **whip** sono parlamentari incaricati di mantenere la disciplina tra i deputati del loro partito durante le votazioni e di verificare la loro presenza in aula.

whiplash ['wɪplæʃ] n (MED: also: ~ **injury**) colpo di frusta.

whipped cream ['wɪpt-] n panna montata.

whipping boy ['wɪpɪŋ-] n (fig) capro espiatorio.

whip-round ['wɪpraund] n (BRIT) colletta.

whirl [wə:l] n turbine m ♦ vt (far) girare rapidamente; (far) turbinare ♦ vi turbinare; (dancers) volteggiare; (leaves, dust) sollevarsi in un vortice.

whirlpool ['wə:lpu:l] n mulinello.

whirlwind ['wə:lwɪnd] n turbine m.

whirr [wə:*] vi ronzare.

whisk [wɪsk] n (CULIN) frusta; frullino ♦ vt sbattere, frullare; **to ~ sb away or off** portar via qn a tutta velocità.

whiskers ['wɪskəz] npl (of animal) baffi mpl;

(*of man*) favoriti *mpl*.
whisky, (*Irish, US*) **whiskey** ['wɪskɪ] *n*
whisky *m inv*.
whisper ['wɪspə*] *n* bisbiglio, sussurro;
(*rumour*) voce *f* ♦ *vt, vi* bisbigliare,
sussurrare; **to ~ sth to sb** bisbigliare qc
a qn.
whispering ['wɪspərɪŋ] *n* bisbiglio.
whist [wɪst] *n* (*BRIT*) whist *m*.
whistle ['wɪsl] *n* (*sound*) fischio; (*object*)
fischietto ♦ *vi, vt* fischiare; **to ~ a tune**
fischiettare un motivetto.
whistle-stop ['wɪslstɔp] *adj*: **~ tour** (*POL,
fig*) rapido giro.
Whit [wɪt] *n* Pentecoste *f*.
white [waɪt] *adj* bianco(a); (*with fear*)
pallido(a) ♦ *n* bianco; (*person*) bianco/a;
to turn *or* **go ~** (*person*) sbiancare; (*hair*)
diventare bianco; **the ~s** (*washing*)
i capi bianchi; **tennis ~s** completo
da tennis.
whitebait ['waɪtbeɪt] *n* bianchetti
mpl.
white-collar worker ['waɪtkɔlə-] *n*
impiegato/a.
white elephant *n* (*fig*) oggetto (*or*
progetto) costoso ma inutile.
white goods *npl* (*appliances*)
elettrodomestici *mpl*; (*linens*) biancheria
per la casa.
white-hot [waɪt'hɔt] *adj* (*metal*)
incandescente.
White House *n*: **the ~** la Casa Bianca.

> La **White House** è la residenza ufficiale del
> presidente degli Stati Uniti e ha sede a
> Washington DC. Spesso il termine viene
> usato per indicare l'esecutivo del governo
> statunitense.

white lie *n* bugia pietosa.
whiteness ['waɪtnɪs] *n* bianchezza.
white noise *n* rumore *m* bianco.
white paper *n* (*POL*) libro bianco.
whitewash ['waɪtwɔʃ] *n* (*paint*) bianco di
calce ♦ *vt* imbiancare; (*fig*)
coprire.
whiting ['waɪtɪŋ] *n* (*pl inv*) merlango.
Whit Monday *n* lunedì *m inv* di
Pentecoste.
Whitsun ['wɪtsn] *n* Pentecoste *f*.
whittle ['wɪtl] *vt*: **to ~ away**, **~ down**
ridurre, tagliare.
whizz [wɪz] *vi* passare sfrecciando.
whizz kid *n* (*col*) prodigio.
WHO *n abbr* (= *World Health Organization*)
O.M.S. *f* (= *Organizzazione mondiale della
sanità*).

════════════════════════ *KEYWORD*

who [huː] *pron* **1** (*interrogative*) chi; **~ is it?**,
~'s there? chi è?
2 (*relative*) che; **the man ~ spoke to me**
l'uomo che ha parlato con me; **those ~
can swim** quelli che sanno nuotare.

whodunit [huː'dʌnɪt] *n* (*col*) giallo.
whoever [huː'ɛvə*] *pron*: **~ finds it**
chiunque lo trovi; **ask ~ you like** lo
chieda a chiunque vuole; **~ told you that?**
chi mai gliel'ha detto?
whole [həul] *adj* (*complete*) tutto(a),
completo(a); (*not broken*) intero(a),
intatto(a) ♦ *n* (*total*) totale *m*; (*sth not
broken*) tutto; **the ~ lot** (*of it*) tutto; **the ~
lot** (*of them*) tutti; **the ~ of the time** tutto
il tempo; **the ~ of the town** la città
intera; **on the ~, as a ~** nel complesso,
nell'insieme; **~ villages were destroyed**
interi paesi furono distrutti.
wholehearted [həul'hɑːtɪd] *adj*
sincero(a).
wholemeal ['həulmiːl] *adj* (*BRIT: flour, bread*)
integrale.
whole note *n* (*US*) semibreve *f*.
wholesale ['həulseɪl] *n* commercio *or*
vendita all'ingrosso ♦ *adj* all'ingrosso;
(*destruction*) totale.
wholesaler ['həulseɪlə*] *n* grossista
m/f.
wholesome ['həulsəm] *adj* sano(a);
(*climate*) salubre.
wholewheat ['həulwiːt] *adj* = **wholemeal**.
wholly ['həulɪ] *adv* completamente, del
tutto.

════════════════════════ *KEYWORD*

whom [huːm] *pron* **1** (*interrogative*) chi; **~
did you see?** chi hai visto?; **to ~ did you
give it?** a chi lo hai dato?
2 (*relative*) che, *prep* + il (la) quale; **the
man ~ I saw** l'uomo che ho visto; **the
man to ~ I spoke** l'uomo al *or* con il quale
ho parlato; **those to ~ I spoke** le persone
alle *or* con le quali ho parlato.

whooping cough ['huːpɪŋ-] *n* pertosse
f.
whoops [wuːps] *excl*: **~-a-daisy!** ops!
whoosh [wuʃ] *n*: **it came out with a ~**
(*sauce etc*) è uscito di getto; (*air*) è uscito
con un sibilo.
whopper ['wɔpə*] *n* (*col: lie*) balla; (: *large
thing*) cosa enorme.
whopping ['wɔpɪŋ] *adj* (*col: big*) enorme.
whore [hɔː*] *n* (*pej*) puttana.

━━━━━━━━━━━━━━━━ KEYWORD

whose [hu:z] *adj* **1** (*possessive: interrogative*) di chi; ~ **book is this?**, ~ **is this book?** di chi è questo libro?; ~ **daughter are you?** di chi sei figlia?; ~ **pencil have you taken?** di chi è la matita che hai preso?
2 (*possessive: relative*): **the man** ~ **son you rescued** l'uomo il cui figlio hai salvato *or* a cui hai salvato il figlio; **the girl** ~ **sister you were speaking to** la ragazza alla cui sorella stavi parlando ♦ *pron* di chi; ~ **is this?** di chi è questo?; **I know** ~ **it is** so di chi è.

Who's Who ['hu:z'hu:] *n elenco di personalità.*

why [waɪ] *adv, conj* perché ♦ *excl* (*surprise*) ma guarda un po'!; (*remonstrating*) ma (via)!; (*explaining*) ebbene!; ~ **not?** perché no?; ~ **not do it now?** perché non farlo adesso?; **the reason** ~ il motivo per cui.

whyever [waɪ'ɛvə*] *adv* perché mai.

WI *n abbr* (*BRIT*: = Women's Institute) circolo femminile ♦ *abbr* (*GEO*) = **West Indies**; (*US*) = **Wisconsin.**

wick [wɪk] *n* lucignolo, stoppino.

wicked ['wɪkɪd] *adj* cattivo(a), malvagio(a); (*mischievous*) malizioso(a); (*terrible: prices, weather*) terribile.

wicker ['wɪkə*] *n* vimine *m*; (*also*: ~**work**) articoli *mpl* di vimini.

wicket ['wɪkɪt] *n* (*CRICKET*) porta; area tra le due porte.

wicket keeper *n* (*CRICKET*) ≈ portiere *m*.

wide [waɪd] *adj* largo(a); (*region, knowledge*) vasto(a); (*choice*) ampio(a) ♦ *adv*: **to open** ~ spalancare; **to shoot** ~ tirare a vuoto *or* fuori bersaglio; **it is 3 metres** ~ è largo 3 metri.

wide-angle lens ['waɪdæŋgl-] *n* grandangolare *m*.

wide-awake [waɪdə'weɪk] *adj* completamente sveglio(a).

wide-eyed [waɪd'aɪd] *adj* con gli occhi spalancati.

widely ['waɪdlɪ] *adv* (*different*) molto, completamente; (*believed*) generalmente; ~ **spaced** molto distanziati(e); **to be** ~ **read** (*author*) essere molto letto; (*reader*) essere molto colto.

widen ['waɪdn] *vt* allargare, ampliare.

wideness ['waɪdnɪs] *n* larghezza; vastità; ampiezza.

wide open *adj* spalancato(a).

wide-ranging [waɪd'reɪndʒɪŋ] *adj* (*survey, report*) vasto(a); (*interests*) svariato(a).

widespread ['waɪdsprɛd] *adj* (*belief etc*) molto *or* assai diffuso(a).

widow ['wɪdəu] *n* vedova.

widowed ['wɪdəud] *adj* (che è rimasto(a)) vedovo(a).

widower ['wɪdəuə*] *n* vedovo.

width [wɪdθ] *n* larghezza; **it's 7 metres in** ~ è largo 7 metri.

widthways ['wɪdθweɪz] *adv* trasversalmente.

wield [wi:ld] *vt* (*sword*) maneggiare; (*power*) esercitare.

wife, *pl* **wives** [waɪf, waɪvz] *n* moglie *f.*

wig [wɪg] *n* parrucca.

wigging ['wɪgɪŋ] *n* (*BRIT col*) lavata di capo.

wiggle ['wɪgl] *vt* dimenare, agitare ♦ *vi* (*loose screw etc*) traballare; (*worm*) torcersi.

wiggly ['wɪglɪ] *adj* (*line*) ondulato(a), sinuoso(a).

wild [waɪld] *adj* (*animal, plant*) selvatico(a); (*countryside, appearance*) selvaggio(a); (*sea*) tempestoso(a); (*idea, life*) folle; (*col: angry*) arrabbiato(a), furibondo(a); (*enthusiastic*): **to be** ~ **about** andar pazzo(a) per ♦ *n*: **the** ~ la natura; ~**s** *npl* regione *f* selvaggia.

wild card *n* (*COMPUT*) wild card *m inv.*

wildcat ['waɪldkæt] *n* gatto(a) selvatico(a).

wildcat strike *n* ≈ sciopero selvaggio.

wilderness ['wɪldənɪs] *n* deserto.

wildfire ['waɪldfaɪə*] *n*: **to spread like** ~ propagarsi rapidamente.

wild-goose chase [waɪld'gu:s-] *n* (*fig*) pista falsa.

wildlife ['waɪldlaɪf] *n* natura.

wildly ['waɪldlɪ] *adv* (*applaud*) freneticamente; (*hit, guess*) a casaccio; (*happy*) follemente.

wiles [waɪlz] *npl* astuzie *fpl.*

wilful, (*US*) **willful** ['wɪlful] *adj* (*person*) testardo(a); ostinato(a); (*action*) intenzionale; (*crime*) premeditato(a).

━━━━━━━━━━━━━━━━ KEYWORD

will [wɪl] *aux vb* **1** (*forming future tense*): **I** ~ **finish it tomorrow** lo finirò domani; **I** ~ **have finished it by tomorrow** lo finirò entro domani; ~ **you do it? – yes I** ~**/no I won't** lo farai? – sì (lo farò)/no (non lo farò); **the car won't start** la macchina non parte
2 (*in conjectures, predictions*): **he** ~ *or* **he'll be there by now** dovrebbe essere arrivato a quest'ora; **that** ~ **be the postman** sarà il postino
3 (*in commands, requests, offers*): ~ **you be quiet!** vuoi stare zitto?; ~ **you sit down?**

(*politely*) prego, si accomodi; (*angrily*) vuoi metterti seduto?; ~ **you come?** vieni anche tu?; ~ **you help me?** mi aiuti?, mi puoi aiutare?; **you won't lose it,** ~ **you?** non lo perderai, vero?; ~ **you have a cup of tea?** vorrebbe una tazza di tè?; **I won't put up with it!** non lo accetterò!

♦ *vt* (*pt, pp* ~**ed**): **to** ~ **sb to do** pregare tra sé perché qn faccia; **he** ~**ed himself to go on** continuò grazie a un grande sforzo di volontà

♦ *n* **1** (*desire*) volontà; **against sb's** ~ contro la volontà *or* il volere di qn; **to do sth of one's own free** ~ fare qc di propria volontà

2 (*LAW*) testamento; **to make a/one's** ~ fare testamento.

willful ['wɪlful] *adj* (*US*) = **wilful**.
willing ['wɪlɪŋ] *adj* volonteroso(a) ♦ *n*: **to show** ~ dare prova di buona volontà; ~ **to do** disposto(a) a fare.
willingly ['wɪlɪŋlɪ] *adv* volentieri.
willingness ['wɪlɪŋnɪs] *n* buona volontà.
will-o'-the-wisp [wɪləðə'wɪsp] *n* (*also fig*) fuoco fatuo.
willow ['wɪləu] *n* salice *m*.
will power *n* forza di volontà.
willy-nilly ['wɪlɪ'nɪlɪ] *adv* volente o nolente.
wilt [wɪlt] *vi* appassire.
Wilts [wɪlts] *abbr* (*BRIT*) = *Wiltshire*.
wily ['waɪlɪ] *adj* furbo(a).
wimp [wɪmp] *n* (*col*) mezza calzetta.
win [wɪn] *n* (*in sports etc*) vittoria ♦ *vb* (*pt, pp* **won** [wʌn]) *vt* (*battle, prize*) vincere; (*money*) guadagnare; (*popularity*) conquistare; (*contract*) aggiudicarsi ♦ *vi* vincere.
►**win over,** (*BRIT*) **win round** *vt* convincere.
wince [wɪns] *n* trasalimento, sussulto ♦ *vi* trasalire.
winch [wɪntʃ] *n* verricello, argano.
Winchester disk ['wɪntʃɪstə-] *n* (*COMPUT*) disco Winchester.
wind *n* [wɪnd] vento; (*MED*) flatulenza, ventosità ♦ *vb* [waɪnd] (*pt, pp* **wound** [waund]) *vt* attorcigliare; (*wrap*) avvolgere; (*clock, toy*) caricare; (*take breath away*: [wɪnd]) far restare senza fiato ♦ *vi* (*road, river*) serpeggiare; **the** ~**(s)** (*MUS*) i fiati; **into** *or* **against the** ~ controvento; **to get** ~ **of sth** venire a sapere qc; **to break** ~ scoreggiare (*col*).
►**wind down** *vt* (*car window*) abbassare; (*fig: production, business*) diminuire.
►**wind up** *vt* (*clock*) caricare; (*debate*) concludere.

windbreak ['wɪndbreɪk] *n* frangivento.
windcheater ['wɪndtʃiːtə*], (*US*) **windbreaker** ['wɪndbreɪkə*] *n* giacca a vento.
winder ['waɪndə*] *n* (*BRIT: on watch*) corona di carica.
windfall ['wɪndfɔːl] *n* colpo di fortuna.
winding ['waɪndɪŋ] *adj* (*road*) serpeggiante; (*staircase*) a chiocciola.
wind instrument *n* (*MUS*) strumento a fiato.
windmill ['wɪndmɪl] *n* mulino a vento.
window ['wɪndəu] *n* (*gen, COMPUT*) finestra; (*in car, train*) finestrino; (*in shop etc*) vetrina; (*also*: ~ **pane**) vetro.
window box *n* cassetta da fiori.
window cleaner *n* (*person*) pulitore *m* di finestre.
window dressing *n* allestimento della vetrina.
window envelope *n* busta a finestra.
window frame *n* telaio di finestra.
window ledge *n* davanzale *m*.
window pane *n* vetro.
window-shopping ['wɪndəuʃɔpɪŋ] *n*: **to go** ~ andare a vedere le vetrine.
windowsill ['wɪndəusɪl] *n* davanzale *m*.
windpipe ['wɪndpaɪp] *n* trachea.
wind power *n* energia eolica.
windscreen ['wɪndskriːn], (*US*) **windshield** ['wɪndʃiːld] *n* parabrezza *m inv*.
windscreen washer *n* lavacristallo.
windscreen wiper *n* tergicristallo.
windshield ['wɪndʃiːld] *n* (*US*) = **windscreen**.
windsurfing ['wɪndsə:fɪŋ] *n* windsurf *m inv*.
windswept ['wɪndswept] *adj* spazzato(a) dal vento.
wind tunnel *n* galleria aerodinamica *or* del vento.
windy ['wɪndɪ] *adj* ventoso(a); **it's** ~ c'è vento.
wine [waɪn] *n* vino ♦ *vt*: **to** ~ **and dine sb** offrire un ottimo pranzo a qn.
wine bar *n* enoteca.
wine cellar *n* cantina.
wine glass *n* bicchiere *m* da vino.
wine list *n* lista dei vini.
wine merchant *n* commerciante *m* di vino.
wine tasting *n* degustazione *f* dei vini.
wine waiter *n* sommelier *m inv*.
wing [wɪŋ] *n* ala; ~**s** *npl* (*THEAT*) quinte *fpl*.
winger ['wɪŋə*] *n* (*SPORT*) ala.
wing mirror *n* (*BRIT*) specchietto retrovisore esterno.
wing nut *n* galletto.

wingspan ['wɪŋspæn], **wingspread** ['wɪŋsprɛd] *n* apertura alare, apertura d'ali.
wink [wɪŋk] *n* occhiolino, strizzatina d'occhi ♦ *vi* ammiccare, fare l'occhiolino.
winkle ['wɪŋkl] *n* litorina.
winner ['wɪnə*] *n* vincitore/trice.
winning ['wɪnɪŋ] *adj* (*team*) vincente; (*goal*) decisivo(a); (*charming*) affascinante; *see also* **winnings**.
winning post *n* traguardo.
winnings ['wɪnɪŋz] *npl* vincite *fpl*.
winsome ['wɪnsəm] *adj* accattivante.
winter ['wɪntə*] *n* inverno; **in** ~ d'inverno, in inverno.
winter sports *npl* sport *mpl* invernali.
wintry ['wɪntrɪ] *adj* invernale.
wipe [waɪp] *n* pulita, passata ♦ *vt* pulire (strofinando); (*dishes*) asciugare; **to give sth a** ~ dare una pulita *or* una passata a qc; **to** ~ **one's nose** soffiarsi il naso.
▶**wipe off** *vt* cancellare; (*stains*) togliere strofinando.
▶**wipe out** *vt* (*debt*) pagare, liquidare; (*memory*) cancellare; (*destroy*) annientare.
▶**wipe up** *vt* asciugare.
wire ['waɪə*] *n* filo; (*ELEC*) filo elettrico; (*TEL*) telegramma *m* ♦ *vt* (*ELEC*: *house*) fare l'impianto elettrico di; (: *circuit*) installare; (*also*: ~ **up**) collegare, allacciare.
wire brush *n* spazzola metallica.
wire cutters [-kʌtəz] *npl* tronchese *m or f*.
wireless ['waɪəlɪs] *n* (*BRIT*) telegrafia senza fili; (*set*) (apparecchio *m*) radio *f inv*.
wire netting *n* rete *f* metallica.
wire service *n* (*US*) = **news agency**.
wire-tapping ['waɪə'tæpɪŋ] *n* intercettazione *f* telefonica.
wiring ['waɪərɪŋ] *n* (*ELEC*) impianto elettrico.
wiry ['waɪərɪ] *adj* magro(a) e nerboruto(a).
Wis(c). *abbr* (*US*) = **Wisconsin**.
wisdom ['wɪzdəm] *n* saggezza; (*of action*) prudenza.
wisdom tooth *n* dente *m* del giudizio.
wise [waɪz] *adj* saggio(a); (*advice, remark*) prudente; **I'm none the** ~**r** ne so come prima.
▶**wise up** *vi* (*col*): **to** ~ **up to** divenire più consapevole di.
... wise [waɪz] *suffix*: **time**~ per quanto riguarda il tempo, in termini di tempo.
wisecrack ['waɪzkræk] *n* battuta spiritosa.
wish [wɪʃ] *n* (*desire*) desiderio; (*specific desire*) richiesta ♦ *vt* desiderare, volere; **best** ~**es** (*on birthday etc*) i migliori

auguri; **with best** ~**es** (*in letter*) cordiali saluti, con i migliori saluti; **give her my best** ~**es** le faccia i migliori auguri da parte mia; **to** ~ **sb goodbye** dire arrivederci a qn; **he** ~**ed me well** mi augurò di riuscire; **to** ~ **to do/sb to do** desiderare *or* volere fare/che qn faccia; **to** ~ **for** desiderare; **to** ~ **sth on sb** rifilare qc a qn.
wishbone ['wɪʃbəun] *n* forcella.
wishful ['wɪʃful] *adj*: **it's** ~ **thinking** è prendere i desideri per realtà.
wishy-washy ['wɪʃɪ'wɔʃɪ] *adj* insulso(a).
wisp [wɪsp] *n* ciuffo, ciocca; (*of smoke, straw*) filo.
wistful ['wɪstful] *adj* malinconico(a); (*nostalgic*) nostalgico(a).
wit [wɪt] *n* (*gen pl*) intelligenza; presenza di spirito; (*wittiness*) spirito, arguzia; (*person*) bello spirito; **to be at one's** ~**s' end** (*fig*) non sapere più cosa fare; **to have** *or* **keep one's** ~**s about one** avere presenza di spirito; **to** ~ *adv* cioè.
witch [wɪtʃ] *n* strega.
witchcraft ['wɪtʃkrɑːft] *n* stregoneria.
witch doctor *n* stregone *m*.
witch-hunt ['wɪtʃhʌnt] *n* (*fig*) caccia alle streghe.

================= *KEYWORD*

with [wɪð, wɪθ] *prep* **1** (*in the company of*) con; **I was** ~ **him** ero con lui; **we stayed** ~ **friends** siamo stati da amici; **I'll be** ~ **you in a minute** vengo subito
2 (*descriptive*) con; **a room** ~ **a view** una camera con vista (sul mare *or* sulle montagne *etc*); **the man** ~ **the grey hat/blue eyes** l'uomo con il cappello grigio/gli occhi blu
3 (*indicating manner, means, cause*): ~ **tears in her eyes** con le lacrime agli occhi; **red** ~ **anger** rosso(a) dalla rabbia; **to shake** ~ **fear** tremare di paura; **covered** ~ **snow** coperto(a) di neve
4: **I'm** ~ **you** (*I understand*) la seguo; **I'm not really** ~ **it today** (*col*) oggi sono un po' fuori.

withdraw [wɪθ'drɔː] *vb* (*irreg*) *vt* ritirare; (*money from bank*) ritirare, prelevare ♦ *vi* ritirarsi; **to** ~ **into o.s.** chiudersi in se stesso.
withdrawal [wɪθ'drɔːəl] *n* ritiro; prelievo; (*of army*) ritirata; (*MED*) stato di privazione.
withdrawal symptoms *npl* crisi *f* di astinenza.
withdrawn [wɪθ'drɔːn] *pp of* **withdraw** ♦ *adj*

distaccato(a).

wither ['wɪðə*] vi appassire.

withered ['wɪðəd] adj appassito(a); (limb) atrofizzato(a).

withhold [wɪθ'həuld] vt irreg (money) trattenere; (permission): **to ~ (from)** rifiutare (a); (information): **to ~ (from)** nascondere (a).

within [wɪð'ɪn] prep all'interno di; (in time, distances) entro ♦ adv all'interno, dentro; **~ sight of** in vista di; **~ a mile of** entro un miglio da; **~ the week** prima della fine della settimana; **~ an hour from now** da qui a un'ora; **to be ~ the law** restare nei limiti della legge.

without [wɪð'aut] prep senza; **to go** or **do ~ sth** fare a meno di qc; **~ anybody knowing** senza che nessuno lo sappia.

withstand [wɪθ'stænd] vt irreg resistere a.

witness ['wɪtnɪs] n (person) testimone m/f ♦ vt (event) essere testimone di; (document) attestare l'autenticità di ♦ vi: **to ~ to sth/having seen sth** testimoniare qc/di aver visto qc; **to bear ~ to sth** testimoniare qc; **~ for the prosecution/ defence** testimone a carico/discarico.

witness box, (US) **witness stand** n banco dei testimoni.

witticism ['wɪtɪsɪzəm] n spiritosaggine f.

witty ['wɪtɪ] adj spiritoso(a).

wives [waɪvz] npl of **wife**.

wizard ['wɪzəd] n mago.

wizened ['wɪznd] adj raggrinzito(a).

wk abbr = **week.**

Wm. abbr = **William.**

WO n abbr see **warrant officer.**

wobble ['wɔbl] vi tremare; (chair) traballare.

wobbly ['wɔblɪ] adj (hand, voice) tremante; (table, chair) traballante; (object about to fall) che oscilla pericolosamente.

woe [wəu] n dolore m; disgrazia.

woeful ['wəuful] adj (sad) triste; (deplorable) deplorevole.

wok [wɔk] n wok m inv (padella concava usata nella cucina cinese).

woke [wəuk] pt of **wake.**

woken ['wəukn] pp of **wake.**

wolf, pl **wolves** [wulf, wulvz] n lupo.

woman, pl **women** ['wumən, 'wɪmɪn] n donna ♦ cpd: **~ doctor** n dottoressa; **~ friend** n amica; **~ teacher** n insegnante f; **women's page** n (PRESS) rubrica femminile.

womanize ['wumənaɪz] vi essere un donnaiolo.

womanly ['wumənlɪ] adj femminile.

womb [wu:m] n (ANAT) utero.

women ['wɪmɪn] npl of **woman.**

Women's (Liberation) Movement n (also: **Women's Lib**) Movimento per la Liberazione della Donna.

won [wʌn] pt, pp of **win.**

wonder ['wʌndə*] n meraviglia ♦ vi: **to ~ whether** domandarsi se; **to ~ at** essere sorpreso(a) di; meravigliarsi di; **to ~ about** domandarsi di; pensare a; **it's no ~ that** c'è poco or non c'è da meravigliarsi che + sub.

wonderful ['wʌndəful] adj meraviglioso(a).

wonderfully ['wʌndəfəlɪ] adv (+ adjective) meravigliosamente; (+ verb) a meraviglia.

wonky ['wɔŋkɪ] adj (BRIT col) traballante.

wont [wəunt] n: **as is his/her ~** com'è solito/a fare.

won't [wəunt] = **will not.**

woo [wu:] vt (woman) fare la corte a.

wood [wud] n legno; (timber) legname m; (forest) bosco ♦ cpd di bosco, silvestre.

wood carving n scultura in legno, intaglio.

wooded ['wudɪd] adj boschivo(a); boscoso(a).

wooden ['wudn] adj di legno; (fig) rigido(a); inespressivo(a).

woodland ['wudlənd] n zona boscosa.

woodpecker ['wudpɛkə*] n picchio.

wood pigeon n colombaccio, palomba.

woodwind ['wudwɪnd] npl (MUS): **the ~** i legni.

woodwork ['wudwə:k] n parti fpl in legno; (craft, subject) falegnameria.

woodworm ['wudwə:m] n tarlo del legno.

woof [wuf] n (of dog) bau bau m ♦ vi abbaiare; **~, ~!** bau bau!

wool [wul] n lana; **to pull the ~ over sb's eyes** (fig) fargliela a qn.

woollen, (US) **woolen** ['wulən] adj di lana ♦ n: **~s** indumenti mpl di lana.

woolly, (US) **wooly** ['wulɪ] adj lanoso(a); (fig: ideas) confuso(a).

woozy ['wu:zɪ] adj (col) stordito(a).

word [wə:d] n parola; (news) notizie fpl ♦ vt esprimere, formulare; **~ for ~** parola per parola, testualmente; **what's the ~ for "pen" in Italian?** come si dice "pen" in italiano?; **to put sth into ~s** esprimere qc a parole; **in other ~s** in altre parole; **to have a ~ with sb** scambiare due parole con qn; **to have ~s with sb** (quarrel with) avere un diverbio con qn; **to break/keep one's ~** non mantenere/mantenere la propria parola; **I'll take your ~ for it** la crederò sulla parola; **to send ~ of** avvisare di; **to leave ~ (with** or **for sb) that ...** lasciare detto (a qn) che ....

wording ['wɔ:dɪŋ] n formulazione f.

word of mouth n passaparola m; **I learned it by** or **through** ~ lo so per sentito dire.

word-perfect ['wɔ:d'pəfɪkt] adj (speech etc) imparato(a) a memoria.

word processing n word processing m, elaborazione f testi.

word processor n word processor m inv.

wordwrap ['wɔ:dræp] n (COMPUT) ritorno carrello automatico.

wordy ['wɔ:dɪ] adj verboso(a), prolisso(a).

wore [wɔ:*] pt of wear.

work [wɔ:k] n lavoro; (ART, LITERATURE) opera ♦ vi lavorare; (mechanism, plan etc) funzionare; (medicine) essere efficace ♦ vt (clay, wood etc) lavorare; (mine etc) sfruttare; (machine) far funzionare; **to be at** ~ (**on sth**) lavorare (a qc); **to set to** ~, **to start** ~ mettersi all'opera; **to go to** ~ andare al lavoro; **to be out of** ~ essere disoccupato(a); **to** ~ **one's way through a book** riuscire a leggersi tutto un libro; **to** ~ **one's way through college** lavorare per pagarsi gli studi; **to** ~ **hard** lavorare sodo; **to** ~ **loose** allentarsi; see also **works**.

▶**work on** vt fus lavorare a; (principle) basarsi su; **he's** ~**ing on the car** sta facendo dei lavori alla macchina.

▶**work out** vi (plans etc) riuscire, andare bene; (SPORT) allenarsi ♦ vt (problem) risolvere; (plan) elaborare; **it** ~**s out at £100** fa 100 sterline.

workable ['wɔ:kəbl] adj (solution) realizzabile.

workaholic [wɔ:kə'hɔlɪk] n stacanovista m/f.

workbench ['wɔ:kbɛntʃ] n banco (da lavoro).

worked up adj: **to get** ~ andare su tutte le furie; eccitarsi.

worker ['wɔ:kə*] n lavoratore/trice; (esp AGR, INDUSTRY) operaio/a; **office** ~ impiegato/a.

work force n forza lavoro.

work-in ['wɔ:kɪn] n (BRIT) sciopero alla rovescia.

working ['wɔ:kɪŋ] adj (day) feriale; (tools, conditions) di lavoro; (clothes) da lavoro; (wife) che lavora; (partner) attivo(a); **in** ~ **order** funzionante; ~ **knowledge** conoscenza pratica.

working capital n (COMM) capitale m d'esercizio.

working class n classe f operaia or lavoratrice ♦ adj: **working-class** operaio(a).

working man n lavoratore m.

working party n (BRIT) commissione f.

working week n settimana lavorativa.

work-in-progress ['wɔ:kɪn'prəugrɛs] n (products) lavoro in corso; (value) valore m del manufatto in lavorazione.

workload ['wɔ:kləud] n carico di lavoro.

workman ['wɔ:kmən] n operaio.

workmanship ['wɔ:kmənʃɪp] n (of worker) abilità; (of thing) fattura.

workmate ['wɔ:kmeɪt] n collega m/f.

workout ['wɔ:kaut] n (SPORT) allenamento.

work permit n permesso di lavoro.

works [wɔ:ks] n (BRIT: factory) fabbrica ♦ npl (of clock, machine) meccanismo; **road** ~ opere stradali.

works council n consiglio aziendale.

work sheet n (COMPUT) foglio col programma di lavoro.

workshop ['wɔ:kʃɔp] n officina.

work station n stazione f di lavoro.

work study n studio di organizzazione del lavoro.

worktop ['wɔ:ktɔp] n piano di lavoro.

work-to-rule ['wɔ:ktə'ru:l] n (BRIT) sciopero bianco.

world [wɔ:ld] n mondo ♦ cpd (tour) del mondo; (record, power, war) mondiale; **all over the** ~ in tutto il mondo; **to think the** ~ **of sb** pensare un gran bene di qn; **out of this** ~ (fig) formidabile; **what in the** ~ **is he doing?** che cavolo sta facendo?; **to do sb a** ~ **of good** fare un gran bene a qn; **W**~ **War One/Two** la prima/seconda guerra mondiale.

world champion n campione/essa mondiale.

World Cup n (FOOTBALL) Coppa del Mondo.

world-famous [wɔ:ld'feɪməs] adj di fama mondiale.

worldly ['wɔ:ldlɪ] adj di questo mondo.

world music n musica etnica.

World Series n: **the** ~ (US BASEBALL) la finalissima di baseball.

world-wide ['wɔ:ld'waɪd] adj universale.

worm [wɔ:m] n verme m.

worn [wɔ:n] pp of wear ♦ adj usato(a).

worn-out ['wɔ:naut] adj (object) consumato(a), logoro(a); (person) sfinito(a).

worried ['wʌrɪd] adj preoccupato(a); **to be** ~ **about sth** essere preoccupato per qc.

worrier ['wʌrɪə*] n ansioso/a.

worrisome ['wʌrɪsəm] adj preoccupante.

worry ['wʌrɪ] n preoccupazione f ♦ vt preoccupare ♦ vi preoccuparsi; **to** ~ **about** or **over sth/sb** preoccuparsi di qc/ per qn.

worrying ['wʌrɪɪŋ] adj preoccupante.

worse [wɔ:s] *adj* peggiore ♦ *adv, n* peggio; **a change for the** ~ un peggioramento; **to get** ~, **to grow** ~ peggiorare; **he is none the** ~ **for it** non ha avuto brutte conseguenze; **so much the** ~ **for you!** tanto peggio per te!

worsen ['wɔ:sn] *vt, vi* peggiorare.

worse off *adj* in condizioni (economiche) peggiori; (*fig*): **you'll be** ~ **this way** così sarà peggio per lei; **he is now** ~ **than before** ora è in condizioni peggiori di prima.

worship ['wɔ:ʃɪp] *n* culto ♦ *vt* (*God*) adorare, venerare; (*person*) adorare; **Your W**~ (*to mayor*) signor sindaco; (*to judge*) signor giudice.

worshipper ['wɔ:ʃɪpə*] *n* adoratore/trice; (*in church*) fedele *m/f*, devoto/a.

worst [wɔ:st] *adj* il(la) peggiore ♦ *adv, n* peggio; **at** ~ al peggio, per male che vada; **to come off** ~ avere la peggio; **if the** ~ **comes to the** ~ nel peggior dei casi.

worst-case ['wɔ:st'keɪs] *adj*: **the** ~ **scenario** la peggiore delle ipotesi.

worsted ['wustɪd] *n*: (**wool**) ~ **lana** pettinata.

worth [wɔ:θ] *n* valore *m* ♦ *adj*: **to be** ~ valere; **how much is it** ~? quanto vale?; **it's** ~ **it** ne vale la pena; **it's not** ~ **the trouble** non ne vale la pena; **50 pence** ~ **of apples** 50 pence di mele.

worthless ['wɔ:θlɪs] *adj* di nessun valore.

worthwhile ['wɔ:θ'waɪl] *adj* (*activity*) utile; (*cause*) lodevole; **a** ~ **book** un libro che vale la pena leggere.

worthy ['wɔ:ðɪ] *adj* (*person*) degno(a); (*motive*) lodevole; ~ **of** degno di.

============= *KEYWORD*

would [wud] *aux vb* **1** (*conditional tense*): **if you asked him he** ~ **do it** se glielo chiedesse lo farebbe; **if you had asked him he** ~ **have done it** se glielo avesse chiesto lo avrebbe fatto

2 (*in offers, invitations, requests*): ~ **you like a biscuit?** vorrebbe *or* vuole un biscotto?; ~ **you ask him to come in?** lo faccia entrare, per cortesia; ~ **you open the window please?** apra la finestra, per favore

3 (*in indirect speech*): **I said I** ~ **do it** ho detto che l'avrei fatto

4 (*emphatic*): **it WOULD have to snow today!** doveva proprio nevicare oggi!

5 (*insistence*): **she** ~**n't do it** non ha voluto farlo

6 (*conjecture*): **it** ~ **have been midnight** sarà stata mezzanotte; **it** ~ **seem so** sembrerebbe proprio di sì

7 (*indicating habit*): **he** ~ **go there on Mondays** andava lì ogni lunedì.

would-be ['wudbi:] *adj* (*pej*) sedicente.

wound *vb* [waund] *pt, pp of* **wind** ♦ *n, vt* [wu:nd] *n* ferita ♦ *vt* ferire; ~**ed in the leg** ferito(a) alla gamba.

wove [wəuv] *pt of* **weave**.

WP *abbr* (*BRIT col*: = *weather permitting*) tempo permettendo ♦ *n abbr* = **word processing**; **word processor**.

WPC *n abbr* (*BRIT*: = *woman police constable*) donna poliziotto.

wpm *abbr* (= *words per minute*) p.p.m.

WRAC *n abbr* (*BRIT*: = *Women's Royal Army Corps*) ausiliarie dell'esercito.

WRAF *n abbr* (*BRIT*: = *Women's Royal Air Force*) ausiliarie dell'aeronautica militare.

wrangle ['ræŋgl] *n* litigio ♦ *vi* litigare.

wrap [ræp] *n* (*stole*) scialle *m*; (*cape*) mantellina ♦ *vt* (*also*: ~ **up**) avvolgere; (*parcel*) incartare; **under** ~**s** segreto.

wrapper ['ræpə*] *n* (*of book*) copertina; (*on chocolate*) carta.

wrapping paper ['ræpɪŋ-] *n* carta da pacchi; (*for gift*) carta da regali.

wrath [rɔθ] *n* collera, ira.

wreak [ri:k] *vt* (*destruction*) portare, causare; **to** ~ **vengeance on** vendicarsi su; **to** ~ **havoc on** portare scompiglio in.

wreath, ~s [ri:θ, ri:ðz] *n* corona.

wreck [rɛk] *n* (*sea disaster*) naufragio; (*ship*) relitto; (*pej: person*) rottame *m* ♦ *vt* demolire; (*ship*) far naufragare; (*fig*) rovinare.

wreckage ['rɛkɪdʒ] *n* rottami *mpl*; (*of building*) macerie *fpl*; (*of ship*) relitti *mpl*.

wrecker ['rɛkə*] *n* (*US: breakdown van*) carro *m* attrezzi *inv*.

WREN [rɛn] *n abbr* (*BRIT*) *membro del WRNS*.

wren [rɛn] *n* (*ZOOL*) scricciolo.

wrench [rɛntʃ] *n* (*TECH*) chiave *f*; (*tug*) torsione *f* brusca; (*fig*) strazio ♦ *vt* strappare; storcere; **to** ~ **sth from** strappare qc a *or* da.

wrest [rɛst] *vt*: **to** ~ **sth from sb** strappare qc a qn.

wrestle ['rɛsl] *vi*: **to** ~ (**with sb**) lottare (con qn); **to** ~ **with** (*fig*) combattere *or* lottare contro.

wrestler ['rɛslə*] *n* lottatore/trice.

wrestling ['rɛslɪŋ] *n* lotta; (*also*: **all-in** ~: *BRIT*) catch *m*, lotta libera.

wrestling match *n* incontro di lotta (*or*

lotta libera).

wretch [rɛtʃ] *n* disgraziato/a, sciagurato/a; **little** ~! (*often humorous*) birbante!

wretched ['rɛtʃɪd] *adj* disgraziato(a); (*col: weather, holiday*) orrendo(a), orribile; (: *child, dog*) pestifero(a).

wriggle ['rɪgl] *n* contorsione *f* ♦ *vi* dimenarsi; (*snake, worm*) serpeggiare, muoversi serpeggiando.

wring *pt, pp* **wrung** [rɪŋ, rʌŋ] *vt* torcere; (*wet clothes*) strizzare; (*fig*): **to** ~ **sth out of** strappare qc a.

wringer ['rɪŋə*] *n* strizzatoio (manuale).

wringing ['rɪŋɪŋ] *adj* (*also*: ~ **wet**) bagnato(a) fradicio(a).

wrinkle ['rɪŋkl] *n* (*on skin*) ruga; (*on paper etc*) grinza ♦ *vt* corrugare; raggrinzire ♦ *vi* corrugarsi; raggrinzirsi.

wrinkled ['rɪŋkld], **wrinkly** ['rɪŋklɪ] *adj* (*fabric, paper*) stropicciato(a); (*surface*) corrugato(a), increspato(a); (*skin*) rugoso(a).

wrist [rɪst] *n* polso.

wristband ['rɪstbænd] *n* (*of shirt*) polsino; (*of watch*) cinturino.

wrist watch *n* orologio da polso.

writ [rɪt] *n* ordine *m*; mandato; **to issue a** ~ **against sb, serve a** ~ **on sb** notificare un mandato di comparizione a qn.

write, *pt* **wrote,** *pp* **written** [raɪt, rəut, 'rɪtn] *vt, vi* scrivere; **to** ~ **sb a letter** scrivere una lettera a qn.

▶**write away** *vi*: **to** ~ **away for** (*information*) richiedere per posta; (*goods*) ordinare per posta.

▶**write down** *vt* annotare; (*put in writing*) mettere per iscritto.

▶**write off** *vt* (*debt*) cancellare; (*depreciate*) deprezzare; (*smash up: car*) distruggere.

▶**write out** *vt* scrivere; (*copy*) ricopiare.

▶**write up** *vt* redigere.

write-off ['raɪtɔf] *n* perdita completa; **the car is a** ~ la macchina va bene per il demolitore.

write-protect ['raɪtprə'tɛkt] *vt* (*COMPUT*) proteggere contro scrittura.

writer ['raɪtə*] *n* autore/trice, scrittore/ trice.

write-up ['raɪtʌp] *n* (*review*) recensione *f*.

writhe [raɪð] *vi* contorcersi.

writing ['raɪtɪŋ] *n* scrittura; (*of author*) scritto, opera; **in** ~ per iscritto; **in my own** ~ scritto di mio pugno.

writing case *n* nécessaire *m inv* per la corrispondenza.

writing desk *n* scrivania, scrittoio.

writing paper *n* carta da scrivere.

written ['rɪtn] *pp of* **write**.

WRNS *n abbr* (*BRIT*: = Women's Royal Naval Service*) ausiliarie della marina militare.

wrong [rɔŋ] *adj* sbagliato(a); (*not suitable*) inadatto(a); (*wicked*) cattivo(a); (*unfair*) ingiusto(a) ♦ *adv* in modo sbagliato, erroneamente ♦ *n* (*evil*) male *m*; (*injustice*) torto ♦ *vt* fare torto a; **to be** ~ (*answer*) essere sbagliato; (*in doing, saying*) avere torto; **you are** ~ **to do it** ha torto a farlo; **you are** ~ **about that, you've got it** ~ si sbaglia; **to be in the** ~ avere torto; **what's** ~? cosa c'è che non va?; **there's nothing** ~ va tutto bene; **what's** ~ **with the car?** cos'ha la macchina che non va?; **to go** ~ (*person*) sbagliarsi; (*plan*) fallire, non riuscire; (*machine*) guastarsi; **it's** ~ **to steal, stealing is** ~ è male rubare.

wrongdoer ['rɔŋduːə*] *n* malfattore/trice.

wrong-foot [rɔŋ'fut] *vt* (*SPORT; also fig*) prendere in contropiede.

wrongful ['rɔŋful] *adj* illegittimo(a); ingiusto(a); ~ **dismissal** licenziamento ingiustificato.

wrongly ['rɔŋlɪ] *adv* (*accuse, dismiss*) a torto; (*answer, do, count*) erroneamente; (*treat*) ingiustamente.

wrong number *n*: **you have the** ~ (*TEL*) ha sbagliato numero.

wrong side *n* (*of cloth*) rovescio.

wrote [rəut] *pt of* **write**.

wrought [rɔːt] *adj*: ~ **iron** ferro battuto.

wrung [rʌŋ] *pt, pp of* **wring**.

WRVS *n abbr* (*BRIT*) = Women's Royal Voluntary Service.

wry [raɪ] *adj* storto(a).

wt. *abbr* = **weight**.

WV, W. Va. *abbr* (*US*) = West Virginia.

WY, Wyo. *abbr* (*US*) = Wyoming.

WYSIWYG ['wɪzɪwɪg] *abbr* (*COMPUT*) = what you see is what you get.

X x

X, x [ɛks] *n* (*letter*) X, x *f or m inv*; (*BRIT CINE: old*) ≈ film vietato ai minori di 18 anni; **X for Xmas** ≈ X come Xeres.

Xerox ® ['zɪərɔks] *n* (*also*: ~ **machine**) fotocopiatrice *f*; (*photocopy*) fotocopia ♦ *vt* fotocopiare.

XL *abbr* = extra large.

Xmas ['ɛksməs] *n abbr* = **Christmas**.

X-rated ['ɛks'reɪtɪd] *adj* (*US: film*) ≈ vietato ai minori di 18 anni.

X-ray ['ɛks'reɪ] *n* raggio X; (*photograph*) radiografia ♦ *vt* radiografare; **to have an** ~ farsi fare una radiografia.

xylophone ['zaɪləfəun] *n* xilofono.

Y y

Y, y [waɪ] *n* (*letter*) Y, y *for m inv*; **Y for Yellow**, (*US*) **Y for Yoke** ≈ Y come Yacht.

yacht [jɔt] *n* panfilo, yacht *m inv*.

yachting ['jɔtɪŋ] *n* yachting *m*, sport *m* della vela.

yachtsman ['jɔtsmən] *n* yachtsman *m inv*.

yam [jæm] *n* igname *m*; (*sweet potato*) patata dolce.

Yank [jæŋk], **Yankee** ['jæŋkɪ] *n* (*pej*) yankee *m/f inv*, nordamericano/a.

yank [jæŋk] *n* strattone *m* ♦ *vt* tirare, dare uno strattone a.

yap [jæp] *vi* (*dog*) guaire.

yard [jɑːd] *n* (*of house etc*) cortile *m*; (*US: garden*) giardino; (*measure*) iarda (= *914 mm; 3 feet*); **builder's** ~ deposito di materiale da costruzione.

yardstick ['jɑːdstɪk] *n* (*fig*) misura, criterio.

yarn [jɑːn] *n* filato; (*tale*) lunga storia.

yawn [jɔːn] *n* sbadiglio ♦ *vi* sbadigliare.

yawning ['jɔːnɪŋ] *adj* (*gap*) spalancato(a).

yd. *abbr* = **yard**.

yeah [jɛə] *adv* (*col*) sì.

year [jɪə*] *n* (*gen, SCOL*) anno; (*referring to harvest, wine etc*) annata; **every** ~ ogni anno, tutti gli anni; **this** ~ quest'anno; ~ **in,** ~ **out** anno dopo anno; **she's three** ~**s old** ha tre anni; **a** ~ **or per** ~ all'anno.

yearbook ['jɪəbuk] *n* annuario.

yearly ['jɪəlɪ] *adj* annuale ♦ *adv* annualmente; **twice**-~ semestrale.

yearn [jɔːn] *vi:* **to** ~ **for sth/to do** desiderare ardentemente qc/di fare.

yearning ['jɔːnɪŋ] *n* desiderio intenso.

yeast [jiːst] *n* lievito.

yell [jɛl] *n* urlo ♦ *vi* urlare.

yellow ['jɛləu] *adj* giallo(a).

yellow fever *n* febbre *f* gialla.

yellowish ['jɛləuɪʃ] *adj* giallastro(a), giallognolo(a).

Yellow Pages ® *npl* pagine *fpl* gialle.

Yellow Sea *n:* **the** ~ il mar Giallo.

yelp [jɛlp] *n* guaito, uggiolio ♦ *vi* guaire, uggiolare.

Yemen ['jɛmən] *n* Yemen *m*.

yen [jɛn] *n* (*currency*) yen *m inv*; (*craving*): ~ **for/to do** gran voglia di/di fare.

yeoman ['jəumən] *n:* **Y**~ **of the Guard** guardiano della Torre di Londra.

yes [jɛs] *adv, n* sì (*m inv*); **to say** ~ (**to**) dire di sì (a), acconsentire (a).

yesterday ['jɛstədɪ] *adv, n* ieri (*m inv*); ~ **morning/evening** ieri mattina/sera; **the day before** ~ l'altro ieri; **all day** ~ ieri tutto il giorno.

yet [jɛt] *adv* ancora; già ♦ *conj* ma, tuttavia; **it is not finished** ~ non è ancora finito; **the best** ~ il migliore finora; **as** ~ finora; ~ **again** di nuovo; **must you go just** ~? deve andarsene di già?; **a few days** ~ ancora qualche giorno.

yew [juː] *n* tasso (*albero*).

Y-fronts ® ['waɪfrʌnts] *npl* (*BRIT*) slip *m inv* da uomo.

YHA *n abbr* (*BRIT:* = *Youth Hostels Association*) Y.H.A. *f*.

Yiddish ['jɪdɪʃ] *n* yiddish *m*.

yield [jiːld] *n* resa; (*of crops etc*) raccolto ♦ *vt* produrre, rendere; (*surrender*) cedere ♦ *vi* cedere; (*US AUT*) dare la precedenza; **a** ~ **of 5%** un profitto *or* un interesse del 5%.

YMCA *n abbr* (= *Young Men's Christian Association*) Y.M.C.A. *m*.

yob(bo) ['jɔb(əu)] *n* (*BRIT col*) bullo.

yodel ['jəudl] *vi* cantare lo jodel *or* alla tirolese.

yoga ['jəugə] *n* yoga *m*.

yog(h)ourt, yog(h)urt ['jəugət] *n* iogurt *m inv*.

yoke [jəuk] *n* giogo ♦ *vt* (*also:* ~ **together:** *oxen*) aggiogare.

yolk [jəuk] *n* tuorlo, rosso d'uovo.

yonder ['jɔndə*] *adv* là.

yonks [jɔŋks] *npl:* **for** ~ (*col*) da una vita.

Yorks [jɔːks] *abbr* (*BRIT*) = *Yorkshire*.

KEYWORD

you [juː] *pron* **1** (*subject*) tu; (*: polite form*) lei; (*: pl*) voi; (*: very formal*) loro; **Italians enjoy your food** a voi italiani piace mangiare bene; ~ **and I will go** andiamo io e te (*or* lei ed io); **if I was** *or* **were** ~ se fossi in te (*or* lei *etc*)
2 (*object: direct*) ti; la; vi; loro (*after vb*); (*: indirect*) ti; le; vi; loro (*after vb*); **I know** ~ ti (*or* la *or* vi) conosco; **I'll see** ~ **tomorrow** ci vediamo domani; **I gave it to** ~ te l'ho dato; gliel'ho dato; ve l'ho dato; l'ho dato loro

3 (*stressed, after prep, in comparisons*) te; lei; voi; loro; **I told YOU to do it** ho detto a TE (*or* a LEI *etc*) di farlo; **she's younger than** ~ è più giovane di te (*or* lei *etc*) **4** (*impers: one*) si; **fresh air does** ~ **good** l'aria fresca fa bene; ~ **never know** non si sa mai.

you'd [juːd] = **you had; you would.**

you'll [juːl] = **you will; you shall.**

young [jʌŋ] *adj* giovane ♦ *npl* (*of animal*) piccoli *mpl*; (*people*): **the** ~ i giovani, la gioventù; **a** ~ **man** un giovanotto; **a** ~ **lady** una signorina; **a** ~ **woman** una giovane donna; **the** ~**er generation** la nuova generazione; **my** ~**er brother** il mio fratello minore.

youngish [ˈjʌŋɪʃ] *adj* abbastanza giovane.

youngster [ˈjʌŋstə*] *n* giovanotto/a; (*child*) bambino/a.

your [jɔː*] *adj* il(la) tuo(a), *pl* i(le) tuoi(tue); (*polite form*) il(la) suo(a), *pl* i(le) suoi(sue); (*pl*) il(la) vostro(a), *pl* i(le) vostri(e); (: *very formal*) il(la) loro, *pl* i(le) loro.

you're [juə*] = **you are.**

yours [jɔːz] *pron* il(la) tuo(a), *pl* i(le) tuoi(tue); (*polite form*) il(la) suo(a), *pl* i(le) suoi(sue); (*pl*) il(la) vostro(a), *pl* i(le) vostri(e); (: *very formal*) il(la) loro, *pl* i(le) loro; ~ **sincerely/faithfully** (*in letter*) cordiali/distinti saluti; **a friend of** ~ un tuo (*or* suo *etc*) amico; **is it** ~? è tuo (*or* suo *etc*)?

yourself [jɔːˈsɛlf] *pron* (*reflexive*) ti; (: *polite form*) si; (*after prep*) te; se; (*emphatic*) tu stesso(a); lei stesso(a); **you** ~ **told me** me l'hai detto proprio tu, tu stesso me l'hai detto.

yourselves [jɔːˈsɛlvz] *pl pron* (*reflexive*) vi; (: *polite form*) si; (*after prep*) voi; loro; (*emphatic*) voi stessi(e); loro stessi(e).

youth [juːθ] *n* gioventù *f*; (*young man: pl* ~**s** [juːðz]) giovane *m*, ragazzo; **in my** ~ da giovane, quando ero giovane.

youth club *n* centro giovanile.

youthful [ˈjuːθful] *adj* giovane; da giovane; giovanile.

youthfulness [ˈjuːθfəlnɪs] *n* giovinezza.

youth hostel *n* ostello della gioventù.

youth movement *n* movimento giovanile.

you've [juːv] = **you have.**

yowl [jaul] *n* (*of dog, person*) urlo; (*of cat*) miagolio ♦ *vi* urlare; miagolare.

yr *abbr* = **year.**

YT *abbr* (*Canada*) = **Yukon Territory.**

Yugoslav [ˈjuːɡəuslɑːv] *adj, n* jugoslavo(a).

Yugoslavia [juːɡəuˈslɑːvɪə] *n* Jugoslavia.

Yugoslavian [juːɡəuˈslɑːvɪən] *adj, n* jugoslavo(a).

Yule log [juːl-] *n ceppo nel caminetto a Natale.*

yuppie [ˈjʌpɪ] *adj, n* (*col*) yuppie (*m/f*) *inv*.

YWCA *n abbr* (= *Young Women's Christian Association*) Y.W.C.A. *m.*

Z z

Z, z [zɛd, (*US*) ziː] *n* (*letter*) Z, z *f or m inv*; **Z for Zebra** ≈ Z come Zara.

Zaire [zɑːˈɪə*] *n* Zaire *m.*

Zambia [ˈzæmbɪə] *n* Zambia *m.*

Zambian [ˈzæmbɪən] *adj, n* zambiano(a).

zany [ˈzeɪnɪ] *adj* un po' pazzo(a).

zap [zæp] *vt* (*COMPUT*) cancellare.

zeal [ziːl] *n* zelo; entusiasmo.

zealot [ˈzɛlət] *n* zelota *m/f.*

zealous [ˈzɛləs] *adj* zelante; premuroso(a).

zebra [ˈziːbrə] *n* zebra.

zebra crossing *n* (*BRIT*) (passaggio pedonale a) strisce *fpl*, zebre *fpl.*

zenith [ˈzɛnɪθ] *n* zenit *m inv*; (*fig*) culmine *m.*

zero [ˈzɪərəu] *n* zero; **5° below** ~ 5° sotto zero.

zero hour *n* l'ora zero.

zero option *n* (*POL*) opzione *f* zero.

zero-rated [ˈzɪərəuˈreɪtɪd] *adj* (*BRIT*) ad aliquota zero.

zest [zɛst] *n* gusto; (*CULIN*) buccia.

zigzag [ˈzɪgzæg] *n* zigzag *m inv* ♦ *vi* zigzagare.

Zimbabwe [zɪmˈbɑːbwɪ] *n* Zimbabwe *m.*

Zimbabwean [zɪmˈbɑːbwɪən] *adj* dello Zimbabwe.

Zimmer ® [ˈzɪmə*] *n* (*also*: ~ **frame**) deambulatore *m.*

zinc [zɪŋk] *n* zinco.

Zionism [ˈzaɪənɪzəm] *n* sionismo.

Zionist [ˈzaɪənɪst] *adj* sionistico(a) ♦ *n* sionista *m/f.*

zip [zɪp] *n* (*also*: ~ **fastener,** (*US*) ~**per**) chiusura *f or* cerniera *f* lampo *inv*; (*energy*) energia, forza ♦ *vt* (*also*: ~ **up**) chiudere con una cerniera lampo.

zip code *n* (*US*) codice *m* di avviamento postale.

zither [ˈzɪðə*] *n* cetra.

zodiac [ˈzəudɪæk] *n* zodiaco.

zombie [ˈzɔmbɪ] *n* (*fig*): **like a** ~ come un morto che cammina.

zone [zəun] *n* zona.
zoo [zu:] *n* zoo *m inv*.
zoological [zuə'lɔdʒɪkl] *adj* zoologico(a).
zoologist [zu:'ɔlədʒɪst] *n* zoologo/a.
zoology [zu:'ɔlədʒɪ] *n* zoologia.
zoom [zu:m] *vi*: **to ~ past** sfrecciare; **to ~ in** **(on sb/sth)** (*PHOT, CINE*) zumare (su qn/qc).
zoom lens *n* zoom *m inv*, obiettivo a focale variabile.
zucchini [zu:'ki:nɪ] *n* (*pl inv*) (*US*) zucchina.
Zulu ['zu:lu:] *adj*, *n* zulù (*m/f*) *inv*.
Zürich ['zjuərɪk] *n* Zurigo *f*.

un luogo di vacanza (di ferie)
holiday spot.

luoghi molto lontani
far away places